АНГЛИЙСКО -
БЪЛГАРСКИ
РЕЧНИК

●

ENGLISH -
BULGARIAN
DICTIONARY

MARIA RANKOVA
THEODORA ATANASSOVA
IVANKA HARLAKOVA

ENGLISH— BULGARIAN DICTIONARY

VOLUME TWO M - Z

Second Phototype Edition

SOFIA 1992
PUBLISHING HOUSE
NAOUKA I IZKOUSTVO
11 SLAVEIKOV sq.

МАРИЯ РАНКОВА
ТЕОДОРА АТАНАСОВА
ИВАНКА ХАРЛАКОВА

АНГЛИЙСКО—БЪЛГАРСКИ РЕЧНИК

ТОМ ВТОРИ M - Z

Второ стереотипно издание

Със съдействието на "ДИНЕВ - TSS" ООД

СОФИЯ 1992
ИЗДАТЕЛСТВО
НАУКА И ИЗКУСТВО
пл. СЛАВЕЙКОВ 11

РЕЧНИКЪТ Е СЪСТАВЕН
ВЪЗ ОСНОВА НА АНГЛИЙСКИТЕ
И АМЕРИКАНСКИТЕ
ТЪЛКОВНИ РЕЧНИЦИ, ИЗЛЕЗЛИ
ПРЕЗ ПОСЛЕДНИТЕ
ГОДИНИ, И ОТРАЗЯВА
СЪВРЕМЕННОТО СЪСТОЯНИЕ
НА АНГЛИЙСКИЯ
И БЪЛГАРСКИЯ ЕЗИК.
АВТОРИТЕ
СА ЧЕРПИЛИ МАТЕРИАЛ
НЕ САМО ОТ РЕЧНИЦИ,
НО И ОТ ХУДОЖЕСТВЕНАТА
И НАУЧНОПОПУЛЯРНАТА
ЛИТЕРАТУРА
ОТ ПУБЛИЦИСТИКАТА И ПР.
РЕЧНИКЪТ
ОБХВАЩА ОСНОВНИЯ
РЕЧНИКОВ ФОНД
НА АНГЛИЙСКИЯ ЕЗИК.
В НЕГО СА ВКЛЮЧЕНИ
ТЕРМИНИ ИЗ ОБЛАСТТА
НА РАЗЛИЧНИТЕ НАУКИ,
ТЕХНИКАТА И СПОРТА.
ТОЙ Е ОБОГАТЕН
С НОВИ ЗНАЧЕНИЯ
НА НЯКОИ ДУМИ,
КОИТО НЕ СА ДАДЕНИ
В ИЗЛЕЗЛИТЕ ДОСЕГА У НАС
АНГЛИЙСКО-БЪЛГАРСКИ
РЕЧНИЦИ.
ОСОБЕНО ВНИМАНИЕ
Е ОБЪРНАТО
НА ФРАЗЕОЛОГИЯТА
И ИДИОМАТИКАТА
НА АНГЛИЙСКИЯ ЕЗИК.
ПРЕДНАЗНАЧЕН Е
ЗА ПРЕВОДАЧИ, ПРЕПОДАВАТЕЛИ,
СТУДЕНТИ И УЧАЩИ СЕ,
КОИТО ИСКАТ ДА РАЗШИРЯТ
ЗНАНИЯТА СИ
ПО АНГЛИЙСКИ ЕЗИК.

©
Мария Атанасова Ранкова
Теодора Пантелеева Атанасова
Иванка Стефанова Харлакова
1987
c/o Jusautor, Sofia
ISBN   954 - 02 - 0090 - 3
              954 - 02 - 0092 - X

Том втори. Второ стереотипно издание - допечатка.
Редактори Димитър Спасов, Стоянка Сербезова.
Художник Владислав Паскалев. Худ. редактор Кремена
Филчева. Тех. редактор Владимир Бояджийски.
Коректори Райна Зимбилева, Любомир Кузов, Виолета
Стефанова. Заложен за печат през ноември 1992.
Излязъл от печат през декември 1992. Печатни коли 34.
Издателски коли 44,06. Условно издателски коли 89,01.
Издателски № 30127. Формат 70/100/16. Тираж 25000.
ДФ"Наука и изкуство", София

M

M, m [em] *n* буквата M.
ma [ma:] *n разг. съкр. от* **mamma.**
mac [mæk] *разг.* = **mackintosh.**
Mac [mæk] *n* **1.** *разг.* шотландец; **2.** *ам. sl.* човек (*особ. като обръщение*).
macabre [mə'ka:br] *a фр.* страховит, ужасен.
macadam [mə'kædəm] *n* **1.** макадам, чакълена настилка (*на път*); **2.** *attr* с чакълена настилка.
macadamize [mə'kædəmaiz] *v* настилам (*път*) с чакъл.
macaque [mə'ka:k] *n зоол.* макак (Масаса).
macaroni [ˌmækə'rouni] *n* макарони.
macaronic [ˌmækə'rɔnik] **I.** *a. лит.* макаронически, шеговит, изпъстрен с латинизирани съвременни думи; **II.** *n обик. pl* макаронически стихове/език.
macaroon [ˌmækə'ru:n] *n* бадемова сладка; ореховка.
macaw [mə'kɔ:] *n зоол.* ара (Ara).
mace[1] [meis] *n* **1.** боздуган; **2.** жезъл.
mace[2] *n* сушена кора от индийско орехче.
macedoine [ˌmæsei'dwa:n] *n фр.* **1.** желирани плодове/зеленчуци; **2.** смесица.
Macedonian [ˌmæsi'dounjən] *a* македонски.
macerate ['mæsəreit] *v* **1.** накисвам (се), омекчавам (се); **2.** изтерзавам, мъча; изтощавам се, отслабвам много (*от постене*).
machete [mə'tʃeiti] *n* широк юж.-ам. нож, мачете.
Machiavellian [ˌmækiə'veliən] *a* **1.** макиавелски; **2.** хитър, лукав, безскрупулен.
machinate ['mækineit] *v* правя интриги, интриганствувам, заговорнича.
machination [ˌmæki'neiʃn] *n* машинация, интрига.
machine[1] [mə'ʃi:n] *n* **1.** машина; двигател; **2.** агрегат, механизъм; **3.** превозно средство, кола; велосипед; автомобил; самолет; **4.** автомат (*за кафе, цигари и пр.*); **5.** *прен.* апарат, машина (*държавен, партиен*); **6.** *attr* 1) машинен, извършен/изработен от машина; 2) стандартизиран, стереотипен; ~ **age** векът на техниката.
machine[2] *v* **1.** изработвам с машина; обработвам (*метал*); обработвам с рязане; **2.** минавам (*нещо*) на шевна машина; **3.** *печ.* печатам.
machine-gun[1] [mə'ʃi:ngʌn] *n* картечница.
machine-gun[2] *v* (**-nn-**) обстрелвам с картечница.
machine-gunner [mə'ʃi:n.gʌnə] *n* картечар.
machine-made [mə'ʃi:nmeid] *a* **1.** машинен, машинно изработен; **2.** стандартен, стереотипен.
machinery [mə'ʃi:nəri] *n* **1.** машинария, машини, съоръжения; **2.** механизъм; **3.** (социална/държавна и пр.) организация; организационен апарат; **4.** *лит.* механични/свръхестествени средства, водещи до развръзка.
machine-shop [mə'ʃi:nʃɔp] *n* механична работилница/цех.
machine-tool [mə'ʃi:ntu:l] *n тех.* металорежеща/металообработваща машина.
machine works [mə'ʃi:nwə:ks] *n* машиностроителен завод.
machinist [mə'ʃi:nist] *n* **1.** механик; шлосер механик; квалифициран работник (*металик, стругар*); **2.** машиностроител; **3.** машинист; **4.** човек, който шие на машина.
Mach number ['mæk.nʌmbə] *n ав., физ.* числото на Мах.
macintosh = **mackintosh.**

mack [mæk] *разг.* = **mackintosh.**
mackerel ['mækrəl] *n зоол.* скумрия (Scomber scombrus).
mackerel-sky ['mækrəlskai] *n* небе, покрито с перести облаци.
mackinaw ['mækinɔ:] *n* **1.** дебел (кариран) вълнен плат; палто/одеяло от такъв плат; **2.** плоскодънна лодка (*и* ~ **boat**).
mackintosh ['mækintɔʃ] *n* **1.** мушама, импрегниран/непромокаем плат; **2.** шлифер.
mackle[1] ['mækl] *n печ.* макула, петно.
mackle[2] *v печ.* зацапвам, размазвам.
macle ['mækl] *n минер.* **1.** кристал близнак; **2.** тъмно петно в минерал.
macrobiotic [ˌmækrobai'ɔtik] *a* продължаващ живота, здравословен, натурален, вегетариански (*за храна*).
macrocephalic, -cephalous [ˌmækrosi'fælik, -'sefələs] *a* с ненормално голяма глава.
macrocosm ['mækroukɔz(ə)m] *n* макрокосмос, вселената.
macron ['mækrɔn] *n фон.* чертичка, знак за дължина над гласна (—).
macroscopic [ˌmækro'skɔpik] *a* макроскопичен, видим с просто око.
macula ['mækjulə] *n* (*pl* **-ae** [-i:]) петно (*на слънцето, луната, кожата и пр.*), макула.
maculate ['mækjuleit] *v* **1.** покривам с петна; **2.** опетнявам.
mad[1] [mæd] *a* **1.** луд, обезумял (*и прен.*); умопомрачен, умопобъркан; **to go** ~ полудявам; **stark** ~, **raving** ~, **as** ~ **as a hatter/a March hare** съвсем луд, луд за връзване; ~ **with joy** обезумял от радост; **2.** *прен.* луд, лудешки, безумен; налудничав; необуздан; **like** ~ лудо, лудешки, бурно; **3.** запален, побъркан (**about, after, for, on** по); **4.** бесен (*за куче и пр.*); **5.** *разг.* ядосан (**at, with**); **6.** развихрен, яростен (*за буря и пр.*); **7.** необуздано весел.
mad[2] *v* (**-dd-**) **1.** *ам.* = **madden** 1, 2; **2.** *ост.* = **madden** 3; **the** ~**ding crowd** бясната/обезумялата тълпа.
madam ['mædəm] *n* **1.** мадам, госпожо (*обръщение*); **2.** *разг.* съдържателка на публичен дом; **3.** *разг.* нахакана жена.
Madame ['mædəm] *n* (*pl* **Mesdames** [mei'da:m]); *съкр.* **Mme** *фр.* мадам, госпожа.
madcap[1] ['mædkæp] *n* лудетина; щурчо.
madcap[2] *a* налудничав; щур.
madden ['mædn] *v* **1.** влудявам, подлудявам (*някого*); **2.** дразня, раздразвам, вбесявам; **3.** полудявам, загубвам ума си.
maddening ['mædniŋ] *a* вбесяващ; **it's** ~! да се пукнеш от яд!
madder ['mædə] *n* **1.** *бот.* брош (Rubia tinctoria); **2.** червена боя, добита от корените на броша; **3.** *хим.* ализарин (*боя*).
made[1] *вж.* **make**[1].
made[2] [meid] *a* **1.** направен, изработен, фабрикуван; приготвен, сготвен (*от няколко продукти*); ~ **to measure/order** (направен) по поръчка/мярка; ~ **of money** *разг.* много богат, паралия; **2.** (добре) сложен (*за човешка фигура*); **slightly** ~ дребен; **3.** сполучил, преуспял; ~ **man** преуспял човек; **he's a** ~ **man** наредил се е (*в живота*); **to have it** ~ *sl.* всичко ми е наред, работата ми е сигурна/опечена.
Madeira [mə'diərə] *n* мадейра (*вино*); ~ **cake** вид пандишпан.
made-up ['meidʌp] *a* **1.** измислен; скалъпен; **2.** гримиран; **3.** (твърдо) решен.
madhouse ['mædhaus] *n* лудница (*и прен.*).
madman ['mædmən] *n* (*pl* **-men**) луд човек.
madness ['mædnis] *n* **1.** лудост, умопомрачение; **2.** бяс (*у животните*); **3.** *разг.* бяс, ярост.

Madonna-lily [məˈdɔnəˌlili] *n* бяла лилия, крем, бял крин (Lilium candidum).

madrigal [ˈmædrigəl] *n* мадригал.

Maecenas [ˈmiːsiːnæs,maiˈsiːnəs] *n* меценат.

maelstrom [ˈmeilstrom] *n* водовъртеж (*и прен*.).

maenad [ˈmiːnæd] *n* **1.** *мит*. менада, вакханка; **2.** разярена жена.

maestoso [ˌmaːeˈstouzou] *adv муз*. маестозо, тържествено.

maestro [maːˈestrou] *n um*. маестро.

Mae West [ˌmeiˈwest] *n ав. sl*. спасителен пояс.

maf(f)ia [ˈmæfiə] *n* мафия.

maffick [ˈmæfik] *v* манифестирам и шумно ликувам по улиците.

mafioso [ˌmæfiˈousou] *n (pl* **-si** [-siː]) *um*. член на мафията.

mag [mæg] *n* **1.** = **magazine** 3; **2.** = **magnesium**; **3.** = **magneto**.

magazine [ˌmægəˈziːn] *n* **1.** военен склад; муниционен склад; **2.** магазин (*на пушка, машина*); **3.** списание; **4.** *кино, фот*. касета.

magdalen [ˈmægdəlin] *n* **1.** разкаяла се проститутка; **2.** поправителен дом за такива проститутки.

mage [meiʤ] *n ост*. влъхва; магьосник.

magenta [məˈʤentə] *n* **1.** пурпурна анилинова боя; **2.** пурпурен цвят.

maggot [ˈmægət] *n* **1.** личинка (*особ. на къщната муха*); **2.** прищявка, каприз; странна идея.

maggoty [ˈmægəti] *a* **1.** пълен с личинки, червясъл; **2.** капризен.

magi *вж*. **magus**.

magic [ˈmæʤik] *n* **1.** магия, вълшебство, магьосничество; **black ~** черна магия с помощта на дявола; **white ~** магия с помощта на божествени сили; **2.** обаяние, чар; **3.** *attr* магически, вълшебен, чародеен.

magical [ˈmæʤikl] *a* магически.

magician [məˈʤiʃn] *n* **1.** магьосник, вълшебник; чародей; заклинател; **2.** фокусник, илюзионист.

magisterial [ˌmæʤiˈtiəriəl] *a* **1.** господарски, заповедническиски; важен; **2.** съдийски (*за звание*); кандидатски (*за научна степен*); **3.** авторитетен.

magistracy [ˈmæʤistrəsi] *n* **1.** съдийско звание/сан/длъжност; период на съдийска служба; **2.** *събир*. съдийство.

magistrate [ˈmæʤistreit] *n* **1.** съдия, магистрат; **2.** мирови съдия; **examining/investigating ~** съдия-следовател; **3.** *ам*. висше длъжностно лице, държавен ръководител.

magma [ˈmægmə] *n геол*. магма.

magnanimity [ˌmægnəˈnimiti] *n* великодушие, благородство.

magnanimous [mægˈnæniməs] *a* великодушен; възвишен, благороден.

magnate [ˈmægneit] *n* магнат.

magnesia [mægˈniːʃə] *n* **1.** магнезиев окис; магнезия; **2.** *фарм*. магнезиев карбонат.

magnesium [mægˈniːzjəm] *n хим*. магнезий.

magnet [ˈmægnit] *n* магнит (*и прен*.).

magnetic [mægˈnetik] *a* **1.** магнитен, магнитичен (*и прен*.); **~ needle** стрелка (*на компас и пр*.), указател; **2.** хипнотизиращ, магнетичен; **3.** силно привлекателен.

magnetics [mægˈnetiks] *n pl с гл. в sing физ*. магнетизъм.

magnetism [ˈmægnitizəm] *n* **1.** магнетизъм (*и прен*.); **2.** магнитни свойства; **3.** лично обаяние, чар.

magnetite [ˈmægnitait] *n минер*. магнетит.

magnetize [ˈmægnitaiz] *v* **1.** магнетизирам (се), намагнетизирам; **2.** обайвам, силно привличам; **3.** *ост*. хипнотизирам.

magneto [mægˈniːtou] *n ел*. магнето, магнитноелектрическа машина.

magneton [ˈmægnitɔn] *n физ*. магнетон.

magnificat [mægˈnifikæt] *n* **1.** *църк*. хвалебствен псалм; **2.** *муз*. магнификат.

magnification [ˌmægnifiˈkeiʃn] *n* **1.** увеличение; **2.** венцехваление.

magnificence [mægˈnifisns] *n* великолепие, величественост, величие.

magnificent [mægˈnifisnt] *a* **1.** великолепен; величествен; **2.** *разг*. разкошен, чудесен.

magnifico [mægˈnifikou] *n um*. **1.** венециански благородник; велможа; **2.** високопоставен/важен човек.

magnifier [ˈmægnifaiə] *n* **1.** увеличително стъкло, лупа; **2.** човек, склонен да възхвалява/преувеличава.

magnify [ˈmægnifai] *v* **1.** увеличавам (*образ*), усилвам (*тон*); **~ing glass** увеличително стъкло, лупа; **2.** величая, възхвалявам; **3.** преувеличавам.

magniloquence [mægˈnilokwəns] *n* велеречие, надутост, високопарност.

magniloquent [mægˈnilokwənt] *a* велеречив, надут, високопарен.

magnitude [ˈmægnitjuːd] *n* **1.** големина, величина, степен; размери; **2.** важност, значение; **3.** *астр*. величина.

magnolia [mægˈnouljə] *n бот*. магнолия.

magnum [ˈmægnəm] *n* голяма винена бутилка за 2,2 л.

magpie [ˈmægpai] *n* **1.** сврака (Pica); **2.** бърборко; **3.** крадец на дребно; **4.** (попадение във) външен предпоследен кръг на мишена.

magus [ˈmeigəs] *n (pl* **magi** [ˈmeiʤai]) маг; **the Magi** *библ*. влъхвите.

Magyar [ˈmægjaː] *n* **1.** унгарец; **2.** унгарски език; **3.** *attr* унгарски, маджарски.

maharaja(h) [ˌmaːhəˈraːʤə] *n инд*. махараджа.

maharanee, maharani [ˌmaːhəˈraːni] *n инд*. съпруга на махараджа, махарани.

mahatma [məˈhaːtmə] *n инд*. махатма; мъдрец; високоуважаван човек.

mah-jong(g) [maːˈʤɔŋ] *n* маджонг (*китайска хазартна игра*).

mahogany [məˈhɔgəni] *n* **1.** махагон(ово дърво); **2.** махагонов цвят; **3.** *attr* махагонов; □ **to have o.'s knees under s.o.'s ~** радвам се на гостоприемството на някого.

Mahometan [məˈhɔmitən] = **Mohammedan**.

mahout [məˈhaut] *n англ.инд*. водач на слон.

maid [meid] *n* **1.** *ост*., *поет*. мома, девойка, девица; **2.** домашна прислужница; **~ of all work** прислужница за обща работа; □ **the M. (of Orleans)** Жана д'Арк, Орлеанската дева.

maiden [ˈmeidn] *n* **1.** *поет*. = **maid** 1; **2.** *ист*. вид гилотина; **3.** кон, който не е печелил състезание (*и* **horse**); **4.** *attr* 1) неомъжена; момински; **~ lady** госпожица; **~ name** бащино име (*на омъжена жена*); 2) девствен; 3) неопитен; неизпитан; нов; пръв; **~ attempt/battle/flight/voyage/speech**, etc. пръв опит/битка/полет/пътуване/реч и пр.; **~ soldier** войник, който не е получил бойно кръщение; **~ fortress** непревзета крепост; **~ over** крикет серия от топки, при които не са спечелени точки.

maiden-hair [ˈmeidnhɛə] *n бот*. богородичен косъм (Adiantum capillus-veneris).

maidenhead [ˈmeidnhed] *n* **1.** девственост; **2.** *анат*. химен.

maidenhood [ˈmeidnhud] *n* **1.** моминство; **2.** девственост.

maidenly [ˈmeidnli] *a* **1.** момински; **2.** скромен, свенлив; **3.** нежен.

maid-in-waiting [‚meidin'weitiŋ] *n* придворна дама.

maid-of-honour [‚meidəv'ɔnə] *n* 1. придворна дама; 2. *ам.* шаферка; 3. *готв.* вид сладкиш.

maidservant ['meid‚sə:vənt] *n* домашна прислужница.

maieutic [mei'ju:tik] *a* *фил.* евристичен.

mail¹ [meil] *n* 1. ризница, броня; 2. *зоол.* черупка (*на костенурка, рак и пр.*).

mail² *v* обличам в/покривам с ризница; □ ~**ed fist** *прен.* груба сила, железен юмрук.

mail³ *n* 1. *и pl* поща, кореспонденция; писма и колети, пратени заедно; 2. поща, пощенска служба; 3. пощенски влак/кораб/чувал (*и* ~ **train/boat/bag**); 4. *attr* пощенски.

mail⁴ *v* пращам по пощата; пускам (*писмо*).

mailbox ['meilbɔks] *n* *ам.* пощенска кутия.

mail carrier ['meil‚kæriə] *n* *ам.* пощенски раздавач.

mail-cart ['meilka:t] *n* 1. *ост.* пощенска кола; 2. детска количка.

mailer ['meilə] *n* *ам.* 1. подател; 2. машина за адресиране на писма; 3. опаковка за пощенска пратка.

maillot [mæ'jou] *n* *фр.* 1. дамски бански костюм; 2. трико (*на акробат и пр.*).

mailman ['meilmən] *n* (*pl* -**men**) *ам.* пощенски раздавач.

mail order ['meil‚ɔ:də] *n* *търг.* поръчка по пощата.

maim [meim] *v* осакатявам (*и прен.*), повреждам.

main¹ [mein] I. *a* 1. главен, основен, най-важен; **the** ~ **body** *воен.* главните сили; ~ **office** *търг.* седалище, централа, дирекция; 2. силен, мощен; **by** ~ **force** със сила, насилствено; II. *n* 1. главна/най-важна част; **in the** ~ главно; най-много; общо взето; 2. главен водопровод/газопровод/електропровод/кабел, магистрала, колектор; **town** ~**s** градска канализационна/водопроводна мрежа; 3. *поет.* океан; открито море; **the Spanish M.** североизточното крайбрежие на Южна Америка; Карибско море; 4. *поет.* = **mainland**; 5. *мор.* гротмачта.

main² *n* 1. хазартна игра със зарове; 2. борба между петли.

mainland ['meinlænd] *n* земя, суша, континент.

main line ['meinlain] *n* 1. *жп.* централна линия; 2. *ам.* магистрала; 3. *sl.* главна вена; венозна инжекция с наркотик.

mainline ['meinlain] *v* *sl.* инжектирам наркотик венозно.

mainly ['meinli] *adv* главно.

mainmast ['meinma:st] = **main II.** 5.

mainsail ['meinseil, -sl] *n* *мор.* грот.

mainspring ['meinspriŋ] *n* 1. главна пружина (*на часовник и пр.*); 2. главен мотив/подбуда/причина.

mainstay ['meinstei] *n* 1. *мор.* гротщаг; 2. *прен.* устои, опора.

main stem ['meinstem] *n* *ам.* 1. *бот.* главно стъбло; 2. главна артерия/направление (*на път, река*); 3. *sl.* главна улица.

mainstream ['meinstri:m] *n* 1. речна система; 2. *прен.* преобладаваща насока (*в изкуство, политика, мода и пр.*); 3. *муз.* суинг и джаз.

maintain [mein'tein] *v* 1. поддържам, издържам, храня; 2. поддържам (*в добро състояние, изправност*); 3. поддържам, отстоявам, защищавам (*кауза и пр.*); 4. запазвам, продължавам (да имам и пр.) (*отношения и пр.*); 5. държа (*персонал, прислуга*); 6. твърдя, заявявам; 7. *тех.* поддържам, обслужвам, експлоатирам; □ ~**ed school** държавно училище.

maintenance ['meintənəns] *n* 1. поддържане, издържане, издръжка (*и юр.*); 2. поддържане (*в изправност*); 3. *тех.* експлоатация; 4. поддържане, подкрепа (*на кауза и пр.*); 5. *юр.* поддържане с користна цел на

една от страните; 6. *attr тех.* ремонтен; □ **cap of** ~ церемониална шапка на херцог/крал и пр.

maintop ['meintɔp] *n* *мор.* гротмарс.

maiolica [mə'jɔlikə] = **majolica**.

maisonette [‚meizə'net] *n* 1. малка къща; 2. дадена под наем част от къща с отделен вход (*обик. на два етажа*).

maize [meiz] *n* 1. царевица (Zea mays); 2. жълт цвят.

majestic [mə'ʤestik] *a* величествен, царствен.

majesty ['mæʤəsti] *n* 1. величественост; величие; величавост; 2. върховна власт; суверенитет; 3. M. величество (*титла*).

majolica [mə'ʤɔlikə] *n* майолика (*вид керамика*).

major¹ ['meiʤə] I. *a* 1. (по-)голям; (по-)важен, главен, значителен; старши; **Jones** ~ *уч.* големият Джоунс (*от двама братя*); 2. *юр.* пълнолетен; 3. *лог.* пръв, главен (*за член на силогизъм*); 4. *муз.* мажорен; 5. *карти* мажорен; 6. *унив.* пръв, главен (*за специалност*); II. *n* 1. *юр.* пълнолетен човек; 2. *воен.* майор; 3. *ам. унив.* главен предмет; човек, специализирал по даден предмет; 4. *лог.* главно съждение (*в силогизъм*); 5. *муз.* мажорна гама/ключ/интервал.

major² *v* *ам.* специализирам (се) (**in**).

major-domo [‚meiʤə'doumou] *n* (*pl* -os) майордом, иконом.

major-general [‚meiʤə'ʤenərəl] *n* генерал-майор.

majority [mə'ʤɔriti] *n* 1. мнозинство, болшинство; **the** ~ **of people** повечето хора; **to join the** ~ *прен.* умирам; 2. *юр.* пълнолетие; **to attain/obtain o.'s** ~ ставам пълнолетен; 3. *воен.* майорски чин/ранг; 4. *attr* мажоритарен; ~ **rule** пол. принцип на абсолютно мнозинство (*половината плюс един глас*).

majuscule ['mæʤəskju:l] *n* голяма/главна буква.

make¹ [meik] *v* (**made** [meid]) 1. правя; изработвам; произвеждам; построявам, изграждам, фабрикувам; създавам; съчинявам, написвам; съставям (*документ*); **to** ~ **a joke** пускам шега, шегувам се; **to** ~ **one** наддавам бримка (*при плетене*); 2. правя, причинявам, предизвиквам, създавам; 3. оправям (*и легло*); нареждам; приготовлявам, приготвям, стъкмявам; **to** ~ **a fire** паля клада огън; **to** ~ **tea/coffee** правя/приготвям чай/кафе; 4. образувам, формирам, развивам; **to** ~ **o.s.** формирам характера си; издигам се сам; **to** ~ **o.'s own life** сам нареждам/устройвам живота си; 5. със същ. или прил. *образува фразеологичен гл.* значението на съответното същ. и прил.; **to** ~ **excuses** извинявам се; **to** ~ **merry** веселя се; **to** ~ **no doubt** не се съмнявам; 6. правя, равнявам се/възлизам на; съставлявам, съм; представлявам; съставна част съм на; **this book** ~**s pleasant reading** тази книга ще чете с удоволствие/е много приятно четиво; **will you** ~ **one of the party?** ще дойдете ли с нас? 7. печеля, спечелвам си (*име и пр.*); правя (*пари, състояние*); имам (*печалба, загуба*); изкарвам (*прехраната си*); **to** ~ **enemies** спечелвам си врагове; **you will** ~ **more of it than I shall** ще ти свърши повече работа, отколкото на мен; **to** ~ **tricks** *карти* правя/печеля взятки; **your king won't** ~ **until you've drawn trumps** попът ти няма да стане, докато не изтеглиш козовете; 8. считам, смятам, пресмятам (че е); **what time do you** ~ **it?** колко мислиш, че е часът? колко е часът по твоя часовник? **I** ~ **the distance ten miles** според мен разстоянието е десет мили; 9. ставам, оказвам се; **he will** ~ **a good teacher** от него ще стане/излезе добър учител; 10. правя (*някого няка-*

къв); избирам, назначавам (*някого за нещо*); to ~ **s.o. happy** правя някого щастлив, ощастливявам някого; to ~ **s.o. an earl/a judge** правя някого граф; назначавам някого за съдия; to ~ **it understood (that)** давам да се разбере (че); 11. карам, накарвам, принуждавам, правя (*с inf без to*); **I made him go** накарах го да отиде; to ~ **the fire burn** разпалвам огъня; to ~ **s.o. laugh** разсмивам някого; 12. правя (се на); изкарвам (се); представям като; **he's not the fool some ~ him** не е толкова глупав, колкото го изкарват; **this portrait ~s him too old** този портрет го прави/изкарва много стар; 13. създавам, правя да преуспее; издигам, прославям; **this film made him** този филм го лансира/издигна/прослави; **it will ~ or break/mar him** или ще го прослави, или ще го провали; **this made his day** това му осигури успеха; 14. *мор.* съзирам, виждам (*земя*); пристигам в, стигам до; 15. изминавам, пропътувам, покривам (*километри в час и пр., разстояние*); 16. успявам да (*хвана/стигна до/влезна в/спя с жена*); to ~ **a train** успявам да хвана влак; to ~ **the team** успявам да вляза в отбора; to ~ **it** 1) успявам да измина известно разстояние; 2) успявам; 3) *sl.* имам полови сношения (with с); 17. отбелязвам, печеля точки (*в игра*); 18. понечвам, посягам (да) (*и с* as if/though to *с inf*); **he made to reply** понечи да отговори; **he made as though to strike me** посегна да ме удари; 19. *ел.* включвам; 20. бъркам, разбърквам (*карти*); □ **can you come at six? — ~ it half past six** можеш ли да дойдеш в шест часа? — нека е шест и половина; to ~ **a good dinner** нахранвам се добре; to ~ **a day/a week, etc. of it** прекарвам цял ден/цялата седмица някъде (*в някакво занимание*); to ~ **do with** минавам/задоволявам с; **he's as honest/clever as they ~ them ('em)** той е извънредно честен/страшно умен; to **show what one is made of** показвам на какво съм способен;

make after хуквам подир, подгонвам;

make at хвърлям се върху, нападам;

make away избягвам, офейквам;

make away with 1) задигам, отмъквам; 2) прахосвам; 3) (до)изяждам; 4) убивам, ликвидирам; to ~ **away with o.s.** *разг.* самоубивам се;

make for 1) запътвам се/тръгвам за, отправям се към; 2) допринасям/спомагам за; 3) нападам, нахвърлям се върху; □ to ~ **a break for it** опитвам се да избягам, избягвам;

make into правя на, превръщам в;

make of 1) правя (*нещо*) от; 2) разбирам, схващам, проумявам; считам, смятам; **I can ~ little/nothing of it** почти нищо не разбирам; не мога да го проумея; □ to ~ **a success of s.th.** успявам в нещо; to ~ **the worst of s.th.** не правя никакви усилия да преодолея нещо;

make off избягвам, офейквам, запрашвам; измъквам се;

make off with = make away with 1, 2;

make out 1) написвам, издавам (*чек*); съставям (*документ и пр.*); попълвам (*формуляр*); 2) разбирам, проумявам; схващам; 3) разчитам, разгадавам, дешифрирам; 4) стигам до заключение; **how do you ~ that out?** как стигаш до това заключение? 5) изкарвам (*някого някакъв*), твърдя, че (*някой, нещо*) е; **it is not the cure that everyone ~s it out to be** лекарството не е така ефикасно, както го из-

карват; 6) съзирам, забелязвам; 7) (пре)успявам; върви ми; **how are you making out in your new job?** как върви новата ти работа? **how are you making out with Mary?** как върви любовта ти с Мери? 8) *ам.* представям/очертавам точно/подробно;

make over 1) прехвърлям; дарявам (*имот и пр.*); 2) преправям (*дреха и пр.*); преустройвам (*сграда*); префасонирвам, преобразувам;

make through: to ~ **it through to** успявам да стигна до;

make up 1) попълвам (*брой, количество*); закръглям (*сума*); допълвам (*дохода си*); 2) възстановявам си (*загубени пари, позиции и пр.*); спечелвам обратно; компенсирам, наваксвам; обезщетявам (**for**); to ~ **up lost ground** възстановявам си загубени позиции; наваксвам загубеното; 3) приготвям; увивам, пакетирам, правя на вързоп/пакет; 4) *фарм.* изпълнявам (*рецепта*); 5) оправям, нагласявам (*легло*); стъквам, добавям гориво на (*огън*); ушивам, изработвам; **customer's own material made up** изработваме (*костюми и пр.*) с плат на клиента; 6) съставям (*списък и пр.*), изготвям (*документ*); 7) образувам; формирам; съставям; **society is made up of** обществото се състои от/е съставено от; to ~ **up a four** *карти* образувам каре/четворка; 8) съчинявам, измислям; 9) изглаждам (*спор*); to ~ **up a quarrel, to ~ it up (with)** помирявам се, сдобрявам се (с); 10) *печ.* връзвам (*на страници, колони*); 11) гримирам (се); 12) to ~ **up to s.o.** докарвам се някому, лаская някого; 13) to ~ **s.th. up to s.o.** давам нещо на някого като компенсация/обезщетение;

make up for компенсирам; to ~ **up for lost time** наваксвам загубено време; to ~ **up to s.o. for s.th. = make up** 13;

make with *sl.* побързвам с; ~ **with the drinks!** давай по-бързо питието!

make² *n* 1. модел, фасон; 2. *търг.* марка; направа, производство, фабрикация; **our own ~** собствено производство; 3. телосложение; **man of slight ~** дребен човек; 4. *прен.* характер, нрав; 5. добив; производство; 6. *ел.* включване, съединяване; □ **to be on the ~** *sl.* 1) гледам да се издигна/да забогатея по безскрупулен начин; правя някого за партньор (*за секс*);

make-belief ['meikbi‚li:f] *n* = **make-believe** 1.

make-believe ['meikbi‚li:v] *n* 1. преструване; 2. измислица; 3. игра на ужким; 4. *attr* на шега, на ужким; мним.

make-do ['meikdu:] = **makeshift**.

maker ['meikə] *n* 1. производител; фабрикант; конструктор (*на машина*); 2. творец, създател.

makeshift ['meik∫ift] *n* 1. заместител; временно/импровизирано средство; 2. *attr* временен; импровизиран.

make-up ['meikʌp] *n* 1. грим и костюми на актьор; козметични средства (*и театр.*); ~ **man** гримьор; 2. строеж, конструкция; 3. състав; съставяне; 4. природа, характер, нрав; 5. *печ.* връзване (*на набор*) в страници; 6. *ам.* поправителен изпит (*и* ~ **exam**); 7. *шег.* измислица, измислена история.

make-weight ['meikweit] *n* 1. добавка (*за допълване на теглото*); 2. човек, който допълва даден брой; 3. *прен.* бройка; дребен/маловажен факт, добавен, за да засили кауза и пр.; □ **as a ~** 1) за да допълни теглото; 2) *разг.* за калабалък/бройка.

making ['meikiŋ] *n* 1. създаване, сътворение; строеж, построяване; приготвяне; направа, производство, фабрикуване; ушиване, шев (*на дрехи*); съчиняване (*на стихотворение*); **the blouse was of her own ~** тя сама си уши тази блуза; **to be the ~ of** осигурявам успеха/благоприятното развитие на; 2. развой, развитие; **in the** ~ в процес на създаване/развитие, заражда се; **3.** *pl* качества, заложби, данни; **4.** *pl* печалби; **5.** *ам.* *pl* материали (*за изработване на нещо*); **6.** изделие; продукция.

malacca cane [mə'lækə'kein] *n* бастун от палмово дърво.
malachite ['mæləkait] *n минер.* малахит.
maladjusted [,mælə'dʒʌstid] *a* неприспособен (**to**).
maladjustment [,mælə'dʒʌstmənt] *n* неприспособеност; неприспособяване.
maladministration ['mæləd,mini'streiʃn] *n* лошо управление.
maladroit [,mælə'drɔit] *a* **1.** тромав, несръчен; **2.** нетактичен.
malady ['mælədi] *n* болест, страдание.
Malaga ['mæləgə] *n* малага (*вино*).
Malagassy [,mælə'gæsi] *a* мадагаскарски; **II.** *n* **1.** малгашки език; **2.** мадагаскарец.
malaise [mæ'leiz] *n фр.* **1.** (физическо) неразположение; **2.** безпокойство, неспокойствие.
malamute ['mæləmjuːt] *n* ескимоско куче.
malapert ['mæləpəːt] *ост.* **I.** *a* нахален, дързък; **II.** *n* нахалник.
malapropism ['mæləprɔpizm] *n* смешна/неуместна употреба на дума.
malapropos[1] [,mæl'æprəpou] **I.** *a* неподходящ, неуместен; **II.** *n* неподходяща/неуместна забележка/постъпка.
malapropos[2] *adv* неуместно, не на място.
malaria [mə'lɛəriə] *n* **1.** *мед.* малария; **2.** *ост.* миазми (*в блатиста местност*).
malarial, -rious [mə'lɛəriəl, -riəs] *a мед.* маларичен.
malark(e)y [mə'laːki] *n sl.* глупости.
Malay [mə'lei] **I.** *a* малайски; **II.** *n* **1.** малаец; **2.** малайски език.
Malayan [mə'leiən] = **Malay I.**
malcontent ['mælkən,tent] **I.** *a* недоволен; бунтовнически; **II.** *n* **1.** недоволник; бунтар; **2.** недоволство, брожение.
male [meil] **I.** *a* **1.** мъжки, от мъжки пол; ~ **heir** наследник; **2.** мъжки, мъжествен; силен; **3.** *тех.* който влиза в друг детайл; **II.** *n* мъж; животно от мъжки пол, самец.
malediction [,mæli'dikʃn] *n* проклятие, проклинане.
malefactor ['mælifæktə] *n* злосторник; престъпник.
malefic [mə'lefik] *a* (зло)вреден, злотворен, лош (*особ. за магия*).
maleficent [mə'lefisnt] *a* **1.** вреден, пакостен (**to**); злобен; злосторен; **2.** престъпен, лош.
malemute = **malamute.**
malevolence [mə'levələns] *n* злоба, злост, неприязън; зла воля.
malevolent [mə'levələnt] *a* злобен, неприязнен; зле настроен; отмъстителен.
malfeasance [mæl'fiːzns] *n юр.* злоупотреба, престъпление (*особ. на служебно лице*).
malformation [,mælfɔ'meiʃn] *n* деформация; уродливост.
malformed [,mæl'fɔːmd] *a* деформиран; уродлив.
malfunction [,mæl'fʌŋkʃn] *n* неизправност; ненормална работа на механизъм.
malic ['meilik] *a хим.* ябълчен.
malice ['mælis] *n* **1.** злоба, зла воля, злост; злонамереност; **to bear s.o.** ~, **to bear** ~ **to/towards s.o.** имам/храня лоши чувства към някого; **2.** *юр.* умисъл; **with/of/through** ~ **prepense, with** ~ **aforethought** с умисъл, злонамерено.
malicious [mə'liʃəs] *a* злобен, зложелателен, злонамерен; зле настроен.
malign[1] [mə'lain] *a* **1.** лош, зъл, злостен; **2.** зловреден, пагубен; **3.** *мед.* = **malignant.**
malign[2] *v* злепоставям, клеветя, злословя.

malignancy [mə'lignənsi] *n* **1.** злоба; **2.** зловредност, пагубност; **3.** *мед.* злокачественост.
malignant [mə'lignənt] *a* **1.** злобен, злостен, зле настроен, зъл, лош; **2.** зловреден; **3.** *мед.* злокачествен.
malignity [mə'ligniti] *n* **1.** = **malevolence, malignancy; 2.** злостна проява/забележка.
malinger [mə'lingə] *v* симулирам, преструвам се на болен.
malingerer [mə'lingərə] *n* симулант, мним болен.
mall [mɔːl] *n* **1.** алея; **the M.** [mæl] алея в парка Сейнт Джеймс в Лондон; **2.** *ам.* алея за пешеходци на булевард; **3.** *ам.* търговски център, затворен за автомобили; **4.** *ист.* (голям дървен чук за) играта **pall mall.**
mallard ['mæləd] *n зоол.* зеленоглава патица (Anas platyrhynchos).
malleability [,mæliə'biliti] *n* **1.** ковкост; **2.** отстъпчивост; податливост.
malleable ['mæliəbl] *a* **1.** ковък; **2.** отстъпчив, мек; податлив.
mallemuck ['mælimʌk] *n зоол.* буревестник (Fulmarus glacialis).
mallet ['mælit] *n* **1.** дървен чук (*и за крокет*); **2.** пръчка за поло.
mallow ['mælou] *n бот.* слез (Malva sylvestris).
malm [maːm] *n* **1.** *геол.* малм; (сиво)бял варовик; **2.** *стр.* смес от глина и варовик за правене на тухли.
malmsey ['maːmzi] *n* малвазия (*вино*).
malnutrition [,mælnju'triʃn] *n* недохранване.
malodorous [mæl'oudərəs] *a* зловонен.
malpractice [,mæl'præktis] *n* **1.** нарушение (*на закона*); **2.** лекарска/професионална небрежност; **3.** злоупотреба със служебно положение.
malt[1] [mɔːlt] *n* малц; слад; ~ **liquor** бира.
malt[2] *v* правя/ставам на малц.
Maltese [,mɔːl'tiːz] **I.** *a* малтийски; **II.** *n* **1.** малтиец; **2.** малтийски език.
malt-house ['mɔːlthaus] *n* пивоварна.
maltose ['mɔːltous] *n хим.* малтоза.
maltreat [,mæl'triːt] *v* отнасям се зле към, малтретирам.
maltreatment [,mæl'triːtmənt] *n* грубо отнасяне, малтретиране.
maltster ['mɔːltstə] *n* производител на малц.
malversation [,mælvəː'seiʃn] *n* злоупотреба със служебно положение/пари.
mam [mæm] *n разг.* **1.** мама; **2.** госпожа, мадам.
mama = **mamma**[1].
mamba ['mæmbə] *n* вид отровна африканска змия (Dendroaspis).
mambo ['mæmbou] *n* танц, подобен на румба.
mamilla [mə'milə] *n* (*pl* -**ae** [-iː]) *анат.* зърно (*на гърда*); цицка.
mamma[1] [mə'maː, *ам.* 'mæmə] *n* мама.
mamma[2] ['mæmə] *n* (*pl* -**ae** [-iː]) млечна жлеза; гърда.
mammal ['mæml] *n зоол.* бозайник, млекопитаещо.
mammilla = **mamilla.**
mammon ['mæmən] *n* **1.** *мит.* **M.** Мамон, древносирийски бог на парите; **2.** мамон, богатство, алчност, корист, сребролюбие.
mammoth ['mæməθ] *n* **1.** *палеонт.* мамонт, мамут; **2.** *attr* гигантски, огромен.
mammy ['mæmi] *n* **1.** мама; **2.** *ам.* дойка негърка; стара слугиня негърка.
man[1] [mæn] *n* (*pl* **men** [men]) **1.** човек; мъж; *pl* хора; **family** ~ семеен човек; представител; личен адвокат; ~ **of God** свят човек, духовно лице; ~ **of law** правник, юрист; ~ **of the day**

герой на деня; **city** ~ лондонски търговец/финансист; ~ **about town** светски човек; **no** ~ никой; **red** ~ индианец, червенокож; **to a** ~ (всички) до един, до последния човек; **2.** човечество, човешки род; **3.** човек, кой да е, всеки; **a** ~ **has the right to speak** човек/всеки има право да говори; **4.** мъж, мъжествен/смел човек; **to be a/to play the** ~ проявявам смелост; държа се като мъж/мъжки; **to be** ~ **enough to** имам куража да; **5.** слуга, прислужник; *воен.* ординарец; **6.** съпруг, мъж; **7.** *обик. pl* работници; служещи; **8.** *воен., мор. pl* войници, редници, моряци; **9.** *ист.* васал; **10.** *сп.* играч; **11.** *шахм.* фигура; **12.** човече, драги, приятелю *(при обръщение)*; ~ ! бе човек! **my good** ~ приятелю *(снизходително)*; **13.** *attr* мъжки; ~ **cook** готвач; □ ~ **and boy** от дете, от детинството си; ~ **to** ~ откровен(о); **I'm your** ~! дадено! съгласен съм! на твое разположение съм! **he's just the** ~ **for me** тъкмо такъв човек ми трябва; **good** ~ ! браво! **to be o.'s own** ~ 1) господар съм на себе си, независим съм, имам свобода на действие; 2) с ума си съм.

man² *v* (**-nn-**) **1.** попълвам състава/екипажа на; набирам работна ръка за; поставям хора при; заемам мястото си/заставам при; **2.** насърчавам, окуражавам; **to** ~ **o.s.** давам си кураж, събирам смелост.

mana ['ma:nə] *n* **1.** свръхестествено излъчване; **2.** авторитет, морално влияние, престиж.

manacle¹ ['mænəkl] *n* **1.** *обик. pl* окови, белезници; **2.** пречка, спънка.

manacle² *v* слагам окови/белезници на.

manage ['mæniʤ] *v* **1.** ръководя; управлявам; водя, въртя *(търговия, домакинство)*; **2.** гледам, надзиравам, държа под контрол *(деца и пр.)*; укротявам, обуздавам *(животни)*; **he's a difficult person to** ~ той ни се води, ни се кара; **3.** боравя/работя/манипулирам с *(инструмент, сечиво)*; **4.** справям се (**with** с); успявам, съумявам, смогвам; оправям се; **to** ~ **well** добре се справям *(с работата си)*; **if I can't borrow the money, I shall have to** ~ **without** ако не мога да взема на заем парите, ще трябва да се справя и без тях; **a hundred pounds is the most I can** ~ повече от сто лири не мога да дам; **she** ~**d a smile** тя успя да се усмихне; **5.** отнасям се тактично с; въртя *(някого)*; **6.** използвам икономично; **7.** *разг.* изяждам; **can you** ~ **another piece of cake?** можеш ли да изядеш още едно парче кейк?

manageability [ˌmæniʤə'biliti] *n* податливост; послушание.

manageable ['mæniʤəbl] *a* податлив; укротим, послушен; сговорчив; лесно управляем.

management ['mæniʤmənt] *n* **1.** ръководство; управление; управляване; дирекция; управа; **2.** манипулиране; **3.** справяне *(с работа)*; **4.** грижливо/умело/тактично отнасяне *(с хора)*, такт.

manager ['mæniʤə] *n* **1.** управител, директор; началник; ръководител; надзирател; уредник; администратор; **2.** домакиня; **my wife is an excellent** ~ жена ми отлично се справя с домакинството.

manageress [ˌmæniʤə'res] *ж.р. от* **manager 1.**

managerial [ˌmæni'ʤəriəl] *а от* на ръководството; управителен, ръководен; директорски; управителски.

managing ['mæniʤiŋ] *а* **1.** ръководещ, завеждащ; ~ **director** административен директор; ~ **editor** уредник на списание и пр.; **2.** който обича да се налага, властен.

mañana¹ [mə'nja:nə] *а от* исп. неопределено бъдеще.

mañana² *adv* исп. утре; някой ден.

man-at-arms [mænət'a:mz] *n* (*pl* **men-at-arms**) *ист.* войник, боец.

manatee [ˌmænə'ti:] *n* морска крава *(вид тюлен)* (Trichechus).

manciple ['mænsipl] *n* иконом, домакин, закупчик *(на колеж и пр.)*.

mandarin¹ ['mændərin] *n* **1.** *ист.* (китайски) мандарин; **2.** книжовен китайски език; **3.** *прен.* мандарин, бюрократ, надута/важна/реакционна авторитетна личност; **4.** *attr* надут, бомбастичен; педантичен *(за език, държане)*.

mandarin² *n* бот. мандарина *(и* ~ **orange**) (Citrus nobilis var. deliciosa).

mandarin duck ['mændərindʌk] *n* пъстра китайска патица (Aix galericulata).

mandatary ['mændətəri] *n* пълномощник, довереник, мандатьор.

mandate¹ ['mændeit] *n* **1.** нареждане, заповед, указ; **2.** *пол., юр.* мандат; **3.** територия под мандат.

mandate² *v* поставям под мандат.

mandatory ['mændətəri] **I.** *a* **1.** мандатен; **2.** задължителен; **II.** *n* = **mandatary**.

man-day ['mændei] *n* човекоден.

mandible ['mændibl] *n* **1.** *анат., зоол.* долна челюст; мандибула; **2.** *зоол.* долна/горна част на човка.

mandolin(e) ['mændəlin] *n* мандолина.

mandragora, mandrake [mæn'drægərə, 'mændreik] *n* бот. мандрагора (Mandragora officinarum).

mandrel, -dril ['mændrəl] *n* **1.** *тех.* дорник; пробой; шпиндел; **2.** *мин.* кирка, копач.

mandrill ['mændril] *n* зоол. мандрил *(маймуна)* (Mandrillus sphinx).

mane [mein] *n* **1.** грива; **2.** дълга буйна коса.

man-eater ['mænˌi:tə] *n* **1.** канибал, човекоядец; **2.** животно стръвник *(особ. тигър, лъв, акула)*.

manège [mæ'neiʒ] *n фр.* **1.** трениране/гледане на кон; **2.** упражнения за трениране на кон; движения на трениран кон; **3.** манеж, училище за езда.

manes ['ma:neiz] *n pl лат. рел.* мани, души на умрелите *(прадеди)*.

maneuver *ам.* = **manoeuvre**.

manful ['mænful] *a* мъжествен, смел, решителен.

manganese ['mæŋgəni:z] *n хим.* манган.

mange [meinʤ] *n вет.* краста.

mangel(-wurzel) ['mæŋgl(-ˌwə:zl)] *n* кръмно цвекло (Beta vulgaris var. cicla).

manger ['meinʤə] *n* ясли.

mangle¹ ['mæŋgl] *n* преса за изцеждане/гладене на пране.

mangle² *v* прекарвам *(пране)* през преса.

mangle³ *v* **1.** разкъсвам; обезобразявам; осакатявам; смазвам от бой; **2.** *прен.* развалям, обезобразявам, изопачавам (с груби грешки).

mango ['mæŋgou] *n бот.* манго (Mangifera indica).

mangold(-wurzel) ['mæŋgld(-ˌwə:zl)] = **mangel(-wurzel)**.

mangosteen ['mæŋgəsti:n] *n* **1.** вид тропическо дърво (Garcinia mangostana); **2.** плодът на това дърво.

mangrove ['mæŋgrouv] *n* ризофора, мангрово дърво (Rhizophora mangle).

mangy ['meinʤi] *a* **1.** крастав; **2.** мизерен, мръсен, бедняшки; **3.** долен, низък; жалък.

manhandle ['mænˌhændl] *v* **1.** придвижвам/поствам с ръце; **2.** отнасям се грубо с, малтретирам.

manhattan [mæn'hætn] *n* вид коктейл.

man-hole ['mænhoul] *n тех.* люк; гърло; гърловина; наблюдателен отвор.

manhood ['mænhud] *n* **1.** възмъжалост; зрелост, пълнолетие; **2.** мъжественост, мъжество; **3.** мъжете, мъжкото население; ~ **suffrage** избирателно право само за пълнолетни мъже.

man-hour ['mænauə] *n* човекочас.

manhunt ['mænhʌnt] *n* преследване, полицейска хайка.

mania ['meinjə] *n* мания.

maniac ['meiniæk] I. *a* луд; маниашки; II. *n* маниак; **tobacco** ~ страстен пушач.

maniacal [mə'naiəkl] *a* маниакален, безумен.

Manichae(an)ism, Maniche(an)ism [ˌmæni'ki:(ən)izm] *n* *ист.* манихейство.

manicure[1] ['mæni,kjuə] *n* маникюр.

manicure[2] *v* правя маникюр.

manifest[1] ['mænifest] *a* явен, ясен, очевиден.

manifest[2] *v* 1. проявявам, показвам, разкривам; 2. доказвам; 3. обнародвам, заявявам открито; 4. *refl* проявявам се (*за болест*); появявам се (*за дух и пр.*); 5. *търг.* декларирам, вписвам в митническа декларация.

manifest[3] *n* 1. манифест; 2. митническа декларация на кораб и пр.

manifestation [ˌmænife'steiʃn] *n* 1. проява, проявяване; 2. обявяване; обнародване; 3. израз, изява; 4. манифестация (*шествие*); 5. (поява на) дух (*при спиритически сеанс*).

manifestly ['mænifestli] *adv* явно, очевидно.

manifesto [ˌmæni'festou] *n* манифест.

manifold[1] ['mænifould] I. *a* 1. разнороден, разновиден, разнообразен; 2. многократен; многоброен; II. *n* 1. копие (*на документ и пр.*); ~ **paper** циклостилна хартия; 2. *тех.* колектор; тръбопровод с разклонения и отвори.

manifold[2] *v* размножавам (*документи и пр.*).

manifolder ['mæni,fouldə] *n* копирен апарат, циклостил.

manikin ['mænikin] *n* 1. джудже, човече; 2. анатомичен модел на човешкото тяло; 3. *изк.* манекен.

manila [mə'nilə] *n* 1. манилска пура; 2. *бот.* манила (Musa textilis) (*и* ~ **hemp**); 3. кафява опаковъчна хартия (*и* ~ **paper**).

manilla [mə'nilə] *n* пръстен/гривна за украса/размяна (*вместо пари*) у африкански племена.

manioc ['mæniɔk] *n* *бот.* маниока (Manihot).

maniple ['mænipl] *n* 1. *ист. рим.* манипула; 2. *църк.* манипул.

manipulate [mə'nipjuleit] *v* 1. манипулирам с; 2. *прен.* ловко подвеждам; фалшифицирам, подправям, изопачавам.

manipulation [məˌnipju'leiʃn] *n* 1. манипулиране; манипулация (*и прен.*); управляване (*на машина*); 2. машинация; подправяне; изопачаване.

manipulator [mə'nipjuleitə] *n* 1. манипулатор (*и прен.*); 2. машинист; 3. *рад.* ръчен ключ.

manitou ['mænitu:] *n* *индиан.* дух; (предмет със) свръхестествена природна сила.

mankind [mæn'kaind] *n* 1. човечеството, човешкият род; 2. ['mænkaind] мъжете, мъжкият пол.

manlike ['mænlaik] *a* 1. типичен за мъж; с вида/качествата на мъж; като мъж; 2. с мъжки вид/характер (*за жена*); 3. човекоподобен (*за животно*).

manly ['mænli] *a* 1. мъжествен, смел, решителен; 2. с мъжки нрав (*за жена*).

man-made ['mænmeid] *a* направен/сътворен/произведен от човека, изкуствен; ~ **fibres** синтетични влакна.

manna ['mænə] *n* 1. *библ.* манна небесна; 2. *прен.* духовна храна; 3. неочаквана, навременна помощ/късмет/радост; 4. леко разслабително средство.

mannequin ['mænikin] *n* манекен.

manner ['mænə] *n* 1. начин; **in/after this** ~ по този начин; **in a** ~ **(of speaking)** тъй да се каже; в известен сми-

съл; до известна степен; **after a** ~ как да е, донякъде, горе-долу; **in o.'s own** ~ по своему; 2. държане, маниер; *pl* (добри) обноски/маниери; **to have no** ~s липсва ми възпитание, невъзпитан съм; **it's bad** ~s **to** невъзпитано/неучтиво е да; **good** ~s добро държане, благоприличие, учтивост; 3. *изк.* форма, стил, маниер; маниерност; **the** ~ **and the matter** формата и съдържанието; **after the** ~ **of** в стила на; 4. навик, обичай; *pl* обичай, бит, нрави; **he does it as if to the** ~ **born** иде му съвсем естествено; **comedy of** ~s салонна комедия (*XVII—XVIII в.*); 5. *ост.* вид, род; **all** ~ **of** всякакви; **no** ~ **of** никакъв; **by no** ~ **of means** в никакъв случай; **what** ~ **of man is this?** що за човек е този?

mannered ['mænəd] *a* 1. с... обноски; **well-**~ учтив, възпитан; 2. превзет, афектиран, маниерен (*за стил*).

mannerism ['mænərizm] *n* маниерност, превзетост.

mannerless ['mænəlis] *a* невъзпитан, неучтив.

mannerly ['mænəli] *a* възпитан, учтив.

manoeuvre[1] [mə'nu:və] *n* 1. *воен. pl* маневри; 2. *прен.* маневра, ловко действие, хитър ход; *pl* интриги.

manoeuvre[2] *v* 1. *воен.* придвижвам (*войски*) при маневри, маневрирам; 2. *прен.* маневрирам; лавирам; постигам с ловкост/хитрост; с хитрост вкарвам (**into** в) /изкарвам (**out of** от); **to** ~ **s.o. into a corner** притискам някого до стената (*и прен.*).

man-of-war [ˌmænəv'wɔ:] *n* (*pl* **men-of-war** [men-]) боен кораб.

manor ['mænə] *n* 1. *ист.* (феодално) имение; 2. имение с господарска къща.

manor-house ['mænəhaus] *n* господарска къща в имение.

manorial [mə'nɔ:riəl] *a* 1. свързан с имение; 2. господарски.

manpower ['mænˌpauə] *n* 1. човешка сила; 2. работна ръка; персонал; 3. военна сила, войски.

mansard ['mænsa:d] *n* *арх.* мансарда.

manservant ['mænˌsə:vənt] *n* (*pl* **menservants** ['menˌsə:vənts]) слуга, прислужник.

mansion ['mænʃn] *n* 1. голямо представително жилище; 2. *pl* жилищен блок.

mansion-house ['mænʃnhaus] *n* 1. жилище на едър земевладелец; 2. M.-H. резиденция на кмета на Лондон.

man-size(d) ['mænsaiz(d)] *a* 1. (като) за мъж; мъжки; 2. голям.

manslaughter ['mænˌslɔ:tə] *n* *юр.* непредумишлено убийство.

mantel ['mæntl] 1. = **mantelpiece**; 2. = **mantelshelf.**

mantelpiece ['mæntlpi:s] *n* рамка на/полица над камина.

mantelshelf ['mæntlʃelf] *n* полица над камина.

mantic ['mæntik] *a* пророчески, гадателски.

mantilla [mæn'tilə] *n* 1. мантила; 2. къса пелерина.

mantis ['mæntis] *n* *зоол.* богомолка.

mantle[1] ['mæntl] *n,* 1. мантия; плащ, наметало, пелерина; 2. *прен.* покривка, покров; 3. мрежа, чорапче (*на газова лампа*); 4. *зоол.* мантия; 5. *тех.* кожух, риза, покривка; обшивка, облицовка; 6. *геол.* мантия.

mantle[2] *v* 1. намятам/покривам с наметало, обвивам, покривам, закривам; 2. нахлувам в лицето (*за кръв*); изчервявам се (*за лице*); обагрям (*за зората*); багря се; **the dawn** ~s **in the sky** зората обагря небето.

man-trap ['mæntræp] *n* капан за хващане на бракониери и пр.

manual ['mænjuəl] I. *a* ръчен; ~ **alphabet** азбука за глухонеми; ~ **exercise** *воен.* обучение с оръжие; ~ **la-**

bour/work физически труд; ~ **training** уч. ръчен труд; **II.** n **1.** наръчник, учебник; **2.** воен. обучение с оръжие; **3.** муз. мануал (на орган).

manufactory [ˌmænjuˈfæktəri] n работилница, фабрика.

manufacture[1] [ˌmænjuˈfæktʃə] n **1.** произвеждане; производство, фабрикация; изработка; направа (**of**) **home/foreign** ~ местна/чуждестранна изработка/производство; **2.** промишленост; **3.** фабрикат, изделие.

manufacture[2] v **1.** фабрикувам, произвеждам, изработвам; **2.** прен. (из)фабрикувам, измислям, скалъпвам.

manufacturer [ˌmænjuˈfæktʃərə] n фабрикант.

manure[1] [məˈnjuə] n тор.

manure[2] v торя, наторявам.

manuscript [ˈmænjuskript] **I.** a ръкописен; **II.** n ръкопис.

Manx [mæŋks] **I.** a от о. Ман; ~ **cat** порода котка без опашка; **II.** n **1.** езикът на обитателите на о. Ман; **2.** pl the ~ обитателите на о. Ман.

many [ˈmeni] **I.** a (**more** [mɔː]; **most** [moust]) много (при брои́ми същ.), многоброен; ~ **a man** много хора; ~ **a time** много пъти; **six mistakes in as** ~ **lines** шест грешки в шест реда; **as** ~ **as six years** цели шест години; **as** ~ **again** още толкова; **a card too** ~ една карта в повече; ~'**s the time I've seen you do it** колко пъти съм те виждал да правиш това; **a great** ~ много; **a good** ~ доста; □ **the boys climb like so** ~ **monkeys** момчетата се катерят също като маймуни; **in so** ~ **words** недвусмислено; **II.** n много хора, множество; **the** ~ повечето хора.

many-headed [ˌmeniˈhedid] a многоглав; ~ **beast/monster** народът, тълпата.

many-sided [ˌmeniˈsaidid] a **1.** многостранен; **2.** прен. разностранен.

map[1] [mæp] n **1.** карта (географска и пр.); план (на град); **2.** sl. лице, мутра, сурат; □ **off the** ~ маловажен; несъществен; остарял; разг. много отдалечен, затънтен; **to wipe off the** ~ разг. омаловажавам, унищожавам; **on the** ~ важен, съществен, злободневен, актуален; **not on the** ~ невъзможен, малко вероятен; **to put on the** ~ разг. правя широко известен, популяризирам; поставям в центъра на вниманието.

map[2] v (**-pp-**) **1.** правя карта, нанасям на карта; **2. to** ~ **out** планирам, организирам; съставям план на; начертавам; разпределям (времето си).

maple [ˈmeipl] n бот. **1.** явор (Acer pseudoplatanus); **2.** клен (Acer campestre).

maple-sugar, -syrup [ˌmeiplˈʃugə, -ˈsirəp] n ам. кленова захар/сироп.

Maquis [ˈmæki:] n фр. **1.** макѝ (френски партизански отреди през Втората световна война); **2.** френски партизани.

mar [mɑː] v (**-rr-**) развалям, обезобразявам; помрачавам.

marabou [ˈmærəbu:] n **1.** зоол. марабу (Leptoptilus crumeniferus); **2.** пух/пера от марабу.

marabout [ˈmærəbu:t] n **1.** марабут (мюсюлмански отшелник); **2.** малка джамия.

marasmus [məˈræzməs] n мед. крайно изтощение; обща атрофия.

Marathon [ˈmærəθɔn] n **1.** маратонско бягане (и ~ **race**); **2.** маратон, състезание на издръжливост.

maraud [məˈrɔːd] v мародерствувам, ограбвам, отдавам се на грабеж (**on, upon**); подлагам на грабеж.

marauder [məˈrɔːdə] n мародер.

marble[1] [ˈmɑːbl] n **1.** мрамор; **2.** pl мрамор; колекция от мраморни статуи, скулптурна група от мра-

мор; **3.** топче за игра; **4.** attr **1)** мраморен; бял като мрамор; с жилки на мрамор; **2)** прен. твърд, корав, безчувствен; ~ **breast** кораво сърце.

marble[2] v боядисвам, шаря (дърво и пр.) като мрамор.

marble-cake [ˈmɑːblkeik] n кейк с какао/шоколад.

marble-cutter [ˈmɑːblˌkʌtə] n каменоделец, който обработва мрамор.

marbled [ˈmɑːbld] a **1.** (боядисан/нашарен/прошарен) като мрамор; украсен с мрамор; **2.** шарен, прошарен (за сланина, месо и пр.).

marbly [ˈmɑːbli] a подобен на мрамор.

marc [mɑːk] n **1.** джибри; ~ **brandy** джибbrova ракия; **2.** ленено кюспе (за тор).

marcasite [ˈmɑːkəsait] n минер. маркасит.

marcel[1] (**wave**) [mɑːˈsel(weiv)] n къдрене на маша.

marcel[2] v (**-ll-**) къдря на маша; **to have o.'s hair** ~**led/** ~**-waved** къдря се/къдрят ме на маша.

March [mɑːtʃ] n март.

march[1] [mɑːtʃ] n **1.** ист. обик. pl граница, предел, особ. погранична област между Англия и Шотландия/ Уелс; **2.** погранична спорна област; покрайнини.

march[2] v граница с, намирам се до (за страни, имения и пр.) (често с **with**).

march[3] n **1.** воен. маршируване; поход; **on the** ~ на път; в настъпление; **2.** ход; поход; марш; ~ **past** военен парад; церемониален марш; **3.** преход (разстояние); **forced** ~ **1)** дълъг преход; **2)** воен. форсиран поход/преход; **to steal a** ~ **on** изпреварвам; **4.** прен. ход, течение (на времето, събития); напредък, прогрес, постижение; развитие; **5.** муз. марш; **dead/funeral** ~ погребален марш.

march[4] v **1.** маршировам; **2.** ходя, крача; напредвам; запътвам се (**to, towards**); **3.** предвиждам (войски); заповядвам на (войски) да маршируват; **4.** изминавам (разстояние); **5.** прен. напредвам, прогресирам (за събития, начинание); **6.** вървя, напредвам (за време);
march along напредвам;
march away отивам си; тръгвам, потеглям; оттеглям се; заповядвам на/карам (някого) да тръгне, насила отвеждам (някого); **she** ~**ed the children away to bed** тя заповяда на децата да си легнат;
march by минавам в церемониален марш, дефилирам;
march forth потеглям, настъпвам;
march in/into влизам в;
march off = **march away**;
march on 1) продължавам да напредвам/маршируваm; потеглям напред; **2)** воен. започвам парада;
march past = **march by**.

marchioness [ˈmɑːʃənis] ж.р. от **marquis**.

marchpane [ˈmɑːtʃpein] n ост. марципан.

marconi [mɑːˈkouni] v предавам (съобщение) по телеграфа.

marconigram [mɑːˈkounigræm] n радиограма, радиотелеграма.

Mardi Gras [ˌmɑːdiːˈɡrɑː] = **Shrove Tuesday** (вж. **Shrove**).

mare[1] [mɛə] n кобила; магарица; **the grey** ~ **is the better horse** прен. в тоя дом кокошка пее.

mare[2] [ˈmɑːrei] n (pl **maria** [ˈmɑːriə]) астр. големи тъмни площи на Луната и Марс.

mare's nest [ˈmɛəznest] n празна работа, кьорфишек.

mare's tail [ˈmɛəzteil] n **1.** бот. вид блатно растение (Hippuris vulgaris); **2.** метеор. pl вид перест облак.

margarine [ˌmɑːʤəˈriːn] n маргарин.

marge[1] [mɑːʤ] n поет. ръб, край.

marge[2] разг. = **margarine**.

margin[1] [ˈmɑːʤin] n **1.** ръб, край; предел; бряг (на река, езеро, басейн и пр.); **2.** поле, марж (на страница); **3.**

малък запас/излишък/резерва (*от време, пари*); **4.** разлика; **to win by a narrow** ~ печеля с малка разлика; **5.** допустима граница; **safety** ~ граница на безопасност; **6.** свобода (на действие); простор; **wide** ~ (твърде) голяма свобода; **7.** *борс.* маржа; възможност(и); минимална печалба; ~ **of profit** възможности за печалба; **to allow s.o. some** ~ давам някому известна свобода на действие.

margin[2] *v* **1.** записвам/отбелязвам на полето; **2.** оставям поле (*на страница*); **3.** образувам ръб/край; **river** ~**ed with grass** река с тревисти брегове; **4.** *борс.* депонирам маржа.

marginal ['ma:ʤinl] *a* **1.** страничен; написан на полето, маргинален; **2.** краен, който е на ръба; пределен; **3.** труден за обработване, недоходен (*за земя*); **4.** недостатъчен, оскъден (*за съществуване и пр.*); твърде малък (*за мнозинство, печалба, способности и пр.*); периферен; ~ **subsistence** крайно бедно съществуване.

marginalia [,ma:ʤi'neiljə] *n лат. pl* забележки на поле на книга; маргинали (*и печ.*).

margrave ['ma:greiv] *n ист.* маркграф.

margravine [,ma:grə'vi:n] *n* съпруга на маркграф.

marguerite [,ma:gə'ri:t] *n фр. бот.* **1.** маргаритка (Chrysanthemum leucanthemum); **2.** паричка (Bellis perennis).

marigold ['mærigould] *n бот.* **1.** невен (Calendula officinalis); **2.** була (Tagetes patula).

marihuana, -juana [,mæri'hwa:nə, -'jwa:nə] *n* марихуана.

marimba [mə'rimbə] *n муз.* маримба, вид ксилофон.

marina [mə'ri:nə] *n мор.* яхт-клуб.

marinade[1] [,mæri'neid] *n* марината.

marinade[2] *v* мариновам.

marine [mə'ri:n] **I.** *a* **1.** морски; ~ **life** морска флора и фауна; ~ **painter** (художник) маринист; **2.** морски, корабен, корабоплавателен; **3.** военноморски; служещ на военен кораб (*за войник*); *от* морската пехота; **II.** *n* **1.** флота (*търговска и военна*); **2.** морски пехотинец; **3.** морски пейзаж.

mariner ['mærinə] *n* моряк; **master** ~ капитан на търговски кораб.

Mariolatry [,mæri'ɔlətri] *n неодобр.* култ към Богородицата.

marionette [,mæriə'net] *n* марионетка.

marital ['mæritl] *a* **1.** на съпруг; съпружески; **2.** брачен.

maritime ['mæritaim] *a* **1.** морски (*за право, осигуровка*); свързан с мореплаване; **2.** морски, крайбрежен, крайморски.

marjoram ['ma:ʤərəm] *n бот.* риган (Origanum vulgare).

mark[1] [ma:k] *n* **1.** петно (*и по животно*); белег (*и от рана*); отпечатък (*и прен.*); **2.** (отличителен) знак/белег; признак; кръст (*вместо подпис*); **3.** печат; щемпел; търговска марка; **4.** цел; прицел, мишена; висота; **beside/wide of the** ~ далеч от целта; *прен.* далеч от истината, на крив път; погрешно; неуместно; **to hit/miss the** ~ улучвам/не улучвам, постигам/не постигам целта си; **to make the** ~ *прен.* преуспявам, прославям се; **to be up to the** ~ **1)** на нужната висота съм; подходящ съм за дадена работа; бива ме; **2)** здрав/добре съм (*за човек*); **below the** ~ **1)** долнокачествен; **2)** зле със здравето; **3)** не на нужната висота; **I'm not/I don't feel up to the** ~ не съм добре, не ми е добре; **to become up to the** ~ отговарям на очакванията/изискванията, на висота съм (*за предмет*); **to keep s.o. up to the** ~ карам някого да се държи/да работи, както трябва; **5.** именитост, известност, слава; значение; въздействие, влияние; **man of** ~ именит/знаменит/изтъкнат човек; **of great/little** ~ от го-

лямо/малко значение; **to make o.'s** ~ **as** проявявам се/издигам се/налагам се като; **6.** *уч.* бележка, оценка; бал; **7.** граница, предел, ниво; **8.** *ист.* покрайнини; гранична област; **9.** *сп.* стартова линия; **off the** ~ стартирал; **on the** ~ на старт; **get on your** ~ **s!** заемете местата си! готови за старт! □ **easy/soft** ~ жертва; доверчив/лековерен човек; будала; **God save the** ~ прощавайте за израза; да ме прости господ; **to be (quick) off the** ~ *разг.* умело използвам случая/възможността.

mark[2] *v* **1.** бележа, поставям (отличителен) знак на; отбелязвам, записвам; маркирам (*стоки и пр.*); ~ **ed with spots** на петна; **2.** *уч.* поставям бележка/оценка; преглеждам (*писмени работи*); записвам резултати/точки (*в игра*); **4.** взимам под внимание, взимам си бележка; обръщам внимание на; ~ **me/you/my words!** помни ми думите! **5.** характеризирам, отличавам; бележа; посочвам, показвам, засвидетелствувам; **to** ~ **an era** бележа епоха; **6.** определям, набелязвам; ~ **ed for greatness/success** предопределен за слава/успех; □ **to** ~ **time** тъпча на едно място (*и прен.*); изчаквам; **to** ~ **s.o. for life** **1)** обезобразявам някого за цял живот; **2)** оставям тежък отпечатък върху някого (*за преживяване*);

mark down 1) записвам (си); **2)** намалявам цената на (*стоки*); **3)** намалявам оценките на; **4)** набелязвам, избирам, определям,

mark in нанасям (*детайли*) на карта и пр.;

mark off 1) очертавам/отбелязвам границите на; **2)** разграничавам, разделям (**from**); **3)** отличавам (**from**); **4)** градуирам (*съд и пр.*);

mark out 1) очертавам; разчертавам; **2)** (пред)определям (**for** за); **3)** набелязвам; *прен.* дамгосвам;

mark up 1) определям цената на (*стоки*) **2)** увеличавам цената на (*стоки*); **3)** повишавам оценките на (*ученик*).

mark[3] *n* марка (*парична единица на ГДР, ФРГ и пр.*).

marked [ma:kt] *a* **1.** белязан; с белези/знаци; маркиран; **2.** подчертан, явен, очевиден, несъмнен; **strongly** ~ **features** ярки черти на лицето; **3.** *прен.* белязан; **4.** значителен, доста голям, чувствителен.

marker ['ma:kə] *n* **1.** човек, който бележи/отбелязва/ маркира; маркировач; приспособление за маркиране; **2.** знаменце, колче (*за маркиране*); жалон; **3.** *ав., воен.* сигнална ракета; **4.** маркер (*отличителен белег*); **5.** лентичка в книга (*за отбелязване докъде е четено*).

market[1] ['ma:kit] *n* **1.** пазар, тържище, пазарище; хали; **to be on/come on (to) the** ~ бивам обявен за продан; **to put s.th. on the** ~ обявявам нещо за продан; пускам нещо в продажба; **2.** борса; търговия; цена; курс; **buyer's/seller's** ~ цени, благоприятни за купувача/продавача; **labour** ~ трудова борса; **the** ~ **rose/fell** цените се покачиха/спаднаха; **3.** търсене, пазар; страна/област за пласмент; купувачи; **to find a ready** ~ бързо се продавам; **to be in the** ~ **for** търся да купя; **4.** *attr* пазарен, пазарски; □ **to bring o.'s eggs/goods/hogs/pigs to a bad/the wrong/** *ирон.* **a fair/fine/pretty** ~ правя си погрешно сметките, обърквам си работата; **to go to a bad/good** ~ не успявам, провалям се/успявам; **(European) Common M., the M.** Европейската икономическа общност, Общият пазар.

market[2] *v* **1.** докарвам на пазара; продавам/купувам на пазара; пазарувам; **2.** продавам; намирам пазари за, пласирам.

marketability [ˌmaːkitəˈbiliti] *n* възможност/вероятност да се продаде.

marketable [ˈmaːkitəbl] *a* **1.** който се продава/търси; **2.** (годен) за продан; пазарски.

market-garden [ˈmaːkitˌgaːdn] *n* (голяма) зеленчукова/овощна градина, бостан.

market-gardener [ˈmaːkitˌgaːdnə] *n* градинар бостанджия.

market-hall [ˈmaːkithɔːl] *n* хали.

marketing [ˈmaːkitiŋ] *n* **1.** търговия; **2.** пазаруване; пазар; **3.** пласиране.

market-place [ˈmaːkitpleis] *n* пазар, пазарище.

market-research [ˈmaːkitriˌsəːtʃ] *n* проучване на търсенето и предлагането/на покупателната способност и вкусовете на купувачите/на влиянието на рекламата.

market-town [ˈmaːkittaun] *n* пазарен център.

marking [ˈmaːkiŋ] *n* **1.** белязане, маркиране; **2.** белег, бележка; **3.** удряне на печат, слагане на клеймо; **4.** характерен цвят/петна и пр. (*на животно, растение*).

marking-ink [ˈmaːkiŋiŋk] *n* мастило за слагане на белези на бельо.

marksman [ˈmaːksmən] *n* (*pl* **-men**) добър стрелец.

marksmanship [ˈmaːksmənʃip] *n* точна стрелба.

marl[1] [maːl] *n* **1.** мергел; белопръстица, варовикова глина; **2.** *поет.* пръст.

marl[2] *v* торя с мергел.

marlin [ˈmaːlin] *n* вид голяма океанска риба (Makaira).

marmalade [ˌmaːməˈleid] *n* конфитюр от портокали/лимони.

marmoset [ˈmaːməzet] *n* зоол. мармозетка (*маймуна*) (Callithrichidae).

marmot [ˈmaːmət] *n* зоол. мармот (Arctomys marmota).

marocain [ˌmærəˈkein] *n* текст. (креп)марокен.

marron[1] [məˈruːn] *n* **1.** кестеняв цвят; **2.** сигнална ракета; **3.** *attr* кестеняв.

maroon[2] *v* **1.** изоставям на пуст остров; **2.** изолирам, откъсвам; **3.** скитам се, шляя се.

maroon[3] *n* **1.** човек, изоставен на пуст остров; **2.** *ист.* (потомък на) избягъл роб негър.

marplot [ˈmaːplɔt] *n* човек, който се бърка/пречи на/осуетява планове.

marque [maːk] *n* фр. мор. ист. **1.** каперство; **letter(s) of ～ (and reprisal)** разрешително за каперство; **2.** капер (*кораб*).

marquee [maːˈkiː] *n* **1.** голяма палатка; **2.** *арх.* навес, маркиза.

marquess = marquis.

marquetrie, -y [ˈmaːkitri] *n* маркетри, инкрустация върху дърво (*и ～* **inlay**).

marquis [ˈmaːkwis] *n* маркиз.

marquise [maːˈkiːz] *n* фр. **1.** ж.р. от **marquis**; **2.** овален пръстен със скъпоценни камъни; **3.** *ост.* = **marquee**.

marquisette [ˌmaːkiˈzet] *n* фр. текст. маркизет.

marriage [ˈmæridʒ] *n* **1.** брак, женитба (**to**); **to ask in ～** искам ръката на, правя предложение за женитба на; **to give (away) in ～** оженвам; **to take in ～** оженвам се за; **connected/related by ～ with** сроден по сватовство с; **2.** сватба; венчавка, бракосъчетание; **3.** *прен.* тясна връзка, единство; **4.** *карти* мариаж; **5.** *attr* брачен; **～ vows** брачен обет; **～ knot** брачни връзки.

marriageable [ˈmæridʒəbl] *a* на възраст за женене (*и* **of ～ age**).

married [ˈmærid] *a* **1.** женен, омъжена (**to**); **to get ～** оженвам се, омъжвам се; **2.** брачен; **3.** *прен.* тясно свързан; □ **young ～s** новобрачни.

marrow [ˈmærou] *n* **1.** костен мозък; **to the ～ of o.'s bones** до мозъка на костите; **2.** същина, ядка; **3.** *бот.* тиквичка (Cucurbita pepo, *сев.-ам.* Cucurbita maxima).

marrowbone [ˈmærouboun] *n* **1.** кост с мозък; **2.** *pl шег.* колене.

marrowfat [ˈmæroufæt] *n* вид грах, бизел (Pisum sativum var. quadratum).

marry[1] [ˈmæri] *v* **1.** женя, оженвам, омъжвам (**to за**); венчавам, бракосъчетавам; **to ～ off** оженвам; **he's not a ～ing man** той не е за семеен живот; едва ли ще се ожени; **2.** женя се/оженвам се/омъжвам се/венчавам се за; **to ～ into a family** влизам в/сродявам се със семейство (*чрез брак*); **to ～ beneath one** встъпвам в неравен брак; **to ～ with the left hand** сключвам морганатичен брак; встъпвам в незаконна брачна връзка; **3.** *прен.* съединявам, съчетавам, свързвам, споявам.

marry[2] *int ост.* бога ми! я гледай! **～ come up!** така значи! на ти тебе!

Mars [maːz] *n* мит., астр. Марс.

Marsala [maːˈsaːlə] *n* марсала (*вино*).

Marseillaise [ˌmaːseiˈjeiz] *n* фр. марсилеза.

marsh [maːʃ] *n* блато, мочур, тресавище.

marshal[1] [ˈmaːʃl] *n* **1.** воен. фелдмаршал; **2.** церемониалмайстор; **3.** *ам.* съдия-изпълнител, шериф; началник на полиция/пожарна команда/затвор; □ **judge's ～** секретар на съдия (*при обиколката му из съдебен район*).

marshal[2] *v* (**-ll-**) **1.** нареждам, подреждам (*и прен.*); излагам ясно/системно; **2.** строявам, построявам; **3.** заемам си мястото; **4.** водя/въвеждам тържествено (**into**); **5.** *хер.* съставям (*герб*).

marshalling yard [ˈmaːʃəliŋjaːd] *n* жп. разпределителна/триажна станция.

marshalship [ˈmaːʃəlʃip] *n* маршалски чин.

marsh gas [ˈmaːʃgæs] *n* блатен газ, метан.

marshland [ˈmaːʃlənd] *n* блатиста местност.

marsh-mallow [ˈmaːʃˈmælou] *n* **1.** бяла/градинска ружа (Althaea officinalis); **2.** бонбон от това растение.

marsh marigold [ˌmaːʃˈmærigould] *n бот.* блатняк (Caltha palustris).

marshy [ˈmaːʃi] *a* блатен, блатист, мочурлив.

marsupial [maːˈsjuːpjəl] **I.** *a* двуутробен; **II.** *n* двуутробно животно.

mart [maːt] *n* **1.** търговски център; **2.** зала за провеждане на търгове; **3.** *поет.* пазар, пазарище, тържище.

martagon [ˈmaːtəgən] *n бот.* петров кръст (Lilium martagon).

martello [maːˈtelou] *n ит.* малко кръгло крайбрежно укрепление (*и ～* **tower**).

marten [ˈmaːtin] *n зоол.* бялка (Martes).

martial [ˈmaːʃl] *a* **1.** военен; **～ law** военно положение; **to be under ～ law** във военно положение съм (*за страна*); **2.** войнствен; **3.** храбър, смел, юначен.

Martian [ˈmaːʃjən] *n* марсианец.

martin [ˈmaːtin] *n* градска лястовица (*и* **house ～**) (Delichon urbica).

martinet [ˌmaːtiˈnet] *n* **1.** военен, който държи много на дисциплината; **2.** педант по отношение на дисциплината.

martingale [ˈmaːtingeil] *n* **1.** ремък, ограничаващ движенията на главата на кон; **2.** *мор.* въже, което крепи утлегар; **3.** залагане в двоен размер (*при хазартна игра*).

martini [ma:'ti:ni] *n* мартини, коктейл от джин и вермут.

Martinmas ['ma:tinməs] *n църк.* Мартинов ден (*11 но-
ември*); □ ~ **summer** = **St Martin's summer** (*вж.
summer*¹).

martlet ['ma:tlit] *n* 1. = **martin**; 2. *хер.* птица без крака.

martyr¹ ['ma:tə] *n* мъченик; **to be a ~ to** много страдам
от (*болест*); **to make a ~ of o.s.** правя се на мъченик
(*от интерес*).

martyr² *v* 1. убивам мъченически; 2. измъчвам, пре-
следвам; правя мъченик от.

martyrdom ['ma:tədəm] *n* 1. мъченичество; 2. мъки, мъ-
чения, измъчване.

martyrize ['ma:təraiz] *v* мъча, измъчвам.

marvel¹ ['ma:vl] *n* 1. чудо (*и прен.*); **to work ~s** имам
чудотворен резултат (*напр. за лекарство*); **she's a
~ of patience** да се чуди човек на търпението й; тя
е невероятно търпелива; 2. учудване, почуда; въз-
хищение.

marvel² *v* (-ll-) *книж.* чудя се (и се мая); удивлявам се;
възхищавам се (**at**).

marvellous ['ma:vələs] *a* 1. чуден, чудесен; прекрасен; 2.
удивителен, изумителен; невероятен.

Marxian ['ma:ksjən] I. *a* марксистки; II. *n* марксист.

Marxism ['ma:ksizəm] *n* марксизъм; ~-**Leninism** марк-
сизъм-ленинизъм.

Marxist ['ma:ksist] I. *a* марксистки; II. *n* марксист.

marzipan [‚ma:zi'pæn] *n* марципан (*бадемов*).

mascara [mæ'ska:rə] *n* грим за мигли.

mascot ['mæskət] *n* талисман, муска, амулет; човек/жи-
вотно/предмет, който носи щастие.

masculine ['mæskjulin] I. *a* 1. мъжки; като (на) мъж;
мъжествен, енергичен, деен, силен; 2. *грам.* от мъж-
ки род; 3. *проз.* мъжки (*за рима*); II. *n* 1. мъжки
пол/род; 2. *грам.* дума от мъжки род.

masculinity [‚mæskju'liniti] *n* мъжественост.

maser ['meizə] *n физ.* мазер.

mash¹ [mæʃ] *n* 1. смес от слад/малц и гореща вода; 2.
каша от трици и пр., кърмило, ярма; 3. пюре от
картофи; 4. каша, смесица, миш-маш.

mash² *v* 1. попарвам слад/малц; 2. мачкам, смачквам,
скашквам, стривам; правя (*картофи*) на пюре.

mash³ *v ост. sl.* пленявам; флиртувам; **to be ~ed on**
лудея/занасям се по.

mash⁴ *n* любим, гадже.

masher¹ ['mæʃə] *n ост. sl.* донжуан.

masher² *n* домакинска преса.

mashie, -y ['mæʃi] *n* вид желязна пръчка за голф.

mask¹ [ma:sk] *n* 1. маска (*и прен.*); **to assume/put on/wear
the ~** of слагам маската на; 2. маскиран човек; 3.
маскарад; 4. посмъртна маска; 5. газова маска; 6.
стерилна/козметична маска; 7. лисича муцуна (*ловен
трофей*).

mask² *v* 1. слагам си маска; маскирам се, предреш-
вам се; 2. маскирам, прикривам (*и прен.*); 3. *воен.*
маскирам, замаскирвам; 4. предпазвам.

masker = **masquer**.

masochism ['mæsoukizm] *n* мазохизъм.

mason ['meisn] *n* 1. зидар, строителен работник; камено-
делец, каменар; 2. масон, франкмасон, свободен зи-
дар.

masonic [mə'sɔnik] *a* масонски.

masonry ['meisnri] *n* 1. зидарство, каменоделие, каме-
нарство; 2. зидария; 3. масонство, свободно зидар-
ство.

masque ['ma:sk] *n* вид поетична музикална драма.

masquer ['ma:skə] *n* участник в маскарада/в поетична
драма.

masquerade¹ [‚mæskə'reid] *n* маскарад; *прен.* лъжлива вън-
шност.

masquerade² *v* 1. участвувам в маскарад; маскирам
се, предрешвам се; 2. придавам си лъжлив вид, пре-
струвам се; представям се (**as** за).

mass¹ [mæs] *n* литургия, богослужение, **high/low ~** го-
ляма/малка литургия; **to celebrate/say ~** отслужвам
литургия.

mass² *n* 1. маса, грамада, камара, куп; купчина; голямо
количество; голяма буца; множество (**of**); ~ **of
people** много народ, тълпа, навалица; ~**es of money**
много/сума пари; **to be a ~ of** пълен съм с/цял съм
покрит с (*грешки, синини и пр.*); **in the ~** в своята
цялост; 2. по-голямата част (**of** от); **the (great) ~ of**
повечето, мнозинството; 3. *pl* **the ~es** народните ма-
си, масите; 4. *физ.* маса; обем; размер; големина;
5. *attr* масов; цялостен; ~ **communications** = **mass
media**; □ ~ **of manoeuvre** *воен.* ударна група.

mass³ *v* 1. събирам (се) на куп, трупам (се); 2. *воен.*
струпвам (*войски*).

massacre¹ ['mæsəkə] *n* (масово) клане/сеч/избиване.

massacre² *v* коля, избивам, посичам.

massage¹ ['mæsa:ʒ] *n* масаж.

massage² *v* масажирам, правя масаж на.

masseur [mæ'sə:] *n фр.* масажист.

masseuse [mæ'sə:z] *ж.р. от* **masseur**.

massif ['mæsi:f] *n геогр.* масив.

massive ['mæsiv] *a* 1. масивен, едър (*за черти на лицето
и пр.*), обемист; тежък; голям; 2. *прен.* масов, широк,
с голям обхват, мощен, солиден; внушителен (*за
подкрепа, опозиция и пр.*); 3. *геол.* еднороден; 4. *ми-
нер.* без определена кристална форма.

mass media ['mæs‚mi:djə] *n pl* средства за масова ин-
формация.

mass-produce ['mæsprə‚dju:s] *v* произвеждам серийно/
фабрично.

mass-produced ['mæsprə‚dju:st] *a* масово/серийно про-
изведен.

massy ['mæsi] *a* 1. солиден, тежък; 2. обемист, едър.

mast¹ [ma:st] *n* 1. мачта; **to serve/sail before/afore the
~** служа като моряк; 2. флагщок, пилон (*на знаме
и пр.*); 3. прът за антена и пр.

mast² *v* слагам мачта.

mast³ *n* жълъди и пр. като храна за свине.

master¹ ['ma:stə] *n* 1. господар, собственик, притежа-
тел; **to be ~ of** господар съм на, владея; **to make
o.s. ~ of** овладявам, усвоявам, изучавам; **to be ~
of o.'s own self** владея се; **to be o.'s own ~** господар
съм на съдбата си, сам съм си господар; 2. рабо-
тодател; 3. глава на семейство, стопанин, домакин
(*и ~ of the house*); 4. майстор, експерт; маестро; 5.
майстор, занаятчия; 6. капитан (*на търговски ко-
раб*); 7. учител, преподавател; **mathematics ~** учи-
тел по математика; 8. **M.** магистър (*научна сте-
пен*); **M. of Arts** магистър на хуманитарните науки;
9. голям художник, майстор, **old ~** (картина от)
художник от периода XIII—XVII в.; **little ~s** по-
следователи на Дюрер (*XVI—XVII в.*); 10. глава
на колеж; директор на училище/пансион; 11. госпо-
дин (*обръщение към момче*); 12. *ам. юр.* длъж-
ностно лице в помощ на съдията; 13. *тех.* етало-
нен калибър; 14. *attr* 1) главен, водещ; 2) *тех.* об-
разцов, еталонен; контролен; главен; □ **the M.**
учителят (*Христос*); **M. of foxhounds/beagles/harriers**
ръководител на лов; **M. of the Horse** висш дворцов

служител; **M. of the Revels** *ист.* дворцов чиновник, който се грижи за увеселения и пр.

master² *v* 1. преодолявам, надделявам над, побеждавам, надвивам, подчинявам; укротявам; 2. овладявам, усвоявам, изучавам.

master-at-arms [‚ma:stərət'a:mz] *n* мор. морски офицер, изпълняващ полицейска служба.

masterful ['ma:stəful] *a* 1. властен, деспотичен; своеволен; 2. майсторски, изкусен.

master-hand ['ma:stəhænd] *n* 1. вещ човек, майстор; 2. *прен.* веща ръка.

master-key ['ma:stəki:] *n* шперц.

masterly ['ma:stəli] *a* майсторски, съвършен, отличен.

master-mind¹ ['ma:stəmaind] *n* ръководител, „душа", главен организатор.

master-mind² *v* планирам, организирам, ръководя.

masterpiece ['ma:stəpi:s] *n* шедьовър.

master race ['ma:stəreis] *n* пол. висша раса.

mastership ['ma:stəʃip] *n* 1. власт, владичество, господство; 2. пост на учител, директор и пр.; 3. майсторство, умение; задълбочени познания в, владеене на (*дадена област*).

master singer ['ma:stə‚siŋə] *n* ист. майстор певец.

masterstroke ['ma:stəstrouk] *n* прен. отличен/гениален удар/ход.

master touch ['ma:stətʌtʃ] *n* майсторски подход; гениално хрумване; много ефектна подробност.

mastery ['ma:stəri] *n* 1. власт, владичество, господство; надмощие; 2. изкуство, майсторство, умение; съвършено познаване/владеене/овладяване.

mast-head¹ ['ma:sthed] *n* 1. мор. топ, връх на мачта; 2. жур. заглавка.

mast-head² *v* мор. 1. пращам на топа (*за наказание*); 2. вдигам на топа (*знаме, платно и пр.*).

mastic ['mæstik] *n* 1. ароматна смола от дървото Pistacia lentiscus; 2. мастика; 3. замаска; маджун; кит.

masticate ['mæstikeit] *v* дъвча, сдъвквам.

mastiff ['mæstif] *n* дог (*порода голямо куче*).

mastodon ['mæstədən] *n* палеонт. мастодонт.

masturbate ['mæstə:beit] *v* онанирам.

mat¹ [mæt] *n* 1. рогозка, черга, черджe, килимче; сп. тепих; 2. изтривалка; 3. подложка, подставка (*за под чиния и пр.*), покривчица (*за под ваза и пр.*); 4. сплетени бурени/клонки; сплъстени коси; 5. печ. матрица; □ **to be on the** ~ разг. имам неприятности; бивам нахокан/наруган.

mat² *v* (-tt-) 1. постилам рогозка и пр. на; покривам с рогозка и пр.; 2. сплитам (се); сплъстявам (се).

mat³ I. *a* матов, неполиран; II. *n* 1. паспарту (*на картина*); 2. матова повърхност.

mat⁴ *v* (-tt-) правя матов, матирам.

matador ['mætədɔ:] *n* исп. 1. матадор; 2. главна карта в някои игри; 3. вид игра на домино.

match¹ [mætʃ] *n* 1. подобен/съответен предмет/лице, еш; предмет, който подхожда на друг; **to be/prove o.s. a** ~ **for** съм/оказвам се достоен противник на; излизам срещу; **to be more than a** ~ **for** по-силен/ по-изкусен и пр. съм от; **to find/meet o.'s** ~ намирам си майстора; **colours/materials that are a good** ~ цветове/платове, които си отиват/хармонират; 2. брак, женитба; подходящ кандидат за женитба, партия; **to make a** ~ **of it** оженвам се, омъжвам се; **he's a good** ~ той е добра партия; 3. сп. мач, среща.

match² *v* 1. подбирам, съчетавам; 2. равен/подобен съм, съответствувам, отговарям, подхождам, оти-

вам (**with**); **well/ill** ~**ed couple** двойка, която си подхожда/не си подхожда; **to** ~ **o.'s first success** повтарям първия си успех; **these colours don't** ~ тези цветове не си отиват/не хармонират; **hat that does not** ~ **with the dress** шапка, която не си отива с роклята; **can you** ~ **this silk?** имате ли нещо, което да подхожда на тази коприна? 3. противопоставям (се) на; излизам срещу, меря се/състезавам се с; **to** ~ **o.'s strength with/against** премервам силите си с; **no one can** ~ **him in skating** никой не може да се мери с него на кънки; **not to be** ~**ed** несравним; 4. тех. шпунтовам; оразмерявам; 5. ост. женя, оженвам, омъжвам.

match³ *n* 1. (клечка) кибрит; **safety** ~**es** кутия кибрит; **to strike a** ~ драсвам клечка кибрит; **to put a** ~ **to** запалвам с кибрит; 2. воен. фитил.

matchable ['mætʃəbl] *a* който може да бъде съчетан/ съединен.

matchboard ['mætʃbɔ:d] *n* стр. шпунтова дъска/талпа.

matchbox ['mætʃbɔks] *n* кибритена кутия.

matchet ['mætʃit] = **machete.**

matchless ['mætʃlis] *a* несравним, безподобен, ненадминат.

match-maker ['mætʃ‚meikə] *n* сватовник.

match-making ['mætʃ‚meikiŋ] *n* сватовство, сватовщина.

matchwood ['mætʃwud] *n* 1. дърво за кибрит; 2. трески, тресчици; **to make** ~ **of** правя на трески; прен. унищожавам напълно.

mate¹ [meit] *n* шахм. мат.

mate² *v* шахм. правя мат, матирам.

mate³ *n* 1. другар, колега; 2. другар (*съпруг, съпруга*); 3. мъжко/женско животно (*от чифт*); 4. еш; 5. помощник; 6. помощник-капитан (*в търг. флот*).

mate⁴ *v* 1. съчетавам; оженвам (с или без **with**); 2. чифтосвам, съешавам, съвокуплявам се; **mating season** размножителен период, период на разгонване; 3. тех. свързвам, съединявам, скачам се (**with** с); 4. общувам (**with**).

maté [ma'tei] *n* 1. бот. мате, парагвайски чай (*от храста* Ilex paraguayensis); 2. настойка от мате.

matelote [‚mætə'lout] *n* 1. риба, сготвена с вино, лук и пр.; 2. вид моряшки танц.

mater ['meitə] *n* уч. sl. майка.

material [mə'tiəriəl] I. *a* 1. материален, веществен; предметен, обективен, физически; ~ **forces/laws** физически сили/закони; ~ **evidence** юр. веществени доказателства; **in a** ~ **form** в осезателна форма; **in a** ~ **sense** в конкретен смисъл; 2. материален, материалистичен; телесен; груб; сетивен, чувствен; земен, светски; ~ **civilization** материална култура; ~ **comforts/well-being** всекидневни удобства; материални блага; ~ **pleasures** телесни удоволствия, чувствени наслади; 3. важен, съществен, от значение (**to** за) (*и юр.*); 4. грам. конкретен; II. *n* 1. материал; материя, вещество; 2. плат, материя; **dress** ~ плат за рокля; 3. прен. материал (*за статия, книга и пр.*); елементи, съставни части; 4. pl потреби, принадлежности; 5. прен. материал (*хора, годни за дадена работа*).

materialism [mə'tiəriəlizm] *n* фил. материализъм.

materialist [mə'tiəriəlist] фил. I. *a* материалистичен; II. *n* материалист.

materialistic [mə‚tiəriə'listik] = **materialist** I.

materialization [mə‚tiəriəlai'zeiʃn] *n* 1. материализиране, материализация; 2. осъществяване.

materialize [mə'tiəriəlaiz] *v* 1. материализирам, придавам осезателен вид на, представям в осезателен вид; 2. карам (*дух*) да се яви; явявам се (*за дух*); 3. осъществявам (се); **4.** въплъщавам; **5.** правя (*някого*) да стане материалист; **6.** *разг.* идвам, явявам се.

materially [mə'tiəriəli] *adv* съществено.

materia medica [mə'tiəriə'medikə] *n лат.* **1.** лековити вещества, употребявани в медицината; **2.** фармацевтика.

matériel [mə,tiəri'el] *n фр. воен.* материална част.

maternal [mə'tə:nl] *a* **1.** майчин, майчински; **2.** който е от майчина страна; ~ **uncle** вуйчо.

maternity [mə'tə:niti] *n* **1.** майчинство; **2.** *attr* 1) за бременна жена (*за рокля*); 2) ~ **hospital/home** майчин/родилен дом.

matey ['meiti] *a* общителен; приятелски.

mathematical [,mæθə'mætikl] *a* математически, математичен.

mathematician [,mæθəmə'tiʃn] *n* математик.

mathematics [,mæθə'mætiks] *n pl с гл. в sing* математика; **higher** ~ висша математика.

maths [mæθs] *уч. sl.* = **mathematics.**

matin ['mætin] *n* **1.** *pl църк.* утринна молитва; **2.** *поет. sing, pl* утринно пеене на птиците.

matinée ['mætinei] *n фр. театр.* матине, дневно представление.

matriarch ['meitria:k] *n* жена, глава на семейство/род/племе.

matriarchal [,meitri'a:kl] *a* матриархален.

matriarchy ['meitria:ki] *n* матриархат.

matric [mə'trik] *разг. съкр. от* **matriculation 2.**

matricide ['meitrisaid] *n* **1.** майкоубийство; **2.** майкоубиец.

matriculate [mə'trikjuleit] *v* **1.** приемам/записвам (*кандидат-студент*) във висше учебно заведение; **2.** бивам приет в/издържавам приемен изпит за висше учебно заведение.

matriculation [mə,trikju'leiʃn] *n* **1.** записване във/издържаване на изпит за висше учебно заведение; **2.** университетски приемен изпит; матура.

matrimonial [,mætri'mouhjəl] *a* брачен, съпружески; венчален; ~ **differences** несъгласия между съпрузи.

matrimonially [,mætri'mounjəli] *adv* съпружески; чрез брак.

matrimony ['mætriməni] *n* **1.** брак, брачен живот, съпружество; **2.** *карти* вид хазартна игра; мариаж.

matrix ['meitriks] *n (pl* **-es, -ices** [-isi:z]) **1.** *анат.* матка; **2.** *биол.* междуклетъчно вещество; **3.** *тех.* форма, шаблон; **4.** *мат., тех., печ.* матрица; **5.** *стр.* свързващо вещество; циментов разтвор; **6.** *геол.* коренна скала.

matron ['meitrən] *n* **1.** почтена омъжена жена, матрона; ~ **of honour** помайчима; **2.** икономка, домакиня; **3.** старша медицинска сестра; □ **police** ~ жена полицейски инспектор.

matronize ['meitrənaiz] *v* **1.** придавам вид на матрона на; **2.** придружавам младо момиче (*за женена жена*).

matronly ['meitrənli] *a* матронски; почтен; представителен, внушителен.

matt(e) = **mat**[3].

matter[1] ['mætə] *n* **1.** вещество, материя; **grey** ~ 1) сиво (мозъчно) вещество; 2) *разг.* ум, акъл; **2.** предмет, съдържание (*за разлика от форма, стил*); смисъл, същина; **3.** работа; въпрос; нещо; **hanging** ~ нещо, за което човек може да бъде обесен; **money/business** ~**s** парични/търговски работи; **as** ~**s stand** при това положение; ~ **of course** нещо, което се разбира от само себе си/е в реда на нещата; **as a** ~ **of course** естествено; както си му е редът; без да му мисля; ~ **of dispute** спорен въпрос; ~ **of fact** нещо безспорно; **as a** ~ **of fact** фактически, всъщност; **as a**

~ **of routine** според установената практика; **as a** ~ **of urgency** по спешност; **who paid for the drinks, as a** ~ **of interest?** кой плати пиенето, ако смея да попитам? **in the** ~ **of** по въпроса за; колкото се отнася до; **for that** ~, **for the** ~ **of that** колкото се отнася до това, в това отношение, всъщност; **4.** материал; нещо писано/печатно; **postal** ~ пощенска пратка; **reading** ~ четиво; книги, списания и пр.; **5.** значение; **no** ~ нищо; няма значение, все едно; **it's no** ~ /**it makes no** ~ **whether** няма значение дали; **no** ~ **who/what/where** който/каквото/където е; **no** ~ **how often** колкото и често; **what** ~ ? какво значение има? **6.** нещо не наред; **what is the** ~ ? какво има? **what is the** ~ **with you/him, etc.?** какво ти/му и пр. е? **nothing's the** ~ няма нищо, нищо не се е случило; **there is nothing the** ~ **with him** няма му нищо; **what's the** ~ **with it?** *разг.* че какво му е лошото? **7.** *юр.* факти, въз основа на които се води дело; **8.** гной; секрет; урина; изпражнения; **9.** *печ.* набор, набран текст; □ **a** ~ **of 40 years** около 40 години; **within a** ~ **of hours** само няколко часа по-късно.

matter[2] *v* **1.** имам значение, от значение съм (*за някого*) (to); **what does it** ~, **after all?** какво значение има в края на краищата? **2.** гноя.

matter-of-course [,mætərəv'kɔ:s] *a* естествен, в реда на нещата, който се разбира от само себе си.

matter-of-fact [,mætərəv'fækt] *a* **1.** сух, прозаичен, лишен от фантазия; **2.** реалистичен; **3.** обикновен.

mattery ['mætəri] *a* набрал, гноясал, гноен.

matting ['mætiŋ] *n* **1.** рогозка; рогозки; **2.** материал за рогозки; **3.** рогозарство.

mattock ['mætək] *n* мотика; кирка.

mattress ['mætris] *n* **1.** дюшек, тюфлек; **2.** пружина (*на легло*); **spring** ~ матрак.

maturate ['mætjureit] *v мед.* узрявам, набирам, гноясвам.

mature[1] [mə'tjuə] *a* **1.** зрял, узрял, напълно развит; **2.** отлежал (*за вино*); **3.** зрял, добре обмислен; **4.** назрял, готов (**for** за); **5.** *търг.* платим.

mature[2] *v* **1.** узрявам (*и за цирей*), развивам се напълно; **2.** докарвам до състояние на зрелост/пълно развитие; разработвам (*план и пр.*); **to** ~ **o.'s ideas** избистрям идеите си, избистрят ми мислите; **these years** ~**d his character** тези години оформиха характера му; **3.** *търг.* идвам (*за срок на полица*); **4.** оставям да отлежи, отлежавам (*за вино*).

maturity [mə'tjuəriti] *n* **1.** зрелост, пълно развитие; **2.** *търг.* падеж (*на полица*).

matutinal [,mætju'tainl, mə'tju:tinl] *a книж.* **1.** утринен, сутришен; **2.** ранен.

maty = **matey.**

maudlin ['mɔ:dlin] **I.** *a* **1.** сълзливо сантиментален; **2.** разлигавен от пиянство; **II.** *n* сълзливост, сантименталност.

maul[1] [mɔ:l] *n* голям дървен чук.

maul[2] *v* **1.** бия; мачкам; ранявам; ~**ed by a bear** газен от мечка; **2.** боравя грубо/небрежно с; изпокъсвам, раздърпвам; повреждам; **3.** критикувам жестоко, правя (на) бъзе и коприва/на пух и прах.

maulstick ['mɔ:lstik] *n жив.* мущабъл.

maunder ['mɔ:ndə] *v* **1.** движа се безцелно, влача се; **to** ~ **along/about** мотая се, шляя се; **2.** бръщявя, бръщолевя, дърдоря.

maunderer ['mɔːndərə] *n* дърдорко, лигльо, празнословец.

maundy ['mɔːndi] *n*: **M. Thursday** Велики четвъртък; ~ **week** страстната седмица.

mausoleum [,mɔːsə'liəm] *n* мавзолей.

mauve [mouv] *n* 1. бледоморава анилинова боя; бледоморав цвят; 2. *attr* бледоморав.

maverick ['mævərik] *n ам.* 1. недамгосано животно; юва; 2. *разг.* отцепник; човек, незачитащ обществени и пр. норми.

mavis ['meivis] *n поет.* поен дрозд.

mavourneen[1] [mə'vuəniːn] *n ирл.* любима.

mavourneen[2] *int* драга/мила моя!

maw [mɔː] *n* 1. сирище (*у животни*); паст (*и прен.*); гуша (*на птица*); 2. *шег.* търбух.

mawkish ['mɔːkiʃ] *a* 1. сладникав, блудкав; 2. сладникаво сантиментален.

maxilla ['mæksilə] *n* (*pl* -ae [-iː]) *анат.* челюстна кост; горна челюст.

maxim ['mæksim] *n* максима.

Maxim ['mæksim] *n* вид картечница.

maximize ['mæksimaiz] *v* увеличавам до най-голямата възможна степен.

maximum ['mæksiməm] *n* (*pl* -s, -ma [-mə]) 1. максимум; 2. *attr* максимален.

May [mei] *n* 1. май; **Queen of (the)** ~, ~ **queen** момиче, избрано за царица на пролетно тържество; 2. **m.** глогов цвят; 3. *pl* майски изпити (*в Кеймбридж*); 4. *pl* майски гребни състезания; 5. *attr* майски; първомайски.

may [mei] *v* (**might** [mait]) 1. *възможност, вероятност* мога; може би; **he** ~ **come or he** ~ **not** може да дойде, а може и да не дойде; **I was afraid he might lose his way** страхувах се, че той може да се загуби/да не би да се загуби; **I was afraid he might have lost his way** страхувах се, че може да се е загубил; **he** ~ **have gone somewhere else** може да е отишъл другаде; **you might have been drowned** можеше да се удавиш; **I might have known** трябваше да се сетя; **that is as** ~ **be** може и да е така (*но се съмнявам*); **be that as it** ~ както и да е; 2. *молба, позволение:* ~ **I come with you?** мога ли да дойда с теб? — **you** ~ може; **you** ~ **not** не може (*не ти позволявам*); **you might post this letter for me** бих те помолил да ми пуснеш това писмо; 3. *пожелание:* ~ **you be happy!** дано да бъдеш щастлив! желая ти щастие! 4. *в обстоятелствени изр. за цел:* **write to him at once so that he** ~ **know in time** пиши му веднага, за да знае навреме; □ **who** ~/**might you be ?** ти пък кой си? **whoever you** ~ **be** който и да си ти.

maya ['maːjə] *n инд. фил.* привидност, илюзия.

Maya(s) ['maːjə(z)] *n ист.* маи.

Mayan ['maːjən] *a* на маите.

maybe ['meibi:] *adv* може би.

may-beetle, -bug ['mei,biːtl, -bʌg] *n* майски бръмбар (Melolontha melolontha).

May blossom ['mei,blɔsəm] = **May 2.**

May Day ['meidei] *n* 1. Първи май; 2. *attr* първомайски.

Mayday ['meidei] *n* помощ (*международен радиотелеграфен сигнал за бедствие на кораб, самолет*).

Mayfair ['meifɛə] *n* аристократичен квартал в Лондон.

mayflower ['meiflauə] *n* майско цвете.

may-fly ['meiflai] *n* 1. *зоол.* еднодневка (Ephemerida); 2. изкуствена муха (*за стръв*).

mayhem ['meihem] *n* 1. *ам. юр.* тежка телесна повреда, осакатяване; 2. *прен.* поразии; хулиганство; хаос.

mayonnaise [,meiə'neiz] *n фр.* майонеза.

mayor [mɛə] *n* кмет; **Lord M.** лорд-мер, кмет на Лондон и някои други големи градове.

mayoralty | ['mɛərəlti] *n* 1. кметска служба; 2. кметуване.

mayoress ['mɛəris] *n* 1. жена на кмет, кметица; 2. жена кмет.

maypole ['meipoul] *n* украсен с цветя и ленти кол (*около който се танцува на Първи май в Англия*).

mazarine [,mæzə'riːn] *n* 1. тъмносин цвят; 2. *attr* тъмносин.

maze[1] [meiz] *n* 1. лабиринт; 2. бъркотия, хаос; 3. обърканост, объркване; озадаченост; **to be in a** ~ съвсем съм озадачен/объркан.

maze[2] *v особ. в pp* обърквам, озадачавам.

mazer ['meizə] *n* чаша, бокал (*първоначално от дърво*).

mazurka [mə'zəːkə] *n* мазурка.

mazy ['meizi] *a* 1. като лабиринт; с криволичещи завои; 2. объркан, заплетен, сложен.

me [miː, mi] *pron* 1. *pers* косвен падеж от **I**; (на) мене, ме, ми; **it's** ~ *разг.* аз съм; 2. *ост., поет. refl:* **I laid** ~ **down** легнах.

mead[1] [miːd] *n* медовина.

mead[2] *n поет.* ливада.

meadow ['medou] *n* ливада, лъг.

meadow-grass ['medougraːs] *n бот.* ливадина (Poa pratensis).

meadow-saffron ['medou,sæfrən] *n бот.* кърпикожух (Crocus sativus).

meadow-sweet ['medouswiːt] *n бот.* коча билка (Spiraea ulmaria).

meagre ['miːgə] *a* 1. мършав, слаб; 2. оскъден, беден, недостатъчен; слаб (*за посещение*); ~ **fare** оскъдно/тънко ядене; 3. безсъдържателен; незадоволителен; 4. *прен.* постен.

meal[1] [miːl] *n* ядене, хранене (*закуска, обед, вечеря*); (изядената) храна; **we have three** ~**s a day** храним се три пъти на ден; **to have/take a** ~ ям, храня се (*закусвам, обядвам, вечерям*); **to make a** ~ **of it** 1) ям на закуска/обед/вечеря, закусвам/обядвам/вечерям; 2) *прен.* прекалявам го; преувеличавам трудностите на нещо.

meal[2] *n* 1. (едро смляно) брашно; 2. царевично брашно.

meal-catcher ['miːl,kætʃə] *n разг.* авантаджия, който се самопоканва на ядене.

mealie ['miːli] *n юж.-афр. особ. pl* 1. царевица; 2. царевичен кочан.

meals-on-wheels ['miːlzɔn'wiːlz] *n* разнасяне на храна по домовете от служба Социални грижи.

meal ticket ['miːl,tikit] *n* 1. купон за храна в евтин стол; 2. източник на издръжка.

mealy ['miːli] *a* 1. брашнен, като брашно; сипкав; набрашнен; 2. бледен; 3. петнист (*за кон и пр.*).

mealy-bug ['miːlibʌg] *n* щитоносна въшка (Pseudococcus).

mealy-mouthed ['miːlimauðd] *a* 1. прекалено деликатен; 2. неискрен, лицемерен.

mean[1] [miːn] *a* 1. посредствен, незначителен, слаб; скромен; **no** ~ **achievement** значително постижение; **to be no** ~ **scholar** добър/способен учен съм; **the** ~**est citizen** най-скромният/обикновеният гражданин; 2. беден, бедняшки, сиромашки; скромен; 3. долен, подъл; безчестен; 4. дребнав, тесногръд, ограничен; ~ **souls** дребни души(ци); 5. скъпернически, стиснат; 6. *ам. разг.* лош, зъл, жесток; 7. *ам. разг.* виновен, гузен; 8. *ам.* в лошо настроение; неразположен; 9. *ам.*

sl. отличен, изкусен; **to play a ~ guitar** отличен китарист съм.

mean[2] *a* среден (*и мат.*); **~ time** средно (слънчево) време; □ **in the ~time/while** междувременно.

mean[3] *n* **1.** среда, средина; **the golden/happy ~** златната среда; **2.** *мат.* средно число; **3.** *pl с гл. в sing* средство, начин, способ; средства; **by ~s of** посредством, с, чрез; **by all (manner of) ~s** непременно, на всяка цена; разбира се; **by no (manner of) ~s** по никакъв начин; **by any ~s** по какъвто и да е начин; **by some ~s or other** по един или друг начин; **a ~s to an end** начин/средства за постигане на определена цел; **4.** *pl* средства; състояние, богатство; **the ~s of production** средствата за производство; **~s test** имотен ценз; **man of ~s** заможен/състоятелен човек; **to live within o.'s ~s** живея според средствата си, простирам се според чертата си; **to live above/beyond o.'s ~s** живея не според средствата си.

mean[4] *v* (**meant** [ment]) **1.** знача, означавам (*за дума и пр.*); **2.** възнамерявам, имам намерение; **he ~s to succeed** решен е да успее; **he ~s no harm to anyone** никому не мисли зло; **to ~ ill by s.o.** имам лоши намерения спрямо някого, мисля някому злото; **to ~ kindly/well by s.o.** имам добри намерения спрямо/желая доброто на някого; **3.** знача, означавам; **it will ~ working overtime** това ще означава да работим извънредно; **4.** предназначавам, (предварително) определям, предопределям (**for** за); **I ~ it to be used** определил съм го за използуване; **this present is meant for you** този подарък е за теб; **he was meant for a soldier** 1) имаше качества за войник; 2) гласяха го за войник; **5.** искам да кажа, имам предвид; имам за цел; подразбирам; **I ~ to say** искам да кажа (**that**); **I ~ what I say** говоря сериозно, не се шегувам; **what do you ~ by (saying) that?** какво искаш да кажеш с това? как смееш да кажеш такова нещо? **I meant it/it was meant as a joke** казах го на шега; **you broke my best vase! — I didn't ~ to** ти счупи най-хубавата ми ваза! — без да искам; **I didn't ~ to hurt your feelings** не съм искал да те обидя; **I did not ~ you** нямах теб предвид; **6.** имам значение; от значение съм (**to** за).

mean-born ['mi:n'bɔ:n] *a* от скромен произход.

meander[1] [mi'ændə] *n* **1.** *pl* извивки, завои, криволици (*на река*); криволичещи пътеки; **2.** *обик. pl* пътуване със заобикаляния; околен път; **3.** *изк., арх.* меандър; **4.** лабиринт.

meander[2] *v* **1.** извивам се, криволича; **2.** скитам/бродя без цел, шляя се; **3.** говоря несвързано, минавам от тема на тема.

meandering [mi'ændəriŋ] *a* криволичещ; извит.

meanderings [mi'ændəriŋz] *n pl* криволичеща пътека/път.

meaning ['mi:niŋ] *n* значение (*на дума и пр.*) (*и прен.*); **what is the ~ of (all) this?** какво значи това? (*възмущение*); може ли такова нещо? **with ~** многозначително; съзнателно, умишлено.

meaningful ['mi:niŋful] *a* **1.** със смисъл/значение; **2.** смислен, съдържателен; **~ life** пълноценен живот; **3.** многозначителен, изразителен (*за поглед*).

meaningless ['mi:niŋlis] *a* **1.** без значение; **2.** безсмислен, безцелен.

mean-looking ['mi:n,lukiŋ] *a* беден, бедняшки, сиромашки.

meanly ['mi:nli] *adv* **1.** слабо, оскъдно, недостатъчно; **2.** бедно, скромно; **~ born** от бедно/скромно семейство; **3.** низко, безчестно, подло; □ **to think ~ of** имам лошо мнение за.

meanness ['mi:nnis] *n* **1.** низост, гадост, подлост, безчестие; **2.** духовна нищета, посредственост.

means *вж.* **mean**[3].

mean-spirited ['mi:n,spiritid] *a* долен, низък, подъл, безчестен; **~ fellow** подлец.

meant *вж.* **mean**[4].

meantime[1] [,mi:n'taim] *adv* през това време, междувременно.

meantime[2] *n*: **in the ~** през това време, междувременно.

meanwhile [,mi:n'wail] = **meantime**[1].

measles ['mi:zlz] *n pl* **1.** *мед.* дребна шарка, морбили, брусница; **German ~** рубеола; **2.** *вет.* трихиноза (*по свинете*); цистицеркоза, свинска тения.

measly ['mi:zli] *a* **1.** *мед.* болен от шарка/морбили/брусница; **2.** *вет.* трихинозен; болен от свинска тения; **3.** *sl. прен.* мизерен, никакъв, много малък (*за количество, порция и пр.*).

measurable ['meʒərəbl] *a* измерим; **in the ~ future** в недалечно бъдеще.

measure[1] ['meʒə] *n* **1.** мярка, мяра; размери, количество, единица; уред за мерене (*сантиметър и пр.*); **~ of capacity** мярка за вместимост; **~ of weight** мярка за тежина; **dry ~** мярка, мярка за житни храни; **liquid ~** мярка за течности; **long/linear ~, ~ of length** мярка за дължина; **solid/cubic ~** мярка за обем; **full/good ~** колкото трябва; **short ~** по-малко, отколкото трябва, ексик; **good ~** в повече, артък; **above/beyond ~** прекалено, прекомерно, без мярка; **in a/some ~** до известна степен, донякъде; **in a great/large ~** до голяма степен; **within ~** с мярка, умерено; **without ~** без мяра, неограничено; **to keep/observe ~** сдържан съм, имам чувство за мярка; **to set ~s to** определям границите на, ограничавам; **2.** мярка, размери; **to take s.o.'s ~** вземам мярка на някого; *прен.* схващам слабостите на/ разбирам колко (пари) струва някой; **made to ~** направен/ушит и пр. по мярка/поръчка; **3.** мярка, мерило, критерий, мащаб; **to give the ~ of** давам (вярна) представа за; **to be the ~ of** мерило/критерий съм за; **4.** мярка, мероприятие; закон, постановление; **5.** *мат.* делител; **6.** *проз.* ритъм, стъпка, размер; **7.** *муз.* такт; **8.** *ост.* танц; **9.** *pl геол.* пласт, прослойки; □ **~ for ~** око за око, зъб за зъб; мяра за мяра; **for good ~** 1) като прибавка (от мен); 2) *прен.* на това отгоре.

measure[2] *v* **1.** меря, измервам; **2.** вземам мярка на (**for**); **to be ~d for** вземат ми мярка за; **3.** мярката ми е, размерите ми са; **4.** оценявам, преценявам; **5.** *прен.* меря, премервам; **to ~ s.o. with o.'s eye** изглеждам някого, премервам някого с поглед; **6.** отмервам; раздавам; разпределям (**to**); **7.** *поет.* изминавам, прекосявам, преброждам;

measure off/out меря, отмервам, измервам (*необходимо количество*);

measure up 1) премервам (*и прен.*); 2) отговарям на стандарт/изискване; мога да се сравнявам/достигна (**to** с, до); **to ~ up to** отговарям на (*изисквания, очаквания и пр.*), оправдавам (*надежди*); **to ~ up to o.'s task** задачата е по силите/възможностите ми.

measurable ['meʒərəbl] *a* **1.** измерим; **2.** малък; **within ~ distance** (доста) близо до.

measured ['meʒəd] *a* **1.** (добре) обмислен, (грижливо) премерен; **2.** отмерен, равномерен, ритмичен.

measureless ['meʒəlis] *a* безкраен, безграничен, неизмерим.

measurement ['meʒəmənt] *n* 1. мерене, измерване, премерване; измерение; 2. мярка; *pl* размери; **made to ~s** направен по мярка; 3. система на мерки и теглилки; **unit of ~** единица мярка; □ **~ goods** стока, за превоза на която се плаща според обема, а не според теглото.

measuring-jug ['meʒəriŋdʒʌg] *n* градуиран съд.

measuring-tape ['meʒəriŋteip] *n* (шивашки) сантиметър.

measuring-worm ['meʒəriŋwə:m] *n* гъсеница от сем. Geometridae.

meat [mi:t] *n* 1. месо; **butcher's ~** месо от добитък; 2. *ам.* месеста част (*на плод*); 3. *ост.* храна; ядене; обед, вечеря и пр.; 4. *прен.* същина, ядка; съдържание; храна за мисълта, повод за размишление; 5. *ам. sl.* любимо занимание; 6. *attr* месен; с/от месо; □ **cold ~** 1) студено/замразено месо; 2) *sl.* труп, мъртвец; **strong ~** 1) храна, която изисква по-усилено дъвкане; 2) *прен.* нещо трудно за разбиране; **every man's ~** нещо общодостъпно/разбираемо за всички; **one man's ~ is another man's poison** всеки си има свой вкус; **it is ~ and drink to him** голямо удоволствие му доставя.

meat-and-potatoes ['mi:tənpə'teitouz] *n разг.* 1. същност, основа; 2. основен източник на печалба и пр.; 3. *attr* съществен; практически.

meatball [,mi:t'bɔ:l] *n* кюфте(нце).

meatless ['mi:tlis] *a* безмесен, постен.

meat-loaf [,mi:t'louf] = **loaf** 3.

meaty ['mi:ti] *a* 1. месест, меснат; месен; 2. *прен.* съдържателен, съществен.

meccano [mi'ka:nou] *n* конструктор (*игра*).

mechanic [mi'kænik] *n* 1. механик, техник; машинист; оператор; 2. занаятчия.

mechanical [mi'kænikl] *a* 1. машинен; механичен; **~ difficulties** технически трудности; **~ powers** прости машини; **~ pilot** автопилот; **~ transport** автомобилен превоз; 2. занаятчийски; 3. фабричен, индустриален; 4. машинален, механичен, автоматичен, несъзнателен; 5. неоригинален; 6. *фил.* механистичен; 7. технически сръчен.

mechanician [,mekə'niʃn] *n* конструктор; механик.

mechanics [mi'kæniks] *n pl с гл. в sing* механика.

mechanism ['mekənizəm] *n* 1. механизъм; уред; апарат; 2. устройство, строеж; система; *прен.* механизъм; 3. *муз., изк.* техника; 4. *фил.* механически материализъм, механицизъм.

mechanist ['mekənist] *n* 1. = **mechanician**; 2. *фил.* последовател на механицизма.

mechanistic [,mekə'nistik] *a* механистичен, механистически (*и фил.*).

mechanization [,mekənai'zeiʃn] *n* механизация.

mechanize ['mekənaiz] *v* механизирам (*и воен.*).

medal ['medl] *n* 1. медал; орден; отличие; □ **the reverse side of the ~** *прен.* обратната страна на медала.

medallion [mi'dæljən] *n* медальон.

medallist ['medəlist] *n* 1. майстор на медали; 2. медалист, носител на медал, орденоносец.

meddle ['medl] *v* 1. меся се, намесвам се, бъркам се (**in**); бъркам се, където не ми е работа (**in, with**); 2. бърникам, пипам, играя си (**with** с).

meddler ['medlə] *n* човек, който се меси в чужди работи; „шило".

meddlesome ['medlsəm] *a* 1. който се меси в чужди работи; натрапчив, натрапнически; 2. който бърника.

media[1] ['mi:diə] *n* (*pl* -**mediae** ['mi:dii:]) 1. *фон.* звучна преградна съгласна; 2. *анат.* средна обвивка на кръвоносен съд.

media[2] *вж.* **medium**.

mediaeval = **medieval**.

medial ['mi:diəl] *a* среден (*по размер*); междинен.

median ['mi:diən] I. *a* = **medial**; II. *n* 1. *мат.* медиана; 2. *анат.* средна артерия/вена/нерв.

mediant ['mi:diənt] *n муз.* медианта.

mediate[1] ['mi:diət] *a* 1. междинен, промеждутъчен; 2. непряк, косвен; относителен.

mediate[2] ['mi:dieit] *v* 1. посреднича (**between**); 2. постигам/осъществявам/уреждам чрез посредничество/намеса; 3. заемам междинно положение, служа за връзка (**between**).

mediation [,mi:di'eiʃn] *n* посредничество.

mediator ['mi:dieitə] *n* посредник.

medic ['medik] *n sl.* лекар; студент по медицина; медик.

medicable ['medikəbl] *a* излечим.

medicaid ['medikeid] *n ам.* здравна служба за инвалиди и пр.

medical[1] ['medikl] *a* 1. медицински; лекарски; **~ adviser** домашен лекар; **~ history** анамнеза; **~ jurisprudence** съдебна медицина; **~ man** лекар, доктор; **~ woman** лекарка; **~ officer** лекар хигиенист; военен лекар; главен лекар (*в болница*); **~ orderly** санитар; **~ treatment** лекуване, лечение; **to call in ~ assistance** викам лекар; **to take ~ advice** съветвам се с лекар; 2. терапевтичен; **~ ward** терапевтично отделение.

medical[2] *n* 1. = **medic**; 2. *разг.* медицински преглед.

medical examiner [,medikli'gzæminə] *n* 1. *ам.* лекар, който извършва аутопсии при смъртни случаи при съмнителни обстоятелства; 2. *ам.* лекар при застрахователни дружества, фирми и пр.

medicament [me'dikəmənt] *n* лекарство, медикамент.

medicare ['medikeə] *n ам.* държавна здравна служба (*особ. за възрастни*).

medicate ['medikeit] *v* 1. лекувам (*с лекарство*); 2. прибавям лекарство/дезинфекционно средство в (*сапун, шампоан и пр.*).

medication [,medi'keiʃn] *n* 1. лекуване, лечение; 2. прибавяне на лекарство/дезинфекционно средство.

medicative, medicinal ['medikətiv, me'disinl] *a* лечебен, лековит.

medicinally [me'disinəli] *adv* като лекарство; чрез лекарства.

medicine ['medsin] *n* 1. медицина (*терапия, терапевтика*); 2. лекарство, лек, цяр; **to take o.'s ~** 1) вземам си лекарството; 2) *прен.* понасям наказанието си/неприятности; 3. магия, баене (*у индианци*); 4. муска, талисман, амулет, фетиш; □ **~ ball** тежка кожена топка за физически упражнения; **~ chest** домашна аптечка; **to get some/a little/a dose of o.'s own** *прен.* връщат ми го; с моите камъни по моята глава.

medicine-man ['medsinmæn] *n* (*pl* -**men**) магьосник-баяч (*у индианци*), шаман.

medick ['medik] *n бот.* люцерна (Medicago).

medico ['medikou] *n* = **medic**.

medieval [,medi'i:vl] *a* средновековен.

medievalism [,medi'i:vəlizm] *n* 1. средновековни схващания/обичаи и пр.; 2. увлечение по средновековието.

medievalist [,medi'i:vəlist] *n* медиевист, специалист по история на средните векове.

mediocre [,mi:di'oukə] *a* посредствен.

mediocrity [,mi:di'ɔkriti] *n* 1. посредственост; 2. посредствен човек.

meditate ['mediteit] *v* 1. размислям (се), размишлявам, замислям се; обмислям (**on, upon**); **2.** отдавам се на съзерцание; **3.** замислям, кроя.

meditation [ˌmediˈteiʃn] *n* **1.** размисъл, размишление; **2.** съзерцание, мечтателно настроение.

meditative [ˈmeditətiv] *a* съзерцателен, мечтателен; замислен.

mediterranean [ˌmeditəˈreinjən] **I.** *a* **1.** отдалечен от морския бряг; **2.** вътрешен, затворен (*за море*); **3.** M. средиземноморски; **II.** *n* the M. Средиземно море; Средиземноморието.

medium [ˈmiːdjəm] *n* (*pl* **-s, -ia** [-iə]) **1.** среда, средина; нещо средно/междинно/промеждутъчно; средно качество/число; междинна степен и пр. (**between**); **happy ~** златна среда; **2.** (обществена) среда; условия на живот; **3.** средство; сила; фактор; **~ of exchange/circulation** разменно средство; **through the ~ of** посредством, чрез; **4.** *изк., муз., лит.* средства, материал; форма; **5.** проводник; **6.** *биол.* среда; **7.** *жив.* разтворител (*на боя*); **8.** средство (*за информация и пр.*); *pl* (**media**) = **mass media; 9.** (*pl* **mediums**) медиум; **10.** *attr* 1) среден, междинен; 2) умерен; 3) мек.

medlar [ˈmedlə] *n бот.* мушмула (Mespilus germanica).

medley [ˈmedli] *n* **1.** смес, смесица, смешение; миш-маш; смесено общество; пъстра тълпа; **~ of books and papers** безреден куп от книги и книжа; **2.** *муз.* китка, потпури; **3.** литературен сборник; **4.** *сп.* смесена щафета (*на бягане, плуване*) (*и* **~ relay**); **5.** *attr* смесен, разнообразен, разновиден; пъстър, шарен.

medulla [meˈdʌlə] *n* **1.** костен мозък; **2.** гръбначен мозък; **3.** продълговат мозък (*и* **~ oblongata**); **4.** *анат.* средната част на някой орган, *особ.* на бъбрека; **5.** *бот.* сърцевина.

medusa [miˈdjuːzə] *n* (*pl* **-ae** [-iː]) **1.** *зоол.* медуза (*разряд* Hydrozoa *и* Scyphozoa); **2.** M. *мит.* Медуза.

meed [miːd] *n книж.* **1.** награда, отплата; **2.** (заслужена) похвала.

meek [miːk] *a* смирен, кротък; покорен; мек; □ **as ~ as a lamb/as Moses** кротък като агне.

meerschaum [ˈmiəʃəm] *n* **1.** *минер.* морска пяна; **2.** лула от морска пяна.

meet[1] [miːt] *v* (**met** [met]) **1.** срещам (се с), срещам(е) се, събирам(е) се; **2.** посрещам (*на гара и пр.*); **3.** разминаваме се (*за превозни средства*); **4.** запознавам се с; **pleased/glad to ~ you!** приятно ми е (да се запознаем)! **5.** срещам/сливам/пресичам се (*за пътища, реки, линии и пр.*); **6.** идвам до, достигам (*зрението, слуха*); **she was afraid to ~ my eye** тя се боеше да срещне погледа ми; **a strange noise met my ear** долових/чух особен шум; **a terrible scene met my eyes** пред очите ми се откри страшна гледка; **there's more in it than ~s the eye** работата е посложна, отколкото изглежда; **there's more in him than ~s the eye** не е толкова прост, колкото изглежда, у него има скрити качества; **7.** отговарям на, задоволявам (*желания, изисквания и пр.*); **that does not ~ the case** това не е задоволително/подходящо, това не стига; **that ~s a long felt want** това запълва отдавнашна нужда/празнина; **8.** справям се с, преодолявам (*трудност, пречки и пр.*), оборвам (*критика, възражения*); **to ~ emergencies** вземам мерки при спешни случаи; **9.** плащам (*сметки*), посрещам (*разноски*), изплащам (*полица*); **10.** приемам, посрещам; **to ~ o.'s death/end** намирам смъртта си; **11.** бия се с; бия се на дуел, дуелирам се с;

meet together срещаме се, събираме се;

meet up with *ам. разг.* срещам случайно;

meet with 1) срещам (се с), натъквам се на; 2) претърпявам (*загуби*), преживявам; случва ми се, постига/сполита ме; **to ~ with an accident** претърпявам злополука; **to ~ with adventures** имам/случват ми се приключения; **to ~ with kindness** отнасят се добре/човешки с мен; **to ~ with a response** намирам отзвук; **to ~ with success** увенчавам се с успех, успявам.

meet[2] *n* среща, събиране (*на ловци и пр.*).

meet[3] *a ост.* подобаващ, уместен, удобен, подходящ (**for**); **it is ~ to** редно е (**that**).

meeting [ˈmiːtiŋ] *n* **1.** събиране; събрание; **2.** заседание; **3.** *сп.* среща, състезание; **4.** група богомолци; **5.** място за среща; **6.** *тех.* възел; съединение.

meeting-house [ˈmiːtiŋhaus] *n* дом за богослужение (*особ. на протестанти*).

meeting point [ˈmiːtiŋpɔint] = **meeting 5.**

megacycle [ˈmegəˌsaikl] = **megahertz.**

mega-death [ˈmegədeθ] *n* единица, равна на 1 милион убити (*в ядрена война*).

megahertz [ˈmegəhəːts] *n физ.* мегахерц, мегацикъл (*съкр.* **MHz**).

megalith [ˈmegəliθ] *n археол.* мегалит.

megalomania [ˌmegəlouˈmeinjə] *n* мегаломания.

megalopolis [ˌmegəˈlɔpəlis] *n* многомилионен град.

megaphone [ˈmegəfoun] *n* мегафон, рупор.

megascopic [ˌmegəˈskɔpik] *a* **1.** увеличен; **2.** видим с просто око.

megaton [ˈmegətʌn] *n* мегатон.

megilp [məˈgilp] *n изк.* разтворител от ленено масло и терпентин.

megrim [ˈmiːgrim] *n* **1.** мигрена; **2.** *pl* потиснатост, унцние; **3.** каприз, прищявка; **4.** *pl вет.* вертячка, ценуроза (*у конете*).

melancholia [ˌmelənˈkouljə] *n* меланхолия.

melancholic [ˌmelənˈkɔlik] **I.** *a* меланхоличен; **II.** *n* меланхолик.

melancholy[1] [ˈmelənkəli] *n* меланхолия, потиснатост.

melancholy[2] *a* **1.** мрачен, потиснат; **2.** тъжен; навяващ скръб, потискащ.

mélange [meiˈlɑːnʒ] *n фр.* смес, смесица.

Melba toast [ˈmelbətoust] *n* тънка препечена филийка.

meld [meld] *v* карти обявявам.

mêlée [ˈmelei] *n фр.* **1.** ръкопашен бой, схватка; сбиване; меле; **2.** блъсканица, навалица; **3.** бъркотия.

meliorate [ˈmiːliəreit] *v* подобрявам (се).

melioration [ˌmiːliəˈreiʃn] *n* подобрение, мелиорация.

melliferous [meˈlifərəs] *a* медоносен, медовит.

mellifluous [meˈlifluəs] *a* меден, мелодичен; сладкодумен, красноречив.

mellow[1] [ˈmelou] *a* **1.** (у)зрял, мек, сладък, сочен (*за плод*); **2.** пивък; отлежал (*за вино*); **3.** глинест, богат, мазен (*за почва*); **4.** поумнял, зрял, улегнал, уталожен; **5.** *прен.* мек (*за светлина, звук*), топъл (*за цвят*); **6.** любезен, добродушен, сърдечен; весел, общителен; **in a ~ mood** размекнат; **7.** *разг.* пийнал, с повишено настроение, на градус.

mellow[2] *v* **1.** зрея, узрявам, омеквам; правя (*плод*) да омекне/да стане сладък и сочен; **2.** поумнявам, уталожвам се, улягам; правя да поумнее/поулегне; омекотявам; **man ~ed by age** човек, улегнал с възрастта; **~ed by age** 1) със смекчени от времето цветове и форми (*за здание и пр.*); 2) със старинен чар.

melodeon [miˈloudiən] *n* **1.** вид хармониум; **2.** вид акордеон.

melodic [miˈlɔdik] *a* мелодичен.

melodious [mi'loudiəs] *a* **1.** мелодичен; **2.** мек, нежен, звучен, напевен.

melodist ['melədist] *n* **1.** композитор на мелодии; майстор на мелодията; **2.** певец.

melodrama [,melə'dra:mə] *n* **1.** мелодрама; **2.** мелодраматичност (*и прен.*).

melodramatic [,melodrə'mætik] *a* мелодраматичен (*и прен.*).

melody ['melədi] *n* **1.** мелодия; **2.** мелодичност.

melon ['melən] *n* **1.** *бот.* пъпеш (Cucumis melo); **2.** = water-~; **3.** *търг. sl.* извънредни дивиденти/възнаграждения/печалби.

melt[1] [melt] *v* **1.** топя (се), стопявам (се), разтопявам (се), разтапям (се); разтварям (се); **2.** *прен.* умирам от горещина; увирам; **3.** смекчавам (се), омеквам; размеквам се, омекотявам (се); to ~ with pity трогвам се; to ~ into tears разплаквам се; **4.** преминавам, превръщам се; сливам се, преливам се; the clouds ~ed into rain от облаците се изсипа дъжд; to ~ into a crowd сливам се с тълпа; one colour ~s into another цветовете се преливат;
    melt away 1) стопявам се; 2) *прен.* увирам/умирам от горещина; 3) разпръсквам се, разсейвам се (*и прен.*); 4) изчезвам, загубвам се;
    melt down стопявам, стапям; претопявам.

melt[2] *n метал.* **1.** стопен метал; **2.** стопилка; **3.** плавка.

melting ['meltiŋ] *a* **1.** който се топи; **2.** нежен, мек, размекнат; to be in a ~ mood размекнат съм.

melting-point ['meltiŋpɔint] *n физ.* температура/точка на топене.

melting-pot ['meltiŋpɔt] *n* **1.** *метал.* тигел; **2.** *прен.* място, където се смесват различни социални, расови и пр. групи; място, където стават бързи промени; to be in/go into the ~ претърпявам коренна промяна.

melton ['meltən] *n* вид дебел вълнен плат.

member ['membə] *n* **1.** *анат.* част/орган на тялото; **2.** *грам.* част (*на изречение*); **3.** член (*на дружество и пр.*); M. of Parliament (*съкр.* M. P.) член на парламента, депутат; private ~ = back-bencher 2; probationary ~ кандидат-член; sitting ~ постоянен член; ~ state държава членка (*на организация*); **4.** човек (*от раса, публика, тълпа и пр.*); ~ of the armed forces военнослужещ; **5.** съставна част, елемент; **6.** клон на дружество/организация; **7.** *мат., лог.* член на уравнение/силогизъм.

membership ['membəʃip] *n* **1.** членство; **2.** (брой на) членове; **3.** обикновени членове (*на организация*); **4.** *attr* членски; ~ card членска карта.

membrane ['membrein] *n биол.* ципа, кожица, мембрана.

memento [mi'mentou] *n* **1.** спомен; as a ~ (of) за спомен (от); ~ mori нещо, което напомня за смъртта, мъртвешка глава, череп; **2.** напомняне.

memo ['memou] *разг.* = memorandum.

memoir ['memwa:] *n* **1.** кратка биография/автобиография; **2.** *pl* мемоари, спомени, записки; **3.** научна статия, доклад; *pl* доклади на научно дружество.

memorabilia [,memərə'biliə] *n pl лат.* забележителни неща/паметни събития от миналото; спомени.

memorability [,memərə'biliti] *n* забележителност.

memorable ['memərəbl] *a* паметен, забележителен, незабравим.

memorandum [,memə'rændəm] *n* (*pl* -da [-də], -dums) **1.** бележка, записка; to make a ~ of записвам си; **2.** паметна бележка, меморандум; **3.** дипломатическа нота; **4.** *юр.* резюме (*на договор и пр.*).

memorial [mi'mɔ:riəl] I. *a* **1.** който служи да напомня, паметен; ~ tablet паметна плоча; **2.** в памет на; M. Day *ам.* ден на загиналите във войните; II. *n* **1.** паметник (*и писмен*); war ~ паметник на загинали във война; **2.** празник, обичай; **3.** записка, изложение; **4.** *pl* хроника; мемоари, спомени, записки; **5.** петиция.

memorialist [mi'mɔ:riəlist] *n* **1.** човек, който подава петиция; **2.** мемоарист, автор на мемоари.

memorialize [mi'mɔ:riəlaiz] *v* **1.** увековечавам паметта на, (от)празнувам, ознаменувам; **2.** подавам петиция до.

memorize ['meməraiz] *v* уча/научавам наизуст, запаметявам.

memory ['meməri] *n* **1.** памет; the art of ~ мнемоника; in ~ of в памет на; from ~ по памет; within the ~ of man откакто помнят хората; beyond the ~ of man от/в незапомнени времена; within my ~ откакто (се) помня; of blessed/happy ~ блаженопочивши; to bear/have/keep in ~ помня, запомням; to bring back/call to ~ спомням/припомням си; to embalm/enshrine/treasure up in o.'s ~ тача паметта на; to engrave/impress/imprint/stamp in s.o.'s ~ запечатвам в паметта на някого; if my ~ does not fail me/serves me right ако паметта ми не ме лъже/не ми изневерява; **2.** спомен; **3.** *attr* по памет.

memsahib ['mem,sa:(h)ib] *n англоинд.* госпожа, господарка.

men *вж.* man[1].

menace[1] ['menəs] *n* **1.** заплаха, опасност (to за, of от); **2.** *прен.* напаст.

menace[2] *v* заплашвам, застрашавам (with с).

ménage [me'na:ʒ] *n фр.* (водене на) домакинство.

menagerie [mi'næʤəri] *n* менажерия (*и прен.*).

mend[1] [mend] *v* **1.** поправям, ремонтирам; кърпя, закърпвам, изкърпвам; **2.** подобрявам (се), възстановявам (се); to ~ o.'s manners/ways поправям си поведението; it is never too late to ~ никога не е късно да поправиш грешката си; that won't ~ matters това няма да подобри положението/нещата; the patient is ~ing болният отива към подобрение; the weather is ~ing времето се оправя/е на оправяне; to ~ o.'s fences поправям отношенията си (with с); ~ or end или-или, няма полза от полумерки; **3.** прибавям гориво на, стъквам (*огъня*).

mend[2] *n* **1.** кръпка; запълнена дупка, закърпено място; **2.** подобряване, подобрение, възстановяване; to be on the ~ отивам към подобрение.

mendacious [men'deiʃəs] *a* лъжлив; неверен.

mendacity [men'dæsiti] *n* **1.** лъжливост; **2.** невярно твърдение.

mender ['mendə] *n* кърпач; майстор, който извършва поправки.

mendicancy ['mendikənsi] *n* просия, просене.

mendicant ['mendikənt] I. *a* просещ; II. *n* просяк; ~ friars *ист.* монаси, които се прехранват с просия.

mendicity [men'disiti] = mendicancy.

menfolk ['menfouk] *n pl разг.* **1.** мъжете, мъжкият пол; **2.** мъжете от едно семейство.

menhaden [,men'heidn] *n зоол.* риба, подобна на херинга (Brevoortia tyrannus).

menhir ['men,hiə] *n археол.* менхир (*висок побит камък*).

menial ['mi:njəl] I. *a* **1.** на слуга/прислужник, слугински; низш, робски; ~ job черна/слугинска работа; the ~ staff слугите; **2.** раболепен, угоднически, лакейски; II. *n обик. неодобр.* слуга.

meningitis [,menin'ʤaitis] *n мед.* менингит.

meniscus [mi'niskəs] *n* менискус (*и анат.*).

menopause ['menoupɔːz] *n мед.* менопауза, климактерий, критическа възраст.

menses ['mensiːz] *n pl физиол.* менструация.

menstrual ['menstruəl] *a* 1. *физиол.* менструационен; 2. *астр.* ежемесечен.

menstruate ['menstrueit] *v физиол.* имам менструация.

menstruation [,menstru'eiʃn] *n физиол.* менструация.

mensurable ['menʃurəbl] *a книж.* 1. измерим; 2. *муз.* ритмичен.

mensural ['menʃurəl] *a* 1. отнасящ се до мярка, мерен; 2. *муз.* ритмичен.

mensuration [,mensjuə'reiʃn] *n* мерене, измерване, измерение.

mental ['mentl] *a* 1. умствен, мисловен; ~ **age** психическа възраст; ~ **powers** умствени способности; ~ **test** психологичен изпит; 2. душевен; ~ **case/patient** душевноболен; ~ **hospital** психиатрия; 3. мислен; вътрешен, неизказан; ~ **arithmetic** смятане на ум; ~ **reservation** мълчалива уговорка, неизказано възражение; 4. *разг.* душевноболен; побъркан, смахнат.

mentality [men'tæliti] *n* 1. мисловна способност, ум, разсъдък, интелект; 2. манталитет, мисловност, характер.

mentally ['mentəli] *adv* 1. мислено; 2. умствено; душевно, ~ **defective/deficient** умствено недоразвит; ~ **ill** душевноболен.

mentation [men'teiʃn] *n псих.* 1. мисловна дейност/процес; 2. душевно състояние.

mention[1] ['menʃn] *n* споменаване (по име), посочване (**of**); **to make** ~ /**no** ~ **of** споменавам/не споменавам; **honourable** ~ (изказване на) похвала.

mention[2] *v* споменавам (по име), отварям дума за; **don't** ~ **it** няма защо, моля (*след изказани благодарности, извинения*); **not to** ~, **without** ~**ing** да не говорим за.

mentionable ['menʃənəbl] *a* който може да бъде споменат.

mentor ['mentɔː] *n* ментор, наставник, възпитател.

menu ['menjuː] *n фр.* меню.

Mephistophelean, -ian [,mefistə'fiːljən] *a* мефистофелски.

mephitic [me'fitik] *a* зловонен; вреден, зловреден, отровен.

mephitis [me'faitis] *n* зловонни изпарения, миазми.

mercantile ['məːkəntail] *a* 1. търговски (*за флота, право и пр.*); 2. търгашески, сметкаджийски, меркантилен.

mercantilism ['məːkəntilizm] *n* 1. *ост. ик.* меркантилизъм; 2. търгашество, сметкаджийство, меркантилност.

mercenary ['məːsinəri] I. *a* 1. користен, користолюбив; търгашески; продажен; 2. наемен; II. *n* наемник, наемен войник.

mercer ['məːsə] *n* търговец на текстилни изделия.

mercerize ['məːsəraiz] *v текст.* мерсеризирам.

mercery ['məːsəri] *n* 1. търговия с тъкани; 2. текстилни стоки.

merchandise[1] ['məːtʃəndaiz] *n* стока, стоки.

merchandise[2] *v* 1. търгувам (**in** c); 2. организирам пласмента/рекламирането на.

merchant ['məːtʃənt] *n* 1. търговец; търговец на едро, ангросист; **curb** ~ уличен търговец; 2. *ам., шотл.* търговец на дребно, дюкянджия; 3. *sl.* запалянко, любител; **speed**-~ шофьор любител на високи скорости; 4. *attr* търговски; ~ **prince** богат търговец; ~ **tailor** шивач, който шие облекло със свои материали.

merchantable ['məːtʃəntəbl] *a* 1. който се продава/е за продан; 2. който (лесно) се харчи.

merchantman ['məːtʃəntmən] *n* (*pl* -**men**) търговски кораб.

merciful ['məːsiful] *a* 1. милостив, милосърден, състра-

дателен; снизходителен; 2. благоприятен; навременен.

merciless ['məːsilis] *a* безжалостен, безмилостен, суров, жесток.

mercurial [məː'kjuəriəl] I. *a* 1. подобен на/причинен от живак; живачен; 2. *прен.* жив, находчив; 3. променчив, непостоянен, който е на настроения/повлиян от планената Меркурий; II. *n фарм.* живачен препарат.

mercurialism [məː'kjuəriəlizm] *n мед.* хронично живачно отравяне, хидраргиризъм, меркуриализъм.

mercuriality [məː,kjuəri'æliti] *n* 1. живост, находчивост; 2. безгрижие; 3. непостоянство, несериозност.

mercuric [məː'kjuərik] *a хим.* съдържащ двувалентен живак.

mercurous ['məːkjurəs] *a хим.* съдържащ едновалентен живак.

mercury ['məːkjuri] *n* 1. живак; 2. живачен стълб; барометър; 3. *мит., астр.* M. Меркурий; 4. *разг.* пратеник.

mercy ['məːsi] *n* 1. милост, пощада; милосърдие; снизхождение; **to have/take** ~ **on, to show** ~ **to** смилявам се над, пощадявам; **for** ~'s **sake!** за бога! **at the** ~ **of** на произвола/под властта/на благоволението/в ръцете на; ~ **on us!** *int* 1) бог да ни е на помощ! (*ужас*); 2) я гледай ти! (*изненада*); **left to the tender mercies of** *ирон.* оставен на благоволението на; 2. благодат; късмет, щастие; **it's a** ~ **that** какъв късмет/слава богу, че; **one must be thankful for small mercies** човек трябва да бъде благодарен и за най-малките добрини/да се задоволява с малко; 3. *attr* извършен от състрадание; ~ **killing** безболезнено умъртвяване на неизлечимо болен.

mercy-seat ['məːsisiːt] *n* 1. *др. евр.* скиния; 2. *църк.* божият престол; 3. божия милост.

mere[1] [miə] *n ост., поет.* освен в *геогр.* имена 1. езеро; 2. блато.

mere[2] *a* истински, чист; обикновен; **she's a** ~ **child** тя е съвсем млада, едва ли не дете; ~ **spectator** обикновен наблюдател; **the** ~ **sight of her makes me tremble** само като я погледна/видя и се разтрепервам; **it's a** ~/**the** ~**st trifle** дребна работа; **out of** ~ **spite** от чиста злоба, само от злоба; **by the** ~**st chance/accident** съвсем случайно.

merely ['miəli] *adv* само, просто.

meretricious [,meri'triʃəs] *a* 1. евтин; крещящ, безвкусен; с чисто външен ефект (*и за стил*); 2. подобаващ на проститутка, проститутски.

merganser [məː'gænsə] *n зоол.* голям потапник (Mergus merganser).

merge [məːdʒ] *v* 1. сливам (се) (**in**); съединяваме (се), обединяваме (се); уедряваме се (*за предприятия*); 2. смесвам (се); преливам, преминавам, превръщам се (**in, into** в).

merger ['məːdʒə] *n юр.* сливане, обединение, уедряване (*на предприятия*); обединено/уедрено предприятие.

meridian [mə'ridiən] *n* 1. *геогр., астр.* меридиан; **prime** ~ нулев меридиан; 2. зенит; пладне; 3. *прен.* зенит, апогей; връх (*на слава и пр.*); разцвет; 4. *attr* 1) пладнешки, обеден; 2) *астр.* зенитен; 3) кулминационен; върховен.

meridional [mə'ridiənəl] I. *a* 1. меридианов, меридианен; 2. меридионален, южноевропейски; II. *n* южняк (*особ. жител на Южна Франция*).

meringue [məˈræŋ] *n фр.* **1.** печени разбити белтъци със захар (*за глазура и пр.*); **2.** целувка (*сладкиш*).

merino [məˈriːnou] *n* **1.** мериносова овца (*и* ~ **sheep**); **2.** плат от мериносова вълна; мериносова прежда; **3.** *attr* мериносов.

merit[1] [ˈmerit] *n* **1.** *и pl* заслуга; **to take** ~ **to o.s. for s.th., to make a** ~ **of s.th./doing s.th.** приписвам си голяма заслуга за нещо/задето съм направил нещо; **Order of M.** (*съкр.* **O. M.**) орден за (граждански/военни) заслуги; **2.** достойнство, качество; **book of true** ~ ценна книга; **certificate of** ~ грамота; **3.** *pl* основание, основателност; същина; **judgement on the** ~s присъда по същество; **to go into/discuss the** ~s of s.th. обсъждам доводите за и против нещо; □ ~ **system** *ам.* назначаване на служба въз основа на качества, а не по политически съображения и пр.

merit[2] *v* заслужавам, достоен съм за.

meritorious [meriˈtɔːriəs] *a* похвален; заслужаващ похвала; заслужен.

merle [məːl] *n ост. зоол.* кос.

merlin [ˈməːlin] *n зоол.* малък сокол, чучулигар (Falco columbarius).

merlon [ˈməːlən] *n* зъбец (*на крепостна стена*).

mermaid [ˈməːmeid] *n мит.* морска сирена.

merman [ˈməːmən] *n мит.* тритон.

merriment [ˈmerimənt] *n* веселие, веселба.

merry[1] [ˈmeri] *a* **1.** весел; радостен; ~ **as a lark/cricket/grig, as** ~ **as the day is long** много весел, пълен с живот, жизнерадостен; **to make** ~ веселя се, забавлявам се; **2.** шеговит, забавен; **to make** ~ **over/about** присмивам се на; **3.** *ост.* приятен, приветлив; ~ **(old) England** добрата стара Англия; **4.** *разг.* пийнал, развеселен; □ ~ **hell** *sl.* бъркотия; **to play** ~ **hell with** съвсем объърквам.

merry[2] *n бот.* дива черна череша (Prunus avium).

merry-andrew [ˈmeriˈændruː] *n* шут, смешник.

merry-go-round [ˈmerigou,raund] *n* въртележка, карусел.

merry-maker [ˈmeri,meikə] *n* човек, който се весели/забавлява; ~s весела компания.

merry-making [ˈmeri,meikiŋ] *n* веселие; веселба; увеселение.

merrythought [ˈmeriθɔːt] *n зоол.* ядец (*кост*).

mesa [ˈmeisə] *n геогр.* високо скалисто плато.

mésalliance [meˈzæliəns, ˈmeiˈzæliaːns] *фр.* = **misalliance**.

meseems [miˈsiːmz] *v ост.* струва ми се.

mesentery [ˈmesəntəri] *n анат.* мезентерий, було, опорак.

mesh[1] [meʃ] *n* **1.** дупка, бримка (*на мрежа*); клуп, примка; отвор, клетка (*на сито*); **2.** *pl* мрежа (*и физиол.*); **3.** *pl прен.* примки, уловки, мрежи; **4.** *тех.* зацепване; **in** ~ зацепен; **5.** *ел.* затворена верига.

mesh[2] *v* **1.** улавям (се) в мрежа; *прен.* впримчвам; **2.** *тех.* зацепвам (се).

meshwork [ˈmeʃwəːk] *n* мрежа, мрежи.

meshy [ˈmeʃi] *a* мрежест.

mesial [ˈmiːzjəl] *a* среден, медиален.

mesmeric [mezˈmerik] *a* хипнотичен.

mesmerist [ˈmezmərist] *n* хипнотизатор.

mesmerize [ˈmezməraiz] *v* хипнотизирам (*и прен.*).

mesne [miːn] *a юр.* междинен.

Mesozoic [ˌmesouˈzouik] *a геол.* мезозойски.

mesquit(e) [meˈskiːt] *n бот.* мескит (Prosopis juliflora).

mess[1] [mes] *n* **1.** *ост.* ястие, гозба; порция; порция; **for a** ~ **of pottage** *библ. прен.* за паница леща; **2.** кърма за добитък, ярма; храна за кучета; **3.** смесица, сме-

шение; **4.** мръсотия; **to make a** ~ **of** изпоцапвам; **5.** *прен.* каша, бъркотия, неразбория; **to make a** ~ **of things** забърквам каша, оплесквам я; **to be in a** ~ в безпорядък съм; загазил съм (го); **6.** офицерски стол; сервираната храна в стол; хранещите се в стол, столуващите.

mess[2] *v* **1.** цапам, изцапвам; **2.** хвърлям в безпорядък; разхвърлям (*и с* **up**); **3.** *прен.* оплесквам, объърквам (*и с* **up**); **4.** *воен., мор.* храня се в стол; храня (*столуващи*);
. **mess about/around (with)**; 1) бърникам; разбърквам; 2) развалям; объърквам (*планове, проекти*); 3) *разг.* отнасям се грубо/пренебрежително; играя си; 4) *прен.* играя си; мотая се, шляя се; 5) *разг.* имам вземане-даване/меша се с;
   mess in (with) меся се, бъркам се;
   mess together храня се в същия стол;
   mess up 1) разбърквам, объърквам; 2) изпоцапвам;
   mess with храня се в същия стол с (*някого*).

message[1] [ˈmesidʒ] *n* **1.** съобщение, известие; **2.** бележка, съобщение (*по телефона и пр.*); **3.** послание (*на президент и пр.*); **4.** поръчка; **to go on a** ~, **to run** ~s изпълнявам поръчка/поръчки; **5.** завет, идея (*която искам да внуша*); основна идея, тема; смисъл, значение; поука; □ **to get the** ~ *sl.* разбирам (*за какво става дума*), загрявам.

message[2] *v* **1.** *ряд.* изпращам известие; **2.** предавам (*заповед, съобщение*) чрез сигнали (*по телеграфа, радиото*), сигнализирам.

messenger [ˈmesindʒə] *n* **1.** пратеник; куриер (*и дипломатически*); **hotel** ~ хоп, хотелиерски прислужник (*за поръчки из града*); **telegraph** ~ раздавач на телеграми; **2.** *ост.* предвестник.

mess hall [ˈmeshɔːl] *n воен.* стол, столова.

Messiah [miˈsaiə] *n рел.* месия, спасител.

messianic [ˌmesiˈænik] *a* месиански.

messieurs *вж.* **monsieur**.

mess jacket [ˈmes,dʒækit] *n* **1.** *мор.* (двуредна) куртка; **2.** къса бяла мъжка дреха (*полуофициална*).

mess-kit [ˈmeskit] *n* войнишки/туристически прибори за готвене и ядене.

messmate [ˈmesmeit] *n мор.* сътрапезник.

Messrs [ˈmesəz] *n* (*pl* от **Mr**) господа (*обик. пред име на фирма*).

mess tin [ˈmestin] *n* войнишко канче.

messuage [ˈmeswidʒ] *n юр.* къща с двор.

mess-up [ˈmesʌp] *n разг. прен.* бъркотия, каша.

messy [ˈmesi] *a* **1.** мръсен; **2.** разхвърлян; **3.** *прен.* объркан.

mestizo [mesˈtiːzou] *n* португалски/испански метис.

met[1] *вж.* **meet**[1].

met[2] **I.** *a* **1.** = **meteorological**; **2.** = **metropolitan I**; **II.** *n* **the M.** 1) метеорологическа служба; 2) *ам.* Метрополитън опера.

metabolic [ˌmetəˈbɔlik] *a биол.* метаболичен.

metabolism [meˈtæbəlizəm] *n биол.* метаболизъм, обмяна на веществата.

metabolize [meˈtæbəlaiz] *v биол.* обменям (*тъкан*) чрез метаболизъм.

metage [ˈmiːtidʒ] *n* (такса за) премерване на въглища.

metal[1] [ˈmetl] *n* **1.** метал; **2.** *мин.* рудоносна скала; **coarse** ~ меден камък; **3.** материал за производство на стъкло; разтопено стъкло; стъклена маса (*в стъкларството и грънчарството*); **4.** *стр.* чакъл; **5.** *жп.* баласт; **6.** *жп. pl* релси; **to run off/leave/jump the** ~s дерайлирам; **7.** *печ.* букволяарна сплав; печатарски букви; **8.** *прен.* = **mettle 1, 2**; **9.** *attr* метален.

metal[2] *v* (**-ll-**) **1.** метализирам, покривам с метал; **2.**

жп. полагам баласт; 3. *стр.* постилам *(път)* с чакъл; ~**led road** шосе.

metallic [mi'tælik] *a* 1. метален *(и за пари)*; като метал; 2. *прен.* рязък, остър *(за звук, глас)*.

metalliferous [‚metə'lifərəs] *a* хим. металоносен.

metalloid ['metɔlɔid] *n* хим. неметал, металоид.

metallurgic(al) [‚metə'lə:ʤik(l)] *a* металургически, металургичен.

metallurgist [me'tælədʒist] *n* металург.

metallurgy [me'tælədʒi] *n* металургия.

metal-work ['metlwə:k] *n* 1. метални изделия; 2. *pl обик.* с *гл. в sing* металургичен завод.

metal-worker ['metl‚wə:kə] *n* металик, металоработник.

metal-working ['metl‚wə:kin] *n* металообработване.

metamorphose [‚metə'mɔ:fouz] *v* видоизменям, превръщам (**into**); преобразявам.

metamorphosis [‚metə'mɔ:fəsis] *n* (*pl* -**ses** [-si:z]) 1. *биол.* метаморфоза *(и прен.)*; 2. преобразуване, видоизменение.

metaphor ['metəfə] *n* стил. метафора.

metaphoric(al) [‚metə'fɔrik(l)] *a* метафоричен, образен.

metaphysical [‚metə'fizikl] I. *a* 1. *фил.* метафизически; 2. нематериален, нереален; отвлечен, прекалено тънък, неуловим, неясен; 3. свръхестествен; 4. *лит.* метафизически *(за английската поезия от началото на XVII в.)*; II. *n* метафизически поет.

metaphysics [‚metə'fiziks] *n pl c гл. в sing* метафизика.

metastasis [me'tæstəsis] *n* (*pl* -**ses** [-si:z]) 1. *мед.* метастаза; 2. *биол.* метаболизъм.

metathesis [me'tæθəsis] *n* (*pl* -**ses** [-si:z]) хим., ез. метатеза.

mete[1] [mi:t] *n* пограничен знак; граница; ~**s and bounds** *юр.* граници и предели.

mete[2] *v* 1. *поет.* меря; 2. **to ~ out** *книж.* раздавам, предназначавам; отсъждам *(наказание)*.

meteor ['mi:tjə] *n* 1. метеор *(и прен.)*, падаща звезда; 2. *ряд.* атмосферно явление.

meteoric [‚mi:ti'ɔrik] *a* 1. метеорен; 2. *прен.* подобен на метеор, стремглав, блестящ и главоломен; ~ **career** блестяща/бърза кариера; 3. атмосферен.

meteorite ['mi:tjərait] *n* метеорит.

meteorologic(al) [‚mi:tjərə'lɔʤik(l)] *a* метеорологичен.

meteorology [‚mi:tjə'rɔlədʒi] *n* метеорология.

meter[1] ['mi:tə] *n* 1. измервателен уред/инструмент; брояч; **water-**~ водомер; 2. измервач.

meter[2] = **metre**.

methane ['mi:θein] *n* хим. метан, блатен газ.

methinks [mi'θinks] *v* (**methought** [mi'θɔ:t]) *ост.* струва ми се.

method ['meθəd] *n* 1. метод; начин; 2. система, ред; **man of** ~ човек на реда; **there's ~ in his madness** той не е толкова луд, колкото изглежда; 3. схема на класификация; 4. *ам.* методология, методика; технология.

methodic(al) [mi'θɔdik(l)] *a* 1. методичен, системен, планомерен; 2. уреден, който обича реда; систематичен; 3. методологичен.

Methodism ['meθədizm] *n* рел. методизъм.

methodize ['meθədaiz] *v* 1. слагам ред; 2. прилагам/работя планово/системно; 3. нареждам систематически.

methought *вж.* **methinks**.

meths [meθs] *pl разг.* = **methylated spirits** *(вж.* **methylate**).

methyl ['meθil] *n* хим. метил; ~ **alcohol** метилов алкохол, метанол.

methylate ['meθileit] *v* хим. 1. внасям метилова група в; 2. денатурирам *(спирт)*; ~**d spirits** денатуриран спирт.

---

mica ['maikə] *n минер.* слюда.
micaceous [mai'keiʃəs] *a минер.* слюден.
mice *вж.* **mouse**[1].
Michaelmas ['miklməs] *n* Архангелов ден (*29 септември*).
Michaelmas daisy ['miklməs‚deizi] *n бот.* астра, димитровче (Aster).
mick [mik] *n sl. пренебр.* **1.** ирландец; **2.** католик.
mickey ['miki] *n sl.:* **to take the ~** (out of s.o.) баламосвам/занасям/майтапя се (с някого).
mickle ['mikl] *ост., шотл.* **I.** *a* много; голям; **II.** *n* голямо количество; □ **many a little/pickle makes a ~** *шотл.* капка по капка вир става.
micky = **mickey**.
microbe ['maikroub] *n* микроб.
microbial, -bic [mai'kroubiəl, -bik] *a* микробен.
microcosm ['maikroukɔzm] *n* **1.** микрокосмос; **2.** нещо, представено в миниатюр (*система и пр.*); **3.** *прен.* малкият свят (*човекът*).
microelectronics [‚maikrou‚ilek'trɔniks] *n pl с гл. в sing* микроелектроника.
micrograph ['maikrougra:f] *n* **1.** микроснимка; **2.** микрограф.
microfilm ['maikroufilm] *n* микрофилм.
micromesh ['maikroumeʃ] *a* от фина мрежа (*за чорап*).
micron ['maikrɔn] *n физ.* микрон.
micro-organism [‚maikrou'ɔ:gənizm] *n* микроорганизъм.
microphone ['maikrəfoun] *n* микрофон.
microscope ['maikrəskoup] *n* микроскоп.
microscopic [‚maikrə'skɔpik] *a* микроскопичен.
mid [mid] *a* среден (*за част, положение*) (*главно в съчет.*); **in ~ Atlantic** посред Атлантическия океан; **in ~ winter** посред зима.
mid-air ['midɛə] *n* **1.** въздушно пространство, небе; **in ~ във въздуха; 2.** *attr* който става/се случва във въздуха; **~ collision** сблъскване (*на самолети*) във въздуха.
mid-course ['midkɔ:s] *n:* **in ~** посред пътя.
midday ['middei] *n* **1.** пладне, обед; **at ~ по пладне; 2.** *attr* пладнешки, обеден; **~ meal** обед.
midden ['midn] *n* **1.** *диал.* бунище; **2. kitchen ~** *археол.* кьокенмединг.
middle[1] ['midl] **I.** *a* **1.** среден; централен; **M. English** *ез.* средноанглийски език (*от XII до края на XV в.*); **~ age/years** средна възраст; **~ watch** *мор.* среднощна вахта (*от 24 до 4 ч.*); **2.** *грам.* среден (*за залог*); **3.** *лог.* общ (*за член на силогизъм*); **II.** *n* **1.** среда; **2.** талия, кръст; **3.** *грам.* среден залог; **4.** *лог.* общ член (*на силогизъм*); **5.** стока от средно качество; □ **in the ~ of** посред; в средата на; точно през/по време на; **in the ~ of nowhere** някъде по дяволите; **I was in the ~ of reading** тъкмо (си) четях.
middle[2] *v* **1.** поставям в средата; **2.** *футб.* подавам (*топката*) към средата на игрището.
middle-aged [‚midl'eiʤd] *a* на средна възраст.
Middle Ages [‚midl'eiʤiz] *n:* **the ~** средните векове.
middle-brow ['midlbrau] **I.** *a* без особени интелектуални интереси; **II.** *n* човек без такива интереси.
middle class [‚midl'kla:s] *n* **1. the ~**(es) буржоазията; **the upper/lower ~** едрата/дребната буржоазия; **2.** *пренебр.* еснафи; **3.** *attr* ['midlkla:s] буржоазен.
middleman ['midlmæn] *n* (*pl* **-men** [men]) посредник; комисионер.
middlemost ['midlmoust] *a* среден, централен.

middle-of-the-road ['midləvðə'roud] *a* **1.** среден, неутрален; **2.** компромисен.
middle-size(d) ['midlsaiz(d)] *a* със среден размер.
middle-weight ['midlweit] **I.** *a* със средно тегло; от средна категория (*за боксьор, борец*); **II.** *n* боксьор/борец от средна категория (66—75 *кг*).
middling[1] ['midliŋ] *a* **1.** среден (*по големина*); **2.** посредствен; второкачествен; средно/не особено добър, не кой знае какъв.
middling[2] *adv разг.* средно (*висок и пр.*); **how are you? — ~** как сте? — горе-долу; средна работа.
middling[3] *n в обик. pl* стоки от средно качество (*особ. брашно*).
middy ['midi] *n* **1.** *разг. съкр. от* **midshipman; 2.** *attr:* **~ blouse** широка блуза (*за жени, деца*) с матроска яка.
midge [miʤ] *n* **1.** *зоол.* мушичка, комарче; **2.** *прен.* дребосък, мъниче.
midget ['miʤit] *n* **1.** дребосък, мъниче; **2.** *прен.* фъстък; джудже; **3.** миниатюрен предмет; **4.** *attr* миниатюрен.
midinette [‚midi'net] *n фр.* продавачка от парижки магазин.
midland ['midlənd] **I.** *a геогр.* **1.** централен; отдалечен от море; **2.** вътрешен (*за море*); **the M. Sea** Средиземно море; **II.** *n* **1.** вътрешност (*на страна*); **2.** *pl* **the M.s** централните графства (*на Англия*).
midmost ['midmoust] *a* среден, централен.
midnight ['midnait] *n* **1.** полунощ; **2.** непрогледен мрак; **dark/black as ~** тъмно като в рог; **3.** *attr* среднощен, късен; □ **to burn the ~ oil** работя до късно през нощта.
mid-rib ['midrib] *n бот.* средна жила (*на листо*).
midriff ['midrif] *n* **1.** *анат.* диафрагма; **2.** *разг.* корем; **3.** долна част на корсаж.
midshipman ['midʃipmən] *n* (*pl* **-men**) *мор.* флотски курсант.
midships ['midʃips] *adv мор.* към/в средата на кораба.
midst[1] [midst] *n книж.* среда; **in the ~ of his work/his reading** задълбочен в работата си, както се е зачел; **born in the ~ of misery** роден в нищета; **in the ~ of winter** посред зима; **in the ~ of war** в разгара на войната; **in the ~ of all this** тъкмо тогава/в този момент; **in/from our ~** в/от нашата среда.
midst[2] *prep поет.* сред, всред.
midstream ['midstri:m] *n мор.* талвег.
midsummer ['mid‚sʌmə] *n* **1.** средата на лятото; **2.** лятно слънцестоене (*21 юни*); **M. day** Еньовден (*24 юни*); □ **~ madness** лудост, умопомрачение; *разг.* чисто безумие, връх на безумието.
midway[1] ['midwei] **I.** *a* разположен в средата/насред път/по средата на (*и ~* **between**); **II.** *n ам.* централна алея (*на изложба, панаир*).
midway[2] *adv* насред път; на средата.
midwife ['midwaif] *n* (*pl* **-ves** [-vz]) акушерка.
midwifery ['midwifəri] *n* акушерство.
midwinter ['mid'wintə] *n* **1.** средата на зимата; **2.** зимното слънцестоене (*21 декември*).
mien [mi:n] *n книж.* **1.** вид; външност; **lofty ~** 1) величествена осанка; 2) надменен вид; **of pleasing ~** с приятна външност; **2.** *ост.* държание.
miff[1] [mif] *n* **1.** мусене, кисело настроение; **to be in a ~** кисел съм, не съм на кеф; **2.** спречкване, леко скарване, сдърпване.
miff[2] *v* **1.** спречквам се, счепквам се, сдърпвам се (**with** c); **2.** дразня (се), раздразвам (се), ядосвам (се); засягам (се); **to be ~ed** сърдит/засегнат съм, правя фасон.
miffy ['mifi] *a разг.* докачлив, обидчив.

might¹ *вж.* **may.**

might² *n* мощ, сила, могъщество; **with all o.'s ~, with ~ and main** с все сила/всички сили; □ **~ is right** правото е на силния.

might-have-been ['maithǝvbi:n] *n* **1.** пропусната възможност; **2.** неуспял човек.

mightily ['maitili] *adv* **1.** *ост.* мощно, силно; **2.** *разг.* извънредно (много).

mightiness ['maitinis] *n* сила, мощ, могъщество; величие.

mighty¹ ['maiti] *a* **1.** силен, мощен, могъщ; **2.** огромен; **3.** *разг.* много голям/важен.

mighty² *adv разг.* извънредно (много).

mignonette [‚minjǝ'net] *n* **1.** *бот.* резеда (Reseda odorata); **2.** вид фина френска дантела.

migraine ['mi:grein] *n мед.* мигрена.

migrant ['maigrǝnt] **I.** *a* миграционен, скитнически; прелетен (*за птици*); **II.** *n* **1.** преселник; **2.** прелетна птица.

migrate [mai'greit] *v* **1.** преселвам се; емигрирам; **2.** мигрирам (*за риби*), прелитам (*за птици*).

migration [mai'greiʃn] *n* **1.** миграция, преселване; преселение; **2.** миграция (*на птици, риби*); **3.** група емигранти.

migratory ['maigrǝtǝri] *a* **1.** миграционен; прелетен; преселнишки; **2.** скитнически, номадски.

mike¹ [maik] *съкр. от* **microphone, microscope.**

mike² *v sl.* **1.** клинча; **2.** хайлазувам, безделнича.

mil [mil] *n* **1.** хиляда; **per ~** на хиляда; **2.** *фарм.* милилитър; **3.** *тех.* мил.

milady [mi'leidi] *n фр. ост.* миледи (*обръщение към благородница*).

milage = mileage.

milch [miltʃ] *a* доен (*за крава*).

milch-cow ['miltʃkau] *n* дойна крава (*и прен.*).

mild [maild] *a* **1.** мек, кротък, благ; **2.** мек (*за климат*); слаб (*за лекарство, питие*); яваш (*за тютюн*); лек (*за наказание*); **~ form of measles** шарка в лека форма; **3.** умерен; **the play was a ~ success** пиесата имаше известен успех.

mildew¹ ['mildju:] *n* **1.** милдю (*болест по лозята*); **2.** плесен.

mildew² *v* **1.** хващам милдю; **2.** плесенясвам.

mildewy ['mildju:i] *a* **1.** нападнат от милдю; **2.** плесенясал.

mildly ['maildli] *adv* **1.** благо, кротко; **2.** умерено; **to put it ~** меко казано.

mile [mail] *n* миля; **Statute ~** британска сухопътна миля (= 1,609 км); **nautical/sea/geographical ~** морска миля (= 1,853 км); **for ~s and ~s** с километри; **he lives ~s away** той живее много далече/по дяволите; □ **~s better** много по-добре; **to stand/stick out a ~** изпъквам отдалеч; очебиен/съвсем очевиден съм; **there's no one within ~s of him as a painter** той е ненадминат/никой не може да се мери с него като художник; **to run a ~ from** *прен. разг.* бягам като от огън от; **not a hundred/million ~s from** *ирон.* наблизо; **to be ~s from believing** съвсем не вярвам.

mileage ['mailidʒ] *n* **1.** километраж; **2.** скорост (*в мили*); **3.** пътни пари (*на миля*); □ **to get a lot of ~ out of s.th.** *ам. разг.* изкарвам си парите от нещо.

Milesian [mai'li:zjǝn] *шег.* **I.** *a* ирландски; **II.** *n* ирландец.

mile-stone ['mailstoun] *n* **1.** километражен камък; **2.** *прен.* важно събитие.

milfoil ['milfoil] *n бот.* обикновен равнец (Achillea millefolium).

miliary ['miliǝri] *a* **1.** просовиден; **2.** *мед.* милиарен.

milieu ['mi:ljǝ:] *n фр.* (обществена) среда.

militancy ['militǝnsi] *n* бойкост, войнственост; агресивност; нападателност.

militant ['militǝnt] **I.** *a* боек, войнствен, борчески; нападателен; активен; **Church ~** войнствуваща църква; **II.** *n* боец; борец, активист.

militarism ['militǝrizm] *n* милитаризъм, военщина; войнолюбие.

militarize ['militǝraiz] *v* милитаризирам.

military ['militǝri] **I.** *a* военен; войнишки; войскови; **of ~ age** на възраст да отбие военната си служба; **~ man** военен; **~ preparedness** бойна готовност; **II.** *n pl* военни; войска.

militate ['militeit] *v* **1.** вредя, преча, в ущърб съм (**against** на); **2.** боря се (**against, for**).

militia [mi'liʃǝ] *n* **1.** *ист.* войска; **2.** *ист.* народно опълчение; **3.** запасна армия, запас (*в Англия, САЩ*); **4.** милиция.

militiaman [mi'liʃǝmǝn] *n* (*pl* -men) **1.** военно задължен човек; **2.** *ист.* опълченец; войник от опълчението; **3.** милиционер.

milk¹ [milk] *n* **1.** мляко; **2.** млечен сок (*на растение*); **3.** *attr* млечен; **~ powder** мляко на прах; □ **~ of lime** *стр.* варно мляко; **the land of ~ and honey** обетованата земя; **~ for babes** *прен.* нещо съвсем елементарно (*за книга и пр.*); **~ of human kindness** човещина, състрадание; **~ and roses** млечнобяла кожа и румени бузи; **it's no use crying over spilt ~** станалото — станало.

milk² *v* **1.** доя; **2.** давам мляко (*за добитък*); **3.** добивам сок (*от дърво*) (**from**); извличам отрова (*от змия*) (**from**); **4.** *разг.* използувам, експлоатирам; изигравам; изтръгвам, извличам; **5. to ~ the wire, to ~ a message from a telegraph/telephone line** подслушвам телеграфно/телефонно съобщение.

milk-and-water ['milkǝn'wɔ:tǝ] *a* безинтересен, блудкав, безсъдържателен; сладникаво сантиментален.

milker ['milkǝ] *n* **1.** дояч; **2.** млечна/дойна крава.

milk fever [‚milk'fi:vǝ] *n мед.* млечна треска (*у родилки*).

milk-float ['milkflout] *n* кола за разнасяне на мляко.

milk-leg ['milkleg] *n мед.* флебит (*особ. у родилки*).

milking-machine ['milkiŋmǝ‚ʃi:n] *n* доилна машина.

milk-livered [‚milk'livǝd] *a* страхлив, боязлив.

milkmaid ['milkmeid] *n* доячка.

milkman ['milkmǝn] *n* (*pl* -men) **1.** дояч; **2.** млекар.

milk pudding ['milk‚pudiŋ] *n* сутляш на фурна.

milk punch ['milkpʌntʃ] *n* питие от мляко, уиски и подправки.

milk-run ['milkrʌn] *n* **1.** редовна обиколка на млекар; **2.** редовен полет/рейс; редовно служебно пътуване.

milk-shake ['milkʃeik] *n* коктейл от мляко и плодов сироп.

milk snake ['milksneik] *n зоол.* сев.-ам. млечна змия (Lampropeltis triangulum).

milksop ['milksɔp] *n* мекушав човек, мамино синче.

milk sugar ['milk‚ʃugǝ] *n хим.* млечна захар, лактоза.

milkweed ['milkwi:d] *n бот.* **1.** млечок, млечка (Euphorbia); **2.** вид американско растение (Asclepias syriaca); **3.** кострец (Sonchus oleraceus).

milkwort ['milkwɔ:t] *n бот* телчарка (Polygala).

milky ['milki] *a* **1.** млечен, подобен на/примесен с мляко; **2.** отделящ мляко (*за растения*); □ **the M. Way** *астр.* Млечният път.

mill¹ [mil] *n* **1.** воденица, мелница; **2.** мелничка (*за кафе и пр.*); **3.** фабрика, завод; **4.** *тех.* машина; валцов стан; трошачка; фреза; **5.** преса (*за сокове и пр.*); **6.**

sl. боксов мач; борба с юмруци; ▢ **to go/pass/have been through the** ~ минавам през големи изпитания; бивам подложен на тежка тренировка; **to put s.o. through the** ~ подлагам някого на тежки изпитания/тренировка; **the** ~**s of God grind slowly** възмездието идва бавно, но сигурно; ще дойде Видовден.

mill^2 *v* 1. меля, смилам; 2. *тех.* фрезовам; смилам; натрошавам; валцувам; 3. правя обрез (*на монета*); 4. валям (*сукно*); 5. *готв.* разбивам; 6. *sl.* боксирам се; напердашвам; млатя; 7. въртя се в кръг/насамнатам, кръжа (**about, around**) (*за тълпа, добитък*).

mill^3 *n* ам. хилядна (част) от долара.

millboard ['milbɔ:d] *n* дебел картон (*за подвързия*).

mill dam ['mildæm] *n* воденичен яз.

millenarian [ˌmileˈnɛəriən] I. *a рел.* хилиастки; II. *n рел.* хилиаст.

millenarianism [ˌmiliˈnɛəriənizm] *n рел.* хилиазъм, милениризъм (*учение за идването на милениума*).

millenary ['milenəri] I. *a* 1. състоящ се от хиляда, *особ.* хилядогодишен, хилядолетен; 2. *рел.* който е на/за милениума; II. *n* 1. хилядолетие, хилядогодишнина; 2. *рел.* човек, вярващ в милениума.

millenial [miˈleniəl] *a* хилядогодишен, хилядолетен.

millenialism [miˈleniəlizm] *n* = **millenarianism**.

millenium [miˈleniəm] *n* (*pl* **-iums, -ia** [-iə]) 1. хилядолетие; 2. *рел.* милениум, хилядогодишното царуване на Христа; 3. *прен. обик. ирон.* бъдещ златен век.

millepede = **millipede**.

miller ['milə] *n* 1. мелничар, воденичар; 2. фрезист; 3. *тех.* фрезмашина, фреза.

miller's thumb ['miləzθʌm] *n зоол.* главоч (*риба*) (Cottus gobio).

millesimal [miˈlesiml] I. *a* хиляден; с хиляда части; II. *n* хилядна част.

millet ['milit] *n бот.* просо (Panicum miliaceum).

mill-hand ['milhænd] *n* 1. фабричен/заводски работник, *особ.* текстилец; 2. мелничарски работник; 3. *метал.* валцувач.

milliard ['miljɑ:d] *n* милиард.

millibar ['milibɑ:] *n метеор.* милибар.

milligram(me) ['miligræm] *n* милиграм.

millimetre ['miliˌmi:tə] *n* милиметър.

milliner ['milinə] *n* 1. шапкарка; 2. *ост.* галантерист.

millinery ['milinəri] *n* 1. шапкарски стоки; 2. шапкарство; 3. магазин за дамски шапки; 4. *ост.* галантерийни стоки.

million ['miljən] *n* 1. милион; **two** ~ **men, two** ~**s of men** два милиона души; **worth** ~**s** който има милиони, милионер; 2. *прен.* много голям брой; ~**s of** милиони, безброй; 3. **the** ~(**s**) милионите, масите; ▢ **to look like a** ~ **dollars** *разг.* изглеждам чудесно.

millionaire [ˌmiljəˈnɛə] *n* милионер.

millionairess [ˌmiljəˈnɛəris] *ж.р. от* **millionaire**.

millionth ['miljənθ] I. *a* милионен (*по ред, за част*); II. *n* една милионна част.

millipede ['milipi:d] *n зоол.* стоножка (*разряд* Diplopoda).

mill-owner ['milˌounə] *n* фабрикант.

mill-pond ['milpɔnd] *n* воденичен вир; ▢ **like a/as calm as a** ~ гладко като огледало (*за море*).

mill-race ['milreis] *n* воденичен улей/вада.

millstone ['milstoun] *n* 1. воденичен камък; 2. ~ **grit** *минер.* кварцитен пясъчник; 3. *прен.* тежък товар; затруднено положение; ▢ **between the upper and the nether** ~ между чука и наковалнята, в затруднено положение, под голям натиск; **to see far into/to look through a** ~ надарен съм с необикновена проницателност (*обик. ирон.*).

mill-stream ['milstri:m] *n* =**mill-race.**

mill-wheel ['milwi:l] *n* водно колело (*на мелница*), воденично колело.

mill-wright ['milrait] *n* машиностроител; конструктор; шлосер механик.

milord [miˈlɔ:d] *n фр. ост.* английски лорд; богат англичанин.

milt^1 [milt] *n* далак.

milt^2 *n зоол.* мляко (*у риба*).

milt^3 *v* оплождам хайвер.

milter ['miltə] *n зоол.* мъжка риба в разплодния период.

mime^1 [maim] *n* 1. мим (*в древна Гърция и Рим*); 2. мим, мимолог, изпълнител на мимове; 3. мим, смешник, шут.

mime^2 *v* 1. играя в мим; 2. мимик съм; .играя (*роля*) в пантомима; 3. изразявам чрез мимика; имитирам.

mimeograph^1 ['mimiəgrɑ:f] *n* циклостил.

mimeograph^2 *v* отпечатвам/вадя на циклостил.

mimesis [m(a)iˈmi:sis] *n биол.* мимикрия.

mimetic [miˈmetik] *a* 1. мимически, подражателен; 2. присъщ на мимикрията.

mimic^1 ['mimik] I. *a* 1. мимически, подражателен; имитативен; **the** ~ **art/stage** мимиката; мимодрамата; пантомимата; 2. престорен, привиден; изкуствен; ~ **colouration** мимикрия; 3. имитиран, по подражание на; ~ **battle** военна игра; II. *n* имитатор; пародист; подражател, мимик.

mimic^2 *v* (**-ck-**) 1. подражавам на; имитирам; пародирам; 2. напълно наподобявам.

mimicry ['mimikri] *n* 1. имитиране, подражаване, пародия; 2. *биол.* мимикрия.

mimosa [miˈmouzə] *n бот.* мимоза.

minaret ['minəret] *n* минаре.

minatory ['minətəri] *a* заплашителен.

mince^1 [mins] *v* 1. кълцам, меля (*месо*); 2. *прен.* смекчавам, омекотявам; **to** ~ **matters** критикувам деликатно/с учтиви изрази; **not to** ~ **matters/o.'s words** не му цепя басма, не се церемоня, говоря направо/без заобикалки; 3. говоря глезено/превзето; 4. ситня, ходя с дребни крачки; 5. държа се превзето.

mince^2 *n* кайма, кълцано месо.

mincemeat ['minsmi:t] *n* 1. ряд. = **mince**^{2}; 2. смес от скълцани стафиди, портокалови кори и др. подправки; ▢ **to make** ~ **of** съсипвам; правя наравно със земята/на мат и маскара.

mince-pie [ˌminsˈpai] *n* коледна пирожка (*със скълцани стафиди, портокалови кори и пр.*).

mincing ['minsiŋ] *a* превзет, префърцунен.

mind^1 [maind] *n* 1. ум, разум, разсъдък; интелект; **to be in o.'s right** ~ нормален съм; **to be out of o.'s** ~ луд/побъркан съм; **to go out of o.'s** ~ полудявам; **of sound** ~ нормален, здравомислещ; **great** ~**s** велики умове; **no two** ~**s think alike** всеки си разсъждава по-своему; 2. дух, съзнание; манталитет; мисловност; **absence of** ~ разсеяност; **presence of** ~ присъствие на духа, самообладание; **I can't get that out of my** ~ не мога да избия това от главата си, все за това мисля; **to have s.th. on o.'s** ~ загрижен съм, нещо ми тежи; **strength of** ~ волевост; 3. мнение; мисъл; намерение; решение; воля; внимание; **to be of s.o.'s** ~, **to be of the same** ~ **as s.o., to be of a** ~ **with s.o.** съгласен съм с някого, единодушни/на същото мнение сме с някого; **to be in two** ~**s about** двоумя се/колебая се относно; **to give/put/set/turn o.'s** ~ **to** съсредоточавам се върху; **to bend s.o.'s** ~ *разг.* повлиявам някому; **to blow s.o.'s ~** *разг.* възбуждам някого (силно) .(*за наркотично средство*); **to have s.th. in ~** намислил съм нещо, имам нещо предвид; **to keep o.'s ~ on s.th.** съсредоточавам се върху/мисля за нещо; **to close/shut o.'s ~ to** не възприемам, не желая да видя/възприема; **nothing was further from his ~** съвсем нямаше такова намерение; **to make up o.'s ~ (about s.th.)** решавам (се) (на нещо); **to make up o.'s ~ to s.th.** примирявам се с нещо; **to make up o.'s ~ to do s.th.** решавам (се) да направя нещо; **to change o.'s ~** променям решението си; **to give s.o. a piece of o.'s ~** накастрям/нарязвам някого; **to have half a ~** почти съм склонен да; иде ми да; **to have a good ~ to** иде ми да; **to know o.'s own ~** знам какво искам; **to speak o.'s ~** казвам това, което мисля; **to take s.o.'s ~ off s.th.** отвличам вниманието на някого от нещо; **to my ~** 1) по мое мнение; 2) по мой вкус; **4.** памет; спомен; **to bear/keep in ~** не забравям, спомням си; имам грижата за; имам предвид; **to put s.o. in ~ of** напомням някому за (*нещо*); **to put out of o.'s ~** забравям съзнателно; **to bring/recall s.th. to s.o.'s ~** припомням някому нещо.

mind[2] *v* **1.** грижа се за; гледам; пазя; внимавам; **~ the baby!** пази/гледай детето! **~ the step!** внимавай, има стъпало! **to ~ o.'s own business/affairs** гледам си работата, не се бъркам в чужди работи; **~ you're not late!** гледай да не/хем да не закъснееш! **~ the paint/the dog!** пази се от боята/кучето! **I have no objection, ~ (you)** забележете (добре), нямам възражения; **2.** помня, не забравям; обръщам внимание на; спазвам; **to ~ the rules** спазвам правилата; **I don't ~ what people say** не ме интересува какво ще кажат хората; **who ~s what he says?** кой му обръща внимание на бръсне? **never ~ him** не му обръщай внимание; **never ~ the expense** няма значение колко струва; **3.** уважавам; **to ~ o.'s elders** уважавам постарите; **4.** *обик. в отр. и въпрос. изр.* имам нещо против, не съм съгласен; не ми харесва; тежи ми; **do you ~ my smoking/if I smoke?** имате ли нещо против, ако запуша? **would you ~ opening the window?** бихте ли отворили прозореца? моля, отворете прозореца! **I don't ~** все ми е едно, безразлично ми е; съгласен съм, може, бива; **I don't ~ the cold** издържам на студ; **I don't ~ hard work, but I do ~ commuting in winter** не ми тежи тежката работа, но възразявам срещу пътуването до работата зиме; **I shouldn't ~ a cup of tea** с удоволствие бих изпил/пийвам чаша чай; **will you have some more cake? — I don't ~ if I do!** искаш ли още кейк? — може! **to ~ o.'s P's and Q's** говоря/действувам предпазливо; спазвам приличието; **to ~ the shop,** *ам.* **store** *прен.* разпореждам се; **never ~ !** нищо! няма значение!

mind-bending ['maind,bendiŋ] *a* оказващ влияние, повлияващ.

mind-blowing ['maind,blouiŋ] *a* предизвикващ състояние на екстаз (*за наркотично средство*).

minded ['maindid] *a* **1.** *predic* склонен, наклонен, с намерение (**to do** да направя); **he was not so ~** той нямаше такива намерения; **if he were/was so ~** ако искаше; **2.** *с наречия и в съчет.:* **commercially ~** с търговски дух; **car-~** запален на тема коли; **food ~** който обича да си похапва (хубаво); **theatre-~ people** любители на театъра.

minder ['maində] *n* гледач, пазач; **machine ~** водач на машина.

mindful ['maindful] *a predic* **1.** който помни/не забравя (**of**); **to be ~ of o.'s duties** изпълнявам/помня задълженията си; **2.** грижлив, загрижен (**of** за).

mindless ['maindlis] *a* **1.** глупав; безсмислен; **2.** нехаен, безразличен; който забравя/пренебрегва (**of**).

mind-reader ['maind,ri:də] *n* човек, който чете чужди мисли.

mine[1] [main] *pron poss* **1.** *predic* мой; **a friend of ~** един мой приятел/приятелка; **2.** *ост. поет. attr* пред думи, започващи с гласна, h: **~ heart** сърцето ми; **~ ears** ушите ми.

mine[2] [main] *n* **1.** мина, рудница (*и прен.*), рудник; кариера; **~ of information** богат източник на знания; **2.** желязна руда; **3.** залеж, пласт; **4.** *воен., мор.* мина; подземна галерия за поставяне на мина; □ **to spring a ~ on s.o.** изненадвам някого неприятно.

mine[3] *v* **1.** копая; изкопавам; подкопавам; подривам; **2.** *мин.* копая/добивам въглища; **3.** добивам; **to ~ the air for nitrogen** извличам азот от въздуха; **4.** *воен.* минирам, поставям мини; разрушавам с мина; **5.** **= undermine** 2; **6.** ровя/заравям се в земята (*за животно*).

minefield ['mainfi:ld] *n* **1.** находище/месторождение на полезни изкопаеми; руднично поле; **2.** *воен., мор.* минно поле/заграждение; **3.** *прен.* опасна област.

mine-layer ['main,leiə] *n* *воен.* кораб/самолет за поставяне на мини.

miner ['mainə] *n* **1.** миньор, рудокопач; **2.** *воен.* сапьор; **3.** ровещо животно, животно, което прави подземни ходове.

mineral ['minərəl] **I.** *a* **1.** минерален; **2.** *хим.* неорганичен; **II.** *n* **1.** минерал; **2.** *pl* полезни изкопаеми; руда; **3.** *обик. pl* минерална вода; сода.

mineralize ['minərəlaiz] *v* **1.** минерализирам, насищам с минерални соли; **2.** правя геоложки проучвания.

mineralogical [,minərə'lɔʤikl] *a* минералогически.

mineralogist [,minə'ræləʤist] *n* минералог.

mineralogy [,minə'ræləʤi] *n* минералогия.

mineral pitch [,minərəl'pitʃ] *n* асфалт.

mineral-wool [,minərəl'wul] **=rock wool.**

minestrone [,mini'strouni] *n ит.* гъста супа от зеленчуци и фиде.

mine sweeper ['main,swi:pə] *n* *воен. мор.* миночистач.

mine-thrower ['main,θrouə] *n* *воен.* минохвъргачка.

minever = miniver.

mine-worker ['mainwə:kə] **= miner** 1.

mingle ['miŋgl] *v* **1.** смесвам; смесвам се (**with**); **to ~ in the crowd** загубвам се в/смесвам се с тълпата; **they ~d their tears** те заплакаха заедно; **truth ~d with falsehood** истина, примесена с лъжа; **2.** общувам (**in, with**); **to ~ in society** движа се в обществото.

mingy ['minʤi] *a разг.* стиснат, скъпернически.

mini ['mini] *n* **1.** нещо малко; минижуп и пр.; **2.** *attr* мини.

miniature ['minətʃə, -njə-, -nitʃə] *n* **1.** *изк.* миниатюра; **in ~** в малък мащаб; **2.** *attr* 1) *изк.* миниатюрен, отнасящ се до миниатюра; 2) миниатюрен; малогабаритен.

miniaturist ['minə,tjuərist, -njə-, -tʃər-] *n изк.* миниатюрист.

minibus ['minibʌs] *n* малък автобус.

minify ['minifai] *v* **1.** смалявам, намалявам; **2.** омаловажавам.

minikin ['minikin] *n* **1.** дребосък, дребосъче, фъстък; жена миньонка, женче; **2.** *attr* 1) дребничък; изящен, миличък; 2) превзет, префърцунен.

minim ['minim] *n* **1.** *муз.* половина нота; **2.** капка (*1/60* от драхмата — аптекарска мярка за течности), 3. съвсем дребен предмет; човече, дребосък.

minimal ['miniməl] *a* минимален, най-малък.

minimize ['minimaiz] *v* 1. намалявам, свеждам до минимум; 2. омаловажавам.

minimum ['miniməm] *n* (*pl* -ma[-mə]) 1. минимум; минимално значение/количество; 2. *attr* минимален.

mining ['mainiŋ] *n* 1. разработване на мина; 2. *attr* минен.

minion ['minjən] *n* 1. *книж.* любимец, фаворит; 2. раболепен слуга; креатура; ласкател; **the ~s of the law** тъмничари; полицаи; 3. *печ.* миньон.

miniskirt ['miniskə:t] *n* минижуп.

minister[1] ['ministə] *n* 1. министър (*и пълномощен*); **M. of the Crown** член на кабинета (*в Англия*); 2. свещеник, пастор (*неангликански*) (*и* **~ of religion**); 3. *катол.* игумен на някои ордени (*и* **~ general**); 4. агент, служител; **~ of vengeance** *прен.* оръдие на отмъщението.

minister[2] *v* 1. служа, прислужвам, обслужвам; **to ~ to s.o.'s needs** грижа се за./обслужвам/гледам някого; 2. съдействувам (**to** за); *ост.* оказвам (*помощ*).

ministerial [,mini'stiəriəl] *a* 1. министерски; правителствен; 2. свещенически, пасторски; 3. *ост.* съдействуващ за; 4. служебен, изпълнителен.

ministerially [,mini'stiəriəli] *adv* 1. като/в качеството си на министър/член на кабинета; 2. като/в качеството си на свещеник.

ministrant ['ministrənt] I. *a* който служи някому/за нещо (**to**); II. *n* 1. служител; помощник; 2. свещенослужител.

ministration [,mini'streiʃn] *n* 1. *книж.* помощ, услуга (*особ. от църковен служител*); грижа; 2. богослужение.

ministry ['ministri] *n* 1. служба на министър; 2. служба на свещеник; **the ~** духовенството; **to enter the ~** ставам свещеник; 3. *катол.* игумен (*на няколко ордена*); 4. министерство (*и сградата*); 5. правителство, кабинет; 6. *ост.* сътрудничество, съдействие, помощ.

minium ['miniəm] *n* *хим.* оловен миний, миниум.

miniver ['minivə] *n* хермелин.

mink [miŋk] *n* 1. *зоол.* норка, воден пор, визон (Putorius lutreola, Mustela vison); 2. кожата на същия; 3. *attr* от норка/визон.

minnesinger ['mini,siŋə] *n* *нем. ист.* минезенгер, германски трубадур.

minnow ['minou] *n* *зоол.* лещанка (*риба*) (Phoxinus phoxinus).

Minoan [mi'nouən] *a* *археол.* минойски.

minor ['mainə] I. *a* 1. по-малък, по-маловажен, второстепенен; маловажен, незначителен; дребен; втори (*за специалност в университет*); **~ court** съд от по-нисша инстанция; 2. непълнолетен; 3. по-малък (*от двама*); *уч.* младши (*от двама братя*); 4. францискански (*за монах*); 5. *муз.* миньорен; 6. *прен.* тъжен; **in a ~ key** в тъжно настроение; 7. *карти* миньорен (*за цвят*); II. *n* 1. непълнолетен (*човек*); 2. *лог.* третият член; втора предпоставка (*в силогизъм*); 3. *муз.* миньорна гама; 4. *рел.* **M. = Minorite.**

Minorca [mi'nɔ:kə] *n* порода кокошки.

Minorite ['mainərait] *n* *рел.* минорит, францисканец (*монах*).

minority [mai'nɔriti] *n* 1. по-малко число; 2. малцинство; 3. непълнолетие; 4. *attr* на/за/от малцинство.

minster ['minstə] *n* 1. манастирска църква; 2. катедрала.

minstrel ['minstrəl] *n* 1. *ист.* менестрел; 2. *прен.* поет, певец, музикант; 3. *особ. pl* естраден певец; комедиант.

minstrelsy ['minstrəlsi] *n* 1. *ист.* менестрелство, изкуство на менестрел; 2. *ост.* поезия (*особ. народна*).

mint[1] [mint] *n* *бот.* джоджен (*сем.* Mentha).

mint[2] *n* 1. монетен двор; 2. *прен.* куп, много; **to be worth a ~ of money** червив съм с пари (*за човек*); струвам луди пари (*за предмет*); 3. *прен.* източник; произход; □ **in ~ condition/state** съвсем нов, като нов, новеничък.

mint[3] *v* 1. сека пари; 2. *прен.* съчинявам, измислям, изковавам (*думи, изрази*).

mintage ['mintiʤ] *n* 1. (право на/такса за) сечене на монети; 2. легенда (*на монета*); 3. монети (*особ. сечени на един път*); 4. съчиняване, изковаване (*на нова дума и пр.*).

minuend ['minjuənd] *n* *мат.* умаляемо.

minuet [,minju'et] *n* *фр. муз.* менует.

minus[1] ['mainəs] *prep* минус, без.

minus[2] *мат.* I. *a* отрицателен; II. *n* 1. минус, знак минус; 2. отрицателна величина.

minuscule ['minəskju:l] *n* 1. *ез.* минускул, дребна буква (*в ръкопис*); 2. *печ.* малка буква.

minute[1] ['minit] *n* 1. минута; 2. *разг.* миг, момент; **in a few ~s** след малко; **I'll come · in/I shan't be a ~** ей-сега идвам; **on/to the ~** точно в определеното време, **the ~ (that) he comes** щом дойде; 3. *геом., астр.* минута; 4. паметна бележка; инструкции; официален меморандум; писмени нареждания; 5. *pl* протокол (*на събрание*); □ **~ steak** тънък бифтек; **up to the ~** 1) съвсем модерен; 2) най-пресен, последен (*за новина*).

minute[2] *v* 1. измервам време (*на състезание и пр.*); 2. протоколирам; **to ~ down** записвам (си).

minute[3] [mai'nju:t] *a* 1. съвсем малък/дребен; 2. незначителен; 3. най-подробен, щателен, точен.

minute-book ['minitbuk] *n* протоколна книга.

minute-hand ['minithænd] *n* минутна стрелка (*на часовник*).

minutely [mai'nju:tli] *adv* подробно, основно, щателно, внимателно.

minuteman ['minitmæn] *n* (*pl* -men) *ам. ист.* войник от народното опълчение (*от времето на Освободителната война*).

minutiae [mai'nju:ʃii:] *n* *лат.* съвсем дребни/незначителни подробности.

minx [miŋks] *n* *шег.* хитруша; нахалница; палавница; дявол; кокетка.

Miocene ['maiəsi:n] *геол.* I. *a* миоценски; II. *n* Миоцен.

miracle ['mirəkl] *n* 1. чудо; **by a ~** по чудо; **~ of ingenuity/impudence** невероятна изобретателност/нахалство; 2. **= miracle play.**

miracle play ['mirəklplei] *n* *лит.* миракъл.

miraculous [mi'rækjuləs] *a* 1. чудотворен, свръхестествен; 2. учудващ; 3. *разг.* чуден.

miraculously [mi'rækjuləsli] *adv* чудотворно (като) по чудо.

mirage [mi'ra:ʒ] *n* *фр.* мираж (*и прен.*).

mire[1] ['maiə] *n* 1. кал, тиня (*и прен.*); 2. блато; тресавище; **to find o.s./be/stick in the ~** *прен.* загазил/в затруднение съм; **to drag s.o.('s name) through the ~** *прен.* опозорявам някого.

mire[2] *v* 1. изплесквам (се) с кал; потъвам в кал; 2. *прен.* въвличам в затруднение/беда; 3. позоря, опетнявам.

mirk = murk[1]

mirror[1] ['mirə] *n* 1. огледало; огледална повърхност; 2. *прен.* отражение; образец, модел; □ **to hold the ~ up to nature** изобразявам вярно природата.

mirror² *v* отразявам (*като огледало*) (*и прен.*).

mirth [mə:θ] *n* веселие, радост; смях.

mirthful ['mə:θful] *a* радостен, весел.

mirthless ['mə:θlis] *a* безрадостен, тъжен.

miry ['maiəri] *a* **1.** кален, изцапан, оплескан с кал; **2.** блатист.

mis- [mis-] *pref* погрешен, погрешно; неправилен, неправилно, лошо, зле; неблагоприятен, неблагоприятно; не.

misadventure [ˌmisəd'ventʃə] *n* нещастен случай, злополука; **by ~** по една нещастна случайност/съвпадение; **death by ~** смърт при злополука.

misalliance [ˌmisə'laiəns] *n* социално неравен брак.

misanthrope ['mizənθroup] *n* мизантроп, човекомразец.

misanthropy [mi'zænθrəpi] *n* мизантропия, човеконенавистничество.

misapply [ˌmisə'plai] *v* **1.** неправилно използувам/прилагам; **2.** злоупотребявам.

misapprehend ['mis,æpri'hend] = **misunderstand**.

misapprehension ['mis,æpri'henʃn] *n* недоразумение; **to be under a ~** заблуждавам се.

misappropriate [ˌmisə'prouprieit] *v* присвоявам незаконно; злоупотребявам (*пари*).

misbecome [ˌmisbi'kʌm] *v* (-**became** [-bi'keim] , -**become** [-bi'kʌm]) /не подхождам/подобавам/приличам на.

misbegotten [ˌmisbi'gɔtn] *a* **1.** извънбрачен (*за дете*); **2.** незаконно придобит; **3.** *разг.* пропаднал, несполучлив (*за план и пр.*); **4.** презрян, жалък.

misbehave [ˌmisbi'heiv] *v* държа се зле/нечестно/непорядъчно.

misbelief [ˌmisbi'li:f] *n* **1.** *рел.* ерес; **2.** заблуда, погрешно мнение.

misbrand [mis'brænd] *v* слагам погрешен етикет на (*с цел да заблудя*).

miscalculate [ˌmis'kælkjuleit] *v* погрешно/неправилно пресмятам/предвиждам; правя погрешна сметка.

miscarriage [ˌmis'kæridʒ] *n* **1.** несполука, неуспех; **~ of justice** съдебна грешка; **2.** недоставяне, непредаване (*на стоки, писмо*); **3.** помятане, (спонтанен) аборт.

miscarry [ˌmis'kæri] *v* **1.** не сполучвам, не успявам; **2.** изгубвам се (*за писмо, пратка*); **3.** помятам, абортирам.

miscast [ˌmis'ka:st] *v* (-**cast**) *театр.* **1.** давам неподходяща роля на (*актьор*); **2.** поставям (*пиеса*) с неподходящо разпределени роли.

miscegenation [ˌmisidʒi'neiʃn] *n* смесване, кръстосване на раси (*особ. в САЩ между бели и черни*).

miscellanea [ˌmisi'leiniə] *n pl лат.* **1.** *лит.* сборник от всякакви материали, откъси; **2.** *жур.* разни (*рубрика*).

miscellaneous [ˌmisi'leinjəs] *a* **1.** смесен, разен, разнообразен; разнороден; **~ column** *жур.* разни (*обяви и съобщения*); **2.** който е с много качества (*за човек*).

miscellany [mi'seləni, 'misi-] *n* **1.** смес(ица); **2.** *лит.* = **miscellanea 1**.

mischance [ˌmis'tʃa:ns] *n* нещастен случай/случайност; злополука; **by ~, through a ~** 1) по една нещастна случайност; 2) без да искам.

mischief ['mistʃif] *n* **1.** пакост; вреда; повреда; разрушения; зло, беда; беля; неприятност; **to do s.o. a ~** напакостявам/навреждам някому; наранявам/убивам някого; **to mean ~** мисля някому злото; готов съм на всичко; опасен съм; **to make ~ between** всявам раздор между; **the ~ of it is that** лошото/бедата е там, че; **2.** немирство, палавост, палавщина; **to be always getting into ~** постоянно правя бели; **to be up to ~** кроя нещо; правя беля; **to keep children out of ~** гледам деца да не правят пакости;

he is full of ~ голям дявол/пакостник е; **piece of ~** лудория; **3.** *разг.* палавец, палавник; **4.** дяволитост; насмешливост; **eyes full of ~** дяволити очи; □ **where/what/how the ~ ...** къде/какво/как по дяволите...

mischief-maker ['mistʃif,meikə] *n* сплетник, интригант.

mischievous ['mistʃivəs] *a* **1.** зловреден, злонамерен; **2.** пакостен, пакостлив, палав, немирен; **3.** игрив, закачлив, дяволит.

miscible ['misibl] *a* податлив на смесване (**with**).

misconception [ˌmiskən'sepʃn] *n* **1.** погрешно мнение/схващане; **2.** недоразумение.

misconduct¹ [mis'kɔndʌkt] *n* **1.** лошо държане/поведение; **2.** лошо ръководене/администриране; **3.** съпружеска изневяра.

misconduct² [ˌmiskən'dʌkt] *v* **1.** зле ръководя (*работа*); **2.** *refl* държа се зле (**with** с); **3.** *refl* изневерявам (**with**).

misconstruction [ˌmiskən'strakʃn] *n* неправилно/погрешно тълкуване; **your words are open to ~** думите ви може да бъдат зле изтълкувани.

misconstrue [ˌmiskən'stru:] *v* **1.** погрешно превеждам (*дума, пасаж*); **2.** погрешно разбирам, зле тълкувам.

miscreant ['miskriənt] *I. a* **1.** *книж.* лош, низък, подъл; **2.** *ост.* друговерски, погански; *II.* **1.** *книж.* мерзавец, злодей; долен човек; изверг; **2.** *ост.* друговерец; поганец.

miscreated [ˌmiskri'eitid] *a* **1.** уродлив; **2.** *неодобр.* чудовищен.

misdeal¹ [ˌmis'di:l] *v* (-**dealt** [-delt]) раздавам грешно (*карти*).

misdeal² *n карти* малдон.

misdeed [ˌmis'di:d] *n* злодеяние, престъпление.

misdemeanour [ˌmisdi'mi:nə] *n* **1.** *юр.* наказуема простъпка, дребно престъпление; **2.** простъпка; **3.** лошо държане.

misdirect [ˌmisdi'rekt] *v* **1.** неправилно напътствувам; **2.** погрешно надписвам (*писмо*); **3.** давам погрешни указания, осведомявам зле (*жури — за съдия*).

misdoing [ˌmis'du:iŋ] *n обик. pl* злодеяние.

mise-en-scene [ˌmi:zan'sein] *n фр.* **1.** *театр.* мизансцен; **2.** *прен.* обстановка (*на събитие*).

miser ['maizə] *n* скъперник.

miserable ['mizərəbl] *a* **1.** отчаян, злочест, клет, окаян; **~ with cold** премалял от студ; **to make s.o.'s life ~** правя нечий живот непоносим; **2.** мизерен, нищожен, жалък; **3.** лош, отвратителен, ужасен, невъзможен.

miserably ['mizərəbli] *adv* **1.** мизерно; **2.** страшно, ужасно, крайно; **to fail ~** провалям се напълно/безславно.

miserere [ˌmizə'riəri] *n лат.* **1.** молба, вик за милост/помощ; **2.** *църк.* „господи, помилуй".

miserly ['maizəli] *a* скъпернически; стиснат, свидлив, алчен.

misery ['mizəri] *n* **1.** *и pl* мъка, нещастие, злочестина; страдание; **to be in a ~ /to suffer ~ from toothache** умирам от зъбобол; **to put an animal out of its ~** убивам животно, за да не страда; слагам край на мъките му; **2.** мизерия, нищета, немотия; **3.** *разг.* мърморко.

misfeasance [mis'fi:zəns] *n юр.* злоупотреба с власт.

misfire¹ [mis'faiə] *v* **1.** *воен.* правя засечка (*за оръжие*); **2.** *тех.* не се паля, не тръгвам, отказвам (*за двигател*); **3.** *разг.* нямам успех, провалям се (*за шега и пр.*).

misfire² *n* **1.** *воен.* засечка; **2.** *тех.* неуспешно запалване.

misfit ['misfit] *n* **1.** лошо скроена/несполучлива дреха; **2.** неприспособил се човек (*към дадени условия*); неподходящ за работата си човек; **the social ~s** неприобщени/саможиви хора.

misfortune [mis'fɔːtʃən] *n* нещастие, беда; лош късмет; **it is more his ~ than his fault** той е по-скоро за окайване, отколкото за укор.

misgive [mis'giv] *v* (**-gave** [-'geiv] , **-given** [-'given]) *impers ост.*: **my heart/mind ~s me** предчувствувам нещо лошо.

misgiving [mis'givin] *n* опасение, лошо предчувствие.

misgovern [ˌmis'gʌvən] *v* лошо/зле управлявам/ръководя.

misguided [ˌmis'gaidid] *a* заблуден; погрешен; погрешно насочен.

misguidedly [ˌmis'gaididli] *adv* в заблуждението си, без да преценявам правилно.

mishandle [ˌmis'hændl] *v* **1.** отнасям се грубо с; малтретирам; **2.** *прен.* справям се зле с (*нещо*), не подхващам (*нещо*) правилно.

mishap ['mishæp] *n* злополука, нещастен случай; неуспех; лош късмет; **to arrive without ~** пристигам благополучно.

mish-mash ['miʃmæʃ] *n* бъркотия, каша, мишмаш.

misinformation [ˌmisinfɔː'meiʃn] *n* погрешни/неверни сведения/информация.

misjudge [ˌmis'dʒʌdʒ] *v* зле/погрешно преценявам, съставям си погрешно мнение за; недооценявам, подценявам.

mislay [ˌmis'lei] *v* (**-laid** [-'leid]) забутвам, не мога да намеря; (временно) загубвам.

mislead [ˌmis'liːd] *v* (**-led** [-'led]) **1.** заблуждавам, въвеждам в заблуждение; **2.** измамвам.

misleading [ˌmis'liːdiŋ] *a* заблуждаващ, лъжлив, подвеждащ.

misled *вж.* **mislead.**

mismanage [ˌmis'mænidʒ] *v* **1.** зле ръководя/направлявам/администрирам; **2.** справям се зле с, изтървавам.

misnomer [ˌmis'noumə] *n* погрешно название; погрешна употреба на израз, термин и пр.; **it's a ~ to call this a first class hotel** погрешно е това заведение да се нарича първокласен хотел.

misogamist [mi'sɔgəmist] *n гр.* противник на брак.

misogynist [mi'sɔdʒinist] *n* женомразец.

misplace [ˌmis'pleis] *v* **1.** поставям не на място, затурям; **2.** *обик.* pass оказвам (*някому*) незаслужено (*доверие*), изпитвам (*към някого чувство*), без да го заслужава; **his trust had been ~d** доверието му се оказа незаслужено/неуместно.

misprint¹ [ˌmis'print] *v* отпечатвам погрешно.

misprint² ['misprint] *n* печатна грешка.

misprision [ˌmis'priʒn] *n юр.* укривателство; престъпно нехайство.

misread [ˌmis'riːd] *v* (**-read** [-'red]) **1.** чета неправилно; **2.** тълкувам погрешно.

misrepresent ['misˌrepri'zent] *v* представям неточно/невярно; представям неправилно.

misrule¹ [ˌmis'ruːl] *v* управлявам зле.

misrule² *n* **1.** лошо управление; **2.** безпорядък; безредие.

miss¹ [mis] *v* **1.** не улучвам; не постигам целта си (*и прен.*); **he never ~es** той винаги удря право в целта; **to ~ fire** *воен.* правя засечка; **to ~ the point** не схващам същността на въпроса; **2.** не намирам/сре-

щам/виждам/заварвам (*вкъщи*); не успявам да взема/хвана/достигна/задържа; **to ~ o.'s hold** не успявам да се задържа; **he ~ed the bank** той не успя да скочи на брега; **to ~ o.'s way** сбърквам пътя; **the house is at the corner, you can't ~ it** къщата е на ъгъла, не може да не я видите; **3.** изпускам (*влак и пр.*); пропускам (*удобен случай*); **to ~ the boat/bus** *прен.* закъснявам; пропускам удобен случай; **4.** избягвам, избавям се от; **he narrowly/only just ~ed being killed** за малко не го убиха/не загина; **5.** забелязвам/чувствувам отсъствието на, липсва ми (*някой, нещо*); **when did you ~ your purse?** кога забелязахте, че портмонето ви го няма; **we are sure to be ~ed** непременно ще забележат отсъствието ни/че ни няма; **the old man won't be ~ed** никой няма да съжалява, че старецът го няма/е починал/се е пенсионирал; **I ~ you very much** много ми липсвате; **6.** изпускам (*ред, дума и пр. при четене, писане и пр.*) (*и с out*); **I shall ~ out the sweet course** ще се въздържа от/няма да ям десерта; **to ~ out on s.th.** *ам.* изпускам/не успявам да взема/видя и пр. нещо.

miss² *n* **1.** несполучлив удар; неуспех; **a ~ is as good as a mile** неуспехът си е неуспех; **2.** *разг.* помятане, аборт; □ **to give s.th. the ~** отминавам/прескачам/пропускам/не посещавам нещо.

miss³ *n* **1.** M. госпожица; **the M. Smiths, the Misses Smith** госпожици(те) Смит; **2.** *пренебр. шег.* госпожичка; **3.** M. *прен.* мис (*царица на красотата*); **M. Europe** мис Европа; **4.** мис (*обръщение към млада учителка, продавачка и пр. без споменаване на името й*).

missal ['misl] *n църк.* католически требник.

missel ['misəl] *n зоол.* имелов дрозд (Turdus viscivorus) (*и* **~-thrush**)

misshapen [ˌmis'ʃeipn] *a* безформен; деформиран; уродлив.

missile ['misail] *n воен.* **1.** реактивен снаряд; **2.** ракетен снаряд; **3.** *attr* метателен.

missing ['misiŋ] *a* **1.** липсващ, отсъствуващ; изгубен; **the ~ link** *биол.* липсващото звено (*хипотетичният животински тип между маймуната и човека*); **there is s.th. ~, s.th. is ~** липсва нещо; **2.** *воен.* (безследно) изчезнал: **reported ~** обявен за изчезнал.

mission ['miʃn] *n* **1.** мисия; делегация; **2.** посолство, легация; **3.** мисия, призвание, цел; **4.** задача, поръчение, мисия; командировка; **to go on a ~** отивам в командировка; **5.** *воен., ав.* бойна задача; **6.** мисия, религиозна организация; мисионерска дейност; **7.** църква, обслужвана от приходящ свещеник; **8.** *attr* мисионерски.

missionary ['miʃnəri] *n* **1.** мисионер; **2.** *attr* мисионерски.

missis ['misiz] *n* **1.** *разг.* **the ~** госпожата, господарката (*използвано от прислужници*); **2.** *нар., разг.* **the/my ~** госпожата ми, жена ми, жената.

missish ['misiʃ] *a разг.* афектиран, превзет.

missive ['misiv] *n* послание, официално писмо.

missus ['misəz] = **missis.**

missy ['misi] *n разг.* госпожичка.

mist¹ [mist] *n* **1.** (лека) мъгла; **Scotch ~** тежка/мокра мъгла; ръмеж; **2.** мъглявина, замъгленост; **3.** *прен.* воал, було, перде (*пред погледа*).

mist² *v* замъглявам (се); помрачавам се (*и с over*).

mistake¹ [mi'steik] *v* (**-took** [-'tuk], **-taken** [-'teikən]) **1.** сбърквам, бъркам; погрешно/криво разбирам; **there is no mistaking his words** не може да има никакво съмнение относно думите му; **you have mistaken your man** *разг.* сбъркали сте адреса; **2.** припознавам се в (*някого*) (**for**); **I mistook him for his brother** взех го за брат му; **there is no mistaking it/him** не може да не го познаеш.

mistake² *n* грешка; заблуждение, заблуда; **by** ~ по погрешка, погрешно; **to make a** ~ сбърквам, греша, правя грешка; **make no** ~ **about it, let there be no** ~ **about it** не се залъгвай по този въпрос; да сме наясно по този въпрос; не си прави илюзии; **he made the** ~ **of going there** грешката му е, че отиде там; □ **and no** ~ *разг.* несъмнено, безспорно; няма лъжа.

mistaken [mis'teikən] *a* 1. погрешен, неправилен; неуместен; ~ **identity** припознаване; 2. в грешка; сгрешил, сбъркал; **you are** ~ грешите, лъжете се, не сте прав.

mistakenly [mis'teikənli] *adv* погрешно, неправилно.

mister¹ ['mistə] *n* 1. господин; 2. обикновен гражданин *(без титла)* *(обик.* **plain/mere** ~).

mister² *v разг.* наричам *(някого)* господин.

mistime [,mis'taim] *v* правя/върша/казвам не навреме; избързвам/закъснявам с *(обик. pass).*

mistimed [,mis'taimd] *a* ненавременен; неудачен.

mistle thrush ['mislθrʌʃ] = **missel**.

mistletoe ['misltou] *n бот.* имел (Viscum album).

mistook *вж.* **mistake**¹.

mistral ['mistrəl] *n* мистрал *(вятър).*

mistress ['mistris] *n* 1. господарка; владетелка, повелителка; **to be o.'s own** ~ сама съм си господарка; **M. of the Robes** *англ.* титла на първата придворна дама; 2. *ост.* госпожа; 3. учителка; 4. майсторка, специалистка; 5. любовница, метреса; държанка; 6. *поет.* любима, възлюблена.

mistrial [,mis'traiəl] *n юр.* 1. неправилно проведен съдебен процес; 2. *ам.* неприключен процес.

mistrust¹ [,mis'trʌst] *n* недоверие; подозрение.

mistrust² *v* нямам доверие на/в; съмнявам се в; подозирам.

mistrustful [,mis'trʌstful] *a* недоверчив, подозрителен; **to be** ~ **of** нямам доверие в.

misty ['misti] *a* 1. мъглив, замъглен; 2. неясен, смътен; 3. насълзен, пълен със сълзи *(за очи).*

misunderstand [,misʌndə'stænd] *v* (-**stood** [-'stud]) погрешно разбирам.

misunderstanding [,misʌndə'stændiŋ] *n* 1. недоразумение; 2. неправилно/погрешно разбиране.

misunderstood *вж.* **misunderstand**.

misusage [,mis'ju:zidʒ,ам.-sidʒ]=**misuse**¹.

misuse¹ ['mis'ju:s] *n* 1. неправилна/погрешна употреба; 2. злоупотреба **(of** с); 3. малтретиране.

misuse² [,mis'ju:z] *v* 1. употребявам/прилагам неправилно/погрешно; 2. злоупотребявам; 3. малтретирам.

misuser [,mis'ju:zə] *n юр.* 1. злоупотреба с право/свобода; 2. злоупотребител.

mite¹ [mait] *n* 1. червейче *(в сирене, брашно и пр.)*; 2. *зоол.* кърлеж *(разряд* Acarina).

mite² *n* 1. лепта; 2. *прен.* малък принос; 3. дребно нещо; 4. дребосъче; **a** ~ **of a child** мъничко детенце.

miter *ам.* = **mitre**¹,².

mitigate ['mitigeit] *v* смекчавам; облекчавам; уталожвам, успокоявам; намалявам *(болка, наказание и пр.)*; **mitigating circumstances** смекчаващи вината обстоятелства.

mitigation [,miti'geiʃn] *n* смекчаване; облекчаване.

mitigatory ['mitigeitəri] *a* смекчаващ.

mitrailleuse [,mitrai'ə:z] *n фр. воен. ист.* картечница.

mitre¹ ['maitə] *n* 1. *църк.* митра; 2. *прен.* владишки/епископски сан.

mitre² *v* давам владишки/епископски сан на.

mitre³ *n тех.* съединяване/скосяване под ъгъл 45°.

mitre⁴ *v тех.* съединявам/скосявам под ъгъла 45°.

mitt [mit] *n* 1. = **mitten**; 2. *sl.* ръкавица за бейзбол; боксьорска ръкавица; 3. *sl.* ръка; юмрук; □ **to give s.o. the frozen** ~ *sl.* приемам някого хладно; обръщам гръб някому.

mitten ['mitn] *n* 1. дамска ръкавица без пръсти; ръкавица с един пръст *(само за палеца)*; 2. боксьорска ръкавица; 3. *pl sl.* белезници; □ **to handle without** ~**s** пипам здраво; не си поплювам; не се шегувам; **to get the** ~ *sl.* 1) получавам отказ; 2) бивам уволнен; **to give s.o. the** ~ *sl.* 1) отказвам някому; 2) давам някому пътя; уволнявам някого.

mittimus ['mitiməs] *n лат. юр.* заповед за изпращане в затвора.

mix¹ [miks] *v* 1. смесвам (се), размесвам (се); примесвам; разбърквам; **to** ~ **a salad** правя/приготвям салата; 2. комбинирам (се), съчетавам (се); **they** ~ **well** добре си подхождат/схождат; 3. общувам **(with);** **to** ~ **in society** движа се в обществото; водя светски живот; **to** ~ **with people** срещам/общувам с много хора; 4. смесвам, кръстосвам *(породи)*; □ **to** ~ **in, to** ~ **it** *разг.* сбивам се;

mix in/into 1) примесвам, прибавям (в); 2) смесвам (with с);

mix up 1) смесвам; размесвам основно; бъркам; разбърквам; 2) *прен.* объркчвам; забърквам; 3) въвличам, замесвам; **to be/get** ~**ed up in s.th.** забърквам се в нещо; 4) *неодобр.* събирам се, общувам; **to get** ~**ed up with s.o.** хващам се/уплитам се с някого.

mix² *n* 1. смес; 2. *готв.* полуфабрикат за сладкиш и пр.; 3. бъркотия, хаос.

mixed [mikst] *a* 1. смесен; размесен; разнороден; от мъже и жени; ~ **sweets** бонбони асорти; ~ **bag** 1) разнообразен лов/плячка; 2) разнородна група; ~ **grill** мешана скара; ~ **blessing** факт/събитие с добри и лоши страни; ~ **feelings** противоречиви/смесени чувства; **to be accorded a** ~ **reception** бивам посрещнат с одобрение от едни, а с неодобрение от други/с акламации, примесени с освирквания; ~ **train** жп. товаро-пътнически/смесен влак; ~ **brigade** *воен.* сборна бригада; ~ **doubles** *тенис* смесени двойки; 2. *разг.* объркан.

mixed-up ['mikstʌp] *a* 1. объркан; 2. неприспособен.

mixer ['miksə] *n* 1. *тех., готв.* миксер, бъркачка; 2. *рад.* смесител; 3. *разг.* общителен човек, контактна личност; **to be a good** ~ лесно общувам с (най-различни) хора; **to be a bad** ~ саможив/затворен човек съм, не умея да общувам с хората.

mix-in ['miksin] *n ам.* сбиване; счепкване.

mixture ['mikstʃə] *n* 1. смесване; размесване; 2. смес, смесица; комбинация; 3. *фарм.* микстура; **cough-**~ сироп за кашлица; 4. *текст.* меланж. тъкан от разноцветни нишки.

mix-up ['miksʌp] *n разг.* неразбория, бъркотия; суматоха.

mizzen ['mizn] *n мор.* 1. бизан *(и* ~-**mast);** 2. долното платно на бизан.

mizzle¹ ['mizl] *v диал., разг.* ръся, ръмя.

mizzle² *n* ситен дъжд, ръмеж.

mizzle³ *v sl.* избягвам, офейквам, „духвам".

mnemonic [ni:'mɔnik] **I.** *a* мнемоничен; който помага на/усилва паметта; **II.** *n* 1. мнемотехнически способ; 2. *pl* с *гл. в* sing мнемоника, мнемотехника.

mo [mou] *n разг., съкр. от* **moment; half a** ~! ей сега! **wait a** ~ ! (почакай) минутка!

moa ['mouə] *n зоол.* вид изчезнала новозеландска птица (Dinornis).

moan[1] [moun] *n* 1. стон, стенание; пъшкане, охкане; 2. *ост.* жалба, оплакване.

moan[2] *v* 1. стена; пъшкам, охкам; 2. *ост.* оплаквам се, вайкам се.

moat[1] [mout] *n* ров (*с вода — около крепост и пр.*).

moat[2] *v* заграждам с ров.

mob[1] [mɔb] *n* 1. тълпа; сган; сбирщина; простолюдие; **the ~** *ост.* масите; 2. *sl.* апашка шайка/банда; 3. *австрал.* стадо; 4. *attr* на тълпата; **~ law/rule** закон на тълпата/на линча; саморазправа; **~ oratory** площадно ораторство.

mob[2] *v* (-bb-) 1. тълпя се, трупам се; 2. нападам, нахвърлям се върху; 3. обграждам и акламирам.

mobile ['moubail] **I.** *a* 1. подвижен; **~ warfare** *воен.* маневрена война; **~ home** фургон, пригоден за жилище; **~ unit** кола, снабдена с апаратура (*и телевизионна*); 2. променлив, непостоянен; 3. *прен.* жив; лек; **~ features** живи/изразителни черти; 4. социално приспособим; **II.** *n* украшение, направено от движещи се пръчици и пластинки.

mobility [mou'biliti] *n* 1. подвижност; 2. *прен.* живост; 3. непостоянство.

mobilization [,moubilai'zeiʃn] *n* мобилизиране, мобилизация.

mobilize ['moubilaiz] *v* 1. *воен.* мобилизирам (се) (*и прен.*); 2. пускам в обръщение/действие (*средства, капитали и пр.*); поставям в действие/движение.

mobster ['mɔbstə] *n sl.* гангстер.

moccasin ['mɔkəsin] *n* 1. мокасин, цървул; 2. *ам., зоол.* вид отровна змия (*от сем. Agkistrodon, Natrix*).

Mocha ['mɔkə] *n* 1. мока (*кафе*); 2. подправка от шоколад и кафе; 3. **m.** фина кожа за ръкавици.

mock[1] [mɔk] *v* 1. присмивам се на, осмивам; подигравам (**s.o., at s.o./s.th.**); задявам се; имитирам подигравателно; 2. осуетявам (*усилия, опити и пр.*); 3. мамя, измамвам.

mock[2] *n* 1. подигравка; насмешка; присмиване, осмиване; 2. посмешище; обект на подигравки; **to make a ~ of s.o.** правя някого за смях; 3. пародия; 4. имитация; 5. *attr* лъжлив, мним; неверен; фалшив; **~ battle** *воен.* показна битка; **~ trial** съдебен фарс; **~ tragedy** трагикомедия.

mocker ['mɔkə] *n* присмехулник, подигравчия.

mockery ['mɔkəri] *n* 1. подигравка, насмешка; присмиване, осмиване; присмех; 2. посмешище; обект на подигравки; 3. *прен.* фарс, подигравка.

mock-heroic [,mɔkhi'rouik] **I.** *a* героично-комичен; **II.** *n* героично-комичен стил.

mocking-bird ['mɔkiŋbəːd] *n зоол.* присмехулник (*птица*) (Mimus polyglottos).

mockingly ['mɔkiŋli] *adv* подигравателно; с/на присмех.

mock-turtle soup [,mɔk'təːtl,suːp] *n* чорба от телешка глава и пр.

mock-up ['mɔkʌp] *n* 1. макет/модел в естествена величина (*на машина и пр.*); 2. *печ.* макет (*на книга и пр.*).

mod [mɔd] *sl.* **I.** *a* моден, елегантен (*особ. за облекло*); **II.** *n* **M.** мод (*название на младежка група в Англия през 60-те години, облечена по последната мода*).

modal ['moudl] *a* 1. отнасящ се до начин/форма; 2. *муз.* ладов; 3. *грам.* модален.

modality [mou'dæliti] *n* модалност.

mode [moud] *n* 1. метод, начин, способ; 2. маниер,

стил; 3. форма, вид (*на движение и пр.*); 4. *муз.* лад; 5. мода; **to be all the ~** съвсем по модата съм; 6. *стат.* мода.

model[1] ['mɔdl] *n* 1. модел; макет; образец; шаблон; **on the ~ of** по модел на; 2. пример; образец; 3. манекен (*жив*); модел (*на художник*); 4. *разг.* точно копие; 5. *attr* примерен; образцов.

model[2] *v* (-ll-) 1. моделирам; придавам форма на, оформям; **delicately ~led features** изящно изваяни черти; 2. създавам/правя по образец (**after, on, upon**); **to ~ o.s. upon s.o.** имам някого за образец/пример; 3. *изк. pass* следвам стила на (*дадена школа — за творчеството на художник и пр.*); **his work is ~led on** работите му са в стила на; 4. работя като модел (*в модна къща и пр., на художник и пр.*); 5. *метал.* формовам.

moderate[1] ['mɔdərət] **I.** *a* 1. умерен; среден (*за скорост, цена и пр.*); въздържан; **~ demands** скромни изисквания/искания; **to be a ~ drinker** пия умерено; 2. обикновен, посредствен, среден (*за способности и пр.*); **II.** *n* човек с умерени политически възгледи.

moderate[2] ['mɔdəreit] *v* 1. правя/ставам умерен/въздържан; смекчавам; намалявам; 2. отслабвам, стихвам (*за вятър*); 3. председателствувам на, ръководя (*събрание и пр.*).

moderating ['mɔdəreitiŋ] *a* въздържащ, който прави (*някого*) по-сдържан; **to exercise a ~ influence on s.o.** влияя някому да стане по-сдържан/умерен, правя някого по-въздържан.

moderation [,mɔdə'reiʃn] *n* 1. умереност; сдържаност, въздържаност; **in ~** с мярка, умерено; 2. въздържане, сдържане; 3. **M.s** първи публичен изпит за степен бакалавър на хуманитарните науки (*в Оксфорд*); 4. *ядр.* забавяне.

moderato [,mɔdə'raːtou] *adv муз.* модерато.

moderator ['mɔdəreitə] *n* 1. арбитър, посредник; 2. председател, ръководител (*на събрание и пр.*); 3. член на изпитна комисия (*в Оксфорд и Кеймбридж*); 4. презвитериански свещеник, председател на църковен съд; 5. *тех.* регулатор; 6. *ядр.* забавител.

modern ['mɔdən] *a* 1. съвременен, нов; модерен; **~ English** съвременен английски език; **~ school** не напълно средно училище (*в което не се преподават класическите езици*); 2. моден, на мода, модерен.

modernism ['mɔdənizm] *n* 1. модернизъм; съвременно течение/насока (*особ. по религиозни въпроси*); 2. новост; 3. *ез.* неологизъм.

modernistic [,mɔdə'nistik] *a* 1. *изк.* модернистичен; 2. съвременен, модерен.

modernity [mɔ'dəniti] *n* съвременност, новост, съвременен характер.

modernization [,mɔdənai'zeiʃn] *n* модернизиране, модернизация, осъвременяване.

modernize ['mɔdənaiz] *v* модернизирам, осъвременявам.

modest ['mɔdist] *a* 1. скромен; 2. сдържан, стеснителен; 3. умерен (*за искания, изявления, възгледи и пр.*) (*и ирон.*); 4. непретенциозен, скромен (*на вид, за количество и пр.*); 5. (благо)приличен, пристоен.

modesty ['mɔdisti] *n* 1. скромност; благоприличие; **in all ~** без да искам да се хваля; 2. умереност; сдържаност.

modi *вж.* **modus.**

modicum ['mɔdikəm] *n* малко/минимално количество; *прен.* капка; **with a ~ of effort** без почти никакво усилие.

modifiable ['mɔdifaiəbl] *a* изменяем; приспособим.

modification [,mɔdifi'keiʃn] *n* 1. изменяване; (видо)изменение; модификация; 2. приспособяване; преобразуване; **3.** смекчаване; **4.** *ез.* преглас, умлаут; **5.** уговорка, уточняване; ограничение.

modifier ['mɔdifaiə] *n* **1.** нещо, което променя/изменя/уточнява/ограничава; **2.** *грам.* определение.

modify ['mɔdifai] *v* **1.** изменявам (се), видоизменям (се), променям (се) частично; **2.** смекчавам, намалявам (*изисквания и пр.*); снижавам; **3.** *грам.* определям; **4.** *ез.* прегласявам.

modish ['moudiʃ] *a* моден; модерен, по модата.

modiste [mou'dist] *n фр.* модистка (*шапкарка, шивачка*).

Mods [mɔdz] *разг.* = **moderation 3.**

modulate ['mɔdjuleit] *v* **1.** изменям, променям, модулирам (*честота, глас, тон*); **2.** приспособявам, пригодявам; **3.** *муз.* променям тоналността/гамата на.

modulation [,mɔdju'leiʃn] *n* модулация.

modulator ['mɔdjuleitə] *n тех.* **1.** модулатор; **2.** антивибратор; **3.** *телев.* електрод на спейсистор.

module ['mɔdju:l] *n* **1.** *физ., тех.* модул; коефициент; степенен показател; **2.** *арх.* единица мярка; модул; **3.** *косм.* модул.

modulus ['mɔdjuləs] *n* (*pl* **-uses, -i** [-siz, -ai]) = **module 1.**

modus ['moudəs] *n* (*pl* **modi** ['moudai]) *лат.* начин, способ, метод, система; ~ **operandi** начин на действие; ~ **vivendi** временно споразумение (*при спор и пр.*).

Mogul ['mougʌl] *n* **1.** *ист.* монголски завоевател на Индия; **the Great/Grand** ~ *ист.* Великият Могол; **2. m.** важна личност; богаташ, магнат; **3.** *pl* вид луксозни карти за игра.

mohair ['mouhɛə] *n* мохер, вълна/плат от ангорска коза.

Mohammedan [mou'hæmidən] **I.** *a* мохамедански; **II.** *n* мохамеданин.

Mohammedanism [mou'hæmidənizml] *n* мохамеданство.

Mohawk ['mouhɔ:k] *n* **1.** индианец мохаук; **2.** *сп.* фигура при пързаляне с кънки.

moiety ['mɔiəti] *n* **1.** *юр.* половина; **2.** една от двете части (*на които е разделено нещо*).

moil [mɔil] *v ост.*: ~ **and toil** трепя се, блъскам се, бухам.

moire [mwa:] *n фр.* **1.** *текст.* моарѐ; **2.** метална повърхност с вълнообразни отблясъци.

moiré [mwa:'rei] *n фр.* моарѐ.

moist [mɔist] *a* **1.** влажен; **eyes** ~ **with tears** насълзени очи; **to grow** ~ овлажнявам се; **2.** дъждовен (*за сезон*); **3.** *мед.* мокър (*за екзема*).

moisten ['mɔisn] *v* навлажнявам (се), намокрям (се).

moisture ['mɔistʃə] *n* влага, влажност.

moisturize ['mɔistʃəraiz] *v* придавам влажност на (*кожата на лицето с козметично средство*).

moke [mouk] *n sl.* **1.** магаре; **2.** *австрал.* дръглив кон; **3.** *ам.* негър.

mol [moul] *съкр. от* **molar²**.

molal ['moulal] = **molar²**.

molar¹ ['moulə] **I.** *a* кътен (*за зъб*); **II.** *n* кътник, кътен зъб.

molar² *a хим.* моларен.

molasses [mou'læsiz] *n* меласа.

mold *ам.* = **mould.**

mole¹ [moul] *n* бенка.

mole² *n* **1.** *зоол.* къртица (*сем.* Talpidae); **2.** човек, който работи на тъмно/*прен.* в нелегалност; **3.** човек с лошо зрение.

mole³ *n* **1.** вълнолом; преградна стена, дига; **2.** пристанище, пристан.

mole⁴ = **molar².**

molecular [mou'lekjulə] *a физ., хим.* молекулярен; молекулен; ~ **weight** молекулно тегло.

molecule ['mɔlikju:l] *n* **1.** *физ., хим.* молекула; **2.** частица.

molehill ['moulhil] *n* къртичина.

moleskin ['moulskin] *n* **1.** кожа от къртица; **2.** *текст.* молескин; **3.** *pl* панталони от молескин.

molest [mou'lest] *v* задявам, безпокоя; задирям.

moll [mɔl] *n sl.* **1.** приятелка, гадже на гангстер/скитник и пр.; **2.** проститутка.

mollify ['mɔlifai] *v* **1.** успокоявам, уталожвам; **2.** смекчавам; укротявам (*гняв*).

mollusc, *ам.* **mollusk** ['mɔləsk] *n* **1.** *зоол.* мекотело, молуска; **2.** животно с черупка (*стрида, рак*); **3.** отпуснат човек.

molly ['mɔli] *n* женствен/безхарактерен мъж, „баба“.

mollycoddle¹ ['mɔlikɔdl] *n* мамино детенце; женствен мъж, „баба“; изнежен/разглезен човек.

mollycoddle² *v* глезя, разглезвам.

mollymawk ['mɔlimɔ:k] = **mallemuck.**

Moloch ['moulɔk] *n* **1.** *библ.* Молох (*и прен.*); **2.** *зоол.* вид австралийски гущер (Moloch horridus).

molt *ам.* = **moult.**

molten ['moultən] *a* **1.** стопен, разтопен (*за метал*); **2.** лят, отлят, излят (*от метал и пр.*).

molybdenite [mɔ'libdinait] *n минер.* молибденит, молибденова руда.

molybdenum [mɔ'libdinəm] *n хим.* молибден.

mom [mɔm] = **momma.**

moment ['moumənt] *n* **1.** момент, миг (*и прен.*); **half a** ~ (една) минутка; **in a** ~ веднага, незабавно; **this very** ~ веднага, още сега; **just/only this** ~ току-що; **at the** ~ в момента; засега; **at odd** ~**s** между другото, когато мога; **men of the** ~ силни на деня; **the** ~ **I saw him** щом го видях; **not for a** ~! никога! за нищо на света! ·~ **of truth** 1) момент, в който бикоборецът забива ножа; 2) *прен.* момент на изпитание; решаващ момент; **2.** *физ., тех.* момент; **3.** важност, значение; **it is of no/little** ~ няма значение, не е важно; **decision of great** ~ важно решение; **of the first** ~ от най-голяма важност/значение.

momentarily ['moumәntәrili] *adv* **1.** за миг/момент; мигновено, моментално; **2.** ежеминутно, всеки миг/момент.

momentary ['moumәntәri] *a* **1.** моментен, мигновен; кратковременен, краткотраен; **2.** ежеминутен.

momently ['moumәntli] = **momentarily.**

momentous [mou'mentәs] *a* много важен, от голямо значение.

momentum [mou'mentәm] *n* (*pl* **-ta** [-tә], **-tums**); **1.** *физ., тех.* механичен момент, инерция на движещо се тяло; кинетична енергия; **by its own** ~ по инерция; **2.** *разг.* импулс, движеща сила, стимул; мощ; **to gather/gain** ~ набирам сили; разгръщам се, засилвам се; **to lose** ~ отслабвам; **the** ~ **of the attack** стремителността на нападението; **to grow in** ~ усилвам се.

momma ['mɔmә] *n дет.* мама.

monachal ['mɔnәkәl] *a* монашески.

monachism ['mɔnәkizm] *n* монашество.

monad ['mɔnæd] *n* **1.** *мат., фил., биол.* монада; **2.** *хим.* едновалентен елемент (*атом, радикал*).

monarch ['mɔnәk] *n* **1.** монарх; *прен.* владетел, властелин; **2.** *зоол.* голяма пеперуда в оранжево и черно (Danaus plexippus).

monarchic(al) [mɔ'na:kik(l)] *a* монархически.

monarchist ['mɔnәkist] *n* монархист.

monarchy ['mɔnәki] *n* монархия.

monastery ['mɔnәstәri] *n* (мъжки) манастир.

monastic [mə'næstik] I. *a* монашески; манастирски; II. *n* монах.

monasticism [mə'næstisizm] *n* монашество.

monatomic [monə'tɔmik] *a* хим. **1.** едноатомен (*за молекула*); **2.** едновалентен.

monaural [,mon'ɔ:rəl] *a* **1.** чуващ само с едно ухо; само за едно ухо; **2.** изхождащ само от една посока (*за звук*).

Monday ['mʌndi] *n* понеделник; □ St. ~ св. понеделник, ден, когато почти не се работи.

Mondayish ['mʌndiiʃ] *a* **1.** понеделнишки, уморен от работа (*за свещеник*); **2.** без желание за работа (*след неделната почивка*).

monetary ['mʌnitri] *a* **1.** монетен, паричен; **2.** валутен, девизен.

monaterist ['mʌnitərist] *n* икон. монетарист.

monetize ['mʌnitaiz] *v* **1.** избирам/установявам (метал) за основа на парична система; **2.** сека (*метал*) на монети.

money ['mʌni] *n* (*pl* **monies** ['mʌniz]) **1.** пари; **to be good/bad** ~ представлявам добро/недобро капиталовложение; **to make** ~ печеля пари, правя състояние; **to coin/mint** ~ печеля луди пари; **to come into** ~ наследявам пари; **to marry** ~ женя се за богат човек; **to be in the** ~ *sl.* 1) печеля парични награди; 2) богат съм; **to get o.'s** ~**'s worth** купувам нещо, което си струва парите; изкарвам си парите; **there is (no)** ~ **in it** от това (не) могат да се изкарат/спечелят пари; **2.** монета, пара́; **piece of** ~ монета; **3.** *pl юр., ост.* средства, суми; **4.** *attr* паричен; финансов; □ **the one for my** ~ този, който предпочитам; **for my** ~ *ам.* ло мое мнение, според мен; ~ **makes/begets/draws** ~ *посл.* пари при пари отиват; ~ **makes the mare go** с пари всичко се постига.

money-bag ['mʌnibæg] *n* **1.** торбичка/кесия за пари; **2.** *pl* богатство; **3.** *pl с гл. в sing* богаташ; скъперник.

money-box ['mʌniboks] *n* **1.** спестовна касичка; **2.** кутия за дарения.

money-changer ['mʌni,tʃeinʤə] *n* сараф.

moneyed ['mʌnid] *a* богат; паралия.

money-grubber ['mʌni,grʌbə] *n* алчен за пари човек.

money-lender ['mʌni,lendə] *n* лихвар.

moneyless ['mʌnilis] *a* беден, безпаричен; без пари/стотинка.

money-maker ['mʌni,meikə] *n* **1.** човек, който печели/трупа пари; **2.** нещо, което носи големи печалби.

money-market ['mʌni,ma:kit] *n* ик. **1.** паричен/валутен пазар; **2.** борса.

moneywort ['mʌniwɔ:t] *n* бот. кръглолистно ленивче (Lysimachia nummularia).

monger ['mʌŋgə] *n* продавач (*главно в съчет.*); **fishmonger** рибар; □ **gossip-**~ клюкар.

Mongol ['mɔŋgɔl] = **Mongolian** II. 1.

Mongolian [mɔn'gouljən] I. *a* монголски; II. *n* **1.** монголец; **2.** монголски език.

mongoose ['mɔŋgu:s] *n* (*pl* **-ses** [-siz]) зоол. мангуста (Herpestes).

mongrel ['mʌŋgrəl] *n* **1.** мелез; смесена порода; хибрид; **2.** *attr* смесен, нечистокръвен.

mongst [mʌŋst] *поет.* = **among(st)**.

monicker ['mɔnikə] *n ам. sl.* име; прякор.

monied = **moneyed**.

moniker = **monicker**.

monism ['mɔnizəm] *n* фил. монизъм.

monition [mou'niʃn] *n книж.* **1.** предупреждение; **2.** на-

ставление, съвет; указание; **3.** *църк.* нареждане (и предупреждение) на епископ; **4.** *юр.* призоваване в съда.

monitor[1] ['mɔnitə] *n* **1.** наставник, съветник; **2.** *уч.* по-голям ученик, отговорен за дисциплината; **3.** *тех.* управляващо устройство; контролен апарат; **4.** *телев., рад.* монитор; регистратор; **5.** *тех.* защитно устройство; **6.** *физ.* дозиметър; **7.** *мор.* монитор (*боен кораб*); **8.** *зоол.* голям тропически гущер (Varanus).

monitor[2] *v* **1.** съветвам, наставлявам; **2.** наглеждам, контролирам; **3.** *рад.* провеждам контролни приемания; следя чужди предавания.

monitory ['mɔnitəri] I. *a* предупредителен; наставнически; II. *n църк.* послание от епископ/папа с наставления.

monitress ['mɔnitris] *ж.р. от* **monitor** 1.

monk [mʌŋk] *n* монах, калугер.

monkery ['mʌŋkəri] *n* пренебр. калугерство, монашество; калугерски/манастирски живот.

monkey[1] ['mʌŋki] *n* **1.** зоол. маймуна (Primates, Cebidae) (*и прен.*); **to make a** ~ **of o.s.** ставам смешен; **to make a** ~ **of s.o.** правя някого да изглежда смешен, подигравам някого; **2.** *прен., шег.* пакостник, палавник, лудетина; **3.** *тех.* бабка; падаща тежест на чук; (пилото)набивачка; **4.** *sl.* яд, гняв; **to get o.'s** ~ **up** разядосвам се; **to put s.o.'s** ~ **up** (раз)ядосвам някого; **5.** *sl.* петстотин лири стерлинги; *ам.* петстотин долара; □ **to be/get up to** ~ **business/tricks** правя бели/пакости; **to have a** ~ **on o.'s back** *sl.* 1) наркоман съм; 2) имам зъб на някого; **to suck the** ~ *sl.* пия тайно от бъчва (*със сламка, тръбичка*).

monkey[2] *v* **1.** правя шеги/лудории/маймунджилъци (**about**); **2.** подражавам на, подигравам се на; **3.** бърникам, играя си (**about with**).

monkey business ['mʌŋki,biznis] *n* разг. глупости, маймунджилъци; **don't try any** ~ ! и без номера!

monkeyish ['mʌŋkiiʃ] *a* **1.** маймунски; **2.** игрив, дяволит.

monkey-jacket ['mʌŋki,ʤækit] =**mess jacket** 1.

monkey-nut ['mʌŋkinʌt] *n* бот. фъстък (Arachis).

monkey-puzzle(r) ['mʌŋki,pʌzl(ə)] *n* бот. араукария, чилийски бор (Araucaria imbricata).

monkey-shine ['mʌŋkiʃain] *n ам. обик.pl sl.* маймунджилък, пакост.

monkey-wrench ['mʌŋkirentʃ] *n тех.* френски ключ, регулируем гаечен ключ.

monkhood ['mʌŋkhud] *n* монашество.

monkish ['mʌŋkiʃ] *a* монашески, калугерски.

monk's hood ['mʌŋkshud] *n бот.* самокитка, омаяк (Aconitum napellus).

mono- ['mɔnə, -ou] *pref* едно-, моно-.

monobasic ['mɔnə,beisik] *n* хим. едноосновен.

monochrome ['mɔnəkroum] *n* **1.** едноцветна рисунка; **2.** рисуване с един цвят.

monocle ['mɔnəkl] *n* монокъл.

monocotyledon ['mɔnou,kɔti'li:dən] *n* бот. едносеменделно растение.

monocular [mə'nɔkjulə] *опт.* I. *a* монокулярен, с един окуляр; II. *n* монокуляр.

monoculture ['mɔnou,kʌltʃə] *n* агр. монокултура.

monoecious [mɔ'ni:ʃəs] *a* **1.** бот. еднодомен; **2.** зоол. хермафродитен.

monogamy [mə'nɔgəmi] *n* еднобрачие, моногамия.

monogram ['mɔnəgræm] *n* монограм.

monograph ['mɔnəgra:f] *n* монография.

monogyny [mə'nɔʤini] *n* едноженство.

monolith ['mɔnouliθ] *n* монолит.

monolithic [,mɔnou'liθik] *a* монолитен (*и прен.*).

monologize [mɔ'nɔləʤaiz] *v* не давам другиму думата (*в общ разговор*).

monologue ['mɔnələg] *n* монолог.

monomania [ˌmɔnou'meinjə] *n* мед. мономания.

monomaniac [ˌmɔnou'meiniæk] *n* мед. страдащ от мономания.

monometallism [ˌmɔnə'metəlizm] *n* фин. монометализъм.

monomial [mɔ'noumiəl] *мат.* I. *a* едночленен, мономен; II. *n* мином, едночлен.

monomorphic, -morphous [ˌmɔnou'mɔ:fik, -'mɔ:fəs] *a* биол. с една ембрионална форма.

monophobia [ˌmɔnə'foubiə] *n* мед. натраплив страх от самота, монофобия.

monophthong ['mɔnəfθɔŋ] *n* фон. проста гласна.

monoplane ['mɔnouplein] *n* ав. моноплан.

monopolist [mə'nɔpəlist] *n* 1. монополист; 2. защитник/привърженик на монополната система.

monopolize [mə'nɔpəlaiz] *v* монополизирам, правя монопол от; **to ~ the conversation** не давам никому думата (*в общ разговор*); говоря само аз.

monopoly [mə'nɔpəli] *n* монопол; **to have the ~ of**/*ам.* **on s.th.** имам монопол върху нещо.

monorail ['mɔnoureil] *n* монорелса, висящ еднорелсов път.

monostich ['mɔnəstik] *n* проз. едностишие.

monosyllabic [ˌmɔnousi'læbik] *a* едносричен, еднослoжен.

monosyllable ['mɔnəˌsiləbl] *n* едносрична дума; **to speak in ~s** отговарям само с „да" и „не".

monotheism ['mɔnouθi:ˌizəm] *n* еднобожие, монотеизъм.

monotint ['mɔnətint] *n* жив. рисунка/гравюра в един цвят.

monotone[1] ['mɔnətoun] *n* 1. еднозвучие; 2. монотонно говорене; **in a ~** монотонно, без всякаква интонация, без промяна на гласа; 3. *attr* еднообразен, монотонен.

monotone[2] *v* пея/говоря/чета монотонно.

monotonous [mə'nɔtənəs] *a* 1. монотонен, еднообразен; 2. прен. досаден, скучен.

monotony [mə'nɔtəni] *n* 1. монотонност, еднообразие; 2. прен. скука.

monotype ['mɔnoutaip] *n* 1. биол. единствен представител; 2. печ. монотип.

monseigneur [ˌmɔnsen'jɔ:] *n фр.* 1. монсеньор (*титла на висши духовни лица, благороднищи и пр.*); 2. лице с такава титла; 3. ист. М. обръщение към престолонаследника на Франция.

monsieur [məs'jɔ:] *n фр.* (*pl* **messieurs** [mes'jɔ:]) 1. господин; 2. ист. М. обръщение към втория син на френския крал/към по-младите братя на краля.

monsignor [mɔn'si:njə] *n ит.* църк. титла на висш католически духовник.

monsoon [mɔn'su:n] *n* 1. мусон (*вятър*); 2. дъждове в Северна и Западна Индия по време на мусона.

monster ['mɔnstə] *n* 1. чудовище; 2. урод, изчадие, изрод; изверг; **~ of cruelty** жесток изверг; **~ of ingratitude** черен неблагодарник; 3. разг. колос, грамада; 4. *attr* грамаден, исполински; чудовищен.

monstrance ['mɔnstrəns] *n* църк. дарохранителница.

monstrosity [mɔn'strɔsiti] *n* 1. чудовищност; ужас; 2. уродливост, изроденост; 3. урод; чудовище.

monstrous ['mɔnstrəs] *a* 1. чудовищен; 2. уродлив; изроден; 3. грамаден, огромен, исполински; 4. жесток, зверски; 5. разг. безобразен, скандален; абсурден, невъзможен.

montage ['mɔnta:ʒ] *n* кино, лит., изк., муз. монтаж.

montane ['mɔntein] *a* планински.

Montenegrin [ˌmɔnti'ni:grin] I. *a* черногорски; II. *n* черногорец.

month [mʌnθ] *n* месец; **by the ~** на месец, месечно; **baby of three ~s, a three-~ old baby** тримесечно бебе; **I shall be back this day ~** ще се върна точно след един месец; □ **never in a ~ of Sundays** никога, на куково лято.

monthly[1] ['mʌnθli] I. *a* (еже)месечен; II. *n* 1. месечно списание; 2. *pl* менструация, мензис.

monthly[2] *adv* ежемесечно, всеки месец.

monticule ['mɔntikju:l] *n* 1. хълм(че); 2. геол. допълнителен/страничен конус на вулкан.

monument ['mɔnjumənt] *n* 1. паметник (*и прен.*), монумент (**to**); 2. документ, писмен паметник; 3. *ряд.* гробница; 4. историческа местност; 5. природна забележителност.

monumental [ˌmɔnju'mentl] *a* 1. величествен, монументален; 2. отнасящ се за паметници; **~ mason** строител на надгробни паметници; 3. значителен, монументален (*за труд*); 4. огромен, много голям; **~ ignorance** изумително невежество.

moo[1] [mu:] *v* муча.

moo[2] *n* мучене.

mooch [mu:tʃ] *v sl.* 1. шляя се, лентяйствувам, мотам се; 2. задигам, свивам; отмъквам; 3. изпросвам си.

mood[1] [mu:d] *n* настроение; разположение; **man of ~s** човек на настроения; **in the ~ for** склонен да; **to feel/be in no ~ for laughing** (съвсем) не ми е до смях; **I'm in the ~ to refuse point blank** идва ми направо да откажа.

mood[2] *n* 1. грам. наклонение; 2. муз. лад.

moody ['mu:di] *a* 1. на настроения; с променлив характер; 2. унил, потиснат, мрачен, в лошо настроение; раздразнителен.

moon[1] [mu:n] *n* 1. луна, месечина; **full ~** пълнолуние; **new ~** новолуние; 2. астр. спътник, сателит (*на планета*); 3. поет. месец; 4. поет. □ **over the ~** съм възторг/екстаз; силно възбуден; **to shoot the ~** sl. измъквам се от квартирата нощем, без да платя наема; **to cry for the ~** искам невъзможното; **to promise s.o. the ~ (and stars)** свалям някому звездите.

moon[2] *v* 1. шляя се, разтакавам се (**about, around**); 2. пропилявам (*време*) (**away**); 3. занасям се (**over** по):

moonbeam ['mu:nbi:m] *n* лунен лъч, сноп лунна светлина.

moonblind ['mu:nblaind] *a* кокошничав.

moonblindness ['mu:nˌblaindnis] *n* кокоша слепота.

moonbug(gy) ['mu:nbʌg(i)] *n* луноход.

mooncalf ['mu:nka:f] *n* 1. малоумен, идиот; 2. изрод, урод.

moonface ['mu:nfeis] *n* кръгло лице.

moon-flower ['mu:nˌflauə] = **ox-eye daisy**.

moonish ['mu:niʃ] *a* 1. променлив, непостоянен; 2. който е под влиянието на луната.

moonlight[1] ['mu:nlait] *n* 1. лунна светлина; **in the**/**by ~** на лунна светлина; 2. *attr* лунен; на/при лунна светлина; □ **flit(ting)** напущане на квартира нощем, без да се плати наема.

moonlight[2] *v* работя на две места (*едното вечер, нощем*).

moonlighter ['mu:nlaitə] *n* човек, който работи на две места (*едното вечер, нощем*).

moonlit ['mu:nlit] *a* осветен от луната, залян от лунна светлина.

moonrise ['mu:nraiz] *n* изгрев на луната.

moon rover ['mu:n,rouvə] = **moonbug**(gy).

moonscape ['mu:nskeip] *n* лунен пейзаж.

moonset ['mu:nset] *n* залез на луната.

moonshine ['mu:nʃain] *n* 1. лунна светлина/блясък; 2. глупости, фантасмагория; 3. *ам. разг.* контрабандно спиртно питие.

moonshiner ['mu:nʃainə] *n ам. разг.* 1. човек, който контрабанда вари спиртно питие; 2. контрабандист.

moon-shot ['mu:nʃɒt] *n* изстрелване на ракета в орбита около/към луната.

moonstone ['mu:nstoun] *n минер.* лунен камък.

moonstruck ['mu:nstrʌk] *a* побъркан, смахнат.

moony ['mu:ni] *a* 1. лунен; като луна; 2. сърповиден; 3. осветен от луната; 4. замечтан, разсеян, заплеснат; 5. глуповат.

Moor [muə] *n* 1. мароканец; 2. *ист.* мавър.

moor[1] [muə] *n* 1. бърдо, пустош, високо пусто поле; 2. *ам.* тресавище; 3. ловен участък.

moor[2] *v мор.* 1. завързвам, връзвам; закотвям (*кораб*); 2. акостирам, приставам; заставам на котва (*за кораб*).

moorage ['muəriʤ] *n мор.* 1. приставане, акостиране; спиране на котва (*за кораб*); 2. пристан; кей; 3. такса за приставане/акостиране (*на кораб*).

moor-cock, **-fowl**, **-game** ['muəkɔk, -faul, -geim] *n зоол.* шотландска яребица (Lagopus scoticus).

moor-hen ['muəhen] *n зоол.* 1. (зеленонога) водна кокошка (Gallinula chloropis); 2. женска шотландска яребица.

moorings ['muəriŋz] *n pl мор.* съоръжения/място за акостиране/пускане на котва.

Moorish ['muəriʃ] *a* мавритански.

moorland ['muələnd] *n* бърда, голи хълмове; пустош.

moose [mu:s] *n зоол.* 1. американски лос (*вид елен*) (Alces americanus); 2. европейски лос (Alces alces).

moot[1] [mu:t] *n* 1. *ист.* събрание на свободните граждани; 2. *юр.* разискване на хипотетичен случай/казус; 3. *attr* спорен; *прен.* съмнителен; теоретичен; ~ **point/question** спорен въпрос.

moot[2] *v* повдигам, разисквам (*въпрос*).

mop[1] [mɔp] *n* бърсалка от влакна/парцал и пр. с дръжка (*за подове, чинии и пр.*); 2. гъста, рошава коса (*и* ~ **of hair**).

mop[2] *v* (-pp-) мия, бърша, забърсвам; чистя; **to** ~ **o.'s brow** избърсвам си потта; **to** ~ **up** 1) избърсвам (*вода и пр.*); 2) *разг.* привършвам, довършвам (*работа*); 3) *воен.* прочиствам (*терен — от противник*); 4) *sl.* обирам (*награди, печалби и пр.*); 5) *разг.* побеждавам; напердашвам; смазвам.

mop[3] *n* гримаса; ~s **and mows** гримаси.

mop[4] *v* (-pp-) правя гримаса (*и* ~ **and mow**).

mope[1] [moup] *v* 1. меланхоличен/унил съм, безучастен съм към всичко; **to** ~ **about in the house** мотая се из къщи без настроение; 2. *прен.* потискам.

mope[2] *n* 1. унил/потиснат/безучастен човек; 2. *pl* унилие, лошо настроение; **to have a fit of the** ~s изпаднал съм в унилие/лошо настроение.

moped ['mouped] *n* мотопед.

moper ['moupə] *n* безучастен/апатичен човек.

mopish ['moupiʃ] *a* унил, потиснат, без настроение.

moppet ['mɔpit] *n* разг. детенце, дечко.

mop-up ['mɔpʌp] *n ам.* 1. *sl.* пердах, тежко поражение; 2. *воен. разг.* (военни действия за) прочистване (*на терен от противник*).

moquette [mɔˈket, mouˈket] *n* мокет.

moraine [mɔˈrein] *n геол.* морена.

moral[1] ['mɔrəl] I. *a* 1. морален, нравствен; ~ **philosophy** етика; 2. поучителен (*за книга и пр.*); 3. морален, нематериален, духовен; 4. способен да разграничава доброто от злото; **man is a** ~ **agent** човекът е способен да разграничава доброто от злото; 5. вероятен, макар и недоказан; ~ **certainty** почти пълна увереност/несъмнен факт; II. *n* 1. поука, морал; 2. *pl* нравственост, нрави; морал; етика.

morale [mɔˈra:l] *n* дух (*на армия и пр.*); **high** ~ висок/силен дух; **loss of** ~ деморализация; **to undermine the** ~ **of the army** деморализирам войската, внасям разложение сред войската.

moralism ['mɔrəlizm] *n* 1. морализиране, четене на морал; 2. нравствен принцип; 3. принципи на поведение, основани върху нравствеността (*а не върху религията*).

moralist [mɔˈrəlist] *n* 1. моралист, морализатор; 2. човек със здрави нравствени принципи; 3. преподавател по етика.

morality [mɔˈræliti] *n* 1. нравственост; морал; етика; 2. нравоучение; етика; 3. *лит.* моралите (*алегорична средновековна драма*) (*и* ~ **play**).

moralize ['mɔrəlaiz] *v* 1. морализирам, проповядвам морал; 2. извличам поука/урок от; 3. поучавам, проповядвам морал на; подобрявам нравите на.

morally ['mɔrəli] *adv* 1. морално; нравствено; етично; 2. от морална/нравствена гледна точка; 3. фактически, на практика, в действителност.

morass [mɔˈræs] *n* тресавище, мочур, блато (*и прен.*).

moratorium [,mɔrəˈtɔːriəm] *n* мораториум.

Moravian [mɔˈreivjən] I. *a* моравски; II. *n* 1. жител на Моравия; 2. *pl рел. ист.* моравски братя.

morbid ['mɔːbid] *a* 1. болезнен, нездрав, мрачен (*за мисли и пр.*); 2. патологичен; болестен; ~ **growth** *мед.* новообразуване, тумор; ~ **anatomy** патологична анатомия; 3. *разг.* страхотен, ужасен; грозен, отвратителен.

morbidity [mɔːˈbiditi] *n* 1. болезненост; 2. заболеваемост, брой на заболяванията.

mordaceous [mɔːˈdeiʃəs] *a* хаплив; язвителен.

mordacity [mɔːˈdæsiti] *n* хапливост; язвителност.

mordant ['mɔːdənt] I. *a* 1. хаплив, язвителен; заядлив; саркастичен; 2. *хим., мед.* разяждащ; II. *n* 1. *хим.* стипцовка, байц; 2. киселина, ец (*за разяждане на метал, за гравиране*); 3. фиксатор (*за боя*).

mordent ['mɔːdənt] *n муз.* трела.

more[1] [mɔː] I. *a* сравн. ст. от **much, many** 1. повече; още; **there is no** ~ **room** няма вече/повече място; ~ **than ten men** над десет души; **have you any** ~ **paper?** имате ли още хартия? **some** ~ **bread, please!** още малко хляб, моля! 2. добавъчен, допълнителен; **may I have one** ~ **?** може ли да ми дадете още един? **he added one** ~ **line** той добави още един ред; **the** ~ **fool you to believe him** толкова по-глупаво от твоя страна е да му вярваш; II. *n* по-голям брой/количество; **we hope to see** ~ **of you** надяваме се да те виждаме/срещаме по-често; ~ **than one person has told me** много хора са ми казвали; **what** ~ **do you want?** какво повече искаш? **that is** ~ **than enough** това е предостатъчно; **there are still a few** ~ има още няколко; **there remains no** ~ **but to thank you** не остава нищо друго, освен да ти благодаря.

more[2] *adv* сравн. ст. от **much** 1. повече; по-скоро; **you need to sleep** ~ **than hurt** трябва да спиш повече; ~ **frightened than hurt** по-скоро уплашен, отколкото ранен; ~ **in sorrow than in anger** по-скоро със съжаление, отколкоето с гняв; **2.** *образува сравн. ст. на многосрични прил. и нареч.* по-; ~ **beautiful** по-красив; ~ **easily** по-лесно; **3.** отново; още; вече; **once** ~ още веднъж; отново; **I shall not go there any** ~ вече няма да ходя там; **we saw him no** ~ вече не го видяхме; **he is no** ~ той вече не е между живите; **the house is no** ~ къщата вече я няма; □ ~ **and** ~ все по-...; все повече; **the book gets** ~ **and** ~ **interesting** книгата става все по-интересна; **I feel it** ~ **and** ~ **every day** усещам го все повече всеки ден; **the** ~ **the merrier** колкото повече, толкова по-весело; **the** ~ **so** повече, в по-голяма степен; **I'd be** ~ **than happy to go** *разг.* бих бил безкрайно щастлив да отида; **you wrote to her, which is** ~ **than I did** ти ѝ писа, (нещо) което аз не направих/ а аз не ѝ писах; **he's no** ~ **able to do it than I am** колкото той може да направи това, толкова и аз; нито той може да направи това, нито аз; **I can't understand this. — no** ~ **can I** не мога да разбера това. — нито пък аз, и аз не мога; ~ **or less** 1) горе долу; 2) около; **it's neither** ~ **nor less than** това е чисто и просто/буквално; **the** ~ **so as** още повече, че.

moreen [mɔ'ri:n] *n текст.* дебел плат от вълна (и памук) за завеси.

morel [mɔ'rel] *n бот.* пумпалка, бучка, мръчкула *(гъба)* (Morchella esculenta).

morello [mə'relou] *n бот.* вишна (Prunus cerasus) (*и* ~ **cherry**).

moreover [mɔ:'rouvə] *adv* освен това; при това; още повече, че.

mores [mɔ:ri:z] *n pl лат. книж.* нрави.

Moresque [mɔ'resk] **I.** *а* мавритански; **II.** *n* мавритански стил.

morganatic [,mɔ:gə'nætik] *а* морганатичен *(за брак)*.

morgue [mɔ:g] *n* **1.** морга; **2.** *жур. sl.* справочен отдел.

moribund [mɔrib^nd] *а* **1.** умиращ; **2.** *прен.* замиращ, изчезващ.

morion [mɔriən] *n исп. ист.* шлем.

morn [mɔ:n] *n* **1.** *поет.* утро, сутрин; **2.** *шотл.* **the** ~ утре; **the** ~'**s** ~ утре сутрин.

morning [mɔ:niŋ] *n* **1.** сутрин, утрин, утро; **good** ~! добро утро! добър ден! *(до обед)*; **in/during the** ~ сутрин(та); **on Monday** ~ в понеделник сутрин; **2.** *поет.* зора, заря; **3.** *прен.* началото, утрото *(на живота и пр.)*; **4.** *attr* сутрешен, утринен; ~ **dress** ежедневни/обикновени дрехи; ~ **coat** 1) = ~ **dress**; 2) жакет, полуофициален мъжки костюм; ~ **gown** халат; пеньоар; **M. Prayer** *църк.* утринна, утринна служба; ~ **sickness** гадене/повдигане, което се явява преди обед *(при бременност и пр.)*; **the** ~ **star** Зорницата; **the** ~ **watch** *мор.* утринна вахта *(от 4 до 8 часа)*; **the** ~ **after** 1) следващата сутрин; 2) махмурлук *(и the* ~ **after the night before)**.

morning-glory [,mɔ:niŋ'glɔ:ri] *n бот.* грамофонче (Ipomoea).

mornings [mɔ:niŋz] *adv ам.* сутрин.

morocco [mə'rɔkou] *n* марокен *(кожа)*.

moron [mɔ:rɔn] *n* морон, слабоумен, умствено недоразвит.

morose [mə'rous] *а* мрачен, навъсен; необщителен.

morpheme [mɔ:fi:m] *n ез.* морфема.

morphia, -phine [mɔ:fjə, -fi:n] *n фарм.* морфин, морфий.

morphologic(al) [,mɔ:fə'lɔdʒik(l)] *а биол., ез.* морфологичен.

morphology [mɔ:'fɔlədʒi] *n биол., ез.* морфология.

morris [mɔris] *n* селски танц за мъже.

Morris chair [mɔrist∫eə] *n* фотьойл с подвижна облегалка.

morris-dance [mɔrisda:ns] = **morris**.

morrow [mɔrou] *n ост.* **1.** следващ/утрешен ден; **2.** *поет.* утрин, сутрин, утро.

Morse¹ [mɔ:s] *n* Морз; ~ **code** морзова азбука.

morse² *n зоол.* морж (Odobenus rosmarus).

morsel [mɔ:sl] *n* **1.** хапка; залък; **I haven't had a** ~ **of food today** нищичко не съм хапнал днес; **2.** къс(че); **3.** дребен човек.

mort [mɔ:t] *n* ловен сигнал, известяващ убиването на дивеча.

mortal [mɔ:tl] **I.** *а* **1.** смъртен: тленен; ~ **remains** тленни останки; ~ **combat** борба на живот и смърт; ~ **agony** предсмъртна агония; **2.** смъртоносен; **3.** *прен.* смъртен *(за грях)*; **4.** *разг. за усилване* много голям/дълъг и пр.; **to be in a** ~ **hurry** ужасно бързам; **for two** ~ **hours** цели два часа; **every** ~ **thing** абсолютно всичко; **it's no** ~ **use** 1) абсолютно безсмислено е; 2) не върши никаква работа; **5.** човешки, за/на човека; ~ **limitations** ограничените възможности на човека; **II.** *n* смъртен, простосмъртен; *шег.* човек.

mortality [mɔ:'tæliti] *n* **1.** смъртност; (брой/процент на) смъртни случаи; ~ **tables** таблици за средната вероятност на живота *(по възрасти)*; **2.** смъртност, тленност; **3.** човечество, хора.

mortally [mɔ:təli] *adv* **1.** смъртно; смъртоносно; фатално; **2.** безвъзвратно; **3.** извънредно; дълбоко; ~ **afraid** ужасно уплашен.

mortar¹ [mɔ:tə] *n* **1.** хаван; **2.** *воен.* минохвъргачка; *ист.* мортира.

mortar² *v* чукам в хаван.

mortar³ *n* хоросан.

mortar⁴ *v* измазвам/зидам с хоросан.

mortar-board [mɔ:təbɔ:d] *n* **1.** *стр.* маламашка; **2.** *разг.* университетска шапка с четвъртита плоскост над главата *(част от академично облекло)*.

mortgage¹ [mɔ:gidʒ] *n юр.* ипотека; ипотекиране; **loan on** ~ ипотечен заем; **to raise a** ~ **on o.'s house** ипотекирам къщата си.

mortgage² *v юр.* ипотекирам; залагам.

mortgagee [,mɔ:gə'dʒi:] *n юр.* кредитор по ипотека, ипотекарен кредитор.

mortgager, mortgagor [mɔ:gədʒə, ,mɔ:gə'dʒɔ:] *n* длъжник по ипотека, ипотекарен длъжник.

mortice = mortise.

mortician [mɔ:'ti∫n] *n ам.* собственик на погребално бюро.

mortification [,mɔ:tifi'kei∫n] *n* **1.** усмиряване, потъпкване, сподавяне *(на плътски желания)*; **2.** огорчение; унижение, обида; унижаване, огорчаване; покруса; **3.** *мед.* гангренясване, гангрена, мортификация.

mortify [mɔ:tifai] *v* **1.** потъпквам, усмирявам, потушавам; **to** ~ **the flesh** измъчвам/бичувам плътта; **2.** огорчавам; унижавам; покрусвам; **3.** *мед.* умъртвявам; **4.** *мед.* гангренясвам, умирам *(за тъкан)*.

mortise¹ [mɔ:tis] *n тех.* жлеб, канал; гнездо; отвор *(и* ~ **and tenon)**.

mortise² *v* **1.** съединявам чрез врязване *(с длаб)*; **2.** дълбая, издълбавам *(дърво)*.

mortmain [mɔ:tmein] *n юр.* владение *(особ. от страна на църквата)* без право на прехвърляне.

mortuary [mɔ:tjuəri] **I.** *а* **1.** погребален; **2.** свързан със смъртта; смъртен; **II.** *n* **1.** морга; **2.** дом на покойниците.

mosaic¹ [mou'zeiik] *n* **1.** *изк.* мозайка *(и прен.)*, мозаична работа; **2.** *прен.* потпури; сбирка; **3.** *attr* мозаичен (*и прен.*); от/за мозайка; ~ **gold** имитация на злато, калаен сулфид (*вид месинг*).

mosaic² *v* правя/украсявам с мозайка.

Mosaic [mou'zeiik] *n библ.* Мойсеев.

mosaicist [mou'zeisist] *n* творец на мозаични произведения.

moselle [mou'zel] *n* мозелско (бяло) вино.

mosey ['mouzi] *v sl.* 1. изпарявам се, духвам; изчезвам; 2. мотая се, шляя се (**along**).

Moslem ['mɔzlem, -əm] I. *a* мюсюлмански, мохамедански; II. *n* мюсюлманин, мохамеданин.

Moslemism ['mɔzləmizm] *n* мюсюлманство мохамеданство.

mosque [mɔsk] *n* джамия.

mosquito [məˈskiːtou] *n* (*pl* -os, -oes) *зоол.* комар (*сем.* Culicidae); ~ **net** мрежа против комари; □ ~ **boat/craft** *мор.* торпедна лодка/катер.

moss¹ [mɔs] *n бот.* мъх (*разряд* Musci).

moss² *v* покривам с мъх.

moss-back ['mɔsbæk] *n разг.* краен консерватор/ реакционер.

moss-grown ['mɔsgroun] *a* 1. обрасъл с мъх; 2. *ам. прен.* остарял.

moss rose ['mɔsrouz] *n бот.* мъхава роза (Rosa muscosa).

mossy ['mɔsi] *a* мъхав, мъхест, мъхнат, покрит с мъх.

most¹ [moust] I. *a прен. ст. от* **much** *и* **many** най-много; най-голям; ~ **men/people** повечето хора; **his singing is better than** ~ той пее по-добре от повечето хора/изключително добре; II. *n* 1. най-голямо количество/величина/брой/степен; **to make the** ~ **of** 1) използвам максимално; 2) представям в най-добра/най-лоша светлина; **at (the)** ~ най-много; в най-добрия случай; 2. повечето хора.

most² *adv прев. ст. от* **much** 1. най-вече; най-много; в най-голяма степен; **what** ~ **annoys me** това, което най-много ме дразни; 2. *образува прев. ст. на многосрични прил. и нареч., обик. с* **the** най-; 3. *без член или с* а извънредно, необикновено; съвсем; а ~ **useful book** извънредно полезна книга; ~ **cartainly** съвсем сигурно; непременно; 4. *диал. ам. разг.* почти; ~ **everybody** почти всички.

mostly ['moustli] *adv* в по-голямата си част, главно; в повечето случаи, обикновено.

mote [mout] *n* прашинка; петънце; **to behold the** ~ **in o.'s brother's eye** 1) *библ.* виждам сламката в окото на брата си; 2) *прен.* виждам чуждите грешки, а своите не виждам.

motel [mou'tel] *n* мотел.

motet [mou'tet] *n муз.* мотет.

moth [mɔθ] *n зоол.* 1. = **clothes-moth;** 2. нощна пеперуда (Lepidoptera).

moth-ball¹ ['mɔθbɔːl] *n* нафталиново топче; *pl* нафталин; **in** ~s *прен.* 1) *воен.* вън от строя, в резерв/запас (*за самолет, кораб и пр.*); 2) бракуван.

moth-ball² *v* 1. слагам в нафталин; 2. *воен.* слагам в резерв/запас.

moth-eaten ['mɔθˌiːtn] *a* 1. прояден от молци; 2. *прен.* стар, остарял; негоден; износен.

mother¹ ['mʌðə] *n* 1. майка; мама; ~ **earth** майката земя; **out first** ~ *ост.* Ева; 2. възрастна жена; баба (*като обръщение*); 3. инкубатор; □ **M. Hubbard** дълга широка рокля; **M. of God** Богородица; ~ **wit** вроден здрав разум; **does your** ~ **know you're out?** устата ти мирише на мляко.

mother² *v* 1. отнасям се майчински към; 2. майка съм на; раждам; 3. създавам, сътворявам; 4. осиновявам; 5. признавам майчинството си; **to** ~ **another's child** признавам, че съм майка на чуждо дете; 6. приписвам авторството на нещо (*някому*) (**on**).

mother³ *n* оцетна утайка (*и* ~ **of vinegar**).

Mother Carey's chicken [ˌmʌðəˈkɛərizˌtʃikin] *n зоол.* буревестник (*сем.* Hydrobates pelagicus).

Mother Carey's goose [ˌmʌðəˈkɛərizguːs] *n зоол.* голям буревестник (Macronectes giganteus).

mother country ['mʌðəˌkʌntri] *n* 1. родина; 2. метрополия.

mothercraft ['mʌðəkraːft] *n* умение да се отглеждат деца.

motherhood ['mʌðəhud] *n* майчинство, майчинство.

Mothering Sunday ['mʌðəriŋˌsʌndi] *n* 1. *църк.* средопостна неделя; 2. = **Mother's Day.**

mother-in-law ['mʌðərinlɔː] *n* 1. тъща; 2. свекърва.

motherland ['mʌðəlænd] *n* родина.

motherless ['mʌðəlis] *a* без майка.

motherlike ['mʌðəlaik] *a* майчински.

motherly ['mʌðəli] *a* 1. майчински; 2. мила, блага, добра.

mother-naked ['mʌðəˈneikid] *a* гол-голишат/-голеничък, както го е майка родила.

mother-of-pearl [ˌmʌðərəvˈpəːl] *n* седеф.

Mother's Day ['mʌðəzdei] *n ам.* денят на майката (*втората неделя на май*).

mother's help ['mʌðəz'help] *n* гувернантка.

mother ship ['mʌðəʃip] *n мор.* плуваща/подвижна база.

mother's mark ['mʌðəzmaːk] *n* бенка; белег от рождение.

mother's meeting ['mʌðəzˌmiːtiŋ] *n* среща на майките от дадена енория.

mothery ['mʌðəri] *a* с утайка, сагясал (*за оцет*).

motif [mou'tiːf] *n фр. муз., лит.* тема, мотив.

motion¹ ['mouʃn] *n* 1. движение; ход; **to put/set in** ~ пускам в движение/ход; 2. жест, жестикулация; **to make a** ~ **towards the door** понечвам да тръгна към вратата; **to go through the** ~s 1) показвам с жест (*някакво действие*); 2) *разг.* върша нещо отгоре-отгоре; 3. *тех.* механизъм, устройство; 4. воля; намерение; подбуда, импулс; **of o.'s own** ~ по собствена воля; 5. ходене по голяма нужда; *pl* екскременти; 6. предложение (*на събрание*); 7. *юр.* искане до съда за издаване на постановление/решение.

motion² *v* давам/правя знак,/махам (на); **she** ~**ed him to a chair/to sit down** тя му даде знак да седне; **to** ~ **s.o. in/away** давам знак на някого да влезе/да си отиде.

motional ['mouʃnəl] *a* двигателен.

motionless ['mouʃnlis] *a* неподвижен; намиращ се в покой.

motion picture ['mouʃnˌpiktʃə] *n* филм; кино.

motivate ['moutiveit] *v* 1. служа като мотив/причина за; мотивирам; обосновавам; 2. подбуждам, подтиквам; подканвам.

motivation [ˌmoutiˈveiʃn] *n* 1. мотивиране, обосноваване; мотивировка, обосновка; 2. подбуда.

motive¹ ['moutiv] I. *a* движещ; двигателен; ~ **power/ force** двигателна/движеща сила; II. *n* 1. повод, мотив; подбуда; **from political** ~s по политически причини/съображения; 2. = **motif.**

motive² = **motivate**

motley ['mɔtli] I. *a* 1. пъстър, разноцветен, шарен; 2. разнороден; 3. облечен в пъстро облекло като на шут; II. *n* 1. смесица (*от несхождащи се неща*); 2. *ист.* пъстър костюм на шут; **to wear the** ~ шут съм; правя се на шут; **man of** ~ *ост.* шут.

motor¹ ['moutə] *n* 1. мотор; двигател; 2. електродвигател; 3. автомобил; 4. *анат.* двигателен/моторен

мускул/нерв; **5.** *attr* моторен; двигателен; автомобилен; ~ **vehicle** |моторно превозно средство.
motor[2] *v* пътувам/отивам/превозвам с автомобил; карам автомобил.
motor-bicycle ['mouta,baisikl] *n* мотопед.
motor-bike ['moutabaik] *n разг.* мотоциклет; моторетка.
motor-boat ['moutabout] *n* катер, моторна лодка.
motor-bus ['moutabʌs] = **motor-coach**.
motorcade ['moutakeid] *n ам.* автоколона, колона от автомобили.
motor-car ['moutaka:] *n* автомобил.
motor-coach ['moutakoutʃ] *n* автобус.
motor-cycle ['mouta,saikl] *n* мотоциклет.
motor-cyclist['mouta,saiklist]*n* мотоциклетист.
motoring ['moutariŋ] *n* автомобилизъм; автомобилно дело; пътуване с автомобил.
motorist ['moutarist] *n* автомобилист; шофьор.
motorize ['moutaraiz] *v* **1.** моторизирам; **2.** преминавам на електрическа тяга.
motorman ['moutaman] *n* (*pl* **-men**) **1.** ватман; **2.** машинист (*на електрически влак*).
motor spirit ['mouta,spirit] *n* бензин.
motorway ['moutawei] *n* автострада, автомагистрала.
motory ['moutari] *a* двигателен; моторен.
mottle[1] ['mɔtl] *n* **1.** петно; **2.** десен от различно оцветени петна.
mottle[2] *v обик. в* pp изпъстрям; оцветявам, нашарвам.
motto ['mɔtou] *n* девиз, лозунг, мото.
mouch=**mooch**.
mouf(f)lon ['mu:flɔn] *n зоол.* муфлон, дива овца (Ovis musimon).
moujik = **muzhik**.
mould[1] [mould] *n* **1.** земя, пръст, хумус; рохкава/разрохкана почва; **2.** *поет. ост.* прах; **man of** ~ простосмъртен човек; **3.** pl *поет. диал.* гроб.
mould[2] *v* покривам с пръст, заривам, заравям (*обик. с* **up**).
mould[3] *n бот.* плесен (*разряд* Mucorales).
mould[4] *v* плесенясвам, покривам се с плесен (*и прен.*).
mould[5] *n* **1.** форма (*леярска, готварска*); **2.** пудинг, желе и пр., направени във форма; **3.** *тех.* шаблон; *печ.* матрица; **4.** модел, образец; **5.** *метал.* отливка; нещо отлято; **6.** *прен.* характер; **to be cast in one/the same/a different** ~ направени сме от едно/от различно тесто; еднакви/различни сме по характер.
mould[6] *v* **1.** *метал.* формовам, отливам във форми; **2.** правя по шаблон; **3.** оформявам, моделирам, придавам (*дадена*) форма на; отливам в калъп (*свещи*); правя (*тесто*) на самуни хляб; украсявам (*нещо*) с отливки; **to** ~ **s.th. in/from/out of s.th.** моделирам нещо от даден материал; **4.** *прен.* формирам (*характер*); влияя на; направлявам (*общественото мнение и пр.*); **to** ~ **o.'s conduct (up)on that of** вземам за пример/образец държанието на.
mould-board ['mouldbɔ:d] *n* ухо на плуг.
moulder[1] ['moulda] *v* **1.** разпадам се, разтрошавам (се) (**away**); **2.** разкапвам се, загнивам; **3.** *прен.* разлагам (се); западам.
moulder[2] *n* **1.** леяр; формовчик; **2.** *прен.* създател, творец.
moulding ['mouldiŋ] *n* **1.** *метал.* формоване, пресоване във форми; **2.** *тех.* отливка; отлят детайл; **3.** *тех.* детайл, получен чрез пресоване във форма; **4.** *арх.* корниза.
moulding-board ['mouldiŋbɔ:d] *n* дъска за месене на хляб (*на хлебар*).
mouldy ['mouldi] *a* **1.** мухлясал, плесенясал; загниващ; **2.** *прен.* остарял, демодиран, старомоден; **3.** *sl.* без

стойност, който не струва; скучен, отегчителен; дребнав.
moult[1] [moult] *v* **1.** сменям си перата (*и* **to** ~ **feathers**); **2.** меня/сменям си козината (*за кучета, котки и пр.*).
moult[2] *n* сменяне на перата.
mound[1] [maund] *n* **1.** могила, купчина пръст (*и на гроб*); куп, купчина; насип; **2.** могила, хълм.
mound[2] *v* правя на куп, натрупвам; издигам могила; укрепявам с насип.
mound[3] *n* златно кълбо с кръст (*символ на царска власт*).
mount[1] [maunt] *n* **1.** *ост.* планина; хълм, възвишение, височина; **2.** *често в имена на планини, върхове:* M. **Everest** Монт Еверест; **3.** изпъкналост на дланта в основата на пръста.
mount[2] *v* **1.** качвам (се), изкачвам (се), покачвам (се) (на), яхвам, възсядам; **to** ~ **the stairs** изкачвам стълби; **his colour** ~**ed** кръвта нахлу в лицето му, той пламна; **2.** увеличавам се, раста (*за напрежение, недоволство и пр.*), качвам се (*и за цени*); натрупвам се (**up**); издигам се (*по чин, положение*); **3.** слагам, нагласям; монтирам (*скъпоценни камъни и пр.*); слагам (*картина*) в рамка; инсталирам (*машина и пр.*); **to** ~ **a specimen** приготвям препарат за изследване под микроскоп; **4.** *театр.* поставям (*пиеса и пр.*); **5.** давам коне на, снабдявам с коне/велосипеди и пр.; съоръжавам; **to** ~ **a regiment** сформирам кавалерийски полк; ~**ed police** конна/моторизирана полиция; **6.** *pass* снабден съм с оръдия (*за крепост, кораб и пр.*); **7.** предприемам, започвам (*нападение, кампания, акция*); организирам.
mount[3] *n* **1.** оседлан кон/магаре и пр.; **2.** колело, мотоциклет; **3.** (*начин на*) яздене на кон (*при състезание*); **4.** стойка, рамка; **5.** паспарту, картон и пр. (*за картина и пр.*); гнездо (*на скъпоценен камък*); **6.** предметно стъкло (*за микроскоп*); **7.** *воен.* лафет.
mountain ['mauntin, -tən] *n* **1.** планина; **2.** *прен.* куп огромно количество (**of**); **the waves ran** ~**(s)-high** вълните бяха огромни/много високи; **of flesh** планина човек; **3.** *attr* планински; □ **to make** ~**s out of molehills** правя от мухата слон.
mountain ash [,mauntin'æʃ] *n бот.* офика, самодивско дърво (Sorbus aucuparia).
mountain climber [,mauntin'klaimə] = **climber 3.**
mountain dew [,mauntin'dju:] *n разг.* шотландско уиски (*особ. дестилирано незаконно*).
mountaineer[1] [,maunti'niə] *n* **1.** планинец, планински жител; **2.** планинар, алпинист.
mountaineer[2] *v* катеря се по планините.
mountaineering [,maunti'niəriŋ] *n* алпинизъм, планинарство.
moutain lion [,mauntin'laiən] *n зоол.* пума (Felis concolor).
mountainous ['mauntinəs] *a* **1.** планински; **2.** *прен.* грамаден, огромен.
moutainside ['mauntinsaid] *n* планински склон.
mountebank ['mauntibæŋk] *n* **1.** шарлатанин; **2.** клоун.
mounting ['mauntiŋ] *n* **1.** *тех.* поставяне; инсталиране; монтиране; **2.** монтажна арматура; **3.** подставка, легло; **4.** паспарту (*на картина*); **5.** обковка; гнездо (*на скъпоценен камък*).
mourn [mɔ:n] *v* **1.** тъгувам, скърбя, жалея (**for, over**); **2.** оплаквам; в траур съм.
mourner ['mɔ:nə] *n* **1.** опечален; **2.** присъствуващ на погребение; **3.** наемен оплаквач.

mournful ['mɔːnful] *a* 1. печален, скръбен, тъжен; 2. траурен.

mourning ['mɔːniŋ] *n* 1. скърбене; плач, ридание, оплакване; 2. траур; **in** ~ 1) в траур; 2) *прен. sl.* посинял (*за око* — *от удар*); 3) *sl.* мръсен, черен (*за нокти*); 3. *attr* траурен.

mourning-band ['mɔːniŋbænd] *n* траурна лента (*на ръкав*).

mourning-coach ['mɔːniŋkoutʃ] *n* кола/автобус за присъствуващите на погребение.

mouse[1] [maus] *n* (*pl* mice [mais]) 1. *зоол.* мишка (Mus musculus); 2. *прен.* тих плах/боязлив човек; 3. *sl.* посиняло око (*от удар*); 4. *attr* миши (*за цвят*).

mouse[2] [mauz] *v* 1. ловя мишки (*за котка*); 2. дебна, следя; 3. обикалям, като че ли търся (**about**).

mouse-colour ['maus,kʌlə] *n* миши цвят.

mouse-colour(ed) ['maus,kʌlə(d)] *a* с миши цвят.

mouse-ear ['mausiə] *n* *бот.* миши уши (Hieracium pilosella).

mouser ['mauzə] *n* 1. котка и пр., която лови добре мишки; 2. любопитен човек; човек, който рови/ дебне.

mouse-trap ['maustræp] *n* 1. капан; 2. *разг.* безвкусно сирене.

mousse [muːs] *n* *фр.* мус (*десерт*).

mousseline ['muːslin] *n* *текст.* муселин.

moustache [mə'staːʃ] *n* *обик. pl* мустак, мустаци.

mousy ['mausi] *a* 1. миши (*за цвят, миризма*); 2. пълен с мишки; 3. безшумен; дебнещ; 4. провиснал и сивокафяв (*за коса*); 5. кротък; плах; стеснителен; 6. безинтересен, скучен.

mouth[1] [mauθ] *n* (*pl* mouths [mauðz]), 1. уста; **by (word of)** ~ устно; **to give** ~ **to o.'s thoughts/feelings** изразявам гласно мислите/чувствата си; **to open o.'s** ~ **too wide** *прен. разг.* правя си устата; искам много висока цена; **to give** ~ разлайвам се, залайвам (*за ловджийско куче*); 2. *обик. pl прен.* гърло; **to have so many** ~**s to feed** имам да храня толкова гърла; 3. гърло, отвор (*на бутилка и пр.*); излаз; устие, изход; *в. воен.* дуло; 5. гримаса; 6. =**spokesman**; 7. *sl.* бъбривост; нахалство; □ **the horse has a good/bad** ~ конят понася добре/зле юздата; **to make a poor** ~ правя се на беден; **to put o.'s money where o.'s** ~ **is** *sl.* готов съм да подкрепя мнението си с дела.

mouth[2] [mauð] *v* 1. говоря бомбастично с гримаси; *прен.* ораторствувам; 2. оформям (*звук, дума*) с устни, без звук; 3. мънкам; измънквам; 4. ям; дъвча; докосвам с устни; 5. привиквам (*кон*) към юзда; 6. гримаснича; 7. вливам се (*за река*).

mouthbreeder ['mauθ,briːdə] *n* *зоол.* риба от сем. Cichlidae, *особ.* Haplochromis multicolor.

mouther ['mauðə] *n* надут оратор.

mouth-filling ['mauθ,filiŋ] *a* бомбастичен, надут.

mouthful ['mauθful] *n* 1. хапка; глътка; 2. малко количество; **to have only a** ~ **of food** хапвам съвсем малко; 3. дълга трудна за изговаряне дума; 4. *sl.* съдържателна/полезна/уместна забележка.

mouth-organ ['mauθ,ɔːgən] *n* устна хармоника; мундхармоника.

mouthpiece ['mauθpiːs] *n* 1. мундщук (*на лула, инструмент и пр.*); цигаре; 2. говорител; изразител на чуждо/общо мнение (*за човек, вестник*); 3. *sl.* адвокат криминалист.

mouthy ['mauði] *a* 1. надут, бомбастичен; 2. бъбрив.

movable ['muːvəbl] **I.** *a* 1. движим; подвижен; който си мени датата (*за празник*); 2. *мед.* плаващ (*за бъбрек*);

II. *n* 1. мебел, който се мести; 2. *обик. pl* движимо имущество, вещи.

move[1] [muːv] *v* 1. местя (*и фигура* — *при шах и пр.*); премествам (се); местя се; **to** ~ **(house)** местя се в друго жилище; 2. движа (се), раздвижвам (се); въртя (се); размърдвам (се); **not to** ~ **hand and foot** стоя неподвижно, не мърдам; 3. *физиол.* ходя по голяма нужда; изпразвам се (*за червата*); 4. раздвижвам (се), активизирам (се), действувам; подтиквам (**to** *c inf*); **the spirit** ~**d him to speak** нещо го подтикна да говори; **moving spirit** инициатор; 5. напредвам, прогресирам, вървя (*за работа и пр.*); **to** ~ **with the times** вървя в крак с времето; 6. (раз)вълнувам, разчувствувам, трогвам; **easily** ~**d** който лесно се трогва; 7. движа се (*в дадени обществени кръгове*); 8. правя предложение (*на събрание*); 9. *търг.* продавам (се) (*за стока*);
   move about местя (се); размествам;
   move along минавам напред, придвижвам се; карам (*някого*) да минава нататък/да се движи;
   move around = **move about**;
   move away 1) излизам, измествам се (*от жилище*); 2) отдалечавам (се), махам (се), отдръпвам (се);
   move down придвижвам се по; ~ **right down (the bus)!** придвижете се навътре/до края;
   move for правя предложение за; подавам молба за;
   move in 1) влизам, нанасям се (*в ново жилище*); 2) **to** ~ **in on** настъпвам към (нападателно); 3) настъпвам, започвам; започвам нова работа;
   move off тръгвам, потеглям;
   move on 1) = **move along**; 2) напредвам, прогресирам;
   move out 1) изнасям се, местя се (*от жилище*); 2) изваждам (*квартиранти*);
   move over премествам се, отдръпвам се (*да направя място*), посмествам се:
   move to подбуждам към; трогвам; **to** ~ **s.o. to tears** трогвам някого до сълзи; **to** ~ **s.o. to laughter** разсмивам някого; **to** ~ **s.o. to anger** раздосвам някого;
   move up 1) = **move over**; 2) *прен.* издигам се, напредвам; 3) *фин.* покачвам се, покачва ми се цената; 4) *воен.* придвижвам се към фронта.

move[2] *n* 1. местене, преместване (*при шах и пр., на жилище и пр.*); *шахм.* ред за местене, ход; **to make a** ~ 1) *шахм.* местя; 2) тръгвам; 3) предприемам нещо, почвам да действувам; 2. движение; **to be on the** ~ 1) в движение съм; 2) напредвам; **to get a** ~ **on** *sl.* размърдвам се (*и прен.*); 3. *прен.* ход, стъпка, мярка, крачка; маневра; **to make the first** ~ **(toward peace)** правя първата крачка за помирение; **to be up to every** ~ знам всички ходове.

movement ['muːvmənt] *n* 1. движение; 2. *воен.* придвижване, маневра; ход; престрояване; 3. *театр., лит., изк.* динамика, движение; развитие (*на разказ и пр.*); 4. *тех.* ход (*на механизъм*); такт; механизъм; 5. движение (*обществено, политическо*); 6. тенденция, насока; 7. *фин.* раздвижване; оживление; покачване/ спадане/промяна на цените; 8. *муз.* темпо, ритъм; част (*на симфония и пр.*); 9. *обик. pl* действие; дейност; 10. *физиол.* ходене по голяма нужда; екскременти; **regular** ~ **of the bowels** редовен стомах.

mover ['muːvə] *n* 1. двигател, движеща сила; **prime** ~ първичен двигател; 2. инициатор, автор; **chief/prime** ~ (главен) инициатор/душа на някое дело.

movie ['muːvi] *n* *ам. разг.* 1. филм; 2. *pl* кино; кинематография; **to go to the** ~**s** отивам на кино.

movie-house ['mu:vihaus] *n* кинотеатър, кинозала.

moviegoer ['mu:vi‚gouə] *n ам.* **1.** кинолюбител, посетител на кино; **2.** *pl* публика (*на кино*).

movietone ['mu:vitoun] *n* говорещ филм.

moving ['mu:viŋ] *a* **1.** движещ (се); подвижен; **2.** трогателен, затрогващ, прочувствен, вълнуващ.

moving-picture(s) [‚mu:viŋ'piktʃə(z)] *n* филм; кинематография.

moving-staircase [‚mu:viŋ'stɛəkeis] *n* ескалатор.

mow¹ [mou] *n* купа (*сено и пр.*).

mow² *v* (mowed; mowed, mown [moun]) кося; жъна; покосявам (*и прен.*) (*и* to ~ **down**).

mow³ [mau] *n* гримаса; **mops and** ~s гримаси.

mow⁴ = **mop⁴**.

mower ['mouə] *n* **1.** косач; **2.** (сено)косачка (*машина*).

mown *вж.* **mow²**.

Mr ['mistə] *съкр. от* **mister¹** **1.** господин (*пред име*).

Mrs ['misiz] *съкр. от* **mistress 2.** госпожа (*пред име*).

much [mʌtʃ] *adv* (more [mɔ:]); most [moust]) **1.** много; **now** ~ ? 1) колко? 2) колко струва? **very** ~ много; ~ **he cares** *ирон.* много го е грижа/го интересува; **2.** със *сравн. ст.* много, значително; ~ **better** много по-добре; **so** ~ **the better** толкова по-добре; **3.** приблизително, горе-долу; ~ **(about) the same** приблизително същият; **pretty** ~ **alike** горе-долу еднакви; ~ **of a size** почти толкова голям; □ ~ **the best/the worst** далеч най-добър/най-лош; ~ **as I tried** колкото и да се опитвах; ~ **to my surprise/regret, etc.** за мое голямо учудване/съжаление и пр.; **he is** ~ **the worse for this fall into the canal** той пострада много от падането си в канала; **oceans don't so** ~ **divide the world as unite it** океаните по-скоро обединяват света, отколкото да го разделят; **not a single contemporary so** ~ **as hints at** нито един съвременник дори и не намеква за.

much² **I.** *a* (**more; most**) много; ~ **food/rain** много храна/дъжд; ~ **difficulty/trouble** много/големи затруднения; **he never eats** ~ **breakfast** той не яде много на закуска; **not** ~ **of a ...** неособено добър/голям...; **ne's not** ~ **of a scholar** той не е бог знае какъв учен; **I'm not** ~ **of a cinemagoer** рядко ходя на кино; **to be too** ~ **for** 1) много труден съм за; 2) по-силен/по-опитен/по-хитър съм от; **that book was too** ~ **for me** тази книга ми беше прекалено трудна; **the school champion was too** ~ **for me** шампионът на училището беше далеч по-силен от мен; **II.** *n* много; ~ **of what you say is true** голяма част от това, което казвате, е вярно; **how** ~ **a kilo is that beef?** колко е килото това говеждо? **I don't think the film is up to** ~ смятам, че филмът не струва; **this/that** ~ толкова; **that** ~ **is certain** това (поне)/едно е сигурно; **I'll say this** ~ **in his favour** това мога да кажа в негова полза; **to make** ~ **of** 1) разбирам, проумявам; 2) отдавам голямо значение на; преувеличавам; 3) обръщам голямо внимание на; 4) приемам (*някого*) много радушно; разшетвам се за (*някого*); 5) лаская; **you have always helped me and I'll always do as** ~ **for you** винаги си ми помагал и аз винаги ще ти помогна; **it's as** ~ **your responsibility as mine** това е колкото твоя, толкова и моя отговорност; **it was as** ~ **as he could do to keep from laughing** едва се сдържаше да не се изсмее; **that is as** ~ **as to say** все едно да кажеш; **with not/without so** ~ **as saying good-bye** без дори да се сбогува.

muchness ['mʌtʃnis] *n разг.* големи количества, голяма степен; □ **much of a** ~ от един дол дренки.

mucilage ['mju:siliʤ] *n* клей, лепило.

mucilaginous [‚mju:si'læʤinəs] *a* лепкав; пихтиест.

muck¹ [mʌk] *n* оборски тор; **2.** *разг.* мръсотия, боклук (*и прен.*); нещо гадно/противно; безпорядък; **to read** ~ чета глупости; **to make a** ~ **of** оцапвам, оплесквам, развалям; разхвърлям; **3.** клевети; **4.** кал; **5.** *ам. мин.* иззет грунт; откъртена скала.

muck² *v* **1.** торя, наторявам; **2.** цапам, оцапвам, мърся, омърсявам; **3.** *ам. мин.* разчиствам скала; **4.** разчиствам; махам тор/боклук;
muck about *sl.* **1)** безделнича, мотая се, шляя се, халосвам се; **2)** мотам, мотая (*някого*); **3)** **to** ~ **about with** *прен.* играя си с (*апарат*);
muck in деля работа/задача (**with s.o.** с някого);
muck in with: to ~ **in with s.o.** *разг.* деля жилище с някого, споделям удоволствия и пр. с някого; меша се/омешвам се с някого;
muck out почиствам (*обор*) от тор;
muck up *sl.* **1)** оплесквам, оцапвам (*и прен.*); **2)** развалям, обърквам.

mucker ['mʌkə] *n sl.* падане; несполука, неуспех, провал; **to come a** ~ падам; пропадам, загазвам.

muck-heap ['mʌkhi:p] *n* купчина тор, бунище.

muckle['mʌkl] = **mickle**.

muck-rake ['mʌkreik] *n* **1.** гребло (*за тор*); **2.** човек, който издирва скандални политически истории и пр.

muck-raker ['mʌk‚reikə] = **muck-rake**.

muck-raking ['mʌk‚reikiŋ] *n* издирване на скандални политически истории и пр.

muckworm ['mʌkwə:m] *n* **1.** *зоол.* торен червей; **2.** скъперник, пинтия.

mucky ['mʌki] *a* **1.** торен; **2.** мръсен, оцапан, оплескан; **3.** противен.

mucosity [mju:'kɔsiti] *n* лигавост.

mucous ['mju:kəs] *a* слизест; ~ **membrane** *анат.* слизеста ципа, лигавица.

mucus ['mju:kəs] *n* слуз.

mud¹ [mʌd] *n* **1.** кал, тиня; **to get stuck in the** ~ затъвам в калта (*и прен.*); изоставам от времето си; **to settle down/sink in the** ~ затъвам (*за кораб*); **as clear as** ~ *шег.* съвсем неясно; **2.** *метал.* шлам; **3.** нещо, заслужаващо презрение; мръсотия; кал; **his name is** ~ името му е опетнено/опозорено; **to fling/throw/sling** ~ **at s.o.** петня/опетнявам/черня/злословя по адрес на някого; □ ~ **in your eye!** за ваше здраве (*наздравица*).

mud² *v* (**-dd-**) **1.** размътвам; **2.** изцапвам с кал; **3.** *ам.* мажа/измазвам с кал.

mud-bank ['mʌdbæŋk] *n* плитчина.

mud-bath ['mʌdba:θ] *n мед.* кална баня.

mud-bound ['mʌdbaund] *a* затънал в кал.

muddle ['mʌdl] *v* **1.** размътвам, разкалвам; **2.** обърквам, смущавам, размътвам (*главата — за алкохол*); **3.** разбърквам, развалям; *прен.* оплесквам; **4.** *ам.* разбърквам (*коктейл*);
muddle along карам я някак си/без цел/план;
muddle away пропилявам;
muddle on = **muddle along**;
muddle through изкарвам (*нещо*) някак си/как да е;
muddle up: to ~ **things up** обърквам нещата, оплесквам я; забърквам каша, оплитам конците.

muddle² *n* **1.** бъркотия, безпорядък, неразбория; **to be in a** ~ **1)** в безпорядък съм (*за помещение*); **2)** объркан съм; **to make a** ~ **of** оплесквам, обърквам (*работа*); **2.** смущение, обърканост.

muddle-headed ['mʌdl‚hedid] *a* смутен, объркан; тъп.

muddy¹ ['mʌdi] *a* **1.** кален (*и прен. — за цвят*); мръсен;

като кал; **2.** мътен; неясен; непрозрачен; **3.** матов, без блясък (*за светлина*); **4.** *прен.* объркан.

muddy² *v* **1.** оцапвам, наплесквам; **2.** размътвам (се); замъглявам (се).

mudfish ['mʌdfiʃ] *n зоол.* риба, която живее в тиня (*особ.* Neochanna apoda).

mud-flap ['mʌdflæp] *n авт.* калобран.

mudflat ['mʌdflæt] *n* тинесто пространство при отлив.

mud-guard ['mʌdga:d] *n авт.* калник.

mud-pie ['mʌd'pai] *n* питка от кал (*направена от деца*).

mudslinger ['mʌd₁sliŋə] *n ам. sl.* клеветник.

muezzin [mu:'ezin] *n араб.* муезин.

muff¹ [mʌf] *n* **1.** маншон; **2.** *тех.* муфа, гилза.

muff² *n* **1.** несръчен/непохватен човек (*особ. в игра*); непрактичен човек; **2.** *крикет, бейзбол* грешка; изпускане на топка.

muff³ *v* сбърквам, обърквам; забърквам, оплесквам; не улучвам; изпускам (*топка*).

muffin ['mʌfin] *n* кифла, която се яде препечена с масло.

muffineer [₁mʌfi'niə] *n* **1.** покрит съд за държане на затоплени кифли (*вж.* **muffin**); **2.** съд за ръсене (*захарница, солница*).

muffle¹ ['mʌfl] *v* **1.** увивам (се), загръщам (се) (*с шал*) (*и с up*); **2.** претъпявам, заглушавам (*шум, звук*); **3.** заглъхвам, ставам глух и неясен (*за глас*); **4.** *ам.* потискам.

muffle² *n* **1.** *тех.* муфел; ~ **furnace** муфелна пещ; **2.** *ост.* боксьорска ръкавица.

muffle³ *n* муцуна на преживно животно.

muffler ['mʌflə] *n* **1.** шал(че) (*за врат*); **2.** *авт., тех.* (шумо)заглушител; звукопоглъщащо приспособление; **3.** *муз.* ляв педал на пиано.

mufti ['mʌfti] *n* **1.** *араб.* мюфтия; **2.** *воен.* цивилно облекло (*обик.* **in ~**).

mug¹ [mʌg] *n* чаша, канче; халба.

mug² *n sl.* **1.** лице, мутра, сурат; **2.** уста, муцунка; **3.** гримаса; **4.** *ам.* снимка на заподозрян престъпник.

mug³ *v* (**-gg-**) **1.** *театр. sl.* гримаснича, правя гримаси; **2.** *ам.* фотографирам.

mug⁴ *n sl.* балама, жертва;\ аджамия, новак; □ **~'s game** безсмислени занимания.

mug⁵ *v* (**-gg-**) нападам откъм гърба; удушавам; ограбвам.

mug⁶ *v* (**-gg-**) *sl.* зубря, кълва; **to ~ (at) a subject/to ~ up a subject** назубрям даден предмет.

mug⁷ *n sl.* зубрач.

mugger¹ ['mʌgə] *n зоол.* индийски крокодил (Crocodylus palustris).

mugger² *n* **1.** *ам. sl.* крадец; **2.** нападател.

mugger³ *n ам.* фокусник.

muggins ['mʌginz] *n* **1.** *sl.* балама, глупак; **2.** вид детска игра на карти/домино.

muggy ['mʌgi] *a* тежък, задушен (*за въздух, време*).

mugwort ['mʌgwə:t] *n бот.* див пелин (Artemisium vulgaris).

mugwump ['mʌgwʌmp] *n ам.* **1.** *пол. sl.* независим, неутрален; **2.** големец (*и самозван*), важна клечка.

Muhammadan [mu'hæmədən] = **Mohammedan**.

mulatta [mju:'lætə] *ж. р. от* **mulatto**.

mulatto [mju:'lætou] *n (pl* **-os, -oes**) **1.** мулат; **2.** *attr* с жълтокафява кожа.

mulattress [mju:'lætris] = **mulatta**.

mulberry ['mʌlbəri] *n* **1.** *бот.* черница (Morus); **2.** бобонка, черница (*плод*).

mulch¹ [mʌltʃ] *n* тор, слама и пр. (*около разсадени растения и овошки*).

mulch² *v* слагам тор, слама и пр. (*около дърво, разсад*).

mulct¹ [mʌlkt] *n ост.* глоба.

mulct² *v* **1.** глобявам; **2.** *разг.* измъквам, обирам (**of**).

mule¹ [mju:l] *n* **1.** *зоол.* катър; муле; **as obstinate/stubborn as a ~** упорит като магаре; **2.** хибрид; ~ **canary** кръстосана порода от канарче и сипка и пр.; **3.** *sl.* инат човек; **4.** *текст.* вид предачна машина; **5.** *жп.* бутач, тикач.

mule² *n* домашен пантоф/чехъл.

mule-skinner ['mju:l₁skinə] *n ам. разг.* мулетар.

muleteer [₁mju:li'tiə] *n* мулетар; магаретар.

muley ['mju:li] **I.** *a* безрог, шут (*за говедо*); **II.** *n* крава и пр. без рога.

mulish ['mju:liʃ] *a* **1.** мулешки; **2.** упорит, инат.

mull¹ [mʌl] *v* загрявам и подправям (*вино, бира*).

mull² *v разг.* забърквам, обърквам, забатачвам.

mull³ *n* бъркотия, каша; **to make a ~ of o.'s work** забатачвам си работата.

mull⁴ *n шотл. геогр.* нос.

mull⁵ *v* мисля върху; обмислям (**s.th. over, over s.th.**).

mull⁶ *n* вид тънък муселинов плат.

mullah ['mʌlə] *n араб.* молла.

mullein ['mʌlin] *n бот.* лопен, овча опашка (Verbascum).

muller ['mʌlə] *n* **1.** стъклено/каменно чукало за стриване (*на лекарство*); **2.** *тех.* колерганг.

mullet ['mʌlit] *n зоол.:* **red ~** барбун (Mullus barbatus); **grey ~** кефал (Mugil capito).

mulligan ['mʌligən] *n ам. sl.* яхния.

mulligatawny [₁mʌligə'tɔ:ni] *n англоинд.* лютива чорба, подправена с къри.

mulligrubs ['mʌligrʌbz] *n pl* **1.** колики; **2.** скелет.

mullion ['mʌljən] *n стр.* вертикален елемент в рамката на прозорец, която разделя крилата.

multangular [mʌlt'æŋgjulə] *a* многоъгълен.

multi- ['mʌlti-] *pref* с много..., много-; разно-.

multicellular [₁mʌlti'seljulə] *a* многоклетъчен.

multichannel [₁mʌlti'tʃænəl] *a тех.* многоканален; многопистов.

multidimensional [₁mʌltidi'menʃnl] *a* многомерен.

multifarious [₁mʌlti'fɛəriəs] *a* разнообразен, разновиден; многообразен.

multifid ['mʌltifid] *a зоол., бот.* разделен на много части.

multifold ['mʌltifould] *a* многократен; многоброен; изобилен.

multiform ['mʌltifɔ:m] *a* разновиден, разнообразен; многообразен.

multiformity [₁mʌlti'fɔ:miti] *n* разновидност; многообразност.

multilateral [₁mʌlti'lætərəl] *a* многостранен (*и пол.*); мултилатерален.

multinomial [₁mʌlti'noumiəl] *n мат.* многочлен.

multipartite [₁mʌlti'pa:tait] *a* **1.** разделен на много части; **2.** *пол.* многостранен; с много членове/участници.

multi-party [₁mʌlti'pa:ti] *a ам. пол.* многопартиен (*за система, правителство*).

multiped ['mʌltiped] *зоол.* **I.** *a* многокрак; **II.** *n* многокрако насекомо.

multiple ['mʌltipl] **I.** *a* **1.** съставен от много части/елементи; ~ **shop/store** магазин с филиали; един от филиалите на такъв магазин; ~ **births** раждане на близнаци; **man of ~ interests** човек с многостранни интереси; **2.** многократен; многоброен, многочислен; ~ **voting** *ам.* гласуване на едно лице в няколко избирателни района; **3.** *ел.* паралелен; **4.** *мат.* кратен; **II.** *n мат.* кратно число.

multiplex ['mʌltipleks] *a* 1. сложен; 2. *изч. тех.* многократен (*за предаване*).

multipliable ['mʌltiplaiəbl] *a* умножим.

multiplicand [ˌmʌltipli'kænd] *n мат.* множимо.

multiplication [ˌmʌltipli'keiʃn] *n* 1. *мат.* умножение; 2. *ряд.* размножаване.

multiplicity [ˌmʌlti'plisiti] *n* 1. многочисленост, множество; 2. разнообразие, разновидност, многостранност.

multiplier ['mʌltiplaiə] *n* 1. *мат.* множител; коефициент; 2. *ел.* добавъчно съпротивление (*във волтметър*); 3. *изч. тех.* умножително устройство.

multiply ['mʌltiplai] *v* 1. увеличавам (се), умножавам (се); 2. *мат.* умножавам; 3. размножавам (се), развъждам (се).

multipurpose [ˌmʌlti'pə:pəs] *a* с няколко предназначения; универсален.

multiracial [ˌmʌlti'reiʃl] *a* състоящ се от много раси (*за общество, страна*).

multistage ['mʌltisteidʒ] *a* 1. *косм.* многостепен (*за ракета и пр.*); 2. многоетапен.

multitude ['mʌltitju:d] *n* 1. множество (**of**); 2. многобройност, многочисленост; 3. тълпа, навалица, множество; **the ~** масите.

multitudinous [ˌmʌlti'tju:dinəs] *a* многоброен, многочислен.

multivalent [ˌmʌlti'veilənt] *a хим.* многовалентен.

mum[1] [mʌm] *a* мълчалив; **to keep ~ (about it)** мълча си (по този въпрос).

mum[2] *int* тихо! тишина! мълчи! **~'s the word!** нито дума! трай си!

mum[3] *v* (**-mm-**) 1. представям с жестове; 2. участвувам в пантомима (*обик.* **to go ~ming**).

mum[4] *n ост.* вид силна бира.

mum[5] *n разг.* мама.

mumble[1] ['mʌmbl] *v* 1. мънкам, смънквам, смутолевям; 2. дъвча с беззъба уста/с мъка.

mumble[2] *n* мънкане, смънкване.

mumbo-jumbo [ˌmʌmbou'dʒʌmbou] *n* 1. африкански идол/божество; 2. идол; 3. *прен.* предмет на безсмислено боготворене; 4. глупости, дрън-дрън.

mummer ['mʌmə] *n* 1. *ист.* актьор в пантомима (*при народни тържества*); 2. *ост.* актьор.

mummery ['mʌməri] *n* 1. пантомима; 2. маскарад; 3. *пренебр.* безсмислен церемониал; *прен.* представление.

mummify ['mʌmifai] *v* 1. мумифицирам (се); балсамирам; 2. изсъхвам, ставам като мумия.

mummy[1] ['mʌmi] *n* 1. мумия; 2. *прен.* мумия, слаб и сух човек; 3. безформена маса; **to beat/smash to a ~** правя на каша, обезформям; 4. тъмнокафяв пигмент.

mummy[2] *n дет. разг.* мама.

mumps [mʌmps] *n pl с гл. в sing мед.* заушки.

munch [mʌntʃ] *v* дъвча, жвакам.

mundane [mʌn'dein] *a* 1. земен (*не духовен, небесен*); светски; 2. *разг.* обикновен; досаден, шаблонен, рутинен.

mungo ['mʌŋgou] *n* вид плат от дреб.

municipal [mju:'nisipl] *a* 1. градски, общински; комунален; **~ undertakings** комунални услуги; 2. самоуправляващ се, муниципален.

municipality [mju:ˌnisi'pæliti] *n* 1. градска община; 2. град със самоуправление, 3. общински съвет.

municipalize [mju:'nisipəlaiz] *v* 1. превръщам в градска община, 2. правя общинска собственост; поставям под общински контрол.

munificence [mju:'nifisns] *n* щедрост.

munificent [mju:'nifisnt] *a* щедър.

muniment ['mju:nimənt] *n обик. pl* 1. документ; 2. архива; *събир.* грамоти.

munition[1] [mju:'niʃn] *n* (*pl освен attr*) муниции, бойни припаси; военни материали; **shortage of ~s, ~ shortage** недостиг на муниции.

munition[2] *v* снабдявам с муниции/бойни припаси.

munition-worker [mju:'niʃnˌwə:kə] *n* работник във военен завод.

muon ['mju:ɔn] *n физ.* мюон.

mural ['mjuərəl] I. *a* 1. стенен; **~ painting** стенопис, фреска; 2. закрепен на стена; II. *n* стенопис, фреска.

murder[1] ['mə:də] *n* 1. предумишлено убийство; **judicial ~** юридическо убийство; съдебна грешка; 2. *прен.* много опасно/тревожно положение; тежка работа; жива мъка; □ **~ will out** нищо не остава скрито; **to cry blue ~** *разг.* викам до бога/небето; **to get away with ~** *sl.* правя каквото си ща; разигравам си коня.

murder[2] *v* 1. убивам; коля, заколвам; 2. тормозя; 3. *прен. разг.* развалям, кепазя (*от некадърност, чрез лошо изпълнение и пр.*).

murderer ['mə:dərə] *n* убиец.

murderess ['mə:dəris] *ж.р. от* **murderer**.

murderous ['mə:dərəs] *a* 1. убийствен; смъртоносен; 2. способен да убие; 3. *прен.* убийствен, непоносим; ужасен.

muriate ['mjuəriət] *n хим.* хлорид; **~ of ammonia** нишадър.

muriatic [ˌmjuəri'ætik] *a хим.:* **~ acid** солна киселина.

murine ['mjuərain] *a зоол.* миши.

murk[1] [mə:k] *n* мрак (*и прен.*), мрачина, тъмнина; мъгла.

murk[2] *a поет., ост.* = **murky**.

murky ['mə:ki] *a* мрачен, тъмен; навъсен (*за време*); пълен (*за мрак*).

murmur[1] ['mə:mə] *n* 1. мърморене; шепот; 2. шумолене (*на листа*); жужене; ромон, ромолене; плисък; 3. *мед.* шум (*на сърцето*); 4. мърморене, ропот, недоволство.

murmur[2] *v* 1. мърморя, промърморвам; шепна; 2. ромоля; жужа; 3. мърморя, недоволствувам, мрънкам (**at, against**).

murphy ['mə:fi] *n ирл. sl.* картоф.

murrain ['mʌrin] *n вет.* чума по рогат добитък.

murrey ['mʌri] I. *a* тъмноморав; II. *n* тъмноморав цвят.

muscadine ['mʌskədin] = **muscat**.

muscat, muscatel ['mʌskət, ˌmʌskə'tel] 1. *бот.* мискет (*грозде*); 2. стафиди от мискет; 3. мискетово вино.

muscle[1] ['mʌsl] *n* 1. мускул; **don't move a ~** стой неподвижно; 2. (мускулна) сила, 3. сила, мощ.

muscle[2] *v* пробивам си път със сила; **to ~ in (on)** *sl. прен.* навлизам (в) (*чужда територия*); присвоявам си (*част от печалби и пр.*).

muscle-bound ['mʌslbaund] *a* със схванати мускули.

muscled ['mʌsld] *a* силен; мускулест.

muscle-man ['mʌslmæn] *n* (*pl* **-men**) човек със силно развити мускули.

muscovado [ˌmʌskə'va:dou] *n* нерафинирана захар (*от сока на захарна тръстика*).

Muscovite ['mʌskəvait] *n* 1. московчанин; 2. *ост.* руснак.

muscular ['mʌskjulə] *a* 1. мускулен; 2. мускулест; силен; развит.

muscularity [ˌmʌskju'læriti] *n* мускулатура; сила, развитост.

musculature ['mʌskjulətʃə] *n* мускулатура (*на животно*).

muse[1] [mju:z] *n* 1. *мит.* муза; **The M.s** деветте музи; 2. **the M.** поезията; вдъхновителка на поет.

muse[2] *v книж.* 1. размишлявам, унасям се в мисли (**on, upon, over**); 2. взирам се замислено/замечтано (**on**).

muse[3] *n ост.* размишление; замисленост; **lost in a ~** погълнат в мисли/размисъл.

museum [mju:'ziəm] *n* музей; **~ piece** 1) антика, предмет с музейна стойност; 2) *пренебр.* старомоден човек/предмет, антика.

mush[1] [mʌʃ] *n* 1. каша; **~ of snow** киша; **to make a ~ of** *разг.* объરквам, развалям; 2. *ам.* качамак; 3. *прен. разг.* сантиментален/сладникав език; глупости; 4. *рад.* смущения от по-силна станция; 5. *sl.* лице, мутра.

mush[2] *n ам.* пътуване с шейни с кучета (*в полярните области*).

mush[3] *n sl.* чадър.

mushroom[1] ['mʌʃrum] *n* 1. (ядивна) гъба; 2. нещо, наподобяващо гъба; гъбовиден облак, *особ.* от ядрен взрив (*и* **~ cloud**); 3. *прен.* парвеню; бързо израснал/издигнал се човек/институт и пр.; 4. *attr* който расте/се развива бързо; **~ growth** бърз растеж/развитие.

mushroom[2] *v* 1. събирам гъби (*обик.* **to go ~ing**); 2. раста/никна/появявам се бързо/като гъба; ширя се, разпространявам се бързо.

mushy ['mʌʃi] *a* 1. кашав, като каша; 2. *разг.* сантиментален.

music ['mju:zik] *n* 1. музика; **rough ~** врява, шум, викове; **to set/put to ~** композирам музикален акомпанимент за (*стихотворение, пиеса*); 2. ноти; **to play without ~** свиря наизуст/без ноти; 3. *ост.* оркестър от духови инструменти; 4. приятен звук; 5. *attr* музикален; □ **to face the ~** 1) изправям се смело срещу критиците; 2) поемам отговорността и последствията (*за нещо*).

musical ['mju:zikl] **I.** *a* 1. музикален; 2. с музикален съпровод; 3. мелодичен, приятен; **II.** *n* 1. мюзикъл; 2. музикален филм.

musical box ['mju:ziklbɔks] *n* 1. детска (автоматична) латерничка; 2. *шег.* пиано.

musical chairs ['mju:ziklt∫εəz] *n* игра с музика, при спирането на която участниците бързат да седнат на намаляващ се брой столове.

musical comedy ['mju:zikl‚kɔmidi] *n* оперета, музикална комедия.

musicale [‚mju:zi'kæl] *n* 1. музикална вечер; 2. прием с музика.

musical film ['mju:ziklfilm] = **musical II.** 2.

musicality [‚mju:zi'kæliti] *n* 1. мелодичност; 2. музикалност.

music box ['mju:zikbɔks] = **musical box** 1.

music-case ['mju:zikkeis] *n* папка за ноти.

music-drama |['mju:zik‚dra:mə] *n* музикална драма.

music-hall ['mju:zikhɔ:l] *n* 1. музикхол, вариете; 2. концертна зала.

music-house ['mju:zikhaus] *n* 1. концертна зала; 2. музикална фирма/издателство.

musician [mju:'zi∫n] *n* 1. музикант, музикален изпълнител; 2. композитор.

musicianship [mju:'zi∫n∫ip] *n* музикално майсторство.

music master ['mju:zik‚ma:stə] *n* учител по музика.

music mistress ['mju:zik‚mistris] *ж.р. от* **music master.**

music-stand ['mju:zikstænd] *n* пулт, стойка, пюпитър (*за ноти*).

music-stool ['mju:zikstu:l] *n* (въртящо се) столче (*за пиано*).

musing ['mju:ziŋ] *n* размишление; замисленост.

musk [mʌsk] *n* 1. мускус; 2. миризма на мускус; 3. име на различни растения с миризма на мускус; 4. *attr* с миризма на мускус.

musk-deer ['mʌskdiə] *n* *зоол.* кабарга (Moschus moschiferus).

muskeg ['mʌskeg] *n* 1. блато; 2. торфена почва.

musket ['mʌskit] *n ист.* мускет (*старинна пушка*).

musketeer [‚mʌski'tiə] *n ист.* мускетар.

musketry ['mʌskitri] *n воен. ист.* 1. мускетарска войска; 2. стрелба с мускети; пушечна стрелба; стрелково изкуство.

musk melon ['mʌskmelən] *n* вид сочен пъпеш (Cucumis melo).

musk-ox ['mʌskɔks] *n зоол.* мускусен бик (Ovibos moschatus).

musk-rat ['mʌskræt] *n зоол.* 1. мускусен воден плъх, ондатра (Ondatra zibethica); 2. кожата на това животно.

musk-rose ['mʌskrouz] *n бот.* вид бяла роза (Rosa moschata).

musky ['mʌski] *a* мускусен.

Muslim ['muslim] = **Moslem.**

muslin ['mʌzlin] *n* 1. *текст.* муселин; 2. *sl.* жена, момиче; 3. *мор. sl.* платна.

musquash ['mʌskwɔ∫] = **musk-rat.**

muss[1] [mʌs] *n ам. разг.* 1. бъркотия, неразбория, безпорядък; 2. *sl.* счепкване/сбиване.

muss[2] *v разг.* разхвърлям, разбърквам; объквам (*и с* **up**); **don't ~ up my hair!** не ми разрошвай косата!

mussel ['mʌsl] *n зоол.* вид мида (Mytilus).

Mussulman ['mʌslmən] *n* (*pl* **-men, -mans**) мюсюлманин.

must[1] [mʌst, məst] *v aux* (*pt* **must**) *с inf без* **to** 1. задължение, необходимост; *в отр. форма* — забрана трябва; **I ~ (go, etc.)** трябва (да отида и пр.); **~ I?** трябва ли? **I ~ not** не трябва, не бива; **you just ~** крайно необходимо е; 2. увереност; вероятност; очевидност трябва, сигурно, вероятно; **you ~ be hungry after your walk** трябва да/сигурно си огладнял след разходката; **he ~ have missed the bus** трябва да/вероятно/сигурно е изпуснал автобуса; **you ~ be joking!** сигурно се шегуваш! ти се шегуваш! **you ~ have known** сигурно си/не може да не си знаел; 3. *непредвидена, нежелателна случайност:* **he ~ come and worry me with questions when I'm busy** той не може да не дойде да ме безпокои с въпроси, когато съм зает; **just as I was getting better, what ~ I do but break my leg** тъкмо оздравях и да си счупя крака; 4. *ост. без друг гл.:* **we ~ to horse** трябва да се качваме на конете; **we ~ away** трябва да си ходим.

must[2] *n разг.* 1. нещо крайно необходимо; **his latest play is a ~** последната му пиеса непременно трябва да се види; **this rule is a ~** това правило е абсолютно задължително; 2. *attr* необходим, задължителен.

must[3] *n* мухъл, плесен.

must[4] *n* шира, мъст.

must[5] *англоинд.* **I.** *a* побеснял, пощръклял (*особ. за слон, камила през периода на разгонване*); **II.** *n* 1. пощръклялост (*на слон, камила*); 2. слон в такова състояние.

mustache ['mʌs‚ta:∫]*ам.* = **moustache.**

mustang ['mʌstæŋ] *n* мустанг (*кон*).

mustard ['mʌstəd] *n* 1. *бот.* синап (Brassica alba); **~ and cress** салата от едва-що покълнал синап и кресон;

2. горчица; **French** ~ горчица, смесена с оцет; 3 *ам. sl.* интерес, увлечение, жар; □ **grain of ~ seed** дребно нещо с големи възможности за развитие.

mustard gas ['mʌstədgæs] *n хим.* иприт.

mustard plaster ['mʌstəd,pla:stə] *n* хардал, синапена хартия.

muster[1] ['mʌstə] *n* 1. сбор, събиране (*за проверка, преглед*); строени войници (*за проверка*); свикване на войници; **to pass** ~ годен/на ниво съм; годен съм за дадена цел; 2. поименен/инвентарен списък.

muster[2] *v* 1. свиквам, събирам, набирам (*войска, екипаж и пр.*) (*ам.* **in, into**); 2. струпваме се, събираме се; 3. събирам, набирам (*сили, кураж и пр.*) (**up**); 4. *ам.* демобилизирам, уволнявам (**out**).

muster-book ['mʌstəbuk] *n* книга за регистрация на военните сили.

muster-roll ['mʌstəroul] *n воен., мор.* списък на личния състав.

mustn't [mʌsnt] = **must not**.

musty ['mʌsti] *a* 1. плесенясал, мухлясал; 2. остарял, отживял.

mutability [,mju:tə'biliti] *n* 1. променливост, изменчивост; 2. непостоянство.

mutable ['mju:təbl] *a* 1. променчив; 2. непостоянен.

mutant ['mju:tənt] *биол.* I. *a* 1. променящ се, изменящ се; 2. който е резултат на промяна; II. *n* мутант.

mutate [mju:'teit] *v* 1. променям (се), изменям (се), видоизменям (се); 2. *фон.* прегласявам (се).

mutation [mju:'teiʃn] *n* 1. изменение, промяна; 2. *биол.* мутация; 3. *фон.* преглас (*и* **vowel** ~); 4. *прен.* превратност, обрат, поврат.

mute[1] [mju:t] I. *a* 1. ням; 2. мълчалив, безмълвен; безгласен; **to stand ~ of malice** *юр.* отказвам да говоря (*пред съда*); 3. *фон.* ням (*за буква*); беззвучен (*за съгласна*); II. *n* 1. ням човек (*особ.* **deaf ~** глухоням); 2. *театр.* фигурант, статист; 3. *фон.* беззвучна съгласна; буква, която не се произнася; 4. *муз.* сурдинка; 5. платен участник в погребение.

mute[2] *v* слагам сурдинка на; **with ~d strings** под сурдинка.

mutely ['mju:tli] *adv* мълчаливо, безмълвно.

muteness ['mju:tnis] *n* 1. немота; 2. мълчание, безмълвие.

mutilate ['mju:tileit] *v* 1. осакатявам; 2. повреждам, развалям (*и прен.*); изопачавам (*текст*).

mutilation [,mju:ti'leiʃn] *n* осакатяване и пр. (*вж.* **mutilate**).

mutineer[1] [,mju:ti'niə] *n* метежник, бунтовник, размирник.

mutineer[2] *v* бунтувам се.

mutinous ['mju:tinəs] *a* метежен, бунтовен, бунтовнически, размирен; разбунтуван.

mutiny[1] ['mju:tini] *n* метеж, бунт (*особ. воен.*).

mutiny[2] *v* (раз)бунтувам се (*и с* **against**).

mutism ['mju:tizm] *n* 1. *мед.* немота, мутизъм; 2. мълчаливост.

mutt [mʌt] *n sl.* 1. глупак; некадърник; 2. *пренебр.* пес (*от смесена порода*).

mutter[1] ['mʌtə] *v* 1. мърморя, измърморвам; мънкам; **to ~ to o.s.** мърморя си под носа; 2. мъркам, мърморя, негодувам (**against, at**); 3. тътна (*за буря*).

mutter[2] *n* 1. мърморене, мънкане; 2. мъркане, негодуване.

mutton ['mʌtn] *n* 1. овнешко месо; 2. *шег.* овца; □ ~ **dressed as lamb** *разг.* по-възрастна жена, която се прави на млада; **to return to our ~s** да си дойдем на думата, да се върнем на въпроса.

mutton-chop ['mʌtntʃɔp] *n* овнешки котлет; □ ~ **whiskers** бакенбарди.

mutton-head ['mʌtnhed] *n разг.* глупак, тъпак, галфон.

muttony ['mʌtəni] *a* с вкус/миризма на овнешко.

mutual ['mju:tʃuəl] *a* 1. взаимен; споделен; ~ **relations** взаимоотношения; ~ **insurance company** кооперативно застрахователно дружество; ~ **savings bank** кооперативна банка, взаимоспомагателна каса; 2. общ (*за приятел, интереси и пр.*); ~ **wall** общ калкан (*на къща близнак*).

mutuality [,mju:tju'æliti] *n* 1. взаимност; взаимодействие; 2. взаимозависимост.

muzhik [mu'ʒik] *n* мужик.

muzzle[1] ['mʌzl] *n* 1. муцуна, зурла; 2. намордник; 3. дуло.

muzzle[2] *v* 1. слагам намордник на; 2. *прен.* заставям (*някого*) да мълчи, запушвам устата на.

muzzy ['mʌzi] *a разг.* 1. объркан, смутен; оглупял; 2. пийнал; зашеметен; 3. неясен, мъгляв.

my [mai] *pron poss attr* мой; □ **M.! Oh,** ~**!** ~ **goodness!** боже мой! ~ **foot!** ~ **eye!** ами! как не!

Mycenaean [,maisə'ni:ən] *a археол.* микенски.

mycology [mai'kɔlədʒi] *n* микология.

mynheer [main'hiə] *n разг. ост.* холандец.

myoma [mai'oumə] *n мед.* миома.

myopia [mai'oupjə] *n мед.* късогледство, миопия.

myosotis [,maiou'soutis] *n бот.* незабравка.

myriad ['miriəd] *n* 1. десет хиляди; 2. голямо число, огромен брой, безброй; 3. *attr* неизброим, безчислен, безчетен, несметен.

myrmidon ['mə:midən] *n* 1. *мит.* M. мирмидонец; 2. прислужник, слуга; наемник; сляп привърженик; **the ~s of the law** полицейските власти.

myrrh [mə:] *n бот.* смирна (Myrrhis odorata).

myrtle ['mə:tl] *n бот.* мирта (Myrtus communis).

myself [mai'self] *pron* 1. *refl* себе си; **I have hurt** ~ нараних се; **I'm going to get** ~ **a new suit** ще си купя нов костюм; 2. *за усилване* аз самият; **I did it** ~ аз сам (си) го направих; **I can do it by** ~ сам мога да го извърша; □ **I am not** ~ **today** не съм на себе си днес.

mysterious [mi'stiəriəs] *a* тайнствен, загадъчен, мистериозен.

mystery[1] ['mistəri] *n* 1. мистерия; тайна, потайност; неизвестност; **to make a** ~ **of** крия; 2. *рел.* тайнство; 3. *pl гр., рим.* мистерии; 4. *лит.* мистерия (*средновековна драма*) (*и* ~**-play**); 5. *attr лит.* детективски (*за роман и пр.*); □ ~ **tour** екскурзия без предварително определен маршрут.

mystery[2] *n ист.* 1. занаят; 2. еснаф, гилда.

mystic ['mistik] I. *a* 1. мистичен; 2. таен, тайнствен; загадъчен; мистериозен; II. *n* мистик.

mystical ['mistikl] *a* мистичен, загадъчен, окултен.

mysticism ['mistisizm] *n* мистицизъм, мистика.

mystification [,mistifi'keiʃn] *n* въвеждане в заблуждение, мистификация.

mystifier ['mistifaiə] *n* човек, който въвежда (*някого*) в заблуждение, мистификатор.

mystify ['mistifai] *v* 1. озадачавам, смущавам, замайвам; 2. заблуждавам, забърквам; мистифицирам; 3. обкръжавам с тайнственост/мистерия.

myth [miθ] *n* **1.** мит; **2.** *прен.* измислица.
mythic ['miθik] *поет.* = **mythical.**
mythical ['miθikl] *a* **1.** митически, легендарен; **2.** *прен.* въображаем, измислен.

N

N, n [en] *n* **1.** буквата N; **2.** *мат.* неопределена величина; **to the nth power** на ента степен; до безкрайност; до краен предел; **3.** = **en 2.**
nab [næb] *v* (**-bb-**) **1.** *sl.* арестувам, залавям, пипвам; **2.** *разг.* сграбчвам.
nabob ['neibɔb] *n* **1.** *ист.* набоб; **2.** *ост.* богаташ; големец.
nacelle [næ'sel] *n ав.* гондола/кош на балон/дирижабъл; открита кабина (*на самолет*).
nacre ['neikə] *n* **1.** седеф; **2.** седефена мида.
nacreous, -rous ['neikriəs, -rəs] *a* **1.** седефен; **2.** като седеф.
nadir ['neidiə] *n* **1.** *астр.* надир; **2.** *прен.* най-ниска точка; краен упадък.
nag[1] [næg] *n разг.* **1.** конче, пони; **2.** кранта.
nag[2] *v* (**-gg-**) **1.** натяквам (**about, for**); заяждам се с, дразня (**at**); **2.** измъчвам непрекъснато (*за болка*); ~ **ging pain** непрекъсната болка.
nag[3] *n разг.* натякване; заяждане; **it's ~, ~ all day long** цял ден само ми бае на главата.
nagging ['nægiŋ] *a* заядлив.
nagger ['nægə] *n* заядлив/свадлив човек.
naiad ['naiæd] *n* (*pl* -s, -es [-iz]) *мит.* наяда, русалка.
naif [na:'i:f] *v* = **naïve, naive.**
nail[1] [neil] *n* **1.** нокът; **2.** гвоздей, пирон; **3.** *ост.* мярка за дължина (*около 6 см*); □ **to hit the (right) ~ on the head** давам правилно обяснение; улучвам, отгатвам; **hard as ~s** 1) здрав като бик; закален; 2) безмилостен; **right as ~s** съвсем прав/правилно; (**right) on the ~** веднага, незабавно (*за плащане*).
nail[2] *v* **1.** кова, заковавам; забивам (гвоздей); **2.** подковавам; **3.** приковавам (*внимание, поглед и пр.*); **surprise ~ed him to the spot** изненадата го прикова на място; **4.** *разг.* пипвам, хващам; арестувам; **5.** разобличавам, изобличавам (*и* **to ~ a lie to the counter/the barn door**);
nail down 1) заковавам; 2) задължавам (*някого*) да заяви недвусмислено какво мисли/иска да прави и пр.; **to ~ s.o. down to his promise** задължавам някого да изпълни обещанието си; 3) определям (характера на), уточнявам; 4) *ам.* спечелвам/осигурявам окончателно (*съгласие и пр.*);
nail together сковавам, сглобявам;
nail up заковавам.
nail-brush ['neilbrʌʃ] *n* четка за нокти.
nail-file ['neilfail] *n* пиличка за нокти.
nail polish ['neil,pɔliʃ] *ам.* = **nail-varnish.**
nail-scissors ['neil,sizəz] *n pl* ножички за нокти.
nail-varnish ['neil,va:niʃ] *n* лак за нокти.
nainsook ['neinsuk] *n текст.* нансук.
naïve, naive [na:'i:v, neiv] *a* **1.** наивен; простичък; лековерен; **2.** непресторен, простосърдечен.

mythicize ['miθisaiz] *v* превръщам в мит; третирам като мит.
mythological [,miθə'lɔdʒikl] *a* митологичен; въображаем; митичен.
mythologist [mi'θɔlədʒist] *n* **1.** митолог, изследвач на митове; **2.** създател на митове/легенди; човек, който измисля митове.
mythology [mi'θɔlədʒi] *n* митология.

naiveté [na:'i:vtei] *фр.* = **naïvety, naivety.**
naïvety, naivety [na:'i:vti, 'neivti] *n* **1.** наивност; лековерност; **2.** непресתореност, простосърдечност.
naked ['neikid] *a* **1.** гол; необлечен; **2.** гол, непокрит; без косми/пера/черупка/мъх и пр. (*за животни, семена*); без защитно стъкло (*за светлина*); без абажур; без завеси, килими и пр. (*за стая, стена*); неприкрит (*за чувства и пр.*); **to fight with ~ fists** боря се/бия се без ръкавици; **3.** гол, без растителност/почва (*за планина*); без листа (*за дърво*); **4.** гол, неподправен, неукрасен (*за факти, истина*); прям, откровен; без коментар/добавки и пр. (*за цитат, твърдение и пр.*); **5.** незащитен (*срещу нападение*); беззащитен; невъоръжен.
namby-pamby [,næmbi'pæmbi] **I.** *a* **1.** сантиментален; лигав; **2.** банален, блудкав, предвзет; **II.** *n* **1.** глупави сантименталности; **2.** безинтересен/безхарактерен човек.
name[1] [neim] *n* **1.** име; **Christian/***ам.* **given/***ам.* **first ~** малко име; **what is your ~?** как се казвате? **Tom by ~, by ~ Tom** на име Том; **to have/bear a ~** нося име; **to know by ~** познавам по име; **by/of the ~ of** под/с името; **under the ~ of** с псевдоним; **to go/pass by/under the ~ of** известен съм под името; **in (only) (само) на име; in the ~ of** в/от името на; **in o.'s own ~** от свое име; самостоятелно; **to take God's ~ in vain** *библ.* изговарям божието име напразно; **to put o.'s ~ down for** записвам се за, участвувам в подписка; явявам се кандидат за; **2.** наименование, название, обозначение; *лог.* термин, понятие; **what's in a ~?** какво значи името? какво има в едно име? **3.** *грам.* съществително име; **4.** име, репутация; **to have a ~ for honesty** известен съм със своята честност/почтеност; **to make a ~ (for o.s.), to win o.s. a ~** спечелвам си/създавам си име/репутация; **5.** *pl* лоши думи, разни имена/епитети; **to call s.o. ~s** наричам някого всякакъв; **6.** име, величина, знаменитост; **of ~** много известен, с име; **7.** фамилия, род; **the last of his ~** последният от рода си; □ **the ~ of the game** *разг.* целта/същността на работата; **to have not a penny/shilling to o.'s ~** нямам пукната пара; **to keep o.'s ~ on/take o.'s ~ off the books** продължавам/прекъсвам членството си.
name[2] *v* **1.** (на)именувам, слагам име, кръщавам; **to ~ after** кръщавам на; **to ~ for** наименувам в чест на; **2.** наричам/назовавам по име; изброявам по имена; посочвам/цитирам за пример; **you ~ it** *разг.* каквото щеш, каквото си поискаш; **to ~ names** цитирам имена (*особ. в обвинение*); **not to be ~d in/on the same day with** който не може да се сравнява с, много по-лош от; **3.** избирам, определям; назначавам (**to, for**); **4.** определям (*цена и пр.*); **5.** *парл.* споменавам името на (*депутат — за някакво провинение*).
name[3] *a ам.* **1.** прочут, добре известен/познат; ~ **brand** реномирана (*фабрична, търговска*) марка; **2.** носещ/с нечие име (*за етикет на куфар и пр., за сбирка от*

картини и пр.); **3.** с имената на известни артисти (*за филм и пр.*).

name-calling ['neimˌkɔːliŋ] *n* ругатни, обидни думи (*по адрес на някого*).

name-day ['neimdeil] *n* имен ден.

name-drop ['neimdrɔp] *v* (**-pp-**) хваля се, че съм приятел с видни личности.

name-dropping ['neimˌdrɔpiŋ] *n* самохвалство чрез споменаване на близост с видни личности.

nameless ['neimlis] *a* **1.** безименен; неизвестен; анонимен; **2.** без бащино име (*за извънбрачно дете*); **3.** неописуем; неизразим; противен, гаден; **4.** неспоменат, нарочно неназован.

namely ['neimli] *adv* а именно.

name-part ['neimpɑːt] *n* едноименна роля (*като заглавието на пиеса, филм*).

name-plate ['neimpleit] *n* табелка с име, фирмена табелка.

namesake ['neimseik] *n* съименник, адаш.

nancy ['nænsi] *n* **1.** женствен мъж/момче (*и* N., Miss N.); **2.** хомосексуалист.

nankeen [næŋˈkiːn] *n* **1.** *текст.* нанкин; **2.** *pl* панталони от нанкин; **3.** жълтеникав цвят.

nankin [ˌnænˈkin] = **nankeen** 1.

nanny[1] ['næni] *n* **1.** бавачка; **2.** галено име за баба.

nanny[2] *n* коза (*и* ~ **goat**).

nap[1] [næp] *n* дрямка; **to have/take a** ~ дремвам.

nap[2] *v* (**-pp-**) **1.** дремвам, поспивам; **2.** не съм бдителен/подготвен; **to catch s.o.** ~**ping** заварвам някого неподготвен, изненадвам някого; улавям някого в грешка.

nap[3] *n* мъх, мъхавост (*особ. на вълнен плат и пр.*).

nap[4] *v* (**-pp-**) размъхвам, ратинирам, кардирам (*сукно*).

nap[5] *n* вид игра на карти.

napalm ['neipɑːm] *n* **воен.** напалм.

nape [neip] *n* тил; задната част на врата.

naphtha ['næfθə] *n* **1.** суров нефт; **2.** нафта; **3.** газ.

naphthalene ['næfθəliːn] *n* нафталин.

napkin ['næpkin] *n* **1.** салфетка; **to lay up/hide in a** ~ *прен.* приоирам, не използвам; **2.** пелена; **3.** дамска превръзка; **4.** *шотл.* носна кърпа.

napkin-ring ['næpkinriŋ] *n* халка за салфетка.

napless ['næplis] *a* **1.** без мъх, гладък (*за плат*); **2.** изтъркан, износен.

napoleon [nəˈpouljən] *n* **1.** наполеон (*фр. златна монета*); **2.** вид игра на карти; **3.** *ам.* вид крем-пита; **4.** *pl* вид високи ботуши.

Napoleonic [nəˌpouliˈɔnik] *a* наполеоновски.

nappy[1] ['næpi] *n* **разг.** пелена.

nappy[2] *a* **ост.** силен, пенест (*за бира*).

narcissism [nɑːˈsisizm] *n* **псих.** нарцисизъм.

narcissist [nɑːˈsisist] *n* **псих.** нарцисист.

narcissus [nɑːˈsisəs] *n* (*pl* -**sises** [-ˈsəsiz], -**cissi** [-ˈsisai]) *бот.* нарцис.

narcosis [nɑːˈkousis] *n* **мед.** **1.** наркоза; упойка; **2.** наркотизъм, наркотизация.

narcotic [nɑːˈkɔtik] **I.** *a* **1.** наркотичен; упоителен; **2.** приспивателен; **3.** *ам.* засягащ/предназначен за наркомани; **II.** *n* **1.** наркотично средство, наркотик; **2.** приспивателно/успокоително средство; **3.** наркоман.

narcotize ['nɑːkətaiz] *v* **мед.** наркотизирам; приспивам с наркотични средства.

nard [nɑːd] = **spikenard**.

narghile, -gile(h) ['nɑːgili] *n* наргиле.

nark [nɑːk] *n* **sl.** шпионин, агент.

narrate [nəˈreit] *v* разказвам, описвам.

---

narration [nəˈreiʃn] *n* разказване, описване; разказ; описание.

narrative ['nærətiv] *n* **1.** разказ; описание; **2.** повествование; **3.** *attr* описателен, разказвателен, повествователен; ~ **literature** белетристика.

narrator [nəˈreitə] *n* **1.** разказвач, повествовател; **2.** говорител (*от името на автора — във филм, пиеса и пр.*).

narrow[1] ['nærou] **I.** *a* **1.** тесен; **the** ~ **sea** Ламаншът и Ирландското море; **2.** тесен, ограничен; ~ **circumstances/means** оскъдни средства, бедност; **3.** твърде малък, с малка разлика; **by a** ~ **margin** с малка разлика, едва; ~ **majority** малко мнозинство; ~ **victory** едва спечелена победа; **4.** щателен, точен, подробен; строг; ~ **search** щателно/подробно претърсване; **5.** тесногръд, прост; егоцентричен; свидлив; **6.** *фон.* затворен (*за гласна*); **II.** *n* обик. *pl* тесен канал; пролом, теснина, клисура; пролив.

narrow[2] *v* **1.** стеснявам (се); **2.** ограничавам; правя тесногръд; **3.** свивам (се), притварям (се) (*за очи*).

narrow-gauge ['nærougeidʒ] *a:* ~ **railway** *жп.* теснолинейка.

narrowly ['nærouli] *adv* **1.** едва, насмалко; **2.** точно; подробно; *ост.* внимателно; **3.** втренчено.

narrow-minded [ˌnærouˈmaindid] *a* тесногръд, ограничен.

narthex ['nɑːθeks] *n* **арх.** нартика, нартекс, преддверие (*на храм*).

narwhal ['nɑːwəl] *n* **зоол.** нарвал (Monodon monoceros).

nasal ['neizl] **I.** *a* носов, назален (*и фон.*); **II.** *n* **фон.** носов/назален звук.

nasality [neiˈzæliti] *n* **1.** *фон.* назалност, носов характер; **2.** носово произношение.

nasalize ['neizəlaiz] *v* **1.** *фон.* назализирам; **2.** говоря през носа си, гъгна.

nascence, -cy ['næsəns, -si] *n* зараждане, възникване.

nascent ['næsnt] *a* **1.** зараждащ се, възникващ; **2.** нов, развиващ се.

nastiness ['nɑːstinis] *n* **1.** мръсотия; **2.** неприличие, безсрамие; **3.** лош нрав.

nasturtium [nəˈstəːʃəm] *n* **бот. 1.** латинка (Tropaeolum majus); **2.** пореч, друмче (Nasturtium).

nasty ['nɑːsti] *a* **1.** противен, отвратителен, неприятен; гаден (*за вкус, миризма и пр.*); **2.** лош, мръсен, много неприятен (*за време*); ~ **sea** бурно море; **3.** неприличен, мръсен, нецензурен; **man with a** ~ **mind** циник; **4.** злобен, зъл, лош; заплашителен (*за поглед*); **to turn** ~ разядосвам се, озлобявам се; **don't be** ~! не ставай лош! ~ **bit/piece of work** *разг.* 1) противен субект; 2) мръсна интрига; **5.** опасен; труден (*за преодоляване*); тежък (*за удар, болест, положение, завой и пр.*); **a** ~ **one** *разг.* 1) неудобен въпрос; 2) много силен удар; **3**) хаплива забележка; ~ **cut** дълбоко/лошо порязване.

natal ['neitl] *a* **1.** родилен; **2.** роден (*за място*).

natality [nəˈtæliti] *n* раждаемост.

natant ['neitənt] *a* **бот.** плаващ (*за лист*).

natation [nəˈteiʃn] *n* плуване, плаване.

natatorial, natatory [ˌneitəˈtɔːriəl, 'neitətəri] *a* плавателен (*за орган и пр.*); плаващ (*за птица*).

nates ['neitiːz] *n pl* **анат.** седалище.

nath(e)less ['neiðlis] *ост.* = **nevertheless**.

nation ['neiʃn] *n* **1.** нация, народ; **law of** ~**s** международно право; **the United N.s Organization** Организация на обединените нации; **most favoured** ~ **clause** клауза за най-облагодетелствувана нация/държава;

2. племе на сев.-ам. индианци; 3. *библ.* the N.s езичници, неевреи.

national ['næʃənl] I. *a* национален, народен; **N. Assembly** Народно събрание; **N. Service** военна/трудова повинност; **N. Trust** Национално дружество за запазване на природни и исторически ценности; ~ **newspaper** вестник с голям тираж, който се продава из цялата страна; **N. Insurance** задължителна осигуровка за работници и служещи; **N. Health Service** Държавна служба по здравеопазването; II. *n* поданик, гражданин (*на дадена държава*).

nationalism ['næʃənəlizm] *n* национализъм.

nationalist ['næʃənəlist] *n* 1. националист; 2. *attr* националистически.

nationalistic [,næʃənə'listik] *a* националистически.

nationality [,næʃə'næliti] *n* 1. националност, народност; национална принадлежност; **what is your** ~ ? какъв сте по народност? 2. нация, народ.

nationalization [,næʃənəlai'zeiʃn] *n* национализация.

nationalize ['næʃənəlaiz] *v* 1. национализирам; 2. обединявам в нация; 3. натурализирам (се).

nationally ['næʃənəli] *adv* 1. из цялата страна, общонародно; 2. от общонационална/общодържавна гледна точка; всенародно; 3. в национален дух; като нация.

nation-wide ['neiʃnwaid] *a* общонароден, повсеместен.

native ['neitiv] I. *a* 1. роден; **o.'s** ~ **land/country** родина, отечество; **o.'s** ~ **place** родно място; ~ **rights** права по рождение; 2. местен (*и бот., зоол*); туземен; **plants/animals** ~ **to** растения/животни, разпространени в; ~ **resident** местен жител; **to go** ~ приемам обичаи и нрави на туземци (*за бели*); 3. природен, вроден; присъщ; 4. естествен, прост; ~ **beauty** естествена/неподправена красота; 5. чист, самороден (*за метал и пр.*); II. *n* 1. (местен) жител; туземец; ~ **of London** лондончанин; 2. местно растение/животно (**of**); 3. изкуствено отгледана стрида.

native-born ['neitivbɔːn] *a* местен.

nativity [nə'tiviti] *n* 1. рождение; произход; **the N.** *рел.* Рождество Христово; **N. play** средновековна драма, свързана с Рождество Христово; 2. хороскоп.

natron ['neitrən] *n* хим. самороден натриев карбонат, природна сода.

natter[1] ['nætə] *v разг.* 1. бърборя, приказвам; 2. мърморя си.

natter[2] *n разг.* (празни) приказки; лаф; мърморене.

natty ['næti] *a разг.* 1. спретнат, стегнат, чист; напет; 2. бърз, ловък.

natural ['nætʃrəl] I. *a* 1. естествен, природен, натурален; ~ **gas** естествен/природен газ; ~ **selection** *биол.* естествен подбор; ~ **history/science** естествознание, естествени науки; ~ **forces/phenomena** природни сили/явления; **s.o.'s** ~ **life** целият живот на някого; 2. естествен, истински, верен; реален; 3. вроден, присъщ; естествен, непристорен; ~ **poet, etc.** роден поет и пр.; **with the bravery** ~ **to him** с присъщата за него храброст; **it comes** ~ **to him** удава му се; това му е вродено; 4. самороден; 5. непросветен, див; 6. роден, истински (*за родител и пр.*); 7. извънбрачен (*за дете*); 8. *муз.* основна неалтерована (*за музикална степен*); II. *n* 1. идиот по рождение; 2. *муз.* основна неалтерована музикална степен; бекар; 3. *разг.* природно надарен човек (**for**); **he's a** ~ **for the job** той е роден за тази работа; 4. *разг.* нещо очевидно подходящо; нещо, което ще има успех.

naturalism ['nætʃərəlizm] *n* натурализъм.

naturalist ['nætʃərəlist] *n* 1. естественик, естествоизпитател; биолог; 2. натуралист; 3. *attr* = **naturalistic**.

naturalistic [,nætʃərə'listik] *a* 1. естественоисторически; 2. натуралистичен, натуралистически.

naturalization [,nætʃərəlai'zeiʃn] *n* 1. натурализация; 2. аклиматизиране.

naturalize ['nætʃərəlaiz] *v* 1. натурализирам (*чужденец*); натурализирам се, приемам чуждо поданство; **he was** ~ **d in France** той стана френски поданик; 2. аклиматизирам (се) (*за растение, животно*); 3. *ез.* въвеждам, усвоявам (*нови думи*); 4. занимавам се с естествознание; 5. давам естествено обяснение (*на чудеса и пр.*).

naturally ['nætʃərəli] *adv* 1. естествено; **her hair curls** ~ тя има естествено къдрава коса; 2. по природа; инстинктивно; 3. разбира се; 4. нормално, свободно; по естествен начин; **she behaves** ~ тя се държи естествено/непристорено.

nature ['neitʃə] *n* 1. природа; **to pay o.'s debt to** ~, **to pay the debt of** ~ умирам; **against/contrary to** ~ противоестествен(о); **back to** ~ назад към природата; **in** ~ 1) в природата, действително съществуващ; 2) където и да е; **one of N.'s gentlemen/noblemen** прост, но благороден по душа човек; ~ **study** природознание; 2. живот близко до природата, природосъобразен живот; естествено/примитивно състояние; **state of** ~ 1) примитивно/първобитно състояние; 2) диво състояние (*на животни, растения*); 3) *рел.* още не изпитал божията милост; 4) гол; 3. естество, същност, природа, натура; характер; нрав; душа; **by** ~ по природа/характер/душа; **human** ~ човешка природа; **it's the** ~ **of a dog to bark** естествено е за кучето да лае; 4. физически нужди/функции; организъм; **to ease** ~ ходя по нужда; **the call of** ~ нуждата да се изходи човек; ~ **is exhausted** организмът е изтощен; 5. вид, сорт; **things of this** ~ този вид неща; **his request was in the** ~ **of a command** молбата му имаше характер на заповед; 6. *изк.* натура; **to draw/paint from** ~ рисувам от натура.

nature-cure ['neitʃəkjuə] = **naturopathy**.

nature-study ['neitʃəˌstʌdi] *n* природознание (*учебен предмет*).

naturism ['neitʃərizm] *n* 1. натуризъм, обожание на природата; 2. нудизъм.

naturopathy [,neitʃə'rɔpəθi] *n* природолечение.

naught[1] [nɔːt] *n* 1. *ост.* нищо; **all for** ~ всичко на вятъра, за нищо; **to set at** ~ *ост.* пренебрегвам, не зачитам, презирам; **to bring (plans, etc.) to** ~ провалям (планове и пр.); **to come to** ~ провалям се, не успявам; 2. *мат.* нула.

naught[2] *a predic ост.* нищожен; без стойност; безполезен.

naughty ['nɔːti] *a* 1. непослушен, немирен, невъзпитан, лош (*за дете*); **it was** ~ **of you to do that** не биваше да правиш това; 2. осъдителен; нереден; неприличен; 3. циничен; който шокира (*за анекдот, роман, автор*).

nausea ['nɔːsjə] *n* 1. повдигане, гадене; повръщане; морска болест; 2. *прен.* отвращение, погнуса.

nauseate ['nɔːsieit] *v* 1. повдига ми се, гади ми се, повръща ми се; 2. *прен.* отвращавам.

nauseating, nauseous ['nɔːsieitiŋ, 'nɔːsjəs] *a* 1. причиняващ гадене/повдигане/повръщане; 2. *прен.* отвратителен, гаден.

nautch [nɔːtʃ] *n* празненство с танци от професионалисти танцьори.

nautical ['nɔːtikl] *a* морски, мореплавателен.

nautilus ['nɔ:tiləs] *n* (*pl* **-ses** [-siz], **-li** [-lai]) *зоол.* наутилус.

naval ['neivl] *a* военноморски, флотски; ~ **officer** морски офицер; ~ **architect** корабен инженер; ~ **constructor** инженер корабостроител; ~ **gun** бордово оръдие; ~ **forces** военноморски сили; ~ **service** военноморска служба; ~ **battle** морско сражение.

nave¹ [neiv] *n арх.* главен кораб, неф (*на църква*).

nave² *n* главина (*на колело*).

navel ['neivl] *n* 1. *анат.* пъп; 2. *прен.* център, средище.

navel orange ['neivl͵ɔrinʤ] *n* вид портокал без семки.

navel-string ['neivlstriŋ] *n анат.* пъпна връв.

navelwort ['neivlwɔ:t] *n бот.* пъп (Cotyledon umbilicus).

navicular [næ'vikjulə] *a анат.* лодковиден, ладиевиден.

navigability [͵nævigə'biliti] *n* 1. плавателност (*на река*); 2. годност (*на кораб*); 3. управляемост, направляемост (*на балон и пр.*).

navigable ['nævigəbl] *a* 1. плавателен (*за река*); 2. годен за плаване (*за кораб*); 3. управляем, направляем (*за балон и пр.*).

navigate ['nævigeit] *v* 1. управлявам, пилотирам (*кораб, самолет*); 2. плавам (*за или на кораб и пр.*); пътувам по вода; нося се по (*вода, въздух*); 3. движа се, ходя; 4. прокарвам (*мероприятие, законопроект*).

navigating ['nævigeitiŋ] *a* който управлява/пилотира/кара; ~ **officer** навигатор; щурман, кормчия.

navigation [͵nævi'geiʃn] *n* 1. корабоплаване, мореплаване, плаване, навигация; **high-seas** ~ далечно плаване, плаване в открито море; **inland** ~ речно плаване, плаване по канали; **aerial** ~ въздухоплаване, аеронавигация; 2. навигация, пътуване/движение на кораби и самолети; 3. навигация (*като наука*).

navigational [͵nævi'geiʃənl] *a* мореплавателен, корабоплавателен, навигационен.

navigator ['nævigeitə] *n* 1. мореплавател; моряк; 2. навигатор; кормчия, щурман; 3. *ост.* = **navvy¹** 1.

navvy¹ ['nævi] *v* 1. земекопач, чернораборник; **to work like a** ~ *прен.* работя като вол; 2. *тех.* земекопачна машина, екскаватор (*и* **steam-**~).

navvy² *v* копая, правя изкопи; работя като земекопач.

navy ['neivi] *n* 1. военноморски флот, военна флота; 2. *ост.* флота (*особ. търговска*); 3. = **navy-blue** II.

navy-blue [͵neivi'blu:] I. *a* тъмносин; II. *n* тъмносин цвят.

navy-list ['neivilist] *n* списък на военни кораби и командния им състав.

navy-yard ['neivija:d] *n ам.* военен корабостроителен и кораборемонтен завод.

nawab [nə'wa:b] *n* = **nabob**.

nay¹ [nei] *adv* 1. *ост.* не; 2. даже, дори; нещо повече; **I suspect,** ~, **I am certain** подозирам, нещо повече; положителен съм.

nay² *n* отрицателен отговор, отказ; глас „против"; **to say** ~ отказвам; **he will not take** ~ не приема никакъв отказ; **the** ~**s have it** гласовете „против" печелят.

Nazarene [͵næzə'ri:n] *n* 1. назаретянин; 2. *ист.* християнин, последовател на Христа.

Nazarite [͵næzə'rait] *n* юдейски отшелник.

naze [neiz] *n геогр.* нос; надвиснала над морето скала.

Nazi ['na:tsi] I. *a* нацистки; II. *n* нацист, фашист.

Nazism ['na:tsizm] *n* нацизъм, германски фашизъм.

neap [ni:p] I. *a* най-нисък, квадратурен (*за прилив*); II. *n* най-ниско ниво на прилив; квадратурен прилив.

Neapolitan [niə'pɔlitən] I. *a* неаполитански; II. *n* неаполитанец.

near¹ [niə] *adv* 1. близко, наблизо (*по време и място*); **to come/draw** ~ приближавам се, наближавам (**to**); ~**er and** ~**er** все по-близо (и по-близо); ~ **at hand** съвсем близо; под ръка; ~ **(up)on** почти, около;

~ **to** близо до; ~ **to where he was sitting** близо до мястото, където седеше той; **as** ~ **as I can guess** доколкото мога да преценя/отгатна; **that is as** ~ **as you can get** 1) по-близо не може да стигнете/отидете; 2) по-точно от това не може; 3) по-добре няма да намерите; **I came** ~ **to crying** едва не се разплаках; 2. *мор.* към вятъра, по посока на вятъра; 3. *ост. разг.* икономично, пестеливо; 4. = **nearly**; 5. приблизително, почти; **he was as** ~ **as he could to getting drowned** той едва не се удави; **as** ~ **as makes no difference** почти еднакви; **that will go** ~ **to killing him** това почти ще го убие.

near² *prep* близо до, недалеч от (*по място, време, вид*); ~ **death** на прага на смъртта; **it is** ~ 12 **o'clock** близо/към 12 часа е; **the sun is** ~ **setting** слънцето скоро ще залезе; **the time draws** ~ **New Year** наближава Нова година; **who comes** ~ **him in wit?** кой може да се сравни/мери с него по остроумие?

near³ *a* 1. близък (*по място, ред, време, степен*); **the** ~ **distance** средният план (*между предния и задния — на природна гледка, декор и пр.*); ~ **work** работа, изискваща взиране; **in the** ~ **future** в близко бъдеще; **the** ~**est heir to the throne** най-прекият наследник на престола; 2. кратък, пряк (*за път*); 3. близък, интимен; **those** ~ **and dear to us** тези, които ни са близки и скъпи; 4. засягащ някого отблизо; **that is a very** ~ **concern of mine** това е въпрос, който ме засяга твърде много; 5. почти точен, приблизителен; точен, буквален (*за превод*); голям (*за прилика*); ~ **guess** почти правилна догадка; ~ **miss** 1) почти точно попадение (*на бомба*); 2) *прен.* достатъчно точен удар, за да има въздействие; 6. който заства/прилича на/имитира; ~ **beer** безалкохолна бира; ~ **seal** имитация на тюленска кожа; 7. който виси на косъм; **it was a** ~ **thing/escape/squeak/touch** положението висеше на косъм, едва се отървахме; 8. ляв (*спрямо водача — за кон, колело и пр.*); **the** ~ **side front wheel** *ам.* дясното предно колело; **the** ~, **the** ~ **side** лявата/*ам.* дясната страна (*на път, кон, кола*); 9. пестелив; стиснат; **he's very** ~ **with his money** много е стиснат.

near⁴ *v* приближавам се до, наближавам; **he is** ~**ing his end** той е на умиране.

near-by ['niəbai] *a* съседен, разположен наблизо.

nearby [͵niə'bai] *adv* наблизо.

Nearctic [͵ni:'a:ktik] *a* арктически, северноамерикански.

nearly ['niəli] *adv* 1. почти, току-речи, приблизително; едва не; **we are** ~ **there now** почти стигнахме; **pretty** ~ **equal** почти/приблизително равни; **not** ~ съвсем/далеч не; 2. близко; тясно; отблизо; интимно; **we are** ~ **related** ние сме близки роднини; **to be** ~ **acquainted with** добре се познавам с; **this concerns you very** ~ това не те засяга отблизо.

near-sighted [͵niə'saitid] *a* късоглед.

near-sightedness [͵niə'saitidnis] *n* късогледство.

neat¹ [ni:t] *a* 1. спретнат, чист, стегнат, подреден (*за облекло, стая, маса и пр.*); кокетен (*за къща и пр.*); **to be** ~ **in o.'s person** винаги съм спретнат; **as** ~ **as a new pin** като от кутия излязъл, светещ от чистота; 2. добре оформен, изящен, тънък (*за фигура и пр.*); 3. хубав, ясен, четлив, чист (*за почерк*); 4. изискан, ясен, сбит и точен (*за стил*); 5. уместен, на място (*за отговор*); 6. изкусен, ловък, сръчен; добре изпълнен/извършен, изпипан; **to make a** ~ **job of it** свършвам нещо добре; **to be** ~ **with o.'s hands** сръчен съм, иде ми отръки; **7.** неразводнен, чист (*за питие*); **8.** *ам.* чист (*за печалба*); **9.** *ам. sl.* чудесен, екстра.

neat² *n* (*pl без изменение*) **1.** говедо; вол, крава, бик; **2.** *събир.* едър рогат добитък, говеда; **3.** *attr* говежди, волски; ~ **cattle** едър рогат добитък, говеда.

neaten ['ni:tn] *v* подреждам, нареждам, придавам спретнат вид на.

neath ['ni:θ] *поет.* = **beneath.**

neat-handed [,ni:t'hændid] *a* сръчен, ловък.

neat-herd ['ni:thə:d] *n* говедар.

neatly ['ni:tli] *adv* спретнато.

nebula ['nebjulə] *n* (*pl* -s [-z], -ae [-i:]) **1.** *астр.* мъглявина; **2.** *мед.* небула.

nebular ['nebjulə] *a* *астр.* като мъглявина, небуларен; на/за мъглявина.

nebulosity [,nebju'lɔsiti] *n* **1.** *астр.* мъглявина; **2.** мъглявост (*и прен.*).

nebulous ['nebjuləs] *a* **1.** *астр.* като мъглявина, небуларен; **2.** мъглив, облачен, заоблачен; безформен; **3.** *прен.* мъгляв, неясен; неизяснен.

necessarily ['nesəsərəli] *adv* **1.** по необходимост; неизбежно; непременно; **2.** разбира се, естествено.

necessary ['nesəsəri] **I.** *a* **1.** необходим, нужен (**to, for**); **it is ~ for him to come, it is ~ that he should come** необходимо/нужно е той да дойде; **this makes it ~ for us to** това ни принуждава/задължава да; **2.** неизбежен; сигурен (*за резултат и пр.*); логичен (*за заключение*); **3.** действуващ по принуда; **II.** *n* **1.** *обик. pl* (жизнена) необходимост/нужда; предмет от първа необходимост; **2.** *sl.* парà, мангизи; **to do the ~** правя необходимото; плащам/давам парàта.

necessitarianism [ni,sesi'teəriənizm] *n фил.* детерминизъм.

necessitate [ni'sesiteit] *v* **1.** правя необходим/неизбежен; изисквам, налагам; **2.** *ам.* принуждавам.

necessitous [ni'sesitəs] *a* **1.** беден, нуждаещ се; **in ~ circumstances** в нужда; **2.** *ам.* важен, крайно необходим; **3.** *ам.* спешен, неотложен.

necessity [ni'sesiti] *n* **1.** необходимост, нужда; неизбежност; принуда; **by/from/out of ~** по необходимост/принуда/принуждение; **of ~** по необходимост; неизбежно; **to be under the ~ of doing s.th.** принуден съм да направя нещо; **doctrine of ~** *фил.* детерминизъм; **2.** *често pl* нещо необходимо, потребност, предмет от първа/жизнена необходимост; **3.** нужда, бедност, нищета, мизерия; □ ~ **is the mother of invention** нуждата учи човека.

neck¹ [nek] *n* **1.** врат, шия; **stiff ~** 1) схванат врат (*от настинка*); 2) *прен.* инат, упорство; **to bend o.'s ~** превивам врат; унижавам се; **to break o.'s ~** 1) счупвам си врата, умирам; 2) *прен. sl.* полагам свръхусилия, претрепвам се от работа; **to break the ~ of a task** преодолявам най-трудното, виждам края на една работа; **2.** месо от врата; **3.** вратна извивка, деколте; **V (shaped)/low ~** остро/голямо деколте; **high ~** без деколте; **4.** гърло, шия, отвор (*на бутилка*); **5.** *муз.* шийка (*на цигулка и пр.*); **6.** *анат.* шийка (*на орган*); **7.** *геогр.* провлак; тесен пролив; клисура; **8.** *геол.* цилиндричен интрузив; кратер на вулкан; **9.** *тех.* мундщук; накрайник; **10.** *ам.* район, област; **my ~ of the woods** моят край; **11.** *sl.* нахалство; □ **to get it in the ~** изпащам си; ям калай, хубаво ме накастрят; **to stick out o.'s ~** *sl.* търся си белята; излагам се на критика/опасност; ~ **and crop** изцяло; с всичкия багаж/всички партакеши; ~ **and ~** глава до глава, един до друг, редом; почти наравно (*при*

състезание, избори и пр.*); ~ **or nothing** отчаяно, без да мисля за последствията; **it's ~ or nothing** тук трябва всичко да се рискува.

neck² *v* **1.** *sl.* прегръщаме се; натискам се; галя; **2.** *sl.* пия, къркам; **3.** стеснявам (се), свивам (се).

neckband ['nekbænd] *n* **1.** столче (*на яка*); **2.** лента, носена около врата.

neckcloth ['neklɔθ] *n ост.* широка вратовръзка; копринено шалче.

neckerchief ['nekətʃif] *n ост.* шалче.

necklace ['neklis] *n* гердан, огърлица, колие.

necklet ['neklit] *n* **1.** герданче, огърлица; **2.** кожена якичка.

neck-line ['neklain] *n* деколте.

necktie ['nektai] *n* (врато)връзка.

neckwear ['nekwɛə] *n търг.* яки, връзки и шалчета.

necrolatry [ne'krɔlətri] *n* некролатрия, култ към мъртвите.

necrology [ne'krɔləʤi] *n* **1.** списък на умрели; **2.** некролог, жалейка.

necromancer ['nekrɔmænsə] *n* магьосник, вълшебник, чародей; некромант.

necromancy ['nekrɔmænsi] *n* **1.** магия; некромантия; **2.** *ист.* черна магия.

necrophagous [ne'krɔfəgəs] *a* лешояден.

necropolis [ne'krɔpəlis] *n археол.* некропол, гробище на разкопан древен град.

necropsy, necroscopy ['nekrɔpsi, ne'krɔskəpi] *n мед.* аутопсия, дисекция, некропсия.

necrosis [ne'krousis] *n мед.* некроза, гангрена.

necrotic [ne'krɔtik] *a мед.* загнил, гангренясал.

necrotize ['nekrətaiz] *v мед.* загнивам, гангренясвам.

nectar ['nektə] *n* **1.** *мит., бот.* нектар; **2.** *прен.* вкусно сладко питие.

nectarine ['nektərin] *n бот.* гладка/гола праскова, нектарина.

née [nei] *a фр.* родена, по баща; **Mrs D. Jones, ~ Brown** госпожа Д. Джоунс, по баща Браун.

need¹ [ni:d] *n* **1.** нужда, необходимост; **to be/stand in ~ of, to have ~ of** нуждая се от; **to have ~ to do, etc./of doing, etc.** необходимо е да направя и пр.; **if ~(s) be, in case of ~** ако е нужно/стане нужда, в случай на нужда; **there's no/not much ~ for anxiety** няма защо/особени причини да се тревожим, няма нищо (особено) тревожно; **there's no ~ for you to go there** няма защо да отиваш там; **2.** *pl* нужди, потребности; **my ~s are few** нуждите ми са малко, задоволявам се с малко; **to attend to/to supply s.o.'s ~s** задоволявам нуждите на/грижа се за някого; **3.** нужда, липса; бедност; нищета; **in times of/in the hour of ~** в труден момент/беда; **to be in ~** беден съм.

need² *v* **1.** нуждая се/имам нужда от, трябва (ми), нужен ми е; **that ~s no saying** това се разбира от само себе си; **that chapter ~s rewriting/to be rewritten** тази глава трябва да се преработи; **he didn't ~ to be reminded about it** нямаше нужда да му напомнят за това; **it ~s to be done** трябва да се направи; **does he ~ to know?** необходимо ли е да знае? **2.** *ряд.* бедствувам, в мизерия съм; **3.** *модален гл. 3 л. ед.ч.* — **need**, *с inf без* **to**, *pt* **need**, *без pp* трябва, нужно/необходимо е, длъжен съм; ~ **you go yet?** трябва ли вече да си ходиш? **he ~n't go, ~ he?** той няма нужда да ходи, нали? **I ~ hardly tell you** едва ли е необходимо да ви казвам; **we ~n't have hurried** нямаше защо да бързаме.

needful ['ni:dful] **I.** *a* **1.** необходим, потребен, нужен (**to, for**); **to do what is ~** правя необходимото; **2.** *ост.*

беден; **II.** *n ам.* **1.** нещо необходимо; **2.** пари: **to do the ~** *разг.* давам пəрата; свършвам работа.

needle[1] ['ni:dl] *n* **1.** игла (*шевна, за инжекция, на дърво и пр.*), иглmaterial; игличка; игла/шиш/кука за плетене; **as sharp as a ~** 1) остър като игла; 2) *прен.* умен, прозорлив; **to look for a ~ in a haystack** *прен.* търся игла в купа сено; **2.** стрелка (*на компас и пр.*), указател; **true as the ~ to the pole** надежден, верен; **3.** *арх.* обелиск; **4.** *арх.* шпил; остра готическа кула; **5.** *геол.* заострен/ъгловиден/иглообразен кристал; **6.** остра канара/скала/планински връх; **7.** *стр.* конзолна греда, временна подпора; **8.** *sl.* нерви, нервна възбуда/състояние; **to get the ~** *ядосвам се*, хващат ме нервите; **to give s.o. the ~** нервирам някого.

needle *v* **1.** шия; промушвам с игла; *ам.* бродирам; **2.** *sl.* нервирам, дразня; подстрекавам, предизвиквам; **3.** *ам. разг.* подсилвам (*питие*) с добавка от неразреден спирт; **4.** *стр.* подпирам (*стена и пр.*) с конзолни греди; □ **to ~ o.'s way through/between** пробивам си път през/между.

needle-bath ['ni:dlba:θ] *n мед.* душ със силно налягане.

needle-book ['ni:dlbuk] *n* платнено несесерче за игли.

needle-case ['ni:dlkeis] *n* несесер за игли, игленик.

needlecord ['ni:dlkɔ:d] *n текст.* фино рипсено кадифе.

needle-craft ['ni:dlkra:ft] *n* шев; бродерия.

needle-fish ['ni:dlfiʃ] *n зоол.* **1.** = **pipe-fish; 2.** вид щука (Belone belone).

needleful ['ni:dlful] *n* вдянат конец.

needle-lace ['ni:dlleis] *n* дантела, работена на игла; брюкселска дантела.

needle-point ['ni:dlpoint] *n* **1.** връх на игла; остър връх; **2.** = **needle-lace.**

needless ['ni:dlis] *a* ненужен, непотребен; безполезен; излишен, безсмислен; **(it is) ~ to say** няма нужда/ излишно е да се казва, разбира се.

needlessly ['ni:dlisli] *adv* без нужда.

needlewoman ['ni:dlwumən] *n* (*pl* **-women**) шивачка; бродирачка; жена, която умее да шие.

needlework ['ni:dlwə:k] *n* шев, бродерия (*и като професия*); ръкоделие (*и като учебен предмет*).

needs [ni:dz] *adv* с **must** по необходимост; непременно; **we must ~ walk** няма как/щем не щем, трябва да вървим пеш; **he must ~ go and get married** *презр.* само това му липсваше, та взе, че се ожени; □ **~ must when the devil drives** когато трябва — трябва; срещу ръжен не се рита.

needy ['ni:di] *a* беден, бедствуващ, в нужда; **to be in ~ circumstances** беден съм.

ne'er [nεə] *поет.* = **never.**

ne'er-do-well ['nεəduwel] *n* нехранимайко, негодник, безделник.

nefarious [ni'fεəriəs] *a* нечестив; престъпен.

negate [ni'geit] *v* **1.** отричам (съществуването на); служа като отрицание на; **2.** анулирам, обезсилвам (*закон и пр.*).

negation [ni'geiʃn] *n* **1.** отрицание; отричане (на съществуването на нещо); несъвместимост; **the life of an evil man is a moral ~** животът на лошия човек е несъвместим с моралните стойности; **2.** нищо, небитие; фикция.

negative[1] ['negətiv] **I.** *a* **1.** отрицателен (*и ел., мат., физ.*); **~ sign** *мат.* отрицателен знак, минус; **~ voice** *пол.* право на вето; **2.** без положителни качества; **~ help** пасивна помощ, неутрална; **~ criticism** неградивна критика; **~ praise** премълчаване на слабости; **~ virtue** пасивна добродетел (*без да се прави нито добро, нито зло*); **3.** *фот.* негативен; **II.** *n* **1.** отрицание (*и грам.*); отказ; вето; **to answer in the ~** отговарям

отрицателно, отказвам; **2.** отрицателно качество; **his character is made up of ~s** той има само отрицателни качества; **3.** *мат.* отрицателна величина; **4.** *фот.* негатив.

negative[2] *v* **1.** отказвам (на), отхвърлям; не одобрявам; налагам вето на; **2.** отричам, опровергавам; **3.** неутрализирам (*въздействие*); преча на; правя безполезен.

negativism ['negətivizm] *n* склонност към/дух на отрицание; негативизъм.

neglect[1] [ni'glekt] *v* **1.** пренебрегвам, занемарявам, изоставям, не обръщам внимание на, не се грижа за; **2.** пропускам, забравям (**to** *с inf*).

neglect[2] *n* **1.** пренебрегване, занемаряване, изоставяне, липса на грижи/внимание; небрежност, невнимание; неизпълнение; **out of/from ~** от небрежност; **~ of o.'s person** небрежност към облеклото/личната хигиена и пр.; **2.** занемареност, запуснатост, изоставеност; **in a state of ~** изоставен, занемарен.

neglectful [ni'glektful] *a* небрежен, невнимателен (**of** към); **~ of o.'s appearance** небрежен към външния си вид; **to be ~ of o.'s family** пренебрегвам семейството си.

negligé ['negli:ʒei] *n фр.* **1.** неглиже, домашна дреха; пеньоар; халат; **2.** *attr* свободен, широк; небрежен; неофициален (*за облекло*).

negligeable = **negligible.**

negligee = **négligé.**

negligence ['neglidʒəns] *n* **1.** небрежност, нехайство; неизпълнение (*на задължение*); **culpable ~** *юр.* престъпно нехайство; **contributory ~** *юр.* нехайство и от страна на потърпевшия; **through ~** от нехайство; **2.** занемареност; небрежен външен вид; безредие; **3.** пропуск, опущение.

negligent ['neglidʒənt] *a* небрежен, невнимателен, нехаен; **~ in o.'s work** небрежен в работата си; **~ of o.'s duties** нехаен към задълженията си.

negligible ['neglidʒbl] *a* незначителен, съвършено малък, нищожен.

negotiable [ni'gouʃiəbl] *a* **1.** обменяем; който може да се преотстъпи/прехвърли; **~ instruments** *юр.* ценни книжа и пр., платими на предявителя; **2.** по който може да се разисква/преговаря; **3.** проходим, по който може да се минава (*за река, път и пр.*).

negotiate [ni'gouʃieit] *v* **1.** уговарям; уреждам (*сделка и пр.*); договарям се, споразумявам се (**with**); **2.** водя преговори, преговарям (**with**); **to ~ for peace** водя мирни преговори; **3.** разменям, получавам пари срещу (*чек, полица*); **4.** *разг.* преодолявам, справям се с, превъзмогвам (*ограда, препятствие, трудност*); **to ~ a curve** *авт.* вземам завой.

negotiation [ni,gouʃi'eiʃn] *n* **1.** уговаряне; уреждане; договаряне; **the price is a matter of ~** цената е по споразумение; **2.** *pl* преговори (*за мир и пр.*); **to enter into/open/start/carry on ~s with s.o.** започвам преговори с някого; **to be in ~s with** в преговори съм с; **3.** преодоляване.

negotiator [ni'gouʃieitə] *n* човек, който уговаря/преговаря; член на комисия по преговори; посредник.

negotiatress, -trix [ni'gouʃieitris, -triks] *n ж.р. от* **negotiator.**

Negress ['ni:gris] *ж.р. от* **Negro.**

Negrillo [ne'grilou] *n* (*pl* **-es**) негър пигмей от Екваториална Африка.

Negrito [ne'gri:tou] *n* (*pl* -es) негър пигмей от Филипинските и Малайските острови, негритос.

Negro ['ni:grou] *n* (*pl* -es) **1.** негър; **2.** *attr* 1) негърски; **the ~ States** *ам. ист.* Южните щати; 2) **n.** тъмен, черен (*за мравка, прилеп, маймуна*); **~ spiritual** = **spiritual**[2].

negroid ['ni:grɔid] **I.** *a* негроиден; **II.** *n* негроид.

negroism ['ni:grouizm] *n* **1.** поддържане на каузата на негрите; **2.** негърски израз/обичай и пр.

Negus ['ni:gəs] *n* негус (*император на Етиопия*).

negus ['ni:gəs] *n* греяно подсладено вино с подправки.

neigh[1] [nei] *v* цвиля.

neigh[2] *n* цвилене.

neighbour[1] ['neibə] *n* **1.** съсед; **2.** предмет, съседен на друг; **we are nextdoor ~s** къщите ни са една до друга; **3.** ближен; **4.** *attr* съседен, съседски.

neighbour[2] *v* гранича, съседен съм (**upon, with** с, на).

neighbourhood ['neibəhud] *n* **1.** съседство; близост; околности; **in the ~ of** 1) около, близо до, в съседство с, край; 2) около, приблизително (*дадена сума*); **2.** съседи; съкварталци; **3.** (добро)съседски отношения.

neighbouring ['neibəriŋ] *a* съседен, близък.

neighbourliness ['neibəlinis] *n* добросъседски отношения/държане; общителност.

neighbourly ['neibəli] *a* добросъседски; дружелюбен; приятелски, любезен; общителен.

neither[1] ['naiðə] *a, pron* нито единият, нито другият; ни един от двамата/двете; **I like ~ of them** не харесвам нито единия, нито другия.

neither[2] *adv, cj* **1.** ~ ... **nor** ни(то)... ни(то); ~ **you nor I could do it** нито ти, нито аз бихме могли да го направим; **2.** нито пък, също не, и... не; *и след отр. изр. с if*; **if you don't go, ~ will I** ако не отидеш, и аз няма (да отида); **I don't like it. — ~ do I** това не ми харесва. — нито пък на мен, и на мен не ми харесва.

nelson ['nelsn] *n* борба нелсон.

nematode ['nemətoud] *n зоол.* нематод.

Nemesis ['nemisis] *n* **1.** *мит.* Немезида (*богиня на отмъщението*); **2.** *прен.* отмщение, отплата, възмездие.

nenuphar ['nenjufa:] *n бот.* **1.** бяла водна лилия, водна роза (Nymphea alba); **2.** жълта водна лилия, бърдуче (Nuphar luteum).

neo- ['ni:ou-] *pref* ново-, нео-.

Neocene ['ni:əsi:n] *n геол.* неоцен.

neolith ['ni:ouliθ] *n археол.* оръдие от неолита.

neolithic [ˌni:ou'liθik] *a геол.* неолитен; **N. Period** неолит, новокаменна епоха.

neologism [ni:'ɔləʤizəm] *n* **1.** *ез.* неологизъм; **2.** (склонност към) употреба на неологизми; **3.** *рел.* нова доктрина в религията.

neologize [ni:'ɔləʤaiz] *v ез.* създавам/употребявам неологизми.

neon ['ni:ən] *n хим.* неон; **~ light** неоново осветление; **~ sign** неонова реклама.

neophyte ['ni:oufait] *n* **1.** *рел.* неофит, новопокръстен; **2.** *рел.* послушник; **3.** новак.

neoplasm ['ni:ouplæzəm] *n мед.* новообразуване, тумор.

neoteric [ˌni:ou'terik] *a* модерен, съвременен.

Neozoic [ˌni:ou'zouik] *a геол.* неозойски.

Nepalese [ˌnepə'li:z] **I.** *a* непалски; **II.** *n* (*pl* без изменение) непалец.

Nepali [ni'pɔ:li] **I.** *a* непалски; **II.** *n* **1.** непалец; **2.** непалски език.

nepenthe [ne'penθi] *n* **1.** *поет.* непентес, вълшебно питие

на забравата; **2.** *бот.* вид насекомоядно растение (Nepenthes distillatoria).

nephew ['nevju:, *ам.* -fju] *n* **1.** племенник; **2.** *ост.* внук; **3.** *ост. евф.* незаконороден син.

nephology [ne'fɔləʤi] *n* наука за облаците.

nephrite ['nefrait] *n минер.* нефрит.

nephritic [ne'fritik] *a мед.* бъбречен.

nephritis [ne'fraitis] *n мед.* нефрит.

nepotism ['nepətizəm] *n* непотизъм, семейственост.

Neptune ['neptju:n] *n мит., астр.* Нептун.

nereid ['niəriid] *n* **1.** *мит.* нереида, морска нимфа; **2.** морски червей/стоного (Nereis).

nervation [nə'veiʃn] *n бот., зоол.* нервация, нервюра.

nerve[1] [nə:v] *n* **1.** *анат.* нерв; **2.** *pl* нерви, нервна система; нервност, нервно състояние; раздразнителност; истерия; **~ specialist** невролог; **fit of ~s** нервност, раздразнение; **to get on s.o.'s ~s** действувам на нервите на някого; **3.** хладнокръвие, самообладание; *разг.* нахалство, дързост; **what a ~!** (какво) нахалство! **to have the ~ to do s.th.** *разг.* имам дързостта да направя нещо; **4.** *ост. поет.* сухожилие; **5.** *прен.* сила, мъжество; **6.** *бот., зоол.* жилка; □ **to strain every ~** напрягам всички сили.

nerve[2] *v* давам сила/кураж на; ободрявам, окуражавам; **to ~ o.s. to do s.th.** събирам кураж/сили да направя нещо; решавам се да направя нещо.

nerve-centre ['nə:v,sentə] *n* **1.** *анат.* нервен възел/център; **2.** *прен.* ръководен/организационен център.

nerveless ['nə:vlis] *a* **1.** отпуснат, инертен, слаб, безсилен; **2.** *анат.* без нерви; **3.** *бот., зоол.* без жилки; **4.** спокоен, хладнокръвен.

nerve-racking ['nə:v,rækiŋ] *a* мъчителен, нервиращ, изнервящ.

nervosity [nə:'vɔsiti] *n* нервност; разтревоженост.

nervous ['nə:vəs] *a* **1.** *анат.* нервен, на нервите; **2.** нервен, раздразнителен, със слаби нерви; **3.** неспокоен, загрижен; **to feel ~** боя се, неспокоен съм; **to get ~ of doing s.th.** вълнувам се, безпокоя се; **~ of doing s.th.** който се бои да направи нещо; **4.** силен, здрав, жилест; **5.** изразителен, енергичен, жив (*за стил*).

nervous breakdown [ˌnə:vəs'breikdaun] *n мед.* нервно разстройство.

nervure ['nə:vjuə] = **nervation**.

nervy ['nə:vi] *a* **1.** *разг.* нервен, напрегнат, неспокоен; раздразнителен; плах; **2.** *sl.* нахален, дързък; **3.** *поет.* силен, здрав, жилав.

nescience ['nesiəns] *n* незнание, неведение (**of**).

ness [nes] *n геогр.* нос.

nest[1] [nest] *n* **1.** гнездо; полог; място за снасяне на яйца (*на риби, насекоми и пр.*); **to build a ~** правя/вия/свивам гнездо; **2.** *прен.* гнездо, подслон, кътче, уютно местенце; **3.** люпило, малки; **4.** свърталище; котило; **5.** серия подобни предмети, които влизат един в друг; **~ of tables** масички, които влизат една под друга; □ **~ of alleys** лабиринт от улички; **machine-gun ~** *воен.* картечно гнездо; **it's an ill bird that fouls its own ~** не е хубаво да се говори лошо за/злословим по адрес на близките/родината си.

nest[2] *v* **1.** вия/свивам гнездо; снасям яйца в гнездо, живея в гнездо; гнездя; **2.** слагам/влизам/вмествам се един в друг (*за детски блокчета, дървени куклички, кутийки и пр.*); **3.** търся гнезда; **to go ~ing** ходя да търся гнезда.

nest-egg ['nesteg] *n* **1.** полог (*яйце*); **2.** *прен.* спестени пари, спестявания; бели пари за черни дни.

nestle ['nesl] *v* **1.** настанявам (се) удобно (*в легло, кресло*) (**down, in, into, among**); сгушвам (се), притискам (се) (**close to, up to**); **2.** сгушвам се, приютявам се.

nestling ['nestliŋ] *n* малко пиле, голишар(че).

net[1] [net] *n* 1. мрежа; 2. рибарска мрежа, серкме; 3. мрежа (*за ловене на пеперуди; за коса, филе; за пазар; против комари*); 4. паяжина; 5. *текст.* тюл; 6. *прен.* мрежа, капан, клопка; **to walk/fall into the** ~ хващам се в капана; 7. = **network**[1] 1; 8. *тенис* топка, която попада в мрежата.

net[2] *v* (-tt-) 1. хващам с/в мрежа, ловя с мрежа; 2. хвърлям/слагам мрежа в (*река*); 3. покривам/заграждам/преграждам с мрежа; 4. правя/плета мрежа/филе; 5. *тенис* пращам (*топка*) в мрежата; 6. *футб.* отбелязвам гол; 7. *прен.* хващам/улавям в мрежата си.

net[3] I. *a* 1. нетен, чист (*за тегло, приход и пр.*); ~ **price** окончателна/последна цена (*без отстъпка*); ~ **cash** наличност; пари в брой; без отстъпка; 2. *ам.* окончателен (*за резултат*); II. *n ам.* 1. нето, чиста печалба; 2. окончателна цена; 3. краен резултат.

net[4] *v* (-tt-) получавам/изкарвам си/докарвам/давам чиста печалба/доход.

netball ['netbɔːl] *n* вид баскетбол (*за момичета*).

nether ['neðə] *a ост.* долен; ~ **person/man** краката; **the** ~ **regions/world** адът, пъкълът.

Netherlander ['neðəlændə] *n* холандец, нидерландец.

Netherlandish ['neðəlændiʃ] *a* холандски, нидерландски.

nethermost ['neðəmoust] *a* най-долен; най-дълбок.

nett = **net**[3] I. 1.

netting ['netiŋ] *n* 1. изработване на мрежи; 2. ловене на риба с мрежа; 3. (парче) мрежа; 4. *текст.* тюл.

nettle[1] ['netl] *n бот.* коприва (Urtica); □ **to grasp the** ~ действувам решително/смело.

nettle[2] *v* 1. жуля/нажулвам с коприва; 2. жегвам, раздразвам.

nettle-rash ['netlræʃ] *n мед.* копривна треска, уртикария.

network[1] ['netwəːk] *n* 1. мрежа, филе; 2. *прен.* мрежа, система (*от жп линии, канали; от хотели, магазини, организации и пр.*); 3. радиотранслационна мрежа; **world communications** ~ транслационна мрежа за радиотелевизионни предавания чрез спътници; 4. *ел.* верига.

network[2] *v* 1. *прен.* покривам/обхващам с мрежа; 2. предавам по радиотелевизионна транслационна мрежа.

neural ['njuərəl] *a* 1. *анат.* нервен; 2. *мед.* неврален, нервен.

neuralgia [njuə'rældʒə] *n мед.* невралгия.

neuralgic [njuə'rældʒik] *a мед.* невралгичен.

neurasthenia [ˌnjuərəs'θiːnjə] *n мед.* неврастения.

neurasthenic [ˌnjuərəs'θenik] I. *a* неврастеничен; II. *n* неврастеник.

neuritis [njuə'raitis] *n мед.* неврит.

neurology [njuə'rɔlədʒi] *n* неврология.

neuropathy [njuə'rɔpəθi] *n мед.* нервно заболяване.

neurosis [njuə'rousis] *n* (*pl* -oses [-ousiːz]) *мед.* невроза.

neurotic [njuə'rɔtik] I. *a* 1. нервен; 2. действуващ на нервната система (*за лекарство*); 3. *разг.* свръхчувствителен; II. *n* нервен човек, неврастеник.

neuter[1] ['njuːtə] I. *a* 1. *грам.* от среден род; 2. *грам.* непреходен (*за глагол*); 3. *бот.* безполов; 4. *зоол.* полово недоразвит (*за мравка, пчела и пр.*); 5. неутрален; **to stand** ~ неутрален съм, пазя неутралитет; II. *n* 1. *грам.* среден род; **in the** ~ от среден род; 2. *грам.* непреходен глагол; 3. *зоол.* полово недоразвито животно; 4. кастрирано животно (*особ. котка*); 5. неутрален човек.

neuter[2] *v* кастрирам (*котка*).

neutral ['njuːtrəl] I. *a* 1. неутрален (*и ел., хим.*); 2. *бот.* безполов; 3. *зоол.* полово недоразвит; 4. неутрален,

неопределен, среден (*за цвят и пр.*); 5. *физ.* безразличен (*за равновесие*); 6. *фон.* тъмен, неопределен (*за звук*); II. *n* 1. (поданик на) неутрална държава; 2. *ел.* неутрален/нулев проводник; 3. *авт.* нулево положение, положение стоп (*на скоростна кутия*); 4. кастрирано животно.

neutrality [njuːˈtræliti] *n* неутралитет; неутралност.

neutralize ['njuːtrəlaiz] *v* 1. неутрализирам (*и хим.*); 2. обявявам (*територия*) за неутрална; 3. обезвредявам, унищожавам, обезсилвам, неутрализирам.

neutron ['njuːtrɔn] *n физ.* неутрон.

névé ['nevei] *n фр. геол.* фирн; фирново поле.

never ['nevə] *adv* 1. никога, нивга; ~ **more/again** никога вече; 2. *за усилване* ни, нито, нито дори, изобщо не; ~ **say die** не се отчайвайте; I ~ **slept a wink that night** изобщо не мигнах тази нощ; **he** ~ **so much as smiled** той дори не се усмихна; 3. *разг.* има си хас, да не би, и таз добра; **you** ~ **left the key in the lock!** има си хас да си забравил ключа на вратата! **he ate half the cake!** — ~! той изяде половината торта! — ами! и таз добра! **he** ~ **may be so bad! well I** ~! и таз добра! 4. ~ **so** *с прил.; нареч.* колкото и...; **be he** ~ **so brave** колкото и да е храбър; 5. ~ **the** *със сравн. ст.* **he is** ~ **the worse for being well-educated** той не губи нищо от това, че е образован; □ **on the** ~-~ *разг.* на изплащане; ~ **mind!** нищо! няма значение! ~ **is a long word/day** недей се зарича!

never-dying [ˌnevə'daiiŋ] *a* безсмъртен (*за слава и пр.*); неугасващ (*за пламък*).

never-ending [ˌnevər'endiŋ] *a* вечен, безкраен, безконечен; **it's a** ~ **job** на тази работа краят й не се вижда.

never-failing [ˌnevə'feiliŋ] *a* 1. сигурен (*за средство, лекарство и пр.*); 2. неизчерпаем, непресъхващ (*за източник*).

nevermore [ˌnevə'mɔː] *adv* никога/нивга вече.

Never Never Land [ˌnevə'nevəlænd] *n* 1. Северен Куинсланд (*област в Австралия*); 2. *разг.* царство на мечтите.

nevertheless [ˌnevəðə'les] *adv, cj* въпреки това, въпреки всичко.

never-to-be-forgotten ['nevətəbifə'gɔtn] *a* незабравим.

new[1] [njuː] I. *a* 1. нов; ~ **soil** целина; **as good as** ~ като нов; 2. нов, моден, модерен, съвременен; последен; **the** ~ **poor/rich** наскоро обеднелите/забогателите; ~ **deal** нова социално-икономическа политика; **the N. Deal** икономическата политика на Франклин Рузвелт; 3. нов, друг; още един; 4. нов, непознат; непривикнал; отскорошен; **I was** ~ **to the job** не бях още запознат с работата; **I am** ~ **to this town** не познавам още града, отскоро съм в града; ~ **from school** току-що завършил училище; **the horse is** ~ **to the plough** конят още не е свикнал с плуга; 5. пресен (*за хляб, мляко*); млад (*за зеленчук, вино*); неотлежал (*за сирене и пр.*); □ **to turn over a** ~ **leaf** започвам друг/нов живот; **this is a** ~ **one on me!** и това не бях чувал! *n:* **the** ~ новост.

new[2] *adv само в съчет.:* 1. *с глаголи* наново; **to** ~-**build** построявам наново; 2. *с прил. и прич.* ново-; ~-**blown** току-що разцъфнал; ~-**coined word** новоизкована дума.

new-born ['njuːbɔːn] I. *a* 1. новороден; 2. възроден; II. *n* новородено дете.

new-comer ['njuːˌkʌmə] *n* новодошъл (**to, in**).

newel ['njuːil] *n арх.* централна колона на извита стълба; колона, подпираща перилата в дъното на стълбище; **hollow/open** ~ празно пространство в средата на извито стълбище.

New Englander [ˌnjuːˈiŋgləndə] *n* жител на Нова Англия (*в САЩ*).

new-fangled [ˈnjuːˌfæŋgld] *a* пренебр. моден, нов; ултрамодерен.

new-found [ˈnjuːfaund] *a* новооткрит, новоизнамерен.

Newfoundland [njuːˈfaundlənd] *n* нюфаундландско куче.

newish [ˈnjuːiʃ] *a* доста/почти нов.

newly [ˈnjuːli] *adv* 1. наскоро, неотдавна; току-що; ~ **formed friendship** (от)скорошно приятелство; ~ **shaven** току-що обръснат; 2. наново, отново; пак.

newly-weds [ˈnjuːliwedz] *n pl* младоженци, новобрачни.

news [ˈnjuːz] *n pl с гл. в sing* новина, вест; новини, вести, известия; **items/pieces/bits of** ~ новини; **what (is the)** ~? какво ново? нещо ново? **that is** ~ **to me** разг. не знаех това; **that's no** ~ това не е нещо ново; **to break the** ~ **to s.o.** съобщавам внимателно лоша новина на някого; **to send no** ~ **of o.s.** не се обаждам, не пиша; **ill** ~ **runs/flies apace, bad** ~ **has wings/travels quickly** лошата вест бързо стига; **no** ~ **is good** ~ щом няма известия, значи всичко е наред; ~ **in brief** кратки новини; **to be in the** ~ разг. говори се/пише се (*в печата*) за мен; **the election is all the** ~ всички говорят/всички вестници пишат за изборите; ~ **cinema/theatre** кино за документални и късометражни филми; ~ **film** кинопреглед; ~ **bulletin** новини, информационен бюлетин (*по радиото*); ~ **headlines** резюме на главните новини; ~ **release** = **release**[2] 8.

news-agency [ˈnjuːzˌeidʒənsi] *n* информационна агенция/бюро; бюро за разпространение на печата.

news-agent [ˈnjuːzˌeidʒənt] *n* продавач на вестници и списания (*който има будка и пр.*).

●**newsboy** [ˈnjuːzbɔi] *n* вестникарче.

newsbreak [ˈnjuːzbreik] *n* ам. важна новина/събитие.

newscast[1] [ˈnjuːzkaːst] *n ам. рад., телев.* информационен бюлетин.

newscast[2] *v ам. рад., телев.* предавам информационен бюлетин.

newscaster [ˈnjuːzˌkaːstə] *n* 1. говорител (*за новините*); 2. радиорепортер, телевизионен репортер.

news-editor [ˈnjuːzˌeditə] *n* редактор на информационния отдел (*на вестник*).

news-flash [ˈnjuːzflæʃ] *n* важна кратка новина (*по радиото, телевизията и в печата*).

newshawk, -hound [ˈnjuːzhɔːk,ˌ haund] *n ам.* 1. вестникар, вестникопродавец; 2. разг. журналист, репортер.

news-letter [ˈnjuːzˌletə] *n* 1. ист. ежеседмичен бюлетин с новини и пр.; 2. бюлетин за членове на клуб, дружество, съюз и пр.

newsman [ˈnjuːzmən] *n* (*pl* -**men**) 1. вестникар, вестникопродавец; 2. кореспондент, репортер; коментатор.

newsmonger [ˈnjuːzˌmʌŋgə] *n* клюкар.

newspaper [ˈnjuːspeipə] *n* 1. вестник; 2. *attr* вестникарски, журналистически; ~ **press** вестникарство; ~ **report** репортаж; **the** ~ **world** журналистите; ~ **kiosk** вестникарска будка.

newspaper-man [ˈnjuːsˌpeipəmən] *n* (*pl* -**men**) 1. журналист; 2. *ам.* собственик на вестник; 3. продавач на вестници.

newspeak [ˈnjuːspiːk] *n* агитаторски език.

newsprint [ˈnjuːzprint] *n печ.* вестникарска хартия.

news-reel [ˈnjuːzriːl] *n* кинопреглед.

news-room [ˈnjuːzrum] *n* 1. читалня за вестници и списания; 2. стая на репортерите и редакторите на информационния бюлетин на вестник/радио.

news-sheet [ˈnjuːzʃiːt] *n* малък вестник (*издаван на циклостил*) (*вж.* **news-letter** 2).

news-stand [ˈnjuːzstænd] *n* вестникарска будка.

New Style [ˈnjuːˌstail] *n* нов стил (*за григорианския календар, въведен в Англия в 1752 г.*).

newsvendor [ˈnjuːzˌvendə] *n* вестникар, вестникопродавец.

newsworthy [ˈnjuːzˌwəːði] *a* интересен, важен (*като новина*).

newsy [ˈnjuːzi] *a разг.* 1. пълен с новини (*за писмо и пр.*); 2. *ам.* = **newsworthy**.

newt [njuːt] *n зоол.* тритон (Triton cristatus).

New Testament [njuːˈtestəmənt] *n*: **the** ~ библ. Новият завет.

Newtonian [njuːˈtouniən] **I.** *a* Нютонов; нютоновски; ~ **mechanics** класическа/Нютонова механика; **II.** *n* последовател на Нютон.

New World [ˈnjuːwəːld] *n*: **the** ~ Новият свят, Америка.

New Year [ˈnjuːjəː] *n* 1. Нова година; ~'**s Day** Нова година (*празникът*); **to see the** ~ **in** посрещам Новата година; 2. *attr* новогодишен.

next[1] [nekst] **I.** *a* 1. съседен, най-близък; **the** ~ **Sunday after Christmas** неделята след Коледа; **on Friday** ~, ~ **Friday** другия) петък; ~ **year** догодина; **the** ~ **house/the house** ~ **but one** през една къща; **ask the** ~ **man you meet** запитайте първия срещнат/когото срещнете; **the** ~ **thing to do is** сега първото нещо, което трябва да направите, е, сега трябва да; **in the** ~ **place** второ, после, след това; **your turn** ~ сега е вашият ред; **he is** ~ **before/after me** той е пред/след мен; 2. втори, най-близък (*по качество, големина и пр.*); **the** ~ **larger/smaller size** един номер по-голям/по-малък; **the** ~ **city to Sofia in size** вторият по големина град след София; **the** ~ **best thing would be** щом не можеш да направиш/да имаш това, то тогава най-добре е; 3. *юр.* най-близък (*за родство и пр.*); ~ **friend** законен попечител (*който застъпва интересите на малолетен при процес*); 4. ~ **to** 1) до, в съседство с; 2) почти; **she eats** ~ **to nothing** тя почти нищо не яде; **II.** *n в елипт. изрази с изпуснато същ.* следващ предмет/човек; **the** ~ **to arrive was John** следващият, който пристигна, беше Джон; **look forward to his** ~ очаквайте следващата му книга; **you will hear about it in my** ~ ще ви разкажа за това в следващото си писмо.

next[2] *adv* 1. после, след това; 2. следващия/другия път; пак; **when I saw him** ~ когато го видях пак/следващия път; □ **what** ~! какво ли още ще измислят хората!

next[3] *prep* до, близо до, в съседство с; **I can't bear wool** ~ **my skin** не мога да търпя вълнено на голо; **the thing** ~ **my heart** това, което ми е най-скъпо/най-близко до сърцето.

nexus [ˈneksəs] *n прен.* връзка (*и грам.*).

Niagara [naiˈægərə] *n* 1. геогр. Ниагара; 2. *n.* водопад; порой, потоп (*и прен.*); ~ **of protests** масови протести.

nib [nib] *n* 1. писец, перо; 2. острие, заострен край; клин, шип; 3. клюн; 4. *pl* счукани кафени/какаови зърна.

nibble[1] [ˈnibl] *v* 1. гриза, хапя; отхапвам си/захапвам по малко; хрупкам (*за овце*); клъвва (*за риба*); **to** ~ **at a bait** клъвва по въдицата; *прен.* показвам се склонен да се хвана на въдицата; **to** ~ **at an offer** изкушава ме предложение; 2. критикувам, заяждам се (**at**).

nibble² *n* **1.** гризане, хапане; хрупкане; кълване; **I never had a ~ all day** цял ден ни една риба не клъвна; **2.** хапка; малко количество (*трева и пр.*).

niblick ['niblik] *n* вид пръчка за голф.

nibs [nibz] *n pl с гл. в sing ирон. sl.* важна личност/ клечка; **his ~** негова светлост.

Nicaraguan [nikə'rægjuən] **I.** *a* никарагуански; **II.** *n* никарагуанец.

nice [nais] *a* **1.** придирчив, взискателен; предвзет; **to be ~ in/about o.'s food** придирчив съм към ядене, злояд съм; **to speak with a ~ accent** говоря предвзето; **he is not too ~ about the means** той не подбира твърде средствата; **2.** тънък, деликатен; изискващ умение, такт и внимание; **that's a very ~ point** това е деликатен/щекотлив въпрос; **~ shades of meaning** тънки различия в значението; **3.** остър, тънък, чувствителен (*за слух и пр.*); тънък, фин, изящен, изискан (*за вкус*); **4.** внимателен, подробен; грижлив, акуратен; **5.** мил, добър, приятен, любезен; симпатичен; хубав; **man of a ~ disposition** любезен/мил човек; **he was as ~ as could be** той беше много/извънредно любезен; **it is ~ of you to** много мило от ваша страна, че; **~ chap** симпатичен човек, симпатяга; **~ dinner/garden/dress** хубава вечеря/градина/рокля, **6.** приличен; порядъчен; **~ people** порядъчни хора; **it is not a ~ story** не е много прилична история; **7.** *разг. ирон.* хубав; **~ state of affairs** хубава работа; **that's a ~ way to talk** и таз хубава, може ли така да се приказва; **8. ~ and** *разг. с друго прил.* доста, много, достатъчно; **it is ~ and warm** топличко е; **the house stands ~ and high** къщата има хубаво разположение — на високо; **you'll be ~ and ill in the morning** хубавичко ще се разболееш утре; **here's a ~ long one** ето тази е достатъчно дълга.

nice-looking ['naislukiŋ] *a* приятен, хубав, симпатичен.

nicely ['naisli] *adv* **1.** добре, хубаво; **to be doing ~** 1) добре съм; 2) добре работя; имам успех в работата си; **2.** точно; внимателно, грижливо; **that'll suit me ~** 1) това е тъкмо което търся; 2) това ми е удобно; **3.** мило, любезно; **he spoke very ~ about you** той каза много хубави неща за вас.

niceness ['naisnis] *n* **1.** придирчивост, прекалена изисканост; педантичност; **2.** изисканост, финес (*на вкус*); чувствителност, острота, точност (*на слух и пр.*); **3.** тънка разлика; дребна подробност; **4.** любезност, приветливост; приятност; **5.** приятен вкус.

nicety ['naisiti] *n* **1.** точност, прецизност; **to a ~** съвършено, до най-малката подробност; идеално; **2.** деликатност, трудност, щекотливост; **matter/point/ question of great ~** много деликатен въпрос; **3.** придирчивост, прекалена изисканост; педантичност; **4.** *обик. pl* подробности, тънки различия, тънкости; **5.** изтънченост, финес.

niche¹ [nitʃ] *n* **1.** ниша; **2.** подходящо място/занятие.

niche² *v* **1.** слагам в ниша; правя ниша в; **2.** намествам се/настанявам се в някое ъгълче.

nick¹ [nik] *n* **1.** щръбка, хърбел; вряз, рязка, (врязан) знак; цепка; шлиц; прорез; канал; **2.** стесняване, свиване; **3.** определено време; критичен момент; **in the ~ of time** точно навреме, в критичния момент; **4.** *sl.* затвор; полицейски участък; □ **in good/poor ~** *разг.* в отлично/лошо състояние.

nick² *v* **1.** правя рязка/щръбка; нащърбявам; назъбвам; врязвам знак в; порязвам; **2.** идвам навреме; хващам (*влак и пр.*); **3.** *sl.* хващам, пипвам, арестувам; **4.** *sl.* открадвам, свивам; измамвам; обирам; **5. to ~ in** изпреварвам, пресрещам, пресичам (*на завой — при надбягване*); **6. to ~ well with** давам добро

night 57

поколение (*при кръстосване на различни раси животни*).

nickel¹ ['nikl] *n* **1.** *хим.* никел; **2.** никелова монета; ам. и канадска монета от 5 цента.

nickel² *v* (**-ll-**) никелирам.

nickelodeon [nik'loudiən] *n* ам. разг. грамофон автомат.

nickel-plating ['nikl,pleitiŋ] *n* никелиране.

nicker¹ ['nikə] *v* **1.** цвиля; **2.** смея се сподавено, хихикам.

nicker² *n sl.* една лира стерлинга.

nick-nack = **knick-knack.**

nickname¹ ['nikneim] *n* прякор.

nickname² *v* давам/изваждам (*някому*) прякор.

nicotine ['nikəti:n] *n* никотин.

nictate, nictitate ['nikteit, -titeit] *v* мигам; бързо отварям и затварям очи; **nictating membrane** *зоол.* мигателна ципа (*особ. у птици*).

nide [naid] *n* гнездо/семейство фазани.

nidificate, nidify [ni'difikeit, 'nidifai] *v зоол.* вия/правя гнездо, гнездя.

nidus ['naidəs] *n* (*pl* **-ses** [-siz], **-di** [-dai]) *книж.* **1.** място, където някои насекоми и паяци си снасят яйцата; **2.** разсадник/огнище на зараза.

niece [ni:s] *n* племенница.

Nietzscheanism ['ni:tʃiənizm] *n фил.* ницшеанство.

niff¹ [nif] *v sl.* воня, смърдя (*of*).

niff² *n sl.* воня, смрад.

nifty ['nifti] *a sl.* **1.** елегантен, моден; **2.** чудесен, готин; **3.** умен; **4.** миризлив; **5.** пъргав; делови.

niggard ['nigəd] *n* **1.** скъперник, скрънза, стипца; **2.** *attr* = **niggardly¹.**

niggardly¹ ['nigədli] *a* **1.** стиснат, свидлив; **2.** мизерен, жалък (*за сума*).

niggardly² *adv* скъпернически, свидливо.

nigger ['nigə] *n* **1.** *презр.* негър, чернокож човек; **2.** тъмнокафяв цвят; **3.** черна какавида на няколко вида насекоми; **4.** *attr* 1) негърски; 2) тъмнокафяв; □ **to work like a ~** работя като вол/роб; **~ in the woodpile**/*ам.* **fence** *sl.* нещо съмнително/нередно.

niggle ['nigl] *v* **1.** губя си времето с дребни подробности; суетя се; **2.** заяждам се, задирям; дразня.

niggling ['nigliŋ] *a* **1.** дребнав; **2.** незначителен, дребен; **3.** *ам.* тънък, изискващ много внимание; **4.** *ам.* изработен прецизно, но без замах; **5.** ситен, дребен, нечетлив (*за почерк*).

nigh¹ [nai] *adv поет., ост.* **1.** близо, наблизо; **to come/draw ~** приближавам се, наближавам; **2.** почти; едва ли не.

nigh² *prep* близо до.

night [nait] *n* **1.** нощ; вечер; **all ~ (long)** (през) цялата нощ, цяла нощ; **at ~** нощем, нощно време; **by ~** през нощта, нощем; **in the ~** през нощта; **last ~** снощи, нощес; **the ~ before last** по-миналата нощ/ вечер; **the ~ before** миналата/предишната нощ/вечер; **far into the ~** до късно през нощта; **to be accustomed to late ~s** свикнал съм да си лягам късно; **to have a good/bad ~** спя добре/зле; **to have a/the ~ out** 1) прекарвам вечерта навън (*на някакво забавление*); 2) имам свободна вечер (*за прислуга*); **this is our theatre ~** тази вечер обикновено ходим на театър; **to stay over ~** пренощувам, оставам за през нощта; **~ and day** денонощно, непрестанно; **white ~** безсънна нощ; **I can't sleep o' ~s** не мога да спя нощем; **2.** нощ, мрак, тъмнина; **3.** невежество, мрак; *прен.* мрачни/черни дни; **4.** *театр.* представление; вечер; **first ~** премиера; **Mozart ~** Моцартова вечер;

5. *attr* нощен; □ **to make a ~ of it** прекарвам цялата нощ в гуляй.

night-blindness ['nait,blaindnis] *n мед.* кокоша слепота.

night-cap ['naitkæp] *n* **1.** нощна шапчица, боне; **2.** спиртно питие преди лягане.

night-chair ['naitt∫εǝ] = **night-stool.**

night-club ['naitklʌb] *n* кабаре, бар.

nightdress ['naitdres] *n* нощница.

nightfall ['naitfɔ:l] *n* свечеряване, сумрак, вечер; **at ~** привечер, на мръкване.

night-glass ['naitgla:s] *n* къс нощен телескоп.

night-gown ['naitgaun] = **nightdress.**

night-hag ['naithæg] *n* **1.** вещица (която лети нощем); **2.** кошмар.

night-hawk ['naithɔ:k] *n* **1.** *зоол.* сев.-ам. козодой (*птица*) (Chordeiles minon); **2.** *прен.* нощна птица.

nightingale ['naitingeil] *n* **1.** *зоол.* славей (Luscinia megarhynchos); **2.** *прен.* отличен певец.

nightie ['naiti] = **nightdress.**

nightjar ['naitdʒa:] *n зоол.* козодой (*птица*) (Caprimulgus europaeus).

night letter ['naitletǝ] *n* телеграма, подадена през нощта по намалена тарифа.

night-life ['naitlaif] *n* нощен живот, забавления в барове и пр. до късно през нощта.

night-light ['naitlait] *n* **1.** кандило; **2.** къса дебела свещ (*особ. в стая на малко дете, инвалид и пр.*).

night-line ['naitlain] *n* въдица, поставена за нощен риболов.

night-long[1] ['naitlɔŋ] *a* траещ цяла(та) нощ.

night-long[2] *adv* цяла нощ, през цялата нощ.

nightly[1] ['naitli] *a* **1.** нощен; **2.** който става всяка вечер/нощ.

nightly[2] *adv* всяка вечер/нощ.

nightman ['naitmǝn] *n* (*pl* **-men**) чистач на помийни ями/клозети и пр.

nightmare ['naitmεǝ] *n* **1.** кошмар (*и прен.*); **2.** *ост.* вампир.

nightmarish ['naitmεǝri∫] *a* кошмарен (*и прен.*).

night-night ['naitnait] *int разг.* лека нощ!

night-owl ['naitaul] *разг.* = **night-hawk 2.**

night-piece ['naitpi:s] *n* **1.** нощен пейзаж; **2.** литературно/музикално произведение, чиято тема е нощта.

nights [naits] *adv* нощем.

night-school ['naitsku:l] *n* вечерно училище.

nightshade ['nait∫eid] *n бот.* **1.** кучешко грозде (Solanum); **2.** *ам.* беладона.

night-shirt ['nait∫ǝ:t] *n* мъжка нощна риза.

night-soil ['naitsɔil] *n* човешки екскременти, извозвани нощем и използувани за наторяване.

night-stick ['naitstik] *n ам.* полицейска палка.

night-stool ['naitstu:l] *n* покрито с капак нощно гърне (*със седалище*).

night-time ['naittaim] *n* нощно време, нощ; **at/by ~, in the ~** нощем, нощно време.

night-walker ['nait,wɔ:kǝ] *n* **1.** сомнамбул; **2.** проститутка, нощна птица; **3.** нощно животно.

night-watch ['naitwɔt∫] *n* **1.** нощно дежурство (*при болен и пр.*); нощен пост; дежурене през нощта; **2.** *pl* (вре-метраене на) нощен пост; **3.** часове на безсъние.

night-watcher ['nait,wɔt∫ǝ] *n* дежурен през нощта.

night-watchman [,nait'wɔt∫mǝn] *n* (*pl* **-men**) нощен пазач (*на фабрика и пр.*).

nigrescence [nai'gresǝns] *n книж.* **1.** почерняване; потъмняване; **2.** чернота (*на кожа*), черен цвят (*на кожа, очи*).

Nihilism ['naiilizm] *n* нихилизъм.

nil [nil] *n* нищо, нула (*и сп.*); **three (goals to) ~** *сп.* три на нула; **his influence is now ~** сега той няма никакво влияние.

Nilotic [nai'lɔtik] *a* нилски, от/за областта на р. Нил.

nimble ['nimbl] *a* **1.** жив, пъргав, чевръст, подвижен; **2.** бърз, подвижен, жив (*за ум*); схватлив; □ **~-fingered** сръчен (*за джебчия*).

nimbus ['nimbǝs] *n* (*pl* **-ses, -bi** [-bai]) **1.** *църк.* ореол; **2.** *метеор.* дъждовен облак, нимбус.

niminy-piminy [,nimini'pimini] *a* **1.** предвзет, префърцунен; **2.** старомомински; **3.** дребнав, педантичен; **4.** бездушен.

Nimrod ['nimrɔd] *n* страстен ловец.

nincompoop ['ninkǝmpu:p] *n* мухльо, хапльо, глупак.

nine [nain] *n* **1.** девет; деветица, деветорка; деветка (*и карти*); **2.** девет часа; **3.** *и pl* девети номер/размер (*на дреха и пр.*); **4.** *ам. бейзбол* отбор от девет играчи; **5. the N.** деветте музи; □ **~ times out of ten** в 90% от случаите, обикновено; **dressed up to the ~s** *разг.* издокаран, като от кутия изваден; екстравагантно облечен; **~ days' wonder** кратковременна сензация.

ninefold[1] ['nainfould] *a* деветорен, деветократен.

ninefold[2] *adv* девет пъти, деветкратно.

ninepence ['nainpǝns] *n* девет пенса.

ninepins ['nainpinz] *n pl* (игра на) кегли.

nineteen [,nain'ti:n] *n* деветнадесет; □ **to talk ~ to the dozen** устата ми не се спира, постоянно приказвам.

ninetieth ['naintiiθ] **I.** *a* деветдесети; **II.** *n* една деветдесета част.

ninety ['nainti] *n* деветдесет; **the nineties** деветдесетте години (*на даден век, от живота на даден човек*).

ninny ['nini] *n* глупак, мухльо.

ninth [nainθ] **I.** *a* девети; **II.** *n* **1.** една девета част; **2.** *муз.* октава и секунда.

nip[1] [nip] *v* (**-pp-**) **1.** щипя, защипвам, ощипвам, прещипвам; **2.** хапя, захапвам, ухапвам; **3.** продупчвам, пробивам (*с инструмент*); **4.** подрязвам, прерязвам (*издънки*); **5.** спирам развитието на, осакатявам, развалям; **6.** попарвам, поразявам (*за студ, слана и пр.*); хапя, щипя (*за вятър, студ*); **7.** помрачавам, охлаждам (*настроение и пр.*); дразня, раздразвам; **8.** *sl.* грабвам, хващам, сграбчвам; пипвам, арестувам; **9.** *sl.* открадвам, задигам, завличам; **10.** *разг.* отскачам, прескачам, изтичвам, мръдвам (*обик. с* **up, down, across, along, round, out**); **just ~ across to the baker's!** изтичай/отскочи до хлебаря!

    nip along бързам; побързвам;

    nip in 1) пресичам пътя на някого; измествам някого; 2) отбивам се, свръщам; 3) надничам; 4) намесвам се неочаквано в разговор;

    nip off 1) отрязвам; изрязвам; 2) офейквам;

    nip out 1) *разг.* бързо изваждам; 2) изтичвам;

    nip up 1) вдигам бързо; 2) качвам се бързо.

nip[2] *n* **1.** щипане, ощипване, защипване, прещипване; ухапване, захапване; **to give s.o. a ~** ощипвам някого; **tool that has no ~** инструмент, който не хваща/защипва/захапва добре; **there's a ~ in the air** въздухът щипе/хапе; **2.** хапка; глътка (*обик. алкохол*); **3.** попарване (*от слана и пр.*); мраз; **4.** острота, саркастична забележка, сарказъм; **5.** остър вкус/дъх; **6.** *ам.* сръбване; □ **~ and tuck** = **neck and crop** (*вж.* **neck**[1] □).

nipper ['nipǝ] *n* **1.** нещо, което щипе/захапва (*риба и пр.*); **2.** *разг.* момченце, малчуган, хлапе; помощник на количкар/уличен продавач; **3.** *pl* малки клещи, пинцети; малък форцепс; **ticket** ~**s** компостьор; **4.** *pl* резци (*на кон*); щипци (*на омар, рак*); **5.** *pl разг.* белезници.

nipping ['nipiŋ] *a* остър, щипещ (*особ. за студ, вятър*).

nipple ['nipl] *n* **1.** зърно (*на гърда*); зърно (*на биберон*); **2.** газов мехур/шупла (*на метал, стъкло*); **3.** *тех.* нипел; щуцер; **4.** *тех.* дюза; **5.** възвишение (*на билото на планина*).

Nipponese [ˌnipɔ'niːz] *a* японски.

nippy ['nipi] **I.** *a* **1.** бърз, пъргав, чевръст; **look** ~**!** бързай! **2.** остър, резлив (*за вятър*); **II.** *n sl.* келнерка, сервитьорка.

nirvana [ˌniə'vaːnə] *n* **1.** нирвана; **2.** *прен.* блаженство.

nisei [niː'sei] *n* американски гражданин от японски произход.

nisi ['naisai] *a лат. юр.* условен (*за решение*).

Nissen hut ['nisn'hʌt] *n воен.* барака от желязо и цимент.

nit[1] [nit] *n* гнида.

nit[2] *n sl.* глупак.

nitrate ['naitreit] *n хим.* сол/естер на азотната киселина; нитрат.

nitre ['naitə] *n* селитра.

nitric ['naitrik] *a хим.* азотен.

nitride ['naitraid] *n хим.* нитрид.

nitrify ['naitrifai] *v* нитрифицирам.

nitrite ['naitrait] *n хим.* нитрит.

nitrogen ['naitrədʒən] *n хим.* **1.** азот; **2.** *attr* азотен.

nitrogenous [nai'trɔdʒənəs] *a хим.* азотен; съдържащ азот.

nitrous ['naitrəs] *a хим.* азотист.

nitty ['niti] *a* гнидав.

nitty-gritty [ˌniti'griti] *n sl.* действителност; същност; фактическо положение (*обик. неприятно*).

nitwit ['nitwit] *n разг.* глупак.

nix[1] [niks] *n sl.* нищо.

nix[2] *adv ам.* несъгласие, отказ не (*често с* **on**); ~ **on that game** *sl.* тази няма да я бъде, няма го майстора.

nix[3] *n* воден дух.

nixie ['niksi] = **nix**[3].

no[1] [nou] *a* **1.** никой; никакъв; никак; *или без превод, като придава отр. значение на изречението;* ~ **words can describe** (никакви) думи не могат да опишат; **she had** ~ **umbrella** тя нямаше чадър; ~ **more wine?** не искате ли още малко вино? ~ **one man could do it** никой не би могъл да го направи сам; **2.** съвсем/далеч не; **he is** ~ **fool** той съвсем/никак не е глупав; ~ **such thing** нищо подобно, съвсем не; ~ **smoking** пушенето забранено, тук не се пуши; ~ **bills** лепенето на афиши забранено; **4.** *с* ger не може/не е възможно да; **there is** ~ **pleasing him** не може да му се угоди; **there's** ~ **saying what will happen** господ знае/не може да се каже какво ще стане; **5.** много малък; **it's** ~ **distance** съвсем близко е; **in** ~ **time** много бързо.

no[2] *adv* не; **do you want it or** ~? искаш ли го или не? **whether you want it or** ~ щеш не щеш; ~ **more wars!** никога вече война! **he is** ~ **more a pilot than I am** колкото той е летец, толкова съм и аз.

no[3] *n* **1.** отрицание; **2.** отказ; **3.** глас „против"; **the** ~**es have it** гласовете „против" печелят.

Noah's ark ['nouəzaːk] *n* **1.** *библ.* Ноевият ковчег; **2.** модел на Ноевия ковчег и обитателите му.

nob[1] [nɔb] *n sl.* **1.** глава, кратуна, тиква; **2.** вале (*на цвета, който е открит*) в играта крибидж.

nob[2] *v* (**-bb-**) *бокс* удрям по главата.

nob[3] *n sl.* важна клечка, големец; богаташ.

nobble ['nɔbl] *v sl.* **1.** осакатявам (*кон*), за да не спечели

състезание; **2.** подкупвам (*особ. жокей, за да попречи на кон да спечели състезание*); **3.** измамвам; открадвам; **4.** получавам (*и поддръжка и пр.*) чрез измама; **5.** хващам (*престъпник*).

nobby ['nɔbi] *a sl.* елегантен, шик; екстра, файн.

nobility [nou'biliti] *n* **1.** благородство, великодушие; **2.** аристокрация, дворянство; **the** ~ благородниците (*като класа*).

noble ['noubl] **I.** *a* **1.** благороден (*за характер, метал и пр.*); възвишен; знатен, аристократичен; **(of)** ~ **birth** (от) благородно потекло; **2.** величествен, величав; **3.** прекрасен, чудесен, внушителен; □ **the** ~ **art/science** бокс; **II.** *n* **1.** благородник, аристократ, дворянин, пер; **2.** *ист.* английска златна монета.

nobleman ['noublmən] *n* (*pl* **-men**) благородник, аристократ, пер.

noble-minded [ˌnoubl'maindid] *a* благороден, великодушен.

noblesse [nou'bles] *n фр.* аристокрация, благородници (*особ. чуждестранни*); ~ **oblige** благородството задължава.

noblewoman ['noublwumən] *n* (*pl* **-women** [wimin]) ж.р. от **nobleman**.

nobly ['noubli] *adv* **1.** благородно, великодушно; **2.** величаво, величествено, внушително; **3.** достойно, с достойнство; □ ~ **born** от благородно потекло.

nobody[1] ['noubədi, -bɔdi] *pron* никой; ~ **else** никой друг.

nobody[2] *n* нищожество, човек без значение; съвсем неизвестен човек.

nock[1] [nɔk] *n* **1.** вдлъбнатина/рязка за тетивата на лък/стрела; **2.** горният преден край на корабно платно.

nock[2] *v* **1.** правя вдлъбнатина/рязка на лък за тетивата; **2.** слагам (*стрела*) на тетивата.

noctambulist [nɔk'tæmbjulist] *n книж.* сомнамбул.

nocturn = **nocturne**.

nocturnal [nɔk'təːnl] *a* нощен.

nocturne ['nɔktəːn] *n* **1.** *муз.* ноктюрно; **2.** *изк.* нощен пейзаж.

nocuous ['nɔkjuəs] *a книж.* вреден; отровен.

nod[1] [nɔd] *v* (**-dd-**) **1.** кимам; поздравявам с кимване на глава; **to** ~ **o.'s head** кимвам с глава; **to** ~ **assent/approval** кимвам с глава в знак на съгласие; **2.** клюмам; дремя; **3.** не внимавам, правя грешки/пропуски; **even Homer sometimes** ~**s** дори най-големият майстор понякога греши/невинаги е на висота; **4.** навеждам се, клоня на една страна, застрашавам да падна (*за сграда*).

nod[2] *n* **1.** (поздрав с) кимване; **2.** клюмане; дрямка; **the land of N.** страната на съня; □ **on the** ~ *разг.* 1) на кредит; 2) чисто формално съгласие, без разисквания.

noddle ['nɔdl] *n разг.* глава, тиква, кратуна.

noddy ['nɔdi] *n sl.* глупак.

node [noud] *n* **1.** *бот.* възел, разклонение; **2.** *физ.* възлова точка/съединение; **3.** *анат.* възел; **4.** *астр.* точка на пресичане на орбити; **5.** *мат.* пресечна точка на линии.

nodi *вж.* **nodus**.

nodose ['noudous] *a* чворест, чепат; възловат, коленчат.

nodular, -lated ['nɔdjulə, -leitid] *a* **1.** възлест; **2.** *бот.* възловат, коленчест; **3.** пъпковиден.

nodule ['nɔdjuːl] *n* **1.** малък възел; чеп, чвор; **2.** *бот.* коленце; **3.** *мед.* малък възел, възелче; **4.** *геол.* включение; конкреция; валчесто образувание.

nodulose, -lous ['nɔdjulous, -ləs] *a* възлест.

nodus ['noudəs] *n* (*pl* **-di** [-dai]) **1.** възел, чвор, чеп; **2.** усложнение; **3.** *лит.* завръзка.

Noel [nou'el] *n* Коледа; коледна песен.

noetic [nou'etik] *a* **1.** интелектуален; духовен; **2.** отвлечен, абстрактен.

nog[1] [nɔg] *n* **1.** дървен клин, щифт; труп(че), чуканче; **2.** пън.

nog[2] *n* **1.** вид силна бира; **2.** питие от яйца и алкохол.

noggin ['nɔgin] *n* **1.** каничка; **2.** четвърт пинт (*около 1/8 литър*); **3.** *sl.* = **noddle.**

nogging ['nɔgin] *n* стр. запълване с тухли на скелета на паянтова постройка.

no-good ['nougud] **I.** *a* безполезен; неефикасен; негоден; **II.** *n* негодник; некадърник.

nohow ['nouhau] *adv sl.* **1.** никак, съвсем не; как да е; **2.** не в изправност; не на кеф, без настроение; **to feel ~** нямам настроение; **to look ~** изглеждам не на кеф.

noil [nɔil] *n* (*pl без изменение*) текст. дреб.

noise[1] [nɔiz] *n* **1.** шум, глъч, глъчка, врява (*и прен.*); **to make a ~** вдигам шум (**about**); **to make a ~ in the world** прен. вдигам голям шум (около себе си); прочувам се; **to make ~s** прен. реагирам, протестирам, възразявам; **to make sympathetic ~s** измърморвам нещо съчувствено; **to have ~s in o.'s ears** бучат ми ушите; **without (any) ~** тихичко, без да усети никой); **2.** звук (*особ. силен, неприятен*); **3.** *ост.* злословие, клюка, слух; **4.** *pl рад.* шум(ове); смущения; **5.** *ост.* група музиканти.

noise[2] *v* **1.** разгласявам, разпространявам (**abroad**); **it was ~d abroad that** пусна се слух/оповестено бе, че; **2.** говоря шумно; шумя, вдигам шум.

noiseless ['nɔizlis] *a* **1.** безшумен, тих; **2.** беззвучен, безмълвен.

noisiness ['nɔizinis] *n* шум, врява, глъчка.

noisome ['nɔisəm] *a* книж. **1.** вреден, вредителен, пакостен; нездрав, нездравословен; **2.** зловонен, смраден; **3.** отвратителен, противен, гаден.

noisy ['nɔizi] *a* **1.** шумен; който вдига (много) шум/врява; немирен, палав; **to be ~** шумя, вдигам шум; **2.** прен. крещящ; ярък; който се хвърля в очи, очебиен (*за цвят, облекло и пр.*).

nomad ['noumæd] *n* **1.** номад; чергар; скитник; **2.** *attr* номадски; чергарски; скитнически.

nomadic [nou'mædik] = **nomad 2.**

nom de guerre [,nɔ:mdə'gɛə] *n фр.* псевдоним.

nom de plume [,nɔ:mdə'plu:m] *n фр.* псевдоним на писател.

no man's land ['noumænzlænd] *n* ничия земя.

nomenclature [nou'menklətʃə] *n* **1.** номенклатура; **2.** терминология.

nominal ['nɔminl] *a* **1.** номинален; само по име/на книга, формален; фиктивен, недействителен; номинален (*за стойност, цена*); **2.** именен, на/отнасящ се до имена; **~ list** именен списък; **3.** *грам.* на/отнасящ се до съществително; **4.** нищожен, незначителен; **~ rent** нищожен наем.

nominally ['nɔminəli] *adv* **1.** по име; номинално; **2.** привидно, уж.

nominate ['nɔmineit] *v* **1.** именувам, назовавам (по име), наричам; **2.** определям (*дата, място и пр.*); **3.** назначавам (за) (**for**); **4.** предлагам кандидатурата на (*при избори*) (**for**); **nominating convention** ам. събрание за избиране на кандидат за президент.

nomination [,nɔmi'neiʃn] *n* **1.** назначаване (**to**); назначение; **2.** предлагане на кандидат, поставяне на кандидатура.

nominative ['nɔminətiv] **I.** *a* **1.** грам. именителен; в именителен падеж; **2.** [-neitiv] назначен, неизборен; **II.** *n* грам. именителен падеж; дума в именителен падеж (*напр. подлог*).

nominator ['nɔmineitə] *n* **1.** човек, който назначава/предлага за кандидат; **2.** *мат.* знаменател.

nominee [,nɔmi'ni:] *n* човек, предложен/определен за кандидат.

non- [nɔn] *pref* не; който не е; който не може да; който няма; обратно на; несвързан с.

non-acceptance [,nɔnək'septəns] *n* неприемане.

non-addictive [,nɔnə'diktiv] *a* към който не се привиква (*за лекарство и пр.*).

non-affiliated [,nɔnə'filieitid] *a* не членуващ в никаква професионална организация.

nonage ['nounidʒ] *n* непълнолетие.

nonagenarian [,nounədʒi'nɛəriən] **I.** *a* деветдесетгодишен; **II.** *n* деветдесетгодишен човек.

non-aggression [,nɔnə'greʃn] *n* пол. ненападение.

non-aligned [,nɔnə'laind] *a* пол. неангажиран, необвързан; неутрален.

non-alignment [,nɔnə'lainmənt] *n* пол. неангажираност, необвързаност; неутралитет.

nonary ['nounəri] **I.** *a* деветорен; **II.** *n* група от девет неща.

non-attendance [,nɔnə'tendəns] *n* отсъствие от учебни занимания и пр.

non-belligerent [,nɔnbə'lidʒərənt] пол. **I.** *a* невоюващ; **II.** *n* невоюваща страна.

nonce [nɔns] *n*: **for the ~** само/специално за дадения случай; временно; **~ word** ез. дума, образувана само за даден случай.

nonchalance ['nɔnʃələns] *n* безгрижие; равнодушие.

nonchalant ['nɔnʃələnt] *a* безгрижен; равнодушен.

non-collegiate [,nɔnkə'li:dʒiət] *a* **1.** който не е от колеж (*за студент*); **2.** който е без колежи (*за университет*).

non-com ['nɔn'kɔm] *n* разг. съкр. от **non-commissioned officer.**

non-combatant [,nɔn'kɔmbətənt] **I.** *a* **1.** нестроеви, тилов; **2.** цивилен; **II.** *n* **1.** тиловак; **2.** цивилен.

non-commissioned officer ['nɔnkə,miʃənd'ɔfisə] *n* подофицер, сержант.

non-committal [,nɔnkə'mitl] *a* **1.** без ясно изявено становище/отношение, уклончив; **2.** неясно определен.

non-compliance [,nɔnkəm'plaiəns] *n* **1.** неподчинение; **2.** несъгласие; **3.** неспазване, несъобразяване (**with**).

non compos (mentis) [nɔn'kɔmpəs ('mentis)] *n* юр. невменяем.

non-conductor [,nɔnkən'dʌktə] *n физ.* непроводник; изолатор.

non-confidence [,nɔn'kɔnfidəns] *n*: **~ motion** парл. предложение за вот на недоверие.

nonconformist [,nɔnkən'fɔ:mist] *n* **1.** сектант (*и рел.*); **2.** свободомислещ човек; **3.** attr сектантски.

nonconformity [,nɔnkən'fɔ:miti] *n* **1.** непринадлежност към официалната църква, разколничество, сектантство; **2.** рел. събир. схизматици, разколници, сектанти; **3.** неподчинение; несъобразяване (**to**); **4.** несъответствие.

non-content ['nɔnkəntent] *n* **1.** недоволен/несъгласен човек, недоволник; **2.** член на английската горна камара, който гласува против.

non-cooperation ['nɔnkou,ɔpə'reiʃn] *n* нежелание за сътрудничество; неподчинение; бойкотиране.

nondescript ['nɔndiskript] **I.** *a* мъчноопределим, неопределен; безличен, невзрачен; **II.** *n* мъчноопределим/неопределен човек/нещо.

nondurable [,nɔn'djuərəbl] *a* **1.** недълготраен, краткотраен, непродължителен; **2.** *търг.* подлежащ на разваляне.

none[1] [nʌn] *pron indef* никой, никои, ни един; никакъв; нищо; ~ **of us** никой от нас; **he is** ~ **of my friends** той не ми е никакъв приятел; **he has money and I have** ~ той има пари, а аз нямам; ~ **were left** не останаха, свършиха се; **I'll have** ~ **of it!** не ми минават/да ги нямаме такива! ~ **of that!** стига! престани! ~ **of your games/tricks!** да ги нямаме такива номера!

none[2] *adv* никак, ни най-малко, съвсем не; **I am** ~ **the better for it** съвсем не ми е по-добре от това, от това за мен няма никаква полза; **he did it** ~ **too well** той не го направи никак добре; **the pay is** ~ **too high** заплатата съвсем не е голяма.

non-effective [,nɔni'fektiv] *воен.* **I.** *a* негоден за военна служба; **II.** *n* човек, негоден за военна служба.

non-ego [,nɔn'egou] *n* *фил.* всичко, което не е „аз"; външният/обективният свят.

nonentity [nɔ'nentiti] *n* **1.** небитие; **2.** нещо несъществуващо, измислица; **3.** нищожество, нула.

non-essential [,nɔni'senʃl] **I.** *a* несъществен; **II.** *n* дреболия, дребна/маловажна работа.

nonesuch = **nonsuch**.

nonetheless [,nʌnðə'les] *adv* въпреки това/всичко.

non-event [,nɔni'vent] *n* събитие, което се оказва под очакванията/*ам.* което не е станало.

non-feasance [,nɔn'fi:zəns] *n юр.* неизпълнение на задължение.

non-ferrous [,nɔn'ferəs] *a* цветен (*за метал*).

non-fiction [,nɔn'fikʃən] *n* документална/научна литература, есета и пр.

non-hero ['nɔn'hiərou] *n ам.* антигерой.

non-human [,nɔn'hju:mən] *a* който не е от човешката раса.

nonillion [nou'niljən] *n* нонилион (*ам. и фр. — единица, последвана от тридесет нули; англ. и нем. — единица, последвана от петдесет и четири нули*).

non-interference, non-intervention [,nɔnintə'fiərəns, -'venʃn] *n* ненамеса, невмешателство.

non-iron [,nɔn'aiən] *a* който не се глади (*за плат*).

non-jury [,nɔn'dʒuəri] *a юр.* разгледан без съдебни заседатели (*за процес*).

non-metal [,nɔn'metl] *n хим.* металоид, неметал.

non-natural [,nɔn'nætʃrəl] *a* който е вън от кръга на естественото.

non-observance [,nɔnəb'zə:vəns] *n* неспазване, несъблюдаване; нарушение.

non-pareil [,nɔnpərəl, -eil] **I.** *a* безподобен, който няма равен на себе си, несравним; **II.** *n* **1.** безподобен човек; нещо единствено по рода си, уникум; **2.** сорт ябълка; **3.** *печ.* нонпарей.

non-party ['nɔn,pa:ti] *a* безпартиен.

non-payment [,nɔn'peimənt] *n* неизплащане (*на дълг и пр.*).

nonperishable [,nɔn'periʃəbl] **I.** *a* траен, който не се разваля бързо; **II.** *n pl търг.* трайни хранителни продукти.

non-person ['nɔn'pə:sn] *n* **1.** *пол.* минало величие в немилост; **2.** нищожество, нищожен човек; *прен.* нула.

nonplus[1] [,nɔn'plʌs] *n* слисаност, смайване, обърканост; **to be at/in a** ~ не знам накъде/как да отговоря; виждам се в чудо; **to put/drive/reduce to a** ~ поставям натясно/в затруднение.

nonplus[2] *v* (-ss-) обърквам, смущавам, затруднявам, озадачавам.

non-productive [,nɔnprə'dʌktiv] *a* **1.** незает в производство

то; който е служещ; **2.** непродуктивен, непроизводителен; нецелесъобразен.

non-proliferation ['nɔnprou,lifə'reiʃn] *n пол.* ограничаване на разпространението на ядрено оръжие.

non-representational ['nɔnre,prizən'teiʃənl] *a изк.* абстрактен.

non-resident [,nɔn'rezidənt] **I.** *a* **1.** неживеещ в дадено място; временно живеещ някъде; **2.** приходящ (*за ученик и пр.*), който е екстернант; **II.** *n* **1.** човек, който не живее постоянно някъде; временен жител (*курортист, турист*); **2.** свещеник, който не живее в енорията си; **3.** човек, който не е отседнал в даден хотел и пр., посетител; **meals served to** ~**s** в ресторанта се приемат и външни лица (*не гости на хотела*); **4.** екстернант (*ученик*).

non-scheduled [,nɔn'ʃedju:ld] *a* извънреден; който не е по разписание.

nonsense[1] ['nɔnsəns] *n* **1.** безсмислица, абсурд; нелепости, глупости; **to make** ~ **of** превръщам в безсмислица; **it will knock/take the** ~ **out of s.o./s.o.'s head** това ще го вразуми/ще го направи човек; **I want no more of your** ~ стига с твоите глупости; **to take/stand no** ~ **(from)** 1) не позволявам да се подиграват с мен; не търпя глупости; 2) не се шегувам, не си поплювам, пипам здраво; **2.** *attr* безсмислен; ~ **verses** безсмислена хумористична поезия.

nonsense[2] *int* глупости!

nonsensical [nɔn'sensikl] *a* безсмислен, нелеп, глупав.

non-sequitur [,nɔn'sekwitə] *n лат.* нелогичен извод.

non-skid, -slip [,nɔn'skid, -'slip] *a авт.* направен/пригоден да не се плъзга/да не боксува (*за гума*).

non-smoker [,nɔn'smoukə] *n* **1.** непушач; **2.** *жп.* купе за непушачи.

non-starter [,nɔn'sta:tə] *n* **1.** кон, записан за състезание, но не участвувал в него; **2.** *прен.* човек без всякакви изгледи за успех.

non-stop[1] [,nɔn'stɔp] **I.** *a* **1.** *жп.* който не спира на междинни спирки; **2.** *ав.* без прекъсване (*за полет*); **II.** *n* влак, който не спира на междинни спирки, бърз влак.

non-stop[2] *adv* без спиране/прекъсване/прекачване.

nonsuch ['nʌnsʌtʃ] *n* **1.** безподобен/несравним човек, човек, който няма равен на себе си; нещо безподобно/несравнимо, образец на съвършенство; **2.** *бот.* вълча (жълта) люцерна (Medicago lupulina).

nonsuit [,nɔn'su:t, -'sju:t] *n юр.* отхвърляне на иск, прекратяване на дело.

non-U [,nɔn'ju:] *a разг.* **1.** който не е характерен за висшето общество; **2.** който не е на мода; **3.** вулгарен, простонароден.

non-union [,nɔn'ju:njən] *a* нечленуващ в професионален съюз.

non-use [,nɔn'ju:s] *n* **1.** неизползуване; **2.** *юр.* неупражняване на право.

non-violence [,nɔn'vaiələns] *n* неизползване на насилие/насилствени методи.

non-voter [,nɔn'voutə] *n* **1.** човек, който не гласува; **2.** човек, който няма право да гласува.

noodle[1] [nu:dl] *n* глупак, бунак.

noodle[2] *n обик. pl* юфка.

nook [nuk] *n* кът(че), ъгъл(че); скрито местенце; **to search every** ~ **and corner/cranny** търся навсякъде; **cosy** ~ приятно кътче.

noon [nu:n] *n* **1.** пладне (*и* **high** ~); **at** ~ по обед, в 12 часа; **2.** кулминационна точка, връх, зенит, разцвет; **3.** *attr* пладнешки.

noonday ['nu:ndei] *n* 1. (времето около) пладне; 2. *attr* пладнешки, обеден.

no one ['nouwʌn] *pron, n* никой.

noontide ['nu:ntaid] *n* пладне, обед.

noose[1] [nu:s] *n* 1. клуп, примка (*и прен.*); **to put o.'s head/neck in a** ~ слагам си сам въжето; сам се провалям; 2. ласо; 3. връзка, хомот, ярем.

noose[2] *v* 1. улавям с примка/ласо, впримчвам; 2. правя клуп на; връзвам на клуп.

no par ['nou'pa:] *a фин.* без номинална стойност.

nope [noup] *int sl.* не!

nor [nɔ:] *cj* също така не; нито; **neither** — ~ нито — нито; ~ **yet** нито пък; **I didn't see him,** ~ **did she** не го видях, не го видя и тя/тя също не го видя; **I said I had not seen him,** ~ **had I** казах, че не съм го видял, и така си е/това е самата истина; **all that is true,** ~ **must we forget it** всичко това е вярно и да не забравяме, че е така.

nor' [nɔ:] *съкр. от* **north**.

Nordic ['nɔ:dik] I. *a* северен (*от германската раса, скандинавски*); II. *n* жител на скандинавските страни, Финландия и Исландия.

Norfolk jacket [,nɔ:fək'ʤækit] *n* спортно сако с колан.

norm [nɔ:m] *n* 1. норма (*и на поведение*); образец; правило; стандарт; 2. дневна норма (*в производство и пр.*); режим; условия; 3. *биол.* типичен строеж.

normal ['nɔ:ml] . *a* 1. нормален, правилен, обикновен, редовен; типичен; 2. *геом.* перпендикулярен; II. *n* 1. обикновено състояние; **to get back/return to** ~ нормализирам се; 2. *мед.* нормална температура; 3. *геом.* нормала, перпендикуляр; 4. *физ.* средно число; 5. *хим.* еднонормален разтвор; □ ~ **school** педагогическо училище (*във Франция и пр.*).

normalcy, normality ['nɔ:məlsi, nɔ:'mæliti] *n* нормалност, обикновено състояние.

normalize ['nɔ:məlaiz] *v* нормализирам.

normally ['nɔ:məli] *adv* обикновено, по правило.

Norman ['nɔ:mən] I. *a* нормански; **the** ~ **Conquest** завладяването на Англия от норманите (*1066 г.*); ~ **style** *арх.* романски стил в Нормандия (*X—XI в.*) и в Англия (*XI—XII в.*); II. *n* 1. норманец; 2. нормански френски език.

normative ['nɔ:mətiv] *a* нормативен.

Norse [nɔ:s] I. *a* 1. норвежки; 2. старонорвежки; II. *n* 1. норвежки език; **Old** ~ старонорвежки; 2. старият език на Скандинавския полуостров.

Norse-man ['nɔ:smən] *n* (*pl*-men[-mən,-men]) 1. норвежец; 2. древен жител на Скандинавския полуостров; викинг.

north[1] [nɔ:θ] *n* 1. север; **room facing** ~ стая със северно изложение; 2. *обик.* N. северна област; част на страна; **to the** ~ (**of**) на/към север, в северна посока (от); **the N. (Country)** Северна Англия; 3. северен вятър.

north[2] *a* 1. северен (*за изложение, вятър*); 2. разположен на север.

north[3] *adv* на/към север, в северна посока; **to go** ~ пътувам на север/в северна посока; ~ **of** на север/северно от; **it lies** ~ **and south** простира се от север към юг; **due** ~ право на север; ~ **by east** *мор.* един румб източно от север.

northbound [,nɔ:θ'baund] *a* пътуващ в северна посока/към север.

north-countryman ['nɔ:θ,kʌntrimən] *n* обитател на Северна Англия.

north-east[1] [nɔ:θ'i:st] *n* североизток

north-east[2] *a* североизточен.

north-east[3] *adv* към североизток.

north-easter [,nɔ:θ'i:stə] *n* североизточен вятър.

north-easterly [,nɔ:θ'i:stəli] *a* 1. разположен на североизток; 2. който духа от североизток.

north-eastern [,nɔ:θ'i:stən] *a* разположен на североизток.

north-eastward[1] [,nɔ:θ'i:stwəd] I. *a* североизточен; II. *n* североизток.

north-eastward[2], **-eastwards** [-z] *adv* в североизточна посока.

norther ['nɔ:ðə] *n ам.* студен вятър/буря от север (*в юж. сев. ам. щати*).

northerly[1] ['nɔ:ðəli] *a* 1. северен (*за вятър*); 2. обърнат/насочен към север.

northerly[2] *adv* към север, в северна посока.

northern ['nɔ:ðn] *a* северен; ~ **lights** северно сияние.

northerner ['nɔ:ðənə] *n* 1. северняк; 2. човек от северните щати в САЩ.

northernmost [,nɔ:ðənmoust] *a* най-северен.

Northland ['nɔ:θlənd] *n поет.* север; северна част на страна; северна страна.

Northman ['nɔ:θmən] *n* (*pl*-men[-mən, men]) скандинавец.

northward[1] ['nɔ:θwəd] *adv* на север, в северна посока.

northward[2] *a* обърнат към север.

northwardly[1] ['nɔ:θwədli] *adv* към север, в северна посока.

northwardly[2] *a* северен (*за вятър*).

north-west[1] [,nɔ:θ'west] *n* 1. северозапад; 2. *attr* северозападен.

north-west[2] *adv* към северозапад, в северозападна посока.

northernmost [,nɔ:ðənmoust] *a* най-северен.

north-westerly, northwestern [,nɔ:θ'westəli, -'westən] *a* северозападен.

north-westward[1], **-westwards** [,nɔ:θ'westwəd, -z] *adv* към северозапад, в северозападна посока.

north-westward[2] I. *a* обърнат към северозапад; II. *n* северозапад.

Norwegian [nɔ:'wi:ʤən] I. *a* норвежки; II. *n* 1. норвежец; 2. норвежки език.

nor'-wester [nɔ:'westə] = **north-wester**.

nose[1] [nouz] *n* 1. нос; ~ **to** ~ лице срещу лице; **under your very** ~ , **right under your** ~ *прен.* под носа ти; **to hold o.'s** ~ запушвам си носа; 2. обоняние; усет, нюх, проницателност, прозорливост; **to have a good** ~ (**for**) имам тънък усет (за); **to have a bad** ~ (**for**) нямам усет (за); 3. аромат, букет (*на чай и пр.*); 4. предна част, нос (*на кола, кораб и пр.*); 5. отвор, отвърстие (*на духало и пр.*), струйник (*на маркуч*); 6. *sl.* шпионин, доносник; □ **before o.'s** ~ право пред себе си; **to bite/cut off o.'s** ~ **to spite o.'s face** от злоба към някого наврежам на себе си; **to follow o.'s** ~ 1) вървя право пред себе си; 2) вървя наслуки/където ми видят очите; 3) водя се по усета/инстинкта си; **to look down/turn up o.'s** ~ **at** гледам отвисоко на; **to make/pull a long** ~ **at** правя дълъг нос на; **to measure** ~s блъсваме се един в друг; **to pay through the** ~ плащам скъпо и прескъпо, излиза ми през носа; **to poke/put/thrust/stick o.'s** ~ **in s.o.'s affairs** пъхам си носа/гагата/меся се в работите на някого; **to keep o.'s** ~ **out of** не се бъркам в, не си навирам носа в; **to keep o.'s** ~ **clean** държа се прилично; избягвам неприятности; **to put s.o.'s** ~ **out of joint** измествам някого; смачквам му фасона (*като го измествам*); **to rub s.o.'s** ~ **in it** натривам носа на някого; **to wipe s.o.'s** ~ измамвам/изигравам някого; **with o.'s** ~ **in the air** с вирнат нос; **on the** ~ *sl.* съвсем точно.

nose[2] *v* 1. мириша, душа, надушвам, подушвам (*и*

прен.); **2.** вра се, навирам се, пъхам си носа навсякъде; търся, диря **(after, for)**; **3.** надушвам, откривам; узнавам; досещам се; обяснявам си; отгатвам; **4.** трия/търкам носа си в; пъхам си носа в; **5.** мор. пробивам си път, напредвам, плавам (за кораб);

   nose about/around дюша (и прен.), навирам си носа; **nose out 1)** надушвам, подушвам (и прен.); проследявам, откривам; **2)** придвижвам се/измъквам се бавно/внимателно.

nose-bag ['nouzbæg] n **1.** торба за зоб; **2.** разг. чанта с провизии.

nose-band ['nouzbænd] n долният ремък на юзда.

nose-bleed ['nouzbliːd] n мед. кръвотечение от носа.

nose-cone ['nouzkoun] n воен. главна (носова) част (на снаряд, ракета).

nosed [nouzd] a издаден.

nose-dive[1] ['nouzdaiv] n ав. пикиране.

nose-dive[2] v ав. пикирам.

nosegay ['nouzgei] n китка, букет.

nose-piece ['nouzpiːs] n **1.** = **nose-band; 2.** накрайник на микроскоп, където е обективът; **3.** част на шлем над носа; част от рамка на очила над носа.

nose-rag ['nouzræg] n sl. носна кърпа.

nosey = **nosy.**

nosh[1] [nɔʃ] n разг. храна; **~-up** хубаво хапване.

nosh[2] v разг. хапвам си.

no-show ['nouʃou] n ам. sl. неявил се пътник със запазено място.

nosing ['nouziŋ] n **1.** ръб на стъпало; **2.** арх. ръб на стена със защитна ивица.

nosology [nɔ'sɔləʤi] n мед. нозология (класификация на болестите).

nostalgia [nɔ'stælʤiə] n носталгия.

nostalgic [nɔ'stælʤik] a носталгичен.

nostril ['nɔstril] n ноздра.

nostrum ['nɔstrəm] n **1.** цяр за всичко, пенкилер; **2.** разковниче.

nosy ['nouzi] a **1.** с голям нос; **2.** sl. любознателен; любопитен; **~ parker** разг. много любопитен човек, който то се меси в чуждите работи; **3.** миризлив, със силна миризма.

not [nɔt] adv **1.** отр. на модални, спомагателни и смислови гл., ост. след смислови гл. не; **I do ~ know,** ост. **I know ~** не зная; **2.** с part, inf, ger не; **~ knowing, I cannot say** тъй като не знам, не мога да кажа; **I asked him ~ to come** помолих го да не идва; **you were wrong in ~ telling him** сбърка, че не му каза; **3.** елиптично след гл. като think, hope, seem и пр. не; **can you see him tomorrow? — I'm afraid ~** можеш ли да го видиш утре? — боя се, че не (мога); **will it rain again? — I hope ~** пак ли ще вали? — надявам се, че няма (да вали); **if it clears, we will go out, if ~ ,** ако се проясни, ще излезем, ако не — няма; **I would as soon do it as ~** повече съм наклонен да го направя, отколкото не; **4.** в съчет. не; **~ a few** не малко, мнозина; **~ seldom** не рядко; **~ a bit of it** ни най-малко; **~ but** макар че; **~ but that** макар и да; **~ but what** не че; **~ that** не че; **5.** емфатично ни, нито; **~ one** ни един; **~ a thing** абсолютно нищо; **6.** емфатично с повторено мест. след отр. изр.: **I will ~ go there, ~ I** че аз няма да ида там, няма, аз да ида там — никога!

nota bene [ˌnoutə'biːni] v итр лат. забележки (съкр. **nb, NB**).

notability [ˌnoutə'biliti] n **1.** знаменитост; **2.** значение, значителност.

notable ['noutəbl] **I.** a **1.** забележителен; бележит, виден; изтъкнат, прочут; **2.** ост. способен, чевръст, къщовен (за домакиня); **II.** n първенец, видна личност; ист. нотабил.

notably ['noutəbli] adv **1.** значително; **2.** изключително, извънредно, особено; **3.** забележимо, видимо.

notarial [nou'tɛəriəl] a юр. нотариален.

notarize ['noutəraiz] v юр. заверявам нотариално.

notary ['noutəri] n нотариус (и **~ public**); **~'s office** нотариат.

notate [nou'teit] v **1.** означавам със знаци, цифри и пр.; **2.** муз. нотирам.

notation [nou'teiʃn] n **1.** бройна система за означаване със знаци, цифри и пр.; **2.** муз. нотиране; **musical ~** ноти; **3.** система за означаване, нотация; **phonetic ~** фонетична транскрипция; **arithmetical ~** аритметични знаци.

notch[1] [nɔtʃ] n **1.** изрез; прорез; рязка; вдлъбнатина; дълбей; бразда; щръбка, нащърбеност; **2.** зъб (на храпово колело); **3.** ам. проход, клисура; **4.** разг. степен, равнище, ниво.

notch[2] v **1.** издълбавам, врязвам; правя рязка/изрез (на рабош и пр.); прокарвам V-образен канал; **2.** назъбвам; **3.** to **~ up** разг. постигам (нов рекорд); **4.** бележа, отбелязвам (и с **up, down**).

notched [nɔtʃt] a **1.** издълбан с дълбеи/резки/бразди; нащърбен; **2.** назъбен, зъбчат.

notch wheel ['nɔtʃ'wiːl] n храпово колело.

note[1] [nout] n **1.** обик. pl бележка; **to make/take a ~ of** записвам си, вземам си бележка за; **to take ~ of** вземам си бележка от, вземам под внимание; **to make a mental ~ of** запомням, вземам си бележка за; **to make/take a careful/good/due ~ of** вземам си добра бележка от; **to take ~s** записвам, водя си записки; **2.** забележка, обяснителна бележка, тълкуване, пояснение; **3.** писъмце, бележка; **4.** фин., юр. запис (на заповед), полица (обик. **~ of hand, promissory ~**); **5.** банкнота; **6.** (дипломатическа) нота; **7.** муз. нота (и **~ of music, musical ~**); звук, тон; **to write down in ~s** нотирам; **8.** песен (на птичка); **9.** клавиш; **10.** тон, нотка; **to change o.'s ~** променям тона, запявам друга песен; **to sound a ~ of warning** предупреждавам; **to sound the ~ of war** говоря за война; **to strike/hit the right ~** отразявам правилно; попадам в тон (в дадено общество, компания); **to sound a false/the wrong ~** свиря/пея фалшиво, фалшивя; **to strike a false/the wrong ~** удрям фалшива нота; звуча фалшиво (и прен.); **11.** отличителен знак/белег, характерна черта/особеност, признак; **12.** препинателен знак; **13.** ост. клеймо, петно; **~ of infamy** позорно петно; **14.** репутация, известност, реноме; **scientist of ~** изтъкнат/известен/виден учен; **15.** внимание; **to take ~ of** обръщам внимание на.

note[2] v **1.** наблюдавам, забелязвам, долавям, схващам; **2.** отбелязвам (си), записвам (си) (и с **down**); **3.** снабдявам с пояснителни бележки.

notebook ['noutbuk] n бележник, тефтерче, тетрадка.

notecase ['noutkeis] n портфейл.

noted ['noutid] a виден, бележит, прочут, известен **(for).**

noteless ['noutlis] a **1.** незабележителен, незначителен; **2.** немузикален.

notepaper ['noutˌpeipə] n хартия за писма.

noteworthy ['noutˌwəːði] a достоен за внимание/отбелязване, забележителен.

nothing[1] ['nʌθiŋ] n **1.** нищо; **~ else than/(else) but** нищо друго освен; само; чисто и просто; **~ if not** преди всичко; извънредно, крайно; **~ special/**разг. **very much** нищо особено; **~ less than** ни повече, ни по-малко от; направо, не друго, а; чисто и просто; **~**

nothing[1] 63

short of едва ли не, почти; **for ~** напразно, залудо; без полза; безплатно, безвъзмездно; **~· of value** нищо ценно; **~ of the kind** нищо подобно; **all to ~** всичко напразно; **apropos of ~** без никакъв повод; без всякаква връзка; **there is ~ for it but to** не остава нищо друго, освен да; **to have ~ for it but to** не ми остава нищо друго/нямам друг избор, освен да; **~ to, as ~ compared with/to** нищо в сравнение с/пред; **to have ~ to do** нямам какво да правя; **to be/mean ~ to s.o.** не представлявам интерес за някого; **that is ~ to** 1) това не засяга/вълнува (*някого*); 2) това не може да се сравни с; **~ doing** *разг.* няма го майстора, тая няма да я бъде; **to be for ~** нямам никакво значение; не играя никаква роля (**in**); **to come to ~** не постигам целта си; нямам никакъв успех, пропадам, провалям се; **no ~** *след отр., шег., разг.* ни, нищо; **he has no house, no home, no ~** той няма ни къща, ни дом, ни нищичко; **2.** нищожество; дреболия; **mere ~** дребна работа; **the little ~s of life** дребните неща в живота; **3.** небитие; **4.** *мат.* нула; □ **to be ~** безверник/атеист съм.

nothing² *adv* никак, съвсем/далеч не, ни най-малко; **~ like so/as good** далеч/съвсем не толкова добър; **the house is ~ near as large as I expected** къщата съвсем не е толкова голяма, колкото очаквах.

nothingness [ˈnʌθiŋnis] *n* **1.** нищо, небитие; **2.** нищожност, незначителност, маловажност, баналност; дреболия.

notice¹ [ˈnoutis] *n* **1.** съобщение, известие; предупреждение; **~ to quit** предупреждение да напусне (*за наемател*); **at a moment's ~** при първо поискване; всеки момент, незабавно, ей сега; без много да му мисля; **at/on short ~** в кратък срок, без да имам време да се подготвя, на бърза ръка, веднага; **till further ~** до второ разпореждане; **without ~** без предупреждение; **to give ~** уведомявам/известявам предупреждавам за напускане и пр.; **to give s.o. a month's ~** съобщавам някому, че ще бъде уволнен след един месец; **2.** надпис (*предупредителен и пр.*); **3.** обява, обявление; известие, антрефиле, бележка (*в печата*); **4.** внимание; **s.th. beneath o.'s ~** нещо, незаслужаващо внимание; **to bring to s.o.'s ~** осведомявам някого за, обръщам някому внимание върху; **to come under/catch s.o.'s ~** привличам вниманието на някого; **to come into ~** ставам център на/обръщам внимание; **to escape s.o.'s ~** оставам незабелязан; **to take ~ (of)** забелязвам, обръщам внимание (на); **to take no ~ (of)** не обръщам внимание (на); игнорирам; **5.** рецензия, отзив, критична бележка, преглед (*в печата*).

notice² *v* **1.** забелязвам, обръщам внимание (на); **2.** отбелязвам, изтъквам, подчертавам, споменавам; **3.** съобщавам/известявам предварително (на), предупреждавам; **4.** рецензирам, давам отзив за, правя преглед на; **5.** отнасям се внимателно/любезно/ учтиво към; почитам, уважавам.

noticeable [ˈnoutisəbl] *a* **1.** забележим; осезаем, осезателен, видим, явен, очевиден; **2.** заслужаващ внимание; **3.** забележителен.

notice-board [ˈnoutisbɔːd] *n* **1.** дъска за обяви; **2.** предупредителен надпис.

notifiable [ˈnoutifaiəbl] *a* за който трябва да се съобщи на здравните органи (*за болест*).

notification [ˌnoutifiˈkeiʃn] *n* **1.** съобщение, известяване, известие, уведомяване (*на властите за раждане,*

смърт, заразни болести и пр.); нотификация; **2.** обява, обявление.

notify [ˈnoutifai] *v* **1.** съобщавам, известявам (за), донасям (на), осведомявам, уведомявам; **to ~ s.o. of s.th., to ~ s.o. that** съобщавам някому за нещо/че; **to ~ the police of a loss, to ~ a loss to the police** съобщавам на полицията за нещо загубено; **2.** обнародвам, оповестявам, разгласявам.

notion [ˈnouʃn] *n* **1.** понятие, идея (*и фил.*), представа (**of** за); **he has no ~ of discipline** той няма понятие от дисциплина/не знае какво значи дисциплина; **2.** възглед, мнение, схващане; теория (**of**); **to have a ~ that** поддържам мнението, че; **3.** намерение; желание; хрумване, прищявка; **he has no ~ of obeying** той няма намерение да се подчини/да бъде послушен; **he has the ~ of selling our house** хрумнало му е да продаде къщата ни; **4.** способност; знание; **5.** *ам. pl* дреболии, джунджурии, дребни полезни уреди; **6.** *pl* галантерия, галантерийни стоки; **7.** *лог.* клас, категория.

notional [ˈnouʃənl] *a* **1.** умозрителен, спекулативен; отвлечен, абстрактен; идеен; **~ content** идейно съдържание; **2.** въображаем; **3.** *грам.* смислов.

notoriety [ˌnoutəˈraiəti] *n* **1.** известност; именитост; **2.** лоша слава; **3.** знаменитост (*за човек*).

notorious [nouˈtɔːriəs] *a* **1.** всеизвестен, общоизвестен; **it is ~ that** всеизвестно е, че; **2.** прословут, прочут, с лоша слава/име (**as, for**); **he is ~ for his goings-on** той се ползува с лоша слава (заради поведението си).

no-trump [ˈnoutrʌmp] *карти* **I.** *a* без козове (*за игра*); **II.** *n* игра без козове.

notwithstanding¹ [ˌnɔtwiθˈstændiŋ] *prep* въпреки.

notwithstanding² *adv* все пак, въпреки всичко.

notwithstanding³ *cj ост.* макар че/и (**that**).

nougat [ˈnuːɡɑː] *n* нуга.

nought [nɔːt] *n* **1.** нищо; **to bring to ~** съсипвам, разорявам, опропастявам; свеждам до нула; **to come to ~** нямам (никакъв) успех, пропадам, провалям се; **to set at ~** не смятам за нищо; не искам да зная за; **2.** *мат.* нула (*и прен.*); **~s and crosses** кръстчета и нули (*детска игра*).

noun [naun] *n* съществително име.

nourish [ˈnʌriʃ] *v* **1.** храня, поддържам; отхранвам; изхранвам, отглеждам; **2.** торя, наторявам; **3.** храня, тая в душата си, питая.

nourishing [ˈnʌriʃiŋ] *a* хранителен, питателен.

nourishment [ˈnʌriʃmənt] *n* **1.** хранене; **2.** храна; прехрана, препитание.

nous [naus] *n* **1.** *фил.* ум, разум, разсъдък, интелект; **2.** *разг.* пипе, акъл, здрав разум.

nouveau riche [ˌnuːvouˈriːʃ] *n фр.* (*pl* **nouveaux riches** [ˌnuːvouˈriːʃ]) новобогаташ.

nova [ˈnouvə] *n* (*pl*-**vas**, -**vae** [-viː]) *астр.* звезда, която свети много силно за известно време.

novation [nəˈveiʃn] *n юр.* новация.

novel¹ [ˈnɔvl] *a* **1.** нов, нововъведен, непознат досега; **2.** необикновен, странен, оригинален.

novel² *n лит.* роман; **short ~** новела, повест.

novelette [ˌnɔvəˈlet] *n* **1.** новела, повест, романче (*и пренебр.*); **2.** *муз.* новелета.

novelist [ˈnɔvəlist] *n* романист; **woman ~** романистка.

novelize [ˈnɔvəlaiz] *v* **1.** романизирам; **2.** подновявам.

novella [nəˈvelə] *n* **1.** разказ; **2.** новела, повест.

novelty [ˈnɔvəlti] *n* **1.** новост; нещо ново/необикновено/непознато; **2.** *pl* различни евтини стоки (*играчки, украшения и пр.*).

November [nouˈvembə] *n* **1.** ноември; **2.** *attr* ноемврийски.

novice ['nɔvis] *n* 1. послушник; 2. човек, приел нова вяра; новопокръстен; 3. новак, аджамия, начинаещ.

noviciate, -tiate [nou'viʃiət] *n* 1. *църк.* послушничество; 2. чираклък, стаж; 3. помещение за послушници.

now[1] [nau] *adv* 1. сега; веднага; **there and ~** ей сега, още сега; **just/**ост. **even/but ~** ей сега, току що, преди малко, тъкмо; **by ~** сега вече, досега; **up to/till/until ~** досега; **from ~ on(wards)** отсега нататък; 2. *частица за емоционално обагряне* де, бе, а (пък); обаче, хем, е, и, хайде, я; **~ , don't be angry** не се сърди, де; **~ what happened was this** и ето какво стана; **oh, come ~ !** хайде, хайде! недей така! **~ then!** хайде сега! □ **(every) ~ and then/again** от време на време; **~ — ~** ту — ту; **~ here, ~ there** ту тук, ту там; **for some time ~** от известно/доста време насам; **for a year ~** от една година вече.

now[2] *cj* сега когато, тъй като, понеже, щом (*и* **~ that**); **~ (that) you mention it, I do remember** сега, като спомена, си спомних; **~ (that) you are here, you'd better stay** щом си дошъл, най-добре да останеш.

now[3] *n* настоящето, времето, за което става дума.

nowadays ['nauədeiz] *adv* сега, в наши дни, понастоящем.

noway(s) ['nouwei(z)] = **nowise**.

nowhere[1] ['nouwɛə] *adv* 1. никъде; **~ near** никъде наоколо; **to get ~** донякъде не стигам, не постигам нищо; 2. далеч не; **~ near full** далеч не е пълен; **~ near as old** далеч/съвсем не толкова стар; □ **to come in/be ~** 1) *сп.* не съм класиран; 2) *прен.* хич ме няма, донякъде не стигам, не постигам нищо.

nowhere[2] *n* 1. несъществуващо място; 2. непознато/далечно/затънтено място; **in the middle of/miles from ~** *разг.* много далеч, по дяволите, в най-затънтено място.

nowise ['nouwaiz] *adv* ост. по никакъв начин, в никой случай, съвсем не.

noxious ['nɔkʃəs] *a* 1. вреден, вредителен, пакостен, пагубен (**to**); 2. нездравословен.

nozzle ['nɔzl] *n* 1. дюза; накрайник; щуцер; мундщук; струйник (*на маркуч*); 2. чучур (*на чайник*); 3. *sl.* нос; муцуна.

nth [enθ] *a мат.* енти; □ **to the ~ (degree)** до ента степен; *прен.* максимално.

nuance [nju:'a:ns] *n фр.* отсянка, нюанс.

nub [nʌb] *n* 1. (малка) буца, бучка (*особ. въглища*); 2. чеп, чвор, израстък; 3. същина, ядка.

nubbly ['nʌbli] *a* на буци/бучки.

nubile ['nju:bail] *a* (на възраст) за женене (*за жена*).

nuciferous [nju:'sifərəs] *a бот.* който ражда орехи.

nuclear ['nju:kliə] *a физ.* ядрен; **~ energy** ядрена енергия; **~ fission** ядрено делене; **~ fusion** ядрен синтез; **the ~ powers** атомните държави.

nuclear-powered [‚nju:kliə'pauəd] *a* задвижен с ядрена енергия.

nucleonics [‚nju:kli'ɔniks] *n pl c гл.* **a sing** *физ.* нуклеоника.

nucleus ['nju:kliəs] *n* (*pl* **-clei** [-kliai]) 1. *физ.* ядро; 2. *прен.* център, зародиш, наченки; 3. *астр.* ядро (*на комета*).

nude [nju:d] I. *a* 1. гол (*и прен.*); 2. *юр.* недействителен; 3. с телесен цвят; II. *n изк., фот.* голо тяло; **the ~** голото тяло; **in the ~** гол.

nudge[1] ['nʌdʒ] *v* бутам с лакът, сбутвам, смушквам.

nudge[2] *n* бутане, побутване, сбутване, смушкване.

nudist ['nju:dist] *n* 1. нудист; 2. *attr* нудистки.

nudity ['nju:diti] *n* голота.

nugatory ['nju:gətəri] *a* 1. незначителен, нищожен, маловажен; 2. безполезен, напразен, безпредметен, безрезултатен.

nugit ['nʌgit] *n* къс самороден метал/злато.

nuisance ['nju:səns] *n* 1. неприятност; безобразие; неудобство; беля; **what a ~ !** ех, че неприятно! 2. нарушение на обществения ред; нередност; **commit no ~ !** 1) пазете чистота! 2) тук не се ´уринира! 3. досаден/неприятен човек/нещо; напаст; **what a ~ that child is!** това дете е цяла напаст/е нетърпимо! **to make a ~ of o.s.** досаждам/дотягам (*някому*), идвам до гуша (*на някого*).

null [nʌl] I. *a predic* 1. *юр.* недействителен, невалиден, загубил законната си сила (*и* **~ and void**); 2. неизразителен, безличен; 3. равен на нула, никакъв, несъществуващ; II. *n* 1. нула; 2. нищожество; нещо без всякакво значение.

nullify ['nʌlifai] *v* 1. анулирам, унищожавам, 2. неутрализирам, обезсилвам.

nullity ['nʌliti] *n* 1. *юр.* недействителност, невалидност; **~ suit** дело за признаване на невалидност (*особ. на брак*); 2. недействителен закон/документ и пр.; 3. небитие, несъществуване; 4. нищожество, пълна нула.

numb[1] [nʌm] *a* вцепенен, вдървен, скован, вкочанен (**with** от); **to grow ~** вцепенявам се, вдървявам се, сковавам се, вкочанясвам се.

numb[2] *v* вцепенявам, вдървявам, сковавам, вкочанявам, вкочанясвам.

number[1] ['nʌmbə] *n* 1. брой, число, количество, сума, сбор; **a (great/large) ~**, **(great/large) ~s (of)** голям брой, много; **a small ~/small ~s (of)** малък брой, малко; **in ~s** в голям брой/количество; масово; **in great/small ~s** в голям/малък брой/количество; **in round ~s** в кръгли цифри; приблизително; **ten in ~** десет на брой; **to exceed in ~** превъзхождам числено; **to the ~ of** на брой; **out of/without ~** безброй, безчет; 2. *pl* численост, числено превъзходство (*u* **force of ~s**); 3. *мат.* цифра, число, сума, сбор; **science of ~s** аритметика; **broken ~** дроб; 4. номер; **~ one** номер първи; **house/telephone ~** номер на къща/телефон; 5. брой (*на вестник*), книжка (*на списание*); **in ~s** на части (*свезки*); 6. *грам.* число; 7. *pl* аритметика; **to be good at ~s** добър съм по смятане; 8. *pl муз.* ноти; 9. *pl* стихотворен размер, стъпка; *ост.* стихове; 10. *sl* момиче, гадже, мацка; 11. *разг.* номер (*в естрадна програма*); отделна ария и пр. (*от опера, оратория*); 12. *търг. разг.* артикул; 2. *pl* ~**s goes/is up** 1) лоша ми е работата, песента ми е изпята, лошо ми се пише; 2) на умиране съм; **to get/take s.o.'s ~** *ам.* съставям си мнение за някого, разбирам колко (пари) струва някой; **~ one** (№ 1) аз, моя милост; **to look after/take care of ~ one** грижа се за себе си/за собствените си интереси; **he is of our ~** той е от нашите/нашата компания, **to have s.o.'s ~** *sl.* разбирам нечии подбуди/мотиви.

number[2] *v* 1. броя, преброявам; 2. броя, наброявам, съм на брой, възлизам на; **we ~ed 20 in all** бяхме общо 20 души на брой; 3. номерирам; 4. смятам, включвам, причислявам, отнасям (**among, in, with**); 5. *pass* ограничавам по брой; **his days are ~ed** дните му са преброени; 6. *воен.* преброяваме се; разчитаме се (**off**)

numberless ['nʌmbəlis] *a* безброен, безчислен, неизброим, безчетен.

number one [‚nʌmbə'wʌn] *a* първокласен; пръв по значение.

number-plate ['nʌmbəpleit] *n* 1. *авт.* регистрационен номер; 2. табелка с номер (*на къща*).

numeral ['nju:mərəl] I. *a* числен; цифров; цифрен; II. *n* 1. цифра, число; 2. *грам.* числително.

numerary ['nju:mərəri] *a* числен.

numeration [,nju:mə'reiʃn] *n* 1. броене, преброяване; 2. пресмятане, изчисляване, изчисление; 3. номериране, номерация.

numerator ['nju:məreitə] *n* 1. броител, броец; 2. *мат.* числител.

numeric [nju:'merik] *n* *мат.* цифрената част на израз.

numerical [nju:'merikl] *a* числен; цифрен; ~ **data** цифрови данни.

numerically [nju:'merikəli] *adv* числено, в числа.

numerous ['nju:mərəs] *a* 1. многоброен, многочислен, голям; *пред същ. в pl* много; **the ~ voice of the people** *ост.* хорската глъчка; ~ **country** *ост.* гъсто населена страна; 2. стихотворен; ритмичен.

numinous ['nju:minəs] *a* вдъхващ страхопочитание/благоговение: божествен.

numismatic [,nju:miz'mætik] *a* нумизматичен.

numismatics [,nju:miz'mætiks] *n pl с гл. в sing* нумизматика.

numismatist [nju:'mizmətist] *n* нумизмат(ик).

numskull ['nʌmskʌl] *n* дръвник, глупак.

nun [nʌn] *n* 1. монахиня, калугерка; 2. *зоол.* син синигер (Parus caeruleus); 3. *зоол.* вид патица (Mergus albellus); 4. *зоол.* забулен гълъб (Columba livia cucullata); 5. *зоол.* вид американски кълвач от рода Monasa.

nuncio ['nʌnʃiou] *n* нунций, папски посланик.

nuncle ['nʌnkl] *n ост.* чичо.

nuncupate ['nʌnkju:peit] *v юр.* правя устно завещание.

nunnery ['nʌnəri] *n* женски манастир.

nuptial ['nʌpʃəl] *a книж.* I. *a* брачен, сватбен; II. *n pl* сватба.

nurse[1] [nə:s] *n* 1. дойка, кърмачка; 2. бавачка; **to put (out) to ~** поверявам на бавачка; *прен.* предавам (*имот*) на доверено лице; 3. медицинска сестра; санитар, болногледач (*и* **male ~**); **maternity ~** акушерка; 4. *прен.* люлка; развъдник; страна, родина; 5. дърво, посадено за защита на млади растения; 6. пчела работничка.

nurse[2] *v* 1. кърмя, откърмям, отхранвам, отглеждам (*дете*); *pass* бивам отгледан; ~**d in luxury** пораснал в разкош; 2. бавя, гледам, грижа се за, бавачка съм на (*дете*); 3. гледам, грижа се за (*болен*); **she ~d him back to health** той оздравя благодарение на нейните грижи; 4. лекувам (*болест*); **to ~ a cold** не излизам, за да се изцеря от хрема; **to ~ o.'s wounded arm** пазя ранената си ръка (за да ми мине по-скоро); 5. отглеждам (*растение*); 6. усилвам (*огън*); 7. храня, тая в душата си, питая, лелея; 8. подпомагам, спомагам/допринасям за, насърчавам; 9. държа (*на коленете, скута си*), прегръщам; държа, хванал съм (*коляното, крака си*); 10. галя, милвам; 11. седя съвсем близо до (*огън*); 12. обръщам особено внимание на, поддържам редовни връзки с, коткам (*напр. избирателите си — за политик*); 13. пестя; икономисвам; стопанисвам; 14. *билярд* групирам топки за карамбол.

nurse[3] *n зоол.* вид голяма акула (*вж:* **nurse shark**).

nurse-child ['nə:stʃaild] *n* дете, дадено на кърмачка; хранение.

nurseling ['nə:sliŋ] *n* кърмаче; сукалче, бозайниче.

nurse-maid ['nə:smeid] *n* бавачка.

nursery ['nə:səri] *n* 1. детска стая; 2. детски ясли; 3. разсадник (*и прен.*); 4. *прен.* огнище; 5. развъдник, разплодник, инкубатор. люпилня; 6. рибарник.

nursery-garden ['nə:səri,ga:dn] *n* разсадник.

nursery-governess ['nə:səri,ɡʌvənis] *n* възпитателка на малки деца.

nurserymaid ['nə:sərimeid] = **nurse-maid**.

nurseryman ['nə:sərimən] *n* пепинерист.

nursery rhyme ['nə:səriraim] *n* стихотворение/песничка за деца.

nursery school ['nə:sərisku:l] *n* детска градина.

nurse shark ['nə:sʃa:k] *n зоол.* 1. гренландска акула (Somniosus microcephalus); 2. вид южноатлантическа акула (Ginglymostoma cirratum).

nursing-home ['nə:siŋhoum] *n* частна клиника/болница.

nurture[1] ['nə:tʃə] *n* 1. отглеждане, отхранване; родителски грижи; възпитание; възпитаване; 2. *ост.* хранене; храна.

nurture[2] *v* храня, отхранвам, изхранвам; отглеждам; възпитавам.

nut [nʌt] *n* 1. орех, лешник, фъстък и пр.; **a hard ~ to crack** *прен.* костелив орех, не за всяка уста лъжица, трудна задача; опак човек; 2. *sl.* глава, тиква, кратуна; **off o.'s ~** не с всичкия си, смахнат, дръпнат, побъркан; **to go off/do o.'s ~** изхвръква ми чивията, побърквам се; 3. *ам.* смахнат човек; 4. *ост. sl.* конте, франт; 5. *тех.* гайка; муфа с резба; 6. *pl* зърнести каменни въглища; □ **he can't sing for ~s** хич го няма в пеенето; **to be ~s on/about** 1) разбирам много от, вещ/опитен съм по отношение на; 2) обичам много, запален съм по; ~**s and bolts** практически подробности; **to be ~s to (s.o.)** *sl.* много се харесвам/доставям голямо удоволствие на (някого); **to be ~s** *ам. sl.* побъркан съм.

nutation [nju:'teiʃn] *n* 1. кимане; 2. наклоняване; 3. *физ., бот., мед.* нутация; 4. *астр.* колебание на земната ос.

nut-brown ['nʌtbraun] *a* 1. кестеняв; 2. мургав.

nut-case ['nʌtkeis] *n sl.* луд човек.

nut-cracker ['nʌt,krækə] *n* 1. *pl* лешникотрошачка; 2. *зоол.* орешарка (Nucifraga).

nut-gall ['nʌtgɔ:l] *n бот.* шикалка.

nuthatch ['nʌthætʃ] *n зоол.* горска зидарка (*птица*) (Sitta europaea).

nut-house ['nʌthaus] *n sl.* болница за душевноболни.

nutmeg ['nʌtmeg] *n бот.* мускатово/индийско орехче (Myristica fragrans).

nutria ['nju:triə] *n* 1. *зоол.* нутрия (Myocastor coypus): 2. кожата на нутрия.

nutrient ['nju:triənt] *a* хранителен, питателен.

nutriment ['nju:trimənt] *n книж.* храна.

nutrition [nju:'triʃən] *n* 1. храна; 2. хранене.

nutritious [nju:'triʃəs] *a* хранителен, питателен.

nutritive ['nju:tritiv] I. *a* 1. хранителен, питателен; 2. отнасящ се до храна; II. *n* хранително вещество, храна.

nuts [nʌts] *int* глупости!

nutshell ['nʌtʃel] *n* орехова/лешникова черупка; **in a ~** накъсо, накратко, с няколко думи, вкратце; **to put s.th. in a ~** казвам с две думи/накратко/кратко и ясно.

nutting ['nʌtiŋ] *n* бране на лешници; **to go ~** отивам за лешници.

nut-tree ['nʌttri] *n* орех (*дърво*).

nutty ['nʌti] *a* 1. изобилствуващ с орехи; 2. с вкус на орех; 3. вкусен; 4. *sl.* лапнал, който лудее (**on** no); 5. *sl.* смахнат, побъркан, дръпнат, налудничав.

nuzzle ['nʌzl] *v* 1. душа; ровя с муцуната си (**into** в); търкам си муцуната (**against** в), пъхам си муцуната (**into**); 2. гуша се, сгушвам се, притисквам се (**at, against**).

nyctalopia [ˌniktə'loupiə] *n мед.* кокоша слепота, никтало-
пия.
nylon ['nailən] *n* 1. найлон; 2. *pl разг.* найлонови чорапи;
3. *attr* найлонов
nymph [nimf] *n мит.* нимфа (*и прен.*).

nymphlike ['nimflaik] *a* като (на) нимфа.
nymphomania [ˌnimfou'meinjə] *n мед.* нимфомания.

O

O,o[1] [ou] *n* 1. буквата O; 2. O нула (*в телефонен но-
мер и пр.*).
o[2] = **oh.**
o' [ə] = **of**
oaf [ouf] *n* 1. дебелак, простак; 2. глупак; 3. *ост.* уродли-
во дете.
oafish ['oufiʃ] *a* 1. дебелашки, просташки; 2. малоумен,
слабоумен.
oak [ouk] *n* 1. *бот.* дъб (Quercus); 2. дървесината на дъ-
ба; 3. дъбови листа (*като украса*); 4. *унив.* външна
врата; **to sport o.'s** ~ *sl.* затварям вратите си за/не
приемам посетители; 5. **the O.s** надбягване за триго-
дишни кобили; 6. *attr* дъбов.
oak-apple ['oukæpl] *n бот.* шикалка.
oaken ['oukən] *a поет.* дъбов.
oak-fig-gall ['oukfig-gɔ:l] =**oak-apple.**
oakum ['oukəm] *n* кълчища (*от разсукани въжета*); **to
pick** ~ разчепквам кълчища.
oar[1] [ɔ:] *n* 1. гребло, весло, лопата; ~**s!** суши греблата!
to lie/rest on o.'s ~ суша греблата; *прен.* преставам
да работя; отпускам се, почивам си за малко; 2.
гребец; 3. *зоол.* перка, използувана при плува-
не; □ **to be chained to the** ~ *прен.* черен роб съм;
to have an ~ **in** меся се в чужди работи; **to
put/stick/shove o.'s** ~ **in** меся се, намесвам се, бър-
кам се.
oar[2] *v поет.* греба; карам (*лодка и пр.*); **to** ~ **o.'s way**
напредвам.
oarlock ['ɔ:lɔk] *n* клин, ключ (*за гребло*).
oarsman ['ɔ:zmən] *n* (*pl* -**men**) гребец.
oarsmanship ['ɔ:zmənʃip] *n* гребане.
oarswoman ['ɔ:zwumən] (*pl* -**women** [-wimin]) *ж.р. от*
oarsman.
oasis [ou'eisis] *n* (*pl* -**ses** [-si:z]) оазис.
oast [oust] *n* пещ за сушене на хмел.
oasthouse ['ousthaus] *n* сушилня за хмел
oat [out] *n* 1. *pl бот* овес (Avena sativa); **wild** ~**s** див овес
(Avena fatua); 2. *поет.* овчарска свирка; 3. *pl с гл. в*
sing овесена каша; □ **to be off o.'s** ~ *разг.* нямам
апетит; **to feel o.'s** ~**s** *разг.*1) оживен съм; 2) прида-
вам си важност; **wild** ~**s** младежки увлечения; **to sow
o.'s wild** ~**s** налудувам се/поживявам си на младини.
oatcake ['outkeik] *n* безквасна овесена питка.
oath [ouθ] *n* 1. клетва, заричане, оброк; ~ **of allegiance**
клетва за вярност; войнишка клетва; ~ **of office**
клетва при встъпване в длъжност; **on/under** ~ под
клетва; **to make/take/swear an** ~, **to take the/an** ~
полагам клетва, заклевам се; **to put s.o. on/under** ~
юр. заклевам някого; **on my** ~ честна дума; 2. псув-
ня, богохулство.
oatmeal ['outmi:l] *n* овесено брашно.
obduracy ['ɔbdjurəsi] *n* 1. закоравялост; 2. коравосърдеч-
ност, безсърдечие; 3. упоритост, упорство, неот-
стъпчивост.

obdurate ['ɔbdjurət] *a* 1. закоравял; 2. коравосърдечен,
безсърдечен; 3. упорит, неотстъпчив.
obeah ['oubiə] = **obi**[1].
obedience [ə'bi:djəns] *n* 1. подчинение, покорство, послу-
шание; съобразяване (*с* to); **in** ~ **to** съобразно; в съ-
гласие с, според; **passive** ~ формално подчинение; **to
reduce s.o. to** ~, **to compel** ~ **from s.o.** принуждавам
някого да се подчини; 2. авторитет; власт; 3. *църк.*
паство.
obedient [ə'bi:djənt] *a* покорен, послушен; **your** ~ **servant**
търг. покорно Ваш; с уважение (*на края на офи-
циално писмо*).
obeisance [ou'beisəns] *n книж.* 1. поклон, реверанс; 2. по-
чит, уважение; **to do/make/pay** ~ **to** изразявам по-
читта/уважението си към; покланям се на.
obelisk ['ɔbəlisk] *n* 1. обелиск; 2. *печ.* знак (— или ÷) в
стар ръкопис за отбелязване на съмнителна дума;
3. *печ.* кръстче (*знак за препратка*).
obelus ['ɔbiləs] = **obelisk** 2.
obese [ou'bi:s] *a* прекалено пълен
obesity [ou'bi:siti] *n* прекалена пълнота.
obey [ə'bei] *v* подчинявам се, покорявам се (на); слушам.
obfuscate ['ɔbfʌskeit] *v книж.* 1. помрачавам, размътвам
(*и ум*); 2. обърквам, смущавам, пораждам недоуме-
ние.
obi[1] ['oubi] *n афр.* 1. магия; ~ **man** магьосник; 2. фетиш.
obi[2] *n яп.* широк копринен пояс.
obit ['ɔbit] *n ост.* 1. (дата на нечия) смърт; 2. погребение;
3. заупокойна молитва; панихида; 4. некролог.
obituary [ə'bitjuəri] *n* 1. некролог, жалейка; 2. кратка
биография на покойник (*в печата*); 3. *църк.* синодик,
поменна книжка с имената на покойници; 4. *attr* по-
гребален; свързан с некролог; ~ **notice** некролог,
жалейка.
object[1] ['ɔbdʒikt] *n* 1. предмет (*и прен.*), вещ; обект (of,
for); ~**s of common use** предмети от първа необходи-
мост; ~ **of study** предмет на изучаване; **he is a
proper** ~ **of/for admiration** той е достоен за възхище-
ние; 2. цел, намерение; значение; **no** ~ без значение;
money is no ~ парите нямат значение (*в случая*); **to
succeed/fail in o.'s** ~ постигам/не постигам целта си;
to have for/as an ~ имам за цел; 3. *грам.* допълне-
ние; ~ **clause** подчинено допълнително изречение; 4.
разг. човек/нещо с жалък/смешен вид, „скица"; **what
an** ~ **you have made of yourself!** погледни се само на
какво приличаш!
object[2] [əb'dʒekt] *v* възразявам, противопоставям се, про-
тестирам (to, against, that); не одобрявам, имам не-
що против, не мога да приема (to *c ger*); **I** ~ (against
him) that ... възраженията ми (срещу него) са, че...;
if you don't ~ ако нямате нищо против; **I** ~ **to being
treated like this** не мога да приема да се отнасят с
мен така.
object-finder ['ɔbdʒikt,faində] *n* визьор (*на микроскоп*)
object-glass ['ɔbdʒiktglɑːs] *n опт.* обектив.
objectify [əb'dʒektifai] *v* обективирам, конкретизирам, въ-
плъщавам.
objection [əb'dʒekʃn] *n* 1. възражение, противопоставяне,
протест; **to take/make an** ~ **to** възразявам против; **to**

raise no ~s не повдигам възражения, не възразявам; **I see no ~ to his going** не виждам защо да не отиде; **2.** неодобрение, нехаресване; **he has a strong ~ to getting up early** той никак не обича да става рано; **3.** недостатък, лоша страна (**to**).

objectionable [əb'dʒekʃnəbl] *a* **1.** предизвикващ възражения, нежелателен; **2.** осъдителен; **3.** неприятен, противен.

objective [əb'dʒektiv] **I.** *a* **1.** обективен, предметен, конкретен, осезаем, действителен; **2.** обективен, безпристрастен; **3.** *грам.* отнасящ се до допълнението; **~ case** винителен/косвен падеж; **4.** *воен.* прицелен; **~ point** обект; **II.** *n* **1.** цел, обект (*и воен.*); **2.** *грам.* косвен/винителен падеж; **3.** *опт.* обектив.

objectivism [əb'dʒektivizm] *n* *фил.* обективизъм.

objectivity [ˌɔbdʒek'tiviti] *n* обективност.

objectivize [ɔb'dʒektivaiz] = **objectify**.

object-lens ['ɔbdʒekt lenz] *n* *опт.* обектив.

objectless ['ɔbdʒiktlis] *a* безпредметен, безцелен.

object-lesson ['ɔbdʒikt lesn] *n* **1.** нагледен урок; **2.** *прен.* нагледен пример/урок/доказателство.

objet d'art [ˌɔdʒei'da:] *n* *фр.* (*pl* -ets d'art [-ei]) малко художествено произведение.

objurgate ['ɔbdʒə:geit] *v* *книж.* коря, упреквам; мъмря, карам се на.

objurgation [ˌɔbdʒə:'geiʃn] *n* укор, упрек, мъмрене.

oblate[1] ['ɔbleit] *a* сплеснат (*на полюсите*).

oblate[2] *n* човек, посветил се на монашески живот и пр.

oblation [ou'bleiʃn] *n* **1.** жертвоприношение; **2.** *църк.* причастие; жертва; **3.** пожертвувание, дар, дарение.

obligate ['ɔbligeit] *v* *обик. pass* задължавам, вменявам в дълг на.

obligation [ˌɔbli'geiʃn] *n* **1.** задължение, ангажимент; **of ~** задължителен; **law of ~** *юр.* облигационно право; **2.** принудителна сила (*на закон и пр.*); **3.** морален дълг/задълженост; **under an ~** задължен (**to към**); **длъжен** (**to да**);**to lay/put/place s.o. under an ~** задължавам/обвързвам някого; **to fulfil/repay an ~** отплащам се.

obligatory [ə'bligətəri] *a* задължителен (**on**); който задължава.

oblige [ə'blaidʒ] *v* **1.** задължавам; *особ. в pass* принуждавам, заставям; изисквам от (**to** *с inf*); **to be ~d to** трябва/налага ми се/длъжен съм да; **2.** услужвам, правя услуга на (**with; by** *с ger*); **please ~ me by closing the door** бъдете така любезен да затворите вратата, моля затворете вратата; **you would ~ me by working harder** бъди любезен да работиш повечко; **3.** *pass* задължен/признателен съм; благодаря (**to, for**); **I am much ~d (to you)** много ви благодаря; **4.** *разг.* съгласявам се да участвувам (*в забава и пр.*); **she ~d by playing the piano/with a song** тя се съгласи да посвири на пиано/да изпее една песен.

obligee [ˌɔbli'dʒi:] *n* **1.** *юр.* носител на облигационно право, кредитор; **2.** задължен (*за услуга*).

obliging [ə'blaidʒiŋ] *a* услужлив, любезен, внимателен.

obligor [ˌɔbli'gɔ:] *n* *юр.* длъжник.

oblique[1] [ə'bli:k] *a* **1.** кос; скосен; наклонен; полегат; **2.** *геом.* остър или тъп (*за ъгъл*); **3.** косвен, обиколен; уклончив; прикрит; неискрен; непочтен; **~ methods/ways** прикрити/непочтени похвати; **~ reference** загатване, подмятане; **4.** *грам.* косвен (*за падеж*); непряк (*за реч*); **~ narration/speech** непряка реч; **5.** *бот.* с нееднакви страни, несиметричен (*за листо*); **6.** *воен.* косоприцелен, страничен (*за огън*).

oblique[2] *v* **1.** отклонявам се (*от права линия*); **2.** наклонявам се; **3.** *воен.* напредвам косо.

obliquely [ə'bli:kli] *adv* **1.** косо; наклонено; **2.** по заобиколен начин.

obliquity [ə'blikwiti] *n* **1.** полегатост, наклоненост; **2.** *прен.* отклонение от правия път; поквара; неискреност; непочтеност.

obliterate [ə'blitəreit] *v* **1.** изтривам, изличавам, заличавам; зачертавам; **2.** премахвам, унищожавам (*пощенска марка и пр.*); заличавам; **to ~ the past** слагам кръст на миналото, обръщам нова страница.

obliteration [ə,blitə'reiʃn] *n* **1.** изтриване, изличаване, заличаване, зачертаване; **2.** премахване, унищожаване; унищожение; заличаване; **3.** *мед.* облитерация, зарастване.

oblivion [ə'bliviən] *n* **1.** забрава, забвение; **to fall/sink into ~** потъвам в/бивам предаден на забвение, бивам забравен; **2.** забравяне, пренебрегване, незачитане; **3.** помилване, амнистия (*и* Act of O.).

oblivious [ə'bliviəs] *a* **1.** забравил (**of**); разсеян; **2.** *поет.* причиняващ забрава; **3.** *разг.* несъзнаващ.

oblong ['ɔblɔŋ] **I.** *a* **1.** продълговат; дългнест; изтеглен, удължен; **2.** *геом.* правоъгълен; **II.** *n* **1.** продълговата фигура/предмет; **2.** *геом.* правоъгълник.

obloquy ['ɔbləkwi] *n* **1.** злословие, ругатни, хули, клевети; клеветене; **2.** позор, безчестие.

obnoxious [əb'nɔkʃəs] *a* противен, извънредно неприятен, омразен (**to**).

oboe ['oubou] *n* *муз.* обой.

obscene [əb'si:n] *a* **1.** скверен, сквернословен, крайно неприличен; нецензурен; порнографски; **2.** мръсен, покварен, противен; **3.** гнусен, гаден.

obscenity [əb'seniti] *n* **1.** сквернословие, неприличие; **2.** мръсотия; **3.** гнусотия, гадост.

obscurant[1] [əb'skjuərənt] *n* обскурант, мракобесник, реакционер.

obscurant[2] *a* мракобеснически, реакционен.

obscurantism [ˌɔbskjuə'ræntizm] *n* обскурантизъм, мракобесие, реакционерство.

obscure[1] [əb'...ə] *a* **1.** тъмен; мрачен; **2.** *прен.* неясен, объркан, ...разбирам; **3.** неясен, неизвестен, задачаващ; **4.** смътен, неопределен (*за мотив, чувство*); **5.** затънтен, уединен; незначителен; **6.** скромен (*за потекло и пр.*); малко известен; **7.** *фон.* тъмен (*за гласна*).

obscure[2] *v* **1.** затъмнявам; **2.** *прен.* засенчвам, помрачавам; **3.** скривам, закривам (*гледка и пр.*).

obscurity [əb'skjuəriti] *n* **1.** тъмнина; мрак; **2.** неясност, неразбираемост, мъглявост; **3.** скромен живот; неизвестност; **to live in ~** живея скромно и уединено.

obsecration [ˌɔbsi'kreiʃn] *n* *рел.* молба.

obsequies ['ɔbsikwiz] *n pl* *книж.* погребални обреди; погребение.

obsequious [əb'si:kwiəs] *a* раболепен, угоднически, сервилен.

observable [əb'zə:vəbl] *a* видим, забележим.

observance [əb'zə:vəns] *n* **1.** спазване, съблюдаване (*на закон, обичай и пр.*); празнуване; **2.** обред, ритуал, обичай (*особ. религиозен*); чествуване; **3.** *ост.* уважение, почитание.

observant [əb'zə:v..t] *a* **1.** наблюдателен; бдителен; **2.** *книж.* изпълняващ, съблюдаващ (*закони, обичаи и пр.*) (**of**).

observation [ˌɔbzə'veiʃn] *n* **1.** наблюдение; **hidden from ~** скрит от погледите; **2.** наблюдателност; **3.** *обик. pl* (резултати от) наблюдение, опити от наблюдаване/измерване; **4.** забележка; изказване; **5.** съблюдаване, спазване; 6. *attr* наблюдателен, за наблюдения.

observation-car [ˌɔbzə'veiʃnkaː] *n ам. жп.* (луксозен) вагон с много прозорци за наблюдаване на пейзажа.

observation-ward [ˌɔbzə'veiʃnwɔːd] *n мед.* отделение за болни под наблюдение.

observatory [əb'zɔːvətri] *n* 1. обсерватория; 2. наблюдателен пункт.

observe [əb'zɔːv] *v* 1. следя, наблюдавам; **man who ~s keenly** много наблюдателен човек; 2. забелязвам, усещам, долавям; 3. спазвам, съблюдавам (*правила, обичаи и пр.*); празнувам (*годишнина и пр.*); **failure to ~ the law** нарушение на закона; 4. казвам, забелязвам, отбелязвам.

observer [əb'zɔːvə] *n* 1. наблюдател; 2. човек, който съблюдава (*правила, обичаи и пр.*).

observing [əb'zɔːviŋ] *a* наблюдателен.

obsess [əb'ses] *v* 1. завладявам; преследвам, овладявам; натрапвам се на (*за идея и пр.*); обземам, обхващам (*за мисли, чувства*) (*обик. pass*) (by, with).

obsession [əb'seʃn] *n* натрапчива идея, идея-фикс; мания.

obsessional [əb'seʃnəl] *a* като идея-фикс; маниакален.

obsidian [əb'sidiən] *n минер.* обсидиан.

obsolesence [ˌɔbsou'lesns] *n* 1. остаряване; отпадане/излизане от употреба; 2. *биол.* атрофия.

obsolescent [ˌɔbsou'lesnt] *a* постепенно изчезващ; отпадащ от употреба.

obsolete ['ɔbsəliːt] *a* 1. остарял, излязъл от употреба; 2. старомоден, отживял; 3. *биол.* закърнял.

obstacle ['ɔbstəkl] *n* пречка, спънка, препятствие (*и прен.*).

obstacle race ['ɔbstəklreis] *n* бягане с препятствия.

obstetric(al) [ɔbs'tetrik(l)] *a* акушерски.

obstetrician [ˌɔbste'triʃn] *n* акушер.

obstetrics [əb'stetriks] *n pl с гл. в sing* акушерство.

obstinacy ['ɔbstinəsi] *n* 1. упорство, упоритост, твърдоглавие; настойчивост; инат; **to show ~** упорствувам; инатя се; 2. *мед.* упоритост (*на болест*).

obstinate ['ɔbstinət] *a* 1. упорит, твърдоглав, инат; 2. твърд, упорит, решителен (*за борба, съпротива*); 3. *мед.* упорит (*за болест*).

obstreperous [əb'strepərəs] *a* шумен, буен, необуздан.

obstruct [əb'strʌkt] *v* 1. запречвам, препречвам, преча на движението на; преграждам (*път*); задръствам, запушвам (*и мед.*); 2. закривам, затулям (*светлина, гледка*); заглушавам (*звук*); 3. *парл.* правя обструкция; 4. преча на, препятствувам.

obstruction [əb'strʌkʃn] *n* 1. запречване, препречване, преграждане; 2. препятствие, преграда; задръстване, задръстено място, запушване (*и мед.*); 3. *парл.* обструкция.

obstructive [əb'strʌktiv] *a* 1. обструкционен; който спъва/препречва/ задръства и пр.; 2. *мед.* обструктивен.

obtain [əb'tein] *v* 1. получавам, добивам; спечелвам (*награда*); сдобивам се/снабдявам се с; **the pleasure ~ed from** удоволствие, което човек изпитва от; 2. преобладавам, съществувам (*за обичай, правило и пр.*); **the system now ~ing** съществуващият сега строй/режим.

obtainable [əb'teinəbl] *a* който може да се добие/получи/намери.

obtrude [əb'truːd] *v* натрапвам (се); бъркам се, меся се (on, upon); **to ~ o.s. on s.o.** натрапвам се някому.

obtrusion [əb'truːʒn] *n* натрапване, налагане (on, upon).

obtrusive [əb'truːsiv] *a* натрапчив, нахален, досаден.

obturate ['ɔbtjuəreit] *v* 1. *книж.* запушвам, заприщвам, затварям; 2. уплътнявам.

obturator ['ɔbtjuəreitə] *n* 1. запушалка; 2. *воен., мед., фот.* обтуратор.

obtuse [əb'tjuːs] *a* тъп (*и геом., прен.*).

obverse ['ɔbvɔːs] I. *a* 1. лицев; обърнат с лице към наблюдателя; 2. *бот.* по-широк на върха, отколкото при основата (*за листо*); 3. *прен.* обратен, противоположен; II. *n* 1. лицева/горна/главна страна (*на предмет*); 2. герб, образ (*на монета*); 3. обратна страна (*на въпрос*); противоположност.

obversely [əb'vɔːsli] *adv* обратно.

obversion [əb'vɔːʃn] *n лог.* обратно твърдение/съждение.

obviate ['ɔbvieit] *v* премахвам, отстранявам; избягвам (*пречка, опасност и пр.*).

obvious ['ɔbviəs] *a* 1. явен, очевиден, очебиен; ясен; **it was the ~ thing to do** очевидно друго не можеше да се направи; 2. крещящ, биещ на очи (*за облекло и пр.*); 3. *ост.* открит, незащитен.

ocarina [ˌɔkə'riːnə] *n муз.* окарина.

occasion[1] [ə'keiʒn] *n* 1. (удобен/подходящ) случай; обстоятелство; момент; време; **as ~ arises** според случая, при нужда; **on ~** при случай, понякога; **on the ~ of...** по случай...; **on one ~** веднъж; **on another ~** друг път, при друг случай; **on rare ~s** рядко; **on several ~s** няколко пъти, неколкократно; **this is not an ~ for laughter** сега не е време за/не ни е до смях; 2. повод, основание, причина; 3. събитие; **on state ~s** в тържествени случаи; **we'll make this an ~** ще отпразнуваме случая, както подобава: 4. *ост. pl* дела, занимание, работа; **to go about o.'s lawful ~** гледам си работата.

occasion[2] *v* 1. давам повод/ставам причина за; 2. карам (*някого да направи нещо*).

occasional [ə'keiʒənl] *a* 1. случаен; нередовен; който става от време на време; рядък; **to have ~ bouts of pain** имам пристъпи на болки; **~ showers** откъслечни превалявания; 2. за случая; извънреден; **~ chair** отделен стол (*не от гарнитура*); **~ table** лека масичка; **~ hand** свръхщатен работник; **~ poem** стихотворение, написано по даден повод.

occasionally [ə'keiʒənəli] *adv* понякога, от време на време; при случай; случайно.

Occident ['ɔksidənt] *n* 1. *поет.* Западът; 2. окцидент; западното полукълбо; 3. *ост.* Европа.

occidental [ˌɔksi'dentl] *a* западен.

occidentalism [ˌɔksi'dentəlizm] *n* 1. култура/мироглед/нрави на Запада; 2. преклонение пред Запада.

occidentalize [ˌɔksi'dentəlaiz] *v* внасям/разпространявам западната култура в.

occidentally [ˌɔksi'dentəli] *adv* по западен начин/западному.

occipital [ɔk'sipitl] *a анат.* тилен.

occiput ['ɔksipʌt] *n* (*pl -s, -ciputa* [-'sipətə]) *анат.* тил.

occlude [ɔ'kluːd] *v книж.* 1. преграждам, спирам (*лъчи*); запушвам, задръствам; 2. *хим.* включвам, задържам (*газове за метал*); 3. захапвам (*за зъби*).

occlusion [ɔ'kluːʒn] *n книж.* 1. преграждане; запушване; задръстване; 2. *хим.* оклузия, задържане (*на газове*); 3. *мед.* затваряне, запушване, оклузия; 4. *метеор.* оклузия; 5. *фон.* оклузия, преграда; 6. захапка.

occlusive [ɔ'kluːsiv] *a* 1. *фон.* оклузивен, преграден; 2. *мед.* запушващ, затварящ, оклузивен.

occult[1] [ɔ'kʌlt] *a* 1. таен; поверителен, секретен; 2. скрит (*и мед.*), прикрит; 3. свръхестествен, мистериозен; тайнствен; окултен.

occult[2] *v* 1. *астр.* затъмнявам; 2. мигам (*за светлина на фар и пр.*).

occultation [ˌɔkəl'teiʃn] *n астр.* затъмняване, затъмнение.

occultism ['ɔkəltizəm] *n* окултизъм.

occupancy ['ɔkjupənsi] *n* **1.** владение (*на къща, земи*); обитаване (*на къща*); заемане (*на пост*); **2.** срок/период на владение/обитаване (*на къща*); **3.** *юр.* завладяване на безстопанствен имот.

occupant ['ɔkjupənt] *n* **1.** обитател; **who is the ~ of this house?** кой живее в/обитава тази къща? **2.** владелец; наемател; титуляр (*на пост, служба*); **3.** *юр.* лице, което завладява безстопанствен имот; **4.** пътник (*в кола*); **5.** окупатор.

occupation [,ɔkju'peiʃn] *n* **1.** заемане; временно ползуване/обитаване; *юр.* влизане във владение; **during his ~ of the house** докато той живееше в/държеше къщата; **house fit for ~** обитаема къща; **2.** период/срок за наемане/обитаване (*на къща*); **3.** работа; **men out of ~** безработни хора; **4.** занимание; занимавка; **to give s.o. ~** давам на някого да прави нещо; **5.** професия, занятие; **what is his ~? what is he by ~?** какъв е по занятие? каква е професията му? **6.** *воен.* окупация; **7.** *attr* 1) професионален (*за заболяване*); 2) окупационен; □ **~ road** частен път; **~ franchise** *юр.* право на гласуване на наемател.

occupational [,ɔkju'peiʃənl] *a* професионален (*за заболяване*); трудов; **~ centre** център за занимания за безработни; **~ therapy** трудова терапия; **~ hazards** професионални рискове.

occupier ['ɔkjupaiə] *n* **1.** (временен) обитател (*на къща*); **2.** наемател; **3.** окупатор.

occupy ['ɔkjupai] *v* **1.** *воен.* окупирам, завземам; **2.** *юр.* във владение съм на; **3.** заемам, окупирам (*сграда*); **4.** обитавам, живея в; **5.** заемам, изпълвам (*място, време, мисли*); *pass* зает съм с (**with**); занимавам се с; **to ~ o.'s time with s.th./doing s.th.** занимавам се с/прекарвам времето си в нещо; **to be occupied in translating/with a translation of** зает съм с превода/превеждането на, превеждам; **6.** заемам (*служба, пост*).

occur [ə'kə:] *v* (**-rr-**) **1.** срещам се, намирам се (*за минерали, растения и пр.*); **2.** ставам, случвам се, настъпвам (*за събитие и пр.*); **an outbreak of disease ~red in the town** в града избухна епидемия; **don't let this ~ again!** това да не се повтаря! **3.** идва ми наум; **an idea ~red to me** хрумна ми/дойде ми на ум една идея; **it ~red to me that** хрумна ми/сетих се, че.

occurrence [ə'kʌrəns] *n* **1.** явление; **to be of frequent ~** често се случва; **frequency of ~** честотност; **2.** случка, събитие; **everyday ~** най-обикновена случка, нещо съвсем обичайно; **strange ~s** странни произшествия.

ocean ['ouʃn] *n* **1.** океан; *поет.* море; **2.** *прен. разг.* огромно пространство/количество/маса; **there's ~ of room** има място колкото щеш; **he has ~s of money** той има много пари/милиони; **3.** *attr* океански.

ocean-going ['ouʃn,gouiŋ] *a* океански (*за кораб*).

oceanic [,ouʃi'ænik] *a* **1.** океански (*и за климат*); **2.** дълбокоморски (*за фауна*); **3.** намиращ се в открито море; **4.** *прен.* огромен, просторен.

Oceanid [ou'si:ənid] *n* *мит.* океанида, морска нимфа.

ocean lane ['ouʃnlein] *n* *мор.* океански път.

oceanography [,ouʃjə'nɔgrəfi] *n* океанография.

ocellate(d) ['ɔseleit(id)] *a* *зоол.* **1.** оселиран; **2.** притежаващ много петно.

ocellus [ou'seləs] *n* (*pl* **-i** [-ai]) *зоол.* **1.** осела; **2.** петно, наподобяващо око.

ocelot ['ousilɔt] *n* *зоол.* оцелот (Felis pardalis).

ochre ['oukə] *n* **1.** охра; **2.** цвят охра.

ochreous, -rous ['oukriəs, -rəs] *a* **1.** който е с/като охра; **2.** кафяво-жълт.

o'clock ['ɔklɔk] *вж.* **clock**[1].

octachord ['ɔktəkɔ:d] *n* *муз.* **1.** октахорд (*инструмент*); **2.** диатонична октава.

octad ['ɔktæd] *n* **1.** *хим.* осемвалентен атом; **2.** *мат.* група/поредица от 8 числа.

octagon ['ɔktəgən] *n* *мат.* октагон, осмоъгълник.

octagonal [ɔk'tægənl] *a* осмоъгълен; с осем страни.

octahedral [,ɔktə'hedrəl] *a* осмостенен.

octahedron [,ɔktə'hedrən] *n* *мат.* октаедър, осмостенник.

octane ['ɔktein] *n* *хим.* **1.** октан; **2.** *attr* октанов.

octant ['ɔktənt] *n* **1.** *мат., астр.* октант; **2.** октант, ъгломер.

octaroon = **octoroon**.

octave ['ɔkteiv] *n* **1.** *муз., проз.* октава; **2.** *фехт.* (последното) положение; **3.** серия от осем предмета; **4.** винена бъчва от 60 л; **5.** *муз.* пиколо (*и* **~-flute**); **6.** *рел.* осмият/неделният ден след празник.

octavo [ɔk'teivou] *n* *печ.* октава, осмина (*формат*).

octennial [ɔk'tenjəl] *a* **1.** осемгодишен; траещ осем години; **2.** повтарящ се на всеки осем години.

octet(te) [ɔk'tet] *n* **1.** *муз.* октет; **2.** *проз.* октава (*особ. на сонет*).

octillion [ɔk'tiljən] *n* октилион (10^{24} *по американската и френската система*, 10^{48} *по английската и немската система*).

October [ɔk'toubə] *n* **1.** октомври; **2.** *ост.* октомврийска бира.

Octobrist [ɔk'toubrist] *n* *рус. ист.* октябрист.

octodecimo [,ɔktou'desimou] *n* *печ.* формат 1/18.

octogenarian [,ɔktoudʒi'nɛəriən] **I.** *a* осемдесетгодишен, в осемдесетата си година; **II.** *a* осемдесетгодишен човек.

octopod ['ɔktəpɔd] *n* *зоол.* животно от рода Octopoda.

octopus ['ɔktəpəs] *n* **1.** *зоол.* октопод (Octopus); **2.** *прен.* голяма влиятелна организация.

octoroon [,ɔktə'ru:n] *n* човек с 1/8 негърска кръв.

octuple[1] ['ɔktju:pl] *a* осмократен.

octuple[2] *v* умножавам по осем.

ocular ['ɔkjulə] **I.** *a* очен, зрителен; **~ estimate** окомерна оценка; **II.** *n* *опт.* окуляр.

oculate ['ɔkjuleit] = **ocellate(d)**.

oculist ['ɔkjulist] *n* очен лекар, окулист.

od [ɔd] *ост.* = **God**[1].

odalisque ['oudəlisk] *n* одалиска.

odd [ɔd] **I.** *a* **1.** нечетен, тек; **~ months** месеци с 31 дни; **2.** сам, отделен (*без еш*); непълен (*за комплект*); **~ glove** една/сама ръкавица; **a few ~ volumes** няколко отделни тома (*от многотомно издание*); **3.** добавъчен, който е в повече/остава (*свръх известна сума и пр.*); **three pounds ~** три лири и нещо отгоре; **twenty ~ years** двайсетина години; **4.** случаен, нередовен; какъв да е; **~ job** случайна/временна работа; **to do ~ jobs** работя каквото ми падне; **man/lad/hand** временен/общ работник; **any ~ piece of cloth** какво да е парче плат; **at ~ moments/times** през свободното си време; от време на време; **5.** странен, особен, чудат; **it's ~ your knowing about it** чудно е, че знаете това; □ **~ player** резервен играч; **the ~ game/trick** решаващата игра/взятка; **~ man** решаващ глас (*при гласуване*); **~-man-out** елимининиран играч (*чрез хвърляне на жребий*); *прен.* пето колело; **II.** *n* **1.** *карти* решаваща взятка (*при вист*); **2.** *голф* хандикап; удар, който дава преднина; **3.** *вж.* **odds**.

odd-ball[1] ['ɔdbɔ:l] *n* *разг.* чудак, чешит, ексцентрик.

odd-ball[2] *a* ексцентричен, чудноват.

odd-come-short ['ɔdkʌm'ʃɔːt] *n разг.* 1. остатък; 2. *pl* остатъци; боклук; дреболии, вехтории.

odd-come-shortly¹ ['ɔdkʌm'ʃɔːtli] *n* близко време.

odd-come-shortly² *adv* един от тия дни, (на)скоро.

oddity ['ɔditi] *n* 1. странност, чудноватост, чудатост; **the ~ of his dress and manners** чудатите му дрехи и особеното му държане; 2. чудак, особняк, оригинал; **he's s.th. of an ~** в някои отношения си е особняк.

odd-looking ['ɔd,lukiŋ] *a* странен/особен на вид, особен.

oddly ['ɔdli] *adv* странно, особено; **~ enough** странното/интересното е, че.

oddment ['ɔdmənt] *n* 1. остатък, останало парче; 2. *pl* остатъци, дреболии.

odds [ɔdz] *n pl* 1. неравенство, разлика; **to make ~ even** изравнявам неравенство; **what's the ~?** каква разлика има? **it makes/it's no ~** няма значение; все едно; няма разлика; 2. шанс (за успех); превъзходство; **with heavy ~ against them** срещу значително превъзхождащи сили; при изключително неблагоприятни условия; **the ~ are that** има голяма вероятност да/че; **long ~** неблагоприятни изгледи, малка вероятност; **short ~** голяма вероятност; **by all ~** във всяко отношение, без съмнение; 3. *сп.* преимущество; хандикап; **to give s.o. ~** давам преднина на противника; 4. кавга; несъгласие; **to be at ~ with s.o.** скаран съм с някого; 5. (курс на) залагане; **the ~ are ten to one** курсът е десет към едно; **to lay/give ~ of three to one** залагам три срещу едно; **to take ~** залагам по-малката сума; □ **~ and ends** остатъци (*от храна*); (не)нужни) дреболии, боклуци, вехтории.

odds-on ['ɔdzɔn] *a* 1. повече от равен (*за шанс*); 2. почти сигурен, свързан с малък риск (*за залагане, обзалагане*); който има вероятност да спечели/успее.

ode [oud] *n* ода.

odeum [ou'di:əm] *n* (*pl* **-s, odea** [ou'di:ə]) 1. *старогр.* одеон; 2. концертна зала.

odious ['oudjəs] *a* омразен, ненавистен; противен отвратителен.

odium ['oudjəm] *n* омраза, ненавист; отвращение; злoжелателство, антипатия; позор; **to bring ~ on, to expose to ~** правя омразен.

odometer [o'dɔmitə] *n* одометър, одомер.

odont-, odonto- [ɔ'dɔnt, -tə] *pref* зъбен, на зъбите.

odontology [,ɔdɔn'tɔlədʒi] *n* одонтология, зъболекарство.

odor *ам.* = **odour.**

odorant, odoriferous ['oudərənt, ,oudə'rifərəs] *a книж* ароматен, благовонен, благоуханен.

odorous ['oudərəs] *a* 1. благоуханен, ароматен; 2. *разг.* миризлив, зловонен.

odour ['oudə] *n* 1. миризма; аромат, благоухание; 2. *прен.* лъх; следа; **no ~ of intolerance attaches to it** няма следа от нетолерантност (*в думите, изказването и пр.*); **to be in good ~ with s.o.** ползувам се от благоразположението на някого; **to be in bad/ill ~ with s.o.** не се ползувам от благоразположението на някого; **~ of sanctity** слава на светец, святост.

odourless ['oudəlis] *a* без миризма.

Odyssey ['ɔdisi] *n* 1. *лит.* Одисея; 2. *прен.* о. одисея.

oecology [,i:'kɔlədʒi] = **ecology.**

oecumenic(al) [,i:kju:'menik(l)] *a* 1. *църк.* вселенски; 2. всемирен.

oedema [i:'di:mə] = **edema.**

o'er ['ouə, ɔə] *поет.* = **over¹.**

oesophagus [i:'sɔfəgəs] *n* (*pl* **-gi** [-gai, -dʒai] , **-guses** [-gʌsiz]) *анат.* хранопровод.

oestrum, -rus ['i:strəm, -rəs] *n* 1. разгонване (*у животни*); 2. силно/всеобладаващо желание; стимул.

of [ɔv, əv] *prep* 1. *притежание; авторство; принадлеж*-ност на; **the capital ~ Bulgaria** столицата на България, **the Tower ~ London** Лондонската кула; **the works ~ Shakespeare** творбите на Шекспир; 2. *посока; отдалечаване; разстояние* от; на; **north ~** на север от; **within a mile ~** на една миля от; 3. *освобождаване; лишаване* от; **to free/rid ~** освобождавам/отървавам от; **to deprive ~** лишавам от; **he was robbed ~ his money** ограбиха му парите; 4. *произход; източник; причина; деятел* от; на; по; **to come/descend/spring ~** произхождам от; **~ humble birth** от скромно потекло; **to borrow/buy/receive ~** заемам/купувам/получавам от; **to die ~** умирам от; **to smell/taste ~** мириша/имам вкус на; **it was kind/foolish ~ you** мило/глупаво беше от ваша страна; 5. *материал, от който е направено нещо прилагателно на* -ен, -ов *и пр.*; **made ~ wood** от дърво, дървен; 6. *промяна в състоянието* от; **to make a fool ~ s.o.** изкарвам някого глупав; подигравам се с някого; **to make a blouse ~ a dress** правя блуза от рокля; 7. *част от цяло; класификация; количество от нещо* от; *и без превод;* **the best ~ friends** най-добрият/най-добрите приятел/приятели; **a friend ~ mine/~ my brother's** един мой приятел/приятел на брат ми; **five ~ us** петима от нас; **all ~ them** всички; **most ~ all** най-много (от всичко/всички); **there were two/five, etc. ~ us** бяхме двама/петима и пр.; **that silly smile ~ hers** тази неин на глупава усмивка; **~ all the impudence/cheek** какво нахалство; **he, ~ all men** не друг, а той; **here, ~ all places** не другаде, а тук; **this, ~ all times** именно сега; **lying is the one thing ~ all others that I hate** от всичко най-мразя лъжата; **remedy ~ remedies** най-доброто лекарство (от всички лекарства); **glass ~ milk** чаша мляко; **sack/kilo ~ potatoes** чувал/кило картофи; 8. *качество; възраст; наименование* на; с; *и без превод;* **man ~ genius/tact** гениален/тактичен човек; **man ~ forty** четиридесетгодишен човек; **a fool ~ a man** глупак; **palace ~ a house** къща дворец, къща (като) дворец; **way ~ life** начин на живот; **hard ~ heart** коравосърдечен; **goods ~ our own manufacture** произведени от нас стоки, стоки наше производство; **potatoes ~ our own growing** картофи, които сами сме отгледали; **the vice ~ drunkenness** порокът пиянство; **the city ~ London** град Лондон; **the State ~ New York** щатът Ню Йорк; 9. *въвежда предложно допълнение* на; от; за; към; с; **the levying ~ taxes** събиране на данъци; **love ~ life** жажда за живот; **fear ~ death** страх от смъртта; **hatred ~ o.'s enemies** омраза към неприятелите си; **great eater ~ fish** голям консуматор на риба; **capable ~** способен на; **lavish ~** щедър с/на; 10. *време* от; през; ~ **late** напоследък; **~ recent years** през последните години; **~ a Saturday/Sunday, etc.** един съботен/неделен и пр. ден; някоя събота/неделя и пр.; в съботен/неделен ден и пр.; **~ an evening** *разг.* вечер, вечерно време.

off¹ ['ɔf] *adv* 1. *отдалечаване, отдалеченост; разстояние и по време* от-, из-; на-; **to be/set ~** тръгвам, поемам, заминавам; **отивам си; to fly ~** излитам, отлитам; **(get) ~ with you!** махай се! да те няма! **house a mile ~** къща на една миля разстояние; **far ~** далече; **the elections are two weeks ~** до изборите остават две седмици; **noises ~** *театр.* шумове зад сцената; 2. *махане, сваляне, пълно откъсване* от-; *и без превод;* **with o.'s coat ~** без палто;

hats ~! шапки долу! **with his hat ~** гологлав; **to cut/bite/tear ~** отрязвам/отхапвам/откъсвам; **~ with his head!** обезглавете го! **3.** *прекъсване на действието* от-; *и без превод;* **the engagement is ~ /is broken ~** годежът е развален; **the water is ~** водата е спряла, спрели са водата; **the dish is ~** ястието свърши (*в ресторант*); **the deal is ~** развалихме/развалиха сделката; **the concert is ~** концертът се отменя; **the play is ~** пиесата не се играе вече; **4.** *извършване на действие докрай* из-; до-; от-; **to drink s.th. ~** изпивам нещо докрай/до дъно; **to pay ~** изплащам докрай; **the pain will wear ~** болката ще премине; **5.** *намаляване на брой, количество* от-; *и без превод;* **the number of customers dropped ~** купувачите намаляха; **I must knock ~ a stone or two** трябва да смъкна десетина килограма; **a dollar ~** с един долар по-малко (*от определената цена*); **6.** *не на работа; без превод:* **to take a day ~** взимам един ден отпуск; **to take time ~** отсъствувам от работа; намирам време; откъсвам се от работата си (*за да направя нещо*); □ **to be ~ 1)** развален/вмирисан съм (*за храна*); **2)** *разг.* започвам да говоря надълго и широко (**on a subject** по даден въпрос); **she's ~ again!** пак захвана! **~ and on, on and ~** от време на време; **it rained on and ~** превалаваше; **right/straight ~** веднага.

off² *prep* **1.** *сваляне, падане, махване* от; **to fall ~ a tree/ladder** падам от дърво/стълба; **to take s.th. ~ the price** отбивам известна сума от цената; **2.** *отдалечаване, отдалеченост, на разстояние, настрана от* от; край; **~ shore** малко навътре в морето; **~ the road** край пътя; **street ~ the main road** улица, която се отклонява от главния път; **странична улица; dress ~ the shoulders** рокля, която не покрива раменете; **3.** *източник* от; **to win money ~ s.o.** спечелвам пари от някого; **to eat ~ silver plate** ям от сребърни съдове; **to live ~ investments** живея/издържам се от влогове; **4.** *незаетост:* **~ duty/work** не на работа, свободен (*от служебни задължения*); **to have time ~ work** имам свободно време; **5.** *не на нужната висота; не съвсем:* **~ form/o.'s game** *сп.* не във форма (*и прен.*); **~ white** леко кремаво; **~ black** почти черно; **6.** *липса на* охота, апетит за, към; **to be ~ o.'s food** не ми се яде, нямам апетит; **7.** *въздържане от:* **to be ~ smoking** отказал съм се от пушене; **8.** *прекъсване:* **to be ~ o.'s diet** прекъснал съм си диетата; **to be ~ football** не играя вече футбол; **to be ~ the job** не се занимавам вече с дадена работа.

off³ *a* **1.** отдалечен; оттатъшен; **on the ~ side of the building** на оттатъшната страна на сградата; **2.** десен, външен (*от чифт, два коня и пр.*); *ам.* десен (*за страна на шосе*); **3.** страничен, второстепенен (*за път, въпрос*); **4.** малко вероятен; **~ chance** твърде малка вероятност; **5.** свободен, незает; **~ day** свободен ден; **~ hours** свободни часове, свободно време; **6.** под обикновеното ниво, не на нужната висота; по-малък (*на брой, по количество*); мъртъв, слаб (*за сезон, търговия*); не във форма; **7.** *мор.* който е на известно разстояние (*от брега*).

off⁴ *n* **1.** *крикет* = offside; **2.** *ам.* несполука, неуспех; **I've had my ~s and ons** видял съм и добри и лоши дни; **3.** начало на конни състезания.

off⁵ *v разг.* **1.** отказвам се от (*споразумение, начинание*); прекъсвам (*преговори*) с; **2.** *мор.* поемам в открито

море; **3.** *разг.* свалям дреха; **to ~ with o.'s coat** свалям си палтото; **4. to ~ it** отивам си, тръгвам си.

off⁶ *int* марш!

offal ['ɔfl] *n* **1.** отпадъци; остатъци; смет; **2.** карантия, дреболии; **3.** евтина долнокачествена риба; **4.** мърша; **5.** *често pl* трици; **6.** *attr* долнокачествен (*за мляко, жито, дървен материал*).

off-beat ['ɔfbi:t] *a* **1.** *муз.* неакцентуван (*за мах, при тактуване*); силно акцентуван втори и четвърти мах (*в джаза*); **2.** *разг.* неспазващ условностите, ексцентричен; необикновен, нестандартен; **3.** *ам. sl.* погрешен, съмнителен.

offcast ['ɔfka:st] **I.** *a* отхвърлен, отречен; **II.** *n* отхвърлен предмет; отречен/дезавуиран човек.

off-chance ['ɔftʃa:ns] *n* малка вероятност.

off-colour ['ɔfkʌlə] *a* **1.** нестандартен по цвят (*за диамант*); долнокачествен; **2.** от смесена раса, не чисто бял; **3.** *ам.* без настроение; **4.** неразположен (*здравословно*); **5.** *sl* неприличен, нецензурен.

off-day ['ɔfdei] *n разг.* лош ден; **this is one of my ~s** днес не ми върви.

offence [ə'fens] *n* **1.** нарушение, постъпка (**against**); **2.** *юр.* престъпление; **indictable ~** наказуемо деяние; **legal ~** закононарушение; **capital ~** престъпление, наказуемо със смърт; **3.** обида; оскърбление; **to cause/give ~ to s.o.** обиждам/засягам някого; **to take ~ at** обиждам се от; **without (giving) ~** без да имам намерение да Ви обидя; **no ~ !** нямам намерение да Ви обидя! **quick to take ~** обидчив; **4.** *воен.* настъпление, нападение, атака; **5.** *библ.* камен преткновения (*и* **stone/rock of ~**).

offend [ə'fend] *v* **1.** престъпвам, нарушавам (*закон, добрите нрави и пр.*) (**against**); **2.** дразня (*слуха*); бода (*в очите*); противен съм, не се нравя на; накърнявам, в разрез съм с (*чувство*); **3.** обиждам, засягам; **to be ~ed at/by s.th., by/with s.o.** обиждам се от нещо/на някого; **4.** *ост. библ.* провинявам се; изпадам в заблуда/грях.

offender [ə'fendə] *n* **1.** виновник; нарушител; **2.** *юр.* престъпник; **first ~** престъпник, съден за пръв път; **old ~** рецидивист.

offense *ам.* = **offence**.

offensive [ə'fensiv] **I.** *a* **1.** противен, отвратителен, крайно неприятен, дразнещ; зловонен; **2.** нахален, дързък; обиден; **words ~ to the ear** оскърбителни за ухото думи; **~ language** ругатни; **3.** *воен., сп.* нападателен; **II.** *n* офанзива.

offer¹ ['ɔfə] *v* **1.** принасям в жертва (*и с* **up**); **to ~ (up) prayers to** отправям молитви към; **to ~ homage to** отдавам почит на; **2.** предлагам; **to ~ s.th. to s.o./s.o. s.th.** предлагам нещо на някого; **he ~ed to drive us home** той предложи да ни закара вкъщи; **to ~ an opinion** изказвам мнение; **to ~ o.'s hand** подавам ръка (*за здрависване*); **to ~ o.'s hand (in marriage)**, *ост.* **to ~** правя предложение за женитба; **3.** опитвам се, правя опит, понечвам; **to ~ resistance** оказвам съпротива, съпротивлявам се; **he ~ed to strike me** той понечи да ме удари; **4.** представлявам; представям (**се); the fireworks ~ed a fine spectacle** фойерверките бяха/представляваха великолепна гледка; **if a good occasion ~s** ако се представи добър случай; **the first path that ~s** първата пътека, на която попаднем; **5.** обявявам/предлагам за продан, продавам; предлагам цена; **6.** *търг.* правя оферта.

offer² *n* **1.** предложение; **~ of marriage** предложение за женитба; **to make an ~ of money/help** предлагам пари/помощ; **2.** *търг.* предложение, оферта; **(goods) on ~** (стоки) за продан (на намалена цена); **3.** нещо, което се предлага.

offering ['ɔfəriŋ] *n* 1. предлагане; 2. жертвоприношение; жертва; 3. дар, дарение.

offertory ['ɔfət(ə)ri] *n* 1. *църк.* част от литургията, при която се събират пари; 2. волни пожертвувания (събрани по време на/след църковна служба).

offhand[1] [ˌɔfˈhænd] *a* 1. импровизиран, без подготовка; 2. безцеремонен; надменен; рязък.

offhand[2] *adv* 1. импровизирано, без предварителна подготовка; **to play an accompaniment** ~ акомпанирам прима виста; 2. безцеремонно, грубо, прекалено фамилиарно.

offhanded [ˌɔfˈhændid] *a* безцеремонен; високомерен; хладен.

offhandedly [ˌɔfˈhændidli] *adv* безцеремонно.

office ['ɔfis] *n* 1. *често pl* услуга; **owing to/through/by the good** ~**s of** с помощта/благодарение на; 2. служба, длъжност, пост; **to be in/hold** ~ изпълнявам длъжност; на власт съм (*за правителство*); заемам министерски пост; **to come into/enter upon/take** ~ 1) встъпвам в длъжност; 2) идвам на власт (*за правителство*); 3) заемам министерски пост; **to leave/resign** ~ подавам оставка; **to be out of** ~ не съм на власт (*за партия*); 3. дълг, задължение; 4. кантора, канцелария (*и персонал*); *ам.* лекарски/зъболекарски кабинет; 5. управление; бюро; клон; **head** ~ седалище, централа, главно управление; **secretary's** ~ секретариат; 6. министерство; **the Foreign O.** Министерството на външните работи; **the Holy O.** *ист. рел.* инквизицията; 7. *рел.* обред, служба; **O. for the Dead** заупокойна молитва; **the last** ~**s** последни грижи за мъртвец; погребални обреди; 8. *pl* сервизни помещения; 9. *sl.* предупреждение, намек; **to give s.o. the** ~ предупреждавам някого; **to take the** ~ вземам си бележка от предупреждение.

office-bearer ['ɔfisˌbɛərə] *n* 1. длъжностно лице, чиновник; 2. член на ръководство (*на дружество*).

office-block ['ɔfisblɔk] *n* многоетажна административна сграда.

office-boy ['ɔfisbɔi] *n* разсилен, куриер, разносвач.

office-holder ['ɔfisˌhouldə] *n* служещ; *ам.* държавен чиновник.

office-hours ['ɔfisˌauəz] *n* работно време.

office-worker ['ɔfisˌwə:kə] *n* чиновник.

officer[1] ['ɔfisə] *n* 1. длъжностно лице, чиновник, служещ; ~ **of the court** съдия-изпълнител; ~ **of state** министър; **police** ~ полицай; **medical** ~ **of health** окръжен/околийски лекар; 2. секретар, член на ръководството (*на дружество*); 3. *воен.* офицер; ~ **of the day** дежурен офицер; **regimental** ~ строеви офицер; 4. *мор.* член на ръководния персонал; **first** ~ помощник-капитан (*на търговски кораб*).

officer[2] *v* I. давам офицерски кадър на; 2. *обик. pass* командувам; **well** ~**ed battalion** батальон с добър офицерски състав.

office-seeker ['ɔfisˌsi:kə] *n* кандидат за служба.

official [əˈfiʃl] I. *a* 1. служебен; официален; **to act in o.'s** ~ **capacity** действувам в качеството си на длъжностно лице; ~ **red tape** канцеларщина, бюрокрация; 2. *фарм.* приет във фармакопеята; II. *n* служебно/длъжностно лице, чиновник; **railway** ~ железничар.

officialdom [əˈfiʃəldəm] *n* 1. чиновничество; 2. бюрократизъм.

officialese [əˌfiʃəˈli:z] *n* език, характерен за официални изказвания/документи; канцеларски език, административен жаргон; високопарен/многоречив/неясен език.

officialism [əˈfiʃəˈlizm] = **officialdom** 2.

officiant [əˈfiʃiənt] *n* свещенослужител.

officiate [əˈfiʃieit] *v* 1. изпълнявам задължения; **to** ~ **as chairman (at a meeting)** председателствувам (събрание); **to** ~ **as best man (at a wedding)** кумувам (на венчавка); 2. извършвам богослужение; 3. *сп.* изпълнявам съдийска длъжност; реферирам.

officinal [ˌɔfiˈsainl] *a* 1. *фарм.* готов (*за лекарство, не направено по рецепта*); 2. лекарствен, прилаган в медицината; 3. *фарм. ост.* приет във фармакопеята.

officious [əˈfiʃəs] *a* 1. натрапчив, досаден; който се бърка в чужди работи; 2. *дипл.* официозен, неофициален.

offing ['ɔfiŋ] *n мор.* открито море (*гледано от брега*); □ **in the** ~ недалеч/видим от брега; *прен.* наблизо, под ръка; наскоро, предстоящ; **to have a job in the** ~ скоро очаквам да получа работа.

offish ['ɔfiʃ] *a разг.* сдържан, резервиран; надменен.

off-licence ['ɔfˌlaisns] *n* 1. патент/разрешително за продажба на спиртни питиета за домашна консумация; 2. *разг.* магазин, притежаващ такова разрешително.

off-limits ['ɔfˌlimits] *a* забранен за посещение (*особ. за военни*).

off-lying ['ɔfˌlaiiŋ] *a* отдалечен.

off-peak [ɔfpi:k] I. *a* 1. без голямо улично движение/навалица; 2. *ел.* извънвърхов; II. *n ел.* извънвърхов период, период на снижаване на товара.

off-position [ˈɔfəˌziʃn] *n ел.* изключено/неработно положение.

offprint ['ɔfprint] *n* отделен отпечатък (*на статия*).

offscourings ['ɔfˌskauəriŋz] *n pl* мръсотия, утайка, измет (*и прен.*); **the** ~ **of humanity** отрепките на обществото.

offset[1] ['ɔfset] *n* 1. начало; **at the** ~ от самото начало; 2. издънка (*и прен.*), вейка, гранка, филиз; 3. разклонение (*на планина*); 4. контраст; противотежест; средство, за да изпъкне нещо; 5. компенсация; обезщетение; 6. *арх.* вдадина (*на фасада*); 7. *тех.* изместване; статично отклонение; разклонение, отвод (*на тръба*); 8. *печ.* офсет; 9. *печ.* петно; 10. *земл.* перпендикулярна линия, ... ната.

offset[2] *v* 1. компенсирам; обе.. тявам; уравновесявам; 2. *тех.* измествам, премествам; 3. *тех.* отв.. .м, разклонявам (*тръба*); 4. *арх.* правя вдадина (.. .тена); 5. *печ.* отпечатвам на офсет; 6. пускам издънки/гранки.

offshoot ['ɔfʃu:t] *n* 1. издънка (*и прен.*), гранка; 2. разклонение (*на планина*); 3. сребрен потомък; клон на семейство.

off-shore[1] [ˌɔvˈʃɔ:] *a* 1. недалеч от/откъм сушата; 2. духащ към морето (*за вятър*).

off-shore[2] [ˌɔfˈʃɔ:] *adv* на (известно) разстояние от брега.

offside [ˌɔfˈsaid] *n футб., хокей* офсайд, (положение на) засада.

offspring ['ɔfspriŋ] *n* 1. потомък, дете; потомство, поколение, деца; 2. малки на животно; *ам.* младо растение; 3. *прен.* резултат, последица.

off-stage[1] ['ɔfsteidʒ] *a* задкулисен.

off-stage[2] *adv* зад кулисите (*и прен.*).

off-street ['ɔfstri:t] *a* който е встрани от/не е на главна улица (*за място за паркиране и пр.*); ~ **parking** паркинг/паркиране встрани от главна улица; ~ **loading/unloading** товарене/разтоварване (*на камион*) откъм гърба на сграда (*не откъм улицата*).

offtake ['ɔfteik] *n тех.* отводна тръба; отвеждащ канал.

off-the-cuff [ˌɔfðəˈkʌf] *a* импровизиран.

off-the-record [ˌɔfðəˈrekɔːd] *a ам.* неофициален, не за публикуване.

off-the-shelf [ˌɔfðəˈʃelf] *a ам.* **1.** който редовно се продава/е на склад в даден магазин (*за стока, изделие*); **2.** готов, който не е по поръчка (*за изделие*).

off-white [ˈɔfwait] **I.** *a* много светло сив, светлокремав; **II.** *n* сивобелезникав/светлокремав цвят.

oft [ɔft] *adv поет.* често.

often [ˈɔfn, ˈɔftən] *adv* често; **how ~ do buses run?** на какъв интервал минават автобусите? **as ~ as** колкото пъти; всеки път, когато; **as ~ as not, more ~ than not** повечето пъти; много често; **every so ~** от време на време.

oftentimes [ˈɔfntaimz] *adv ост. поет.* често.

ogam *ам.* = **ogham**.

ogee [ˈouʤiː] *n* **1.** *арх.* пластична украса с профил във формата на S; **2.** извита линия с формата на S; **3.** *арх.* арабска арка (*и* ~ **arch**).

ogham [ˈɔgəm] *n* **1.** огам (*древна ирландска и келтска азбука*); **2.** *attr* огамски.

ogival [ouˈʤaivl] *a арх.* кръстат, с диагонален ръб (*за свод*); оживвален, готически.

ogive [ˈouʤaiv] *n* **1.** ръб на кръстат свод; **2.** остра (готическа/стреловидна) арка/дъга.

ogle[1] [ˈougl] *v* гледам влюбено, отправям многозначителни/нежни погледи към (**at**).

ogle[2] *n* влюбен поглед.

ogre [ˈougə] *n* **1.** великан човекоядец; **2.** страшилище.

ogress [ˈougris] *ж.р. от* **ogre 1.**

oh [ou] *int* изненада, болка, молба и пр. о! ах! а! (*и без превод*).

ohm [oum] *n физ.* ом.

oil[1] [ɔil] *n* **1.** масло, *обик.* течно; **fixed ~s** нелетливи масла; **cooking ~** олио; **olive/sweet/salad ~** дървено масло, зехтин; **Holy ~** *рел.* миро; **2.** петрол, земно масло, нефт; газ; **3.** течно мазилно вещество; **4.** *обик. pl* маслени бои; картина с маслени бои; **5.** = **oil-skin**; **6.** *sl.* ласкателство; подкуп, рушвет; **7.** *attr* маслен; □ **to add ~ to the flames, to pour ~ on the flames, to take ~ to extinguish the flames** наливам масло в огъня; **to pour ~ on troubled waters/on the waters** успокоявам духовете/атмосферата.

oil[2] *v* **1.** смазвам; **to ~ the wheels/works** смазвам колелетата; *прен.* улеснявам/уреждам работата с тактичен подход/вежливост/подкуп; **2.** омаслявам, импрегнирам, пропивам с масло; **3.** разтапям се (*за краве масло и пр.*); □ **to ~ s.o.'s hand/palm** давам някому подкуп/рушвет, подкупвам някого; **to ~ o.'s tongue** лаская, подмазвам се.

oil-bearing [ˈɔil,bɛər/ŋ] *a* **1.** *бот.* маслодаен; **2.** *геол.* нефтоносен.

oil-belt [ˈɔilbelt] *n геол.* зона/област с нефтени залежи.

oil-cake [ˈɔilkeik] *n* кюспе.

oil-can [ˈɔilkæn] *n* **1.** масльонка; **2.** бидон.

oilcloth [ˈɔilklɔθ] *n* **1.** мушама (*за маса*); **2.** вид линолеум.

oil-colour [ˈɔil,kʌlə] *n обик. pl* маслена боя.

oiled [ɔild] *a* намазан/покрит с масло; **well ~ tongue** *прен.* находчив/ласкателен език; **~ paper** пергаментова хартия; **~ silk** импрегнирана коприна; □ ~ *sl.* натряскан.

oil-engine [ˈɔil,enʤin] *n* дизелов двигател.

oiler [ˈɔilə] *n* **1.** мазач; **2.** масльонка; смазващо устройство; лубрикатор; **3.** танкер, петролоносач; **4.** *pl* = **oilskin**.

oil-field [ˈɔilfiːld] *n* нефтено находище.

oil-gauge [ˈɔilgeiʤ] *n тех.* масломер, олеометър; маслопоказател.

oil-gland [ˈɔilglænd] *n* мастна жлеза.

oil-lamp [ˈɔillæmp] *n* газена лампа.

oil-paint [ˈɔilpeint] *n* маслена боя.

oil-painting [ˈɔil,peintiŋ] *n* живопис/картина с маслени бои.

oil-rig [ˈɔilrig] *n* сонда за пробиване на нефтен кладенец.

oil-skin [ˈɔilskin] *n* **1.** мушама; **2.** *pl мор.* комплект дреха и панталони от мушама; **3.** *attr* мушамен.

oil-slick [ˈɔilslik] = **slick**[3]**1.**

oil-stone [ˈɔilstoun] *n* брус/точилен камък, намазан с масло.

oil-well [ˈɔilwel] *n* **1.** нефтена сонда/кладенец; **2.** маслосборник.

oily [ˈɔili] *a* **1.** мазен; импрегниран с масло; **2.** *прен.* мазен, ласкателен.

ointment [ˈɔintmənt] *n* мехлем; мазило; крем.

okapi [ouˈkaːpi] *n зоол.* окапи (Okapia johnstoni).

O.K. = **okay**.

okay[1] [ouˈkei] *a разг.* **1.** правилен; съгласен; **2.** верен (*за сбор*).

okay[2] *adv разг.* правилно; дадено.

okay[3] *v разг.* одобрявам, съгласявам се на/с.

old [ould] **I.** *a* **1.** стар; възрастен; ~ **maid** 1) стара мома; 2) човек с психика на стара мома; 3) вид игра на карти; ~ **man** старец, дядо; **the ~ man** *разг.* 1) бащата, старият; благоверният; 2) шефът, началството; *мор.* капитанът (*на кораб*); 3) *прен.* грешната човешка природа; ~ **woman** баба (*и прен.*), бабичка, старица; **the ~ woman** *разг.* благоверната; **the ~ lady** *разг.* майка ми; жена ми, женат, моята бабичка; **to be getting/growing ~** остарявам, застарявам; **in his/her ~er days** на стари години; **2.** на... години, на... годишна възраст; **to be ten years ~** на десет години съм; **how ~ are you?** на колко си години? **two-year-~ child** двегодишно дете; **when you are ~ enough** когато пораснеш; **he is ~ enough to** той е достатъчно голям да; **3.** стар; древен; отдавнашен; **that's as ~ as the hills** това съществува, откакто свят светува; **4.** стар, вехт, износен; похабен; **5.** опитен, стар, обигран; ~ **in crime/cunning/diplomacy** опитен/обигран престъпник/хитрец/дипломат; ~ **soldier** 1) стар/бивш войник; 2) *прен.* опитен човек; **6.** бивш, предишен, някогашен; ~ **boy/pupil** бивш ученик (*на дадено училище*); ~ **gang/guard** стара гвардия; **in the ~ days** едно време; **the O. Country** старата родина (*казано от емигрант*); **7.** **any ~** кой да е; как да е; **any ~ thing** *sl.* каквото и да е. каквото ти падне; **any ~ how** как да е; □ **to have an ~ head on young shoulders** много умен/сериозен съм за възрастта си; **to come the ~ soldier over** държа се наставнически към; ~ **man/fellow/chap/***sl.* **bean/egg/fruit/stick/thing/top** приятелю, мой човек, драги; **dear ~ Henry!** милият Хенри! **to have a fine/good/high/rare ~ time** *sl.* прекарвам великолепно; **O.Glory** националното знаме на САЩ; **O. Harry/Nick/Scratch** дяволът; **news a week~** новини от една седмица; **II.** *n:* **the ~** старите (хора); ~ **and young** старо и младо; **of ~** някога в миналото; **in days of ~** едно време.

old age [ould ˈeiʤ] *n* старост; ~ **pension** пенсия.

old-clothes-man [ˌould ˈklouðzmæn] *n* (pl **-men**) вехтошар, търговец на стари дрехи.

olden[1] [ˈouldən] *a ост. книж.* стар, древен, предишен; **in ~ times** някога, едно време.

olden[2] *v ряд.* **1.** застарявам; **2.** остарявам.

old-established [ˌould iˈstæbliʃt] *a* отдавна установен.

old-fashioned [ˌould'fæʃənd] I. *a* 1. старомоден; старинен; 2. консервативен; II. *n* вид коктейл.

old gold ['ould'gould] *n* старо злато (*цвят*).

old-hat [ˌould'hæt] *sl.* I. *a predic* изтъркан, старомоден, остарял; II. *n* нещо изтъркано/банално/старо.

old-line [ˌould'lain] *а ам.* 1. установен; 2. консервативен; 3. стар, традиционен.

old-maidish [ˌould'meidiʃ] *а* 1. старомомински; 2. превзет; болезнено чувствителен.

old man's beard ['ouldmænz'biəd] *n бот.* 1. повет (Clematis vitalba); 2. *ам.* лузиански мъх (Tillandsia usneoides).

oldster ['ouldstə] *n разг.* старче.

Old Style [ˌould'stail] *а* по стар стил, по юлианския календар.

old-time ['ould'taim] *а* 1. старинен, едновремешен, старовремски; 2. *разг.* старомоден.

old-world [ˌould'wəːld] *а* 1. древен; 2. старинен, някогашен, от едно време; 3. *ам.* живописен.

oleaginous [ˌouli'ædʒinəs] *а* маслен; мазен (*и прен.*).

oleander [ˌouli'ændə] *n бот.* олеандър, лиандро, зокум (Nerium oleander).

oleaster [ˌouli'æstə] *n бот.* 1. дива маслина (Olea oleaster); 2. миризлива върба (Eleagnus angustifolia).

oleiferous [ˌouli'ifərəs] *а* маслодаен.

oleograph ['ouliogrɑːf] *n* олеография.

O-level ['ou,levl] *n уч.* изпит за завършено средно образование, който не дава право да се кандидатствува в университет.

olfactory [ɔl'fæktəri] *а* обонятелен (*за нерв*).

oligarch ['ɔligɑːk] *n* олигарх.

oligarchal, oligarchic(al) ['ɔligɑːkl, ˌɔli'gɑːkik(l)] *а* олигархичен.

oligarchy ['ɔligɑːki] *n* олигархия (*и събир.*).

oligocene ['ɔligousiːn] *n геол.* олигоцен.

olio ['ouliou] *n* 1. испанска яхния от месо и зеленчуци; 2. смесица, сбирщина; антология; *муз.* потпури.

olivaceous [ˌɔli'veiʃəs] *а* маслиненозелен.

olivary ['ɔlivəri] *а анат.* с форма на маслина, овален.

olive ['ɔliv] *n* 1. *бот.* маслина (Olea europaea); 2. = **olive branch**; 3. *обик. pl* гостба от навити резени месо, пълнени с маслини и подправки; 4. овално копче; 5. маслиненозелен цвят; 6. *attr* 1) маслинен, маслинов; 2) с маслиненозелен цвят; 3) мургав.

olive-branch ['ɔlivbrɑːntʃ] *n* 1. маслинено клонче (*като символ на мира*); **to hold out the ~** правя предложения за мир; 2. *шег.* дете.

olive drab ['ɔlivdræb] *n* 1. сивкаво-зелен цвят; 2. тъмнозелен вълнен/памучен плат; 3. *ам.* униформа от такъв плат.

olive oil [ˌɔliv'ɔil] *n* маслинено масло, зехтин.

Olympiad [ou'limpiæd] *n* олимпиада.

Olympian¹ [ou'limpiən] *n* 1. *мит.* олимпиец (*и прен.*); 2. участник в древногръцките олимпийски игри.

Olympian² *а* 1. олимпийски; 2. божествен; 3. *ирон.* надменен, високомерен; 4. *прен.* величествен, тържествен.

Olympic [ou'limpik] *а* олимпийски; **(the) ~ games** Олимпийски игри, олимпиада.

Olympus [ou'limpəs] *n* 1. *геогр., мит.* Олимп; 2. небето, небесата.

ombre ['ɔmbə] *n ост.* ломбер (*вид игра на карти*).

ombudsman ['ɔmbudzmən] *n* (*pl* -men) *парл.* длъжностно лице, което разследва и дава мнение по жалби на граждани.

omega ['oumigə, *ам.* ou'megə] *n* 1. гръцката буква омега; 2. *прен.* край, завършък, заключение.

omelet(te) ['ɔmlet] *n готв.* омлет; □ **you cannot make an ~ without breaking eggs** без жертви не може да се постигне нещо голямо/важно.

omen¹ ['oumen] *n* поличба, предзнаменование, знамение; **of good ~** предвещаващ добро; **of bad/ill ~** вещаещ зло, злокобен, зловещ.

omen² *v* предвещавам, предсказвам.

ominous ['ɔminəs] *а* зловещ, злокобен, заплашителен, застрашителен.

omissible [ou'misibl] *а* който може да се изпусне, без който може.

omission [ə'miʃn] *n* 1. опущение, пропуск; нещо изпуснато; 2. изпускане, пропускане.

omit [ə'mit] *v* (-tt-) 1. пропускам, забравям (**to do s.th./doing s.th.** да направя нещо); 2. изпускам.

omnibus ['ɔmnibəs] *n* 1. автобус, омнибус; 2. еднотомник, сборник; 3. *attr* общ, всеобщ, всеобхватен; **~ bill** законопроект, който включва различни мерки; **~ box** *театр.* голяма ложа за много хора; **~ book/volume** еднотомник; сборник; антология.

omnidirectional [ˌɔmnidi'rekʃənl] *а тех.* действуващ във всички посоки (*за радиоантена*); универсален.

omnifarious [ˌɔmni'fɛəriəs] *а* всевъзможен; разнообразен.

omnipotence [ɔm'nipətəns] *n* всемогъщество.

omnipotent [ɔm'nipətənt] I. *а* всемогъщ; II. *n*: **the O.** всевишният.

omnipresent [ˌɔmni'prezənt] *а* вездесъщ.

omniscience [ɔm'nisiəns] *n* всезнание, всеведение.

omniscient [ɔm'nisiənt] *а* всезнаещ, всеведущ.

omnium gatherum ['ɔmniəm'gæðərəm] *n шег.* сбирщина, смесица; пъстро общество.

omnivorous [ɔm'nivərəs] *а* всеяден.

omophagic, omophagous [ˌoumə'fædʒik, ou'mɔəfəgəs] *а* който то яде сурово месо.

on¹ [ɔn] *prep* 1. *място — статично и динамично* на, върху, по, у; **it is/put it ~ the table** то е/сложи го на масата; **to jump ~ the top of** скачам върху; **everywhere ~ earth** навсякъде по земята/света; ~ **land and at sea** по суша и по море; **Stratford-~-Avon** Стратфорд на Ейвън; 2. *близост, посока; приблизителност* на, до, при, край, върху; почти, около; **house ~ the main road** къща край/на шосето; **just ~ a year ago** почти преди една година; **just ~ £ 5** към/около пет лири; ~ **the right** надясно; **room that looks ~ (to) the street** стая, която гледа към улицата; 3. *злонамерена цел* на, срещу, върху; **to march ~** напредвам към/срещу; **to lay hold ~** хващам, сграбчвам; **to draw o.'s knife ~** изтеглям нож срещу, нападам с нож; **curse/plague ~ him!** проклет да е! 4. *опора; основание; мерило* на, по, от, при, в; *и без превод*; **to lean ~** облягам се на (*и прен.*); **based ~ fact** основан на факт; ~ **this/that account** по тази причина; ~ **no account** в никакъв случай; ~ **good authority** от меродавен източник; ~ **the advice of** по' съвета на; ~ **pain/penalty of death** под страх от смъртно наказание; 5. *участие; състояние; занимание; условие* в, на, по, под, при, за; **to be ~ a committee/jury** член съм на комитет/жури; **writer ~ the Times** журналист в Таймс; ~ **condition that** при условие че; ~ **duty** дежурен; ~ **lease** под наем; ~ **loan** заемообразно; ~ **sale** за продан; **to go ~ a hike/excursion** отивам на екскурзия; **to go ~ a trip/journey** тръгвам на път; 6. *начин — превежда се с наречие*; ~ **the cheap** евтино; ~ **the sly** скришно, тайно; 7. *относно* за, върху, по; срещу, против; **to speak/talk/lecture ~** говоря върху; **book ~** книга върху/за; **agreement ~** споразумение по/върху/относно; **to have evidence ~ s.o.** имам доказателство против/срещу някого; **8.** *време* в, на, през, при; след; *с ger* като, когато, след като; **~ Sunday** в неделя; **~ Sundays** в неделен ден; **~ the 10th of June** на 10 юни; **~ a fine day in June** през един хубав юнски ден; **~ nights, o'nights** нощно време; **~ application/demand** при поискване; **~ o.'s majority** при пълнолетието си, когато стане човек пълнолетен; **~ (my) entering the room** като влязох в стаята; **~ and after the fifteenth** от петнадесети включително; **9.** *въвежда предложно допълнение* на, за, върху, по, от, към, с; **to insist ~** настоявам на; **to border ~** гранича с; **to depend ~** завися от; **influence ~** влияние върху; **to be set/bent/determined ~ (doing) s.th.** твърдо решен съм на нещо/да направя нещо; **mad ~** луд по; **severe/hard ~** строг към; **to smile/frown ~ s.o.** усмихвам се/мръщя се някому; **to operate ~ s.o.** оперирам някого; **cheque ~ a bank** чек срещу дадена банка; **10.** *източник; средство* посредством, с, чрез; **to live ~ vegetables, etc.** храня се/живея със зеленчуци и пр.; **how to live ~ nothing a year** как да живееш без никакъв доход/без пари; **to be ~ antibiotics/the pill** вземам антибиотици/противозачатъчно средство; **to be ~ drugs/heroine** вземам редовно наркотици/хероин; **11.** *прибавен към върху, на; след;* **twopence ~ the price** два пенса върху цената; **insult ~ insult** обида след обида; **disaster ~ disaster** беда след беда; **12.** *разг.* за сметка на; **drink ~ the house** черпня за сметка на съдържателя на заведението; **this one is ~ me** този път аз черпя; **the laugh was ~ him** той беше изиграният; □ **have you any money ~ you?** имате ли пари у себе си? **winter was ~ us** зимата ни изненада/дойде изведнъж.

on² *adv* **1.** *обличане; покриване; слагане:* **to put ~ o.'s coat, etc.** облицам си палтото и пр.; **to have o.'s boots ~** обут съм; **to have nothing ~** гол съм; **to put the kettle ~** слагам чайника да заври; **to turn/switch ~** запалвам, пускам *(котлон, лампа, радио и пр.);* **2.** *напред:* **to move/go ~** придвижвам се; **head/end ~** с главата/края напред; **3.** *продължително, безспирно, непрекъснато;* **to toil ~ and ~** работя безспир; **~ with the dance!** да почнат/да продължат танците! **and so ~** и тъй нататък; **4.** *действие; процес:* **the lights were full ~** всички лампи светеха; **the play is now ~** пиесата сега се играе; **the film/performance is ~** филмът/представлението е започнало; **the machine is ~** машината работи; **the tap is ~** чешмата тече; **the rain is ~ again!** пак завали! **breakfast is ~ from 8 to 10** закуската се сервира от 8 до 10; **have you anything ~ this evening?** имате ли нещо предвид, за/канени ли сте някъде довечера? **is the water/electricity ~ yet?** дойде ли/пуснаха ли водата/електричеството? **there's nothing ~ at present** сега е мъртъв сезон; **5.** *в изрази за време:* **early ~** отрано; доста рано; **later ~** по-късно; **it's getting ~ for 2 o'clock** наближава 2 часът; **well ~ in the night** до късно през нощта; **it was well ~ in the evening** беше вече късно вечерта; **well ~ in years** в напреднала възраст; **he was well ~ into his seventies** наближаваше седемдесетте; **~ and off** от време на време, с прекъсване; □ **it is simply not ~** *разг.* не е възможно/позво-

лено, не може; **to be ~ about s.th.** *разг.* постоянно приказвам за нещо; **to be ~ at s.o.** *разг.* постоянно врънкам някого; **to be ~ to s.o.** *разг.* 1) говоря/свързвам се с някого 2) по следите съм на някого; залавям/пипвам някого; **to be ~ to a good thing** нареждам се добре.

onager ['ɔnəgə] *n* зоол. вид диво азиатско магаре (Equus onager).

onanism [,ounə'nizm] *n* онанизъм.

once¹ [wʌns] *adv* **1.** веднъж, един път; **more than ~** неведнъж; **~ or twice**, **~ in a while**, **~ and again** от време на време, няколко пъти; **~ a week** веднъж седмично/на седмица; **~ more** още веднъж, отново; **~ (and) for all** веднъж за винаги; **2.** някога *(и в бъдеще);* веднъж, едно време; **~ upon a time** някога; □ **at ~** 1) веднага, незабавно; 2) едновременно; **at ~ stern and tender** и строг, и нежен; **all at ~** изведнъж.

once² *cj* щом (като); веднъж да; **~ I get this job done** щом като свърша тази работа; **~ you get to know him** веднъж като го опознаеш.

once³ *n* един случай/път; **do it this ~** направи го само този път (по изключение); **~ is enough** един път стига; **for (this) ~** само веднъж, по изключение.

once-over ['wʌns,ouvə] *n разг.* бърз преглед/прочитане; **to give s.o. the ~** оглеждам някого критично.

oncology [ɔn'kɔləʤi] *n* онкология

oncoming ['ɔn,kʌmiŋ] **I.** *a* идващ, предстоящ; приближаващ; насрещен; **the ~ shift** встъпващата смяна (работници); **II.** *n* идване, настъпване.

one¹ [wʌn] *a* **1.** един; първи; **~ hundred** сто; **book/chapter ~** книга/глава първа; **~ or two people** един-двама души; **~ man in a thousand** един на хиляда души, много малко хора; **that's ~ way of doing it** това е един начин да го направиш; и така може да го направиш; **2.** само един, единствен; **it's the ~ thing I didn't want you to do** именно/точно това не исках да направиш; **their ~ and only son** единственият им син; **no ~ man could do it** никой не би могъл да го направи сам; това не е работа за сам човек; **3.** един, единен; еднакъв, един и същ; **he and I are ~** ние с него сме единодушни; **I am ~ with you** на вашето мнение съм; **to remain forever ~** оставам си все същият; **it's all ~ (to me)** *разг.* все едно (ми) е; **4.** един, някой; **~ day** един/някой ден.

one² *n* **1.** числото едно, единица; **in the year ~** *прен.* много отдавна, във време оно; **2.** замества вече споменато същ.; означава отделен предмет, човек; **which ~ do you prefer?** кого/коя/кое предпочитате? **they arrived in ~s and twos** точеха се по един, по двама; **~ and all** всички до един; **3.** *ам.* банкнота от един долар; □ **to be at ~ with s.o.** единодушни сме с някого; **I fetched/landed/gave him ~** лепнах му една плесница; **I for ~** колкото до мен; **to be ~ up on s.o.** имам предимство пред някого.

one³ *pron* **1.** *demonstr, indef* един, някой (си); човек; **this/that ~** този/онзи; **any ~ of us** кой да е от нас; **~ another** взаимно, един друг; **many a ~** много хора; **his dear ~s** близките му; **to ~ in his position** за човек с неговото положение; **~ Mr Smith** някой си господин Смит; **I am not ~ to** не съм човек, който би; не ми е по нрава да; **I'm not much of a ~ for sweets** не съм твърде по сладкишите; **2.** *impers* човек; **~ cannot help doing it** човек не може да не го направи; **3.** *в poss case* си, свой; **to give ~'s opinion** казвам си мнението; □ **the Evil O.** сатаната; **the Holy O., the O. above** бог; **~ with another** общо взето, средно, едно на друго.

one-handed [ˌwʌnˈhændid] *a* 1. еднорък; 2. за една ръка (*за инструмент и пр.*)

one-horse [ˌwʌnˈhɔːs] *a* 1. с/за един кон; с една ко́нска сила; 2. *прен. sl.* зле екипиран; незначителен, второстепенен; ~ **town** никакво/загубено градче.

one-ideaed [ˌwʌnaiˈdiəd] *a* 1. тесногръд; 2. с идея-фикс.

one-legged [ˌwʌnˈlegd] *a* 1. еднокрак; с отрязан крак (*за човек*); 2. *разг.* несправедлив (*за договор и пр.*).

one-man [ˈwʌnmæn] *a* за един/сам човек; ~ **show** изк. самостоятелна изложба; ~ **stage play** монодрама, пиеса за един актьор.

oneness [ˈwʌnnis] *n* 1. единствено, цялост; 2. единодушие, единомислие; 3. изключителност; 4. еднаквост, непроменчивост.

one-piece [ˌwʌnˈpiːs] *a* цял, от едно парче.

oner [ˈwʌnə] *n sl.* 1. рядък човек/предмет; спец; 2. тежък удар; 3. опашата лъжа.

onerous [ˈɔnərəs] *a* обременителен (*и юр.*), затруднителен, тежък.

oneself [wʌnˈself] *pron* 1. *refl* се, си; **to hurt** ~ наранявам се; **to tell** ~ казвам си; 2. *emph* сам, за себе си; **to do s.th.** ~ сам върша нещо; □ **to be** ~ в нормалния си вид съм (*умствено и физически*); естествен съм, държа се естествено; искрен съм; **by** ~ сам (*без ничия помощ, непридружен*); **to come to** ~ идвам в съзнание/на себе си, съвземам се; **to keep** ~ **to** ~ страня от хората, не съм общителен.

one-sided [ˌwʌnˈsaidid] *a* 1. с една страна, едностранен; застроен от едната страна (*за улица*); 2. *бот.* с листа/цветове само от едната страна (*на стъблото*); 3. наклонен; асиметричен; 4 *прен.* едностранчив, неравен, несправедлив (*за договор*); пристрастен.

one-step [ˈwʌnstep] *n* вид фокстрот (*танц*).

one-time [ˌwʌnˈtaim] *a* някогашен, бивш.

one-track [ˌwʌnˈtræk] *a* 1. жп. единичен, с един коловоз; 2. ограничен, тесногръд; ~ **mind** ограничен ум.

one-up [ˌwʌnˈʌp] *a* 1. *сп.* водещ с една точка; 2. *прен. разг.* с преднина, в по-изгодно положение; **to be** ~ **(on s.o.)** имам преднина (пред някого), надигравам (някого).

one-upmanship [ˌwʌnˈʌpmənʃip] *n разг.* чувство за превъзходство, преднина; напереност, фукане.

one-way [ˈwʌnˈwei] *a* 1. само за отиване, в едно направление (*за билет*); 2. еднопосочен.

onfall [ˈɔnfɔːl] *n* нападение.

ongoing [ˈɔŋɡouiŋ] *a* 1. в процес; 2. съществуващ; 3. растящ.

onion [ˈʌnjən] *n* 1. *бот.* лук (Allium cepa); глава лук; **spring** ~**s** зелен лук; **seed** ~**s** арпаджик; 2. *sl.* глава, тиква; **off o.'s** ~ луд, откачен; 3. *воен. sl.* запалителна ракета; □ **to know o.'s** ~**s** *sl.* акъллия/опитен съм.

onion dome [ˈʌnjəndoum] *n арх.* луковица.

onion-skin [ˈʌnjənskin] *n* 1. кожа/ципа на лук; 2. вид тънка хартия.

oniony [ˈʌnjəni] *a* с миризма/вкус на лук.

on-license [ˈɔnˌlaisəns] *n* позволително за продажба на спиртни напитки само за консумация в заведението.

onlooker [ˈɔnˌlukə] *n* зрител, (случаен) свидетел.

only¹ [ˈounli] *a* 1. единствено; **we are the** ~ **people that know it** само ние го знаем; 2. най-добър; **he is the** ~ **man for the position** той е най-добрият/подходящият за този пост.

only² *adv* 1. само; **if** ~ **she would stop talking** да щеше да млъкне; 2. ~ **too** много, извънредно; **I shall be** ~ **too pleased to** с най-голямо удоволствие ще; **the news was** ~ **too true** новината несъмнено/за голямо съжаление беше вярна; 3. *за усилване:* |~ **just** едва-едва; **we arrived** ~ **just in time** за малко не закъсняхме; **he**

has ~ **just arrived** той току-що пристигна.

only³ *cj* само че, но (*и* ~ **that**).

onomastics [ˌɔnouˈmæstiks] *n pl с гл. в sing ез.* ономастика.

onomatopoeia [ˌɔnoumætouˈpiːə] *n ез.* 1. ономатопея, звукоподражание: 2. звукоподражателна дума.

onomatopoeic(al) [ˌɔnoumætouˈpiːik(l)] *a ез.* ономатопоетичен, звукоподражателен.

onrush [ˈɔnrʌʃ] *n* устрем, атака; прилив, силен поток/струя.

onset [ˈɔnset] *n* 1. нападение, атака; 2. начало.

onshore¹ [ˈɔnʃɔː] *a* 1. духащ към брега (*за вятър*); 2. разположен близо до/успоредно на брега; 3. който е на сушата.

onshore² *adv* 1. към брега; 2. близо до/успоредно на брега; 3. на сушата.

onslaught [ˈɔnslɔːt] *n* яростна атака.

onto, on to [ˈɔntu] *prep* на, върху, о (*за движение*); **to climb** ~ **the roof** качвам се на покрива.

ontogenesis [ˌɔntouʤiˈnisis] *n биол.* онтогенеза.

ontogenetic [ˌɔntouʤiˈnetik] *a биол.* онтогенетичен.

ontology [ɔnˈtɔləʤi] *n фил.* онтология.

onus [ˈounəs] *n лат.* бреме, тежест, задължение; ~ **probandi** *юр.* тежестта на доказването.

onward¹ [ˈɔnwəd] *a* насочен напред; ~ **movement** движение напред.

onward², **onwards** [-z] *adv* напред; **to move** ~**s** напредвам, придвижвам се; **form this time** ~**s** отсега нататък.

onyx [ˈɔniks] *n минер.* оникс.

oodles [ˈuːdlz] *n pl sl.* голямо количество/брой, маса; **there are** ~ **of them** с лопата да ги ринеш.

oof [uːf] *n sl.* пари, мангизи.

oogenesis [ˌouəˈʤenisis] *n биол.* оогенеза.

oolite [ˈouəlait] *n геол.* оолит.

oolitic [ˌouəˈlitik] *a геол.* 1. оолитов; 2. оолитски (*съдържащ вкаменелости*).

oology [ouˈɔləʤi] *n* оология.

oolong [ˈuːlɔŋ] *n* вид черен китайски чай.

oomph [uːmf] *n sl.* сексапил.

ooze¹ [uːz] *n* 1. кал, тиня; 2. дъбилен разтвор/течност; 3. мочур, тресавище.

ooze² *v* 1. процеждам се, просмуквам се, сълзя, капя **(from, through, out of)**; 2. изпускам, излъчвам **(with, from)** (*и прен.*); **he was oozing sweat** пот течеше от него; **blood was still oozing from the wound** раната още кървеше; **the walls are oozing (with) water** стените са подгизнали; **he** ~**s self-conceit** *прен. разг.* той е цял изтъкан от самодоволство; **woman oozing with charm** обаятелна/чаровна жена; 3. *прен.* разчувам се (*за тайна, новина*) **(out)**; 4. *прен.* постепенно намалявам, изпаравам се (*за кураж и пр.*).

oozy [ˈuːzi] *a* тинест.

opacity [ouˈpæsiti] *n* 1. непрозрачност; 2. *прен.* тъпота, слаба интелигентност, невъзприемчивост; 3. тъмнота, мрак; 4. *прен.* неясност, забърканост, неразбираемост (*на мисли, значение*).

opal [ˌoupl] *n минер.* опал; ~ **glass** млечно стъкло.

opalescence [ˌoupəˈlesns] *n* опалесценция.

opaline [ˈoupəlain] I. *a* опалесцентен: II. *n и* [ˈoupəliːn] млечно стъкло.

opaque [ouˈpeik] *a* 1. непрозрачен; матов; 2. непрогледен, непроницаем; 3. тъмен; 4. неразбираем; 5. тъп, глуповат.

open¹ [ˈoupən] I. *a* 1. отворен, открит, разтворен **(to)**; ~ **account** открита/текуща сметка; **in the** ~

air на открито; ~ **cheque** небариран чек; ~ **circuit** *ел.* прекъсната/отворена верига; ~ **country** открито поле; ~ **river** река без лед, свободна за корабоплаване; **road** ~ **to traffic** път, открит за движение; ~ **warfare** *воен.* подвижна война; **to keep the bowels** ~ прочиствам червата, разхлабвам, поддържам стомаха редовен; **there was no course** ~ **to me but to** нямах друг избор/изход освен да; **to keep** ~ **door/house** гостоприемен съм, живея на широка нога; **it is** ~ **to you to object** имате право да си направите възраженията; **2.** открит, явен; общодостъпен, неограничен, свободен; обществен, публичен; ~ **trial** публичен процес; ~ **season** ловен сезон; **fact** ~ **to all** всеизвестен факт; ~ **letter** отворено писмо; ~ **secret** публична/общоизвестна тайна; **O. University** университет за задочно следване посредством лекции и пр. по радиото и телевизията; **3.** открит, изложен; незащитен (*и с* to); податлив, склонен, непредубеден; ~ **city/town** открит град; ~ **to advice** готов/склонен да приеме чужди съвети; ~ **to ridicule** който може да възбуди присмех; **to be** ~ **pity** лесно се смилявам; **to keep an** ~ **mind on a question** не вземам становище/страна, оставам непредубеден по даден въпрос; **4.** открит, висящ, неразрешен; вакантен; ~ **verdict** *юр.* акт (*при предварителното следствие*), с който се установява смъртта, без да се посочва причината; **to keep an offer** ~ не оттеглям предложение; **5.** прям, открит, откровен; явен; отявлен; ~ **vote** явно гласоподаване; **to be** ~ **with s.o.** откровен съм с някого; **6.** разгънат; който не е стегнат/сбит/плътен; ~ **soil** рохкава/пръхкава пръст; ~ **fence** ограда с решетки; **in** ~ **order/formation** *воен.* в разгънат строй; **7.** *фон.* отворен (*за гласна, сричка*); фрикативен, проходен (*за съгласна*); **8.** *ам. разг.* без (законни) ограничения; ~ **town** град, в който е разрешен хазартът; □ ~ **winter/weather** мека зима/време; **II.** *n* **1.** **the** ~ открито пространство/поле/море; **in the** ~ на открито, под открито небе; **2.** *сп.* състезание, открито за професионалисти и аматьори; □ **to come into the** ~ 1) разкривам намеренията си; 2) ставам обществено достояние, излизам наяве.

open² *v* **1.** отварям (се); правя отвор/разрез; прокарвам (*път и пр.*); разработвам (*мина*); разпечатвам (*плик*); отварям, разгръщам (*вестник и пр.*); **to** ~ **o.'s heart/mind to** доверявам се на (*някого*), споделям чувствата/мислите си с (*някого*); **to** ~ **o.'s eyes** *прен.* зяпвам от изненада; **to** ~ **s.o.'s eyes to** *прен.* отварям някому очите за (*нещо*); **2.** *ел.* прекъсвам (*верига*); изключвам (*ток*); **3.** разтварям; разкривам (се) (*за гледки, перспективи*) (*и с* out) (*и прен.*); **4.** *мор.* виждам, съзирам; **5.** виждам се, разкривам се пред погледа; **6.** разхлабвам, прочиствам (*червата*); **7.** разоравам; **to** ~ **new land for settlement** усвоявам нови земи за заселване; **8.** откривам (*заседание, магазин, изложба, сметка и пр.*); започвам, откривам се; **to** ~ **fire** *воен.* откривам огън/стрелба; **9.** отварям се, гледам (*за врата, прозорец*) (**into, onto, out, to**); **rooms that** ~ **out of one another/**~**ing into each other** стаи с врати помежду си/които са свързани помежду си; **10.** *юр.* откривам (*заседание*); връщам (*дело*) за ново разглеждане; **11.** *воен.* разгръщам; **the soldiers** ~**ed their ranks** войниците се разгърнаха във верига; **12.** *ам.* отпускам се, започвам да говоря;
open out 1) разширявам се (*за път и пр.*); 2) разгръ-

щам (*карта и пр.*); разкривам се, разгръщам се (*за гледка и пр.*); 3) развивам се, разтварям се, разцъфвам се; 4) отпускам се, отварям се, ставам по-общителен (*за човек*);
open up 1) отварям вратата (*и на полиция*); 2) отварям, развързвам (*пакет и пр.*); 3) отключвам; 4) отварям се (*за рана*); 5) проправям (*път и пр.*); 6) усвоявам (*нови земи и пр.*); 7) откривам (*магазин и пр.*); 8) разработвам (*мина и пр.*); 9) *прен.* разкривам, разгръщам; развивам; 10) *сп.* активизирам се; 11) *разг.* разприказвам се, говоря свободно; 12) *воен.* откривам огън/стрелба, почвам сражение; 13) = **open out** 1; 14) *ам. sl.* доноснича; 15) *ам. sl.* оперирам, отварям (*някого*); 16) увеличавам скоростта (*и на превозно средство*).

open-air [ˌoupən'ɛə] *a* **1.** открит; който е/става на открито; ~ **restaurant** ресторант градина, ресторант на открито; ~ **treatment** *мед.* лечение на въздух; въздушна терапия; **2.** който обича да излиза сред природата.

open-and-shut [ˌoupnən'ʃʌt] *a* лесно определим/разрешим; прост, очевиден.

open-armed [ˌoupn'ɑːmd] *a* с разтворени обятия; **to receive s.o.** ~ приемам някого най-сърдечно/с разтворени обятия.

opencast ['oupənkɑːst] *мин.* **I.** *a* открит (*за рудник*); **II.** *n* открита/кариерна разработка.

open court ['oupənkɔːt] *n* публично съдебно заседание.

open door ['oupndɔː] *a:* ~ **policy** политика на свободна икономическа конкуренция.

open-ended [ˌoupn'endid] *a* **1.** без предварителни ограничения; **2.** даващ възможност за по-нататъшно разглеждане.

opener ['oupnə] *n* **1.** човек/уред който отваря; отварачка; **2.** първата от серия случки; **3.** *тех.* разрохвач (*на почва*).

open-eyed [ˌoupn'aid] *a* **1.** предпазлив; бдителен; **2.** напълно съзнаващ положението; **3.** изненадан.

open-handed [ˌoupn'hændid] *a* щедър.

open-hearted [ˌoupn'hɑːtid] *a* **1.** открит, откровен; искрен; сърдечен; **2.** мекосърдечен, милостив.

opening ['oupniŋ] *n* **1.** отвор; отвърстие; дупка; **2.** отваряне; откриване (*на изложба, парламент и пр.*); **3.** начало; *театр.* премиера; **4.** удобен случай, благоприятна възможност; **5.** вакантно място/служба; **6.** горска поляна, сечище; **7.** *юр.* предварително изложение на фактите по процес; **8.** *шах* дебют; **9.** дефиле, клисура; **10.** *attr* 1) начален, пръв, встъпителен; ~ **night** *театр.* премиера; 2) *мед.* разхлабителен.

openly ['oupənli] *adv* откровено; открито.

open-minded [ˌoupən'maindid] *a* непредубеден, без предразсъдъци, либерален.

open-mouthed[1] [ˌoupən'mauðd] *a* **1.** зяпнал; изумен; **2.** ревностен; **3.** лаком; **4.** шумен; гръмогласен.

open-mouthed[2] *adv* **1.** със зяпнала уста; изумено; **2.** ревностно; **3.** лакомо; **4.** шумно; гръмогласно.

open-work ['oupənwəːk] **I.** *n* **1.** *текст.* ажурна тъкан; ажур; **2.** художествена плетеница от ковано желязо и пр.; **3.** = **open-cast** II; **4.** *attr* 1) ажурен; 2) = **open-cast** I.

opera[1] ['ɔpərə] *n* опера.

opera[2] *вж.* **opus.**

operable ['ɔpərəbl] *a мед.* оперируем.

opera-bouffe, -buffa [ˌɔpərə'buːf, -'buːfə] *n* комична опера, буфо-опера.

opera-cloak ['ɔpərəklouk] *n* вечерна пелерина.

opera-glass(es) ['ɔpərəglɑːs(iz)] *n* театрален бинокъл.

opera-hat ['ɔpərəhæt] *n* клак, сгъваем цилиндър.

opera-house ['ɔpərəhaus] *n* опера (*сградата*), оперен театър.

operate ['ɔpəreit] *v* 1. работя, действувам, функционирам; **the tax ~s to our disadvantage** данъкът е неизгоден за нас; 2. привеждам в движение/действие, задействувам; управлявам, обслужвам (*машина*); **~d by steam/electricity** задвижван с пара/електричество; 3. оказвам влияние, действувам, въздействувам (**on, upon**); подействувам (*за лекарство*); **several causes ~d to bring on the war** няколко причини довеждаха до войната; 4. *мед.* оперирам (**on**), извършвам операция; **to ~ on an appendix** оперирам апендикс; **to ~ on/upon s.o. for appendicitis** оперирам някого от апендицит; 5. *воен., фин.* провеждам/извършвам операции; действувам; **to ~ for a rise/fall** *фин.* спекулирам, за да повдигна/сваля цените; 6. разработвам, експлоатирам (*железница и пр.*); 7. влизам в сила.

operatic [,ɔpə'rætik] *a* оперен.

operating ['ɔpəreitiŋ] *a* 1. *мед.* операционен; **~ surgeon** хирург, оператор; 2. работен, действуващ; експлоатационен; **~ staff** обслужващ/технически персонал; **~ time** 1) *тех.* оперативно време; 2) *адм.* работно време; **~ conditions** *тех.* работни условия; експлоатационен режим.

operating-room ['ɔpəreitiŋrum] *n мед.* операционна зала.

operating-theatre ['ɔpəreitiŋ,θiətə] *n* (амфитеатрална) операционна зала.

operation [,ɔpə'reiʃn] *n* 1. действие; операция; опериране; манипулация; работа; изпълнение; задвижване; начин на управление; **in ~** в действие; **to be in ~** работя; в сила съм; **to come/go into ~** започвам да действувам/да се прилагам; влизам в сила; влизам в строя; **to bring a decree into ~** прилагам наредба/декрет; 2. процес; ход; **the ~s of nature** промени, предизвикани от природни сили; **the ~ of thinking** мисловният процес; 3. *мед.* операция; 4. *воен., фин.* обик. *pl* операция; кампания; 5. *мат.* действие; 6. *ам.* разработка, експлоатация; 7. управление (*на машина*); □ **~(s) research** проучвания за увеличаване ефективността (*в промишлеността и пр.*).

operational [,ɔpə'reiʃənl] *a* 1. *воен., фин.* операционен, оперативен (*за план и пр.*); боен (*за ракета*); 2. експлоатационен (*за разноски, разходи*); 3. работен (*за данни и пр.*), оперативен; 4. работещ, в действие/изправност; **when will the new airliner be ~?** кога ще бъде пуснат в експлоатация новият самолет? 5. *мед.* операционен; 6. *мат., изч. тех.* операционен; операторен.

operative ['ɔpərətiv] I. *a* 1. действуващ; действителен; **to become ~** влизам в сила (*за закон и пр.*); 2. ефикасен, действен; ефективен, резултатен; 3. *мед.* операционен; 4. оперативен; 5. работнически (*за класа*); II. *n* 1. индустриален работник; 2. занаятчия; 3. *ам.* детектив, таен агент.

operator ['ɔpəreitə] *n* 1. обслужващо лице, оператор (*на машина*); механик; кинооператор; телефонист, телеграфист; свързочник; **wireless ~** *мор.* радист; 2. средство за управление; 3. хирург, оператор; 4. *фин.* борсов посредник/спекулант; 5. *ам.* шарлатанин; хитрец; 6. *ам.* собственик на мина; 7. *мат.* (знак за) операция; *изч. тех.* оператор; □ **private ~s (in civil aviation)** частни авиационни компании.

operetta [,ɔpə'retə] *n* оперета.

operose ['ɔpərous] *a* ост. 1. старателен; 2. трудоемък; тежък, тягостен.

ophidian [ɔ'fidiən] *зоол.* I. *a* 1. змийски, отнасящ се до змиите; 2. змиевиден; II. *n* змия.

ophthalmia [ɔf'θælmiə] *n мед.* офталмия.

ophthalmic [ɔf'θælmik] *a мед.* очен.

ophthalmologist [,ɔfθæl'mɔlədʒist] *n* лекар, специалист по очни болести.

ophthalmology [,ɔfθæl'mɔlədʒi] *n мед.* офталмология.

opiate[1] ['oupiət] *n* 1. наркотик; упойка; приспивателно/упоително/сънотворно средство; 2. *attr* сънотворен, приспивателен.

opiate[2] ['oupieit] *v* 1. приспивам; наркотизирам; 2. смесвам/размесвам с опиум.

opine [ou'pain] *v книж.* изказвам мнение; мисля, смятам, на мнение съм (**that** че).

opinion [ə'pinjən] *n* 1. мнение, възглед, схващане, разбиране; убеждение; **in my ~** по мое мнение/моему; **it is the ~ of most people that** по мнението на повечето хора, повечето хора смятат, че; **to be of the ~ that** смятам/на мнение съм, че; **public ~** обществено мнение; **to act up to o.'s ~s** постъпвам съобразно убежденията си; **to have the courage of o.'s ~s** открито защищавам убежденията си; 2. мнение, преценка; **to have a good/high/bad/low ~ of s.o./s.th.** имам добро/високо/лошо мнение за някого/нещо; **to have no ~ of s.o.** имам лошо мнение за някого; 3. (компетентно) мнение/преценка/заключение на специалист; **to have the best ~** обръщам се към най-добрия специалист; **to have/get another ~** вземам мнението на/консултирам се и с друг специалист; **dissenting ~** *юр.* особено мнение.

opinionated [ə'pinjəneitid] *a* упорит, своеволен; догматичен, не допускащ възражение.

opinionative [ə'pinjəneitiv] *a* 1. доктринен, доктринерен, буквоядски; 2. = **opinionated**.

opium ['oupjəm] *n* опиум, опий.

opium-den ['oupjəmden] *n* пушалня за опиум.

opium-eater ['oupjəm,i:tə] *n* пушач на опиум.

opossum [ə'pɔsəm] *n зоол.* 1. опосум (Didelphys virginiana); 2. = **phalanger**.

opponent [ə'pounənt] I. *a* 1. противопоставящ се, опониращ, враждебен (**to**); 2. срещуположен, противоположен; II. *n* противник, опонент.

opportune ['ɔpətju:n] *a* своевременен, навременен, благоприятен; подходящ, уместен.

opportunism ['ɔpətju:nizm] *n* опортюнизъм.

opportunist [,ɔpə'tju:nist] *n* 1. опортюнист; 2. *attr* опортюнистичен.

opportunity [,ɔpə'tju:niti] *n* удобен случай/момент; подходяща/благоприятна възможност; **~ for s.th./of doing s.th./to do s.th.** удобен случай за нещо/да се направи нещо; **to afford an ~** давам/предлагам/предоставям възможност; **at the earliest ~** при първа възможност, при пръв удобен случай; **when ~ occurs** при случай, когато се отдаде случай/възможност; **golden ~** прекрасен случай, блестяща възможност; **to avail o.s. of/grasp at the ~ to do s.th.** използувам случая да направя нещо; **to throw away/let slip/miss/lose an ~** изпускам случай/възможност; **to take/seize the ~ of** (*c ger*) възползувам се от случая да; □ **~ makes the thief** изкушението създава крадеца.

oppose [ə'pouz] *v* противопоставям (се) на; опълчвам (се) против, възпротивявам се на/срещу; опонирам на, възразявам против; **I am ~d to his going abroad** противопоставям се на това той да отиде в чужбина; **to ~ a scheme** обявявам се против даден план; □ **as ~d to** за разлика от, в сравнение с; в противовес на.

opposer [ə'pouzə] *n* противник, опонент.

opposing [ə'pouziŋ] *a* 1. противоположен; 2. противен, враждебен.

opposite[1] ['ɔpəsit] I./*a* 1. отсрещен, насрещен, срещуположен; **the house ~ (to) ours** отсрещната къща, къщата, разположена срещу нашата; 2. обратен, противоположен, диаметрално различен (**to, from**); **~ poles** *ел.* разноименни полюси; 3. съответен; **o.'s ~ number** колега, заемащ същата/съответната длъжност (*в друго предприятие, държава и пр.*); II. *n* противоположност, антипод; **he is reserved, she is the ~** той е сдържан, а тя — обратното; **I thought quite the ~** аз мислех тъкмо обратното.

opposite[2] *adv* насреща, отсреща; **the house ~** отсрещната къща.

opposite[3] *prep* срещу; **to play ~ s.o.** *театр.* партньор съм/партнирам на някого.

opposition [ˌɔpə'ziʃn] *n* 1. противопоставяне; противодействие; съпротива, съпротивление; 2. противоположност, противоположно положение; 3. *астр.* опозиция, противостоене; 4. *пол.* опозиция; 5. *attr* опозиционен, на опозицията.

oppositional [ˌɔpə'ziʃənl] = **oppositionist** 2.

oppositionist [ˌɔpə'ziʃənist] *n* 1. опозиционер; 2. *attr* опозиционен.

oppress [ə'pres] *v* потискам (*и пол.*), угнетявам; гнетя; **~ed with anxiety** потиснат от тревога; **~ed with the heat** измъчен от жегата.

oppression [ə'preʃn] *n* 1. потисничество, гнет; угнетяване, потискане; 2. потиснатост, угнетеност, притеснение.

oppressive [ə'presiv] *a* 1. потискащ, тягостен, угнетителен, притесняващ; 2. задушен (*за време*); 3. потиснически, тираничен, деспотичен.

oppressor [ə'presə] *n* потисник, тиранин, деспот.

opprobrious [ə'proubriəs] *a* 1. обиден, оскърбителен; 2. позорен, срамен.

opprobrium [ə'proubriəm] *n книж.* 1. позор, срам, безчестие; 2. укори, хули.

oppugn [ə'pjuːn] *v* оспорвам, поставям под съмнение, повдигам възражения срещу; *прен.* нападам, нахвърлям се върху.

oppugnancy [ə'pʌgnənsi] *n* възразяване, противопоставяне, нападки.

opt [ɔpt] *v* избирам, установявам се на (**for**); **to ~ out (of)** решавам да не участвувам (в).

optant ['ɔptənt] *n* човек, който има право да избира (*особ. народност*).

optative ['ɔptətiv] I. *a* 1. изразяващ желание/избор; 2. *грам.* оптативен, желателен; **~ mood** оптатив, желателно наклонение; II. *n грам.* оптатив, желателно наклонение.

optic ['ɔptik] I. *a* 1. зрителен, оптичен; 2. *анат.* очен; II. *n* 1. *опт.* леща; 2. *sl. шег.* око, зъркел.

optical ['ɔptikl] *a* 1. оптически, оптичен; зрителен; 2. *астр.* видим (*за галактика*).

optician [ɔp'tiʃn] *n* оптик.

opticist ['ɔptisist] *n* оптик, специалист по оптика.

optics ['ɔptiks] *n pl с гл. в sing* оптика.

optimism ['ɔptimizm] *n* оптимизъм.

optimist ['ɔptimist] *n* оптимист.

optimistic(al) [ˌɔpti'mistik(l)] *a* оптимистичен.

optimization [ˌɔptimai'zeiʃn] *n* оптимизация; подбор на оптимални условия:

optimize ['ɔptimaiz] *v* 1. оптимизирам, довеждам до оптимум; 2. оптимист съм.

optimum ['ɔptiməm] *n* оптимум, съвкупност от най-добри условия; най-благоприятен резултат (*от процес, работа*).

option ['ɔpʃn] *n* 1. (право/свобода на) избор; **he didn't have many ~s open to him** нямаше много други възможности; **to have no ~ but to** трябва/принуден съм да, нямам друг избор, освен да; **to keep/leave o.'s ~s open** не се обвързвам/заангажирам; 2. *търг., борс.* опцион, сделка с премия; 3. *юр.* опция; 4. *ам.* допълнение, допълнително приспособление (*по желание на купувача*).

optional ['ɔpʃənl] *a* незадължителен, факултативен, изборен, по избор.

opulence ['ɔpjuləns] *n книж.* изобилие, богатство; разкош.

opulent ['ɔpjulənt] *a* 1. богат; 2. изобилен; разкошен; пищен; 3. цветист (*за стил*); 4. буен (*за растителност*).

opus ['oupəs] *n (pl* **opera** ['ɔpərə]) опус, произведение (*обик. музикално*); **magnum ~** главно произведение/труд.

opuscule [ɔ'pʌskjuːl] *n* малко произведение/композиция.

or[1] [ɔː] *cj* или; **~ else** или пък; иначе; **either...~...** или... или...; **whether...~...** дали... или...; **pay up, ~ else!** плащай или да му мислиш! **somewhere ~** някъде тук; **I put it in the cupboard ~ somewhere** сложих го някъде, може би в бюфета; **~ so** около, приблизително (*след думи за брой, количество*).

or[2] *n хер.* златен/жълт цвят.

or[3] *prep ост.* преди, до.

or[4] *cj ост.* преди да.

orach(e) ['ɔritʃ] *n бот.* градинска лобода (Atriplex).

oracle ['ɔrəkl] *n* 1. оракул (*и прен.*); 2. предсказание, пророчество; 3. *прен.* мъдрост; истина; откровение; 4. неясно/загадъчно изказване; 5. *библ.* светая светих; 6. *рел.* светото писание, божието слово; □ **to work the ~** подреждам нещата, дърпам конците, уреждам въпросите задкулисно/предварително.

oracular [ɔ'rækjulə] *a* 1. оракулски, пророчески; 2. догматичен; 3. двусмислен, загадъчен, тъмен.

oral ['ɔːrəl] I. *a* 1. *анат.* устен, на устата; 2. словесен; устен (*за изпит*); II. *n* устен изпит.

orally ['ɔːrəli] *adv* 1. словесно; устно; 2. *мед.* през устата.

orange ['ɔrindʒ] *n* 1. *бот.* горчив портокал (Citrus aurantium); сладък портокал (Citrus sinensis); 2. портокалово дърво; 3. портокалов/оранжев цвят; 4. *attr* 1) портокалов, оранжев (*за цвят*); 2) *ист.* О. ултрапротестантски (*в Северна Ирландия*).

orangeade [ˌɔrin'dʒeid] *n* оранжада.

orange-blossom ['ɔrindʒ'blɔsəm] *n* портокалови цветове (*обик. като булчински накит*).

orangery ['ɔrindʒəri] *n* оранжерия/парник за отглеждане на портокалови дървета.

orang-outang, -utan [ɔːˌræŋuː'tæn] *n зоол.* орангутан (Pongo pygmaeus).

orate [ɔː'reit] *v шег.* ораторствувам.

oration [ɔː'reiʃn] *n* 1. тържествена реч, слово; 2. **direct/indirect ~** *грам.* пряка/непряка реч.

orator ['ɔrətə] *n* оратор.

oratorical [ˌɔrə'tɔrikl] *a* ораторски; риторически; красноречив.

oratorio [ˌɔrə'tɔːriou] *n муз.* оратория.

oratory[1] ['ɔrətri] *n* красноречие, риторика, ораторско изкуство.

oratory[2] *n* малък параклис; стая за молитва.

orb[1] [ɔːb] *n* 1. кълбо, сфера, глобус; 2. *поет.* небесно тяло; **the ~ of the day** слънцето; 3. *поет.* око, очна ябълка; 4. златно кълбо с кръст отгоре (*част от* кралски *регалии*); **5.** *ост.* орбита; къг; **6.** обсег, обхват; 7. *ост.* земята.

orb[2] *v* **1.** правя/ставам объл, заоблям (се); **2.** *поет.* обикалям, заобикалям, окръжавам; **3.** *ост.* движа се в орбита.

orbed [ɔ:bd, *поет.* 'ɔ:bid] *a* сферичен; кръгъл, закръглен.

orbicular [ɔ:'bikjulə] *a книж.* сферичен; кръгъл.

orbit[1] ['ɔ:bit] *n* **1.** *астр.* орбита; **to put in/into ~** *ав.* извеждам в орбита; **2.** *анат.* очна ябълка; **3.** *прен.* кръг/сфера на действие/влияние.

orbit[2] *v* **1.** извеждам в орбита (*спътник*); движа се в/излизам в орбита; **2.** *ам.* движа се/пътувам в кръг.

orbital ['ɔ:bitl] *a* орбитален.

orchard ['ɔ:tʃəd] *n* овощна градина.

orchardist, -man ['ɔ:tʃədist, -mən] *n* (*pl* **-men**) градинар, овощар.

orchestra ['ɔ:kistrə] *n* **1.** оркестър; **2.** място за оркестър (*в опера и пр.*); **3. ~ stalls** предните редове на партера.

orchestral [ɔ:'kestrəl] *a* оркестров.

orchestrate ['ɔ:kistreit] *v* **1.** оркестрирам, аранжирам за оркестър; **2.** *прен.* нагласявам, организирам.

orchestration [,ɔ:ke'streiʃn] *n* **1.** оркестриране, аранжиране за оркестър; оркестровка, оркестрация; **2.** *прен.* организиране.

orchid ['ɔ:kid] *n бот.* орхидея (Orchis latifolia).

ordain [ɔ:'dein] *v* **1.** ръкополагам, посвещавам в духовен сан; **2.** предопределям; **3.** нареждам, заповядвам, предписвам.

ordeal [ɔ:'di:l] *n* **1.** изпитание, мъчение; **2.** *ист.* божи съд.

order[1] ['ɔ:də] *n* **1.** ред; последователност; порядък; **in alphabetical/chronological ~** по азбучен/хронологичен ред; **in ~ of size/merit/importance** по големина/заслуги/важност; **2.** ред, изправност, порядък; **in ~** в ред/изправност; **in good/running/working ~** в пълна изправност; **in bad/not in/out of ~** не в ред/изправност; **the lift/telephone is out of ~** асансьорът/телефонът е развален/не работи; **to put s.th. in ~** оправям/нареждам нещо; **3.** (обществен) ред; дисциплина; **to keep o.'s classes in ~** , **to keep ~ in o.'s classes** поддържам ред/дисциплина в класовете си; **4.** *юр., парл.* (установен) ред/правила/процедура; **~ of business/of the day** дневен ред; **~ of the day** положение на нещата; нещо общоприето; преобладаваща мода; приета процедура; **~!~!** моля, ред! тишина! **breach of ~** нарушение на регламента/реда; **point of ~** процедурен въпрос; **in ~** според установения ред/процедура; **out of ~** в разрез с установения ред/процедура; **to be out of ~** нарушавам процедурата; **to reduce children to ~** усмирявам деца. **5.** обществен строй; **6.** заповед, нареждане, предписание; **to be under ~s (to do s.th.)** заповядано ми е (да направя нещо); **by ~ of** по заповед на; **under the ~s of** под командуването на; **I do not take my ~s from you** няма ти да ми заповядваш; **marching ~s** *воен.* заповед за поход/тръгване/заминаване; **7.** поръчка; поръчани стоки; **on ~** поръчан (*но още не доставен*); **short ~** *ам.* аламинут; **in short ~** *ам.* веднага; на бърза ръка; **large/tall ~** *разг.* трудна задача/работа; **to place an ~ with a firm** поръчвам на/правя поръчка на фирма; **8.** запис, превод; **postal/money ~** пощенски запис/превод; **9.** *мат.* степен, порядък; разряд (*на число*); **10.** отличие, орден; **11.** орден (*рицарски, религиозен*); **12.** духовен сан; **to take holy ~s** бивам ръкоположен, приемам духовен сан; **to be in ~s** духовно лице съм; **to confer ~s on** ръкополагам, посвещавам в духовен сан; **13.** ранг, класа; **14.** род, сорт, вид, порядък;

прен. класа; **of the first ~** първокласен; **15.** *биол.* разред; **16.** *воен.* строй; униформа; снаряжение; **close ~** сгъстен строй; **loose ~** разгърнат строй; **review ~** параден строй; **marching ~** 1) походен ред/строй; 2) походна униформа/снаряжение; **17.** *арх.* стил; ред, ордер; □ **in ~ that/to** за да; **in ~** *ам.* подходящо, редно, желателно; **on the ~ of** като, подобно на; **to get o.'s marching ~s** натирват ме, показват ми пътя/вратата.

order[2] *v* **1.** заповядвам/нареждам/давам заповеди/заръчвам на; разпореждам; предопределям; **to ~ silence** заповядвам да се пази тишина; **to ~ s.o. about/around** непрекъснато заповядвам на/разкарвам някого; **to ~ a player off (the field)** *сп.* отстранявам играч; **to ~ in/out** заповядвам да влезе/излезе; **2.** поставям/слагам в ред, нареждам; **3.** поръчвам, правя поръчка за; **4.** предписвам, назначавам (*лекарство*); □ **~ arms!** *воен.* пушки при нозе!

orderless ['ɔ:dəlis] *a* безреден.

orderliness ['ɔ:dəlinis] *n* **1.** ред, порядък; системност, методичност; акуратност; **2.** дисциплина; подчинение на закона.

orderly ['ɔ:dəli] **I.** *a* **1.** системен, методичен; **2.** прибран, нареден, чист; **3.** дисциплиниран; порядъчен, приличен, почтен, благонравен; **4.** дежурен; *воен.* дневален; който е наряд; **~ officer** дежурен офицер; **II.** *n* **1.** *воен.* вестовой; ординарец; свръзка; **2.** санитар (*и* **hospital ~**); **3.** уличен метач (*и* **street ~**).

orderly-bin ['ɔ:dəlibin] *n* кофа/кошче за смет (*на улицата*).

orderly book ['ɔ:dəlibuk] *n воен.* книга за заповеди.

orderly-room ['ɔ:dəliru:m] *n воен.* канцелария на рота/батальон.

ordinal ['ɔ:dinl] **I.** *a* реден; **II.** *n* **1.** редно число; **2.** *цьрк.* служебник с правила за ритуала при посвещаване в духовен сан.

ordinance ['ɔ:dinəns] *n* **1.** указ, декрет, постановление; наредба; заповед; **traffic ~** правилник за движението; **2.** *цьрк.* обред, тайнство; причастие.

ordinand ['ɔ:dinənd] *n цьрк.* кандидат за ръкополагане в духовен сан.

ordinarily ['ɔ:dinərili] *adv* (както) обикновено.

ordinary[1] ['ɔ:dinəri] *a* **1.** обикновен, обичаен; нормален; **in ~ use** в постоянна/всекидневна употреба; **in an ~ way** при нормални обстоятелства; **in the ~ way** по обикновения начин; **2.** посредствен; прост.

ordinary[2] *n* **1.** обикновено/средно ниво; нещо обикновено; **out of the ~** необикновен, необичаен; **2.** *цьрк.* требник; **3.** лице на редовна служба; *юр.* съдия (*титуляр, не заместник*); редовен член на съда; *цьрк.* епископ, архиепископ (*в дадена епархия*); **physician in ~** редовен/постоянен лекар (*на крал и пр.*); **4.** общо меню, табълдот; **5.** гостилница; **6.** *хер.* найпрост знак; **7.** *ост.* вид велосипед.

ordinate ['ɔ:dinət] *n геом.* ордината.

ordination [,ɔ:di'neiʃn] *n* **1.** *цьрк.* ръкополагане (*в духовен сан*); **2.** разпореждане; **3.** класиране, подреждане.

ordnance ['ɔ:dnəns] *n* артилерия, артилерийски оръдия; артилерийско и техническо снабдяване; **naval ~** морска артилерия; □ **O. Survey** Английско кралско картографско управление; **~ (-survey) map** военно-топографска карта.

ordonnance ['ɔ:dənəns] *n изк., лит., арх.* структура, композиция.

ordure ['ɔːˌdjuə] *n* 1. изпражнения; тор; 2. мръсен/гнусен език/приказки, сквернословие.

ore [ɔː] *n* 1. руда; 2. *поет.* благороден метал.

oread ['ɔːriæd] *n* *мит.* ореада, планинска нимфа.

oregano [ɔri'gaːnou] *n* *исп. готв.* сушен риган.

oreography [ˌɔri'ɔgrəfi] = **orography**.

organ ['ɔːgən] *n* 1. *муз.* орган; **American ~** хармониум; **street ~** латерна, шарманка; 2. *анат.* орган; 3. *ост.* глас (*особ. качествата му*); 4. орган (*служба, учреждение*); 5. орган, печатно издание, вестник.

organdie, -dy ['ɔːgəndi] *n* *текст.* тънък муселин, органдин.

organ-grinder ['ɔːgənˌgraində] *n* латернаджия.

organic [ɔː'gænik] *a* 1. органичен, органически; жив; вътрешно/органически свързан; взаимнозависим; 2. животински, растителен, жив; 3. произведен без употреба на изкуствени торове и пестициди; 4. основен, цялостен; структурен; организиран, систематичен; **~ law** конституция, основен закон.

organism ['ɔːgənizm] *n* организъм (*и прен.*).

organist ['ɔːgənist] *n* органист.

organization [ˌɔːgənai'zeiʃn] *n* 1. организация; устройство; 2. организиране, учредяване, устройване; 3. организация; дружество; тяло; 4. *ам.* партиен апарат; 5. *ам.* търговско предприятие.

organize ['ɔːgənaiz] *v* 1. организирам (се), устройвам; уреждам; учредявам, основавам; 2. систематизирам; 3. организирам се, ставам член на профсъюз; 4. *биол.* ставам органичен, превръщам (се) в жива тъкан.

organized ['ɔːgənaizd] *a* 1. *биол.* (снабден) с органи; превърнат в жив организъм; 2. членуващ в профсъюз; **~ labour** *събир.* организираното работничество.

organizer ['ɔːgənaizə] *n* организатор.

organon, -num ['ɔːgənɔn, -nəm] *n* *фил.* органон.

orgasm ['ɔːgæzm] *n* *физиол.* оргазъм.

orgeat ['ɔːʒiæt] *n* 1. ечемичена отвара; 2. *ам.* безалкохолна напитка, приготвена от бадеми и пр.

orgiastic [ˌɔːʒi'æstik] *a* оргиен; див, необуздан.

orgy ['ɔːʒi] *n* оргия; □ **to engage in an ~ of destruction** отдавам се на безогледно разрушение; **~ of colour** пищно съчетание на багри.

oriel ['ɔːriəl] *n* *арх.* еркер, закрит балкон.

orient[1] ['ɔːriənt] *n* 1. **the O.** Изтокът, източните страни, Ориентът; 2. *поет.* изток; 3. силен блясък; **~ pearl** блестяща скъпа перла; 4. източно небе; изгрев; изгряващо слънце.

orient[2] *a* 1. *поет.* източен; ориенталски; 2. блестящ, светъл, искрящ (*за скъпоценни камъни*); 3. *ост.* блестящ, сияен (*за слънцето, светлина*); **~ sun** изгряващо слънце.

orient[3] ['ɔːriənt] = **orientate**.

oriental [ˌɔːri'entl] I. *a* 1. източен; ориенталски; азиатски; 2. чист, блестящ; висококачествен, с голяма стойност; II. *n* ориенталец.

orientalist [ˌɔːri'entəlist] *n* специалист по източни езици и култури, ориенталист.

orientalize [ˌɔːri'entəlaiz] *v* придавам ориенталски характер/вид на; придобивам ориенталски характер/вид.

orientate ['ɔːrienteit] *v* 1. определям местоположението на (*по компас*); ориентирам; 2. строя здание/църква с фасада, обърната към изток; ориентирам/насочвам към изток; 3. *прен.* осведомявам се, насочвам

се; 4. обръщам се на изток/ в дадена посока; **to ~ o.s.** ориентирам се.

orientation [ˌɔːrien'teiʃn] *n* ориентиране, ориентация, ориентировка; насочване.

orifice ['ɔrifis] *n* 1. отвърстие, отвор; 2. устие; проход; 3. *тех.* дюза; жигльор; щуцер; калибриран отвор.

origan, -um ['ɔrigən, -əm] *n* *бот.* див риган (Origanum vulgare).

origin ['ɔridʒin] *n* 1. произход, произхождение; 2. източник, начало; извор; **the ~ of the quarrel** (първо)причината за кавгата; 3. род, потекло; 4. *мат.* начало (*на координати*).

original [ə'ridʒənl] I. *a* 1. (първо)начален, първичен, най-ранен; **~ edition** първо издание; **the ~ picture** оригиналът на картината; **~ sin** *рел.* първородният грях; 2. достоверен, автентичен, истински, оригинален; неиздаден, в ръкопис; 3. самобитен, творчески, оригинален; 4. особен, ексцентричен; II. *n* 1. оригинал, първоизточник; 2. особняк, чудак, оригинал.

originality [əˌridʒə'næliti] *n* 1. автентичност, истинност, достоверност; 2. оригиналност, самобитност.

originally [ə'ridʒənəli] *adv* 1. първоначално, от самото начало; 2. по произход.

originate [ə'ridʒineit] *v* 1. давам/слагам начало на; пораждам; създавам; 2. водя началото си, произлизам, произхождам (**from/in s.th.; from/with s.o.** от).

origination [əˌridʒi'neiʃn] *n* 1. начало, произход, произхождение; създаване, изнамиране (*на машина и пр.*); 2. пораждане.

originator [ə'ridʒineitə] *n* автор; създател; изобретател; основоположник.

oriole ['ɔːrioul] *n* *зоол.* 1. авлига, чичопей, златен кос (Oriolus oriolus) (*и* **golden ~**); 2. *ам.* вид скорец (Icterus galbula).

Orion [ə'raiən] *n* *астр.* Орион (*съзвездие*); **~ 's hound** *астр.* Сириус (*звезда*).

orison ['ɔrizən] *n* *ост. обик. pl* молитва.

orlop ['ɔːlɔp] *n* *мор.* най-долна (трета) палуба.

ormolu ['ɔːmoulu:] *n* 1. сплав от мед, калай, цинк, имитация на злато; позлатен бронз (*за украса на мебели и пр.*); 2. *прен.* просташко украшение; 3. *attr* направен от/украсен с позлатен бронз.

ornament[1] ['ɔːnəmənt] *n* 1. украшение, орнамент; декорация, украса; **rich in ~** богато украсен; 2. *pl* *църк.* богослужебни принадлежности; 3. нещо/някой, който вдъхва почит и уважение; **he is an ~ to his profession** той прави чест на професията си.

ornament[2] ['ɔːnəment] *v* украсявам, декорирам; разкрасявам, разхубавявам.

ornamental [ˌɔːnə'mentl] I. *a* декоративен, орнаментален; II. *n* декоративен предмет, *особ.* растение.

ornamentalist [ˌɔːnə'mentəlist] *n* декоратор.

ornamentation [ˌɔːnəmen'teiʃn] *n* 1. украшение, декорация, украса; 2. украсяване, декориране.

ornate [ɔː'neit] *a* 1. богато украсен; 2. натруфен, претрупан (*за стил и пр.*).

ornery ['ɔːnəri] *a* *ам. разг.* 1. опак, свадлив; 2. просташки.

ornithological [ˌɔːniθə'lɔdʒikl] *a* орнитоложки.

ornithology [ˌɔːni'θɔlədʒi] *n* орнитология.

orogenesis, orogeny [ˌɔrə'dʒenisis, ɔ'rɔdʒini] *n* *геол.* орогенезис, орогенеза.

orography [ə'rɔgrəfi] *n* *геогр.* орография.

orotund ['ɔroutʌnd] *a* *книж.* 1. звучен, пълен, плътен (*за глас*); 2. надут, натруфен, бомбастичен, превзет.

orphan[1] ['ɔːfn] *n* 1. сирак, сираче; 2. *attr* сирашки, сиротен, сиротски, сиротински.

orphan[2] v правя/оставям сирак; осиротявам.
orphanage ['ɔ:fənidʒ] n 1. сирашество, сиротство; 2. сиропиталище, приют за сираци.
orphaned['ɔ:fənd]a осиротял.
Orphean [ɔ:'fi:ən] I. a поет. орфейевски, мелодичен; II. n фил. орфик,
Orphic ['ɔ:fik] a 1. фил. орфически; 2. прен. очарователен, очароваш; 3. тайнствен, мистичен; оракулски, пророчески.
Orpington ['ɔ:piŋtən] n орпингтон (порода кокошки).
orrery ['ɔrəri] n планетарий.
orris ['ɔris] n бот. ирис, перуника (Iris florentina).
orthoclase ['ɔ:θəkleiz] n минер. ортоклаз.
orthodox ['ɔ:θədɔks] a 1. правоверен, ортодоксален; общоприет; 2. рел. православен.
orthodoxy ['ɔ:θədɔksi] n 1. правоверност, ортодоксалност; общоприетост; 2. рел. православие.
orthogonal [ɔ:'θɔgənl] a геом. правоъгълен, ортогонален.
orthographic(al) [,ɔ:θou'græfik(l)] a правописен.
orthography [ɔ:'θɔgrəfi] n правопис.
orthop(a)edic [,ɔ:θou'pi:dik] a мед. ортопедичен.
orthop(a)edics, orthop(a)edy [,ɔ:θou'pi:diks, 'ɔ:θoupi:di] n ортопедия.
orthoptera [ɔ:'θɔptirə] n зоол. правокрили.
ortolan ['ɔ:tələn] n зоол. градинска овесарка (Emberiza hortulana).
oscillate ['ɔsileit] v 1. клатя се, люлея се; разлюлявам; 2. ел. вибрирам; колебая (се); трептя, осцилирам; 3. генерирам; 4. колебая се (между две мнения и пр.).
oscillation [,ɔsi'leifn] n 1. клатене, люлеене; 2. ел. вибрация; колебание; трептене, вибриране, осцилация.
oscillator ['ɔsileitə] n тех. 1. осцилатор; 2. генератор на трептения, вибратор; автогенератор.
oscular ['ɔskjulə] a 1. зоол. устен; 2. шег. свързан с целуване; ~ demonstrations целувки и прегръдки.
osculate ['ɔskjuleit] v 1. шег. целувам (се); 2. биол. сроден съм (with c); 3. мат. допирам (се).
osculum ['ɔskjuləm] n зоол. уста, отвърстие; смукало.
osier ['ouʒə] n бот. 1. кошничарска ракита, върба (Salix viminalis); 2. attr върбов, ракитов.
osier-bed ['ouʒəbed] n ракитак, върбалак.
osmium ['ɔzmiəm] n хим. осмий.
osmose, osmosis ['ɔzmous, ɔz'mousis] n физ. осмоза.
osmund, osmunda ['ɔzmənd, ɔz'mʌndə] n бот. царска папрат, осмунда (Osmunda regalis).
osprey ['ɔspri] n 1. зоол. орел рибар (Pandion haliaetus); 2. перо за украса.
osseous ['ɔsiəs] a 1. костен; 2. кокалест.
ossicle ['ɔsikl] n анат. костица, кокалче.
ossification [,ɔsifi'keifn] n вкостеняване, образуване на кост.
ossifrage ['ɔsifridʒ] n зоол. 1. брадат лешояд (Gypaetus barbatus); 2. = osprey 1.
ossify ['ɔsifai] v 1. превръщам (се) в кост, вкостенявам се; 2. прен. закостенявам.
ossuary ['ɔsjuəri] n 1. костница, гробница; 2. урна за съхраняване на праха след кремация.
ostensible [ɔ'stensibl] a 1. привиден, мним, фиктивен; показен; 2. явен, видим.
ostensibly [ɔ'stensibli] adv повидимому; привидно, уж.
ostensory [ɔ'stensəri] n църк. дарохранителница.
ostentation [,ɔsten'teifn] n показност; суетност; самохвалство.
ostentatious [,ɔsten'teifəs] a показен, външен, привиден; (само)изтъкваш се; ~ jewellery прости ефектни бижута; in an ~ manner така, че да привлече внимание/да направи впечатление.

ounce **83**

osteology [,ɔsti'ɔlədʒi] n остеология.
osteopathy [,ɔsti'ɔpəθi] n мед. остеопатия.
ostler ['ɔslə] n ост. коняр (обик. в хан).
ostracism ['ɔstrəsizm] n 1. ист. остракизъм; изгнание; 2. отлъчване от обществото.
ostracize ['ɔstrəsaiz] v 1. ист. остракирам, пращам в изгнание/на заточение; 2. отлъчвам от обществото.
ostrich ['ɔstritf] n зоол. щраус (Struthio camelus); □ to have the digestion of an ~ имам много здрав стомах, стомахът ми мели всичко; ~ policy щраусова политика, политика на самоизмама.
Ostrogoth ['ɔstrougɔθ] n ист. остгот.
other[1] ['ʌðə] a друг; различен; the ~ world оня свят; I do not wish him ~ than he is харесвам го такъв, какъвто си е.
other[2] pron и pl друг, друг някой; someone or ~ някой си; some day or ~ някой ден; no ~ than някой друг освен; one or ~ of us някой от нас; you are the man of all ~s вие сте най-подходящият човек; each ~ един друг, един другиму.
other[3] adv иначе, другояче (освен); I could not do it ~ than hurriedly само набързо можеш да го направя.
otherness ['ʌðənis] n различно естество/характер; различие.
otherwise[1] ['ʌðəwaiz] adv иначе, другояче; в друго отношение; в противен случай; should it be ~ в противен случай; if he is not ~ engaged ако няма други ангажименти; additions automatic and ~ автоматични и неавтоматични добавки; the merits or ~ качествата и слабостите.
otherwise[2] a различен, друг; the matter is quite ~ въпросът е съвсем различен/е поставен съвсем различно; how can it be ~ than useless? това не е ли чисто и просто безполезно? their ~ dullness техният иначе скучен характер.
otherwise-minded [,ʌðəwaiz'maindid] a който е на различно мнение/в разрез с общоприетото мнение.
otherworldly [,ʌðə'wə:ldli] a духовен; непрактичен; не за този свят.
otic ['outik] a анат. ушен.
otiose ['oufious] a книж. 1. излишен, безполезен, ненужен; 2. ряд. незает, свободен (за време).
otitis [ou'taitis] n мед. отит.
otology [ou'tɔlədʒi] n отология.
otter ['ɔtə] n 1. зоол. видра (Lutra vulgaris); 2. кожата на видра.
otto['ɔtou] = attar.
Ottoman ['ɔtəmən] I. a отомански, турски; II. n отоманин, турчин; ост. османлия.
ottoman ['ɔtəmən] n отоманка, диван.
ouch [autf] int ой! ай! ох!
ought[1] [ɔ:t] = nought.
ought[2] = aught 1.
ought[3] v (ought) аих c to 1. трябва, би трябвало; желателно е; длъжен съм; it ~ to have been done long ago трябваше/трябвало е това отдавна да се свърши; 2. би трябвало, вероятно е; he ~ to be there now би трябвало/може да се очаква той вече да е там.
ouija ['wi:ja:] n масичка за спиритически сеанси.
ounce[1] [auns] n 1. унция (мярка за тежест = 28,3 г); fluid ~ унция за течности (англ. 28,4 куб. см; ам. 29,6 куб. см); 2. прен. нещо малко; грам, зърно, троха, частица, капка.
ounce[2] n зоол. вид азиатска пантера (Uncia uncia).

our [auə] *pron poss attr* наш; **he is in ~ midst** той е сред нас; **for all ~ sakes** заради всички нас.

ours [auəz] *pron poss* наш; **~ is a nice house** имаме хубава къща, хубава ни е къщата; **it is no business of ~** това не е наша работа/не ни засяга.

ourself [,auə'self] = **ourselves** (*когато монарх, редактор и пр. говори за себе си в мн. ч.*).

ourselves [,auə'selvz] *pron* 1. *refl* себе си, си, се; 2. *emph* сами (*без чужда помощ*).

ousel = **ouzel**.

oust [aust] *v* 1. изтиквам, измествам; 2. изпъждам, изгонвам; 3. *юр.* изваждам, изкарвам (*от имот, владение*).

ouster ['austə] *n юр.* изваждане, изкарване (*от владение и пр., обик. по незаконен път*).

out[1] [aut] *adv* 1. вън; навън; на открито: **~ there** ей там; **to go ~** излизам; **~ you go!** махай се оттук! **to stay ~** не се прибирам вкъщи; **to be ~** излязъл съм, не съм вкъщи; **to dine ~** вечерям навън; **they are ~ a great deal** много ходят/излизат; **my daughter is not ~ yet** дъщеря ми още не излиза в обществото (*малка е*); **day** — ден за излизане, свободен ден (*за прислуга*); 2. *отдалеченост:* **~ at sea** в/на открито море; **to live ~ in the country/in Australia** живея в провинцията/в Австралия; 3. *излизане, появяване:* **the roses are ~** розите са цъфнали; **the chicken is ~** пилето се е излюпило; **the sun is ~** слънцето е изгряло/се е показало; **the rash is ~** обривът е избил; **the book is ~** 1) книгата е излязла от печат; 2) книгата е дадена (*на абонат — от библиотеката*); 4. *разкриване; обявяване; издаване* (*на нареждане и пр.*): **to be ~** разчувам се; бивам разкрит; 5. *изчерпване; изгасване; завършване, свършване:* **the year is not ~ yet** годината още не е изтекла; **before the day/week is ~** до края на деня/седмицата; **the fire/candle/light is ~** огънят/свещта/светлината е загаснала; **the lease is ~** наемният срок е изтекъл; **short skirts are ~** късите поли не са вече на мода; **the conservatives are ~** консерваторите вече не са на власт; 6. *пропуск; грешка:* **to be ~ in o.'s calculations** сметките ми не излизат; **you are not far ~** почти си прав, почти позна/отгатна; **your guess is a long way ~** съвсем не позна/не отгатна; **my watch is five minutes ~** часовникът ми избързва/изостава с пет минути; **my elbow is ~** лакътят ми е изкълчен; 7. в безсъзнание; 8. *бокс* аут; 9. *футб.* аут; 10. на глас; високо: **to speak ~** изказвам се гласно; 11. *скарване* (**with**): **to be ~ with s.o.** скаран съм с някого; 12. *превежда се с глагол:* **~ with him!** изпъдете/изхвърлете го навън! **~ with it!** казвай де! хайде, говори! 13. **~ of** 1) вън от, извън; **I was never ~ of England** никога не съм бил извън Англия; **fish cannot live ~ of water** рибите не могат да живеят вън от водата; **to look/jump ~ of the window** поглеждам/скачам от прозореца; **to be ~ of it** извън компанията/изолиран съм; не съм замесен, не участвувам; 2) на (*известно разстояние*) от; **ten miles ~ of London** (на) десет мили от Лондон; 3) от (*за материя; източник*); **hut made ~ of old planks** колиба, направена от стари дъски; **to drink ~ of a cup** пия от чаша; **~ of the housekeeping money** от парите за домакински разходи; **can good come ~ of evil?** от злото може ли да излезе добро? 4) без; **we're ~ of sugar/petrol** нямаме захар/бензин; свърши ни се захарта/бензинът; 5) от, по, поради, вследствие на; **~ of envy** от завист; **~ of necessify** по необходимост; 6) от; измежду; **this is one instance ~ of several** това е един пример от няколко: **choose one ~ of these ten** избери си един от/измежду тези десет; 7) *резултат:* **to cheat s.o. ~ of his money** измъквам парите на някого (с измама); **to talk s.o. ~ of doing s.th.** убеждавам някого да не прави нещо; **to frighten s.o. ~ of his wits** изкарвам акъла на някого (от страх); 8) *състояние извън нормалното:* **to be ~ of o.'s mind/senses** не съм на себе си, луд съм; **~ of control** *вж.* **control**[1] 1; 9) от (*дадена майка — за животно*); □ **the journey ~** пътуването дотам; отиването; **to be (all) ~ for/to** с всички сили се стремя към/да; **I am not ~ to reform the world** не съм се заел/тръгнал да оправям света; **all ~** с пълна скорост; с всички сили; **~ and about** на крака, оздравял; **~ and away** несравнено, далеч, къде-къде; **~ and ~** съвършен, истински; **to be ~** *разг.* 1) забранен съм; 2) излязъл съм от затвора; 3) изхвърлен/изключен съм; 4) изчислен/излязъл съм (*за петно и пр.*); **that plan is ~** този план е неприложим/не струва; **bridge is the best game ~** бриджът е най-хубавата игра (на света); **~ from under** облекчен от грижа/бреме.

out[2] *prep ам.* през, от; **to look ~ the window** гледам през прозореца; 2. по; **to go ~ the old road** излизам/тръгвам по стария път.

out[3] **I** *a* 1. *сп.* на чужд терен (*за мач*); 2. потеглящ, тръгващ; 3. изходящ (*за поща*); 4. отдалечен; 5. необикновен, необичаен; 6. *тех.* изключен; **II.** *n* 1. начин за измъкване, вратичка; 2. *печ.* пропуск; изпуснат материал; 3. *pl парл.* опозиция; 4. *pl* обтегнати/лоши отношения; **at ~s, on the ~s** в лоши отношения; □ **from ~ to ~** *ам.* от единия край до другия; **the ins and ~s** 1) правителството и опозицията; 2) подробностите (*на процедура и пр.*); 3) *прен.* механизъм.

out[4] *v* 1. изхвърлям, изпъждам; 2. *сп.* нокаутирам; 3. излизам наяве; **the truth will ~** истината не може да се скрие.

out-[5] *pref* 1. из-; извън-; далечен; 2. над-, пре-; 3. краен.

outage ['autidʒ] *n тех.* 1. престой (*на съоръжение*); 2. *ел.* прекъсване в енергозахранването/електроснабдяването; 3. прекъсване (*в работа*).

out-and-out[1] [,autənd'aut] *a* пълен, съвършен, стопроцентов.

out-and-out[2] *adv* напълно, окончателно, съвършено.

out-and-outer [,autənd'autə] *n sl.* 1. безподобен човек/предмет; 2. екстремист; 3. краен привърженик; 4. опашата лъжа.

outback ['autbæk] *n* пуста затънтена област/край (*особ. в Австралия*).

outbalance [,aut'bæləns] = **outweigh**.

outbid [,aut'bid] *v* (**-bid**) наддавам, предлагам по-висока цена от.

outboard ['autbɔːd] *a мор.* извънборден (*за овигател на лодка*).

outbound ['autbaund] *a* 1. тръгваш на далечно пътуване/плаване; 2. подлежащ на натоварване/експедиране.

outbrave [,aut'breiv] *v* 1. предизвиквам, държа се предизвикателно от; **to ~ the storm** устоявам/издържам на бурята; 2. превъзхождам по храброст.

outbreak ['autbreik] *n* 1. избухване (*и на война*); изблик; 2. изригване (*на вулкан*); 3. *геол.* = **outcrop**[1]; 4. нашествие (*на скакалци и пр.*); инвазия; 5. бунт, въстание.

outbreeding ['aut,briːdiŋ] *n зем.* кръстосване на несродни индивиди.

outbuilding ['aut͵bildiŋ] *n* допълнителна постройка в двора (*навес, плевня и пр.*).

outburst ['autbə:st] *n* 1. взрив; избухване (*и прен.*), изблик; кипване; 2. = **outcrop**[1].

outcast ['autka:st] *n* 1. изгнаник; бездомник; парий; **social** ~s хора, отхвърлени от обществото; 2. нещо отхвърлено/изхвърлено; 3. *attr* прокуден, изгнанически; бездомен.

outcaste[1] ['autka:st] I. *a* непринадлежащ към някаква каста (*в Индия*); без кастови права; II. *n* 1. парий; 2. *прен.* изгнаник.

outcaste[2] *v* лишавам от кастови права.

outclass [͵aut'kla:s] *v* 1. превъзхождам, от по-висша класа съм; надминавам, далеч превишавам; 2. лесно побеждавам.

outcome ['autkʌm] *n* резултат, изход, последствие.

outcrop[1] ['autkrɔp] *n* 1. *геол.* оголване, излизане на повърхността, оголена скала; 2. *прен.* проявление, (неочаквано) появяване/изблик; **the recent** ~ **of strikes** *ам.* избухналите напоследък стачки.

outcrop[2] *v* (-**pp**-) 1. *геол.* оголвам се, излизам на повърхността; 2. *прен.* появявам се, излизам наяве.

outcry ['autkrai] *n* 1. викове (*на уплаха и пр.*), врява, глъчка; 2. протест; повик (**against**).

outdated [͵aut'deitid] *a* остарял, демодиран, излязъл от мода.

outdid *вж.* **outdo**.

outdistance [͵aut'distəns] *v* надпреварвам, надбягвам, оставям зад себе си, излизам начело на/напред от.

outdo [͵aut'du:] *v* \ (-**did** [-'did], -**done** ['dʌn]) надминавам, превъзхождам.

outdoor ['autdɔ:] *a* който се извършва/намира навън/на открито; външен; ~ **theatre** летен театър; □ ~ **relief** *ост.* помощи, разпределени между нуждаещи се, незачислени в приют за бедни.

outdoors [͵aut'dɔ:z] *adv* на открито; навън.

outer ['autə] I. *a* външен; **the** ~ **man** външността, дрехите; ~ **garments** горни дрехи; **the** ~ **world** 1) материалният свят; 2) външните/чуждите хора; 2. поотдалечен, по-далечен; 3. *фил.* обективен, физически; □ **the O.Bar** *събир.* младшите адвокати; II. *n* 1. *воен.* външен кръг на мишена; 2. попадение във външния кръг (*на мишена*); 3. *ел.* краен/външен проводник (*в многопроводна система*).

outermost ['autəmoust] *a* най-отдалечен, най-външен.

outer space [͵autə'speis] *n* космическото пространство.

outface [͵aut'feis] *v* 1. гледам втренчено/нахално, накарвам (*някого*) да сведе очи; сконфузвам; 2. твърдо устоявам/излизам насреща на.

outfall ['autfɔ:l] *n* 1. устие (*на река, езеро*); 2. водосток, водоотвод, улук.

outfield ['autfi:ld] *n* 1. отдалечена нива; 2. *прен.* неизследвана/непозната област; 3. *бейзбол, крикет и пр.* полето извън игрището.

outfit[1] ['autfit] *n* 1. снаряжение, екипировка, екип; съоръжения, принадлежности; комплект (*уреди, инструменти*); 2. *ам.* физически, умствени и пр. способности; **mental** ~ умствен багаж; 3. *разг.* организирана група, команда, дружина; 4. *воен.* част, поделение; 5. *разг.* предприятие, учреждение.

outfit[2] *v* (-**tt**-) снабдявам (се), обзавеждам (се), екипирам (се).

outfitter [͵aut'fitə] *n* доставчик на екипировка/принадлежности; търговец на готови дрехи/галантерия.

outflank [͵aut'flæŋk] *v* 1. *воен.* обхождам/обхващам във фланг; 2. *прен.* надхитрям.

outflow[1] ['autflou] *n* 1. изтичане, изливане; 2. *прен.* изблик, излияние; 3. устие; изход; 4. *прен.* изтичане

(*на злато и пр. — от страната*); 5. изтекло количество.

outflow[2] [͵aut'flou] *v* изтичам, изливам се.

outfox [͵aut'fɔks] *v разг.* надхитрям.

outgeneral [͵aut'ʤenərəl] *v* (-**ll**-) побеждавам чрез по-голямо военно изкуство, показвам по-изкусна тактика от.

outgo[1] [͵aut'gou] *v* (-**went** [-'went], -**gone** [-'gɔn]) надминавам, превъзхождам.

outgo[2] ['autgou] *n* 1. тръгване, заминаване; 2. изтичане; 3. разход, разноски.

outgoing ['autgouiŋ] *a* 1. който излиза/тръгва/напуска/заминава; ~ **tide** морски отлив; ~ **tenant** напускащ наемател; 2. изходящ (*за писмо и пр.*); 3. *тех.* отработен; 4. *пол.* който напуска поста си/е подал оставка; 5. дружелюбен, отзивчив.

outgone *вж.* **outgo**[1].

outgrow [͵aut'grou] *v* (-**grew** [-'gru:]; -**grown** [-'groun]) 1. надраствам, израствам повече от; **to** ~ **o.'s clothes** израствам и дрехите ми омаляват; **to** ~ **o.'s strength** порастваm изведнъж много, източвам се; 2. *прен.* надраствам, надживявам (*лоши навици и пр.*).

outgrowth ['autgrouθ] *n* 1. издънка, израстък; филиз; 2. *прен.* резултат, следствие, последица, продукт.

out-herod [͵aut'herəd] *v* надминавам по жестокост/екстравагантност; □ **to** ~ **Herod** превишавам всички граници; *театр.* шаржирам.

outhouse ['authaus] *n* 1. = **outbuilding**; 2. *ам.* клозет в двора.

outing ['autiŋ] *n* разходка, екскурзия.

outlandish [aut'lændiʃ] *a* 1. *ост.* чуждестранен, чуждоземен; 2. необичаен, странен, необикновен, чудат; 3. груб, грубоват; 4. отдалечен, затънтен, глух.

outlast [aut'la:st] *v* 1. трая/издържам/изтрайвам повече от; 2. надживявам, живея повече от.

outlaw[1] ['autlɔ:] *n* 1. *ист.* човек, обявен извън закона; изгнаник; беглец; разбойник; 2. *ам.* организация, поставена извън закона; 3. кон, който не може да бъде обяздан; 4. *attr* незаконен.

outlaw[2] *v* 1. обявявам извън закона; 2. *прен.* изгонвам от обществото; подлагам на остракизъм; 3. обявявам за незаконен.

outlawry ['autlɔ:ri] *n* 1. обявяване извън законите; 2. *прен.* изгнание от обществото, остракизъм.

outlay ['autlei] *n* разноски, разходи; харчове (**on, for**); изразходвана сума.

outlet ['autlet] *n* 1. изпускателен отвор; извод; изход; изходна тръба/канал; 2. *прен.* отдушник; 3. изтичане; изпускане, отвеждане; 4. пазар; пласмент.

outlier ['autlaiə] *n* 1. отдалечена/откъсната част; 2. служещ, който живее вън от учреждението; 3. *геол.* хълм/планина, откъсната от останалия масив; 4. външен човек.

outline[1] ['autlain] *n* 1. очертание, контури; скица; **in** ~ 1) в общи черти; 2) контурен (*за рисунка*); 2. схематично изложение; ~s **of astronomy** елементарна астрономия, увод в астрономията.

outline[2] *v* 1. рисувам контурите/очертанията на; очертавам; 2. скицирам (*роман, рисунка*), нахвърлям (*проект, план*); описвам в общи черти.

outlive [͵aut'liv] *v* 1. = **outlast** 2; 2. просъществувам, преживявам.

outlook [͵aut'luk] *n* 1. перспектива; изглед; 2. гледка (**on, over**); 3. възглед, становище, схващане; **world** ~, ~

on/upon life светоглед, мироглед; **4.** бдителност; **to be on the ~** нащрек съм.

outlying ['aut‚laiiŋ] *a* отдалечен, далечен, затънтен.

outmanoeuvre [‚autmə'nu:və] *v* **1.** побеждавам чрез по-изкусни маневри/ходове; **2.** *прен.* надхитрям.

outmatch [aut'mætʃ] *v* превъзхождам, превишавам.

outmoded [‚aut'moudid] *a* старомоден, демодиран.

outmost ['autmoust] = **outermost.**

outnumber [‚aut'nʌmbə] *v* превъзхождам числено/по количество.

out-of-date [‚autəv'deit] *a* остарял, старомоден, демодиран, излязъл от употреба.

out-of-door [‚autəv'dɔ:] = **outdoor.**

out-of-doors [‚autəv'dɔ:z] = **outdoors.**

out-of-the-way [‚autəvðə'wei] *a* **1.** отдалечен, далечен, затънтен; **2.** необикновен; необичаен; малко известен (*за данни и пр.*).

out-of-work [‚autəv'wə:k] *a* безработен.

outpatient ['aut‚peiʃnt] *n* амбулаторно болен.

outplay [‚aut'plei] *v* **1.** играя по-добре от, надигравам **2.** свиря по-добре/по-дълго от; надсвирвам.

outpost ['autpoust] *n* **1.** преден пост, аванпост; **2.** *воен.* предна стража, стражева охрана.

outpouring [‚autpɔ:riŋ] *n* обик. *pl* излияние.

output ['autput] *n* **1.** производителност; изработване, пускане (*на изделия*); **2.** *тех.* развивана (*от машина*) мощност; полезна мощност (*на машина*); *ел.* извод (*от проводници*), изводни краища; **3.** производство продукция; *мин.* добив; **the literary ~ of the year** издадената през годината литература; **4.** *изч. тех.* изходно устройство, устройство за извеждане/извод на информация; **5.** *мат.* резултат от изчисления.

outrage[1] ['autreidʒ] *n* **1.** грубо нарушение на закона; престъпление; насилие (**against**); безчинство; **~ upon decency** грубо нарушение на приличието; **~ against humanity** престъпление спрямо човечеството; **2.** *ам.* обида, оскърбление; **3.** изнасилване; похитяване (**on**); **4.** *ам.* гневен изблик, възмущение (**at**).

outrage[2] *v* **1.** престъпвам, нарушавам (*закон*); **2.** *ам.* оскърбявам, обиждам; **3.** обезчестявам; похитявам.

outrageous [aut'reidʒəs] *a* **1.** жесток, свиреп; насилнически; **2.** възмутителен, скандален; безобразен, безбожен, нечуван; **~ injustice** крещяща неправда; **3.** ексцентричен, екстравагантен.

outran *вж.* **outrun.**

outré ['u:trei] *a фр.* **1.** пресилен; **2.** крайно екстравагантен, ексцентричен (*за облекло*); **3.** непристоен, безсрамен.

outreach [aut'ri:tʃ] *v* **1.** стигам по-високо/по-далече от; **2.** надминавам.

outrider ['aut‚raidə] *n* ездач, съпровождащ екипаж като охрана; мотоциклетист, съпровождащ автомобил като охрана.

outrigger ['aut‚rigə] *n* **1.** *мор.* издадена навън временна мачта (*за лебедка*); **2.** *мор.* рамка с гнезда за греблата; **3.** *мор.* странични поплавци на кану (*за да не се обръща*); **4.** *стр.* конзолна греда; **5.** стрела (*на подемен кран*).

outright[1] ['autrait] *a* **1.** съвършен, пълен; категоричен (*за отказ*); безрезервен; **2.** искрен, прям, откровен; **3.** явен, безспорен; **~ rogue** явен/пълен мошеник.

outright[2] [aut'rait] *adv* **1.** открито, направо, прямо, без заобикалки; **2.** наведнъж; напълно; изцяло; без колебание; **to kill s.o. ~** убивам някого на място (с един удар); **3.** окончателно, завинаги.

outrun [aut'rʌn] *v* (**-ran** [-'ræn]; **-run**) **1.** надминавам, изпреварвам; **2.** превишавам границите; **3.** избягвам от; □ **to ~ the constable** *разг.* не се простирам според чертата си, заборчлявам.

outrunner ['aut‚rʌnə] *n* **1.** *ист.* слуга, който съпровожда пеш пътуващия в карета господар; **2.** куче водач (*на впряг за шейна*).

outset ['autset] *n* начало; **at/from the ~** от самото начало.

outshine [‚aut'ʃain] *v* (**-shone** [-'ʃɔn], **-shined** [-'ʃaind]) **1.** блестя повече от; **2.** *прен.* затъмнявам, замъглявам, засенчвам.

outside[1] [‚aut'said] *n* **1.** външност; външна страна/част/повърхност; **~ of a bus** горен етаж на автобус; **impressions from the ~** впечатления на външен наблюдател; **2.** *ист.* пътник на покрива на дилижанс; **3.** краен предел; **at the (very) ~** най-много; **4.** *pl* външни листа (*на топ хартия*).

outside[2] *a* **1.** външен; **2.** краен, последен; **~ left/right** *сп.* ляво/дясно крило; **3.** чужд, страничен, външен; **~ worker** приходящ работник; **~ opinion** чуждо мнение, мнение на външно/незаинтересовано лице; **~ job** *разг.* престъпление, извършено от външни лица; **4.** най-голям, максимален; най-вероятен; **5.** незначителен, нищожен (*за възможност*).

outside[3] *adv* **1.** вън, навън; отвън; на открито; **2.** *мор.* в/на открито море; **3.** *sl.* на свобода, не в затвора.

outside[4] *prep* **1.** вън от, извън; отвъд; **2.** вън/настрана от; с изключение на (*ам. и с of*); **we cannot go ~ the evidence** не можем да пренебрегнем доказателствата; □ **~ of a horse** *разг.* на кон; **to get ~ (of)** *разг.* изяждам, изпивам.

outsider [aut'saidə] *n* **1.** външно лице/човек; лаик, любител; **2.** *сп.* състезател/кон, за когото не се очаква да спечели; **3.** *разг.* невъзпитан човек; простак; парвеню.

outsize ['autsaiz] *n* **1.** нестандартен голям номер (*за дрехи и пр.*); **to take an ~ in shoes** нося много големи обувки; **2.** извънредно голямо развитие; **3.** извънредно пълен човек; **4.** *attr* = **outsized.**

outsized ['autsaizd] *a* с необикновено голям размер.

outskirts ['autskə:ts] *n pl* **1.** покрайнини; предградия; **2.** край (*на гора*).

outsmart [aut'sma:t] *v разг. ам.* надхитрям.

outspoken [‚aut'spoukən] *a* открит, прям, искрен; **to be ~** говоря без заобикалки.

outspread[1] [‚aut'spred] *v* (**-spread**) разпростирам, разстилам, разпервам; разгръщам.

outspread[2] *a* разтворен; разперен; разтлан; **with ~ arms, with arms ~** с разтворени обятия.

outstanding [‚aut'stændiŋ] *a* **1.** очебиен; отличителен; изтъкнат, бележит, виден; **man of ~ personality** изключителна личност; **2.** неизплатен, неуреден, останал (*за сметка, дълг*); **3.** *прен.* висящ, неизпълнен; спорен; **a good deal of work is still ~** има още доста работа за свършване; **4.** ['aut‚stændiŋ] издаден, изпъкнал; **boy with big ~ ears** момче с щръкнали уши.

outstay [‚aut'stei] *v* **1.** стоя по-дълго от (*някого*); **2.** превъзхождам по издръжливост.

outstretched [‚aut'stretʃt] *a* разтворен; разпрострян; **~ arms** отворени обятия; **~ hand** протегната ръка.

outstrip [‚aut'strip] *v* (**-pp-**) **1.** изпреварвам, надминавам; вземам преднина пред, оставям зад себе си; **2.** превъзхождам.

outvote [‚aut'vout] *v* печеля повече гласове от, бия по гласове; **we were ~d** мнозинството беше срещу нас.

outward[1] ['autwəd] **I.** *a* **1.** външен, който е на повърхността; **for ~ application** външен (*за лекарство*); **2.** видим, материален; **~ man** 1) тялото (*обр. душата*);

2) *шег.* облекло, дрехи; ~ **form** външен вид; **3.** привиден; повърхностен; **4.** насочен/отправен навън; *мор.* от изходното пристанище; **on the ~ voyage** на отиване; **II.** *n* външен вид, външност.

outward[2] *adv* вън, навън.

outward-bound [ˈautwədˌbaund] *a мор.* отплувал от изходното пристанище (*за кораб*).

outwardly [ˈautwədli] *adv* външно; по външен вид, на вид.

outwards [ˈautwədz] = **outward**[2].

outwear [autˈwɛə] *v* (**-wore** [-ˈwɔː]; **-worn** [-ˈwɔːn]) **1.** преживявам, надживявам; трая по-дълго от; **2.** износвам, изтърквам.

outweigh [autˈwei] *v* **I.** тежа повече от; **2.** превишавам по значение, превъзхождам; надминавам, надделявам над.

outwent *вж.* **outgo**[1].

outwit [autˈwit] *v* (**-tt-**) **1.** надхитрям, надлъгвам; изигравам; **2.** заблуждавам; подмамвам по невярна диря.

outwore *вж.* **outwear**.

outwork [ˈautwəːk] *n* **1.** надомна работа: **2.** *воен.* външно укрепление.

outworker [ˈautwəːkə] *n* надомник.

outworn[1] *вж.* **outwear**.

outworn[2] [ˈautwɔːn] *a* износен, остарял, изтъркан; негоден.

ouzel [ˈuːzl] *n зоол.* **1.** кос (Turdus merula); **2. ring ~** белогуш дрозд (Turdus torquatus); **3. water ~** воден кос (Cinclus aquaticus).

ova *вж.* **ovum**.

oval [ˈouvl] *геом.* **I.** *a* овален; елипсовиден; **II.** *n* овал.

ovary [ˈouvəri] *n биол., бот.* яйчник.

ovate [ˈouveit] *a* **1.** *биол.* яйцеобразен, яйцевиден; **2.** *бот.* овален.

ovation [ouˈveiʃn] *n* овация.

oven [ˈʌvn] *n* фурна, пещ.

oven-ready [ˈʌvnˌredi] *a* готов за печене (*за храна полуфабрикат*).

ovenware [ˈʌvnwɛə] *n* огнеупорни кухненски съдове.

over[1] [ˈouvə] *prep* **1.** над, върху (*и прен.*); край, до; ~ **a glass of beer** на чаша бира; **to sit ~ the fire** седя край/ до огъня; **to go to sleep ~ o.'s work** заспивам над работата си/както работя; **with his coat ~ his shoulder** с палто, преметнато през/на рамо; **to set ~ the rest** поставям над другите; **how long will you be ~ it?** колко време ще ти отнеме това? **to stumble ~ a stone** препъвам се в/о камък; **2.** по, на, из; **all ~ the town** по/из целия град; **all ~ the world** из/по целия свят; ~ **Europe, Europe ~** из цяла Европа; **3.** оттатък, отвъд, през; **the house ~ the way** отсрещната къща; **to speak ~ o.'s shoulder** говоря през рамо; **to escape ~ the frontier** избягвам през граница; **4.** от (*ръба на нещо*); **to fall ~ a cliff** падам от скала; **to flow ~ the edge** преливам; **5.** през, през (цялото) време, в течение на; ~ **the past 25 years** в течение на/ през последните 25 години; **can you stay ~ Sunday?** можеш ли да останеш и неделя/до понеделник? **he will not live ~ today** той няма да доживее до утре; **6.** над, повече от; **it costs ~ £ 50** струва над 50 лири; ~ **and above their wages** освен/плюс/свръх надницата им; **7.** по (*радио, телефон и пр.*); **8.** за, относно, във връзка с; **to laugh ~ s.th.** смеем се на/за нещо; ~ **trouble ~ money** парични затруднения.

over[2] *adv* **1.** оттатък, отвъд, от/на другата страна; **to jump ~** прескачам; ~ **here** ей тук, отсам; ~ **there** ей там; **2.** насам, у/при мен, нас и пр.; **he is ~ from Greece** дошъл е от Гърция; **ask him ~** покани го да дойде; **we are having some friends ~** поканили сме

приятели у нас; **3.** *падане, прекатурване* пре-; **to fall ~** прекатурвам се; **and ~ I went** претърколих се; **the milk boiled ~** млякото изкипя; **4.** *предаване, преотстъпване и пр.* пре-; **to hand s.th. ~** предавам някому нещо; **to go ~ to the enemy** преминавам към неприятеля; ~ (**to you**)! сега е ваш ред! (*радиотелеграфия и пр.*); **5.** от край до край; изцяло; навсякъде; **to search the town ~** претърсвам целия град; **he's English all ~** той е типичен англичанин; **to be mud all ~** /*разг.* **all ~ mud** целият съм покрит с кал; **to ache all ~** всичко ме боли; **to paint ~** заличавам с боя; **to look ~ accounts** преглеждам сметки; **to think s.th. ~** премислям нещо; **to talk the matter ~** обсъждам/разисквам въпрос; **6.** *завършване, край:* **the play is ~** пиесата свърши; **the rain is ~** дъждът преваля; **it's all ~** всичко е свършено; **it's ~ and done with** окончателно е свършено, напълно е уредено; **7.** още веднъж, отново, пак (*и* ~ **again**); **I had to do it all ~ again** много/безброй пъти, неведнъж; **to turn s.th. ~ and ~** обръщам нещо на всички страни; **8.** допълнително, отгоре; в остатък; **children of fourteen and ~** деца от четиринайсет години нагоре; **keep what is left ~** задръжте остатъка; **nine divided by four makes two and one ~** девет делено на четири прави две и едно в остатък; **I shall have s.th. ~** ще ми остане нещо; **9.** извънредно, необичайно, особено; **she grieves ~ much** тя скърби прекалено много; **he hasn't done it ~ well** не го е направил особено добре.

over[3] *a* **1.** горен, по-висш, по-висок; **2.** външен; **3.** допълнителен, извънреден; в повече; **4.** прекомерен.

over[4] *pref* свръх-, над-, пре-.

overact [ˌouvərˈækt] *v театр.* шаржирам; *прен.* престаравам се.

overage [ˈouvəreidʒ] *a* над предвидената/пределната възраст.

overall[1] [ˈouvərɔːl] *n* **1.** престилка (*работническа, лекарска и пр.*); **2.** *pl* комбинезон (*работни дрехи, широки панталони с презрамки*); **3.** *pl воен.* парадни панталони; **4.** *pl* високи непромокаеми гамаши/гетри.

overall[2] *a* **1.** пълен, цял, общ; пределен; външен; ~ **dimension** габаритен/общ/пълен размер; ~ **efficiency** *тех.* обща производителност/коефициент на полезно действие; **2.** всеобщ, всеобемен, всеобхватен; цялостен.

overall[3] [ˌouvərˈɔːl] *adv* общо.

overarm [ˈouvəraːm] *a сп.* **1.** *плуване* със загребване през рамо; **2.** *крикет* със замах през рамо.

overate *вж.* **overeat**.

overawe [ˌouvərˈɔː] *v* всявам страх у, сплашвам; държа в страх.

overbalance[1] [ˌouvəˈbæləns] *v* **1.** губя равновесие и падам; (пре)обръщам (се), (пре)катурвам (се); **2.** = **outweigh** 2.

overbalance[2] *n* **1.** превес; излишен товар, свръхтовар; **2.** излишък.

overbear [ˌouvəˈbɛə] *v* (**-bore** [-ˈbɔː]; **-borne** [-ˈbɔːn]) **1.** надделявам над, надвивам, надмогвам; смазвам, потушавам, потъпквам; **2.** превъзхождам.

overbearing [ˌouvəˈbɛəriŋ] *a* надменен, арогантен; заповеднически.

overbid [ˌouvəˈbid] *v* (**-bid; -bidden** [-ˈbidn]) **1.** наддавам повече от, наддавам отгоре (*на търг*); **2.** *карти* обявявам повече от (*партньора*)/повече, отколкото трябва.

overblown [ˌouvə'bloun] *a* 1. прецъфтял (*за цвете*); попреминал (*за женска красота*); 2. преминал, разнесъл се (*за буря, облак*); 3. пълен, едър; 4. надут, претенциозен.

overboard [ˈouvəbɔːd] *adv мор.* извън борда; **to throw** ~ 1) хвърлям в морето; 2) *прен.* изоставям, зарязвам; **to go** ~ *разг.* възторгвам се.

overbook [ˌouvə'buk] *v* издавам повече билети, отколкото са местата.

overbore, overborne *вж.* **overbear.**

overbuild [ˌouvə'bild] *v* (**-built** [-'bilt]) 1. застроявам прекалено нагъсто; 2. надстроявам (*етаж*).

overburden [ˌouvə'bəːdn] *v* претоварвам; товаря свръх мярката; обременявам.

overcame *вж.* **overcome.**

overcast[1] [ˌouvə'kaːst] *v* (**-cast**) 1. засенчвам, покривам, заоблачавам се; 2. почиствам, подшивам, поръбвам.

overcast[2] ['ouvəkaːst] *a* облачен; тъмен; мрачен.

overcharge[1] [ˌouvə'tʃaːdʒ] *v* 1. *ел.* претоварвам; презареждам; 2. препълвам; 3. искам много висока цена; 4. претрупвам, претоварвам (*описание, картина и пр.*); 5. преувеличавам; 6. надписвам (*сметка*).

overcharge[2] ['ouvətʃaːdʒ] *n* 1. *ел.* претоварване; презареждане; 2. претрупване, препълване; 3. много висока цена.

overcloud [ˌouvə'klaud] *v* покривам се с облаци; заоблачавам се; притъмнявам; засенчвам.

overcoat ['ouvəkout] *n* балтон.

overcoating [ˌouvə,koutiŋ] *n* плат за балтони.

overcome [ˌouvə'kʌm] *v* (**-came** [-'keim]; **-come**) 1. побеждавам; преодолявам, превъзмогвам; 2. завладявам, овладявам; обхващам; ~ **by** обхванат/обзет/измъчен/сломен/изтощен от; **to be** ~ **with sleep** оборва ме сън.

overcrop [ˌouvə'krɔp] *v* (**-pp-**) изтощавам (*почва*).

overcrowd [ˌouvə'kraud] *v* 1. претъпквам (с хора); пренаселвам.

overdo [ˌouvə'duː] *v* (**-did** [-'did]; **-done** [-'dʌn]) 1. прекалявам, отивам до крайност; 2. *готв.* препичам, прегарям; преварявам.

overdraft ['ouvədraːft] *n* 1. превишаване на кредит (*в банка*); 2. сума, превишаваща кредита.

overdraw [ˌouvə'drɔː] *v* (**-drew** [-'druː]; **-drawn** [-'drɔːn]) 1. превишавам кредита си (*в банка*); 2. прекалявам, преувеличавам, пресилвам (*при рисуване, разказване и пр.*).

overdress [ˌouvə'dres] *v* контя се, кича се, труфя се.

overdrew *вж.* **overdraw.**

overdue [ˌouvə'djuː] *a* 1. закъснял; 2. просрочен.

overeat [ˌouvər'iːt] *v* (**-ate** [-'et]; **-en** [-n]) преяждам.

overestimate[1] [ˌouvər'estimeit] *v* оценявам много високо; надценявам.

overestimate[2] [ˌouvər'estimət] *n* 1. прекалено висока оценка; 2. раздута сметка.

overfall ['ouvəfɔːl] *n* 1. бързей (*на река*); 2. *тех.* преливник.

overflow[1] [ˌouvə'flou] *v* 1. преливам; разливам се (*за река*); заливам (се); стичам се; 2. препълвам; **to** ~ **with** *прен.* преизпълнен съм с.

overflow[2] ['ouvəflou] *n* 1. преливане; разливане; наводнение; 2. излишък; ~ **meeting** събрание за хората навън/за които не е имало място в залата.

overgrown [ˌouvə'groun] *a* 1. израснал прекалено бързо, източил се (*за дете*); 2. обрасъл; буренясал, занемарен.

overgrowth ['ouvəgrouθ] *n* 1. ненормално бърз растеж; 2. обрастване, буйна растителност.

overhand ['ouvəhænd] *a, adv* (извършен) през рамо, отгоре.

overhang [ˌouvə'hæŋ] *v* (**-hung** [-'hʌŋ]) надвисвам (*и прен.*); нависвам.

overhaul[1] [ˌouvə'hɔːl] *v* 1. правя основен/капитален ремонт; 2. преглеждам (*книжа, болен и пр.*); 3. настигам, задминавам.

overhaul[2] ['ouvəhɔːl] *n* 1. основен ремонт; 2. щателен преглед; ревизия; преразглеждане.

overhead[1] [ˌouvə'hed] *adv* горе, отгоре, над главата; на по-горния етаж.

overhead[2] ['ouvəhed] I. *a* 1. горен, надземен, въздушен (*за проводник и пр.*); ~ **railway** въздушна железница; ~ **road** естакада; 2. режиен (*за разноски*); II. *n pl* режийни разноски.

overhear [ˌouvə'hiə] *v* (**-heard** [-'həːd]) 1. дочувам, чувам, без да искам; 2. подслушвам.

overhung *вж.* **overhang.**

overindulgence [ˌouvərin'dʌldʒəns] *n* 1. разглезване, глезене 2. преяждане, прекаляване (**in**).

overjoyed [ˌouvə'dʒɔid] *a* вън от себе си от радост, много зарадван.

overkill ['ouvəkil] *n воен.* ядрена мощност, много по-голяма от необходимата за унищожаване на неприятеля.

overlaid *вж.* **overlay**[1].

overland[1] [ˌouvə'lænd] *adv* по сушата; на сушата.

overland[2] ['ouvəlænd] *a* сухопътен.

overlap[1] [ˌouvə'læp] *v* (**-pp-**) 1. застъпвам (се), съединявам чрез застъпване; 2. стърча, излизам навън; 3. съвпадам отчасти; 4. *изч. тех.* препокривам.

overlap[2] [ˌouvə'læp] *n* 1. застъпване; 2. *изч. тех.* препокриване; 3. *геол.* несъгласно залягане; 3. *мин.* прикритие.

overlay[1] [ˌouvə'lei] *v* (**-laid** [-'leid]) 1. покривам (*и с боя*); наслоявам; облицовам; 2. *печ.* подлагам.

overlay[2] ['ouvəlei] *n* 1. пласт; настилка, облицовка; дървена инкрустация; малка покривка; 2. *печ.* подложка; горен лист (*на декел*); 3. шалче; връзка.

overlay[3] *вж.* **overlie.**

overleaf [ˌouvə'liːf] *adv* на гърба (*на лист, страница*).

overleap [ˌouvə'liːp] *v* (**-leaped** [-'liːpt, 'lept]; **-leapt** [-'lept]) 1. прескачам; 2. надскачам; **to** ~ **o.s.** *прен.* надценявам възможностите си, изхвърлям се; 3. пропускам.

overlie [ˌouvə'lai] *v* **-lay** [-'lei]; **-lain** [-'lein]) 1. покривам; лежа над; 2. задушавам (*бебе*).

overload[1] [ˌouvə'loud] *v* претоварвам.

overload[2] ['ouvəloud] *n* претоварване, свръхтовар (*и ел.*).

overlook [ˌouvə'luk] *v* 1. гледам от високо място; издигам се над; **our garden is** ~**ed from the neighbours' windows** прозорците на съседите гледат към нашата градина; **hill** ~**ing the sea** височина, която се издига над морето; 2. не забелязвам; недоглеждам; пропускам; прескачам незабелязан (*пасаж и пр.*); 3. пренебрегвам, затварям си очите за, игнорирам; гледам през пръсти на; 4. гледам със снизхождение на, извинявам, прощавам; 5. гледам, надзирам; 6. *ост.* урочасвам.

overlord ['ouvəlɔːd] *n* 1. *ист.* сюзерен; 2. повелител.

overly ['ouvəli] *adv ам., шотл. разг.* твърде, прекомерно, извънредно.

overman[1] ['ouvəmən] *n* (*pl* **-men**) 1. бригадир (*в мини*); 2. свръхчовек.

overman[2] [ˌouvə'mæn] *v* (**-nn-**) назначавам повече от необходимия персонал.

overmaster [,ouvə'ma:stə] v преодолявам, побеждавам, подчинявам; овладявам (*чувство и пр.*).

overmastering[,ouvə'ma:stəriŋ]*а*властен;непреодолим(*за воля и пр.*).

overmatch [,ouvə'mætʃ] v надминавам, превъзхождам; по-силен/изкусен/хитър и пр. съм от.

over-measure ['ouvə,meʒə] = **overplus.**

overmuch [,ouvə'mʌtʃ] *adv* прекалено много.

overnice [,ouvə'nais] *a* прекалено взискателен/придирчив.

overnight[1] [,ouvə'nait] *adv* 1. предишната нощ; 2. през цялата нощ; 3. изведнъж; **the situation changed** ~ положението се промени за една нощ/много бързо; 4. за през нощта; **to stay** ~ пренощувам, оставам за през нощта.

overnight[2] ['ouvənait] *a* нощен; станал през предишната нощ; ~ **stop in** престой за една нощ в; ~ **journey** нощно пътуване.

overpass[1] [,ouvə'pa:s] v 1. пресичам, преминавам; 2. надминавам, превъзхождам; 3. преодолявам; 4. пренебрегвам, пропускам.

overpass[2] ['ouvəpa:s] *n* надлез.

overplay [,ouvə'plei] v 1. играя (*роля*) превзето/пресилено; 2. отдавам прекалено голямо значение на; надценявам силите/способностите си; **to** ~ **o.'s hand** 1) *карти* рискувам при разиграване; 2) *прен.* твърде оптимистично гледам на възможностите/способностите си.

overplus ['ouvəplʌs] *n* излишък, горница.

overpower [,ouvə'pauə] v побеждавам, надвивам; подчинявам; преодолявам; овладявам; ~**ed by the heat** изтощен от жегата; ~**ed by grief** сломен от скръб.

overpowering [,ouvə'pauəriŋ] *a* непреодолим; съкрушителен.

overproduction [,ouvəprə'dʌkʃn] *n* свръхпроизводство.

over-proof ['ouvəpru:f] *a* с по-висок от установения градус (*за спирт*).

overproud [,ouvə'praud] *a* високомерен, надменен, самомнителен.

overran *вж.* **overrun.**

overrate[,ouvə'reit] v надценявам.

overreach [,ouvə'ri:tʃ] v 1. надминавам, надхвърлям; 2. *обик. refl* протягам се с усилие; 3. надхитрям, измамвам; **to** ~ **o.s.** падам в собствената си клопка.

override[,ouvə'raid]v(**-rode**[-'roud];**-ridden**[-'ridn])1.стъпквам, прегазвам (*за кон*); 2. прегазвам (*вражеска страна*); 3. *прен.* погазвам, незачитам; 4. отхвърлям, отменям; 5. преодолявам; натежавам над; 6. надхвърлям (*пълномощия*); **overriding principle** първостепенен/най-важен принцип; 7. яздя прекалено дълго време; изтощавам (*кон*) с езда; 8. *мед.* отчасти покривам, стърча (*за счупена кост*).

overrule [,ouvə'ru:l] v 1. отхвърлям/отменям (*решение*) на по-долна инстанция; 2. преодолявам, вземам връх над.

overrun[,ouvə'rʌn]v(**-ran**[-'ræn];**-run**) 1. преливам, разливам се; заливам; 2. опустошавам, прегазвам (*страна*); 3. изпълвам, гъмжа от (*обик. за червеи, плевели и пр.*); 4. избуявам; заглушавам (*за растение*); 5. преминавам позволената граница; надхвърлям; говоря по-дълго от/продължавам след определено време (*за оратор, радиопредаване*); 6. *печ.* пренасям думи/текст.

oversaw *вж.* **oversee.**

oversea(s)[1] [,ouvə'si:(z)] *adv* през море; отвъд морето/океана, в чужбина.

oversea(s)[2] *a* 1. външен, задморски, презморски, задокеански (*за търговия и пр.*); 2. за чужбина.

oversee[,ouvə'si:] v(**-saw**[-'sɔ:];**-seen**[-'si:n]) 1. надзиравам, ръководя; 2. *ам.* наблюдавам, разглеждам.

overseer ['ouvəsiə] *n* надзирател.

oversell [,ouvə'sel] v (**-sold**[-'sould]) 1. продавам в повече от наличността (*ценни книжа и пр.*); **oversold market** преситен пазар; 2. *прен.* прехвалвам, рекламирам прекомерно.

over-sexed [,ouvə'sekst] *a* с повишена сексуалност.

overshadow [,ouvə'ʃædou] v 1. засенчвам, хвърлям сянка (*и прен.*); 2. помрачавам; 3. превишавам по значение.

overshoe ['ouvəʃu:] *n* галош, шушон.

overshoot [,ouvə'ʃu:t] v (**-shot** [-'ʃɔt]) 1. надхвърлям (*целта*); 2. *прен.* отивам твърде далеч, прекалявам; 3. *ав.* преминавам отвъд (*пистата*) при кацане; 4. намалявам дивеч поради често ловуване.

oversight ['ouvəsait] *n* 1. надзор, контрол, грижа; 2. пропуск, недоглеждане.

oversize ['ouvəsaiz] I. *a* огромен, гигантски; II *n* 1. огромен предмет; 2. необикновена големина.

oversized ['ouvəsaizd] = **oversize I.**

overslaugh ['ouvəslɔ:] v 1. *воен.* освобождавам от задача поради възлагане на друга по-важна; 2. *ам. воен.* пропускам да произведа, не произвеждам в по-горен чин; 3. *ам.* възпрепятствувам, блокирам (*предложение, законопроект*).

oversleep [,ouvə'sli:p] v (**-slept**[-'slept]) успивам се (*и refl*).

oversold *вж.* **oversell.**

overspill ['ouvəspil] *n* 1. нещо разляно; 2. излишък; 3. *прен.* свръхнаселение.

overstate[,ouvə'steit]v преувеличавам, пресилвам; **don't** ~ **your case** не пресилвайте нещата, като излагате доводите си.

overstep [,ouvə'step] v (**-pp-**) 1. прекрачвам; 2. *прен.* преминавам границата/допустимото; престъпвам, нарушавам; **to** ~ **o.'s authority** превишавам властта/правата си.

overstock [,ouvə'stɔk] v препълвам със стоки/добитък.

overstrung [,ouvə'strʌŋ] *a* 1. силно изопнат, напрегнат, изострен (*за нерви и пр.*); 2. с кръстосани по диагонал струни (*за пиано*).

oversubscribe [,ouvəsəb'skraib] v *обик. pass* надхвърлям превишавам подписка (*за заем, акции и пр.*).

overt ['ouvə:t] *a* открит, явен; публичен.

overtake[,ouvə'teik]v(**-took**[-'tuk];**-taken**[-'teikən])1.настигам, застигам; 2. идвам внезапно; връхлитам; завладявам, обземам; **to be** ~**n by/with fear** обзема ме страх; **to be** ~**n by a storm** настига ме буря.

overtax [,ouvə'tæks] v 1. облагам с тежки данъци; 2. претоварвам, пресилвам; **to** ~ **s.o.'s patience/o.'s strength** злоупотребявам с нечие търпение/със силите си.

over-the-counter [,ouvədə'kauntə] *a* 1. продаден/купен не на борсата; 2. продаван без рецепта.

overthrow[1][,ouvə'θrou]v(**-threw**[-'θru:];**-thrown**[-'θroun])1. повалям, прекатурвам, преобръщам; 2. *прен.* побеждавам, свалям (*правителство*), събарям.

overthrow[2]['ouvəθrou]*n*1. прекатурване; 2. *прен.* поражение, проваляне; сваляне от власт.

overtime[1]['ouvətaim]*adv*извънредно.

overtime[2] *n* 1. извънредни часове; 2. извънредна работа; **no** ~ извънредната работа забранена; **to be on** ~ работя извънредна работа; ~ **pay** заплащане за извънредна работа.

overtly ['ouvə:tli]*adv*открито; публично.

overtone ['ouvətoun] n 1. муз. обертон; 2. оттенък (на гласа).

overtook вж. overtake.

overtop [,ouvə'tɔp] v (-pp-) 1. издигам се над; надвишавам; по-висок съм от; 2. превъзхождам, превишавам.

overtrump [,ouvə'trʌmp] v карти надцаквам.

overture ['ouvə,tjuə] n 1. обик. pl сондаж; инициатива, предложение; опити за преговори; **peace ~s** сондажи/опити за сключване на мир; 2. муз. увертюра.

overturn [,ouvə'tə:n] v 1. (пре)катурвам (се), (пре)обръщам (се); 2. свалям от власт, събарям; побеждавам; 3. опровергавам (теория).

overweening [,ouvə'wi:niŋ] a самомнителен, самонадеян; високомерен, надменен, арогантен.

overweight[1] ['ouvəweit] n 1. тегло в повече (от разрешеното); 2. превес, надмощие, преобладаване; 3. attr [,ouvə'weit] който е в повече от разрешеното/необходимото/допустимото; **to be 4 lb ~** 1) тежа 4 фунта над нормата; 2) имам да доплатя за 4 фунта багаж.

overweight[2] [,ouvə'weit] v претоварвам.

overwhelm [,ouvə'welm] v 1. заливам (изцяло) (за вълна, порой); 2. смазвам, разбивам, съкрушавам (и неприятел); 3. надвивам, завладявам (за чувство); 4. отрупвам, затрупвам, обсипвам (с въпроси и пр.); 5. обърквам, затруднявам; поразявам, изумявам.

overwhelming[,ouvə'welmiŋ]a1.поразителен,изумителен; съкрушителен; 2. непреодолим.

overwork[1] [,ouvə'wə:k] v 1. работя прекалено много; преуморявам (се), пресилвам (се), изтощавам (се) (и refl); 2. прен. използвам твърде често; 3. преработвам; доизкусурявам, усъвършенствувам; 4. украсявам/бродирам по цялата повърхност.

overwork[2] ['ouvəwə:k] n 1. извънредна работа; 2. преумора; 3. премного работа.

overwrite[,ouvə'rait]v(-wrote[-'rout];-written[-'ritn])1.пиша над текст; 2. пиша прекалено много; refl изчерпвам се като писател; 3. пиша бомбастично.

overwrought [,ouvə'rɔ:t] a 1. развълнуван, възбуден; напрегнат, изпънат, изопнат (за нерви); 2. претрупан, със сложна изработка; цял украсен (за предмет).

oviduct ['ouvidʌkt] n анат. яйцепровод, фалопиева тръба.

oviform ['ouvifɔ:m] a яйцевиден.

ovine ['ouvain] a овчи; подобен на овца.

oviparous [ou'vipərəs] a зоол. яйценосен.

ovoid ['ouvɔid]a яйцевиден.

ovum ['ouvəm] n (pl ova ['ouvə]) биол. яйце.

owe [ou] v дължа (и прен.), имам дълг към (s.th. to s.o., s.o. s.th.); задължен съм към; □ **to ~ s.o. a grudge** имам зъб някому.

owing ['ouiŋ] a predic 1. дължим; **how much is ~ to you?** колко още има да ви се плаща? 2. произлизащ от; **all this was ~ merely to ill luck** всичко това се дължеше само на лош късмет; 3. **~ to** благодарение/вследствие на, поради.

owl [aul] n 1. зоол. птица от разряда сови (Strigiformes); бухал (и **eagle ~**) (Bubo bubo); забулена сова (и **barn ~**) (Tyto alba); улулица (и **tawny ~**) (Strix aluco); кукумявка (и **little ~**) (Athene noctua); 2. прен. разг. важен човек, който се мисли за много умен, умник; 3. прен. нощна птица.

owlet ['aulit] n зоол. малък/млад бухал/улулица.

owl-light ['aullait]n здрач.

own[1] [oun] I. a 1. свой, собствен; **I do my ~ cooking** сам

си готвя; **she makes her ~ clothes** сама си шие (дрехите); **name your ~ price** кажи каквато цена искаш; **he is his ~ man/master** сам си е господар; 2. роден; II. n: **your interests are my ~** твоите интереси съвпадат с моите; **my time is my ~** сам разполагам с времето си; **this fruit has a flavour all its ~** този плод има характерен/специфичен вкус и аромат; **to have nothing of o.'s ~** нямам си нищичко; **for reasons of his ~** по причини, известни само нему; □ **on o.'s ~** 1) сам; 2) самостоятелен; самостоятелно; 3) който няма равен на себе си, несравним; **to live on o.'s ~** живея сам; **to come into o.'s ~** 1) получавам своето/това, което ми се полага; 2) влизам в правата си; 3) получавам признание; 4) показвам какво мога/на какво съм способен; **to get o.'s ~ back** отмъщавам си, връщам си; **to hold o.'s ~** 1) държа се (на позициите си), не отстъпвам; 2) справям се, не се излагам; 3) държа се, не загубвам сили (за болен).

own[2] v 1. притежавам, имам; държа, владея; 2. признавам (си); **to ~ o.'s faults** признавам си слабостите; **to ~ o.s. (to be) beaten/defeated** признавам се за победен; **to ~ to having told a lie** признавам, че съм излъгал; **to ~ up (to s.th.)** разг. признавам си (нещо) откровено; 3. признавам за свое, припознавам (дете и пр.).

owner ['ounə] n собственик, притежател; владетел, стопанин; **factory ~** фабрикант; **the ~** мор. sl. капитан на кораб.

ownerless ['ounəlis] a 1. безстопанствен; 2. безпризорен.

ownership ['ounəʃip] n 1. собственост, притежание; владение; 2. право на собственост.

ox [ɔks] n (pl oxen ['ɔksən]) 1. вол (Bos taurus); 2. говедо, едър рогат добитък.

ox-eye ['ɔksai] n 1. волско око; 2. арх. малко кръгло прозорче; 3. бот. маргаритка (Chrysanthemum leucanthemum) (и white ~); лайкучка (Anthemis cotula); чернокос (Buphthalmum).

ox-eyed ['ɔksaid] a с големи кръгли/волски очи.

ox-eye daisy ['ɔksai,deizi] = **ox-eye 3** (white ~).

Oxford ['ɔksfəd] n 1. Оксфорд; 2. Оксфордски университет; 3. attr оксфордски; **~ blue** тъмносин цвят; **~ grey** тъмносив плат меланж; **~ man** оксфордски възпитаник; **~ shoes** = oxfords.

oxfords ['ɔksfədz] n pl обувки половинки с връзки.

oxherd ['ɔkshə:d] n пастир, воловар, говедар.

oxhide ['ɔkshaid] n волска кожа/гьон.

oxidate ['ɔksideit] v хим. окислявам (се).

oxidation [,ɔksi'deiʃn] n хим. окисляване; окисление, оксидиране.

oxide ['ɔksaid] n хим. окис.

oxidizable [,ɔksidaizəbl] a хим. окисляем.

oxidization [,ɔksidai'zeiʃn] = **oxidation.**

oxidize ['ɔksidaiz] v хим. окислявам (се); оксидирам (се).

oxlip ['ɔkslip] n бот. иглика (Primula elatior).

Oxonian [ɔk'sounjən] I. a оксфордски; II. n студент/възпитаник на Оксфордския университет.

oxtail ['ɔksteil] n волска/говежда опашка; **~ soup** говежди бульон.

oxygen ['ɔksiʤən] n хим. кислород.

oxygenate, -nize [ɔk'siʤəneit, -naiz] v 1. хим. окислявам; 2. физиол. насищам с кислород.

oxygenous [ɔk'siʤənəs] a хим. кислороден.

oxygon ['ɔksigən] n геом. остроъгълен триъгълник.

oyes, oyez, O yes ['oujes, 'oujez] int внимание! (призив н разсилен в съда, глашатай).

oyster[1] ['ɔistə] n 1. зоол. стрида (Ostrea); 2. разг. прен затворен човек; 3. нещо изгодно.

oyster² *v* ловя стриди.

oyster-bank,-bed ['ɔistəbæŋk, -bed] *n* **1.** плитчина, където има стриди; **2.** място за развъждане на стриди.

oyster-catcher ['ɔistəˌkætʃə] *n зоол.* стридояд *(птица)* (Haematopus ostralegus).

oysterman ['ɔistəmən] *n (pl* -men) **1.** човек, който лови/ отглежда/продава стриди; **2.** кораб за ловене на стриди.

oyster-plant ['ɔistəplaɪnt] = salsify.

ozone ['ouzoun] *n хим.* озон.

ozonic [ouˈzɔnik] *а хим.* озонен.

ozonize ['ouzənaiz] *v хим.* озонирам, превръщам в озон.

P

P,p [piː] *n* буквата P.

pa [paː] *n разг. съкр. от* **papa.**

pabulum ['pæbjuləm] *n книж.* храна *(особ. прен.).*

pace¹ [peis] *n* **1.** крачка, стъпка; **2.** вървеж, походка; ход; алюр; раван *(на кон);* **3.** скорост, темп(о); **to go at a good ~** вървя бързо; **to go/** *ам.* **hit the ~** вървя много бързо; *прен.* отпускам му края, водя бурен живот; **to mend/increase o.'s ~** ускорявам крачката; **to keep ~ with** вървя в крак с *(и прен.);* **to set the ~** давам темпо; давам пример; **to stand/stay the ~** издържам на темпото, не изоставам; □ **to put s.o. through his ~s** изпитвам умението/издръжливостта на някого; карам някого да покаже какво може; давам някому доста голям зор.

pace² *v* **1.** вървя с равна крачка; крача; **to ~ the room** крача из стаята; **2.** меря с крачки/стъпки (out, off); **3.** вървя раван *(за кон);* **4.** обучавам, упражнявам *(в някакъв ход);* **5.** *сп.* водя, определям темпо *(при състезания).*

pace³ ['peisi] *prep лат.* с позволението на, въпреки мнението на *(учтива форма).*

pace-maker ['peisˌmeikə] *n* **1.** *сп.* водач *(при състезание);* **2.** човек, който служи за пример; челен работник; **3.** *мед.* изкуствен водач на сърцето.

pachyderm ['pækidəːm] *n* **1.** *зоол.* пахидерм, дебелокожо животно *(слон и пр.);* **2.** *прен.* дебелокож човек.

pacific [pəˈsifik] I. *а* **1.** миролюбив; примирителен; **2.** мирен, тих, спокоен; **3.** P. тихоокеански; II. *n* the P. Тихият океан.

pacification [ˌpæsifiˈkeiʃn] *n* умиротворяване, успокояване; умиротворение, успокоение.

pacificatory [pəˈsifikətəri] *а* умиротворителен, успокоителен; помирителен.

pacifism ['pæsifizm] *n* пацифизъм.

pacifier ['pæsifaiə] *n* **1.** нещо/някой, който умиротворява/успокоява; **2.** биберон/гумен пръстен за бебе.

pacifist ['pæsifist] *n* пацифист.

pacify ['pæsifai] *v* **1.** успокоявам, умирявам; умиротворявам; **2.** укротявам *(гняв, ярост);* **3.** възстановявам мир и спокойствие в *(страна).*

pack¹ [pæk] *n* **1.** пакет, вързоп; бала; денк; тесте; топ; стока на амбулантен търговец; **2.** (войнишка) раница/торба; парашут в калъф; **3.** глутница; стадо; ято; сюрия ловджийски кучета; **4.** *ръгби* нападатели; **5.** *воен. мор.* глутница *(подводници);* **6.** *презр.* банда, хайка; **7.** *презр.* куп, маса; **8.** *карти* тесте, колода; **9.** = **~-ice; 10.** количество риба/месо/плодове и пр., консервирани през един сезон; **11.** козметична маска; **12.** *мед.* компрес; **13.** *attr* 1) опаковъчен; 2) товарен; **~ animal** товарно животно.

pack² *v* **1.** опаковам; свързвам; нареждам, стягам *(и с* up); **these books ~ easily** тези книги лесно се опаковат; **we are ~ed** багажът ни е опакован; **~ed lunch** суха храна в кутия и пр.; **2.** натъпквам (се), тъпча (се) (into в); **3.** консервирам; **4.** натрупвам се *(за лед и пр.);* слягам се, сбивам се; **5.** събирам се на стадо/глутница; **6.** товаря *(кон и пр.);* **7.** нося/пренасям товар; **8.** нося *(пушка и пр.);* **9.** обвивам, увивам; **10.** *мед.* обвивам с мокри компреси; **11.** *sl.* имам силен удар *(за боксьор и пр.);* **12.** имам силно въздействие; **13.** избирам *(членове на комисия, жури и пр.)* в свой интерес; □ **to send ~ing** изпъждам, изгонвам;
    pack away *разг.* прибирам; опаковам;
    pack in *разг.* 1) натъпквам, наблъсквам; 2) зарязвам, изоставям; □ **~ it in!** *sl.* стига! спри!
    pack off 1) изпращам, отпращам; 2) *refl* махам се;
    pack out 1) подпълвам; 2) препълвам *(салон и пр.);*
    pack up 1) стягам си багажа; опаковам, прибирам; 2) *разг.* прекратявам работа; отказвам се; 3) *sl.* „излизам от строя"; отказвам *(за мотор и пр.);* □ **~ it up!** *sl.* стига! престани! спри!

package ['pækidʒ] *n* **1.** пакет(че); вързоп; денк; бала; **2.** опаковане, пакетиране; **3.** опаковка; контейнер; **4.** *ам.* цялостна програма за театър/радиопредаване/ телевизионно предаване; **5.** комплексна сделка/споразумение *(и* ~ **deal); 6.** пощенски кораб *(и* ~ **-boat/-ship).**

package store ['pækidʒstɔː] *n ам.* магазин за продажба на спиртни напитки в бутилки за вкъщи.

package tour ['pækidʒtuə] *n* екскурзия с всички разноски, включени в цената на билета.

packer ['pækə] *n* **1.** опаковчик *(особ. на храни);* машина за опаковане/пакетиране; **2.** фабрикант на консерви; **3.** работник в консервен комбинат.

packet ['pækit] *n* **1.** пакет; вързоп; пратка; **2.** = **~-boat**; **3.** пачка *(писма);* **4.** *sl.* куп/сума пари; **5.** *воен. sl.* беля, неприятност; **to catch/stop/get a ~** бивам тежко ранен/убит.

packet-boat ['pækitbout] *n* пощенски кораб.

pack-ice ['pækais] *n* паков лед.

packing ['pækiŋ] *n* **1.** опаковане, пакетиране; консервиране; **2.** опаковка; материали за херметическо затваряне *(при консервиране);* **3.** *тех.* набивка, уплътнител.

packing-case ['pækiŋkeis] *n* каса, сандък.

packing-house ['pækiŋhaus] *n ам.* **1.** кланица и фабрика за обработка и пакетиране на месни продукти; **2.** консервна фабрика.

packing-needle ['pækiŋˌniːdl] *n* губерка.

packing-sheet ['pækiŋʃiːt] *n* **1.** зебло за опаковка; **2.** *мед.* мокър чаршаф, компрес.

pack-saddle ['pækˌsædl] *n* самар.

packthread ['pækθred] *n* връв, канап.

pact [pækt] *n* пакт, договор.

pad[1] [pæd] *n* 1. подплънка; мека подложка, възглавничка; **electric warming** ~ електрическа възглавничка; 2. *тех.* набивка, подложка; тампон; 3. меко седло; 4. *сп.* наколенник, шингард; 5. възглавничка на лапа (*на котка и пр.*); лапа (*на диво животно*); следа от лапа; 6. бележник; блок; попивателна; 7. = **ink-pad**; 8. ракетна площадка; 9. *ам.* лист на водна лилия; 10. *sl.* къща; квартира; легло.

pad[2] *v* (**-dd-**) 1. подпълвам с мека материя, ватирам; тампонирам; слагам подпълнки на; ~**ded cell** изолатор (*за душевноболни*); 2. *разг. прен.* раздувам (*и с* out); ~**ded bills** раздути сметки; □ **well** ~**ded** *разг.* пълничък, закръглен.

pad[3] *n sl. ост.* 1. път; 2. разбойник (*и* **gentleman/knight/squire of the** ~); 3. кон, който издържа на път.

pad[4] *v* (**-dd-**) 1. вървя пеш, бия път, трамбовам; 2. вървя с леки тихи стъпки.

padding ['pædiŋ] *n* 1. уплътнителен материал; подплънка; вата; 2. *прен.* многословие, баласт.

paddle[1] ['pædl] *n* 1. лопата, гребло (*за кану, русалка*); 2. перка (*на колело на кораб*); 3. крак (*на костенурка и пр.*), перка (*на кит и пр.*); 4. бъркалка; бухалка; 5. *ам.* хилка за тенис на маса: 6. *тех.* лопатка (*на турбина*).

paddle[2] *v* 1. карам кану/русалка (*с гребло*); 2. движа (се) с колела (*за кораб*); 3. плувам кучешката; 4. бъркам; бухам; 5. *ам.* напердашвам, наплесквам; □ **to** ~ **o.'s own canoe** самостоятелен съм, разчитам само на себе си.

paddle[3] *v* 1. газя, цапам, шляпам (*в плитка вода*); 2. щъпукам.

paddle-wheel ['pædlwi:l] *n* лопатно колело.

paddock ['pædək] *n* 1. заградено място/ливада до конюшня; 2. заградено място до хиподрум, където стоят конете преди надбягванията.

Paddy ['pædi] *n разг.* ирландец.

paddy[1] ['pædi] *n* 1. арпа; 2. необран ориз; 3. оризище (*и* ~ **field**).

paddy[2] *n разг.* (пристъп на) ярост.

paddy waggon ['pædi,wægən] *n sl.* полицейска кола.

paddywhack ['pædiwæk] *n* 1. = **paddy**[2]; 2. плесница; пердах.

padlock[1] ['pædlɔk] *n* катинар, катанец.

padlock[2] *v* заключвам с катинар/катанец.

padre ['pa:dri] *n ист., разг.* свещеник (*и военен*).

padrone [pə'drouni] *n ит.* 1. капитан (*на търговски кораб*); 2. ханджия, гостилничар; 3. господар, работодател; агент, който намира работа на имигранти.

paean ['pi:ən] *n* пеан, победен/хвалебствен химн.

paederast = **pederast**.

paederasty = **pederasty**.

paediatrics = **pediatrics**.

pagan ['peigən] *n* 1. езичник; 2. безверник, атеист; 3. *attr* езически; атеистичен.

paganism ['peigənizm] *n* езичество.

page[1] [peidʒ] *n* страница; лист (*на книга*).

page[2] *v* 1. номерирам страници; 2. *ам.* прелиствам (*и* c **through**).

page[3] *n* 1. паж; 2. прислужник (*в хотел, клуб и пр.*).

page[4] *v* 1. търся някого чрез прислужник, който извиква името му (*обик. в хотелско фоайе и пр.*); 2. служа като паж.

pageant ['pædʒənt] *n* 1. грандиозно шествие/процесия; карнавално шествие; 2. драматизиране на моменти от историята, живи картини; 3. *прен.* пищност; празна показност.

pageantry ['pædʒəntri] *n* 1. блестящо зрелище; блясък, грандиозност; 2. = **pageant** 3.

paginate ['pædʒineit] *v* номерирам страници.

pagoda [pə'goudə] *n* пагода.

pah [pa:] *int* (п)фу!

paid *вж.* **pay**[1].

pail [peil] *n* кофа; ведро.

paillasse = **palliasse**.

paillette [pæl'jet] *n фр.* паета.

pain[1] [pein] *n* 1. болка; страдание; **to feel/be in/have/suffer** ~ боли ме, имам/изпитвам болки; **to put a wounded animal out of its** ~ умъртвявам ранено животно, за да не се мъчи; 2. *прен.* болка, страдание, мъка; огорчение; 3. *pl* родилни мъки/болки; 4. *pl* усилия, старание, усърдие, труд; **no** ~**s, no gains** без труд нищо не се постига; **to take great** ~**s** полагам големи усилия/старание/усърдие (**over s.th.** за нещо; **to do s.th.** да направя нещо); **to be at** ~**s to** старая се/мъча се да; **to be an ass/fool for o.'s** ~**s, to have o.'s labour for** ~**s** работя напразно/за тоя що духа; оставам на сухо; **to get a thrashing for o.'s** ~**s** старая се, а за награда ям бой; 5. наказание; **on/under** ~ **of (death)** под страх от (смъртно) наказание; ~ **and penalties** *юр.* наказания и глоби; □ ~ **in the neck** досаден човек, напаст божия; нещо досадно.

pain[2] *v* 1. причинявам болка/страдание; огорчавам; 2. боля, причинявам болка.

pained [peind] *a* засегнат, огорчен, обиден.

painful ['peinful] *a* 1. болезнен, мъчителен; 2. неприятен; досаден; 3. тежък, труден.

painkiller ['pein,kilə] *n* лекарство, което успокоява болки; пенкилер.

painless ['peinlis] *a* безболезнен.

painstaking ['peinz,teikiŋ] I. *a* старателен, усърден, прилежен; ревностен; щателен; II. *n* старание, усърдие, прилежание.

paint[1] [peint] *n* 1. боя, оцветител; **wet/fresh** ~ ! пази се от боята! 2. червило; руж; грим.

paint[2] *v* 1. рисувам с бои; 2. боядисвам, мажа (*стени и пр.*); намазвам, замазвам; оцветявам; 3. рисувам, описвам картинно; **he is not so black as he is** ~**ed** не е толкова лош, колкото го изкарват; 4. червя (се), гримирам (се); □ **to** ~ **the town red** *sl.* гуляя, обикалям заведенията;
    paint in нарисувам/добавям с бои;
    paint on намазвам; нанасям;
    paint out заличавам с боя.

paint-box ['peintbɔks] *n* кутия с бои.

paint-brush ['peintbrʌʃ] *n* четка за рисуване; бояджийска четка.

painted lady ['peintid,leidi] *n зоол.* дяволска пеперуда (Pyrameis cardui).

painter[1] ['peintə] *n* 1. художник, живописец; 2. бояджия; ~**'s colic** оловна колика.

painter[2] *n мор.* фалин; □ **to cut the** ~ 1) пускам/отвързвам лодка; 2) откъсвам се, отделям се, ставам самостоятелен.

painter[3] *n зоол.* американска пума, кугуар (Felis concolor).

painting ['peintiŋ] *n* 1. живопис; рисуване; 2. картина (*с бои*); 3. бояджийство.

pair[1] [pɛə] *n* 1. чифт, двойка; ~ **of scissors/spectacles/ compasses/trousers** ножица, очила, пергел, панталон(и); 2. еш; 3. партньори (*на карти*); 4. *парл.* двама членове на противни партии, които се споразумяват

да отсъстват при гласуване; □ **the happy ~** мла-
доженците.

pair[2] *v* **1.** образувам двойка/двойки/чифт(ове); **2.** оже-
нваме се, чифтосваме се; оженвам; чифтосвам (*жи-
вотни*); **3. to ~ off** нареждаме се/нареждам по двой-
ки; *разг.* оженваме се (**with**).

pair-oar ['peərɔ:] *n* лодка с двама гребци.

paisley ['peizli] *n* мек плат с индийски десен.

pajamas = pyjamas.

pal[1] [pæl] *n* *разг.* приятел, другар.

pal[2] *v* (**-ll-**) другарувам; сприятелявам се (*обик. с* **up**)
(**with** c).

palace ['pælis] *n* **1.** дворец, палат, чертог; **2.** *attr* двор-
цов.

paladin ['pælədin] *n* **1.** *ист.* паладин; **2.** *прен.* верен ри-
цар; храбрец.

palaeo- = paleo-.

palankeen, palanquin [ˌpælən'ki:n] *n* паланкин, покрита
носилка.

palatable ['pælətəbl] *a* вкусен, апетитен; приятен (*и
прен.*).

palatal ['pælətl] **I.** *a* **1.** *анат.* небен; **2.** *фон.* палатален,
небен; **II.** *n* *фон.* палатален звук.

palatalize ['pælətəlaiz] *v* *фон.* палатализирам.

palate ['pælət] *n* **1.** *анат.* небце; **2.** вкус (*и прен.*); **to have
a good ~ for wines** разбирам от вино.

palatial [pə'leiʃl] *a* **1.** дворцов; **2.** великолепен, разко-
шен, пищен.

Palatine ['pælətain] *n* *ист.* **1.** **Count/Earl ~** пфалцграф;
2. County ~ пфалц, пфалцграфство.

palatine ['pælətain] *анат.* **I.** *a* небен; **II.** *n pl* небни кости
(*и* **~ bones**).

palaver[1] [pə'la:və] *n* **1.** дълги преговори/разговори; **2.**
празни приказки, бръщвеж; **3.** ласкателство, под-
милкване; **4.** *разг.* неприятна работа/история.

palaver[2] *v* **1.** бръщолевя, дърдоря; **2.** лаская, подмилк-
вам се на.

pale[1] [peil] *a* **I.** блед(ен); **~ as a ghost/ashes/death** смърт-
но бледен; **to turn/grow ~** побледнявам, преблед-
нявам; **2.** светъл (*за цвят*), блед; неясен, слаб (*за
светлина и пр.*).

pale[2] *v* **1.** бледнея, побледнявам, пребледнявам; **to ~
before 1)** пребледнявам пред; 2) *прен.* бледнея пред;
2. избелявам, избледнявам; **3.** правя да избелее/
бледнее.

pale[3] *n* **1.** кол; **2.** заградено място; **3.** *ист.* определена
област; **the English P.** област от Източна Ирландия
под английско владичество след XII в.; **3.** *хер.* ши-
рока вертикална черта на щит; □ **beyond/outside
the ~** извън границите на приличието/общоприето-
то.

pale[4] *v* ограждам с колове.

pale-face ['peilfeis] *n* бледолик, бял (човек) (*в романи
за индианци*).

paleo- [pæliou-] *pref* древен.

paleography [ˌpæli'ɔgrəfi] *n* палеография.

paleolith ['pæliouliθ] *n* палеолит, старокаменна епоха.

paleontology[ˌpæliɔn'tɔləʤi] *n* палеонтология.

paleozoic [ˌpæliou'zouik] *геол.* **I.** *a* палеозойски; **II.** *n* па-
леозойска ера (*и* **P.**).

Palestinian [ˌpælə'stiniən] **I.** *a* палестински; **II.** *n* палести-
нец.

palette ['pælət] *n* *изк.* **1.** палитра; **2.** палитра (*цветове на
даден художник*).

palette-knife ['pælətnaif] *n* *изк.* мастихин.

palfrey ['pɔ:lfri] *n* *ост.. поет.* кон за езда (*особ. за дама*).

palimpsest ['pælimpsest] *n* *палеогр.* палимпсест.

palindrome ['pælindroum] *n* *лит.* палиндром(он).

paling ['peiliŋ] *n* ограда от колове.

palingenesis [ˌpælin'ʤenisis] *n* **1.** *книж.* прераждане; въз-
раждане; **2.** *биол.* палингенеза.

palinode ['pælinoud] *n* **1.** *лит.* палинодия; **2.** отричане от
възгледите си.

palisade[1] [ˌpæli'seid] *n* **1.** палисада (*и воен.*); ограда; **2.** *pl
ам.* верига от високи скали.

palisade[2] *v* ограждам с палисада.

pall[1] [pɔ:l] *n* **1.** плащаница, покров; **2.** *прен.* обвивка,
плащ; **~ of smoke** гъст облак дим; **3. = pallium**; **4.**
църк. покривчица на чашата за причастие.

pall[2] *v* покривам с плащаница/покров.

pall[3] *v* омръзвам, втръсвам се (**upon** на).

Palladium [pə'leidjəm] *n* (*pl* **-s, -ia** [-iə]) **1.** *мит.* паладиум
(*статуя на Атина Палада*); **2.** *прен.* **p.** защита, за-
крила, опора.

palladium [pə'leidjəm] *n* *хим.* паладий.

pall-bearer [pɔ:l ˌbɛərə] *n* лице, което носи/придружава
ковчег.

pallet[1] ['pælit] *n* **1. = palette 1; 2.** грънчарски плоск уред;
шпакла; **3.** *муз.* клапа (*на орган*); **4.** *тех.* зъбно ко-
лелце с палец; **5.** платформа за складиране на стоки;
носилка за формовани тухли; **6.** *тех.* котва (*на Мор-
зов апарат*).

pallet[2] *n* сламеник.

pallia вж. **pallium.**

palliasse ['pæliæs] *n* сламеник.

palliate ['pælieit] *v* **1.** облекчавам, успокоявам, уталож-
вам временно (*болка и пр.*); **2.** извинявам; омало-
важавам, смекчавам (*вина и пр.*).

palliative ['pæliətiv] **I.** *a* **1.** палиативен, успокоителен;
2. извинителен, оправдателен; **II.** *n* **1.** палиативно
средство, палиатив; **2.** оправдателен/извинителен
факт и пр.

pallid ['pælid] *a* блед(ен) (*и прен.*); пребледнял.

pallium ['pæliəm] *n лат.* (*pl* **-ia** [-iə]) **1.** *ист.* мантия; **2.** връх-
на одежда на папа/епископ; **3.** *зоол.* мантия (*на ме-
котело*).

pall-mall ['pæl'mel] *n* *ист.* вид крокет; игрище-алея за
крокет.

pallor ['pælə] *n* бледност, бледнота.

pally ['pæli] *a* *разг.* дружелюбен, приятелски; интимен,
близък.

palm[1] [pa:m] *n* **1.** длан; **2.** *ост.* длан (*като мярка за
дължина*); **3.** лопата, перка (*на гребло и пр.*); □ **to
grease/oil/tickle s.o.'s ~** подкупвам някого; **to have
an itching ~** алчен съм за подкупи.

palm[2] *v* **1.** докосвам/погалвам с ръка; ръкувам се; **2.**
крия в ръка (*карти, зарове*); **3.** *ам.* задигам незабеля-
зано; **4.** хързулвам, пробутвам (**s.th. on s.o.** нещо на
някого) (*и c* **off**).

palm[3] *n* **1.** *бот.* палма (Palmae); **2.** палмово клонче
(*символ на победа*); **to bear/carry the ~** получавам
първа награда; **to yield the ~** отстъпвам палмовото
клонче, признавам се за победен; **3.** *църк.* върбова
клонка; **P. Sunday** Връбница, Цветница.

palmar ['pælmə] *a* *анат.* дланен, палмарен.

palmary ['pælməri] *a* *книж.* отличен, превъзходен; до-
стоен за първа награда.

palmate, -ated ['pælmit, -eitid] *a* **1.** *бот.* длановиден; **2.**
зоол. с плавателна ципа (*на краката*).

palmer ['pa:mə] *n* **1.** поклонник, хаджия; **2.** странству-
ващ монах, обрекъл се на бедност; **3. = palmer-
worm**; **4.** вид изкуствена муха.

palmer-worm ['pa:məwə:m] *n* *зоол.* космата гъсеница
(*особ.* Dichomeris ligulellus).

palmetto [pæl'metou] *n бот.* вид палма (Sabal palmetto).

palmist ['pa:mist] *n* хиромант.

palmistry ['pa:mistri] *n* хиромантия.

palmy ['pa:mi] *a* 1. с много палми, палмов; 2. палмовиден; 3. цветущ, щастлив, честит, благат, благополучен.

palmyra [pæl'maiərə] *n бот.* индийска палма (Borassus flabellifer).

palomino [,pælə'mi:nou] *n* порода светлокафяв кон.

palp[1] [pælp] *n зоол.* пипалце, пипало.

palp[2] *v* пипам, опипвам.

palpable ['pælpəbl] *a* 1. осезаем; 2. очевиден, явен, ясен.

palpate ['pælpeit] *v мед.* палпирам.

palpebral ['pælpibrəl] *a анат.* клепачен.

palpitate ['pælpiteit] *v* 1. пулсирам, бия, тупкам; 2. бия неравномерно, разтупвам се (*за сърце*); 3. треперя (*от радост и пр.*); **of palpitating interest** от вълнуващ интерес.

palpitation [,pælpi'teiʃn] *n* 1. пулсиране, биене, тупкане; 2. разтупкване на сърцето; сърцебиене.

palpus ['pælpəs] (*pl* -**pi** [-pai]) = **palp**[1].

palsgrave ['pɔːlzgreiv] *n ист.* пфалцграф.

palstave ['pɔːlsteiv] *n археол.* каменно/бронзово длето.

palsy[1] ['pɔːlzi] *n мед.* парализа (*и прен.*); паралитично треперене.

palsy[2] *v мед.* парализирам (*и прен.*).

palter ['pɔːltə] *v* 1. усуквам, хитрувам; **to ~ with the facts** извъртам фактите; 2. споря, препирам се.

paltry ['pɔːltri] *a* 1. дребен, малък, незначителен; 2. нищожен; презрян, низък.

paludal [pæ'lju:dl] *a книж.* 1. мочурлив, блатист, блатен; 2. маларичен.

paludism ['pæljudizm] *n мед.* малария, блатна треска.

pampas ['pæmpəs] *n pl* пампаси.

pamper ['pæmpə] *v* угаждам на, глезя, разглезвам.

pamphlet ['pæmflit] *n* памфлет; брошура.

pamphleteer[1] [,pæmflə'tiə] *n* памфлетист.

pamphleteer[2] *v* пиша памфлети.

pan[1] [pæn] *n* 1. тиган; тава, тавичка; блюдо (*на везни*); чиния (*на тоалетна*); 2. = **brain-pan**; 3. *геол.* котловина; вдлъбнатина; 4. блато; 5. солница; 6. = **hardpan** 1; 7. *мин.* златарско корито; 8. подсип (*на кремъклийка пушка*); 9. плоско парче плаващ лед; 10. *sl.* сурат, мутра.

pan[2] *v* (**-nn-**) 1. промивам (*златоносен пясък*); нося златото (*за пясък*) (*и с* **off**, **out**); 2. критикувам остро; 3. **to ~ out** *разг. прен.* излизам; успявам; **to ~ out well** излизам сполучлив, завършвам сполучливо.

pan[3] *v* (**-nn-**) *кино* панорамирам.

panacea [,pænə'siə] *n* панацея, универсално лекарство (*и прен*).

panache [pə'næʃ] *n* 1. плюмаж, пера на шапка; 2. показност, самоувереност, замах.

panada [pə'na:də] *n* пудинг от хляб.

panama [,pænə'ma:] *n* панамена шапка (*и* ~ **hat**).

Panamanian [,pænə'meinjən] I. *a* панамски; II. *n* панамец, жител на Панама.

pancake[1] ['pænkeik] *n* 1. палачинка; **flat as a ~** съвсем плосък; 2. твърда пудра (*за лице*) (*и* ~ **make-up**); 3. *ав.* отвесно/вертикално кацане (*и* ~ **landing**).

pancake[2] *v ав.* кацам вертикално.

pancreas ['pæŋkriəs] *n анат.* панкреас, задстомашна жлеза.

panda ['pændə] *n зоол.* 1. панда (Ailurus fulgens); 2. голяма панда (Ailuropus melanoleucus); □ ~ **car** полицейска патрулна кола.

pandect ['pændekt] *n* 1. *обик. pl ист.* Юстиниановият кодекс, пандекти; 2. кодекс, сборник от закони.

pandemic [pæn'demik] *мед.* I. *a* пандемичен; II. *n* пандемия.

pandemonium [,pændi'mounjəm] *n* 1. свърталище на демони; ад; 2. бърлога, вертеп; 3. безредие, хаос; шум, врява.

pander[1] ['pændə] *n* 1. сводник; 2. *прен.* помощник, оръдие.

pander[2] *v* 1. своднича; 2. поощрявам, насърчавам, в услуга съм (**to** на) (*низки страсти и пр.*).

panderess ['pændəris] *ж.р. от* **pander**[1]1.

pandit ['pændit] = **pundit**.

pandora, -dore [pæn'dɔːrə, -dɔː] *n муз.* бандура.

pandowdy [,pæn'daudi] *n ам.* вид ябълков пудинг.

pane [pein] *n* 1. стъкло на/за прозорец; 2. плот, квадрат (*на ламперия и пр.*); 3. стена на кристал; 4. лист пощенски марки.

panegyric [,pæni'dʒirik] *n* панегирик, хвалебствие, венцехваление.

panegyrical [,pæni'dʒirikl] *a* панегирически, хвалебствен.

panel[1] ['pænl] *n* 1. панел, табло, плот; квадрат (*на ламперия, врата и пр.*); кесон (*на таван*); 2. дъска за рисуване; рисунка/картина върху дъска; 3. клин, годе (*на пола, дреха*); 4. *юр.* (списък на) съдебни заседатели; 5. група консултанти/експерти; ~ **discussion** *рад., телев.* обсъждане с няколко участници специалисти; ~ **game** викторина; група участници в програма; 6. списък на лекари, които лекуват застраховани лица; списък на пациентите на такъв лекар; 7. фотоснимка с дълъг тесен формат; 8. *тех.* пулт за управление, командно/разпределително табло; 9. *ав.* секция на крило.

panel[2] *v* (**-ll-**) 1. облицовам с ламперия; нареждам/облицовам на квадрати; 2. украсявам (*дреха*) с годета; 3. *шотл. юр.* завеждам дело срещу, подвеждам под отговорност.

panel-heating ['pænl,hi:tiŋ] *n* лъчисто отопление.

panelist ['pænəlist] *n* 1. член на специално избрана група за публично обсъждане; 2. *рад., телев.* участник в обсъждане/във викторина.

panelling ['pænəliŋ] *n* ламперия, облицовка.

pang [pæŋ] *n* силна болка, спазъм; ~**s of death** предсмъртна агония; ~**s of love** любовни мъки; ~**s of jealousy** пристъпи на ревност/завист; ~**s of conscience** угризения на съвестта.

pangolin [pæŋ'goulin] *n зоол.* вид мравояд (Pholidota).

panhandle[1] ['pæn,hændl] *n ам.* тясна дълга територия, заградена от други държави, анклав.

panhandle[2] *v ам. sl.* прося по улиците; изпросвам.

panic[1] ['pænik] *n* 1. паника; 2. *ам. sl.* комичен човек/положение; 3. *attr* панически; създаващ паника; за непредвиден/спешен случай.

panic[2] *v* (**-ck-**) 1. изпадам/хвърлям в паника, паникьосвам се; 2. *sl.* забавлявам, възбуждам смях.

panic[3] *n бот.* италианско просо (Panicum miliaceum) (*и* ~ **grass**).

panicky ['pæniki] *a разг.* 1. панически; 2. който лесно се паникьосва; 3. изплашен, паникьосан.

panicle ['pænikl] *n бот.* метла (*съцветие*).

panic-monger ['pænik,mʌŋgə] *n* паникьор.

panic-stricken, -struck ['pænik,strikən, -strʌk] *a* паникьосан, обхванат от паника.

panjandrum [pæn'dʒændrəm] *n ирон.* важна особа/клечка.

panne [pæn] *n текст.* вид кадифе.

pannier ['pæniə] *n* 1. кош, един от два коша, носен

като дисаги от товарно животно; панер; 2. обръч на пола; драпирана пола; кринолин.

pannikin ['pænikin] *n* канче.

panoplied ['pænəplid] *a* в пълно въоръжение.

panoply ['pænəpli] *n* 1. доспехи, пълно въоръжение (*и прен*.); 2. пищно облекло/съоръжения; пищност.

panorama [,pænə'ra:mə] *n* панорама.

panoramic [,pænə'ræmik] *a* панорамен.

Pan-pipe ['pænpaip] *n* муз. панова флейта.

pansy ['pænzi] *n* 1. бот. трицветна теменуга (Viola tricolor); 2. разг. педераст; женствен мъж, „кокона".

pant¹ [pænt] *v* 1. задъхвам се, дишам тежко, пъхтя; to ~ for breath с мъка дишам, едва си поемам дъх; 2. тупти бързо/силно (*за сърце*); 3. копнея, жадувам, въздишам (**for, after** по, за; **to do s.th.** да направя нещо); 4. изричам задъхано (*и с* **out**).

pant² *n* кратко конвулсивно издишване; бързо/силно биене/туптене (*на сърце*).

pantalet(te)s [,pæntə'lets] *n pl* дълги старомодни женски гащи/панталони.

pantaloon [,pæntə'lu:n] *n* 1. втори клоун; 2. театр. ист. Р. старият скъперник (*в италианска комедия*); 3. обик. ист. дълги тесни панталони; 4. *pl* ам. шег. панталони.

pantechnicon [,pæn'teknikən] *n* 1. ост. склад за мебели; 2. фургон за пренасяне на мебели (*и* ~ **van**).

pantheism ['pænθi:izm] *n* пантеизъм.

pantheist ['pænθi:ist] *n* пантеист.

pantheon ['pænθiən] *n* пантеон.

panther ['pænθə] *n* зоол. 1. пантера (Panthera pardus); 2. **American** ~ пума, кугуар (Panthera concolor); 3. ягуар (Panthera onca).

pantie-belt, *ам* **-girdle** ['pæntibelt, -,gə:dl] *n* дамски ластичен колан.

panties ['pæntiz] *n pl* разг. 1. детски панталонки; 2. дамски пликчета.

pantihose ['pæntihouz] *n* чорапогащник.

pantile ['pæntail] *n* вълнообразна керемида.

pantograph ['pæntəgra:f] *n* картогр., ел. пантограф.

pantomime¹ ['pæntəmaim] *n* 1. пантомима; 2. феерия (*за деца*); 3. ист. актьор в пантомима, мим.

pantomime² *v* играя в пантомима; изразявам с жест и мимика.

pantry ['pæntri] *n* килерче за провизии; кухненски килер/помещение (*с мивка*).

pants [pænts] *n pl* разг. 1. панталони; 2. гащи (*и дълги*); □ **to wear the ~ in the family** държа мъжа си под чехъл; **with o.'s ~ down** по бели гащи, съвсем неподготвен.

panty-belt, **-girdle** = **pantie-belt, -girdle.**

panty-hose = **pantihose.**

pantywaist ['pæntiweist] *n* 1. детски панталони, закопчани за блузката; 2. *sl.* боязлив мъж/момче, страхливец.

panzer ['pæntsə] воен. **I.** *a* нем. брониран; бронетанков; **II.** *n pl* бронирани/танкови войски.

pap¹ [pæp] *n* 1. каша, кашица, попара; 2. каша, пулп; 3. ам. sl. политически /финансови облаги, „тлъсто кокалче"; 4. прен. безсъдържателно четиво; глупава идея.

pap² *n* 1. ост., диал. зърно, цицка (*на гърда*); 2. обик. *pl* конусообразен хълм.

papa [pə'ra:, *ам.* 'ra:rə] *n* ост. разг. татко, тате.

papacy ['peipəsi] *n* папство.

papal ['peipl] *a* папски.

papalist ['peipist] *n* поддръжник на папата.

papalize ['peipəlaiz] *v* покатоличвам, правя католически.

papaveraceous, papaverous [pə,peivə'reiʃəs, pə'peivərəs] *a* бот. маков.

papaw [pə'pɔ:] *n* бот. 1. папая (Carica papaya); 2. папау (Asimina, *особ*. Asimina triloba).

papaya [pə'peiə] = **papaw¹**

paper¹ ['peipə] *n* 1. хартия, книга; **packing/wrapping/brown** ~ амбалажна хартия; **on** ~ прен. на книга, теоретически; 2. документ; **call-up** ~**s** воен. повиквателна; 3. *pl* документи за самоличност; пълномощия; **to send in o.'s** ~**s** воен. подавам оставка; 4. полица, ценна книга; 5. книжни пари, банкноти; 6. вестник; ~ **war(fare)** война/полемика чрез пресата; 7. изпитна тема, въпроси за изпит; 8. доклад; теза, дисертация; студия; 9. *sl.* театр. гратис (*билет*); гратисчия; 10. книжен пакет, кесия; ~ **of needles** пакетче с игли за шев; 11. *attr* 1)книжен, хартиен; увит в хартия; 2) фиктивен.

paper² *v* 1. покривам с хартия (*и с* **up**); слагам книжни тапети (на);**to ~ over the cracks** прен. прикривам слабости/недоразумения, замазвам нещата, 2. увивам в хартия; 3. *sl* пълня (*театър и пр.*) с гратиси.

paperback ['peipəbæk] *n* разг. 1. книга с меки корици; 2. евтин роман.

paper-backed ['peipəbækt] *a* неподвързан, с мека подвързия.

paper-bag ['peipəbæg] *n* книжна кесия.

paper-birch ['peipəbə:tʃ] *n* бот. бяла бреза (Betula papyrifera).

paperboard ['peipəbɔ:d] *n* ам. мукава.

paper-bound ['peipəbaund] = **paper-backed**

paper-boy ['peipəbɔi] *n* вестникарче.

paper-chase ['peipətʃeis] = **hare and hounds** (*вж.* **hare¹** □).

paper currency ['peipə,kʌrənsi] = **paper¹** 5.

paperer, paper-hanger ['peipərə, -,hæŋə] *n* работник, който слага книжни тапети.

paper money ['peipə,mʌni] = **paper¹** 5.

paper-weight ['peipəweit] *n* преспапие.

paper-work ['peipəwə:k] *n* 1. канцеларска/писмена работа; 2. проверка на документи, писмени работи и пр.

papery ['peipəri] *a* подобен на/като хартия.

papier-maché [,pæpiei'mæʃei] *n фр.* папие-маше.

papilionaceous [pə,piljə'neiʃəs] *и бот.* пеперудоцветен.

papilla [pə'pilə] *n* (*pl* **-ae** [i:]) биол. папила, пъпка.

papist ['peipist] *n* поддръжник на папата; пренебр. католик.

papistry ['peipistri] *n* пренебр. католицизъм.

papoose [pə'pu:s] *n* индианче.

pappus ['pæpəs] *n* (*pl* **-pi** [-pai]) бот. власинка.

pappy ['pæpi] *a* 1. кашав, 2. мек, сочен.

paprika ['pæprikə] *n* 1. бот. червена пиперка/чушка (Capsicum frutescens fasciculatum); 2. червен пипер.

papula, papule ['pæpjulə, 'pæpju:l] *n* (*pl* **-ae** [-i:]) мед. пъпка, пъпчица.

papyrus [pə'paiərəs] *n* (*pl* **-ri** [-rai]) 1. бот. папирус (Cyperus papyrus); 2. палеогр. папирус.

par¹ [pa:] *n* 1. равенство; еднакво равнище; **on a** ~ **with** равен/на равна нога с; който може да се сравнява с; 2. номинална стойност (*на ценни книжа*); **at** ~ ал пари, по номинална стойност; ~ **of exchange** нормален сравнителен курс на две валути; 3. средно/нормално състояние/степен; **on a** ~, **above** ~ много добър/добре; **up to** ~ както трябва, нормално; **below** ~ слаб(о), посредствен(о), не на висота; **to feel below** ~, **not to feel quite up to** ~ разг. не ми е много добре, скършено ми е; 4. голф среден брой на ударите, с които добър играч трябва да вкара топка в дупката.

par² *разг.* = **paragraph¹** 3.

parable ['pærəbl] *n* притча, иносказание.

parabola [pə'ræbələ] *n геом.* парабола.

parabolic(al) [,pærə'bɔlik(l)] *a* 1. параболичен (*и геом.*); 2. иносказателен.

parachronism [pə'rækrənizm] *n* парахронизъм, хронологическа грешка.

parachute¹ ['pærəʃu:t] *n* 1. парашут; 2. *attr* парашутен.

parachute² *v* скачам/слизам/хвърлям с парашут.

parachutist ['pærəʃu:tist] *n* парашутист.

paraclete ['pærəkli:t] *n* 1. защитник, закрилник, утешител; 2. *църк.* Р. Светият дух.

parade¹ [pə'reid] *n* 1. показ; перчене; **to make a ~ of** парадирам/перча се с; 2. парад, парадно шествие; преглед на войски; 3. параден плац; 4. място за разходка; крайбрежен булевард; корсо; 5. шествие, процесия; **fashion ~** модно ревю; 6. редица; **~ of houses** редица къщи.

parade² *v* 1. парадирам, показвам се, перча се, големея се; изкарвам/излагам на показ; 2. изваждам/нареждам/строявам (*войски*) за преглед; нареждам се/строявам се/минавам за преглед (*за войски*); маршировам; 3. движа се/разхождам се важно.

parade-ground [pə'reidgraund] *n воен.* параден плац.

paradigm ['pærədaim] *n* 1. *ез.* парадигма; 2. образец, пример.

paradigmatic [,pærədig'mætik] *a* с парадигми; парадигматичен.

paradisaic(al) [,pærədi'seik(l)] *a* райски.

paradise ['pærədais] *n* рай; □**fool's ~** въображаемо щастие, утопия; **bird of ~** райска птица.

paradisean,-disiac,-disiacal,-disial [,pærə'disiən, -'disiæk -di'saiəkl,-'disiəl] *a* райски.

paradox ['pærədɔks] *n* парадокс.

paradoxical [,pærə'dɔksikl] *a* парадоксален.

paradoxicality [,pærə,dɔksi'kæliti] *n* парадоксалност.

paraffin¹ ['pærəfin] *n* 1. парафин; 2. керосин (*и ~ oil*).

paraffin² *v* покривам с/потапям в парафин.

paragoge [,pærə'goudʒi] *n грам.* прибавяне на буква/сричка към дума.

paragon¹ ['pærəgən] *n* 1. образец; 2. диамант с повече от 100 карата; огромна перла.

paragon² *v* сравнявам (**with**).

paragraph¹ ['pærəgra:f] *n* 1. параграф, абзац, алинея; **new ~** нов ред; 2. *печ.* коректурен знак за нов ред; 3. *жур.* кратко съобщение (*без заглавие*), антрефиле.

paragraph² *v* 1. разделям на параграфи; 2. пиша/помествам кратко съобщение във вестник за (*някого, нещо*).

paragrapher,-phist ['pærəgra:fə, -fist] *n* антрефилист.

Paraguayan [,pærə'gweiən] *a* парагвайски.

parakeet ['pærəki:t] *n* малък дългоопашат папагал.

parallel¹ ['pærəlel] *a* 1. успореден, паралелен (**to**); **~ bars** *сп.* успоредка, паралелка; 2. подобен, аналогичен, съответен (**to**).

parallel² *n* 1. успоредна линия; 2. *геогр.* паралел; 3. *воен.* окоп, успореден на главното укрепление; 4. паралел, успоредица, аналогия; съответствие; сравнение; **to draw a ~ between** правя сравнение между; 5. *печ.* знак; 6. *ел.* паралелно съединение.

parallel³ *v* 1. намирам равен/съответен на; 2. съответствувам (на); 3. сравнявам, правя сравнение (**with** между).

parallelepiped [,pærəle'lepiped] *n геом.* паралелепипед.

parallelism ['pærəlelizm] *n* 1. паралелизъм, успоредност, 2. прилика, съответствие.

parallelogram [,pærə'lelougræm] *n геом.* паралелограм, успоредник.

paralogism [pə'rælədʒizm] *n* неправилно/нелогично умозаключение, паралогизъм.

paralysis [pə'rælisis] *n* парализа, паралич.

paralytic [,pærə'litik] I. *a* паралитичен; II. *n* паралитик.

paralyze ['pærəlaiz] *v* парализирам (*и прен.*).

parameter [pə'ræmitə] *n мат.* параметър.

paramilitary [,pærə'militəri] *a* полувоенен.

paramount ['pærəmaunt] *a* 1. върховен, висш; 2. първостепенен, най-важен.

paramountcy ['pærəmauntsi] *n* 1. върховна власт; сюзеренство; 2. първостепенна важност/значение.

paramour ['pærəmuə] *n* 1. любовник, любовница (*на женен човек*); 2. *ост.* любим.

parang ['pa:ræŋ] *n* малайски нож.

paranoia [,pærə'nɔiə] *n мед.* параноя.

parapet ['pærəpet] *n* 1. парапет, перило; 2. *воен.* бруствер.

paraph [pə'ræf] *n* завъртулка след подпис; параф.

paraphernalia [,pærəfə'neiljə] *n* 1. лични принадлежности; 2. дреболии, джунджурии, партакеши; 3. *ист.*, *юр.* лични вещи (*скъпоценности и пр. на съпругата*).

paraphrase¹ ['pærəfreiz] *n* 1. преразказ, предаване със свои думи, парафраза; 2. *църк.* стихотворна версия на пасаж от библията.

paraphrase² *v* преразказвам, предавам със свои думи, парафразирам.

paraphrastic [,pærə'fræstik] *a* описателен.

paraplegia [,pærə'pli:dʒiə] *n мед.* параплегия.

parasang ['pærəsæŋ] *n* стара персийска мярка за дължина (*около 5 км*).

paraselene [,pærəsi'li:ni] *n (pl* **-nae** [-ni:] *)* *астр.* параселена, светъл кръг около луната.

parasite ['pærəsait] *n* паразит (*и прен.*); **to be a ~ on** паразитствувам, живея на гърба на.

parasitic(al) [,pærə'sitik(l)] *a* паразитен (*и прен.*).

parasiticide [,pærə'sitisaid] *n* средство против паразити.

parasitism ['pærəsaitizm] *n* паразитизъм (*и прен.*).

parasitize ['pærəsaitaiz] *v* паразитствувам; *биол.* паразитирам.

parasitology [,pærəsai'tɔlədʒi] *n* паразитология.

parasol ['pærəsɔl] *n* парасол, слънчобран.

parasynthesis [,pærə'sinθisis] *n ез.* парасинтеза.

paratactic [,pærə'tæktik] *a грам.* безсъюзен.

parataxis [,pærə'tæksis] *n грам.* безсъюзно свързване, паратакса.

paratrooper ['pærətru:pə] *n воен.* парашутист.

paratroops ['pærətru:ps] *n pl воен.* парашутно-десантни войски/части.

paratyphoid [,pærə'taifɔid] *n мед.* паратиф.

paravane ['pærəvein] *n мор.* (противоминен) параван.

parboil ['pa:bɔil] *v* 1. сварявам леко, подварявам; 2. *разг.* *обик.* рр затоплям (*някого*) премного; **we were ~ed** увряхме от горещина.

parbuckle¹ ['pa:bʌkl] *n* приспособление за издигане/спускане на тежки предмети (*особ. варели*) с въжета.

parbuckle² *v* издигам/изтеглям с въжета (**up**); спускам с въжета (**down**).

Parcae ['pa:si:] *n pl мит.* Парки.

parcel¹ ['pa:sl] *n* 1. пакет; колет; **~ post** колетна служба; **~s delivery** служба за разнасяне на колети по домовете; 2. пратка; партида; серия; 3. парцел, парче земя; 4. куп; тайфа, тумба, дружина, група; **~ of lies** куп лъжи; **~ of girls** *пренебр.* тайфа млади момичета; **5.** *ост.* част, дял; **6.** *разг.* парична сума (*изгубена, спечелена*).

parcel[2] *adv ост.* отчасти, частично.

parcel[3] *v* (**-ll-**) **1.** разделям; разпределям; раздавам (*обик. с* **out**); **2.** пакетирам, увивам на пакети (*обик. с* **up**); **3.** *мор.* покривам/увивам с ивици насмолен брезент.

parcenary ['pɑ:sənəri] *n юр.* сънаследничество.

parcener ['pɑ:sənə] *n юр.* сънаследник.

parch [pɑ:tʃ] *v* **1.** изсушавам; изсъхвам, пресъхвам; изгарям, прегарям; **to be ~ed with thirst** изгарям от жажда/за вода; **2.** изсъхвам; сгърчвам се от студ (*за растение*); **3.** поизпичам, запичам леко.

parchment ['pɑ:tʃmənt] *n* **1.** пергамент; ~ **paper, imitation** ~ пергаментова хартия; **2.** документ (*написан на пергамент*).

pard[1] [pɑ:d] *n ост.* леопард.

pard[2] *n ам. sl.* другар; съдружник.

pardner ['pɑ:dnə] = **pard**[2].

pardon[1] ['pɑ:dn] *n* **1.** прошка, извинение; **2.** *църкв.* опрощение; индулгенция; **3.** *юр.* помилване, амнистия (*и* **free ~**).

pardon[2] *v* **1.** извинявам, прощавам; ~ ? моля, какво казахте? **to ~ s.o. (for) s.th.** прощавам някому нещо; ~ **me for/** ~ **my interrupting you** извинете, че ви прекъсвам; **2.** *юр.* помилвам, амнистирам; **3.** *църкв.* опрощавам.

pardonable ['pɑ:dənəbl] *a* простим, извиним, извинителен.

pardonably ['pɑ:dənəbli] *adv* с право.

pardoner ['pɑ:dənə] *n ист.* монах — продавач на индулгенции.

pare [pɛə] *v* **1.** режа, орязвам, изрязвам, подрязвам (*нокти и пр.*); **2.** беля, обелвам (*плодове и пр.*); **3.** кастря, окастрям, подрязвам (*и с* **off, away, down**); **4.** намалявам, съкращавам (*разходи и пр.*) (*и с* **down**).

paregoric [,pæri'gɔrik] *n* камфоров опиат.

parenchyma [pə'reŋkimə] *n биол.* паренхим.

parent ['pɛərənt] *n* **1.** родител; **are you a ~ ?** имате ли деца? **2.** *pl* деди; **our first ~s** Адам и Ева; **3.** животно// растение, | от което са произлезли други (*често attr*); **4.** причина, източник; □ ~ **state** метрополия (*на колониална държава*); ~ **company/establishment** търговска централа (*без филиалите*).

parentage ['pɛərəntidʒ] *n* **1.** произход, потекло; **2.** семейство; род; **3.** бащинство; майчинство.

parental [pə'rentl] *a* родителски; бащински; майчински.

parenthesis [pə'renθisis] *n* (*pl* **-ses** [-si:z]) **1.** вмъкната дума/фраза/изречение; **2.** *обик. pl* кръгла скоба; **in parentheses** в скоби; между другото; **3.** епизод; интермедия; интервал.

parenthesize [pə'renθisaiz] *v* **1.** вмъквам (*дума, забележка и пр.*); споменавам между другото; *прен.* отварям скоба; **2.** поставям в скоби.

parenthetic(al) [,pærən'θetik(l)] *a* вмъкнат.

parenthetically [,pærən'θetikəli] *adv* между другото; в скоби.

paresis ['pærəsis] *n мед.* пареза.

par excellence [,pɑ:'r'eksəlɑ:ns] *adv фр.* **1.** във висша степен; предимно, особено; **2.** отлично; истински.

parfait [pɑ:'fei] *n* парфе , крем със сметана; вид сънди.

parget[1] ['pɑ:dʒit] *n* (декоративна) мазилка.

parget[2] *v* измазвам, *обик.* с декоративна мазилка.

parhelion [pɑ:'hi:ljən] *n* (*pl* **-lia** [-liə]) *астр.* пархелий, лъжливо слънце.

pariah [pæriə] *n* парий (*и прен.*).

pariah-dog ['pæriədɔg] *n* безстопанствено куче (*в Индия*).

Parian ['pɛəriən] **I.** *a* от о-в Парос; **II.** *n* **1.** вид фин порцелан; **2.** жител на о-в Парос.

parietal [pə'raiətl] *a* **1.** *анат., бот.* образуващ/отнасящ се до стените на някоя кухина; ~ **bones** теменни кости; **2.** *ам.* отнасящ се до режима на пансионерите в колеж.

pari-mutuel [,pæri'mju:tʃuel] *n* вид спорт тото.

parings ['pɛəriŋz] *n pl* обелки, обрезки.

pari passu [,pɛəri'pæsju] *adv лат.* наравно; едновременно; със същата бързина.

Paris ['pæris] *n* **1.** Париж; **2.** *attr* парижки; ~ **green** *хим.* парижка зеленина; ~ **white** бял минерален прах за полиране, пемза.

parish ['pæriʃ] *n* **1.** енория; ~ **register** църковен регистър; **2.** община, **3.** *attr* енорийски; общински; □ **to go on the ~** получавам помощи по бедност; ~ **boy** подхвърлено дете; сираче; питомник на сиропиталище; **the ~ lantern** *шег.* луната.

parishioner [pə'riʃənə] *n* енориаш.

parish-pump [,pæriʃ,pʌmp] *n* тесни местни интереси; ~ **affairs/politics** местни работи/политика.

Parisian [pə'rizjən] **I.** *a* парижки; **II.** *n* парижанин.

parisyllabic [,pærisi'læbik] *a ез.* равносричен.

parity ['pæriti] *n* **1.** равенство; еднаквост, еднаква степен; равноценност, паритет; **2.** прилика, подобие, аналогия, съответствие; **3.** *банк.* паритет; *търг.* нормален курс.

park[1] [pɑ:k] *n* **1.** парк (*и ловен, автомобилен, артилерийски и пр.*); **2.** = **car-park**; **3.** резерват (*ловен, риболовен и пр.*).

park[2] *v* **1.** паркирам, гарирам; **2.** ограждам, заграждам (*за, в резерват*); **3.** нареждам/прибирам в артилерийски парк; **4.** *разг.* настанявам, слагам, инсталирам; **to ~ o.s.** настанявам се, инсталирам се, заставам; **to ~ on s.o** натрапвам се на някого; **5.** *ам. sl.* натискам се в кола (*за влюбени*).

parka ['pɑ:kə] *n сп.* вид анорак.

parkin ['pɑ:kin] *n* сладкиш от овесени ядки и петмез.

parking ['pɑ:kiŋ] *n* паркиране, гариране; спиране на моторни превозни средства; ~ **prohibited, no ~** (**here**) паркирането забранено; ~ **attendant** служещ на паркинг; ~ **lot** *ам.* паркинг.

parking-meter ['pɑ:kiŋ,mi:tə] *n* монетен автомат в паркинг.

parking-orbit ['pɑ:kiŋ,ɔ:bit] *n косм.* временна орбита.

parking-ticket ['pɑ:kiŋ,tikit] *n* квитанция за глоба при неправилно паркиране.

parky ['pɑ:ki] *a sl.* студен, резлив (*за въздух*).

parlance ['pɑ:ləns] *n* език, говор; **in common ~** в говоримия език; **in legal ~** в юридическата терминология, както казват юристите.

parley[1] ['pɑ:li] *n* **1.** разискване, обсъждане; **2.** *воен.* преговори; **to hold a ~** водя преговори; **to beat/sound a ~** поканвам противника на преговори с биене на барабан/свирене на тръба.

parley[2] *v* **1.** разисквам, обсъждам; **2.** *воен.* преговарям, водя преговори; **3.** *разг.* говоря (*особ. на чужд език*).

parleyvoo[1] [,pɑ:li'vu:] *n шег.* **1.** френски език; **2.** французин.

parleyvoo[2] *v шег.* говоря френски.

parliament ['pɑ:ləmənt] *n* парламент.

parliamentarian [,pɑ:ləmən'tɛəriən] **I.** *a* парламентарен; **II.** *n* парламентарист.

parliamentary [,pɑ:lə'mentəri] *a* парламентарен ~ **language** парламентарен език; *разг.* приличен/вежлив език.

parlour ['pɑ:lə] *n* **1.** *ост.* приемна, гостна стая, салон; всекидневна стая; **2.** приемна зала, салон, стая за посетители (*в учреждение и пр.*); **3.** *ам.* салон, ателие; **hairdresser's** ~ *ам.* фризьорски салон; **4.** *attr* 1) салонен (*за мебел и пр.*); 2) *пренебр.* кабинетен, теоретичен.

parlour-car ['pɑ:ləkɑ:] *n ам.* луксозен салон-вагон.

parlour-maid ['pɑ:ləmeid] *n* прислужница.

parlous[1] ['pɑ:ləs] *a ост. шег.* 1. опасен, рискован; 2. хитър, лукав, опасен.

parlous[2] *adv* извънредно, много.

Parmesan [,pɑ:mi'zæn] *n* пармезан (*и* ~ **cheese**).

Parnassian [pɑ:'næsiən] *лит.* **I.** *a* 1. парнаски; посветен на музите; 2. парнасистки; **II.** *n* поет парнасист.

parochial [pə'roukjəl] *a* 1. енорийски; общински; 2. ограничен, тесен (*за схващания и пр.*); ~ **school** *ам.* частно църковно училище.

parochialism, -chiality [pə'roukjəlizm, -ki'æliti] *n* 1. тесногръдие; 2. административно деление на област на енории/общини.

parodist ['pærədist] *n* автор на пародии.

parody[1] ['pærədi] *n* пародия.

parody[2] *v* пародирам.

parole[1] [pə'roul] *n* 1. честна дума, тържествено обещание; **on** ~ пуснат на свобода , при условие че няма да се опита да участвува във военни действия (*за военнопленник*) /да извърши друго престъпление (*за затворник*); 2. *воен.* парола.

parole[2] *v* пускам (*затворник, пленник*) на свобода, при условие че няма да се опита да избяга.

paronomasia [,pærənə'meiziə] *n* 1. *рет.* параномазия; 2. игра на думи, каламбур.

paronym ['pærənim] *n ез.* пароним.

paroquet ['pærəket] = **parakeet.**

parotid [pə'rɔtid] *анат.* **I.** *a* околоушен; **II.** *n* околоушна жлеза, паротида.

parotitis [,pærə'taitis] *n мед.* паротит, заушки.

paroxysm ['pærəksizm] *n* пристъп (*на болест, смях и пр.*); припадък; криза.

paroxysmal [,pærək'sizməl] *a* на/с пристъпи; кризисен.

parquet[1] ['pɑ:kei] *n* 1. паркет (*и* ~ **floor**); ~ **flooring** (дъски за) паркет; 2. *ам. театр.* предните редове на партера; ~ **circle** задните редове на партера.

parquet[2] *v* слагам паркет на.

parquetry ['pɑ:kitri] *n* (дъски за) паркет.

parr [pɑ:] *n зоол.* млада треска (*риба*).

parrakeet = **parakeet.**

parricidal [,pæri'saidl] *a* 1. отцеубийствен; провинен в отцеубийство; 2. провинен в измяна на отечеството.

parricide ['pærisaid] *n* 1. отцеубиец; убиец на майка си/на друг близък роднина; 2. отцеубийство; убийство на собствена майка/на близък роднина; 3. изменник на отечеството; 4. измяна на отечеството.

parroquet ['pærəket] = **parakeet.**

parrot[1] ['pærət] *n зоол.* папагал (Psittaciformes).

parrot[2] *v* повтарям като папагал; уча папагалски; уча (*някого*) да повтаря като папагал.

parrot-cry ['pærətkrai] *n прен.* клише.

parrot-fashion ['pærət,fæʃn] *adv* папагалски, като папагал.

parrot fever ['pærət,fi:və] *n мед.* папагалска болест, пситакоза.

parrotry ['pærətri] *n* папагалско повтаряне/подражание, папагалщина.

parry[1] ['pæri] *v* парирам, отблъсквам, отбивам (*удар, довод, въпрос и пр.*).

parry[2] *n* париране, отблъскване, отбиване (*особ. сп.*).

parse [pɑ:z] *v грам.* правя морфологичен/синтактичен разбор (на).

parsimonious [,pɑ:si'mounjəs] *a* пестелив; свидлив, стиснат.

parsimony ['pɑ:siməni] *n* пестеливост, икономия; свидливост, стиснатост.

parsley ['pɑ:sli] *n бот.* магданоз (Petroselinum crispum).

parsnip ['pɑ:snip] *n бот.* пащърнак (Pastinaca sativa); □ **fine words butter no** ~**s** от сладки приказки полза няма.

parson ['pɑ:sn] *n* енорийски свещеник; *разг.* свещеник, пастор.

parsonage ['pɑ:sənidʒ] *n* дом на енорийски свещеник.

part[1] [pɑ:t] *n* 1. част, дял; **in** ~ отчасти; до известна степен; **it is not bad in** ~**s** на някои места не е е лошо; бива го отчасти; **it is no** ~ **of my intentions** нямам намерение; **for the most** ~ в по-голямата си част; в повечето случаи, обикновено; общо взето; най-вече, главно; ~ **of speech** *грам.* част на речта; 2. част, член, орган (*на тялото*); **private/privy/secret** ~**s** полови органи; 3. дял, участие; работа, дълг; **to take** ~ **in** участвувам в; **to have a** ~ **in** имам дял/участвувам в; **without my taking any** ~ **in it** без моето участие, без да участвувам аз; **to have neither** ~ **nor lot/no** ~ **or lot in s.th.** нямам нищо общо с нещо; **to do o.'s** ~ изпълнявам дълга си, давам своя принос; **it is not my** ~ **to speak about it** не е моя работа да говоря за това; 4. роля; **to play a** ~ 1) играя/изпълнявам роля; 2) *прен.* преструвам се, разигравам комедия; 5. *муз.* партия, глас, щим; **to sing in** ~**s** изпълнявам в няколко гласа (*за хор*); **song in three** ~**s** песен за три гласа; 6. страна (*в спор и пр.*); **for my** ~ що се отнася до мен; **on the one/the other** ~ от една/от друга страна; **on our/your, etc.** ~ от наша/твоя и пр. страна; **to take s.o.'s** ~, **to take** ~ **with s.o.** застъпвам се за някого, вземам страната на някого; 7. *pl* край, местност; **in foreign** ~**s** в чужбина/странство; **in our** ~**s** по нашия край; 8. *pl ост.* способности; **man of (good)** ~**s** способен/даровит човек; **man of slender** ~**s** ограничен/посредствен човек; 9. *ам.* път (*на косата*); **to take s.th. in good** ~ не се обиждам от нещо; приемам нещо благосклонно; **to take s.th. in bad/ill** ~ обиждам се от нещо.

part[2] *v* 1. разделям (се), отделям (се); **to** ~ **good friends** разделяме се като добри приятели; 2. разтварям се; разкъсвам се, скъсвам се; 3. правя път на (*косата си*); 4. отклонявам се, разклонявам се (*за път и пр.*); 5. *ост.* деля, разделям, разпределям; 6. *ост.* отивам си, тръгвам си; 7. *разг.* давам пари, плащам;

part from 1) разделям се с, напускам; 2) *разг.* накарвам (*някого*) да даде/похарчи; **he is not easily** ~**ed from his money, he is a difficult man to** ~ **from his money** стиснат е, не си развързва лесно кесията;

part with отстъпвам; отказвам се от; разделям се с; **he hates to** ~ **with his money** *разг.* стиснат е, никак не обича да дава пари.

part[3] *adv* отчасти, наполовина.

partake [pɑ:'teik] *v* (**partook** [pɑ:'tuk]; **partaken** [pɑ:'teikn]) 1. участвувам (**of, in s.th.**); споделям (**with s.o.**); 2. вземам (**си**), ям, хапвам, пийвам, опитвам (**of**); 3. нося белег на, имам известни качества; напомням (**of**); **his manner** ~**s of insolence** в държанието му има известно нахалство.

partaker [pɑ:'teikə] *n* участник; **we were** ~**s in their sorrow** ние им съчувствувахме в скръбта.

parter ['pɑ:tə] *n разг.*: **a good/bad** ~ добър/лош платец.

parterre [pɑ:'tɛə] *n* 1. цветна градина с лехи на фигури; 2. *театр.* партер.

parthenogenesis [,pɑ:θeno'dʒenisis] *n биол.* партеногенеза, безполово размножаване.

Parthian ['pɑ:θiən] *a*: ~ shot/shaft последна стрела, хвърлена в момент на отстъпление (*и прен.*).

partial ['pɑ:ʃl] *a* 1. частичен, непълен; 2. пристрастен, несправедлив, предубеден (towards); 3. който обича/има вкус (to към); to be too ~ to the bottle твърде много обичам да си пийвам.

partiality [,pɑ:ʃi'æliti] *n* 1. пристрастие, несправедливо отношение, предубеденост; 2. склонност, слабост, любов, предпочитание (for).

partially ['pɑ:ʃəli] *adv* 1. отчасти, частично, не напълно; 2. пристрастно, несправедливо, с предубеждение.

participant [pɑ:'tisipənt] *n* участник.

participate [pɑ:'tisipeit] *v* 1. участвувам, вземам участие, съучастник съм; споделям (in); 2. имам характер/белези/елементи, наподобявам (of на).

participation [,pɑ:tisi'peiʃn] *n* участие; съучастничество; споделяне (in).

participator [pɑ:'tisipeitə] *n* (съ)участник.

participial [,pɑ:ti'sipiəl] *грам.* I. *a* причастен; II. *n* причастие, обособило се като прилагателно.

participle ['pɑ:tisipl] *n грам.* причастие.

particle ['pɑ:tikl] *n* 1. частица; капчица; трошица, трошичка; ~ of dust/sand прашинка/песъчинка; not a ~ of food нищичко за ядене; not a ~ of truth ни капка истина; 2. *грам.* (неизменяема) частица; наставка, представка.

parti-coloured ['pɑ:ti,kʌləd] *a* разноцветен, пъстър, шарен.

particular [pə'tikjulə] I. *a* 1. личен, индивидуален; частен, отделен; специфичен; his own ~ weakness лично неговова слабост; in any ~ case във всеки отделен случай; 2. особен, специален; ~ friend of mine мой много добър приятел; for no ~ reason без особена причина; in ~ особено, по-специално; 3. подробен; 4. придирчив, претенциозен, капризен, взискателен; to be ~ about o.'s food злояд съм, не ям каквото е; to be ~ about o.'s dress обръщам голямо внимание на облеклото си; to be ~ on points of honour много съм чувствителен по въпроси на честта, лесно се засягам; he is not so ~ as all that не е чак толкова придирчив; II. *n* подробност; to go into ~s впускам се в/давам подробности; □ a London ~ лондонска мъгла; лондонски специалитет.

particularism [pə'tikjulərizm] *n* 1. *рел.* учение, според което само отделни избрани личности ще бъдат спасени; 2. преданост само на собствената кауза/интереси; 3. *пол.* сепаратизъм, партикуларизъм.

particularity [pə,tikju'læriti] *n* 1. подробност; точност; 2. особеност, характерна черта, специфика; 3. придирчивост, взискателност; претенциозност.

particularization [pə,tikjulərai'zeiʃn] *n* влизане в/изброяване на подробности; уточняване; точно споменаване.

particularize [pə'tikjuləraiz] *v* впускам се в/изброявам подробности; споменавам поотделно.

particularly [pə'tikjuləli] *adv* 1. особено; специално; отделно; 2. подробно, с подробности.

parting ['pɑ:tiŋ] *n* 1. раздяла, разлъка, прощаване; заминаване, тръгване; at ~ на прощаване; 2. разделяне; the ~ of the ways място, където пътищата се разделят, кръстопът (*и прен.*); 3. път (*на косата*); 4. *attr* 1) прощален; последен; 2) който си отива; the ~ day превалящият/гаснещият ден.

partisan[1] [,pɑ:ti'zæn, *ам.* 'pɑ:təzən] *n* 1. партизанин, привърженик, поддръжник (of); 2. партизанин (*участник в съпротивата*); 3. *attr* 1) фанатичен; пристрастен, предубеден; сектантски; 2) партизански.

partisan[2] ['pɑ:tizən] *n ист.* алебарда.

partisanship [,pɑ:ti'zænʃip] *n* пристрастие; фанатизъм; фанатична защита/поддържане; сектантство.

partite ['pɑ:tait] *a бот., зоол.* разчленен.

partition[1] [pɑ:'tiʃn] *n* 1. деление, разделяне, разчленение; подялба; 2. дял, раздел; отделение, част, подразделение; 3. междинна/вътрешна стена, преграда.

partition[2] *v* 1. деля, разделям; поделям; 2. преграждам (off).

partitive ['pɑ:titiv] I. *a* 1. разделителен; 2. *грам.* частичен; II. *n грам.* дума, означаваща част от цяло.

partizan *ам.* = partisan[1].

partly ['pɑ:tli] *adv* отчасти, частично, до известна степен.

partner[1] ['pɑ:tnə] *n* 1. участник; съучастник (in); 2. съдружник; sleeping/silent/latent ~ сътрудник, който не участвува пряко в ръководството на предприятието; 3. *юр.* контрагент; 4. съпруг, другар в живота; 5. партньор (*в танц, игра и пр.*); кавалер, дама (*при танц, на маса и пр.*); 6. *pl мор.* подпорна рамка (*на мачта и пр.*).

partner[2] *v* 1. сдружавам; 2. партньор/кавалер/дама съм на; намирам партньор/кавалер/дама за.

partnership ['pɑ:tnəʃip] *n* 1. участие; съучастие; 2. съдружничество, съдружие; to take s.o. into ~ вземам някого за съдружник; industrial ~ участие на работниците в печалбите на предприятие.

partook *вж.* partake.

part-owner ['pɑ:t,ounə] *n* съсобственик.

partridge ['pɑ:tridʒ] *n зоол.* 1. яребица (Perdix perdix); 2. *ам.* виргински пъдпъдък (Bonasa umbellus).

part-song ['pɑ:tsɔŋ] *n* песен на няколко гласа.

part-time ['pɑ:ttaim] *n* 1. непълен работен ден; нещатна работа; to be on ~ работя непълен работен ден; нещатен съм; 2. *attr* нещатен, хоноруван; ~ student студент във вечерен университет; студент задочник.

parturient [pɑ:'tjuəriənt] *a* 1. който ще ражда; намиращ се в родилни мъки (*и прен.*); 2. творчески.

parturition [,pɑ:tjuə'riʃn] *n* раждане, родилни мъки (*и прен.*).

party[1] ['pɑ:ti] *n* 1. партия; 2. компания, група; will you join our ~? ще дойдете ли с нас? 3. гости; прием; забава; evening ~ вечеринка; dancing ~ танцова забава; dinner/tea ~ гости на обед/чай; to give a ~ имам гости, давам прием; 4. отред, команда; екип, бригада; landing ~ *воен. мор.* дебаркационен отряд; 5. *юр.* страна (*в спор и пр.*); ~ to a suit страна в процес; to become a ~ to an agreement *търг.* подписвам договор; third ~ трето лице/страна; parties at issue спорещи страни; 6. съучастник (to); to be no ~ to не съм замесен в; 7. *шег.* тип, индивид, личност; who's the old ~ in blue? кой е оня там в синьо? 8. *attr* 1) партиен; ~ man/member партиен член, член на партия; ~ local/unit местна/низова партийна организация; 2) официален; ~ dress официална рокля.

party[2] *a хер.* разделен на равни части.

party-coloured = parti-coloured.

party line [,pɑ:ti'lain] *n* 1. граница, гранична линия, синор; 2. *тел.* дуплекс; 3. партийна линия.

party-politics [,pɑ:ti'pɔlitiks] *n pl обик. с гл. в sing* 1. партизанщина; 2. партийна политика.

party-spirit [,pɑ:ti'spirit] *n* 1. *обик. пренебр.* партизанщина; 2. любов към забавления/компании.

party-wall ['pɑ:tiwɔ:l] *n* обща стена, калкан.

parure [pə'ruə] *n фр.* комплект бижута.

parvenu ['pa:vənju:] *n фр.* парвеню, новобогаташ.

parvis ['pa:vis] *n арх.* преддверие на църква, нартекс.

pas [pa:] *n фр. (pl без изменение)* **1.** танцова стъпка; танц; **~ de deux** танц за двама; **2.** първенство, предимство; **to have/take the ~ of** имам предимство пред.

Pasch [pa:sk] *n рел.* Пасха; Великден.

Paschal ['pa:skəl] *a рел.* пасхален; великденски; **~ lamb** великденско агне; **P. Lamb** Исус Христос.

pash [pæʃ] *n sl.* любов, увлечение; **to have a ~ for s.o.** занасям се/„падам си" по някого.

pasha ['pa:ʃə] *n* паша.

pasque-flower ['pa:sk͵flauə] *n бот.* (същинска) съсънка (Anemone pulsatilla).

pasquinade[1] [͵pæskwi'neid] *n* пасквил.

pasquinade[2] *v* осмивам в пасквил.

pass[1] [pa:s] *v* **1.** минавам, преминавам; отминавам (**along, by, on, out** *и пр.*); минавам покрай; минавам през; разминавам се с, срещам; пресичам, прекосявам; **2.** минавам, преминавам; изчезвам, отивам си; умирам (*и с* **away, hence, from among us**); **this custom is ~ing** този обичай е на изчезване; **to ~ out of sight** изгубвам се/изчезвам от погледа; **3.** (пре)минавам, бивам подаден; (по)давам (*и сп.*); **~ the salt please** моля подай солта; **4.** минавам, вървя, валиден съм, имам стойност/цена; **5.** минавам, бивам приет/одобрен (*за предложение, законопроект и пр*); одобрявам, приемам; разрешавам; минавам през (*митническа проверка, цензура и пр.*); **the bill ~ed the committee, the committee ~ed the bill** законопроектът бе приет от комисията, комисията прие законопроекта; **6.** минавам, издържам (*изпит*); **to ~ a candidate** 1) допускам кандидат до изпит; 2) пускам кандидат (*пиша му тройка*); **7.** минавам, бивам допуснат; минавам незабелязан; **that won't ~** това няма да мине, така не може; **let that ~** нейсе, да не говорим за това; от мен да мине; **8.** ставам, случвам се; **I saw/heard what was ~ing** видях/чух какво става; **9.** *юр.* произнасям (*присъда*); **the judgement ~ed for the plaintiff** съдебното решение бе в полза на ищеца; **10.** минавам, задминавам; оставям зад себе си; надминавам, надвишавам; **that ~es belief** това е невероятно; **that ~es my comprehension** това ми е съвсем непонятно; **he has ~ed the chair** той е бил вече председател; **11.** слагам, поставям, промушвам; **to ~ a rope round s.th.** слагам въже около нещо; връзвам нещо с въже; **to ~ the thread through the eye of a needle** вдявам конец в игла; **12.** прекарвам, минавам, потърквам леко (*ръка върху нещо*); плъзгам, хвърлям (*поглед върху нещо*); **to ~ o.'s hand over o.'s eyes** потърквам леко очи с ръка; **to ~ o.'s eyes over s.th.** плъзгам погледа си върху нещо; хвърлям поглед на нещо; **to ~ a sword through s.o.'s body** промушвам някого със сабя; **to ~ events in review** хвърлям поглед върху събитията, разглеждам събитията; **13.** прекарвам (*време*); **14.** *карти* пасувам, обявявам пас; **15.** прекарвам (*войски на парад*); **16.** пускам в обръщение (*фалшиви пари и пр.*); **17.** давам (*обещание, клетва и пр.*); **18.** *мед.* изкарвам/изхвърлям с урината/екскрементите; **to ~ water** уринирам; **19.** *ам.* не обявявам, не плащам (*дивиденти*); **20.** минавам/прецеждам/пасирам (*зеленчуци и пр.*) през сито;

pass along 1) преминавам (*напред*); вървя нататък; 2) предавам (*съобщение и пр.*);

pass away 1) *евф.* умирам, почивам, издъхвам; 2)

минавам, преминавам; изчезвам; 3) прекарвам (*време*); спомагам да мине (*времето*);

pass between разменяме си (*думи, тайни*); **I never heard a kindly word ~ between them** никога не съм ги чул да си кажат добра дума;

pass by 1) минавам, преминавам; отминавам; **life has ~ed him by** животът го отмина; 2) пропускам, не забелязвам, не обръщам внимание на; отминавам; игнорирам, пренебрегвам; 3) отминавам, не засягам; 4) наминавам; □ **to ~ by the name of Smith** служа си с/използвам името Смит; **to ~ by on the other side** не оказвам помощ, не проявявам съчувствие;

pass down 1) = **pass along** 1; 2) предавам (*на поколенията*);

pass for минавам/считан съм за;

pass in 1) влизам; 2) връчвам, предавам;

pass into 1) влизам/бивам приет в; 2) минавам, влизам (*в историята*); 3) *прен.* минавам, изпадам (*в дадено състояние*);

pass off 1) минавам, преминавам, намалявам, отслабвам (*за болка, интерес, буря и пр.*); изчезвам; 2) минавам, преминавам, протичам; 3) отвличам вниманието от (*нещо неприятно*); 4) пробутвам, хързулвам (**on s.o.**); 5) представям (**as** за); **to ~ o.s. off as** представям се/искам да мина за; **to ~ s.th. off as a joke** представям/приемам нещо като шега;

pass on 1) продължавам пътя си, вървя си по пътя; минавам нататък (*и прен.*); 2) преминавам (**to**) (*на друга тема, област*); 3) предавам (**to**) (*от ръка на ръка, на друг*); 4) = **pass away** 1;

pass out 1) раздавам; 2) завършвам учението си (*и воен.*); *воен.* участвувам в тържество при завършване на обучението; назначавам на служба; 3) *разг.* припадам; 4) умирам;

pass over 1) преминавам през, прекосявам (*река и пр.*); преодолявам (*трудност*); **a smile ~ed over her face** по лицето й пробягна усмивка; 2) не забелязвам, не споменавам, премълчавам; пренебрегвам; 3) = **pass off** 1; 4) = **pass away** 1; 5) правя преглед на, минавам бегло; **to ~ o.'s eye over** хвърлям бегъл поглед на, преглеждам бегло; 6) предавам (*документ, имущество и пр.*); 7) **to ~ over to** преминавам на страната на;

pass round 1) заобикалям (*място, пречка*); 2) минавам/подавам/предавам от човек на човек;

pass through 1) минавам (през), прекосявам, пресичам; 2) преживявам (*изпитания и пр.*); 3) изкарвам, минавам (*курс на обучение*);

pass under: to ~ under the name of *вж.* **pass by** □;

pass up 1) *разг.* пропускам (*случай*); пренебрегвам; 2) отказвам се от; изоставям.

pass[2] *n* **1.** (пре)минаване; **2.** издържаване (*на изпит*) с тройка; **3.** пропуск, разрешение за минаване; безплатен билет, гратис (*и* **free ~**); **4.** дефиле, проход; **5.** *воен.* подстъп; **to hold the ~** *прен.* защищавам/поддържам кауза; **to sell the ~** *прен.* предавам положението/фронта, изменям на каузата; **6.** фарватер, плавателен канал (*особ. при устието на река*); **7.** проход за риба при шлюз; **8.** критично положение/състояние; **to come to/reach (such) a fine/sad ~** стигам до (такова) състояние (че); **9.** *фехт.* удар; **10.** пас, движение на ръцете (*на хипнотизатор, жонгльор*); **11.** *сп.* пас, подаване на топката; **12.** *карти* пас(уване); □ **to come to ~** случвам се; **to bring to ~** причинявам, докарвам; осъществявам; **to make a ~ at** *sl.* задявам, опитвам се да целуна и пр. (*жена*).

passable ['pa:səbl] *a* **1.** проходим; **2.** сносен, удовлетворителен, задоволителен; **3.** валиден (*за пари*).

passably ['pa:səbli] *adv* сносно, доста добре, удовлетворително, задоволително.

passacaglia [͵pæsə'ka:ljə] *n муз.* пасакалия.

passage[1] ['pæsidʒ] *n* **1.** преминаване, прекосяване, рейс (*морски, въздушен*); течение (*на времето*); такса за пътуване/преминаване; **to have a good/bad** ~ пътувам добре/зле (*по море, по въздуха*); **to book a** ~ купувам си билет (*за параход*); **to work o.'s** ~ плащам си билета с работа на парахода; **2.** прелет, пасаж (*на птици*); **birds of** ~ прелетни птици; **3.** преминаване, преход (*от едно състояние в друго*); **4.** път, проход; достъп, вход; право на преминаване; **to force a** ~ пробивам си път; **no** ~ **this way** минаването оттук забранено; **5.** коридор, пасаж, галерия; **6.** приемане, одобряване (*на законопроект*); **7.** *анат.* канал, тръба, ход, проход, път; **back** ~ *разг.* ректум, анус; **front** ~ *разг.* вагина; **the long** ~s *разг.* бронхите; **8.** пасаж, откъс; **9.** произшествие, случка, събитие, епизод; ~ **of/at arms** стълкновение, борба; спор, препирня; **10.** *pl* разговор, разменени думи; разправия; **to have angry** ~s **with s.o.** разменям остри думи с някого; ~s **of confidence** интимни разговори, взаимно поверяване на тайни; **11.** *физиол.* ходене по голяма нужда.

passage[2] *v* **1.** карам (*кон*) да върви на една страна; движа се на една страна (*за кон*); **2.** преминавам; пресичам.

passage-way ['pæsidʒwei] *n* **1.** коридор, пасаж, галерия; **2.** място за минаване, път.

passant ['pæsənt] *a хер.* с вдигнат преден крак (*за изображение на животно*).

pass-book ['pa:sbuk] *n* банкова книжка.

passé ['pa:sei] *a фр.* (*ж.-р.* **passée**) **1.** остарял, старомоден; **2.** повяхнал, попреминал (*особ. за красотата на жена*).

passementerie ['pæsməntri] *n фр.* пасмантерия.

passenger ['pæsindʒə] *n* **1.** пътник, пасажер; **2.** *разг.* член на отбор, кабинет и пр., който не върши никаква работа; **3.** *attr* пътнически, пасажерски.

passenger-pigeon ['pæsindʒə͵pidʒən] *n зоол.* сев.-ам. странствуващ гълъб (Ectopistes migratorius).

passe-partout ['pæspa:tu:] *n фр.* **1.** шперц; **2.** картонена рамка; паспарту.

passer-by [͵pa:sə'bai] *n* (*pl* **passers-by**) (случаен) минувач; случайно срещнат човек.

passerine ['pæsərain] *зоол.* **I.** *a* врабчов; **II.** *n* птица от разред врабчови.

passible ['pæsibl] *a* способен да чувствува/страда.

passim ['pæsim] *adv лат.* навсякъде, на различни места (*при отпратка към книга, автор*).

passing[1] ['pa:siŋ] *a* **1.** минаващ; **2.** нетраен, мимолетен, преходен; **3.** текущ; злободневен; **4.** случаен, бегъл (*за забележка, мисъл и пр.*).

passing[2] *adv ост.* много, извънредно, крайно.

passing[3] *n* **1.** минаване, преминаване (*и за време*); **2.** изчезване, отмиране; **3.** смърт; **4.** издържане на изпит; **5.** произнасяне (*на присъда*); **6.** одобрение, приемане (*на закон и пр.*); **7.** *сп.* подаване (*на топка*); **8.** протичане, ход (*на събития*); □ **in** ~ между другото.

passing-bell ['pa:siŋbel] *n* камбанен звън за смърт.

passion ['pæʃn] *n* **1.** страст, силно увлечение (**for s.th., for doing s.th.**); **2.** (пристъп на) гняв, ярост; **to be in a** ~ разгневен/разярен съм; **3.** изблик (*на чувства*); **to burst into a** ~ **of tears** избухвам в сълзи; **4.** *рел.* P. мъки Христови; евангелски разказ за мъките Христови; **P. Week** страстната седмица; **5.** *муз.* пасион.

passional ['pæʃənl] **I.** *a ряд. поет.* страстен; **II.** *n* жития на светии и мъченици.

passionate ['pæʃənət] *a* **1.** страстен, пламенен; **2.** силно влюбен; **3.** избухлив.

passion-flower ['pæʃn͵flauə] *n бот.* пасифлора, часовниче (Passiflora).

passion-play ['pæʃnplei] *n лит.* мистерия/драма за страданията на Христа.

passive ['pæsiv] **I.** *a* **1.** пасивен, безучастен; бездеен, инертен; **2.** *грам.* страдателен (*за залог*); **3.** *фин.* безлихвен (*за заем*); **II.** *n грам.* страдателен залог; **in the** ~ в страдателен залог.

passivity [pæ'siviti] *n* пасивност, безучастност, инертност.

pass-key ['pa:ski:] *n* **1.** шперц; **2.** секретен ключ.

passman ['pa:smən] *n* (*pl* -**men**) лице, което получава университетска диплома без отличие.

Passover ['pa:s͵ouvə] *n рел.* **1.** еврейската пасха; **2.** пасхално агне; **3.** агнец божи.

passport ['pa:spɔ:t] *n* **1.** паспорт; **2.** *прен.* лични качества, осигуряващи признание, уважение и пр.

password ['pa:swə:d] *n* парола.

past[1] [pa:st] **I.** *a* **1.** минал (*и грам.*); изминал, изтекъл; **in ages** ~ **and gone** в минали времена; отдавна; **in times** ~ някога, в миналото; **for some time** ~ от известно време; **2.** бивш, някогашен; **II.** *n* **1.** минало; **it is a thing of the** ~ това принадлежи на миналото; **2.** *грам.* минало време.

past[2] *prep* **1.** (по)край; оттатък, отвъд; по-нататък от; **he ran** ~ **me** той изтича покрай мен; **2.** след, по-късно от; **it is** ~ **10 o'clock** минава 10 часа; **at ten minutes** ~ **one** в един часа и десет минути; **the train is** ~ **due** влакът е закъснял; **3.** за възраст повече от, над; **4.** *който надминава, не е вече годен за свръх*; ~ **endurance/bearing** непоносим; ~ **all belief** съвсем невероятен; ~ **comprehension** непонятен; ~ **cure** неизлечим; **to be** ~ **praying for/** ~ **help** в безнадеждно положение съм, не може да ми се помогне; непоправим съм; **to be** ~ **caring** вече ми е безразлично; **to be/get** ~ **it** *sl.* не ме бива вече; **I wouldn't put it** ~ **him (to)** *разг.* никак не бих се учудил (*той да направи нещо недостойно*).

past[3] *adv:* **I saw him walk** ~ видях го да минава; **the years flew** ~ годините летяха; **to run** ~ минавам тичешком.

pasta ['pæstə] *n um.* макарони, фиде и пр., тестени изделия.

paste[1] [peist] *n* **1.** тесто; **2.** паста; **3.** пастет; **4.** кит; замазка; **5.** лепило; клайстер; **6.** стъклена маса (*за изкуствени скъпоценни камъни*); **made of** ~ *разг.* фалшив; без стойност; **7.** омесена глина.

paste[2] *v* **1.** залепвам; облепвам (*с хартия*); **to** ~ **up a notice** залепвам съобщение; **to** ~ **up a window** облепвам прозорец с хартия; **2.** *sl.* напердашвам здраво; бомбардирам тежко; зашлевявам (*някого*).

pasteboard ['peistbɔ:d] *n* **1.** (многослоен) картон; **2.** *sl.* визитна картичка; карта за игра; билет; **3.** *attr* 1) картонен; 2) *прен.* паянтов, слаб; несъществен.

pastel [pæ'stel] *n* **1.** пастел; рисуване с пастели; **2.** рисунка с пастел; **3.** пастелен цвят; **4.** *attr* ['pæstl] пастелен.

pastern ['pæstə:n] *n зоол.* надкопитна става, глезен (*на кон и пр.*).

pasteurization [͵pæstərai'zeiʃn] *n* пастьоризация, пастьоризиране.

pasteurize ['pæstəraiz] v пастьоризирам.

pasticcio, pastiche [pæ'sti:tʃou, pæ'sti:ʃ] n um. 1. потпури, музикална китка; 2. пастиш, литературна/музикална имитация.

pastil(le) ['pæstəl] n 1. пастила, таблетка; бонбон за смучене; 2. свещичка от ароматично вещество и въглен.

pastime ['pa:staim] n забавление, развлечение, игра.

past master [,pa:st'ma:stə] n 1. голям/несравним майстор; 2. бивш глава/магистър на франкмасонска ложа; председател на гилда и пр.

pastor ['pa:stə] n 1. пастор, свещеник; духовен съветник; 2. ост. пастир, овчар; 3. зоол. розов скорец (Pastor roseus).

pastoral [,pa:stərəl] I. a 1. овчарски, пастирски; 2. пасторален; 3. пасищен (за земя); 4. пасторски; свещенически; отнасящ се до/отправен към духовниците; ~ staff владишки жезъл; II. n 1. лит., муз. пасторала; изк., театр. пасторална сцена; 2. послание на пастор до енориашите му/на владика до епархията му.

pastorale [,pæstə'ra:li] n муз. пасторал.

pastorate ['pa:stərət] n 1. пасторска служба; пасторство; 2. събир. пастори; 3. ам. = parsonage.

pastry ['peistri] n 1. сладкиши, пасти, сладки; 2. тесто за сладиш; кора за сладкиш с плодове.

pastry-cook ['peistrikuk] n сладкар.

pasturable ['pa:stʃərəbl] a годен за пасище.

pasturage ['pa:stjuriʤ] n 1. пасище; 2. паша; 3. овчарство, говедарство.

pasture[1] ['pa:stʃə] n 1. паша; 2. пасище, място за паша.

pasture[2] v 1. паса (говеда и пр.); 2. паса, изпасвам, опасвам; 3. използувам (земя) за паша.

pasty[1] ['pæsti] n месо/плодове и пр., печени в тесто.

pasty[2] ['peisti] a 1. клисав, тиклав; 2. бледен, пепеляв, сив, пръстен; с нездрав цвят на лицето (и ~-faced).

pat[1] [pæt] n 1. потупване; to give a dog a ~ погалвам куче; ~ on the back прен. похвала, насърчение; 2. лека милувка; 3. бучка масло.

pat[2] v (-tt-) потупвам; приглаждам; to ~ o.'s hair приглаждам си косата; to ~ o.s./s.o. on the back прен. доволен съм от себе си/някого; to ~ s.o. on the back прен. похвалвам/поздравявам някого.

pat[3] adv 1. (тъкмо) навреме; (тъкмо) на място; 2. изведнъж, веднага, без бавене; to know o.'s lesson off ~ знам си урока като по вода; □ to stand ~ покер играя с картите, които ми са дадени, без да вземам други; прен. не изменям позициите си.

pat[4] a подходящ, който е тъкмо намясто; добре научен.

Pat [pæt] n разг. ирландец (съкр. от името Patrick).

patch[1] [pætʃ] n 1. кръпка; ~ pocket външен джоб; 2. парче пластир за рана; 3. тъмна превръзка на око; 4. изкуствена бенка; 5. (малко) парче земя; парче земя, засята с някаква култура; 6. парче(нце), къс(че); остатък; 7. воен. униформен знак (пришит към униформата) за различните родове войски; □ in ~es 1) тук-там, на отделни места; 2) от време на време, в отделни моменти; not to be a ~ on s.o./s.th. не мога да се сравня с някого/нещо, нищо не представлявам в сравнение с някого/нещо; to strike a bad ~ имам лош късмет, не ми върви (за известно време).

patch[2] v 1. кърпя, закърпвам, слагам кръпка на (и с up); 2. служа за кръпка (за плат); 3. прен. скърпвам как да е (обик. с up); 4. оправям, уреждам, изглаждам (спор и пр.) (обик. с up); 5. правя/съшивам от отделни парчета (напр. юрган).

patchily ['pætʃili] adv на кръпки/парчета; как да е; като закърпено; разпокъсано.

patchiness ['pætʃinis] n 1. липса на единство/хармония, нестройност; разпокъсаност на ефекта; нееднаквост; скърпеност.

patching ['pætʃiŋ] n 1. кръпка (и ~ up); 2. тех. заваряване; поправка; малък ремонт.

patchouli ['pætʃuli] n 1. бот. пачули (Pogostemon cablin); 2. парфюм от пачули.

patch test ['pætʃtest] n мед. кожна проба при алергия.

patchwork ['pætʃwə:k] n 1. възглавница, покривка и пр. от различни парчета плат; 2. прен. кърпеж, скърпена работа; смесица, бъркотия, бърканица, миш-маш (от стилове и пр.); 3. attr от различни парчета.

patchy ['pætʃi] a 1. неравен, нееднакъв; без единство и хармония; разпокъсан; 2. скърпен.

pate [peit] n 1. ост. теме; 2. разг. глава, тиква.

pâté ['pætei] n фр. 1. пай с месо, риба и пр.; 2. пастет.

patella [pə'telə] n анат. колянно капаче, патела.

paten ['pætən] n църк. поднос за нафора.

patency ['peitənsi] n очевидност.

patent[1] ['peitənt] a 1. очевиден, явен; 2. патентован; ~ medicine специалитет; лекарство, което се купува без рецепта; ~ leather лак, лачена кожа; 3. разг. нов, оригинален; остроумен; прен. хитър; nothing ~ sl. нищо особено, не кой знае какъв; 4. отворен; достъпен; 5. бот. отворен, разперен (за лист и пр.).

patent[2] n 1. патент; монопол; диплом; ~ office служба за издаване на патенти; 2. знак, белег; ~ of gentility белег на благородство; 3. патентован предмет/изобретение.

patent[3] v патентовам, изваждам/получавам патент за.

patentee [,peitən'ti:] n притежател на патент.

pater ['peitə] n 1. sl. баща, морук, старият; 2. често P. молитвата Отче наш.

paterfamilias [,peitəfə'miliæs] n лат. шег. глава на семейство.

paternal [pə'tə:nl] a 1. бащин, бащински; 2. от бащина страна.

paternalism [pə'tə:nəlizm] n 1. (подчертано) покровителствено отношение, намеса, вмешателство; 2. ирон. бащински грижи.

paternity [pə'tə:niti] n 1. бащинство; 2. произход по баща; 3. прен. авторство; източник.

paternoster ['pætə,nɔstə] n 1. молитвата Отче наш (особ. на латински); 2. (единадесетото зърно на) броеница; 3. заклинание; 4. вид асансьор; 5. връв на въдица с куки (и ~ line); □ devil's ~ измърморено проклятие.

path [pa:θ] n 1. пътека, пътечка; 2. сп. писта; 3. път (и на небесно тяло), траектория; 4. поприще, поле за дейност; професия; линия на поведение, насока, курс.

pathetic [pə'θetik] I. a 1. патетичен; разчувствуван, прочувствен; трогателен, покъртителен; 2. емоционален; □ ~ fallacy олицетворяване, приписване на човешки чувства на природата; II. n pl патос.

pathetically [pə'θetikəli] adv патетично; прочувствено.

pathfinder ['pa:θ,faində] n 1. водач; изследовател (на непознати страни); 2. прен. пионер; 3. воен. ав. водещ самолет.

pathless ['pa:θlis] a 1. без (добри) пътища, непроходим; 2. неизследван, непроучен.

pathological [,pæθə'lɔʤikl] a патологичен.

pathologist [pə'θɔləʤist] n патолог.

pathology [pə'θɔləʤi] n патология.

pathos ['peiθɔs] n патос.

pathway ['pa:θwei] n пътека, пътечка, път.

patience ['peiʃəns] n 1. търпение, търпеливост; **to have no ~ with s.o.** не мога да търпя/понасям някого; **to be out of ~ with s.o.** ядосан съм на някого, вече не мога да търпя/понасям някого; **enough to try the ~ of a saint/of Job** ще изкара от търпение и най-търпеливия; 2. издръжливост; упорство, упоритост; 3. карти пасианс.

patient ['peiʃənt] I. a 1. търпелив (**with** към); **to be ~ of** понасям търпеливо; 2. издръжлив; упорит; 3. усърден, старателен; 4. ост. който търпи/допуска (**of**); II. n 1. пациент, болен; 2. човек, който е обект на/понася (някакво действие).

patina ['pætinə] n патина.

patio ['pætiou] n исп. вътрешен двор.

patisserie [pə'ti:səri] n фр. сладкарница.

patois ['pætwa:] n фр. (pl без изменение ['pætwa:z]) ез. местен говор; жаргон.

patrial ['peitriəl] a, n (лице) с право на британско поданство.

patriarch ['peitria:k] n 1. патриарх; 2. родоначалник; основател; 3. човек на почтена възраст; най-старият жив представител (**of**).

patriarchal [,peitri'a:kl] a 1. патриархален; 2. патриаршески; 3. почтен.

patriarchate ['peitria:kit] n 1. патриаршески сан; 2. патриаршия; 3. патриархат.

patriarchy ['peitria:ki] n патриархат.

patrician [pə'triʃn] n 1. ист. патриций; 2. аристократ.

patriciate [pə'triʃiət] n 1. ист. патрицианство; 2. аристокрация; 3. патрицианско управление.

patricide ['pætrisaid] n 1. отцеубийство; 2. отцеубиец.

patrilineal [,pætri'liniəl] a по бащина/мъжка линия.

patrimonial [,pætri'mounjəl] a наследствен.

patrimony ['pætriməni] n 1. наследствен имот: 2. черковен имот/дарение; 3. наследство, нещо наследено (и прен.).

patriot ['pætriət, 'peit-] n патриот, родолюбец.

patriotic [,pætri'ɔtik] a патриотичен, патриотически, родолюбив; **the Great P. War** Великата отечествена война.

patriotism ['pætriətizm, 'peit-] n патриотизъм, родолюбие.

patristic [pə'tristik] a отнасящ се до църковните отци.

patrol¹ [pə'troul] n патрул; патрулиране, обиколка; наблюдаване; наблюдение; **~ car** полицейска патрулна кола; **~ wagon** ам. кола за превозване на затворници.

patrol² v (-ll-) патрулирам, обикалям.

patrolman [pə'troulmən] n (pl -men) ам. полицай.

patron ['peitrən] n 1. покровител, защитник; патрон; шеф; 2. редовен клиент/посетител; 3. собственик на ресторант и пр.; 4. светец покровител (и ~ saint); 5. църк. лице, което има право да назначава на бенефиций.

patronage ['pætrənidʒ] n 1. покровителство, протекция, подкрепа, подпомагане; 2. рел. право (на някого) да назначава на бенефиций; 3. подкрепа от страна на клиенти; клиентела, посетители; 4. покровителствен вид/държание/отношение; 5. ам. назначаване на служба по политически съображения; служби, давани по политически съображения.

patroness ['peitrənis] ж.р. от **patron** 1.

patronize ['pætrənaiz] v 1. покровителствувам; подкрепям, подпомагам; 2. гледам отвисоко на, отнасям се снизходително към; 3. клиент/постоянен посетител съм на.

patronizing ['pætrənaiziŋ] a покровителствен; снизходителен.

patronymic [,pætrə'nimik] I. a бащин (за име); II. n бащино име, име по баща.

patsy ['pætsi] n ам. sl. жертва, наивник, балама.

patten ['pætn] n налъм.

patter¹ ['pætə] v дърдоря, бърборя.

patter² n 1. жаргон (на дадена професия и пр.); 2. дърдорене, бърборене, празни приказки; приказки (на фокусник, комедиант); 3. речитатив.

patter³ v 1. потраквам, трополя (за дъжд и пр.); 2. ситня, ходя с малки леки стъпки.

patter⁴ n 1. потракване, трополене; 2. ситнене; малки леки стъпки.

pattern¹ ['pætən] n 1. образец, пример; 2. мостра; 3. модел (и метал.), шаблон, еталон; кройка; диаграма, схема; 4. ам. парче плат (за дреха); 5. шарка, десен, мотив; 6. стил, характер; устройство, строеж, структура; **behaviour ~** схема на поведение; 7. насока, тенденция; особеност; **the ~ of events** закономерността на събитията; 8. белези от куршуми, бомби и пр.; 9. attr образцов, примерен.

pattern² v 1. правя (нещо) по образеца на (**after, on**); refl подражавам на (**after, on**); 2. украсявам с шарки, десенирам.

patterned ['pætənd] a шарен, с/на фигури, десениран.

pattern-room, -shop ['pætənrʌm, -ʃɔp] n метал. моделен цех.

patty ['pæti] n 1. баничка, пирожка; 2. ам. плоско бонбонче.

pattypan ['pætipæn] n формичка за печене.

patulous ['pætjuləs] a разпрострян, разтворен.

paucity ['pɔ:siti] n малочисленост; оскъдност.

paunch¹ ['pɔ:ntʃ] n 1. корем, шкембе; 2. търбух, първият стомах (на преживно животно).

paunch² v изтърбушвам.

paunchy ['pɔ:ntʃi] a шкембелия.

pauper ['pɔ:pə] n 1. бедняк, сиромах; просяк; 2. човек, който получава помощ по бедност.

pauperdom, -rism ['pɔ:pədəm, -rizm] n 1. бедност, беднотия, сиромашия; 2. беднотия, бедни хора, бедняци, сиромаси.

pauperize ['pɔ:pəraiz] v правя да обеднее, докарвам до просяшка тояга; създавам просяшки манталитет у.

pause¹ [pɔ:z] n 1. пауза, прекъсване, (временно) спиране/замлъкване; **to give ~ to** накарвам (някого) да се колебае/замисли; 2. муз. фермата.

pause² v правя пауза, бавя се, постоявам (малко), спирам се за малко (**on**); колебая се; **to ~ for breath** спирам се да си поема дъх; **to ~ on a note** задържам нота.

pavan(e) ['pævən] n павана (танц).

pave ['peiv] v павирам; настилам, покривам; **career ~d with good intentions** дейност, пълна с добри намерения.

pavé ['pævei] n фр. 1. паваж, настилка; 2. скъпоценни камъни, монтирани един до друг.

pavement ['peivmənt] n 1. паваж, пътна настилка; 2. ам. павирана улица; 3. тротоар, плочник; **~ artist** художник, който рисува по/ам. излага картини на тротоара; 4. зоол. гъсти зъби.

pavilion [pə'viljən] n 1. палатка, шатра; 2. павилион, будка; 3. стр. издадена част на постройка; пристройка; 4. беседка.

paving-stone ['peiviŋstoun] n паве, паважен камък.

paw[1] [pɔ:] *n* 1. лапа; 2. *разг.* ръка.

paw[2] *v* 1. докосвам/драскам с лапа; 2. *разг.* пипам, бутам, мачкам (*и с* **over**); 3. рия (*за кон*).

pawky ['pɔ:ki] *a* хитър, лукав; дяволит; ироничен.

pawl[1] [pɔ:l] *n тех.* палец; език.

pawl[2] *v* залоствам, заклещвам.

pawn[1] [pɔ:n] *n* пионка (*и прен.*).

pawn[2] *n* залог; **in/at** ~ заложен.

pawn[3] *v* 1. залагам (*вещи*); 2. *прен.* залагам, рискувам; **to** ~ **o.'s word** давам честна дума, обещавам.

pawnbroker ['pɔ:n,broukə] *n* съдържател на заложна къща.

pawnshop ['pɔ:nʃɔp] *n* заложна къща.

pax[1] [pæks] *n лат.* 1. мир; 2. *църк.* плочка с изображение на разпятието.

pax[2] *int уч. sl.* ~ ! да се сдобрим!

pay[1] [pei] *v* (**paid** [peid]) 1. (за)плащам, давам (*цена*) (**for**); изплащам (*дълг, данък и пр.*); разплащам се; уреждам, разчиствам (*сметка*); **what's to** ~ ? колко струва (това)? **to put paid to s.o.'s account** *прен. разг.* 1) справям се с някого; 2) слагам край на, ликвидирам; 2. поемам разноските по; 3. плащам на, възнаграждавам, компенсирам; обезщетявам; **there will be the deuce/devil and all to** ~ *разг.* ще ти излезе солено/през носа; 4. отплащам се/отблагодарявам се на; 5. рентирам се, доходен съм, нося доход, докарвам печалби; **it** ~s *прен.* струва си; полезно е (**to**); 6. обръщам (*внимание*); отдавам (*почит*); правя (*посещение, комплимент*) (**to**); ~ **attention to what I tell you** слушай/внимавай какво ти казвам; **to** ~ **o.'s respects/compliments to** засвидетелствувам почитта си към; **to** ~ **o.'s last respects to** отдавам последна почит на; □ **to** ~ **o.'s way** свързвам двата края, не правя дългове; рентирам се;

   pay away = **pay out** 1, 3;

   pay back 1) връщам (*пари*); 2) (от)връщам (си); **to** ~ **s.o. back** връщам (си) някому; *прен.* отплащам някому;

   pay down плащам в брой;

   pay for 1) плащам, поемам разноските за; 2) *прен.* плащам за; **to** ~ **dear(ly) for** плащам скъпо за, струва ми скъпо;

   pay in внасям, правя вноска;

   pay off 1) разплащам се (с); изплащам си (*дълга*), разчиствам/уреждам си сметките (с); плащам (*на работници и пр.*) и уволнявам; 2) отмъщавам (си); 3) *разг.* имам успех, давам резултат; 4) *sl.* давам подкуп; 5) *мор.* отклонявам се от пътя си;

   pay out 1) плащам, изплащам, заплащам; 2) наказвам; 3) *мор.* отпускам, развивам (*въже и пр.*),

   pay up (из)плащам.

pay[2] *n* 1. (за)плащане; **for** ~ за пари; 2. заплата, надница, възнаграждение; **to be in the** ~ **of** 1) на служба съм у, нает съм от; 2) платен агент съм на; **take-home** ~ *ам. разг.* чиста заплата; 3. компенсация, възмездие; наказание; 4. *attr* 1) платежен; 2) *мин.* рентабилен.

pay[3] *v мор.* насмолявам.

payable ['peiəbl] *a* 1. платим, дължим; 2. доходен, приходоносен, рентабилен (*за залежи*).

pay-as-you-earn [,peiəzju'ə:n] *n* удържане на данък общ доход.

pay-bed ['peibed] *n* болнично легло, за което се заплаща.

paycheck ['peitʃek] *n* (чек за) заплата/надница.

pay-claim ['peikleim] *n* искане за увеличение на заплата.

pay-day ['peidei] *n* ден, когато се плащат заплати/надници.

pay-desk ['peidesk] *n* каса (*гише*).

pay-dirt ['peidə:t] *n ам.* 1. *мин.* богата жила; 2. *разг.* източник на печалба.

payee [pei'i:] *n* получател на пари; предявител на чек и пр.

payer ['peiə] *n* платец.

paying ['peiiŋ] *a* изгоден, доходен, приходоносен, рентабилен.

paying guest [,peiiŋ'gest] *n* пансионер (*в частен дом*).

payload ['peiloud] *n* полезен товар.

paymaster ['pei,ma:stə] *n* касиер; *воен.* ковчежник; **P. General** заместник-министър — началник отдел плащания в Министерството на финансите.

payment ['peimənt] *n* 1. плащане, платеж, заплащане, изплащане; 2. платена сума, вноска; 3. възнаграждение, награда; 4. наказание; възмездие.

paynim ['peinim] *n ост.* поганец, *особ.* мохамеданин.

pay-off ['peiɔf] *n разг.* 1. отплата; 2. награда, възнаграждение; 3. разплата, възмездие; 4. развръзка, финал; 5. *sl. ам.* рушвет, подкуп.

payola [pei'oulə] *n ам.* подкуп, рушвет.

pay-packet ['pei,pækit] *n* плик със заплата.

pay-phone ['peifoun] *n ам.* телефонен автомат.

pay-roll,-sheet ['peiroul, -ʃi:t] *n* 1. ведомост; 2. *ам.* обща сума в разплащателна ведомост.

pay-station ['pei,steiʃn] = **pay-phone**.

pea [pi:] *n* 1. *pl бот.* грах (*Pisum sativum*); 2. грахово зърно; **they are as like as two** ~s приличат си като две капки вода.

peace [pi:s] *n* 1. мир; **treaty of** ~, ~ **treaty** мирен договор; **to make** ~ сключвам, мир; помирявам/сдобрявам (се); **to make o.'s** ~ **with** помирявам/сдобрявам се с; 2. спокойствие (*и прен.*), тишина; **at** ~ **with** в приятелски отношения с; в хармония с; **to be at** ~ **with o.s.** спокоен съм, не се тормозя; ~ **of mind** душевно спокойствие; ~ **of conscience** спокойна съвест; 3. мир, покой; ~ **be with you!** мир вам! 4. обществен ред; **to keep the** ~ спазвам/не нарушавам обществения ред.

peaceable ['pi:səbl] *a* миролюбив, мирен.

peaceful ['pi:sful] *a* мирен, спокоен, тих.

peacekeeping ['pi:s,ki:piŋ] *a*: ~ **force** военни сили за поддържане на мира.

peace-lover ['pi:s,lʌvə] *n* привърженик на мира.

peacemaker ['pi:s,meikə] *n* помирител, миротворец.

peace-offering ['pi:s,ɔfəriŋ] *n* 1. подарък за умилостивяване/сдобряване; 2. *библ.* изкупителна жертва.

peace-officer ['pi:s,ɔfisə] *n* полицай, пазител на реда.

peace-pipe ['pi:spaip] *n* лула на мира.

peace-time ['pi:staim] *n* 1. мирно време; 2. *attr* мирновременен.

peach[1] [pi:tʃ] *n* 1. *бот.* праскова (*Prunus persica*); 2. прасковен цвят; 3. *sl.* нещо екстра, чудо работа; хубавица, сладурана, бонбон.

peach[2] *v sl.* наклеветявам, доноснича (**against, on, upon**).

peach-bloom, -blow ['pi:tʃblu:m, -blou] *n* (глазура на порцелан с) прасковен цвят.

peachy ['pi:tʃi] *a* 1. като праскова; 2. *sl.* отличен, изящен, много привлекателен.

peacock ['pi:kɔk] *n* 1. *зоол.* паун (*Pavo cristatus*); 2. *sl.* надут човек, пуяк; **proud/vain as a** ~ надут като пуяк; **to play the** ~ давам си важност, перча се.

peacock² *v* перча се, надувам се.

peacock-blue ['pi:kɔkblu:] *a, n* електрик.

peacockery ['pi:kɔkəri] *n* перчене, надуване, позиране.

peafowl ['pi:faul] *n* паун (*мъжки, женски*).

pea-green [,pi:'gri:n] *a, n* жълтеникавозелен (цвят).

peahen [,pi:'hen] *n* женски паун.

pea-jacket ['pi:,ʤækit] *n* късо двуредно моряшко палто от дебел плат.

peak¹ [pi:k] *n* 1. (остър планински) връх; 2. връх (*на брада*); **widow's ~** вж. **widow**¹ 1; 3. козирка; 4. най-висока/връхна/кулминационна точка; максимум; 5. *мор.* форпик (*тясна част на трюма на кораб*); 6. *мор.* горен външен ъгъл на платно; 7. *attr* най-висок, най-голям, върхов, максимален; **~ hours** часове на най-голямо движение/навалица.

peak² *v* 1. достигам връхна точка; довеждам до връхна точка/максимум; 2. издигам се, извисявам се; 3. *мор.* издигам (*рейка*) (почти) отвесно; изправям (*гребла*).

peak³ *v* слабея, крея, линея, чезна (*обик.* **to ~ and pine**).

peaked¹ [pi:kt] *a* 1. островръх, заострен (*за брада и пр.*); 2. с козирка; **~ cap** фуражка.

peaked² *a* 1. отслабнал, „светнал"; 2. с остри черти.

peaky [pi:ki] = **peaked**.

peal¹ [pi:l] *n* 1. камбанен звън, звънене; 2. комплект камбани; 3. ек, ехтене, ечене; гръм, трясък; **~ of laughter** силен смях; **~ of thunder** гръм, трясък.

peal² *v* 1. еча, ехтя, гърмя; 2. бия (*камбани*); съобщавам с биене на камбани; 3. разгласявам, извиквам (*нещо*) с висок глас (*и с* **out**).

peanut ['pi:nʌt] *n* 1. *бот.* фъстък (Arachis hypogaea); 2. *прен. sl.* нула; дребна риба; фъстък, дребосък; 3. *pl sl.* дребна сума; 4. *attr* фъстъчен; **~ butter** пастет от печени фъстъци; **~ oil** *готв.* фъстъчено масло/олио.

pear [pɛə] *n* *бот.* круша (Pyrus communis).

pearl¹ [pə:l] *n* 1. бисер, перла, маргарит; 2. нещо подобно на перла (*капка роса, сълза*); 3. седеф; 4. нещо много ценно; образец; изискан/много ценен/чудесен човек; **to cast ~s before swine** разбира ли ти свиня от кладенчова вода; 5. *печ.* перла; 6. светлосив/сивосинкав цвят; 7. *attr* 1) от/като бисери, бисерен; 2) украсен с перли; 3) седефен.

pearl² *v* 1. украсявам с бисери; 2. покривам с/образувам бисерни капки; **~ed with dew** покрит с бисерна роса; 3. придавам бисерен цвят/лъскавина на; правя (*нещо*) да прилича на бисер; 4. смилам (*ечемик и пр.*) на дребно; 5. търся/ловя бисери.

pearl-barley [pə:l'ba:li] *n* грис от ечемик.

pearl-diver, -fisher ['pə:l,daivə, -,fiʃə] *n* ловец на бисери.

pearl-oyster ['pə:l,ɔistə] *n* *зоол.* бисерна мида (Avicula, *особ.* Meleagrina margaritifera).

pearly ['pə:li] *a* 1. бисерен, като бисер; 2. украсен с бисери; 3. скъпоценен.

peasant ['peznt] *n* 1. селянин, селяк; 2. *attr* селски; **~ woman** селянка.

peasantry ['pezntri] *n* селяни, селячество.

pease [pi:z] *n* (*pl без изменение*) *ост.* грах.

pea-shooter ['pi:,ʃu:tə] *n* плюкало.

pea soup ['pi:su:p] *n* 1. грахова супа; 2. = **pea-souper**.

pea-souper [,pi:'su:pə] *n* *разг.* гъста жълта мъгла.

peat [pi:t] *n* 1. торф; 2. *attr* торфен.

peat-bog ['pi:tbɔg] *n* торфено блато/находище.

peat-moss ['pi:tmɔs] *n* *бот.* торфен мъх (Sphagnum).

peaty ['pi:ti] *a* торфен, като торф.

pebble¹ ['pebl] *n* 1. (речно/морско) камъче; 2. (леща от) прозрачен кварц; 3. вид ахат; 4. шагренирана кожа; □ **you're not the only ~ on the beach** не си само ти на света.

pebble² *v* 1. постилам с камъчета; 2. замервам с камъчета; 3. шагренирам (*кожа*).

pebblestone ['peblstoun] = **pebble**¹ 1.

pebbly ['pebli] *a* покрит с камъчета.

pecan [pi'kæn] *n* *бот.* вид сев.-ам. орех (Carya illinoensis).

peccable ['pekəbl] *a* *книж.* грешен, греховен.

peccadillo [,pekə'dilou] *n* *исп.* малък грях, незначително прегрешение; неблагоразумна постъпка.

peccancy ['pekənsi] 1. греховност; 2. грях, прегрешение; 3. *мед.* болезнено състояние.

peccant ['pekənt] *a* 1. грешен; виновен; покварен; 2. нарушаващ правило/принцип; 3. *мед.* болезнен, болестен.

peccary ['pekəri] *n* *зоол.* американска дива свиня (Tayssu).

peccavi [pe'ka:vi:] *n* *лат.:* **to cry ~** признавам греха си.

peck¹ [pek] *n* 1. шиник (*мярка за вместимост около 9 л*); 2. голямо количество, множество, много; **to know/have a ~ of troubles** много нещо ми минава през главата.

peck² *v* 1. кълва, клъввам (**at**); **to ~ a hole** пробивам дупка; **to ~ out** изкълвавам; 2. заяждам се (**at**); 3. копая; къртя; 4. *разг.* ям малко, едва се докосвам (**at** до); 5. целувам леко; □ **~ing order** обществена йерархия.

peck³ *v* 1. (белег от) клъвване; 2. *шег.* целувчица; 3. *sl.* храна; **to be off o.'s ~** нямам апетит, не ми се яде; □ **~ order** вж. **peck**² □.

pecker ['pekə] *n* 1. = **woodpecker**; 2. кирка; 3. човка; 4. *sl.* нос; 5. *прен. разг.* дух; кураж; **to keep o.'s ~ up, to keep up o.'s ~** *sl.* не падам духом, държа се; 6. *ам. sl.* пенис.

peckish ['pekiʃ] *a* *разг.* гладен.

Pecksniff ['peksnif] *n* лицемер.

pectin ['pektin] *n* *хим.* пектин.

pectoral ['pektərəl] I. *a* 1. *анат.* гръден, пекторален; 2. *мед.* добър против/лекуващ кашлица; II. *n* 1. нагръдник; 2. *зоол.* гръдна перка; 3. *мед.* лекарство против кашлица.

peculiar [pi'kju:ljə] I. *a* 1. принадлежащ/свойствен/присъщ изключително (**to** на); специфичен (**to** за); 2. личен, собствен, частен; 3. особен, специален; странен, чуден, чудат, ексцентричен; □ **God's P. People** *библ.* богоизбран народ; II. *n* 1. лична собственост; 2. *църк.* самоуправляваща се църква/енория; 3. *печ.* специален шрифт.

peculiarity [pi,kju:li'æriti] *n* 1. характерно/отличително свойство, особеност, своеобразие, специфичност, специфика; 2. странност, чудатост.

pecuniary [pi'kju:niəri] *a* 1. паричен; 2. наказуем с глоба.

pedagogic(al) [,pedə'gɔʤik(l)] *a* педагогически, педагогичен.

pedagogics [,pedə'gɔʤiks] *n pl с гл. в sing* педагогика.

pedagogue ['pedəgɔg] *n* 1. учител; 2. *прен.* педант, даскал.

pedagogy ['pedəgɔʤi] *n* педагогика.

pedal¹ ['pedl] *n* 1. педал; 2. *муз.* педал, оргелпункт, лежащ в баса тон (*и* **~ note**).

pedal² (*v* **-ll-**) 1. натискам педалите на; 2. карам велосипед.

pedal³ *a зоол.* на краката; който се придвижва с помощта на краката.

pedalo ['pedəlou] *n* водно колело.

pedal pushers ['pedl͵puʃəz] *n pl* дамски тричетвърти панталони.

pedant ['pedənt] *n* педант.

pedantic [pi'dæntik] *a* педантичен.

pedantically [pi'dæntikəli] *adv* педантично.

pedantry ['pedəntri] *n* педантичност, педантизъм.

peddle ['pedl] *v* 1. върша амбулантна търговия; продавам на дребно; 2. занимавам се с маловажни работи, пилея си времето; 3. раздрънквам, разгласявам.

peddler = **pedlar**.

peddling ['pedliŋ] *a* дребен, маловажен, незначителен.

pederast ['pedəræst] *n* педераст.

pederasty ['pedəræsti] *n* педерастия.

pedestal¹ ['pedistl] *n* 1. пиедестал (*и прен.*); подставка; основа; статив; цокъл; 2. странична подпорка на писалищна маса.

pedestal² *v* (-ll-) поставям/издигам на пиедестал (*и прен.*).

pedestrian [pi'destriən] I. *a* 1. пешеходен; 2. прозаичен; делничен, сух, скучен, банален; II. *n* 1. пешеходец, пешак; *attr* за пешеходци.

pediatrician [͵piːdiə'triʃn] *n* педиатър, детски лекар.

pediatrics [͵piːdi'ætriks] *n pl с гл. в sing* педиатрия.

pedicab ['pedikæb] *n* рикша-велосипед.

pedicel, -cle ['pedisel, 'pedikl] *n бот., зоол.* стъбълце, стълбче.

pedicular, -lous [pi'dikjulə, -ləs] *a* въшлив.

pedicure¹ ['pedi͵kjuə]ⁿ *n* педикюр.

pedicure² *v* правя педикюр (на).

pedigree ['pedigriː] *n* 1. родословие, родословно дърво; 2. произход, етимология; 3. *attr* породист, расов, чистокръвен (*за животно*); развъдно-подобрителен.

pedigreed ['pedigriːd] *a* 1. знатен, от стар род; 2. породист.

pediment ['pedimənt] *n арх.* 1. фронтон; 2. корниз над прозорец/врата.

pedlar ['pedlə] *n* амбулантен търговец; □ ~ **of gossip** клюкар.

pedlary ['pedləri] *n* 1. амбулантна търговия; 2. стока на амбулантен търговец.

pedology [pi'dɔləʤi] *n* почвознание.

pedometer [pi'dɔmitə] *n* педометър, крачкомер.

peduncle [pi'dʌŋkl] *n* 1. = **pedicel**; 2. *анат.* краче, стъбълце, стъбло, дръжка.

pee¹ [piː] *v разг.* пикая, пишам, правя чиш.

pee² *n разг.* пикня, пикоч.

peek¹ [piːk] *v* надничам, назъртам (**in, out**).

peek² *n* надничане, назъртане; поглед.

peek-a-boo ['piːkəbuː] *n* 1. игра на „куку" (*с малко дете*); 2. *attr* с десен на малки дупки; прозрачен (*за дреха*).

peel¹ [piːl] *v* 1. беля (се), обелвам; лющя (се), олющвам (се) (*и с* off); 2. *sl.* събличам се (*и с* off); 3. **to ~ off** отделям се от формация самолети/група пешеходци и пр.; □ **to keep o.'s eyes ~ed (for)** *sl.* отварям си очите/внимавам (за).

peel² *n* кора, кожа, кожица, люспа, шлюпка; **candied ~** захаросани кори от портокали.

peel³ *n ист.* четвъртита куличка на укрепление.

peel⁴ *n* фурнаджийска лопата.

peeler ['piːlə] *n* човек, който бели; белачка, машина за лющене.

peeling ['piːliŋ] *n обик. pl* обелки.

peen [piːn] *n* бойник на чук.

peep¹ [piːp] *v* 1. надничам, назъртам, поглеждам (крадешком) (**at, into**); **to ~ in at a window** надничам през прозорец; ~**ing Tom** много любопитен човек; човек, който обича да наблюдава еротични сцени; 2. показвам се, подавам се, провиждам се (*и с* out); 3. проявявам се (*за качество*).

peep² *n* 1. надничане, назъртане, поглеждане крадешком; **to get a ~ of** зървам, съглеждам; **to have/take a ~ into/at** надничам, назъртам, поглеждам; 2. първо появяване; ~ **of day/dawn** разсъмване, развиделяване.

peep³ *v* цвъртя, цвърча, цвъркам; пис(у)кам.

peep⁴ *n* цвъртене, цвърчене, цвъркане; писък; пис(у)кане.

peeper¹ ['piːpə] *n* 1. човек, който наднича/назърта; 2. = **peeping Tom** (*вж.* **peep¹**1); 3. *sl.* зъркел.

peeper² *n* 1. пиле, птиче; 2. *ам.* дървесна жаба.

peep-hole ['piːphoul] *n* шпионка (*на врата и пр.*).

peep-show ['piːpʃou] *n* панорама в кутия (*на панаир*); *прен.* сеир, зрелище.

peep-sight ['piːpsait] *n воен.* мерник, визир.

peepul = **pipal**.

peer¹ [piə] *n* 1. равен; **you will not find his ~** няма да намериш друг като него; **without ~** несравним; **to be tried by o.'s ~s** бивам съден от хора, които са ми равни по обществено положение; 2. пер, лорд; благородник; ~ **of the realm** благородник с право да бъде член на Камарата на лордовете; **life ~** пожизнен член на Камарата на лордовете.

peer² *v* 1. равнявам се с, равен съм на (**with**); 2. правя (*някого*) пер.

peer³ *v* 1. взирам се, вглеждам се; примижавам; надничам, назъртам (**at, into**); 2. показвам се, подавам се, провиждам се.

peerage ['piəriʤ] *n* 1. перове, благородници, аристокрация; 2. звание на пер; 3. книга с имената и родословието на перовете.

peeress ['piəris] *ж.р. от* **peer¹** 2.

peerless ['piəlis] *a* безподобен, несравним.

peeve¹ [piːv] *v разг.* дразня, раздразням, ядосвам.

peeve² *n sl.* 1. раздразнение; 2. повод за раздразнение, болно място.

peeved [piːvd] *a sl.* раздразнен, нацупен, кисел.

peevish ['piːviʃ] *a* раздразнителен, докачлив, избухлив, заядлив, сърдит, недоволен.

peewit = **pewit**.

peg¹ [peg] *n* 1. клечка; клин; колче; щифт; шплинт; чеп, запушалка, тапа; 2. *муз.* ключ (*на струнен инструмент*); 3. гвоздей/кука за закачане, закачалка; 4. щипка за пране; 5. знак, белег; ориентир; 6. *разг.* крак (*и дървен*); 7. щепсел; 8. степен, предел; 9. чашка, глътка (*алкохол*); 10. повод, претекст, извинение; ~ **to hang a sermon, etc. on** повод за проповед и пр.; □ **a square ~ in a round hole, a round ~ in a square hole** човек, който не е на мястото си; **to buy clothes off the ~** купувам готови дрехи; **to bring/let/take s.o. down a ~ or two** скастрям някого, поставям някого на мястото му, смачквам фасона на някого; **to come down a ~ (or two)** променям тона, запявам друга песен; налагам си парцалите.

peg² *v* (-gg-) 1. закрепям с клечка и пр. (**down, in, out**); 2. *борс.* държа цената (*на акции*) на едно и също равнище; стабилизирам (*цени, заплати и пр.*); 3. отбелязвам (*резултат*) при играта крибидж; **level ~ging** равен резултат; *прен.* равномерно напредване;

peg at 1) удрям, мушкам, пронизвам; прицелвам се в; 2) *разг.* бачкам, работя упорито върху;

peg away (at) = peg at 2;

peg down 1) закрепям с колчета; 2) обвързвам; ограничавам; 3) държа (*цени*) на ниско равнище (**at**);

peg out 1) закрепям с габърчета и пр.; 2) отбелязвам с колчета (*периметър и пр.*); 3) *sl.* припадам; умирам, пуквам; фалирам.

Pegasus ['pegəsəs] *n* 1. *мит., астр.* Пегас; 2. поетическо вдъхновение.

peg-leg ['pegleg] *n разг.* (човек с) дървен крак.

pegmatite ['pegmətait] *n минер.* пегматит.

peg-top ['pegtɔp] *n* 1. пумпал, фърфалак; 2. *pl* панталони/пола, широка при бедрата и тясна долу.

peignoir ['peinwa:] *n фр.* пеньоар.

pejorative ['pi:dʒərətiv] *ез.* I. *a* пейоративен, придаващ отрицателна оценка/смисъл; II. *n* пейоративна дума/форма.

peke [pi:k] *разг.* = **pekin(g)ese.**

pekin(g)ese [,pi:ki'ni:z, -ŋ'i:z] *n* китайски мопс.

pekoe ['pi:kou] *n* висококачествен черен чай.

pelage ['pelidʒ] *n* кожа, козина.

pelagic [pi'lædʒik] *a* морски, океански, пелагичен; живеещ в открито море.

pelargonium [,pelə'gounjəm] *n бот.* мушкато.

pelerine ['peləri:n] *n* дамска пелерина.

pelf [pelf] *n обик. презр., шег.* пари, богатство.

pelican ['pelikən] *n зоол.* пеликан; □ ~ **crossing** пресечка със светофар, управляван от минувачи.

pelisse [pi'li:s] *n фр.* 1. дълго дамско палто; 2. *ост.* детско палто; 3. хусарска шуба.

pellet[1] ['pelit] *n* 1. топчица, топче; 2. хап(че); 3. сачма; 4. *ам.* куршум; снаряд; 5. *ист.* камък, използуван като оръжие.

pellet[2] *v* 1. удрям/замервам с топчета; 2. правя на топче(та).

pellicle ['pelikl] *n биол.* кожица, ципица.

pell-mell[1] [,pel'mel] *adv* без ред, безразборно; един през друг; презглава; лудешката, урбулешки.

pell-mell[2] I. *a* безреден; разбъркан; разхвърлян; лудешки; II. *n* бъркотия, безредие, хаос, миш-маш; меле.

pellucid [pe'lju:sid] *a* 1. прозрачен, бистър, чист; 2. ясен, разбираем.

pelmet ['pelmit] *n* драперия, завеска; рамка (*на корниз*).

pelt[1] [pelt] *n* 1. кожа (*необработена*); 2. *шег.* човешка кожа.

pelt[2] *v* 1. хвърлям по, замервам с; пердаша; обстрелвам (**at**); 2. валя като из ръкав, бия, пера (*за дъжд, и с* **down**); ~**ing rain** пороен дъжд; 3. нахвърлям се върху; обсипвам с (*укори, въпроси*) (**with**); 4. бягам, бързам, пердаша.

pelt[3] *n* 1. замерване; удар(и), биене, пердашене; обстрелване; 2. бърз ход; (**at**) **full** ~ презглава, с пълна скорост; 3. проливен дъжд.

peltate ['pelteit] *a бот., зоол.* щитовиден.

peltry ['peltri] *n* събир. кожи (*необработени*).

pelvic ['pelvik] *a анат.* тазов.

pelvis ['pelviz] *n* (*pl* **-ves** [-vi:z]) *анат.* 1. таз; 2. бъбречно легенче.

pemmican ['pemikən] *n* пресована пастърма.

pemphigus ['pemfigəs] *n мед.* пемфигус, мехурест обрив.

pen[1] [pen] *n* 1. перо (*за писане*); писалка; 2. писателска дейност; литературен стил; **to put/set** ~ **to paper** вземам перото, почвам да пиша; 3. писател, автор.

pen[2] *v* (**-nn-**) пиша, съчинявам.

pen[3] *n* женски лебед.

pen[4] *n* 1. кошара, оградено място; **pig** ~ кочина; 2.

западноиндийска ферма/плантация; 3. *мор.* укритие за подводници.

pen[5] *sl. съкр. от* **penitentiary** 2.

pen[6] *v* (**-nn-**) 1. вкарвам/затварям (*добитък*) в кошара; 2. вкарвам в затвора, затварям.

penal ['pi:nl] *a* 1. наказателен, углавен; ~ **servitude** *ист.* каторжен труд; 2. наказуем; □ ~ **taxation** тежки данъци; ~ **colony** *ист.* каторжническа колония.

penalize ['pi:nəlaiz] *v* 1. наказвам; правя/обявявам за наказуем; 2. налагам наказание на (*и сп.*).

penalty ['penəlti] *n* 1. наказание; глоба; **on/under** ~ **of** под страх от (*наказание, уволнение и пр.*); 2. *сп.* наказателен удар; ~ **area** наказателно поле, пеналтерия; ~ **goal** гол от наказателен удар; □ **the** ~ **of** неудобството, което произтича от.

penance[1] ['penəns] *n* 1. *църк.* епитимия, покаяние; 2. самоналожено наказание; **to do** ~ изкупвам греха си.

penance[2] *v* налагам покаяние на.

pen-and-ink [,penənd'iŋk] *a* нарисуван/написан с перо.

penates [pi'neiti:z] *n pl лат. мит.* пенати, домашни богове.

pence [pens] *n pl om* **penny** 1; **take care of the** ~ **and the pounds will take care of themselves** капка по капка вир става.

penchant ['pa:nʃa:n] *n фр.* склонност, предразположение, вкус, увлечение (**for**).

pencil[1] ['pensl] *n* 1. молив (*и козм.*); **in** ~ (*написан*) с молив; **copying/ink/indelible** ~ химически молив; 2. *изк.* тънка четка; 3. стил (*на живописец*); 4. *опт.* сходящ сноп лъчи; 5. *геом.* фигура, образувана от прави линии, които се пресичат в една точка.

pencil[2] *v* (**-ll-**) пиша/записвам/нахвърлям/рисувам/ оцветявам с молив; ~**led eyebrows** изписани/нарисувани вежди; 2. *изк.* слагам сенки на.

pencil-sharpener ['pensl,ʃa:pənə] = **sharpener** 1.

pencraft ['penkra:ft] = **penmanship.**

pendant[1] ['pendənt] *n* 1. висулка; обица; медальон; пискюл; 2. *арх.* висящо украшение, пендантив; 3. полицай; 4. *мор.* вимпел; 5. еш, другар; 6. съответствие; допълнение.

pendant[2] = **pendent**[2].

pendency ['pendənsi] *n* нерешеност, неопределеност, неустановеност.

pendent[1] = **pendant**[1].

pendent[2] ['pendənt] *a* 1. висящ, увиснал, провесен, надвесен, издаден; 2. висящ, (още) нерешен/неуреден; неустановен, неопределен; 3. *грам.* незавършен, непълен.

pending[1] ['pendiŋ] *a* висящ, (още) нерешен/неуреден; предстоящ; **the suit is still** ~ *юр.* делото още се води/не е решено.

pending[2] *prep* през време/в течение на; до; в очакване на; ~ **these negotiations** докато се водят тези преговори.

pendulous ['pendjuləs] *a* 1. висящ, увиснал, провесен; 2. полюляващ се; 3. колеблив, несигурен.

pendulum ['pendjuləm] *n* махало; **swing of the** ~ люлеене на махало; *прен.* политическа промяна; минаване от една крайност в друга.

peneplain ['pi:niplein] *n геол.* пенеплен.

penetrability [,penitrə'biliti] *n* проницаемост.

penetrable ['penitrəbl] *a* проницаем.

penetralia [,peni'treiljə] *n pl* 1. най-вътрешната част на храм и пр.; 2. светилище; 3. тайни, потайности.

penetrate ['penitreit] *v* 1. прониквам/навлизам/промъквам се в; минавам през; достигам до; пронизвам; 2. прониквам, навлизам, промъквам се, достигам (**into, through, to**); 3. просмуквам се в, пропивам, напоявам; насищам; импрегнирам (**with**); 4. (раз)вълнувам, развчувствувам, (за)трогвам, покъртвам; ~ **d with grief** обзет от дълбока скръб; 5. виждам през, пронизвам (*за поглед*); 6. проумявам, разбирам, разкривам.

penetrating ['penitreitiŋ] *a* 1. проникващ; просмукващ; 2. пронизителен, остър; 3. проницателен, прозорлив, наблюдателен; дълбок; остър.

penetration [ˌpeni'treiʃn] *n* 1. проникване, навлизане (*и прен.*); дълбочина на проникване; 2. проницаемост; 3. проникновение; проницателност; дълбочина, острота; 4. *ам. воен.* проникване в чужда територия, пробив.

penetrative ['penitrətiv] *a* 1. проникващ; 2. проницателен, прозорлив, наблюдателен; дълбок, остър; 3. вълнуващ.

pen-feather ['penˌfeðə] *n* махово перо.

pen-friend ['penfrend] *n* непознат, с когото човек се сприятелява чрез кореспонденция.

penguin ['peŋgwin] *n зоол.* пингвин (*сем.* Spheniscidae).

penholder ['penhouldə] *n* перодръжка.

penicillin [ˌpeni'silin] *n фарм.* пеницилин.

peninsula [pi'ninsjulə] *n* полуостров.

penis ['pi:nis] *n (pl* **-nes** [-ni:z]) *лат. анат.* пенис.

penitence ['penitəns] *n* разкаяние; *рел.* покаяние.

penitent ['penitənt] *рел.* I. *a* каещ се, разкаял се; II. *n* каещ се/разкаял се грешник.

penitential [ˌpeni'tenʃl] I. *a* отнасящ се до разкаяние/покаяние/епитимия; II. *n* 1. *църк.* книга с правила за покаяние; 2. = **penitent** II; 3. поведение/облекло на каещ се; 4. *pl разг.* черни дрехи; 5. *pl разг.* траурно облекло.

penitentiary [ˌpeni'tenʃəri] *n* 1. изправителен дом; 2. *ам.* затвор; 3. папски трибунал; 4. *attr* 1) изправителен; 2) *ам.* наказуем със затвор.

penknife ['pennaif] *n* ножче, чекийка.

penman ['penmən] *n (pl* **men**) 1. краснописец, калиграф; **good/bad** ~ човек с хубав/лош почерк; 2. писател; 3. *ам.* преписвач.

penmanship ['penmənʃip] *n* 1. изкуство да се пише; краснопис; 2. почерк; 3. стил, начин на писане.

pen-name ['penneim] *n* литературен псевдоним.

pennant ['penənt] *n* 1. *мор.* вимпел; 2. *ам.* знаменце емблема на шампионат.

penniless ['penilis] *a* без стотинка; беден, без средства.

pennon ['penən] *n* дълго тясно знаме.

pennorth ['penəθ] *разг. скър. от* **pennyworth.**

penny ['peni] *n (pl* **pence** — *за парични суми;* **pennies** — *за отделни монети)* пени (*1/100 от лирата, скър.* (**new**) **p.**); **not a** ~ **to bless o.s. with** без пукната пара; **bad** ~ черен гологан; **to come back/turn up again like a bad** ~ черен гологан не се губи; **to cost a pretty** ~ струва доста пари; **to look twice at a** ~ треперя над парата, цепя косъма; **to turn a** ~ изкарвам някоя друга парà; **to turn an honest** ~ спечелвам някой друг лев с честен труд, припечелвам си нещичко; 2. *ам., кан. разг.* цент; 3. малка сума пари; 4. *attr* за едно пени; на стойност едно пени; □ ~ **dreadful** *разг.* булеварден роман; ~ **wise and pound foolish** на триците скъп, на брашното евтин; **a** ~ **for your thoughts!** какво си се замислил? **in for a** ~, **in for a pound** ако е гарга, рошава да е; хванеш ли се на хорото, ще играеш;

the ~ **dropped** ясно ми е, сетих се, загрях; ~ **plain, twopence coloured** евтин, безвкусен, крещящ, панаирджийски; **two a** ~ много, с лопата да ги ринеш; малоценен.

penny-a-line [ˌpeniə'lain] *a* 1. зле платен (*за труда на писатели, журналисти*); 2. евтин, повърхностен (*за статия и пр.*).

penny-a-liner [ˌpeniə'lainə] *n* наемен писач, драскач.

penny-in-the-slot (machine) ['peniinðə'slɔt(məˈʃi:n)] *n* монетен автомат.

penny-pincher ['peniˌpintʃə] *n разг.* скъперник, стипца.

pennyroyal [ˌpeni'rɔiəl] *n бот.* полски джоджен (Mentha pulegium).

pennyweight ['peniweit] *n* мярка за тегло = 1/20 от унцията (*1,5552 г*).

pennywort ['peniwə:t] *n бот.* 1. виделиче (Umbilicus rupestris) (*и* wall-~); 2. луличка (Linaria).

pennyworth ['peniwə:θ] *n* 1. колкото може да се купи за едно пени; 2. *ам.* малко количество; □ **good/bad** ~ на/не на сметка; **to get o.'s** ~ покривам си разноските; получавам, каквото ми се пада.

penology [pi'nɔlədʒi] *n* наука за наказанията и затворите.

pen-pal ['penpæl] = **pen-friend.**

pen-pusher ['penˌpuʃə] *n разг.* писар, писарушка; бюрократ.

pensile ['pensail] *a* 1. висящ (*за гнездо*); 2. който има/прави висящо гнездо (*за птица*).

pension[1] ['penʃn] *n* пенсия; **retirement/old-age** ~ пенсия за прослужени години; ~**s fund** пенсионен фонд; **disability** ~ инвалидна пенсия.

pension[2] *v* пенсионирам, отпускам пенсия на (*и с* **off**).

pension[3] ['pa:ŋsiɔːŋ] *n фр.* (хотел-)пансион.

pensionable ['penʃənəbl] *a* даващ право на пенсия.

pensionary ['penʃənəri] I. *a* пенсионен; II. *n* 1. пенсионер; 2. наемник; креатура.

pensioner ['penʃənə] *n* пенсионер.

pensive ['pensiv] *a* замислен; замечтан; тъжен.

penstock ['penstɔk] *n* 1. шлюз; 2. улей; 3. напорен тръбопровод.

pent [pent] *a* затворен, запрян; потиснат (**up, in**).

pentad ['pentæd] *n* 1. числото пет; 2. група от пет неща; 3. *хим.* петвалентен елемент.

pentagon ['pentəgən] *n геом.* петоъгълник; □ **the P.** *ам.* 1) Министерството на отбраната на САЩ; 2) висшите американски военни.

pentagonal [pen'tægənl] *a геом.* петоъгълен.

pentahedral [ˌpentə'hi:drəl] *a геом.* петостенен.

pentahedron [ˌpentə'hi:drɔn] *n геом.* петостенник.

pentameter [pen'tæmitə] *n проз.* пентаметър.

pentane [pentein] *n хим.* пентан.

Pentateuch ['pentətju:k] *n библ.* петокнижието.

pentathlon [pen'tæθlən] *n сп.* петобой.

Pentecost ['pentikɔst] *n рел.* Петдесетница.

penthouse ['penthaus] *n* 1. навес, сайвант, заслон; 2. крило (*на сграда*); 3. *арх.* козирка (*над врата, прозорец*); 4. *ам.* надстройка върху плосък покрив (*на небостъргач и пр.*).

pent-up ['pentʌp] *a прен.* насъбран.

penult(imate) [pe'nʌlt(imət)] *грам.* I. *a* предпоследен (*за сричка*); II. *n* предпоследна сричка.

penumbra [pi'nʌmbrə] *n (pl* **-ae** [-i:], **-as**) *книж.* 1. полусянка (*особ. при лунно затъмнение*); 2. светъл кръг около слънчево петно.

penurious [pin'juəriəs] *a* 1. скъпернически, стиснат; 2. беден, оскъден.

penury ['penjuri] *n* 1. (крайна) бедност, сиромашия, немотия; 2. липса, недостиг, недоимък, оскъдица (**of**).

pen-woman ['penˌwumən] *ж.р. от* **penman** 1,2.

peon ['pi:ən] *n* 1. *инд. ост.* пехотинец; полицай; слуга; 2. *юж. -ам.* пеон, ратай; 3. *юж. -ам.* заробен длъжник.

peonage ['pi:ənidʒ] *n* 1. *ист.* пеонаж, закрепостяване; крепостничество; 2. принудително отработване на дълг.

peony ['piəni] *n бот.* божур (Paeonia).

people[1] ['pi:pl] *n* 1. народ, нация; 2. *с гл. в pl* хора, народ, население, жители, поданици; паство; свита; слуги, работници; *разг.* семейство, роднини, близки (*обик.* **my/his ~** *и пр.*); **young ~** младежи; **country ~** селяни; провинциалисти; **society ~** хора от висшето общество; ~ **say that** казват/говори се, че; **the ~ at large** широката публика; **how are all your ~?** как са вашите? 3. *с гл. в pl* обикновените хора, простият народ, простолюдието; 4. избиратели; 5. *събир.* същества (*и за някои животни*); **the feathered ~** птиците; **the woolly ~** овцете; **the little/good ~** феите; 6. **the P.** *ам. юр.* държавата (*като страна в процес*).

people[2] *v* 1. заселвам; 2. населявам, обитавам.

pep[1] [pep] *n sl.* енергия, жизненост, живост; ~ **pill** *разг.* стимулиращо хапче; наркотик; ~ **talk** *разг.* агитация, навикване.

pep[2] *v* (**-pp-**) повдигам, повишавам; усилвам, оживявам (*обик. с* **up**).

peperino [,pepə'ri:nou] *n минер.* пеперино, туф.

pepper[1] ['pepə] *n* 1. *бот.* чер пипер (Piper); 2. *бот.* пипер (Capsicum); 3. пипер (*подправка*).

pepper[2] *v* 1. посипвам с пипер; 2. посипвам (**with**); 3. обстрелвам; замервам; 4. обсипвам (**with**); нахоквам, наругавам, насолявам, направям на пух и прах; напердашвам; 5. *ам.* изпъстрям, разнообразявам (*реч и пр.*).

pepper-and-salt ['pepərənd'sɔ:lt] I. *a* 1. *текст.* меланж (*за плат*); 2. прошарен (*за коси*); II. *n текст.* меланж (*плат*).

pepper-box ['pepəbɔks] *n* 1. пиперница; 2. куличка; павилионче.

pepper-corn ['pepəkɔ:n] *n* 1. зърно пипер; 2. нещо без всякаква стойност; 3. номинален наем; 4. *attr* 1) като зърно пипер; 2) нищожен, номинален.

peppermint ['pepəmint] *n* 1. *бот.* мента (Mentha piperita); 2. ментово бонбонче/ликьор.

pepper-pot ['pepəpɔt] *n* 1. = **pepper-box** 1; 2. сприхав човек.

peppery ['pepəri] *a* 1. като пипер; посипан с пипер, пиперлия, лют; 2. сприхав, раздразнителен, избухлив, пиперлия; *прен.* остър, хаплив.

peppy ['pepi] *a sl.* жив, весел.

pepsin ['pepsin] *n хим.* пепсин.

peptic ['peptik] *a физиол.* храносмилателен; ~ **ulcer** *мед.* пептична язва.

per [pə:] *prep лат.* 1. по, с, чрез, посредством; ~ **post/carrier** по пощата/човек; 2. според, съгласно, съобразно (*обик.* **as ~**); **as ~ account** *търг.* според представената сметка; **as ~ usual** *шег.* както винаги; 3. на (всеки поотделно); **60 miles ~ hour** 60 мили на час; ~ **annum** на година, годишно; ~ **diem** на ден; дневни (*пари*); ~ **capita** на глава (*от населението*); ~ **se** сам по себе си, по същество.

peradventure[1] [pərəd'ventʃə] *adv ост.* може би; **if ~** ако случайно, в случай че; **lest ~** да не би.

peradventure[2] *n* вероятност; съмнение; предположение.

perambulate [pə'ræmbjuleit] *v* 1. ходя нагоре-надолу, обикалям, обхождам, пребождам; разхождам се; 2. обикалям, инспектирам (*граници*).

perambulation [pə,ræmbju'leiʃn] *n* 1. ходене нагоре-надолу, обикаляне, разходка; 2. обикаляне, инспектиране (*на граници*).

perambulator [pə'ræmbjuleitə] *n* детска количка (*съкр.* **pram**).

percale [pə:'keil] *n текст.* перкал; хасе.

perceivable [pə:'si:vəbl] *a* доловим, осезаем, осезателен, видим, ясен.

perceive [pə'si:v] *v* 1. възприемам; разбирам, схващам, долавям; 2. усещам, виждам, забелязвам.

per cent, *ам.* percent [pə'sent] *n* 1. процент, на сто; 2. *pl* лихвоносни ценни книжа; 3. *attr* процентов.

percentage [pə'sentidʒ] *n* процент; размер, количество.

percept ['pə:sept] *n фил.* обект/резултат на перцепция, възприятие.

perceptibility [pə,septi'biliti] *n* доловимост, осезаемост.

perceptible [pə'septəbl] = **perceivable**.

perception [pə'sepʃn] *n* 1. възприемане, усещане; разбиране, схващане, долавяне; 2. *фил.* перцепция, възприятие.

perceptive [pə:'septiv] *a* 1. отнасящ се до възприеманото; ~ **faculty** способност за възприемане, възприемчивост; 2. възприемчив, схватлив.

perceptivity [,pə:sep'tiviti] *n* възприемчивост, схватливост.

perch[1] [pə:tʃ] *n* 1. прът (*на който кацат кокошки да спят*); 2. високо/сигурно място/положение/пост; **to knock s.o. off his ~** погубвам/съсипвам някого; смачквам фасона на някого; **to hop/tip over the ~** хвърлям топа, умираме; 3. мярка за дължина = 5 1/2 ярда; 4. мярка за повърхнина = 30 1/4 кв. ярда (*и* **square ~**).

perch[2] *v* 1. кацвам (**on**); 2. сядам, настанявам се, разполагам се, курдисвам се; 3. поставям/слагам/настанявам нависоко; **town ~ed on a hill** град, кацнал на хълм.

perch[3] *n зоол.* костур (Perca fluviatilis).

perchance [pə:'tʃa:ns] *adv ост.* 1. случайно; 2. може би.

percheron ['pə:ʃərɔn] *n фр.* першерон (*порода товарни коне*).

perchloric [pə'klɔ:rik] *a хим.* хлорен.

percipient [pə'sipiənt] I. *a* който възприема; II. *n* човек, който възприема (*особ. по телепатия*).

percolate ['pə:kəleit] *v* 1. процеждам се, прониквам; 2. прецеждам (се), филтрирам (се); правя (*кафе*) с перколатор.

percolation [,pə:kə'leiʃn] *n* 1. прецеждане, проникване; 2. прецеждане, филтриране; перколация.

percolator ['pə:kəleitə] *n* 1. цедка, филтър; 2. перколатор за кафе.

percuss [pə:'kʌs] *v мед.* причуквам.

percussion [pə:'kʌʃn] *n* 1. сблъскване, удар, сътресение; ~ **action** *воен.* ударно действие (*на снаряд*); ~ **cap** *воен.* капсула; ~ **fuse** *воен.* взривател с ударно действие; ~ **instrument** *муз.* ударен инструмент; 2. *мед.* перкусия, причукване.

percussive [pə:'kʌsiv] *a* ударен.

percutaneous [,pə:kju:'teinjəs] *a мед.* перкутанен, през кожата.

perdition [pə'diʃn] *n* 1. гибел; 2. *рел.* смърт без надежда за възкресение, вечна смърт; 3. проклятие.

perdu(e) [pə:'dju:] *a predic* скрит, затулен.

perdurable [pə:'djuərəbl] *a* 1. много траен; 2. вечен.

peregrinate ['perigrineit] *v шег.* 1. пътувам, странствувам; 2. пропътувам.

peregrination [ˌperigri'neiʃn] *n* шег. пътешествие, странстване.

peregrine ['perigrin] I. *a* ост. 1. чужд, чуждестранен, задморски; 2. скитнически; миграционен; II. *n* зоол. сокол скитник (Falco peregrinus) (*и* ~ **falcon**).

peremptory [pe'remptəri] *n* 1. безапелационен, недопускащ възражение; положителен, решителен; 2. властен, заповеднически, деспотичен; 3. юр. окончателен, безусловен; ~ **writ** призовка за безусловно явяване в съд.

perennial [pə'renjəl] I. *a* 1. траещ през цялата година; 2. непресъхващ през лятото (*за поток*); 3. вечен, постоянен; 4. бот. целогодишен, многогодишен; II. *n* бот. многогодишно растение.

perfect[1] ['pə:fikt] I. *a* 1. съвършен, идеален; цял, пълен; безусловен, абсолютен; безукорен; точен; завършен; ~ **circle** пълен кръг; ~ **fool** кръгъл глупак; ~ **stranger** съвсем чужд/непознат човек; ~ **nonsense** чиста глупост; 2. опитен, изкусен, умел, изпечен (**in**); 3. добре научен (*за урок*); **to have o.'s lessons** ~ зная си уроците по вода; 4. грам. перфектен; II. *n* грам. перфектно време.

perfect[2] [pə'fekt] *v* 1. усъвършенствувам; подобрявам; 2. завършвам, доизкарвам.

perfectible [pə'fektibl] *a* който може да бъде усъвършенствуван.

perfection [pə'fekʃn] *n* 1. съвършенство, завършеност; безукорност; **to** ~ съвършено, отлично; 2. усъвършенствуване; 3. най-висока точка, връх (**of**); 4. *pl* ценни качества, предимства.

perfectionist [pə'fekʃənist] *n* 1. човек, който вярва, че е възможно нравствено/религиозно усъвършенствуване; 2. максималист; перфекционист.

perfectly ['pə:fiktli] *adv* съвършено, напълно, отлично; ~ **well** отлично.

perfecto [pə'fektou] *n* исп. вид пура.

perfervid [pə'fə:vid] *a* много пламенен/буен/страстен.

perfidious [pə'fidiəs] *a* коварен, вероломен, неверен, предателски, изменнически.

perfidy ['pə:fidi] *n* коварство, вероломство, измяна.

perforate ['pə:fəreit] *v* 1. пробивам, продупчвам, перфорирам; 2. прониквам (**into**, **through**).

perforation [ˌpə:fə'reiʃn] *n* 1. пробиване, продупчване, перфориране, перфорация; 2. отвор, дупка, отвърстие.

perforator ['pə:fəreitə] *n* свредел, бургия; перфоратор.

perforce [pə'fɔ:s] *adv* по необходимост.

perform [pə'fɔ:m] *v* 1. изпълнявам, извършвам; 2. представям, изпълнявам, играя (*роля*); свиря (**on**), пея; 3. изпълнявам номера (*за дресирано животно*); 4. работя, функционирам (*за машина*).

performance [pə'fɔ:məns] *n* 1. изпълнение, извършване; 2. действие, работа, проява; 3. подвиг, постижение; 4. представление, забава, концерт; номер (*цирков и пр.*); **morning** ~ театр. матине; **continuous** ~ кинопредставление без прекъсване; 5. тех. характеристика (*на машина*), експлоатационни качества; производителност; коефициент на полезно действие; □ **what a** ~! пренебр. що за поведение!

performer [pə'fɔ:mə] *n* изпълнител.

perfume[1] ['pə:fju:m] *n* 1. благоухание, аромат; приятна миризма; 2. парфюм.

perfume[2] [pə'fju:m] *v* парфюмирам, напарфюмирам; изпълвам с благоухание.

perfumer [pə'fju:mə] *n* парфюмерист.

perfumery [pə'fju:məri] *n* парфюмерия; парфюми.

perfunctory [pə'fʌŋktəri] *a* 1. повърхностен, чисто външен, формален; 2. нехаен, небрежен, механичен.

perfuse [pə'fju:z] *v* 1. опръсквам, поръсвам (**with**); 2. обливам, заливам.

pergola ['pə:gələ] *n* пергола.

perhaps [pə'hæps] *adv* може би.

peri ['piəri] *n* 1. мит. пери, (персийска) фея/дух; 2. прен. хубавица.

perianth ['periænθ] *n* бот. околоцветник.

pericardium [peri'ka:diəm] *n* (*pl* **-dia** [-diə]) анат. перикард(ий).

pericarp ['perika:p] *n* бот. околоплодник.

pericranium [ˌperi'kreiniəm] *n* (*pl* **-nia** [-niə]) 1. анат. надкостницата на черепа; 2. шег. теме; мозък, ум.

peridot ['peridɔt] *n* минер. оливин.

perigee ['peridʒi:] *n* астр. перигей.

perihelion [ˌperi'hi:ljən] *n* (*pl* **-lia** [-ljə]) астр. перихелий.

peril[1] ['perəl] *n* опасност, риск; **in** ~ (**of o.'s life**) изложен на (смъртна) опасност; **at o.'s** ~ на свой риск.

peril[2] *v* (**-ll-**) книж. поет. излагам на опасност.

perilous ['periləs] *a* опасен, рискован.

perilously ['periləsli] *adv* опасно, с опасност за живота.

perimeter [pə'rimitə] *n* 1. геом. периметър; 2. воен. граница, обиколка (*на лагер, летище и пр.*); 3. опт. периметър.

period ['piəriəd] *n* 1. период (*и* астр., геол., мед., мат., муз.); век, епоха, ера; цикъл; **the** ~ днешният ден; съвременността (*и* минала); **costumes of the** ~ костюми от онова време/онази епоха; 2. грам. (пауза на края на) период; 3. точка; прен. край, предел; **to put a** ~ **to** слагам край/кръст на; 4. уч. час; 5. *pl* реторичен език; 6. менструация; 7. *attr* характерен за даден период; стилен (*за мебел, костюм и пр.*).

periodic [ˌpiəri'ɔdik] *a* 1. периодичен (*и* астр.); 2. цикличен; 3. реторичен, с дълги периоди.

periodical [ˌpiəri'ɔdikl] I. *a* периодичен; II. *n* периодично издание, списание.

periodically [ˌpiəri'ɔdikəli] *adv* 1. периодично; 2. в периодично издание; 3. от време на време.

periodicity [ˌpiəriə'disiti] *n* периодичност.

periodization [ˌpiəriədai'zeiʃn] *n* периодизация.

periosteum [ˌperi'ɔstiəm] *n* (*pl* **-tea** [-tiə]) анат. надкостница.

peripatetic [ˌperipə'tetik] I. *a* 1. книж. странствуващ; 2. фил. аристотелевски, перипатетически; II. *n* 1. фил. Р. последовател на Аристотел; 2. пешеходец; странник, пътник; обик. шег. амбулантен търговец; 3. *pl* сноване насам-натам.

peripet(e)ia ['peripə'taiə] *n* 1. лит. перипетия; 2. неочакван обрат/промяна; превратност на съдбата.

peripheral [pə'rifərəl] *a* периферен, периферичен.

periphery [pə'rifəri] *n* 1. мат. периферия; 2. обкръжаващо пространство; покрайнини.

periphrase, periphrasis ['perifreiz, pə'rifrəsis] *n* (*pl* **-ses** [-si:z]) грам. перифраза.

periphrastic [ˌperi'fræstik] *a* грам. перифрастичен, описателен; ~ **genitive** предложен родителен падеж.

perique [pə'ri:k] *n* вид тъмен силен тютюн (*от Луизиана*).

periscope ['periskoup] *n* перископ.

perish ['periʃ] *v* 1. загивам, умирам (преждевременно) (**from**); **to** ~ **by the sword** умирам от насилствена смърт; 2. обик. *pass* премалявам, прималявам; **we were** ~**ed with hunger** премаляхме от глад; **we were** ~**ed with cold** умряхме от студ; 3. развалям (се), загнивам; 4. попарвам (*за слана*); □ ~ **the thought!** книж. боже опази! далеч съм от подобна мисъл!

perishable ['periʃəbl] I. *a* 1. нетраен, подлежащ на разваляне/загниване; 2. *прен.* краткотраен; II. *n pl* стоки, подлежащи на разваляне.

perished ['periʃt] *a* 1. загинал; 2. изтощен; 3. развален; разяден (*за метал*); 4. премръзнал.

perisher ['periʃə] *n sl.* досадник, неприятен тип.

perishing ['periʃin] *a разг.* 1. нетърпим, силен (*за студ*); 2. *прен.* нетърпим, невъзможен.

peristalsis [,peri'stælsis] *n физиол.* перисталтика.

peristaltic [,peri'stæltik] *a* перисталтически.

peristyle ['peristail] *n арх.* перистил.

periton(a)eum [,peritou'ni:əm] *n анат.* перитоний.

peritonitis [,peritou'naitis] *n мед.* перитонит.

periwig ['periwig] *n ист.* перука.

periwinkle ['peri,wiŋkl] *n* 1. *бот.* зимзелен (Vinca); 2. *зоол.* морски охлюв (Littorina); 3. *attr* ~ **blue** синьолилав.

perjure ['pə:dʒə] *v refl юр.* нарушавам клетвата си; лъжесвидетелствувам.

perjured ['pə:dʒəd] *a* клетвопрестъпнически; вероломен.

perjurer ['pə:dʒərə] *n* клетвопрестъпник, лъжесвидетел.

perjurious [pə:'dʒuəriəs] *a* лъжлив, вероломен.

perjury ['pə:dʒəri] *n* 1. *юр.* клетвопрестъпничество; лъжесвидетелствуване; **to commit ~** лъжесвидетелствувам; 2. вероломство

perk¹ [pə:k] *v обик. с* up *разг.* 1. вирвам глава; перя се; опервам се: ококорвам се, развеселявам се, ободрявам се; съвземам се (*след болест*); 3. вирвам (*глава — закачливо*); наострям (*уши — за куче*); 4. издокарвам (се) (*и refl*).

perk² = **perky**.

perk³ *sl обик. pl съкр. от* **perquisite**.

perkiness ['pə:kinis] *n* 1. наперелост, нахалност; 2. живост; закачливост.

perky ['pə:ki] *a* 1. жив, весел, закачлив, дяволит; 2. наперен, нахален.

perlite ['pə:lait] *n геол.* перлит.

perm¹ [pə:m] *n разг.* 1. съкр. от **permanent wave** (*вж.* **permanent** I); 2. пермутация в спорт тото (*за резултат от футболни срещи*).

perm² *v sl.*: **to have o.'s hair ~ed** правя си/къдря си косата на апарат.

permafrost ['pə:məfrɔst] *n* вечна замръзналост (*на почвата в полярните области*).

permanence ['pə:mənəns] *n* неизменност; установеност: дълготрайност.

permanency ['pə:mənənsi] *n* 1. = **permanence**; 2. нещо постоянно; постоянно положение; щатна служба; постоянно присъствие (*за човек*).

permanent ['pə:mənənt] I. *a* постоянен, неизменен; дълготраен, перманентен; непрекъснат; ~ **president** доживотен председател; ~ **repair** текущ ремонт; ~ **wave** къдрене на апарат; ~ **way** *жп.* платно; II. *n* къдрене на апарат.

permanently ['pə:mənəntli] *adv* постоянно; неизменно, трайно; завинаги; ~ **appointed** назначен на постоянна служба.

permanganate [pə:'mæŋgəneit] *n хим.* перманганат.

permeability [,pə:miə'biliti] *n* 1. промокаемост; пропускливост; 2. *физ.* магнитна проницаемост.

permeable ['pə:miəbl] *a* 1. промокаем (**to**, **by**); 2. *физ.* проницаем.

permeate ['pə:mieit] *v* 1. просмуквам се, прониквам в, разпространявам се из, насищам (*и с* **among**, **through**, **into**); 2. *прен.* прониквам в, овладявам, обземам (**through**, **among**).

permeation [,pə:mi'eiʃn] *n* просмукване, процеждане, инфилтрация.

Permian ['pə:miən] *геол.* I. *a* пермски; II. *n* перм.

permissible [pə'misibl] *a* допустим, позволен.

permission [pə'miʃn] *n* позволение, разрешение.

permissive [pə'misiv] *a* 1. позволяващ, разрешаващ; ~ **legislation** закони, даващи дискреционни пълномощия на изпълнителната власт; 2. толерантен, снизходителен; ~ **society** общество, в което всичко е позволено.

permit¹ [pə'mit] *v* (**-tt-**) 1. позволявам, разрешавам; 2. допускам; давам възможност (*и с* **of**); **tone which ~ted of no reply** (повелителен) тон, който не търпеше възражение; **weather ~ting** при хубаво време; **if time ~s** ако ни стигне времето, ако имаме достатъчно време.

permit² ['pə:mit] *n* 1. разрешение (*писмено*); позволително, разрешително; митническа бележка за пускане на стоки, 2. пропуск (*документ*).

permittivity [,pə:mi'tiviti] *n ел.* 1. диелектрична константа; 2. диелектрична проницаемост.

permutation [,pə:mju:'teiʃn] *n* 1. *мат.* пермутация; 2. промяна, изменение.

permute [pə:'mju:t] *v* размествам, променям реда на.

pern [pə:n] *n зоол.* осояд (Pernis apivorus).

pernicious [pə:'niʃəs] *a* 1. гибелен, вреден (*за навик и пр.*) (**to**); 2. ~ **anaemia** *мед.* злокачествена анемия.

pernickety [pə'nikəti] *a* 1. *разг.* придирчив; прекалено прецизен/претенциозен; дребнав; 2. деликатен; бавен; изисква много време (*за работа*).

perorate ['perəreit] *v* 1. завършвам реч; 2. *разг.* многоглаголствувам, ораторствувам.

peroration [,perə'reiʃn] *n* завършване на реч; заключение, заключителна част на реч.

peroxide¹ [pə'rɔksaid] *n хим.* 1. прекис (*особ.* кислородна вода); 2. *attr* оксиженаран; ~ **blond** *пренебр.* изрусена блондинка.

peroxide² *v* изрусявам, оксиженирам (си) (*косата*).

perpend [pə:'pend] *v ост.* обмислям, размишлявам.

perpendicular [,pə:pən'dikjulə] I. *a* 1. *геом.* перпендикулярен (**to**); отвесен, вертикален; 2. много стръмен, почти отвесен; II. *n* 1. перпендикуляр; **out of the ~** не отвесен; 2. отвес; 3. перпендикулярно/отвесно положение; 4. *арх.* P. английска късна готика, готически стил. (*1380—1520 г.*).

perpendicularity ['pə:pən,dikju'læriti] *n* перпендикулярност.

perpetrate ['pə:pitreit] *v* извършвам (*престъпление*); правя (*грешка*); **to ~ a pun** изкалъпвам каламбур.

perpetration [,pə:pi'treiʃn] *n* 1. извършване (*на престъпление*); 2. простъпка, нарушение.

perpetrator ['pə:pitreitə] *n* извършител, виновник (**of**).

perpetual [pə'petjuəl] *a* 1. вечен; безкраен; постоянен; безспирен; 2. доживотен; 3. *бот.* многогодишен; 4. *разг.* безконечен, безкраен, непрекъснат.

perpetuate [pə'petjueit] *v* увековечавам, обезсмъртявам, прославям; запазвам навеки; *refl* продължавам рода си.

perpetuation [pə,petju'eiʃn] *n* увековечаване, обезсмъртяване, прославяне.

perpetuity [,pə:pi'tju:iti] *n* 1. вечност; **in ~** за вечни времена; 2. *юр.* имот и пр., получен за вечно ползуване; предаване за вечно ползуване; 3. пожизнена рента.

perplex [pə'pleks] *v* 1. обърквам, смущавам; озадачавам; 2. усложнявам, забърквам (*въпрос*); утежнявам (*стил*).

perplexed [pə'plekst] *a* 1. объркан, смутен; озадачен; 2. сложен, труден, объркан (*за въпрос*).

perplexing [pə'pleksiŋ] *a* смущаващ, объркващ; озадачаващ; труден (*за автор*); сложен.

perplexity [pə'pleksiti] *n* 1. недоумение, смущение; 2. затруднение, дилема.

perquisite ['pə:kwizit] *n* 1. странична/случайна/допълнителна печалба/доход; 2. право; привилегия, прерогатив, преимущество; 3. бакшиш.

perquisition [,pə:kwi'ziʃn] *n юр.* обиск, претърсване; старателно разследване.

perron ['perən] *n фр. арх.* широки стълби, водещи към площадка пред параден вход.

perry ['peri] *n* питие от ферментирал сок от круши, крушеница.

perse [pə:s] I. *a* сивосинкав; II. *n* сивосинкав цвят.

persecute ['pə:sikju:t] *v* 1. преследвам, гоня, потискам (*особ. убеждения*); 2. тормозя; дотягам/додявам/досаждам на (**with**).

persecution [,pə:si'kju:ʃn] *n* преследване, гонене.

persecutor ['pə:sikju:tə] *n* преследвач, гонител.

perseverance [,pə:si'viərəns] *n* постоянство, упоритост; настойчивост.

perseverant [,pə:si'viərənt] *a* ряд. настойчив, упорит.

persevere [,pə:si'viə] *v* постоянствувам, упорствувам (**in**).

persevering [,pə:si'viəriŋ] *a* упорит, настойчив, неуморим.

Persian ['pə:ʃn] I. *a* персийски; ирански; □ ~ **blinds** жалузи, щори; ~ **lamb** каракул, астраган; II. *n* 1. персиец; 2. персийски език; 3. ангорска котка.

persiennes [pə:si'enz] *n pl фр.* щори, жалузи.

persiflage [,pə:si'fla:ʒ] *n фр.* добродушни шеги, духовити закачки.

persimmon [pə'simən] *n бот.* 1. вид сев.-ам. слива (*подобна на фурма*) (Diospyros virginiana); 2. японско дърво (Diospyros kaki).

persist [pə'sist] *v* 1. настоявам, упорствувам (**in s.th., in doing s.th.**); **if you ~ in heckling** ако продължавате да апострофирате; 2. оставам, задържам се, запазвам се; **the custom still ~s** обичаят още съществува; **to ~ with** продължавам да работя упорито върху.

persistence, -cy [pə'sistəns, -si] *n* 1. упорство, упорствуване; упоритост; настойчивост; 2. запазване, продължаване; 3. постоянство; продължителност.

persistent [pə'sistənt] *a* 1. упорит; настойчив; твърд; ~ **thought** натрапчива мисъл; 2. който продължава да съществува; непроменен; 3. непроменлив, постоянен; повтарящ се (*за процеси, тенденции*); 4. биол. неокапващ; постоянен.

person ['pə:sn] *n* 1. лице (*и грам.*), човек; *пренебр.* тип, индивид, субект; **young ~** млад човек (*обик.* жена); **three ~s are missing** изчезнали са/липсват трима души; **some ~ said** някой (си) каза(л); **any ~** всеки; **what is a ~ to do?** какво да прави човек? **without respect of ~s** безпристрастно, без оглед на личностите; **in ~** лично; **appearing in o.'s own/proper ~** явил се лично; 2. външен вид, външност; тяло, фигура; **to have a commanding ~** имам величествена осанка/внушителен вид; **to be neat about o.'s ~** спретнат съм; **offences against the ~** *юр.* телесни повреди; 3. личност; моето „аз"; 4. *юр.* личност; **artificial/juridical/fictitious/legal ~** юридическа личност; **natural ~** физическо лице; 5. *лит.* действуващо лице.

persona [pə:'sounə] *n* (*pl* **-nae** [-ni:]) *лат.* лице; **to be ~ grata to/with** добре гледан съм от, ползувам се с благоволението на (*и дипл.*); ~ **non grata** нежелано лице (*и дипл.*); **in propria ~** лично.

personable ['pə:s(ə)nəbl] *a* красив, хубав, представителен.

personage ['pə:s(ə)niʤ] *n* 1. лице; 2. знатна/бележита личност; 3. *лит.* действуващо лице; 4. *ост.* тяло; външност, външен вид.

personal ['pə:snl] I. *a* 1. личен (*и грам., юр.*); интимен; ~ **remark** неприятна/хаплива забележка от личен характер; **try not to be ~** гледайте да не отправяте лични нападки; ~ **questions** въпроси от интимен характер; ~ **column** част от вестник за лични обявления; ~ **effects** *юр.* лични вещи; ~ **property** *юр.* движими вещи/имущество; 2. телесен, физически (*за красота*); ~ **appearance** външност; **to have a ~ interview with s.o.** говоря лично с някого; 3. извършен лично; **the Prime Minister made a ~ appearance at the meeting** министър-председателят се яви лично на събранието; II. *n обик. pl жур.* лични обявления.

personality [,pə:sə'næliti] *n* 1. личност; индивидуалност; **to be lacking in ~** безличен съм, липсва ми всякаква индивидуалност; 2. личен характер (*на забележка*); 3. (изтъкната) личност; знаменитост; 4. *обик. pl* неприятни/пренебрежителни лични забележки.

personalization [,pə:sənəlai'zeiʃn] *n* олицетворяване, олицетворение.

personalize ['pə:sənəlaiz] *v* 1. придавам личен характер на; отпечатвам адреса си на (*хартия за писма*); слагам инициалите си на (*кърпа за нос, риза и пр.*); 2. олицетворявам.

personally ['pə:snəli] *adv* 1. лично; 2. колкото до мен, лично аз.

personalty ['pə:snlti] *n юр.* движимо имущество.

personate ['pə:səneit] *v* 1. *театр.* играя/изпълнявам ролята на; 2. олицетворявам; правя се/преструвам се на, представям се за.

personation [,pə:sə'neiʃn] *n* 1. *театр.* изпълнение (*на роля*); 2. *юр.* присвояване на чуждо име; 3. въплъщение (*на качество*).

personator ['pə:səneitə] *n* 1. *театр.* изпълнител; 2. самозванец, мошеник (*който се представя за друг*).

personification [pə:,sonifi'keiʃn] *n* 1. олицетворяване; 2. олицетворение; въплъщение.

personify [pə:'sonifai] *v* олицетворявам, въплъщавам; символизирам.

personnel [,pə:sə'nel] *n фр.* персонал; личен състав (*и воен.*); служители; ~ **department** отдел личен състав; ~ **target** *воен.* жива цел.

perspective [pə'spektiv] *n* 1. перспектива (*и прен.*); **in/out of ~** нарисуван/ненарисуван по правилата на перспективата; **lacking in ~** *прен.* ограничен (*за човек*); **to see things in their right ~** *прен.* виждам нещата в истинското им съотношение; 2. картина в перспектива; 3. изглед (*и прен.*).

perspectively [pə'spektivli] *adv* в перспектива; по правилата на перспективата.

perspicacious [,pə:spi'keiʃəs] *a книж.* проницателен, прозорлив, предвидлив, остър.

perspicacity [,pə:spi'kæsiti] *n книж.* проницателност, прозорливост, предвидливост.

perspicuity [,pə:spi'kju:iti] *n книж.* яснота, прегледност.

perspicuous [pə'spikjuəs] *a* 1. ясен, прегледен, лесно разбираем; 2. с ясна мисъл (*за човек*).

perspiration [,pə:spə'reiʃn] *n* пот; потене, изпотяване; **to be in a ~** изпотен съм; **to break into (a) ~** избива ме пот.

perspiratory [pə'spaiərətəri] *a* потен, причиняващ потене; отделящ пот.

perspire [pə'spaiə] *v* потя се, избива ме пот.

persuadable [pə'sweidəbl] *a* податлив на убеждаване.

persuade [pə'sweid] *v* убеждавам (**of, that**); увещавам, склоням, предумвам (**to** *c inf*, **into** *c ger*); **I managed to ~ him out of this plan** успях да го склоня да се откаже от този план.

persuasibility [pə,sweisi'biliti] *n* податливост.

persuasion [pə'sweiʒn] *n* 1. убеждаване; 2. убеждение; мнение; 3. убедителност; 4. секта, вероизповедание, идеология; 5. *шег. sl.* вид, сорт; пол; националност.

persuasive [pə'sweisiv] I. *a* убедителен; II. *n* довод, подбуда.

pert [pə:t] *a* 1. опѐрен, устат; 2. шик; 3. жив, игрив.

pertain [pə'tein] *v* 1. принадлежа на, спадам към, свойствен съм на; 2. подобавам (**to** на); 3. отнасям се, имам връзка (**to** до, с); **this does not ~ to my office** това не е от моята компетентност.

pertinacious [,pə:ti'neiʃəs] *a* упорит.

pertinacity [,pə:ti'næsiti] *n* упорство, упоритост

pertinence ['pə:tinəns] *n* уместност.

pertinent ['pə:tinənt] *a* 1. уместен; 2. отнасящ се (**to** до).

perturb [pə'tə:b] *v* 1. смущавам, вълнувам, тревожа, обезпокоявам; 2. внасям смут, причинявам безредици в; 3. *астр.* отклонявам (*звезда*) от орбитата.

perturbation [,pə:tə'beiʃn] *n* 1. смущаване, смущение, вълнение, тревога; 2. смут, суматоха, размирица; 3. *астр.* пертурбация.

perturbed [pə'tə:bd] *a* развълнуван, смутен, разтревожен; разбъркан, в безпорядък.

pertussis [pə:'tʌsis] *n мед.* пертусис, коклюш.

peruke [pə'ru:k] *n ост.* (дълга) перука.

perusal [pə'ru:zl] *n книж.* прочит, внимателно прочитане/преглеждане.

peruse [pə'ru:z] *v книж.* 1. чета, преглеждам внимателно; 2. разглеждам внимателно.

Peruvian [pə'ru:vjən] I. *a* перуански; II. *n* перуанец.

pervade [pə'veid] *v* прониквам, разпространявам се из (*и прен.*), просмуквам се, пропивам; обхващам; **the feeling that ~s the book** чувството, с което е пропита книгата.

pervasion [pə'veiʒn] *n* разпространение, проникване.

pervasive [pə'veisiv] *a* проникващ; широко разпространен.

pervasiveness [pə'veisivnis] *n* способност за проникване, разпространеност.

perverse [pə'və:s] *a* 1. опърничав, своенравен, вироглав, опък; 2. перверзен, извратен; 3. превратен, погрешен; **~ verdict** *юр.* решение на съдебни заседатели в разрез с доказателствата/указанията на съдията.

perversion [pə'və:ʃn] *n* извращение; извратеност, перверзия.

perversity [pə'və:siti] *n* 1. опърничавост, своенравие; 2. перверзия, извратеност; 3. превратност, погрешност.

perversive [pə'və:siv] *a* покваряващ, нездрав; действуващ разложително.

pervert[1] [pə'və:t] *v* 1. изопачавам, извращавам; 2. погрешно прилагам/насочвам/използувам; 3. развращавам, покварявам.

pervert[2] [pə'və:t] *n* 1. ренегат; вероотстъпник; 2. (полово) извратен човек; дегенерат.

perverted [pə'və:tid] *a* 1. извратен; развратен; 2. заблуден, отклонен от правия път; 3. изопачен, преиначен.

pervious ['pə:viəs] *a* 1. проходим; пропускащ; проницаем, промокаем; 2. податлив (**to** на).

Pesach ['peisa:k] = **Passover.**

peseta [pə'seitə] *n исп.* пезета.

pesky ['peski] *a разг.* досаден, отегчителен; белялия.

peso ['peisou] *n юж.-ам.* пезо.

pessary ['pesəri] *n мед.* песар(ий).

pessimism ['pesimizm] *n* песимизъм, черногледство.

pessimist ['pesimist] *n* песимист.

pessimistic [,pesi'mistik] *a* песимистичен.

pest [pest] *n* 1. напаст (*и прен.*); 2. *агр.* вредител; **garden ~s** градински вредители (*насекоми, мишки, охлюви*); 3. *ост. мор.* чума

pest control ['pestkən,troul] *n агр.* борба със селскостопански вредители.

pester ['pestə] *v* отегчавам, досаждам, тормозя, вадя душата на, не оставям на мира; **we were ~ed with mosquitoes** непрекъснато ни хапеха комари.

pest-house ['pesthaus] *n ист.* лазарет, болница за чумави/заразноболни.

pesticide ['pestisaid] *n агр.* пестицид, (химическо) средство за борба с вредители по растенията.

pestiferous [pe'stifərəs] *a* 1. заразен; 2. вреден (*и прен.*); морално застрашаващ; опасен; 3. *разг.* непоносим, дразнещ, досаден.

pestilence ['pestiləns] *n* заразна болест; епидемия, *особ.* чума; мор.

pestilent ['pestilənt] *a* 1. смъртоносен; *ост.* заразен; 2. *прен.* зловреден, гибелен, опасен, пагубен (*за учение и пр.*); 3. *разг.* досаден, отегчителен, невъзможен.

pestilential [,pesti'lenʃl] *a* 1. заразен; чумав; 2. (зло)вреден, гибелен, пагубен, морално застрашаващ; 3. *разг.* крайно досаден, противен.

pestle[1] ['pesl] *n* чукало (*на хаван*).

pestle[2] *v* счуквам/стривам/служа с чукало.

pet[1] [pet] *n* 1. домашно галено животно; 2. галеник, любимец, галено дете; чедо, рожба (*и като обръщение*); **my ~!** милото ми! майче! **she's a perfect ~** тя е сладурана/много обичлива; 3. *attr* любим, обичан; **~ name** галено име; **such films are her ~ aversion** *шег.* тя не може да понася такива филми.

pet[2] *v* (**-tt-**) 1. галя, милвам; 2. глезя; 3. *разг.* любя се; прегръщам.

pet[3] *n* лошо настроение, цупене; сръдня; **to be in a ~** цупя се, сърдя се.

pet[4] *v* (**-tt-**) муся се, сърдя се, цупя се.

petal ['petl] *n бот.* венчелистче.

petard [pe'ta:d] *n* 1. *воен. ист.* петарда; мина; 2. вид фойерверк, петарда; □ **to hoist with o.'s own ~** сам попадам в клопката си.

Peter ['pi:tə] *n*: **blue ~** *мор.* син флаг за заминаващ кораб.

peter ['pi:tə] *v sl. обик с* **out** постепенно изчезвам, смалявам се; изчерпвам се (*за творческо вдъхновение; рудна жила*).

petersham ['pi:təʃəm] *n* 1. (палто от) груб вълнен плат; 2. дебела рипсена панделка (*за шапки, колани и пр.*).

Peter's pence, -penny ['pi:təzpens, -'peni] *n* 1. *ист.* „лептата" на св. Петър (*данък, плащан на папата*); 2. волни ежегодни пожертвования за папската хазна.

petiolate ['petiouleit] *a бот.* с дръжка.

petiole ['petioul] *n бот.* дръжка (*на листо*).

petit [pə'ti:] *фр. вж.* **petty** 2.

petite [pə'ti:t] *a фр.* дребничка, с приятна външност и хубава фигура (*за жена*); миньон.

petition[1] [pi'tiʃn] *n* молба, петиция, заявление; *юр.* жалба, тъжба; **to grant a ~** удовлетворявам молба; **to send in a ~** подавам молба; **~ of appeal** въззивна жалба; **to file a ~ for divorce** подавам молба за развод; **~ in bankruptcy** заявление за фалит.

petition[2] v 1. отправям петиция; 2. подавам молба (*пред съда*); 3. моля се; ходатайствувам (**for**).

petitioner [pi'tiʃ(ə)nə] n 1. просител; 2. *юр.* ищец (*особ. по бракоразводно дело*).

petrel ['petrəl] n 1. *зоол.* буревестник (*сем.* Procellariidae *и* Hydrobatidae); **storm(y) ~** вид буревестник (Hydrobates pelagicus); 2. *прен.* смутител; конфликтна личност.

petrifaction [,petri'fækʃn] n 1. вкаменяване; вкаменено състояние; 2. вкаменелост; 3. *прен.* изумление, вцепененост, вцепенение.

petrify ['petrifai] v 1. вкаменявам (се); 2. *прен.* изумявам (се), вцепенявам (се) (*от ужас, страх*), слисвам (се).

petrochemical [,petrə'kemikəl] n химикал, добит от бензин/нефт/газ.

petrochemistry [,petrə'kemistri] n петрохимия, нефтохимия.

petrodollar ['petrə,dɔlə] n петродолар.

petroglyph ['petrəglif] n (праисторическа) резба на камък.

petrography [pi'trɔgrəfi] n петрография.

petrol ['petrəl] n 1. бензин; *ост.* газ; нефт, нафта; 2. *attr* бензинов; **~ station** бензиностанция.

petrolatum [,petrə'leitəm] n ам. вазелин; вазелиново масло.

petroleum [pi'trouljəm] n 1. нефт, нафта; 2. газ, керосин; **~ jelly = petrolatum; ~ car** цистерна за течно гориво; **~ ship** *мор.* танкер.

petrolic [pi'trɔlik] а бензинов; нефтен, от нефт.

petroliferous [,petrə'lifərəs] а *геол.* петролен.

petrology [pi'trɔlədʒi] n петрология.

petronel [,petrə'nel] n *ист.* вид карабина.

petrous ['petrəs] а 1. вкаменен; каменен; твърд като камък; 2. *анат.* слепоочен.

petticoat ['petikout] n 1. долна фуста, фустанела; 2. *sl.* „фуста“, жена; *pl* женски пол; 3. *attr* женски; □ **he is under ~ government** той е под чехъл, у тях кокошка пее; **~ government** женско царство/господство; женско влияние в политиката.

pettifog ['petifɔg] v (-gg-) 1. умишлено протакам, формализирам се; шиканирам.

pettifogger ['petifɔgə] n 1. безскрупулен адвокат; 2. педант.

pettifoggery, -fogging[1] ['petifɔgəri, -fɔgiŋ] n умишлено протакане, формализиране; шиканиране.

pettifogging[2] а 1. който протака/бави; 2. дребнав, педантичен; 3. нищожен, незначителен, маловажен.

pettiness ['petinis] n 1. дребнавост; 2. незначителност, маловажност.

pettish ['petiʃ] а обидчив, раздразнителен, кисел.

petty ['peti] а 1. дребен, незначителен, маловажен; **~ cash** дребни приходи/разноски; дребни пари; 2. **~ jury** *юр.* редовни съдебни заседатели; **~ sessions** (правораздаване в) мирови съд; 3. дребнав; 4. в малък мащаб; с малък ранг/долен чин; **~ farmer/ bourgeoisie** дребен селски стопанин/буржоазия; **~ officer** *мор.* старшина.

petulance ['petjuləns] n сприхавост, раздразнителност, лошо настроение.

petulant ['petjulənt] а сприхав, раздразнителен; капризен; кисел, в лошо настроение.

petunia [pi'tju:njə] n *бот.* петуния.

pew[1] [pju:] n 1. (преградена отстрани) църковна пейка;

2. запазено място/пейка в църква; 3. *разг.* стол; **take a ~ !** сядай!

pew[2] v снабдявам (*църква*) с пейки.

pewit[1] ['pi:wit] n 1. *зоол.* калугерица, попадийка (Vanellus vanellus): 2. викът на тази птица.

pewit[2] n *зоол.* чайка смехулка (Larus ridibundus) (*и* ~ **gull**).

pewter ['pju:tə] n 1. *мет.* пютър (*сплав от калай и олово*); 2. калаен съд; *събир.* калаени съдове; 3. *сп. разг.* купа; 4. *sl.* халба и пр., дадена като награда.

peyote [pei'outi] n 1. *бот.* вид мексикански кактус (Lophophora); 2. мескалин (*наркотик, предизвикващ халюцинации, приготвен от този кактус*).

pfennig ['pfenig] n *нем.* пфениг.

phaeno- = **pheno-**.

phaeton ['feitn] n файтон (*частен*).

phage [feidʒ] *съкр. от* **bacteriophage**.

phagocyte ['fægousait] n *биол.* фагоцит.

phalange ['fælændʒ] = **phalanx 3**.

phalangeal [,fælæn'dʒiəl] а *анат.* ставен, фалангеален, фалангов.

phalanger [fæ'lændʒə] n *зоол.* австралийско торбесто животно (*сем.* Phalangeridae).

phalanstery ['fælənstəri] n *пол.* фаланстер.

phalanx ['fælæŋks] n 1. *старогр.* фаланга, сгъстен боен строй; 2. *прен.* несъкрушим фронт, фаланга, здрава организация; 3. *анат., зоол.* (*обик. pl* **phalanges** [fæ'lændʒi:z]) става/кокалче на пръст, фаланга; 4. *бот.* сноп от тичинки, свързани със стъблца; 5. *ист.* община в системата на утопичния социализъм на Фурие.

phallic ['fælik] а фалически.

phallus ['fæləs] n (*pl* **-li** [-lai] , **-es** [-iz]) фалос.

phanariot [fə'næriɔt] n *ист.* фанариот

phanerogam ['fænərə,gæm] n *бот.* явнобрачно растение.

phanerogamic, phanerogamous [,fænərou'gæmik, ,fænə'rɔgəməs] а *бот.* явнобрачен.

phantasm ['fæntæzm] n 1. (при)видение; 2. илюзия; 3. призрак, дух.

phantasmagoria [,fæntæzmə'gɔriə] n фантасмагория.

phantasmagoric [,fæntæzmə'gɔrik] а фантасмагоричен, измислен, лъжлив.

phantasmal [fæn'tæzml] а призрачен.

phantasy = **fantasy**.

phantom ['fæntəm] n 1. фантом, призрак, привидение; 2. илюзия; (оптическа) измама; заблуда, продукт на въображението; 3. *тел.* фантомна верига; 4. *attr* привиден; въображаем, илюзорен, недействителен.

Pharaoh ['feərou] n фараон.

pharisaic(al) [,færi'seiik(l)] а *евр.* 1. *ист.* фарисейски; 2. *прен.* лицемерен.

Pharisaism ['færiseiizm] n *евр.* 1. *ист.* фарисейство; 2. *прен.* лицемерие.

Pharisee ['færisi:] n *евр.* 1. *ист.* фарисей; 2. *прен.* лицемер.

pharmaceutic(al) [,fa:mə'sju:tik(l)] а фармацевтичен аптекарски.

pharmaceutically [,fa:mə'sju:tikəli] adv фармацевтично, медикаментозно.

pharmaceutics [,fa:mə'sju:tiks] n pl с гл. в sing фармация, фармацевтика.

pharmacist ['fa:məsist] n фармацевт, аптекар.

pharmacologist [,fa:mə'kɔlədʒist] n фармаколог.

pharmacology [,fa:mə'kɔlədʒi] n фармакология.

pharmacopoeia [,fa:məkə'pi:ə] n 1. фармакопея; 2. домашна аптека.

pharmacy ['fa:məsi] n 1. фармация, аптекарство, фармацевтика; 2. аптека.

pharos ['feərɔs] n *поет.* фар, маяк (*и прен.*).

pharyngal, pharyngeal [fə'riŋgl, ˌfærin'dʒi:əl] *a* разположен във/на фаринкса/глътката/гърлото.
pharyngitis [ˌfærin'dʒaitis] *n мед.* фарингит.
pharynx ['færiŋks] *n анат.* фаринкс, глътка, гърло.
phase[1] [feiz] *n.* **1.** *астр.* фаза, аспект; четвърт (*на луната*); **2.** фаза, стадий, етап на развитие; период; **3.** *ел.* фаза; клема; **4.** *геол.* фациес; **5.** *физикохим.* съставна част на хетерогенна смес.
phase[2] *v* **1.** *тех.* извършвам на фази; **2.** осъществявам постепенно;
    phase in въвеждам постепенно/на етапи;
    phase out 1) постепенно изваждам от употреба/изтеглям; 2) преустановявам производство на етапи.
phased [feizd] *a ел.* сфазиран, който е във фаза.
phasic ['feizik] *a* фазов, стадиален.
phasing ['feiziŋ] *n ел.* фазиране, фазировка, синфазност.
pheasant ['feznt] *n зоол.* **1.** фазан (Phasianus colchicus); **2.** птица от сем. Phasianidae.
pheasantry ['fezntri] *n* развъдник за фазани.
pheasant's eye ['fezntsai] *n бот.* **1.** гороцвет (Adonis); **2.** бял нарцис (Narcissus poeticus); **3.** вид карамфил (Dianthus plumarius).
phenix = **phoenix**.
pheno- ['fi:nou-] *pref* свързан с бензол.
phenol ['fi:nɔl] *n хим.* фенол, карболова киселина.
phenology [fe'nɔlədʒi] *n* фенология.
phenomena *вж.* **phenomenon**.
phenomenal [fi'nɔminl] *a* **1.** *фил.* феноменален, осезаем; **2.** свойствен на природните явления; **3.** *разг.* феноменален, изключителен, необикновен.
phenomenon [fi'nɔminən] *n* (*pl* **-ena** [-inə]) **1.** явление (*природно и пр.*); **2.** *фил.* феномен, субективно явление; **3.** *разг.* изключителен предмет/същество/явление; извънредно надарен човек, гений.
phew [fju:] *int* **1.** *облекчение* ох! слава богу! **2.** *изненада* ха! я! ай! **3.** *отвращение* у-у!
phial ['faiəl] *n* стъкленица, шишенце (*особ. за лекарство*).
Phi Beta Kappa ['fai'beitə'kæpə] *n ам.* най-старото дружество на студенти отличници.
Philadelphia lawyer [ˌfilə'delfjə'lɔ:jə] *n* красноречив и ловък адвокат, казуист.
philander [fi'lændə] *v* флиртувам (*за мъж*).
philanderer [fi'lændərə] *n* донжуан, флиртаджия, любовчия.
philanthrope ['filənθroup] = **philanthropist**.
philanthropic [ˌfilən'θrɔpik] *a* филантропически, човеколюбив; благотворителен.
philanthropism [fi'lænθrəpizm] *n* филантропизъм, човеколюбие.
philanthropist [fi'lænθrəpist] *n* филантроп, човеколюбец; благодетел.
philanthropy [fi'lænθrəpi] *n* филантропия, човеколюбие; благотворителност.
philatelic [ˌfilə'telik] *a* филателен, марколюбителски.
philatelist [fi'lætəlist] *n* филателист, марколюбител.
philately [fi'lætəli] *n* филателия.
philharmonic [ˌfila:'mɔnik] **I.** *a* филхармоничен; **II.** *n* симфоничен оркестър.
philhellenism [fil'helinizm] *n* гръкофилство, поддържане на гръцката освободителна борба против турците (1821—1832).
philippic [fi'lipik] *n гр.* филипика, изобличителна реч.
Philistine[1] ['filistain] *n* **1.** *библ.* филистимлянин; **2.** *р.* филистер, еснаф; простак.
Philistine[2] *a* **1.** *библ.* филистимлянски; **2.** *р.* филистерски, еснафски; просташки.

philistinism ['filistinizm] *n* филистерство, еснафщина; простащина.
phillumenist [fi'lu:mənist] *n* събирач на кибритени етикети.
philologian [ˌfilə'loudʒiən] = **philologist**.
philological [ˌfilə'lɔdʒikl] *a* филологически.
philologist [fi'lɔlədʒist] *n* филолог.
philology [fi'lɔlədʒi] *n* **1.** филология; **2.** *ам.* литературознание; **3.** *ост.* ученост; ученолюбивост; любов към литературата.
Philomel, Philomela ['filəmel, ˌfilou'mi:lə] *n поет.* славей.
philosopher [fi'lɔsəfə] *n* философ; **natural** ~ *ост.* физик; естествоизпитател, естественик.
philosopher's stone [fi'lɔsəfəz'stoun] *n* **1.** философски камък (*в алхимията*); **2.** *прен.* разковниче.
philosophical [ˌfilə'sɔfikl] *a* **1.** философски; **2.** спокоен; умерен; **3.** примирен.
philosophism [fi'lɔsəfizm] *n* софистика, лъжефилософия.
philosophize [fi'lɔsəfaiz] *v* **1.** философствувам; *пренебр.* мъдрувам; правя се на философ; **2.** разглеждам от философска гледна точка.
philosophy [fi'lɔsəfi] *n* **1.** философия; **natural** ~ *ост.* физика; естествознание; **2.** душевно спокойствие; уравновесеност.
philtre, -ter ['filtə] *n* любовен еликсир.
phiz, phizog [fiz, 'fizɔg] *n sl.* физиономия, мутра, сурат.
phlebitis [fli'baitis] *n мед.* флебит.
phlebotomy [fli'bɔtəmi] *n мед.* кръвопускане.
phlegm [flem] *n* **1.** храчки, слуз; **2.** флегма, апатичност, инертност, пълно безразличие; мудност.
phlegmatic [fleg'mætik] *a* флегматичен, инертен; муден, бавен.
phlegmy ['flemi] *a* слузест, съдържащ храчки.
phloem ['flouem] *n бот.* флоема, проводяща тъкан.
phlogistic [flɔ'dʒistik] *a* **1.** *мед.* възпалителен; **2.** *хим. ост.* свойствен на флогистона; огнен.
phlogiston [flɔ'dʒistən] *n хим. ост.* флогистон.
phlox [flɔks] *n бот.* флокс.
phobia ['foubiə] *n* болезнен/натраплив страх, фобия.
Phoebe ['fi:bi] *n* **1.** *мит.* Феба; **2.** *прен.* луната.
Phoebus ['fi:bəs] *n мит.* Феб, Аполон.
Phoenician [fi'niʃiən] **I.** *a* финикийски; **II.** *n* **1.** финикиец; **2.** финикийски език.
phoenix ['fi:niks] *n* **1.** *мит.* феникс; **2.** *прен.* образец за съвършенство (*човек, предмет*).
phonate [fou'neit] *v ез.* произнасям звук.
phonation [fou'neiʃn] *n ез.* фонация.
phone[1] [foun] *n фон.* звук.
phone[2] *разг. съкр. от* **telephone**; **to be on the** ~ говоря по телефона; имам телефон, телефонен абонат съм.
phone[3] *v* телефонирам (на) (и с **up**).
phone-booth, -box ['founbu:θ, -bɔks] *n* телефонна будка.
phone-in ['founin] *n рад., телев.* активно предаване (*по време на което слушателите и зрителите задават въпроси по телефона*).
phoneme ['founi:m] *n фон.* фонема.
phonemics [fou'ni:miks] *n pl с гл. в sing ез.* фонология.
phonetic [fou'netik] *a фон.* фонетичен.
phonetician, phoneticist [ˌfouni'tiʃn, fou'netisist] *n* фонетик.
phonetics [fou'netiks] *n pl с гл. в sing* фонетика.
phonetist ['founitist] *n* **1.** фонетик; **2.** привърженик на фонетичен правопис.
phonevision ['foun,viʒn] *n* видеотелефония.
phoney ['founi] **I.** *a sl.* **1.** фалшив; **2.** съмнителен; мо-

шенически; 3. измислен, въображаем, фиктивен; 4. престорен; неискрен, външен; II. *n* 1. лицемер; лъжец; шарлатан; 2. предмет без стойност.

phonic ['founik] *a* 1. звуков; акустичен; 2. гласов.

phonics ['founiks] *n pl с гл. в sing* 1. акустика, звукотехника; 2. метод за преподаване на четене, който използва фонетичната стойност на графични съчетания.

phonogram ['founəgræm] *n* 1. символ на звук/сричка/дума; 2. фонограма, звуков запис.

phonograph ['founəgra:f] *n* 1. фонограф; 2. *ам.* грамофон.

phonography [fou'nɔgrəfi] *n* 1. фонография; 2. стенографска система (на Питмън), стенография.

phonological [,founə'lɔʤikl] *a* 1. фонетичен; 2. фонологичен.

phonology [fou'nɔləʤi] *n* 1. (историческа) фонетика; 2. фонология.

phony = **phoney.**

phooey ['fu:i] *int* 1. *отвращение* у-у! 2. *презрение* ами! как не!

phosgene ['fɔzʤi:n] *n хим.* фосген.

phosphate ['fɔsfeit] *n хим.* 1. фосфат; 2. *pl* фосфати, фосфорни торове (*особ.* калциевият фосфат); 3. *ам.* вид газирана лимонада с няколко капки фосфорна киселина.

phosphatic [fɔs'fætik] *a хим.* съдържащ фосфорна киселина.

phosphide ['fɔsfaid] *n хим.* фосфид.

phosphite ['fɔsfait] *n хим.* фосфит.

phosphor ['fɔsfɔ:] *n* 1. = **phosphorus;** 2. *поет.* зорница.

phosphorate ['fɔsfəreit] *v хим.* насищам с фосфор; съединявам с фосфор.

phosphoresce [,fɔsfə'res] *v* фосфоресцирам.

phosphorescence [,fɔsfə'resns] *n* фосфоресценция.

phosphorescent [,fɔsfə'resnt] *a* фосфоресциращ.

phosphoric [fɔs'fɔrik] *a хим.* 1. фосфорен; 2. съдържащ петвалентен фосфор.

phosphorite ['fɔsfərait] *n минер.* фосфорит.

phosphorous ['fɔsfərəs] *a хим.* фосфорист.

phosphorus ['fɔsfərəs] *n* фосфор.

phosphuretted ['fɔsfə,retid] *a* свързан с фосфор.

phot [fɔt] *n опт.* фот.

photics ['foutiks] *n pl с гл. в sing* оптика.

photism ['foutizm] *n псих.* фотизъм.

photo ['foutou] *разг. съкр. от* **photograph.**

photobiotic ['foutoubai'ɔtik] *a биол.* който може да живее само на светлина.

photocell ['foutousel] *n* фотоелемент, фотоклетка.

photochromy ['foutou,kroumi] *n* цветна фотография (*като техника*).

photocopy[1] ['foutoukɔpi] *n* фотокопие.

photocopy[2] *v* правя фотокопие (от).

photodrama ['foutou,dra:mə] *n ам.* игрален филм.

photoelectric ['foutoui,lektrik] *a* фотоелектрически; ~ **cell** = **photocell.**

photo finish ['foutou'finiʃ] *n* 1. оспорван край на състезание, при който победителят се установява чрез снимка на финиша; 2. много оспорвано състезание.

photoflash ['foutouflæʃ] *n* (лампа) светкавица.

photogenic [,foutou'ʤenik] *a* фотогеничен.

photograph[1] ['foutəgra:f] *n* снимка, фотография; **to take a ~ of s.o.** снимам/фотографирам някого; **to have o.'s ~ taken** снимам се, правя си снимка, фотографирам се.

photograph[2] *v* снимам, фотографирам; **to ~ well** излизам добре на снимка, фотогеничен съм.

photographer [fə'tɔgrəfə] *n* фотограф.

photography [fə'tɔgrəfi] *n* фотография (*процес*).

photometer [fə'tɔmitə] *n* фотометър.

photomicrograph ['foutoumaikrəgra:f] *n* микрофотографическа снимка, микроснимка; микрофотография.

photomontage [,foutəmɔn'ta:ʒ] *n* фотомонтаж.

photon ['foutɔn] *n физ.* фотон.

photophobia [foutə'foubiə] *n мед.* фотофобия.

photophore ['foutəfɔ:] *n* фосфоресциращ орган (*у някои риби*).

photoplay ['foutəplei] = **photodrama.**

photoprint ['foutəprint] *n* фотокопие..

photo reconnaissance ['foutəre'kɔnəsns] *n ав.* фотографическа рекогносцировка, рекогносцировка чрез въздушни снимки.

photosensitive ['foutə,sensitiv] *a* светлочувствителен.

photostat ['foutoustæt] *n* фотостат.

photosynthesis [,foutə'sinθisis] *n* фотосинтеза.

phototelegraphy [,foutəti'legrəfi] *n* фототелеграфия.

phototube ['foutoutju:b] *n* фотоелемент.

phototype ['foutətaip] *n печ.* 1. фототипия; 2. *attr* фототипен.

phrasal ['freizəl] *a грам.* фразеологически; фразов; ~ **verb** идиоматично съчетание на глагол и адвербиален елемент, фразеологичен глагол (*напр.* take up, put down).

phrase[1] [freiz] *n* фраза (*и муз.*), израз, обрат; **as the ~ goes** както се казва; **felicity of ~** изящен език; умение да се изказвам; **in simple ~** на прост език, просто казано.

phrase[2] *v* 1. изразявам (с думи); 2. *муз.* фразирам.

phrase-book ['freizbuk] *n* разговорник (*за туристи и пр.*).

phrase-maker ['freizmeikə] *n* фразьор, празнодумец.

phraseman ['freizmən] (*pl* -**men**) = **phrase-maker.**

phrase-monger ['freizmʌŋgə] = **phrase-maker.**

phrase-mongering ['freiz,mʌŋgəriŋ] *n* 1. фразьорство, празнодумство; 2. *attr* фразьорски; склонен към фразьорство.

phraseologic(al) [,freiziə'lɔʤik(əl)] *a* фразеологичен, фразеологически.

phraseologist [,freizi'ɔləʤist] *n* фразьор, празнодумец.

phraseology [,freizi'ɔləʤi] *n* фразеология.

phrasing ['freiziŋ] *n* 1. начин на изразяване; формулировка, редакция (*на пасаж, документ*); 2. *муз.* фразиране, фразировка.

phratry ['freitri] *n ист.* фратрия.

phrenetic [fri'netik] *a* 1. буен, необуздан; 2. прекалено възторжен.

phrenic ['frenik] *a анат.* диафрагмен, диафрагмален.

phrenological [,frenə'lɔʤikəl] *a* френологически.

phrenology [fre'nɔləʤi] *n* френология.

Phrygian ['friʤiən] I. *a* фригийски; II. *n* фригиец.

phthisic(al) ['θaizik(əl), taizik(əl)] *a мед.* туберкулозен.

phthisis ['θaisis, taisis] *n мед.* (белодробна) туберкулоза.

phut [fʌt] *n* свистене; пукане, спукване; **to go ~** пуквам се; изгарям (*за ел. крушка*); спирам (*за мотор*); *прен.* провалям се, пропадам, фалирам.

phylactery [fi'læktəri] *n* 1. филактерия; 2. привидна набожност; **to make broad o.'s ~** правя се на много набожен; 3. талисман, амулет; 4. *изк.* лента с надпис.

phyllophagus [fi'lɔfəgəs] *a зоол.* листояден.

phylogenesis, phylogeny [,failə'ʤenisis, fai'lɔʤəni] *n биол.* филогенеза.

phylum ['failəm] *n* (*pl* **phyla** ['failə]) *биол.* тип.

physiatrics [fizi'ætriks] *n pl с гл. в sing* физиотерапия.

physic[1] ['fizik] n 1. разг. лекарство, цяр; очистително; 2. лечение, медицина; □ ~' garden градина с билки.
physic[2] v (physicked) 1. давам (някому) лекарство, особ. очистително; 2. церя, лекувам.
physical ['fizikəl] a физически; материален; телесен; ~ exercises/sl. jerks гимнастика, гимнастически упражнения; ~ chemistry физикохимия; ~ education физкултура, физическо възпитание (като учебен предмет); ~ therapy физиотерапия; ~ science физика, химия и астрономия.
physician [fi'ziʃən] n лекар, доктор.
physicist ['fizisist] n физик.
physics ['fiziks] n pl с гл. в sing физика.
physiognomist [fizi'ɔnəmist] n физиономист.
physiognomy [fizi'ɔnəmi] n 1. физиономия, лице; черти на лицето; 2. характерна особеност/черта; отличителна черта, прен. физиономия; 3. физиогномия, физиогномоника.
physiography [fizi'ɔgrəfi] n физиография; физическа география.
physiological [,fiziə'lɔʤikəl] a физиологически.
physiologist [fizi'ɔləʤist] n физиолог.
physiolgy [fizi'ɔləʤi] n физиология.
physique [fi'zi:k] n телосложение; фигура, външност; организъм; of poor ~ хилав, слаботелесен; of strong ~ здрав, як.
phytobiology [,faitəbai'ɔləʤi] n фитобиология.
pi[1] [pai] n 1. гръцката буква пи; 2. мат. π.
pi[2] a уч. sl. набожен; мирен; хрисим, кротичък.
pi[3] = pie[3]
pia mater ['paiə'meitə] n лат. анат. мека мозъчна обвивка.
pianist ['piənist] n пианист.
piano ['pjænou] n пиано.
piano-player ['pjænoupleiə] n пианист.
piastre, piaster [pi'æstə] n пиастър.
piazza [pi'ætsə] n 1. площад; 2. ам. веранда; 3. галерия, аркада.
pibroch ['pi:brɔk] n шотл. (военна/погребална) музика за гайди.
pica[1] ['paikə] n печ. цицер.
pica[2] n мед. извратен вкус.
picaninny = pickaninny.
picaresque [pikə'resk] a лит. приключенски (за романи от XVI—XVIII в.).
picaroon [pikə'ru:n] n 1. мошеник; авантюрист; 2. пират, корсар; 3. пиратски кораб.
picayune [pikə'ju:n] n ам. 1. дребна (сребърна) монета; 2. малоценна вещ; 3. attr дребен, незначителен, нищожен; малоценен.
piccalilli [pikə'lili] n силно подправена туршия.
piccaninny = pickaninny.
piccolo[1] ['pikəlou] n муз. пиколо, пикола.
piccolo[2] a малък.
pick[1] [pik] v 1. бера, късам (цветя, плодове); 2. избирам, подбирам; to ~ and choose придирчив съм; 3. махам, изваждам; изчиствам (плат) от възли; оскубвам (кокошка и пр.); 4. къртя, разкъртвам, копая с кирка; издълбавам (дупка) с остър инструмент; 5. чопля, разчоплям; чистя (с нещо остро); to ~ a bone глождя кокал; to ~ a bone clean оглозгвам кокал; 6. разкъсвам; разнищвам, разчепквам (кълчища), влача (вълна); 7. отварям (ключалка) с шперц; 8. кълва, клъввам; 9. открадвам; to ~ s.o.'s pocket обирам някого, открадвам нещо от джоба на някого; to ~ pockets джебчия съм; to ~ and steal върша дребни кражби; 10. ам. дърпам (струните на китара и пр.); 11. търся повод (за кавга и пр.); пре-

дизвиквам; □ to ~ o.'s way/steps внимавам къде стъпвам/ходя, стъпвам/вървя предпазливо; to ~ s.o.'s brains използвам знанията на някого;
pick at 1) ям неохотно, едва се докосвам до (храна); 2) заяждам се с, критикувам;
pick off 1) откъсвам; 2) застрелвам един по един;
pick on 1) избирам (някого) за нещо неприятно; 2) тормозя; задявам се/заяждам се с;
pick out 1) избирам, подбирам; 2) откривам, разпознавам; to ~ out the winners налучквам победителите (при състезание), отгатвам кой ще победи; 3) хващам (самолет и пр. — за прожектор); 4) разчитам, вниквам в смисъла на (текст); прен. разчепквам; 5) налучквам, изсвирвам по слух (мелодия); 6) очертавам; разнообразявам с друг цвят: green panels ~ed out with brown зелена ламперия с кафяви контури;
pick over = pick out 1;
pick up 1) разкопавам с търнокоп; 2) вземам, вдигам, повдигам; изваждам, изтеглям (от вода и пр.); to ~ o.s. up ставам, повдигам се (след падане); to ~ up the gauntlet/glove прен. поемам ръкавицата; 3) минавам/отивам да взема; вземам (пътници — за влак и пр.); настигам, присъединявам се към; вземам (нещо оставено на поправка и пр.); 4) събирам (разпилени неща); 5) научавам; (до)чувам; to ~ up a language научавам език от слушане/без сериозно учене; to ~ up bits of information научавам нещо оттук-оттам; 6) придобивам (навик); 7) попадам на, купувам (нещо ценно, евтино); 8) попадам на (следа, диря); отново намирам (пътека и пр.); 9) запознавам се случайно (with с); намирам, хващам (мъж — за проститутка); 10) купувам; 11) (при)хващам (болест); 12) започвам/подхващам отново; 13) възстановявам се, съвземам се, вървя към подобрение; ободрявам (се), подобрявам се (и за времето, търговия и пр.); оживявам се (за търговия); увеличавам се (за консумация и пр.); покачва ми се цената (за стока); his health and spirits ~ed up здравето и настроението му се подобриха; she's ~ing up wonderfully тя се възстановява много бързо; to ~ up o.'s education попълвам празноти в образованието си; 14) припечелвам (нещо допълнително), докарвам си; to ~ up a packet печеля много, печеля луди пари; 15) хващам (самолет и пр. — за прожектор); улавям, долавям (и сигнали); 16) разбирам, схващам; 17) арестувам, хващам, прибирам; 18) засилвам се (за глас); 19) разтребвам; 20) ам. вдигам се, прен. събирам си багажа; 21) набирам скорост (to ~ up speed; 22) сп. купувам, разменям (играч); 23) ам. сп. спечелвам, напредвам (с няколко метра и пр.); 24) ам. сп. движа се заедно с (в атлетическо състезание).

pick[2] n 1. кирка, търнокоп; мотика; 2. = toothpick; 3. ам. = picklock; 4. муз. плектър.
pick[3] n 1. удар с кирка; 2. беритба, бране; 3. избор; 4. елит, прен. цвят, каймак; the ~ of the basket/bunch най-доброто/хубавото; най-добрите.
pick[4] n текст. удар/прехвърляне на совалка.
pickaback[1] ['pikəbæk] adv 1. на гръб/рамене; to ride ~ on s.o. някой ме носи на гръб; 2. върху фургона; върху по-голяма кола/самолет.

pickaback² *n*: **to give s.o. a ~** нося /вземам някого на гръб.

pick-and-shovel ['pikəndʃʌvl] *a ам. разг.* труден, къртовски.

pickaninny [pikə'nini] *n* негърче.

pickax¹ ['pikæks] *n* търнокоп, кирка; пикел.

pickax² *v* копая/разкопавам с търнокоп.

picked [pikt] *a* подбран, избран, най-добър; елитен.

picker ['pikə] *n* **1.** берач; **2.** памукоберачка (*машина*); **3.** сортировач; **4.** събирач, колектор (*и на образци от минерали и пр.*); □ **~ of quarrels** кавгаджия; **~s and stealers** дребни крадци.

pickerel ['pikərəl] *n зоол.* млада щука.

picket¹ ['pikit] *n* **1.** кол; **2.** *воен.* застава; дежурно поделение; малък отряд; преден пост; **3.** стачен пост (*и* **strike ~**); **~ line, line of ~s** стачен кордон; **4.** демонстрант, участник в протестна демонстрация.

picket² *v* **1.** закрепям с кол(ове); заграждам с колове; завързвам на кол; **2.** *воен.* поставям постове; **3.** поставям/стоя на стачен пост; заграждам (*завод и пр.*) със стачни постове.

picketboat ['pikitbout] *n* катер.

picket-fence ['pikitfens] *n* ограда от колове.

picket ship ['pikitʃip] *n* кораб/самолет, който охранява област; спасителен кораб/самолет.

pickings ['pikiŋz] *n pl* **1.** остатъци, отпадъци; **2.** дребни печалби (*особ. придобити нечестно*).

pickle¹ [pikl] *n* **1.** саламура; марината; **2.** *обик. pl* туршия; **3.** *тех.* ец, киселина; разтвор за ецване/декапиране; **4.** неприятно положение; **to be in a fine/nice/sad/sorry ~** загазил съм го, добре съм се наредил; **5.** палаво дете, немирник.

pickle² *v* **1.** слагам в саламура/марината, мариновам; правя туршия от; **2.** *тех.* байцвам, ецвам; декапирам.

pickled ['pikld] *a* **1.** мариновам; солен; от туршия; **2.** *sl.* пиян, нафиркан.

picklock ['piklɔk] *n* **1.** крадец, касоразбивач; **2.** шперц, апашки ключ.

pick-me-up ['pikmiʌp] *n* съживително/освежително питие; стимулиращо/ободрително лекарство.

pickpocket ['pikpɔkit] *n* джебчия.

pickthank ['pikθæŋk] *n ост.* угодник, мазник, подлизурко.

pick-up ['pikʌp] *n* **1.** *разг.* случаен познат; **2.** *sl.* случайно запознаване с намерение за полови връзки; **3.** *sl.* лице, взето на автостоп; лица, взети пътьом (*от такси и пр.*); **4.** *разг.* подобрение; оздравяване; **5.** *разг.* икономически подем; **6.** *авт.* пикап, пик; **7.** *физ., тех.* ускорение; ускоряване; **8.** мембрана, резонатор (*на грамофон и пр.*); **9.** *тех.* звукоснимател, адаптер; предавателна тръба; датчик; **10.** *рад., телев.* чувствителност; **11.** = **pick-me-up**; **12.** *attr* случаен; със случайни участници (*за игра*); **~ dinner** набързо приготвен обед; **~ reading** безразборно четене.

Pickwickian [pik'wikiən] *a* **1.:** **in a ~ sense** не в буквалния/пълния смисъл, на шега; **2.** добродушен; щедър.

picky ['piki] *a* придирчив.

picnic¹ ['piknik] *n* **1.** пикник; **2.** *разг.* нещо лесно/приятно; лесна работа; **it's no ~** не е лесна работа; **3.** *ам.* солен/пушен преден свински бут.

picnic² *v* (**picnicked**) участвувам в пикник; ям на открито/сред природата.

picnicker ['piknikə] *n* участник в пикник.

picot ['piːkou] *n* пико, шев за поръбване.

picotee [pikə'tiː] *n* светъл карамфил с по-тъмни краища.

picric ['pikrik] *a хим.* пикринов.

Pict [pikt] *n ист.* пикт (*някогашен келтски жител на Шотландия*).

pictogram, -graph ['piktəgræm, -graːf] *n* **1.** *ез.* пиктограма; **2.** нагледна схема.

pictography [pik'tɔgrəfi] *n ез.* пиктография, картинно/образно писмо.

pictorial [pik'tɔːriəl] **I.** *a* **1.** изобразителен; с/в картини; образен; **2.** *ез.* пиктографски; **3.** илюстрован (*за списание и пр.*); **4.** образен, живописен (*за описание*); **II.** *n* илюстровано списание.

pictorialize [pik'tɔːriəlaiz] *v ам.* представям в/илюстрирам с картини.

picture¹ ['piktʃə] *n* **1.** картина, рисунка; фотография, снимка; портрет; **2.** изглед, пейзаж; **3.** образ, изображение; въплъщение; **he is the ~ of his father** отрязъл е главата на баща си; **to be/look the ~ of despair/health** имам много отчаян/здрав вид; **4.** красив човек/предмет/гледка; **she is a perfect ~** красива е като картина; **my garden is a ~** градината ми е красота; **5.** представа; **to form a ~ of** представям си, съставям си представа за; **6.** филм; *pl* кино; **to be in ~s** киноартист съм; работя във филмовата индустрия; **7.** положение (*на нещата*); **to be in the ~** **1)** информиран/осведомен съм, в течение съм на нещата; **2)** от важност/значение съм; **to put s.o. in the ~** информирам някого, поставям някого в течение на нещата; **out of the ~** без значение, несвързан с въпроса; **get the ~?** разбирате ли (какво е положението/каква е работата)?

picture² *v* **1.** рисувам, изобразявам; **2.** обрисувам, описвам (*живо*); **3.** представям си (**to o.s.**).

picture-book ['piktʃəbuk] *n* детска книга с картинки.

picture-card ['piktʃəkaːd] *n карти* поп, дама, момче.

picture-goer ['piktʃəgouə] *n* кинолюбител.

picture-hat ['piktʃəhæt] *n* широкопола дамска шапка.

picture-house,-palace ['piktʃəhaus, -pæləs] *n* кино(театър).

picturephone ['piktʃəfoun] *n* видеотелефон.

picture-postcard ['piktʃəpoustkaːd] *n* илюстрована пощенска картичка.

picturesque [piktʃə'resk] *a* **1.** живописен; **2.** жив, образен, картинен (*за стил*); оригинален, интересен, ярък (*за личност и пр*).

picture-theatre ['piktʃəθiətə] = **picture-house, -palace**.

picture-window ['piktʃəwindow] *n* широк прозорец.

picture-writing ['piktʃəraitin] *n ез.* идеографско/образно/картинно писмо.

picturize ['piktʃəraiz] *v* **1.** филмирам (*роман и пр.*); **2.** представям в картини.

piddle ['pidl] *v* **1.** *дет.* правя пиш; **2.** *ост.* пилея си времето.

piddling ['pidliŋ] *a* дребен, незначителен.

piddock ['pidək] *n зоол.* мидичка от рода Pholas.

pidgin ['piʤin] *n* опростен/неправилен говор на чужд език; местен вариант на английски/френски/холандски език в Западна Африка и Далечния Изток; □ **that's not my ~** *разг.* не е моя работа, не ме интересува.

pie¹ [pai] *n* **1.** сврака; **2.** вид кълвач (Pica pica).

pie² *n* **1.** *готв.* пай (*ястие от маслено тесто с различни видове пълнеж*), пирог; **2.** *sl.* нещо чудесно, лесна работа; **as easy as ~** много лесно; **to have a finger in the ~** вземам (активно) участие в нещо; **to have a finger in every ~** навирам се навсякъде; **~ in the sky** празни надежди.

pie³ *n печ.* куп размесени букви.

piebald ['paibɔːld] **I.** *a* 1. шарен, на петна (*за кон и пр.*); 2. *прен.* шарен, пъстър, разнообразен; най-различен; **II.** *n* кон и пр. на петна, шарен кон и пр.

piece¹ [piːs] *n* 1. парче; къс; отломка; откъслек (*от книга и пр.*); **to break s.th. to ~s** начупвам/разчупвам на парчета; **in ~s** счупен, на парчета; **to come/fall/go to ~s** разчупвам се; разпадам се; раздрънквам се; фалирам; западам; порутвам се; **to take to ~s** 1) разглобявам; 2) разпарям (*рокля и пр.*); **to come/take to ~s** разглобявам се; **does this machine come/take to ~s?** разглобява ли се тази машина? **to go (all) to ~s** *прен.* рухвам; съвсем се разстройвам; **to pick/pull s.o. to ~s** изяждам някого с парцалите, правя някого на пух и прах; **~ by ~** парче по парче; **in one ~** цял, невредим; 2. *тех.* детайл, част; 3. образец, пример, проява (*и без превод*); **~ of insolence** нахалство; **~ of water** езеро (*изкуствено*); 4. отделен предмет, бройка; парче (*работа*); **~ of clothing** дреха; **~ of news** новина; **~ of luggage** парче багаж; **nasty ~ of work** мръсна интрига; **to pay/sell by the ~** плащам/продавам на парче; **~ work** работа, заплащана на парче; **good/nice/honest ~ of work** добре/добросъвестно свършена работа; **a nice ~ of work he's done there** добре е свършил тази работа (*често ирон.*); **to make a ~ of work about s.th.** вдигам голям шум за нещо; правя голяма история от нещо; 5. *пренебр.* човек; жена, момиче; **saucy ~** нахалница, наперена жена; **~ of skirt** *вулг.* жена, фуста; 6. *воен.* оръдие (*и* **~ of ordnance**); *ост.* пушка; 7. монета; **~ of eight** *ист.* испански долар; 8. картина; (късо) литературно/музикално произведение, пиеса, парче; **sea ~** морски пейзаж; **~ of sculpture** скулптура; **to say o.'s ~** 1) казвам наизуст (*стихотворение и пр.*); 2) изказвам се, казвам си мнението, *прен.* казвам си урока; 9. фигура (*при шах*); пул (*при табла*); 10. топ (*хартия, тапети и пр.*); определено количество (*плат и пр.*); 11. *ам. вулг.* полово сношение; жена при полово сношение; □ **(all) of a ~ (with)** еднакъв (с), лика-прилика (с); от един дол дренки; в пълно съответствие (с); **~ of the action** *ам.* дял от работата/печалбата.

piece² *v* 1. съединявам; сшивам (*и с* **together**); закърпвам; снаждам; 2. *текст.* навързвам, засуквам (*скъсана нишка*);
piece in подкрепям, усилвам;
piece on 1) снаждам, донаждам, наставям; прилепям; слепвам; 2) свързвам се, съответствувам; **this story does not ~ on to the facts** този разказ/версия не отговаря на действителността;
piece out 1) допълвам, донаждам; 2) свързвам, допълвам (*разказ, теория*);
piece together 1) съединявам; залепвам; 2) *прен.* скърпвам; нагласявам; съгласувам; скалъпвам; свързвам (в едно цяло); комбинирам; **they can't ~ themselves together** не могат да се сработят/разберат; **the whole of their conversation ~d itself together in his mind** целият им разговор се възстанови в ума му; **he tried to ~ her together** той се мъчеше да възстанови цялостния й образ;
piece up 1) закърпвам; 2) заздравявам, *прен.* скърпвам; **to ~ up a quarrel** изглаждам спор, сдобрявам се.

pièce de résistance [piːˌesdəreziːˈstɑːns] *n фр.* 1. главно ядене; 2. централна/важна точка; централен/главен експонат.

piece-goods ['piːsgudz] *n pl* платове, тъкани в стандартни дължини.

pigeon-breasted 119

piecemeal¹ ['piːsmiːl] *adv* едно по едно; на части; постепенно.

piecemeal² *a* направен парче по парче; откъслечен; безсистемен; неорганизиран.

piecrust ['paikrʌst] *n готв.* кора от маслено тесто (*за пай, пирог*).

pied [paid] *a* пъстър, шарен, разноцветен; □ **~ piper** (*и* **P. Piper**) магьосник-измамник; водач, който дава безотговорни обещания.

pied-à-terre [pieidaːˈtɛə] *n фр.* (*pl* **pieds-à-terre**) временна квартира/жилище (в случай на нужда).

piedmont ['piːdmənt] *геогр.* **I.** *a* разположен в полите на планина; **II.** *n* поли на планина.

pie-eyed ['paiaid] *a разг.* пиян.

pie-faced ['paifeist] *a ам.* кръглолик; с размазана физиономия.

pie-plant ['paiplɑːnt] *n ам. бот.* ревен.

pier [piə] *n* 1. вълнолом; кей, пристан; 2. *стр.* колона, стълб; контрафорс; стойка; пилон; 3. *стр.* бик, мостова опора; 4. *стр.* част от стена между два отвора (*врати, прозорци*).

pierage ['piəridʒ] *n* пристанищен налог/такса.

pierce [piəs] *v* 1. пронизвам (*и прен.*), промушвам, пробождам; продупчвам; набождам (*и за зъб*); 2. прониквам (*и прен.*); процепвам, пронизвам (*за звук, светлина и пр.*); 3. проумявам, прозирам, разгадавам; 4. засягам дълбоко, пронизвам; 5. начевам (*бъчва вино*); 6. **to ~ through** пронизвам; промушквам; прониквам през.

piercing ['piəsiŋ] *a* 1. пронизителен, остър; 2. проницателен, остър.

pier glass ['piəglɑːs] *n* високо тясно огледало (*между два прозореца*).

pietism ['paiətizəm] *n* 1. пиетизъм; 2. привидна/лицемерна набожност.

piety ['paiəti] *n* 1. набожност, благочестие; 2. уважение, пиетет; 3. деяние, подбудено от набожност; 4. *ам.* общоприето вярване/отношение; ортодоксалност.

piffle¹ ['pifl] *n разг.* глупости, празни приказки.

piffle² *v разг.* дрънкам глупости; занимавам се с глупости; **to ~ away o.'s time** губя си времето с глупости.

piffling ['pifliŋ] *a* празен, глупав, незначителен.

pig¹ [pig] *n* 1. прасе, свиня; прасенце, свинче; свинско месо (*особ. младо*); **in ~** прасна; 2. свинска кожа; 3. *прен.* свиня; **to make a ~ of o.s.** преяждам, натъпквам се; 4. *тех.* слитък, блок, балванка, кюлче; 5. чугун; 6. *sl.* полицай, таен агент; □ **when ~s (begin to) fly** на куково лято; **~s might fly** никак не е вероятно; става чудеса; **~s in a ~'s eye** *sl.* съвсем не, разбира се, че не; **~s in clover** парвенюта; **to be/lie like ~s in clover** живея си царски/на ален фес; **to buy a ~ in a poke** купувам нещо слепешката/без да го видя; поемам задължение, без да преценя последствията.

pig² *v* (**-gg-**) 1. прася се, опрасвам се; 2. **to ~ it** живея като в кочина; тъпча се като свиня; **to ~ together** тъпчем се като в кочина.

pigboat ['pigbout] *n sl.* подводница.

pigbucket ['pigbʌkit] *n* кофа за отпадъци от храна (*за прасе*).

pigeon ['pidʒən] *n* 1. гълъб (Columba livia); 2. *sl.* балама, лековерен човек; 3. *ам. sl.* момиче, млада жена; 4. = **clay-pigeon**; 5. = **pidgin**.

pigeon-breasted ['pidʒənˌbrestid] *a мед.* с кокоши гърди.

pigeon-hearted ['piʤən͵ha:tid] *a* страхлив, плах.

pigeon-hole[1] ['piʤənhoul] *n* **1.** вратичка/преграда в гълъбарник; **2.** преграда за писма и пр. в писалище/картотека; **3.** категория.

pigeon-hole[2] *v* **1.** слагам (*документи и пр.*) в преградка и ги забравям; **2.** нареждам (*писма и пр.*) в прегради, картотекирам; **3.** класифицирам, определям; **4.** отлагам разглеждането на; пращам в глуха линия.

pigeon-house ['piʤənhaus] *n* гълъбарник.

pigeon-livered ['piʤən͵livəd] = **pigeon-hearted**.

pigeon pair ['piʤən͵pɛə] *n* **1.** близнаци момче и момиче; **2.** две деца — момче и момиче.

pigeon's blood ['piʤənzblʌd] *n* рубиновочервен цвят.

pigeon's milk ['piʤənz͵milk] *n* полусмляна храна, с която гълъбите хранят малките си.

pigeon-toed ['piʤəntoud] *a* патрав.

piggery ['pigəri] *n* **1.** свинарник, кочина (*и прен.*); **2.** лакомия; **3.** упоритост, твърдоглавие; егоизъм.

piggish ['pigiʃ] *a* **1.** мръсен, разхвърлян; **2.** лаком; **3.** упорит, твърдоглав; егоистичен.

piggy ['pigi] *n* **1.** *разг.* свинче, прасенце; **2.** *attr* подобен на свинче.

piggyback ['pigi͵bæk] = **pickaback**.

piggy bank ['pigi͵bæŋk] *n* детска касичка (*във форма на прасенце*).

pigheaded ['pighedid] *a* упорит, твърдоглав.

pig-iron ['pigaiən] *n* чугун на блокове.

pig Latin ['pig͵lætin] *n* измислен/скалъпен жаргон.

piglet, -ling ['piglit, -liŋ] *n* прасенце, свинче.

pigment[1] ['pigmənt] *n* пигмент.

pigment[2] *v* оцветявам, обагрям; пигментирам.

pigmental, -tary ['pig'mentl, -təri] *a* пигментен.

pigmy = **pygmy**.

pigskin ['pigskin] *n* **1.** свинска кожа; **2.** *ам. sl.* футболна топка; **3.** *sl.* седло.

pigsticker ['pigstikə] *n* **1.** ловец на глигани; **2.** ловджийско вилообразно копие.

pigsticking ['pigstikiŋ] *n* лов на глигани (*с копие*).

pigsty ['pigstai] *n* кочина (*и прен.*).

pigtail ['pigteil] *n* **1.** плитка (*коса*); **2.** руло тютюн (*за дъвчене*).

pigwash ['pigwɔʃ] *n* помия (*и прен*).

pigweed ['pigwi:d] *n* *бот.* **1.** куча лобода (Chenopodium); **2.** щир (Amaranthus retroflexus).

pi-jaw ['paiʤɔː] *n* *sl. прен.* морал, лекция.

pika ['paikə] *n* безопашат заек (Ochotonidae).

pike[1] [paik] *n* **1.** копие; пика; **2.** шип (*на бастун*).

pike[2] *v* промушвам/убивам с копие.

pike[3] *n* щука (Esox lucius).

pike[4] *n* **1.** бариера; път с бариера (*за събиране на пътна такса*); **2.** *ам. жп.* линия.

pike[5] *n* остър планински връх (*особ. в Северна Англия*).

pike[6] *v ам. разг.* **1.** тръгвам си ненадейно (**out**); **2.** вървя (**along**).

pikelet ['paiklit] *n* кръгла чаена бисквита.

pikeman ['paikmən] *n* (*pl* **-men**) **1.** копиеносец; **2.** пазач на пътна бариера.

pike perch ['paik͵pɔːtʃ] *n* бяла риба (Lucioperca).

piker ['paikə] *n ам.* **1.** страхлив/предпазлив картоиграч/борсов спекулант; **2.** човек, който всичко върши на дребно; скръндза.

pikestaff ['paiksta:f] *n* **1.** дръжка на копие; **2.** бастун с шип.

pilaff [pi'læf] *n* пилаф.

pilaster [pi'læstə] *n арх.* пиластър.

pilau, pilaw [pi'lɔː] = **pilaff**.

pilch(er) ['piltʃ(ə)] *n* триъгълна пелена.

pilchard ['piltʃəd] *n* сардела (Sardina pilchardus).

pile[1] [pail] *n* **1.** кол; **2.** *стр.* пилон, стълб.

pile[2] *v* забивам/набивам колове/пилони; заздравявам/укрепявам с колове/пилони.

pile[3] *n* **1.** куп(чина), камара, грамада; **2.** погребална клада; **3.** грамадно здание; група здания; **4.** *sl.* пари, състояние; **to make o.'s** ~ забогатявам, натрупвам пари/състояние; **5.** *ел.* батерия; **6.** *физ.* ядрен реактор (*и* **atomic** ~).

pile[4] *v* **1.** трупам (се), натрупвам (се); накамарявам (се), образувам камара (*и с* **up, on**); **2.** натоварвам догоре; **3.** наблъсквам се, натъпквам се; **to** ~ **out of** наизлизам от; **4. to** ~ **up** натрупвам се, нараствам (*за работа, разходи и пр.*); **5. to** ~ **up** блъскам (*кораб*) в скала/плитчина; сблъсквам се и се натрупвам един върху друг (*за коли и пр.*); причинявам сблъскване/катастрофа; □ **to** ~ **arms** *воен.* нареждам пушки на пирамида; **to** ~ **it on** преувеличавам; отрупвам с похвали; **to** ~ **on the agony** *разг.* описвам с всички грозни/жестоки подробности.

pile[5] *n* **1.** косъм; пух; вълна; **2.** *текст.* мъх; влас; ~ **fabrics** мъхнати тъкани (*кадифе и пр.*).

pile[6] *n ост.* обратна страна на монета; **cross or** ~ езитура.

pile-dwelling ['paildweliŋ] *n* наколно жилище.

piles [pailz] *n pl* хемороиди, маясъл.

pile-up ['pailʌp] *n разг.* сблъскване на няколко коли; натрупване на коли при сблъскване.

pileus ['pailiəs] *n бот.* гугла на гъба.

pilfer ['pilfə] *v* върша дребни кражби; пооткрадвам; отмъквам.

pilferage ['pilfəriʤ] *n* дребни кражби.

pilferer ['pilfərə] *n* крадец на дребно.

pilgrim ['pilgrim] *n* **1.** поклонник, пилигрим; **2.** странник, пътник; □ **the P. Fathers** първите английски заселници пуритани в Америка (*1620 г.*).

pilgrimage[1] ['pilgrimiʤ] *n* **1.** поклонение, посещение на свети места; **2.** дълго пътуване; **3.** земният живот на човека.

pilgrimage[2] *v* отивам на поклонение.

piliferous [pai'lifərəs] *a бот.* мъхест, космат, власат.

pill[1] [pil] *n* **1.** хап(че); **bitter** ~ *прен.* горчив хап, неприятност, унижение; **to gild/sugar/sweeten the** ~ *прен.* подслаждам горчивия хап; **a** ~ **to cure an earthquake** капка в морето; **2.** *sl.* топка (*за тенис и пр.*); **3.** *sl.* топовен снаряд; **4.** *pl* билярд; **5.** *sl.* неприятна личност; **6. the** ~ противозачатъчно средство.

pill[2] *v* **1.** давам хапче(та) на; **2.** правя на хапчета/топчета; сплъстявам се на малки топчета (*за плетена тъкан*); **3.** *sl.* гласувам против (*някого*) с черна топчица.

pill[3] *v* **1.** ограбвам, (о)плячкосвам; **2.** *ост., диал.* беля, обелвам.

pillage[1] ['piliʤ] *n* грабеж, ограбване, плячкосване; *ост.* плячка.

pillage[2] *v* ограбвам, плячкосвам; отдавам се на плячка и грабеж.

pillar ['pilə] *n* **1.** стълб, колона; стойка, опора; **2.** *мин.* целик, предпазен стълб; **3.** *прен.* стълб, опора; **4.** *мор.* пилерс; □ **to drive s.o. from** ~ **to post** разкарвам/разигравам някого.

pillar-box ['piləbɔks] *n* пощенска кутия.

pillbox ['pilbɔks] *n* **1.** кръгла кутия за хапчета; **2.** шапка без периферия; дамска шапка „токче“; 3. *воен.* бункер.

pillion ['piljən] *n* 1. леко дамско седло; възглавница/леко седло за втори ездач; 2. място отзад на мотоциклет; **to ride** ~ возя се отзад на мотоциклет; ~ **passenger** пътник отзад на мотоциклет.

pillory[1] ['piləri] *n* позорен стълб (*и прен.*).

pillory[2] *v* приковавам на позорния стълб (*и прен.*).

pillow[1] ['pilou] *n* 1. възглавница (*за спане*); **to take counsel of o.'s** ~ отлагам решението си за другия ден, преспивам, преди да взема решение; 2. *тех.* вложка; лагер; 3. възглавница/подложка за изработване на дантела.

pillow[2] *v* 1. слагам на/подпирам с възглавница; 2. служа за възглавница/подпора.

pillow-case ['piloukeis] *n* калъф(ка) за възглавница.

pillow-fight ['piloufait] *n* бой с възглавници.

pillow-lace ['pilouleis] *n* дантела, работена с чукчета; брюкселска дантела.

pillow-slip ['pilouslip] = **pillow-case**.

pilose ['pailous] *a* окосмен, космат.

pilosity [pai'lositi] *n* окосменост, космалост.

pilot[1] ['pailət] *n* 1. лоцман; *ост.* кормчия; 2. *ав.* пилот, летец; 3. водач, ръководител; командир; 4. *тех.* спомагателен механизъм; регулиращо/направляващо устройство; 5. *ам. жп.* = **cow-catcher**; 6. *ам. телев.* предаване, с което се въвежда/рекламира серия от предавания; □ **to drop the** ~ отказвам се от доверен съветник.

pilot[2] *v* 1. направлявам, карам; 2. водя; прекарвам превеждам.

pilot[3] *a* опитен; контролен; помощен, спомагателен; ~ **production** опитно производство (*преди да се пусне серийното*).

pilotage ['pailətidʒ] *n* 1. направляване; пилотиране; 2. възнаграждение на лоцман/пилот.

pilot balloon ['pailətbə'lu:n] *n метеор.* пилотен балон.

pilot biscuit, bread ['pailətbiskit, -bred] *n ам.* сухар.

pilot cloth ['pailət‚kləθ] *n* тъмносин вълнен плат за моряшки шинели.

pilot-engine ['pailət‚endʒin] *n жп.* локомотив, който разчиства пътя пред влак.

pilot-fish ['pailətfiʃ] *n зоол.* лоцман (Naucrates ductor).

pilot-house ['pailəthaus] *n* лоцманска кабина.

pilot officer ['pailət‚ofisə] *n* младши лейтенант от авиацията.

pil(l)ule ['pilju:l] *n* хапче.

pimento [pi'mentou] *n* 1. бахар; 2. = **pimiento**; ~ **cheese** сирене с червен пипер.

pimiento [pimi'entou] *n* пиперка, чушка.

pimp[1] [pimp] *n* сводник.

pimp[2] *v* своднича.

pimpernel ['pimpənəl] *n бот.* огнивче (Anagallis).

pimping ['pimpiŋ] *a* 1. дребен, незначителен; 2. слабоват, болнав.

pimple ['pimpl] *n* пъпка, пъпчица (*по лицето и пр.*); **to break/come out in** ~s излизат ми пъпки, пъпчасвам.

pimpled, -ly ['pimpld, -li] *a* пъпчив, пъпчасал.

pin[1] [pin] *n* 1. топлийка, карфица; безопасна игла; фуркет, фиба; **tie** ~ игла за вратовръзка; 2. *pl sl.* крака; **quick on o.'s** ~s подвижен, лек, пъргав; **to be weak on o.'s** ~s едва се държа/крепя на краката си; 3. кегла; 4. *муз.* ключ за настройване на струнен инструмент; 5. *тех.* шпилка; щифт; шплинт; цапфа; шенкелов болт; ос; 6. *тех.* пробойник, замба; 7. *ел.* контактен щифт; 8. буре (*от около 20 л*); 9. точилка; 10. щифтче/гвоздей в център на мишена; 11. *голф* пръчка на флагче; 12. *мор.* жегла; □ ~s **and needles**

изтръпване на крайниците; **to be on** ~s **and needles** на тръни съм, седя като на тръни; **you could have heard a** ~ **drop** и муха да бръмне, щеше да се чуе.

pin[2] *v* (-nn-) 1. забождам, закачам, закрепвам с топлийка и пр. (**to, on**); 2. притискам (*противник*) (**against a wall/fence** до стена/ограда и пр.); **pin down** 1) притискам (**under s.th.**); 2) притискам, държа в отбранително положение; 3) формулирам, изразявам, определям; събирам (*мислите си*); 4) накарвам (*някого*) да определи становището/мнението си; **to** ~ **s.o. down to a promise/an agreement** накарвам някого да обещае/да се съгласи; 5) **to** ~ **s.th. down to s.o.** установявам точно кой е извършил/написал нещо; **pin on** 1) закопчавам, закачам; 2) **to** ~ **o.'s faith on** вярвам сляпо/осланям се напълно на; **to** ~ **o.'s hopes on** възлагам всичките си надежди на; 3) приписвам (*вина и пр.*) на; **pin up** забождам, закачам (*с топлийка и пр.*).

pinafore ['pinəfɔ:] *n* престилка; ~ (**dress**) сукман.

pinaster [pai'næstə] *n бот.* средиземноморска пиния (Pinus pinaster).

pince-nez ['pænsnei] *n фр.* пенсне..

pincers ['pinsəz] *n pl* 1. клещи, щипци (*и* **pair of** ~); 2. *зоол.* щипци (*на рак и пр.*); 3. *воен.* клещи.

pincer movement ['pinsə‚mu:vmənt] = **pincers** 3.

pincette [pin'set] *n фр.* пинцета.

pinch[1] [pintʃ] *v* 1. щипя, ощипвам; 2. притискам, стягам, стискам (*за обувка*); 3. притеснявам, ограничавам лишавам (*и refl*); **to** ~ **o.s.** лишавам се от необходимото, *прен.* стягам каиша; **to** ~ **s.o. for food** броя някому залъците; 4. живея оскъдно, правя големи икономии; **to** ~ **and scrape for o.'s children** отделям от залъка си/лишавам се заради децата си; 5. скъпя се, скъперник съм; 6. карам да се свие/съсухри/измършавее; карам (*някого*) да изглежда измъчен; 7. *геол.* изклинвам се, стеснявам се (*за жила и пр.*); 8. *sl.* открадвам, задигам, свивам, отмъквам; 9. *sl.* арестувам, пипвам; 10. отчеквам, оронвам (*млади пъпки, филизи*) (*и с* **back, off, out**); □ **when hunger** ~es когато застъпне гладът; **to be** ~ed **for money** нямам пари, не ми стигат парите.

pinch[2] *n* 1. щипване, ощипване; 2. затруднение, нужда, лишение; притеснено положение; **the** ~ **of poverty** мизерията, нуждата; **the** ~ **of hunger** гладът; **to be under the** ~ **of necessity** принуден съм, няма накъде да мърдам; **to feel the** ~ бедствувам, мизерствувам; **at/in a** ~ в краен случай, ако стане нужда; **when it comes to the** ~ в решаващия/критичния момент, когато стане горещо; 3. щипка, стиска (*сол и пр.*); 4. *геол.* изклиняване, изтъняване (*на жила и пр.*); 5. *тех.* лом, лост; 6. *sl.* арест(уване); 7. *ам.* внезапен обиск; 8. *sl.* кражба, отмъкване, задигане.

pinchbeck ['pintʃbek] *n* 1. томбак, сплав от мед и цинк (*имитация на злато*); 2. фалшиви накити/скъпоценности; имитация; 3. *attr* фалшив, фалшифициран; подправен; изкуствен; долнокачествен.

pinched [pintʃt] *a* 1. измъчен, измършавял, отслабнал, изпит (*за лице*); ~ **with cold** посинял от студ; ~ **with hunger** примрял/премалял от глад; 2. който е в нужда/натясно; **in** ~ **circumstances** в тежко положение, без пари, на зор; **to be** ~ **for room** живея в теснотия.

pinchers ['pintʃəz] = **pincers**.

pinch-faced ['pintʃfeist] *a* отслабнал, измършавял, с изпито лице.

pinch-hitter ['pintʃhitə] *n* ам. 1. *бейзбол* заместник-играч; 2. заместник (в случай на нужда).

pincushion ['pinkuʃn] *n* игленик, възглавничка за топлийки.

Pindaric [pin'dærik] *лит.* I. *a* пиндаров; със свободна метрическа структура (*за ода, стих*); II. *n* обик. pl пиндарови строфи/оди.

pine[1] [pain] *n* 1. бор, чам (Pinus); **cluster/maritime/sea/ star ~** пиния (Pinus pilaster); **silver/Swiss ~** сребърна ела; **Chile ~ = monkey puzzle(s)**; 2. чам, чамов материал; 3. **= pineapple**.

pine[2] *v* 1. чезна, вехна, крея, линея (*и с* **away**); **to ~ with grief** топя се от скръб; 2. копнея, жадувам; скърбя, тъгувам (**for, after**).

pineal ['painiəl] *a анат.* шишарковиден; **~ body/gland** епифизна жлеза.

pineapple ['pain,æpl] *n* 1. ананас; 2. *воен. sl.* ръчна граната/бомба.

pine-beauty, -carpet ['painbju:ti, -ka:pit] *n зоол.* борова вечерница (*пеперуда*) (Sphinx pinaster).

pine-cone ['painkoun] *n* борова шишарка.

pine marten ['pain,ma:tən] *n зоол.* златка, горска куница (Mustela martes).

pinery ['painəri] *n* 1. парник за отглеждане на ананаси; ананасова градина; 2. борово насаждение/гора.

pine-needle ['painni:dl] *n* борова иглица.

pine-tree ['paintri:] = **pine**[1] 1.

pinetum [pai'ni:təm] *n (pl -a [-ə])* 1. борово насаждение; насаждение от различни иглолистни дървета; 2. научен труд върху иглолистните дървета.

pinfeather ['pinfeðə] *n* недоразвито перо на птица.

pinfold[1] ['pinfould] *n* общински обор за заловен в чуждо пасище добитък.

pinfold[2] *v* затварям в общински обор.

ping[1] [piŋ] *n* свистене (*на куршум*); бръмчене (*на комар*); иззвъняване.

ping[2] *v* свистя, изсвиствам; бръмча, избръмчавам; звънтя, иззвънявам.

ping-pong ['piŋpɔŋ] *n* тенис на маса.

pinguid ['piŋgwid] *a шег.* тлъст, мазен.

pinhead ['pinhed] *n* 1. глава на топлийка; 2. нещо дребно/незначително, дреболия; 3. *sl.* глупак, глупчо.

pinhole ['pinhoul] *n* 1. много малка дупчица; точков отвор; 2. контакт (*за лампа, телефон и пр.*); **~ photography** фотография без обектив.

pinion[1] ['pinjən] *n* 1. външна част/край на птиче перо/ крило; 2. махово перо; 3. *поет.* крило.

pinion[2] *v* 1. подрязвам крило на птица; 2. привързвам, притискам (*ръце*) към тялото; привързвам здраво (**to**).

pinion[3] *n тех.* пиньон, малко водещо зъбно колело.

pink[1] [piŋk] *a* 1. розов; пембен; 2. с умерено левичарски убеждения; □ **strike me ~!** има си хас! как е възможно! **to be tickled ~** приятно съм възбуден (*от комплимент и пр.*).

pink[2] *n* 1. розов/пембен цвят; 2. *бот.* карамфил за бордюри (*и* **garden ~**) (Dianthus plumarius); 3. връх, висша точка/степен; съвършенство; **the ~ of perfection** връх на съвършенството; **in the ~ (of health)** в отлично здраве, въплъщение на здраве; **in the ~ of condition** в отлична форма, напълно здрав; **in the ~ of repair** в пълна изправност; в отлично състояние: 4. червено/алено сако (*носено при*

лов на лисици); ловец на лисици; 5. умерен левичар.

pink[3] *v* боядисвам/оцветявам в розово; порозовявам.

pink[4] *v* 1. мушвам, бодвам (*със сабя и пр.*); 2. украсявам с фестони/ажури, фестонирам; назъбвам; надупчвам със замба; поръбвам на пико (*и* **to ~ out**).

pink[5] *n зоол.* млада сьомга.

pink[6] *v* детонирам; тракам, потраквам (*за мотор*).

pink[7] *n мор. ост.* платноходна гемия.

pink elephants ['piŋk'eləfənts] *n pl* халюцинации при делириум тременс/наркотично състояние.

pink-eye ['piŋkai] *n мед.* остър инфекциозен конюнктивит.

pink gin ['piŋk,dʒin] *n* джин с юж.-ам. подправка.

pinkie[1],**-ky** ['piŋki] *n* кутре, малък пръст.

pinkie[2] = **pink**[7].

pinkie[2] = **pink**[7].

pink lady ['piŋk,leidi] *n* вид коктейл (*от джин, коняк, лимонов сок, сироп от нар, белтък от яйце*).

pinko ['piŋkou] *sl.* = **pink**[2] 5.

ребявано против глисти; 2. вид американско горско растение.

pin money ['pin,mʌni] *n* 1. пари за дребни разходи; 2. джобни пари (*за съпругата*).

pinna ['pinə] *n* 1. *бот.* листец от перест лист; 2. *зоол* перка; крило; 3. *анат.* ушна мида.

pinnace ['pinis] *n мор.* 1. катер; 2. допълнителна лодка с няколко чифта гребла към военен кораб.

pinnacle[1] ['pinəkl] *n* 1. островърха куличка, шпиц; кубе на покрив; 2. остър планински връх; 3. кулминационна/връхна точка, най-висша степен, апогей, връх.

pinnacle[2] *v* 1. украсявам с кулички/кубета; 2. *прен.* възнасям, поставям на пиедестал; 3. *ряд.* съм/представлявам връхна точка на.

pinnate, pinnated ['pinit, pi'neitid] *a* 1. *бот.* перест; 2. *зоол.* крилат; криловиден.

pinner ['pinə] *n* 1. *ист.* дамска шапка с увиснали краища от двете страни; 2. престилка с нагръдник.

pinnie, -ny ['pini] *n дет.* престилчица.

pinnigrade, -ped ['pinigreid, -ped] *зоол.* I. *a* перконог; II. *n* перконого.

pinoc(h)le ['pi:nəkl] *n* 1. вид игра на карти; 2. комбинация от дама пика и момче каро в тази игра.

pinole [pi'nouli] *n* ам. (ястие от) царевично брашно (със захар и подправки).

pinon ['pinjən] *n* 1. различни видове сев.-ам. иглолистни растения, пинии (Pinus parryana, Pinus edulis); 2. ядивни семена на тези растения.

pin-point[1] ['pinpoint] *n* 1. връх на топлийка; 2. нещо малко.

pin-point[2] *a* 1. точен, прецизен; изискващ голяма точност на стрелба, много малък (*за обект*); 2. на точици (*за плат и пр.*).

pin-point[3] *v* 1. *воен.* намирам/улучвам точно (*обект*); 2. определям точно; 3. карам/правя да изпъкне; изтъквам.

pinprick[1] ['pinprik] *n* 1. леко убождане; 2. незначителна/дребна неприятност; **policy of ~s** политика на непрекъснато дразнене на противника.

pinprick[2] *v* 1. бодвам; 2. дразня.

pin-stripe ['pinstraip] I. *a текст.* с тънки райета; II. *n* (костюм от) плат на тънки райета.

pint [paint] *n* пинта (*мярка за обем — англ. 0,56 л, ам. 0,47 л*); **a ~ of beer** халба бира.

pinta ['paintə] *разг.* = **pint of** (*вж.* **pint**).

pintado [pin'ta:dou] *n зоол.* 1. капски албатрос/буревестник (*и* ~ **petrel**); **2.** токачка; **3.** вид скумрия (Scomberomorus malactus).

pintail ['pinteil] *n зоол.* **1.** шилоопашата патица (Dafila acuta); **2.** дива кокошка, пустинарка (Pteroples, Syrrhaptes).

pintailed ['pinteild] *a* с дълга остра опашка.

pintle ['pintl] *n тех.* вертикална шарнирна ос; щифт, стъбло; шенкелов болт.

pinto ['pintou] **I.** *a* на петна/точки; шарен, петнист; **II.** *n* шарен/петнист кон.

pint-size(d) ['paintsaiz(d)] *a разг.* малък, мъничък.

pin-tuck ['pintʌk] *n* дребни плисета/бастички.

pin-up ['pinʌp] *n* снимка на хубаво момиче/кинозвезда и пр. (*за окачване на стена*); ~ **girl** хубаво момиче.

pin-wheel ['pinwi:l] *n* **1.** детска книжна въртележка; **2.** въртящо се огнено колело (*фойерверк*); **3.** *тех.* колело със спици.

pinworm ['pinwə:m] *n зоол.* вид нематод (Enterobius vermicularis).

pinxit ['piŋksit] *v лат.* нарисувал (*пред подписа на художник*).

piny ['paini] *a* боров; обрасъл с бор.

piolet [pio'lei] *n фр.* пикел (*на алпинист*).

pion ['paiən] *n физ.* мезон.

pioneer¹ [paiə'niə] *n* **1.** пионер (*и прен.*), първи заселник/поселник; **2.** инициатор, първи привърженик/изследовател; **3.** *воен.* сапьор; пионер; **4.** *биол.* животно/растение, годно да се приспособи към нови (лоши) условия и да създаде нов екологичен цикъл; **5.** *attr* пионерски.

pioneer² *v* **1.** пионер съм, инициатор съм на; ръководя; **2.** проправям път за; въвеждам (*нови методи и пр.*); **3.** заселвам.

pioneering [paiə'niəriŋ] *a* пионерски (*и прен.*).

pious ['paiəs] *a* **1.** набожен, благочестив; **2.** религиозен (*не светски*); **3.** лицемерно набожен; **4.** *ост.* почтителен, който се отнася с уважение; **5.** похвален; ~ **effort** похвален опит; □ ~ **fraud** лъжа с безкористни подбуди, лъжа за нечие добро; ~ **hope** почти неизпълнима надежда.

pip¹ [pip] *n* **1.** *вет.* пипка (*болест по птиците*); **2.** *sl.* лошо разположение; досада; **to have/get the** ~ не съм в настроение; **he gives me the** ~ не мога да търпя/гледам, отвратителен ми е; **3.** неразположение.

pip² *v* (-pp-) раздразням; отвращавам.

pip³ *n* **1.** семка, зрънце (*на ябълка, портокал и пр.*); **2.** *ам. sl.* необикновен/чудо човек; чудо нещо.

pip⁴ *v* (-pp-) чистя от семките.

pip⁵ *n* **1.** бройка, точка (*на домино, карти и пр.*); **2.** ромбовиден сегмент от кората на ананаса; **3.** *разг.* звезда на пагон; **4.** *бот.* отделна грудка от корен (*на божур, момина сълза и пр.*); отделно цветче (*от сложен цвят*).

pip⁶ *v* (-pp-) **1.** пиукам (*като пиленце/птиче*); **2.** пробивам, счупвам (*черупката — за пиле*).

pip⁷ *n* пиукане (*и като сигнал на телефон и пр.*).

pip⁸ *v* (-pp-) *sl.* **1.** прострелвам; ранявам; убивам; побеждавам, надвивам; надхитрям; осуетявам плановете на; провалям (*на изпит*); **to** ~ **at the post** побеждавам/спечелвам в последния момент; **3.** *пол.* гласувам против, провалям в избори; **4. to** ~ **out** умирам.

pip⁹ *n* название на буквата *p* (*при сигнализация*).

pipage ['paipidʒ] *n* **1.** тръбопровод; (такса за) прекарване по тръбопровод; **2.** тръби.

pipal ['pi:rəl] *n* вид индийска смокиня (Ficus religiosa).

pipe¹ [paip] *n* **1.** тръба; тръбопровод; **2.** *анат.* дихателна тръба; **3.** лула; **the** ~ **of peace** калюмет, лула на мира; **to smoke the** ~ **of peace with s.o.** помирявам се с някого; **4.** свирка, кавал; дудук; пищялка; тръба (*на орган*); **5.** *мор.* боцманска свирка; **6.** *pl* гайда; **7.** пеене, чуруликане; креслив/пронизителен звук/глас; **8.** вид длъгнеста бъчва; мярка за течност — около 480 л; **9.** *геол.* свиване на рудно тяло; тръбоподобна празнина; част от жила, богата на руда; **10.** *метал.* всмукнатина, шупла; **11.** *ам. разг.* лесна работа, нещо лесно; □ **put that in your** ~ **and smoke it** *разг.* тъй ти казвам, пък ти ако щеш (го приеми), харесва ли ти или не, така е; **to put s.o.'s** ~ **out** засенчвам някого; карам някого да запее друга песен.

pipe² *v* **1.** свиря/изсвирвам на свирка/кавал и пр.; **2.** водя/събирам със звука на свирка; **3.** *мор.* давам сигнал със свирка, посрещам/изпращам на борда със свирка (**in, away**); **to** ~ **all hands to work** давам общ сигнал за започване на работа; **4.** свистя, свиря (*за вятър*); пея, чуруликам; пиукам, писукам; говоря/пея с креслив глас, пища; **5.** *разг.* плача, рева (*и* **to** ~ **o.'s eye**); **6.** украсявам с кант/фитилче (*дреха*); украсявам (*торта*) с шприц; **7.** поставям тръби в; правя канализация/тръбопровод; отвеждам, каптирам (*вода*); прекарвам по тръби/тръбопровод; **8.** *рад.* препредавам (*музика и пр.*); **9.** размножавам растения (*особ. карамфили*) чрез резници/щеклини; **10.** *ам. sl.* забелязвам;

pipe away *мор.* давам сигнал за тръгване/отплуване;

pipe down *разг.* 1) понижавам тона, заговорвам по-тихо; 2) ставам по-малко самоуверен/настойчив; □ ~ **down!** 1) по-тихо! 2) *мор.* слезте (от мачтите); приберете хамаците/прането; прибирайте се; свободни сте;

pipe up 1) засвирвам; 2) *разг.* обаждам се; запявам; отварям си устата; заговорвам с тънък глас; 3) *мор.* събирам със сигнал.

pipeclay¹ ['paipklei] *n* **1.** бяла глина за лули; глина/хума за боядисване в бяло; **2.** *воен. разг.* (прекалено внимание на) външната изрядност.

pipeclay² *v* **1.** боядисвам/избелвам с хума; **2.** *прен.* издокарвам.

pipe-dream ['paipdri:m] *n* въздушна кула, празна надежда.

pipe-fish ['paipfiʃ] *n зоол.* морска игла (Syngnathus).

pipe-key ['paipki:] *n* ключ с куха цев (*и* **piped-key**).

pipe-laying ['paipleiiŋ] *n ам.* политически интриги/давления.

pipeline ['paiplain] *n* **1.** тръбопровод, нефтопровод; **2.** снабдителен/съобщителен канал; □ **in the** ~ в процес на обработка, пред завършване; в подготовка; който си чака реда.

pipe major ['paip‚meidʒə] *n воен.* водач на свирачи на гайда.

pipe organ ['paip‚ɔ:gən] *n муз.* орган.

piper ['paipə] *n* **1.** свирач; гайдар; кавалджия; **2.** текнефес кон; **3.** = **gurnet**; **4.** ловджийско куче, приучено да примамва птици в примка; □ **to pay the** ~ понасям последиците; **pay the** ~ (**and call the tune**) който плаща, той и разпорежда.

pipestone ['paipstoun] *n* червена глина, от която индианците правят лули.

pipet(te) [pi'pet] *n* пипетка, капкомер, гутатор.

piping¹ ['paipiŋ] *n* **1.** тръбопровод; водопровод; канализация; тръби; **2.** гайтан, шнур, ширит; кант; **3.** гарнитура с шприц върху торта; **4.** свирене; чуруликане, (птича) песен; **5.** *метал.* всмукнатина, шупла; образуване на шупли; **6.** размножаване чрез резници; резница от растение.

piping² *a* **1.** писклив, пронизителен; свирещ, свистящ; **2.** спокоен, мирен; **the ~ times of peace** идиличните мирни времена; □ **~ hot** много горещ, врял.

pipistrelle [pipi'strel] *n зоол.* кафяво прилепче (Vespertilio pipistrellus).

pipit ['pipit] *n зоол.* бъбрица *(птица)* (Anthus).

pipkin ['pipkin] *n* малко пръстено гърне.

pippin ['pipin] *n* **1.** вид ябълка; **2.** *sl.* нещо екстра; екстра/чудо човек.

pip-pip ['pip'pip] *int разг.* довиждане.

pipsqueak ['pipskwi:k] *n sl.* **1.** мухльо, мижитурка; **2.** малка граната; **3.** раздрънкан мотоциклет.

pipy ['paipi] *a* **1.** тръбовиден, тръбен; от тръби; **2.** рязък, креслив.

piquancy ['pi:kwənsi] *n* **1.** пикантност *(и прен.)*; **2.** острота.

piquant ['pi:kwənt] *a* пикантен *(и прен.)*, остър.

pique¹ [pi:k] *v* **1.** засягам, накърнявам честолюбието (на); *прен.* убождам, бодвам; **2.** възбуждам, раздразням *(любопитство и пр.)*; възбуждам интереса/любопитството на; **3.** *refl* гордея се, надувам се, перча се (**on, upon** с).

pique² *n* засегнато честолюбие; чувство на незадоволено любопитство; **to take a ~ against** засягам се от; имам зъб на.

piqué ['pikei] *n фр. текст.* пике.

piquet¹ [pi'ket] *n карти* пикет.

piquet² = **picket.**

piracy ['pairəsi] *n* **1.** морско разбойничество, пиратство; **2.** плагиатство; нарушение на авторското право.

piragua [pi'rægwə] *n* пирога *(лодка)*.

piranha [pi'ra:njə] *n* хищна юж.-ам. сладководна риба *(род* Serrasalmo).

pirarucu [pi,rarə'ku:] *n* голяма юж.-ам. сладководна риба (Arapaima gigas).

pirate¹ ['pairət] *n* **1.** морски разбойник, пират; **2.** пиратски кораб; **3.** плагиатор; нарушител на авторското право; **4.** (човек, който предава по) частна/ неофициална/черна радиостанция; **5.** частен автобус, който конкурира големите автобусни линии.

pirate² *v* **1.** пиратствувам, занимавам се с разбойничество; грабя, ограбвам; **2.** издавам без разрешение на автора, нарушавам авторското право; **3.** *ам.* примамвам *(служащ)* на друга работа *(с обещание за по-висока заплата)*; **4.** предавам/работя на черна радиостанция.

piratic(al) [pai'rætik(l)] *a* **1.** пиратски, разбойнически; **2.** издаден без разрешение на автора.

pirogue [pi'roug] = **piragua.**

piruette¹ [piru'et] *n* пируует *(при балет)*.

piruette² *v* въртя се на палци, правя пируует.

pis aller [pi:z'ælei] *n фр.* последно средство.

piscary ['piskəri] *n* **1.** (право на) риболов; **2.** зарибено езеро.

piscatorial, piscatory [piskə'tɔ:riəl, 'piskətəri] *a* риболовен; рибарски; рибен.

Pisces ['pisi:z] *n pl* **1.** Риби *(съзвездие и знак на зодиака)*; **2.** *зоол.* клас риби.

pisciculture [,pisi'kʌltʃə] *n* рибовъдство.

pisciculturist [pisi'kʌltərist] *n* рибовъд.

piscina [pi'si:nə] *n (pl* **-nae** [ni:]) *n* **1.** рибарник; **2.** открит плувен басейн в древноримска вила; **3.** умивалник (в олтарната ниша).

piscine¹ ['pisi:n] *n* къпален/плувен басейн.

piscine² [pi'sain] *a* рибен, риби.

piscivorous [pi'sivərəs] *a зоол.* рибояден.

pish¹ [piʃ] *int* тю! фу! пфу!

pish² *v* викам тю/пфу; отнасям се с пренебрежение (**at** към).

pisiform ['paisifɔ:m] *a книж.* граховиден.

pisolite ['paisəlait] *n минер.* пизолит, оолит.

piss¹ [pis] *v вулг.* **1.** пикая; изпикавам (се); напикавам; **2.** **to ~ off** *sl.* 1) отивам си, махам се; 2). дразня, нервирам; **~ed off** ядосан.

piss² *n вулг.* пикня, пикоч; пикаене.

pissed [pist] *a вулг.* пиян-залян.

pissoir [pi:'swa:] *n фр.* писоар.

piss-pot [pi'spɔt] *n вулг.* нощно гърне.

pistachio [pis'tæʃiou] *n* **1.** чам-/шам-фъстък; **2.** фъстъчен цвят.

pistil ['pistil] *n бот.* пестик.

pistol¹ ['pistl] *n* пистолет, револвер; пищов; **to put a ~ to o.'s head** тегля си куршума; **to hold a ~ to s.o.'s head** заплашвам някого с пистолет в ръка.

pistol² *v* (**-ll-**) стрелям/застрелвам с пистолет.

pistole ['pistoul] *n ист.* пистола *(испанска златна монета)*.

pistol-whip ['pistlwip] *v* (**-pp-**) бия с пистолет; нападам грубо.

piston ['pistn] *n* **1.** бутало; **2.** подвижна клапа на корнет-а-пистон.

pit¹ [pit] *n* **1.** ров, яма, трап, дупка; изкоп; **2.** шахта, рудник, кариера; **3.** вълча яма, капан; **to dig a ~ for s.o.** *прен.* копая някому гроб; **4. the ~** адът, пъкълът; преизподнята *(и* **the bottomless ~**); **5.** арена за бой на петли; **6.** покрита яма за запазване на картофи и пр.; покрита със студени леха за ранни цветя и пр.; **7.** вдлъбнатина, хлътналост; **in the ~ of the stomach** под лъжичката; **8.** белег/дупчица от шарка; **9.** *метал.* всмукнатина, кухина *(на отливка)*, язва *(от корозия)*; **10.** *авт.* ремонтен канал; място за получаване на бензин, смяна на гуми и пр. при състезания; **11.** *театр.* (зрителите в) задната част на партера; **orchestra ~** място за оркестъра; **12.** отдел на стоковата борса.

pit² *v* (**-tt-**) **1.** покривам (се) с дупчици; **~ ted with smallpox** сипаничав; **2.** слагам *(картофи и пр.)* в яма; **3.** изправям един срещу друг *(петли за борба)* (**against**); **4.** насъсквам, подстрекавам; **to ~ o.'s strength against** премервам силите си с; **to ~ o.s. against heavy odds** боря се срещу големи трудности; заемам се с трудна задача; **4.** оставям вдлъбнатина след натиск *(за подута тъкан при заболяване)*.

pit³ *n* костилка на плод.

pit⁴ *v* (**-tt-**) вадя/изваждам костилките (на).

pit-a-pat ['pitəpæt] *int, adv* тупа-лупа, туп-туп; тап-тап; с леки/бързи удари/стъпки; **to go ~** туптя/разтуптвам се силно.

pit-a-pat² *v* туптя; топуркам; ситня.

pitch¹ [pitʃ] *n* **1.** смола; катран; зифт; **2.** борова смола; □ **to touch ~** имам работа със съмнителен човек; участвувам в съмнителна сделка; **touch ~ and be defiled** *прен.* с какъвто се събереш, такъв ще станеш.

pitch² *v* покривам с катран/зифт; насмолявам, намазвам с катран.

pitch³ *v* **1.** разпъвам *(палатка)*; разполагам *(лагер)* установявам се *(на лагер)*; **2.** поставям, слагам, на реждам; изправям, забивам (*вратички за крикет и пр.*); to ~ **a ladder against a wall** подпирам/изправям стълба на стена; **3.** *ост.* освен в рр нареждам, прегрупирам (*войски на бойно поле*); ~ed **battle** редовно сражение; решаваща битка; **4.** павирам; покривам с калдъръм; **5.** хвърлям, запокитвам, запращам, мятам; *сп.* подавам; **to ~ hay on to a cart** хвърлям/товаря сено на кола; **6.** падам тежко, тупвам; **7.** *мор.* клатя се надлъжно; **8.** люлея се равномерно (*за автомобил, самолет*); **9.** *муз.* давам основен тон на, настройвам; **10.** определям; придавам определена височина на; **to ~ o.'s voice higher/lower** повишавам/понижавам гласа си; **to ~ o.'s aspirations too high** *прен.* меря се много нависоко, хвърча нависоко; **11.** *sl.* разказвам; **to ~ it strong** преувеличавам, надувам нещата; **12.** *карти* определям коз; **13.** *тех.* захващам (се), зацепвам (се); **14.** спускам се, накланям се (*за терен*); **15.** *ам.* продавам/рекламирам енергично;

pitch forward строполясвам се (**on to** на);

pitch in 1) залавям се (здраво) за работа; 2) *ам.* помагам (в обща работа);

pitch into 1) нападам, нахвърлям се върху (*някого*) (*с думи, удари*); наругавам; 2) нахвърлям се на (*храна*), започвам да ям лакомо/като вълк; 3) залавям се здраво за (*работа*); 4) падам в (*нещо*) с главата напред;

pitch over прекатурвам се;

pitch out изхвърлям навън;

pitch upon избирам случайно; попадам на (*подходящ човек и пр.*).

pitch⁴ *n* **1.** височина (*на тон и пр.*); **2.** степен, ниво, уровен; **to the highest ~** до крайния предел; **the noise rose to deafening ~** шумът стана оглушителен; **excitement rose to fever ~** вълнението стана трескаво/неудържимо; **the highest ~ of glory** връхът/апогеят на славата; **at the lowest ~ of his fortunes** в най-тежко/бедствено положение; **to fly at a high ~** *прен.* хвърча нависоко, имам големи амбиции; **3.** *сп.* подаване, хвърляне; хвърлей; **4.** *мор.* надлъжно клатене, люлеене; **the ship gave a ~** корабът заби нос във вълните; **5.** постоянно/обичайно място (*на уличен продавач, просяк и пр.*); **to queer s.o.'s ~** *разг.* обърквам някому плановете, подливам някому вода, слагам някому динена кора; **6.** *крикет* част от игрището между вратичките; мястото, където топката се удря в земята; **7.** игрище (*за хокей, футбол и пр.*); **8.** склон, спуск, скат; полегатост, ъгъл на наклона; **9.** *тех.* стъпка (*на резба и пр.*); модул; **10.** *ам.* търговска реклама; **11.** игра на карти, при която първата карта, която се играе, става коз.

pitch-and-toss ['pitʃən'tɔs] *n* игра на целене с монети.

pitch-black ['pitʃblæk] *a* черен като катран/смола.

pitch-blende ['pitʃblend] *n* *минер.* пехбленда, уранинит.

pitch-dark ['pitʃdɑːk] *a* съвсем тъмен; тъмен като в рог.

pitcher¹ ['pitʃə] *n* (глинена) кана, стомна; □ **little ~s have long ears** децата всичко чуват.

pitcher² *n* **1.** *сп.* играч, който подава/хвърля топката; **2.** паве; камък за калдъръм; **3.** уличен продавач.

pitcher plant ['pitʃə,plɑːnt] *n* насекомоядно растение (Nepenthes, Sarracenia).

pitchfork¹ ['pitʃfɔːk] *n* **1.** вила (*за сено*); **2.** камертон.

pitchfork² *v* **1.** хвърлям с вила; **2.** назначавам на неподходяща/твърде отговорна длъжност (**into**).

pitchman ['pitʃmən] (*pl* -men) *ам.* = **pitcher²** 3.

pitch-pine ['pitʃpain] *n* смолист бор (Pinus palustris, Pinus rigida).

pitch-pipe ['pitʃpaip] *n* свирка камертон.

pitch-stone ['pitʃstoun] *n* *минер.* ретинит.

pitchy ['pitʃi] *a* **1.** смолист; катранен; **2.** черен като смола катран.

pitcoal ['pitkoul] *n* каменни въглища.

piteous ['pitiəs] *a* жалък, плачевен; възбуждащ състрадание; сърцераздирателен.

pitfall ['pitfɔːl] *n* **1.** вълча яма; **2.** *прен.* капан, клопка.

pit-gas = **gas¹** 4.

pith¹ [piθ] *n* **1.** сърцевина на растение; бялата мека част на портокалова кора и пр.; вътрешна ципа на портокал и пр.; **2.** *прен.* същина, същност; значение, важност; **the ~ and marrow of** същината на; **of ~ and moment** от голямо значение, много важен; **3.** гръбначен мозък; **4.** енергия, сила, жизненост.

pith² *v* **1.** убивам (*животно*) чрез прекъсване на гръбначния мозък; **2.** изваждам сърцевината на (*растение*).

pithead ['pithed] *n* вход на каменовъглена мина.

pithy ['piθi] *a* **1.** със сърцевина; гъбест; **2.** силен, енергичен; жизнен; **3.** съдържателен, сбит и смислен.

pitiable ['pitiəbl] *a* **1.** жалък, клет, жалостен; достоен за съжаление; **2.** жалък (*за опит и пр.*).

pitiful ['pitiful] *a* **1.** = **pitiable**; **2.** състрадателен, милостив, жалостив.

pitiless ['pitilis] *a* безжалостен, безмилостен, безсърдечен.

pitman ['pitmən] *n* (*pl* -men) **1.** миньор; **2.** *pl* -mans *ам.* *тех.* съединителен прът, мотовилка.

pittance ['pitəns] *n* оскъдна заплата/надница/рента/помощ; *прен.* подаяние.

pitter-patter ['pitəpætə] *n* тропане, трополене; тракане.

pituitary [pi'tjuitəri] **I.** *a* **1.** *анат.* хипофизен; ~ **gland** хипофиза; **2.** слизест, лигав; **II.** *n* **1.** *анат.* хипофиза; **2.** екстракт от хипофизата.

pit viper ['pit,vaipə] *n* силноотровна американска змия (*сем.* Crotalidae).

pity¹ ['piti] *n* милост, състрадание, жал, съжаление; **it is a ~** жалко; **it is a thousand pities** много жалко; **to have/take ~ on s.o.** смилявам се над някого; съжалявам някого; **the more's the ~** толкова по-зле; колко жалко; **for ~'s sake!** моля ви се! за бога! **the ~ is that** трябва да се съжалява, че.

pity² *v* съжалявам (*някого*); **he is to be pitied** той е за съжаление/оплакване.

pitying ['pitiiŋ] *a* състрадателен, изпълнен със състрадание.

pivot¹ ['pivət] *n* **1.** ос на въртене, опорна точка; **2.** *тех.* прът, стъбло; шарнирен болт; **3.** *прен.* център; **the ~ on which the whole question turns** същината на въпроса.

pivot² *v* **1.** въртя се (**on**); **2.** поставям върху ос център; поставям ос център на; **3.** *прен.* завися, въртя се (**on**).

pivotal ['pivətl] *a* **1.** осов; **2.** *прен.* централен, основен, кардинален, главен.

pix¹ = **pyx**.

pix² [piks] *n* *разг.* кино.

pixie, pixy ['piksi] *n* **1.** малка фея/самодива; игрив малък дух магьосник; **2.** *attr* палав, пакостлив.

pixil(l)ated ['piksileitid] *a* *ам.* **1.** малко смахнат; ексцентричен; чудат; **2.** *sl.* пиян.

pizza ['piːtsə] *n* *ит.* *готв.* пица, гарнирана пита.

piz(z)azz [pə'zæz] *n* *ам.* **1.** привлекателност; **2.** жизненост.

pizzle ['pizl] *n* 1. пенис на животно; 2. камшик от пенис на бик.

placable ['plækəbl] *a* добродушен, кротък, незлобив.

placard[1] ['plækəd] *n* 1. плакат, афиш; 2. табелка.

placard[2] *v* 1. афиширам; 2. поставям плакати/афиши.

placate [plə'keit] *v* 1. омиротворявам; успокоявам; 2. сдобрявам, помирявам; 3. спечелвам благоразположението на, предразполагам.

placatory [plə'keitəri] *a* омиротворителен; успокоителен; помирителен.

place[1] [pleis] 1. място; **in ~** 1) на място; уместно; 2) уместен, подходящ; **out of ~** 1) не на място; неуместно; 2) неуместен, неподходящ; **in ~s** на места, тук-там; **in ~ of** вместо, наместо; **in the first/second ~** на първо/второ място, първо/второ; **in the next ~** по-нататък; след това, после; **six ~s were laid** масата беше сложена за шест души; **before I leave this ~** преди да си тръгна оттук, преди да си отида; **all over the ~** навсякъде; **some ~** някъде; **any ~** някъде, къде да е; **in another ~** *парл.* в Камарата на лордовете/общините; **the other ~** *шег.* Оксфорд (*употребено в Кеймбридж*), Кеймбридж (*употребено в Оксфорд*); **to take o.'s ~** заемам мястото си, сядам; **to fill/take the ~ of** замествам, заемам мястото на; **to give ~** то отстъпвам място на, бивам последван/заместен от; **to have a soft ~ in o.'s heart for** питая/имам добри/нежни чувства към; обичам; **there is no ~ like home** у дома си е най-хубаво; 2. (подходящ) момент/място/време; **this is not the ~ to** не му е сега времето да, сега не е моментът да; 3. място, сграда (*за определена работа, цел*) заведение; **~ of worship** църква, храм; **~ of business** кантора; **~ of residence** жилище, дом, местожителство; **~ of arms** плацдарм; **~s of amusement** увеселителни заведения; 4. дом, квартира, жилище; имение; **~ in the country** вила; **come to my ~** елате у дома/у нас; 5. селище; град; село; 6. площад; улица (*в названия*); 7. положение, ранг; **to know o.'s ~** знам си мястото, държа се почтително; **to keep s.o. in his ~** държа някого на разстояние, принуждавам някого да се държи почтително; **to put s.o. in his (proper) ~** поставям някого на мястото му; **to put o.s. in s.o.'s ~** поставям се в положението на някого; 8. служба, работа, място; длъжност; задължение; право; **out of a ~** без работа, безработен; **it is not my ~ to** не е моя работа/мое задължение да, нямам право да; 9. пасаж, място (*в книга и пр.*); 10. *сп.* едно от първите три места (*в състезание*); 11. *мат.* знак; **calculated to five decimal ~s** изчислено до петия десетичен знак; □ **to take ~** ставам, случвам се; състоя се; **to go ~s (and see things)** пътувам, обикалям, виждам света; **to go ~s, to get some ~** преуспявам.

place[2] *v* 1. поставям, слагам, полагам; помествам; намествам; **to ~ in the clearest light** *прен.* хвърлям обилна светлина върху, осветлявам всестранно; **to ~ a question before** поставям въпрос пред; **to ~ a price** поставям цена, оценявам; **to be awkwardly ~d** намирам се/съм в неудобно/неприятно положение; **to ~ sentries** *воен.* разставям часови; **to ~ an order** правя поръчка (**with**); **to ~ o.'s balls skilfully** in tennis умело разпределям ударите си при тенис; 2. настанявам, назначавам; намирам място на/за; **to ~ a book with a publisher** намирам издател за книга, уговарям издаването на книга; **the play has been ~d** пиесата е приета за поставя-

не; 3. влагам, инвестирам; пласирам; **to ~ a bet** залагам (*при състезание*); 4. определям местоположението/времето/мястото на; отнасям към определени обстоятелства/дадена категория; определям какъв е; спомням си; **I know his face but I can't ~ him** лицето му ми е познато, но не мога да си спомня откъде го познавам; **he was a difficult man to ~** трудно беше да се определи какъв човек е; 5. *сп.* класирам; **to be ~d** класирам се (на едно от първите места); 6. *муз.* поставям (*глас*); □ **to ~ confidence in** гласувам доверие/доверявам се на.

placebo [plə'si:bou] *n* 1. безвредно лекарство, без истински лечебен ефект, предписано, за да се успокои пациентът; безвредно вещество, употребявано при проверка на действието на лекарство; 2. *църк.* заупокойна молитва.

place-card ['pleiskɑ:d] *n* картичка с обозначение на мястото на госта (*при банкет и пр.*).

place-hunter ['pleishʌntə] *n* службогонец, кариерист.

place-kick ['pleiskik] *n* футб. удар от място.

placeman ['pleismən] (*pl* men) = place-hunter.

placement ['pleismənt] *n* 1. поставяне, слагане; 2. назначение; 3. (место)положение; 4. разположение; порядък; ред; 5. влагане, вложение; 6. футб. (поставяне на топката на земята за) удар от място; □ **~ test** проверочен изпит за определяне в какъв клас да бъде приет ученик.

place-name ['pleisneim] *n* географско название/име.

placenta [plə'sentə] *n* (*pl* -tas [-təz] , -tae [-ti:]) 1. *анат.* плацента, последък; 2. *бот.* семенник.

placer ['pleisə] *n сп.* победител в състезание.

place setting ['pleis‚setiŋ] *n* чинии и прибори за едно лице (*на маса*).

placet ['pleisit] *n* лат. глас на одобрение/съгласие (в църковно, университетско събрание).

placid ['plæsid] *a* спокоен, тих; кротък; ведър.

placidity [plə'siditi] *n* спокойствие; ведрост.

placket ['plækit] *n* 1. разрез на дамска пола (*за обличане*); 2. джоб при разреза на пола; 3. *ост.* фуста; жена.

placoid ['plækɔid] *a зоол.* люспест; плочест.

plafond [plə'fɔ:n] *n фр.* 1. (украсен) таван; 2. *карти* бридж плафон.

plagiarism ['pleidʒiərizm] *n* плагиатство.

plagiarist ['pleidʒiərist] *n* плагиатор.

plagiarize ['pleidʒiəraiz] *v* плагиатствувам.

plagiary ['pleidʒiəri] 1. = **plagiarism**; 2. *ост.* = **plagiarist**.

plague[1] [pleig] *n* 1. чума; мор; холера; **a ~ take him!** чумата да го тръшне! *разг.* бич, напаст, наказание; *прен.* епидемия; каламитет; 3. неприятност, досада, безпокойство.

plague[2] *v* 1. заразявам, поразявам (**with**); 2. тормозя, вадя душата на (**with**).

plaguesome ['pleigsəm] *a разг.* неприятен, досаден.

plague-spot ['pleigspɔt] *n* 1. петно от чума; 2. място, където има чума/холера; 3. *прен.* източник на зараза/развала.

plagu(e)y ['pleigi] *a* неприятен, досаден, проклет.

plaice [pleis] *n зоол.* писия (Pleuronectes).

plaid [plæd] *n* 1. шотландски кариран плат; 2. шотландско наметало от кариран плат.

plain[1] [plein] *n* 1. равнина, поле; 2. лицева плетка.

plain[2] *a* 1. ясен, разбираем, понятен; явен; **~ as a pikestaff/as daylight/as the day/as the nose on your face/as the sun at noonday** ясно като бял ден, от ясно по-ясно, съвършено очевидно; **to make s.th. ~** разяснявам нещо; **in ~ English/Saxon** на прост език; ясно, недвусмислено; направо; **in ~ language**

нешифрован; 2. обикновен, прост; ~ **clothes** цивилни дрехи (*особ. на полицай*); ~ **cook** готвач за обикновени менюта; ~ **sailing** плаване без трудности; *прен.* лесна работа; 3. прям, откровен, искрен; ~ **dealing** откровеност, прямота; **to be ~ with s.o.** искрен/прям съм към някого; 4. едноцветен, без шарки; неоцветен; 5. обикновен (*за лице*), ни хубав, ни грозен.

plain³ *adv* ясно, недвусмислено.

plain⁴ *adv* ам. съвсем, направо; **it ~ galled me** направо ми беше противно.

plain⁵ *v ост.* плача, оплаквам.

plain-chant ['pleintʃaːnt] = **plainsong.**

plain chocolate ['plein,tʃɔklit] *n* натурален (*не млечен*) шоколад.

plainclothesman ['pleinklouðz,mæn] *n* (*pl* **-men** [-men]) цивилен полицай/агент.

plainsman ['pleinzmən] *n* (*pl* **-men**) жител на равнина.

plainsong ['pleinsɔn] *n* грегорианско църковно пеене.

plain-spoken ['plein,spoukən] *a* откровен, прям.

plain suit ['plein,sju:t] *n* карти некозови карти; цвят който не е коз.

plain time ['plein,taim] *n* работно време, заплащано по обикновена тарифа.

plaint [pleint] *n* 1. *юр.* иск; жалба, тъжба; 2. *ост.* плач, оплакване; ридание, вопъл.

plaintiff ['pleintif] *n юр.* ищец; тъжител.

plaintive ['pleintiv] *a* жален, жаловит, тъжен.

plait¹ [plæt] *n* плитка (*коса и пр.*).

plait² *v* сплитам, оплитам, заплитам.

plan¹ [plæn] *n* 1. план; 2. схема, скица, чертеж, диаграма; 3. план, проект, намерение, замисъл; **everything went according to ~** всичко стана по план/както беше замислено; 4. система; □ **the American ~ (hotel)** хотел със задължителен пансион; **the European ~ (hotel)** хотел без задължителен пансион.

plan² *v* (**-nn-**) 1. планирам, проектирам, правя план; **~ned economy** планово стопанство; **~ned parenthood** семейно планиране; 2. скицирам, чертая; 3. предвиждам, проектирам, замислям; имам намерение.

planchet ['plaːnʃet] *n* метален диск (*от който се изсича монета*).

planchette [plaːn'ʃet] *n* дъсчица за писане (*при спиритически сеанс*).

plane¹ [plein] *n* 1. равнина, плоскост (*и прен.*); плоска/равна повърхност; **on a different ~** на друга плоскост; 2. *прен.* равнище, ниво, уровен; стадий; 3. *ав.* крило, носеща повърхност; 4. *разг.* = **airplane.**

plane² *a* плосък, равен; равнинен; ~ **geometry** планиметрия.

plane³ *v* 1. *ав.* планирам (**down**); 2. нося се по вълните; 3. *ам.* пътувам/отивам със самолет.

plane⁴ *n* 1. дърводелско ренде; 2. хобелмашина.

plane⁵ *v* 1. рендосвам; 2. изравнявам, заравнявам, изглаждам (**away, down**).

plane⁶ *n бот.* платан, чинар (Platanus).

planet ['plænit] *n* планета.

plane-table ['pleinteibl] *n топогр.* мензула.

planetarium [,plænə'tɛəriəm] *n* (*pl* **-ums** [-əmz] , **-ria** [-riə]) планетарий.

planetary ['plænitəri] *a* 1. планетен; планетарен; ~ **system** слънчева система; 2. земен; 3. блуждаещ; странствуващ; 4. огромен, световен.

planetoid ['plænitɔid] *n* планетоид, астероид.

plane-tree ['pleintri:] = **plane⁶.**

planet-stricken ['plænit,strikn] *a* 1. изпитващ влиянието на дадена планета; орисан; 2. изплашен, ужасён.

plangent ['plændʒənt] *a* 1. *книж.* ечащ, кънтящ, бучащ; 2. плачевен, жалостен.

planish ['plæniʃ] *v тех.* 1. оправям, изправям; изглаждам; 2. шлифовам, полирам.

plank¹ [plæŋk] *n* 1. дъска, талпа; 2. точка/принцип от партийна и пр. програма; □ **to walk the ~** бивам хвърлен в морето (*от пирати*); *прен.* изхвърлят ме, уволняват ме.

plank² *v* 1. покривам/обковавам с дъски/талпи; 2. **to ~ down** *разг.* плащам (в брой), броя парите; слагам; 3. *ам.* поднасям (*ядене с гарнитура*) върху дъска.

plank-bed ['plæŋkbed] *n* нар, одър.

planking ['plæŋkiŋ] *n* дъсчена облицовка; *събир.* дъски, талпи.

plankton ['plæŋktən] *n* планктон.

planless ['plænlis] *a* безпланов.

planner ['plænə] *n* съставител на план; човек, който планира; плановик.

plant¹ [plaːnt] *n* 1. растение; ~ **life**-растително царство, растителност; 2. завод, фабрика; 3. инсталации, съоръжения, апаратура, агрегат; *прен.* средства; 4. *ам.* здания, помещения; 5. *sl.* измама, нагласена работа; лъжлива/фалшива улика; 6. *sl.* подставено лице, (таен) агент, копой.

plant² *v* 1. садя, насаждам, посаждам; **to ~ out** разсаждам; 2. развъждам, разселвам (*животни*); **to ~ a river with fish** зарибявам река; 3. поставям здраво; забивам, втиквам; **to ~ o.s.** заставам, настанявам се; 4. нанасям (*удар*); 5. поселвам, заселвам; 6. установявам; основавам; 7. *прен.* внедрявам, насаждам; 8. *sl.* поставям лъжливи улики; насаждам (*някого*); скривам, укривам; **to ~ stolen goods on s.o.** скривам у някого крадени стоки, за да го насадя.

plantain¹ ['plæntein] *n* вид банан.

plantain² *n бот.* живовляк (Plantago major).

plantation [plæn'teiʃn] *n* 1. плантация; 2. насаждение; 3. *ист.* колонизиране, заселване; колония.

planter ['plaːntə] *n* 1. плантатор; 2. земеделец; 3. *тех.* садило, сеялка; 4. *ист.* поселник, заселник, колонист; 5. сандъче и пр. за цветя.

plantigrade ['plaːntigreid] *зоол.* I. *a* стъпалоходен; II. *n* стъпалоходно животно.

plant-louse ['plaːntlaus] *n* (*pl* **-lice** [-lais]) *зоол.* листна въшка.

plant-warfare ['plaːnt,wɔːfɛə] *n* унищожаване посевите на противника.

plaque [plaːk] *n* 1. гравирана табелка/плоча; паметна плоча; 2. почетна значка.

plash¹ [plæʃ] *v* плясвам (се), плисквам (се).

plash² *n* пляскане, плискане; плясък, плисък.

plash³ *n* локва; бара.

plash⁴ *v* подреждам (*жив плет*).

plashy ['plæʃi] *a* мочурлив, влажен.

plasm [plæzm] *n биол.* протоплазма.

plasma ['plæzmə] *n* 1. *биол.* плазма; протоплазма; 2. *минер.* хелиотроп, зелен халцедон.

plasmodium [plæs'moudiəm] *n биол.* плазмодий.

plaster¹ ['plaːstə] *n* 1. мазилка, хоросан; ~ **of Paris** гипс (*и мед.*); 2. пластир, лапа; **mustard ~** хардал; 3. лейкопласт, мушамичка.

plaster² *v* 1. мажа, измазвам с хоросан; 2. покривам, намазвам, наплесквам; 3. слагам пластир/лейкопласт на; гипсирам, слагам в гипс; 4. *sl.* обстрелвам/бомбардирам тежко; нанасям тежки загуби на; □ **to ~ with praise** лаская грубо.

plastered ['plaːstəd] *a* пиян, натряскан.

plasterer ['plaːstərə] *n* мазач.

plaster saint ['plaːstə,seint] *n* „светец", „богородичка".

plastic ['plæstik] I. *a* 1. пластичен; гъвкав; ~ **clay** глина за моделиране; 2. пластичен, пластически; ~ **arts** скулптура, керамика и пр.; ~ **flow** *тех.* пластическа деформация; ~ **surgery** *мед.* пластична хирургия; 3. пластмасов; полиетиленов; синтетичен; II. *n обик. pl* пластмаса.

plasticine ['plæstisain] *n* пластелин.

plasticity [plæs'tisiti] *n* пластичност; гъвкавост.

plastron ['plæstrən] *n* 1. пластрон, нагръдник; 2. *ист.* нагръдна броня; 3. *зоол.* коремен щит (*на костенурка*).

plat[1] [plæt] *n* 1. малко парче земя; парцел; 2. *ам.* план, скица (*на парцел*).

plat[2] = **plait**.

plat[3] [pla:] *n фр.* ястие, блюдо, гозба.

platan ['plætən] = **plane**[6].

plate[1] [pleit] *n* 1. пластинка, плоча, плочка; лист; 2. *печ.* електротипна/стереотипна плака/форма; илюстрация на отделна страница; 3. табела, табелка; **to put up o.'s** ~ започвам частната си практика като лекар; 4. тънък пласт (благороден) метал; позлата, варак; посребрен/позлатен метал; 5. *сбир.* сребро, сребърни/посребрени/позлатени сервизи/прибори; **to dine off** ~ ям на сребърни чинии; 6. чиния, блюдо; **on a** ~ *прен.* на тепсия, наготово, даром; **to have s.th. on o.'s** ~ *разг.* нещо ми предстои за разрешаване; 7. *ам.* главно ядене/ястие/блюдо; куверт; **dinner at $ 10 a** ~ вечеря по 10 долара на куверт; 8. *църк.* дискос; 9. *сп.* (състезание за) купа; 10. *фот.* плака; стъкло; 11. изкуствена челюст; 12. *рад. ам.* анод; 13. *стр.* основна греда; 14. *геол.* плоча; 15. *анат.* капаче (*на коляното*); *зоол., бот.* щит(че); 16. *ам.* бейзбол гумена плоча, която бележи мястото на батсмана.

plate[2] *v* 1. покривам с тънък пласт метал; галванизирам, никелирам, позлатявам, посребрявам; 2. обковавам, обшивам, бронирам; 3. *печ.* стереотипирам.

plate armour ['pleitə:mə] *n* 1. *ист.* броня, ризница; 2. *мор.* броня (*на кораб*).

plateau ['plætou] *n* (*pl* -**aux**, -**aus** [-ouz]) *геогр.* плато.

plate-basket ['pleitba:skit] *n* кошничка за прибори.

plate glass ['pleitgla:s] *n* шлифовано стъкло.

plate-layer ['pleitleiə] *n жп.* работник, който поставя/поправя релси.

platen ['plætən] *n* 1. *печ.* тигел; 2. валяк на пишеща машина.

plate-powder ['pleitpaudə] *n* прах за чистене на метални прибори.

plater ['pleitə] *n* 1. галванотехник; 2. кон, участвуващ в състезание за купа.

plate-rack ['pleitræk] *n* решетка/подставка за сушене на чинии.

plate rail ['pleitreil] *n* поличка за чинии, украшения и пр.

platform ['plætfɔ:m] *n* 1. платформа; естрада; трибуна; **the** ~ ораторство; ораторска дарба; 2. перон; ~ **ticket** перонен билет; 3. *пол.* платформа, програма; 4. обувка с дебела подметка (*и* ~ **shoe**).

plating ['pleitiɳ] *n* 1. позлата и пр. (*вж.* **plate**[2] 1); 2. конно състезание за купа.

platinic [plə'tinik] *a* 1. платинов; 2. *хим.* съдържащ четиривалентна платина.

platinize ['plætinaiz] *v* покривам с платина.

platinous ['plætinəs] *a хим.* съдържащ двувалентна платина.

platinum ['plætinəm] *n хим.* платина; □ ~ **blond** *разг.* платинено руса жена.

platitude ['plætitju:d] *n* баналност; банална/плоска/глупава забележка; изтъркана фраза.

platitudinarian [plæti͵tju:di'nɛəriən] *n* човек, който често прави плоски забележки; досаден моралист.

platitudinize [plæti'tju:dinaiz] *v* правя плоски/блудкави забележки; морализаторствувам.

platitudinous [plæti'tju:dinəs] *a* банален, блудкав, плосък, изтъркан.

Platonic [plə'tɔnik] *a* 1. платоничен, платонически; 2. платоновски; 3. теоретичен, словесен; духовен, нематериален.

platoon [plə'tu:n] *n воен.* взвод.

platter ['plætə] *n* 1. поднос, голяма чиния; 2. *ам.* грамофонна плоча.

platypus ['plætipəs] *n зоол.* птицечовка.

platyrrhine ['plætirain] *a зоол.* широконос.

plaudit ['plɔ:dit] *n обик. pl* 1. ръкопляскане, аплодисменти; 2. хвалебствие, възхвала, одобрение.

plausibility [͵plɔ:zi'biliti] *n* правдоподобност; приемливост; благовидност.

plausible ['plɔ:zibl] *a* правдоподобен; приемлив; благовиден.

play[1] [plei] *v* 1. играя (си); забавлявам се (**with**); **to** ~ (**at**) **soldiers** играя на войници; **let's** ~ (**at being**) **pirates** хайде да играем на пирати; 2. *сп.*, *карти* играя; включвам в игра; удрям (*топка*); шах местя (*фигура*); **to** ~ **s.o. as goalkeeper etc.** включвам някого като вратар и пр.; **to** ~ **o.'s ace** играя аса си; *прен.* **to** ~ **o.'s ace/o.'s trump card** играя/изигравам най-силния си коз; **to** ~ **o.'s trumps well** използвам добре възможностите си; **to** ~ **fair, to** ~ **the game** спазвам правилата; *прен.* постъпвам честно; 3. *сп.* в (*добро, лошо*) състояние съм (*за игрище*); 4. играя на (*борсата, тото и пр.*); залагам; **to** ~ **the races** залагам на конни състезания; **to** ~ **the market** играя на борсата; 5. *театр.* играя, изпълнявам (*роля*); играя в (*театър*); играя се (*за пиеса*); **what's** ~**ing at** какво се дава/играе в; **he** ~**ed leading theatres** той играеше в най-известните театри; **to** ~ **o.'s part well** добре си играя/изигравам ролята (*и прен.*); 6. правя се на, показвам се като, играя ролята на; **to** ~ **the man** показвам се/държа се като (истински) мъж, държа се мъжки; **to** ~ **dead** правя се на умрял; **to** ~ **the fool/goat/monkey** правя се на луд, втелявам се, халосвам се; 7. свиря; изпълнявам (*на инструмент*); пускам, просвирвам (*плоча и пр.*); **to** ~ **the piano/violin etc.** свиря (на) пиано/цигулка и пр.; **to** ~ **a sonata on the piano** изсвирвам соната на пиано; 8. играя, движа се свободно; имам луфт (*за машина и пр.*); 9. насочвам, отправям (*струя, прожектор и пр.*); насочвам се; обстрелвам (**on**); 10. пускам (*водоскок*); пуснат съм (*за водоскок*); 11. *sl.* съдействувам, постъпвам както се изисква; 12. оставям (*уловена на въдица риба*) да се измори във водата; □ **to** ~ **havoc/hell with, to** ~ **the boar/deuce/dickens/devil with, to** ~ **Old Harry/old gooseberry with** обръщам с главата надолу, правя на пух и прах; погубвам; пращам по дяволите; разсипвам, разоравам, разстройвам; **to** ~ **safe** действувам предпазливо, не рискувам; **to** ~ **a deep game** имам потайни/скрити планове, действувам потайно; **to** ~ **into the hands/palms of** подпомагам, действувам в интерес на, наливам вода в мелницата на; **to** ~ **ball** *разг.* съдействувам, помагам;

play about играя си; отнасям се несериозно **(with)**; държа се несериозно;

play along 1) *разг.* будалкам, мамя; измамвам; 2) вървя в крак, търпя, понасям; поддържам (*често привидно*);

play around 1) = **play about;** 2) ходя по любов, флиртувам; *ам. sl.* изневерявам (често) на жена си /мъжа си;

play at върша нещо отгоре-отгоре/без особен интерес (*с ger*);

play away проигравам (*състояние и пр.*);

play back просвирвам (*магнетофонен запис*);

play down 1) омаловажавам; 2) нагаждам се към нивото на (*събеседник и пр.*), за да го спечеля на своя страна (**to**);

play off 1) *сп.* завършвам игра (*след равен резултат*); изигравам решаваща партия; 2) **to ~ off against** настройвам (*някого*) срещу (*някой друг*) в свой интерес/своя полза, възбуждам съперничество между; **to ~ Britain and America off against each other** настройвам Англия и САЩ един срещу друг; 3) представям (*нещо, някого*) в лъжлива светлина;

play on 1) продължавам да свиря/играя; започвам да свиря/играя; 2) използувам (за свои цели); действувам на; **to ~ on s.o.'s fear** използувам страха на някого;

play out 1) изигравам (до край); *pass* разигравам се (*за действие, събитие*); 2) изтощавам; изчерпвам (се) (*и pass*); 3) отпускам, размотавам (*въже и пр.*) малко по малко; □ **to ~ out time** издържам до края на играта, без да допусна гол (*за отбор*);

play over *сп.* преигравам;

play round: to ~ round with the idea of (*с ger*) често си мисля за, мисля дали да;

play up 1) глезя се; 2) дразня; измъчвам, тормозя; **my stomach is ~ing (me) up again** стомахът пак ме боли/се обажда; 3) изтъквам, подчертавам; преувеличавам; ◆използвам докрай; 4) съдействувам, помагам (**и в опит за измама**); 5) **to ~ up to s.o.** докарвам се/подмазвам се на някого, лаская някого; *театр.* подпомагам (*партньор*) с играта си; 6) *сп. обик. itp* давай!

play with 1) играя си с (*и прен.*); 2) *вж.* **play round;**

play upon = **play on** 2.

play² *n* 1. игра; забава, забавление; **to be at ~** играя; **in ~** на шега; 2. бързо движение, игра, трепкане (*на вълни, светлина, цветове*); **the ~ of expression on his face** променящото се изражение на лицето му; 3. пиеса; представление, спектакъл; **as good as a ~** много забавно/интересно; 4. *сп., карти* игра, ход; хазарт; начин (на игра); **the ball is in ~** топката е в игра/в игрището; **to be out of ~** извън играта съм; 5. *ам. прен.* маневра, ход; **to make a ~ for** мъча се да свободен/мъртъв ход; 7. поведение, отношение, държане; **foul/false ~** непочтеност, непочтено отношение, мошеничество; **fair ~** честна игра, честност, честно отношение; 8. действие; **to bring/call into ~** пускам в ход/действие; предизвиквам; **to come into ~** влизам в действие, започвам да действувам; **in full ~** в пълен ход, в разгар; **to hold s.o. in ~** не давам някому да си отдъхне/да си поеме дъх; **to make ~** действувам енергично; 9. *ам.* гласност (*чрез средства за информация*); 10. *прен.* простор, свобода; **to give free ~ to** давам пълна свобода на (*мисли, въображение и пр.*).

playable ['pleiəbl] *a* 1. *театр.* подходящ за сцената (*за пиеса*); сценичен; 2. годен за игра (*за игрище*).

play-act ['pleiækt] *v* 1. актьор съм; 2. театралнича, превземам се.

play-back ['pleibæk] *n* възпроизвеждане на магнетофонен запис/снимка и пр.

playbill ['pleibil] *n* 1. театрален афиш; 2. *ам.* програма (*за пиеса и пр.*).

playboy ['pleibɔi] *n* 1. богат безделник, разглезен богаташ; 2. (охолен) развратник.

played out [pleid'aut] *a* 1. изчерпан, свършен (*и прен.*); изтощен; 2. негоден; 3. остарял (*и прен.*); 4. *ам.* фалирал; 5. *прен.* изтъркан.

player ['pleiə] *n* 1. играч; 2. актьор; музикант.

player-piano ['pleiəpjænou] *n* пианола.

playfellow ['pleifelou] *n* другар в игрите; другар от детинство.

playfield ['pleifi:ld] = **playing-field.**

playful ['pleiful] *a* игрив, весел; закачлив; шеговит; **~ humour** лек хумор.

playgoer ['pleigouə] *n* любител/постоянен посетител на театъра.

playground ['pleigraund] *n* 1. игрище; спортна/детска площадка; 2. място за забавление; 3. средище (*на дейност*).

playhouse ['pleihaus] *n* 1. театър (*сграда*); 2. *ам.* къщичка за игра на деца.

playing-card ['pleiiŋka:d] *n* карта за игра.

playing-field ['pleiiŋfi:ld] *n* игрище; спортна площадка.

playmate ['pleimeit] = **playfellow.**

play-off ['pleiɔf] *n сп.* преиграване на мач (*след равен резултат*).

play-pen ['pleipen] *n* детска кошарка.

playroom ['pleirum] *n ам.* стая за игри, забави и пр. (*в къща*).

plaything ['pleiθiŋ] *n* играчка (*и прен.*).

playtime ['pleitaim] *n* време за игра/отдих/развлечение.

playwear ['pleiwɛə] *n* спортно облекло.

playwright ['pleirait] *n* драматург.

plaza ['pla:zə] *n исп.* 1. (пазарен) площад; 2. *ам.* паркинг; комплекс от ресторант, мотел и бензиностанция край автострада; 3. *ам.* място, където се плаща такса за използуване на автострада; 4. *ам.* търговски център (*на град*).

plea [pli:] *n* 1. оправдание; предлог, претекст; довод; **on the ~ of** под предлог, че; 2. молба, просба, жалба; апел; тъжба, петиция; **to make a ~ for** апелирам за; 3. *юр.* защита, защитна реч, пледоария; обяснение на обвиняемия; признаване на вина; **special ~** привеждане на нови доказателства; **to submit the ~ that** пледирам, че; 4.*ост., юр.* процес, дело; □ **~ bargaining** признаване на вина за по-малко престъпление, за да се избегне съдебно преследване за по-голямо.

pleach [pli:tʃ] = **plash³.**

plead [pli:d] *v* (**pleaded,** *ам.* **pled**) 1. *юр.* защищавам в съда; пледирам; **to ~ o.'s cause with** защищавам каузата си пред; 2. *юр.* отговарям на обвинение, обръщам се към съда; **to ~ guilty/not guilty** признавам се/не се признавам за виновен; 3. умолявам, моля (**with s.o.** някого), обръщам се с молба; застъпвам се (**for** за, **with** пред); 4. позовавам се на, изтъквам като оправдание, използувам като претекст; опитвам се да се извиня (с); **to ~ inexperience/o.'s youth** оправдавам се с неопитност/с младостта си; **to ~ o.'s belly**

моля да се отмени смъртната ми присъда поради бременност.

pleading ['pli:diŋ] *a* умолителен, умоляващ.

pleadings ['pli:diŋz] *n pl юр.* писмено изложение на страните; пледоария; съдебни прения; съдебна процедура.

pleasance ['plezns] *n ост.* 1. удоволствие, наслада; 2. градина, парк, място за развлечение (*в имение и пр.*).

pleasant ['pleznt] *a* 1. приятен; ~ **man to deal with** приятен човек, човек с лек характер; 2. любезен; **to make o.s. ~ to** любезнича с; забавлявам; 3. *ост.* шеговит, закачлив.

pleasantness ['plezntnis] *n* 1. приятност; 2. любезност; веселост.

pleasantry ['plezntri] *n* 1. веселост, шеговитост, закачливост; 2. шега, закачка, шеговита забележка.

please [pli:z] *v* 1. харесвам се/нравя се на, доставям удоволствие на; задоволявам; угаждам на; **he is hard to ~** мъчно е да му се угоди; **~ yourself** постъпете както искате, правете каквото искате; **anything to ~!** нека да е така! съгласен съм! 2. *pass* доволен съм (**with** от); приятно ми е; благоволявам (да); **I shall be ~d to** с удоволствие да; **Her Majesty has been graciously ~d to** Нейно Величество благоволи да; 3. искам, намирам за добре; **do as you ~** постъпете както намирате за добре; (**if it) ~ God** ако е рекъл господ; (**may it) ~ your honour** *ост.* с Ваше позволение; ако Ви е угодно; **if you ~** 1) ако обичате, моля; 2) *ирон.* моля ви се! представете си! 4. *imper* моля; **may I? — ~ do!** разрешавате ли? — моля, да, разбира се; **have some tea? — yes, ~** малко чай? — да, моля.

pleasing ['pli:ziŋ] *a* 1. приятен (**to**); 2. привлекателен (**to**).

pleasurable ['pleʒərəbl] *a* приятен.

pleasure[1] ['pleʒə] *n* 1. удоволствие; наслада; развлечение; **man of ~** бонвиван; **woman of ~** лека жена; **it gives me ~ to** драго/приятно ми е да; **to take (a) ~ in doing s.th.** обичам/приятно ми е да правя нещо; **it will be a ~ to me, it will give me great ~, I shall esteem it a ~ to** ще ми бъде приятно/драго да, ще се радвам да; **to take o.'s ~** забавлявам се (*особ. с любовни авантюри*); **it was a ~, the ~ was mine** моля, направих го с удоволствие; **may I have the ~ of your company to dinner?** ще ми направите ли удоволствието да вечеряте у/с нас? **X. requests the ~ of your company to X.** ви моли/кани да присъствувате на (*в официални покани*); 2. желание; нареждане; **we await your ~** очакваме вашите нареждания; **without consulting my ~** без да ме пита, без да се съобрази с желанието ми; **at your ~** когато пожелаете; както пожелаете; 3. *attr* (който е) за удоволствие; увеселителен; **~ trip** пътуване за удоволствие, екскурзия.

pleasure[2] *v* 1. прави ми удоволствие (**in** *с ger* да); 2. търся удоволствия; 3. доставям (полова) наслада на.

pleasure-boat ['pleʒəbout] *n* лодка за екскурзии.

pleasure-ground ['pleʒəgraund] *n* (увеселителен) парк; парк с игрища и пр.

pleat[1] [pli:t] *n* плисе, дипла.

pleat[2] *v* плисирам, надиплям; **~ed skirt** плисирана пола.

pleb [pleb] *n разг.* плебей; **~s** простолюдие, плебеи.

plebe [pli:b] *n ам. разг.* курсант от първия курс на военна/морска академия.

plebeian [pli'bi:ən] I. *a* плебейски (*и прен.*); II. *n* плебей (*и прен.*).

plebiscite ['plebisait] *n* плебисцит.

plectrum ['plektrəm] *n (pl* **-ums** [-əmz] ,**-a** [-ə]) *муз.* плектър.

pled *вж.* **plead**.

pledge[1] [pledʒ] *n* 1. залог; **to put in ~** залагам (*вещ*); **to take out of ~** откупвам (*заложена вещ*), освобождавам от залог; **goods lying in ~** заложени вещи; 2. поръчителство; 3. *ист.* заложник; 4. дар, подарък, залог (*за приятелство и пр.*); **the ~ of their love** свидетелството за любовта им, детето им; 5. тост, наздравица; 6. гаранция, обет, обещание; вричане, заричане; **to be under a ~ of secrecy** обещал съм да пазя тайна; **to take/sign the ~** обещавам писмено да не пия; **to keep the ~** изпълнявам/удържам обещанието си да не пия; 7. *пол.* публично обещание на водач на партия да се придържа към определена политика; 8. *ам.* обещание да се включи в (тайна) организация; лице, обещало да се включи в такава организация.

pledge[2] *v* 1. залагам; давам в залог; 2. давам тържествено обещание/обет, обвързвам с обещание; **to ~ o.'s word/honour** давам честна дума; **to be ~d to secrecy** дал съм обещание да мълча/да не издавам тайна; **to ~ o.'s support** обещавам подкрепата си; 3. вдигам наздравица/пия за (здравето на).

pledgee [ple'dʒi:] *n* лице, което приема залог; лице, на което се обещава нещо.

pledger ['pledʒə] *n* лице, което залага/дава залог; лице, което дава обещание.

pledget ['pledʒit] *n* компрес; тампон.

Pleiad ['plaiəd] *n (pl* **-s**, **-des** [-di:z]) 1. *pl астр.* Плеяди; 2. *ист., прен.* плеяда.

plein air [ple'nεə] *n фр. изк.* пленер.

plainairist [ple'nεərist] *n фр. изк.* пленерист.

Pleistocene ['plaistəsi:n] *n геол.* плейстоцен.

plena *вж.* **plenum**.

plenary ['pli:nəri] *a* 1. пълен, неограничен, абсолютен (*за власт*); 2. пленарен.

plenipotentiary [‚plenipə'tenʃəri] I. *a* 1. пълномощен; 2. неограничен, абсолютен; **~ power** суверенна власт; II. *n* пълномощен министър, посланик.

plenitude ['plenitju:d] *n* 1. пълнота, цялост; 2. изобилие; **in the ~ of his powers** в разцвета на силите си.

plenteous ['plentjəs] *a поет.* 1. изобилен, богат; 2. плодороден.

plentiful ['plentiful] *a* обилен, изобилен; **examples are ~** примери много/колкото щеш; **as ~ as blackberries** в изобилие, колкото щеш, под път и над път.

plenty[1] ['plenti] *n* 1. (из)обилие; **in ~** 1) в изобилие, колкото щеш; 2) в охолство; 2. ~ **(of)** множество, много, достатъчно; **six will be ~** шест са достатъчно/стигат; **there is ~ of bread** има много хляб; **there are ~ of apples** има много ябълки; **I've had ~** стига ми, не искам повече; **to be in ~ of time** стигам достатъчно рано.

plenty[2] *a разг.* достатъчен, изобилен; **there is ~ work to do** има достатъчно работа.

plenty[3] *adv* доволно, достатъчно; много; **it's ~ big enough** достатъчно голям е.

plenum ['pli:nəm] *n (pl* **-ums**, **-a** [-əmz, -ə]) 1. пленум; 2. изпълнено с материя пространство; 3. пълнота.

pleonasm ['pliənæzəm] *n лит.* плеоназъм.

pleonastic [pliə'næstik] *a* излишен, плеонастичен.

plethora ['pleθərə] *n* 1. *мед.* пълнокръвие; плетора; 2. излишество; преситеност.

pleura ['pluərə] *n (pl* **-rae** [-ri:]) *анат.* плевра.

pleurisy ['pluərəsi] *n мед.* плеврит.

plexiglass ['pleksigla:s] *n* плексиглас.

plexus ['pleksəs] *n* 1. *анат.* плексус, сплит; 2. *прен.* мрежа, лабиринт.

pliability [plaiə'biliti] *n* 1. гъвкавост, еластичност, пластичност; разтегливост; ковкост; 2. отстъпчивост; податливост; приспособимост.

pliable ['plaiəbl] *a* 1. гъвкав, еластичен; пластичен; ковък; 2. поддаващ се на влияние; отстъпчив; податлив; приспособим.

pliancy ['plaiənsi] = **pliability**.

pliant ['plaiənt] = **pliable**.

plicate(d) [plai'keit(id)] *a бот., зоол., геол.* нагънат (ветрилообразно); надиплен; набръчкан.

pliers ['plaiəz] *n pl* (плоски) клещи, щипци.

plight¹ [plait] *v* 1.: **to ~ o.'s word/honour/troth** обещавам, давам обет; 2. сгодявам; **to ~ o.s./o.'s troth** сгодявам се; **~ed lovers** *ост.* годеници.

plight² *n поет.* 1. обет, тържествено обещание; 2. годеж, сгодяване.

plight³ *n* (тежко) състояние/положение; беда; хал; **to be in a sorry/sad ~** в лошо положение/състояние съм; загазил съм; **in none too good a ~** в доста окаяно положение; **what a ~ you're in!** добре си го загазил!

plimsoll ['plimsɔl] *n* гуменка.

Plimsoll line, mark ['plimsl,lain,,ma:k] *n мор.* товарна марка, диск на Плимсол.

plinth [plinθ] *n арх.* плинт.

Pliocene [plaiə'si:n] *n геол.* плиоцен.

plod¹ [plɔd] *v* (-dd-) 1. мъкна се, движа се тежко/мудно; бъхтя път; 2. трудя се, блъскам се, работя упорито (at); **to ~ away at** работя бавно/неуморно върху; 3. *прен.* влача се, движа се мудно (*за разказ и пр.*).

plod² *n* 1. тежка походка; 2. тежка/мудна работа.

plodder ['plɔdə] *n* 1. упорит, съвестен и бавен работник; 2. зубрач.

plodding ['plɔdiŋ] *a* 1. бавен, тежък (*за походка*); 2. бавен, тежък, скучен, неблагодарен (*за работа*); 3. трудолюбив.

plonk¹ [plɔŋk] = **plunk**.

plonk² *n sl.* евтино/долнокачествено вино.

plop¹ [plɔp] *n* цопване, плясване.

plop² *v* (-pp-) 1. цопвам, плясвам, цамбурвам; 2. тръсвам се (*на стол и пр.*) (on, into).

plosive ['plousiv] *фон.* I. *a* експлозивен, преграден, избушлив; II. *n* експлозивна/преградна/избушлива съгласна.

plot¹ [plɔt] *n* 1. парче земя, участък, парцел; 2. план, скица; график, диаграма; 3. заговор, съзаклятие; конспирация; интрига; **to hatch/lay a ~** заговорнича; 4. фабула, сюжет, интрига.

plot² *v* (-tt-) 1. разпределям, разделям (*земя*); **to ~ out** парцелирам; 2. чертая, скицирам; съставям (*карта*); отбелязвам (*като*) на карта/план/чертеж; правя диаграма; чертая крива; 3. заговорнича, съзаклятнича; правя интриги; 4. измислям/нахвърлям фабула на.

plotter ['plɔtə] *n* заговорник, съзаклятник, конспиратор.

plotting-paper ['plɔtiŋpeipə] *n* милиметрова хартия.

plough¹ [plau] *n* 1. плуг; рало; 2. снегорин, снегочистачка; 3. орна земя; 4. *ел.* токоприемник; 5. *астр.* **the P.** Голямата мечка; 6. *sl.* проваляне на изпит; □ **to put/set o.'s hand to the ~** залавям се за работа.

plough² *v* 1. ора, изоравам, разоравам, обработвам; 2. поддавам се на обработване; 3. пробивам/проправям път (**through**); забивам се (**into**); 4. поря (*вълни*); 5. *sl.* скъсвам, сдрусвам (*на изпит*); □ **to ~ a lonely furrow** следвам сам избрания си път; **to ~ the sand(s)** трудя се напразно;

plough back 1) разоравам; 2) влагам отново (*печалби*) в същото предприятие;

plough in заравям, заривам в земята;

plough through 1) с мъка си пробивам път; 2) прочитам (с мъка); проучвам основно/внимателно;

plough up 1) разоравам, разравям; изоравам; 2) изкоренявам, изтръгвам с корена при оран.

ploughboy ['plaubɔi] *n* 1. момче, което води впрегнатия в плуга добитък; 2. селянче.

ploughland ['plaulænd] *n* орна земя.

ploughman ['plaumən] *n* (*pl* -men) орач.

ploughshare ['plauʃeə] *n* палешник, лемеж.

plover ['plʌvə] *n зоол.* птица от вида на дъждосвирците (Charadriidae); попадийка, калугерица.

plow *ам.* = **plough**.

ploy [plɔi] *n* 1. *разг.* занимание, работа; 2. лудория, щега; 3. *прен. разг.* ход, маневра; тактика.

pluck¹ [plʌk] *v* 1. скубя, оскубвам (*птица, коси и пр.*); 2. бера, късам, откъсвам (*цветя и пр.*); 3. дърпам, тегля (*и с at*); 4. дърпам (*струни*); 5. *sl.* оскубвам; измамвам; 6. *sl. ост.* скъсвам, сдрусвам (*на изпит*);

pluck off скубя, изскубвам, отскубвам;

pluck out скубя, изскубвам, изкоренявам (*бурени и пр.*);

pluck up 1) = **pluck out**; 2) **to ~ up courage/fortitude/heart/spirits** събирам кураж/смелост, престрашавам се.

pluck² *n* 1. дърпане; скубване; **he gave my sleeve a ~** той ме (по)дръпна за ръкава; 2. карантия; 3. смелост, мъжество, решителност, дързост.

plucky ['plʌki] *a* смел, решителен.

plug¹ [plʌg] *n* 1. запушалка, тапа, чеп; пробка; 2. пожарен кран; 3. щепсел; *разг.* контакт; 4. *авт.* свещ; 5. *тех.* болт, щифт; 6. пломба (*на зъб*); 7. автомат с ръчка (*в клозет*); 8. пресован тютюн за дъвчене; 9. *ам. разг.* цилиндър; бомбе; 10. слаб/мършав кон, кранта; 11. *sl.* нещо негодно/износено; 12. *sl.* търговска реклама; 13. удар с юмрук/куршум; 14. *ам.* примамка за въдица; 15. *ам.* благоприятен отзив.

plug² *v* (-gg-) 1. запушвам, затулвам (*често с up*); 2. *разг.* постоянствувам, упорствам (*в работа и пр.*) (*често с away at*); 3. *sl.* популяризирам; рекламирам настойчиво; 4. *sl.* застрелвам; удрям с юмрук;

plug in поставям щепсел, включвам (*ел. уред*);

plug up запушвам.

plug-hat ['plʌghæt] = **plug¹** 9.

plug in ['plʌgin] *n, a* (уред/играчка и пр.) който работи с електричество.

plug-ugly ['plʌgʌgli] *n ам. sl.* (опасен) хулиган; гангстер.

plum [plʌm] *n* 1. слива (Prunus domestica); 2. слива (*плод*); 3. стафида; 4. *прен. разг.* тлъст кокал, доходна служба, синекура; най-хубавото, каймакът; 5. *ам.* бонбон; 6. тъмновиолетов/лилав цвят; 7. *attr* сливов.

plumage ['plju:midʒ] *n* перушина, пера, оперение; □ **in full ~** *разг.* в парадно облекло; наконтен.

plumb¹ [plʌm] *n* отвес; **off/out of ~** невертикален, наклонен; 2. *мор.* лот.

plumb² *a* 1. вертикален, отвесен; изправен; 2. *разг.* явен, абсолютен; **~ nonsense** явна/чиста глупост.

plumb³ *adv* 1. вертикално, отвесно; 2. точно; (на)право; 3. *ам.* съвсем; **crazy** съвсем луд/полудял.

plumb⁴ *v* 1. поставям под отвес/вертикално; 2. *мор.* измервам (*дълбочина*) с лот; 3. *прен.* вниквам/прониквам в, разбирам; **4.** пломбирам с олово; **5.** работя като водопроводчик; поставям водопроводни и пр. инсталации.

plumbago [plʌmˈbeigou] *n* **1.** *минер.* графит; **2.** *бот.* зъбна трева, саркофай (Plumbago).

plumb-bob [ˈplʌmbɔb] *n* тежест на отвес.

plumbeous [ˈplʌmbiəs] *a* оловен, с оловен цвят; с оловна глазура.

plumber [ˈplʌmə] *n* водопроводчик.

plumbic [ˈplʌmbik] *a* *хим.* оловен.

plumbiferous [plʌmˈbifərəs] *a* съдържащ олово.

plumbing [ˈplʌmiŋ] *n* водопровод(на инсталация); **2.** работа/занаят на водопроводчик.

plumbism [ˈplʌmbizm] *n* *мед.* оловно отравяне, плумбизъм, сатурнизъм.

plumb-line [ˈplʌmlain] *n* **1.** отвес; **2.** *мор.* лот; **3.** *прен.* мерило, критерий.

plumbous [ˈplʌmbəs] *a* *хим.* съдържащ двувалентно олово.

plumb-rule [ˈplʌmruːl] *n* зидарски отвес.

plum-cake [ˈplʌmkeik] *n* кейк със стафиди.

plum-duff [ˈplʌmdʌf] *n* пудинг със стафиди.

plume[1] [pluːm] *n* **1.** перо; **2.** китка/кичур пера, кичур конски косми (*като украшение*), плюмаж, егрета; **3.** качулка (*на птица*); дълга пухкава опашка; **4.** *поет.* перушина; **5.** струйка; стълбче (*от пара, дим и пр.*). □ **in borrowed ~s** парадиране с чужди заслуги.

plume[2] *v* **1.** украсявам/кича с пера; **2.** чистя (*перата си*) с клюн (*за птица*) (*и refl.*); **3.** оскубвам; **4. to ~ o.s. on** перча се/гордея се/фукам се с.

plummet[1] [ˈplʌmit] *n* **1.** оловен отвес; тежест на отвес/въдица; **2.** *мор.* лот.

plummet[2] *v* **1.** падам право надолу; **2.** спадам рязко (*за цени и пр.*).

plummy [ˈplʌmi] *a* **1.** с много стафиди (*за сладкиш*); **2.** *разг.* добър, изгоден; доходен; завиден; **3.** *разг.* афектирано плътен/звучен (*за глас*); **4.** с вкус/миризма/цвят на слива.

plumose, -ous [pluːˈmous, -əs] *a* *зоол., бот.* оперен, с пера; перест.

plump[1] [plʌmp] *a* закръглен, пълничък.

plump[2] *v* **1.** охранвам (се); закръглям се, оправям се; напълнявам (*обик. с* **up, out**).

plump[3] *v* **1.** падам тежко, пльосвам (се), цопвам; отпускам се (*и refl.*); пускам (тежко), тръсвам, изтърсвам; **to ~ (o.s.) down in a chair** отпускам се/тръсвам се на стол; **2.** *прен.* издрънквам (*и с* **out**); **3.** нахлтвам; изтърсвам се (*някъде*); **4. to ~ for 1)** *пол.* гласувам само за един (кандидат); **2)** *разг.* избирам/предпочитам безрезервно, поддържам безрезервно; правя реклама за; **5.** *разг.* удрям, цапардосвам.

plump[4] *n* **1.** тежко падане, тупване; цопване; **2.** *sl.* (неочакван/внезапен) удар.

plump[5] *adv* **1.** внезапно, ненадейно, неочаквано, изневиделица; **to fall ~ into** цопвам (направо) в; **2.** направо, без заобикалки; решително.

plump[6] *a* решителен, категоричен (*за отговор*).

plumper [ˈplʌmpə] *n* *пол.* глас само за един кандидат; човек, който гласува само за един кандидат.

plum pudding [ˈplʌmˌpudiŋ] *n* пудинг със стафиди; коледен пудинг.

plum-tree [ˈplʌmtriː] *n* слива (*дърво*).

plumule [ˈpljuːmjuːl] *n* **1.** перце; **2.** *бот.* кълн.

plumy [ˈpluːmi] *a* **1.** перест, пернат; **2.** покрит/украсен с пера.

plunder[1] [ˈplʌndə] *v* грабя, плячкосвам; крада, обирам, ограбвам; **to ~ a palace of its treasures** ограбвам ценностите от двореца.

plunder[2] *n* **1.** грабеж, обир; плячкосване; **2.** плячка; **3.** *sl.* печалба, изгода; **4.** *ам.* домашни/лични принадлежности.

plunderer [ˈplʌndərə] *n* грабител (*и прен.*).

plunge[1] [plʌndʒ] *v* **1.** гмуркам се; потапям (се), потъвам (**into**); **2.** забивам (*нож и пр.*) (**into**); **3.** *прен.* хвърлям (се), изпадам (*в затруднение и пр.*); въвличам; **to ~ a country into war** въвличам страна във война; **to be ~d into grief/despair** потъвам в скръб, изпадам в отчаяние; **4.** хвърлям се напред (*за кон*); **the horse ~d off** конят полетя напред; **5.** забивам нос във вълните (*за кораб*); **6.** нахлтвам (**into**); **7.** спускам се рязко (*за път и пр.*); **8.** *sl.* натрупвам дългове, заборчлявам; залагам много пари на комар/състезания и пр.; **9.** заравям (*растение*).

plunge[2] *n* **1.** гмуркане, гмуруане; скок във вода; **2.** рязко движение/спускане; **3.** *прен.* решителна крачка; **to take the ~** правя решителната крачка, решавам се (*да действувам и пр.*).

plunge-bath [ˈplʌndʒbaːθ] *n* дълбока вана.

plunge-board [ˈplʌndʒbɔːd] *n* трамплин.

plunger [ˈplʌndʒə] *n* **1.** водолаз; **2.** *sl.* комарджия; спекулант; **3.** *тех.* дълго бутало, плунжер; повдигач (*на клапан*); пуансон.

plunging neckline [ˈplʌndʒiŋˈneklain] *n* дълбоко деколте.

plunk[1] [plʌŋk] *v* **1.** бухвам (се); цопвам (*и с* **down**); **2.** хвърлям, захвърлям (*и с* **down**); удрям/блъсвам силно; **3.** дрънкам, подрънквам (*струни*); звънтя; **4.** ~ **for** *ам. разг.* излизам в подкрепа на.

plunk[2] *n* **1.** звън; дрънчене, дрънкане (*на струни*); **2.** *ам. разг.* силен удар; **3.** *ам. sl.* долар.

pluperfect [ˈpluːˌpəːfikt] *a, n* *грам.* минало предварително (време).

plural [ˈpluərəl] **I.** *a* **1.** *грам.* множествен; **2.** многочислен; **~ offices** няколко длъжности по съвместителство; **~ vote** право да се гласува в няколко избирателни района, плурален вот; **3.** състоящ се от различни раси/народности; разновиден; **II.** *n* *грам.* (дума в) множествено число.

pluralism [ˈpluərəlizm] *n* **1.** съвместителство; **2.** общество/държава с различни народностни/расови групи; **3.** *фил.* плурализъм.

pluralist [ˈpluərəlist] *n* **1.** лице, което заема няколко длъжности по съвместителство; **2.** *фил.* плуралист.

plurality [pluəˈræliti] *n* **1.** множественост; многочисленост; **2.** множество; **3.** (длъжност по) съвместителство; **4.** болшинство; *ам.* относително болшинство на подадените гласове.

pluralize [ˈpluərəlaiz] *v* **1.** поставям в множествено число; **2.** работя по съвместителство; заемам няколко бенефиции едновременно (*за свещеник*).

plus[1] [plʌs] *prep* плюс.

plus[2] **I.** *a* **1.** положителен (*за знак, количество и пр., и ел.*); **2.** добавачен, допълнителен; □ **on the ~ side** *търг.* по приход; **II.** *n* **1.** *мат.* положителен знак, плюс (*и прен.*), положителна величина; **2.** допълнително количество; печалба; предимство.

plus-fours [ˈplʌsˈfɔːz] *n pl* (панталони) голф.

plush [plʌʃ] **1.** *текст.* плюш; **2.** *attr* **1)** плюшен; **2)** *sl.* луксозен, елегантен.

plushy [ˈplʌʃi] = **plush 2.**

Pluto [ˈpluːtou] *n* *мит., астр.* Плутон.

plutocracy [pluːˈtɔkrəsi] *n* плутокрация.

plutocrat ['plu:təkræt] *n* плутократ.

Plutonian, (p. u) [plu:'tounjən] *a* 1. адски; 2. = **Plutonic.**

Plutonic (u p.) [plu:'tɔnik] *a* вулканически, еруптивен, плутонически; ~ **theory** плутонизъм.

plutonium [plu:'tounjəm] *n* хим. плутоний.

pluvial ['plu:vjəl] I. *a* 1. дъждовен; 2. *геол.* плувиален, образуван от действието на дъждовете; II. *n* 1. дъждовен период; 2. *църк. ист.* филон.

pluviometer [,plu:vi'ɔmitə] *n* дъждомер.

ply¹ [plai] *v* 1. употребявам; работя усърдно с, движа; **to ~ o.'s needle** шия усърдно; **to ~ the bottle** пия много, наливам се; 2. упражнявам, практикувам (*занаят*); 3. отрупвам, обсипвам (*с въпроси и пр.*) (**with**); настойчиво каня, тъпча, наливам (*някого*) (**with**); поддържам (*огън и пр.*); 4. правя редовни курсове, движа се (**between, from — to**) (*за кораб, автобус и пр.*); 5. чакам клиенти/пътници (*на пиаца*); 6. *мор.* плувам срещу вятъра.

ply² *n* 1. кат; нишка, жичка; **three-~ wool** вълна тройка; 2. пласт, слой; 3. *прен.* склонност, тенденция.

Plymouth Rock ['plimətrɔk] *n* плимутрок (*порода кокошки*).

plywood ['plaiwud] *n* шперплат.

pneumatic [nju:'mætik] I. *a* 1. пневматичен; въздушен; изпълнен с въздух; ~ **tube** *тех.* пневматик; 2. духовен; II. *n* 1. (пневматична) гума; 2. *pl с гл. в sing* *физ.* пневматика.

pneumonia [nju:'mounjə] *n* мед. пневмония.

pneumonic [nju:'mɔnik] *a* мед. пневмоничен; белодробен.

poach¹ [poutʃ] *v* 1. бракониерствувам; ловя (*риба и пр.*) незаконно; 2. нарушавам, престъпвам (*чужди права и пр.*); крада (*чужди идеи и пр.*); **to ~ upon s.o.'s preserves** *прен.* нагазвам в чужд периметър, правя нелоялна конкуренция на някого; 3. *тенис* вземам/отнемам топка на партньора; 4. тъпча/изпотъпквам мокра ливада (*за кон*); бивам изпотъпкан (*за ливада*).

poach² *v* варя (*яйца*) на очи; задушавам във вода/мляко; ~**ed eggs** яйца на очи.

poacher ['poutʃə] *n* 1. бракониер; 2. човек, който си присвоява чужди права, идеи и пр.

pochard ['poutʃəd, 'poukəd] *n* зоол. кафявоглава/червеноглава потапница, черно бърне (Aythia ferina).

pock [pɔk] *n* пъпчица/белег от шарка.

pocket¹ ['pɔkit] *n* 1. джоб; 2. пари, средства; **to be in/out of ~** спечелил съм/загубил съм пари (*при някаква сделка*); **to suffer in o.'s ~** губя/загубвам пари; **to put o.'s hand in o.'s ~** разпущам се, давам/харча пари; **to be low in ~** нямам пари; **to save o.'s ~** пестя, икономисвам, спестявам; 3. торба, торбичка (*особ. като мярка за хмел и пр.*); кесия, кесийка; 4. дупка на билярдна маса; 5. гънка (*на терен*); падина, долчинка; 6. кухина (*в скала със златна или др. руда*); *мин.* залеж; 7. *ав.* въздушна яма; 8. *воен.* чувал; 9. *мед., биол.* торбичка; 10. *сп.* блокиране на състезател; 11. изолирана група (*безработни, партизани и пр.*); 12. отделно/изолирано място, център (*на епидемия и пр.*); 13. задънена улица; задънен/затворен пасаж/коридор; 14. *attr* джобен, малък; □ **to have s.o. in o.'s ~** хванал съм/държа някого здраво; **to be in s.o.'s ~** 1) близък/интимен съм с някого; 2) напълно съм под контрола/влиянието на някого; **to put o.'s pride in o.'s ~** преглъщам горчивия хап, приспивам гордостта си.

pocket² *v* 1. слагам/прибирам в джоба си; 2. присвоявам си (*пари*); 3. сдържам, скривам, потискам (*чувство*); 4. преглъщам, понасям (*обида и пр.*); 5.

билярд вкарвам (*топка*) в дупката; 6. *ам.* задържам приемането на (*законопроект*); 7. *ам. сп.* блокирам (*противник*).

pocket battleship ['pɔkit,bætlʃip] *n* малък военен кораб.

pocketbook ['pɔkitbuk] *n* 1. бележник, тефтерче; 2. портфейл; 3. *ам.* дамска чанта; 4. *ам.* книга джобен формат.

pocket borough ['pɔkit,bʌrə] *n* ист. парламентарен окръг, в който изборите се диктуват от едно лице.

pocket-handkerchief ['pɔkit,hæŋkətʃif] *n* 1. носна кърпа; 2. *attr* малък, мъничък.

pocket-money ['pɔkitmʌni] *n* джобни пари, джобхарчлък джобопарасъ.

pocket-piece ['pɔkitpi:s] *n* монета/предмет, който се държи в джоба за късмет.

pocket-pistol ['pɔkitpistl] *n* разг. паурче, плоско шишенце.

pocket veto ['pɔkit,vi:tou] *n* ам. задържане на законопроект (*от президента*) до разпускане на законодателния орган.

pock-marked ['pɔkma:kt] *a* сипаничав.

pocky ['pɔki] *a* 1. = **pock-marked**; 2. *ам.* сифилитичен.

pod¹ [pɔd] *n* 1. шушулка, чушка (*на грах и пр.*); семенник; 2. пашкул (*на копринена буба и пр.*); 3. мрежа за ловене на змиорки; 4. *ав.* отсек (*на самолет, космически кораб, подводница — за мотор, реактор, персонал*).

pod² *v* 1. чистя (*грах, боб и пр.*) от шушулките; 2. образувам шушулки (*и с* **up**).

pod³ *n* малко стадо (*китове и пр.*).

pod⁴ *n* жлеб.

podagra [pɔ'dægrə] *n* мед. подагра.

podgy ['pɔdʒi] *a* нисък и дебел, дундест, тантурест; мек и тлъст (*за лице*).

podiatry [pə'daiətri] *ам.* = **chiropody.**

podium ['poudiəm] *n* подиум.

poem ['pouim] *n* стихотворение, поема.

poesy ['pouizi] *n* ост. поезия.

poet ['pouit] *n* поет; **Poets' Corner** страничен кораб в Уестминстърското абатство в Лондон, където са погребани велики поети/писатели.

poetaster [,poui'tæstə] *n* стихоплетец.

poetess ['pouitis] *n* поетеса.

poetic [pou'etik] *a* поетичен; □ ~ **justice** идеална справедливост; ~ **license** поетична волност.

poetical [pou'etikl] *a* поетически (*за творба*).

poeticize [pou'etisaiz] *v* поетизирам; превръщам/предавам в стихотворна форма; пиша стихове.

poetics [pou'etiks] *n pl с гл. в sing* поетика.

poetry ['pouitri] *n* 1. поезия; стихове; 2. поетичност, поезия.

pogrom ['pɔgrəm, *ам.* pə'grɔm] *n* рус. погром.

poignancy ['pɔinənsi] *n* 1. острота; горчивина; мъчителност; 2. острота (*на вкус, миризма*); пикантност; 3. трогателност; 4. хапливост, язвителност, острота; 5. *ам.* уместност (*на забележка*).

poignant ['pɔinənt] *a* 1. остър, мъчителен, горчив (*за болка, спомен и пр.*); 2. остър (*за миризма, вкус*); пикантен; 3. трогателен, затрогващ; 4. хаплив, язвителен, остър; 5. *ам.* уместен, на място.

poilu [pwa:'lu:] *n фр. sl.* френски войник.

poinsettia [pɔin'setiə] *n бот.* млечка (Euphorbia); 2. коледна звезда (Euphorbia pulcherrima).

point¹ [pɔint] *n* 1. точка (*и геом.*); **four ~ eight** четири цяло и осем десети (4.8); 2. място, пункт; позиция;

положение; **from ~ to ~** от място на място; **~ of view** място за наблюдение; *прен.* гледна точка, гледище; **~ of contact** допирна точка; **3.** определен момент/точка; стадий, етап; **boiling/freezing ~** точка на кипене/замръзване; **~ of no return** момент при пътуване, когато е невъзможно да се върнеш назад поради изчерпване на припасите; *прен.* етап (*при преговори*), при който няма връщане назад; **at this/that ~** в този/онзи момент, точно сега/тогава; **at/on the ~ of** на границата/пред прага на; **on the ~ of war** пред (прага на) война; **to be on the ~ of** готвя се, каня се, на път съм да, понеже да (*с ger*); **abrupt to the ~ of rudeness** рязък до грубост; **when it comes to the ~** когато дойде решителният момент, в решителния момент; **if it comes to the ~** ако се наложи; **4.** деление (*на скала*); **5.** *мор.* румб; **6.** особеност, характерна/отличителна черта, качество; **he has his ~s** има и добри страни; **singing is not my best ~** не ме бива в пеенето; **his weak ~** слабото му място, слабостта му; **his strong ~** силата му; **7.** *сп.* точка; **to win on ~s** печеля по точки; **to give ~s to s.o.** давам точки на някого като хандикап и все пак спечелвам; *прен.* превъзхождам някого; **8.** точка (*на купон за дажби*); **on/off ~s** с/без купони; **9.** *борс.* точка; **10.** (остър) връх, острие, край; разклонение на път; **to come to a ~** стеснявам се, изострям се; **on the ~ of o.'s toes** на върха на пръстите си; **11.** етап, пункт (*в дневен ред, спор и пр.*); **~ for ~** във всички подробности, по всички точки; **~ by ~** точка по точка; **12.** същност, същина; поанта; смисъл; цел; **to see/get/take the ~** разбирам мисълта на някого, разбирам какво има предвид някой; **to come/get to the ~** идвам/стигам до същността на въпроса/до главното; **to the ~** на въпроса, свързан с въпроса/с главната тема; уместен (*за забележка*); **to wander away from/off the ~** отклонявам се от темата; **that's beside the ~** това няма връзка/няма нищо общо с въпроса; **to carry/gain/make o.'s ~** налагам се, налагам схващането си; **to make a ~ of doing s.th.** считам за важно/необходимо да направя нещо; **case in ~** пример от този род; **what's the ~?** защо? няма смисъл; **there's not much/no ~ in doing this** няма (много) смисъл да се направи това; **his remarks lack ~** бележките му не са съществени; **that's just the ~** (точно) там е работата/въпросът; **13.** *ел.* контакт; контактен прекъсвач; наконечник на шнур; фасунга; *авт.* свещ; **14.** *геогр.* нос; връх; **15.** игла за гравиране/поанлас; поанлас; **16.** *жп. обик.* pl стрелка; **17.** *мор.* рифова връзка; **18.** *бокс* върхът на брадата; **19.** *воен.* отряд/патрул пред/след войска; **20.** *печ.* пункт; **21.** pl крайници, копита (*на кон, прасе*); **22.** табла капия; **23.** стойка на куче (*при откриване на дивеч*); **24.** *ост.* връзка, шнур; □ **s .verdict** *бокс* отсъждане на победа по точки; **not to put too fine a ~ on it** откровено казано; с извинение; **~ of honour/conscience** въпрос на чест/съвест.

point² *v* **1.** соча (*и прен.*), посочвам (**at**); насочвам (*оръжие*), целя се, прицелвам се (**at, towards**); гледам (*за сграда, прозорец*); **2.** насочвам внимание (**to, at**); **3.** остря, подострям, наострям, изострям; **4.** *прен.* предавам с острота, подчертавам; **to ~ a moral** служа за поука; **5.** слагам препинателни знаци; **6.** *лов* заемам стойка (*при откриване на дивеч — за куче*); показвам присъствието на дивеч; **7.** *муз.* отбелязвам (*паузи*) в текст за пеене; **8.** *стр.* фугирам; **9.** *мат.*

поставям точка в десетична дроб (*и с* **off**);
point out 1) изтъквам, подчертавам; 2) посочвам; **he ~ed her out** той (ми) я посочи;
point up придавам острота на, подсилвам (*забележка и пр.*).

point-blank¹ ['pɔintblæŋk] *a* **1.** *воен.* насочен (отблизо) право в целта; насочен хоризонтално; **2.** решителен, категоричен; откровен; рязък (*за отговор и пр.*).
point-blank² *adv* **1.** *воен.* направо в целта (*за стрелба*); **2.** решително, категорично, без заобикалки; направо; рязко.
point count ['pɔint,kaunt] *n* бридж преценяване на силата по точки; брой на точките (*на даден играч*).
point d'appui [pwa:nda'pwi:] *n фр.* опорна точка (*и прен.*); *прен.* база, основа.
point-duty ['pɔintdju:ti] *n* дежурство на пост (*на полицай и пр.*).
pointed ['pɔintid] *a* **1.** остър, заострен, изострен, наострен; **2.** *воен.* насочен (*за оръжие*); **3.** остър, рязък (*за забележка, хумор и пр.*); **4.** подчертан, явен; явно насочен (**at** срещу); **5.** *арх.* готически.
pointedly ['pɔintidli] *adv* **1.** остро; **2.** многозначително; явно.
pointer ['pɔintə] *n* **1.** показалка (*пръчка*); **2.** стрелка (*на прибор*); **3.** *воен.* мерач; **4.** пойнтер (*порода ловджийско куче*); **5.** *разг.* указание, (полезно) сведение; съвет; намек, подмятане; **6.** pl P. *астр.* двете звезди на Голямата мечка, които са на една линия с Полярната звезда.
pointillism [pwanti'lizm] *n фр. изк.* поантилизъм.
point lace ['pɔintleis] *n* поанлас, брюкселска дантела.
pointless ['pɔintlis] *a* **1.** безсмислен, безполезен; безцелен; напразен; **2.** *сп.* без точки.
pointsman ['pɔintsmən] *n* (*pl* -men) **1.** *жп.* стрелочник; **2.** полицай на пост.
poise¹ [pɔiz] *v* **1.** уравновесявам (се), балансирам (се); нося/държа в равновесие/равновесно; **to walk with a jar ~d on o.'s head** вървя, крепейки стомна на главата си; **2.** държа/придържам в положение за хвърляне (*копие и пр.*); **3.** държа (*по определен начин*); **to ~ o.s. on o.'s toes** държа се/изправям се на пръстите на краката си; **note the way he ~s his head** забележи как си държи главата; **4.** държа се на едно място във въздуха (*за птица и пр.*); **5.** крепя, закрепвам; заемам (*дадено*) положение; приготвям се; **~d for flight** готов да хвръкне; **to ~ o.s. to throw a ball** приготвям се да хвърля топка.
poise² *n* **1.** равновесие, уравновесеност; **2.** спокойствие, сигурност, самоувереност; държане, изпълнено с достойнство; такт; **3.** начин на държане (*на главата и пр.*).
poise³ *n физ.* поаз (*единица за динамичен вискозитет*).
poison¹ ['pɔizən] *n* **1.** отрова (*и прен.*); **to hate s.o. like ~** смъртно мразя някого; **2.** *физ.* вреден поглътител (*на неутрони*); **3.** *attr* отровен; □ **what's your ~?** *sl.* какво ще пиеш?
poison² *v* **1.** отравям (*и прен.*); слагам отрова в; **2.** инфектирам, заразявам (*почва, вода и пр.*); **3.** *физ., хим.* намалявам действието на.
poisoner ['pɔizənə] *n* отровител.
poison gas ['pɔizən,gæs] *n* отровен газ.
poisonous ['pɔizənəs] *a* **1.** отровен; **2.** *прен.* жлъчен, злостен; покваряващ, порочен.
poison pen ['pɔizən,pen] *n* съчинител на злостни/клеветнически анонимни писма; **~ letter** анонимно писмо, пълно със злостни клевети.
poke¹ [pouk] *v* **1.** мушкам, мушвам, ръгвам, ръгам; пъхам; **to ~ the fire** разбутвам огъня (*за да пламне*).

to ~ a hole in s.th. правя дупка в нещо, продупчвам нещо; **2.** търся пипнешком, ровя (**about for s.th.**); **3.** *ам. sl.* удрям, цапардосвам; **4.** издавам/навеждам напред; **to ~ o.'s head out of/through a window** надвесвам глава от прозорец; **to ~ o.'s head** ходя с наведена напред глава;

poke about *разг.* навирам се, любопитствувам (**into**);

poke around 1) = poke about; 2) *разг.* мотая се.

poke[2] *n* **1.** мушване, смушкване; **to give the fire a ~** разбутвам огъня (*за да пламне*); **to give s.o. a ~ in the ribs** смушквам някого в ребрата; **2.** удар с юмрук; **to take a ~ at s.o.** удрям някого с юмрук; **3.** широка периферия на дамска шапка; **4.** *диал.* чувал (*вж.* **pig**[1] □).

poke-bonnet ['poukbɔnit] *n* шапка/боне с широка периферия.

poker[1] ['poukə] *n* **1.** ръжен; **2.** инструмент за пирографиране.

poker[2] *n карти* покер.

poker face ['poukə‚feis] *n* (човек с) безизразно лице.

poker-work ['poukəwə:k] *n* пирография.

pok(e)y[1] ['pouki] *a* **1.** тесен, сбутан; беден, жалък (*за стая*); ~ **hole of a place** „дупка"; **2.** незначителен, дребен, скучен (*за занимание и пр.*); **3.** *ам. разг.* пипкав, туткав.

pok(e)y[2] *n ам. разг.* затвор, пандиз.

Polack ['poulæk] *n ост.* поляк.

polar ['poulə] *a* **1.** полярен; ~ **lights** северно/южно сияние; ~ **bear** бяла/полярна мечка (Ursus maritimus); **2.** (дву)полюсен; **3.** диаметрално противоположен; **4.** пътеводен; **5.** *прен.* централен, основен, кардинален.

polarity [pə'læriti] *n* **1.** *физ.* полярност; **2.** *прен.* диаметрална противоположност.

polarize ['pouləraiz] *v физ.* поляризирам (се) (*и прен.*).

polarizer ['pouləraizə] *n физ.* поляризатор.

polaroid ['poulərɔid] *n ел.* поляроид.

polder ['pouldə] *n* полдер (*ниска площ, преградена с дига от морето*).

Pole [poul] *n* поляк.

pole[1] [poul] *n* **1.** прът; кол, върлина (*и сп.*); стълб; **2.** мачта; **3.** ок, процеп; аръш; **4.** мярка за дължина = 5,029 м; □ **under bare ~s** *мор.* със свити платна, **up the ~** 1) смахнат; 2) в затруднение, затруднен, на зор.

pole[2] *v* **1.** карам/подкарвам (*лодка*) с прът (**off, away**); **2.** бъркам/въртя с прът.

pole[3] *n геогр.* полюс; □ **to be ~s apart** нямаме нищо общо един с друг, коренно сме различни, на противоположни полюси/мнения сме.

pole-ax(e)[1] ['poulæks] *n* **1.** *ист.* секира, алебарда; **2.** касапска брадва.

pole-ax(e)[2] *v* съсичам; повалям, удрям (*със секира*).

polecat ['poulkæt] *n* пор (Putorius foetidus, Mustela putorius).

pole-jump[1] ['pouldʒʌmp] *n сп.* овчарски скок.

pole-jump[2] *v сп.* скачам овчарски скок.

polemic [pə'lemik] **I.** *a* полемичен; **II.** *n* **1.** полемика, спор (*и pl*); **2.** полемист.

polemist ['polimist] *n* полемист.

polemize ['polimaiz] *v* полемизирам, споря.

polenta [pou'lentə] *n ит.* полента, каша от царевично брашно.

pole-star ['poulsta:] *n* **1.** P. *астр.* Полярната звезда; **2.** *прен.* пътеводна звезда; център на внимание.

pole-vault ['poulvɔ:lt] = pole-jump.

police[1] [pə'li:s] *n* **1.** полиция; полицаи (*с гл. в sing*); **2.**

ам. воен. войник, който се грижи за чистотата; почистване; чистота и ред; **3.** *attr* полицейски.

police[2] *v* **1.** поддържам ред с полиция; **2.** *прен.* контролирам, поддържам ред в; **3.** *ам. воен.* поддържам ред и чистота в (*и с* **up**).

police action [pə'li:s‚ækʃn] *n ам.* локализирани военни действия без обявяване на война, насочени срещу смутители на международния ред и законност.

police constable [pə'li:s‚kʌnstəbl] *n* полицай.

police-court [pə'li:skɔ:t] *n* полицейски съд (*за дребни нарушения*).

policeman [pə'li:smən] *n* (*pl* -men) полицай.

police-office [pə'li:sɔfis] *n* полицейско управление.

police-station [pə'li:s‚steiʃn] *n* полицейски участък.

policewoman [pə'li:swumən] *n* (*pl* -women [-wimin]) жена полицай.

policlinic [‚poli'klinik] *n* поликлиника.

policy[1] ['polisi] *n* **1.** политика; **kid-glove ~** мека/умерена политика; **2.** курс/линия на поведение; **3.** благоразумие, политичност, съобразителност; хитрост.

policy[2] *n* **1.** застрахователна полица; **2.** *ам.* хазартна лотария.

policy-holder ['polisi‚houldə] *n* притежател на застрахователна полица; застраховано лице.

policy-maker ['polisimeikə] *n ам.* лице, което определя държавна/правителствена политика.

policy-making ['polisi‚meikiŋ] *n ам.* определяне на държавна/правителствена политика.

polio ['pouliou] *разг.* = poliomyelitis.

poliomyelitis ['pouliou‚maiə'laitis] *n мед.* полиомиелит, детски паралич.

Polish ['pouliʃ] **I.** *a* полски; **II.** *n* полски език.

polish[1] ['poliʃ] *v* **1.** лъскам (се), излъсквам (се); лакирам, полирам; изглаждам, шлифовам; **2.** *прен.* (*гл. в pp*) шлифовам; поправям, изглаждам, подобрявам; ~**ed** изискан, изтънчен, шлифован;

polish off 1) свършвам/ликвидирам бързо, справям се с (*работа и пр.*); 2) излапвам; 3) *sl.* очиствам, убивам; виждам (*някому*) сметката; побеждавам;

polish up 1) *разг.* подобрявам; изглаждам (*стил и пр.*); 2) излъсквам (се); добивам гланц.

polish[2] *n* **1.** излъскване, полиране; **2.** лъскавина, блясък; гланц; **3.** лак; лустро; политура; **4.** изтънченост; изисканост; елегантност; шлифовка, лустро.

polisher ['poliʃə] *n* полировач.

polite [pə'lait] *a* **1.** учтив, вежлив, любезен; **to do the ~** *разг.* мъча се да бъда учтив; **2.** изтънчен; културен; изискан (*за стил и пр.*); ~ **letters/literature/ learning** изящна литература, белетристика.

politeness [pə'laitnis] *n* **1.** учтивост, вежливост, любезност; **2.** изтънченост; изисканост.

politic[1] ['politik] *a* **1.** политичен; ловък, хитър; **2.** умен, разумен; **3.** *ряд.* политически; държавен.

politic[2] *v* занимавам се с политика.

political [pə'litikəl] *a* **1.** политически; **2.** държавен; ~ **resident** представител на държава (*в полунезависима територия*).

political economy [pə'litikəl i'kɔnəmi] *n* политическа икономия.

political science [pə'litikəl‚saiəns] *n* държавно право.

politician [‚poli'tiʃn] *n* **1.** политик; **2.** политикан; **3.** *ам.* държавник; държавен служител.

politicize [pə'litisaiz] *v* **1.** занимавам се с политика; разисквам политически въпроси; **2.** придавам политически характер на.

politick = **politic**[2].

politico [pə'litikou] *исп.* = **politician**.

politics ['pɔliks] *n pl* **1.** политика; **to engage in/ go into** ~ занимавам се с политика, посвещавам се на политическа кариера; **practical** ~ реалистична политика; **2.** политически убеждения; **3.** *ам.* политиканствуване; политически маневри/машинации.

polity ['pɔliti] *n* **1.** система/форма на управление; държавно устройство; **2.** държава.

polka ['pɔlkə] *n* полка.

polka dot ['pɔlkə‿dɔt] *n* десен на точки.

poll[1] [poul] *n* **1.** гласуване; **to declare the** ~ обявявам резултатите от гласуване; **2.** отбелязване/броене/ брой на гласовете; времетраене на гласуването; **heavy/light** ~ голям/малък процент на участие в избори; **3.** (избирателен) списък; **4.** *обик. pl* избирателен пункт; **5.** проверка/анкета на общественото мнение (*по даден въпрос*) (*и* **gallop** ~ , **public opinion** ~); **6.** глава; теме; **7.** чело на чук и пр.; **8.** животно без рога, шуто животно.

poll[2] *v* **1.** отбелязвам гласовете (*при гласуване*); **2.** гласувам; **3.** получавам гласове; **to** ~ **a large majority** получавам голямо болшинство; **4.** вписвам в избирателен/данъчен списък; **5.** *ам.* участвувам в изборна кампания/анкета; **6.** остригвам ниско; подкастрям; отрязвам рогата на.

poll[3] *a* отрязан; подстриган; подкастрен; без рога, шут.

poll[4] *n унив.* студенти, които не завършват с отличие; диплома без отличие.

poll[5] [pɔl] *n* папагал (*и прен.*).

pollack ['pɔlək] *n зоол.* морска треска (Pollachius virens).

pollard[1] ['pɔləd] *n* **1.** дърво с подкастрена корона; **2.** животно с отрязани рога; животно без рога; **3.** ярма; кърма.

pollard[2] *v* **1.** кастря, окастрям (*дърво*); **2.** отрязвам рогата на.

pollen ['pɔlən] *n бот.* цветен прашец.

pollex ['pɔliks] *n* (*pl* **-ces** [-si:z]) *анат.* палец.

pollinate ['pɔlineit] *v бот.* опрашвам.

polling-booth ['pouliŋ‿bu:θ] *n* избирателна стаичка.

pollinize ['pɔlinaiz] = **pollinate**.

polliwog ['pɔliwɔg] *n* попова лъжичка.

pollock = **pollack**.

pollster ['poulstə] *n* лице, което провежда анкета за общественото мнение и обработва получените данни.

poll-tax ['poultæks] *n* данък на глава.

pollutant [pə'lu:tənt] *n* замърсяващо околната среда вещество.

pollute [pə'lu:t] *v* **1.** мърся, замърсявам; **2.** *прен.* скверня, осквернявам; петня, опетнявам.

pollution [pə'lu:ʃn] *n* **1.** мърсене; замърсяване (*и на околната среда*); **2.** *прен.* опетняване, оскверняване; **3.** *физиол.* полюция.

pollywog = **polliwog**.

polo ['poulou] *n сп.* поло.

poloist ['poulouist] *n сп.* играч на поло.

polonaise [pɔlə'neiz] *n фр.* **1.** полонеза; **2.** *ост.* вид дамска вечерна рокля.

polo neck ['poulou‿nek] *n* яка поло.

polony [pə'louni] *n* вид салам.

poltergeist ['pɔltəgaist] *n нем.* пакостлив дух.

poltroon [pɔl'tru:n] *n* жалък страхливец.

polyandry ['pɔliændri] *n* полиандрия, многомъжие.

polyanthus [pɔli'ænθəs] *n бот.* **1.** вид иглика; **2.** вид дребен нарцис (Narcissus tazetta).

polychromatic [,pɔlikrə'mætik] *a* многоцветен.

polychrome ['pɔlikroum] **I.** *a* = **polychromatic; II.** *n* статуя и пр. в много цветове.

polyclinic = **policlinic**.

polygamist [pə'ligəmist] *n* многоженец.

polygamous [pə'ligəməs] *a* **1.** многобрачен, полигамен; **2.** *бот.* двуполов (*за цвят*).

polygamy [pə'ligəmi] *n* полигамия, многобрачие.

polygenesis, polygeny [pɔli'ʤenisis, pə'liʤəni] *n* полигенеза.

polyglot ['pɔliglɔt] *n* **1.** полиглот; **2.** книга с успоредни текстове на няколко езика; **3.** *attr* многоезичен.

polygon ['pɔligən] *n геом.* многоъгълник, полигон.

polygonal [pə'ligənəl] *a* многоъгълен.

polygynous [pə'liʤinəs] *a* **1.** с много жени; **2.** *бот.* с много пестици.

polyhedral [pɔli'hedral] *a* многостенен.

polyhedron [pɔli'hedrən] *n* многостен, полихедрон.

polymer ['pɔlimə] *n хим.* полимер.

polymeric [pɔli'merik] *a хим.* полимерен.

Polynesian [pɔli'ni:zjən] **I.** *a* полинезийски; **II.** *n* полинезиец.

polynomial [pɔli'noumiəl] *мат.* **I.** *a* многочленен; **II.** *n* многочлен, полином.

polyp ['pɔlip] *n зоол., мед.* полип.

polyphonic [pɔli'fɔnik] *a* **1.** многогласен, полифоничен; **2.** *фон.* полифоничен.

polyphony [pə'lifəni] *n* **1.** многозвучност; **2.** *муз.* полифония; контрапункт.

polypod ['pɔlipɔd] *n* **1.** животно с много крака; **2.** *бот.* сладка папрат.

polypody [pə'lipədi] *n бот.* сладка папрат.

polypoid, -ous ['pɔlipɔid, -əs] *a зоол., мед.* полиповиден.

polypus ['pɔlipəs] *n* (*pl* **-pi** [-pai] , **-puses** [-pəsiz]) *мед., зоол.* полип.

polysaccharide [,pɔli'sækəraid] *n хим.* полизахарид.

polysemantic [,pɔlise'mæntik] *a ез.* многозначен, полисемантичен.

polysemy [pə'lisemi] *n ез.* многозначност, полисемия.

polysyllable [,pɔli'siləbl] *n* многосрична дума.

polytechnic [,pɔli'teknik] **I.** *a* политехнически; **II.** *n* политехника, политехникум.

polytheism ['pɔliθi:izm] *n* многобожие, политеизъм.

polythene ['pɔliθi:n] *n* полиетилен.

polyvalent [,pɔli'veilənt] *a хим.* многовалентен, поливалентен.

pom [pɔm] = **pommy**.

pomace ['pʌmis] *n* смачкани/изстискани плодове; кюспе.

pomade[1] [pə'meid, pə'ma:d] *n* брилянтин.

pomade[2] *v* мажа/намазвам с брилянтин.

pomander [pə'mændə] *n* топчица от ароматично вещество (*някога носена на тялото против зараза*).

pomato [pə'ma:tou] *n* домат, присаден на картоф.

pomatum [pə'meitəm] = **pomade**[1].

pome [poum] *n* **1.** плод от рода на ябълката, крушата, дюлята; **2.** металическа топка; **3.** купа с гореща вода за стопляне на ръцете.

pomegranate [pɔm'grænit] *n бот.* нар. (Punica granatum).

Pomeranian [,pɔmə'reiniən] **I.** *a* померански; **II.** *n* **1.** померанец; **2.** померанско куче (*и* ~ **dog**).

pomiculture ['poumikʌltʃə] *n* **1.** овощарство; **2.** помология.

pommel[1] ['pʌməl] *n* **1.** главичка на ефес; **2.** лък на седло.

pommel[2] = **pummel**.

pommy ['pɔmi] *n sl.* британски преселник в Австралия и Нова Зеландия.

pomologist [pɔ'mɔlədʒist] *n* специалист овощар, помолог.

pomology [pə'mɔlədʒi] = **pomiculture.**

pomp [pɔmp] *n* великолепие, пищност, разкош.

Pompadour ['pɔmpəduə] *n* прическа помпадур.

pom-pom ['pɔmpɔm] *n разг.* автоматично (зенитно) оръдие; картечница.

pompom, -on ['pɔmpɔm, -ɔn] *n* 1. помпон, пискюл; 2. вид дребна кичеста гергина.

pomposity [pɔm'pɔsiti] *n* 1. надутост, важност; 2. бомбастичност, надутост; 3. *ост.* пищност, великолепие, разкош.

pompous ['pɔmpəs] *a* 1. надут, важен; 2. бомбастичен, надут (*за стил и пр.*); 3. пищен, великолепен, разкошен.

ponce¹ [pɔns] *n* сутеньор.

ponce² *v* живея като сутеньор; сутеньор съм.

poncho ['pɔntʃou] *n исп.* пончо, наметало (*и против дъжд*).

pond¹ [pɔnd] *n* 1. езерце, изкуствено езеро; водопой; 2. *шег.* море; океан.

pond² *v* образувам езерце; събирам вода в езерце.

pondage ['pɔndidʒ] *n* количество вода в езерце; капацитет на езеро.

ponder ['pɔndə] *v* обмислям; премислям; размишлявам (**over**).

ponderability [,pɔndərə'biliti] *n* 1. възможност да се прецени/предвиди; 2. тежест, тегло.

ponderable ['pɔndərəbl] I. *a* 1. който може да се прецени/обсъди/предвиди; 2. който може да се претегли, който има тегло/маса; II. *n pl* събития/обстоятелства, които могат да се предвидят/преценят.

ponderosity [,pɔndə'rɔsiti] *n* 1. тежест, тежина; 2. тромавост, мудност, тежест.

ponderous ['pɔndərəs] *a* 1. тежък, масивен; 2. *прен.* тежък, тромав; скучен, досаден.

pond-lily ['pɔndlili] *n* водна лилия.

pone¹ [poun] *n карти* играч, който сече картите.

pone² *n ам.* царевичен хляб.

pong [pɔŋ] *n разг.* воня.

pongee ['pɔndʒi:] *n* плат от небелена коприна, шантунг.

pongid ['pɔndʒid] I. *a* човекоподобен; II. *n* човекоподобна маймуна.

pongo ['pɔŋgou] *n* 1. = **pongid** II; 2. *sl.* войник.

poniard¹ ['pɔnjəd] *n* кама, кинжал.

poniard² *v* мушкам/набождам с кама.

Pontic ['pɔntik] черноморски; *ист.* понтийски.

pontiff ['pɔntif] *n* 1. папа (*и* sovereign/supreme ~); 2. епископ, владика, архиерей; първосвещеник.

pontifical [pɔn'tifikl] I. *a* 1. папски; 2. епископски, владишки; първосвещенически; 3. важен, надуто авторитетен; догматичен; II. *n* 1. епископски требник; 2. *pl* папски/епископски одежди.

pontificate¹ [pɔn'tifikeit] *n* длъжност/сан на папа/епископ; времетраене на такава длъжност.

pontificate² *v* 1. служа в епископски ритуал; 2. говоря надуто/с авторитет, смятам се за непогрешим.

pontify ['pɔntifai] = **pontificate²** 2.

ponton ['pɔntɔn] *ам.* = **pontoon.**

pontoon [pɔn'tu:n] *n* 1. понтон, лодка за понтонен мост; ~ **bridge** понтонен мост; 2. вид игра на карти.

pony¹ ['pouni] *n* 1. пони; дребен кон; 2. нещо малко; малка чаша, чашка; ~ **car** *ам.* малка (спортна) кола; 3. *sl.* двадесет и пет лири; 4. *ам. sl.* ключ (*за превод, изпитни въпроси и пр.*); 5. *pl sl.* състезателни коне.

pony² *v sl.* 1. *ам.* приготвям/превеждам с ключ; 2. плащам (*сметка*).

pony-tail ['pouniteil] *n* конска опашка (*прическа*).

pooch [pu:tʃ] *n sl.* куче.

poodle [pu:dl] *n* пудел (*порода куче*).

pooh [pu:] *int* ами! бошлаф!

Pooh-Bah ['pu:'ba:] *n* 1. човек, който заема няколко длъжности; 2. човек, който обича да важничи.

pooh-pooh [pu:'pu:] *v* отнасям се с пренебрежение към, омаловажавам.

pool¹ [pu:l] *n* 1. вир; 2. локва; блато; 3. плувен басейн.

pool² *v* 1. залагания (*на комар*); сдружаване на комарджии; 2. сдружаване/сдружение със спекулативна цел за отстраняване на конкуренция; тръст, пул; 3. общ запас/резерв/фонд; общо ползуване на различни услуги; **car** ~ автобаза; 4. *pl* спорт-тото; **to win on the** ~s печеля на тотото; 5. *ам.* вид билярд за няколко души; 6. състезание по фехтовка, при което всеки състезател трябва да се състезава с всички играчи на противния отбор.

pool³ *v* 1. сдружавам се, образувам пул/тръст; 2. обединявам в общ фонд; събирам, давам (*средства, спестявания за обща цел*).

poolroom ['pu:lrum] *n ам.* 1. стая за билярд (*вж.* **pool²** 5); 2. стая, където се правят залагания.

poon [pu:n] *n* вид индийско дърво (Callophyllum).

poop¹ [pu:p] *n мор.* 1. кърма; 2. най-висока задна палуба.

poop² *v* заливам/разбивам се в кърмата (*за вълна*).

poop³ *v особ. pp* изтощавам, карам да се задъха; задъхвам се, изтощавам се (*и с* out).

poop⁴ = **nincompoop.**

poop⁵ = **pope².**

poor¹ [puə] I. *a* 1. беден, нуждаещ се; ~ **man's** бедняшки, сиромашки; долнокачествен; 2. *прен.* беден (**in** откъм); ~ **in minerals** беден откъм минерали; 3. недоброкачествен, лош; слаб; **to be** ~ **at** не ме бива в, слаб съм по; **to have a** ~ **night** прекарвам лошо нощта; ~ **consolation** слаба утеха; ~ **excuse** неубедително извинение; 4. незначителен, дребен; **in my** ~ **opinion** по моето скромно мнение; 5. жалък, недостоен; ~ **spirit** страхливост; ~ **sort of conduct** недостойно държане; ~ **creature** жалък човек/същество; 6. беден, нещастен, клет, горък; ~ **fellow/thing!** горкият! II. *n* **the** ~ бедните, беднотията.

poor-box ['puəbɔks] *n* кутия за събиране помощи за бедните.

poorhouse ['puəhaus] *n* приют за бедни.

poor law ['puə,lɔ:] *n ист.* закон за бедните.

poorly¹ ['puəli] *a predic* недобре, болнав, неразположен.

poorly² *adv* лошо, недобре; незадоволително; ~ **off** беден, зле материално.

poor man's weather-glass ['puəmænz'weðəgla:s] = **pimpernel.**

poorness ['puənis] *n* 1. бедност, беднотия; 2. незадоволителност; слабост; лошо качество.

poor-rate ['puəreit] *n ист.* местен данък в полза на бедните.

poor-spirited ['puə'spiritid] *a* малодушен, страхлив.

poor white ['puə'wait] *n ам. пренебр.* бедняк от бялата раса; беден земеделец/ратай от бялата раса в Южните щати.

pop¹ [pɔp] *v* (-pp-) 1. пукам, пуквам, изпуквам; 2. правя да пука; *ам.* пукам царевица; 3. гръмвам, стрелям (**at**); 4. *sl.* залагам (*вещи*); 5. слагам, пъхам, мушвам (**in, into, on**); 6. *ам.* вземам, употребявам (*наркотици*); □ **to** ~ **the question** правя предложение за женитба;

pop along/around идвам (за малко), наминавам;

pop down слизам; изтичвам (to);

pop in 1) наминавам, отбивам се, прескачам за малко; влизам неочаквано; 2) мушвам, пъхвам; **to ~ o.'s head in at the door** надзъртам бързо през вратата;

pop off 1) отивам си, вървя си, тръгвам си; 2) гърмя, изгърмявам; 3) *sl.* умирам, пуквам; 4) *ам. sl.* убивам, очиствам, пречуквам; 5) *ам.* викам, развиквам се, избухвам;

pop out 1) изхвръквам, излизам бързо; 2) опулвам се (*за очи*); пуля (*очи*); 3) подавам бързо навън; 4) излизам (неволно) от уста (*за думи*);

pop over = **pop along/around**;

pop up 1) издигам/вдигам бързо (*глава и пр.*); 2) *разг.* явявам се неочаквано, изниквам; 3) изскачам.

pop² *n* 1. пукот; пукане, изпукване; 2. изстрел; **to take a ~ at** стрелям по; 3. *разг.* газирано питие; 4. залагане (*на вещи*); **in ~** заложен, в заложна къща.

pop³ *adv* 1. с пукот; **to go ~** изпуквам; 2. неочаквано, внезапно; □ **~ goes the weasel** вид селски танц.

pop⁴ *int* пук!

pop⁵ *n разг.* тате, татко.

pop⁶ *a съкр. от* **popular** популярен, поп; **~ art/music** поп арт/музика.

pop⁷ *n* 1. = **art/music** (*вж.* **pop⁶**); 2. оркестър/концерт/песни в стил поп.

popcorn ['pɔpkɔːn] *n ам.* 1. царевица за пуканки; 2. пуканки.

pope¹ [poup] *n* 1. папа; 2. поп (*в източноправославната църква*); 3. човек, който се смята за непогрешим.

pope² *n* чувствително място в слабините.

pope Joan ['poup'dʒoun] *n* вид игра на карти.

popery ['poupəri] *n презр.* католицизъм, попщина.

pope's head ['poupʃhed] *n* метла с дълга дръжка.

pop-eyed ['pɔpaid] *a* 1. с изпъкнали очи; 2. опулен, облещен, ококорен.

popgun ['pɔpgʌn] *n* детска пушка (*с тапа*); *разг.* калпава пушка/револвер.

popinjay ['pɔpindʒei] *n* 1. конте; перчо; 2. *ост.* папагал.

popish ['poupiʃ] *a презр.* католически; попски.

poplar ['pɔplə] *n бот.* 1. топола (Populus); 2. сев.-ам. магнолия.

poplin ['pɔplin] *n текст.* поплин.

popliteal [pɔp'litiəl] *a анат.* задколенен.

pop-off ['pɔpɔf] *n ам. разг.* дърдорко; кресльо.

popover ['pɔpouvə] *n* сладкиш от рядко пандишпанено тесто.

poppa ['pɔpə] = **pop⁵**.

popper ['pɔpə] *n ам.* пукало (за пуканки.).

poppet ['pɔpit] *n* обръщение кукло, сладурче.

poppied ['pɔpid] *a* 1. упоен (с опиум); сънлив, замаян; безразличен; 2. осеян с макове.

popple¹ ['pɔpl] *v* клокоча; кипя; вълнувам се (*за вода*).

popple² *n* 1. клокочене; кипене; вълнение; 2. *ам.* бурно море.

poppy ['pɔpi] *n* 1. *бот.* мак (Papaver); 2. опиум; 3. ален цвят.

poppycock ['pɔpikɔk] *n sl.* глупости, дрън-дрън.

popshop ['pɔpʃɔp] *n sl.* заложна къща.

popsy(-wopsy) ['pɔpsi(wɔpsi)] *n разг.* миличка, сладурче.

populace ['pɔpjuləs] *n често пренебр.*: **the ~** народът, масите.

popular ['pɔpjulə] *a* 1. популярен (**with** сред, между); 2. народен; на народа; **~ election** всеобщи избори; **~ vote** преки избори; **~ front** народен фронт; **~ government** народно правителство, правителство, из-

брано от народа; **~ opinion** обществено мнение; 3. общодостъпен (*и за цени*); популярен; **~ science** наука за всички.

popularity [pɔpju'læriti] *n* популярност.

popularize ['pɔpjuləraiz] *v* популяризирам.

populate ['pɔpjuleit] *v* 1. заселвам, поселвам; 2. населявам.

population [ˌpɔpju'leiʃn] *n* 1. население; 2. заселване, поселване.

populism ['pɔpjulizm] *n пол.* 1. народничество; 2. идеология на народната/земеделската партия в САЩ.

populous ['pɔpjuləs] *a* гъсто населен.

porbeagle [pɔː'biːgl] *n* вид акула (Lamma nasus).

porcelain ['pɔːslin] *n* 1. порцелан; порцеланови изделия; 2. *attr* порцеланов.

porch [pɔːtʃ] *n* 1. покрит вход; портал; портик; 2. *ам.* веранда, чардак.

porcine ['pɔːsain] *a* свински.

porcupine ['pɔːkjupain] *n* 1. бодливо прасе (*сем.* Hystricidae); 2. мъначка (за лен и пр.).

pore¹ [pɔː] *n* 1. пора; **to sweat at every ~** целият съм в пот; 2. шупла; дупка.

pore² *v* 1. мисля, обмислям, задълбочавам се (**over, upon**); 2. чета внимателно (**over**); 3. *ост.* гледам съсредоточено (**at, upon**); □ **to ~ o.'s eyes out** измарявам очите си от четене.

porgy ['pɔːdʒi] *n* вид морска риба (Pagrus pagrus).

pork [pɔːk] *n* 1. свинско месо; 2. *ам. sl.* държавна трапеза, държавни фондове, използувани за лични цели.

pork barrel ['pɔːkˌbærəl] *n ам. sl.* правителствени мероприятия, които носят печалби/популярност на поддръжниците на правителството.

pork-butcher ['pɔːkˌbutʃə] *n* месар, който продава главно свинско.

porker ['pɔːkə] *n* (младо) прасе; шопар.

pork-pie ['pɔːkpai] *n* пирог със свинско месо; □ **~ hat** шапка с плитко дъно и обърната надолу периферия.

porky ['pɔːki] *a* 1. като свинско; 2. *разг.* дебел, тлъст.

porn [pɔːn] *съкр. от* **pornography**.

pornography [pɔː'nɔgrəfi] *n* порнография.

porosity [pə'rɔsiti] *n* шупливост.

porous ['pɔːrəs] *a* порест; шуплив, пропусклив.

porphyry ['pɔːfiri] *n минер.* порфир.

porpoise ['pɔːpəs] *n* 1. вид дребен кит; 2. вид делфин.

porridge ['pɔridʒ] *n* овесена каша; каша от овесени ядки.

porringer ['pɔrindʒə] *n* купичка.

port¹ [pɔːt] *n* 1. пристанище; пристанищен град; **~ of entry** входно пристанище (за стоки, пътници); **~ of destination** местоназначение (на кораб); **~ of call** междинно пристанище; **free ~** свободно пристанище; **to make ~** влизам в пристанище; хвърлям котва; 2. *прен.* пристанище, убежище; **any ~ in a storm** в нужда всякакво убежище е добре дошло; **~ after a storm** спокойствие след буря/затруднения; **to come safe to ~** пристигам благополучно; *прен.* успявам, измъквам се от затруднение.

port² *n* пòртвайн.

port³ *n* 1. *мор.* = **porthole**; 2. отвор, прорез, канал; 3. извит мундщук на лула.

port⁴ *n мор., ав.* 1. ляв борт, бакборт; 2. *attr* ляв.

port⁵ *v мор., ав.* завъртам наляво.

port⁶ *v воен.* държа (пушка) диагонално на гърдите си; **~ arms!** за проверка!

port⁷ *n* 1. *воен.* държане на пушка/оръжие диагонално на гърдите; 2. *ост.* държане, стойка, осанка.

portability [pɔːtə'biliti] *n* портативност; преносимост.

portable ['pɔːtəbl] *a* портативен; преносим; ръчен.

portage¹ ['pɔːtidʒ] *n* 1. превоз; пренос; транспорт; 2. навлотакса за превоз; **3.** пренасяне на лодка/товари по суша; 'място, където се налага това.

portage² *v* пренасям лодка/товари по суша.

portal ['pɔːtl] *n* **1.** главен вход, портал; *pl* двери; **2.** *тех.* портална рамка; тамбур; **3.** *attr анат.* портален; ~ **vein** портална вена.

portcullis [pɔːt'kʌlis] *n* подвижна вертикална решетка на крепостна врата.

portend [pɔː'tend] *v* предвещавам, вещая.

portent ['pɔːtent] *n* **1.** предзнаменование, знамение, поличба; предвестник; **2.** чудо.

portentous [pɔː'tentəs] *a* **1.** знаменателен; зловещ; злокобен, прокобен; фатален; **2.** необикновен, невъобразим; огромен, колосален; **3.** надут, важен.

porter¹ ['pɔːtə] *n* портиер, вратар.

porter² *n* **1.** носач, хамалин; **2.** *ам.* служещ в спален вагон; **3.** черна бира, портер.

porterage ['pɔːtəridʒ] *n* **1.** пренасяне на багаж; **2.** такса за пренасяне.

porterhouse ['pɔːtəhaus] *n* **1.** хубаво филе за бифтек; **2.** *ост.* пивница, бирария.

portfolio [pɔːt'fouliou] *n* **1.** папка (*за официални документи*); **2.** министерски пост, портфейл; **3.** *банк.* портфейл, съвкупност на полици, ценни книжа и пр. на дадено лице.

porthole ['pɔːthoul] *n* **1.** *мор.* страничен отвор; **2.** *воен.* амбразура, бойница.

portico ['pɔːtikou] *n арх.* портик, портал; галерия с колони.

portiére [pɔːti'εə] *n фр.* тежка завеса на врата.

portion¹ ['pɔːʃn] *n* **1.** част, дял, пай; парче, къс; **2.** порция; **3.** зестра; прикя; **4.** участ, съдба, орис.

portion² *v* **1.** деля, разделям, поделям (**out**); определям като дял на; **2.** давам зестра/прикя (на).

portionless ['pɔːʃnlis] *a* без зестра.

Portland ['pɔːtlənd] *n* жълтеникав варовик (*и* ~ **stone**); ~ **cement** портландцимент.

portly ['pɔːtli] *a* **1.** пълен, едър; **2.** представителен, внушителен, солиден.

portmanteau [pɔːt'mæntou] *n* (*pl* **-s, -x**) *фр.* **1.** (голям) куфар; **2.** комбинирана дума (*напр.* smog *от* smoke *и* fog) (*и* ~ **word**); **3.** *attr* с повече от една употреба/качество.

portrait ['pɔːtrit] *n* **1.** портрет; **2.** изображение; подобие.

portraitist, **portrait painter** ['pɔːtritist, 'pɔːtrit,peintə] *n* портретист.

portraiture ['pɔːtritʃə] *n* **1.** портретна живопис; **2.** портрет; **3.** описание, обрисовка (*на характери и пр.*).

portray [pɔː'trei] *v* **1.** рисувам портрет; **2.** описвам, (об)рисувам; изпълнявам ролята на.

portrayal [pɔː'treiəl] *n* **1.** рисуване, изобразяване; **2.** описание; обрисуване; изпълнение на роля.

portress ['pɔːtris] *ж.р. от* **porter**¹.

Portuguese [pɔːtju'giːz] **I.** *a* португалски; **II.** *n* **1.** португалец; португалци; **2.** португалски език.

Portuguese man-of-war [pɔːtju'giːz mænəv'wɔː] *n* вид отровна медуза (Physalia).

pose¹ [pouz] *v* **1.** поставям, нареждам, нагласям (*за рисуване*); **2.** позирам (*на художник*) (**for**); **3.** *прен.* позирам, превземам се; **to** ~ **as** представям се за, преструвам се/правя се на, давам си вид, че съм; **4.** поставям (*въпрос*); предявявам (*иск*); представлявам (*проблем, затруднение, заплаха*).

pose² *n* **1.** поза; позиране; **2.** *прен.* поза, преструвка; лъжа.

pose³ *v* обърквам, озадачавам.

poser ['pouzə] *n* **1.** труден въпрос; неразрешима задача; **2.** позьор.

poseur [pou'zəː] *n фр.* позьор.

poseuse [pou'zəːs] *n фр. ж.р. от* **poseur**.

posh¹ [pɔʃ] *a sl.* елегантен, шик, луксозен; първокласен.

posh² *v:* **to** ~ **o.s. up** наконтвам се.

posit ['pɔzit] *v* **1.** приемам като факт; **2.** постулирам; **3.** слагам, поставям.

position¹ [pə'ziʃn] *n* **1.** местоположение, място; **in/out of** ~ на/не на място; **2.** позиция; **3.** състояние, положение; **to be in a** ~ **to** в състояние съм/мога да; **4.** пост, чин, длъжност, служба; положение (*в обществото*); **5.** гледище, становище; ~ **paper** подробен доклад, в който се излага становище и се предлагат мерки по даден въпрос; **6.** установен принцип; твърдение; изложение.

position² *v* **1.** слагам, поставям; **2.** установявам местоположението на; **3.** *воен.* разполагам (*войски, постове*).

positional [pə'ziʃənəl] *a* позиционен (*и воен.*).

positive ['pɔzitiv] **I.** *a* **1.** положителен (*и физ.*); позитивен; ~ **philosophy** позитивизъм; ~ **sign** *мат.* знак плюс; ~ **electron** позитрон; **2.** определен, категоричен; подчертан; недвусмислен; **3.** сигурен, уверен, положителен (**about**); **4.** положителен (*за влияние и пр.*); творчески; деен; **5.** *разг.* същински, истински, кръгъл; 100% процентов; **6.** *тех.* който е с принудително задвижване; който се върти в посока на часовниковата стрелка; **7.** *грам.* положителен (*за степен на сравнение*); **II.** *n* **1.** *грам.* положителна степен/форма (*на прилагателно, наречие*); **2.** *фот.* позитив; **3.** реалност, действителност; **4.** *мат.* положителна величина.

positivism ['pɔzitivizm] *n фил.* позитивизъм.

posse ['pɔsi] *n* полицейски отряд; хайка.

possess [pə'zes] *v* **1.** притежавам, имам; владея; овладявам; **to** ~ **o.s. of** завладявам, овладявам; **to be** ~**ed of** имам, притежавам; **2.** обхващам, завладявам, прихващам (*за чувство, идея и пр.*); **3.** обхващам, обладавам (*за зъл дух*); **what** ~**ed him to do it?** какво го прихвана да постъпи така? кой дявол го накара да направи това? **4.** *ост.* въвеждам във владение; запознавам (*някого*) (**of** s.th. с нещо); **5.** *ост.* заграбвам.

possessed [pə'zest] *a* луд, налудничав; обладан от зъл дух; **like one** ~ като луд.

possession [pə'zeʃn] *n* **1.** владение, притежание; владеене, притежаване; **in** ~ във владение; **to be in** ~ **of** владея, имам, притежавам; **to take/get/win** ~ **of** завладявам, влизам във владение; *сп.* овладявам (*топка*); **to come into** ~ **of** получавам, ставам притежател/владетел на; **the information in my** ~ сведенията, които имам; **to fight for** ~ **of** боря се за, боря се да получа; **to be in full** ~ **of o.'s senses/faculties** напълно съм нормален, с всичкия си (ум) съм, на себе си съм; ~ **is nine points of the law** влезлият във владение е по-силен от закона; **2.** *често pl* имущество; собственост; вещ; богатство; земи, колонии.

possessive [pə'zesiv] **I.** *a* **1.** със силно чувство за собственост; който обича да се налага/да владее (*чувствата на другите*); властен; **2.** *грам.* притежателен; **II.** *n грам.* притежателно местоимение; притежателен падеж.

possessor [pə'zesə] *n* собственик, владетел, притежател.

posset ['pɔsit] *n* горещо питие от мляко, вино и подправки.

possibility [ˌpɔsə'biliti] *n* възможност.

possible ['pɔsəbl] **I.** *a* **1.** възможен; изпълним; **if (it is)** ~ ако е възможно, **as far as** ~ доколкото е възможно; **to be a** ~ **winner** има изгледи да изляза победител; **2.** задоволителен, приемлив; поносим; **II.** *n* **1.** приемлив кандидат/член на отбор; **2.** нещо възможно; **to do o.'s** ~ правя всичко възможно/всичко, което мога.

possibly ['pɔsəbli] *adv* може би, възможно (е); **as soon as I** ~ **can** веднага щом мога; **I cannot** ~ **do it** невъзможно ми е да го направя; **how can I** ~**?** как мога? нима мога?

possum ['pɔsəm] *n* разг. съкр. от **opossum;** □ **to play** ~ **1)** правя се на ударен, преструвам се, че не знам/не разбирам; **2)** правя се на умрял/заспал; **to play** ~ **with** лъжа, мамя.

post¹ [poust] *n* **1.** стълб; стойка, подпора; **2.** жп. блокпост; **3.** ел. клема (присъединителна); **4.** сп. стълб (на старта, финала); **left at the** ~ надминат още в началото на състезанието; **beaten at the** ~ надминат в самия край на състезанието/пред. финала; **5.** мин. целик.

post² *v* **1.** разлепвам обяви/афиши (и с **up**); обявявам, известявам, съобщавам; **the ship was** ~**ed as missing** корабът бе обявен за изчезнал; **no bills** лепенето на афиши е забранено; **2.** изобличавам, разобличавам (публично — чрез обява); **3.** вписвам име в списък за публикуване; **4.** ам. пазя (земя) от бракониери чрез разлепване на предупредителни надписи.

post³ *n* **1.** пост, длъжност, място, служба; **2.** воен. пост; позиция; укрепление, форт; **3.** станция, пункт; **4.** воен. вечерен сигнал с тръба; **last** ~ последна тръба (и при погребение); **5.** ам. местно звено на военно-ветеранска организация; **6.** = **trading post.**

post⁴ *v* **1.** воен. поставям на пост; **2.** назначавам (на военна, държавна служба) (**to**); **diplomat** ~**ed in London** дипломат (на служба) в Лондон; **3.** издигам/поставям тържествено (знаме и пр.).

post⁵ *n* **1.** поща; пощенска кутия; пощенска станция; **by** ~ по пощата; **2.** ист. куриер, пощальон; пощенска станция (на дилижанс и пр.); разстояние между две станции; **3.** голям формат хартия; **4.** attr пощенски.

post⁶ *v* **1.** пускам, пращам (по пощата); **2.** ист. пътувам с пощенска кола; **3.** бързам; пътувам бързо; ост. изпращам бързо; **to** ~ **off** рипвам, тръгвам веднага; **4.** осведомявам, държа в течение; **to keep s.o.** ~**ed** държа някого в течение; **5.** нанасям (сметки) в главна счетоводна книга; **to** ~ **up** държа/въвеждам в изправност главна счетоводна книга.

post⁷ *adv* **1.** ист. с пощенска кола/коне; **2.** много бързо, с голяма бързина.

post- [poust] *pref* след-.

postage ['poustidʒ] *n* пощенски разноски.

postage stamp ['poustidʒˌstæmp] *n* пощенска марка.

postal ['poustl] *a* пощенски; ~ **order** пощенски запис; ~ **card** пощенска картичка; ~ **union** международен пощенски съюз.

postbag ['poustbæg] *n* **1.** чанта на раздавач/пощаджия; **2.** дневна поща (на отделно лице и пр.).

postbellum ['poustbeləm] *a* следвоенен.

postbox ['poustbɔks] *n* пощенска кутия.

postboy ['poustbɔi] *n* пощаджия, раздавач; пощальон.

postcard ['poustka:d] *n* пощенска картичка.

post-chaise ['pousttʃeiz] *n* ист. наемна пощенска кола.

post-code ['poustkoud] *n* пощенски код.

post-date [poust'deit] *v* слагам по-късна дата на (писмо и пр.); подправям с по-късна дата.

poster ['poustə] *n* **1.** афиш, обява; плакат; **2.** разлепвач на афиши и- пр.

posterior [pɔs'tiəriə] **I.** ·*a* **1.** заден; анат., зоол. гръбен; **2.** по-късен, по-сетнешен; **3.** следващ; **II.** *n* **1.** задник, задница; **2.** обик. *pl* по-късни/идни поколения.

posteriority [pɔsˌtiəri'ɔriti] *n* следване след нещо; по-късна дата.

posterity [pɔs'teriti] *n* потомство, идни поколения.

postern ['pɔstən] **I.** *a* заден, страничен (за вход и пр.); **II.** *n* задна/странична врата/вход (и на крепост).

post exchange ['poustikstʃeindʒ] *n* ам. воен. (гарнизонна) лавка.

postface ['poustfeis] *n* послепис.

postfix ['poustfiks] *n* грам. поствербално наречие, постфикс; окончание; суфикс.

post-free ['poustfri:] *a, adv* **1.** с предплатени пощенски разноски; **2.** без пощенски разноски; **3.** франко.

postgraduate [ˌpoust'grædjuit] **I.** *a* следуниверситетски, следдипломен, аспирантски; **II.** *n* аспирант.

posthaste ['pousteist] *n adv* (с) голяма бързина; много бързо.

posthumous ['pɔstjuməs] *a* **1.** посмъртен; **2.** роден след смъртта на бащата.

postiche [pɔs'ti:ʃ] *n* перука; тупе.

postil(l)ion [pɔs'tiljən] *n* **1.** ездач на преден впрегатен кон на карета (без кочияш); **2.** пощальон.

postman ['poustmən] *n* (*pl* -**men**) пощаджия, раздавач; □ ~**'s knock** вид салонна игра.

postmark¹ ['poustma:k] *n* пощенски печат.

postmark² *v* слагам пощенски печат (на).

postmaster ['poustma:stə] *n* **1.** пощенски началник; **P. General** министър на пощите; **2.** ист. собственик на станция за пощенски коне.

postmeridian ['poustmə'ridiən] *a* следобеден.

post meridiem ['poustmə'ridiəm] *adv* лат. следобед (обик. **p.m.**).

postmistress ['poustmistris] *n* ж. р. от **postmaster.**

post-mortem¹ ['poust'mɔtəm] *adv* лат. след смъртта, посмъртно.

post-mortem² *a* **1.** следсмъртен; ~ **examination** аутопсия; **2.** разг. след събитието (за анализ, обсъждане).

post-mortem³ *n* **1.** аутопсия; **2.** разг. анализ/обсъждане след състезание/избори и пр.

post-natal ['poust'neitl] *a* следродилен, постнатален.

post office ['poust'ɔfis] *n* **1.** поща, пощенска станция; **2.** **P.O.** Министерство на пощите; **3.** вид салонна игра.

post-paid ['poustpeid] *a* с предплатени пощенски разноски.

postpone [poust'poun] *v* отлагам, отсрочвам; забавям.

postponement [poust'pounmənt] *n* отлагане, отсрочване; забавяне.

postposition [ˌpoustpə'ziʃn] *n* грам. постпозиция.

postpositional, postpositive [ˌpoustpə'ziʃənəl, poust'pɔzitiv] *a* грам. постпозитивен.

postprandial [poust'prændiəl] *a* следобеден.

postscript ['poustskript] *n* послепис, постскриптум.

postulant ['pɔstjulənt] *n* църк. послушник.

postulate¹ ['pɔstjuleit] *v* **1.** постулирам, приемам, предполагам; **2.** изисквам, искам, предполагам.

postulate² ['pɔstjulit] *n* **1.** постулат, предположение; **2.** предпоставка; **3.** основен принцип, изходно начало.

posture¹ ['pɔstʃə] *n* **1.** стойка; поза (и прен.); **2.** състояние, положение; **at the present** ~ **of affairs** при сегашното положение на нещата; **3.** отношение, становище.

posture² *v* **1.** нагласям, поставям в някакво положение/поза; **2.** заемам поза/положение, позирам; **3.**

прен. позирам, правя се, преструвам се (**as** на, като).

postwar ['poustwɔ:] *а* следвоене́н.

posy ['pouzi] *n* 1. китка, букет; 2. *ост.* мото, девиз (*на пръстен и пр.*).

pot¹ [pɔt] *n* 1. гърне; делва, кюп; 2. тенджера; ча́йник; кафеник; 3. буркан; кана; ка́нче; кастро́н; 4. сакси́я; 5. кош за ловене на риба/раци; 6. *тех.* тигел, съд за топене на метали; пота; 7. *разг.* нощно гърне, цукало; 8. *разг.* шкембе; 9. изстрел отблизо; **to take a ~ at** стрелям/гръмвам по; 10. *сп.* купа; 11. *карти* мизи; (общ фонд за) залагания; 12. *разг.* сума/куп пари (*и* **~s of money**); 13. *разг.* важна клечка (*обик.* **big ~**); 14. *sl.* марихуана; 15. = **chimney-pot/cap**; □ **the ~ calls the kettle black** присмял се хърбел на щърбел; **to keep the ~ boiling** 1) печеля колкото за хляба/да свържа двата края; 2) поддържам темпото на игра/работа/разговор; **to go to ~** *sl.* провалям се, отивам по дяволите; **to take ~ luck** хапвам, каквото има/дал господ.

pot² *v* (-tt-) 1. слагам в гърне/съд; 2. консервирам (*месо и пр.*); **~ted meat** месна консерва; 3. готвя/задушавам в тенджера/гърне; 4. садя/насаждам в саксия (*и с* **up**); 5. стрелям, гръмвам (**at**); застрелвам, убивам (*дивеч*); убивам дивеч за храна (*не за спорт*); 6. хващам, вземам, спечелвам; 7. *билярд* вкарвам (*топка*) в дупка; 8. правя грънци; 9. *разг.* слагам (*дете*) на гърне.

potable ['poutəbl] *а* I. *а* годен за пиене; II. *n обик. pl* напитка.

potage [pɔ'tɑ:ʒ] *n фр.* крем-супа.

potash ['pɔtæʃ] *n хим.* поташ.

potassium [pə'tæsjəm] *n хим.* калий.

potation [pou'teiʃn] *n* 1. *обик. pl* пиене; 2. (чаша) спиртно питие.

potato [pə'teitou] *n* (*pl* -oes) картоф; **~ crisps/***ам.* **chips** пържени карто́фи; □ **quite the (clean) ~** нещо (съвсем) редно; **small ~es** незначителен човек/нещо, дребо́лия; **hot ~** *sl.* неприятна/опасна работа; щекотлив въпрос.

potato beetle, bug [pə'teitoubi:tl, -bʌg] *n ам.* колорадски бръмбар.

potato-trap [pə'teitoutræp] *n sl.* уста.

pot-bellied ['pɔtbelid] *а* 1. шкембелия; 2. кръгъл и широк, тумбест (*за печка*).

pot-belly ['pɔtbeli] *n* 1. шкембе; 2. шкембелия човек, шишко.

potboil ['pɔtbɔil] *v. ам.* пиша/рисувам и пр. как да е/за печалба.

pot-boiler ['pɔtbɔilə] *n* 1. книга/картина и пр., написана/нарисувана само за пари; 2. автор/художник и пр., който работи само за пари/печалба.

pot-bound ['pɔtbaund] *а* 1. насаден в твърде малка саксия; 2. *прен.* ограничен, с подрязани крила.

pot-boy ['pɔtbɔi] *n* прислужник в кръчма.

pot cheese ['pɔtʃi:z] *ам.* = **cottage cheese**.

poteen [pɔ'ti:n] *n ирл.* незаконно произведено уиски.

potency ['poutənsi] *n* 1. сила, мощ, могъщество; 2. власт, сила; авторитет; 3. сила, действие, ефикасност (*на лекарство, питие*); 4. човек с власт; 5. потентност; 6. = **potentiality**.

potent ['poutənt] *а* 1. *книж.* могъщ, силен; 2. силен, убедителен; авторитетен, влиятелен; 3. силен, ефикасен (*за питие, лекарство*); 4. потентен.

potentate ['poutənteit] *n* потентат, владетел, властелин.

potential [pə'tenʃl] *а* 1. възможен; 2. потенциален, скрит; 3. *грам.* потенциален (*за наклонение*); II. *n* 1. възможност(и); 2. *физ., ел.* потенциал; 3. съвкупност от средства, потенциал; 4. *грам.* съслагателно наклонение, изразяващо възможност.

potentiality [pə,tenʃi'æliti] *n* 1. възможност, изгледи; 2. потенциалност; 3. *pl* възможности; заложби.

potentiate [pə'tenʃieit] *v* 1. усилвам, придавам сила/ефикасност (на); 2. правя възможен.

potentilla [poutən'tilə] *n бот.* очеболец.

pot hat ['pɔthæt] *n sl.* бомбе.

pothead ['pɔthed] *n* 1. човек, който пуши марихуана; 2. тъпак, глупак.

potheen = **poteen**.

pother¹ ['pɔðə] *n* 1. вълнение, смут; суматоха, суетня; 2. шум, врява, гюрултия; **to make a ~ about s.th.** *прен.* вдигам шум за нещо; 3. задушлив облак (*от прах, дим*), думан.

pother² *v* 1. безпокоя (се), тревожа (се), вълнувам (се); обърквам (се); 2. вдигам шум/врява.

pot-herb ['pɔthə:b] *n* 1. зеленчук; 2. подправка (*магданоз, копър и под.*).

pot-hole ['pɔthoul] *n* 1. понор; 2. дупка на път.

pot-holer ['pɔthoulə] *n* изследовател на понори, пещерняк.

pot-holing ['pɔthouliŋ] *n* изследване на понори.

pot-hook ['pɔthuk] *n* 1. кука над огнище; 2. ченгелче, кукичка (*при писане*).

pothouse ['pɔthaus] *n* (долнопробна) кръчма/пивница; **~ manners** просташки обноски.

pot-hunter ['pɔthʌntə] *n* 1. ловец, който ловува за прехрана и печалба; 2. спортист, който участвува в състезания само заради наградите; 3. *ам.* археолог любител.

potion ['pouʃn] *n* доза, глътка (*лекарство, отрова*); **love ~** любовен еликсир.

potlatch ['pɔtlætʃ] *n* 1. индианско тържество с размяна на подаръци; 2. празненство, гощавка.

potman ['pɔtmən] = **pot-boy**.

potpie ['pɔtpai] *n* пирог с месо/плодове и пр.

pot plant ['pɔtplɑ:nt] *n* саксийно растение.

potpourri [,pou'puəri] *n фр.* 1. сушени розови листа и подправки (*за аромат*); 2. *муз.* потпури; 3. (сборник от) литературни откъси.

pot-roast¹ ['pɔtroust] *n* задушено месо.

pot-roast² *v* задушавам (*месо*).

potsherd ['pɔtʃə:d] *n археол.* къс от глинен съд.

pot-shot ['pɔtʃɔt] *n* 1. изстрел наслуки; изстрел отблизо; 2. опит наслуки; 3. *ам.* критична забележка, критика.

pot-still ['pɔtstil] *n* казан.

potstone ['pɔtstoun] *n минер.* стеатит.

pott [pɔt] *n печ.* формат хартия (*12 х 15 инча*).

pottage ['pɔtidʒ] *n* (гъста) чорба; яхния.

potter¹ ['pɔtə] *n* грънчар; □ **~'s field** гробище за бедняци и чужденци/странници.

potter² *v* 1. работя отпуснато/лениво (**at, in**); 2. туткам се, разтакавам се (*и с* **about**); 3. **to ~ away** пилея, разпилявам.

pottery ['pɔtəri] *n* 1. керамични и фаянсови изделия, керамика; 2. грънчарство, керамика; 3. грънчарница, фабрика за керамични изделия; 4. **the Potteries** област в Англия, център на керамичната индустрия.

potto ['pɔtou] *n зоол.* 1. западноафрикански лемур (Perodicticus); 2. кинкажу.

pot-trained ['pɔt,treind] *а* свикнал да ходи на гърне (*за дете*).

potty¹ ['pɔti] *а разг.* 1. дребен, незначителен, посредствен (*и* ~ **little**); **2.** смахнат; луд (**about**); **3.** лесен, лек, елементарен.

potty² *n разг.* гърне(нце) (*особ. за дете*).

potty-chair ['pɔtiʃɛə] *n* детски стол с дупка и гърне(нце).

pouch¹ [pautʃ] *n* **1.** торбичка, кесия; **2.** торбичка под окото; **3.** *зоол.* торба на кенгуру/пеликан; торбичка на бузата на маймуна; **4.** *бот.* семенна кутийка; **5.** пощенска/куриерска чанта; **6.** торбичка за патрони; **7.** *главно шотл.* джоб.

pouch² *v* **1.** слагам в торбичка; прибирам; **2.** образувам торба; придавам форма/правя на торба; вися като торба; **3.** гълтам, поглъщам (*за птица, риба*); **4.** *ам.* нося/пренасям в пощенска/куриерска чанта.

pouf, pouff(e) [pu:f] *n* **1.** пуф, табуретка; кушетка; **2.** буфан; **3.** *sl.* педераст; **4.** *ост.* (подплънка за) дамска прическа руло.

poulard(e) ['puːlɑːd] *n фр.* угоена кокошка.

poult [poult] *n* пиленце; пуйче; фазанче.

poulterer ['poultərə] *n* търговец на домашни птици и дивеч.

poulter's measure ['poultəz͵meʒə] *n проз.* двустишие с 12 и 14 срички.

poultice¹ ['poultis] *n* лапа́.

poultice² *v* слагам лапа́ (на).

poultry ['poultri] *n* домашни птици; ~ **farm** птицеферма.

pounce¹ [pauns] *v* **1.** (на)хвърлям се, спускам се, връхлетявам (**at, on, into**); **2.** нападам неочаквано; хващам се (*за нечия грешка и пр.*) (**upon**); **to** ~ **at the first opportunity to** използвам първата възможност да.

pounce² *n* **1.** нокът на хищна птица; **2.** връхлитане на плячка; **3.** внезапно нападение.

pounce³ *n* **1.** прах от пемза за попиване на мастило; **2.** въглищен прах за понсиране.

pounce⁴ *v* **1.** понсирам; **2.** полирам с пемза.

pound¹ [paund] *n* **1.** фунт (*мярка = 0,453 кг*); **2.** фунт, лира (*парична единица*); □ **to exact o.'s** ~ **of flesh** настоявам за точно спазване на договора.

pound² *v* проверявам теглото на монети.

pound³ *v* **1.** стривам, счуквам (*и с* **up**); **2.** удрям, блъскам; тропам тежко; **3.** бомбардирам, обстрелвам (**at, on, away at**); **4.** бия силно (*за сърце*); **5.** ходя/вървя тежко/неуморно (**along**); **to** ~ **the pavements** *ам.* обикалям улиците; **6. to** ~ **out** изтраквам, изчуквам (*на пишеща машина*); **7. to** ~ **away** работя неуморно; □ **to** ~ **a fact home to s.o.** набивам факт в главата на някого.

pound⁴ *n* **1.** общински обор за заловен в чуждо пасище добитък; **2.** място за прибиране на неправилно паркирани коли/безстопанствени котки/кучета; **3.** затвор (*и прен.*); **4.** талян.

pound⁵ *v* затварям в общински обор; прибирам.

poundage ['paundidʒ] *n* **1.** процент върху фунт/върху печалба (*на лира*); комисиона; **2.** тегло във фунтове.

poundal ['paundəl] *n физ.* паундел (*единица за сила*).

pound-cake ['paundkeik] *n* сладкиш, в който се слага по един фунт от всеки продукт.

pounder¹ ['paundə] *n* **1.** чук, чукало; **2.** хаван(че).

pounder² *n в съчет.* **1.** нещо, което тежи определен брой фунта (*напр. риба*); **six-**~ шестфунтова риба; **2.** нещо, което струва/човек, който има определен брой лири; **3.** оръдие, което изстрелва снаряди с определено тегло във фунтове.

pound-foolish ['paund͵fuːliʃ] *a* небрежен по отношение

на големи суми/на сериозни въпроси; на брашното евтин, на триците скъп.

pound-net ['paundnet] *n* талян.

pour¹ [pɔː] *v* **1.** лея (се), изливам (се), изтичам се, стичам се (**forth, out, down**); вливам се (**into**); **2.** вали из ведро (*и с* **down**); **it's** ~ **ing wet/with rain** вали като из ведро; **3.** наливам (*чай и пр.*); насипвам; **4.** лея (се), изливам (се) (*за думи, звуци*) (**out, forth**); **to** ~ **out o.'s tale of misfortune** разказвам бедите си; **to** ~ **forth o.'s ideas** излагам (свободно/подробно) идеите си; **5.** излъчвам, изпускам (*светлина и пр.*) (**forth**); **6.** *прен.* бълвам, изхвърлям (*тълпи — напр. за влак и пр.*);

    pour in 1) стичам се (*за хора*); 2) трупам се, идвам отвсякъде (*за писма, покани и пр.*); 3) лея се (*за дъжд, светлина*); настъпвам бързо (*за мрак*);

    pour on изливам, изсипвам (*подигравки и пр.*) срещу/върху;

    pour out наливам чая/кафето и пр.

pour² *n* **1.** проливен дъжд, порой; **2.** поток; **3.** количество разтопен метал.

pourboire [puə'bwɑː] *n фр.* бакшиш.

pourparler [puə'pɑːlei] *n фр. обик. pl* неофициални предварителни преговори.

pourpoint ['puəpɔint] *n фр. ист.* ватиран мъжки жакет.

pousse-café [puːskæ'fei] *n фр.* чаша ликьор с кафето след ядене.

poussette [pu'set] *n фр.* фигура при народен танц, при която партньорите се въртят един около друг.

pout¹ [paut] *v* цупя (се), муся се.

pout² *n* цупене, нацупване, мусене, намусване; **the** ~**s** цупене, сърдене.

pout³ *n* име на разни видове морски риби (Trisopterus luscus); михалца, налим (Lota lota).

pouter ['pautə] *n* **1.** нацупен човек, недоволник; **2.** гълъб с голяма гуша (*и* ~**-pigeon**).

pouty ['pauti] *a ам.* нацупен, намусен.

poverty ['pɔvəti] *n* **1.** бедност, мизерия, нищета; **2.** липса, бедност (**of, in** на, откъм).

poverty-stricken ['pɔvəti͵strikn] *a* беден (*и прен.*), сиромашки, мизерен.

powder¹ ['paudə] *n* **1.** прах (*и лекарство*); **2.** барут; **not worth** ~ **and shot** *прен.* който не си струва труда; **smell of** ~ боен опит; **to smell** ~ **for the first time** получавам бойно кръщение; **to keep o.'s** ~ **dry** вземам предпазни мерки; **3.** пудра (*и за перука*); **to wear** ~ нося напудрена перука; **4.** ситен лек сняг.

powder² *v* **1.** поръсвам, наръсвам (**with**); **2.** пудря (се), напудрям (се); **3.** стривам на прах; превръщам (се) на прах; **4.** *ам.* удрям (*топка*) силно; **5.** украсявам с точици/дребни фигурки.

powder blue ['paudə'bluː] *n* **1.** светлосин цвят; **2.** *хим.* кобалтов окис; синка за пране.

powder-horn ['paudəhɔːn] *n ист.* барутница.

powder keg ['paudə͵keg] *n* **1.** метален съд за барут; **2.** *прен.* барутен погреб.

powder-monkey ['paudəmʌŋki] *n ист. мор.* момче, което носи барут за оръдията.

powder-puff ['paudəpʌf] *n* **1.** пухче за пудра; **2.** *attr ам.* жени (*за спортно състезание*).

powder-room ['paudərum] *n* **1.** дамска тоалетна; **2.** *мор.* барутен склад.

powder snow ['paudə͵snou] *n* лек сух сняг.

powdery ['paudəri] *a* **1.** като прах; **2.** покрит/посипан с прах/прашец; **3.** ронлив (*за камък и пр.*).

power¹ [pauə] *n* **1.** способност, възможност; сила; **to do all in o.'s** ~ правя всичко, което мога/което е по силите ми; **as far as it lies within my** ~ доколкото е във възможностите/по силите ми; **beyond/out of o.'s**

~ не по силите/възможностите ми; **to put it out of s.o.'s** ~ **to** правя невъзможно за някого да; **2.** *тех.* сила (*и* га *обектив*), мощ, мощност; енергия; производителност (*на машина и пр.*); **what** ~ **do you use?** каква двигателна сила/какъв вид енергия използвате? **3.** механизация, употреба на машини; **4.** власт (*и* пол.); могъщество; **to have s.o. in o.'s** ~ държа някого в ръцете си, имам власт над някого; **to be in s.o.'s** ~ във властта/ръцете съм на някого; подчинен съм на някого; **to be in** ~ на власт съм (*за партия*); **to come in/into** ~ идвам на власт, спечелвам властта; **5.** *пол.* сила, държава; властник; **the great** ~**s** великите сили; **the** ~**s that be** силните на деня, властниците; **6.** *юр.* пълномощия; права; **7.** *мат.* степен; **three to the fourth** ~ три на четвърта степен; **8.** *разг.* много, сума; **it has done me a** ~ **of good** много ми помогна/ми беше полезно; **9.** бог, божество; **10.** *pl* *рел.* шеста степен в йерархията на ангелите; **11.** *ост.* войска, войнство; □ **more** ~ **to your elbow!** браво! желая ви успех!

power[2] *v* снабдявам с двигател/енергия; привеждам в действие/движение.

power-boat ['pauəbout] *n* моторница.

power-dive[1] ['pauədaiv] *v* *ав.* пикирам, без да изключа мотора.

power-dive[2] *n* *ав.* пикиране без изключване на мотора.

power-driven ['pauə,drivn] *a* моторен.

powered ['pauəd] *a* *в съч.* с... мощност.

powerful ['pauəful] *a* мощен, силен (*и прен.*); могъщ.

powerhouse ['pauəhaus] *n* **1.** електростанция, електроцентрала; **2.** *разг.* източник на власт/влияние; човек с голяма власт/влияние.

powerless ['pauəlis] *a* безсилен; немощен, слаб; **to render** ~ обезсилвам; **to be** ~ **to resist** не мога/нямам сили да се съпротивлявам.

power-operated ['pauə,ɔpəreitid] *a* с механично задвижване.

power pack ['pauə,pæk] *n* *ел.* силова/агрегатна глава.

power play ['pauə,plei] *n* **1.** *сп.* меле; **2.** политическа и пр. маневра от позиция на силата.

power-plant ['pauəplɑ:nt] *n* **1.** електростанция; електроцентрала; **2.** двигател (*на кола и пр.*).

power politics ['pauə,pɔlitiks] *n* политика от позиция на силата.

power-station ['pauəstei∫n] *n* = **power-plant 1.**

pow-wow[1] ['pauwau] *n* **1.** индианско съвещание; **2.** врач/баяч у индианците; **3.** *разг., шег.* събрание, обсъждане, разискване.

pow-wow[2] *v* **1.** съвещавам се, обсъждам (**about**); **2.** бая, врачувам.

pox [pɔks] *n* **1.** *в съчет.* шарка; **2.** *разг.* сифилис; □ ~ **on you!** дявол да те вземе! чумата да те тръшне!

practicability [,præktikə'biliti] *n* **1.** осъществимост, изпълнимост, приложимост; **2.** проходимост, използваемост (*на път и пр.*).

practicable ['præktikəbl] *a* **1.** осъществим, изпълним, приложим; реален; **2.** проходим, използваем (*за път и пр.*); **3.** *театр.* истински, не бутафорен (*за врата и пр.*).

practical ['præktikl] **I.** *a* **1.** практичен; **2.** практически; **3.** фактически; ~ **owner** фактически собственик; **4.** практикуващ (*дадена професия, занаят*); ~ **craftsman/farmer** занаятчия/земеделец; ~ **nurse** *ам.* практикуваща медицинска сестра без свидетелство за правоспособност; **to have a** ~ **knowledge of** имам практически познания по, мога да си служа с; **II.** *n* **1.** практически изпит; **2.** практичен човек.

practicality [,prækti'kæliti] *n* практически въпрос/предложение.

practically ['præktikəli] *adv* **1.** практически, на практика; **2.** практично; **3.** фактически, всъщност; ~ **speaking** всъщност; **4.** почти.

practice[1] ['præktis] *n* **1.** практика; приложение; **in** ~ в действителност, на практика; **to carry/put into** ~ прилагам (на практика); **2.** практика, упражнение; тренировка; ~ **makes perfect** опитът прави майстора; **to be in** ~ добре съм упражнен, в добра форма съм; **to be out of** ~ не съм се упражнявал скоро, загубил съм формата си; **3.** обичай, навик, привичка; практика, установен ред; *юр.* процедура; **to make a** ~ **of doing s.th., to make it a** ~ **to do s.th.** свикнал съм да/постоянно правя нещо; **it is the usual** ~ така е прието, така се прави обикновено; **as is my usual** ~ както правя обикновено, както съм свикнал; **4.** (частна) практика, клиентела (*на лекар, адвокат*); **to buy/sell a** ~ купувам/продавам лекарски кабинет с разработена клиентела; **5.** *обик. pl* интриги, машинации; **sharp** ~ мошеничество; **discreditable** ~**s** тъмни дела; **6.** *attr* тренировъчен, за упражнение; ~ **teaching** учебна практика.

practice[2] *ам.* = **practise**.

practician [præk'ti∫n] *n* **1.** практик; **2.** = **practitioner**.

practise ['præktis] *v* **1.** прилагам (на практика), изпълнявам; **to** ~ **what one preaches** върша това, което проповядвам; **2.** практикувам, занимавам се с (*професия и пр.*); **3.** имам навик, свикнал съм, редовно върша нещо; **to** ~ **early rising** винаги ставам рано; **4.** упражнявам (се), тренирам (се) (*с ger*); **5.** **to** ~ **upon** мамя, измамвам, злоупотребявам с (*някого, нечие доверие и пр.*).

practised ['præktist] *a* опитен; изпечен; умел, сръчен (**in**).

practitioner [præk'ti∫ənə] *n* практикуващ лекар/адвокат; **general** ~ лекар по обща медицина (*не специалист*).

praecipe ['pri:sipi] *n* *юр.* призовка; съдебно нареждане.

praecocial [pri'kou∫əl] *a* *зоол.* който още след излюпването си търси сам храната.

praesidium [pri'zi:diəm] *n* президиум.

praetor ['pri:tə] *n* *лат.* претор.

praetorian [pri:'tɔriən] **I.** *a* преториански; **II.** *n* войник от преторианската гвардия.

pragmatic [præg'mætik] **I.** *a* **1.** *фил.* прагматически; **2.** догматичен; със самомнение; **3.** който обича да се меси в чужди работи; натрапчив; **4.** практичен, реален, реалистичен (*не идеалистичен*); **5.** *ост.* държавен; ~ **sanction** указ на държавен глава със сила на основен закон; **II.** *n* **1.** човек, който обича да се меси в чужди работи; човек със самомнение; **2.** = ~ **sanction**.

pragmatical [præg'mætikl] = **pragmatic I. 1, 2, 3.**

pragmatism ['prægmətizm] *n* **1.** *фил.* прагматизъм; **2.** догматичност, педантизъм; **3.** натрапчивост.

pragmatist ['prægmətist] *n* **1.** прагматик, последовател на прагматизма; **2.** догматик; **3.** натрапчив човек.

pragmatize ['prægmətaiz] *v* представям като действителен/реален.

prairie ['prɛəri] *n* прерия, степ.

prairie chicken, grouse, hen ['prɛəri,t∫ikn, graus, hen] *n* вид сев.-ам. глухар.

prairie dog ['prɛəri,dɔg] *n* сев.-ам. гризач, подобен на лалугер.

prairie schooner ['prɛəri,sku:nə] *n* *ам. ист.* покрита кола на преселници.

prairie wolf ['prɛəri,wulf] *n* койот (Canis latrans).

praise[1] [preiz] *v* хваля, възхвалявам; похвалвам.

praise[2] *n* похвала; възхвала; хвалба; **to speak in s.o.'s** ~ хваля някого; **to sing/sound s.o.'s** ~**s** възхвалявам/превъзнасям някого; **to be loud in s.o.'s** ~**(s)** високо хваля някого; ~ **be!** слава богу! ~ **be to God!** хвала на бога!

praiseworthy ['preizwə:ði] *a* похвален, достоен за похвала.

praline ['pra:li:n] *n* пралина (*бонбон*).

pram[1] [præm] *разг. съкр. от* **perambulator.**

pram[2] *n* вид плоскодънна гемия.

prance[1] [præns] *v* 1. подскачам, изправям се на задните си крака; 2. скачам, лудувам; разлудувам се (*и с* **about**); 3. вървя/държа се важно, перча се.

prance[2] *n* скок; подскачане.

prandial ['prændiəl] *a* обеден; за/на обед.

prang[1] [præŋ] *n* 1. свалям (*самолет*); падам (*за самолет*); катастрофирам; 2. бомбардирам успешно.

prang[2] *n* катастрофа.

prank[1] [præŋk] *n* лудория, шега; **to play** ~**s on s.o.** правя си шеги с някого.

prank[2] *v* 1. кяся, украсявам; кича (се), гиздя (се) (*и с* **up, out**); 2. перча се.

prankish ['præŋkiʃ] *a* шеговит; палав.

prase [preiz] *n минер.* вид зеленикав кварц.

prate[1] [preit] *v* бъбря, бърборя; дърдоря, дрънкам.

prate[2] *n* бърборене, бръщолевене, бръщеж.

pratfall ['prætfɔ:l] *n разг.* 1. падане по задника; 2. унизителен провал, резил.

pratincole ['prætiŋkoul] *n* блатна лястовица, кафявокрил огърличник (Glareola pratincola).

pratique [præ'ti:k] *n фр. мор.* разрешение на кораб да влезе в пристанище след санитарна проверка.

prattle[1] ['prætl] *v* бъбря, бърборя; приказвам.

prattle[2] *n* (детско) бърборене; бръщеж, приказки.

prawn[1] [prɔ:n] *n* едра скарида.

prawn[2] *v* ловя скариди.

pray [prei] *v* 1. моля се; чета молитви; **to** ~ **forgiveness** моля за прошка; 2. моля, умолявам; **(I)** ~ **(you)** моля (ви се); **to** ~ **in aid** призовавам/моля за помощ; □ **to be past** ~**ing for** безнадеждно болен съм; загубен съм; безнадеждно глупав съм.

prayer[1] [preə] *n* 1. молитва; 2. молба; **at my** ~ по моя молба.

prayer[2] ['preiə] *n* 1. молещ се; молител; 2. *ам. разг.* най-малък шанс за успех.

prayer-book ['preəbuk] *n* молитвеник.

prayerful ['preəful] *a* 1. набожен; 2. искрен, сериозен.

prayer-mat, -rug ['preəmæt, -rʌg] *n* килимче, на което мохамеданите коленичат при молитва.

prayer-wheel ['preəwi:l] *n* въртяща се цилиндрична кутия, на която са написани молитвите на тибетските будисти.

praying-mantid, -mantis ['preiiŋ,mæntid, -,mæntis] *n зоол.* богомолка.

pre- [pri:] *pref* пред-, предварително.

preach[1] [pri:tʃ] *v* проповядвам (*и прен.*), чета/произнасям проповед; поучавам; **to** ~ **at s.o.** насочвам проповедта си срещу някого.

preach[2] *n разг.* проповед (*и прен.*).

preacher ['pri:tʃə] *n* проповедник (*и прен.*); **the P.** *библ.* Соломон.

preachify ['pri:tʃifai] *v пренебр.* назидавам, чета морал.

preachment ['pri:tʃmənt] *n* дълга и скучна проповед.

preachy ['pri:tʃi] *a разг.* склонен да морализира/поучава.

preamble[1] [pri:'æmbl] *n* встъпление, предисловие, увод(на част).

preamble[2] *v* правя предисловие.

pre-arrange [,pri:ə'reindʒ] *v* споразумявам се/уреждам предварително.

prebend ['prebənd] *n църк.* пребенда.

prebendary ['prebəndəri] *n църк.* пребендарий.

precarious [pri'keəriəs] *a* 1. несигурен, зависещ от волята на друг (*за доход и пр.*); 2. несигурен, опасен; случаен; рискован, пълен с опасности; **to make a** ~ **living** едва си изкарвам прехраната; 3. съмнителен, необоснован.

precariously [pri'keəriəsli] *adv* едва-едва; несигурно.

precatory ['prekətəri] *a* умолителен; изразяващ желание; ~ **words** *юр.* желание на завещател; ~ **trust** *юр.* воля на завещател.

precaution [pri'kɔ:ʃn] *n* 1. предпазливост, внимание; 2. предпазна мярка.

precautionary [pri'kɔ:ʃənəri] *a* предпазен, предохранителен.

precautious [pri'kɔ:ʃəs] *a* предпазлив, внимателен.

precede [pri'si:d] *v* 1. предшествувам, предхождам; 2. стоя над, заемам по-високо положение от; имам предимство пред; 3. върша нещо преди нещо друго; подготвям.

precedence, -cy ['presidəns, -si] *n* 1. предимство; прединна; **to have/take** ~ **over** имам предимство пред; превъзхождам; предхождам; **ladies have** ~ най-напред дамите; 2. първенство; старшинство; чин, ранг.

precedent[1] [pri'si:dənt] *a ряд.* 1. предишен, предходен; предшествуващ; 2. предварителен.

precedent[2] ['presidənt] *n* прецедент.

precedented ['presidentid] *a* за който има прецедент.

preceding [pri'si:diŋ] *a, adv* предишен, преден; преди.

precentor [pri'sentə] *n* 1. регент на хоровото пеене (*в църква*); 2. отговорник за музиката в катедрала.

precept ['pri:sept] *n* 1. правило; предписание; заповед; поучение, наставление; 2. *юр.* изпълнителен лист; заповед за събиране на налози/за провеждане на избори.

preceptive [pri'septiv] *a* поучителен, наставнически.

preceptor [pri'septə] *n* 1. учител, наставник; 2. *ист.* глава на монашеско братство на рицарите темплиери.

preceptorial [,pri:sep'tɔ:riəl] *a* учителски, наставнически.

preceptory [pri'septəri] *n ист.* (земя/сгради на) монашеско братство на рицарите темплиери.

preceptress [pri'septris] *ж.р. от* **preceptor 1.**

precession [pri'seʃn] *n* 1. движение напред, напредване; 2. *астр.* прецесия.

precinct ['pri:siŋkt] *n* 1. оградено място около здание; *pl* околности; район около здание; 2. *ам.* избирателен/полицейски район; 3. граница, предел; 4. градски квартал, където е забранено движението на моторни коли (*и* **pedestrian** ~); квартал, определен за дадена цел; **shopping** ~ търговски квартал.

preciosity [,preʃi'ositi] *n* префиненост, превзетост, маниерност.

precious[1] ['preʃəs] *a* 1. скъпоценен; 2. ценен; скъп; любим; 3. префинен, превзет, маниерен; 4. *разг.* ужасен, истински; **you've made a** ~ **mess of it** хубава каша си забъркал; **it costs a** ~ **sight more than I can afford** струва много повече, отколкото мога да дам; **he's a** ~ **rascal** голям/истински мошеник е; **keep your** ~ **tickets** дръж си прословутите билети.

precious[2] *adv* съвсем; много, ужасно; **he has** ~ **little to say** почти няма какво да каже; **to take** ~ **good care**

of добре се грижа за; **it's ~ cold** ужасно е студено.

precipice ['presipis] *n* пропаст, бездна; урва; **on the brink/edge of a ~** на края на пропастта; *прен.* пред катастрофа/гибел.

precipitable [pri'sipitəbl] *a хим.* утаим.

precipitance, -cy [pri'sipitəns, -si] *n* **1.** прибързаност, необмисленост; нещо прибързано/необмислено; **2.** бързина, стремглавост; ненадейност, внезапност.

precipitant [pri'sipitənt] *n хим.* утаител.

precipitate[1] [pri'sipiteit] *v* **1.** хвърлям; повалям; **2.** хвърлям (*в някакво състояние, война*) (**into**); **3.** ускорявам; **4.** *хим.* утаявам (се); **5.** *метеор.* сгъстявам (*пáри*), така че да се образува дъжд/роса и пр.; сгъстявам се и падам като дъжд, роса и пр.; **6.** падам/втурвам се презглава; **7.** изпадам внезапно (*в дадено състояние*).

precipitate[2] [pri'sipitət] *n* **1.** *хим.* утайка; **2.** *метеор.* валеж; кондензирана влага.

precipitate[3] [pri'sipitət] *a* **1.** бърз, прибързан; внезапен; стремглав; **2.** прибързан, необмислен.

precipitation [pri,sipi'teiʃn] *n* **1.** хвърляне, запращане; падане/втурване презглава; **2.** прибързаност, необмисленост; прибързана/необмислена постъпка; **3.** *хим.* утаяване; утайка; **4.** *метеор.* (количество на) валеж; дъжд/сняг/роса и пр.

precipitous [pri'sipitəs] *a* **1.** много стръмен, отвесен; **2.** *ряд.* прибързан, необмислен.

précis[1] [prei'si:] *n фр.* (*pl* **précis** [prei'si:z]) кратко изложение, резюме; извлечение; конспект.

précis[2] *v* резюмирам, излагам накратко; конспектирам.

precise [pri'sais] *a* **1.** точен, определен; **at the ~ moment when** точно в момента, когато; **2.** точен, изискан; педантичен, добросъвестен до дребнавост; отмерен (*за жест и пр.*); коректен, издържан.

precisely [pri'saisli] *adv* **1.** точно, определено, ясно; **2.** именно, точно така, съвсем вярно.

precisian [pri'siʒən] *n* **1.** формалист, педант; **2.** *рел.* поддръжник на строго спазване на религиозните форми; пуритан.

precision [pri'siʒən] *n* **1.** точност, прецизност; **2.** *attr* точен, прецизен (*за уред, стрелба и пр.*).

precisionist [pri'siʒənist] = **precisian** 1.

preclude [pri'klu:d] *v* **1.** изключвам (възможността за); отстранявам (опасността от); правя невъзможен; **2.** попречвам, спирам, спъвам (**from** *c ger*); **to ~ s.o. from doing s.th.** попречвам някому да направи нещо.

preclusive [pri'klu:siv] *a* който изключва/отстранява/попречва (**of**).

precocial = **praecocial**

precocious [pri'kouʃəs] *a* **1.** ранно/преждевременно развит (*за човек, дарба и пр.*), не за възрастта (*за знания и пр.*); **2.** който цъфти/зрее рано; ранозреен.

precociousness, precocity [pri'kouʃəsnis, pri'kɔsiti] *n* **1.** ранно/преждевременно развитие; **2.** ранозрелост.

precognition [,pri:kɔg'niʃn] *n* **1.** *книж.* предварително (по)знание; предчувствие; **2.** *шотл. юр.* предварителен разпит на свидетели.

preconceive [,pri:kən'si:v] *v* **1.** създавам си мнение/представа предварително; **~d idea** предубеждение; **2.** предвиждам.

preconception [,pri:kən'sepʃn] *n* **1.** предварителна представа; **2.** предубеждение.

preconcerted [,pri:kən'sə:tid] *a* предварително уговорен.

precondition[1] [,pri:kən'diʃn] *n* предварително условие; предпоставка.

precondition[2] *v* подготвям предварително.

pre-conquest [,pri:'kɔŋkwest] *a* отпреди норманското нашествие в Англия в 1066 г.

precursor [pri'kə:sə] *n* предшественик, предтеча; предвестник.

precursory [pri'kə:səri] *a* предварителен, уводен, встъпителен; предшествуващ.

predaceous, -ious [pri'deiʃəs] *a* **1.** хищен, граблив; **2. predacious** хищнически, граблив.

pre-date [,pri:'deit] = **ante-date**

predation [pri'deiʃn] *n* хищничество; хищнически начин на живот; **~ pressure** въздействие на хищните животни върху околната среда, опасност от загиване на животните, с които се хранят хищниците.

predator ['predətə] *n* хищник.

predatory ['predətəri] *a* **1.** граблив, хищен; **2.** грабителски, хищнически.

predecease[1] [,pri:di'si:s] *v* умирам преди (*някого*).

predecease[2] *n* по-ранна смърт (*на някого преди друг*).

predecessor [,pri:di'sesə] *n* **1.** предшественик; **2.** праотец; **3.** предишен план и пр.

predestinate[1] [,pri:'destineit] *v* предопределям (*и рел.*); орисвам.

predestinate[2] [,pri:'destinit] *a* предопределен.

predestination [,pri:desti'neiʃn] *n* предопределение (*и рел.*); орис, съдба.

predestine [pri'destin] *v* предопределям; орисвам.

predetermine [,pri:di'tə:min] *v* **1.** предопределям; предрешавам; **2.** повлиявам (на), накарвам; определям (*начин на действие и пр.*).

predicable ['predikəbl] *лог.* **I.** *a* който може да се твърди/заяви; **II.** *n* атрибут.

predicament [pri'dikəmənt] *n* **1.** затруднено/опасно положение, затруднение; **I'm in the same ~** и аз съм в същото положение; **2.** *лог.* = 1) **predicable II**; 2) *pl* категории.

predicant ['predikənt] **I.** *a* проповеднически; проповядващ; **II.** *n* проповедник.

predicate[1] ['predikeit] *v* **1.** твърдя, заявявам; **to ~ goodness or badness of a motive** твърдя, че даден мотив е добър или лош; **2.** предполагам (*като естествено качество*); налагам (като последствие); **3.** *ам.* основавам се (*за теория и пр.*) (**on**).

predicate[2] ['predikit] *n* **1.** *лог.* предикат; **2.** *грам.* сказуемо, предикат.

predication [,predi'keiʃn] *n* **1.** заявяване, твърдене; твърдение; **2.** *грам.* предикация; **verbs of incomplete ~** глаголи, които изискват допълнение/сказуемно определение.

predicative [pri'dikitiv] **I.** *a* **1.** изказващ, изразяващ (**of**); **2.** *грам.* предикативен, сказуемен; **II.** *n грам.* сказуемно име, именна част на сказуемо, предикатив.

predicatively [pri'dikitivli] *adv* като сказуемно име/именна част на сказуемо.

predicatory [pri'dikətəri] *a* проповеднически; склонен да проповядва.

predict [pri'dikt] *v* предсказвам, предричам; пророкувам.

predictable [pri'diktəbl] *a* който може да се предскаже; чиито постъпки могат да се предвидят.

prediction [pri'dikʃn] *n* предсказване, предричане; предвиждане; пророкуване; предсказание; пророчество.

predictive [pri'diktiv] *a* пророчески.

predictor [pri'diktə] *n* **1.** предсказател, пророк; **2.** *воен.* уред за определяне височината, скоростта и пр. на неприятелски самолет.

predilection [,predi'lekʃn] *n* склонност, пристрастие; предпочитание (**for**).

predispose [ˌpriːdisˈpouz] v предразполагам (**to**).

predisposition [ˌpriːdispəˈziʃn] n предразположение, склонност (**to**).

predominance [priˈdɔminəns] n надмощие, превъзходство; преобладаване.

predominant [priˈdɔminənt] a преобладаващ, доминиращ; превъзхождащ.

predominantly [priˈdɔminəntli] adv преимуществено, главно.

predominate [priˈdɔmineit] v преобладавам, доминирам, господствувам (**over**); имам най-голямо значение; превъзхождам.

pre-election [ˌpriːiˈlekʃn] n 1. предварителен избор; 2. atr предизборен.

preeminance [priːˈeminəns] n превъзходство.

pre-eminant [priːˈeminənt] a превъзходен, отличен; виден, бележит.

pre-eminantly [priːˈeminəntli] adv главно, преди всичко.

pre-empt [priːˈempt] v 1. купувам/завладявам преди друг; 2. присвоявам (предварително); 3. ам. придобивам право да закупувам земя преди други; 4. ам. замествам, измествам; 5. бридж правя баражен анонс.

pre-emption [priˈempʃn] n 1. (право на) купуване/завладяване преди друг; 2. право на воюваща страна да залавя и купува на определена цена стоки, изпращани на неприятеля от неутрална страна (и **right of ~**); 3. присвояване; 4. нападение, за да се изпревари нападение от страна на противника.

pre-emptive [priˈemptiv] a 1. свързан с право/който дава право да се купи преди друг; 2. бридж баражен; **~ bid** баражен анонс; 3. който поема инициативата (за нападение).

preen [priːn] v 1. чистя с клюн; refl чистя си перата с клюн; 2. стягам, подреждам (дрехи); refl нагласям се, нагиздям се; 3. refl гордея се, надувам се, перча се (**on** c).

pre-engineered [ˌpriːendʒiˈniəd] a стр. панелен, от готови конструкции.

pre-exilian, -exilic [ˌpriːegˈziliən, -ˈzilik] a библ. отпреди изгнанието на евреите в Египет.

pre-exist [ˌpriːigˈzist] v съществувам по-рано (в друга форма или обр.).

pre-existence [ˌpriːigˈzistəns] n предишно/по-ранно съществуване.

pre-fab [ˈpriːfæb] n разг. сграда от готови сглобяеми елементи.

pre-fabricate [priːˈfæbrikeit] v 1. изработвам предварително; изработвам стандартни сглобяеми части/елементи; **~d house = pre-fab**; 2. прен. произвеждам стандартно.

preface[1] [ˈprefis] n предговор, предисловие; уводни бележки.

preface[2] v 1. пиша предговор на (книга); започвам (реч и пр.) (**with**); правя уводни бележки; 2. предшествувам, водя към; 3. ам. стоя/намирам се пред.

prefatory [ˈprefətəri] a уводен, встъпителен.

prefect [ˈpriːfekt] n 1. ист. префект; 2. шеф, началник (на отдел и пр.); **~ of police** префект на парижката полиция; 3. уч. ученик, отговорник за дисциплината на по-малките ученици.

prefectorial [ˌpriːfekˈtɔːriəl] a префекторски, на префект/шеф.

prefecture [ˈpriːfektʃə] n префектура.

prefer [priˈfəː] v (**-rr-**) 1. предпочитам (**to** пред; **to** c inf,

ger); **to ~ walking to riding** предпочитам да вървя пеш, отколкото да яздя; **I'd ~ him to stay here** предпочитам той да остане тук; 2. повишавам (в чин, на служба); назначавам; 3. подавам (молба и пр.); повдигам (обвинение); предявявам (иск); предлагам за разискване.

preferable [ˈprefərəbl] a предпочитателен, за предпочитане.

preferably [ˈprefərəbli] adv за предпочитане, по-добре.

preference [ˈprefərəns] n 1. предпочитание; нещо, което се предпочита; **to have a ~ for** предпочитам; **I should choose this in ~ to any other** бих предпочел това, отколкото което и да е друго; **this is my ~** предпочитам това; 2. преимуществено право, привилегия; предимство, право на избор; 3. пол. ик. облагодетелствуване на една страна с по-ниски вносни мита; **~ bonds/shares/stock** привилегировани акции.

preferential [ˌprefəˈrenʃəl] a ползващ се|c|предпочитание/ предимство;|привилегирован;|**to get/receive/enjoy ~ treatment** получавам/дава ми се привилегия; правят ми се отстъпки; **~ duties/tariff** по-ниски мита (на привилегирована страна); **~ right** привилегия, предимство; **~ shop** ам. предприятие, задължено по договор с профсъюз да дава предпочитание на членовете му.

preferentialism [ˌprefəˈrenʃəlizm] n (система на) даване привилегии по отношение на мита и пр.

preferment [priˈfəːmənt] n 1. повишение, повишаване, назначение (**to an office** на служба); 2. привилегия, предимство (при заплащане, купуване и пр.); 3. предявяване (на иск); повдигане (на обвинение).

preferred bonds, shares, stock [priˈfəːd ˌbɔndz, ˌʃɛəz, ˌstɔk] вж. **preference** 3.

prefigure [priːˈfigə] v 1. представям/загатвам предварително; 2. представям си предварително, създавам си предварителна представа за.

prefix[1] [ˈpriːfiks] n 1. грам. представка, префикс; 2. титла пред име (Mr, Sir, Dr).

prefix[2] v 1. слагам/поставям като увод (**to**); прибавям в началото на; 2. грам. слагам представка (**to** на).

preform [priːˈfɔːm] v оформявам/образувам предварително.

preformative [ˌpriːˈfɔːmətiv] грам. I. a употребен/сложен като представка; II. n (дума/сричка, употребена като) представка.

pregnable [ˈpregnəbl] a превземаем; уязвим.

pregnancy [ˈpregnənsi] n 1. бременност; 2. богатство, пълнота, съдържателност; плодовитост.

pregnant [ˈpregnənt] a 1. бременна; 2. богат, жив (за въображение и пр.); съдържателен; многозначителен (за думи и пр.); плодовит; резултатен; пълен, натежал (**with**); **~ with life** пълен с живот; **~ age** важна епоха, епоха, пълна със събития; **political events ~ with consequences** политически събития, които водят до важни последици; □ **~ construction** израз, загатващ повече, отколкото е казано.

pregnantly [ˈpregnəntli] adv съдържателно, многозначително.

prehensile [priˈhensail] a 1. зоол. хватателен, за хващане; 2. схватлив; 3. със силно морално/естетическо чувство.

prehension [priˈhenʃn] n 1. зоол. хващане, залавяне; 2. схващане, схватливост; усещане; усет.

prehistoric [ˌpriːhisˈtɔrik] a 1. предисторически; 2. разг. остарял, допотопен.

pre-history [priːˈhistəri] n 1. праистория; предисторическа археология; 2. предистория (на събитие и пр.).

pre-human [priːˈhjuːmən] a отпреди появата на човека;

на прадедите на човека, на човекоподобните май-
муни.

pre-judge [priːˈʤʌʤ] *v* осъждам предварително; съставям си предварително мнение; предрешавам.

prejudice[1] [ˈpreʤudis] *n* 1. предубеждение; предразсъдък (**against**); 2. предразположение (**in favour of**); 3. *юр.* вреда, загуба, щета; **to the ~ of** във вреда на; **without ~** без ущърб на правата/исканията на някого; **without ~ to the solution of the question** без да се предрешава въпросът.

prejudice[2] *v* 1. създавам предубеждение у, настройвам (**against**); повлиявам (**in favour of**); 2. увреждам, ощетявам; намалявам (*възможности и пр.*).

prejudicial [ˌpreʤuˈdiʃəl] *a* вреден, в ущърб (**to**).

prelacy [ˈpreləsi] *n* 1. прелатство; 2. *често неодобр.* управление на църквата чрез прелати.

prelate [ˈprelit] *n* прелат.

prelect [priˈlekt] *v* чета лекция.

prelection [priˈlekʃn] *n* лекция.·

prelibation [ˌpriːlaiˈbeiʃn] *n* предвкусване.

prelim [preˈlim] *n разг.* 1. предварителен/приемен изпит; 2. *пл печ.* начални страници; 3. *ам. сп.* по-маловажен мач преди главната среща.

preliminary [priˈliminəri] **I.** *a* предварителен, подготвителен; **~ advice** предупреждение; **~ examination** приемен изпит; **II.** *n* 1. *pl* приготовления; предварителни/подготвителни мерки/разговори/преговори (**to**); 2. увод, встъпление; 3. = **prelim**.

prelude[1] [ˈpreljuːd] *n* 1. прелюдия; 2. встъпление, увод, въведение; подготовка (**to**).

prelude[2] *v* 1. въвеждам, подготвям, загатвам за; служа като увод към; 2. свиря прелюдия.

prelusion [priˈluːʒn] *n* прелюдия; увод, встъпление.

prelusive [priˈluːsiv] *a* встъпителен, уводен; подготвителен; който служи като прелюдия.

premature [ˈpremətʃə, *ам.* ˈpriːmətʃə] *a* преждевременен, твърде ранен; ненавременен; необмислен, прибързан; **~ baby** недоносено бебе.

prematurity [ˌpreməˈtʃuəriti] *n* 1. преждевременност; необмисленост, прибързаност; 2. ранно/преждевременно развитие/разцъфтяване/зреене.

premeditate [priːˈmediteit] *v* обмислям/планирам предварително.

premeditated [priːˈmediteitid] *a* предумишлен; съзнателен; преднамерен; обмислен, премерен (*за думи*).

premeditation [ˌpriːmediˈteiʃn] *n* предварително обмисляне/планиране; преднамереност; **with ~** *юр.* предумишлено.

premier [ˈpremiə] **I.** *a* пръв, главен, старши; **II.** *n* премиер, министър-председател.

premiére[1] [ˈpremiɛə] *n фр. театр.* 1. премиера; 2. актриса, която играе главната роля.

premiére[2] *v* 1. давам премиера на; 2. явявам се за пръв път пред публика (в главната роля).

premise[1] [ˈpremis] *n* 1. предпоставка; предварително условие; 2. *pl* помещение, сграда, заведение, къща (заедно с двора); **on the ~s** в заведението/сградата; на мястото; **to warn s.o. off the ~s** предупреждавам някого да напусне сградата/заведението и пр.; 3. *pl юр.* встъпителна част на документ.

premise[2] [priˈmaiz] *v* 1. правя предпоставка, предпоставям, приемам (**that** че); 2. въвеждам, започвам (**with**).

premiss [ˈpremis] = **premise**[1].

premium [ˈpriːmiəm] *n* 1. награда, възнаграждение; 2. *фин.* допълнителен дивидент/сума/вноска; **to sell/ stand at a ~** котирам се на висока цена; *прен.* котирам се; на почит съм; имам висока цена; **to put**

---

prepossess 147

a **~ on** насърчавам, поощрявам; 2. застрахователна премия; 3. такса за обучение на занаят и пр.

premonish [priˈmɔniʃ] *v* предупреждавам.

premonition [ˌpriːməˈniʃn] *n* 1. предчувствие (**of**); 2. предупреждение (**of**).

premonitory [priˈmɔnitəri] *a* предупредителен; предварителен.

prenatal [ˌpriːˈneitl] *a мед.* пренатален, предшествуващ раждането.

prentice [ˈprentis] *n* 1. *ост.* чирак; 2. *attr* неопитен; **to try o.'s ~ hand** правя първи/несполучлив опит.

preoccupation [priˌɔkjuˈpeiʃn] *n* 1. замисленост, умисленост; разсеяност; 2. главна грижа/занимание; **my greatest ~** първата ми грижа, това, което най-много ме занимава/интересува; 3. по-раншно заселване/заемане.

preoccupied [priˈɔkjupaid] *a* разсеян; замислен; зает с мисли/грижи.

preoccupy [priˈɔkjupai] *v* 1. занимавам, поглъщам вниманието на; 2. завземам/заемам преди друг.

pre-ordain [ˌpriːɔːˈdein] *v* 1. предопределям; 2. уреждам/нареждам предварително.

prep[1] [prep] *n разг.* 1. първоначално училище (*и* **~ school**); 2. подготовка на уроците; занимание.

prep[2] *v* (**-pp-**) *разг.* 1. ходя в първоначално училище; 2. готвя си уроците; 3. *ам.* подготвям за операция/изпит.

prepackaged, prepacked [ˌpriːˈpækiʤd, priːˈpækt] *a* пакетиран (*за стока*).

prepaid *вж.* **prepay.**

preparation [ˌprepəˈreiʃn] *n* 1. подготовка; приготовления; **to be in ~** подготвям се (*за издание и пр.*); 2. подготовка на уроци, занимания; 3. препарат.

preparative [priˈpærətiv] **I.** *a* подготвителен; предварителен; **~ to** като подготовка към/на; **II.** *n* подготовка; *воен.* сигнал за подготовка.

preparatory [priˈpærətəri] *a* подготвителен; предварителен; уводен, встъпителен; **~ to** като подготовка за, преди; **~ school** първоначално училище; *ам.* частно училище, подготвящо за постъпване в колеж.

prepare [priˈpɛə] *v* готвя (се), подготвям (се), приготвям (се); **to be ~d to** готов съм да; **I am not ~d to say** не мога да кажа; **great events are preparing** готвят се/предстоят големи събития.

preparedness [priˈpɛədnis] *n* готовност, подготвеност.

prepay [priːˈpei] *v* (**-paid** [-peid]) предплащам; **answer prepaid** с платен отговор.

prepense [preˈpens] *a* предумишлен, преднамерен.

preponderance [priˈpɔndərəns] *n* превес, преобладаване; превъзходство (**over**).

preponderant [priˈpɔndərənt] *a* преобладаващ; имащ превес/превъзходство.

preponderate [priˈpɔndəreit] *v* надвишавам, превъзхождам, натежавам (*по брой, значение и пр.*); преобладавам (**over**).

preposition [ˌprepəˈziʃn] *n грам.* предлог.

prepositional [ˌprepəˈziʃənəl] *a грам.* предложен.

prepositive [priːˈpozitiv] *a грам.* употребен като представка.

prepossess [ˌpriːpəˈzes] *v* 1. предразполагам (**in favour of**); правя благоприятно впечатление на; 2. създавам предубеждение (**against**), правя неблагоприятно впечатление на; 3. вдъхвам (*чувство и пр.*) (**with**); 4. поглъщам, завладявам (*за мисъл и пр.*).

prepossessing [ˌpriːpəˈzesiŋ] *a* привлекателен, симпатичен; предразполагащ.

prepossession [ˌpriːpəˈzeʃn] *n* **1.** предразположение, склонност; **2.** предубеждение.

preposterous [priˈpɔstərəs] *a* абсурден, нелеп, безсмислен.

prepotency [priˈpoutənsi] *n* **1.** по-голяма сила; превъзходство; **2.** *биол.* доминантност.

prepotent [priˈpoutənt] *a* **1.** по-силен; превъзхождащ; **2.** *биол.* доминантен.

prepuce [ˈpriːpjuːs] *n анат.* препуциум.

Pre-Raphaelite [ˈpriːˈræfəlait] I. *a изк.* от школата на прерафаелитите (*англ. художници от втората половина на XIX в.*); II. *n* художник прерафаелит.

prerequisite [ˌpriːˈrekwizit] I. *a* необходим като условие; II. *n* предпоставка, необходимо условие (**for, of, to**).

prerogative [priˈrɔgətiv] *n* **1.** (изключително) право, привилегия; прерогатив; **2.** *attr* прерогативен.

presage[1] [ˈpresidʒ] *n* знамение, предвестие; предсказание; предчувствие.

presage[2] *v* предсказвам, вещая, предвещавам; предчувствувам.

presbyopia [ˌprezbiˈoupiə] *n мед.* старческо зрение, пресбиопия.

presbyter [ˈprezbitə] *n* презвитер, свещеник; старейшина.

presbyteral, -terial [prezˈbitərəl, prezbiˈtiəriəl] *a* презвитерски, свещенически.

Presbyterian [ˌprezbiˈtiəriən] I. *a* презвитериански; II. *n* презвитерианец.

presbytery [ˈprezbit(ə)ri] *n* **1.** олтар; **2.** дом на енорийски католически свещеник; **3.** църковен съвет у презвитерианците; област под управлението на този съвет.

preschool [ˌpriːˈskuːl] I. *a* предучилищен; II. *n* детска градина.

prescience [ˈpresiəns, ˈpreʃjəns] *n* предведение; предвиждане; далновидност.

prescient [ˈpresiənt, ˈpreʃjənt] *a* който знае предварително; който предвижда; далновиден.

prescind [priˈsind] *v* отделям; откъсвам; откъсвам се, откъсвам вниманието си, абстрахирам се.

prescribe [priˈskraib] *v* **1.** предписвам (*и лекарство, режим*); определям, установявам (*правила и пр.*); предвиждам (*наказание — за закон*); **2.** *юр.* предявявам право на давност; губя право на давност.

prescription [priˈskripʃn] *n* **1.** нареждане, предписване; определяне; установяване; **2.** правило, предписание; неписан закон; **3.** *мед.* рецепта; (предписано) лекарство/лечение; **4.** *юр.* право на давност (*и* **positive ~**); **negative ~** ограничение на срока на давност.

prescriptive [priˈskriptiv] *a* **1.** който предписва/установява (*правила и пр.*); нормативен (*за граматика*); **2.** *юр.* основан на право на давност; **3.** установен по традиция, неписан (*за закон*).

presence [ˈprezns] *n* **1.** присъствие; наличие, наличност; **in the ~ of** в присъствието на; при наличността на; **your ~ is requested** поканени сте да присъствувате; **UN ~** присъствие на военна комисия или представители на ООН в дадена страна; **2.** крал; високопоставено лице; аудиенция; **to be admitted to the ~** бивам въведен при краля и пр.; **in such an august ~** пред такова високопоставено лице; **3.** вид, държане; осанка; човек с представителна външност; **man of noble ~** човек с благородна осанка; **he has a ~** има внушително/внушаващо респект държане; **4.** дух, невидима сила.

present[1] [ˈpreznt] I. *a* **1.** *predic* присъствуващ; който се намира/е на лице; **to be ~** присъствувам; **those ~** присъствуващите; **~ in o.'s recollection/memory** жив в паметта; **2.** настоящ, сегашен, днешен; съвременен; **the ~ day/time** сега, днес, сегашните времена; **at the ~ time** сега, в момента, понастоящем, днес; **~ worth/value** действителна стойност (*в момента*); **of ~ interest** от непосредствен интерес; **~ danger** непосредствена опасност; **the ~ volume** тази книга, книгата, за която говорим; **the ~ writer** пишещият тези редове; **3.** *грам.* сегашен; **4.** *ост.* бърз, готов; **a very ~ help in trouble** помощ, на която винаги можем да разчитаме при беда; **~ wit** бърз ум; II. *n* **1.** настояще; **at ~** по настоящем, сега; в момента; **for the ~** (сега-)засега; **2.** *грам.* сегашно време; □ *юр.* **by these ~s** въз основа на тези документи; с настоящото (писмо и пр.).

present[2] *n* подарък, дар; **to make s.o. a ~ of s.th., to give s.th. as a ~ to s.o.** подарявам някому нещо.

present[3] [priˈzent] *v* **1.** представям се, явявам се; идва ми, хрумва ми (*идея и пр.*); **3.** подавам (*заявление и пр.*); предявявам (*искане и пр.*); повдигам (*обвинение*); предлагам (*за разискване*); представям (*чек за изплащане*); **4.** представям, давам, показвам (*пиеса, актьор и пр.*); представям, играя (*роля*); **5.** представям, показвам; **to ~ a smiling face to the world** показвам се винаги усмихнат, винаги съм усмихнат; **to ~ a ragged appearance** имам парцалив вид; **a good opportunity ~s itself** представя ни се добър случай; **writer who is good at ~ing his characters** писател, който умее да обрисува героите си; **6.** представлявам; предизвиквам, създавам (*затруднение и пр.*); **7.** подарявам (**s.th. to s.o., s.o. with s.th.**); **8.** изказвам, поднасям; **to ~ o.'s compliments** изразявам/изказвам уважението си; **9.** *воен.* насочвам (*оръжие*); **to ~ (arms)** вземам за почест; **10.** назначавам/определям (*кандидат*) за свещенически пост/владишки сан.

present[4] [priˈzent] *n воен.*: **at the ~** за почест.

presentable [priˈzentəbl] *a* **1.** приличен, за пред хора (*за вид, дрехи и пр.*); **2.** подходящ за представяне, сценичен (*за пиеса*).

presentation [ˌprezənˈteiʃn] *n* **1.** представяне; явяване; **2.** предявяване; **3.** представяне (*на пиеса, герои в книга и пр.*); **4.** подаряване; поднасяне; дар; **~ copy** дар от автора; **5.** *мед.* положение на детето при раждане; предлежание; **6.** *псих.* представа; **7.** *църк.* (право на) назначаване на свещеник/даване на владишки сан.

present-day [ˈprezntˈdei] *a* съвременен, днешен, сегашен.

presentiant [priˈsenʃiənt] *a* предчувствуващ (**of**).

presentiment [priˈzentimənt] *n* предчувствие (**of** за).

presently [ˈprezntli] *adv* **1.** скоро; след малко; по-после, по-късно; **2.** *ам.* понастоящем, сега; **3.** *ост.* веднага.

presentment [priˈzentmənt] *n* **1.** представяне, обрисовка, изобразяване (*на характери и пр.*); изложение (*на случай и пр.*); изпълнение (*на роля*); **2.** представяне (*на сметка за изплащане*); **3.** донесение; жалба (*от енориаши пред владика и пр.*); **4.** *юр.* повдигане на обвинение от страна на съдебни заседатели.

preservation [ˌprezəˈveiʃn] *n* **1.** запазване, опазване; **in a good state of ~** добре запазен; **2.** консервиране.

preservationist [ˌprezəˈveiʃənist] *n* **1.** природозащитник; **2.** защитник на културните ценности.

preservative [priˈzəːvətiv] I. *a* **1.** предпазващ, запазващ; **2.** консервиращ; II. *n* средство за запазване/предпазване/консервиране.

preserve[1] [priˈzəːv] *v* **1.** запазвам; закрилям; пазя (*мълчание*); спазвам (*приличие*); пазя, тача (*традиции и* *пр.*); **2.** консервирам; правя сладко от (*плодове*); подходящ съм за консервиране; **3.** охранявам от бракониери; отглеждам и пазя дивеч.

preserve² *n* **1.** *често pl* сладко, конфитюр; **2.** резерват (*за дивеч и пр.*); **3.** *pl* защитни очила.

preside [pri'zaid] *v* **1.** председателствувам (**at**); **2.** контролирам, имам власт (**over**); **3.** царя, преобладавам (*и прен.*); **4.** седя начело на масата; **5.** свиря като солист (**at the organ, etc.** на орган и пр.).

presidency ['prezidənsi] *n* председателство; президентство; председателски/президентски пост/мандат.

president ['prezidənt] *n* **1.** председател; **2.** президент; **3.** ректор (*на университет и пр.*); **4.** ам. президент (*на банка, компания*); □ **P. of the Board of Trade/Education/Agriculture** министър на търговията/просветата/земеделието.

presidential [,prezi'denʃl] *a* председателски; президентски; ~ **year** *ам.* година, в която стават избори за президент.

presidentship ['prezidəntʃip] *n* председателство; президентство; ректорство; *ам.* директорство.

presidiary [pri'sidiəri] *a воен.* гарнизонен.

presidium [pri'zidiəm] = **praesidium**.

press¹ [pres] *v* **1.** натискам, притискам; налягам; стискам; изстисквам; смачквам; пресовам; **to ~ the button** натискам копчето (*и прен.*); **2.** гладя, изглаждам (*дрехи*); **3.** притискам (*противник*); **to ~ (home) an attack** нападам енергично и упорито; **the attack had to be ~ed forward** нападението трябваше да продължи; **to ~ s.o. hard** притискам/преследвам някого жестоко; **4.** наблягам/настоявам на; подчертавам; **to ~ an argument home** отстоявам довод настойчиво и последователно; **5.** настоявам; притискам; увещавам, убеждавам, кандърдисвам (**s.o. to do s.th.** някого да направи нещо); **he didn't need too much ~ing** той не се нуждаеше от много молби, бързо се съгласи; **to ~ for an answer** настоявам за (бърз/незабавен) отговор; **6.** настоявам/накарвам да вземе/приеме; **to ~ a gift on s.o.** накарвам някого да приеме подарък, набутвам някому подарък; **to ~ o.'s opinion on s.o.** мъча се да наложа мнението си на някого; **7.** натискам (се), притискам (се), блъскам (се), тълпя се (**forward, across, along, away, into**); **8.** тежа (*за отговорност, задължение и пр.*) (**on, upon**); **9.** належащ съм, не търпя отлагане; карам да бързам; **time ~es** не ни остава много време, времето ни е малко; **10. to be ~ed for** не ми стига (*време и пр.*); **на тясно съм за** (*пари*); **to be ~ed for space** на тясно съм; живея на тясно; не ми стига място;

press ahead with упорствувам (в провеждането на), не изоставям (*опит и пр.*); бързам с; напредвам с;

press back 1) отблъсквам; изтиквам; 2) задържам, сдържам (*сълзи и пр.*);

press down 1) натискам, притискам; 2) *прен.* тежа (**on**);

press forward 1) бързам напред; 2) притискам се, блъскам се (напред); 3) = **press ahead**;

press in 1) свивам (*устни*); 2) *прен.* притискам, потискам (*за мрак, мисли и пр.*) (**on**);

press on = **press forward**;

press out 1) изстисквам; 2) изглаждам (*гънка на дреха*).

press² *n* **1.** натискане; стискане; притискане; **2.** тълпа; блъсканица, бутаница; бъркотия; залисия; напрежение; **in the ~ of the fight** в разгара на боя; **in the thick of the ~** в най-напрегнатия момент; **the ~ of modern life** напрежението на съвременния живот; **3.** преса; менгеме; **4.** печатарска машина; **5.** печатница

(и издателство); **6.** *прен.* печат(ане); **to go/come to ~** под печат съм; **at ~**, **in the ~** под печат; **to correct the ~**, **to read for the ~** правя коректури; **7.** преса, печат; журналисти; **to have/get/receive a good ~** получавам добри отзиви в печата (*за книга и пр.*); ~ **campaign** кампания в пресата; **8.** (вграден) шкаф с рафтове; □ ~ **of sails/canvas** *мор.* максимално надуване на платната; **out of** ~ смачкан, неизгладен.

press³ *v* **1.** *ист.* принудително вербувам (*в армията, флотата*); **2. to ~ into service** реквизирам; използувам; вербувам.

press⁴ *n* *ист.* принудително вербуване на войници/моряци.

press-agency ['pres,eidʒənsi] *n* информационна агенция.

press-agent ['pres,eidʒənt] *n* лице, което се занимава с рекламиране на даден театър/актьор/музикант и пр.; наемен рецензент.

press-bed ['presbed] *n* сгъваемо легло.

pressboard ['presbɔːd] *n* **1.** дебел пресован картон; **2.** *ам.* дъска за гладене (*особ. на ръкави*).

press-box ['presbɔks] *n* запазени места за журналисти на спортни състезания.

press-button ['presbʌtn] *n* **1.** секретно копче; **2.** контактен бутон; □ ~ **war** война с модерна техника.

press-clipping ['presklipiŋ] = **press-cutting**.

press conference ['pres,kɔnfərəns] *n* пресконференция.

press-cutting ['preskʌtiŋ] *n* изрезка от вестник.

presser ['presə] *n* **1.** работник на преса; **2.** гладач; **3.** преса (*за зеленчуци и пр.*).

press-gallery ['presgæləri] *n* галерия за журналистите в парламент.

press-gang ['presgæŋ] *n* *ист.* комисия за принудително вербуване на войници/моряци.

pressing ['presiŋ] *a* **1.** бърз, неотложен, належащ, спешен; **2.** непосредствен, близък (*за опасност*); **3.** настойчив; сърдечен (*за покана*).

press-lord ['preslɔːd] *n* магнат, притежател на вестници/списания.

pressman ['presmən] *n* (*pl* **-men**) **1.** *печ.* машинист; **2.** работник на преса; **3.** журналист; репортер.

press-mark ['presmaːk] *n* сигнатура, шифър (*на книга в библиотека*).

press photographer ['presfə,tɔgrəfə] *n* фоторепортер.

press-proof ['prespruːf] *n печ.* последна коректура.

press release ['presriːliːs] *n* съобщение за печата, комюнике.

press-room ['presrum] *n* **1.** *печ.* машинно отделение; **2.** пресцентър.

pressure¹ ['preʃə] *n* **1.** налягане (*и физиол., физ.*); **2.** натиск (*и прен.*); напор; принуда; напрежение; **to bring ~ to bear on s.o.**, **to put ~ on s.o.**, **to put s.o. under ~** упражнявам натиск върху някого; **under ~** по принуда; **under ~ of necessity** под напора на необходимостта; **at high ~** с голямо напрежение; много усилено; **to be under strong ~** to принуден съм/притискат ме да; **3.** тежест; затруднение; ~ **of work** твърде много работа; **family ~s** тежки семейни задължения/затруднения; ~ **of taxation** данъчни тежести; **4.** *ел.* напрежение; **5.** *биол.* естествен подбор, водещ към намаляване на броя на дадени организми.

pressure² *v* **1.** упражнявам натиск върху, принуждавам (**s.o. into doing s.th.** някого да направи нещо); **2.** *ам.* = **pressurize 1, 2**; **3.** *ам.* готвя в херметическа тенджера.

pressure cabin ['preʃə‚kæbin] *n ав.* херметична кабина.

pressure-cook ['preʃəkuk] *v* готвя в тенджера под налягане.

pressure-cooker ['preʃəkukə] *n* тенджера под налягане.

pressure gauge ['preʃəgeidʒ] *n* манометър.

pressure group ['preʃəgru:p] *n пол.* организирана група (*индустриалци и пр.*), която се старае да упражнява натиск върху правителствени решения и пр.

pressure suit ['preʃəsju:t] *n* скафандър.

pressurize ['preʃəraiz] *v* 1. херметизирам; ~d suit = pressure suit; 2. поддържам едно и също атмосферно налягане; 3. упражнявам натиск върху, принуждавам.

prestidigitation [‚prestididʒi'teiʃn] *n* фокусничество, илюзионизъм.

prestige [pres'tidʒi] *n* 1. престиж, добро име; влияние; 2. *attr* допринасящ за престижа.

prestigious [pres'tidʒəs] *a* 1. с висок престиж; много уважаван/ценен; 2. допринасящ за престижа.

presto ['prestou] *adv, n ит., муз.* престо; □ hey, ~! фокус, бокус, препаратус; изведнъж, като по чудо.

presumable [pri'zju:məbl] *a* предполагаем.

presumably [pri'zju:məbli] *adv* вероятно; както може да се предполага.

presume [pri'zju:m] *v* 1. предполагам; приемам за дадено/доказано; 2. позволявам си, осмелявам се; твърде много си позволявам; 3. **to** ~ **upon** злоупотребявам с; **to** ~ **upon a short acquaintance** интимнича, фамилиарнича, натрапвам се; 4. много си въобразявам, перча се (**on** с).

presumedly [pri'zju:midli] = **presumably**.

presuming [pri'zju:miŋ] *a* нахален, самонадеян, арогантен.

presumption [pri'zʌmpʃn] *n* 1. предполагане, приемане за дадено/доказано; 2. предположение, презумпция; 3. вероятност; **there is a strong** ~ **against it** малко е вероятно; **the** ~ **is that** предполага се, че, вероятно е да; 4. самонадеяност; арогантност, нахалство, дързост.

presumptive [pri'zʌmptiv] *a* вероятен, предполагаем.

presumptuous [pri'zʌmptʃuəs] = **presuming**.

presuppose [‚pri:sə'pouz] *v* 1. предполагам, приемам за дадено; 2. предполагам (*като необходимо условие*).

presupposition [‚pri:səpə'ziʃn] *n* предположение, презумпция.

pretence [pri'tens] *n* 1. претенция; **to make no** ~ **to s.th.** нямам претенции/не претендирам за нещо; 2. преструвка, преструване, неискреност; измама; **to make a** ~ **of friendship/patriotism/affection, etc.** преструвам се на приятел/родолюбец/че обичам; ~ **of humility/repentance** престорена/неискрена скромност/разкаяние; **his work is a mere** ~ само се преструва/прави, че работи; 3. претекст, предлог; **under** ~ **of** под предлог, че; **under/on the** ~ **of consulting me** под предлог/уж, че се съветва с мен; **under/on false** ~s чрез/с измама.

pretend [pri'tend] *v* 1. претендирам, предявявам/изявявам претенции (**to** за); 2. преструвам се, правя се; играя на уж; **to** ~ **illness** преструвам се на болен; **let's** ~ **to be robbers** хайде да играем на разбойници.

pretender [pri'tendə] *n* 1. претендент; 2. преструван.

pretense [pri'tens] *ам.* = **pretence**.

pretension [pri'tenʃn] *n* 1. претенция; право (**to** за, на); **man of no** ~ (**s**) човек без претенции, скромен човек; **he has** ~s **to being considered a scholar** претендира за учен; 2. преструвка, преструване, лицемерене.

pretentious [pri'tenʃəs] *a* претенциозен; превзет.

preterhuman [‚pri:tə'hju:mən] *a* свръхчовешки.

preterite ['pretərit] *a, n грам.* минало (време).

preternatural [‚pri:tə'nætʃərəl] *a* свръхестествен.

pretext ['pri:tekst] *n* претекст, предлог, извинение; **under/on the** ~ **of/that** под предлог, че; ~ **for refusing/coming** предлог да откажа/дойда.

prettify ['pritifai] *v* разкрасявам, разхубавявам.

prettiness ['pritinis] *n* хубост; привлекателност.

pretty[1] ['priti] *a* 1. хубав(ичък), приятен, привлекателен; **to make o.s.** ~ натъкмявам се, разкрасявам се; гримирам се; 2. добър; ловък, сръчен; пъргав, жив (*за ум и пр.*); 3. галантен; превзет; 4. *разг., ирон.* хубав; **a** ~ **mess you've made of it** хубава каша си забъркал, добре си го оплескал; **that's a** ~ **way to behave!** хубава работа! що за държане! **you're a** ~ **sort of fellow!** и ти си един! 5. *разг.* доста голям, доста много; **it must have cost you a** ~ **penny** кой знай колко пари ти е струвало, трябва да ти е струвало доста пари.

pretty[2] *adv* доста; горе-долу; твърде; ~ **much/nearly the same** почти същото; **he does** ~ **much as he pleases** той почти винаги прави, каквото си иска; **we've** ~ **well finished** почти сме свършили; □ **sitting** ~ в благоприятно положение; добре материално.

pretty[3] *n* 1. *в обръщение:* **my** ~ миличко (*обик. към дете*); 2. *pl.* хубави дрехи/накити/бельо; 3. горен украсен ръб на чаша.

pretty[4] *v ам.* разкрасявам (**up**).

pretty-pretty ['priti'priti] *a* кукленски (*за лице*); превзет (*за държане*).

prevail [pri'veil] *v* 1. вземам/имам надмощие/връх; възтържествувам, побеждавам; превъзмогвам, преодолявам (**over, against**); 2. преобладавам; господствувам, царя; срещам се често, разпространен съм; 3. **to** ~ **on/upon** убеждавам, накарвам.

prevailing [pri'veiliŋ] *a* преобладаващ; господствуващ.

prevalence ['prevələns] *n* преобладаване; широко разпространение.

prevalent ['prevələnt] *a* преобладаващ; широко разпространен, често срещан/употребяван.

prevaricate [pri'værikeit] *v прен.* извъртам; говоря/действувам уклончиво.

prevarication [pri‚væri'keiʃn] *n прен.* извъртане; уклончив отговор/поведение.

prevaricator [pri'værikeitə] *n* човек, който обича да извърта; лъжец.

prevent [pri'vent] *v* 1. предотвратявам; избягвам; предпазвам (**from** с *ger*); 2. преча, попречвам, спирам, спъвам; **there is nothing to** ~ **him from going/his going/him going** нищо не му пречи да отиде; 3. *ост.* водя, предвождам; 4. *ост.* предварвам; предугаждам (*желание и пр.*).

preventable, -ible [pri'ventəbl] *a* предотвратим.

preventative [pri'ventətiv] = **preventive**.

prevention [pri'venʃn] *n* предотвратяване; предпазване; попречване, спиране, спъване; предпазна мярка/средство; ~ **of disease** предпазване от/борба със заболяванията, профилактика; **society for the** ~ **of cruelty to animals, etc.** дружество за защита на животните и пр.; **in case of** ~ ако нещо (ви) попречи; ~ **is better than cure** по-добре да предпазиш, отколкото да лекуваш.

preventive [pri'ventiv] **I.** *a* предпазен; профилактичен; **P. Service** митническа служба за борба с контрабандата; **II.** *n* предпазно/профилактично средство.

preview[1] [‚pri:'vju:] *n* 1. затворено предварително представление; 2. сцени/кадри от следваща програма на кино; 3. *ам.* предварителен преглед/изявление.

preview² *v* **1.** гледам/показвам на закрито представление; **2.** *ам.* правя предварителен преглед на.

previous ['pri:viəs] *a* **1.** по-раншен; предишен, предшествуващ, предходен; преден; **to move the ~ question** *парл.* поставям въпрос, дали да се гласува по главния въпрос на дебатите (*за да се избегне поставяне на разглеждане на този въпрос, ам. за да се прекратят дебатите по него*); **2.** *разг.* прибързан; **you're a bit ~** май много бързаш; **2. ~ to** преди.

previously ['pri:viəsli] *adv* **1.** по-рано, по-преди; някога; предварително; **~ to my departure** преди заминаването ми; **2.** *разг.* прибързано.

previse [pri'vaiz] *v* предвиждам; предусещам; предупреждавам.

prevision¹ [pri'viʒn] *n* предвиждане; предусещане; предвидливост; предчувствие.

prevision² *ам.* = **previse.**

previsional [pri'viʒənəl] *a* предвиждащ; предусещащ; предвиден, очакван.

prevue = **preview¹** **2.**

pre-war ['pri:'wɔ:] *a* предвоенен, довоенен, (от)преди войната.

prex(y) ['preks(i)] *n* sl. директор (*особ. на колеж*).

prey¹ [prei] *n* плячка, жертва (*и прен.*); **beast/bird of ~** грабливо/хищно животно/птица; **to be/fall a ~ to** жертва съм/ставам жертва на.

prey² *v* обик. *с* **upon 1.** ловя, гоня, хващам (*плячка*); **2.** ограбвам, плячкосвам; **3.** измамвам, изигравам; **4.** живея на гърба на, използвам; **5.** измъчвам, тормозя, гнетя, потискам; **s.th. is ~ing on his mind** нещо го измъчва/тормози/гложди.

priapism ['praiəpizm] *n* **1.** сластолюбие; **2.** *мед.* приапизъм, болезнена полова възбуда.

price¹ [prais] *n* **1.** цена (*и прен.*); стойност; **cost ~** костуема цена; **trade ~** фабрична цена; цена на едро; **under ~** под обикновената цена; **one-~ store** магазин, където всичко се продава на една и съща цена; **I haven't got the ~ of a cup of tea** нямам пари за чаша чай; нямам пукната пара; **at any ~** на всяка цена, непременно; **not at any ~** в никакъв случай, за нищо на света; **at a ~** *разг.* ако си готов да платиш (*и прен.*); **above/beyond/without ~** безценен, неоценим; **to set/put a ~ on** определям цена на; **to set a ~ on s.o.'s head/life** определям награда за залавянето/убиването на някого; **every man has his ~** всеки може да бъде подкупен; **to set at no ~** никак не ценя, за нищо не зачитам; **2.** *сп.* съотношение, курс (*при залагане на състезание*); **long/short ~** голяма/малка разлика в съотношението; □ **what ~ ...?** 1) как ти се вижда/изглежда....? 2) *ирон.* колко (ти) струва сега...? къде (ти) остана сега...?

price² *v* **1.** определям цена на, оценявам; слагам етикет с цената на; **to be ~d at...** продавам се за/по...; **to ~ o.s. out of the market** увеличавам цените толкова, че не ми се купува стоката; **2.** запитвам за цената на; **1.** ценя, преценявам; **to ~ high** ценя високо; **to ~ low** не ценя.

price-cutting ['praiskʌtiŋ] *n* намаление на цените.

priceless ['praislis] *a* **1.** безценен, неоценим; **2.** *sl.* много забавен; *ирон.* чудесен.

price-list ['praislist] *n* ценоразпис.

price support ['prais sə'pɔ:t] *n ам.* поддържане на равнището на цени чрез държавни мероприятия.

price war ['prais wɔ:] *n ам.* търговска конкуренция, при която се намаляват цените, за да се отнемат купувачите на конкурента.

pricey ['praisi] *a разг.* скъп.

prick¹ [prik] *n* **1.** шип, бодил, трън; острие, остен; игла;

2. бодване, убождане; следа/белег от убождане; **3.** *вулг.* пенис; **4.** *sl. презр.* никакъв човек, никаквец.

prick² *v* **1.** бодвам, бода, убождам; пробивам; **to ~ pins in** набождам карфици в; **to ~ a design on s.th.** набелязвам модел върху нещо с дупчици (**out, off**); **2.** мъча, измъчвам (*за болка, съвест и пр.*); **3.** отмятам, отбелязвам (*в списък и пр.*); **to ~ a ship's position on a map** отбелязвам местонахождението на кораб върху карта; **4.** настръхвам (*за кожа*); изострям се (*за нерви*); **to ~ (up) o.'s ears** наострям уши (*и прен.*); **5.** *ост.* пришпорвам (*кон*); препускам; **6. to ~ in/off/out** разсаждам; □ **to ~ the bubble/bladder** показвам празнотата/нищожеството (**of** на).

pricker ['prikə] *n* **1.** шило, игла; **2.** *тех.* пробой, замба.

pricket ['prikit] *n* **1.** едногодишен мъжки елен; **2.** шип, на който се забива свещ.

prickle¹ ['prikl] *n* **1.** шип, бодил, трън; игла, иглица (*на таралеж, растение и пр.*); **2.** настръхване, гъша кожа.

prickle² *v* бода, бодвам; **my skin ~s** кожата ми настръхва; като че ли ми мравки ме лазят.

prickly ['prikli] *a* **1.** бодлив, трънлив; **to have a ~ feeling/sensation** настръхва ми кожата, като че ли нещо ме лази/боде; **2.** обидчив; раздразнителен; **3.** *ам.* щекотлив, деликатен.

prickly ash ['prikli,æʃ] *n* вид бодлив храст (Zanthoxylum americanum).

prickly heat ['prikli,hi:t] *n* зачервяване на кожата от спарване; *мед.* милиария върху червени папили.

prickly pear ['prikli,pɛə] *n* (ядивен плод на) вид кактус (Opuntia).

prickly poppy ['prikli,pɔpi] *n* вид растение с жълти цветове и бодливи листа (Agremone mexicana)

pride¹ [praid] *n* **1.** гордост; горделивост, надменност, високомерие; **false ~** неоправдано чувство на гордост/срам; **proper ~** законна гордост; чувство за собствено достойнство, самоуважение; **~ of birth** гордеене с потеклото; **to take (a) ~ in** гордея се с (**doing s.th.** това, че върша нещо добре); **~ will have a fall, ~ goes before a fall** възгордяването води към гибел; **2.** *прен.* разцвет, апогей, връхна точка; **~ of place** *прен.* 1) първо/най-видно място; 2) надменност, арогантност; **in the full ~ of harvest** в разгара на жътвата; **in the ~ of years** в разцвета на годините си; **peacock in his ~** *хер.* паун с разперена опашка; **3.** стадо (*лъвове, пауни и пр.*); □ **~ of the morning** утринна мъгла/дъжд, предвещаващ хубаво време.

pride² *v*: **to ~ o.s. on (being) s.th.** гордея се с (това, че съм) нещо.

prideful ['praidful] *a* горделив, надменен, високомерен.

prie-dieu [pri:'djə] *n фр.* молитвен стол.

priest¹ [pri:st] *n* **1.** свещеник, поп; **2.** жрец; **3.** чук за убиване на риба.

priest² *v* ръкополагам за свещеник, запопвам.

priestcraft ['pri:stkra:ft] *n* попщина, клерикализъм.

priestess ['pri:stis] *ж.р. от* **priest 2.**

priesthood ['pri:sthud] *n* **1.** звание/сан на свещеник; **2.** духовенство.

priestling ['pri:stliŋ] *n пренебр.* попче.

priestly ['pri:stli] *a* свещенически, на свещеник; жречески.

priest-ridden ['pri:stridn] *a* под властта на свещениците.

priest's hole ['pri:stshoul] *n ист.* скривалище на католически свещеник (*в Англия по време на преследването на католиците*).

prig[1] [prig] *n* **1.** самодоволен и ограничен човек; „светец"; позьор; пуританин; **2.** педант, формалист.

prig[2] *n sl.* крадец, джебчия.

priggery ['prigəri] *n* **1.** самодоволство; **2.** педантизъм, формализъм.

priggish ['prigiʃ] *a* **1.** самодоволен и ограничен; пуритански; превзет; **2.** педантичен, формалистичен.

priggishness ['prigiʃnis] = **priggery**.

prim[1] [prim] *a* **1.** прекалено морален, старомомински; превзет, надуто коректен/официален; **2.** спретнат, подреден.

prim[2] *v* **1.** държа се превзето/като стара мома; **2.** подреждам най-грижливо; **3. to ~ o.'s lips/face** свивам строго устни, приемам строг вид.

primacy ['praiməsi] *n* **1.** първенство; превъходство; **2.** архиепископски сан.

primaeval = **primeval**.

prima facie ['praimə'feisii:] *adv лат.* (убедителен) на пръв поглед; **~ case** *юр.* случай, който може да се представи на съда; **~ evidence** *юр.* показания/доказателства, които подлежат на потвърждение.

primal ['praiməl] *a* **1.** основен, най-важен; **2.** = **primeval**.

primarily ['praimərili] *adv* **1.** главно, преди всичко, на първо място; **2.** първоначално.

primary ['praiməri] **I.** *a* **1.** първоначален, първичен (*и геол.*); **2.** основен, първичен (*за цвят, значение, продукт и пр.*); **~ tenses** *грам.* основни глаголни времена; **3.** примитивен, първичен (*за инстинкт и пр.*); **4.** *ел.* първичен, галваничен; **5.** главен, най-важен, най-съществен, първостепенен; **II.** *n* **1.** нещо главно/съществено/най-важно; **2.** *астр.* планета (*не спътник*); **3.** основен цвят; **4.** *зоол.* махово перо; **5.** *ел.* първична верига/намотка; **6.** *ам.* = **~ assembly/meeting**; **7.** *pl физ.* първични (ядрени) частици; **8.** *геол.* палеозойска ера, палеозой.

primary amputation ['praiməriæmpju'teiʃn] *n мед.* ампутиране, преди да е настъпило възпаление.

primary assembly, meeting ['praiməriə'sembli, -'mi:tiŋ] *n ам.* предизборно събрание за определяне на кандидатите.

primary school ['praiməri‚sku:l] *n* основно/начално училище.

primate ['praimit] *n* архиепископ.

primates [prai'meitiz] *n pl зоол.* примати.

prime[1] [praim] *a* **1.** първоначален, основен, първичен; **~ cost** *ик.* себестойност; **2.** прост, несъставен; **~ number** *мат.* просто число; **3.** основен, главен, най-важен; първостепенен; **~ necessity** основна/първа необходимост; **4.** първокачествен, отличен (*и за продукт*); **~ television time** най-скъпо заплащано време за телевизионно предаване.

prime[2] *n* **1.** начало; най-ранен стадий; **2.** *прен.* разцвет; **in o.'s ~, in the ~ of life** в разцвета на силите си; **past o.'s ~** попреминал, не вече млад; **3.** утро, зора; *църк.* утренна; **4.** *мат.* просто число; **5.** *фехт.* първа позиция; **6.** *муз. ост.* основен тон; **7.** *печ.* знакът ' (прим).

prime[3] *v* **1.** *ост.* пълня, зареждам (*оръжие и пр.*); **2.** *разг.* натъпквам (*с храна, питие*); **3.** инструктирам; подучвам; **to ~ a witness** научавам свидетел какво да говори; **4.** грундирам, намазвам с безир; **5.** *тех.* заливам (*помпа, за да започне да работи*); наливам малко петрол в цилиндъра на мотор, за да се изчисти втвърденото масло; впръсквам вода в парата на цилиндър; смесвам се с парата на цилиндър (*за впръскана вода*); □ **to ~ the pump** влагам пари в изоставащо предприятие и пр., за да стимулирам развитието му.

prime minister ['praim‚ministə] *n* министър-председател, премиер.

primer[1] ['praimə, 'primə] *n* **1.** буквар; учебник за начинаещи; **2.** *църк.* часослов; наустница; **3.** ['primə] *печ.* терция; **great ~** шрифт от 18 пункта; **long ~** гармонд; **4.** грунд (*боя*).

primer[2] ['praimə] *n* капсула, запалител.

primeval [praim'i:vəl] *a* първобитен; предисторически, прастар, вековен, девствен (*за гора*).

primipara [prai'mipərə] *n* (*pl* **-ae** [-i:]) първескиня.

primitive ['primitiv] **I.** *a* **1.** първобитен, предисторически; **2.** примитивен, първобитен, прост, груб; **3.** остарял, старомоден; **4.** *мат.* основен (*за фигура*); **5.** най-ранен, най-стар; основен (*непроизводен*); *ез.* пра-; **P. Germanic** прагермански; **II.** *n* **1.** *изк.* художник примитивист; **2.** картина на художник примитивист; **3.** *грам.* основна (*непроизводна*) дума; **4.** прост/необразован човек.

primness ['primnis] *n* **1.** прекалена моралност; **2.** превзетост; педантичност; надута коректност/официалност.

primogenitor [‚praimou'ʤenitə] *n* праотец, прародител; основател на род и пр.

primogeniture [‚praimou'ʤenitʃə] *n* **1.** първородство; **2.** *юр.* наследяване на титла/имот само от първородния син.

primordial [prai'mɔ:diəl] *a* най-ранен, най-стар; първоначален; първичен; пръв, основен.

primp [primp] *v* контя (се), труфя (се).

primrose ['primrouz] *n* **1.** безстъблена иглика (Primula vulgaris); **2.** светложълт цвят; □ **the ~ path/way** пътят на наслажденията.

primula ['primjulə] *n* примула.

primus ['praiməs] *n* примус (*и* **~ stove**).

prince [prins] *n* **1.** принц; княз; господар (*и крал и пр.*); **P. of Wales** Уелски принц, английски престолонаследник; **P. of the Church** кардинал; **the P. of darkness/of this world** сатаната; **the P. of peace** Христос; **~ royal** най-големият син на крал; **~ charming** очарователният принц (*от приказките*); **2.** *прен.* цар, най-голям (между); **~ of poets** цар на поетите.

princedom ['prinsdəm] *n* **1.** титла на принц/княз; **2.** княжество.

princely ['prinsli] *a* **1.** княжески, подобаващ на княз/принц; **2.** великолепен, разкошен; богат, щедър.

prince's feather ['prinsiz‚feðə] *n бот.* вид щир (Amaranthus hypochondriacus).

princess ['prin'ses] *n* княгиня; принцеса; господарка, кралица; **~ dress** рокля „принцеса".

principal ['prinsipəl] **I.** *a* главен; основен; най-важен; **II.** *n* **1.** шеф, ръководител; глава; директор; главна воюваща страна; **2.** директор на училище/колеж; ректор на университет; **3.** *юр.* автор на престъпление; **~ in the first degree** главен виновник; **~ in the second degree** съучастник; **4.** *фин.* основен капитал; майка (*основна сума на дълг*); **5.** солист; актьор, който изпълнява главната роля; главен участник (*в сделка и пр.*); **6.** лице, което наема друг да извършва за него финансови и юридически операции; **7.** *муз.* принципал, главен регистър на орган; **8.** *стр.* покривна ферма.

principality [‚prinsi'pæliti] *n* **1.** княжество; **the P.** Уелс; **2.** *рел.* ангел от пета степен.

principally ['prinsipəli] *adv* главно, предимно.

principle ['prinsipl] *n* **1.** първопричина; първоизточник;

2. принцип, правило, начало; закон; аксиома; **first** ~s основни закони/принципи; **on** ~ по принцип; **in** ~ общо взето, като общо правило; по същество; теоретично; **man of no** ~s безпринципен човек; **3.** *хим.* елемент, който определя свойствата на съединение.

principled ['prinsipld] *a* принципен; с принципи; **highly** ~ с висок морал.

prink [priŋk] *v* **1.** гиздя се, докарвам се (*и refl, и с* **up**); **2.** чистя си перата.

print[1] [print] *n* **1.** отпечатък; следа, белег; **2.** щампа, печат; **3.** шрифт; печатни букви; печат; ~ **letters/hand** печатни букви; **in** ~ отпечатан и издаден; неизчерпан; **out of** ~ изчерпан (*за издание*); **to appear in** ~, **to see o.'s name in** ~ отпечатва ми се книга и пр.; **in cold** ~ черно на бяло; като го чете човек; **4.** издание; вестник; преса; книгопечатане; **5.** гравюра; **6.** снимка, копие от негатив; репродукция; **7.** басма, имприме.

print[2] *v* **1.** печатам, отпечатвам, напечатвам; **the book is now** ~ing книгата е под печат; **2.** щампосвам (*плат и пр.*); ~ed **calico** басма; **3.** запечатвам (*в паметта*); **4.** отпечатвам (*копие от негатив*) (*и с* **off**, **out**); отпечатвам се, излизам (*за копие, гравюра и пр.*); **5.** пиша с печатни букви.

printable ['printəbl] *a* **1.** годен за печат; **2.** не съдържащ нищо нецензурно, който става за напечатване.

printed matter ['printid,mætə] *n* пощ. печатно.

printer ['printə] *n* **1.** печатар; собственик на печатница; ~ **and publisher** собственик на издателство и печатница; ~'s **foreman** *печ.* фактор, техник; **2.** работник, който прави копия от снимки; **3.** копирна машина.

printer's mark ['printəz,ma:k] = **imprint**[2] **2.**

printer's pie ['printəz,pai] = **pie**[3].

printer's proof ['printəz,pru:f] = **proof**[1] **6.**

printery ['printəri] *n ам.* печатница.

printing ['printiŋ] *n* **1.** (книго)печатане; **2.** вадене на копия; **3.** щампосване.

printing-house, -office ['printiŋhaus, -ɔfis] *n* печатница.

printing-press ['printiŋpres] *n* печатарска машина.

print-off ['printɔf] *n ам.* отпечатък, копие.

prior[1] ['praiə] *a* **1.** по-раншен; предшествуващ (**to**); **2.** по-важен, който има предимство; □ ~ **to** преди, до.

prior[2] *n* **1.** помощник абат/игумен, приор; **2.** глава на духовен орден.

prioress ['praiəris] *ж.р. от* **prior**[2].

priority [prai'ɔriti] *n* **1.** приоритет, предимство; първенство; старшинство; **to take** ~ **of** предшествувам; **to have** ~ **over** имам предимство пред; ~ **task** най-важна/първа задача; **2.** задача/въпрос, заслужаващ особено внимание; **immediate priorities** най-важни/непосредствени задачи/въпроси.

priory ['praiəri] *n* приорат, клон на манастир.

prise = **prize**[4].

prism ['prizəm] *n* призма.

prismatic [priz'mætik] *a* призматичен.

prison[1] ['prizn] *n* затвор; **to break** ~ избягвам от затвора.

prison[2] *v поет.* затварям (*в затвора*); заключвам.

prison-breaker ['priznbreikə] *n* беглец от затвор.

prison camp ['prizn,kæmp] *n* концентрационен лагер; военнопленнически лагер.

prisoner ['priznə] *n* затворник, пленник; арестант; ~ **at the bar** подсъдим; ~ **of war** военнопленник (*съкр.* POW).

prisoner's base ['priznəzbeis] *n* детска игра на роби.

prissy ['prisi] *a* превзет, лъжеморален.

pristine ['pristain] *a* **1.** древен, първобитен, примитивен; първичен; **2.** девствен, чист.

pri'thee ['priði:] *ост. съкр. от* **I pray thee.**

privacy ['praivəsi, 'privəsi] *n* **1.** уединение, самота, усамотение; интимност; **in the** ~ **of o.'s room** уединен в стаята си; **to disturb s.o.'s** ~ обезпокоявам някого; **to be married in strict** ~ венчавам се в строго интимен кръг; **in the** ~ **of o.'s thoughts** дълбоко в душата си; **2.** тайна; **in strict** ~ под строга тайна, строго поверително.

private ['praivit] **I.** *a* **1.** частен; личен; ~ **citizen** обикновен гражданин (*не длъжностно лице*); **in o.'s** ~ **capacity, as a** ~ **person** като частно лице; ~ **means** лични средства; рента; ~ **bill** частен законопроект; **in** ~ **clothes** в цивилно облекло, цивилен; ~ **soldier** редник; ~ **school** частно училище; ~ **eye** *разг.* частен детектив; **in my** ~ **opinion** по мое лично мнение; **2.** таен, скрит; поверителен; интимен; ~ **parts** *анат.* срамни части; **to keep s.th.** ~ пазя нещо в тайна, крия нещо; ~ **and confidential** лично, поверително; **through** ~ **channels** от частен източник; тайно; **this is for your** ~ **ear** това е поверително, само на теб го казвам; **the wedding will be strictly** ~ сватбата ще стане в строго интимен кръг; **we're quite** ~ **here** тук сме сами; **3.** за собствено/частно/лично ползуване; закрит (*не обществен*) (*за път, представление и пр.*); „~" вход забранен; ~ **fishing** риболовът забранен за външни лица; **4.** уединен; усамотен, изолиран (*за място*); **II.** *n* **1.** редник; **2.** *pl* срамни части; □ **in** ~ 1) тайно, поверително; 2) в частния си живот.

privateer[1] [,praivə'tiə] *n ист.* капер (*кораб или човек*).

privateer[2] *v ист.* занимавам се с каперство; нападам с капер.

private study ['praivit,stʌdi] *n* **1.** самообразование; **2.** учене на уроците.

privative ['privətiv] *грам.* **I.** *a* отрицателен, означаващ липса на някакво качество; **II.** *n* отрицателна представка/наставка.

privit ['privit] *n бот.* лигуструм (Ligustrum vulgare).

privilege[1] ['priviliʤ] *n* привилегия, изключително право; предимство, преимущество; **it is a** ~ **to** истинско удоволствие/чест е да; ~ **of parliament, parliamentary** ~ неприкосновеност на членовете на парламента.

privilege[2] *v* **1.** давам (*някому*) привилегия/право, привилегировам, облагодетелствувам; освобождавам (*някого*) от задължение; **2.** давам (*някому*) право на неприкосновеност.

privileged ['priviliʤd] *a* **1.** привилегирован, облагодетелствуван; **2.** поверителен; ~ **communication** поверителни сведения (*разменени между адвокат и клиент, лекар и пациент*); лекарска тайна.

privily ['privili] *adv* тайно, скришно; поверително.

privity ['priviti] *n* **1.** осведоменост; знание (**to**); **with/without the** ~ **of others** със/без знанието на други лица; **2.** *юр.* законни отношения (*между наемател и наемодател, завещател и наследник и пр.*).

privy ['privi] **I.** *a* **1.** посветен, осведомен (**to** в, за); **2.** таен, поверителен; интимен; скрит; **3.** частен, личен; ~ **chamber** *ист.* личен апартамент на крал/кралица; **P. Council** личен съвет на краля; **P. Councillor/Counsellor** (*съкр.* P. C.) таен съветник на краля; ~ **seal** малък държавен печат; **Lord P. Seal**

пазител на малкия държавен печат; **II.** *n* **1.** *юр.* лице, което е в законни отношения с друго лице; заинтересовано лице; **2.** *разг.* клозет, нужник.

prize¹ [praiz] *n* **1.** награда, премия; печалба (*от лотария*); **2.** нещо, за което заслужава да се бори човек; доходна служба; почести; печалби; неочаквано щастие; **to pick at** ~ удрям кьоравото; **the (great)** ~**s of life** всичко най-примамливо, което предлага животът; **3.** *attr* премиран; спечелил награда; първокласен, отличен (*и ирон.*); ~ **idiot** кръгъл идиот.

prize² *v* ценя много/високо.

prize³ *n* *мор. воен.* трофей, плячка; **to become (the)** ~ **of** бивам завладян/пленен/заловен от; ставам плячка на; **to make a** ~ **of** залавям.

prize⁴ *v* къртя/отварям/разбивам/отмествам с лост (*обик. с* **open, off, out, up**).

prize⁵ *n* упор.

prize-fellow ['praiz‚felou] *n* стипендиант отличник, който се занимава с научноизследователска работа.

prize-fight ['praizfait] *n* професионално боксово състезание.

prize-fighter ['praizfaitə] *n* професионален боксьор.

prize-fighting ['praizfaitiŋ] *n* професионален бокс, боксьорство.

prizeman ['praizmən] *n* (*pl* **-men**) носител на награда (*особ. академична*); лауреат.

prize-money ['praizmʌni] *n* **1.** парична награда; **2.** пари, получени от взета по море плячка.

prize-ring ['praiziŋ] *n* **1.** *сп.* ринг; **2.** *прен.* бокс.

prize-winner ['praizwinə] = **prizeman.**

pro¹ [prou] *разг. съкр. от* **professional II.**

pro² *pref* *лат.* **1.** про-, за, в полза на; ~**-German** прогермански; ~**-abolitionist** привърженик на аболиционизма; **2.** заместник; ~ **rector** заместник ректор.

pro-am ['prouæm] *a* *сп. разг.* за професионалисти и аматьори.

pro and con¹ [prouən'kɔn] *adv* за и против.

pro and con² *n* (*pl* **pros and cons**) доводи/съображение за и против.

probability [‚prɔbə'biliti] *n* вероятност (*и мат.*); правдоподобност; **in all** ~ по всяка вероятност.

probable ['prɔbəbl] **I.** *a* вероятен, предполагаем; правдоподобен; **II.** *n* **1.** вероятен кандидат/победител и пр.; **2.** възможно събитие.

probably ['prɔbəbli] *adv* навярно, вероятно.

probate¹ ['proubeit] *n* **1.** легализиране на завещание; **2.** заверен препис на завещание; ~ **duty** данък наследство.

probate² *v* *ам.* легализирам (завещание).

probation [prə'beiʃn] *n* **1.** стаж; **to be on** ~ стажувам; **2.** послушничество; **3.** (морално) изпитание; **4.** условно пускане на свобода на престъпник; **to be on** ~ пуснат съм на свобода условно; **5.** проверка, изпробване, изпитание; **to admit on** ~ приемам условно.

probationary [prə'beiʃənəri] *a* подложен на проверка/изпитание; ~ **sentence** условна присъда.

probationer [prə'beiʃənə] *n* **1.** стажант; **2.** кандидат-член; **3.** условно осъден/пуснат на свобода престъпник; **4.** послушник.

probation officer [prə'beiʃn‚ɔfisə] *n* инспектор, упражняващ надзор над условно осъдени/пуснати на свобода престъпници.

probative ['proubətiv] *a* **1.** който доказва, доказателствен; **2.** изследователски; изпитващ.

probe¹ [proub] *n* **1.** *мед.* сонда; **2.** *прен.* сондиране; **3.** *жур.* проучване; **4.** космическа сонда.

probe² *v* сондирам (*и прен.*); проучвам, изучавам, изследвам (**into**).

probity ['proubiti] *n* честност, неподкупност.

problem ['prɔbləm] *n* **1.** проблема, въпрос, задача (*и мат.*); ~ **child** мъчно дете; ~ **novel/play** проблемен роман/пиеса; **2.** труден въпрос; загадка.

problematic(al) [‚prɔbli'mætik(əl)] *a* проблематичен, несигурен, съмнителен; спорен; нерешен.

proboscis [prə'bɔsis] *n* **1.** хобот; **2.** хоботче (*на насекомо*); **3.** *шег.* дълъг нос.

procedural [prə'siːdʒərəl] *a* процедурен.

procedure [prə'siːdʒə] *n* **1.** процедура; **rules/order of** ~ ред на процедурата; **2.** начин на действие, похват, способ; проява; **by dishonest** ~**s** с непочтени средства.

proceed [prə'siːd] *v* **1.** отивам, отправям се, упътвам се, напредвам (**to**); **2.** пристъпвам, преминавам; прибягвам (**to**); **let us** ~ **to the next item** да преминем на следващия въпрос; **then he** ~**ed to give me a good scolding** после ме наруга хубаво; **3.** продължавам; ~ **with your work** продължете работата си; **to** ~ **on o.'s journey** продължавам пътуването си, тръгвам отново на път; **but this, he** ~**ed** но това, каза/продължи той; **4.** изхождам; произлизам, произтичам (**from**); **5.** постъпвам, действувам; **6.** извършвам се, ставам; **an exchange of views is** ~**ing** разменят се мнения, става размяна на мнения; **7. to** ~ **against** *юр.* давам под съд, завеждам дело срещу; **8.** получавам (по-висока) научна степен.

proceeding [prə'siːdiŋ] *n* **1.** постъпка, проява, линия на поведение; **2.** *pl* съдебна процедура/преследване; **to institute/initiate/start/take legal** ~**s against** завеждам дело срещу; **3.** *pl* работа (*на комисия и пр.*); разисквания, заседание; протоколи; **4.** *pl* публикации, бюлетин (*на научно дружество, конгрес*).

proceeds ['prousiːdz] *n pl* приход, постъпления.

process¹ ['prousis] *n* **1.** процес, ход, действие, развитие; **in** ~ в ход; **in** ~ **of construction** в строеж; **in** ~ **of completion** на привършване; **in** ~ **of time** с течение на времето; **2.** метод, похват, (технологичен) процес; технология; **3.** *юр.* (завеждане/възбуждане на) процес/дело; призовка; нареждане; **4.** *анат.* израстък, издутина.

process² *v* **1.** *юр.* възбуждам съдебно преследване срещу; издавам призовка, връчвам призовка на; **2.** обработвам, преработвам; консервирам; обработвам (*данни — за компютър*); обработвам, подреждам (*документи и пр.*); **3.** *фот.* проявявам (*филм*), репродуцирам (*и фотомеханично*); **4.** проучвам (*персонал чрез въпросници и пр.*); анализирам.

process³ *a* **1.** преработен (*за хранителни продукти и пр.*); **2.** *печ.* репродуциран фотомеханично.

process⁴ [prə'ses] *v разг.* шествувам, вървя (като) в процесия.

procession¹ [prə'seʃn] *n* **1.** шествие, процесия; върволица; **2.** вяло надбягване; позорно поражение в надбягване; **3.** поредица (*от събития и пр.*); **4.** *рел.* молитва/химн при църковно шествие.

procession² *v* шествувам; вземам участие в шествие; обикалям.

processional [prə'seʃənəl] **I.** *a* шествен; **II.** *n* *рел.* молитва/химн при църковно шествие; сборник от такива молитви/химни.

processionist [prə'seʃənist] *n* участник в шествие/процесия.

proclaim [prə'kleim] *v* **1.** обявявам (*публично; и война, мир*); заявявам (*публично*); оповестявам, разгласявам; известявам, съобщавам за; обявявам въшествието на (владетел); to ~ a man (to be) a traitor обявявам някого за предател; 2. показвам, доказвам; издавам; his accent ~ed him a Scot произношението му показваше, че е шотландец; 3. ост. забранявам (събрание и пр.); обявявам извънредно положение в; обявявам извън закона.

proclamation [ˌprɔkləˈmeiʃn] n 1. официално обявяване, прокламиране, провъзгласяване, оповестяване; прокламация; 2. възвание, апел.

proclamatory [prəˈklæmətəri] a с който се оповестява/обявява.

proclitic [proˈklitik] n грам. проклитика.

proclivity [prəˈkliviti] n склонност, тенденция (to towards).

proconsul [ˌprouˈkɔnsl] n 1. ист. проконсул; 2. губернатор на колония/доминион.

procrastinate [prouˈkræstineit] v отлагам, бавя (се), мая се.

procrastination [prəˌkræstiˈneiʃn] n отлагане, бавене, маяне.

procrastinator [prəˈkræstineitə] n човек, който (вечно) отлага.

procreate [ˈproukrieit] v създавам потомство, раждам; размножавам се.

procreation [ˌproukriˈeiʃn] n създаване на потомство, раждане; размножаване.

procreative [ˈproukrieitiv] a детероден; размножителен.

Procrustean [prouˈkrʌstiən] a прокрустовски, принудително изравняващ/уеднаквяващ.

proctor [ˈprɔktə] n 1. унив. проктор, надзирател за дисциплината; 2. **King's/Queen's** ~ съдебен следовател, който води бракоразводни дела; 3. адвокат в духовен съд; представител на духовенството в академичен съвет.

procumbent [prouˈkʌmbənt] a 1. легнал, проснат; 2. бот. пълзящ.

procurable [prəˈkjuərəbl] a който може да се достави/намери на пазара.

procuration [ˌprɔkjuˈreiʃn] n 1. доставяне, снабдяване; 2. извършване по пълномощие; **by/per** ~ по пълномощие, чрез пълномощник; 3. пълномощно; 4. сводничество.

procurator [ˈprɔkjureitə] n 1. пълномощник, агент; 2. ист. прокуратор.

procure [prəˈkjuə] v 1. сдобивам се с, осигурявам си, намирам, набавям, доставям; 2. своднича; 3. ост. причинявам, докарвам.

procurement [prəˈkjuəmənt] n доставяне, набавяне, придобиване.

procurer [prəˈkjuərə] n 1. сводник; 2. доставчик.

procuress [prəˈkjuəris] ж.р. от procurer 1.

prod[1] [prɔd] v (-dd-) 1. бодвам, мушвам, мушкам, ръгам, ръгвам (и с at); 2. подтиквам, подбуждам; насъсквам.

prod[2] n 1. остен; 2. бодване, мушване, ръгване, ръчкане; 3. подбуда, подтикване, подтикване.

prodigal [ˈprɔdigəl] I. a 1. разточителен, прахоснически; ~ **son** библ. блуден син; 2. щедър, изобилен; богат; II. n прахосник, разсипник; библ. блуден син.

prodigality [ˌprɔdiˈgæliti] n 1. разточителство, прахосничество; 2. щедрост; изобилие.

prodigious [prəˈdiʤəs] a 1. удивителен, изумителен; 2. огромен, грамаден; 3. ненормален; чудовищен.

prodigy [ˈprɔdiʤi] n чудо, феномен; ~ **of learning** изумително начетен човек.

prodrome [ˈproudroum] n 1. мед. предшествуващ симптом, продром; 2. увод, въведение (to).

produce[1] [prəˈdjuːs] v 1. изваждам, показвам (документ, билет и пр.); представям (документ, доказателство); привеждам (доводи); довеждам (свидетел); 2. произвеждам, изработвам фабрично; 3. раждам; давам; снасям (яйца); 4. поставям, изнасям (пиеса, програма); 5. написвам; издавам, публикувам (книга и пр.); 6. докарвам, причинявам; произвеждам, пораждам; давам (резултат и пр.); 7. геом. продължавам (линия).

produce[2] [ˈprɔdjuːs] n 1. добив, продукция; произведения, продукти (особ. земеделски, скотовъдни); 2. малки (на животно); 3. резултат (от усилия и пр.).

producer [prəˈdjuːsə] n 1. производител; 2. режисьор, постановчик; 3. собственик на киностудио; 4. газгенератор.

producer goods [prəˈdjuːsəˌgudz] n pl средства на производство.

product [ˈprɔdʌkt] n 1. продукт, произведение, изделие, фабрикат; **gross national** ~ съвкупен национален продукт; икономически потенциал; 2. резултат, следствие; рожба, плод, продукт; 3. мат. произведение.

production [prəˈdʌkʃn] n 1. произвеждане, производство, продукция; 2. продукт, произведение, изделие, фабрикат; 3. литературно/художествено произведение; 4. поставяне, изнасяне (на пиеса); постановка; представление; 5. представяне (на документ и пр.); 6. ам. разг. ирон. церемония, представление; 7. attr производствен; □ **voice** ~ муз. поставяне на глас.

productive [prəˈdʌktiv] a 1. продуктивен (и ез.); производителен; творчески; 2. плодороден, плодоносен, изобилен; 3. плодовит; 4. пораждащ, причиняващ; **to be** ~ **of** пораждам, причинявам, произвеждам.

productiveness, productivity [prəˈdʌktivnis, ˌprɔdʌkˈtiviti] n 1. производителност; продуктивност (и ез.); 2. плодородие, изобилие; 3. плодовитост.

proem [ˈprouem] n 1. предисловие, увод, встъпление; 2. начало, прелюдия.

prof [prɔf] n sl. професор.

profanation [ˌprɔfəˈneiʃn] n профанация, оскверняване.

profane[1] [prəˈfein] a 1. светски, мир(ян)ски; 2. рел. непосветен; 3. езически; 4. нечестив, богохулен, скверен.

profane[2] v профанирам, оскверням.

profanity [prəˈfæniti] n 1. богохулство; 2. ругатни, псувни.

profess [prəˈfes] v 1. заявявам (открито), уверявам, твърдя; признавам; **to** ~ **o.s. content** заявявам, че съм доволен; 2. изповядвам (вяра); приемам/бивам приет в религиозен орден; 3. претендирам, изявявам претенции; твърдя; преструвам се, правя се; **to** ~ **friendship for** претендирам, че имам приятелски чувства към; **he does not** ~ **to be a scholar** няма претенции на учен; 4. упражнявам, практикувам, занимавам се с (изкуство, занаят и пр.); 5. професор съм, преподавам.

professed [prəˈfest] a 1. явен, отявлен; известен; 2. по професия/занаят; 3. мним; самозван; ~ **friend** лицемерен/уж приятел; 4. покалугерил се, подстригал се.

professedly [prəˈfesidli] adv 1. явно, открито, по собствено признание; 2. привидно.

profession [prəˈfeʃn] n 1. професия, занятие, занаят; 2. събир. хора от дадена професия, професионалисти; **the** ~ театр. sl. артистите; **the oldest** ~ проституцията; **3.** (открито) заявяване, признание, изповед; **in practice if not in** ~ на дело, ако не на думи; **4.** *pl* уверения (**of**); **5.** вероизповедание; **6.** покалугеряване, подстригване; обет.

professional [prəˈfeʃənəl] **I.** *a* професионален; ~ **man** богослов, юрист, медик; **II.** *n* професионалист; специалист.

professionalism [prəˈfeʃənəlizm] *n* професионализъм (*и cn.*).

professionalize [prəˈfeʃənəlaiz] *v* професионализирам.

professor [prəˈfesə] *n* **1.** професор; **2.** *ам.* доцент; гимназиален учител; **3.** човек, който изповядва (*дадена религия и пр.*); привърженик.

professorate [prəfesərit] *n* **1.** професура; **2.** професорско тяло, професори.

professorial [ˌprɔfiˈsɔːriəl] *a* професорски.

professorship [prəˈfesəʃip] *n* професура; професорско място.

proffer[1] [ˈprɔfə] *v* предлагам.

proffer[2] *n* предложение.

proficiency [prəˈfiʃənsi] *n* опитност, вещина, умение (**in**); ~ **in a language** владеене/добро ползуване на език.

proficient [prəˈfiʃənt] **I.** *a* опитен, изкусен, вещ; владеещ (**in**, **at**); **to become** ~ **in a language** научавам добре/овладявам език; **II.** *n* познавач, експерт, специалист.

profile[1] [ˈprɔfail] *n* **1.** профил; **2.** кратък биографичен очерк, профил; **3.** профил, вертикално сечение/разрез; **4.** *театр.* кулиса; □ **to keep a low** ~ не се изтъквам, стоя в сянка.

profile[2] *v* рисувам/представям/изобразявам в профил/разрез.

profit[1] [ˈprɔfit] *n* **1.** полза, облага, изгода; **to study/read to o.'s** ~ имам полза от изучаването/четенето (*на нещо*); **to turn to** ~ извличам полза/облага от, използвам, оползотворявам; **there is no** ~ **in** няма полза от; **2.** *често pl* печалба; доход; приход; ~ **and loss account** *фин.* печалби и загуби; **to make a** ~ **on/out of** печеля/спечелвам от.

profit[2] *v* **1.** ползвам, принасям/докарвам полза на, от полза съм (за); **it** ~ **s little to** няма полза/безполезно е да; **2.** извличам полза, печеля, спечелвам (**by**, **from**); **3.** възползвам се (**by**, **from** от).

profitable [ˈprɔfitəbl] *a* **1.** полезен, от полза; износен, изгоден; **2.** доходен.

profitably [ˌprɔfiˈtəbli] *adv* **1.** с полза; **2.** износно, изгодно; доходно.

profiteer[1] [ˌprɔfiˈtiə] *n* спекулант (*особ. във военно време*).

profiteer[2] *v* спекулирам, забогатявам незаконно (*особ. във военно време*).

profit sharing [ˈprɔfitˌʃɛəriŋ] *n* (споразумение за) участие на работниците в печалбите.

profligacy [ˈprɔfligəsi] *n* **1.** разврат, безпътство, разпуснатост; **2.** разточителство, прахосничество.

profligate [ˈprɔfligit] **I.** *a* **1.** развратен, безпътен, разпуснат; **2.** разточителен, прахоснически; **II.** *n* **1.** развратник; **2.** прахосник.

profound [prəˈfaund] **I.** *a* **1.** дълбок; **2.** *прен.* дълбок, силен (*за влияние, впечатление и пр.*); **3.** дълбок, проницателен, прозорлив; мъдър; **4.** труден за разбиране, неразбираем, неясен, отвлечен; **5.** дълбок, пълен, абсолютен; ~ **indifference** пълно безразличие; **II.** *n поет.* глъбина.

profundity [prəˈfʌnditi] *n* дълбочина (*и прен.*).

profuse [prəˈfjuːs] *a* **1.** (пре)изобилен, богат; разкошен, пищен; буен, избуял (*за растителност*); **2.** щедър,

разточителен (**in**, **of**); **to be** ~ **of** щедър съм на; пилея; раздавам щедро; **to be** ~ **in o.'s thanks/apologies** прекалявам с благодарности/извинения; **3.** прекален, краен.

profusion [prəˈfjuːʒən] *n* **1.** (пре)изобилие; излишък; пищност; избуялост; **2.** щедрост, разточителство.

prog [prɔg] *sl.* = **proctor 1.**

progenitor [prəˈdʒenitə] *n* **1.** прародител, родоначалник; **2.** предшественик; **3.** първообраз.

progenitress, -trix [prəˈdʒenitris, -triks] *ж.р. от* **progenitor 1, 2.**

progeniture [prəˈdʒenitʃə] *n* (създаване на) потомство.

progeny [ˈprɔdʒini] *n* **1.** потомство, рожби, чеда, потомци; **2.** резултат; последица.

prognathous [ˈprɔgnəθəs] *a* с издадена челюст; издаден (*за челюст*).

prognosis [prɔgˈgnousis] *n* (*pl* **-ses** [-siːz]) прогноза.

prognostic [prɔgˈgnɔstik] **I.** *a* предвещаващ, предсказващ, който е предвестник (**of**); **II.** *n* **1.** предзнаменование, поличба, знамение; предвестник; **2.** предсказване, предсказание.

prognosticate [prəˈgnɔstikeit] *v* предсказвам, предричам; вещая, предвещавам.

prognostication [prəˌgnɔstiˈkeiʃn] = **prognostic II.**

program = **programme.**

programmatic [prougrəˈmætik] *a* програмен (*и за музика*); програмиран.

programme[1] [ˈprougræm] *n* програма.

programme[2] *v* **1.** съставям програма/план; **2.** програмирам.

programmer [ˈprougræmə] *n* програмист.

programme music [ˈprougræmˌmjuːzik] *n* програмна музика.

progress[1] [ˈprougres] *n* **1.** движение напред, напредване; **in** ~ в ход; **to be in** ~ в ход съм, извършвам се, ставам; **to make (slow)** ~ напредвам (бавно); **to continue o.'s** ~ продължавам да напредвам; **to report** ~ докладвам за хода на работа; **to move to report** ~ *парл.* предлагам да се прекратят дебатите; **2.** напредък, прогрес; развитие; подобрение; увеличение; успех; **to make** ~ напредвам, постигам успех(и); **to make good** ~ вървя добре; отивам към подобрение; **3.** *ост.* официално пътуване.

progress[2] [prəˈgres] *v* **1.** напредвам, вървя (напред); **2.** напредвам, прогресирам, развивам се; подобрявам се, усъвършенствувам се; постигам успех(и).

progression [prəˈgreʃn] *n* **1.** движение напред, напредване; **2.** *мат.* прогресия.

progressionist [prəˈgreʃənist] *n* **1.** човек, който вярва в напредъка на обществото; **2.** поддръжник на схващането, че животът на земята представлява развитие от по-прости към по-висши форми.

progressive [prəˈgresiv] **I.** *a* **1.** който върви напред; ~ **motion** движение напред; **2.** прогресивен, напредничав; ~ **education** образователна система без строго установен учебен план, създаваща условия за индивидуална изява; **3.** прогресивен, увеличаващ се, нарастващ; непрекъснат; **4.** постепенен; **by** ~ **stages** постепенно; **5.** *грам.* прогресивен, продължителен, в процес на извършване; **II.** *n* прогресивен/напредничав човек, човек с прогресивни схващания.

progressivist [prəˈgresivist] = **progressive II.**

prohibit [prəˈhibit] *v* **1.** забранявам, запрещавам (**s.o. from doing s.th.** някому да прави нещо); **2.** възпирам, преча, попречвам, спъвам, възпрепятствувам (**s.o. from doing s.th.**).

prohibition [ˌprou(h)iˈbiʃn] *n* **1.** забрана, запрещение

(against); 2. забрана на продажба на спиртни напитки, сух режим.

prohibitionist [prou(h)i'biʃənist] *n* привърженик на сухия режим.

prohibitive, -tory [prə'hibitiv, -təri] *a* **1.** запретителен; **2.** възпиращ, възпрепятствуващ; твърде висок (*за цена*).

project[1] ['prɔʤekt] *n* **1.** проект, план; схема; **2.** обект (*строителен и пр.*); **housing/construction** ~ строителен обект/комплекс.

project[2] [prə'ʤekt] *v* **1.** проектирам, планирам, съставям план (за); замислям; **2.** хвърлям, изхвърлям, запращам; изхвърлям, изстрелвам (**into**); **3.** хвърлям (*сянка, светлина*); **4.** прожектирам; **5.** обективизирам, давам обективен израз на, давам представа за, конкретизирам; представям; влагам (**into**); **to** ~ **o.s. into** влагам идеите си в; **to** ~ **o.s. into the past** пренасям се в миналото; **to** ~ **o.s. into the feelings of s.o.** вживявам се в чувствата на някого; **to** ~ **o.'s own feelings onto s.o.** несъзнателно приписвам някому собствените си чувства; **6.** *геом.* проецирам; **7.** стърча, изпъквам, издавам се напред, надвисвам (**over**).

projectile [prə'ʤektail] *воен.* **I.** *a* метателен; **II.** *n* метално оръжие; граната, снаряд; ракета.

projecting [prə'ʤektiŋ] *a* щръкнал, изпъкнал; издаден, надвиснал.

projection [prə'ʤekʃn] *n* **1.** хвърляне, мятане, запращане; изхвърляне, изстрелване; **2.** проектиране; **3.** преценка на бъдещи възможности; **4.** *геом.* проекция; **5.** *кино* прожекция, прожектиране; **6.** изпъкване; изпъкналост, издаденост, издатина; **7.** обективизиране, конкретизиране; външен израз/образ; конкретизация; **8.** *псих.* несъзнателно приписване на собствените чувства другиму; **9.** *фил.* проекция; **10.** *театр.* изграждане на образ (*чрез жестове, мимика и пр.*).

projection booth [prə'ʤekʃn,bu:θ] *n кино* операторска кабина.

projectionist [prə'ʤekʃnist] *n кино* оператор.

projection room [prə'ʤekʃn,rum] *n* **1.** = **projection booth**; **2.** частен киносалон.

projective [prə'ʤektiv] *a* **1.** *мат.* проекционен; ~ **geometry** проекционна геометрия; **2.** = **projecting**; **3.** обективизиращ.

projector [prə'ʤektə] *n* **1.** проекционен апарат; **2.** проектант; съставител на планове/проекти.

prolapse[1] ['proulæps] *n мед.* пролапс, изпадане.

prolapse[2] *v мед.* изпадам, смъквам се (*за орган*).

prolate ['prouleit] *a* **1.** *мат.* удължен при полюсите (*за сфера*); **2.** широко разпространен.

prolative [prou'leitiv] *a грам.* разширяващ/допълващ сказуемото.

prolegomena [,prouli'gɔminə] *n pl* уводни бележки, увод.

proletarian [prouli'tɛəriən] **I.** *a* пролетарски; **II.** *n* пролетарий.

proletarianize [prouli'tɛəriənaiz] *v* пролетаризирам.

proletariat(e) [prouli'tɛəriət] *n* пролетариат.

proletary ['proulitəri] = **proletarian.**

proliferate [prə'lifəreit] *v* **1.** *биол.* размножавам се чрез пролиферация/пъпкуване; **2.** *бот.* развивам се чрез пролификация; **3.** разпространявам се.

proliferation [prə,lifə'reiʃn] *n* **1.** *биол.* пролиферация; пъпкуване; **2.** *бот.* пролификация; **3.** разпространение; **nuclear** ~ разпространение на ядреното оръжие.

proliferous [prə'lifərəs] *a* **1.** *биол.* размножаващ се чрез пролиферация/пъпкуване; **2.** *бот.* който дава пъпки/издънки.

prolific [prə'lifik] *a* **1.** плодовит; **2.** плодороден; **3.** из-

обилствуващ (**in**); изобилен, богат; **3.** водещ към, който има последици (**of**).

prolix ['prouliks] *a* многословен; разтеглен, разлят; досаден, отегчителен.

prolixity [prou'liksiti] *n* многословие; разтегленост, разлятост; отегчителност.

prolocutor ['proulɔkju:tə] *n* **1.** застъпник, човек, който говори от името на друг; **2.** председател (*особ. на църк. събрание*).

prologize ['prouləʤaiz] *v* пиша/рецитирам пролог.

prologue[1] ['prouləg] *n* пролог (*и прен.*).

prologue[2] *v* въвеждам; снабдявам с пролог.

prolong [prə'lɔŋ] *v* продължавам, удължавам.

prolongation [,proulɔŋ'geiʃn] *n* продължение; удължение; отсрочка.

prolonged [prə'lɔŋd] *a* дълъг, продължителен.

prolusion [prə'lu:ʒn] *n* предварителен план; увод, прелюдия.

prom [prɔm] *n разг.* **1.** = **promenade**[1][2]; **2.** = **promenade concert**; **3.** *ам.* бал в гимназия/колеж.

promenade[1] [,prɔmə'na:d] *n* **1.** разходка; **2.** място за разходка, „стъргало"; крайбрежен булевард; **3.** *театр.* фоайе; **4.** официално откриване на бал с процесия на участвуващите.

promenade[2] *v* разхождам (се).

promenade concert [,prɔmə'na:d,kɔnsət] *n* концерт, при който голяма част от публиката са правостоящи.

promenade deck [,prɔmə'na:d,dek] *n* горна палуба.

promenader [prɔmi'na:də] *n* **1.** човек, който се разхожда; **2.** посетител на концерт (*вж.* **promenade concert**).

Promethean [prə'mi:θiən] *a* прометеевски.

Prometheus [prə'mi:θiəs] *n мит.* Прометей.

prominence ['prɔminəns] *n* **1.** издаденост, издатина, изпъкналост; **2.** възвишение, хълм; **3.** очебийност; бележитост, забележителност, знаменитост, известност; **to give** ~ **to, to bring into** ~ изтъквам, подчертавам; **to come into** ~ изтъквам.

prominent ['prɔminənt] *a* **1.** издаден, изпъкнал; издут; **2.** виден, бележит, знаменит, именит, известен; **3.** важен, изтъкнат (*за пост, роля и пр.*).

promiscuity [,prɔmis'kju:iti] *n* **1.** разнородност; **2.** безразборност; **3.** промискуитет.

promiscuous [prə'miskjuəs] *a* **1.** разнороден; смесен; ~ **crowd** пъстра тълпа; **2.** безразборен; разбъркан, хаотичен; **3.** склонен към промискуитет; **4.** *разг.* случаен; безсистемен.

promise[1] ['prɔmis] *n* **1.** обещание; **to give/make a** ~ обещавам; **to keep/redeem o.'s** ~ изпълнявам обещанието си, устоявам на думата си; **to keep s.o. to his** ~ изисквам от някого да изпълни обещанието си; **2.** нещо обещано; **3.** добри перспективи, благоприятни указания; **of (great/high)** ~ многообещаващ; **to give/show** ~ обещавам много, давам големи надежди; □ **land of** ~ обетована земя.

promise[2] *v* **1.** обещавам, давам обещание/дума; **to** ~ **an immediate reply** обещавам да отговоря незабавно; **2.** давам надежди, откривам добри перспективи; **3.** предсказвам, предричам; давам причини да се очаква; **to** ~ **o.s.** очаквам с нетърпение (*нещо приятно*); □ ~**d land** обетована земя.

promisee [prɔmi'si:] *n юр.* лице, комуто е обещано нещо.

promising ['prɔmisiŋ] *a* обещаващ, насърчителен, будещ надежди; ~ **beginning** добро начало.

promisor ['prɔmisə] *n юр.* лице, което дава обещание.

promisory ['prɔmisəri] *a* съдържащ обещание; ~ **note** по-лица, запис на заповед.

promontory ['prɔməntəri] *n* **1.** *геогр.* нос; **2.** *анат.* издатина; подутина.

promote [prə'mout] *v* **1.** повишавам; произвеждам (**to the rank of** в чин); пускам ученик в по-горен клас; **2.** спомагам, съдействувам, допринасям (за); под-държам, подкрепям, подпомагам, насърчавам, по-ощрявам; **3.** основавам, организирам (*предприятие*); **4.** рекламирам, популяризирам; **5.** *ам.* при-добивам по нечестен път, правя гешефт; **6.** *шах* про-извеждам дама.

promoter [prə'moutə] *n* **1.** човек, който спомага/допринася за нещо (*вж.* **promote 2**), поощрител; **2.** организа-тор (*на предприятие, спортни състезания и пр.*); ос-новател; **3.** *хим.* промотор.

promotion [prə'mou∫n] *n* **1.** повишаване, повишение; произвеждане, производство (*в чин*); минаване в по-горен клас; **to be on ~** очаквам повишение; *прен.* правя поведение; **2.** спомагане, съдействие; поддър-жане, подкрепа, поддръжка; поощряване, насърча-ване; поощрение; **3.** реклама, рекламиране, попу-ляризиране.

promotive [prə'moutiv] *a* спомагащ, съдействуващ, до-принасящ (**of**).

prompt[1] [prɔmpt] *a* **1.** бърз, пъргав, чевръст; **to be ~ in action** действувам бързо; **2.** бърз, навременен, неза-бавен; ~ **goods** *търг.* стока, която се доставя и за-плаща веднага.

prompt[2] *adv* точно.

prompt[3] *v* **1.** подтиквам, подбуждам; подучвам; насъск-вам; **2.** подсказвам, внушавам, вдъхвам; пораж-дам, давам повод/ставам причина за; **3.** суфлирам (на); подсказвам (на).

prompt[4] *n* **1.** напомняне; подсказване; суфлиране; **2.** *търг.* срок за плащане (*на доставена стока*); до-говор, установяващ този срок (*и* ~ **note**).

prompt-book ['prɔmpt‚buk] *n* суфльорски екземпляр на пиеса.

prompt-box ['prɔmptbɔks] *n* суфльорска будка.

prompt-copy ['prɔmptkɔpi] = **prompt-book.**

prompter ['prɔmptə] *n* **1.** суфльор; **2.** подбудител.

prompting ['prɔmptiŋ] *n* подбуда, подтик.

promptitude ['prɔmptitjuːd] *n* **1.** бързина, пъргавост; **2.** на-временност, незабавност.

promptly ['prɔmptli] *adv* **1.** изведнъж, бързо; **2.** веднага, незабавно; **3.** точно навреме; **4.** в брой.

prompt side ['prɔmpt‚said] *n* лявата/*ам.* дясната страна на сцената (*за актьора*).

promulgate ['prɔmʌlgeit] *v* **1.** обявявам, оповестявам, обнародвам, давам гласност на; провъзгласям; **2.** разпространявам (*идеи и пр.*).

promulgation [‚prɔmʌl'gei∫n] *n* **1.** обявяване, оповестя-ване, обнародване; даване гласност; провъзглася-ване; **2.** разпространяване, разпространение.

prone [proun] *a* **1.** легнал по очи, проснат, прострян; **2.** склонен, предразположен (**to**); ~ **to anger** сприхав, избухлив; **strike** ~ където често стават стачки; **3.** стръмен; наклонен, наведен, полегат.

pronely ['prounli] *adv* по очи, ничком.

proneness ['prounnis] *n* склонност, предразположение, тенденция (**to**).

prong[1] [prɔŋ] *n* **1.** зъб(ец); **2.** вила; вилица; **3.** разкло-нение (*на рога*).

prong[2] *v* **1.** мушкам, промушвам, бода, пробождам; **2.** вдигам; обръщам (*с вила*).

pronominal [prə'nɔminəl] *a грам.* местоименен.

pronoun ['prounaun] *n грам.* местоимение.

pronounce [prə'nauns] *v* **1.** произнасям, изговарям; **pronouncing dictionary** правоговорен речник; **2.** про-изнасям се, изказвам се (**on, for, in favour of, against**) казвам си мнението; **to ~ s.o. out of danger** заявявам, че някой е вън от опасност.

pronounceable [prə'naunsəbl] *a* произносим.

pronounced [prə'naunst] *a* ясно изразен; явен, очебиен; подчертан; решителен.

pronouncedly [prə'naunsidli] *adv* очебийно, явно; под-чертано; решително.

pronouncement [prə'naunsmənt] *n* **1.** обявяване; **2.** из-казване, мнение, оценка, преценка; присъда; реше-ние.

pronto ['prɔntou] *adv sl.* бързо, веднага.

pronunciation [prə‚nʌnsi'ei∫n] *n* произношение, изговор.

proof[1] [pruːf] *n* **1.** доказателство; **as (a) ~ of, in ~ of** в/като доказателство за; ~ **positive** решително/не-опровержимо доказателство; **2.** *юр.* свидетелско по-казание; **3.** показване, доказване; **4.** изпитване, из-питание, проба, изпробване, проверка; **to put to the** ~ изпитвам, пробвам, изпробвам; подлагам на из-питание, **the ~ of the pudding is in the eating** съди се по резултата; **5.** *мат.* проверка; **6.** *печ.* коректура; шпалта; **page** ~ коректура на страници; **7.** пробен отпечатък от гравюра/снимка; **8.** установен градус (*на спиртно питие*).

proof[2] *a* **1.** изпитан, непроницаем (**against**); непроби-ваем; *често в съчет.:* **child-~** безопасен за деца; който не може да бъде повреден от деца; **2.** твърд, непоколебим; издръжлив, устойчив; невъз-приемчив, неподатлив (**against**); ~ **against entreaties** неумолим; ~ **against bribes** неподкупен; **3.** използ-ван при изпробване/проверка и пр.; **4.** с установен градус (*за спиртно питие*).

proof[3] *v* **1.** правя непроницаем/непромокаем/непроби-ваем; **2.** изпитвам, изпробвам, проверявам; **3.** *печ.* вадя пробен отпечатък (от); **4.** *ам. печ.* чета/правя коректури.

proof-read ['pruːfriːd] *v* (**-read** [-red]) *печ.* чета/правя коректури.

proof-reader ['pruːfriːdə] *n печ.* коректор.

proof-sheet ['pruːf∫iːt] *n печ.* коректура; шпалта.

prop[1] [prɔp] *n* **1.** подпора, подпорка; подставка; под-порен зид/стълб; **2.** опора, подкрепа; упование.

prop[2] *v* (**-pp-**) **1.** подпирам, слагам подпори (**up**); **2.** кре-пя, поддържам, подкрепям (**up**).

prop[3] *ав sl.* = **propeller.**

prop[4] *n театр. sl.* **1.** реквизит (*и pl*); **2.** реквизитор.

propaedeutics [‚proupiː'djuːtiks] *n pl с гл. в sing* пропе-девтика.

propaganda [‚prɔpə'gændə] *n* **1.** пропаганда; **2.** *attr* про-паганден.

propagandist [‚prɔpə'gændist] *n* пропагандист, пропаган-датор.

propagandize [‚prɔpə'gændaiz] *v* пропагандирам.

propagate ['prɔpəgeit] *v* **1.** плодя се, множа се, размно-жавам (се), въдя (се), развъждам (се); **2.** разпрос-транявам (се); **3.** *физ.* предавам (се) (*за топлина, трептене и пр.*); **4.** предавам на следващото поко-ление.

propagation [‚prɔpə'gei∫n] *n* **1.** плодене, размножаване, развъждане; **2.** разпространяване, разпространение; **3.** *физ.* предаване (*на топлина, трептене и пр.*).

propagative ['prɔpəgeitiv] *a* свързан с размножаване/разпространение/предаване.

propagator ['prɔpəgeitə] *n* разпространител.

propane ['proupein] *n хим.* пропан.

propel [prə'pel] *v* (-ll-) 1. тласкам/бутам (напред), карам, движа; привеждам в движение; 2. *прен.* тласкам (напред).

propellant, -ent [prə'pelənt] I. *a* 1. двигателен; 2. метателен; II. *n* 1. метателен експлозив; 2. ракетно гориво.

propeller [prə'pelə] *n* 1. витло; 2. перка (*на самолет*), пропелер.

propelling [prə'peliŋ] *a* двигателен; ~ **pencil** автоматичен молив.

propensity [prə'pensiti] *n* склонност, предразположение, тенденция (**to, for** *с ger*).

proper[1] ['prɔpə] *a* 1. свойствен, характерен, присъщ (**to**); 2. точен, правилен; същински, истински; **in the** ~ **sense of the word** в истинския смисъл на думата; ~ **fraction** *мат.* правилна дроб; 3. подходящ, удобен, пригоден; съответен, надлежен; уместен (**for**); **in the** ~ **way** както трябва; **all in its** ~ **time** всяко нещо с времето си; **to apply to the** ~ **person** обръщам се към когото трябва; **to put things in their** ~ **places** слагам нещата на мястото им; **to think it** ~ **to** считам за уместно да; 4. благоприличен, пристоен, приет; благовъзпитан; строго морален; **it's the** ~ **thing to do** така е прието; 5. *грам.* собствен (*за име*); 6. в тесен смисъл на думата, същински; **architecture** ~ архитектура в тесния смисъл на думата; 7. *разг.* голям, истински, същински; **he was in a** ~ **rage** съвсем беше побеснял от ярост; **to be in a** ~ **mess** здравата съм я оплескал; 8. *ост.* собствен, свой (*и* **own** ~); 9. *ост.* хубав; 10. *хер.* изобразен в естествените цветове.

proper[2] *adv* здравата, хубавичко.

properly ['prɔpəli] *adv* 1. както трябва; както му е редът; правилно; с (пълно) право; 2. *разг.* хубавичко, здравата; 3. прилично; □ ~ **speaking** всъщност, собствено (казано).

proper motion ['prɔpə,mouʃn] *n астр.* видимо движение на звездите.

propertied ['prɔpətid] *a* имотен; заможен.

property ['prɔpəti] *n* 1. имот, имущество, собственост; притежание; стопанство, имение; **man of** ~ собственик, имотен човек, богаташ; 2. свойство, отличително качество; 3. достояние; **that's common/public** ~ всички знаят това, това е обществено достояние; 4. *обик. pl театр.* реквизит; 5. *attr* имуществен; имотен; *театр.* реквизитен; ~ **qualification** имуществен ценз; ~ **tax** данък сгради.

property man, master ['prɔpəti,mæn, ,ma:stə] *n театр.* реквизитор.

prophecy ['prɔfisi] *n* пророчество, предсказание.

prophesy ['prɔfisai] *v* пророчествувам, пророкувам, предричам, предсказвам, предвещавам.

prophet ['prɔfit] *n* 1. пророк; **the P.** Мохамед; 2. представител, защитник, изразител, проповедник (**of**); 3. предсказател; **racing** ~ *разг.* човек, който предсказва резултатите от конни състезания.

prophetess ['prɔfitis] *ж.р. от* **prophet** 1.

prophetic(al) [prə'fetik(əl)] *a* пророчески; ~ **of** вещаещ (*нещо*).

prophylactic [,prɔfi'læktik] I. *a* профилактичен, предпазен; II. *n* 1. профилактика; предпазни мерки; 2. профилактично средство; средство против забременяване.

prophylaxis [,prɔfi'læksis] *n* (*pl* **-xes** [-ksi:z]) профилактика.

propinquity [prə'piŋkwiti] *n* 1. близост (*по място*); 2. родство, сродство; 3. прилика, подобие.

propitiate [prə'piʃieit] *v* 1. умилостивявам; 2. предразполагам към себе си, спечелвам доверието на.

propitiation [prə,piʃi'eiʃn] *n* 1. умилостивяване; 2. предразполагане; 3. изкупление; 4. изкупителна жертва.

propitiatory [prə'piʃiətəri] *a* 1. умилостивителен; 2. предразполагащ.

propitious [prə'piʃəs] *a* 1. благосклонен, благоприятен; 2. благоприятен, подходящ.

prop-jet ['prɔpdʒet] *a, n* турбовитлов (двигател).

proponent [prə'pounənt] I. *a* който предлага; II. *n* 1. човек, който предлага (*теория и пр.*); 2. защитник, проповедник (**of**).

proportion[1] [prə'pɔːʃn] *n* 1. пропорция, (съ)отношение; **in** ~ съразмерен, съответствуващ; **in** ~ **to** съразмерно с, според; **in** ~ **as** според това как; **out of** ~ несъразмерен, несъответствуващ; **out of all** ~ твърде голям, прекален; 2. пропорция, съразмерност на частите, симетрия; **sense of** ~ чувство за мярка; **to get things out of** ~ изгубвам чувство за мярка, изгубвам правилното отношение към нещата; 3. *мат.* пропорция; **3:6 bears the same** ~ **as 6:12** 3 се отнася към 6 както 6 към 12; 4. *мат.* просто тройно правило; 5. *pl* размери; **of good** ~s доста голям, големичък; 6. дял, част, процент.

proportion[2] *v* 1. съгласувам (**to** с); 2. осъразмерявам; 3. разделям на части/пропорционално.

proportionable, -nal [prə'pɔːʃənəbl, -nəl] *a* пропорционален.

proportionality [prə,pɔːʃə'næliti] *n* пропорционалност.

proportionate[1] [prə'pɔːʃnit] *a* съразмерен, пропорционален (**to**).

proportionate[2] [prə'pɔːʃəneit] *v* съгласувам; осъразмерявам.

proposal [prə'pouzəl] *n* предложение (*и за женитба*); план; ~ **of marriage** предложение за женитба; ~ **for peace** предложение за мир.

propose [prə'pouz] *v* 1. предлагам, правя предложение (*и за женитба*); **to** ~ **the health of** вдигам наздравица за, предлагам да пием за здравето на; 2. възнамерявам, имам намерение (*с ger, с* **to** *с inf*); ~**d trip** пътуване, което възнамерявам да направя; **the object I** ~ **to myself** целта, която си поставям.

proposition[1] [,prɔpə'ziʃn] *n* 1. твърдение, изказване; 2. *грам.* изречение; 3. *мат.* теорема; задача; 4. предложение (*особ. към жена за полови връзки*); 5. *разг.* работа; задача; предприятие; проект; **tough** ~ 1) трудна работа; 2) мъчен човек; **paying** ~ доходно предприятие/работа.

proposition[2] *v разг.* правя предложение (*особ. на жена за полови връзки*).

propound [prə'paund] *v* 1. предлагам за разглеждане, поставям на разискване; 2. излагам, излизам с (*теория и пр.*); 3. *юр.* давам (*завещание*) да се легализира.

proprietary [prə'praiətəri] *a* 1. собственически; на собственик; имотен; ~ **classes** имотни класи; ~ **rights** права на собственост; 2. частен; ~ **colony** *ист.* колония в Сев. Америка, дадена от английския крал на частно лице; 3. патентован; ~ **medicine** патентовано лекарство, специалитет; ~ **name/term** патентовано име/название.

proprietor [prə'praiətə] *n* собственик, притежател, господар, стопанин, съдържател.

proprietorial [prəpraiə'tɔːriəl] *a* собственически.

proprietorship [prə'praiətəʃip] *n* притежание, собственост.

propriety [prə'praiəti] *n* 1. правилност, уместност, коректност; естественост; 2. (благо)приличие; **the proprieties** правилата за добро/коректно държане; **to throw ~ to the winds** удрям през просто.

propulsion [prə'pʌlʃn] *n* 1. тласкане/бутане (напред), каране, движене; привеждане в движение; двигателна сила; тяга; 2. двигател; 3. *прен.* движеща сила, подтик, стимул, тласък, двигател.

propulsive [prə'pʌlsiv] *a* 1. двигателен; 2. метателен; 3. тласкащ, стимулиращ, подбуждащ.

pro rata [prou'reitə] *a, adv лат.*\съразмерен,\пропорционален; съразмерно, пропорционално.

prorate [prou'reit] *v* разделям/разпределям пропорционално.

prorogate ['prouərəgeit] = **prorogue.**

prorogation [‚prourə'geiʃn] *n парл.* прекратяване на сесия.

prorogue [prə'roug] *v парл.* прекратявам сесия.

prosaic [prou'zeiik] *a* прозаичен, неинтересен, скучен.

prosaically [prou'zeiikli] *adv* прозаично, скучно.

prosaist ['prouzeiist] *n* 1. прозаик; 2. прозаичен/скучен човек.

proscenium [prou'si:niəm] *n (pl* **-iums** [-iəmz], **-ia** [-iə]) *театр.* 1. авансцена, просцениум; 2. сцена на античен театър.

proscribe [prə'skraib] *v* 1. отричам, отхвърлям (*нещо като опасно*); забранявам; 2. *ост.* обявявам вън от законите; заточавам, пращам на заточение/в изгнание.

proscription [prə'skripʃn] *n* 1. отричане; отхвърляне; забрана, запрещение; забраняване; 2. *ост.* обявяване извън законите; проскрипция; заточение, изгнание.

prose¹ [prouz] *n* 1. проза; 2. прозаичност, сивота; 3. скучни/досадни приказки/разговори; 4. *attr* прозаичен, в проза.

prose² *v* 1. говоря/пиша отегчително; 2. превръщам (*стихове*) в проза; пиша в проза.

prosector [prou'sektə] *n* просектор.

prosecute ['prɔsikju:t] *v* 1. гоня, преследвам (*цел*); 2. занимавам се с, упражнявам, практикувам; върша, извършвам; водя (*война, следствие и пр.*); 3. продължавам; 4. давам под съд, водя/завеждам дело (срещу), повдигам съдебно преследване срещу; **to ~ a claim** възбуждам иск; **trespassers will be ~d** нарушителите се глобяват/наказват.

prosecuting attorney ['prɔsikju:tiŋə'tə:ni] *n ам.* прокурор.

prosecution [‚prɔsi'kju:ʃn] *n* 1. преследване, гонене (*на цел*); 2. упражняване, практикуване; вършене, извършване; водене; продължаване; 3. *юр.* съдебно преследване, даване под съд, водене/завеждане на дело; **director of public ~s** прокурор; държавен обвинител; 4. *юр.* ищец; ищци; обвинението (*като страна в процес*); **to appear for the ~** явявам се от името на/адвокат съм на ищеца.

prosecutor ['prɔsikju:tə] *n юр.* ищец; **public ~** прокурор, държавен обвинител.

proselyte¹ ['prɔsilait] *n* 1. прозелит, нов привърженик на религия и пр.; неевреин, приел еврейската религия; 2. привърженик, съмишленик.

proselyte² *v* 1. обръщам в своята вяра; 2. спечелвам привърженици.

proselytize ['prɔsilaitaiz] = **proselyte².**

proser ['prouzə] *n* 1. прозаик; 2. скучен говорител/писател.

prose-writer ['prouzraitə] *n* прозаик.

prosify ['prouzifai] *v* 1. обръщам/пиша в проза; 2. правя прозаичен.

prosing ['prouziŋ] *n* скучно говорене/писане.

prosit ['prousit] *int лат.* наздраве.

prosodial, -ic [prə'soudiəl, -ik] *a* прозодичен.

prosody ['prɔsədi] *n* прозодия.

prospect¹ ['prɔspekt] *n* 1. изглед, гледка, пейзаж; 2. изложение (*на къща*); 3. *прен.* изглед, перспектива; **in ~** очакван; **to have nothing in ~** нямам никакви планове/намерения/възможности; **there is no ~ of his coming soon** няма изгледи да дойде скоро; 4. *мин.* неексплоатиран/новооткрит участък; проба от руда (*от такъв участък*); 5. *разг.* вероятен/евентуален клиент/кандидат; човек, от когото може да се очаква изгода.

prospect² [prə'spekt, *ам.* 'prɔspekt] *v* 1. *мин.* търся, издирвам, проучвам (**for**); 2. перспективен съм, обещавам (*за мина*); **to ~ well/ill** перспективен/неперспективен съм.

prospective [prə'spektiv] *a* 1. бъдещ; предстоящ; очакван; предчувствуван, предвкусван; близък; вероятен; 2. без обратна сила (*за закон*).

prospector [prə'spektə] *n мин.* човек, който търси/проучва; златотърсач.

prospectus [prə'spektəs] *n* проспект; програма; реклама.

prosper ['prɔspə] *v* 1. (пре)успявам, процъфтявам; вървя добре; вирея; 2. давам благоденствие на, подпомагам; **may God ~ you** да те поживи господ, господ здраве да ти дава.

prosperity [prə'speriti] *n* преуспяване, процъфтяване; добруване; благоденствие, благополучие, благосъстояние; сполука.

prosperous ['prɔspərəs] *a* 1. процъфтяващ, цъфтящ; благоденствуващ; напредващ; преуспял; 2. благоприятен, попътен (*за вятър*).

prostate ['prɔsteit] *n анат.* простата (жлеза) (*и* **~ gland**).

prosthesis ['prɔsθisis] *n (pl* **-es** [-i:z]) 1. *мед.* (поставяне на) протеза; 2. *грам.* представка, префикс; префиксиране.

prosthetic [prɔs'θetik] *a* 1. *мед.* протезен; 2. *грам.* префиксиран.

prostitute¹ ['prɔstitju:t] *n* проститутка, публична жена.

prostitute² *v* 1. тласкам към проституция; *refl* ставам проститутка; проституирам; 2. *прен.* правя търговия с, проституирам с, продавам (*чест, способности*).

prostrate¹ ['prɔstreit] *a* 1. проснат, прострян, легнал; **to fall ~** просвам се; **to lie ~** лежа проснат; *прен.* лежа в праха, пълзя, унижавам се; 2. повален, победен; **to lay ~** събарям, повалям; свалям/смъквам от власт; 3. изтощен, смазан, съсипан, капнал; **~ with grief** смазан от скръб; 4. *бот.* пълзящ.

prostrate² [prɔs'treit] *v* 1. свалям, повалям, събарям; 2. подчинявам; унижавам; **to ~ o.s. (before s.o.)** унижавам се (пред някого), 3. изтощавам, съсипвам; смазвам, отчайвам; **~d with fatigue** капнал от умора.

prostration [prɔs'treiʃn] *n* 1. просване; легнало положение; 2. поваляне, събаряне; 3. изтощение, изнемощялост, немощ; 4. унижаване, унижение; 5. угнетеност.

prosy ['prouzi] *a* прозаичен, скучен, отегчителен, сух.

protagonist [prə'tægɔnist] *n* 1. главен герой (*в роман и пр.*); 2. главно действуващо лице; 3. защитник, ратник, борец (**of** за).

protasis ['prɔtəsis] *n (pl* **-es** [-i:z]) *грам.* подчинено изречение за условие, протазис.

protean ['proutiən, prou'tiən] *a* многообразен, многолик, променлив.

protect [prə'tekt] *v* 1. пазя, запазвам, предпазвам; браня, отбранявам; вардя; предвардвам; закрилям, защищавам (**from, against**); 2. покровителствувам; 3. *ик.* покровителствувам (*местна индустрия*) срещу чуждестранна конкуренция; 4. снабдявам (*машина и пр.*) с предпазител.

protection [prə'tekʃn] *n* 1. пазене, запазване; предпазване; бранене, отбраняване; предвардване; защищаване, защита; закриляне, закрила; 2. покровителствуване, покровителство; протекция; 3. *ик.* покровителствуване на местна индустрия, протекционизъм; 4. пазител, защитник; предпазно средство; закритие, прикритие, заслон, подслон, убежище; 5. паспорт, пропуск; 6. *sl.* защита от преследване, купена с пари (*наложена от гангстери*) (*и* ~ **money**).

protectionism [prə'tekʃənizm] *n ик.* протекционизъм.

protectionist [prə'tekʃənist] *n* привърженик на протекционизма.

protective [prə'tektiv] *a* защитен, предпазен, предпазителен; покровителствен; протекционен; ~ **barrage** *воен.* преграден огън; ~ **colouring** *биол.* защитна окраска; ~ **deck** *мор.* бронирана палуба; ~ **tariff** покровителствена тарифа (*на мита и пр.*); ~ **custody** задържане за осигуряване на безопасност (*от отмъщение и пр.*).

protector [prə'tektə] *n* 1. защитник, бранител, пазител; 2. предпазител; 3. *ист.* регент.

protectorate [prə'tektərit] *n* протекторат.

protectorship [prə'tektəʃip] *n* 1. протекторат; 2. покровителство; 3. регентство, длъжност на регент.

protectress [prə'tektris] *ж.р.* от **protector** 1.

protectory [prə'tektəri] *n* приют за малолетни закононарушители/за бездомни деца.

protégé ['prɔtizei] *n фр.* протеже.

protein ['proutiin] *n хим.* протеин, белтъчно вещество.

protest[1] [prə'test] *v* 1. протестирам (**against**); *ам.* повдигам възражение срещу; 2. заявявам (тържествено); **to** ~ **o.'s innocence** твърдя, че съм невинен; 3. протестирам, отказвам (*полица*).

protest[2] ['proutest] *n* 1. протест; възражение; **under** ~ насила, против волята ми; **to get up/make a** ~ протестирам, повдигам възражение; 2. тържествена декларация, изявление; твърдение; изказване; 3. протестирана/отказана полица; 4. *attr* протестен.

Protestant ['prɔtistənt] *n* 1. протестант; 2. *p.* човек, който протестира; 3. *attr* протестантски.

Protestantism ['prɔtistəntizm] *n* протестантство.

protestation [,prɔtis'teiʃn] *n* 1. протест; възражение (**against** срещу); 2. тържествена декларация/изявление/изказване; ~s **of innocence** уверяване, че съм невинен; ~s **of love** любовни обяснения.

prothalamium [,prouθə'leimiəm] *n* (*pl* -**mia** [-miə]) *лат. лит.* сватбена песен.

prothesis ['prɔθisis] = **prosthesis** 2.

proto- ['proutou] *pref* пра-, прото-.

protocol[1] ['proutəkɔl] *n* 1. протокол (*и за научен опит*); 2. етикеция, протокол; **according to** ~ по протокола, както изисква етикецията.

protocol[2] *v* протоколирам.

protogenic,-genetic[prouta'dʒinik,-dʒi'netik] *a* първичен.

protolanguage ['proutou'læŋgwidʒ] *n* праезик.

protomartyr ['proutəmatə] *n църк.* първомъченик.

proton ['prouton] *n физ.* протон.

protoplasm ['proutəplæzm] *n биол.* протоплазма.

protoplast ['proutəplæst] *n* 1. *биол.* протопласт; 2. първообраз, оригинал; 3. първият човек.

prototype ['proutətaip] *n* прототип, първообраз; оригинал; първоначален модел; най-ранна форма (*на машина и пр.*).

protozoa [,proutə'zouə] *n зоол.* протозоа.

protozoic [,proutə'zouik] *a* 1. *геол.* съдържащ най-ранни следи на живот (*за пласт*); 2. *зоол.* протозойски.

protract [prə'trækt] *v* 1. протакам, провлачам; удължавам (*прекомерно*); продължавам; 2. чертая, начертавам; нанасям (*на карта, план*); 3. *зоол.* протягам, проточвам.

protracted [prə'træktid] *a* проточен, провлечен; дълъг продължителен.

protractile [prə'træktail] *a зоол.* който може да се протяга/разтяга.

protraction [prə'trækʃn] *n* 1. протакане; удължаване, продължаване; удължение, продължение; 2. чертане, начертаване, нанасяне; 3. *зоол.* протягане, проточване.

protractor [prə'træktə] *n* 1. транспортир; 2. *анат.* екстензор, разгъващ мускул.

protrude [prə'truːd] *v* 1. издавам (се), подавам (се), показвам (се); изплезвам; 2. изпъквам, издавам се напред, стърча.

protruding [prə'truːdiŋ] *a* изпъкнал.

protrusion [prə'truːʒən] *n* 1. издаване напред, изпъкване; 2. издатина, изпъкналост, издаденост.

protrusive [prə'truːsiv] *a* изпъкнал, издаден; издут.

protuberance [prə'tjuːbərəns] *n* 1. изпъкналост, издатина, издутина; подутина, оток; буца; 2. *астр.* протуберанс.

protuberant [prə'tjuːbərənt] *a* 1. изпъкнал, издаден; издут; 2. изпъкващ в съзнанието.

proud[1] [praud] *a* 1. горд, горделив, високомерен, надменен; **to be** ~ **of** гордея се с; **to be** ~ **to** за мен е чест да; **to become** ~ възгордявам се; 2. славен; внушителен, величествен, грандиозен, великолепен; знаменит, забележителен; 3. придошъл (*за река*); 4. буен (*за кон и пр.*); □ ~ **flesh** *мед.* маса от излишна гранулация.

proud[2] *adv разг.*: **to do s.o.** ~ указвам голяма чест/щедро гостоприемство на някого; **to do o.s.** ~ угаждам си, гледам си душицата.

proud-stomached ['praudstʌməkt] *a* надменен, високомерен.

provable ['pruːvəbl] *a* доказуем.

prove [pruːv] *v* (**proved**, *pp ам., шотл., книж. и* **proven** ['pruːvən]) 1. доказвам; **to** ~ **o.s. as** доказвам, че съм; 2. изпитвам, изпробвам; 3. оказвам се, излизам (*и refl*); **to** ~ **(to be) a coward/useless, etc.** оказвам се страхливец/излишен и пр.; 4. *мат.* проверявам; 5. *юр.* легализирам (*завещание*); 6. карам да втаса/кипне; втасвам, кипвам (*за тесто*).

proven *вж.* **prove**; доказан.

provenance ['prɔvənəns] *n* произход; потекло.

provender ['prɔvində] *n* 1. фураж; кърма; 2. *разг.* храна, ядене.

provenience[prə'viːniəns] = **provenance**.

proverb ['prɔvəb] *n* пословица; **to be a** ~ **for** пословичен съм с; **to pass into a** ~ ставам пословичен; □ (**Book of**) **P.s.** *библ.* Притчи (Соломонови).

pro-verb ['prouvəːb] *n грам.* форма на глагола **do**, която служи за заместител на друг глагол.

proverbial [prə'vəːbiəl] *a* пословичен; всеизвестен.

provide [prə'vaid] *v* 1. грижа се, погрижвам се, осигурявам (прехраната на); обезпечавам (**for**); вземам (предпазни) мерки (**against**); **to be** ~**d for** осигурен съм, хлябът ми е осигурен; **to ~ for s.o. in o.'s will** оставям някому нещо в завещанието си; погрижвам се за/осигурявам някого чрез завещание; **2.** снабдявам, обзавеждам, екипирам (**with**); доставям, набавям; давам (**s.o. with s.th., s.th for s.o.**); **to be ~d with all one needs** имам всичко, което ми е нужно; **3.** предвиждам, уговарям, правя уговорка, поставям като (предварително) условие; постановявам; **to ~ against** *юр.* забранявам, запрещавам; **to ~ for** *юр.* разрешавам, предвиждам; **4.** *църк.* назначавам на още неовакантена служба.

provided [prə'vaidid] *cj* при условие, че; стига само (*и с* **that**).

providence ['prɔvidəns] *n* **1.** провидение; **special ~** пръст на провидението, пръст божи; **2.** предпазливост, предвидливост, благоразумие; **3.** спестовност, пестеливост.

provident ['prɔvidənt] *a* предвидлив; пестелив; **~ society** взаимоспомагателна каса.

providential [,prɔvi'denʃəl] *a* от провидението/бога; щастлив, навременен.

provider [prə'vaidə] *n* **1.** доставчик; **2.** глава на семейство.

providing [prə'vaidiŋ] = **provided.**

province ['prɔvins] *n* **1.** област, провинция; **2.** *pl* провинция (*не столица*); **3.** епархия; **4.** област, сфера, клон, отдел; компетентност, компетенция; **it's outside my ~** не е от моята компетентност; **the question falls outside the ~ of science** въпросът е извън областта/не е в областта на науката.

provincial [prə'vinʃəl] **I.** *a* провинциален (*и прен.*); местен; **II.** *n* **1.** провинциалист; **2.** архиепископ; местен глава на религиозен орден.

provincialism [prə'vinʃəlizm] *n* **1.** провинциалност; ограниченост; местен патриотизъм; **2.** *ез.* провинциализъм.

provincialist [prə'vinʃəlist] = **provincial II. 1.**

provincialize [prə'vinʃəlaiz] *v* правя провинциален, придавам провинциален вид/характер на.

proving ground ['pru:viŋ,graund] *n* опитно поле (*и прен.*).

provision[1] [prə'viʒn] *n* **1.** осигуряване, обезпечаване; снабдяване, доставяне, набавяне, даване; доставка (**of**); **to make ~ for** погрижвам се за, осигурявам (бъдещето на); **to make ~ against** предпазвам (се) от, вземам мерки срещу; **2.** *pl* провизии, хранителни припаси; **3.** *юр.* уговорка, клауза; положение; постановление; **~ to the contrary** обратна клауза; **to come within the ~s of the law** попадам под ударите на закона; предвиден съм в закона.

provision[2] *v* снабдявам с провизии/хранителни припаси.

provisional [prə'viʒənəl] *a* временен; условен.

provisionality [prəviʒə'næliti] *n* временност; условност, условен характер.

provisionally [prə'viʒənəli] *adv* временно; условно; **judgement ~ enforceable** *юр.* условна присъда.

proviso [prə'vaizou] *n* (*pl* **-os, -oes**) *юр.* условие, уговорка.

provisory [prə'vaizəri] *a* временен; условен.

provocation [,prɔvə'keiʃn] *n* **1.** предизвикване, предизвикателство, провокация; дразнене, раздразване; **under (severe) ~** в състояние на (силна) възбуда/раздразнение; **at/on the slightest ~** при най-малкия повод; **2.** подбуждане, насъскване, подстрекателство; **wilful ~ of public disorder** съзнателно подстрекателство към нарушение на обществения ред/към безредици.

provocative [prə'vɔkətiv] **I.** *a* **1.** предизвикващ, будещ, пораждащ (**of**); интересен; смел; оригинален; **2.** дразнещ, провокиращ; предизвикателен; заядлив; провокаторски; **II.** *n* нещо, което предизвиква/дразни; възбудително средство.

provoke [prə'vouk] *v* **1.** възбуждам; подбуждам, подтиквам; подстрекавам (**to, to** *с inf,* **into doing s.th**); **2.** предизвиквам, дразня, раздразням, разсърдвам; провокирам; **3.** предизвиквам, будя, възбуждам, пораждам.

provoking [prə'voukiŋ] *a* **1.** предизвикателен, заядлив; **2.** досаден; отегчителен; непоносим.

provost ['prɔvəst] *n* **1.** ректор (*и църк.*); **2.** *шотл.* кмет; **3.** надзирател в затвор.

provost court [prə'vou,kɔ:t] *n воен.* съд (*обик. за дребни престъпления в окупирана територия*).

provost-marshal [prə'vou,ma:ʃl] *n* началник на военна полиция.

provost-sergeant[prə'vou,sa:ʤənt]*n*сержант във военна полиция.

prow [prau] *n* нос (*на кораб*).

prowess ['prauis] *n* юначност, мъжество, храброст, смелост; сила, необикновено умение.

prowl[1] [praul] *v* дебна, търся плячка; ходя из, кръстосвам, обикалям (*с цел да открадна нещо*).

prowl[2] *n* дебнене; **to be on the ~** 1) дебна; 2) *ам.* търся жена (*за полови връзки*).

prowl car ['praulka:] *n ам.* полицейска патрулна кола.

prowler ['praulə] *n* **1.** хищник, звяр; **2.** човек, който дебне; **3.** мародер.

proximal ['prɔksiməl] *a анат.* разположен близо до средата на тялото.

proximate ['prɔksimit] *a* **1.** най-близък, следващ; **2.** приблизителен.

proximity [prɔk'simiti] *n* близост; съседство; **in (close) ~ to** (съвсем) близо до; **~ of blood** кръвно родство.

proximity fuse [prɔk'simiti,fju:z] *n ел.* безконтактен взривател.

proximo ['prɔksimou] *adv лат. канц.* на/през другия месец.

proxy ['prɔksi] *n* **1.** пълномощие, пълномощно, делегация; **by ~** по делегация; **2.** пълномощник, заместник; **to be/stand ~ for** представител на, упълномощен съм от; **3.** *attr* чрез заместник/пълномощник; **~ signature** подпис по довереност.

prude [pru:d] *n* превзето скромна/морална жена, „света богородица"; **to act the ~** правя се на света богородица, скромнича.

prudence ['pru:dəns] *n* благоразумие; предпазливост; разсъдливост.

prudent ['pru:dənt] *a* благоразумен; предпазлив; разсъдлив.

prudential [pru:'denʃəl] **I.** *a* **1.** диктуван от благоразумие; **2.** = **prudent;** □ **~ committee** *ам.* контролна комисия; **~ insurance** индустриално осигуряване/застраховане; **II.** *n pl* **1.** съображения, диктувани от благоразумие; **2.** *ам.* дребни административни/финансови въпроси.

prudery ['pru:dəri] *n* предвзета/фалшива скромност.

prudish ['pru:diʃ] *a* прекалено скромен, предвзет.

prune[1] [pru:n] *n* **1.** сушена синя слива (*ам. и несушена*); **2.** *разг.* противен човек; **3.** морав цвят.

prune[2] *v* **1.** кастря, окастрям, подрязвам (*и с* **down, off, away**); **2.** съкращавам, махам всичко излишно.

prune[3] = **preen.**

prunella [pru:'nelə] *n текст.* прюнел.

pruners['pru:nəz] = **pruning-knife.**

pruning-knife, -shears, -scissors ['pru:niŋnaif, -ʃiəz, -sizəz] *n* градинарски нож/ножици.

prurience,-cy ['pruəriəns, -si] *n* скверност, мръсота; похотливост.

prurient ['pruəriənt] *a* скверен; мръсен; похотлив.

prurigo [pru:'raigou] *n мед.* пруриго.

pruritus [pru:'raitəs] *n мед.* сърбеж.

Prussian ['prʌʃən] I. *a* пруски, прусашки; ~ **blue** берлинско синьо; II. *n* прусак.

Prussianism ['prʌʃənizm] *n* прусащина.

prussic acid ['prʌsik‚æsid] *хим.* циановодородна киселина.

pry[1] [prai] *v* 1. надничам, надзъртам (into); 2. любопитствувам; пъхам си носа/гагата (into); 3. to ~ **out** откривам.

pry[2] *v* 1. къртя/отварям/разбивам с лост; to ~ **loose** разкъртвам; 2. отделям, отлепвам; to ~ **open** отварям с взлом, разбивам; 3. измъквам (*тайна*).

pry[3] *n* 1. лост; 2. средство (*за постигане на цел*).

prying ['praiiŋ] *a* любопитен.

psalm [sa:m] *n* псалм, псалом.

psalmist ['sa:mist] *n* псалмопевец.

psalmody ['sa:lmədi] *n* псалмодия, псалмопение.

psalter ['sɔ:ltə] *n* псалтир.

psaltery ['sɔ:ltəri] *n муз.* псалтерий (*вид цитра*).

psephology [si'fɔlədʒi] *n* научен анализ на предизборни тенденции.

pseud(o) ['sju:d(ou)] *разг.* I. *a* предвзет, снобски; II. *n* псевдоинтелектуалец, сноб.

pseudo- ['sju:dou] *pref* псевдо-, лъже-.

pseudonym ['sju:dənim] *n* псевдоним.

pseudonymous [sju:'dɔniməs] *a* който пише/е издаден под псевдоним.

pshaw[1] [(p)ʃɔ:'] *int* пфу! пфю! вятър!

pshaw[2] *v* сумтя/изсумтявам презрително.

psych(e) [saik] *v ам.* 1. подлагам на психоанализа; 2. отгатвам, предвиждам (как ще постъпи някой); 3. анализирам, откривам (и *с* out); 4. сплашвам; 5. *refl* подготвям се психологически (*обик. с* up); 6. to ~ **out** *sl.* изгубвам и ума, и дума от страх.

psyche ['saiki] *n* душа, психика.

psychedelia [saiki'di:liə] *n* (предизвикване на) еуфористично преживяване (*с наркотик*).

psychedelic [saiki'di:lik] I. *a* 1. еуфористичен (*за наркотик, състояние и пр.*); 2. като халюцинация, халюцинационен; кошмарен; сюрреалистичен; с необичайно ярки цветове/фигури; с хаотичен ритъм; II. *n* 1. еуфористична отрова/наркотик; 2. човек, който употребява еуфористични наркотици.

psychiatrical [saiki'ætrik(ə)l] *a* психиатричен.

psychiatrist [sai'kaiətrist] *n* психиатър.

psychiatry [sai'kaiətri] *n* психиатрия.

psychic ['saikik] I. *a* 1. душевен, психически; 2. със способности на медиум; 3. направен за психологически ефект (*за апонс при бридж*); □ ~**(al) research** изследване на явления като телепатия, ясновидство и пр.; II. *n* 1. медиум; 2. *pl* = ~**(al) research.**

psychical ['saikikəl] = **psychic** I.

psycho ['saikou] *n sl.* психопат.

psychoanalysis [‚saikouə'nælisis] *n* психоанализа.

psycho-analyst [‚saikou'ænəlist] *n* специалист по психоанализа.

psychoanalyze, *ам.* **-ize** [‚saikou'ænəlaiz] *v* подлагам на/ лекувам чрез психоанализа.

psychodelic = **psychedelic.**

psycholinguistics [‚saikouliŋ'gwistiks] *n pl* психолингвистика.

psychological [saikə'lɔdʒikəl] *a* психологичен.

psychologism [sai'kɔlədʒizm] *n* психологизъм.

psychologist [sai'kɔlədʒist] *n* психолог.

psychology [sai'kɔlədʒi] *n* психология.

psychopath ['saikoupæθ] *n* психопат.

psychosis [sai'kousis] *n* психоза.

psychosomatic [‚saikousə'mætik] *a* психосоматичен.

ptarmigan ['ta:migən] *n* бяла яребица (Lagopus alpinus).

Ptolemaic [tɔli'meiik] *a* Птолемеев.

ptomaine ['toumein] *n хим.* птомаин.

pub [pʌb] *n разг.* кръчма.

pub-crawl ['pʌbkrɔ:l] *n* ходене от кръчма на кръчма.

puberty ['pju:bəti] *n* пубертет.

pubescence [pju:'besns] *n* 1. полово съзряване; 2. мъх, косъмчета (*по растения, насекоми*).

pubescent [pju:'besnt] *a* 1. полово съзряващ, възмъжаващ; 2. покрит с мъх/косъмчета.

pubic ['pju:bik] *a анат.* лонен.

pubis ['pju:bis] *n анат.* лонна кост.

public[1] ['pʌblik] *a* 1. публичен, обществен, общодостъпен; народен, национален, държавен; ~ **act** държавен акт; ~ **assistance** обществено подпомагане; ~ **baths** градска/обществена баня; ~ **company** *борс.* публична компания; ~ **debt** национален дълг; ~ **gardens** градска градина; ~ **health** народно здраве; ~ **holiday** официален празник; ~ **kitchen** обществена трапезария за безработни; ~ **library** градска/ обществена библиотека; ~ **official/functionary/servant** държавен чиновник/служител; ~ **ownership** обществена собственост; ~ **relations** 1) отношения между организация/власт и частни лица; 2) отдел за реклама/информация (*в предприятие и пр.*); ~ **road** държавно шосе; ~ **spirit** обществено съзнание; ~ **spending** държавни разходи за обществени нужди; **in the** ~ **eye** много рекламиран, за който много се пише; 2. публичен, открит, общоизвестен; to **make** ~ правя обществено достояние, давам гласност на; **(matter of)** ~ **knowledge** нещо всеизвестно/общоизвестно; □ to **go** ~ *ик.* предлагам акциите си на борсата (*за предприятие и пр.*).

public[2] *n* 1. публика; общество, общност; **the general/ great/wide** ~ широката публика, масите; **the reading** ~ читателите; **in** ~ публично, пред хората; 2. *разг.* кръчма, хан.

public address system [‚pʌblikə'dres‚sistəm] *n* (озвучаване на обществени места чрез) високоговорители и пр.

publican ['pʌblikən] *n* 1. кръчмар, ханджия; 2. *библ.* митар.

publication [‚pʌbli'keiʃn] *n* 1. оповестяване, разгласяване; 2. публикуване, обнародване, издаване; 3. издание, публикация.

public defender ['pʌblikdi'fendə] *n* адвокат, назначен да защищава лице, което не може да плати за защитник.

public enemy ['pʌblik'enimi] *n* 1. народен враг; 2. социално опасен елемент; 3. вражеска страна, враг (*по време на война*).

public house ['pʌblikhaus] *n* кръчма; хан.

public image ['pʌblik'imidʒ] *n* официален образ/облик; образ за пред публиката; репутация.

publicist ['pʌblisist] *n* 1. публицист, журналист; 2. специалист по международно право; 3. = **press-agent.**

publicity [pʌb'lisiti] *n* 1. гласност, публичност; to **give** ~ **to** давам гласност на, разгласявам, оповестявам, правя обществено достояние; 2. реклама, разглас; ~ **agent** рекламен агент; 3. обществено внимание/

одобрение; **in the full blaze/glare of** ~ в центъра на общественото внимание.

publicize ['pʌblisaiz] *v* 1. разгласявам, давам гласност на, правя обществено достояние; 2. рекламирам.

public law ['pʌblik‚lɔ:] *n* 1. държавен акт; 2. държавно право; международно право.

publicly ['pʌblikli] *adv* публично, открито, пред хората.

public man ['pʌblik‚mæn] *n* (*pl* **-men** [-men]) общественик.

public-minded['pʌblik‚mainded] = **public-spirited.**

public nuisance['pʌblik‚nju:sns]*n*1.*юр.*обществено-вредно деяние; 2.*разг.* обществено зло (*за човек*), неприятен човек.

public school ['pʌblik‚sku:l] *n* 1. частно училище—фондация за момчета; 2. *ам., шотл.* държавно (безплатно) училище; 3. *attr* (*и* **public-school**) образован; от горните слоеве на обществото, буржоазен.

public service ['pʌblik‚sə:vis] *n* 1. държавна служба; 2. обществена заслуга; 3. *pl* комунални услуги.

public speaking ['pʌblik‚spi:kiŋ] *n* ораторство, ораторско изкуство/умение.

public-spirited ['pʌblik‚spiritid] *a* с обществено чувство/съзнание; патриотичен.

public works ['pʌblik‚wə:ks] *n pl* обществени сгради.

public wrong ['pʌblik‚rɔŋ] *n* престъпление спрямо обществото.

publish ['pʌbliʃ] *v* 1. оповестявам, разгласявам, давам гласност на; 2. *юр.* разгласявам (*клевета*); 3. известявам/обявявам официално, обнародвам, публикувам; 4. издавам, публикувам (*книга и пр.*); бивам издаден/издаван (*за автор*).

publishable ['pʌbliʃəbl] *a* 1. годен за издаване; 2. който може да се разгласи.

publisher ['pʌbliʃə] *n* 1. издател; 2. *ам.* собственик на вестник; 3. *pl* издателство.

publishing ['pʌbliʃiŋ] *n* издаване (*на книги и пр.*); издателска професия.

publishing house, firm['pʌbliʃiŋ‚haus,-ˈfə:m] *n*издателство.

puccoon [pəˈku:n] *n* (сев.-ам. растение, от което се прави) червена/жълта боя.

puce [pju:s] *a, n* червеникаво-кафяв (цвят).

puck[1] [pʌk] *n* дух пакостник.

puck[2] *n* хокей шайба.

pucka = **pukka(h).**

pucker[1] ['pʌkə] *v* 1. мръщя се, намръщвам (се), въся се, навъсвам се, цупя се, нацупвам се, свивам (*вежди, чело и пр.*) (*и с* **up**); 2. набирам (се), набръчквам (се) (*и с* **up**).

pucker[2] *n* бръчка, гънка; набор.

puckery ['pʌkəri] *a* набран, набръчкан.

puckish ['pʌkiʃ] *a* пакостлив, дяволит.

pud[1] [pʌd] *n* 1. ръчичка; 2. лапа, лапичка.

pud[2] *разг.* = **pudding.**

pudding ['pudiŋ] *n* 1. пудинг; 2. суджук; □ **in the** ~ **club** бременна.

pudding-bag ['pudiŋbæg] *n* 1. платнена торбичка за варене на пудинг; 2. *разг.* късмет.

pudding-cloth ['pudiŋklɔθ] = **pudding-bag 1.**

pudding face ['pudiŋ‚feis] *n* тлъсто кръгло безизразно лице.

pudding-head ['pudiŋhed] *n разг.* глупак, дръвник, дървеняк.

pudding-stone ['pudiŋstoun] *n геол.* конгломерат.

puddingy ['pudiŋi] *a* 1. като пудинг; 2. тъп, глупав; тлъст.

puddle[1] ['pʌdl] *n* 1. локва; 2. *стр.* непроницаема настилка от пясък и глина; 3. мека мокра пръст за разсаждане на растения.

puddle[2] *v* 1. разбърквам, размесвам (*глина и пясък*); покривам с пласт от глина и пясък; 2. *метал.* пудлинговам; 3. цапам, газя; 4. разкалвам, размътвам; 5. работя несръчно, цапотя.

puddly ['pʌdli] *a* покрит с локви, разкалян.

pudency ['pju:dənsi] *n* срамежливост, свенливост; скромност.

pudenda [pju:'dendə] *n pl лат. анат.* външни полови органи (*особ. женски*).

pudge [pʌdʒ] *n разг.* дундьо.

pudgy['pʌdʒi]*a*дундест.

pudic ['pju:dik] = **pubic.**

pudicity [pju:'disiti] *n* 1. срамежливост, скромност, свян; 2. целомъдрие.

pueblo ['pweblou] *n исп.* 1. индианско селище (*в Мексико, Аризона и пр.*); 2. **P.** индианец от такова селище.

puerile ['pjuərail] *a* 1. момчешки; детински; 2. *мед.* пуерилен; 3. дребен, незначителен, маловажен; глупав.

puerility [pjuə'riliti] *n* 1. детинщина; момчещина; 2. *мед.* пуерилност; 3. незначителност; глупост.

puerperal [pju'ə:pərəl] *a мед.* (след)родилен; ~ **fever** родилна треска.

puff[1] [pʌf] *v* 1. пухтя; дишам тежко; **to** ~ **(and blow)** пъхтя, запъхтявам се, дишам тежко; **to** ~ **up the stairs** изкачвам стълбите пухтейки/дишайки тежко; **the engine** ~**ed out of the station** машината излезе пухтейки от гарата; 2. накарвам (*някого*) да се разпъхти; **to be** ~**ed** запъхтян/разпъхтян съм; 3. духам; вея; разнасям; **to** ~ **smoke into s.o.'s face** духам дим в лицето на някого; 4. издувам; 5. пуша, пухкам (*цигара и пр.*) (**at, on**); изпускам кълба дим; 6. рекламирам, хваля прекомерно, превъзнасям; 7. разчесвам/сресвам (*коса*), за да бухне;

puff out 1) духвам, изгасявам; угасвам (*за свещ и пр.*); 2) издувам (се) (*за платна*); 3) изпъчвам (*гърди*); **to be** ~**ed out with self-importance** пъча се, надувам се, важнича; 4) изморявам, карам да се запъхти; 5) излизам/изпусквам на кълба; 6) изговарям задъхано;

puff up 1) *обик. pp* карам да се възгордее/надува; **to be** ~**ed up with pride** възгордял съм се; **to be** ~**ed up with pleasure** умирам от удоволствие; 2) подувам се, издувам се; 3) излизам на кълба.

puff[2] *n* 1. дъх; лъх, полъхване, полъх; out of ~ задъхан, запъхтян; 2. кълбо, облаче, вълмо (*дим и пр.*); букла (*коса*); 3. смукване (*при пушене*); **to take a** ~ **at** смуквам от (*цигара и пр.*); 4. еклер; ~ **pastry/paste** парено тесто за еклери; 5. пухче за пудра; 6. силно набрана част на ръкав; ~ **sleeve** ръкав буфан; 7. шумна реклама; фукане; 8. *ам.* пухена покривка за легло; пух; 9. *ам.* взрив, избухване.

puff-adder ['pʌf‚ædə] *n* вид африканска усойница.

puff-ball ['pʌfbɔ:l] *n бот.* прахавица, праханка (*гъба*) (*сем.* Lycoperdaceae).

puff-box ['pʌfbɔks] *n* пудриера.

puffer ['pʌfə] *n* 1. човек, който пухти; 2. *дет.* влак(че); параход(че); 3. *разг.* рекламаджия; 4. риба, която може да се издува.

puffery ['pʌfəri] *n* рекламаджийство.

puffin ['pʌfin] *n зоол.* тупик, кайра (*морска птица*) (Fratercula).

puff-puff ['pʌf‚pʌf] *n дет.* локомотив(че); влак(че).

puffy ['pʌfi] *a* 1. внезапен, буен, стремителен (*за вятър*); 2. подпухнал, подут, отекъл; 3. задъхан; страдащ от задух; 4. дебел; 5. надут, бомбастичен.

pug¹ [pʌg] *n* **1.** мопс (*и* ~ **dog**); **2.** = **pug nose**; **3.** *ам.* малък стегнат кок.

pug² *v* (**-gg-**) **1.** меся (*глина*); **2.** изпълвам с глина/стърготини (*под и пр.*).

pug³ *n* тухларска глина.

pug⁴ *n англоинд.* следа на диво животно.

pug⁵ *v* (**-gg-**) проследявам (*диво животно.*).

pug⁶ *sl.* = **pugilist.**

pugg(a)ree [pəg(ə)'ri:] *n англоинд.* лека чалма; ешарп около шапка.

pugilism ['pju:ʤilizm] *n* бокс; борба.

pugilist ['pju:ʤilist] *n* боксьор; борец.

pugnacious [pʌg'neiʃəs] *a* свадлив, заядлив; който налита на бой.

pugnacity [pʌg'næsiti] *n* войнственост, нападателност.

pug nose [pʌg'nouz] *n* чип нос.

Pugwash (conference) ['pʌgwɒʃ('kɒnfərəns)] *n* ежегодна научна конференция за обсъждане на световни проблеми.

puisne ['pju:ni] *a, n* младши (съдия).

puissance ['pjuisəns] *n ост.* могъщество, мощ.

puissant ['pjuisənt] *a ост.* могъщ, мощен.

puke [pju:k] *v* повръщам, бълвам.

pukka(h) ['pʌkə] *a англоинд.* **1.** истински; първокласен; **2.** солиден.

pulchritude ['pʌlkritju:d] *n книж.* красота.

pule [pju:l] *v* хленча; скимтя.

pull¹ [pul] *v* **1.** дърпам, дръпвам; тегля, изтеглям; разтеглям; опъвам; опъвам юздечката (*за кон*); **to** ~ **s.o.'s ears, to** ~ **s.o. by the ears** дърпам ушите на някого; **to** ~ **o.'s hat over o.'s ears** прихлупвам си шапката; **to** ~ **a door open/shut** отварям/затварям врата; **2.** изтеглям (*тапа, нож и пр.*); вадя, изваждам (*зъб*); издърпвам; **3.** късам, откъсвам; скубя, отскубвам, изскубвам (*и с* **up**); **4.** греба; **to** ~ **an oar/a boat** греба; **to** ~ **a good oar** добър гребец съм, греба добре; **boat that** ~**s eight oars** лодка с осем гребла; **to** ~ **o.'s weight** греба правилно; *прен.* работя добре/пълноценно; **5.** движа се, придвижвам се (напред); плувам (*за лодка*); **the boat** ~**ed in-shore/for the shore** лодката се отправи към брега; **6.** *сп.* задържам (*кон*), за да не спечели състезание; **7.** разтеглям се, развлачам се; **8.** привличам (*купувачи и пр.*); имам влияние (**with** над, сред); **9.** разкъсвам; разпарям; **10.** *ам. sl.* насърчавам (*състезател*) с викове и пр.; **11.** *разг.* правя, извършвам; **the police** ~**ed a raid** полицията направи внезапна проверка (*напр. в публичен дом*); **to** ~ **a fast one** излъгвам, измамвам; **you can't** ~ **that stuff on me** такива не ми минават; **12.** *печ.* отпечатвам, правя отпечатък; **13.** *sl.* арестувам, пипвам; открадвам; ограбвам (*банка и пр.*); **14.** *крикет, голф* запращам топка неправилно наляво; □ **to** ~ **s.o.'s leg** майтапя се/подигравам се с някого, занасям/будалкам някого; **to** ~ **strings/wires** дърпам конците, ходатайствувам, използувам връзки, действувам задкулисно; ~ **devil** ~ **baker** ожесточена борба; **to** ~ **the rug from under s.o.** спирам подкрепата си за някого, оставям някого без подкрепа;

pull about блъскам насам-натам; отнасям се грубо към;

pull ahead откъсвам се, отивам напред (*при състезание*); изпреварвам (**of** s.o. някого);

pull alongside спирам/придвижвам се до;

pull apart 1) разкъсвам на парчета; 2) разделям (се), разпадам (се); разглобявам (се); разпарям (се); разчупвам (се); 3) критикувам остро, правя на пух и прах, распердушинвам;

pull around = **pull about;**

pull at дръпвам, подръпвам; смуча (*лула*); сръбвам от (*бутилка и пр.*);

pull away 1) (от)дръпвам (се), оттеглям (се); 2) тръгвам, отивам си; 3) = **pull ahead;**

pull back 1) оттеглям (се), изтеглям (се) (*и за войски*); 2) дърпам (се), отдръпвам (се);

pull down 1) разрушавам, събарям (*сграда*); *разг.* свалям (*правителство*); 2) свалям (*платно на лодка*); смъквам, дръпвам (*перде*); прихлупвам (*шапка*); 3) намалявам, свалям (*цени, успех и пр.*); 4) изтощавам, омаломощавам (*за болест и пр.*); унижавам; потискам; 5) *ам. sl.* печеля, докарвам си;

pull for поддържам, насърчавам;

pull in 1) влизам, пристигам (*в гара — за влак.*); **to** ~ **into the station** влизам/пристигам в/на гарата; 2) придвижвам се, приближавам се (**to, towards**); свръщам, спирам за малко (*и с* **into**); 3) дръпвам, спирам (*кон, лодка*); 4) намалявам (*разноските си*); ограничавам се; 5) арестувам, прибирам; 6) *разг.* печеля, докарвам си; 7) *разг.* събирам (*публика, пари*); привличам; 8) *refl* стягам си мускулите;

pull off 1) свалям, събличам, събувам; 2) откъсвам (се), махам, свалям; 3) *sl.* извършвам успешно, успявам (с); сполучвам; успявам да получа; **he** ~**ed off some good things at the races** провървя му на състезанията; 4) тръгвам, потеглям; отделям се (*от брега — за лодка и пр.*);

pull on 1) слагам (си), обличам, обувам, навличам; 2) продължавам да се движа/да греба; 3) = **pull at;**

pull out 1) изтръгвам, изтеглям; вадя (се), изваждам (се), изтръгвам; 2) потеглям, излизам от гарата (*за влак*); отпливам; **to** ~ **out of the station** излизам от гарата; 3) *авт.* излизам напред (*за да изпреваря*); 4) оттеглям (се) (*и прен.*); 5) *прен.* измъквам се (**of** от), надделявам; 6) разтеглям (*разказ и пр.*); □ **to** ~ **out all the stops** *разг.* употребявам всички средства; **to** ~ **o.'s finger out** *разг.* преставам да се офлянквам, стягам се;

pull over 1) обличам (през глава), навличам; 2) отдръпвам се (*за да дам път*); спирам край пътя; □ **to** ~ **one over on s.o.** мамя/измамвам някого;

pull round 1) извърт(ав)ам, извивам; 2) оправям (се), изправям на крака, спасявам (*болен*); съживявам, ободрявам; съвземам се, възстановявам се;

pull through 1) = **pull round** 2; 2) помагам (*някому*) да преодолее трудност/да изкара изпит; преодолявам трудност; **we shall** ~ **through somehow** ще се някак ще избутаме/ще се оправим; **he'll never** ~ **through** няма да го бъде; 3) *воен.* чистя (*пушка и пр.*) с връв;

pull to затварям (*врата*);

pull together 1) сработваме се; сговорни сме; 2) сплотявам; 3) дръпвам (*пердета, така че да се съединят*); свивам се (*за вежди, устни*); 4) събирам (*силите си*); овладявам (*нервите си*); карам (*някого*) да се овладее; *refl* стягам се, събирам сили;

pull up 1) издърпвам, изтеглям нагоре; вдигам, повдигам; **to** ~ **o.'s socks up** опъвам/вдигам си чорапите; *прен.* стягам се; **to** ~ **o.s. up by o.'s own bootlaces/bootstraps** *разг.* сам се издигам; 2) надигам се, ставам (с усилие); 3) спирам (се); 4) спирам (*да харча и пр.*), стягам се, ограничавам се; 5) скастрям, накарвам да млъкне; правя (остра) забележка на; 6) изравнявам се, настигам (**to, with** с) (*и сп.*); давам (*някому*) преднина, поставям (*някого*) на по-предно място.

pull² *n* 1. дърпане, дръпване, теглене; теглителна сила; **to give a ~ at** дръпвам; 2. гребане; разходка с лодка; 3. глътване, глътка; смръкване; смукване; **to take a ~ at a bottle/a pipe** сръбвам от бутилка/дръпвам от лула; 4. дръпване на юздите (*на кон*); 5. привличане, притегляне, притегателна сила; 6. трудно изкачване/придвижване; 7. шнур (*на звънец*); дръжка; лост на помпа; 8. *печ.* коректура; отпечатък; 9. *сп.* топка, отпратена наляво; 10. *разг.* влияние (**with** пред); предимство, привилегия; **to have the ~ of s.o./a ~ over s.o.** имам предимство пред някого, облагодетелстван съм за сметка на някого.

pullback ['pulbæk] *n* 1. пречка, спънка, препятствие; 2. *ам.* оттегляне, изтегляне (*и на войски*).

pulled [puld] *a*: **~ bread** сухар; **~ figs** сушени пресовани смокини.

pullet ['pulit] *n* ярка.

pulley¹ ['puli] *n* 1. скрипец, макара; рудан; 2. ролка (*на лентов транспортьор*).

pulley² *v* повдигам/снабдявам със скрипец.

pull-in [pulin] *n* спирка; крайпътно кафене.

Pullman ['pulmən] *n* жп. пулман, вагон-салон; луксозен спален вагон.

pull-on ['pulɔn] *a* който се навлича (*без да се закопчава*).

pullover ['pulouvə] *n* пуловер.

pullulate ['pʌljuleit] *v* 1. *бот.* покарвам, пониквам; размножавам се; 2. разпространявам се (*за учение и пр.*); 3. гъмжа, пъкам (**with** от).

pull-up ['pulʌp] *n* 1. подкрепителен пункт, лавка, гостилница (край пътя); 2. *ам. гимнастика* повдигане на лост до брадата.

pulmonary ['pʌlmənəri] *a* 1. *анат.* белодробен, пулмонален; 2. = **pulmonate I**; 3. *мед.* с белодробно заболяване.

pulmonate ['pʌlməneit] *зоол.* I. *a* с бели дробове или подобни дихателни органи; от рода **Pulmonata; II.** *n* животно от рода **Pulmonata**, *напр.* сухоземен и пр. охлюв.

pulmonic [pʌl'mɔnik] = **pulmonary 1.**

pulmotor ['pʌlmoutə] *n* апарат за изкуствено дишане.

pulp¹ [pʌlp] *n* 1. месо (*на плод*); 2. *анат.* пулпа; 3. дървесина каша; безформена маса; **to reduce to (a) ~** смачквам (*и прен.*); превръщам/правя на каша; **to crush to a ~** смазвам; 4. *хим.* пулп; шлам; хартиена маса, целулоза; 5. *sl.* долнопробно сензационно списание; *прен.* лигавщина.

pulp² *v* 1. правя/ставам на каша; претопявам (*книги, парцали*); 2. очиствам (*кафени зърна*) от шушулките; 3. *ам. разг.* предавам/представям в евтина/сензационна форма.

pulpiness ['pʌlpinis] *a* кашкаво състояние, кашкавост.

pulpit ['pulpit] *n* 1. амвон; **the ~** духовенството, проповедниците; 2. проповед; 3. *прен.* място/случай за изказване на идеи; платформа, форум.

pulpiteer¹ [pʌlpi'tiə] *n обик. пренебр.* проповедник.

pulpiteer² *v* проповядвам, морализирам.

pulp magazine ['pʌlpmægə'zi:n] = **pulp¹ 5.**

pulpous, -py ['pʌlpəs, -pi] *a* мек, кашкав; пулповиден.

pulque [pʌlk] *n* мексиканско питие от сок на агава.

pulsar ['pʌlsa:] *n астр.* космически източник на пулсиращи радиосигнали.

pulsate ['pʌlseit] *v* 1. пулсирам, туптя, бия; карам да тупти/пулсира; 2. *ел.* вибрирам, пулсирам; 3. *прен.* треперя, вълнувам (се).

pulsatile ['pʌlsətail] *a* 1. пулсиращ, туптящ, биещ; 2. *муз.* ударен (*за инструмент*).

pulsatilla [pʌlsə'tilə] *n бот.* котенце, обикновена съсънка.

pulsation [pʌl'seiʃn] *n* 1. пулсиране, биене, туптене; 2. *физ.* пулсация; 3. *ел.* ъглова честота.

pulsator [pʌl'seitə] *n тех.* пулсатор.

pulsatory [pʌl'seitəri] *a* пулсиращ.

pulse¹ [pʌls] *n* 1. пулс; **to feel s.o.'s ~** премервам пулса на някого; *прен.* допитвам се до/сондирам някого; **to keep o.'s finger on the ~ of** *прен.* напипвам/следя пулса на; 2. *физиол.* отделен удар (*на сърцето*); тласък, импулс; 3. *муз.* ритъм; 4. *прен.* вълнение, жизненост; **to stir s.o.'s ~** възбуждам/развълнувам/възпламенявам някого.

pulse² *v* 1. пулсирам, бия, туптя; 2. карам да пулсира/вибрира; пращам импулси (**out, in**).

pulse³ *n бот.* бобови растения, варива.

pulverization [,pʌlvərai'zeiʃn] *n* 1. пулверизиране, пулверизация; 2. унищожение, разрушение, разрушаване.

pulverize ['pʌlvəraiz] *v* 1. пулверизирам, стривам на прах; превръщам (се) в прах; разпадам се на прах; 2. *прен.* унищожавам, сривам, смазвам.

pulverizer ['pʌlvəraizə] *n* 1. пулверизатор, разпрашител; 2. *тех.* трошачка, мелачка.

pulverulant [pʌl'verjulənt] *a* ронлив, трошлив; праховиден; покрит с прах.

puma ['pju:mə] *n зоол.* пума (Felis concolor).

pumice¹ ['pʌmis] *n* пемза (*и* ~ **stone**).

pumice² *v* чистя/шлифовам с пемза.

pummel ['pʌml] *v* (**-ll-**) удрям/бия/бъхтя с юмруци.

pump¹ [pʌmp] *n* 1. помпа; **~ water** помпена вода, вода от помпа; 2. помпане; 3. *прен.* сърце.

pump² *v* 1. помпам; напомпвам (**up, into**); изпомпвам (**out**); 2. наливам, натъпквам (*знания, храна и пр.*) (**in, into**); вливам; **to ~ new life into** вливам нов живот в, раздвижвам; **to ~ money into the economy** влагам системно пари в стопанството; 3. *разг.* разпитвам подробно; подпитвам умело; изтръгвам сведения от; **to ~ the truth out of s.o.** изтръгвам истината от някого; 4. изтощавам, карам да се задъха; 5. разтърсвам енергично (*напр. ръка при ръкуване*);

  pump out 1) изпомпвам; 2) *прен.* изтощавам (*обик. pass*);

  pump up 1) напомпвам (*гума*); 2) изкачвам/изваждам (*вода*) с помпа.

pump³ *n* 1. мъжка (балнa) лачена обувка; 2. *ам.* дамска обувка деколте; 3. обувка за тенис/балет без връзки.

pumpernickel ['pʌmpənikl] *n* ръжен хляб.

pumpkin ['pʌmpkin] *n* тиква (Cucurbita pepo).

pump-room ['pʌmprum] *n* зала в курортно място, където се пие минерална вода.

pun¹ [pʌn] *n* игрословица, игра на думи, каламбур.

pun² *v* (**-nn-**) правя игра на думи, правя каламбур.

puna ['pju:nə] *n* 1. високо безводно плато в Андите; 2. сух студен вятър в Андите.

punch¹ [pʌntʃ] *n* 1. щанца (*пресова*); пуансон; керн; прибой, замба; перфоратор; компостьор; кондукторски клещи; 2. дупка от перфоратор и пр.

punch² *v* дупча, продупчвам, перфорирам, компостирам; **to ~ in/out a nail** набивам/избивам гвоздей; **~ed card** перфокарта.

punch³ *v* 1. удрям (силно) с юмрук; 2. мушкам/ръгам с пръчка; 3. *ам.* събирам; подкарвам (*добитък*).

punch⁴ *n* 1. (силен/внезапен) удар с юмрук; **to hold/pull o.'s ~es** *сп.* въздържам се да удрям силно, *прен.* пипам леко; 2. *sl.* сила, ефект, влияние; интерес; живост; □ **~ line** поанта, кулминационна точка.

punch⁵ *n* пунш.

punch⁶ *n* 1. нисък набит човек; 2. късокрак товарен кон.

Punch [pʌntʃ] *n* 1. *театр.* Полишинел (*кукла с гърбица и дълъг нос*); 2. Пънч (*английско хумористично списание*); □ **as pleased/proud as** ~ щастлив/горд до немай-къде; ~ **and Judy show** традиционна английска куклена комедия.

punch-ball ['pʌntʃbɔ:l] *n* бокс топка за трениране.

punch-bowl ['pʌntʃboul] *n* 1. купа за пунш; 2. дълбока кръгла котловина.

punch card ['pʌntʃka:d] *n* перфокарта.

punch-drunk ['pʌntʃdrʌŋk] *a* зашеметен/замаян от удари; *прен.* объркан, замаян.

puncheon ['pʌntʃən] *n* 1. *тех.* щанца; щемпел; секач; 2. подпора, устой.

puncher ['pʌntʃə] *n* 1. компостьор; перфоратор; 2. *ам.* каубой.

Punchinello [ˌpʌntʃi'nelou] *n* 1. = **Punch** 1; 2. клоун, комедиант; 3. = **punch**⁶ 1.

punching bag ['pʌntʃiŋˌbæg] *n* бокс „круша“.

punch-up ['pʌntʃʌp] *n* бой с юмруци.

punchy ['pʌntʃi] *a* 1. силен, енергичен; 2. = **punch-drunk.**

punctate(d) ['pʌŋkteit(id)] *a* зоол., бот. на точки/петна.

punctilio [pʌŋk'tiliou] *n* 1. прекален формализъм, педантизъм; 2. въпрос на етикеция/протокол.

punctilious [pʌŋk'tiliəs] *a* 1. прекалено прецизен/изискан, педантичен; изпълнителен до педантичност; 2. спазващ строго етикецията/протокола.

punctual ['pʌŋktʃuəl] *a* точен, който не закъснява; **to be** ~ **in o.'s payments** редовно плащам вноските си; **to be** ~ **for a lecture** идвам навреме/не закъснявам за лекция.

punctuality [ˌpʌŋktʃu'æliti] *n* точност.

punctually [ˈpʌŋktʃuəli] *adv* навреме, без закъснение.

punctuate ['pʌŋktʃueit] *v* 1. слагам препинателни знаци (на); 2. *прен.* прекъсвам от време на време; придружавам, подсилвам.

punctuation [ˌpʌŋktʃu'eiʃn] *n* пунктуация, поставяне на препинателни знаци; ~ **mark** препинателен знак.

puncture¹ ['pʌŋktʃə] *n* 1. бодване, пробиване; дупчица; 2. *мед.* пункция; 3. спукване на гума.

puncture² *v* 1. пробождам, пробивам (се); 2. спуквам се (*за гума*); □ **to** ~ **s.o.'s ego** смачквам фасона на някого; **to** ~ **s.o.'s confidence** намалявам самочувствието на някого.

pundit ['pʌndit] *n* англоинд. 1. учен индус, брамин; 2. *шег.* учена глава, капацитет, спец.

pungency ['pʌndʒənsi] *n* 1. острота; силна миризма/вкус; пикантност; 2. язвителност, сарказъм; 3. изразителност.

pungent ['pʌndʒənt] *a* 1. остър, пикантен, силно подправен, лют; 2. *бот.* остър; 3. остър, язвителен, хаплив, саркастичен; 4. изразителен.

Punic ['pju:nik] I. *a ист.* пунически, картагенски; □ ~ **faith** вероломство; II. *n* картагенски език.

punish ['pʌniʃ] *v* 1. наказвам; 2. *разг.* бъхтя, налагам; изтощавам, вземам здравето на; използвам лошата игра на (*противника*); 3. *шег.* ям, нагъвам.

punishable ['pʌniʃəbl] *a* наказуем.

punishment ['pʌniʃmənt] *n* 1. наказване; 2. наказание; **to be brought to** ~ **for o.'s crimes** наказан съм за престъпленията си; 3. *разг.* бой, пердах; лошо/грубо отнасяне.

punitive **-tory** ['pju:nitiv, -təri] *a* наказателен (*за мерки, експедиция и пр.*).

punk¹ [pʌŋk] *n* прахан.

punk² *n sl.* 1. никаквец; хулиган; 2. глупости, боклук;

3. хлапак, балама; 4. момче, приятел на педераст; 5. *ост.* проститутка, уличница.

punk³ *a sl.* 1. никакъв, негоден, отвратителен; ужасно скучен; 2. болен, болнав; **to feel** ~ чувствувам се като парцал.

punka(h) ['pʌŋkə] *n* англоинд. голямо ветрило (*често закачено на тавана*).

punkie, -ky ['pʌŋki] *ам.* вид папатак.

punster ['pʌnstə] *n* любител/майстор на каламбури.

punt¹ [pʌnt] *n* плоскодънна лодка.

punt² *v* карам (*плоскодънна лодка*) с прът; возя с плоскодънна лодка.

punt³ *v футб.* бия от воле.

punt⁴ *n футб.* воле, летяща топка.

punt⁵ *v* 1. *карти* играя срещу банката; 2. залагам (*пари*) на кон; 3. спекулирам на борсата.

punt⁶ *n* 1. *карти* играч срещу банката; 2. залог.

punter¹ ['pʌntə] *n* 1. (професионален) комарджия; 2. борсов спекулант; 3. човек, който залага пари на кон.

punter² *n* човек, който кара плоскодънна лодка.

punty ['pʌnti] *n* железна пръчка на стъклодухач.

puny ['pju:ni] *a* слаб, хилав; дребен, недорасъл; □ ~ **efforts** жалки усилия.

pup¹ [pʌp] *n* 1. кученце, кутре; тюленче; малка видра; **in/with** ~ бременна (*за кучка и пр.*); 2. нахакан младеж; □ **to sell s.o. a** ~ *sl.* извозвам някого; **to buy a** ~ *sl.* извозват ме.

pup² *v* (**-pp-**) куча се, окучвам се.

pupa ['pju:pə] *n* (*pl* -**ae** [-i:]) *зоол.* какавида.

pupal ['pju:pəl] *a зоол.* какавиден.

pupil¹ ['pju:pil] *n* 1. ученик; ~ **teacher** стажант учител (*в основно училище*); 2. *юр.* малолетен под грижите на настойник.

pupil² *n анат.* зеница, гледец.

pupillage ['pju:pilidʒ] *n* 1. ученичество; 2. непълнолетие; 3. *прен.* полуразвитост, не(до)развитост; **industry still in its** ~ още млада/неразвита индустрия.

pupil(l)ary¹ ['pju:piləri] *a* 1. ученически; на ученик; 2. *юр.* който е под опека.

pupil(l)ary² *a анат.* пупиларен, зеничен.

pupiparous [pju:'pipərəs] *a зоол.* който ражда в какавидно състояние.

puppet ['pʌpit] *n* 1. кукла, марионетка (*и прен.*); 2. *attr* куклен; марионетен (*и за правителство*).

puppeteer [pʌpi'tiə] *n* кукловод.

puppetry ['pʌpitri] *n* 1. кукловодство; 2. *прен.* марионетно/несамостоятелно действие; представление, разиграване на театър.

puppet-show ['pʌpitʃou] *n* (спектакъл в) куклен театър.

puppet state ['pʌpit,steit] *n пол.* марионетна държава.

puppy ['pʌpi] *n* 1. кученце, кутре; тюленче; 2. нахакан младеж; □ ~ **love** младежка любов; ~ **troubles** младежки грижи; ~ **fat** детска/предпубертетна пълнота.

puppyish ['pʌpiiʃ] *a* 1. като кученце; 2. палав, буен; 3. нахакан.

purblind ['pə:blaind] *a* 1. почти сляп; силно късоглед; 2. тъп, глупав, без въображение; 3. *ост.* сляп.

purblindness ['pə:blaindnis] *n* 1. силно късогледство, лошо зрение; 2. тъпота; липса на въображение.

purchasable ['pə:tʃəsəbl] *a* 1. който може да се купи; 2. подкупен, продажен.

purchase¹ ['pə:tʃəs] *v* 1. купувам; **purchasing power/capacity** покупателна способност; 2. придобивам, спечелвам, извоювам; 3. *мор., тех.* вдигам (*със скрипец* и пр.); **4.** *ам. разг.* приемам (*твърдение, становище*).

purchase² *n* **1.** покупка; купуване; придобивка; **2.** годишен доход (*от земя*), наем; **at 20 years'** ~ на стойност, равна на двайсетгодишен доход; **his life is not worth an hour's** ~ той няма да изкара един час; **3.** хващане, улавяне; опора, опорна точка; **to get a** ~ **on** хващам здраво, опирам се на; **4.** *тех.* механично приспособление за вдигане на тежести (*скрипец и пр.*); **5.** *прен.* влияние; средство за въздействие.

purchase-block ['pɜːtʃəsblɔk] *n тех.* полиспаст.

purchaser ['pɜːtʃəsə] *n* купувач, покупател.

purchase tax ['pɜːtʃəstæks] *n* (косвен) данък върху луксозни стоки.

purdah ['pɜːdə] *n инд.* **1.** завеса, която изолира жените; **2.** изолиране на жените; изолация.

pure [pjuə] *a* **1.** чист; незамърсен; без примес; чистокръвен; **2.** *прен.* чист, неопетнен; непокварен, непорочен; девствен; ~ **in heart** с чисто сърце, невинен; **3.** *разг.* същински, истински, чист; **out of** ~ **necessity** просто по необходимост; от немай-къде; **laziness** ~ **and simple** чист мързел, просто на просто/чисто и просто мързел; **4.** теоретичен (*не приложен*).

pure-bred ['pjuəbred] *a* чистокръвен, породист.

puree¹ ['pjuərei] *n* **1.** пюре; **2.** пасирана супа, крем-супа.

puree² *v* правя на пюре, пасирам.

purely ['pjuəli] *adv* **1.** чисто, просто, само; **2.** чисто, без примеси; **3.** непорочно.

pureness ['pjuənis] *n* **1.** чистота; **2.** невинност, непорочност.

purfle¹ ['pɜːfl] *n* бродиран/инкрустиран бордюр.

purfle² *v* украсявам с бродиран/инкрустиран бордюр; разкрасявам.

purgation [pɜː'geiʃn] *n* **1.** пречистване; **2.** *рел.* очищение; **3.** *мед.* очистване, разслабване.

purgative ['pɜːgətiv] *мед.* I. *a* **1.** разслабителен, очистителен, пургативен; II. *n* пургатив.

purgatorial [ˌpɜːgə'tɔːriəl] *a рел.* изкупителен, очистителен; на чистилището.

purgatory ['pɜːgətəri] *n рел.* чистилище (*и прен.*).

purge¹ [pɜːdʒ] *v* **1.** прочиствам (се), очиствам (се) (**of, from**); продължавам; **to** ~ **away/out o.'s sins** изкупвам греховете си; **2.** *мед.* очиствам, разслабвам; **3.** *юр.* изкупвам (*вина*); оправдавам (се); **4.** *пол.* провеждам/правя чистка.

purge² *n* **1.** прочистване, очистване, пречистване; **2.** очистение (*на душата*); **3.** *мед.* разслабително (средство); **4.** *пол.* чистка.

purification [ˌpjuərifi'keiʃn] *n* очистване, пречистване, продухване (*и тех.*); □ **the P.** *рел.* сретение господне.

purificatory [ˌpjuərifi'keitəri] *a* пречистващ.

purify ['pjuərifai] *v* **1.** пречиствам (се), очиствам (се), изчиствам (се) (**of, from**) (*и прен.*); **2.** *рел.* извършвам обредно очистване.

purism ['pjuərizm] *n ез.* пуризъм.

purist ['pjuərist] *n ез.* пурист.

Puritan ['pjuəritən] *n* **1.** пуритан(ин) (*и прен.*); **2.** *attr* пуритански.

puritanic(al) [pjuəri'tænik(əl)] *a* пуритански.

Puritanism ['pjuəritənizm] *n* пуританство, пуританизъм.

purity ['pjuəriti] *n* **1.** чистота (*и прен.*); **2.** непорочност, девственост; **3.** проба (*на скъпоценен метал*).

purl¹ [pɜːl] *n* **1.** сърмени конци; ширит от усукана сърма; **2.** пико; опако (*при плетене*).

purl² *v* **1.** поръбвам с пико/със сърма; **2.** плета опако; **knit one,** ~ **one** едно лице, едно опаки.

purl³ *v* **1.** клокоча, ромоля, ромоня, бълбукам; **2.** образувам бързеи.

purl⁴ *n* **1.** ромон, клокочене, бълбукане; **2.** бързей, водовъртеж.

purl⁵ *n* греяна бира с джин.

purler ['pɜːlə] *n* падане/хвърляне с главата напред; **to come/take a** ~ падам с главата напред.

purlieu ['pɜːljuː] *n* **1.** често посещавано място; **2.** *pl* граници, предели; **3.** *pl* покрайнини, околности; бедняшки квартали; □ **the dusty** ~**s of the law** адвокатски свърталища; *прен.* заплетени правни въпроси.

purlin ['pɜːlin] *n стр.* надлъжна греда на покрив.

purloin [pɜː'lɔin] *v* крада, открадвам; пооткрадвам.

purple¹ ['pɜːpl] *n* **1.** морав/пурпурен цвят; **2.** багреница, порфира; пурпурни одежди на кардинал; **3.** кралска/императорска власт; кардиналски/епископски сан; **raised to the** ~ провъзгласен за император; ръкоположен за кардинал/епископ; **born to the** ~ 1) *ист.* багренороден; 2) *прен.* от царски/аристократически род.

purple² *a* **1.** пурпурен, морав; кървавочервен; **2.** зачервен; посинял (*от яд, студ и пр.*); **3.** *ам.* изпъстрен с псувни/ругатни; **4.** цветист, претрупан, приповдигнат (*за стил*).

purple³ *v* боядисвам мораво; обагрям; зачервявам се; заруменявам; ставам/правя да стане морав/червен.

purple emperor ['pɜːpl,empərə] *n зоол.* лилава апатура (*пеперуда*) (Apatura iris).

purple-fish ['pɜːplfiʃ] *n* пурпурна мида.

purple heart ['pɜːpl,haːt] *n* **1.** *бот.* палисандър (Copaifera); **2.** таблетка стимулиращо лекарство; **3.** P.H. *ам.* орден за храброст.

purplish, -ly ['pɜːpliʃ, -li] *a* възморав.

purport¹ ['pɜːpət, 'pɜːpɔːt] *v* **1.** претендирам, имам претенции (*да съм и пр.*); **2.** знача, означавам; говоря/загатвам за.

purport² *n* **1.** общ смисъл; **2.** цел.

purpose¹ ['pɜːpəs] *n* **1.** намерение, цел; **with honesty of** ~ с честни намерения; **novel with a** ~ социален роман; **for/with the** ~ **of** с цел да (*c ger*); **on** ~ нарочно; **this will answer/serve our/the** ~ това ще ни послужи/свърши работа; **for all** ~**s** за всякакви случаи/цели; **for future/public** ~**s** за бъдещи/обществени нужди; (**very much) to the** ~ (много) уместен/целесъобразен; **to speak to the** ~ говоря уместно/по същество; **he spoke to the same** ~ той говори в същия дух/смисъл; **2.** резултат, успех; **to little** ~ почти безрезултатно; **to no** ~ напразно; **to some** ~ не без успех/полза; **to work to good** ~ работя резултатно; **3.** воля; **infirm of/wanting in** ~ безволев, нерешителен, безхарактерен; **energy/steadfastness of** ~ упоритост, решителност.

purpose² *v* възнамерявам, имам намерение (*c ger или* **to** *c inf*).

purpose-built, -made ['pɜːpəsbilt, -meid] *a* построен/направен за специална цел/по поръчка, специално направен.

purposeful ['pɜːpəsful] *a* **1.** целеустремен, целенасочен; решителен, упорит; **2.** умишлен; **3.** съдържателен (*за разказ, реч и пр.*).

purposeless ['pɜːpəslis] *a* **1.** безцелен, безсмислен; празен; **2.** нерешителен, слабохарактерен, безволев.

purposely ['pɜːpəsli] *adv* нарочно.

purposive ['pɜːpəsiv] *a* **1.** направен с/служещ за определена цел; **2.** нарочен, специален; преднамерен; **3.** решителен.

purpura ['pə:pjurə] *n* **1.** *мед.* пурпура; **2.** *вет.* едра шарка по свинете; **3.** *зоол.* пурпурни миди.

purr[1] [pə:] *v* **1.** мъркам, преда (*за котка*); **2.** бръмча (*за мотор*).

purr[2] *n* **1.** мъркане; **2.** бръмчене.

purse[1] [pə:s] *n* **1.** портмоне, кесия; **2.** пари; средства; богатство; **long/heavy/well-lined** ~ пълна кесия, много пари, богатство; **light/lean/slender** ~ празна кесия; **the public** ~ държавното съкровище; **3.** парична сума, събрана като подарък/награда; **to make up a** ~ правя подписка (*за награда*); **4.** *ам.* дамска чанта; **5.** *зоол.* торбичка; скротум; ☐ **you can't make a silk** ~ **out of a sow's ear** от всяко дърво свирка не става.

purse[2] *v* свивам (се) (*за устни*); набръчквам (се) (*за чело*) (*и с* up).

purse-bearer ['pə:sꞖɛərə] *n* **1.** касиер (*и прен.*); **2.** висш чиновник, който носи държавния печат на председателя на Камарата на лордовете при шествия.

purse-proud ['pə:s‚praud] *a* горделив/надменен поради богатството си.

purser ['pə:sə] *n мор.* домакин-касиер.

purse-strings ['pə:sstriŋz] *n pl* връзки на кесия; **to hold the** ~ разпореждам се, държа касата; **to loosen the** ~ разпущам се, разтварям кесията; **to tighten the** ~ ограничавам се, стягам кесията.

purslane ['pə:slein] *n бот.* тученица (Portulaca oleracea).

pursuance [pə'sjuəns] *n* изпълнение; **in** ~ **of o.'s duties** в изпълнение на задълженията си.

pursuant [pə'sjuənt] *a* съгласуван, съобразен (**to** *с*); ~ **to** според, съгласно.

pursue [pə'sju:] *v* **1.** преследвам, гоня, измъчвам непрекъснато; **2.** преследвам, гоня (*някаква цел*); **to** ~ **pleasure** отдавам се на/търся удоволствия; **3.** следвам (*път, курс*); **4.** следвам, водя, провеждам (*политика*); прокарвам, прилагам (*план и пр.*); **5.** изпълнявам (*задължения*); упражнявам (*професия*); занимавам се с; **6.** продължавам да говоря/споря.

pursuer [pə'sjuə] *n* гонител, преследвач.

pursuit [pə'sju:t] *n* **1.** преследване (*и на цел*); гонене, гонитба; стремеж (*към щастие и пр.*); **to be in eager/hot** ~ **of** преследвам ожесточено/ревностно; **2.** занимание; **scientific** ~s научна работа/занимания; **daily** ~s всекидневни занимания/работа; **3.** изпълнение (*на задължения*); упражняване (*на професия*).

pursuit-plane [pə'sju:tplein] *n ав.* изтребител (*самолет*).

pursy[1] ['pə:si] *a* пълен, дебел; който много се задъхва.

pursy[2] *a* свит (*за устни и пр.*).

pursy[3] *ам.* = **purse-proud.**

purulence ['pjuəruləns] *n мед.* **1.** загнояване; **2.** гной.

purulent ['pjuərulənt] *a мед.* гноен, гноясал.

purvey [pə'vei] *v* **1.** доставям, снабдявам (**to, for**), доставчик съм (на); **2.** *ам.* разпространявам (*идеи и пр.*).

purveyance [pə'veiəns] *n* доставяне, снабдяване.

purveyor [pə'veiə] *n* **1.** доставчик; **2.** *ист.* кралски чиновник, който реквизира храни.

purview ['pə:vju:] *n* **1.** *юр.* текст (*на закон и пр.*); **2.** граница, обсег; област, сфера (*на действие*); компетентност, компетенция.

pus [pʌs] *n* гной.

push[1] [puʃ] *v* **1.** бутам (се), блъскам (се), тикам, тласкам; **to** ~ **s.o. out of the way** изблъсквам/избутвам някого; **to** ~ **the button** натискам звънеца/копчето; **2.** разгръщам (*акция, кампания*); лансирам (*мода, човек и пр.*); активизирам; тласкам напред; развивам, разширявам (*търговия и пр.*); насърчавам, поощрявам, покровителствувам; рекламирам; гледам да пласи-

рам/пробутам; пускам на пазара; **to** ~ **o.s. (forward)** самоизтъквам се; **3.** предявявам, настоявам на (*искания, права и пр.*) (*и с* **for**); настоявам енергично за; **4.** насилвам, назорвам; притеснявам; измъчвам, тормозя; преследвам, гоня (*длъжник*); *pass* на зор съм (**for**); **poverty** ~**ed them to breaking point** те изнемогваха от мизерия; **to** ~ **s.o. to the limits of his patience** изкарвам някого от търпение; **to be** ~**ed for money** на зор съм за пари, затруднен съм финансово; **to be** ~**ed for time** нямам време, не ми стига времето; **5.** напредвам (с усилие, мъка), пробивам си път (с мъка); **6.** продавам незаконно (*наркотици*) на дребно; **7.** наближавам, гоня (*дадена възраст*);

push about разпореждам се с (*някого*), командувам;

push against напирам да отворя/поваля;

push ahead 1) напредвам неотклонно/решително, вървя напред; 2) упорствувам в прилагането, побързвам със свършването (**with** на); 3) *прен.* придвижвам напред;

push along 1) *разг.* отивам си, тръгвам си; 2) придвижвам се с мъка;

push around = **push about**;

push aside 1) изтласквам, отстранявам; 2) не обръщам внимание на, отминавам (*възражение и пр.*);

push away отблъсквам, отстранявам;

push back 1) отблъсквам, изтиквам назад; карам (*някого*) да се отдръпне; 2) бутам назад;

push by блъскам (се) минавайки;

push down 1) събарям (*някого*); 2) натискам (*педал и пр.*);

push forward 1) = **push ahead** 1; 2) бутам/тласкам напред; напредвам, придвижвам се напред; **to** ~ **o.s. forward** самоизтъквам се, бутам се напред; 3) лансирам, мъча се да пласирам/пробутам;

push in 1) натиквам, втиквам; забучвам; тласкам (на)вътре; 2) *разг.* бутам се, набутвам се (*в опашка и пр.*); 3) движа се бързо към брега (*за лодка*); ☐ **to** ~ **s.o.'s face in** удрям някого в лицето;

push off 1) = **push along** 1; 2) отдалечавам се от брега; оттласквам (*лодка*) от брега; 3) *ам. sl.* убивам, ликвидирам, очиствам;

push on 1) = **push ahead** 1; 2) продължавам (пътя си), вървя, напредвам; 3) **to** ~ **s.th. on to s.o.** *разг.* прехвърлям нещо (*неприятно*) на някого;

push out 1) = **push off** 2; 2) избълбуквам, изтиквам, изтласквам навън; 3) покарвам, пускам (*издънки и пр.*); 4) врязвам се, простирам се (*в морето — за нос и пр.*); ☐ **to** ~ **the boat out** *разг.* гуляя, веселя се;

push over събарям, прекатурвам;

push through 1) изкарвам на добър край; свършвам докрай; прокарвам (*законопроект и пр.*); 2) помагам (*някому*) да изкара (*изпит и пр.*); 3) пробивам си път; 4) пониквам, набождам, покарвам; показвам се;

push up 1) причинявам покачване/увеличение (*на цени и пр.*); 2) *прен.* издигам се, напредвам; ☐ **to** ~ **up daisies** *разг.* умирам, погребват ме.

push[2] *n* **1.** тласък; удар; бутане, бутване; **2.** *воен.* (масова) атака; **3.** усилие, напрягане; **to make a** ~ давам си зор, напрягам се; *прен.* запретвам се; **4.** *тех.* натиск, налягане, напор, напрежение; **5.** енергия, предприемчивост; **6.** критичен момент; **at a** ~ в случай на нужда; **if/when/until it comes to the** ~ ако/когато дойде критичният момент/големият зор; **7.** поддръжка, протекция; **8.** стимул, подтик; **9.** копче, бутон (*на звънец и пр.*); **10.** *sl.* банда, компания; □ **to get the ~** *разг.* уволняват ме, изхвърлят ме; **to give s.o. the ~** уволнявам/изхвърлям някого.

push-ball ['puʃbɔ:l] *n сп.* пушбол.

push-bicycle, -bike ['puʃbaisikl, -baik] *n* велосипед, колело.

push-button ['puʃbʌtn] *n* копче, бутон (*на звънец и пр.*); □ **~ war(fare)** война с управлявани ракети и пр.

push-cart ['puʃka:t] *n* **1.** ръчна количка (*за зеленчуци и пр.*); **2.** детска спортна количка (*за сядане*).

push-chair ['puʃtʃɛə] = **push-cart 2.**

pusher ['puʃə] *n* **1.** тикач (*на вагонетка и пр.*); **2.** амбициозен/нахакан човек, кариерист; **3.** *sl.* продавач на наркотици (на дребно); **4.** приспособление/парченце хляб за бутане на храната върху вилицата.

pushful ['puʃful] *a разг.* нахакан.

pushing ['puʃiŋ] *a* **1.** = **pushful**; **2.** отракан, енергичен, предприемчив.

pushover ['puʃouvə] *n* **1.** слаб противник; **2.** лека/лесна работа; **3.** *ам.* баламa; **4.** *ам.* лека жена.

pushpin ['puʃpin] *n ам.* габърче.

push-up ['puʃʌp] *n ам.* гимнастическо упражнение за повдигане на тялото от опора на ръцете.

pushy ['puʃi] *a sl.* нахакан; натрапчив.

pusillanimity [ˌpju:silə'nimiti] *n* малодушие, плахост, страхливост.

pusillanimous [ˌpju:si'læniməs] *a* малодушен, плах, страхлив.

puss¹ [pus] *n* **1.** котка, маца, писана; **P. in Boots** котаракът в чизми; **2.** заек; **3.** *разг.* (дяволито) момиче; кокетка; □ **~ in the corner** вид детска игра.

puss² *n ам. sl.* **1.** лице, мутра, сурат; **2.** уста.

pussy¹ ['pusi] *n* **1.** = **puss¹**; **2.** реса, котенце (*на върба и пр.*).

pussy² *n вулг.* **1.** вагина; **2.** полов акт; **3.** женска.

pussy³ ['pʌsi] *a* гноен, гноясал.

pussycat ['pusikæt] *n* маца, писана.

pussyfoot¹ ['pusifut] *v ам. sl.* **1.** движа се/промъквам се тихичко; **2.** действувам предпазливо, не се ангажирам.

pussyfoot² *n* (*pl* -**foots**) (привърженик на) сухия режим.

pussy-willow ['pusiwilou] *n* **1.** върба (Salix discolor); **2.** реса, котенце (*на върба и пр.*).

pustular ['pʌstjulə] *a* като пришка/пъпка; пъпчив, изприщен.

pustulate¹ ['pʌstjuleit] *v* покривам (се) с пъпки, изприщвам (се); образувам пъпки.

pustulate² = **pustular.**

pustule ['pʌstju:l] *n* **1.** *бот., зоол.* брадавица; **2.** *мед.* пустула, гнойна пъпка, пришка.

put¹ [put] *v* (**put**) **1.** слагам, поставям; турям; оставям; **to ~ a matter into s.o.'s hands** поверявам/оставям някому някаква работа; **to ~ o.s. into s.o.'s hands** оставям се (в ръцете) на някого; **to ~ s.o. in prison** слагам някого в затвора; **not to know where to ~ o.s.** не знам къде да се дяна (*от смущение и пр.*); **2.** поставям (*въпрос и пр.*), задавам (*въпрос*); **to ~ a matter before a committee** поставям въпрос пред комисия; **3.** поставям/докарвам в някакво състояние; **to ~ s.th./things right** оправям работата; **to ~ a field under/to wheat etc.** засявам нива с пшеница и пр.; **to ~ s.o. in the wrong** изкарвам някого крив; **4.** *сп.* тласкам (*гюлле*); **5.** изразявам (се); **as ... ~s it** както

казва..., по думите на...; **I don't know how to ~ it** не знам как да се изразя; **6.** преценявам, оценявам; изчислявам; **I ~ his income at £ 400** според мен доходът му трябва да е 400 лири; **I ~ him above his brother** ценя го повече от брат му; **to ~ a high value on s.o.'s friendship** високо ценя приятелството на някого; **to ~ the time as about 7** мисля, че е около 7 часа; **7.** залагам (*пари на кон*); **8.** *мор.* тръгвам, отплувам (**in, out, down, for, back, to, etc.**);

put about 1) обръщам, променям курса; тръгвам в обратна посока (*и мор.*); 2) разпространявам (*слухове*); 3) *разг.* разстройвам, безпокоя, тревожа;

put across 1) превозвам (*с лодка*); 2) изразявам ясно/убедително, убедителен съм; ~ **o.s. across** представям се добре/в добра светлина; 3) провеждам успешно; **to ~ a deal across** сключвам сделка; 4) *разг.* измамвам, изхитрям; постигам чрез измама; **you can't ~ that across me** такива не ме минават;

put aside 1) слагам настрана (*и пари*); 2) забравям; не обръщам внимание на (*гняв, недоразумение и пр.*);

put away 1) прибирам, слагам на мястото му; раздигам, разтребвам; 2) слагам настрана, скътвам; 3) *разг.* нагъвам, излапвам; изпивам; 4) пращам, прибирам (*в приют, лудница, затвор*); 5) *разг.* убивам (*и остарели болни животни*); 6) *ост., шег.* развеждам се с, оставям, зарязвам (*жена*); 7) отплувам; 8) отказвам се от, изоставям; 9) не обръщам внимание на;

put back 1) връщам, слагам пак на мястото му; 2) връщам назад (*часовник*); **to ~ the clock back, to ~ back the hand of time** *прен.* връщам часовника/колелото на историята назад; 3) връщам назад, забавям; 4) отлагам; 5) намалявам/скривам от (*възрастта си*); 6) *мор.* обръщам курса; връщам се (**to harbour**) към пристанището); □ **the new car ~ us back £ 5000** новата кола ни глътна 5000 лири;

put behind забравям, не мисля повече за (*нещо минало*);

put by 1) слагам настрана, спестявам, скътвам; 2) отбягвам, пренебрегвам (*въпрос и пр.*);

put down 1) слагам; оставям; 2) кацам, приземявам се; 3) свалям (*пътници*); 4) правя запас от; слагам да отлежи (*вино и пр.*); консервирам (*месо, яйца и пр.*); 5) потушавам (*въстание и пр.*); надвивам на (*опозиция*); накарвам да млъкне, срязвам; омаловажавам; унижавам; **to ~ down the gossip** накарвам да млъкнат злите езици; 6) премахвам, ликвидирам; 7) убивам, унищожавам; 8) записвам (се); написвам; **to ~ down as** записвам като/под формата на; 9) *парл.* включвам в дневния ред; 10) лишавам/свалям от власт; 11) намалявам (*цени, разходи*); 12) **to ~ s.o. down as** смятам някого за; 13) **to ~ s.o. down for** записвам някого (*за училище, отбор; да даде някаква сума*); смятам някого за; 14) **to ~ a sum down to s.o.('s account)** записвам сума на нечия сметка; 15) ~ **s.th. down to** отдавам нещо на, обяснявам нещо с;

put forth 1) пускам (*филизи, листа и пр.*); изпускам (*лъчи*); 2) проявявам (*старание*); полагам (*усилия*); 3) пускам в ход/обръщение/действие; 4) издавам (*книги и пр.*); 5) предлагам (*нова теория*); 6) *поет.* отплувам, тръгвам;

put forward 1) премествам (*стрелките на часовник*) напред; 2) правя (*предложение и пр.*); излагам (*възгледи и пр.*); предлагам (*някого*) за кандидат; **to ~ o.s. forward as** обявявам се за; 3) изтеглям напред (*дата*); 4) тласкам/придвижвам напред;

put in 1) вмъквам, слагам, вкарвам, пъхам; влагам (*пари*); инсталирам; **to ~ in an advertisement in the paper** давам обявление във вестника; **to ~ in o.'s head at the window** подавам глава от прозореца; **to ~ in a blow** нанасям удар; 2) вмъквам, прибавям; намесвам се; 3) назначавам; избирам; въвеждам (*в длъжност, владение*); 4) *юр.* представям (*документи*); предявявам (*иск, претенции*); **to ~ in a plea of (not) guilty** признавам се/не се признавам за виновен; **to ~ in evidence that** представям/привеждам доказателства, че; 5) *разг.* прекарвам (*време в някакво занимание*); **to ~ in an hour's work/practice** работя/упражнявам се един час; **there's still an hour to ~ in before** трябва да изчакаме още един час, докато; **to ~ in a season's play** играя цял сезон; **to ~ in work/toil** влагам труд; **to ~ in o.'s term of military service** изкарвам военната си служба; 6) отбивам се, спирам се за малко (**at**); 7) *мор.* спирам, влизам (**at, into**); 8) кандидатствувам (*за пост и пр.*); поставям кандидатурата си (*при избори*); подавам молба, правя искане (**c for**); предлагам (*някого*) (*за повишение, награда и пр.*); 9) посаждам, засаждам; □ **to ~ the boot in** а) ритам грубо; б) вземам решителни мерки;

put into 1) слагам в; 2) превръщам в; превеждам на; 3) *мор.* влизам в (*пристанище*); 4) влагам (*труд, усилия и пр.*) в (**c ger**); **to ~ a lot of work into improving o.'s French** полагам много усилия да усъвършенствувам френския си; 5) втълпявам (*мисли и пр.*) на; □ **to ~ into force** привеждам в сила/действие; **to ~ into power** *пол.* докарвам на власт;

put off 1) отлагам, отсрочвам (**till за, for с**); **to ~ things off** протакам работата; **don't ~ off till tomorrow what you can do today** не отлагай днешната работа за утре; 2) свалям (*дреха, маска и пр.*); 3) *прен.* свалям от себе си (*отговорност и пр.*); отстранявам; отървавам се от (*грижи, страхове и пр.*); 4) отклонявам, залъгвам; отървавам се/измъквам се от; **I'm not going to be ~ off with that excuse** няма да ме залъжеш с това извинение; **I told you to ~ him off** казах ти да го разкараш/отпратиш; 5) обърквам; смущавам; разсейвам; преча; будалкам; **to ~ s.o. off his game** преча някому да играе добре; 6) разубеждавам; попречвам (**from c ger**); 7) отблъсквам; опротивявам; правя (*нещо*) да опротивее; отщява ми се от; **don't be ~ off by** не се смущавай от, не обръщай внимание на; **the very smell of that cheese ~s me off** само като помириша това сирене, ми се отщява; 8) *мор.* отплувам; тръгвам на път; 9) свалям (*пътник — и насила*); 10) приспивам (**u to ~ off to sleep**); упоявам; 11) пробутвам, хързулвам (**on** на);

put on 1) обличам/обувам/слагам (си); 2) слагам, турям, поставям; **to ~ the kettle on** слагам чайника да заври; **to ~ on the brakes** удрям спирачките; **to ~ a/the brake on** *разг.* спъвам, ограничавам; 3) запалвам, пускам (*светлина, радио и пр.*); 4) поставям (*пиеса и пр.*); организирам (*изложба и пр.*); 5) напълнявам; 6) прибавям (*към цената на*); 7) слагам/налагам (*данък и пр.*) върху; 8) увеличавам (*скорост, налягане и пр.*); **to ~ the screw(s)/sqeeze/heat on** *прен.* упражнявам натиск, нагъвам; 9) увеличавам броя на, пускам повече (*влакове, вагони и пр.*); 10) слагам напред (*часовник*); 11) залагам (*пари — на състезания и пр.*); **to ~ o.'s money on** *прен.* залагам на, вярвам, че ще спечели/успее; 12) *разг.* придавам си (*вид, изражение*), правя се на; **to ~ on an act** преструвам се; **her modesty is all ~ on** скромността й е привидна, само се прави на скромна; 13) *разг.* измамвам, мятам, извозвам; майтапя; 14) *разг.* използвам (*няко-

го*); 15) насочвам (*някого*) (**to към**) (*добра сделка и пр.*); свързвам (*някого*) с, насочвам (*полиция и пр. по следите на някого*) (**to**); 16) *сп.* отбелязвам, бележа (*точки*); 17) възлагам (*някому нещо*) (**to do s.th.**); **to ~ s.o. on to a job** давам някому работа; 18) *тел.* свързвам с, давам (връзка с); 19) искам много висока цена; 20) **to ~ it on** *разг.* преструвам се, превземам се, придавам си важност; прекалявам, преувеличавам; искам много висока цена; **doesn't he ~ it on!** ама не е важен! □ **to ~ s.o./s.th. on his/its feet** възстановявам; *прен.* изправям на крака; **to ~ o.'s finger on s.th.** *разг.* определям/казвам точно; **to ~ the finger on** *sl.* обвинявам, посочвам с пръст; доноснича за; **to ~ years on s.o.** състарявам някого с години;

put out 1) подавам, протягам (*ръка; глава през прозорец и пр.*); изплезвам (*език*); 2) простирам (*пране*); 3) изкълчвам, измятам (*рамо и пр.*); 4) изваждам, избождам (*око*), ослепявам; 5) изхвърлям, изгонвам, изпъждам; изваждам (*от игра и пр.*); 6) покарвам, пониквам; пускам (*издънки и пр.*); 7) загасявам, угасявам; |8) *мор.* отплувам, тръгвам (*и* **to\~out to sea**); 9) издавам, публикувам, оповестявам; 10) *рад., телев.* излъчвам, предавам; 11) произвеждам (*и ел.* енергия); 12) правя, полагам (*усилия*), влагам (*енергия и пр.*); **to ~ o.s. out** давам си/полагам много труд; 13) упоявам, карам да загуби съзнание; 14) обърквам (*изчисления и пр.*); 15) обезпокоявам; обърквам (*плановете на*); затруднявам; смущавам; разтревожвам; раздразвам; **nothing ever ~s him out** нищо не го трогва, нищо не може да го смути; 16) давам (*някаква работа*) да се прави навън; **to ~ out o.'s washing** давам прането си навън/на пералня; **to ~ a baby out to nurse** давам бебе на кърмачка; **to ~ out a horse to grass** пускам кон да пасе; 17) давам/влагам (*пари*) под лихва;

put over 1) излагам/представям убедително; използувам, пускам в ход (*чара си и пр.*); 2) успявам да сключа (*сделка*); 3) *sl.* пробутвам, хързулвам (**s.th. on s.o.**); 4) *ам.* отлагам, протакам, забавям; 5) преминавам (*на другия бряг и пр.*);

put through 1) изпълнявам (*задача и пр.*); провеждам; прилагам; извършвам, свършвам; 2) прокарвам; предлагам за разглеждане/одобрение (*предложение и пр.*); 3) издържам (*някого в училище, университет*); 4) подлагам на (*изпитание, разпит*); **to ~ s.o. through it** *разг.* подлагам някого на щателна проверка; измъчвам някого, за да изтръгна признание; 5) свързвам (по телефона) (**to** с); **please, ~ me through to** моля, дайте ми/свържете ме с; **to ~ a call through** водя телефонен разговор;

put to 1) излагам/казвам/съобщавам на; 2) поставям (*въпрос*) на; 3) предлагам за одобрение/гласуване на; 4) създавам (*неприятности, разноски*) на; 5) **I ~ it to you that** питам ви дали не, аз пък мисля, че; 6) слагам, прикачам към; **to ~ a horse to a cart** впрягам кон за кола; **to ~ a cow to a bull/a bull to a cow** давам крава да се покрие от бик; **to ~ o.'s signature/name to** подписвам, слагам подписа/името си на; 7) карам на (*работа и пр.*); подлагам на (*изпитание и пр.*); **he is ~ to every kind of work** карат го да върши всякаква работа; **to ~ o.'s brain/mind to a problem** съсредоточавам се върху/залавям се с даден въпрос; □ **to ~ words to music** композирам музика за даден текст; **to ~ to shore** *мор.* плувам към/прибирам се на брега; **to ~ to bed** слагам да спи; пращам окончателно редактиран брой на вестник за печат; **I can't ~ a name to him** не мога да си спомня името му; **I can't ~ a name to it** не мога точно да го определя; **to ~ paid to** слагам край на; унищожавам; **put together** 1) съединявам, сглобявам (*части на машина и пр.*); съшивам (*рокля и пр.*); 2) *прен.* сглобявам; съчинявам; компилирам; скалпвам, приготвям набързо; **to ~ words together** намирам подходящи думи; **to ~ o.'s thoughts/ideas together** събирам си мислите; **how society is ~ together** как е устроено обществото; 3) *мат.* събирам; 4) сравнявам, съпоставям; **all of them ~ together** всички (взети) заедно; **put under = put out 13**;

put up 1) вдигам; изправям; издигам (*сграда и пр.*); отварям (*чадър*); закачам (*картина, пердета*); залепвам, поставям (*обявление и пр.*); **to ~ o.'s hair up** прибирам си косата на кок; *прен.* замомявам се; 2) повишавам, увеличавам (*цени и пр.*); 3) *лов* вдигам (*яребици и пр.*); 4) опаковам, пакетирам; 5) *ам.* консервирам; 6) прибирам, връщам на мястото му; 7) приготвям (*ядене, сандвичи*); 8) давам подслон на, прибирам, настанявам; отсядам, настанявам се (at); 9) отправям (*молба и пр.*); издигам (*лозунг*); 10) оказвам (*съпротива*); **to ~ up a fight** отбранявам се; **to ~ up a good/poor fight** защищавам се/боря се добре/слабо; 11) давам; авансирам; предлагам като награда/залог; 12) залагам (*пари*); 13) предлагам, поставям (*за разискване*); лансирам; **to ~ up a case** представям убедителни доводи; 14) обявявам (**for sale/auction** за продан/търг); 15) скроявам (*план и пр.*); нагласявам (*сделка и пр.*); 16) предлагам (*за кандидат*) (for); кандидатствувам (*и refl*) (for); 17) **to ~ up to** подготвям/обучавам за; обяснявам (*задължения и пр.*) на; 18) **to ~ up to** подучвам (**s.o. to do/to doing s.th.** някого да направи нещо); 19) **to ~ s.o. up to** подшушвам някому/предупреждавам някого за, давам някому предварително полезни сведения; 20) **to ~ up with** търпя, примирявам се с, понасям безропотно; □ **to ~ up a façade/front** представям се за какъвто не съм; **to ~ up a show of being** давам си вид, че съм; **to ~ up a good show** представям се добре; **to ~ up a show of obedience** давам си вид, че се подчинявам; **to ~ up a smoke-screen** прикривам истинските си намерения с привидни действия/обяснения, вдигам димна завеса;

put upon налагам се на, тормозя; използувам; **I will not be ~ upon** няма да търпя да ми се налагат.
put² *n* **1.** *сп.* тласкане на гюлле; **2.** *борс.* право да се продават акции и пр. на определена цена на определена дата.
put³ *a разг.* неподвижен, на (едно) място; **to stay ~** не мърдам, стоя/оставам където съм; **he won't stay ~** не стои мирно/на едно място, вечно шава.
put⁴ = putt.
putative ['pju:tətiv] *a* предполагаем.
putatively ['pju:tətivli] *adv* по предположение.
put-down ['putdaun] *n* **1.** скастряне, срязване; иронична забележка; **2.** *ав.* приземяване.
putlog ['putlɔg] *n стр.* разпънка, траверса.
put-off ['putɔf] *n* **1.** забавяне, закъснение; отлагане; **2.** извинение, претекст.
put-on¹ ['putɔn] *a* престорен; привиден.
put-on² ['putɔn] *n* **1.** превземка; **2.** измама; **3.** пародия.
putrefaction [,pju:tri'fækʃn] *n* гниене; разложение; разложена материя; гнилост.

putrefactive [,pju:tri'fæktiv] *a* гнилостен, разложителен.
putrefy ['pju:trifai] *v* гния; разлагам (се) (*и прен.*), причинявам гниене/разложение.
putrescence [pju:'tresns] *n* гнилост; гнила/разложена материя.
putrescent [pju:'tresnt] *a* загниващ, гниещ, разлагащ се.
putrid ['pju:trid] *a* **1.** гнил, разложен; **2.** морално разложен; **3.** *sl.* отвратителен, никакъв.
putridity, putridness [pju:'triditi, 'pju:tridnis] *n* гнилост, разложение (*и прен.*); нещо гнило.
putsch [putʃ] *n нем.* опит за преврат, пуч.
putt¹ [pʌt] *v голф* удрям леко към дупката.
putt² *n голф* лек удар към дупката.
puttee ['pʌti] *n* **1.** навой; навивка; **2.** дълги кожени гетри (*до под коляното*).
putter¹ ['pʌtə] *n голф* **1.** вид пръчка за голф; **2.** играч, който удря леко топката към дупката.
putter² = **potter**².
puttier ['pʌtiə] *n* джамджия.
putting¹ ['pʌtiŋ] *n сп.* тласкане на гюлле.
putting² ['pʌtiŋ] *n голф* леко удряне на топката към дупката.
putting-green ['pʌtiŋgri:n] *n голф* ниско окосена тревна площ около дупка в игрище.
putty¹ ['pʌti] *n* **1.** маджун (*за прозорци*); **2.** прах за полиране; **3.** *стр.* фин хоросан (*и* plaster's ~); □ **to be ~ in s.o.'s hands** някой може да прави с мене каквото си ще.
putty² *v* маджуносвам.
putty-faced ['pʌti,feist] *a* с пепеляво лице.
putty medal ['pʌti,medl] *n прен.* тиквен медал.
put-up ['putʌp] *a разг.* нагласен, уйдурдисан.
put-up-on [put'ʌp,ɔn] *a* измамен, използуван, експлоатиран.
put-you-up ['putjuʌp] *n* сгъваемо легло.
puzzle¹ ['pʌzl] *v* **1.** озадачавам, обърквам; чудя се, блъскам се, мисля (about, over); **2. to ~ out** мъча се да разгадая/да намеря разрешение; разгадавам; разчитам (*почерк*).
puzzle² *n* **1.** загадка, мистерия; **2.** главоблъсканица, ребус; мъчен въпрос; **3.** играчка ребус; **4.** недоумение; обърканост.
puzzle-headed, -pated ['pʌzlhedid, -peitid] *a* объркан, с объркани идеи.
puzzlement ['pʌzlmənt] *n* озадаченост, недоумение; обърканост.
puzzler ['pʌzlə] *n* мъчен въпрос.
pyelitis [paiə'laitis] *n мед.* пиелит.
pygm(a)ean [pig'mi:ən] *a* пигмейски.
pygmy ['pigmi] *n* **1.** пигмей; **2.** дребен човек/предмет; джудже (*и в приказките*); нищожество; **3.** *attr* дребен; пигмейски; нищожен, нищожен.
pyjamas [pi'dʒa:məz] *n pl* **1.** пижама; **2.** шалвари.
pylon ['pailən] *n* **1.** *арх., ел.* пилон; **2.** *ав.* кула ориентир; **3.** *ав.* коса греда, укрепваща скелета на самолет.
pylorus [pai'lɔ:rəs] *n (pl* -ri [-rai]) *анат.* пилор.
pyogenic [paiə'dʒenik] *a мед.* гноен.
pyorrhoea [paiə'riə] *n мед.* пиорея.
pyramid¹ ['pirəmid] *n* **1.** *геом., арх., прен.* пирамида; **2.** *pl* вид билярд.
pyramid² *v ам.* **1.** натрупвам (се)/издигам (се)/построявам като пирамида; **2.** увеличавам постепенно; **3.** *борс.* закупвам, натрупвам (*акции*), спекулирам.
pyramidal [pi'ræmidl] *a* пирамидален.
pyre [paiə] *n* клада за изгаряне на мъртвец; погребален огън.
pyrene [pai'ri:n] *n бот.* костилка.

Pyrenean [paiərə'niən] I. *a* пиренейски; II. *n* пиренеец, жител на Пиренеите.

pyrethrum [pai'ri:θrəm] *n* бот., фарм. пиретрум.

pyretic [pai'retik] *a* мед. 1. трескав; температурен; 2. антипиретичен.

pyrex ['paireks] *n* (съд от) огнеупорно стъкло.

pyrexia [pai'reksiə] *n* мед. треска.

pyrite ['pairait] *n* минер. пирит.

pyrites [pai'raiti:z] *n* минер. пирит; железен сулфид.

pyrogenetic [ˌpaiərəʤə'netik] *a* пирогенетичен.

pyrogenous [pai'rɔʤinəs] *a* геол. пирогенен, вулканичен.

pyrography [pai'rɔgrəfi] *n* пирография.

pyrolysis [pai'rɔlisis] *n* хим. пиролиза.

pyromancy [pai'rɔmənsi] *n* пиромантия.

pyrometer [pai'rɔmitə] *n* пирометър.

pyrope ['pairoup] *n* минер. вид тъмночервен гранат.

pyrophobia [paiərə'foubiə] *n* мед. болезнен страх от огън.

pyrotechnic(al) [pairə'teknik(əl)]| *a* 1. пиротехнически; 2. прен. блестящ.

pyrotechnics [pairə'tekniks] *n pl* 1. пиротехника; 2. (пускане на) ракети/фойерверки; 3. прен., обик. неодобр. блестящо/ефектно изпълнение/ораторство, фойерверки.

pyrotechnist [pairə'teknist] *n* пиротехник.

pyrotechny [pairə'tekni] = **pyrotechnics** 1.

pyroxene [paiə'rɔksi:n] *n* минер. пироксен.

pyroxylin [pai'rɔksilin] *n* хим. пироксилин.

pyrrhic ['pirik] I. *a* 1. боен (за танц); 2. проз. с две кратки срички; II. *n* 1. старогръцки боен танц; 2. проз. пирихий.

Pyrrhic ['pirik] *a* ист. на Пир (епирски цар); ~ **victory** пирова победа.

Pythagorean [pai,θægə'riən] I. *a* питагоров; ~ **proposition/theorem** питагорова теорема; II. *n* последовател на философското учение на Питагор.

Pythian ['piθiən] I. *a* питийски, делфийски; II. *n* мит. 1. Пития; 2. Аполон.

python ['paiθən] *n* зоол., мит. питон.

pythoness ['paiθənis] *n* 1. мит. Пития; 2. гадателка; вещица.

pyuria [pai'juəriə] *n* мед. пиурия.

pyx[1] [piks] *n* 1. църк. дарохранителница; 2. кутия/сандък за пробни монети (в монетен двор); **trial of the** ~ качествен контрол на монетите.

pyx[2] *v* изпитвам качеството на (монети).

pyxidium [pi'ksidiəm] *n* лат. (pl -**dia** [-diə]) бот. семенна кутийка с капаче.

pyxis ['piksis] *n* лат. (pl -**ides** [-idi:z]) 1. антична вазичка/кутийка; 2. = **pyxidium**.

Q

Q, q [kju:] *n* буквата Q; □ **on the qt** вж. **quiet**[2] 2.

qua [kwei] *adv* лат. в качеството си на, като.

quack[1] [kwæk] *v* 1. крякам (за патица); 2. бърборя, бръщолевя.

quack[2] *n* 1. крякане на патица; 2. брътвеж, бръщолевене.

quack[3] *n* 1. врач, знахар, баяч; шарлатанин; 2. attr шарлатански, лъжлив; ~ **doctor** лекар шарлатанин; ~ **remedy/medicine** бабешки лек.

quack[4] *v* 1. шарлатанствувам; 2. гледам да пробутам, рекламирам.

quackery ['kwækəri] *n* шарлатанство, шарлатания.

quacksalver ['kwæksælvə] = **quack**[3] 1.

quad [kwɔd] разг. = **quadrangle; quadrat; quadruped** II; **quadruplet**.

quadragenarian [ˌkwɔdrəʤi'nɛəriən] I. *a* четиридесетгодишен; II. *n* четиридесетгодишен човек.

Quadragesima [ˌkwɔdrə'ʤesimə] *n* църк. Сиропусна неделя (и ~ **Sunday**).

quadrangle ['kwɔdræŋgl] *n* 1. геом. четириъгълник; 2. четириъгълен вътрешен двор (особ. на колеж).

quadrangular [kwɔd'ræŋgjulə] *a* четириъгълен.

quadrant ['kwɔdrənt] *n* 1. мат., воен., астр. квадрант; 2. тех. лира (на металорежеща машина); 3. дъга на пергел.

quadrat ['kwɔdræt] *n* печ. квадрат; разделка.

quadrate[1] ['kwɔdrət] *a* квадратен, правоъгълен, четиристранен.

quadrate[2] *n* 1. мат. квадрат; втора степен; правоъгълник; 2. квадратен/правоъгълен предмет; 3. зоол. квадратна кост.

quadrate[3] [kwɔd'reit] *v* 1. правя квадратен; 2. съгласувам (се), съответствувам (to, with).

quadratic [kwɔd'rætik] I. *a* 1. мат. квадратен; 2. крист. квадратичен; II. *n* 1. уравнение от втора степен; 2. *pl* клон от алгебрата, който се занимава с уравненията от втора степен.

quadrature ['kwɔdrətʃə] *n* мат., астр. квадратура.

quadr(i)ennial [kwɔdr(i)'eniəl] *a* четиригодишен; който става на всеки четири години.

quadrilateral [kwɔdri'lætərəl] I. *a* четиристранен; II. *n* четириъгълник.

quadrille [kwɔd'ril] *n* кадрил (танц, игра на карти).

quadrillion [kwɔd'riljən] *n* квадрилион (англ. единица, последвана от 24 нули, ам. и фр. единица, последвана от 15 нули).

quadrinomial [ˌkwɔdri'noumiəl] *a* мат. четиричленен.

quadripartite [ˌkwɔdri'pa:tait] *a* 1. състоящ се от/разделен на четири части; 2. четиристранен (за договор, съюз).

quadrivalent [ˌkwɔdri'veilənt] *a* хим. четиривалентен.

quadroon [kwɔd'ru:n] *n* квартерон.

quadruped ['kwɔdruped] зоол. I. *a* четириног; II. *n* четириногото.

quadruple[1] ['kwɔdrupl] *a* 1. четворен, учетворен, четири пъти по-голям; 2. четиристранен (за договор, съюз).

quadruple[2] *n* учетворено/четворно число/количество.

quadruple[3] *v* учетворявам (се), умножавам по четири.

quadruplet ['kwɔdruplit] *n* 1. четворка (коне и пр.); 2. *pl* четворка близнаци.

quadruplicate[1] [kwɔd'ru:plikit] I. *a* учетворен; в четири копия/екземпляра; повторен четири пъти; II. *n* едно от четири копия/екземпляра; **in** ~ в четири копия/екземпляра.

quadruplicate[2] [kwɔd'ru:plikeit] *v* 1. умножавам на четири; 2. правя четири копия/екземпляра (от).

quaere = **query**[1] 1.

quaestor ['kwi:stə] *n* лат. ист. квестор.

quaff [kwa:f, kwɔf] *v* пия/изпивам на големи глътки.

quag [kwæg] = **quagmire**.

quagga ['kwægə] *n* вид зебра (Equus quagga).

quaggy ['kwægi] *a* мочурлив.

quagmire ['kwægmaiə] *n* 1. тресавище, мочур; 2. *прен.* батак, трудно положение.

quail[1] [kweil] *n* 1. пъдпъдък (Coturnix communis); 2. = **bob-white**.

quail[2] *v* трепвам, свивам се/треперя от страх; плаша се, отдръпвам се (**before**); **his courage** ~**ed** той загуби кураж; **he** ~**ed at the prospect before him** уплаши се от това, което му предстоеше.

quaint [kweint] *a* 1. (малко) отживял, старомоден, с чара на нещо старинно; 2. странен, чудат; необикновен.

quake[1] [kweik] *v* треса се, треперя (**for, with** от); клатя се.

quake[2] *n* 1. *разг.* трус, земетресение; 2. тресене, треперене.

Quaker ['kweikə] *n* квакер; □ ~**s meeting** религиозно събрание на квакери; *прен.* мълчаливо събрание/компания.

Quakeress ['kweikəris] *ж.р. от* **Quaker**.

quakerish ['kweikəriʃ] *a* 1. квакерски; като квакер; 2. скромен; високоморален.

quaking asp ['kweikiŋ¸æsp] *n* трепетлика (Populus tremuloides).

quakingly ['kweikiŋli] *adv* с разтреперан глас; с трепет.

quaky ['kweiki] *a* разтреперан.

qualification [¸kwɔlifi'keiʃn] *n* 1. квалификация, ценз; пригодност; квалифициране; 2. уговорка, *прен.* резерва; ограничаване; **without** ~ безрезервно, безусловно; 2. определяне, окачествяване.

qualificative ['kwɔlifikətiv] *грам.* I. *a* определителен; II. *n* определение.

qualificatory [¸kwɔlifi'keitəri] *a* 1. квалифициращ,\квалификационен; 2. ограничаващ; определящ.

qualified ['kwɔlifaid] *a* 1. квалифициран, с необходимия ценз; компетентен; подготвен; *юр.* с право (**to** на, да); 2. с уговорки/резерви.

qualifier ['kwɔlifaiə] *n* 1. уговорка, *прен.* резерва; 2. *грам.* определение.

qualify ['kwɔlifai] *v* 1. определям (*и грам.*), окачествявам (**as** като); наричам (*някого някакъв*); 2. смекчавам, изразявам по-меко; намалявам силата на; разреждам (*алкохол и пр.*); 3. квалифицирам (се), подготвям (се) (*и refl*) (**as, for**); добивам ценз/право; бивам приет за; отговарям на изискванията; 4. ограничавам, правя уговорки.

qualitative ['kwɔlitətiv] *a* качествен, квалитативен.

quality ['kwɔliti] *n* 1. качество (*и лог.*); (добро)качественост; **of good** ~ (добро)качествен; **of poor** ~ долнокачествен; 2. характерна черта; способност, умение; **to give a taste of o.'s** ~ показвам какво мога; 3. тембър, отсенка (*на звук, багра и пр.*); 4. благороден произход, висок сан/положение; *ост.* висше общество, аристокрация; **lady of** ~ благородна дама, аристократка; 5. *attr* качествен; за отбрана/просветена публика.

qualm [kwɑ:m] *n* 1. прилошаване, гадене; 2. безпокойство, опасение; (пристъп на) малодушие; угризение, скрупули; (моментно) колебание, стеснение; ~ **of homesickness** пристъп на носталгия.

quandary ['kwɔndəri] *n* затруднение; недоумение; колебание; **to be in a** ~ чудя се какво да правя.

quant [kwɔnt] *n* вид прът за каране на шлепове.

quanta *вж.* **quantum**.

quantify ['kwɔntifai] *v* определям/изразявам количествено.

quantitative ['kwɔntitətiv] *a* количествен, квантитативен.

quantity ['kwɔntiti] *n* 1. количество; **small** ~ **of ...** малко количество...; **any** ~ **of** колкото щеш, много; ~ **surveyor** *стр.* плановик на постройка; ~ **production** масово/серийно производство; 2. *често pl* голямо количество, изобилие, много; 3. *мат.* величина; 4. *фон.* дължина, квантитет; □ **negligible** ~ човек без значение.

quantum ['kwɔntəm] *n лат.* (*pl* **quanta** ['kwɔntə]) 1. количество; сума; 2. дял, част; 3. *физ.* квант; ~ **theory** квантова теория.

quarantine[1] ['kwɔrənti:n] *n* карантина; **to be in** ~ под карантина съм; **to be out of** ~ не съм вече под карантина.

quarantine[2] *v* поставям под карантина; изолирам.

quark [kwɔ:k] *n физ.* кварк.

quarrel[1] ['kwɔrəl] *n* 1. кавга, караница, разправия (**with, between**); 2. причина/повод за кавга/оплакване; **to seek/pick a** ~ **with s.o.** търся да се скарам с някого, заяждам се с някого; **to have no** ~ **with s.o./s.th.** не мога да се оплача от някого/нещо, нямам възражения срещу някого/нещо.

quarrel[2] *v* (**-ll-**) 1. карам се, разправям се (**with**); 2. оплаквам се, възразявам (**with**); □ **to** ~ **with o.'s bread and butter** зарязвам си работата без сериозна причина; ритам срещу ръжена.

quarrel[3] *n* 1. ромбовидно/квадратно прозоречно стъкло/плоча; 2. *ист.* стрела на арбалет.

quarrelsome ['kwɔrəlsəm] *a* свадлив; кавгаджийски.

quarry[1] ['kwɔri] *n* 1. *лов.* плячка; 2. *прен.* набелязана жертва; обект на отмъщение/преследване; нещо желано и преследвано.

quarry[2] *n* 1. каменоломня, кариера; 2. *прен.* (богат) източник (*на сведения и пр.*).

quarry[3] *v* 1. вадя (*камъни и пр.*) от кариера, експлоатирам кариера; копая/вадя камъни (*от хълм и пр.*); 2. издълбавам, изкопавам; 3. *прен.* издирвам, събирам (*сведения от документи и пр.*); 4. *прен.* проучвам, ровя се.

quarry[4] = **quarrel**[3].

quarryman ['kwɔrimən] *n* (*pl* **-men**) каменар.

quart[1] [kwɔ:t] *n* 1. кварта (*мярка за течности* = 1.14 *л*); 2. съд с вместимост една кварта; кварта бира и пр.; □ **to put a** ~ **into a pint pot** мъча се да направя невъзможното.

quart[2] *n* карти, фехт. кварта.

quartan ['kwɔ:tn] I. *a* повтарящ се на четири дни; II. *n мед.* квартана (*малария с пристъпи на четири дни*).

quarter[1] ['kwɔ:tə] *n* 1. четвърт(ина) (**of**); ~ **of a century** четвърт век; 2. четвърт час (*и* ~ **of an hour**); **the clock strikes the** ~**s** часовникът бие на четвърт час; **bad** ~ **of an hour** лоши/неприятни моменти; 3. *готв.* плешка, бут; *pl* задни части, бут (*и* **hind** ~**s**); *ист.* разкъсани части на екзекутиран предател; 4. *мор.* кърма; 5. странично парче на обувка; 6. *адм.* тримесечие; 7. *уч.* срок; *унив.* семестър; 8. *астр.* фаза (*на Луната*); 9. всяка от главните посоки на света; четири края на света; точка на компас; посока на вятъра; **what** ~ **is the wind in?** откъде духа вятърът? *прен.* каква е хавата/положението? **lies the wind in that** ~? *прен.* такава ли била работата? **from all** ~**s** отвсякъде, от всички посоки/страни; 10. квартал (*на град*); 11. *обик. pl* кръгове, среди; източник (*на сведения и пр.*); **from the highest** ~**s** от най-високо място; **from a reliable** ~ от достоверен източник; **no help to be had from that** ~ оттам/от него не може да се очаква помощ; **12.** *pl* квартира, жилище; *воен.* квартира, казарма; **living** ~s жилищни помещения; **close** ~s теснотия, тясно помещение/жилище; **at close** ~s отблизо; нагъсто, едно до друго; **fighting at close** ~s ръкопашен бой; **to take up o.'s** ~s настанявам се (на квартира) (*и воен.*); **to beat up s.o.'s** ~s изненадвам някого с посещението си, изтърсвам се у някого; **13.** *мор.* пост; **to beat to** ~s заповядвам всеки (*от екипажа*) да заеме поста си; **14.** *сп.* (бягане на) четвърт миля; *ам.* четвъртина час; **15.** (монета от) 25 цента; **16.** *различни мерки* квартер (*за обем = 2.9 хектолитра, за тежест = 12.7 кг, ам. 11.34 кг*); четвърт ярд (=21.86 см); четвърт миля (= 402.24 м); **17.** *воен. ист.* пощада, милост; **to ask for/cry** ~ моля за пощада; признавам се за победен; **to give no** ~ не безпощаден съм към, атакувам безпощадно; **18.** *хер.* четвъртина от хералдически щит; квадрат с девиз в горната дясна четвъртина на щит.

quarter[2] *v* **1.** разделям на четири (*и заклано животни*); **2.** *ист.* разсичам (*тялото на екзекутиран предател*) на четири части; **3.** *воен.* разквартирувам (*войски*); квартирувам (**at**); **4.** *мор.* извиквам/поставям на пост; **5.** *лов.* претърсвам (*място*) във всички посоки (*за кучета*); **6.** *астр.* навлизам в нова фаза (*за Луната*); **7.** *хер.* разделям (*щит*) на четири части; имам различни гербове (*на един и същи щит*); прибавям герба на друго семейство на (*щита си*).

quarterage ['kwɔːtəridʒ] *n* **1.** тримесечно плащане; тримесечен наем/заплата и пр.; **2.** квартира; разквартируване.

quarter-back ['kwɔːtəbæk] *n* футб. защитник.

quarter-blood, -breed ['kwɔːtəblʌd, -briːd] **I.** *a* с четвърт негърска кръв; **II.** *n* квартерон.

quarter-day ['kwɔːtədei] *n* първият/последният ден на тримесечие; начало/край на платежен срок.

quarter-deck ['kwɔːtədek] *n мор.* **1.** квартердек; шканци; **2.** офицери, офицерски състав.

quarterfinal ['kwɔːtəfainəl] *сп.* **I.** *a* четвъртфинален; **II.** *n* четвъртфинал.

quarter-jack ['kwɔːtədʒæk] *n* **1.** часовников механизъм, който удря всеки четвърт час; **2.** *sl.* = **quartermaster.**

quarter-light ['kwɔːtəlait] *n авт.* странично стъкло на автомобил.

quarterly[1] ['kwɔːtəli] **I.** *a* **1.** тримесечен; **2.** *хер.* разделен на четвъртини (*за герб*); **II.** *n* тримесечно списание.

quarterly[2] *adv* веднъж на тримесечие.

quartermaster ['kwɔːtəmɑːstə] *n* **1.** *воен.* (*съкр.* **Q.M.**) квартир-майстор, началник на снабдяването, интендант; **2.** *мор.* старшина-кормчия.

quartermaster-general ['kwɔːtəmɑːstə,dʒenərəl] *n воен.* (*съкр.* **Q.M.G.**) главен интендант на армията.

quartern ['kwɔːtən] *n* **1.** мярка за течности = 0.142 л., ам. = 0.118 л; **2.** мярка за тегло = 1.58 кг; **3.** хляб от четири фунта (*и* ~ **loaf**).

quarter-note ['kwɔːtənout] *n муз.* четвъртина нота.

quarter-sessions ['kwɔːtəseʃnz] *n pl ист.* висша инстанция на мирови съдилища, заседаваща на три месеца.

quarter-staff ['kwɔːtəstɑːf] *n* дебела тояга/сопа (*за отбрана и нападение*).

quarter-tone ['kwɔːtətoun] *n муз.* четвърт тон.

quarter-wind ['kwɔːtəwind] *n мор.* вятър, духащ към кърмата, най-благоприятен попътен вятър.

quartet(te) [kwɔːˈtet] *n муз.* квартет.

quarto ['kwɔːtou] *n печ.* **1.** кварто; **2.** книга ин кварто.

quartz [kwɔːts] *n минер.* кварц.

quasar ['kweisə] *n астр.* квазер.

quash [kwɔʃ] *v* **1.** отменям, анулирам (*присъда*); **2.** потушавам (*въстание*); спирам, слагам край на.

quasi- ['kweizai, 'kwɑːzi] *pref лат.* квази-; почти; полу-; уж; привидно; мним.

quasi *adv* като че ли, тъй да се каже, тоест.

quassia ['kwɔʃə] *n* **1.** *бот.* квасия; **2.** *фарм.* горчиво лекарство против треска/паразити, направено от квасия.

quaternary [kwɔˈtiːnəri] **I.** *a* **1.** четворен; в групи по четири; **2.** *геол.* кватернерен; **II.** *n* **1.** четворка; **2.** *геол.* кватерн(ер).

quatrain ['kwɔtrein] *n* четиристишие.

quatrefoil ['kætrəfɔil] *n арх.* четирилистник (*декоративен мотив*).

quattrocento [,kwɔtrouˈtʃentou] *n ит. изк., лит.* кватроченто.

quaver[1] ['kweivə] *v* **1.** треперя (*за глас*); казвам с разтреперан глас; **2.** *муз.* тремолирам.

quaver[2] *n* **1.** треперене на гласа; разтреперан глас; **2.** *муз.* тремоло; **3.** *муз.* осминка нота.

quaveringly ['kweivəriŋli] *adv* с разтреперан глас.

quavery ['kweivəri] *a* треперлив, разтреперан.

quay [kiː] *n* кей; вълнолом.

quayage ['kiːidʒ] *n мор.* такса/място за акостиране.

quean [kwiːn] *n ост.* **1.** уличница; **2.** нахалница; **3.** *шотл.* млада жена; **4.** *австр. sl.* педераст.

queasiness ['kwiːzinis] *n* **1.** гадене, повдигане; **2.** *прен.* прекалена придирчивост/добросъвестност.

queasy ['kwiːzi] *a* **1.** слаб (*за стомах*); **2.** на когото често му се гади; който лесно повръща; гнуслив; **3.** причиняващ гадене/повръщане; **4.** придирчив; прекалено добросъвестен; **5.** колеблив; несигурен, рискован.

queen[1] [kwiːn] *n* **1.** кралица, царица; **2.** *прен.* царица; любимка; **beauty** ~ най-красивата жена (*при конкурс*); **3.** *зоол.* майка, царица; **4.** *шахм.* царица, дама; ~ **of spades/hearts, etc.** дама пика/купа и пр.; **5.** женска котка; **6.** *sl.* педераст; □ **Q. Anne is dead** открил (си) Америка.

queen[2] *v* **1.** управлявам/владея като кралица (**over**); **2.** провъзгласявам за кралица; **3.** *шахм.* произвеждам царица; **4. to** ~ **it** държа се като царица, важнича, командувам, разпореждам.

queen-bee ['kwiːnbiː] *n* майка/царица на кошер.

queenlike, -ly ['kwiːnlaik, -li] *a* царствен, подобаващ на/достоен за царица.

queen-post ['kwiːnpoust] *n стр.* попова/подпорна греда (*на покрив*).

queer[1] [kwiə] *a* **1.** странен, особен; чудат, ексцентричен; **2.** съмнителен, подозрителен, не съвсем почтен; фалшив, подправен; ~ **money** фалшиви пари; **Q. Street** финансови затруднения; нечисти сделки; **3.** неразположен; **to feel** ~ лошо ми е, призлява ми; повръща ми се; **4.** налудничав, смахнат; **5.** *sl.* пиян; **6.** *sl* педерастичен.

queer[2] *n sl.* педераст; □ **in** ~ загазил, в затруднение.

queer[3] *v* **1.** развалям, осуетявам (*планове, ефект и пр.*); **2.** *ам.* поставям в неудобно положение.

quell [kwel] *v книж.* **1.** потушавам (*въстание и пр.*); **2.** потискам, обуздавам (*страсти и пр.*); разсейвам (*опасения и пр.*).

quench [kwentʃ] *v* **1.** гася, загасявам (*огън, светлина*); угасвам; **2.** уталожвам (се), утолявам; **3.** потискам (*желание*); убивам (*вяра и пр.*); слагам край на; потушавам (*въстание и пр.*); **4.** охлаждам (*и тех.*);

mex. закалявам (*стомана*); **5.** *sl.* накарвам (*някого*) да млъкне, затварям (*някому*) устата.

quencher ['kwentʃə] *n* **1.** гасител; **2.** *разг.* питие, сръбване.

quenchless ['kwentʃlis] *a поет.* **1.** неутолим; **2.** непотушим.

querist ['kwiərist] *n* човек, който задава въпроси, запитвач.

quern [kwə:n] *n* **1.** ръчна мелница за жито, хромел; **2.** ръчна мелничка за кафе.

querulous ['kwer(j)uləs] *a* който се оплаква/хленчи; кисел, раздразнителен; недоволен.

query[1] ['kwiəri] *n* **1.** въпрос (*особ. като израз на съмнение, възражение*); ~: **is this accurate** да се провери (*като забележка към документ*); ~ ... пита се..., остава да се види...; **2.** *грам.* въпросителен знак, въпросителна.

query[2] *v* **1.** питам; питам се, съмнявам се; гледам с известна резерва на; **2.** оспорвам; искам да се доясни; **3.** *ам.* разпитвам (*някого*); **4.** слагам въпросителен знак след (*изречение*).

quest[1] [kwest] *n* **1.** търсене, дирене (**for**); **in** ~ **of adventure** търсещ приключения; **to go in** ~ **of** тръгвам да търся; **the** ~ **of the golden fleece** *мит.* търсенето на златното руно; **2.** *ост.* следствие, анкета.

quest[2] *v* **1.** (тръгвам да) търся; **2.** *лов.* душа (*по дири — за куче*); лая.

question[1] ['kwestʃən] *n* **1.** въпрос; запитване; въпросително изречение; ~ **time** *парл.* време за задаване на въпроси; **2.** проблем, въпрос (*поставен за разискване*); **the matter/person in** ~ въпросната работа/лице; **s.th. comes into** ~ става дума/повдига се въпрос за нещо; **there was some** ~ **of** (*c ger*) ставаше дума да; **that is not the** ~ не е там работата, не става въпрос за това; **it' s only a** ~ **of time, etc.** това е само въпрос на време и пр.; **out of the** ~ изключено; ~! не се отклонявайте (*от въпроса*)! (*възглас на събрание*) не е вярно; **to put the** ~ предлагам (*резолюция и пр.*) на гласуване; **3.** съмнение; възражение; **beyond (all)/without/out of** ~ несъмнено, безспорно, вън от всякакво съмнение; **to call/bring s.th. in** ~ поставям нещо под съмнение, оспорвам нещо; **to make no** ~ **of** не се съмнявам в; **to make no** ~ **but that** не се съмнявам, че; **to obey without** ~ подчинявам се безпрекословно; **4.** *ист.* изтезание при разпит; **to put to the** ~ изтезавам, за да изтръгна признания.

question[2] *v* **1.** задавам (*някому*) въпрос; разпитвам; *уч.* изпитвам; **2.** търся отговор/сведения от (*книги и пр.*); **3.** поставям под съмнение, съмнявам се в, оспорвам.

questionable ['kwestʃənəbl] *a* съмнителен.

questionary ['kwestʃənəri] *n* въпросник; конспект.

questioner ['kwestʃənə] *n* запитвач; разпитвач.

questioning ['kwestʃəniŋ] *a* въпросителен (*за поглед*).

questionless ['kwestʃənlis] *a* **1.** несъмнен, безспорен; **2.** безпрекословен.

question-mark ['kwestʃən‚ma:k] *n* въпросителен знак, въпросителна.

question-master ['kwestʃən‚ma:stə] *n* водещ викторина по радио/телевизия.

questionnaire [kwestʃə'nɛə] *фр.* = **questionary.**

queue[1] [kju:] *n* **1.** плитка, опашка; **2.** опашка (*от хора, коли и пр.*); ~ **jumper** човек, който прережда на опашка.

queue[2] *v* чакам/нареждам се на опашка (*и с* **up**).

quibble[1] ['kwibl] *n* **1.** извъртане, шикалкавене; дребно/

незначително възражение; **2.** игра на думи, каламбур.

quibble[2] *v* **1.** залавям се за дреболии, заяждам се; **2.** шикалкавя, извъртам, увъртам; **3.** правя каламбури.

quick[1] [kwik] *a* **1.** бърз, пъргав; **to have a** ~ **lunch** обядвам набързо; **be** ~ (**about it**) бързайте, не се бавете; **по-живо; the** ~ **est way there** най-краткият път до там; **2.** бърз, схватлив; жив, остър, пъргав (*за ум, сетива и пр.*); ~ **temper** сприхав нрав, избухливост; ~ **to understand** схватлив, интелигентен; ~ **of foot** бързоног; ~ **to sympathize** отзивчив; **3.** *ост.* жив; □ ~ **with child** *ост.* в напреднала бременност; **to have a** ~ **one** *разг.* пийвам (по едно) набързо.

quick[2] *n* **1.** живец; живо месо; чувствително място (*и прен.*); **to cut/hurt/sting/touch/wound to the** ~ дълбоко засягам; **to bite o.'s nails to the** ~ гризя/изгризвам си ноктите дълбоко/до живеца; **English to the** ~ англичанин до мозъка на костите; **2. the** ~ *pl ост.* живите.

quick[3] *adv* бързо; скоро; **as** ~ **as lightning/thought** светкавично бързо, в миг.

quick-born ['kwikbɔ:n] *a* живороден.

quick bread ['kwik‚bred] *n* бързовтасващ хляб.

quick-change ['kwiktʃeindʒ] *a*: ~ **artist** *театр.* трансформатор.

quicken ['kwikən] *v* **1.** ускорявам (се), забързвам (се); **2.** оживявам (се), съживявам (се); вдъхвам живот на; **3.** *прен.* раздвижвам, възбуждам, стимулирам; раздгарям, раздухвам; **4.** развивам се (*за семена*); промърдвам, започвам да се движа (*за плод в утробата*); **5.** започвам да чувствувам движението на плода в утробата си; **6.** пуквам се (*за зора*).

quick-fire ['kwikfaiə] *n* честа стрелба.

quick-firing ['kwikfaiəriŋ] *a* скорострелен.

quick-freeze ['kwikfri:z] *v* (**-froze** [-frouz] ; **-frozen** [-frouzn]) бързо замразявам (дълбоко).

quick-hedge ['kwikhedʒ] *n* жив плет.

quickie ['kwiki] *n разг.* **1.** набързо направено нещо; **2.** нещо кратко; □ **to have a** ~ пийвам набързо.

quicklime ['kwiklaim] *n* негасена вар.

quickly ['kwikli] *adv* бързо, живо; скоро; набързо.

quicksand ['kwiksænd] *n* плаващ пясък.

quickset ['kwikset] *n* **1.** жив плет; растения/пръчки за жив плет; **2.** *attr* жив (*за плет*).

quicksilver[1] ['kwiksilvə] *n* **1.** *хим.* живак; **2.** променчивост на настроението.

quicksilver[2] *v* покривам с живачна амалгама.

quick-tempered ['kwik‚tempəd] *a* избухлив, сприхав, кибритлия.

quicktime ['kwiktaim] *n воен.* обикновен ход (*120 до 180 крачки в минута*).

quick-witted ['kwik‚witid] *a* схватлив, с бърз ум; находчив.

quid[1] [kwid] *n* късче тютюн за дъвчене.

quid[2] *n pl sl.* лира стерлинг.

quiddity ['kwiditi] *n* **1.** същина, същност; **2.** = **quibble**[1].

quidnunc ['kwidnʌŋk] *n лат.* любопитен човек; клюкар, сплетник.

quid pro quo [‚kwidprou'kwou] *n лат.* компенсация; услуга за услуга; танто за танто.

quiescence [kwai'esns] *n* покой; неподвижност; бездействие; латентност; инертност.

quiescent [kwai'esnt] *a* неподвижен, който се намира в покой; статичен; инертен; латентен; летаргичен.

quiet[1] ['kwaiət] *a* **1.** спокоен, мирен, тих; кротък, хрисим; скромен, дискретен; непретрупан, скромен, обикновен (*за облекло и пр.*); лек (*за хумор, предупреждение*); ~ **dinner party** неофициална/интимна вечеря; **the winds are** ~ ветровете са стихнали; ~ **cup of tea** чаша чай (изпита) на спокойствие;, ~ **market** слаб/неоживен пазар; ~ **colours** спокойни/убити цветове; **2.** тих, безшумен; мълчалив; безмълвен; безгласен; замлъкнал; **to remain** ~ не казвам нищо; **to keep** ~ не шумя, пазя тишина; мълча, нищо не казвам.

quiet[2] *n* **1.** спокойствие, мир, покой; **2.** тишина; □ **on the ~,** *sl.* **on the qt** тайно, тихомълком; под секрет.

quiet[3] *v* успокоявам (се); смекчавам; стихвам, утихвам; замлъквам; **to ~ down** стихвам, успокоявам се.

quiet[4] *ам.* = **quietly**.

quieten ['kwaiətən] = **quiet**[3].

quietism ['kwaiətizm] *n рел.* пасивен/съзерцателен мистицизъм, квиетизъм.

quietly ['kwaiətli] *adv* **1.** спокойно, тихо; скромно; **2.** безшумно.

quietude ['kwaiətju:d] = **quiet**[2].

quietus [kwai'i:təs] *n* **1.** уреждане (*на дълг и пр.*); **2.** *прен.* край; смърт; **to get o.'s** ~ умирам; **to give s.o his** ~ убивам някого.

quiff [kwif] *n* къдрица на челото; перчем.

quill[1] [kwil] *n* **1.** ос; дръжка; ствол (*на перо*); махово перо (*на птица*); **2.** паче перо (*за писане*); *муз.* плектър; **3.** бодил, игла (*на таралеж*); **4.** парче канела и пр. (*навито като тръбичка*); **5.** свирка, цафара; **6.** *тех.* втулка; кух вал; **7.** *текст.* совалка, шпулка, макара, масур.

quill[2] *v* **1.** гофрирам, надиплям, набирам; **2.** навивам, намотавам (*на масур и пр.*); **3.** пробождам с бодил; **4.** оскубвам маховите пера на.

quill-driver ['kwildraivə] *n пренебр.* **1.** драскач, писач; **2.** писарушка.

quilt[1] [kwilt] *n* **1.** юрган; **2.** кувертюра, покривка за легло; **3.** ватенка, памуклийка; ватирана материя.

quilt[2] *v* **1.** ватирам, подпълвам; ~**ed jacket** памуклийка, ватенка; **2.** компилирам.

quilting ['kwiltiŋ] *n* ватирана материя.

quin [kwin] *разг.* = **quintuplet**.

quinary ['kwainəri] *a* петорен; с/на/от пет части.

quince [kwins] *n* дюля.

quincentenary [ˌkwinsen'ti:nəri] **I.** *a* петстотингодишен; **II.** *n* петстотингодишнина, 500-годишен юбилей.

quincunx ['kwinkʌŋks] *n* разположение на пет предмета по един в четирите ъгъла на квадрат, а петият в средата.

quingentenary [ˌkwindʒen'ti:nəri] = **quincentenary**.

quinine [kwi'ni:n, *ам.* 'kwaini:n] *n* хинин

quinquagenarian [ˌkwiŋkwədʒi'nɛəriən] **I.** *a* петдесетгодишен; **II.** *n* петдесетгодишен човек.

quinquennial [kwin'kweniəl] **I.** *a* **1.** петгодишен; **2.** който става/се явява веднъж на пет години; **II** *n* петгодишнина.

quinsy ['kwinzi] *n мед.* ангина.

quint [kwint] *n* **1.** *муз.* квинта; **2.** *карти* квинта; **3.** *ам. разг.* = **quintuplet**.

quintain ['kwintin] *n ист.* стълб с въртяща се мишена за упражнение с копие.

quintan ['kwintən] **I.** *a* който се явява всеки пети ден; **II.** *n мед.* квинтиана (*маларична треска*).

quintessence [kwin'tesns] *n* квинтесенция, същина.

quintessential [ˌkwinti'senʃəl] *a прен.* най-чист/типичен.

quintette [kwin'tet] *n муз.* квинтет.

quintillion [kwin'tiliən] *n* квинтилион (*в Англия — единица, следвана от 30 нули, в САЩ — от 18 нули*).

quintuple[1] ['kwintjupl] **I.** *a* петорен; петкратен; **II.** *n* петорно количество/брой.

quintuple[2] *v* умножавам по пет, умножавам (се) пет пъти.

quintuplet ['kwintjuplit] *n* **1.** петорка, петица; **2.** *pl* пет близначета.

quip[1] [kwip] *n* **1.** остроумна/саркастична забележка; **2.** извъртане, шикалкавене; **3.** нещо чудато/странно.

quip[2] *v* (-**pp**-) правя остроумни/саркастични забележки.

quire[1] [kwaiə] *n* **1.** тесте хартия (*24 листа*); **2.** *печ.* кола; **in** ~**s** *печ.* на коли, неподвързан.

quire[2] = **choir**.

quirk [kwə:k] *n* **1.** чудатост; скимване, хрумване, каприз, приумица; **2.** остър завой; поврат; **3.** увъртане, усукване; **4.** завъртулка (*при писане*); **5.** *арх.* улей; **6.** *муз.* бравурен пасаж.

quirt[1] [kwə:t] *n* бич, кожен камшик.

quirt[2] *v* бия с камшик.

quisling ['kwizliŋ] *n пол.* куизлинг, колаборационист.

quit[1] [kwit] *v* (**quitted**, *разг.* **quit**) **1.** оставям, напускам, зарязвам; прекъсвам, преставам, спирам; изпускам, изтървавам; **2.** напускам, махам се, отивам си; **3.** погасявам, плащам, уреждам (*сметка*); *прен.* отплащам/отвръщам си; **4.** *refl* държа се (*добре, зле и пр.*); **5.** *refl ост.* отървавам се, избавям се (**of** от).

quit[2] *a* свободен, освободен; **to get** ~ **of** освобождавам се/отървавам се от; ~ **of debts** без дългове; **we are well** ~ **of him** добре се отървахме от него.

quitch [kwitʃ] *n бот.* пирен (*и* ~-**grass**) (Erica).

quitclaim[1] ['kwitkleim] *n юр.* отказ от/прехвърляне на право/собственост.

quitclaim[2] *v юр.* отказвам се от право/собственост.

quite [kwait] *adv* **1.** съвсем, напълно, съвършено; ~ **the best** най-добър (от всички); ~ **(so)** точно така, да; ~ **a miracle** истинско чудо, цяло чудо; **she's** ~ **a beauty** тя е цяла красавица; **2.** доста; ~ **a number of people** доста (много) хора; ~ **some** немалко; ~ **a few** доста/порядъчно много.

quits [kwits] *a* квит; **to be** ~ **with s.o.** квит съм с някого; **I shall be** ~ **with him some day** *прен.* ще си оправя сметките с него някой ден; **to call it** ~, **to cry** ~ смятам, че сме квит; **double or** ~ последна игра (*при хазарт*), която решава дали ще платиш двойно загубите си, или няма да платиш нищо.

quittance ['kwitəns] *n* **1.** *книж.* освобождаване (*от дълг, длъжност и пр.*); **2.** квитанция, разписка; **3.** отплата, реванш; **in** ~ **of** като отплата за.

quitter ['kwitə] *n* **1.** несигурен/непостоянен човек; кръшкач, манкьор; **2.** малодушен човек.

quiver[1] ['kwivə] *v* треперя; трептя, потрепвам; трепкам, вибрирам.

quiver[2] *n* трепет, потрепване, трепкане, трептене; вибрация.

quiver[3] *n* колчан, стрелник; □ **to have an arrow/shaft in o.'s** ~ *прен.* не съм изстрелял още всичките си патрони; ~ **full of children** *шег.* многобройна челяд.

qui vive [ki:'vi:v] *фр.:* **to be on the** ~ стоя/съм нащрек.

quixotic ['kwik'sotik] *a* донкихотовски.

quixotism, quixotry ['kwiksətizm, 'kwiksətri] *n* донкихотовщина.

quiz[1] [kwiz] *n* **1.** викторина; *ам.* (кратък) изпит, тест; **2.** чудак, оригинал, чешит; нещо чудато/странно; **3.** шега; насмешка, подигравка; насмешлив поглед; **4.** мистификация; фарс; **5.** присмехулник; шегаджия.

quiz[2] *v* (-**zz**-) **1.** изпитвам (*ученик*); разпитвам, задавам въпроси (*при викторина*); **2.** подигравам/присмивам се (на); **3.** поглеждам насмешливо/критично/въпросително.

quizmaster ['kwizmɑ:stə] *n* човек, който задава въпроси при викторина.

quizzical ['kwizikəl] *a* **1.** чудат, смешен; екстравагантен; **2.** насмешлив, присмехулен; шеговит; лукав; **3.** озадачен, въпросителен.

quizzing-glass ['kwiziŋglɑ:s] *n* монокъл; лорнет.

quod[1] [kwɔd] *n sl.* затвор, дранголник.

quod[2] *v* (-dd-) *sl.* слагам в затвора, окошарвам.

quoin [k(w)ɔin] *n* **1.** външен ъгъл на сграда; **2.** крайъгълен камък; **3.** *тех., печ.* клин; **4.** *арх.* ключ, връх, клиновиден камък на свод.

quoit [k(w)ɔit] *n* **1.** ринг/обръч, който се мята върху закрепена пръчка (*при игра*); **2.** *pl* вид игра с обръчи; **deck** ~s игра, която се играе на корабна палуба с обръчи от корабно въже.

quondam ['kwɔndæm] *a лат.* бивш; някогашен, предишен.

Quonset hut ['kwɔnsit ˌhʌt] *n* сглобяема военна барака.

quorum ['kwɔ:rəm] *n лат.* кворум.

quota ['kwoutə] *n* дял, част; процент; квота; норма, наряд.

quotable ['kwoutəbl] *a* **1.** който може да се цитира; **his language was not** ~ езикът му беше твърде неприличен; **2.** *фин.* котиращ се.

quotation [kwou'teiʃn] *n* **1.** цитат; цитиране; **2.** *фин.* котиране, курс; оферта.

quotation marks [kwou'teiʃn ˌmɑ:ks] *n pl* кавички.

quote[1] [kwout] *v* **1.** цитирам, позовавам се на; **2.** поставям в кавички; **3.** *фин.* определям пазарна цена на; котирам се (**at**); оферирам, правя оферта.

quote[2] *n разг.* **1.** цитат; **2.** *обик. pl* кавички.

quoth [kwouθ] *v ост. 1 и 3 л. ед. ч. pt* казах, продумах.

quotha ['kwouθə] *v* (= **quoth he**) *int* ами! как не!

quotidian [kwou'tidiən] **I.** *a* **1.** ежедневен, всекидневен; **2.** банален, обикновен; **II.** *n мед.* малария котидиана.

quotient ['kwouʃnt] *n* **1.** *мат.* частно; **2.** коефициент.

R

R, r [ɑ:] *n* буквата R; □ **the three R's** трите основи на образованието: reading, writing, arithmetic.

rabbet[1] ['ræbit] *n* **1.** *тех.* гнездо, жлеб; канал; фалц, улей; **2.** *тех.* фалцово съединение; **3.** *стр.* притвор на прозорец.

rabbet[2] *v тех.* **1.** изрязвам жлеб; **2.** шпунтирам, съединявам с нит и федер.

rabbi, rabbin ['ræbai, 'ræbin] *n* равин; рави (*като обръщение*).

rabbinate ['ræbineit] *n* равинство.

rabbinic(al) [ræ'binik(əl)] *a* равински.

rabbit[1] ['ræbit] *n* **1.** земеровен заек (Oryctolagus cuniculis); **2.** питомен заек; **3.** *прен. бъзльо; **4.** *разг.* слаб играч; **5.** = **Welsh rabbit**; □ **like** ~s **in a warren** много натясно, натъпкани като сардели.

rabbit[2] *v* ходя на лов за зайци.

rabbit fever ['ræbit ˌfi:və] *n мед.* туеларемия.

rabbit punch ['ræbit ˌpʌntʃ] *n* удар в тила.

rabbitry ['ræbitri] *n* **1.** развъдник за зайци; **2.** *разг.* лоша/слаба игра.

rabbit-warren ['ræbit ˌwɔrən] *n* **1.** място, обитавано от земеровни зайци; **2.** *прен.* лабиринт (от улички и пр.); коптори.

rabbity ['ræbiti] *a разг.* **1.** дребен, незначителен; **2.** пълен със зайци; **3.** заешки.

rabble[1] ['ræbl] *n* тълпа; *презр.* простолюдие, паплач, сбирщина, сган.

rabble[2] *v* нападам, обкръжавам (като тълпа).

rabble[3] *n метал.* механична бъркачка за сушилна/пържилна пещ.

rabble[4] *v метал.* бъркам, разбърквам (*топяща се мед*).

rabble-rouser ['ræblrauzə] *n* демагог агитатор.

rabbid ['ræbid] *a* **1.** бесен, побеснял, болен от бяс; **2.** яростен, неистов, свиреп; **3.** фанатичен, краен.

rabidity, rabidness [ræ'biditi, 'ræbidnis] *n* бяс, ярост.

rabies ['reibi:z] *n pl мед.* бяс, хидрофобия.

raccoon = **racoon**.

race[1] [reis] *n* **1.** надбягване, надпреварване, надпускване; **2.** *прен.* съревнование, борба, конкуренция; **armaments/arms** ~ надпреварване във въоръжаването; **3.** *често pl* конни надбягвания; **flat** ~ надбягвания без препятствия; ~ **meeting** конни надбягвания; **4.** ход, движение, курс, път, орбита; **5.** *прен.* жизнен път, кариера; **to run o.'s** ~ преминавам живението си път; **6.** силно течение (*в море, река*); **7.** *ав.* въздушна струя зад витлото; **8.** изкуствено корито, канал; **9.** *тех.* жлеб (*за плъзгачен механизъм*); канал.

race[2] *v* **1.** тичам; движа се/карам бързо/с пълна скорост; препускам; **2.** надбягвам се с, надпреварваме се; **3.** закарвам много бързо; **4.** *прен.* прокарвам по най-бързата процедура; **5.** *тех.* боксувам, въртя се на празен ход; **6.** включвам (*кон*) в състезание; **7.** залагам на конни състезания.

race[3] *n* **1.** раса, род; **the feathered** ~ *шег.* птиците, пернатото царство; **the finny** ~ *шег.* рибите; **the human** ~ човечеството, човешкият род; **2.** порода, вид; *прен.* класа; **3.** букет (*на вино и пр.*); **4.** характерна особеност, колорит (*на език, стил*); **5.** *attr* расов.

race-card ['reiskɑ:d] *n* програма за конни състезания.

racecourse ['reiskɔ:s] *n* **1.** писта за конни надбягвания; хиподрум; колодрум; **2.** воденичен улей, канал.

racehorse ['reishɔ:s] *n* състезателен кон.

raceme [rei'si:m] *n бот.* грозд, гроздовидно съцветие.

racemic [rə'si:mik] *a хим.* гроздов.

racer ['reisə] *n* **1.** бегач; състезател; състезателна кола/лодка и пр.; **2.** *ам.* вид неотровна змия (Coluber constrictor).

race riot ['reis ˌraiət] *n* расови размирици.

racetrack ['reistræk] = **racecourse**.

raceway ['reiswei] *n* **1.** воденичен улей; **2.** водопроводен канал; **3.** *ел.* канал за прокарване на проводници/кабели във вътрешна инсталация; **4.** *ам.* писта за състезания с двуколки.

rachitic [rə'kitik] *a мед.* рахитичен.

rachitis [rə'kaitis] *n мед.* рахит.

Rachmanism ['rækmənizm] *n* експлоатиране на наематели на бедняшки квартири (от страна на собственика).

racial ['reiʃəl] *a* **1.** расов; национален; **2.** расов, расистки.

racialism ['reiʃəlizm] *n* расизъм.

racily ['reisili] *adv* 1. живо, колоритно; 2. *прен.* пикантно.

racing ['reisiŋ] *n* 1. надбягване; 2. *attr* състезателен; **the ~ world** хората, които се занимават с конен спорт; любителите на конния спорт.

racism ['reisizm] *n* расизъм.

racist ['reisist] *n* расист.

rack[1] [ræk] *n* 1. хранилка, поилка, ясли; 2. рамка, стойка; решетка; ритли; 3. окачалка, закачалка; полица, лавица, рафт; поставка; багажник (*в жп. вагон и пр.*); 4. *тех.* зъбна рейка/гребен; 5. *печ.* регал, реал; 6. *ист.* диба (*приспособление за изтезаване чрез разпъване*); 7. *прен.* изтезаване, измъчване; мъчение, страдание; тормоз; **on the ~** подложен на мъчение/изпитание; измъчен, изтерзан.

rack[2] *v* 1. измъчвам, изтезавам; тормозя, терзая; **to have a ~ing headache** главата ми се пръска от болка; 2. разтягам, разпъвам; 3. *прен.* напрягам, пресилвам; 4. изтощавам (*почва*); 5. искам много висок наем (*от наемател*), скубя (*наемател*); повишавам много наем; 6. поставям на стойка/рамка и пр.; 7. *тех.* придвижвам със зъбна рейка.

rack[3] *n* разруха, опустошение; **to go to ~ and ruin** разрушавам се/рухвам напълно.

rack[4] *n* конски ход между тръс и лек галоп.

rack[5] *n* разкъсани облаци, носени от вятъра.

rack[6] *v* нося се, летя (*за облаци*).

rack[7] *v* изцеждам (*вино и пр.*) (*и с off*).

rack[8] *n* месо от врата (*на овца, свиня и пр.*).

rack[9] *n* арак (*питие*).

racket[1] ['rækit] *n сп.* 1. ракета; 2. снежна обувка; 3. *pl* вид тенис.

racket[2] *n* 1. шум, врява, глъчка; **to kick up/make/raise a ~** вдигам шум; 2. веселба, гуляй; безпътен живот; 3. *разг.* организирано мошеничество, изнудване; гангстерски похват; обирничество; 4. *sl* източник на препитание, работа; □**to stand the ~** 1) поемам отговорност за нещо, понасям последствията; 2) излизам с чест от изпитание; 3) поемам/нося разноските.

racket[3] *v* 1. вдигам шум/врява/глъчка (*и с about*); 2. водя шумен/весел/разгулен живот (*и с about*).

racketeer[1] [,rækə'tiə] *n* мошеник, изнудвач; гангстер.

racketeer[2] *v* занимавам се с мошеничество/изнудвачество/гангстерство; изнудвам (**on s.o.** някого).

racketeering [,rækə'tiəriŋ] *n* мошеничество, изнудвачество; подкупничество; контрабандна търговия.

rackety ['rækəti] *a* 1. шумен; весел; 2. разгулен.

rack-rent[1] ['rækrent] *n* висок/кожодерски наем.

rack-rent[2] *v* искам/вземам висок/кожодерски наем (от).

racon ['reikən] *n* радарен сигнал.

raconteur [,rækɔn'tə:] *n фр.* добър разказвач.

racoon [rə'ku:n] *n* 1. миеща мечка (Procyon lotor); 2. кожа на миеща мечка.

racquet = **racket**[1].

racy ['reisi] *a* 1. жив, оживен; колоритен; цветист; 2. характерен, отличителен, типичен; 3. пикантен (*и прен.*); □ **~ of the soil** 1) естествен, прям; жив, оживен; 2) *прен.* пикантен, леко нецензурен.

rad [ræd] *n физ.* рад.

radar ['reida] *n* радар.

raddle[1] ['rædl] *n* червена боя (*за белязане на овце*).

raddle[2] *v* 1. боядисвам/бележа с червено; 2. начервявам (*лице*) нескопосно.

raddle[3] *n* гъвкава пръчка (*за плет и пр.*).

raddle[4] *v* правя плет.

raddle[5] *a* 1. объркан, смутен; 2. разнебитен.

radial ['reidiəl] I. *a* радиален; лъчист; звездообразен; II. *n* 1. радиална част; 2. *анат.* радиална артерия.

radian ['reidiən] *n геом.* радиан.

radiance, -cy ['reidiəns, -si] *n* сияние, блясък; лъчезарност.

radiant ['reidiənt] I. *a* 1. лъчист; излъчващ; сияен; 2. *прен.* сияещ, лъчезарен, светнал; 3. разпален; II. *n* 1. *физ.* източник/точка на излъчване; 2. *астр.* радиант, източник на метеорен дъжд.

radiant flux ['reidiənt,flʌks] *n* поток от лъчиста енергия.

radiate[1] ['reidieit] *v* 1. излъчвам (се), пускам лъчи; 2. излизам от една точка; разпространявам се във всички посоки; 3. *прен.* излъчвам (*радост, чар и пр.*).

radiate[2] *a* 1. излъчващ, лъчист; 2. радиален, лъчеобразен.

radiation [,reidi'eiʃn] *n физ.* излъчване, радиация, лъчеизпускане; **~ sickness** лъчева болест; **~ hazard** опасност от облъчване/лъчево поражение; **~ tolerance** допустима доза на облъчване.

radiator ['reidieitə] *n* 1. радиатор (*и авт.*); 2. *рад.* предавателна антена.

radical ['rædikəl] I. *a* 1. коренен, основен, радикален; съществен; присъщ, вроден; 2. *прен.* пълен, цялостен, изчерпателен; 3. *пол. и* R. радикален; 4. *бот.* коренен, от/на корена; 5. *мат.* коренен; II. *n* 1. *пол. и* R. радикал; екстремист; 2. *мат.* радикал, корен; знак за корен; 3. *хим.* радикал; 4. *ез.* корен.

radically ['rædikəli] *adv* коренно, основно, напълно.

radices *вж.* radix.

radicle ['rædikl] *n* 1. *бот.* част от зародиша на растение, от която се образува първичният корен; 2. коренче; 3. *анат.* начало на нервна нишка/вена; 4. *хим.* радикал.

radii *вж.* radius.

radio[1] ['reidiou] *n* 1. радио; радиопредаване, радиоразпръскване; 2. радиоуредба; радиоприемник; 3. радиограма; 4. *attr* радио-, безжичен.

radio[2] *v* 1. предавам/съобщавам по радиото; 2. изпращам радиограма.

radioactive [,reidiou'æktiv] *a* радиоактивен.

radio car ['reidiou,ka:] *n* кола с радиоустройство (*особ. полицейска*).

radiofrequency [,reidiou'fri:kwənsi] *n ел.* радиочестота.

radiogenic [,reidiou'dʒenik] *a* 1. *физ.* радиогенен; 2. *рад.* подходящ за предаване.

radiogram ['reidiougræm] *n* 1. радиограма; 2. рентгенова снимка; 3. радио-грамофон.

radiograph[1] ['reidiougra:f] *n* 1. радиограф; 2. рентгенова снимка.

radiograph[2] *v* 1. правя рентгенова снимка (на); 2. изпращам радиограма (на).

radiolocation [,reidioulə'keiʃn] *n* радар; радиолокация.

radiology [,reidi'ɔlədʒi] *n* 1. *физ.* радиология; 2. *мед.* рентгенология.

radioman ['reidioumæn] *n* (*pl* -men [-men]) 1. радист; 2. радиотехник.

radiometer [reidi'ɔmitə] *n* радиометър.

radionics [reidi'ɔniks] = electronics.

radiophone ['reidioufoun] *n* радиотелефон.

radio pill ['reidiou,pil] *n мед.* капсула с радиопредавател, която се гълта и излъчва данни за физиологическото състояние на организма.

radioscopy [reidi'ɔskəpi] *n* рентгеноскопия.

radiotelegram [,reidiou'teləgræm] *n* радиограма.

radiotelegraph[1] [,reidiou'teləgra:f] *n* радиотелеграф.

radiotelegraph[2] *v* изпращам радиограма.

radiotelegraphy [ˌreidiouti'legrəfi] *n* радиотелеграфия.

radiotelephone[1] [ˌreidiou'teləfoun] *n* радиотелефон.

radiotelephone[2] *v* говоря/съобщавам по радиотелефон.

radiotelephony [ˌreidiouti'lefəni] *n* радиотелефония.

radiotherapy [ˌreidiou'θerəpi] *n* рентгенотерапия.

radish ['rædiʃ] *n* репичка (Raphanus sativus).

radium ['reidiəm] *n* хим. радий.

radius ['reidiəs] *n* (*pl* **-dii** [-diai], **-es** [-iz]) 1. *геом.* радиус; 2. *прен.* обхват, обсег, район, граница, предел; **flying ~ of an airplane** район на полет на самолет; 3. *анат.* лъчева кост (*на ръката*); 4. спица (*на колело*); 5. лимб (*на ъгломерен инструмент*).

radix ['reidiks] *n* (*pl* **radixes** ['reidiksiz], **radices** ['reidisi:z]) 1. *мат.* основа, основна единица; 2. *бот., грам.* корен; 3. = **radicle**; 4. *ост.* първопричина, източник, корен.

raff [ræf] = **riff-raff**.

raffia ['ræfiə] *n* рафия, лико.

raffish ['ræfiʃ] *a* 1. разпуснат, разгулен; 2. просташки, вулгарен.

raffle[1] ['ræfl] *n* предметна лотария, томбола.

raffle[2] *v* разигравам на/участвувам в предметна лотария/томбола.

raffle[3] *n* смет, боклук; отпадъци; парцалаци.

raft[1] [rɑ:ft] *n* сал.

raft[2] *v* прекарвам/превозвам/пътувам със сал.

raft[3] *n sl.* куп, сюрия.

rafter ['rɑ:ftə] *n* 1. салджия; 2. *стр.* мертек, наклонена покривна греда.

raftsman ['rɑ:ftsmən] *n* (*pl* **-men**) = **rafter** 1.

rag[1] [ræg] *n* 1. парцал, дрипа, вехтория; **cooked to ~s** съвсем разварен; 2. *pl* износена/окъсана дреха; парцал; 3. *шег., пренебр.* театрална завеса; банкнота; знаме; долнопробен вестник, парцал; 4. незначително количество; *прен.* следа; **not a ~ of** ни следа/помен от; 5. бяла вътрешна кожица на лимон/портокал и пр.

rag[2] *n* лудория, лудуване; шумно веселие; лоша/груба шега, номер; (весела) студентска манифестация (*често с благотворителна цел*); **only for a ~** само на шега/за майтап.

rag[3] *v* (**-gg-**) 1. карам се на, хокам; 2. дразня, задявам, тормозя; 3. погаждам номер/лоша шега (на).

rag[4] = **ragtime**.

rag[5] *n минер.* твърд/плочест варовик.

ragamuffin ['rægəmʌfin] *n* дрипльо, парцалан; уличник, гамен; гаврош.

rag-and-bone-man [ˌrægən'bounmæn] (*pl* **-men**) = **ragpicker**.

ragbag ['rægbæg] *n* 1. торба за парцали; 2. сбирщина; 3. повлекан.

rag-book ['rægbuk] *n* детска платнена книжка с картинки.

rage[1] [reidʒ] *n* 1. ярост, гняв, бяс; **in a ~** вбесен, яростен; **to get/fly into a ~** побеснявам, вбесявам се, изпадам в ярост; 2. силно/страстно желание/влечение, страст (**for**); 3. бушуване, вилнеене (*на море, пожар и пр.*); 4. *разг.* мода, мания, всеобщо увлечение; **this dance is (all) the ~ now** това е най-модерният танц сега; 5. *ост.* лудост, умопомрачение.

rage[2] *v* 1. беснея (от яд) (**at, against**); 2. беснея, вилнея, бушувам (*за море, пожар и пр.*).

ragged ['rægid] *a* 1. парцалив, скъсан, дрипав; 2. неравен; назъбен; нащърбен, грапав; 3. рунтав, рошав;

4. недоизпипан, недоизкусурен; необработен, небрежен (*за стил*); запуснат, занемарен (*за градина и пр.*); 5. дрезгав, остър, неблагозвучен; 6. не в такт, несинхронизиран; синкопиран; □ **to run o.s. ~** капвам (*от умора и пр.*).

ragged robin ['rægid'rɔbin] *n бот.* свиларка (Lychnis flos-cuculi).

raggle-taggle ['rægltægl] *a ам.* разнороден, смесен.

raging ['reidʒiŋ] *a* 1. яростен, бесен; 2. много силен (*за болка и пр.*).

raglan ['ræglən] *n* дреха реглан.

ragman ['rægmən] *n* (*pl* **-men**) вехтошар.

ragout ['rægu:] *n фр. готв.* рагу.

rag paper ['rægpeipə] *n* висококачествена хартия (*от парцали*).

ragpicker ['rægpikə] *n* човек, който се препитава от събиране на парцали и други отпадъци.

ragtag ['rægtæg] *n обик.* **~ and bobtail** *разг.* измет/утайка (на обществото).

ragtime ['rægtaim] *n* 1. силно синкопиран танцов ритъм; 2. синкопирана (джазова) музика; 3. *attr* фарсов, комичен.

rah [rɑ:] *съкр. от* **hurrah**[1, 2].

raid[1] [reid] *n* 1. внезапно нападение; набег, нахълтване, нахлуване; **police ~** внезапна полицейска проверка; 2. *борс.* масово продаване на акции, за да се намалят цените; 3. смел ход срещу противник.

raid[2] *v* нападам/нахлувам внезапно, нахълтвам (в), извършвам набег; □ **to ~ the market** внасям смут в/дезорганизирам пазара, с цел да постигна печалби.

raider ['reidə] *n* участник в нахлуване/нападение; нападател, нашественик.

rail[1] [reil] *n* 1. перило, парапет, ограда; 2. *мор.* бордова ограда; 3. напречна греда; пръчка (*за закачане — на пешкири и пр.*); 4. релса; жп линия, железница; **by ~** с влак/железница; **free on ~** (*съкр.* **f.o.r.**) *търг.* франко товарна гара; **off the ~s** 1) дерайлирал (*за влак*); 2) дезорганизиран; 3) не в ред, развален; 4) *разг.* ексцентричен; смахнат, луд; **to run/get/go off/jump the ~s** дерайлирам, излизам от релсите; 5. *pl борс.* жп. акции; **to ride s.o. out on a ~** изгонвам някого от града и пр.; **to keep on the ~s** *sl.* спазвам приличието/законността, държа се прилично, вървя по правия път; **to keep s.o. on the ~s** *sl.* карам някого да се държи прилично/да спазва законността.

rail[2] *v* 1. заграждам, ограждам, преграждам (*и с* **in, off**); 2. слагам ограда на; 3. слагам релси; 3. пътувам/изпращам/превозвам с влак.

rail[3] *v* 1. ругая (**at, against**); 2. надсмивам се.

rail[4] *n зоол.* дърдавец (Ralus).

railcar ['reilkɑ:] *n* автомотриса.

rail fence ['reilˌfens] *n ам.* дъсчена ограда, тараба.

railhead ['reilhed] *n* 1. крайна точка на строяща се жп линия; 2. крайна/начална гара; 3. *воен.* снабдителна станция.

railing[1] ['reiliŋ] *n* 1. *често pl* перила, парапет, балюстрада; преграда, бариера; 2. *мор.* релинг, бордова ограда; 3. релси, релсов материал.

railing[2] *a* 1. ругателен; укорителен; 2. презрителен, насмешлив.

raillery ['reiləri] *n* добродушна насмешка, шега, задявка.

railroad[1] ['reilroud] *n ам.* 1. = **railway**; 2. *attr* железопътен.

railroad[2] *v ам.* 1. превозвам с влак; 2. *разг.* прокарвам по бързата процедура (*законопроект*); принуждавам (*някого*) да направи нещо/да се размърда (**into**); 3.

sl. пращам в затвора въз основа на фалшиво обвинение, отървавам се от (*някого*); **4.** железопътен работник съм.

railroader ['reilroudə] *n* железничар.

railroad flat ['reilroud‚flæt] *n ам.* апартамент от малки стаи с общ коридор.

railway ['reilwei] *n* **1.** жп линия, железница; **2.** еднорелсов път; (под)кранов път; **3.** *attr* железопътен.

railwayman ['reilwei‚mæn] *n* (*pl* -men) железничар.

railway-yard ['reilweija:d] = **yard**[2] **3.**

raiment ['reimənt] *n книж.* одеяние, дреха.

rain[1] [rein] *n* **1.** дъжд; валеж; *pl* дъждовен период (*в тропиците*); **in the** ~ на дъжда; **out of the** ~ на сухо/сушина; ~ **or shine 1)** каквото и да е времето; **2)** *прен.* каквото и да стане, на всяка цена; **2.** *прен.* потоци, реки (*от сълзи и пр.*); град(ушка) (*от удари и пр.*); **3.** *attr* дъждовен; за дъжд; □ **he doesn't know enough to come in/get out of the** ~ никак не е съобразителен, голям будала/ахмак е.

rain[2] *v* **1.** вали (дъжд); **it has** ~ed **itself out** преваля, дъждът премина; **2.** *прен.* лея (се), сипя (се), изливам (се) (**upon**); □ **it never** ~s **but it pours** нещастието/едно зло никога не идва само.

rainbird ['reinbə:d] *n* кукувица, кълвач (*като предвестник на дъжд*).

rainbow ['reinbou] *n* **1.** небесна дъга; ~ **hunt** мечти за недостижимото; **2.** *sl.* синина (*от удар и пр.*); **3.** = ~ **trout; 4.** разнообразие на цветове; **5.** *attr* многоцветен.

rainbow-chaser ['reinbou‚tʃeisə] *n* мечтател.

rainbow trout ['reinbou‚traut] *n* дъгова пъстърва (Salmo irideus).

rain check ['reintʃek] *n* **1.** презаверен билет за отложено поради дъжд състезание и пр.; **2.** молба/обещание да се приеме покана за по-късна дата.

raincoat ['reinkout] *n* мушама за дъжд, дъждобран.

raindrop ['reindrɔp] *n* дъждовна капка.

rained off, out ['reind‚ɔf,-‚aut] *a* несъстоял се поради дъжд.

rainfall ['reinfɔ:l] *n* валеж(и).

rain forest ['rein‚fɔrist] *n* тропически лес с почти непрестанни валежи.

rain-gauge ['reingeidʒ] *n метеор.* дъждомер.

rain maker ['rein‚meikə] *n* **1.** човек, който прави магия за дъжд; **2.** човек, който предизвиква дъжд по изкуствен начин.

rain-making ['rein‚meikiŋ] *n* (опит за) предизвикване на дъжд по изкуствен начин.

rainproof, -tight ['reinpru:f, -tait] *a* непромокаем (за дъжд).

rain-shadow ['rein‚ʃædou] *n* област, природно защитена от валежи.

rainstorm ['reinstɔ:m] *n* буря с дъжд.

rainwash ['reinwɔʃ] *n геол.* отмиване/свличане на почвата поради валежи.

rainwater ['reinwɔ:tə] *n* дъждовна вода.

rainwe. · ['reinwɛə] *n ам.* облекло за дъжд.

rainy ['reini] *a* дъждовен, дъждовит; дъждоносен; □ **for a** ~ **day** *прен.* за черни дни, в случай на нужда.

raise[1] [reiz] *v* **1.** вдигам, повдигам, издигам; изправям; **to** ~ **o.'s hat** свалям шапка, поздравявам (**to s.o.** някого); **to** ~ **game** вдигам дивеч; **2.** построявам, вдигам, издигам (*паметник и пр.*); **3.** възбуждам, будя (*смях и пр.*); пораждам, предизвиквам, създавам; **this shoe** ~s **blisters** тази обувка прави пришки; **to** ~ **hopes** създавам/събуждам надежди; **to** ~ **a tear** карам (*някого*) да се просълзи; **4.** произвеждам (*пара и пр.*); **5.** подбуждам (**към** *действие*);

повдигам (*дух и пр.*); вдигам (**against** срещу); **6.** отглеждам, развъждам; **7.** отглеждам, отхранвам; **to** ~ **a family** създавам семейство, отглеждам деца; **8.** повдигам (*въпрос и пр.*); **9.** *юр.* възбуждам (*дело, иск*); предявявам (*искане*); **10.** съживявам; възкресявам; **to** ~ **from the dead/to life** възкресявам; **to** ~ **a ghost** извиквам дух; **11.** повишавам (*в чин*), произвеждам; **to** ~ **to the peerage** давам благородническа титла (на); **12.** повишавам, вдигам (*глас*); **13.** покачвам, повишавам (*цени и пр.*); **14.** възвисявам, облагородявам, извисявам; **15.** събирам, набирам (*пари, данъци, войска*); **to** ~ **a unit** *воен.* сформирам войскова част; **to** ~ **money/the wind** събирам/намирам пари, намирам нужните средства; **16.** *sl.* намирам, изнамирам; **17.** правя да се вдигне, слагам мая и пр. (*в тесто*); **18.** отменям, премахвам (*възбрана*); вдигам (*блокада, обсада*); **19.** надавам (*вик и пр.*); **to** ~ **a song** запявам; **20.** *текст.* кардирам, разчесвам; **21.** *мор.* съзирам (*суша, фар*); **22.** *карти* вдигам (*партньора си*), наддавам; **23.** *мат.* повдигам (*на степен*); **24.** установявам радиовръзка с; **25.** подправям (*чек*); **26.** *фон.* произнасям (*гласна*) позатворено; **27. to** ~ **up** създавам (си); *pass* явявам се; □ **to** ~ **Cain/hell/the devil** вдигам шум/врява, правя скандал; беснея; обръщам всичко с главата надолу; **s.o.'s back/bristles/dander** ядосвам някого; ~d **pastry/pie 1)** пирог/пай с мая; **2)** пирог/пай с прави страни.

raise[2] *n* **1.** повишение, увеличение (*на цени, залог и пр.*); **2.** нанагорнище.

raisin ['reizin] *n обик. pl* стафида, сухо грозде.

raison d'être [reizɔ:nd'etr] *n фр.* причина за/право на съществуване.

raj [ra:dʒ] *n англоинд.* господство, власт; суверенитет.

raja(h) ['ra:dʒə] *n англоинд.* раджа.

rake[1] [reik] *n* **1.** гребло; грапа; търмък; **2.** лопатка на крупие.

rake[2] *v* **1.** греба, загребвам, търмъча, събирам; **2.** оглаждам; заравнявам; почиствам; **3.** изгребвам пепелта на (*огнище*) (**out**)/покривам (*огън*) с пепел, за да тлее; **4.** търся старателно, ровя, тършувам (**about, around, among, in, for s.th.**); **5.** *мор., воен.* обстрелвам продолно, фланкирам с огън; **6.** обхващам с поглед; поглеждам набързо; **7.** докосвам леко; одрасквам; **8.** *ам.* хокам.

    rake away събирам с гребло, търмъча;

    rake in *разг.* трупам/събирам печалби/пари;

    rake off = **rake away;**

    rake out 1) изгребвам; **2)** = **rake up 3;**

    rake over 1) *прен.* разравям спомени и пр.; **2)** претърсвам, преглеждам внимателно;

    rake through = **rake over 2;**

    rake together събирам, струпвам;

    rake up 1) = **rake together; 2)** събирам (*пари*) отвсякъде; **3)** *прен.* изнамирам, изравям, изкопавам; **4)** *разг. прен.* разбутвам, разчовърквам; раздухвам; ровя се в.

rake[3] *n* женкар, развратник.

rake[4] *v* наклоням (се); ~d **chair** стол с наклонена назад облегалка.

rake[5] *n* **1.** *мор.* ъгъл/наклон на щевен; **2.** наклон; отклонение от отвесна/хоризонтална линия; **3.** *тех.* наклон, откос; ъгъл на наклон; **4.** *тех.* преден ъгъл (*на нож*); **5.** *тех.* скосяване, срязване.

rakehell ['reikhel] = **rake**[3].

rake-off ['reikɔf] *n* незаконна облага/комисиона, „процент".

raker¹ ['reikə] = **rake¹** 1.

raker² *n* наклонен бряг.

raki[rə'ki:] *n* ракия.

rakish¹ ['reikiʃ] *a* разпуснат, развратен.

rakish² *a* 1. *мор.* спретнат, стегнат; бързоходен; 2. моден, шик, елегантен; екстравагантен; **hat at a ~ angle** килната шапка.

râle [ra:l] *n фр. мед.* хрип.

rally¹ ['ræli] *n* 1. *воен.* събиране/прегрупиране на войски (*за ново нападение*); (сигнал за) сбор; 2. събрание, митинг; 3. сплотяване, обединяване; 4. подобрение, частично оздравяване, привдигане (*при болест*); ободряване, окуражаване; 5. *търг.* оживление (*на пазара*); покачване (*на цените*); 6. *тенис, бокс* бърза размяна на удари; 7. *авт. сп.* рали.

rally² *v* 1. събирам (се), сплотявам (се), обединявам (се), подпомагам (**round s.o.** някого); обединявам усилията си; **to ~ to the support of** обединявам усилията си в помощ/подкрепа на; 2. *воен.* събирам (се), прегрупирам (се) (*за ново нападение*); 3. съживявам, възвръщам, възстановявам (*дух, способности*); повдигам духа на; 4. окопитвам се, привдигам се, оправям се, живвам.

rally³ *v* шегувам се (с), закачам, задявам, подигравам добродушно.

rallye *ам.* = **rally¹** 7.

ram¹ ['ræm] *n* 1. овен; коч; 2. **the R.** Овен (*съзвездие и знак на зодиака*); 3. стенобойна машина, таран; 4. *тех.* плунжер, дълго бутало; плъзгач; пробойна част на преса; бойник на чук; 5. *тех.* хидравличен таран; 6. *мор. ист.* кораб с таран.

ram² *v* (**-mm-**) 1. удрям (се) силно, блъскам (се); бия, бъхтя; 2. забивам, набивам, начуквам (**in**); 3. тъпча, натъпквам; **to ~ o.'s hat on** нахлупвам шапка; 4. трамбовам, утъпквам (**down**); 5. *прен.* набивам, натъпквам; **to ~ it into s.o., to ~ home to s.o.** натъпквам в главата на някого.

Ramadan ['ræmə'da:n] *n араб.* рамазан.

ramble¹ ['ræmbl] *v* 1. разхождам се; скитам (се), бродя; 2. говоря/пиша несвързано, скачам от мисъл на мисъл; бълнувам; 3. пълзя, вия се (*за растение*); лъкатуша (*за река, път*); криволича (*за пътека*).

ramble² *n* разходка.

rambler ['ræmblə] *n* 1. човек, който (обича да) се разхожда; 2. пълзящо/виещо се растение; пълзяща роза.

rambling ['ræmbliŋ] *a* 1. скитащ, бродещ; 2. лъкатушен, криволичещ; 3. разхвърлян, безсистемен, несвързан (*за говор, мисли*); 4. несиметрично разположен, с пристройки (*за сграда*); 5. пълзящ, виещ се (*за растение*).

rambunctious [ræm'bʌŋkʃəs] *a* 1. *разг.* буен, необуздан; шумен; 2. непокорен, опак.

rambutan [ræm'butən] *n бот.* рамбутан (*вид тропическо дърво и плодът му*).

ramekin, -quin ['ræmikin] *n* (суфле от сирене, печено в) малко гювече.

rami *вж.* **ramus.**

ramification [ˌræmifi'keiʃn] *n* 1. разклонение; отклонение; 2. поделение, подразделение; 3. *прен.* последица, усложнение.

ramify ['ræmifai] *v* разклонявам (се) (*и прен.*); развивам се в мрежа (от).

ramjet ['ræmʤet] *n воен.* постояннотоков въздушнореактивен двигател.

ramp¹ [ræmp] *n* 1. скат, склон; наклон; наклонена плоскост; 2. рампа, товарна площадка; 3. полегат/наклонен път; наклонена пътека без стъпала (*край стълбище*); 4. извивка на парапет (*при стълбищна площадка*); 5. *ав.* подвижна стълба (*за качване на самолет*).

ramp² *v* правя/слагам рампа на.

ramp³ *v* 1. изправям се на задните си крака; мятам се, хвърлям се, скачам; 2. *разг.* вилнея, беснея; бушувам; 3. пълзя, вия се; избуявам (*за растение*).

ramp⁴ *n sl.* изнудване, мошеничество; обирачество, кожодерство.

ramp⁵ *v sl.* изнудвам; обирам.

rampage¹ [ræm'peiʤ] *v* буйствувам, вилнея, беснея; бушувам.

rampage² *n* буйствуване, буйство, вилнеене; силна възбуда; **to be/go on the ~** буйствувам, вилнея, развилнявам се.

rampageous [ræm'peiʤəs] *a* разярен, побеснял; необуздан; буйствуващ.

rampant ['ræmpənt] *a* 1. буен, яростен; неистов; побеснял; необуздан; 2. избуял (*за растение*); 3. *хер.* изправен на задните си лапи; 4. *арх.* полегат, наклонен (*за свод и пр.*); 5. *прен.* ширещ се, много разпространен, дълбоко загнезден (*за болест, порок и пр.*).

rampart¹ [ræm'pa:t] *n* 1. крепостен вал, отбранителен насип; 2. укрепление, бастион; 3. *прен.* опора, защита.

rampart² *v* укрепявам с крепостен вал.

rampion ['ræmpiən] *n* вид синя камбанка (Campanula rapunculus).

ramrod¹ ['ræmrɔd] *n* 1. *воен.* дотиквач, дотиквачен прът (*на оръдие*), шомпол (*на пушка*); 2. строг/непреклонен човек; □ **as straight as ə ~** изправен, като че ли е глътнал бастун.

ramrod² *v ам.* налагам, бия.

ramshackle ['ræmʃækl] *a* разнебитен, разклатен; порутен; неустойчив; паянтов.

ramson ['ræmzən] *n* вид чесън (Allium ursinum).

ramus ['reiməs] *n лат.* (*pl* **rami** ['reimai]) *бот., анат.* разклонение, клон.

ran *вж.* **run¹.**

ranch¹ [ra:ntʃ] *n* ранчо (*и къща*); скотовъдна ферма.

ranch² *v* работя/живея/отглеждам в ранчо.

rancher ['ra:ntʃə] *n* собственик на/работник в/управител на ранчо.

ranchero [ra:n'tʃɛərou] *исп.* = **rancher.**

ranch house ['ra:ntʃhaus] *n* 1. къща на собственик на ранчо; 2. бунгало.

rancho ['ra:ntʃou] *n* 1. = **ranch¹**; 2. колиба/колиби на работници в ранчо.

rancid ['rænsid] *a* гранив, гранясал.

rancidity [ræn'siditi] *n* гранивост; миризма на граниво.

rancorous ['ræŋkərəs] *a* пълен с омраза/ненавист; злобен, злобен; злопаметен; враждебен.

rancour ['ræŋkə] *n* ненавист, омраза; злоба, озлобение; злост.

rand [rænd] *n* 1. граница, ръб; висок бряг; 2. ивица кожа/гьон; 3. ранд (*парична единица на ЮАР*).

randan [ræn'dæn] *n sl.* гуляй, веселба; **to go on the ~** гуляя.

random¹ ['rændəm] *n*: **at ~** наслуки, напосоки; на принцип, без определена цел.

random² *a* 1. случаен, произволен; 2. *арх.* строен от камъни с различна форма и големина.

randy ['rændi] *a* 1. похотлив;' 2. *шотл.* буен, шумен; просташки.

ranee ['ra:ni] *n* *англоинд.* съпруга на раджа.

rang *вж.* ring³.

range¹ [reindʒ] *n* 1. обсег, обхват; 2. *муз.* регистър, диапазон; 3. *прен.* гама; 4. област, сфера, кръг; район/радиус на действие; област на разпространение на дадено животно/растение, ареал; ~ of vision кръгозор, полезрение; out of s.o.'s ~ извън нечии интереси/възможности; 5. *воен.* далекобойност, обсег; разстояние; at close ~ 1) от близо, от близко разстояние; на разстояние колкото един изстрел; 2) *прен.* под ръка. 6. пробег (*на самолет, кола и пр.*) без ново оборудване; 7. полигон, стрелбище; 8. клас, разряд; серия, поредица; асортимент; 9. *прен.* слой (*обществен и пр.*); 10. редица, ред (*от къщи и пр.*); 11. верига (*планинска*); 12. *мор.* створ; направление; 13. пасище; 14. ловен участък; 15. кухненска печка (*и електрическа, газова*); огнище; 16. *мат.* граници на вариране/измерване; амплитуда.

range² *v* 1. нареждам/подреждам (в редици); (по)строявам (се) (в редици); 2. класифицирам, сортирам, подреждам; 3. присъединявам (се); to ~ o.s. with s.o. вземам страната на/присъединявам се към някого; 4. наравно съм; имам еднакъв чин/ранг (with); 5. бродя, преброждам, кръстосвам; странствувам, плавам (over); 6. *прен.* блуждая, движа се, минавам, разпростирам се, третирам (*за мисли и пр.*) (over); 7. паса (*добитък*); 8. *бот., зоол.* срещам се, разпространен съм, живея (over is); 9. простирам се, лежа; 10. колебая се в известни предели, вариран (from...to); 11. прицелвам се, визирам; 12. *воен.* имам (даден) обсег (*за оръдие и пр.*); имам (*дадена*) далекобойност, бия на (*дадено разстояние*).

range-finder ['reindʒfaində] *n* *воен., фот.* далекомер.

ranger ['reindʒə] *n* 1. горски; 2. член на охранителен отряд/бойна група; 3. кралски лесничей/парков надзирател.

rangy ['reindʒi] *a* 1. тънък и висок; дългокрак; 2. способен да изминава дълги разстояния; 3. склонен към скитничество; 4. просторен, обширен; обхватен; 5. *австр.* планински.

rani = ranee.

rank¹ [ræŋk] *n* 1. ред(ица); to fall into ~ строявам се, заставам в редица; to break ~s 1) излизам от/напускам строя; развалям строя; 2) *прен.* обърквам се; the ~s, the ~ and file 1) *воен.* редниците и ефрейторите; 2) членската маса, редовите членове (*на партия и пр.*); 3) обикновените хора, масите; to rise from the ~s 1) *воен.* бивам повишен от редник/ефрейтор в офицерски чин; 2) *прен.* издигам се от народа; to reduce to the ~s *воен.* деградирам, разжалвам във войнишки чин; 2. чин, ранг, сан; звание; 3. класа, разред, категория; person of ~ аристократ; people of all ~s хора от всякакви обществени слоеве; ~ and fashion висше общество; the lower ~s of the clergy низшето духовенство; to pull ~ on *sl.* злоупотребявам с високото си положение; to take ~ as имам звание на, считам се за; of the first ~ първокласен, първоразряден; 4. *шах* хоризонтални полета на шахматна дъска; 5. пиаца за такси; такси на пиаца.

rank² *v* 1. нареждам (се), построявам (се) в редица; строявам (се); 2. класифицирам, заемам/давам (*дадено*) място; to ~ first among пръв съм измежду; where/how do you ~ X.? в каква категория поставяш X.? to ~ among the failures числя се към неуспелите; to ~ s.o.'s abilities high ценя/поставям високо способностите на някого; 3. *ам.* заемам/имам по-високо положение/длъжност/чин от.

rank³ *a* 1. буен, избуял, богат, изобилен (*за растителност*); ~ with цял обрасъл с; 2. тлъст, плодороден (*за почва*); 3. вонящ, смрадлив; гранясал, гранив; развален; 4. *прен.* отвратителен, противен; просташки; 5. отявлен, явен; флагрантен; същински, същи, чист; пълен, абсолютен.

ranker ['ræŋkə] *n* 1. войник, редник; 2. офицер, издигнал се от редника.

ranking ['ræŋkiŋ] *a* *ам.* 1. първокласен, първостепенен; изтъкнат; 2. най-висш, старши.

rankle ['ræŋkl] *v* 1. мъча, измъчвам; непрекъснато измъчвам, гложди, човъркам; the insult ~d in his mind не можеше да забрави обидата; 2. *ост.* гноясвам, гноя, възпалявам се.

ransack ['rænsæk] *v* 1. претърсвам, претършувам, преравям, преобръщам (for); to ~ o.'s brains/memory мъча се да си спомня; 2. обирам (*къща и пр.*).

ransom¹ ['rænsəm] *n* 1. откуп; to hold to/for ~ искам откуп (за); king's ~ *прен.* много пари; 2. откупуване, освобождаване от плен (*срещу заплащане*); 3. *църк.* изкупление.

ransom² *v* 1. откупвам, освобождавам срещу заплащане; заменям (*някого*) срещу друг; 2. *църк.* изкупвам (*грехове*); 3. изнудвам със заплаха, шантажирам.

rant¹ [rænt] *v* говоря с гръмки/надути/бомбастични фрази; *прен.* декламирам.

rant² *n* 1. надута/бомбастична/високопарна реч/проповед, тирада; 2. *шотл.* шумна веселба, гуляй.

ranter ['ræntə] *n* кресльо, декламатор.

ranunculus [rə'nʌŋkjuləs] *n* (*pl* -li [-lai]) растение от сем. лютикови; лютиче.

rap¹ [ræp] *n* 1. удар (*обик. с пръчка*); 2. почукване, похлопване; 3. *sl.* вина; отговорност; наказание; укор; углавно обвинение; to take the ~ *прен.* опирам пешкира; to beat the ~ измъквам се от отговорност/наказание/обвинение; bum ~ присъда/наказание за провинение, което не е извършено; 4. *sl.* разговор; ~ session лаф-мухабет.

rap² *v* (-pp-) 1. почуквам леко; потупвам; плесвам; 2. почуквам, похлопвам (at, on); 3. изричам отсечено (*обик. с* out); to ~ out a command изкомандувам рязко; 4. съобщавам чрез чукане; to ~ the meeting to order въдворявам ред на събрание чрез чукане по масата; 5. *sl.* приказвам, бъбря; 6. мъмря, гълча, кастря; 7. *sl.* арестувам, пипвам; осъждам.

rap³ *n* 1. *ист.* фалшива ирландска монета от XVIII в.; 2. нещо без стойност; not to care/give a ~ пет пари не давам, не искам и да знам; it is not worth a ~ пет пари не струва.

rapacious [rə'peiʃəs] *a* 1. алчен, ненаситен; грабителски; 2. хищен, граблив (*за животно*).

rapacity [rə'pæsiti] *n* 1. алчност, ненаситност; 2. хищност, грабливост, хищничество.

rape¹ [reip] *n* 1. изнасилване; похитяване; statutory ~ *ам. юр.* изнасилване на непълнолетно момиче; 2. отвличане; 3. грубо нарушение/вмешателство.

rape² *v* 1. изнасилвам; похитявам; 2. отвличам.

rape³ *n* 1. рапица (Brassica napus); 2. зеле (Brassica oleracea).

rape⁴ *n* гроздови джибри.

raphe ['reifi] *n* *анат.* рафе, шев.

raphia = raffia.

rapid ['ræpid] I. *a* 1. (много) бърз; ~ **transit** *ам.* бърз градски транспорт; 2. кратък, краткотраен; 3. стръмен; рязък (*за спадане*); II. *n* обик. *pl* бързей.

rapid-fire ['ræpidfaiə] *a* 1. скорострелен; чест; 2. следващ бързо един след друг; ~ **questions** град от въпроси.

rapidity [rə'piditi] *n* 1. бързина, скорост; 2. рязкост (*на спадане*).

rapier ['reipiə] *n* рапира; □ ~ **thrust** остроумна забележка.

rapine ['ræpain] *n* книж. грабеж, грабителство; плячкосване.

rapist ['reipist] *n* човек, който изнасилва (*жена*).

rappee [ræ'pi:] *n* вид силно емфие.

rappel[1] [rə'pel] *n* сп. слизане с двойно въже.

rappel[2] *v* (-ll-) *сп.* слизам с двойно въже.

rapper ['ræpə] *n* чукало (*на врата*).

rapport [ræ'рɔ:] *n фр.* 1. разбирателство, съгласие, хармония; **to be in/on** ~ **with** разбирам се с; 2. връзка чрез медиум; връзка с хипнотизатор.

rapporteur [ræpə'tə:] *n фр.* докладчик.

rapprochement [ræ'prɔʃma:] *n фр.* подновяване/установяване на приятелски отношения; сближаване; помиряване.

rapscallion [ræps'kæljən] *n* нехранимайко, вагабонтин, мошеник, негодяй.

rapt [ræpt] *a* 1. погълнат, задълбочен, съсредоточен, унесен; 2. възхитен, прехласнат; 3. отнесен, пренесен.

raptor ['ræptə] *n* граблива птица.

raptorial [ræp'tɔ:riəl] *a* зоол. хищен, граблив.

rapture ['ræptʃə] *n* възторг, захлас; екстаз; **to be in/go into/be sent into** ~**s over/about** изпадам във възторг/екстаз от.

rapturous ['ræptʃərəs] *a* възторжен, възхитен; в екстаз; будещ възторг.

rara avis ['rɛərə'eivis] *n лат.* рядкост, „рядка птица".

rare[1] *a* 1. рядък, необикновен, необикновен; 2. рядък, разреден; разсеян, разпръснат; 3. *разг.* изключителен, превъзходен; **to have** ~ **fun/a** ~ **time** чудесно се забавлявам/прекарвам; **you gave me a** ~ **fright** хубаво/здравата ме изплаши; ~ **and hungry** ужасно гладен; **I am a** ~ **one to forget things** страшно много забравям.

rare[2] *a* недопечен (*за бифтек и пр.*); малко сварен, ровък, рохък (*за яйце*).

rarebit ['rɛəbit] = **Welsh rabbit**.

rare earths ['rɛə,ə:θs] *n pl геол.* редки земи, редкоземни елементи.

raree-show ['rɛəri:ʃou] *n* 1. кутия със сменяващи се картинки, които се гледат през увеличително стъкло, панорама; 2. зрелище, сеир.

rarefaction [,rɛəri'fækʃn] *n* 1. разреждане, разрежане; 2. разреденост.

rarefied ['rɛərifaid] *a* 1. възвишен; 2. езотеричен, само за посветени/избрани.

rarefy ['rɛərifai] *v* 1. разреждам (се), разредявам (се); 2. пречиствам, префинвам.

rareripe ['rɛəraip] I *a* ранозреещ, ранозреен; II. *n* разнозреещ плод, ранозрейка.

rarify = **rarefy**.

raring ['rɛəriŋ] *a разг.* умиращ от желание (to).

rarity ['rɛəriti] *n* 1. рядкост; изключителност; необичайно събитие; 2. разреденост.

rascal[1] ['ra:skl] *n* 1. мошеник, разбойник, вагабонтин; 2. *разг., шег.* пакостник, калпазанин; **merry** ~ веселяк; **lucky** ~ щастливец.

rascal[2] *a* 1. безчестен, долен, долнопробен; 2. *ост.* от/на простолюдието/тълпата.

rascality [rəs'kæliti] *n* мошеничество.

rascally ['ra:skəli] *a* мошенически, нечестен, долен.

rase = **raze**.

rash[1] [ræʃ] *a* прибързан, необмислен; безразсъден.

rash[2] *n* 1. обрив, изрив; **to come out in a** ~ изривам се; 2. *прен.* епидемия; □ ~ **of new bungalows** множество къщички, изникнали като гъби.

rasher ['ræʃə] *n* тънък резен бекон/шунка.

rasp[1] ['ra:sp] *v* 1. пиля, изпилявам; стържа; изстъргвам, остъргвам, изчегъртвам (**off, away**); 2. стържа, скрибуцам; 3. дразня, раздразвам; **to** ~ **s.o.'s feelings** засягам някого; 4. казвам с рязък/груб глас; **to** ~ **out an order** изкомандувам грубо; **to** ~ **out an insult** изругавам; ~**ing voice** стържещ/дрезгав глас.

rasp[2] *n* 1. рашпила; 2. стъргане, стържене; 3. скрибуцане; 4. дразнене; раздразнение.

rasp[3] *разг. скр. от* **raspberry 1**.

raspberry ['ra:zbəri] *n* 1. малина (Rubus idaeus); 2. *sl.* освиркване, дюдюкане; **to blow/give s.o. a** ~ освирквам някого; пращам някого на майната му; **to get the** ~ освиркват ме; наругават се; 3. *sl.* пръдня.

raspberry-bush, -cane ['ra:zbəribuʃ, -kein] *n* малинов храст.

rasper ['ra:spə] *n* 1. = **rasp** 1.; 2. неприятен човек, драка; 3. *разг.* висока ограда.

rasping ['ra:spiŋ] *n* обик. *pl* стърготина, стружка.

raspy ['ra:spi] *a* 1. дрезгав, стържещ; дразнещ; възпален (*за гърло*); 2. груб, остър (*за плат и пр.*); 3. раздразнителен; раздразнен.

raster ['ra:stə] *n* растер.

rat[1] [ræt] *n* 1. плъх (Rattus); (wet) **like a drowned** ~ мокър до кости/като кокошка; 2. предател, отстъпник, ренегат; стачкоизменник; доносник; 3. *ам.* подплънка за кок/руло; □ **like a** ~ **in a hole** в безизходно положение; **to die like a** ~ умирам като куче; **to smell a** ~ подушвам нещо лошо/нередно; ~**s** *sl.* глупости, дрън-дрън; **to have (got) the** ~**s** *sl.* 1) пищял съм се; 2) имам пристъп на делириум тременс.

rat[2] *v* (-tt-) 1. ловя/избивам плъхове; 2. изменям на/изоставям другарите си; *прен.* меня си боята; изменник съм; **to** ~ **on** 1) не изпълнявам, измъквам се от (*поето задължение*); 2) предавам, донасям за; 3. *ам.* подпълвам (*кок, руло*).

ratable ['reitəbl] *a* 1. фин. облагаем; данъчен (*за оценка*); 2. оценим; изчислим.

ratafia [,rætə'fiə] *n* 1. ликьор с есенция от плодови костилки; 2. бадемови бисквити.

ratan = **rattan**.

rataplan [rætə'plæn] *n* барабанене.

ratatat ['rætətæt] *n* тракане, тропане, чукане.

rat-catcher ['rætkætʃə] *n* 1. ловец на плъхове; 2. *sl.* неподходящо ловджийско облекло.

ratch(et) ['rætʃ(it)] *n тех.* 1. храпово колело/механизъм; 2. палец/език на храпово колело.

ratchet-wheel ['rætʃitwi:l] = **ratch(et) 1**.

rate[1] [reit] *n* 1. норма; мярка, размер; стандарт; тарифа; степен; процент; част; ~ **of interest** лихвен процент; **at the** ~ **of $ 10 a day** по 10 долара на ден; ~ **of living** стандарт/начин на живот; ~ **per cent** процент; 2. стойност, цена; **at a high** ~ скъпо; **at an easy** ~ евтино, изгодно; 3. скорост, темпо; ход; **at the** ~ **of...** със скорост...; **at an easy** ~ без да бързам, с умерено темпо; **at a great** ~ много бързо; **at the** ~ **you're going** както я караш; **at the** ~ **things are progressing** както вървят/се развиват нещата; 4. разред, категория, класа; сорт; качество; 5. обик. *pl* (общински) налог, берия; такса; **6.** избързване; изоставане (*на часовник за единица време*); □ **at any ~** във всеки случай; поне, най-малко; **at this/that ~** *разг.* в такъв случай, при това положение.

rate[2] v **1.** оценявам; изчислявам; **2.** *прен.* ценя; преценявам; **3.** определям ранга/категорията на; причислявам към дадена категория; **4.** считам/смятам за, причислявам към, преценявам като (*и с* **as**); **5.** *ост.* облагам с данък/налог; **6.** *разг.* заслужавам, имам право на; **7.** *ам. разг.* ползувам се с особени привилегии; имам тежест/авторитет.

rate[3] v хокам, ругая.

rateable = **ratable.**

rated ['reitid] a *тех.* номинален; паспортен.

ratel ['reitl] n африканско/индийско животно, подобно на язовец (Mellivora).

ratepayer ['reitpeiə] n данъкоплатец.

rat fink ['ræt͵fiŋk] n *ам. sl.* гаден доносник/изменник, подлец.

rathe [reið] a *ост., поет.* ранен, утринен.

rather ['ra:ðə] adv **1.** по-скоро, по-право, по-точно; с по-голямо желание/готовност; **I would/had ~** предпочитам (*с inf без* to); **I'd ~ not** не бих искал/желал; **2.** доста, твърде; до известна степен; **I ~ think** струва ми се; **the play was ~ a failure** пиесата нямаше кой знай какъв успех/не беше кой знай какво; **3.** *разг.* разбира се, и още как.

rathskeller ['ra:tskelə] n *нем.* бирхале.

ratification [͵rætifi'keiʃn] n ратифициране, ратификация.

ratify ['rætifai] v ратифицирам.

rating ['reitiŋ] n **1.** класиране, класифициране; градиране; **2.** ранг,.клас, категория; **3.** *мор.* чин, обикновен войник/матрос; редник; **4.** *банк.* кредитоспособност; **5.** *тех.* (номинална) мощност; производителност; проектна/изчислителна характеристика; **6.** хронометриране; **7.** оценка; **8.** репутация, реноме, име; **9.** *рад., телев.* брой на слушатели/зрители като критерий за популярност.

ratio ['reiʃou] n **1.** *мат.* (съ)отношение; пропорция; коефициент; **in direct/inverse ~** право/обратно пропорционално; **2.** *тех.* предавателно число.

ratiocinate [͵ræti'ɔsineit] v *книж.* разсъждавам (логически).

ratiocination [͵rætiɔsi'neiʃn] n *книж.* логическо съждение; умозаключение.

ration[1] ['ræʃn] n дажба; *воен.* порцион; pl провизии, храна; **emergency/iron ~** *воен.* неприкосновен запас; **on short ~s** с намалени дажби; **to put s.o. on ~s** поставям някого на дажбен режим.

ration[2] v **1.** снабдявам с провизии/храна, продоволствувам; **2.** поставям под режим на разпределение; разпределям на дажби (*и с* **out**).

rational ['ræʃnəl] **I.** a **1.** разумен; разсъждаващ; благоразумен; смислен; **2.** рационален; получен въз основа на разсъждение; **3.** *лог.* рационален; **II.** n **1.** мислещо/разумно същество; **2.** *мат.* рационално число.

rationale [ræʃə'na:l(i)] n **1.** обосновка; **2.** основна причина; **3.** логична основа.

rationalism ['ræʃənəlizm] n *фил.* рационализъм.

rationality [͵ræʃə'næliti] n разумност, рационалност.

rationalization [͵ræʃənəlai'zeiʃn] n **1.** рационализиране, рационализация, организиране върху по-рационална/ефикасна основа; усъвършенствуване, модернизация; **2.** осмисляне; обяснение; обяснение; **3.** *псих.* търсене/намиране на рационално обяснение на (често) нерационални подбуди; **4.** *разг.* намиране на благовидна причина за недостойно поведение.

rationalize ['ræʃənəlaiz] v **1.** правя разумен/смислен, осмислям; **2.** разсъждавам разумно; давам рационално обяснение на; **3.** рационализирам; усъвършенствувам, модернизирам; **4.** *псих.* търся/намирам рационално обяснение на (често) нерационално поведение/подбуди; **5.** *разг.* намирам благовидна причина за недостойно поведение; **6.** *мат.* рационализирам, освобождавам от ирационалност.

ration-book, -card ['ræʃnbuk, -ka:d] n продоволствена/снабдителна книжка/карта.

ratlin(e), ratling ['rætlin, 'rætliŋ] n *мор.* напречно въженце на въжена стълба.

ratoon[1] [rə'tu:n] n издънка (*на захарна тръстика и пр.*).

ratoon[2] v **1.** пускам издънки; **2.** изрязвам, за да пусне издънки; **3.** давам реколта (*за издънки*).

rat race ['ræt͵reis] n безскрупулна конкуренция/надпревара.

ratsbane ['rætsbein] n мишеморка, миша отрова.

rat-tail ['rætteil] n **1.** миша опашка; **2.** конска опашка почти без косми; **3.** вид риба (*от рода* Macrouridae).

rattan [rə'tæn] n **1.** вид виеща се палма (*от рода* Calamus); **2.** бастун/нагайка от клон на тази палма.

rat-tat ['rættæt] = **ratatat.**

ratter ['rætə] n **1.** мишеловец; **2.** *sl.* изменник, дезертьор.

rattle[1] ['rætl] v **1.** тракам, тропам, хлопам, чукам; трополя; трещя, гърмя; дрънча, дрънкам; **to ~ the sabre** *прен.* дрънкам оръжие, заплашвам с война; **2.** движа се с трясък; изтрополявам (**along, down, past**); **3.** бърборя, дърдоря, дрънкам (*и с* **on, away**); **to ~ off/away** издърдорвам, прочитам/казвам бързо; **4.** правя/извършвам бързо (*и с* **through**); **5.** *разг.* смущавам, обърквам, озадачавам; стряскам, уплашвам.

rattle[2] n **1.** тропот, тропане; дрънкане; трополене; грохот, трясък; **2.** бърборене, дърдорене; **3.** дърдорко, бърборко, дрънкало; **4.** шум, гюрултия, веселба, гуляй; **5.** детска хлопка/дрънкалка; **6.** предсмъртно хъркане; **7.** шум/тракане на гърмяща змия; рогови пръстени на опашката на гърмяща змия; **8.** *бот.* червено пропадниче (Pediuclasis palustris); клопачка (Rhinanthus).

rattle-brain, -head, -pate ['rætlbrein, -hed, -peit] n **1.** празноглавец; **2.** дърдорко.

rattler ['rætlə] n **1.** нещо, което трака/хлопа; таратайка; **2.** дърдорко; **3.** *разг.* гърмяща змия; **4.** *разг.* първокачествен екземпляр; **5.** *разг.* съкрушителен удар; **6.** *ам. sl* товарен влак.

rattlesnake ['rætlsneik] n гърмяща змия (*сем.* Crotalidae).

rattletrap ['rætltræp] n **1.** таратайка; **2.** *sl.* уста; **3.** *sl.* дърдорко; **4.** pl дрънкулки; овехтели украшения; **5.** *attr* раздрънкан; вехт, овехтял.

rattling ['rætliŋ] a **1.** тропащ, тракащ; трещящ, гърмящ; **2.** *разг.* бърз, жив; силен; **3.** *sl.* чудесен, екстра; **~ good speech** отлична/чудесна реч.

rattly ['rætli] a раздрънкан, разхлопан.

rattrap ['rættræp] n **1.** капан за плъхове; **2.** трудно/опасно положение; **3.** *разг.* мръсна/занемарена сграда; **4.** велосипеден педал със зъбци; **5.** *sl.* уста.

ratty ['ræti] a **1.** пълен с плъхове; **2.** подобен на плъх, миши; **3.** *sl.* сърдит; раздразнителен, нервен; **4.** *sl.* мизерен; овехтял, дрипав; **5.** *ам. разг.* долен, презрян.

raucous ['rɔːkəs] a **1.** дрезгав, хриплив; груб; **2.** *ам.* шумен; безреден; буен; неспокоен.

raunchy ['rɔ:ntʃi] *a ам. sl.* 1. мърляв, небрежен; 2. нецензурен, мръсен; 3. похотлив; 4. вехт, изтъркан.

ravage¹ ['rævidʒ] *v* 1. опустошавам, разрушавам, разорявам; 2. грабя, ограбвам; 3. повреждам; обезобразявам (*за болест, скръб и пр.*).

ravage² *n* опустошение, разрушение, разорение; the ∼s of time опустошителното действие на времето.

rave¹ [reiv] *v* 1. бълнувам, говоря несвързано; 2. беснея, вилнея, бушувам; the storm ∼d itself out бурята се набушува/утихна; 3. говоря екзалтирано/запалено/възторжено (**about, of, over**); превъзнасям (се); 4. говоря с ярост, беснея; изливам си мъката и пр.; to ∼ against роптая против; to ∼ o.s. hoarse преграквам от викане.

rave² *n* 1. *sl.* възторжена критика; *pl.* прекомерни хвалби, суперлативи; 2. *sl.* (любовно) увлечение; 3. *sl.* шумна веселба; 4. вой, рев; бяс, ярост; 5. *attr* (прекомерно) възторжен (*за критика и пр.*).

rave³ *n* ритла (*на кола*).

ravel ['rævl] *v* (**-ll-**) 1. разплитам (се), разнищвам (се); 2. *прен.* изяснявам (се), разнищвам (се) (*и с* out); 3. обърквам (се), заплитам (се), оплитам (се), омотавам (се) (*и прен.*).

ravel² *n* 1. бъркотия, объркване; объркани нишки; заплетен възел; 2. разплетена нишка.

raven¹ ['reivn] *n* 1. гарван (Corvus corax); 2. *attr* гарванов.

raven² *v* 1. дебна/търся плячка (**about, after**); 2. грабя, плячкосвам; опустошавам; 3. ям лакомо; разкъсвам; имам вълчи апетит (**for**).

ravenous ['rævənəs] *a* 1. грабителски; 2. лаком, ненаситен; 3. гладен, изгладнял; ∼ appetite вълчи апетит.

rave-up ['reivʌp] *n sl.* шумна веселба/разходка.

ravin ['rævin] *n поет.* плячка; грабеж, опустошение.

ravine [rə'vi:n] *n* дефиле, пролом, клисура.

raving ['reiviŋ] *a* 1. бълнуващ, не на себе си; 2. беснеещ, бушуващ; 3. пленителен, очарователен.

ravish ['ræviʃ] *v* 1. очаровам, пленявам; 2. грабвам/ отвличам насила; 3. изнасилвам; 4. плячкосвам.

ravishing ['ræviʃiŋ] *a* очарователен, пленителен.

ravishment ['ræviʃmənt] *n* 1. възторг, захлас; 2. отвличане; 3. изнасилване; 4. грабеж; плячкосване.

raw¹ [rɔ:] *a* 1. суров, несварен, неопечен; недоварен, недопечен; 2. суров, необработен; *мин.* необогатен; ∼ materials суровини; ∼ spirits неразреден/чист спирт; ∼ sugar нерафинирана захар; 3. *прен.* груб, недообработен; недоизкусурен; 4. отворен, кървящ (*за рана*); ожулен; (силно) възпален; 5. неопитен, аджамия; ∼ recruit новобранец; 6. влажен; студен; пронизващ (*за вятър*); 7. *разг.* несправедлив, суров; ∼ deal несправедливо отношение, несправедливост; 8. *разг.* нецензурен, вулгарен; 9. *sl.* гол; □ ∼ head and bloody bones плашило, страшилище.

raw² *n* (отворена) рана; ожулено място; □ in the ∼ 1) груб, нецивилизован, див; 2) гол; life in the ∼ животът с всичките му трудности, суровият живот; nature in the ∼ грубата (човешка) природа.

raw-boned ['rɔ:bound] *a* мършав, кокалест; дръглив.

rawhide¹ ['rɔ:haid] *n* 1. (въже/каиш от) сурова кожа; 2. *attr* от сурова кожа.

rawhide² *ам.* шибам/карам с камшик.

ray¹ [rei] *n* 1. лъч (*и прен.*); 2. проблясък; светлина, сияние; 3. *бот.* листенце от цвят на маргаритка и пр.; клонче на сенникоцветно растение; 4. *зоол.* лъч (*на перка на риба, на морска звезда*); 5. *мат.* лъч.

ray² *v* 1. излъчвам (се), сияя (**off, out, forth**); осветявам; 2. облъчвам (*и мед.*).

ray³ *n зоол.* скат (Hypotremata).

ray⁴ = re¹.

rayah ['raiə] *n* рая.

rayless ['reilis] *a* 1. без лъчи, неизлъчващ; 2. неосветен; тъмен; мрачен.

rayon ['reiɔn] *n текст.* изкуствена коприна.

raze [reiz] *v* 1. сривам със земята/до основи, събарям; 2. *обик. прен.* изтривам, изличавам; 3. *ост.* ожулвам; изстъргвам; остригвам.

razee [rei'zi:] *n ист.* дървен военен кораб без горна палуба.

razor¹ ['reizə] *n* бръснач; самобръсначка.

razor² *v* бръсна; порязвам с бръснач.

razor-back ['reizəbæk] *n* 1. висок тесен хребет; 2. *зоол.* = rorqual; 3. глиган с изострен гръбнак; 4. *attr* с тесен остър гръб (*и* ∼-ed).

razor-bill ['reizəbil] *n зоол.* голяма гагарка (Alca torda) (*и* ∼-ed auk).

razor clam ['reizə‚klæm] *n* вид мида (Solen).

razor-edge ['reizəredʒ] *n* 1. острие (като) на бръснач; 2. висок тесен хребет; 3. *прен.* критична точка/положение; on a ∼, on a razor's-edge в опасно/критично положение; 4. *прен.* тънка граница; to keep on the ∼ of крепя се на самата граница/на ръба на.

razor-fish, -shell ['reizəfiʃ, -ʃel] = razor clam.

razz¹ [ræz] *n ам. sl.* дюдюкане, освиркване.

razz² *v* освиркввам; осмивам, вземам на подбив.

razzia ['ræziə] *n араб.* 1. нашествие, нахлуване; 2. полицейска блокада; обиск.

razzle(-dazzle) ['ræzl(dæzl)] *n sl.* 1. шумна веселба/гуляй; to be/go on the ∼ гуляя; 2. бъркотия, шашарма; шашма; 3. панаирджийска реклама.

razzmatazz [ræz(ə)mə'tæz] *n* 1. = razzle(-dazzle); 2. извъртания; празни/двусмислени фрази.

re¹ [rei] *n муз.* ре.

re² [ri:] *prep* 1. *юр., търг.* относно, досежно; по отношение на (*и* in ∼); 2. *разг.* за, относно, що се отнася до.

re- [ri:] *pref* изразява повтаряне, връщане в някакво състояние, противодействие, взаимодействие пре-, ре-.

reach¹ [ri:tʃ] *v* 1. простирам (се) (до), стигам до; my garden ∼es as far as the river градината ми се простира до реката; the bookcase ∼es the ceiling библиотеката стига до тавана; 2. стигам, достигам; докосвам, пипвам (*нещо високо, отдалечено*); 3. стигам/достигам (до) (*възраст, положение, ранг, решение, споразумение и пр.*); 4. възлизам, стигам (*за брой, сума*) (*и с* to); 5. пристигам, стигам (до); дохождам, идвам (*и с* to); 6. простирам се, продължавам; her reign ∼ed into the 17th century царуването й продължи и в XVII в.; 7. (по)давам; please ∼ me the ... моля, подайте ми...; 8. повлиявам/въздействувам на; трогвам; 9. *мор.* правя галс;

　reach across посягам, пресягам се;

　reach after 1) пресягам се/посягам към; 2) *прен.* стремя се към;

　reach back връщам се назад в миналото, обхващам дълги години назад;

　reach down 1) свалям, снемам; 2) навеждам се, протягам се надолу; 3) простирам се, стигам (до);

　reach for пресягам се/посягам да взема; посягам към;

　reach forward протягам ръка (напред);

　reach out 1) протягам ръка (*и* to ∼ out o. hand/arm) (for за); 2) стремя се (for към); 3) to

out (to) намирам/търся връзка (с) (*с цел да повлияя*); 4) простирам се (*за клони, корени и пр.*);
reach over посягам (**to** към).

reach² *n* **1.** протягане; простиране; **to make a ~ for** протягам ръка за; **2.** достъпност; близост; **within easy ~** наблизо (**of** до); **out of ~** твърде далеч/високо (за да се стигне); **3.** обсег; сфера; **to be beyond the ~ of human aid** никой не може да ми помогне; **it is beyond/out of/above my ~** не е по възможностите/силите/способностите ми; **it is within my ~** по силите/възможностите ми е; **wonderful ~ of imagination** богата фантазия; **4.** протежение, пространство; **~ of woodland** ивица гора; **5.** част на река между два завоя/на канал между два шлюза; **6.** *мор.* галс; **7.** *тех.* съединителна щанга; **8.** въздействие, влияние; □ **the higher ~es of academic life** високите академични кръгове.

reach³ = retch.

reach-me-down ['ri:tʃmi,daun] **I.** *a* готов (*за дреха*); **II.** *n pl* готови дрехи; купени/подарени на старо дрехи.

react¹ [ri'ækt] *v* **1.** реагирам (**to**); **2.** *хим.* реагирам, предизвиквам реакция (**on, upon, with**); **3.** въздействувам (**on, upon**); **4.** противопоставям се, противодействувам, оказвам съпротива, въставам (**against**); **4.** *воен.* контраатакувам.

react² [,ri:'ækt] *v* *театр.* изпълнявам повторно.

reactance [ri'æktəns] *n* *ел.* реактивно съпротивление.

reactant [ri'æktənt] *n* *хим.* реагент, реагиращо вещество.

reaction [ri'ækʃn] *n* **1.** реакция (*и хим.*); реагиране; **2.** *пол.* реакция; **3.** противодействие; **4.** взаимодействие; **5.** *воен.* контраатака.

reactionary [ri'ækʃənəri] *пол.* **I.** *a* реакционен; **II.** *n* реакционер.

reactivate [,ri:'æktiveit] *v* активизирам (се) отново.

reactive [ri'æktiv] *a* **1.** реагиращ; **2.** обратен; противодействуващ; **3.** *мед.* реактивен.

reactivity [,riæk'tiviti] *n* реактивност.

reactor [ri'æktə] *n* **1.** *физ., хим.* реактор; **2.** *ел.* реактор; стабилизатор; реактивна бобина; дросел; **3.** *мед.* който реагира положително на външен дразнител.

read¹ [ri:d] *v* (**read** [red]; **read**) **1.** чета, прочитам; разчитам; **to ~ to o.s.** чета наум; **for "fail"** *печ.* напечатано fail, да се чете fail; **2.** чете се, звучи; **the play ~s better than it acts** пиесата е по-добра, когато се чете, отколкото на сцената; **the sentence ~s oddly** изречението звучи особено; **3.** гадая, разгадавам; тълкувам, обяснявам (*и сънища*); наблюдавам (*с цел да предвидя действието на нещо*); **to ~ cards/s.o's hand** гледам на карти/на ръка; **to ~ the sky** гадая по звездите; съдя за времето по небето; **to ~ s.o.'s thoughts** чета мислите на някого; **to ~ s.o.'s face** познавам/разбирам какъв е/какво мисли някой по лицето му; **silence must not always be ~ as consent** мълчанието не трябва винаги да се тълкува като съгласие; **the clause ~s both ways** клаузата може да се тълкува и така, и така; **to ~ s.o. like a book** съвсем ми е ясно какво мисли/чувствува/какъв е някой; **4.** показвам, отчитам (*за уред*); разчитам (*уред и пр.*); **to ~ the time/clock** познавам времето по часовника (*за дете*); **5.** гласи (*за цитат, документ и пр.*); **6.** уча, изучавам; следвам; **to ~ (for a degree in) physics** следвам физика; **to ~ for the bar** следвам право; **7.** преподавам, чета (*лекции по*);
read around: to ~ (a)round a subject чета допълнителна литература, свързана с дадена тема;
read back прочитам на глас (*съобщение и пр.*), за да проверя дали е прието точно;
read for вж. **read¹** 6;

read in *църк.* встъпвам в длъжност (*и refl*);
read into влагам (*несъществуващ смисъл в думите на някого*); **too much should not be ~ into his statement** не трябва да се влага твърде много в изявлението му;
read off 1) прочитам (*и на глас*); 2) разчитам (*уред*);
read out 1) прочитам на глас; 2) *ам.* отстранявам (*член на партия и пр.*) чрез официално съобщение;
read over прочитам, изчитам;
read round 1) = **read around**; 2) **to ~ round the class/room** четем един подир друг (*пасажи от книга и пр.*);
read through = **read over**;
read up научавам, изучавам, проучвам; подготвям се (**on a subject**); поддържам знанията си (*по даден въпрос*) на съвременно ниво.

read² *n* четене; **the book is a pretty good ~** книгата е добра за четене; **to have a quiet ~** почитам си спокойно.

read³ [red] *a:* **well ~** начетен; **deeply ~ in the classics** с основни/дълбоки познания по класиците.

readability [,ri:də'biliti] *n* **1.** четливост, яснота; **2.** увлекателност (*на четиво*).

readable ['ri:dəbl] *a* **1.** четлив, ясен, разбираем; **2.** увлекателен, интересен, забавен (*за четиво*).

reader ['ri:də] *n* **1.** читател, четец; **great ~** човек, който много чете; **2.** читанка; христоматия; антология; **3.** рецитатор; **4.** рецензент на издателство; **5.** доцент; университетски преподавател; **6.** *печ.* коректор.

readership ['ri:dəʃip] *n* **1.** доцентура; **2.** читатели (*на даден вестник и пр.*).

readily ['redili] *adv* **1.** с готовност, охотно; веднага; **2.** лесно, леко.

readiness ['redinis] *n* **1.** готовност, подготвеност; **to have everything in ~ for** всичко ми е готово за; **2.** бързина, лекота; сръчност; **3.** готовност, охота; отзивчивост.

reading¹ ['ri:diŋ] *n* **1.** четене; **2.** четиво; **it makes good/dull ~** интересно/скучно е за четене; **3.** рецитал; рецитиране; литературно четене; **4.** начетеност; ученост, ерудиция; **5.** вариант на текст; **6.** тълкуване, обяснение, разбиране, интерпретация; **7.** отчитане, показване, данни, указания (*на барометър и пр.*); **8.** *парл.* разглеждане на законопроект; **first/second/third ~** първо/второ/трето четене.

reading² *a* **1.** за четене; **~ matter** четиво; **2.** който чете; **~ age** обикновената възраст, когато децата започват да четат.

reading desk ['ri:diŋ,desk] *n* **1.** пюпитър, пулт; **2.** *църк.* аналой.

reading-glass ['ri:diŋgla:s] *n* лупа (*за четене*).

reading lamp ['ri:diŋ,læmp] *n* настолна лампа.

reading-room ['ri:diŋrum] *n* читалня.

readjust [,ri:ə'dʒʌst] *v* **1.** оправям, нагласявам (*дреха, фризура и пр.*); подреждам; **2.** приспособявам, пригаждам; пренагласявам.

readjustment [,ri:ə'dʒʌstmənt] *n* **1.** приспособяване, пригаждане; нагаждане; пренагласа; **2.** преустройство.

ready¹ ['redi] *a* **1.** готов, приготвен; **to get ~** приготвям (се); **to make ~** приготвям; **2.** готов, подръчен, на разположение; **~ cash/money** готови пари, пари на ръка; **3.** наклонен, склонен, готов (**to**), съгласен, разположен; лесен; **to give a ~ consent** съгласявам се бързо/охотно; **to find ~ acceptance** бивам приет веднага/охотно; **to be a ~ believer in** лесно вярвам на; **~ tool** *прен.* послушно оръдие; **~ solubility** лесна/бърза разтворимост; **the readiest way to do it** най-лесният начин да се направи; 4. бърз, пъргав, подвижен (*и за ум*); чевръст; **to have a ~ hand** сръчен съм; **to have a ~ tongue/wit** находчив съм; **to be a ~ speaker** говоря леко и свободно; **to have a ~ pen** пиша леко, имам леко перо (*за писател*); **very ~ with excuses** винаги готов с извинение.

ready² *n* 1. *воен.* положение на оръжие за стрелба; **at the ~** 1) насочен за стрелба; 2) *прен.* готов за действие, в пълна готовност; 2. *sl.* парй, парà.

ready³ *adv обик. в съчет с pp* предварително приготвен; **~ packed** (предварително) опакован; **packed ~** готов опакован.

ready⁴ *v* приготвям.

ready-made ['redimeid] **I.** *a* 1. готов (*за дреха*); 2. неоригинален, взет наготово (*за идея и пр.*); 3. лесен, удобен (*за извинение и пр.*); **II.** *n* готова дреха; конфекция.

ready room ['redi͵rum] *n ам. ав.* стая за инструктаж преди полет.

ready-reckoner ['redi͵rekənə] *n търг.* сборник с аритметични изчисления.

ready-to-cook ['reditə'kuk] *a:* **~ food** полуфабрикат.

ready-to-wear ['reditə'wɛə] **= ready-made I. 1.**

ready-witted ['redi͵witid] *a* находчив, остроумен.

reaffirm [ri:ə'fəːm] *v* потвърждавам.

reafforest [͵ri:ə'fɔrist] *v* залесявам отново.

reagent [ri:'eidʒənt] *n хим.* реактив, реагент.

real¹ [riəl] *a* 1. истински, действителен, реален; **in ~ life** в живота; 2. истински, автентичен, същински; естествен; **~ money** пари; 3. *прен.* истински, същински; 4. *мат.* действителен (*за число*); 5. *юр.* недвижим; **~ estate/ам. property** недвижим имот; 6. *ик.* реален (*за заплата и пр.*); □ **the ~ thing** нещо първокачествено; **the ~ Mackay/McCoy** 1) нещо истинско, чиста работа; 2) отлично уиски.

real² *n* 1. *мат.* действително число/величина; 2. действителност; **for ~** *sl.* истински; наистина, не на шега.

real³ *adv разг.* 1. много; **to have a ~ good time** чудесно/много хубаво прекарвам; 2. *ам.* много, наистина, съвсем; **to be ~ sorry** много съжалявам; **he is ~ healthy** съвсем/много е здрав.

real⁴ [rei'ɔːl] *n ист.* реал (*исп. монета*).

realia [ri'eiliə] *n pl* реалии.

realign [͵ri:ə'lain] *v* преустройвам; прегрупирам.

realignment [͵ri:ə'lainmənt] *n* преустройство; прегрупиране.

realise = realize.

realism ['riəlizm] *n* реализъм.

realist ['riəlist] *n* реалист.

realistic [riə'listik] *a* реалистичен.

reality [ri'æliti] *n* 1. действителност, реалност; нещо действително/съществуващо; **in ~** в действителност, действително; всъщност; наистина; 2. реализъм, истинност, вярност; 3. (истинска) същност; **the realities of the situation** истинското/фактическото положение; **the grim realities of war** жестоката същност/жестокостта на войната.

realizable [riə'laizəbl] *a* 1. осъществим, постижим, изпълним; реализуем (*и за ценности*); 2. който може да бъде осъзнат/разбран.

realization [͵riəlai'zeiʃn] *n* 1. (о)съзнаване; разбиране;

2. осъществяване, постигане, изпълнение; реализиране (*и на ценности*).

realize ['riəlaiz] *v* 1. (о)съзнавам, разбирам, схващам; усещам; 2. осъществявам, постигам, реализирам; 3. *търг.* превръщам в пари, реализирам; 4. печеля; получавам доход; нося печалба/доход; 5. придавам реалност на, представям/изобразявам реалистично.

really ['riəli] *adv* 1. действително, наистина; фактически, всъщност; **not ~** всъщност не; **~ and truly** наистина; 2. **~!** нима? хайде де! тъй ли? **not ~!** не може да бъде.

realm [relm] *n* 1. царство; страна; 2. област, сфера.

realpolitik [rei'aːlpɔli'tiːk] *n нем.* 1. политика, основана на практически съображения; 2. политика на силата.

realtor ['riəltə] *n ам.* посредник при продажба на недвижими имоти.

realty ['riəlti] *n юр.* недвижими имоти.

ream¹ [riːm] *n* 1. топ хартия; 2. *pl. разг.* много, купища, маса (*особ. стихове и пр.*).

ream² *v* 1. *тех.* райберовам, зенкеровам; 2. *ам.* изстисквам (*сок*).

reamer ['riːmə] *n* 1. райбер; разширител; 2. *ам.* малка ръчна сокоизстисквачка.

reanimate [ri'ænimeit] *v* 1. съживявам; 2. ободрявам; въодушевявам; обновявам.

reap [riːp] *v* жъна, пожънвам (*и прен.*); прибирам реколта; □ **to ~ where one has not sown** използувам плодовете на чужд труд; **you shall ~ as you have sown** каквото посееш, такова ще пожънеш.

reaper ['riːpə] *n* 1. жътвар; 2. **= reaping-machine**; 3. символ на смъртта.

reaping-hook ['riːpiŋhuk] *n* сърп.

reaping-machine ['riːpiŋməʃiːn] *n* жътварка, комбайн.

reappear [͵riːə'piə] *v* появявам се/показвам се отново.

reappoint [͵riːə'pɔint] *v* 1. преназначавам; 2. пренареждам.

reappraisal [͵riːə'preizəl] *n* преоценка.

reappraise [͵riːə'preiz] *v* преоценявам.

rear¹ [riə] *v* 1. (в)дигам (се), издигам (се); повдигам (се); извишавам (се); 2. построявам, издигам; 3. изправям се на задните си крака (*за кон; и с* up); 4. отглеждам, отхранвам (*деца*); развъждам (*птици и пр.*); отглеждам (*растения*); 5. *ам. прен.* надигам се (*и с* up; **against** срещу).

rear² *n* 1. гръб; задна част; тил (*и воен.*); **in the ~** отзад, накрая; **to be at the ~** на опашката/края съм; **to take/attack in the ~** нападам в тил; **at the ~ of** зад; 2. *разг.* задник; 3. *разг.* нужник; 4. *attr* заден.

rear-admiral ['riər͵ædmirəl] *n воен.* контраадмирал.

rear-guard ['riəgaːd] *n* ариергард, заден отред.

rearm [riː'aːm] *v* превъоръжавам (се).

rearmament [riː'aːməmənt] *n* превъоръжаване.

rearmost ['riəmoust] *a* най-последен, най-заден.

rearrange [͵riːə'reindʒ] *v* 1. пренареждам; прегрупирам; 2. нареждам пак както си е било.

rearrangement [͵riːə'reindʒmənt] *n* 1. пренареждане; прегрупиране; 2. ново положение на нещата.

rear sight ['riəsait] *n воен.* мерник.

rear-view mirror ['riəvjuː͵mirə] *n авт.* огледало за обратно виждане.

rearward¹ ['riəwəd] *a* заден; тилов.

rearward² *n* заден край, тил.

rearwards ['riəwədz] *adv* назад; накрая.

reason¹ ['riːzən] *n* 1. причина, основание (**for**), довод, аргумент; **by ~ of** поради, по причина на; **with (good** **~** с основание, не без основание, основателно; **~s of state/health** по държавни/здравословни при чини; **for ~s best known to myself** по причини, които само аз си знам; **for a very good ~** съвсем/напълно основателно; **all the more ~ for** (*c ger*) още едно (важно) основание да; **2.** здрав разум, разсъдък; **to listen to/hear ~** вслушвам се в добри/разумни съвети; **to bring s.o. to ~** вразумявам някого; **in/within ~** разумно, приемливо; **I'll do anything in/within ~** ще направя всичко, което може да се иска от мен; **the price of meat is out of all ~** цената на месото е невероятна; **it stands to ~** очевидно/естествено е.

reason[2] *v* **1.** разсъждавам, мисля; обмислям (*и с* out); **2.** доказвам, аргументирам; заключавам; **~ed statement** аргументирано изказване/твърдение; **3.** обсъждам, разисквам;

 reason into убеждавам/склонявам да (*и с ger*); **to ~ s.o. into coming** убеждавам някого да дойде; **to ~ s.o. into a sensible course of action** убеждавам някого да постъпи разумно; □ **to ~ o.s. into perplexity** обърквам се от много разсъждения;

 reason out of разубеждавам, отклонявам от; убеждавам в неправилността на;

 reason with увещавам, мъча се да убедя.

reasonable ['ri:zənəbl] *a* **1.** разумен, логичен; **2.** приемлив, поносим, търпим, сносен; умерен (*и за цена*); **·~ chance** добри изгледи (за успех); **beyond ~ doubt** по несъмнен начин, без всякакво съмнение; **3.** с разума си; способен да мисли.

reasonably ['ri:zənəbli] *adv* **1.** разумно, логично; **2.** *разг.* доста, сравнително.

reasoning[1] ['ri:zəniŋ] *n* **1.** разсъждаване; **2.** причини, аргументи, доводи.

reasoning[2] *a* мислещ; разсъдлив; **~ faculties** мисловни способности.

reasonless ['ri:zənlis] *a* **1.** неоснователен, безпричинен; **2.** неразумен; **3.** глупав, безразсъден.

reassemble [,ri:ə'sembl] *n* **1.** събирам (се) отново; **2.** сглобявам/монтирам отново.

reassurance [,ri:ə'ʃuərəns] *n* **1.** увереност; **2.** успокоение, уверяване, успокояване.

reassure [,ri:ə'ʃuə] *v* **1.** вдъхвам увереност/вяра (у); успокоявам; уверявам (отново); **2.** преосигурявам.

Reaumur ['reiəmjuə] *a* реомюров (*за термометър*).

reave [ri:v] *v* (reft [reft]) *ост.* **1.** грабя, ограбвам; плячкосвам; **2.** отвличам, похитявам (**away, from**).

reb [reb] *ам. разг.* = **rebel**[1].

rebarbative [ri'ba:bətiv] *a* отблъскващ, противен.

rebate[1] ['ri:beit] *n търг.* отбив, отстъпка, намаление.

rebate[2] [ri'beit] *v търг.* правя отбив/отстъпка, намалявам, отбивам от (*цена*).

rebate[3] ['ræbit] = **rabbet**.

rebec(k) ['ri:bek] *n* ребека (*старинен струнен инструмент*).

rebel[1] ['rebl] *n* **1.** бунтовник; въстаник; **2.** непокорник, размирник, бунтар; **3.** *attr* 1) бунтовнически, въстанически; 2) бунтарски.

rebel[2] [ri'bel] *v* (**-ll-**) **1.** въставам, бунтувам се (**against**); **2.** противопоставям се, негодувам (**against**).

rebellion [ri'beljən] *n* **1.** въстание, бунт; размирици; **2.** недоволство, протест.

rebellious [ri'beljəs] *a* **1.** бунтовнически, въстанически; **2.** непокорен, бунтарски, буен, размирен; **3.** упорит, неподатлив, неподдаващ се (*на лечение, обработка, контрол и пр.*).

rebid [,ri:'bid] *v бридж* повтарям обявен вече цвят.

rebirth [ri:'bə:θ] *n* **1.** прераждане; **2.** възраждане, възродяване; обновяване.

reboant ['rebouənt] *a поет.* ечащ, отекващ.

reborn [ri:'bɔ:n] *a* **1.** прероден, родèн отново; превъплътен; **2.** възроден; обновен.

rebound[1] [ri'baund] *v* **1.** отскачам, рикоширам; **2.** *прен.* връщам се, засягам този, който е причинил нещо (**upon**); **the mischief may ~ upon your own heads** злото може да се стовари на собствените ви глави; **3.** възродявам се, съживявам се; обновявам се; **4.** отеквам.

rebound[2] *n* **1.** отскачане, рикоширане; **to take a ball on the ~** връщам/удрям топка, когато отскача; **2.** реакция след силно преживяване; **on the ~** като реакция от разочарование; **to take s.o. on/at the ~** възползувам се от разочарованието на някого, за да го накарам да се ожени за мен/да постъпи не така, както е възнамерявал.

rebuff[1] [ri'bʌf] *n* **1.** неочакван отказ; срязване; **to meet with/suffer a ~** отказват ми безцеремонно, срязват ме; **2.** неочаквана пречка.

rebuff[2] *v* отблъсквам, отхвърлям; отказвам (на); срязвам.

rebuild[,ri:'bild] *v* (**rebuilt**[,ri:'bilt]) **1.** възстановявам, възобновявам; **2.** преправям.

rebuke[1] [ri'bju:k] *v* мъмря, смъмрям; порицавам, укорявам.

rebuke[2] *n* мъмрене, смъмряне; порицание, укор.

rebus ['ri:bəs] *n* ребус.

rebut [ri'bʌt] *v* (**-tt-**) отхвърлям, опровергавам, отричам; оборвам (с доказателства).

rebuttal [ri'bʌtl] *n* **1.** отхвърляне, опровергаване; (аргументирано) опровержение; **2.** *юр.* доказателства, които опровергават обвинението.

rebutter [ri'bʌtə] *n* **1.** опровержение; **2.** *юр.* възражение (на ответника).

recalcitrance, -cy [ri'kælsitrəns, -si] *n* **1.** непокорство, непокорност; недисциплинираност; **2.** неподатливост.

recalcitrant [ri'kælsitrənt] *a* **1.** непокорен; неизпълнителен; своеволен, недисциплиниран; **2.** неподатлив (*на обработка, лечение и пр.*).

recall[1] [ri'kɔ:l] *v* **1.** повиквам обратно; връщам; отзовавам; **2.** отменям, анулирам; вземам си обратно; **3.** спомням си; припомням (си), напомням; **4.** *поет.* обновявам, съживявам.

recall[2] *n* **1.** (право на) отзоваване; **letter of ~** *дипл.* отзователно писмо; **2.** връщане; **beyond/past ~** 1) невъзвратим, непоправим, безвъзвратен; 2) забравен; **3.** отменяне, анулиране; **4.** сигнал/заповед за връщане; **5.** припомняне, спомняне; напомняне; **total ~** (способност за) припомняне във всички подробности.

recant [ri'kænt] *v* отричам (се), отмятам се/отказвам се от.

recantation [,ri:kæn'teiʃn] *n* отричане, отмятане, отказване.

recap[1] ['ri:kæp] *разг. съкр. от* recapitulation, recapitulate.

recap[2] [ri:'kæp] *v* (**-pp-**) *ам. авт.* възстановявам/регенерирам гума.

recapitulate [,ri:kə'pitjuleit] *v* **1.** повтарям накратко, резюмирам, сумирам; **2.** правя преглед; преговарям.

recapitulation ['ri:kə,pitju'leiʃn] *n* **1.** повторение, кратък преглед, резюме; **2.** рекапитулация, сумиране; **3.** *биол.* рекапитулация; **4.** *муз.* реприза.

recapitulative, -tory [,ri:kə'pitjulətiv, -təri] *a* **1.** резюмиращ, сумиращ; **2.** конспективен.

recapture[1] [ri:'kæptʃə] *v* **1.** улавям/пленявам · отново;

възвръщам си; **2.** изживявам отново; **3.** *юр.* изземвам; възвръщам незаконно взета собственост.

recapture² *n* **1.** *юр.* иззземване, възвръщане (*на незаконно взета собственост, пленник и пр.*); **2.** възвърнат пленник/плячка.

recast¹ [riː'kaːst] *v* (**recast**) **1.** отливам отново; давам друга форма на; **2.** преработвам, поправям (*книга, план и пр.*); **3.** *театр.* сменям състава на (*пиеса*); давам друга роля на (*актьор*).

recast² *n* **1.** преработване, даване нова форма; преработена форма/вид; **2.** нов/подобрен вид.

recce ['reki] *воен. sl. съкр. от* **reconnaissance¹**.

recede [riː'siːd] *v* **1.** оттеглям се, отдалечавам се, отдръпвам се; **2.** оттеглям се, измъквам се (*и прен.*); **3.** губя се, чезна, ставам неясен; избледнявам (*в паметта*); **4.** накланям се назад; **receding forehead** полегато чело; **receding chin** вдадена навътре брада; **5.** спадам (*и за цена*); намалява ми се цената.

receipt¹ [riː'siːt] *n* **1.** получаване; приемане; **to be in ~ of** *канц.* получавам, получил съм; **(up)on the ~ of** при получаване(то) на; **2.** *обик. pl* постъпления, печалби, приход; **3.** разписка, квитанция; **4.** рецепта за готвене; **5.** *ост.* митница.

receipt² *v* давам разписка за; разписвам се (на); обгербвам.

receipt-book [riː'siːtbuk] *n* кочан с разписки/квитанции.

receivable [riː'siːvəbl] *a* за получаване; **bills/accounts ~** сметки, по които има да се събират/получават суми.

receive [riː'siːv] *v* **1.** получавам; **to be ~d into** приемат ме в; **to ~ s.o.'s confession** изслушвам изповедта на някого; **2.** укривам крадени вещи (*и* **to ~ stolen goods**); **3.** приемам, давам прием; срещам, посрещам (*гости*); **receiving line** шпалир от посрещачи; **5.** съдържам, побирам; **6.** поемам, издържам, понасям (*тежест*); обект съм на; отстоявам; срещам, пресрещам (*удар и пр.*); **to ~ a broken jaw** разбивам си/разбиват ми челюстта; **7.** допускам, признавам, приемам, възприемам; **8.** *цьрк.* причестявам се; **9.** *рад., телев.* приемам, ловя, улавям; □ **to be on the receiving end** *прен.* на топа на устата съм, опирам пешкира.

received [riː'siːvd] *a* приет, общоприет, общопризнат; възприет; **R. Pronunciation** книжовно произношение на английския език (*съкр.* **R. P.**).

receiver [riː'siːvə] *n* **1.** получател; **2.** приемател; **3.** (радио)приемник; **4.** телефонна слушалка; **5.** укривател на крадени вещи; **6.** данъчен чиновник; **7.** *юр.* съдия-изпълнител; **8.** *тех.* приемник, сборник; резервоар; кондензаторно гърне.

receiving-order [riː'siːviŋ,ɔːdə] *n юр.* изпълнителен лист.

receiving set [riː'siːviŋ,set] *n* радиоприемник.

recency ['riːsənsi] *n* неотдавнашност; новост.

recension [riː'senʃn] *n* **1.** преработване, поправяне (*на текст*); **2.** версия, поправен текст; **3.** рецензия.

recent ['riːsnt] *a* неотдавнашен, скорошен; последен, нов, съвременен.

recently ['riːsəntli] *adv* напоследък, неотдавна, (на)скоро.

receptacle [riː'septəkl] *n* **1.** съд; контейнер; вместилище; влагалище; **2.** чанта, торба; **3.** *бот.* чашка; **4.** *ел.* гнездо, букса.

reception [riː'sepʃn] *n* **1.** получаване; приемане; **2.** *рад., телев.* приемане; **the ~ is good/poor** добре/лошо се чува/вижда; **3.** приемане, включване (*в партия и пр.*) **(into)**; **4.** прием, приемане, посрещане; **to meet**

with/have a warm ~ бивам добре приет; **5.** възприемане.

reception clerk [riː'sepʃn,klaːk] *n* администратор (*в хотел и пр.*).

reception-desk [riː'sepʃndesk] *n* администрация, рецепция (*в хотел и пр.*).

receptionist [riː'sepʃənist] *n* **1.** администратор (*в хотел и пр.*); **2.** служащ, който упътва посетители/пациенти/клиенти.

receptive [riː'septiv] *a* **1.** възприемчив, схватлив; **2.** разположен, отзивчив (*към идея, предложение и пр.*) **(to)**; **3.** *биол.* рецепторен.

receptivity [risep'tiviti] *n* **1.** възприемчивост, схватливост; **2.** отзивчивост; **3.** *тех.* поглъщателна способност; **4.** вместимост.

recess¹ [riː'ses] *n* **1.** прекъсване на работа/занятия (*особ. на парламент*); *ам.* ваканция (*и на съд*); междучасие; **2.** ниша; **3.** малко заливче; врязване в планинска верига; **4.** *анат.* вдлъбнатина, кухина; **5.** глухо/уединено място, кътче; *pl* недра, пазви; **the secret/inmost ~es of the heart** глъбините на сърцето.

recess² *v* **1.** правя вдлъбнатина/кухина; правя ниша в; **2.** оттеглям/дръпвам назад (*и постройка*); слагам в ниша/на скрито място; **3.** прекъсвам работа/занятия.

recession [riː'seʃn] *n* **1.** оттегляне, отдръпване, отдалечаване; **2.** ниша; вдадено място; **3.** *ик.* спад.

recessional [riː'seʃənəl] **I.** *a* ваканционен; **II.** *n цьрк.* химн в края на службата (*и ~* **hymn**).

recessive [riː'sesiv] *a* **1.** отдръпващ се, оттеглящ се, отстъпващ; **2.** *биол.* рецесивен; **3.** *фон.:* **~ accent** изтегляне на ударението напред.

recharge [riː'tʃaːdʒ] **1.** *воен.* зареждам отново; **2.** нападам отново; **3.** обвинявам отново.

réchauffé [rei'ʃoufei] *фр.* **1.** претоплено ястие; **2.** *прен. пренебр.* преработка.

recherché [rə'ʃɛəʃei] *a фр.* **1.** изискан, фин; **2.** екзотичен; рядък; **3.** пресилен; предвзет.

recidivist[riː'sidivist] *n* рецидивист.

recipe ['resipi] *n* рецепта (*готварска, медицинска*) (*и прен.*).

recipience, -cy [riː'sipiəns, -si] *n* възприемчивост.

recipient [riː'sipiənt] **I.** *a* **1.** получаващ; **2.** възприемчив, схватлив; **II.** *n* **1.** получател; **2.** *мед.* приемател, реципиент.

reciprocal [riː'siprəkəl] *a* **1.** взаимен; **2.** обратен; съответтен; **3.** *грам.* взаимен, реципрочен; **4.** *мат.* реципрочен, обратен.

reciprocate [riː'siprəkeit] *v* **1.** отвръщам, отговарям на (*чувства и пр.*); отплащам се **(with)**; **2.** разменяме си **3.** *тех.* движа (се) напред-назад, извършвам възвратно-постъпателно движение; **reciprocating engine** бутален двигател.

reciprocation [ri,siprə'keiʃn] *n* **1.** отвръщане със същото отплащане; взаимност (*на чувства и пр.*); **2.** взаимодействие; **3.** *тех.* възвратно-постъпателно движение.

reciprocative [riː'siprəkeitiv] *a* **1.** взаимен; **2.** отвръщащ със същото; **3.** *тех.* възвратно-постъпателен.

reciprocity [risi'prɔsiti] *n* **1.** взаимност; **2.** взаимодействие.

recision [riː'siʒn] *n* отменяне, анулиране.

recital [riː'saitl] *n* **1.** разказване; разказ; **2.** изреждане **3.** рецитал, концерт; **4.** *юр.* изложение на факти (*документ*).

recitation [,resi'teiʃn] *n* **1.** деклариране, рецитиране; рцитация, декламация; **2.** разказване, излагане, ра каз; **3.** *ам.* разказване на зададен урок; **4.** *ам.* урок, учебен час.

recitative [ˌresitəˈtiːv] *n* муз. речитатив.

recite [riˈsait] *v* **1.** разказвам (*и урок*); разправям; **2.** декламирам, рецитирам; **3.** изреждам, изброявам.

reck [rek] *v ост., поет. само във впр. и отриц. изречения или с* **little** обръщам внимание на (**of**); **he ~ed not of the danger** нехаеше за опасността; **it ~s little** няма значение, не е важно; **what ~s it him** какво го е грижа/го засяга.

reckless [ˈreklis] *a* безразсъден, необмислен, неразумен; дързък; **~ of danger** без страх от опасността.

reckon [ˈrekn] *v* **1.** смятам, пресмятам; изчислявам; броя, преброявам; **to ~ without o.'s host** *прен.* правя си сметката без кръчмаря; **~ing from today** считано от днес; **2.** считам, смятам; **to be ~ed a wit** минавам/считат ме за остроумен; **I ~ him as one of my friends/among my friends** смятам го за приятел; **3.** *разг.* мисля, смятам, предполагам, струва ми се;

reckon in включвам (*в сметка*);

reckon on разчитам/уповавам се на;

reckon up изчислявам;

reckon upon = **reckon on**;

reckon with 1) вземам предвид/под внимание; **an opponent to be ~ed with** сериозен противник; 2) справям се с; *прен.* оправям си сметките с.

reckoning [ˈrekəniŋ] *n* **1.** смятане, пресмятане; изчисление; преброяване; **to be out in o.'s ~** сбърквам в пресмятанията/преценката си, сметките ми излизат криви; **by my ~** по моята сметка, както пресмятам аз; **2.** сметка (*особ. в кръчма*); разплащане, разплата (*и прен.*); **day/hour of ~** ден/час на разплата; **to pay the ~** 1) плащам сметката; 2) *прен.* плащам за глупостта/грешката си; **3.** *мор.* определяне на местонахождението на кораб.

reclaim¹ [riˈkleim] *v* **1.** разработвам (*целина, блатисто място и пр.*); **2.** поправям, превъзпитавам, вкарвам в пътя (*пияница, престъпник и пр.*); **3.** опитомявам; **4.** използувам отново (*отпадъци*) като суровини; **5.** *тех.* регенерирам.

reclaim² *n*: **it is beyond/past ~** непоправимо е; свършено е.

reclamation [ˌrekləˈmeiʃn] *n* **1.** възстановяване, възвръщане, получаване обратно (*на територия и пр.*); **2.** култивиране, обработване; мелиорация; пресушаване (*на блата*); **3.** *прен.* поправяне (*на поведение*); **4.** рекламация; **5.** *тех.* регенериране; **6.** използуване (*на отпадъци*).

reclame [reiˈklaːm] *n* фр. **1.** реклама; **2.** *прен.* шум, самоизтъкване; (евтина) популярност.

reclinate [ˈreklineit] *a* бот. наведен, извит надолу.

recline [riˈklain] *v* облягам (се); излягам се; накланям (се); опирам (се), подпирам (се) (**on, upon, against**).

recluse¹ [riˈkluːs] *n* **1.** отшелник; **2.** саможив човек.

recluse² *a* **1.** саможив, затворен; **2.** уединен, откъснат.

reclusion [riˈkluːʒn] *n* **1.** уединение; **2.** отшелничество.

recognition [ˌrekəgˈniʃn] *n* **1.** (раз)познаване; **to alter/change out of/beyond (all) ~** ставам неузнаваем, променям се до неузнаваемост; **2.** признаване (*и пол.*); приемане; **3.** признание, изразено внимание (*за добра работа*); **in ~ of** като награда за (*заслуги и пр.*).

recognizable [rekəgˈnaizəbl] *a* познаваем, узнаваем, който може да се (раз)познае.

recognizance [riˈkɔ(g)nizəns] *n* **1.** юр. задължение (*срещу гаранция*); гаранция; **2.** = **recognition**.

recognize [ˈrekəgnaiz] *v* **1.** (раз)познавам; **2.** признавам (*и пол.*); приемам; **3.** оценявам, награждавам (*за-*

слуги и пр.*); **4.** давам думата на; **5.** приемам/поздравявам като приятел/познат.

recoil¹ [riˈkɔil] *v* **1.** отдръпвам се, отстъпвам; **2.** отскачам, отхвръквам; ритам (*за оръжие*); **3.** ужасявам се, отвращавам се (**from**); **4. to ~ on/upon** връщам се/стоварвам се на/върху (*този, който е извършил нещо*).

recoil² *n* **1.** отскачане, отдръпване; ритане (*на оръжие*); **2.** ужас, отвращение; отвръщане; **3.** обратна реакция.

recollect [rekəˈlekt] *v* спомням си, припомням си.

re-collect [ˌriːkəˈlekt] *v* **1.** събирам отново; **2.** *refl* идвам на себе си, успокоявам се.

recollection [rekəˈlekʃn] *n* **1.** спомняне, припомняне; памет; **to the best of my ~** доколкото си спомням; **it happened within my ~** помня, когато се случи; **the problem has never arisen within my ~** този проблем не е възниквал, откакто се помня; **2.** *често pl* спомени, възпоменания; **3.** съзерцание.

recommend [rekəˈmend] *v* **1.** препоръчвам; давам препоръка; **2.** представям (*за награда*); **3.** съветвам, препоръчвам; **4.** поверявам (на грижите на) (**to**); **5.** представям в добра светлина, препоръчвам, говоря добре за.

recommendable [rekəˈmendəbl] *a* препоръчителен.

recommendation [ˌrekəmenˈdeiʃn] *n* **1.** препоръка; препоръчване; **to speak in ~ of s.o./s.th.** препоръчвам някого/нещо; **on. s.o.'s ~** по нечия препоръка; **2.** добро/похвално качество.

recommendatory [rekəˈmendətəri] *a* препоръчителен.

recommit [ˌriːkəˈmit] *v* (**-tt-**) парл. връщам (*законопроект*) отново в комисия.

recompense¹ [ˈrekəmpens] *v* отплащам; възнаграждавам; обезщетявам (**for**); **to ~ good with evil** отвръщам на доброто със зло.

recompense² *n* отплата, възнаграждение; обезщетение, компенсация.

reconcilable [ˈrekənsailəbl] *a* **1.** съвместим; **2.** примирим.

reconcile [ˈrekənsail] *v* **1.** помирявам, сдобрявам (**with**); **2.** примирявам, изглаждам, съгласувам (**with**); **to ~ o.s. to** примирявам се с.

reconcilement [ˌrekənˈsailmənt] *n* **1.** помиряване, сдобряване, помирение; спогодба; **2.** съгласуване.

reconciliation [ˌrekənsiliˈeiʃn] = **reconcilement 1.**

reconciliatory [rekənˈsiliətəri] *a* помирителен.

recondite [ˈrekəndait, riˈkɔndait] *a* **1.** таен, скрит, неизвестен; **2.** неясен, отвлечен, неразбираем.

recondition [ˌriːkənˈdiʃn] *v* **1.** поправям, ремонтирам; **2.** възстановявам, възобновявам; **3.** променям (*нечие отношение и пр.*).

reconnaisance [riˈkɔnisns] *n* **1.** воен. разузнаване, рекогносцировка; **~ in force** разузнавателна акция на военна част; **2.** разузнавателен отред; **3.** предварителен преглед/изследване (*на предстояща работа*); **4.** *attr* разузнавателен.

reconnoitre [ˌrekəˈnɔitə] *v* разузнавам; проучвам, изследвам (*положение и пр.*).

reconsider [ˌriːkənˈsidə] *v* преразглеждам; преценявам/обмислям отново.

reconstitute [ˌriːˈkɔnstitjuːt] *v* **1.** = **reconstruct 1**; **2.** връщам към първоначалното състояние (*напр. мляко от мляко на прах*).

reconstruct [ˌriːkənˈstrʌkt] *v* **1.** преустроявам, реконструирам; построявам отново; **2.** възстановявам в паметта си.

reconstruction [ˌriːkən'strʌkʃn] *n* **1.** преустрояване, преустройство, реконструкция; **2.** възстановяване (*и в паметта*).

reconstructive [ˌriːkən'strʌktiv] *a* възстановителен.

record[1] ['rekɔːd, *ам.* 'rekəd] *n* **1.** официален писмен документ; архив; **2.** отбелязване, регистриране, документиране; **on (the)** ~ вписан, зарегистриран, отбелязан; **off the** ~ 1) неофициален, който не бива да се публикува в печата; 2) неофициално; **this is for the** ~ това е официалното съобщение/становище; **matter of** ~ зарегистриран/документиран факт; **to make a** ~ **of** записвам; **(Public) R. Office** Държавен архив; **to be/go/be put on** ~ **as saying** отбелязва се за мен, че съм казал; **to get/put/set the** ~ **straight** поправям грешка; **to keep the** ~ **straight** не допускам грешка; **3.** летопис; документ; исторически паметник; ~**s of the past** летописи; исторически паметници; **4.** данни, сведения; ~ **of service, service** ~ досие, характеристика; **I can find no** ~ **of it** не мога да намеря никакви данни за това; **5.** протокол (*на заседание*); **to keep to/travel out of the** ~ придържам се към/отклонявам се от същината на въпроса; **6.** служебна характеристика, досие; репутация, слава, име; минало; **his** ~ **is in his favour/against him** това, което се знае за него, е благоприятно/неблагоприятно; **to have/show a good/clean** ~ ползвам се с добро име; **to have a** ~ осъждан съм; **7.** грамофонна плоча; ~ **library** дискотека; **8.** *сп.* рекорд; **to beat/break a** ~ счупвам рекорд; **9.** *attr* рекорден.

record[2] [ri'kɔːd] *v* **1.** записвам, вписвам, отбелязвам; регистрирам; протоколирам; водя бележки; **the word is** ~**ed in** думата е засвидетелствувана в/у; ~**ing angel** ангел, който води сметка за делата на хората; **2.** пиша, описвам, разказвам; **3.** записвам, бележа, отбелязвам (*за апарат*); *рад., телев. и пр.* правя запис, записвам; ~**ing** записващ (*за уред*).

record-breaking ['rekɔːdˌbreikiŋ] *a* рекорден.

record changer ['rekɔːdˌtʃeindʒə] *n* приспособление за автоматично сменяне на грамофонни плочи; грамофон с такова устройство.

recorder [ri'kɔːdə] *n* **1.** регистратор; архивар; протоколист; секретар; писар (*в съд*); **2.** главен съдия (*на град*); *ам.* мирови съдия; **3.** магнетофон, звукозаписвателен апарат; **4.** самопишещ апарат; **5.** флажолет, права флейта.

record-holder ['rekɔːdˌhouldə] *n* *сп.* рекордьор, носител на рекорд.

recording [ri'kɔːdiŋ] *n* записване; (звуко)запис; телевизионен и пр. запис.

recordist [ri'kɔːdist] *n* звукооператор.

record-player ['rekɔːdpleiə] *n* (електрически) грамофон.

recount [ri'kaunt] *v* разказвам, разправям, излагам.

recoup [ri'kuːp] *v* **1.** обезщетявам, компенсирам (**for**); **to** ~ **o.s. (for o.'s losses)** възстановявам си загубите; **2.** *юр.* удържам част от сума за дълг.

recoupment [ri'kuːpmənt] *n* обезщетение, компенсация.

recourse [ri'kɔːs] *n* **1.** прибягване/обръщане за помощ и пр. (**to**); **to have** ~ **to** обръщам се за помощ към; прибягвам до; **2.** средство; прибежище; **last** ~ последно средство/прибежище; **3.** *търг.* право за искане на парично обезщетение.

recover [ri'kʌvə] *v* **1.** възстановявам (си), възвръщам (си), получавам; **2.** *и refl* съвземам се, оздравявам, оправям се (**from**); успокоявам се; **to** ~ **o.'s feet/legs** изправям се, ставам (*след падане*); **3.** откривам

(отново); възстановявам; **4.** разработвам, усвоявам (*целина и пр.*); **5.** наваксвам, набавям; **6.** *юр.* получавам обезщетение; *ам.* спечелвам дело; **7.** *тех.* регенерирам; извличам.

recovery [ri'kʌvəri] *n* **1.** възстановяване, възвръщане, получаване обратно; **2.** оздравяване; възстановяване; съвземане; възстановителен период; **to make a quick** ~ бързо се възстановявам/оздравявам; бързо се съвземам (*при игра и пр.*); **3.** *юр.* получаване на обезщетение; **4.** *сп.* хващане на шпага в отбранително положение; връщане на гребло в първоначално положение.

recovery room [ri'kʌvəriˌrum] *n* *мед.* реанимационна

recreant ['rekriənt] **I.** *a* **1.** страхлив, малодушен; **2.** неверен, предателски, изменнически, подъл; **II.** *n* **1.** страхливец; **2.** предател, изменник, подлец.

recreate ['rekrieit] *v обик. refl* **1.** развличам (се), забавлявам (се); **2.** освежавам (се), ободрявам (се).

re-create [ˌriː'krieit] *v* пресъздавам, претворявам; възпроизвеждам.

recreation [ˌrekri'eiʃn] *n* **1.** освежаване, ободряване; отмора, почивка; **2.** развлечение; забавление; игра; ~ **ground** игрище; ~ **room** стая за игри и др. забавления; **3.** междучасие.

re-creation [ˌriːkri'eiʃn] *n* пресъздаване, претворяване; възпроизвеждане.

recreational, -tive [ˌrekri'eiʃənəl, -tiv] *a* **1.** освежителен, ободряващ; **2.** забавен, занимателен; за развлечение.

recriminate [ri'krimineit] *v* правя контраобвинение; взаимно се обвиняваме.

recrimination [riˌkrimi'neiʃn] *n* рекриминация, контраобвинение; *pl* взаимни обвинения.

recrudesce [ˌriːkruː'des] *v* **1.** повтарям (*за болест*); **2.** появявам се отново, избухвам пак (*за порок, недоволство и пр.*).

recrudescence [ˌriːkruː'desns] *n* **1.** повтаряне (*на болест*); **2.** появяване/избухване отново (*на порок, недоволство и пр.*).

recruit[1] [ri'kruːt] *n* **1.** новобранец; **2.** нов член на партия и пр.

recruit[2] *v* **1.** набирам, рекрутирам, вербувам (*войници, членове на партия и пр.*); **2.** подсилвам (се), засилвам (се) (*с нови хора*); **3.** възстановявам (*запас, сили и пр.*), засилвам се, възстановявам се.

recruitment [ri'kruːtmənt] *n* **1.** набиране, рекрутиране, вербуваж; **2.** възстановяване (*на сили и пр.*).

recta *вж.* **rectum.**

rectal ['rektəl] *a* *анат.* ректален, на ректума.

rectangular [rek'tæŋgjulə] *a* правоъгълен; ~ **axes/co-ordinates** *геом.* координатни оси.

rectification [ˌrektifi'keiʃn] *n* **1.** поправяне, изправяне поправка, корекция; **2.** *хим.* пречистване; **3.** *ел.* токоизправяне; **4.** *тех.* сверяване, нагласяване; **5.** *геом.* определяне дължината на крива.

rectifier ['rektifaiə] *n* *ел.* токоизправител.

rectify ['rektifai] *v* **1.** поправям, изправям, коригирам; **to** ~ **abuses** оправям нередности; **to** ~ **grievances complaints** отстранявам причините за оплаквания **2.** *хим.* пречиствам; **3.** *ел.* изправям (*променлив ток*) **4.** *тех.* сверявам, нагласявам; **5.** определям дължината на (*крива*).

rectilineal, -ar [ˌrekti'liniəl, -iə] *a* *геом.* праволинеен; който е по/който образува права линия; ограничен о прави линии.

rection ['rekʃn] *n* *грам.* рекция, управление.

rectitude ['rektitjuːd] *n* **1.** честност, висока нравственос **2.** правота, справедливост, правилност.

recto ['rektou] *n* *печ.* нечетна страница; лице на лист

rector ['rektə] *n* 1. ректор; 2. *ам.* директор на училище; 3. енорийски пастор; 4. католически свещеник/директор на училище.

rectorate ['rektərit] *n* ректорат.

rectorship ['rektəʃip] *n* 1. ректорство; 2. бенефиций на енорийски пастор.

rectory ['rektəri] *n* бенефиций/длъжност/жилище на енорийски пастор.

rectum ['rektəm] *n* (*pl* **recta** ['rektə] **,ums** [-əmz]) *лат. анат.* ректум.

recumbent [ri'kʌmbənt] *a* легнал, лежащ; полегнал; облегнат.

recuperate [ri'kju:reit] *v* 1. възстановявам (*сили, здраве, финансови загуби и пр.*); възстановявам се, оправям се, съвземам се, оздравявам; 2. *тех.* рекуперирам.

recuperation [ri,kju:pə'reiʃn] *n* 1. възстановяване (*на сили и пр.*); 2. *тех.* рекуперация.

recuperative [ri'kju:pərətiv] *a* 1. възстановителен; укрепителен, укрепващ; 2. *тех.* рекуперационен.

recur [ri'kə:] *v* (**-rr-**) 1. връщам се (**to** към); повтарям (се); **the thought ~red to me** дойде ми отново на ум; 2. прибягвам (**to** към); 3. изниквам отново (*за въпрос*); случвам се пак; □ **~ring decimal** периодична десетична дроб.

recurrence [ri'kʌrəns] *n* 1. повтаряне, повторение (*и на болест*); 2. прибягване (**to** до); **to have ~ to** прибягвам (*за помощ*) към.

recurrent [ri'kʌrənt] *a* 1. повтарящ се (периодически); 2. *анат.* рекурентен (*за артерия, нерв и пр.*).

recurve [ri'kə:v] *v* извивам (се) назад.

recusance, -cy ['rekju:zəns, -si] *n* неподчинение (*особ. по религиозни въпроси през XVI и XVII в.*); опониране, протест (*срещу установената църква и пр.*); дисидентство.

recusant ['rekjuzənt] I. *a* който не се подчинява (*на закон, установената църква и пр.*); дисидентски; II. *n* дисидент.

recycle [,ri:'saikl] *v* преработвам (*вторични суровини*).

red[1] [red] *a* 1. червен; 2. зачервен, румен, поруменял, почервенял; 3. комунистически; съветски (*често* **R.**); 4. революционен; насилнически; анархистки; □ **~ alert** *воен.* тревожен сигнал за най-близка опасност.

red[2] *n* 1. червен цвят, червено; червена боя; 2. *търг. разг.* загуба, дефицит; **to be in the ~** в загуба/дефицит съм; **to be out of the ~** без загуба/дефицит съм; 3. комунист (*често* **R.**); 4. революционер; 5. **the R.s** индианците; червенокожите; 6. червен сигнал (*за спиране, опасност*); 7. червена точка (*на билярд*); червен квадрат (*на рулетка*); □ **to see ~** *разг.* побеснявам от яд.

redact [ri'dækt] *v* редактирам.

redaction [ri'dækʃn] *n* 1. редактиране; редакция; 2. преработено издание.

red admiral ['red,ædmirəl] *n* зоол. адмирал (Vanessa atalanta).

redan [ri'dæn] *n* воен., ист. редан.

Red Army ['red,a:mi] *n* 1. Червена армия; 2. *attr* червеноармейски.

red-bait ['redbeit] *v* ам. преследвам за комунистически/прогресивни идеи.

red biddy ['red,b̦idi] *n* евтино питие от вино и метилов алкохол.

red-blindness ['red,blaindnis] *a* мед. далтонизъм предимно за червения цвят, протанопсия.

red-blooded ['red,blʌdid] *a* 1. енергичен, деен; 2. невъздържан; 3. пламенен.

redbreast ['redbrest] *n* зоол. 1. червеношийка (Erithacus rubecola); 2. вид сев.-ам. риба (Leponis auritis).

red-brick ['redbrik] *a* новооснован (*за университет в Англия, за разлика от Оксфорд, Кеймбридж и др.*).

red bud ['redbʌd] = **Judas-tree.**

redcap ['redkæp] *n* 1. разг. военен полицай; 2. *ам.* носач (на гара); 3. зоол. вид сипка (Carduelis carduelis).

red carpet ['red,ka:pit] *n* 1. червен килим (*постилан при тържествени случаи*); 2. тържественост, високо уважение (*към високопоставени гости*); **~ treatment** много тържествено посрещане; **to roll out the ~** посрещам тържествено; готвя се да посрещна тържествено.

red cedar ['red,si:də] *n* 1. бот. вид хвойна (Juniperus virginiana, Juniperus scopulorum); 2. дървото на тези две растения.

redcoat ['redkout] *n* ист: британски войник.

red currant ['red,kʌrənt] *n* френско грозде (Rubes rubrum).

redd [red] *n* място, където рибата хвърля хайвера си.

red deer ['red,diə] *n* елен (Cervus elaphus, *в Америка* Ocodoileus virginianus).

redden ['redn] *v* 1. боядисвам червено; 2. изчервявам се, почервенявам, зачервявам се.

reddish ['rediʃ] *a* червеникав, възчервен.

reddle ['redl] *n* червена охра.

rede[1] [ri:d] *n* ост. 1. съвет; 2. намерение, план; 3. разказ, история, поговорка; 4. обяснение, тълкуване.

rede[2] *v* ост. 1. съветвам; 2. обяснявам, тълкувам; 3. разказвам.

redecorate [,ri:'dekəreit] *v* боядисвам отново; слагам нови тапети (*на*).

redeem [ri'di:m] *v* 1. откуп(у)вам (*заложена вещ, ипотекиран имот и пр.*); изкуп(у)вам; 2. възвръщам (си), възстановявам (си) (*честта и пр.*); 3. спасявам, избавям; 4. поправям (*грешка и пр.*); 5. рел. спасявам от грях/вечно проклятие; 6. компенсирам, балансирам; 7. освобождавам, пускам, откупвам (*роб и пр.*); 8. изпълнявам (*обещание и пр.*).

redeemable [ri'di:məbl] *a* 1. спасяем; 2. възстановим; 3. *търг.* който може да бъде изкупен.

redeemer [ri'di:mə] *n* спасител, избавител.

redeeming [ri'di:miŋ] *a* компенсиращ, балансиращ (*грешка, слабост*).

redemption [ri'dempʃn] *n* 1. откуп, откуп(у)ване, изкупуване; 2. рел. спасение, изкупление; **beyond/past ~** непоправим, окончателно изгубен; **in the year of our ~ 1560** през 1560 г. от раждането на Христос; 3. изпълняване, спазване (*на обещание и пр.*); 4. спасяване, избавяне; пускане на свобода; 5. фин. обръщане на книжни пари в монети.

redemptive, -tory [ri'demptiv, -təri] *a* 1. откупващ; 2. избавителен, спасителен; изкупителен.

redeploy [,ri:di'plɔi] *v* прехвърлям (*войски, работници*) в друг сектор, прегрупирам.

redeye ['redai] *n* 1. = **rudd**; 2. ам. sl. евтино уиски; 3. жп. червен сигнал на семафор.

red-fish ['redfiʃ] *n* вид сьомга.

red-gum ['redgʌm] *n* 1. мед. строфулис, обрив по венците на бебе; 2. бот. вид австралийски евкалипт.

red-handed ['red,hændid] *a* с окървавени/опръскани с кръв ръце; **to be caught ~** хващат ме на местопрестъплението.

red hat ['red,hæt] *n* 1. кардиналска шапка; 2. кардинал.

redhead ['redhed] *n* 1. червенокос човек; 2. вид червеноглава патица (Nyroca america).

red herring ['red‚heriŋ] *n* 1. пушена херинга; 2. *прен.* диверсия; тема, подхваната, за да се отвлече вниманието; **to draw a ~ across the path/track/trail** отвличам вниманието от главния въпрос.

red-hot ['redhɔt] *a* 1. нажежен до червено; 2. *прен.* възбуден, разгорещен; вбесен; 3. ентусиазиран; краен; 4. съвсем нов, последен; сензационен (*за новини и пр.*).

Red Indian ['red‚indjən] *n* американски индианец.

redingote ['rediŋgout] *n* 1. редингот; 2. дамско палто с кройка редингот.

redintegrate [ri'dintəgreit] *v* 1. възстановявам цялост/единство; 2. установявам наново; 3. подновявам.

redirect [‚ri:di'rekt] *v* 1. преадресирам (*писмо*); 2. насочвам наново.

redistribute [‚ri:di'stribju:t] *v* разпределям отново, преразпределям.

red lead ['red‚led] *n* хим. оловен миний.

red-letter ['redletə] *a* 1. отбелязан с червени букви в календара; 2. забележителен, щастлив; **~ day** щастлив ден, празник.

red light ['red‚lait] *n* 1. червена светлина/сигнал за опасност; *авт.* задна червена светлина; **to see the ~** предчувствувам/забелязвам опасност; 2. публичен дом; **~ district** квартал с публични домове.

red man ['red‚mæn] *n* индианец, червенокож.

red meat ['red‚mi:t] *n* телешко/говеждо/овнешко месо.

redneck ['rednek] *n* ам. беден бял земеделски работник в Южните щати.

re-do [‚ri:'du:] *v* (-**did** [-did]; -**done** [-dʌn]) 1. преправям, преработвам; 2. боядисвам/тапицирам отново; ремонтирам.

red ochre ['red‚oukə] *n* червена охра, железен миниум.

redolence ['redələns] *n* 1. (благо)ухание, аромат; 2. напомняне (**of** за).

redolent ['redələnt] *a* 1. (благо)уханен, (благо)ухаещ, ароматен; миришещ (**of** на); 2. напомнящ (**of**); изпълнен, навяващ (спомен) (**of** за); **~ of romance** романтичен, изпълнен с романтичност; **~ of antiquity** навяващ спомени за древността.

redouble[1] [ri:'dʌbl] *v* 1. удвоявам (се); засилвам (се) много; 2. повтарям (се); еча; проечавам; 3. *бридж* реконтрирам.

redouble[2] *n бридж* реконтра, реконтриране.

redoubt [ri'daut] *n воен., ист.* редут.

redoubtable [ri'dautəbl] *a* 1. страшен, опасен; 2. вдъхващ уважение/страхопочитание; 3. бележит.

redound [ri'daund] *v* 1. спомагам, допринасям, водя (**to**); **it ~s to your advantage** това е в твоя полза; **benefits that ~ to us** облаги, които получаваме; **it ~s to your honour** това ти прави чест; 2. *прен.* връщам се, отразявам се (**upon** върху).

red-pencil ['redpensl] *v* (-**ll**-) 1. поправям, коригирам; 2. цензурирам.

red pepper ['red‚pepə] *n* 1. червен пипер (Capsicum frutenscens); 2. червен пипер (*подправка*).

redpoll ['redpoul] *n* 1. зоол. брезова скатия (Acanthus flammea); 2. порода червени говеда без рога.

red rag ['red‚ræg] *n* 1. червен плат (*за раздразнене на бикове*); 2. *прен.* нещо, което вбесява; 3. *sl.* език.

redress[1] [ri'dres] *v* 1. възстановявам (*равновесие и пр.*); нагласявам; 2. поправям (*грешки и пр.*); компенси-

рам; 3. облекчавам (*страдания*); 4. отстранявам причините за.

redress[2] *n* поправяне; удовлетворение; обезщетение; компенсация.

red ribbon ['red‚ribn] *n* 1. лента на ордена Бат/на Почетния легион; 2. *ам.* лента (*отличие*) на спечелил втора награда при състезание.

red root ['red‚ru:t] *n* видове растения с червен корен (Lacnanthus tinctoria, Alcanna tinctoria, Amarantus retroflexus).

red rot ['red‚rɔt] *n* болест по дърветата.

red rust ['red‚rʌst] *n* ръжда (*по листата*).

redshank ['redʃæŋk] *n* 1. зоол. кюкавец (Totanus totanus, Titanus erythropus); 2. *презр.* шотландец, ирландец.

redshirt ['redʃə:t] *n* 1. ист. привърженик на Гарибалди; 2. революционер.

redskin ['redskin] *n* индианец, червенокож.

redstart ['redsta:t] *n зоол.* 1. градинска червеноопашка (Phoenicurus phoenicurus, Ruticulla phoenicurus); 2. *ам.* вид дрозд (Sotophaga ruticulla).

red tape ['red‚teip] *n* 1. червена лента за връзване на документи; 2. бюрократизъм, бюрокрация, канцеларщина; 3. *attr* бюрократичен.

red-tapery, -tapism [red'teipəri, -'teipizm] *n* бюрократизъм, канцеларщина, формализъм.

redtop ['redtɔp] *n бот.* полевица (Agrostis alba).

reduce [ri'dju:s] *v* 1. намалявам, понижавам, снишавам, ограничавам (*разходи и пр.*); **to ~ the establishment** съкращавам персонала/разходите; 2. намалявам (*размери — на снимка и пр.*); **to ~ a sauce** сгъстявам сос (*чрез изваряване*); 3. *воен.* понижавам, разжалвам, деградирам; 4. *прен.* докарвам, довеждам (**to** до); принуждавам; **to ~ to terror** докарвам до ужас; **to ~ to tears** разплаквам; **to ~ to silence** накарвам да млъкне; **to ~ to submission** принуждавам да се подчини; **to ~ s.o. to discipline** принуждавам някого да спазва дисциплина, вкарвам някого в пътя; **to be ~d to borrowing** принуден съм да вземам назаем; 5. свеждам (**to** до); **to ~ to absurdity** свеждам до абсурд; **the facts may be ~d to** фактите могат да се сведат до; **to ~ to classes** класифицирам; 6. превръщам (се); **to ~ to writing** (пре)давам в писмена форма, записвам; **to ~ to powder** стривам на прах; 7. изтощавам, отслабям; слабея, отслабвам; пазя линия; **he is ~d almost to nothing** станал е кожа и кости, съвсем се е стопил; 8. *мат.* подвеждам (*под общ знаменател*); съкращавам (*дроб, уравнение*); 9. *мед.* намествам (*става и пр.*); 10. хим. откислявам, редуцирам; 11. *метал.* пресовам; 12. *мин.* извличам (*минерал*) от руда; 13. намалявам силата на, разреждам (*алкохол*).

reducer [ri'dju:sə] *n* 1. хим. откислител; 2. хим. редуциращ разтвор; 3. *тех.* редуцираща/намаляваща зъбна предавка; редукционна клапа; редуциращ вентил; 4. възстановител, откислител.

reducing agent [ri'dju:siŋ‚eidʒənt] *n* = **reducer** 1.

reductio ad absurdum [ri'dʌktiouædəb'sə:dəm] *n лат.* доказване абсурдността на дадено твърдение.

reduction [ri'dʌkʃn] *n* 1. намаление, намаляване; отстъпка; съкращение (*на разходи и пр.*); 2. умалено копие (*на снимка, карта и пр.*); 3. докарване, свеждане (**to** до); подчиняване; понижение, разжалване (**from, in rank** в по-долен чин); 5. *мед.* наместване (*на става и пр.*); 6. хим. откисляване, редуциране; 7. *мат.* привеждане под общ знаменател, съкращаване (*на дроб и пр.*); 8. *метал.* валцоване; изтегляне; сплескване, пресоване; 9. *изч. тех.* обработване (*на данни*).

redundance, -cy [ri'dʌndəns, -si] *n* **1.** излишък (*и на работна ръка*); излишество; **2.** претрупаност (*и на стил*); излишно повторение, многословие; **3.** *ез.* плеоназъм; **4.** *ез.* редундантност; свръхинформация, информация в повече от необходимото; **5.** изобилие; □ ~ **pay/payment** обезщетение на уволнен поради съкращение служител.

redundant [ri'dʌndənt] *a* **1.** излишен (*и за работна ръка*); ~ **population** свръхнаселение; свръхнаселеност; **2.** претрупан; досадно повтарящ; многословен; **3.** *ез.* плеонастичен; **4.** *ез.* редундантен; **5.** изобилен; избуял; **6.** *косм.* резервен (*за част на космически кораб*).

reduplicate [ri'dju:plikeit] *v* **1.** удвоявам; **2.** повтарям; **3.** *грам.* удвоявам (се), редуплицирам (се).

reduplication [ri,dju:pli'keiʃn] *n* **1.** удвояване; **2.** повтаряне; **3.** *грам.* удвояване, редупликация.

reduplicative [ri'dju:plikətiv] *a* **1.** удвояващ се; повтарящ се; **2.** *грам.* с редупликация/удвояване.

redwing ['redwiŋ] *n зоол.* вид дрозд (Turdus musicus).

redwood ['redwud] *n* **1.** *бот.* секвоя (Sequoia sempervirens); **2.** материал/боя от секвоя и др. под. дървета.

reebock ['reibɔk] *n зоол.* юж.-афр. антилопа.

re-echo [ri:'ekou] *v* отеквам; повтарям.

reed[1] [ri:d] *n* **1.** тръстика (Phragmites); **2.** тръстиково стъбло; *pl* тръстика/слама за покрив; **3.** *поет.* овчарска свирка (*от тръстика*); *прен.* пасторална поезия; **4.** *поет.* стрела; **5.** *муз.* платък (*на инструмент*): the ~s дървени духови инструменти; **6.** *арх.* корниз; **7.** бърдо (*за тъкане*); **8.** *attr* 1) тръстиков, от тръстика; 2) *муз.* с платък; □ **broken** ~ несигурен човек/нещо.

reed[2] *v* **1.** покривам с тръстика/слама; **2.** *муз.* слагам платък на.

reedbird ['ri:dbə:d] = **bobolink**.

reedbuck ['ri:dbʌk] *n* вид африканска антилопа.

reeder ['ri:də] *n* човек, който прави тръстикови/сламени покриви.

reeding ['ri:diŋ] *n* **1.** назъбен ръб на монета; **2.** *арх.* украса с корниз.

re-edit [,ri:'edit] *v* прередактирам; подготвям ново издание на.

reed organ ['ri:dɔ:gən] *n* музикален инструмент от рода на аерофоните.

re-education camp [,ri:edju'keiʃn,kæmp] *n* трудово-възпитателен лагер.

reedy ['ri:di] *a* **1.** обрасъл с тръстика; **2.** тръстиков; **3.** тънък, писклив (*за звук*); **4.** тънък, изтънял.

reef[1] [ri:f] *n* **1.** риф, подводна скала (*и прен.*); **2.** *мин.* златоносна скала/пласт; рудна жила.

reef[2] *n мор.* риф; **to take in a** ~ 1) свивам част от платно; 2) *прен.* действувам по-предпазливо.

reef[3] *v мор.* свивам част от корабно платно; прибирам бушприт.

reefer[1] ['ri:fə] *n* **1.** моряк, който свива корабните платна, **2.** *sl.* мичман; **3.** здрава тясна куртка; **4.** = **reef-knot**.

reefer[2] *n am. sl.* цигара с марихуана.

reefer[3] *n am. sl.* голям хладилник; хладилен вагон/кораб и пр.

reefing-jacket ['ri:fiŋ,dʒækit] = **reefer**[1] 3.

reef-knot ['ri:fnɔt] *n мор.* рифов възел.

reek[1] [ri:k] *n* **1.** воня, смрад, зловоние; **2.** пара, изпарение; пушек.

reek[2] *v* **1.** воня, смърдя (**of**); **2.** изпускам пара, пуша, димя; **hands** ~**ing with blood** окървавени ръце; ~**ing with sweat** потънал в пот; **3.** *прен.* цял съм изпълнен/пропит (**with**); излъчвам (*чар и пр.*); **to** ~ **with snobbery** цял съм пропит от снобизъм; **street** ~**ing with crime** улица, която е гнездо на престъпле-

ния/престъпници; **neighbourhood that** ~**s of poverty** квартал, от който лъха бедност/мизерия.

Reekie ['ri:ki] *n*: **Auld** ~ Единбург.

reeky ['ri:ki] *a* **1.** димящ, пушещ; **2.** опушен, задимен; **3.** смрадлив, вонлив, зловонен; **4.** от пушек/дим (*за облак и пр.*).

reel[1] [ri:l] *n* **1.** макара; масур; **2.** *тех.* макара; бобина; скрипец; **3.** *кино* филм(ова лента); **4.** рамка за сушене на дрехи; **5.** макара; жилка; влакно (*на въдица*); □ **(straight) off the** ~ без спиране/прекъсване.

reel[2] *v* **1.** навивам на макара; намотавам; **2.** точа (*коприна*);
reel in навивам влакното на въдица;
reel off 1) размотавам; 2) казвам/прочитам/изреждам бързо/на един дъх; избърборвам.
reel up = **reel in**.

reel[3] *v* **1.** въртя се, завъртам се; замаян съм; **to make s.o's senses/head** ~ правя да се замае главата на някого; **my head** ~**s** вие ми се свят; **my mind/brain** ~**s at the thought** свят ми се завива/умът ми се взема при мисълта; **2.** залитам, политам; люлея се, олюлявам се, клатушкам се; люшкам се; **the street** ~**ed before his eyes** улицата се залюля пред очите му; **the state was** ~**ing to its foundations** държавата беше разклатена до основи/беше готова да рухне; **3. to** ~ **back** политам назад (*при удар*).

reel[4] *n* залитане, политане; клатушкане; олюляване; □ **without a** ~ **or stagger** без всякакво колебание.

reel[5] *n* бърз/жив шотландски танц; музика за този танц; **foursome/eightsome** ~ този танц, игран от две/четири двойки.

reel[6] *v* играя бърз шотландски танц.

re-elect [,ri:i'lekt] *v* преизбирам.

re-enact [,ri:in'ækt] *v* **1.** *юр.* отново въвеждам, възстановявам (*закон и пр.*); **2.** отново изигравам, възстановявам (*сцена и пр.*).

re-enforce = **re-inforce**.

re-enter [ri:'entə] *v* **1.** влизам пак (в); връщам се в; **2.** *юр.* встъпвам отново във владение; **3.** пак постъпвам/връщам се на служба; **4.** *муз.* встъпвам пак (*за инструмент*); **5.** *търг.* вписвам отново; **6.** правя линии (*на гравюра*) по-дълбоки.

re-entrant [ri:'entrənt] *a* **I.** *мат.* входящ (*за ъгъл*); **II.** *n* лице, което отново кандидатствува за депутат и пр.

re-entry [,ri:'entri] *n* **1.** повторно влизане/встъпване; връщане; **2.** *юр.* повторно влизане във владение; **3.** *косм.* връщане/навлизане в плътните слоеве на атмосферата; **4.** *бридж* карта, която дава възможност на играча да вземе отново инициативата.

re-establish [,ri:is'tæbliʃ] *v* възстановявам.

reeve[1] [ri:v] *n* **1.** *ист.* главен управител на област; **2.** *ист.* управител на имение; **3.** кмет (*в Канада*).

reeve[2] *v* (**rove** [rouv], **reeved**; **rove** ['rouvn], **reeved**) *мор.* **1.** провирам/промушвам (*въже*) през дупка/халка; завързвам/прикрепям с въже; **2.** проправям си път, минавам внимателно (през) (*плитчини и пр.*).

ref[1] [ref] *sl. съкр. от* **referee**[1], **reference**[1].

ref[2] *v сп.* реферирам; съдия съм на (*мач*).

reface [ri:'feis] *v* **1.** облицовам/покривам отново; подновявам облицовката на; **2.** слагам нови ревери (*на смокинг и пр.*).

refashion [ri:'fæʃn] *v* префасонирам (*и прен.*); преустройвам; давам нова форма/вид на.

refection [ri'fekʃn] *n* **1.** лека закуска, похапване; **2.** подкрепяване; възстановяване на силите.

refectory [ri'fektəri] *n* **1.** трапезария в училище/манастир; **2.** стол, менза (*в университет*).

refer [ri'fə:] *v* (-rr-) **1.** приписвам, отдавам, обяснявам (**to** на, с); **2.** отнасям, причислявам (**to** към) (*категория, период и пр.*); **3.** отпращам, насочвам (**to** към); отнасям (*въпрос за разглеждане и пр.*); **the reader is ~red to** читателят може да на'прави справка в; **to ~ a dispute to arbitration** отнасям спор за разрешаване от арбитраж(на комис;ия); **4.** отнасям се; справям се; позовавам се (**to** към, с, на); **to ~ to o.'s watch** справям се с часовника си; **to ~ to o.'s notes** поглеждам записките си; **5.** споменавам; имам предвид; **do you ~ to me?** за мене ли говорите? мен ли имате предвид? **6.** засягам, отнасям се (**to** до, за); **7.** соча, насочвам/привличам вниманието (**to** към); **8.** *refl* апелирам; позовавам се (**to** към, на); **9.** скъсвам на изпит; **10. to ~ back** отлагам (*решение*) до получаване на допълнителни сведения; връщам за преразглеждане; □ **to ~ to drawer** *търг.* отказвам да изплатя чек.

referable ['refərəbl] *a* който може да се отнесе (**to** към); обясним (**to** с); който се отдава на/причинява от; **this pottery is ~ to the bronze age** тези глинени съдове са от бронзовия век.

referee[1] [refə'ri:] *n* **1.** рефер, съдия; арбитър (*и юр.*); **2.** рецензент (*на труд*); **3.** = **reference**[1] 7.

referee[2] *v* **1.** рефер/съдия/арбитър съм (на); **2.** реферирам; рецензирам (*труд*).

reference[1] ['refərəns] *n* **1.** отнасяне (*на въпрос — за решение и пр.*); справяне; **without ~ to** без оглед на; без да се отнеса до, без да запитам, без допитване до; **2.** компетенция, компетентност; пълномощия; **3.** приписване, отдаване, обяснение (*на нещо с някаква причина*); **4.** справка (**to**); **~ to the samples will prove that** ако се справите с/ако прегледате мострите, ще се убедите, че; **~ book, work of ~** справочник, книга за справки; **easy of ~** по който лесно се правят справки; **5.** отпратка, забележка (*в книга*); указание; **to give no ~ to o.'s authorities** не посочвам използуваните източници; **6.** препоръка, референция; **7.** лице, което препоръчва/дава референции; **to give s.o. as ~** посочвам някого да даде референции/сведения; **8.** споменаване; **to make ~ to** споменавам; **his memoirs contain many ~s to famous people** в спомените си той говори за/споменава много известни хора; **9.** отношение; връзка; **in/with ~ to** във връзка с; що се отнася до, относно; **without ~ to** без връзка с; независимо от; **with ~ to nothing at all** без всякаква връзка/причина, току-така; **10.** *тех.* еталон.

reference[2] *v* снабдявам (*текст*) с отпратки/забележки; давам във форма, лесна за справки.

reference-mark ['refərənsma:k] *n* печ. знак за отпратка.

referendum [,refə'rendəm] *n* (*pl* -da [-də], -dums [-dəmz]) *лат.* референдум, допитване до народа.

referent ['refərənt] *n* **1.** предмет/събитие, към което се отнася даден термин/символ; **2.** лице/тема и пр., за която се говори/става дума.

referential [,refə'renʃəl] *a* **1.** за справки, справочен; **2.** който се отнася/има връзка.

referral [ri'fə:rəl] *n* отпращане, изпращане, отнасяне (*в друга инстанция, на специалист и пр.*).

refill[1] [ri:'fil] *v* **1.** пълня (се)/напълвам (се) отново; **~ing station** *авт.* бензиностанция; **2.** изпълнявам (*рецепта*) повторно.

refill[2] *n* **1.** резерва (*за джобна батерия, автоматична писалка и пр.*); пълнител; резервни листове (*за бележник*); **2.** втора чаша (*питие*).

refine [ri'fain] *v* **1.** пречиствам (се), рафинирам (се) (*за метал, захар и пр.*); **2.** правя/ставам по-изтънчен/изискан; придавам повече изящество/финес на; усъвършенствувам (*метод и пр.*) (**on, upon**); **3.** впускам се в тънкости, правя тънки разграничения (**on, upon**).

refined [ri'faind] *a* **1.** пречистен, рафиниран; **2.** изискан, изтънчен, фин; **3.** точен, прецизен; **4.** *неодобр.* префинен, рафиниран.

refinement [ri'fainmənt] *n* **1.** пречистване, рафиниране; **2.** усъвършенствуване; **with all the latest ~s** с всички най-нови усъвършенствувания, най-усъвършенствуван; **3.** изисканост, изтънченост, финес; **man of ~** изискан/фин човек; **lack of ~** грубоватост, недодяланост; простотия; **4.** *неодобр.* рафинираност; **~ of cruelty** рафинирана жестокост; **5.** прекалени тънкости; прекалена сложност.

refinery [ri'fainəri] *n* **1.** рафинерия; **2.** нефтена рафинерия, нефтопреработвателен завод.

refit[1] [ri:'fit] *v* (-tt-) **1.** ремонтирам, поправям; снабдявам с нови съоръжения; **2.** в ремонт съм; бивам снабден с нови съоръжения.

refit[2], **refitment** [ri:'fit,-mənt] *n* ремонт, ремонтиране; снабдяване с нови съоръжения.

reflation [ri'fleiʃn] *n* ик. нова инфлация (*изкуствена — след дефлация*).

reflect [ri'flekt] *v* **1.** отразявам (*светлина, звук и пр., и прен.*); **2.** мисля, разсъждавам; помислям си (**on**); **3.** отразявам се, говоря (**on** върху, за); **this action ~s (little) credit on him** това деяние (не) говори добре за него/(не) му прави чест; **considerable credit is ~ed on X. for** X. има значителни заслуги за; **to ~ on/upon** хвърлям сянка/съмнение върху, излагам; **his rudeness ~s only on himself** грубостта му излага само него; **4.** обръщам (се)/прегъвам (се) назад.

reflection [ri'flekʃn] *n* **1.** отразяване (*на светлина и пр.*); отражение, отразен образ; **2.** *прен.* отражение, отзвук; **3.** мисъл, размисъл, размишление, разсъждение; **on ~** след като си помислих/разсъдя; **4.** забележка, коментар; **5.** критика, порицание; **I intended no ~ on your character** нямах намерение да те обвинявам/да се съмнявам в тебе; **6.** *прен.* петно, сянка; **to cast ~s on** петня.

reflective [ri'flektiv] *a* **1.** отразяващ; **2.** отразен; **3.** разсъдъчен; **4.** замислен; склонен към размисъл; **5.** *рчд.* = **reflexive**; **6.** *анат.* обърнат/прегънат назад.

reflector [ri'flektə] *n* **1.** рефлектор, отражател; **2.** *астр.* отражателен/огледален телескоп; **3.** *прен.* отразител (*на обществено мнение и пр.*); □ **~ studs** *авт.* котешки очи.

reflet [rə'flei] *n* фр. гланц, лъскавина; глазура (*особ. на грънчарски изделия*).

reflex[1] [ri:'fleks] *n* **1.** отражение (*и прен.*); отразен образ; отразяване на образ; **2.** *физиол.* рефлекс.

reflex[2] *a* **1.** отразен; **2.** *физиол.* рефлекторен; **3.** възвръщащ се (*към източника*); **4.** интроспективен; **5.** *фот.* огледален, рефлексен; **6.** *жив.* осветен от друга част на картината; **7.** *бот., анат.* обърнат, прегънат (*и ~ed*); **8.** *геом.* с повече от 180° (*за ъгъл*).

reflexible [ri'fleksibl] *a* отражаем; който може да се отрази.

reflexion = **reflection**.

reflexive [ri'fleksiv] *грам.* **I.** *a* възвратен, рефлексивен; **II.** *n* възвратен глагол/местоимение.

reflexively [riˈfleksivli] *adv грам.* като възвратен 'глагол/местоимение.

refluent [ˈreflʊənt] *a* оттеглящ се, спадащ (*за прилив и пр.*).

reflux [ˈriːflʌks] *n* отлив, оттегляне, спадане.

refocus [riːˈfoʊkəs] *v* (**-s(s)ed**) 1. *фот.* променям фокуса (на); 2. *прен.* променям насоката на; пренагласям.

refoot [riːˈfʊt] *v* слагам нови стъпала (*на чорапи*).

reforest [riːˈfɔrist] = **reafforest**.

re-form [riːˈfɔːm] *v* формирам (се)/нареждам се отново; строявам (се) отново; образувам се отново.

reform[1] [riˈfɔːm] *v* 1. реформирам (се); преобразявам (се), обновявам (се); подобрявам (се); отстранявам слабостите на (*закон и пр.*); 2. поправям (се) (*за човек*), тръгвам/вкарвам в пътя/правия път.

reform[2] *n* 1. реформа; преобразование, обновление; **R. Bill/Act** реформа на избирателната система в Англия през 1832 г.; 2. подобрение, поправяне; ~ **school** = **reformatory** II.

reformation [ˌrefəˈmeiʃn] *n* 1. реформация; преобразование, обновление; **the R.** *ист.* Реформацията; 2. поправяне, влизане в правия път.

reformative [riˈfɔːmətiv] = **reformatory** I.

reformatory [riˈfɔːmətəri] I. *a* 1. реформаторски; 2. изправителен (*за училище и пр.*); II. *n* изправително/поправително заведение за малолетни.

reformed [riˈfɔːmd] *a* 1. реформиран; подобрен; 2. поправил се (*за престъпник*); 3. протестантски; ~ **faith** протестантизъм, протестантство.

reformer [riˈfɔːmə] *n* 1. реформатор, преобразовател, обновител; 2. **R.** деец на Реформацията.

reformist [riˈfɔːmist] *n* реформист, привърженик на реформи.

refract [riˈfrækt] *v физ.* пречупвам (*лъчи*).

refraction [riˈfrækʃn] *n физ.* пречупване, рефракция.

refractional, -tive [riˈfrækʃənəl, -tiv] *a* рефракционен, пречупващ.

refractor [riˈfræktə] *n ел.* рефрактор; пречупвател.

refractory [riˈfræktəri] I. *a* 1. непокорен, непослушен; упорит; неподатлив (*на дисциплина*); 2. *мед.* упорит, мъчно излечим; 3. *тех.* мъчнотопим; огнеупорен; II. *n* 1. *тех.* мъчнотопимо/огнеупорно вещество; 2. мъчен/неподатлив човек.

refrain[1] [riˈfrein] *n* рефрен, припев.

refrain[2] *v* 1. въздържам се, сдържам (се) (**from** *c ger*); **he couldn't ~ from laughing** не можа (да се въздържи) да не се засмее; 2. *ост.* въздържам; обуздавам.

refrangible [riˈfrænʤibl] *a физ.* който може да се пречупи (*за лъч*).

refresh [riˈfreʃ] *v* 1. освежавам, опреснявам; ободрявам; подкрепям; **to ~ s.o.'s memory** припомням някому; 2. *разг., и refl* хапвам, пийвам; **to ~ the inner man** хапвам си, пийвам си; 3. освежавам се; съживявам се; 4. снабдявам (се) наново с провизии; подклаждам, добавям гориво на (*огън*).

refresher [riˈfreʃə] *n* 1. нещо/някой, който освежава/ободрява; 2. *разг.* разхладително питие; 3. допълнителен хонорар на адвокат (*когато делото се отлага или бави*); 4. *разг.* бакшиш; подкуп; 5. опреснителен курс (*и ~ course*).

refreshing [riˈfreʃiŋ] *a* 1. освежителен, ободрителен; разхладителен; 2. *прен.* приятен, приятно изненадващ; свеж; стимулиращ.

refreshment [riˈfreʃmənt] *n* 1. освежаване, ободряване; опресняване; отпочиване, почивка; 2. нещо за ядене/пиене, *pl* закуски; ~ **room** бюфет (*на гара и пр.*); ~ **table** бюфет (*на прием и пр.*).

refrigerant [riˈfriʤərənt] I. *a* 1. разхлаждащ; охладителен; 2. *мед.* антипиретичен; II. *n* 1. охлаждащо вещество; лед; 2. *мед.* антипиретик.

refrigerate [riˈfriʤəreit] *v* охлаждам (се), охладявам (се); замразявам (се); ~**d** 1) замразен; 2) хладилен (*за вагон и пр.*); **refrigerating machine** машина за изкуствен лед/за замразяване.

refrigeration [riˌfriʤəˈreiʃn] *n* охладяване, охлаждане; замразяване.

refrigerative [riˈfriʤərətiv] = **refrigeratory** I.

refrigerator [riˈfriʤəreitə] *n* 1. хладилник; 2. *attr* хладилен.

refrigeratory [riˈfriʤərətəri] I. *a* охладителен; замразяващ; II. *n* 1. хладилник; хладилна камера; 2. кондензатор.

refringent [riˈfrinʤənt] = **refractional**.

reft *вж.* **reave**: ~ **of life** мъртъв, безжизнен.

refuel [riˈfjʊəl] *v* (**-ll-**) снабдявам (се)/зареждам отново с гориво; вземам гориво.

refuge[1] [ˈrefjuːʤ] *n* 1. подслон, убежище; (**house of) ~** приют за бездомници; **to take ~ from** подслонявам се от; 2. *прен.* прибежище; спасение; **to take ~ in lying** спасявам се с лъжа; 3. *авт.* остров (*за пресичане на оживена улица*); 4. *екол.* резерват.

refuge[2] *v ост.* подслонявам (се); търся/намирам/давам подслон/убежище на.

refugee [refjuːˈʤiː] *n* бежанец.

refulgence, -cy [riˈfʌlʤəns, -si] *n* сияние, блясък; яркост.

refulgent [riˈfʌlʤənt] *a* сияещ, блестящ; ярък, ясен.

refund[1] [riːˈfʌnd] *v* връщам обратно (*сума*); връщам, възстановявам (*надвзета, неправилно взета сума*).

refund[2] [ˈriːfʌnd] *n* връщане, възстановяване (*на сума*).

refund[3] [riːˈfʌnd] *v* 1. подновявам фонд, събирам/давам отново средства за; 2. вземам назаем, за да платя стар дълг.

refurbish [riːˈfɜːbiʃ] *v* 1. подновявам; 2. почиствам, излъсквам.

refusal [riˈfjuːzəl] *n* 1. отказ; **to take no ~** не приемам (никакъв) отказ; ~ **of goods** отказ да се приеме стока; 2. право да приема/откажа; право на избор; **to have the (first) ~** имам (първи) право да приема/откажа.

refuse[1] [riˈfjuːz] *v* 1. отказвам (на); отхвърлям; **to ~ o.'s consent** отказвам да дам съгласието си, не се съгласявам; **to ~ obedience** отказвам да се подчиня; 2. отказвам да прескоча (*препятствие — за кон*); 3. *карти* не връщам цвят на партньора си.

refuse[2] [ˈrefjuːs] *n* 1. отпадъци, останки, остатъци, смет; 2. *attr* отпадъчен; ~ **chute** шахта за смет.

refutable [riˈfjuːtəbl] *a* опровержим.

refutal, refutation [riˈfjuːtəl, ˌrefjuˈteiʃn] *n* опровергаване, отхвърляне; опровержение.

refute [riˈfjuːt] *v* опровергавам; оборвам; отхвърлям; доказвам невярността/неточността на.

regain [riˈgein] *v* 1. (въз)връщам си; спечелвам отново (*особ. доверието на някого*); **to ~ o.'s health** възстановявам се, оздравявам; **to ~ o.'s feet/footing/legs/balance** възвръщам си равновесието, задържам се; 2. връщам се в, стигам пак в/до; достигам пак до.

regal [ˈriːgəl] *a* 1. царски, кралски; 2. царствен, величествен, великолепен.

regale[1] [riˈgeil] *v* 1. (у)гощавам, нагостявам (**with**); 2. доставям наслада/удоволствие (на); възхищавам; забавлявам; 3. *ряд.* угощавам се, нагостявам се.

regale[2] *n ост.* 1. угощение, пир(шество); 2. хубаво ядене.

regalia[1] [ri'geiliə] *n pl.* **1.** *ист.* кралски/царски права и привилегии; **2.** емблеми на кралската власт (*корона, скиптър и пр.*); **3.** емблеми на франкмасонска или друга организация; **4.** *ам.* скъпи/разкошни дрехи.

regalia[2] *n* голяма пура

regalism ['ri:gəlizm] *n* **1.** *ист.* надмощие на кралската власт над църквата; **2.** кралско самовластие.

regality [ri'gæliti] *n* кралски/царски суверенитет/права/привилегии.

regard[1] [ri'ga:d] *v* **1.** гледам, наблюдавам; **2.** разглеждам (*въпрос*); **3.** считам, смятам, намирам (**as** за); **4.** *често отр.* уважавам, зачитам; обръщам внимание на; **to ~ s.o. kindly** гледам благосклонно на някого; **5.** засягам, отнасям се (до), интересувам; (**in so far**) **as ~s** що се отнася до.

regard[2] *n* **1.** поглед, взор; **2.** зачитане; внимание; грижа (**for, to**); **out of ~ for** 1) от уважение към; 2) поради, заради; **to pay no ~ to** не обръщам внимание на, нехая за; **to act without ~ to/for people's feelings** постъпвам, без да зачитам/да ме е грижа за чувствата на хората; **~ must be had/paid to his wishes** трябва да се зачитат/да се вземат предвид желанията му; **the next object of ~ must be...** следващата ни задача/грижа трябва да бъде...; **3.** уважение, почит (**for**); **to hold s.o. in high/low ~** високо уважавам/не уважавам някого; **4.** *pl* поздрави, привети: почитания; **give my (kind) ~s to...** поздравете...; **5.** отношение, връзка; **in this ~** във връзка с това; **with ~ to** що се отнася до, относно; **in ~ to** по отношение на; **in s.o's ~** по отношение на някого.

regardful [ri'ga:dful] *a* **1.** внимателен, грижлив (**of** към, по отношение на); **2.** почтителен.

regarding [ri'ga:diŋ] *prep* относно.

regardless[1] [ri'ga:dlis] *a* невнимателен, небрежен; равнодушен (**of** към, по отношение на); **~ of** въпреки; **~ of expense/consequences** без да се интересувам за разноските/последиците.

regardless[2] *adv* въпреки всичко; □ **got up/dressed ~** много издокаран.

regatta [ri'gætə] *n сп.* регата.

regency ['ri:ʤənsi] *n* регентство.

regenerate[1] [ri'ʤenəreit] *v* **1.** *биол.* възстановявам (се), регенерирам; **2.** *тех.* регенерирам; **3.** прераждам се (духовно); съживявам, възраждам; обновявам, възстановявам; **4.** *ел.* зареждам отново (*батерия*).

regenerate[2] [ri'ʤenərit] *a* (духовно) възроден; съживен, обновен, възстановен.

regeneration [ri,ʤenə'reiʃn] *n* **1.** *биол.* възстановяване, регенериране, регенерация; **2.** *тех.* регенерация; **3.** прераждане; (духовно) възраждане; **4.** обновление, съживяване, възстановяване; **5.** *ел.* обратна връзка.

regenerative [ri'ʤenərətiv] *a* **1.** обновяващ, възстановяващ; **2.** *тех., биол.* регенеративен; **3.** възраждащ.

regenerator [ri'ʤenəreitə] *n* **1.** обновител, възстановител; **2.** *тех.* регенератор, възстановител.

regent ['ri:ʤənt] *n* **1.** регент; **2.** член на академичния персонал (*в някои английски университети*); **~ house** академичен съвет; **3.** *ам.* член на управителното тяло на някои университети; *attr* регентски; временно управляващ; **Prince R.** принц регент.

regicide ['reʤisaid] *n* **1.** цареубийство; **2.** цареубиец.

régie [rei'ʒi:] *n фр.* държавен монопол, режия, тютюнева монополна управа.

régime [rei'ʒi:m] *n фр.* **1.** режим, строй, управление; **2.** *тех.* режим.

regimen ['reʤimən] *n* **1.** *мед.* режим; **2.** *грам.* рекция, управление; **3.** *ост.* = **régime 1.**

regiment[1] ['reʤimənt] *n* **1.** полк; **2.** маса, множество, рояк; **3.** управление, режим, строй; контрол, надзор; **4.** режим (*дневен и пр.*).

regiment[2] *v* **1.** организирам, групирам; командувам; подлагам на строга дисциплина/строг/прекомерен контрол; подлагам на уравниловка; **2.** *воен.* формирам в полк(ове); причислявам към полк.

regimental [,reʤi'mentl] *воен.* **I.** *a* полкови; **II.** *n pl* (полкова) униформа; **in full ~s** в пълна (парадна) униформа.

regimentation [,reʤimən'teiʃn] *n* **1.** организиране в групи; **2.** строга дисциплина, строг/прекомерен контрол/надзор; уравниловка; **3.** *воен.* формиране в полк(ове).

regina [ri'ʤainə] *n лат.* кралица, царица.

region ['ri:ʤən] *n* **1.** област; край; страна; окръг; район; **2.** слой, пласт (*на атмосфера, море*); зона, сфера (*и прен.*); **in the ~ of** около, приблизително; **the lower/nether ~s** пъкълът, адът; **the upper ~s** небето, небесните селения.

regional ['ri:ʤənl] *a* областен, местен, районен.

regionalism ['ri:ʤənəlizm] *n* **1.** система на райониране; **2.** местен/областен израз и пр.; **3.** местен патриотизъм; **4.** местен колорит (*у писател и пр.*).

register[1] ['reʤistə] *n* **1.** регистър, дневник; указател; опис; избирателен списък; **2.** изѣирателен списък; **3.** графа в регистър; **4.** *муз.* регистър; **5.** *тех.* регулатор; клапа, вентил; шибър; **6.** *тех.* брояч; суматор; звукозаписвач; самопишещ уред; **7.** *изч. тех.* регистър; отбелязани данни в измервателен уред; **8.** *тех.* точно съвпадение/съответствие на части; **9.** *печ.* точност на свързването; □ **gross/net ~ tonnage** *мор.* бруто/нето регистър тонаж.

register[2] *v* **1.** записвам, вписвам, внасям/нанасям в списък/регистър, (за)регистрирам; **to ~ o.s.** записвам се в избирателен списък; (за)регистрирам се; **2.** подавам/изпращам препоръчано (*писмо и пр.*); **3.** показвам, бележа, отбелязвам, маркирам (*за уред*); **4.** изразявам (*и с мимика — чувство и пр.*); показвам, свидетелствувам за; **5.** *тех.* съвпадам/правя да съвпада точно; **6.** *печ.* свързвам точно; **7.** правя впечатление, имам въздействие; **the remark did not ~** забележката не ми направи впечатление; не обърнах внимание на забележката; **the name did not ~** името не ми беше познато/не ми говореше нищо; **8.** запомням, вземам си бележка за.

registered ['reʤistəd] *a* **1.** зарегистриран; **2.** препоръчан (*за писмо и пр.*); **3.** правоспособен, дипломиран.

registrar ['reʤistra:] *n* **1.** регистратор; секретар; архивар; **2.** отговорник по студентските дела в университет; **3.** завеждащ отдел за гражданското състояние; **to be married before the ~** сключвам граждански брак; **4.** лекар специализант.

registration [,reʤi'streiʃn] *n* **1.** вписване, записване, (за)регистриране; **~ number** номер (*на кола, на студент в университета и пр.*); **2.** графа (*в списък и пр.*); **3.** изпращане препоръчано; **4.** водене на дневници/регистри/списъци; **5.** *печ.* точно свързване на две страници.

registry ['reʤistri] *n* **1.** регистратура; **2.** отдел за гражданско състояние; **~ marriage** граждански брак; **3.** *мор.* националност на кораб според регистрите; **port of ~** пристанище, където е записан/регистриран кораб.

registry office ['reʤistri‚ɔfis] *n* 1. отдел за гражданското състояние; 2. бюро за търсене и предлагане на домашна прислуга.

regius ['riːʤiəs] *n лат.*: ~ **professor** професор, чиято катедра е основана от някой английски крал.

reglet ['reglit] *n* 1. *стр.* летва, която покрива ръбовете на две долепени дъски; 2. *печ.* реглет.

regnal ['regnəl] *a* на/ от царуването на даден крал; ~ **day/year** ден/година от възшествието на даден крал.

regnant ['regnənt] *a* 1. царуващ, царствуващ; 2. преобладаващ, широко разпространен.

regorge [riː'gɔːʤ] *v* 1. повръщам, избълвам; 2. поглъщам наново; 3. изтичам навън/назад.

regress¹ [ri'gres] *v* 1. движа се обратно/назад; влизам отново; 2. вървя назад, упадам, регресирам; 3. *астр.* движа се от изток към запад.

regress² [ri'gres] *n* 1. връщане назад; влизане отново; 2. упадък, регрес; 3. разсъждаване от следствието към причината.

regression [ri'greʃn] *n* 1. движение назад, регресия; 2. (морален) упадък.

regressive [ri'gresiv] *a* движещ се назад, регресивен.

regret¹ [ri'gret] *v* (-tt-) 1. съжалявам (за); скърбя (за); **it is to be ~ted that** жалко, че, трябва да се съжалява, че; **we ~ to have to announce** със прискърбие съобщаваме; **he died ~ted by**/*книж.* **of all men** всички скърбяха за смъртта му; **I ~ to say** за съжаление трябва да кажа; 2. разкайвам се (за) (**doing/having done s.th.** че съм направил нещо).

regret² *n* 1. съжаление; скръб; ~ **for a loss/for being refused** съжаление, че съм загубил/че ми е отказано нещо; **with many ~s/much ~** с голямо съжаление; **to have no ~s about** не съжалявам за това (че); **to my ~** за мое съжаление; 2. разкаяние.

regretful [ri'gretful] *a* 1. изпълнен със съжаление; **to be most ~ for** много съжалявам за; 2. изразяващ съжаление/разкаяние; разкаян; ~ **glance** разкаян поглед.

regretfully [ri'gretfuli] *adv* 1. със съжаление/разкаяние; 2. неохотно.

regrettable [ri'gretəbl] *a* прискърбен; за който може/ трябва да се съжалява; непростим, непростителен.

regroup [riː'gruːp] *v* прегрупирам.

regular¹ ['regjulə] *a* 1. правилен (*и грам.,мат.*); симетричен; 2. редовен (*и воен.*); постоянен; ~ **way of life,** ~ **habits** редовен живот; **to keep** ~ **hours** водя редовен живот; ~ **army/soldiers**\редовна войска/войници; 3. обичаен, приет; нормален, правилен; коректен; обикновен; ~ **introduction** официално запознанство; **procedure that is not** ~ неправилна процедура; ~ **marriage** законен брак; 4. редовен; квалифициран; професионален; на постоянна служба; 5. нормален, правилен (*за пулс и пр.*); равномерен; 6. *разг.* симпатичен; чудесен; 7. *разг.* същински, истински, цял; ~ **rascal** истински/цял мошеник; 8. *църк.* монашески; ~ **clergy** черно духовенство; 9. *ам. пол.* верен, стопроцентов (*за привърженик*).

regular² *n* 1. редовен войник; офицер от редовната армия; *pl* редовна войска; 2. *разг.* редовен посетител/клиент; 3. *разг.* човек на редовна/щатна работа; 4. *църк.* член на монашески орден; 5. *ам.* обикновен/среден размер (*на облекло*); 6. *ам. пол.* верен привърженик.

regular³ *adv непр.* 1. редовно; често; 2. истински, не на шега.

regularity [regju'læriti] *n* 1. редовност; 2. правилност.

regularize ['regjuləraiz] *v* 1. регулирам; нормализирам; 2. узаконявам (*брак и пр.*).

regularly ['regjuləli] *adv* 1. правилно, нормално; 2. редовно; 3. *разг.* истински, не на шега; съвсем.

regulate ['regjuleit] *v* 1. .регулирам, урегулирам; сверявам (*часовник*); 2. уреждам; слагам ред в; направлявам; контролирам; **to be ~d by s.o./s.th.** водя се по някого/нещо; □ **accidents will happen in the best ~d families** случва се и в най-добрите семейства.

regulation [‚regju'leiʃn] *n* 1. регулиране; регулация; 2. правило, наредба, предписание; закон; *pl* устав; 3. *attr* 1) предписан; установен; по установен образец; 2) *воен.* (уни)формен; ~ **speed** позволена/допустима скорост; **of the ~ size** с приятия/обикновения размер.

regulative, -tory ['regjulətiv, -təri] *a* регулиращ, направляващ.

regulator ['regjuleitə] *n тех.* регулатор; стабилизатор.

regulus ['regjuləs] *n* 1. *хим., метал.* зърно метал, останало в шлаката; 2. *астр.* **R.** голяма звезда в съзвездието Лъв; 3. *зоол.* жълтоглаво кралче (Regulus cristatus).

regurgitate [ri'gəːʤiteit] *v* 1. изтичам/връщам се назад; изливам (се) обратно; 2. повръщам, връщам (*храна*); връщам се (за храна).

rehabilitate [‚riːhə'biliteit] *v* 1. реабилитирам; възстановявам в права/привилегия и пр.; 2. преустройвам; подобрявам; благоустройвам; 3. *мед.* рехабилитирам.

rehabilitation [‚riːhəbili'teiʃn] *n* 1. реабилитация, реабилитиране; възстановяване на права/привилегии; 2. преустрояване, преустройство; подобрение; благоустрояване; 3. *мед.* рехабилитация.

rehandle [riː'hændl] *v* 1. преработвам; преправям; 2. занимавам се отново.

rehash¹ [riː'hæʃ] *v* 1. преразказвам (*стар литературен материал*); преразказвам нещо старо по нов начин; 2. разисквам отново, предъвквам.

rehash² ['riːhæʃ] *n* преработване; преработка.

rehear [riː'hiə] *v* (**-heard** [-həːd]) *юр.* преразглеждам, разглеждам отново (*дело*).

rehearing [riː'hiəriŋ] *n юр.* преразглеждане, ново разглеждане (*на дело*).

rehearsal [ri'həːsəl] *n* 1. репетиция; **play in/under ~** пиеса, която се репетира; 2. повторение, повтаряне; изреждане; подробен разказ.

rehearse [ri'həːs] *v* 1. репетирам; 2. упражнявам (се); 3. повтарям; изреждам; разказвам надълго и нашироко.

rehouse [‚riː'hauz] *v* настанявам в/снабдявам с ново жилище.

reify ['riːifai] *v книж.* правя конкретен/материален; третирам като действителен.

reign¹ [rein] *n* 1. царуване; **in/under the ~ of** през царуването на; 2. власт; силно влияние; 3. *ост.* царство; ~ **of terror** *пол.* период на терор, анархия и кръвопролитие; **the R. of Terror** *ист.* терорът по време на Френската революция (*1793—1794 г.*).

reign² *v* 1. царувам (**over**); 2. царя, господствувам; преобладавам; ~**ing beauty** всепризната красавица; ~**ing champion** последният/сегашният шампион.

reimburse [‚riːim'bəːs] *v* връщам, възстановявам (*сума*); връщам (*някому*) похарчени от него пари; **to ~ s.o. (for) his expenses** плащам някому направени от него разходи.

reimbursement [‚riːim'bəːsmənt] *n* връщане, възстановяване, плащане (*на пари*).

rein¹ [rein] *n* 1. повод (*на кон и пр.*); *прен.* юзда; **to draw**

~ дръпвам поводите на кон, спирам; *прен.* намалявам/съкращавам разходите; отказвам се; **to give the ~s to** отпускам поводите на; **to keep/hold a ~ on** държа здраво, контролирам; **tight ~** строга дисциплина, здрава ръка; **to keep a tight ~ on** държа здраво, стягам юздите на; **to give (free) ~/the ~s to o.'s imagination** давам пълна свобода на въображението си; **to assume/drop the ~s of government** поемам/напускам властта; 2. *тех.* ръчка.

rein² *v* 1. слагам поводи на; държа поводите на; направлявам; 2. **to ~ in** задържам, спирам, обуздавам (*и прен.*); 3. **to ~ back/up a horse** дръпвам поводите на/спирам кон.

reincarnate¹ [ˌriːinˈkɑːneit] *v* превъплъщавам (се); прераждам се.

reincarnate² [ˌriːinˈkɑːnit] *a* превъплътен; прероден.

reincarnation [ˌriːinkɑːˈneiʃn] *n* превъплъщение; превъплъщаване; прераждане.

reindeer [ˈreindiə] *n* северен елен (Rangifer).

reindeer moss [ˈreindiəˌmɔs] *n* еленов мъх (Cladonia rangiferina).

re-inforce [ˌriːinˈfɔːs] *v* 1. подсилвам (*войски и пр.*); пращам подкрепления на; получавам подкрепления; 2. засилвам, подсилвам (*и прен.*); заякчавам (*материя*); затвърдявам; армирам (*бетон*); **~d concrete** железобетон.

reinforcement [ˌriːinˈfɔːsmənt] *n* 1. подсилване; заякчаване; затвърдяване; 2. подсилващ материал; 3. *обик. pl воен.* подкрепления.

reins [reinz] *n pl ост.* 1. бъбреци; кръст; слабини; 2. седалище на чувствата.

reinstate [ˌriːinˈsteit] *v* 1. възстановявам в предишни права/привилегии/положение; възстановявам на предишната длъжност; 2. поправям, възстановявам (*и здравословно*).

reinstatement [ˌriːinˈsteitmənt] *n* 1. възстановяване, възвръщане (*на права и пр.*); 2. поправяне, възстановяване (*и здравословно*).

reinsure [ˌriːinˈʃuə] *v* презастраховам (се).

reintegrate [riːˈintəgreit] *v* обединявам отново; включвам отново.

reinvest [ˌriːinˈvest] *v* 1. възстановявам/връщам (*някому*) отнети/изгубени привилегии и пр.; **to ~ s.o. with his old rank** връщам някому предишния му ранг; 2. влагам отново (*пари*).

reinvestiture [ˌriːinˈvestitʃə] *n* възстановяване на привилегии и пр.

reinvestment [ˌriːinˈvestmənt] *n* повторно влагане (*на пари*).

reinvigorate [ˌriːinˈvigəreit] *v* давам нов живот/сили на.

reissue¹ [riːˈiʃuː] *v* 1. преиздавам (*книга и пр.*); 2. пускам отново (*монети и пр.*).

reissue² *n* 1. ново (стереотипно) издание на книга; 2. нова партида (*монети и пр.*).

reiterate [riːˈitəreit] *v* повтарям/върша/извършвам многократно; **~d cries** многократни викове.

reiteration [ˌriːitəˈreiʃn] *n* повтаряне; повторение.

reiterative¹ [riːˈitərətiv] **I.** *a* повтарящ се; с повторение; **II.** *n грам.* дума, съставена от повторение на един корен, понякога с малки изменения (*напр.* tittle—tattle).

reject¹ [riˈdʒekt] *v* 1. отхвърлям (*предложение, кандидат и пр. като негоден за военна служба*); отказвам на (*кандидат за женитба*); отблъсквам; не желая да имам нищо общо с; 2. изхвърлям; бракувам; отст-

ранявам; 3. отказвам да приема, повръщам (*храна — за стомах*); 4. *мед.* изхвърлям (*присаден орган и пр.*).

reject² [ˈriːdʒekt] *n* 1. отхвърлен кандидат и пр.; 2. бракуван предмет; нещо отхвърлено.

rejectable [riˈdʒektəbl] *a* подлежащ на бракуване.

rejectamenta [riˌdʒektəˈmentə] *n pl книж.* 1. изпражнения; 2. изхвърлени от морето предмети; 3. отпадъци, смет.

rejectee [riˌdʒekˈtiː] *n ам. воен.* човек, негоден за военна служба.

rejection [riˈdʒekʃn] *n* 1. отхвърляне, отказване; отказ; 2. бракуване.

rejig [riːˈdʒig] *v* (**-gg-**) снабдявам (*завод и пр.*) с нови съоръжения.

rejoice [riˈdʒɔis] *v* 1. радвам (се), веселя (се); ликувам (**over,at**); 2. **to ~ in** наслаждавам се на, радвам се на; *шег.* имам, притежавам; **to ~ in the name of...** наричам се...

rejoicing [riˈdʒɔisiŋ] *n* 1. радост, щастие; 2. *pl* веселба, празнуване.

rejoin¹ [riˈdʒɔin] *v* 1. връщам се/отивам пак в/при; 2. отговарям, отвръщам; 3. *юр.* отговарям на обвинение.

rejoin² [riːˈdʒɔin] *v* съединявам (се) пак; събираме (се) отново.

rejoinder [riˈdʒɔində] *n* 1. отговор; възражение; 2. *юр.* отговор на ответник.

rejuvenate [riˈdʒuːvəneit] *v* подмладявам (се); обновявам (се) (*и прен.*).

rejuvenesce [riˌdʒuːviˈnes] *v* 1. подмладявам (се); 2. *биол.* образувам/предизвиквам образуване на нови клетки от протоплазмата на стари.

rejuvenescent [riˌdʒuːviˈnesnt] *a* подмладяващ(се), обновяващ (се).

rekindle [riːˈkindl] *v* запалвам (се), пламвам отново (*и прен.*).

relapse¹ [riˈlæps] *v* 1. отново/пак изпадам (*в някакво състояние*); отново/пак се отдавам (*на порок и пр.*) (**into**); 2. пак заболявам, повтаря ме болест; 3. понижава ми се стойността (*за ценни книжа*).

relapse² *n* 1. повторно изпадане, връщане (*в някакво състояние, към порок*); 2. повтаряне на болест/криза; **to have/suffer a ~** влошава ми се състоянието (*след подобрение*).

relate [riˈleit] *v* 1. разказвам; 2. свързвам, отнасям (**to с, към**); обяснявам (**to с**); 3. *обик. pass.* имам връзка, свързан съм; сроден/роднина съм (**to, with**); **to be distantly ~d** далечни роднини сме; **to be well ~d** имам роднини от добри семейства; 4. *ам., мед., псих.* установявам връзка (**to с**); 5. *ам.* реагирам положително, приемам (**to**).

related [riˈleitid] *a* 1. свързан (**to**); 2. близък, сроден (*за езици, науки и пр.*).

relation [riˈleiʃn] *n* 1. отношение, връзка; зависимост; **~ of forces** съотношение на силите; **~s of production** производствени отношения; **in/with ~ to** по отношение на, що се отнася до; **to bear a ~ to** имам връзка с; **to bear no ~ to, to be out of all ~ to** нямам никаква връзка/нищо общо с; **to enter into/to have ~ with s.o.** установявам/имам връзки/отношения с някого; 2. родство, роднинство; 3. роднина, сродник, роднственик; **~ by marriage** роднина по мъжка/женска линия; 4. разказ, изложение; 5. *юр.* донесение; 6. *ам.* прилагане на закон с обратна сила.

relational [riˈleiʃənl] *a* 1. *грам.* изразяващ граматични отношения (*за част на речта*); 2. имащ/показващ връзка; сроден.

relationship [ri'leiʃənʃip] *n* **1.** родство, роднинство; **2.** сродство; **3.** връзка, (взаимо)отношение.

relative ['relətiv] **I.** *a* **1.** отнасящ се, свързан (**to** за, с); **2.** относителен; сравнителен; **3.** *грам.* относителен; **II.** *n* **1.** роднина, сродник, родственик; **2.** *грам.* относително местоимение/наречие.

relativity [,relə'tiviti] *n* **1.** относителност; **2.** *физ.* теория на относителността.

relax [ri'læks] *v* **1.** отхлабвам, разхлабвам, отпускам, намалявам (*напрежение, усилия, дисциплина и пр.*) (*и с* in); **if the cold** ~**es** ако времето се (по)отпусне/(по)затопли; **to** ~ **o.'s grip/hold/grasp on s.th.** (по)отпускам нещо, което държа здраво; ~**ing climate** климат, който кара човек да се отпусне; **2.** отпускам се; отпочивам си; отморявам (се); **3.** *мед.* разслабвам, действувам разслабително; □ ~**ed throat** възпалено гърло.

relaxation [,ri:læk'seiʃn] *n* **1.** отхлабване, отпускане, намаляване; **2.** отмора, отдих, развлечение; **3.** *юр.* намаление на наказание.

relay[1] ['ri'lei] *n* **1.** смяна (*коне — при пътуване*); **2.** смяна (*на работници*); **3.** материали, определени за една смяна; **4.** *сп.* щафета; **5.** *ел.* реле; **6.** *тех.* спомагателен мотор; **7.** *рад.* препредаване; препредавана програма.

relay[2] *v* **1.** сменям; осигурявам смяна; изпращам/получавам на смени; **2.** *рад.* препредавам.

relay race [ri'lei,reis] *n* *сп.* щафета.

relay station [ri'lei,steiʃn] *n* *рад.* транслационна радиостанция.

releasable [ri'li:səbl] *a* **1.** който може да бъде пуснат/освободен; **2.** който може да бъде разрешен за показване по екраните (*за филм*); **3.** който може да се освобождава/откопчава (*напр. за ремък на обувки за ски*).

release[1] [ri'li:s] *v* **1.** пускам, хвърлям (*стрела, бомба*); изпускам, отделям (*газове и пр.*); **2.** пускам (на свобода), освобождавам; **3.** освобождавам, избавям (**from**) (*страдание, обещание и пр.*); **4.** *воен.* уволнявам; демобилизирам; **5.** отпускам, отслабям; **to** ~ **o.'s hold on s.th.** отпускам нещо, не държа нещо вече така здраво; **6.** *юр.* опрощавам (*дълг*); отказвам се от (*права*), отстъпвам (*имот, права*); **7.** пускам, разрешавам (*филм да се показва по екраните, книга да се отпечата*); **8.** пускам (в продажба); **9.** *ам.* оповестявам (*чрез пресата, радиото и пр.*); **10.** *тех.* разединявам, отцепвам; прекъсвам, освобождавам, изключвам.

release[2] *n* **1.** пускане, хвърляне (*на бомба и пр.*); изпускане, отделяне (*на газове и пр.*); **2.** пускане на свобода, освобождение; **3.** *прен.* освобождение, избавление; **happy** ~ смърт; **4.** *воен.* уволнение; демобилизиране; **5.** отпускане, отслабване; **6.** *юр.* (документ за) опрощаване на дълг/отказване от права/отстъпване на имот и пр.; **7.** пускане, разрешаване (*на филм, книга за печатане*); **8.** официално съобщение, комюнике, изявление (*за пресата и пр.*); **9.** *тех.* разединяване, отцепване; изключване; прекъсващ механизъм, устройство за разединяване.

re-lease [ri:'li:s] *v* подновявам договор за даване под наем; давам отново под наем.

relegable ['religəbl] *a* който може да бъде захвърлен/отпратен (**to**).

relegate ['religeit] *v* **1.** (из)пращам; изхвърлям, захвърлям; **to** ~ **s.th. to the past** преставам да мисля/да се занимавам с нещо; **2.** свеждам, понижавам (**to**); **to** ~ **o.'s wife to the position of a servant** свеждам жена си до положение на слугиня, отнасям се с жена си като със слугиня; **to** ~ **a team, to** ~ **to a lower division**

---

relieve **201**

прехвърлям отбор към по-ниска категория; **3.** отпращам, препращам (*към друг човек, друга инстанция*); **4.** заточавам.

relegation [,reli'geiʃn] *n* **1.** изхвърляне, захвърляне; **2.** понижение; свеждане (*до някакво състояние*); **3.** отнасяне (*за разглеждане до друга инстанция*); **4.** заточаване, заточение.

relent [ri'lent] *v* омеквам, омилостивявам се, ставам по-отстъпчив.

relentingly [ri'lentiŋli] *adv* по-меко, по-отстъпчиво.

relentless [ri'lentlis] *a* неуморим, неотстъпчив, непреклонен; безмилостен.

relevance, -cy ['reləvəns, -si] *n* уместност; връзка; приложимост; практическо/обществено значение.

relevant ['reləvənt] *a* уместен; съответен; приложим; от практическо значение; свързан (*с даден въпрос*) (**to**).

reliability [ri,laiə'biliti] *n* **1.** сигурност, надеждност; благонадеждност; **2.** изправност; издръжливост (*и на апарат*); ~ **trial** изпробване на надеждност (*на кола и пр.*).

reliable [ri'laiəbl] *a* **1.** (благо)надежден; изпитан, сигурен; на който може да се разчита; **2.** здрав, издръжлив, изпитан.

reliance [ri'laiəns] *n* **1.** доверие, упование, разчитане; **to have/place** ~ **on/in** вярвам/разчитам/уповавам се на; **2.** опора, надежда, упование.

reliant [ri'laiənt] *a* **1.** доверчив; **2.** несамостоятелен; **3.** (само)уверен.

relic ['relik] *n* **1.** следа, останка; **2.** отживелица, останка от миналото; **3.** спомен, реликва; **4.** *pl* мощи; реликви; тленни останки.

relict ['relikt] *n* **1.** реликтен растителен/животински вид; **2.** *юр.* вдовица.

relief [ri'li:f] *n* **1.** облекчение, успокоение (**from**); **2.** помощ, подпомагане (*на бедни, хора в опасност и пр.*); ~ **work** подпомагане, възстановителна работа (*при бедствия*); ~ **fund** фонд за подпомагане (*при бедствия и пр.*); ~ **works** строеж на пътища и пр. за създаване работа на безработни и бедствуващи; **to be on** ~ получавам помощ от държавата; **3.** *воен.* подкрепление; **to hasten to the** ~ **of** бързам да помогна на; **4.** вдигане на обсада; **5.** разнообразие; приятна промяна; **by way of** ~ за разнообразие; **black costume without** ~ черен костюм, неосвежен от нищо цветно; **6.** освобождаване (*от плащане на глоба и пр.*); **7.** сменяне, смяна (*на пост*); **8.** релеф; релефност; отчетливост, яснота; **in** ~ релефно; **to stand out in** ~ **against** откроявам се на фона на; **to bring/throw s.th. (out) into** ~ подчертавам/откроявам нещо; ~ **map** релефна карта; **9.** *геогр.* релеф, характер на местност; **10.** *attr* 1) помощен, на подпомагане; 2) допълнителен, извънреден (*за автобус и пр.*); 3) релефен.

relieve [ri'li:v] *v* **1.** облекчавам, успокоявам (*болка, грижа и пр.*); освобождавам от (*болка, товар, отговорност и пр.*); разтоварвам (**of, from**); **to** ~ **o.'s feelings** давам воля на чувствата си; **to** ~ **the bowels/nature/o.s.** освобождавам се, ходя по нужда, изхождам се; **2.** подпомагам (*бедни, бедствуващи*); **3.** отменям, сменям (*някого в работа, на пост*); **4.** уволнявам, освобождавам от длъжност; лишавам от ранг; **5.** вдигам обсадата на; **6.** разнообразявам, внасям разнообразие в; **7.** изобразявам в релеф; **8.** откроявам се, изпъквам; □ **to** ~ **s.o. of his watch/wallet** *разг.* измъквам някому часовника/портфейла.

relieving arch [ri'li:viŋa:tʃ] *n арх.* подпорна арка/дъга.

relievo [ri'li:vou] *n ит. изк.* релеф; **alto ~** орелеф; **basso ~** барелеф.

religion [ri'liʤən] *n* **1.** религия, вяра; набожност; **to get ~** ставам набожен; **2.** монашество; **to enter ~** ставам монах; **s.o.'s name in ~** монашеското име на някого; **3.** *прен.* култ; **to make a ~ of doing s.th.** върша нещо фанатично/най-ревностно.

religiosity [riliʤi'ɔsiti] *n* религиозност, (прекалена) набожност.

religious [ri'liʤəs] **I.** *a* **1.** религиозен, набожен, вярващ; **2.** монашески; **~ house** манастир; метох; **3.** строг, много добросъвестен, ревностен; **II.** *n* монах; монаси.

relinquish [ri'liŋkwiʃ] *v* **1.** (из)оставям, напускам; **2.** отстъпвам, отказвам се от (*положение, територия, права, надежди и пр.*); □ **to ~ o.'s hold/grip on** пускам.

reliquary ['relikwəri] *n* мощехранителница.

reliquiae [re'likwii] *n pl лат.* **1.** (тленни) останки; мощи, реликви; **2.** окаменелости; **3.** литературно наследство на даден автор.

relish[1] ['reliʃ] *n* **1.** (приятен) вкус; аромат, миризма (**of**); **2.** подправка; сос; мезе; **3.** удоволствие, наслада; привлекателност; **to lose o.'s ~** не съм вече приятен, не доставям вече удоволствие; **4.** склонност, *прен.* апетит, вкус; охота; увлечение (**for**); **5.** следа, малко количество (**of**); **6.** стимул, подтик, подбуда (**to**).

relish[2] *v* **1.** ям/пия/изяждам/изпивам с удоволствие; **2.** харесвам, привлича ме, прави ми удоволствие; приятно ми е; **not to ~ the prospect of** не ме привлича мисълта за/да (*c ger*); **to ~ doing s.th.** върша нещо с удоволствие; **3.** имам вкус/аромат (**of** на); *прен.* напомням; **4.** (при)давам вкус/аромат/пикантност на; **5.** действувам на вкуса (**well, badly** добре, зле).

relive [ˌriː'liv] *v* **1.** преживявам отново; **2.** *ост.* оживявам.

reload [ˌriː'loud] *v* **1.** натоварвам отново; **2.** напълвам/пълня отново (*оръжие*).

relocate [ˌriː'lou'keit] *v* местя (се), премествам (се); установявам се отново (*някъде*).

relucent [ri'l(j)uːsənt] *a книж.* светъл, блестящ, ярък.

reluct [ri'lʌkt] *v ост.* боря се, противя се (**at, against**).

reluctance [ri'lʌktəns] *n* **1.** неохота, нежелание; отвращение; съпротива, съпротивление; **2.** *физ.* магнитно съпротивление.

reluctant [ri'lʌktənt] *a* неохотен, несклонен; **to be ~ to** не ми се ще/иска да; **~ consent** неохотно/насила дадено съгласие.

reluctantly [ri'lʌktəntli] *adv* неохотно, насила, без желание.

reluctivity [ˌrilʌk'tiviti] *n физ.* специфично магнитно съпротивление.

relume [ri'l(j)uːm] *v книж.* запалвам отново (*и прен.*); правя да светне отново; осветявам/озарявам отново.

rely [ri'lai] *v* разчитам, осланям се, облягам се (**on, upon** на; *и* **on** *c ger*); уверен съм, сигурен съм (**on, upon** в); **he is not to be relied on** на него не може да се разчита; **(you may) ~ on it (that)** можете да бъдете сигурни (че).

remain [ri'mein] *v* **1.** оставам; продължавам да съществувам; **nothing ~s for me but to** не ми остава нищо (друго) освен да; **much yet ~s to be done** има още много да се (на)прави; **it ~s to be seen** тепърва ще се види, ще видим; **the victory ~s with him** той остава победител; **2.** оставам, стоя (*в дадено положение*); **to ~ sitting/standing** оставам седнал/прав, не сядам/не ставам; **to ~ silent** не заговорвам, мълча; **one thing ~s certain** едно си остава/е сигурно; **remain away** не отивам; не присъствувам; **remain behind** оставам (*след другите*).

remainder[1] [ri'meində] *n* **1.** остатък (*и мат.*); остатъци, останки; ресто; останала част (*на живот и пр.*); останалите (хора); **2.** непродадени екземпляри от книга; **3.** *юр.* право на наследяване (*на титла и пр.*); **4.** *юр.* реверсия; **5.** *филат.* марки, продавани с намаление.

remainder[2] *v* разпродавам (*изостанали екземпляри от книга, марки*) с намаление.

remains [ri'meinz] *n pl* **1.** останки, остатъци, следи (**of**); **2.** развалини; **3.** тленни останки; прах; труп; **4.** посмъртни произведения (*на писател*).

remake[1] [riː'meik] *v* (**-made** [-'meid]) правя отново, преправям.

remake[2] ['riːmeik] *n* нова версия (*особ. на филм*).

reman [riː'mæn] *v* (**-nn-**) **1.** *воен., мор.* снабдявам с/пращам нови войници/моряци; **2.** окуражавам, повдигам духа на.

remand[1] [ri'maːnd] *v юр.* връщам (*арестуван, подсъдим*) обратно в затвора (*до събиране на нови сведения*); **to ~ on bail** пускам под гаранция.

remand[2] *n* връщане (*на арестуван, подсъдим*) обратно в затвора; **detention on ~** задържане до събиране на нови сведения; □ **~ home/centre** дом за временно задържане на малолетни закононарушители.

remanent ['remənənt] *a* останал; остатъчен.

remark[1] [ri'maːk] *v* **1.** забелязвам; усещам; **2.** правя забележка, забелязвам; отбелязвам; коментирам (**on, upon**); **to ~ upon s.th. to s.o.** споменавам нtakому за нещо, обръщам внимание на някого за нещо.

remark[2] *n* **1.** забелязване, отбелязване; внимание; **nothing worthy of ~** нищо интересно/забележително, нищо достойно за внимание; **2.** забележка, коментар; **to make/pass/let fall a ~** забелязвам, правя забележка; **to venture/hazard a ~** позволявам си да забележа/да кажа една дума; **to make no ~** не казвам нищо; **to be the subject of general ~** предмет съм на общо внимание, всички говорят за мене; **you may keep your ~s to yourself** *разг.* никой не те пита/не ти иска мнението.

remarkable [ri'maːkəbl] *a* забележителен, удивителен (**for**); очебиен; необикновен, чуден, странен; **to be ~ for o.'s stupidity** забележително/необикновено глупав съм, бия на очи с глупостта си; **to make o.s. too ~** привличам премного внимание върху себе си.

remarkably [ri'maːkəbli] *adv* забележително, удивително, необикновено; извънредно, ужасно, във висша степен.

remarriage [riː'mæriʤ] *n* повторен/втори брак.

remarry [ˌriː'mæri] *v* оженвам се/омъжвам се пак, сключвам нов/втори брак.

rematch ['riːmætʃ] *n ам. сп.* втори/повторен мач.

Rembrandtesque [ˌrembrən'tesk] *a изк.* рембрандовски, в стила на Рембранд.

remediable [ri'miːdiəbl] *a* **1.** излечим; **2.** поправим.

remedial [ri'miːdiəl] *a* **1.** който поправя/изправя/лекува; лекуващ, лечебен; **2.** който отстранява слабости/грешки.

remediless ['remidilis] *a* **1.** неизлечим; **2.** непоправим.

remedy[1] ['remidi] *n* **1.** лек, лекарство (*и прен.*); средство, мярка (**for** за, против); **past/beyond ~** непоправим; неизлечим; **2.** *юр.* удовлетворение; **3.** толеранс за разлика в теглото на еднакви монети.

remedy[2] *v* 1. поправям, изправям; подобрявам; намирам средство против; 2. (из)лекувам.

remember [ri'membə] *v* 1. помня, запомням; спомням си (за), припомням си; **here is s.th to ~ me by** ето нещо за спомен от мен/което ще ти напомня за мен; **to ~ doing/having done s.th.** спомням си/помня, че съм направил нещо; **to ~ to do s.th.** не забравям да направя нещо; **not that I ~** не си спомням; 2. подарявам/завещавам (*някому*) нещо, не забравям (*някого*) (в завещанието си); споменавам (*някого*) в молитвите си; 3. пращам много поздрави/здраве (**to**); **~ me to...** поздрави... от мен; **he begs to be ~ed** той ви изпраща поздрави; 4. *refl* осъзнавам, сещам се (*че съм объркал. какво съм искал да направя и пр.*).

remembrance [ri'membrəns] *n* 1. спомен, възпоминание, памет; **to have s.th. in ~** спомням си за/помня нещо; **it has escaped my ~** забравил съм, изплъзнало се е от паметта ми; **to the best of my ~** доколкото си спомням; **to call s.th. to ~** спомням си/припомням си нещо; **to put s.o. in ~ of** припомням някому за; **within my ~** откакто помня, откакто съм жив; **within man's ~** откакто помнят хората, откак свят светува; **in ~ of** в памет на; **R. Day/Sunday** ден, в който се чествува паметта на загиналите във войните; 2. (подарък за) спомен; 3. *pl* поздрави, привети.

remembrancer [ri'membrənsə] *n* нещо/някой, който припомня/напомня; бележник; бележка; спомен; □ **King's/Queen's R.** висш английски чиновник, който събира дългове към короната; **City R.** представител на Лондонския градски съвет в парламентарните комисии.

remind [ri'maind] *v* напомням (**s.o. of s. th.** някому за нещо; **s.o. to do s.th** някому да направи нещо); **that ~s me!** тъкмо се сетих! **visitors are ~ed that** напомня се на посетителите, че.

reminder [ri'maində] *n* 1. нещо, което напомня; напомняне; 2. напомнително писмо (*и* **letter of ~**).

remindful [ri'maindful] *a* 1. напомнящ, напомнителен (**of**); 2. който си припомня.

reminisce [,remi'nis] *v* разг. отдавам се на/разказвам спомените си; връщам се/рея се в миналото.

reminiscence [,remi'nisns] *n* 1. спомен, възпоминание; 2. нещо, което напомня (**of**); реминисценция; 3. *pl* лит. спомени, мемоари.

reminiscent [,remi'nisnt] *a* 1. напомнящ (**of** за); 2. който си спомня; зареян в спомени; който обича да си спомня/да разказва за миналото; **in a ~ frame of mind** в настроение да разказва за миналото; **to become ~** зареявам се в миналото, започвам да разказвам спомени.

remise[1] [ri'maiz] *n* юр. (пре)отстъпване, отказване (*от право и пр.*).

remise[2] *v* юр. (пре)отстъпвам, отказвам се от.

remise[3] *n* фехт. ремиз.

remiss [ri'mis] *a* 1. неизпълнителен, нехаен, небрежен (**in**); 2. ост. вял, отпуснат.

remissible [ri'misibl] *a* 1. простим, простителен; 2. опростим, отменим (*за наказание*).

remission [ri'miʃn] *n* 1. прошка, опрощение (*на грехове*); опрощаване; 2. отказване, преотстъпване (*на права и пр.*); опрощаване (*на дълг, присъда и пр.*); освобождаване (*от такса и пр.*); 3. отслабване, намаляване (*на треска, криза, усилия и пр.*).

remissive [ri'misiv] *a* 1. опрощаващ; 2. който прави да намалее/отслабне; намаляващ, отслабващ.

remissness [ri'misnis] *n* 1. неизпълнителност, нехайство, небрежност; 2. ост. вялост, отпуснатост.

remit [ri'mit] *v* (**-tt-**) 1. опрощавам, отменям (*наказание*

и пр.*); освобождавам (*от такса и пр.*); намалявам (*наказание*); опрощавам (*грях*); 2. намалявам, отслабвам; отслабвам; **to ~ o.'s anger** поуспокоявам гнева си; **to ~ o.'s efforts** поотпускам се; **enthusiasm began to ~** ентусиазмът понамаля/поспадна; 3. (из)пращам, превеждам (*сума*); **kindly ~** търг. моля, изпратете/изплатете сумата; 4. отнасям (*въпрос*) за разглеждане (**to**); 5. юр. връщам (*дело*) за преразглеждане в по-нисша инстанция; връщам в затвора; 6. отлагам (**to, till** до; за); 7. връщам/възвръщам в предишно състояние (**into, to**).

remittal [ri'mitl] *n* 1. юр. връщане обратно (*на дело*) в по-нисша инстанция.

remittance [ri'mitəns] *n* 1. изпращане/превод на сума; 2. изпратена/преведена сума; □ **~ man** емигрант, който живее от суми, изпращани му от близките в родината.

remittee [rimi'ti:] *n* получател на изпратена/преведена сума.

remittent [ri'mitənt] **I.** *a* отслабващ от време на време (*за треска и пр.*); временно затихващ; **II.** *n* треска, която отслабва от време на време.

remnant ['remnənt] *n* 1. остатък, останка (*и прен.*); прен. следа (**of**); 2. (останало) парче (*плат и пр.*); **~ sale** разпродажба на останали парчета плат.

remodel [ri:'mɔdəl] *v* (**-ll-**) преработвам, прекроявам (*и прен.*); променям, реорганизирам; ремонтирам, реконструирам.

remonetize [ri:'mʌnitaiz] *v* фин. връщам в обръщение.

remonstrance [ri'mɔnstrəns] *n* протест, възражение (**against**); **in ~** като възражение, в знак на протест.

remonstrant [ri'mɔnstrənt] **I.** *a* протестиращ, възразяващ; **II.** *n* участник в протест.

remonstrate ['remənstreit, ri'mɔnstreit] *v* протестирам, възразявам, правя възражение (**against s.th. with s.o** против нещо пред някого); увещавам (**with s.o** някого).

remonstratingly [ri'mɔnstreitiŋli] *adv* с тон на протест.

remonstrative [ri'mɔnstrətiv] *a* 1. протестен; 2. възразяващ, протестиращ.

remonstrator [ri'mɔnstreitə] *n* 1. човек, който протестира/възразява; 2. участник в протест.

remora ['remərə] *n* 1. риба, която се прилепя на тялото на акула/на дъното на кораб (*сем.* Echeneidae) 2. прен. пречка, спънка.

remorse [ri'mɔ:s] *n* разкаяние, угризение (на съвестта); **without ~** безпощадно, безмилостно.

remorseful [ri'mɔ:sful] *a* разкаян.

remorseless [ri'mɔ:slis] *a* 1. безмилостен, безжалостен, безпощаден; 2. неразкаян.

remote [ri'mout] *a* 1. далечен, отдалечен; усамотен; **~ from the truth** далеч от истината; 2. далечен, непряк; **~ damages** непреки щети; 3. малък, слаб; смътен; малко вероятен; **~ resemblance** слаба/далечна прилика; **~ chance** малка вероятност; **not to have the ~st idea** нямам ни най-малка представа; 4. сдържан, резервиран; надменен; 5. тех. отдалечен, далечен, действуващ от/на разстояние.

remote control [ri'moutkən,troul] *n* тех. телеуправление, дистанционно управление.

remotely [ri'moutli] *adv* 1. далеч, отдалечено; **we are ~ related** далечни роднини сме; 2. малко, слабо; смътно.

remoteness [ri'moutnis] *n* 1. далечина, отдалеченост; усамотеност; 2. смътност; малка вероятност.

remount[1] [ri:'maunt] *v* 1. качвам се пак на, яхвам отново (*кон*); **2.** снабдявам с нови коне; **3.** изкачвам (се) пак (*на планина*); **4.** монтирам отново; **5.** отнасям се към, принадлежа на; стигам до, мога да бъда проследен до.

remount² *n* нов кон/коне.

removability [ri‚mu:vǝ'biliti] *n* **1.** възможност да бъде сменен/преместен; подвижност (*на част*); **2.** отстранимост; **3.** сменяемост (*на длъжностно лице*); възможност да бъде уволнен.

removable [ri'mu:vǝbl] *a* **1.** сменяем; подвижен; **2.** отстраним (*за зло и пр.*); **3.** сменяем (*за длъжностно лице*); подлежащ на уволнение.

removal [ri'mu:vǝl] *n* **1.** местене, преместване; пренасяне; изнасяне; ~ **man** преносвач на покъщнина; **2.** отстраняване, премахване (*на зло*); **3.** сменяване, уволнение, уволнение; **4.** убийство, убиване, ликвидиране, очистване.

remove¹ [ri'mu:v] *v* **1.** прибирам; махам; изнасям; премествам; **to ~ o.'s eyes/glance** отмествам погледа си; **2.** събличам, свалям, махам; **3.** избърсвам, изтривам, отстранявам, заличавам, махам (*петно, следи и пр.*); **4.** отстранявам, премахвам (*съмнение, зло и пр.*); **5.** сменявам; уволнявам; изключвам, отстранявам (*ученик и пр.*); **6.** местя (се), премествам (се); прехвърлям се; **7.** *refl* отивам си; **8.** убивам, ликвидирам, очиствам; □ **to ~ o.'s son from school** вземам сина си от училище (*за постоянно*).

remove² *n* **1.** стъпка, крачка (*и прен.*); (изминато) разстояние; **at a certain ~** на известно разстояние; **at each ~** постоянно, с всяка изминала крачка; **it is but one ~ from** на една крачка е от, съвсем близо е до (*и прен.*); **2.** степен (*на родство*); **first cousin at one ~** *вж.* **removed³**; **3.** преминаване в по-горен клас; **examinations for the ~** годишни изпити; **4.** междинен клас (*в някои училища*); **5.** преместване, пренасяне, изнасяне; **6.** отпътуване, **7.** следващо ядене/блюдо.

removed [ri'mu:vd] *a* **1.** отдалечен, далечен; **2.** различен; който няма нищо общо с; **to be not far ~ from** не се различавам много от; **he is only one step ~ from a rascal** не се различава много от мошеник, почти си е мошеник; **3.** от ... степен (*за родство*); **first cousin once ~** дете на първи братовчед; първи братовчед на майка/баща.

remover [ri'mu:vǝ] *n* **1.** собственик на бюро/фирма за пренасяне на мебели; **2.** *обик. в съч.* препарат за чистене (*на петна, коси и пр.*); **hair-~** депилатоар.

remunerate [ri'mju:nǝreit] *v* (за)плащам; възнаграждавам; отплащам се (**for**).

remuneration [ri‚mju:nǝ'reiʃn] *n* (за)плащане; възнаграждение, заплата, надница; отплата.

remunerative [ri'mju:nǝrǝtiv] *a* доходен; изгоден.

renaissance [ri'neisns] *n* **1.** възраждане; **the R.** Ренесансът, Възраждането; **2.** *attr* ренесансов, от Възраждането.

renal ['ri:nǝl] *a* *анат.* бъбречен.

rename [ri:'neim] *v* давам ново име на, преименувам.

renascence [ri'næsns] *n* възраждане; съживяване, оживяване.

renascent [ri'næsnt] *a* възраждащ се; съживяващ се.

rencontre¹ [ra:n'kɔntǝ] *n фр.* **1.** схватка, сблъскване; двубой, дуел; **2.** случайна среща.

rencontre² *v* **1.** имам схватка/сблъскване/дуел с; **2.** срещам случайно.

rencounter [ren'kauntǝ] = **rencontre.**

rend [rend] *v* (**rent** [rent]) *книж.* **1.** скъсвам (се), съдирам (се), раздирам (се), разцепвам (се); разкъсвам (се)

(*и прен.*) откъсвам (се) (*и прен.*) (**off, away, asunder, apart**); **it ~s my heart** къса ми се сърцето; **to ~ o.'s hair** скубя си косата; **to turn and ~ s.o.** *прен.* нахвърлям се неочаквано върху някого; **2.** пронизвам, цепя (*за звук*).

render¹ ['rendǝ] *v* **1.** отплащам се с; отдавам (*което се следва*); **to ~ homage to** отдавам почит на, изразявам уважението си към; **to ~ good for evil** отплащам се на злото с добро; **to ~ obedience to** подчинявам се на; **to ~ thanks to** благодаря на, изразявам благодарността си на; ~ **to Caesar the things that are Caesar's** дай кесаревото кесарю; **2.** правя, оказвам (*услуга и пр.*); давам, оказвам (*помощ*); **3.** давам, представям (*сметка, отчет и пр.*); **4.** съгласявам се върху и оповестявам (*присъда*); **5.** карам, правя (*да се чувствува и пр.*); **to ~ s.o. speechless** карам някого да занемее; **to ~ s.o. furious** вбесявам някого; **the tone ~ed it an insult** тонът го направи обидно/да звучи като обида; **to be ~ed useless** ставам негоден; **6.** *лит., изк.* предавам, изразявам; тълкувам, интерпретирам; изпълнявам (*роля, муз. произведение и пр.*); предавам, превеждам (*на друг език*) (**into, in**); **7.** топя, претопявам (*мазнина*) (*и с* **down**); **8.** *стр.* мажа, измазвам (*стена*); **9.** *мор.* отхлабвам, отпускам (*въже*); движа се гладко/леко (*за въже*); **10.** *refl* явявам се, отивам (**at**); **11.** *ост.* предавам (*крепост*) (*и с* **up**).

render² *n* **1.** *стр.* (първа) мазилка (*на стена*); **2.** *ост.* наем, плащане.

rendering ['rendǝriŋ] *n* **1.** отплащане; отдаване; оказване (*на помощ и пр.*); изказване (*на благодарност и пр.*); **2.** даване, представяне (*на сметка и пр.*); **3.** предаване (*на крепост*); **4.** превод; тълкуване, предаване, изразяване, интерпретация; изпълнение; **5.** топене (*на мазнина*); **6.** *стр.* измазване, мазане; мазилка; **7.** *мор.* отпускане, отхлабване (*на въже*).

render-set¹ ['rendǝset] *v* (**-set**) *стр.* измазвам два пъти.

render-set² *n стр.* двойна мазилка.

rendezvous¹ ['rɔndivu:] *n фр.* **1.** среща, рандеву, свиждане; **2.** (уречено) място за среща, сборен пункт; сборище.

rendezvous² *v* срещам (се) на уречено място.

rendition [ren'diʃn] *n* **1.** *книж.* предаване, изразяване, интерпретация; изпълнение; превод; **2.** *ост.* предаване (*на избягал престъпник*).

renegade¹ ['renigeid] *n* (веро)отстъпник, изменник, ренегат, дезертьор.

renegade² *v* изменям (на кауза/вяра), ставам ренегат.

renegation [‚reni'geiʃn] *n* (веро)отстъпничество, ренегатство.

reneg(u)e [ri'ni:g] *v* **1.** *разг.* не изпълнявам задължение/ обещание (*и с* **on**); изоставям (*кауза и пр.*); **2.** *карти* правя ренонс.

renew [ri'nju:] *v* **1.** възстановявам (*сили, здраве и пр.*); обновявам, подмладявам; възраждам; съживявам; **2.** подновявам, започвам пак/отново; повтарям; **3.** сменям с нов, набавям си нов, подновявам; **to ~ the tyres** сменям гумите (*на автомобил*); **to ~ o.'s supplies** набавям си нови запаси; **4.** подновявам, продължавам (*полица, договор, абонамент и пр.*).

renewable [ri'nju:ǝbl] *a* **1.** възстановим, обновим; сменяем; **2.** подлежащ на продължение/подновяване.

renewal [ri'nju:ǝl] *n* **1.** възстановяване; обновление; възраждане; съживяване; **2.** подновяване, започване отново; повтаряне; **3.** сменяване, подновяване; **4.** продължаване, подновяване (*на полица, договор и пр*) □ **urban ~** благоустрояване на изостанали квартали.

renewed [ri'nju:d] *a* **1.** нов, подновен (*за интерес, сили и пр.*); **2.** продължен, подновен (*за договор и пр.*).

reniform ['ri:nifɔ:m] *а книж.* бъбрековиден.

rennet[1] ['renit] *n* сирище.

rennet[2] *n* ренета (*сорт ябълка*).

renounce[1] [ri'nauns] *v* 1. отказвам се от; отричам се от; изоставям; **to ~ the world** отказвам се/оттеглям се от света; 2. отричам, не признавам (*власт и пр.*); отхвърлям, денонсирам (*договор и пр.*); 3. *юр.* отказвам да бъда изпълнител на завещание и пр.; 4. *карти* правя ренонс.

renounce[2] *n карти* ренонс.

renouncement [ri'naunsmənt] *n* 1. отказване; отричане; изоставяне; 2. отхвърляне, денонсиране.

renovate ['renəveit] *v* 1. възстановявам; реставрирам (*картина и пр.*); поправям, ремонтирам; 2. сменям с нов, подновявам; 3. обновявам, освежавам; съживявам.

renovation [,renə'veiʃn] *n* 1. възстановяване; поправяне, ремонтиране; поправка, ремонт; реставрация; 2. обновление, освежаване; съживяване.

renovator ['renəveitə] *n* 1. обновител; 2. реставратор.

renown [ri'naun] *n* слава, известност.

renowned [ri'naund] *а* прославен, известен, прочут (**for** с).

rent[1] [rent] *n* 1. дупка, скъсано/съдрано място; 2. цепнатина, пукнатина; 3. пролука (*между облаци*); процеп; 4. разрив, несъгласие.

rent[2] *n* наем, аренда; рента; **for ~** *ам.* дава се под наем.

rent[3] *v* вземам/давам/държа под наем; вземам/искам наем (от); давам се под наем (*за сграда и пр.*) (**at** за) (*дадена сума*).

rent[4] *вж.* **rend**.

rentable ['rentəbl] *а* който се дава под наем, за даване под наем; за който може да се вземе наем.

rental ['rentl] *n* 1. наем; рента (от наеми); 2. *ам.* даване под наем; нещо, дадено под наем; фирма/бюро за даване под наем; **~ library** *ам.* заемна библиотека (*срещу заплащане на такса*).

renter ['rentə] *n* 1. наемател; 2. разпространител на филми (*и фирма*).

rent-free ['rentfri:] *а, adv* без наем.

rentier ['rɔntiei] *n фр.* рентиер.

rent-roll ['rentroul] *n* 1. списък на арендатори и арендата, която плащат; 2. доход от аренди.

renunciation [ri,nʌnsi'eiʃn] *n* 1. отказване (*от права*); отричане (*от вяра и пр.*); изоставяне (*на навици*) (**of**); 2. себеотрицание.

renunciative,-tory [ri'nʌnsiətiv, -təri] *а* 1. с който се отказвам/изоставям/отричам; 2. себеотрицателен.

reopen [ri:'oupn] *v* 1. откривам (се) пак; отварям пак; започвам пак (*за училище и пр.*); 2. подновявам, започвам отново (*спор и пр.*); откривам пак (*огън*).

reorganize [ri:'ɔ:gənaiz] *v* реорганизирам (се), преустройвам (се), преобразувам (се).

rep[1] [rep] *n* дебел рипсен плат за тапицирация.

rep[2] *n sl.* развратник, коцкар; нехранимайко.

rep[3] *sl.* = **repertory theatre/company** (*вж.* **repertory** 2).

rep[4] *n sl.* репутация.

rep[5] *n sl.* представител; търговски пътник.

rep[6] *n ам.* 1. репортер; 2. репортаж; доклад.

rep[7] *n sl.* стихотворение и пр., научено наизуст.

repaid *вж.* **repay**.

repair[1] [ri'pɛə] *v* 1. поправям (*къща, дрехи, път и пр.*), ремонтирам; кърпя, закърпвам; 2. поправям, изправям (*зло, неправда и пр.*); компенсирам; 3. възстановявам; **to o.'s fortunes** *прен.* стъпвам пак на краката си (*след финансови затруднения*); забогатявам.

repair[2] *n* 1. *често pl* поправка, ремонт; **to be under ~**

---

to undergo ~s в ремонт/поправка съм; **beyond ~** съвсем развален, не подлежащ на поправка, непоправим (*и прен.*); 2. възстановяване (*на сили и пр.*); 3. състояние; **in (good) ~** в добро състояние, добре запазен; в изправност; **in bad ~, out of ~** в лошо състояние, повреден, развален; **to keep s.th. in ~** поддържам нещо в изправност; **to put s.th. in ~** ремонтирам/поправям нещо.

repair[3] *v* 1. отивам, отправям се; стичаме се; навестявам; (**to**); 2. оттеглям се (**to**); 3. прибягвам (**to**) (*за помощ и пр.*).

repair[4] *n ост.* 1. прибягване (**to**); **to have ~ to** прибягвам до; 2. сборище; **place of safe ~** сигурно прибежище.

repairable [ri'pɛərəbl] *а* 1. подлежащ на поправка/ремонтиране; 2. поправим.

repand [ri'pænd] *а бот., зоол.* вълнообразен.

repaper [ri:'peipə] *v* слагам нови тапети (на).

reparable ['repərəbl] *а* поправим.

reparation [,repə'reiʃn] *n* 1. поправка, ремонт; 2. *често pl* обезщетение; компенсация; репарации.

reparative ['repərətiv] *а* изправителен; възстановителен; компенсационен.

repartee [,repa:'ti:] *n фр.* 1. остроумен отговор; размяна на остроумни забележки; 2. остроумие, находчивост.

repartition[1] [,ri:pa:'tiʃn] *n* 1. ново разделяне, преразделяне; 2. преразпределение, преразпределяне.

repartition[2] *v* 1. разделям наново, преразделям; 2. преразпределям.

repast [ri'pa:st] *n книж.* ядене (*обед, вечеря и пр.*).

repatriable [ri'pætriəbl] *а* подлежащ на репатриране.

repatriate[1] [ri'pætrieit] *v* репатрирам, връщам в родината.

repatriate[2] *n* репатрирано лице, репатриант.

repay [ri:'pei] *v* (**-paid** [-'peid]) 1. връщам (пари); (из)плащам (*дълг*); 2. отплащам се на, възнаграждавам; **book that ~s reading** книга, която си струва да се прочете; 3. отмъщавам/връщам се (на).

repayable [ri'peiəbl] *а* подлежащ на изплащане.

repayment [ri'peimənt] *n* 1. изплащане; върната/(из)платена сума; 2. отплата, възнаграждение.

repeal[1] [ri'pi:l] *v* отменям, анулирам.

repeal[2] *n* отменяне, анулиране.

repeat[1] [ri'pi:t] *v* 1. повтарям; **to ~ o.s.** повтарям се, говоря/пиша все едни и същи неща; 2. казвам наизуст; 3. издавам (*тайна*); 4. повтарям се (*за число*); 5. удрям пак последния час/четвърт час (*за часовник*); **~ing clock** часовник репетир; 6. изстрелвам няколко куршума (*без ново пълнене*) (*за пушка*); 7. причинявам оригване (*за храна*); 8. *ам.* гласувам незаконно два пъти; □ **his language will not bear ~ing** езикът му е крайно неприличен.

repeat[2] *n* 1. повторение (*и муз., рад., телев.*); знак за повторение; 2. повтарящ се десен/мотив; 3. *търг.* повторна поръчка/пратка (*от същата стока*).

repeated [ri'pi:tid] *а* повторен; неколкократен; многократен.

repeatedly [ri'pi:tidli] *adv* неведнъж, много пъти, нееднократно, често.

repeater [ri'pi:tə] *n* 1. човек, който повтаря/издава нещо чуто, издайник; 2. часовник репетир; 3. винтовка с пълнител; *ам.* револвер; 4. *мат.* периодична дроб; 5. *тех.* ретранслатор; 6. *ам.* второгодник, репетент, повтарач; 7. *ам.* рецидивист; 8. *ам.* човек, който незаконно гласува два пъти.

repeating rifle [ri'pi:tiŋ‚raifl] = **repeater** 3.

repel [ri'pel] *v* (-ll-) 1. отблъсквам, отбивам (*удар, неприятел и пр.*); отхвърлям (*обвинение, молба и пр.*); 2. отстранявам, разгонвам, отпъждам, пропъждам (*и лоши мисли и пр.*); 3. отблъсквам, отвращавам, будя отвращение (у).

repellent [ri'pelənt] I. *a* 1. отблъскващ; отвратителен, противен (to); 2. който прогонва, прогонващ (*напр.* насекоми). II. *n* средство против насекоми.

repent[1] [ri'pent] *v* разкайвам се (за), кая се (за), съжалявам (за) (*и* c of, c ger); I ~ (of) **having wasted my time** съжалявам, че си изгубих времето; I ~ **myself**, it ~s **me of my sins** *ост.* разкайвам се за греховете си.

repent[2] [ri:pənt] *a бот.* пълзящ, увивен.

repentance [ri'pentəns] *n* разкаяние, покаяние; съжаление.

repentant [ri'pentənt] *a* разкаян, покаян, каещ се, ~ **tears** сълзи на разкаяние.

repentantly [ri'pentəntli] *adv* с разкаяние/съжаление.

repercussion [‚ri:pə'kʌʃn] *n* 1. ехо, отзвук; 2. *често pl* въздействие, отражение, влияние, последица; 3. *воен.* откат на оръжие, ритване.

repercussive [‚ri:pə'kʌsiv] *a* 1. даващ отражение, въздействуващ; 2. отразен.

repertoire ['repətwa:] *n фр.* репертоар.

repertory ['repətəri] *n* 1. справочник, сборник; *прен.* съкровищница; 2. театър с постоянен актьорски състав и разнообразен репертоар (*и* ~ **theatre/company**).

repetend ['repətend] *n* 1. *мат.* период (*в десетична дроб*); 2. рефрен.

repetition [‚repə'tiʃn] *n* 1. повтаряне, повторение; 2. научаване наизуст; нещо научено/което трябва да се научи наизуст; 3. копие, имитация.

repetitional, -ary, -ious [‚repə'tiʃənəl, -əri, -əs] *a* досадно повтарящ се.

repetitive [ri'petitiv] *a* повтарящ се; стандартен; сериен.

repine [ri'pain] *v* роптая, оплаквам се, недоволствувам (**at, against**).

repiningly [ri'painiŋli] *adv* недоволно, с роптаене.

replace [ri'pleis] *v* 1. поставям/слагам пак на мястото; **to ~ the receiver** слагам слушалката, затварям телефона; 2. връщам, възстановявам (*пари, някого на длъжност и пр.*); 3. заменям (с нов), замествам (**by, with** c); **impossible to ~** незаменим.

replaceable [ri'pleisəbl] *a* заменим.

replacement [ri'pleismənt] *n* 1. връщане/поставяне пак на мястото; 2. връщане, възстановяване; 3. заменяне, заместване; замяна; заместник; 4. *pl* резервни части.

replay[1] [ri:'plei] *v* повтарям (*мач, сцена и пр.*); просвирвам (*запис*).

replay[2] ['ri:plei] *n* повторение (*на мач и пр.*); просвирване (*на запис*).

replenish [ri'pleniʃ] *v* пълня/напълвам отново; снабдявам с нов запас (**with**); **to ~ o.'s wardrobe** попълвам гардероба си; добре снабден.

replenishment [ri'pleniʃmənt] *n* попълване; (снабдяване с) нови запаси.

replete [ri'pli:t] *a* пълен, напълнен, изпълнен; наситен, пресатен; натъпкан, претъпкан (**with**); ~ **with food** сит, преял.

repletion [ri'pli:ʃn] *n* насита, преситa; пресищане; **filled to ~** препълнен; **full to ~** препълнен; преситен; **to ~** до насита.

replevin, replevy[1] [ri'plevin, ri'plevi] *n юр.* връщане на неправилно взети с изпълнителен лист вещи; нареждане/дело за връщане на така взети вещи.

replevy[2] *v юр.* връщам си неправилно взети с изпълнителен лист вещи.

replica ['replikə] *n* точно копие/подобие.

replicate[1] ['replikeit] *v* 1. правя точно копие на/от, имитирам/копирам точно; 2. прегъвам назад; 3. *ряд.* отвръщам, отговарям.

replicate[2] ['replikit] *a бот.* прегънат назад (*за лист*).

replication [‚repli'keiʃn] *n* 1. копие, реплика; копиране, имитация; 2. отговор; 3. *юр.* възражение на ищеца; 4. *бот.* прегънатост.

reply[1] [ri'plai] *v* 1. отговарям, отвръщам (*и с действие*) (**to**); 2. *юр.* възразявам, правя възражение.

reply[2] *n* отговор; възражение; **to say nothing in ~**, **to make no ~** не отговарям нищо; ~ **paid** отговор платен (*за телеграма и пр.*).

report[1] [ri'pɔ:t] *v* 1. съобщавам, давам сведения (за); докладвам; правя доклад (**to s.o. on s.th.** на някого за нещо); разказвам, описвам; **it is ~ed that** съобщава се, че; говори се, че; 2. *парл.* докладвам, че комисията се е занимала със законопроект; 3. предавам (*чужди думи*); ~ **ed speech** *грам.* непряка реч; 4. правя/пиша репортаж/дописка (за); репортер съм (**for** на); 5. донасям, съобщавам, обаждам (за) (*престъпление и пр.*); оплаквам се, правя оплакване (от); 6. представям се, явявам се (**to**) (*и refl*); **to ~ to the police** явявам се в полицията (*за регистриране*); **to ~ for duty** *воен.* явявам се на служба (*след отсъствие*); **to ~ sick** съобщавам, че съм болен; □ **to ~ out** *ам.* връщам (законопроект) след обсъждане.

report[2] *n* 1. съобщение; сведения; бюлетин; доклад; отчет; отзив (**on**); дописка, репортаж; *pl* известия; **law ~s** *юр.* съдебни решения, които се използуват като прецеденти; **the bill has reached the ~ stage** *парл.* законопроектът е готов за разглеждане; **parliamentary ~s** сборник с парламентарни дебати; 2. *воен.* рапорт; 3. слух, мълва; **as ~ has it/goes** както се говори; **mere/idle ~s** само/празни слухове; **to know s.th. by ~** знам нещо от слухове; **it's a matter of current ~** всички говорят за това; 4. ученически бележник; бележки на ученик (*и* **school ~**); 5. репутация, име, слава; **man of good/evil ~** човек с добро/лошо име; 6. изстрел, взрив, детонация; изгърмяване, гръмване; □ **to be on ~** подлежа на дисциплинарно наказание.

reportable [ri'pɔ:təbl] *a* подходящ за дописка.

reportage [ri'pɔ:tiʤ] *n* 1. репортаж, дописка; 2. репортерски стил (*и в литературата*); 3. слух, мълва.

report card [ri'pɔ:t‚ka:d] = **report**[2] 4.

reportedly [ri'pɔ:tidli] *adv* според слуховете/сведенията.

reporter [ri'pɔ:tə] *n* 1. докладчик; 2. репортер, дописник.

reposal [ri'pouzəl] *n* упование, възлагане на надежда/доверие и пр.

repose[1] [ri'pouz] *v*: **to ~ trust/confidence/hope, etc. in/on** уповавам се/разчитам/възлагам надежда/вярвам на.

repose[2] *v* 1. слагам, полагам (*ръка, глава и пр.*) (**on**); 2. лежа, легнал съм; почивам (си); **to ~ o.s.** лягам (да си почина); **to ~ in sleep/death** лежа заспал/мъртъв; 3. спирам се (**on**) (*за мисли и пр.*); 4. почивам, основан съм (**on**); 5. успокоявам, отморявам.

repose[3] *n* 1. отдих, почивка; 2. покой; спокойствие; 3. сън; 4. спокойствие, (само)увереност, самообладание; 5. хармония (*на линии, цветове и пр.*); □ **angle of ~** *mex.* ъгъл на естествения наклон/откос.

reposeful [ri'pouzful] *a* 1. успокояващ, успокоителен; вдъхващ спокойствие; лъхащ покой; 2. спокоен; несмущаван.

repository [ri'pɔzitəri] *n* 1. склад, хранилище; 2. съкровищница; 3. лице, на което се поверява/доверява нещо.

repossess [ˌri:pə'zes] *v* 1. възвръщам си (собствеността); вземам си обратно (*неизплатена вещ*); 2. връщам (*някому*) изгубена собственост/права (of).

repot [ri:'pɔt] *v* (-tt-) слагам (*растение*) в друга (по-голяма) саксия.

repoussée [rəpu:'sei] *фр.* I. *a* щампован, изработен в релеф (*за метал*); II. *n* щампован/релефно изработен метал (*и* ~ **work**).

repp = rep[1].

reprehend [ˌrepri'hend] *v* коря, укорявам, порицавам, осъждам.

reprehensible [ˌrepri'hensibl] *a* укорен, осъдителен, заслужаващ порицание.

reprehension [ˌrepri'henʃn] *n* укор, порицание, осъждане, неодобрение.

represent [ˌrepri'zent] *v* 1. представям; изобразявам, изображение съм на; означавам, символизирам; **to** ~ **to o.s.** представям си, въобразявам си; 2. представям (**as**), изкарвам, твърдя (**to be** че е); 3. опитвам се да обясня; настоявам; изтъквам; излагам, описвам (**to s.o.**); **to** ~ **o.'s grievances** казвам/излагам от какво съм недоволен; 4. представям, играя (*ролята на*); 5. представям, представител съм на; заместник съм на; 6. отговарям/съответствувам на.

representation [ˌreprizen'teiʃn] *n* 1. представяне; изобразяване; изображение, образ; символ; 2. представление; 3. посочване, изтъкване; излагане, изложение; 4. официален протест; петиция; *pl* постъпки; **to make** ~**s to** правя постъпки пред; 5. избирателна система; избиратели (*в даден район*); **proportional** ~ пропорционална избирателна система; 6. представителство; представително тяло; представител(и).

representational [ˌreprizen'teiʃənəl] *a* изк. изобразителен, реалистичен, не абстрактен.

representationalism [ˌreprizen'teiʃənəlizm] *n* 1. изк. реализъм; 2. фил. учение, според което непосредственият обект на познанието е идеята, а не видимият предмет.

representative [ˌrepri'zentətiv] I. *a* 1. представящ; изобразяващ, символизиращ (of); **to be** ~ **of** представям, олицетворявам; 2. характерен, отличителен, типичен, показателен (of); който добре представя (of); 3. пол. представителен; ~ **chamber** народно събрание, камара; 4. изк. реалистичен; изобразителен; II. *n* 1. (типичен) представител; типичен пример; 2. представител, депутат; **House of R. s** долната камара на Конгреса/на щатски законодателен орган (*в САЩ*).

repress [ri'pres] *v* 1. сдържам, удържам, възпирам; обуздавам, усмирявам; ограничавам; сподавям; 2. потъпквам, потушавам, смазвам; 3. потискам (*и псих.*).

repression [ri'preʃn] *n* 1. сдържане, удържане, възпиране; обуздаване, усмиряване; ограничаване; сподавяне; 2. потъпкване, потушаване, смазване, 3. потискане (*и псих.*).

repressive [ri'presiv] *a* 1. потиснически, репресивен; 2. ограничителен.

reprieve[1] [ri'pri:v] *v* 1. юр. отменям/отлагам изпълнението на (смъртна) присъда, 2. давам отдих на.

reprieve[2] *n* 1. юр. отменяне/отлагане на изпълнението на (смъртна) присъда; 2. отдих, отмора.

reprimand[1] ['reprima:nd] *n* порицание, мъмрене; укор.

reprimand[2] *v* порицавам, мъмря; укорявам.

reprint[1] [ri:'print] *v* препечатвам; преиздавам.

reprint[2] [ri:'print] *n* 1. ново издание (*на книга*); 2. (отделен) отпечатък.

reprisal [ri'praizəl] *n* 1. репресивна мярка, отплащане; *pl* репресалии; ~ **raid** воен. наказателна акция; 2. често *pl* компенсация.

reproach[1] [ri'proutʃ] *v* упреквам, коря, укорявам, порицавам, осъждам, обвинявам, натяквам (на) (**for, with** за, заради).

reproach[2] *n* 1. упрек, укор, порицание, осъждане, обвинение, натякване; **above/beyond** ~ безукорен; ~ **term of** ~ укорителен/ругателен израз; **look of** ~ укорителен поглед; 2. срам, позор; позорно петно (**to**); **to bring** ~ **on** опозорявам, излагам.

reproachful [ri'proutʃful] *a* 1. укорителен; 2. ост. укорен, недостоен, срамен, позорен.

reprobate[1] ['reprəbeit] *v* 1. порицавам, осъждам, коря, укорявам; 2. библ. отхвърлям, изоставям (*някого*).

reprobate[2] ['reprəbit] I. *a* загубен, окаян; безпътен, развратен; II. *n* 1. загубен/окаян/безпътен човек; 2. подлец, негодник.

reprobation [ˌreprə'beiʃn] *n* порицание, осъждане.

reproduce [ˌri:prə'dju:s] *v* 1. възпроизвеждам; предавам (*звук, прилика и пр.*); повтарям; произвеждам отново; 2. театр. поставям отново; 3. препечатвам; правя/вадя копие от; 4. размножавам (се), плодя се, развъждам (се); **to** ~ **o.s./o.'s kind** продължавам рода си; 5. зоол. подновявам (*повреден орган*).

reproducible [ˌri:prə'dju:səbl] *a* възпроизводим.

reproduction [ˌri:prə'dʌkʃn] *n* 1. възпроизвеждане; 2. репродукция; копие; 3. размножаване, плодене, развъждане; 4. ик. възпроизводство; 5. зоол. подновяване (*на повреден орган*).

reproductive [ˌri:prə'dʌktiv] *a* 1. възпроизводителен; ~ **organs** полови органи; 2. плодовит.

reprography [ri'prɔgrəfi] *n* отпечатване и размножаване чрез ксерокс, микрофилми, офсет и др.

reproof [ri'pru:f] *n* укор, порицание, мъмрене, смъмряне; **of** ~ укорителен; **to speak in** ~ **of** осъждам, порицавам.

reprove [ri'pru:v] *v* коря, укорявам, мъмря, смъмрям, осъждам, порицавам.

reps [reps] = **rep**[1].

reptile ['reptail] *n* 1. зоол. влечуго; 2. прен. влечуго, гад, мазник, блюдолизец; 3. *attr* пълзящ; долен, низък, подъл, продажен.

reptilian [rep'tiliən] *a, n* (подобен на/отнасящ се до) влечуго.

republic [ri'pʌblik] *n* република; □ **the** ~ **of letters** литературният свят.

republican [ri'pʌblikən] I. *a* републикански; II. *n* републиканец.

republicanism [ri'pʌblikənizm] *n* републикански дух/убеждения.

republish [ri:'pʌbliʃ] *v* преиздавам; обнародвам отново.

repudiate [ri'pju:dieit] *v* 1. отричам, отхвърлям (*обвинение и пр.*); отказвам се/отказвам се от, отхвърлям, отритвам (*някого*); отказвам да призная/допусна/имам работа с; отказвам да се подчиня на (*власт*); 2. отказвам да платя (*дълг*), отказвам да изпълня (*задължение*); 3. ост. развеждам се с, оставям (*жена*).

repudiation [ri,pju:di'eiʃn] *n* 1. отричане, отхвърляне; отритване; осъждане; 2. непризнаване, отказ да се плати *(дълг)*; неизпълнение, отказване *(от задължение)*.

repugn [ri'pju:n] *v ост.* 1. противопоставям се, съпротивлявам се, боря се (**against**); 2. отвращавам, противен/неприятен съм на; it ~s me to противно ми е да.

repugnance, -cy [ri'pʌgnəns, -si] *n* 1. отвращение, антипатия (**to, against**); 2. противоречие, несъвместимост, несъответствие (**between, to, of, with**).

repugnant [ri'pʌgnənt] *a* 1. противен, неприятен (**to**); 2. противоречащ, несъвместим (**with**); 3. *поет.* непокорен, упорит, непреклонен.

repulse[1] [ri'pʌls] *v* 1. отблъсквам, отбивам; 2. оборвам, опровергавам; 3. отблъсквам, отхвърлям *(някого)*; *прен.* срязвам, чуквам. 4. отвращавам.

repulse[2] *n* 1. отблъскване, отбиване; отпор; поражение; 2. отказ; *прен.* срязване, чукване; неуспех, разочарование; to meet with/suffer a ~ отказват ми; срязват ме; претърпявам неуспех.

repulsion [ri'pʌlʃn] *n* 1. отблъскване *(и физ.)*; отбиване; 2. отвращение, антипатия.

repulsive [ri'pʌlsiv] *a* 1. *физ.* отблъскващ; 2. отблъскващ, противен, неприятен, отвратителен; 3. *ост.* студен, неприветлив, отблъскващ.

reputable ['repjutəbl] *a* почтен, достоен за уважение.

reputation [,repju'teiʃn] *n* репутация, име, слава, известност, реноме; **person of ~** човек, който се ползува с добро име; **person of no ~/of small ~** човек, който не се ползува с добро име; **to have a ~ for** слава се/прочут съм с; **to have the ~ of (being)** минавам за, за мене се говори, че съм.

repute[1] [ri'pju:t] *v ряд. главно pass* мисля, смятам, считам; **he is ~d** to be минава за, считат го за; **to be well/highly ~d** ползувам се с добро име; **to be ill ~d** ползувам се с лошо име/слава.

repute[2] = **reputation**: **of ~** известен, прочут; **bad/ill ~** лоша слава; **to be in bad ~ with** ползувам се с лошо име/лоша слава пред/сред; **to know by ~** познавам по име.

reputed [ri'pju:tid] *a* 1. известен, знаменит, прочут; 2. предполагаем; **~ father** предполагаем баща.

request[1] [ri'kwest] *n* 1. молба, искане; **at the ~ of** по молба/искане на; **~ stop** спирка по желание; **~ programme** програма по желание на радиослушателите; **by ~** по (общо) желание; **to make a ~** помолвам, обръщам се с молба (**to**); 2. молба, заявление, просба; заявка; поискване; **on ~** при поискване; 3. *тър.* търсене; **to be in great ~** търся се много *(за стока)*; **to come into ~** започвам да се търся.

request[2] *v* 1. моля, искам позволение; 2. моля за, моля да бъда удостоен с; искам; **you are kindly ~ed to** умолявате се да.

requiem ['rekwiem] *n лат.* 1. реквием *(и муз.)*, заупокойна служба, панихида; 2. *прен.* погребална песен.

requiescat [,rekwi'eskæt] *n лат.* заупокойна молитва.

require [ri'kwaiə] *v* 1. изисквам, искам, заповядвам (**of**); моля, настоявам; задължавам; **to ~ s.o./of s.o./from s.o.** искам от някого; **you are ~d to** трябва/длъжни сте да; **~d reading** задължителна литература *(за изпит)*; 2. изисквам, нуждая се от; **he didn't ~ a second telling** нямаше нужда да му се повтаря; **it ~d all his authority to** нужен беше целият му авторитет да.

requirement [ri'kwaiəmənt] *n* 1. изискване, условие; **to meet s.o.'s ~s** отговарям на изискванията/условията на някого; върша това, което иска някой; 2. нужда, по-

требност, необходимост; **the ~s of health** грижите, необходими за здравето.

requisite ['rekwizit] **I** *a* изискван, нужен, необходим (**for**); **II.** *n* нещо нужно/необходимо; потребност; *pl* потреби, принадлежности.

requisition[1] [,rekwi'ziʃn] *n* 1. официално искане/нареждане/предписание; 2. заявка, искане; **to be in/under ~** използван съм; 3. *воен.* реквизиция; **to bring/call into ~, to place/put in ~** реквизирам; използвам, прибягвам до.

requisition[2] *v* 1. реквизирам; 2. правя заявка/искане (за).

requital [ri'kwaitl] *n* 1. отплата, възмездие, отмъщение, наказание; **in ~ of/for** в отплата за, като наказание за; 2. награда, възнаграждение; компенсаци; **to make full ~** компенсирам напълно.

requite [ri'kwait] *v* 1. отплащам, отвръщам (**for, with**); **to ~ s.o.'s love** отговарям на любовта/чувствата на някого; 2. възнаграждавам, отплащам се, отблагодарявам се; компенсирам за (**with**); **to ~ like for like** *прен.* плащам със същата монета; 3. отмъщавам си за *(обида и пр.)*.

reran *вж.* **rerun**.

reredos ['riədɔs] *n арх.* декоративна преграда зад олтара.

rerun[1] ['ri:rʌn] *v* (**-ran** [-ræn] *;*-**run** [-rʌn]) 1. *кино, телев.* показвам пак, повтарям *(филм, програма)*; 2. *сп.* повтарям *(състезание)*.

rerun[2] *n* 1. *кино, телев.* повторение на филм/програма; 2. *сп.* повторно състезание.

resale ['ri:seil] *n* препродажба.

resat *вж.* **resit**.

rescind [ri'sind] *v* отменям, анулирам.

rescission [ri'siʒn] *n* отменяне, анулиране.

rescript ['ri:skript] *n ист.* рескрипт; едикт, декрет, постановление.

rescue[1] ['reskju:] *v* 1. спасявам, избавям, освобождавам, отървавам (**from**); **to ~ a drunkard** избавям пияница от порока му, убеждавам пияница да не пие; 2. *юр.* освобождавам незаконно; 3. *юр.* възвръщам си насилствено *(имущество)*.

rescue[2] *n* 1. спасяване, избавяне, освобождаване, отърваване; спасение, освобождение; **to come/go to the ~ of** притичвам се на помощ на; 2. *юр.* незаконно освобождаване; 3. *юр.* насилствено възвръщане *(на имущество)*; 4. *attr* спасителен; **~ mission** *ам.* религиозна организация за подпомагане на бедни.

rescuer ['reskjuə] *n* спасител, освободител, избавител.

research[1] [ri'sə:tʃ] *n* 1. *обик. pl* (научно) изследване, проучване; **piece of ~** проучване, научна работа; **~ work** научноизследователска работа; 2. търсене, дирене (**for, after**); 3. *attr* (научно) изследователски.

research[2] *v* изследвам, проучвам *(и с into)*.

researcher, -ist [ri'sə:tʃə, -ist] *n* изследовател, изследвач.

reseat [ri:'si:t] *v* 1. карам *(някого)* да седне пак; 2. снабдявам с нови столове *(театър и пр.)*; 3. слагам ново седалище на *(стол, панталони)*.

resect [ri'sekt] *v мед.* правя ресекция.

reseda [ri'si:də] *n* 1. *бот.* резеда; 2. резедав цвят.

resemblance [ri'zembləns] *n* прилика, сходство, подобие; **to bear ~ to** приличам на.

resemble [ri'zembl] *v* приличам на, подобен съм на.

resent [ri'zent] *v* негодувам (срещу), възмущавам се (от); чувствувам се обиден/засегнат (от).

resentful [ri'zentful] *a* 1. възмутен, негодуващ; сърдит, обиден, засегнат; 2. обидчив; злопаметен.

resentment [ri'zentmənt] *n* негодуване, възмущение; обида, засегнатост, яд (**at, against**); **to bear/feel no ~ against** не се сърдя на; **in ~** възмутен(о), сърдит(о).

reservation [ˌrezə'veiʃn] *n* 1. уговорка, резерва; възражение; with ~(s) под резерва; with some ~(s) с известни резерви/уговорки; with ~ of с изключение на; without ~ напълно, изцяло, безрезервно, безусловно; to make ~s about/over резервирам се/правя уговорки относно; 2. запазване, резервиране, ангажиране (*на места и пр.*); резервация; 3. юр. запазване на право; 4. резерват; бранище; 5. *авт.* ивица (*често преградена*) между двете платна на магистрала; 6. *цьрк.* нафора, взета за вкъщи (*и* R. of the Eucharist).

reserve[1] [ri'zə:v] *v* 1. запазвам, задържам, съхранявам, скътвам, спестявам; to ~ o.s. пазя силите си (for); 2. запазвам, резервирам, ангажирам (*места и пр.*); 3. предназначавам, определям, отреждам (for); 4. юр. запазвам (*право на владение, контрол*); запазвам си (*право и пр.*); to ~ o.'s judgment отлагам (да съобщя) решението си.

reserve[2] *n* 1. запас, резерв(а); in ~ в запас; 2. фин. резервен фонд; gold ~ златно покритие; 3. *воен.* резерв, запас (*и pl*); 4. *сп.* резервен играч; 5. резерват; бранище; 6. уговорка, резервираност, ограничение; ~ price първоначална/минимална цена; with all ~, with all proper ~s под резерва, с уговорка; without ~ напълно, изцяло, безрезервно, безусловно; без ограничение на цената при наддаване (*при търг*); 7. сдържаност, резервираност, студенина; необщителност; потайност; to break through s.o.'s ~ успявам да направя някого по-общителен; 8. премълчаване/скриване на истината.

reserved [ri'zə:vd] *a* 1. сдържан, резервиран, студен; необщителен; потаен; 2. запазен, резервиран, ангажиран (предварително); 3. *воен.* запасен, от запаса; □ ~ occupation пост/работа, от която лицето не може да бъде извикано на военна служба.

reservedly [ri'zə:vidli] *adv* сдържано, предпазливо.

reservist [ri'zə:vist] *n воен.* запасен войник, матрос и пр., резервист.

reservoir ['rezəvwa:] *n фр.* 1. резервоар, басейн, водохранилище; 2. източник, запас (of).

reshape [ri:'ʃeip] *v* 1. преправям; променям; префасонирам; 2. променям се, добивам нова форма (*и refl*).

reshuffle[1] [ri:'ʃʌfl] *v* 1. разбърквам отново (*карти*); 2. прегрупирам; правя вътрешни промени (*в правителство*), реконструирам.

reshuffle[2] *n* прегрупиране; преустройство, реконструкция (*на правителство*).

reside [ri'zaid] *v* 1. живея; пребивавам; прекарвам (at, in); 2. присъщ/свойствен съм; седалището ми е; 3. даден съм (*за власт*); в ръцете съм (*за право*) (in).

residence ['rezidəns] *n* 1. престой; живеене; пребиваване; ~ is required служителят трябва да живее в учреждението; 2. местожителство, местопребиваване; жилище; седалище; резиденция; place of ~ местожителство; in ~ 1) в резиденцията/двореца; 2) (задължен да живее там, където работи/учи; the undergraduates are not yet in ~ студентите не са се върнали в университета/в колежа си; to take up o.'s ~ заселвам се, настанявам се, живея (at в); 3. *превз.* голяма/хубава къща/дом.

residency ['rezidənsi] *n* 1. *ист.* (официално) пребиваване/резиденция на британски резидент в двора на индийски владетел; 2. територия под контрола на чужд резидент; 3. *ам.* (период на) лекарска специализация.

resident ['rezidənt] I. *a* 1. който живее/прекарва/пребивава (*на дадено място*); местен, който живее (задължително) там, където работи; ~ population местно население; ~ physician лекар, който живее в бол-

ница; 2. непрелетен (*за птица*); 3. присъщ, свойствен; на който седалището е; даден (in); ~ in the nerves чието седалище са нервите; right ~ in the nation право (дадено) на народа; II. *n* 1. местен жител (*и* local/native ~); foreign ~ чужд поданик (*в дадена страна*); 2. *пол.* резидент, (дипломатически) представител.

residential [ˌrezi'denʃl] *a* жилищен (*за квартал*); с жилищни помещения (*за учебно заведение и пр.*); в който може да се живее (по-дълго) (*за хотел*); ~ qualifications изискване избирателите да живеят в избирателния район.

residentiary [ˌrezi'denʃəri] I. *a* 1. отнасящ се/свързан с местожителство; 2. изискващ да се живее на дадено място/в дадена енория; II. *n* свещеник, задължен да живее в енорията си.

residua *вж.* **residuum**.

residual [ri'zidjuəl] I. *a* 1. останал; остатъчен; 2. *мат.* останал след изваждане; 3. необяснен (*за грешка при изчисление*); II. *n* 1. *мат.* остатък; 2. = **residuum** 3; 3. отпадъчен продукт/материал; 4. остатъчно явление/ефект (*след боледуване и пр.*); 5. *ам. обик. pl* хонорар (*на автор, актьор*) за всяко повторно изпълнение (*на пиеса, роля и пр.*).

residuary [ri'zidjuəri] *a* останал; остатъчен; ~ **legatee** наследник на имущество, останало след изплащане на всички задължения.

residue ['rezidju:] *n* 1. остатък; 2. *юр.* това, което е останало от наследство след изплащане на всички задължения; 3. = **residuum** 2.

residuum [ri'zidjuəm] *n* (*pl* -**dua** [-djuə]) 1. остатък (*и мат.*); 2. *хим.* утайка; вещество, останало след изгаряне или изпарение; 3. *мат.* необяснена грешка; 4. отпадъчен продукт/материал.

resign [ri'zain] *v* 1. предавам, оставям, предоставям (to); отказвам се от (*право и пр.*); снемам от себе си (*отговорност*); to ~ all hope (из)оставям всяка надежда, 2. *refl* предавам се, оставям се, предоставям се; подчинявам се, покорявам се; примирявам се (to); 3. подавам оставка, напускам служба/работа (*и* to ~ o.'s job); to ~ from the Cabinet напускам правителството.

resignation [ˌrezig'neiʃn] *n* 1. оставка; to give/send in/turn in o.'s ~ подавам оставка; 2. примирение със съдбата; смирение, покорство; търпение.

resigned [ri'zaind] *a* примирен; смирен, покорен; безропотен.

resignedly [ri'zainidli] *adv* примирено, с примирение; покорно, безропотно.

resile [ri'zail] *v* 1. отскачам; 2. приемам отново първоначалната си форма; връщам се в първоначалното си положение; 3. гъвкав/еластичен/як/жилав съм; 4. отвръщам се (from от) (*нещо неприятно*).

resilience, -cy [ri'ziliəns, -si] *n* 1. гъвкавост, еластичност; пъргавост, подвижност; 2. жилавост, якост, издръжливост.

resilient [ri'ziliənt] *a* 1. гъвкав, еластичен; подвижен пъргав; 2. жилав, як, издръжлив.

resin[1] ['rezin] *n* (растителна) смола; колофон.

resin[2] *v* насмолявам.

resinaceous [ˌrezi'neiʃəs] *a* смолист.

resinate ['rezineit] = **resin**[2].

resinous ['rezinəs] = **resinaceous**.

resist[1] [ri'zist] *v* 1. съпротивлявам се/противопоставям се (на), не се поддавам на; устоявам/издържам (на); отблъсквам, отбивам, устойчив съм (на); **2.** въздържам се от; **she can't ~ chocolate** не може да се въздържи от шоколад/да яде шоколад; **he can't ~ joking** не може да не се пошегува.

resist² n предпазен пласт (боя и пр.).

resistance [ri'zistəns] n **1.** съпротива (и воен.), съпротивление (и ел.); противодействие; противопоставяне; устойчивост, издръжливост (**to**); **line of least ~** линия на най-малкото съпротивление; **2.** attr съпротивителен.

resistant [ri'zistənt] **I.** a съпротивителен; съпротивяващ се; устойчив, издръжлив (**to**); **II.** n = **resister**.

resister [ri'zistə] n противник; човек, който се съпротивлява/бори; **passive ~** участник в/привърженик на пасивна съпротива.

resistibility [ri,zistə'biliti] n съпротивляемост.

resistible [ri'zistəbl] a на който може да се устои/да се окаже съпротива.

resistless [ri'zistlis] a поет. непреодолим; неизбежен.

resistor [ri'zistə] n ел. съпротивление, резистор.

resit [ri:'sit] v (-sat [-sæt]) явявам се за втори път на (изпит).

resoluble ['rezəljubl] a **1.** разложим (**into**); разтворим; **2.** разрешим.

resolute ['rezəl(j)u:t] a решителен, решен, твърд, непоколебим.

resolution [,rezə'l(j)u:ʃn] n **1.** решение; резолюция; **to adopt/carry/pass/take a ~** вземам решение (за събрание); **to make good ~s/a New Year ~** решавам да направя нещо хубаво, вземам чудесни решения, имам добри намерения, **2.** решителност, твърдост, непоколебимост; **man of ~** твърд/решителен човек; **3.** разлагане на съставни части; анализ; превръщане (**into**); **4.** решаване (на задача); **5.** разсейване (на съмнения); **6.** мед. разнасяне (на оток и пр.); **7.** проз. замяна на дълга сричка с две къси; **8.** муз. разрешение (на дисонанс); **9.** лит. развръзка.

resolve¹ [ri'zɔlv] v **1.** решавам, вземам решение (**on**) (и с ger); **to be ~d to** твърдо съм решен да; **2.** скланям, накарвам, убеждавам; подтиквам, подбуждам (с ger, **to** с inf), **3.** разрешавам (задача, спор и пр.); **4.** разсейвам, разпръсквам (съмнения); **5.** слагам край на (застой и пр.); **6.** разпадам се, разлагам (се), разтварям (се); **7.** анализирам; **8.** превръщам (се), свеждам (се) (**into**); **the House ~d itself into a committee** Камарата се учреди като пленарна комисия; **9.** мед. разнасям се (за оток и пр.); **10.** муз. разрешавам (се) (за дисонанс); **11.** лит. стигам до/постигам/ давам развръзка.

resolve² n **1.** решение; **good ~d** добри намерения; **2.** решителност, твърдост, непоколебимост, смелост, кураж.

resolved [ri'zɔlvd] a (твърдо) решен, непоколебим.

resolvent [ri'zɔlvənt] n **1.** хим. разтворител; **2.** мед. резолвент.

resonance ['rezənəns] n резонанс.

resonant ['rezənənt] a **1.** еклив, звънлив, звучен; плътен; **2.** ехтящ, кънтящ (**with** от); с добър резонанс.

resonate ['rezəneit] v резонирам; отеквам.

resonator ['rezəneitə] n резонатор.

resorb [ri'sɔ:b] v поглъщам отново, резорбирам.

resorption [ri'sɔ:pʃn] n резорпция.

resort¹ [ri'zɔ:t] v **1.** прибягвам, обръщам се (**to** до, към); **2.** посещавам (често), навестявам, спохождам; стичаме се; отивам (**to** в).

resort² n **1.** прибягване; средство; **without ~ to** без да

прибягна до, без да си послужа с; **in the/as a last ~** в краен случай, като последно средство; **court of last ~** последна инстанция; **2.** посещаване; посещение; посещаемост; **3.** тълпа; **4.** често посещавано място; **place of popular/great ~** много посещавано място/заведение; **to encourage the ~ of scholars, etc.** привличам (посещения на) учени и пр.; **5.** курорт (и **health/holiday ~**); **6.** attr курортен.

resound [ri'zaund] v **1.** еча, ехтя, кънтя, тътна (**with**); **2.** отеквам (се); **3.** нося се, разнасям се, прокънтявам (за слава и пр.); прославям се; **4.** прославям; **to ~ the praise of** възхвалявам, славословя.

resounding [ri'zaundiŋ] a **1.** кънтящ, ехтящ; **2.** шумен; звучен, сърдечен (за смях); □ **~ success** огромен/шумен успех; **~ victory** решителна победа.

resource [ri'sɔ:s] n **1.** обик. pl средства, ресурси, възможности; държавни ресурси; ам. налични средства; **natural ~s** природни богатства; **2.** средство, начин, способ; похват, ход, хитрина; средство за прехрана; **to be at the end of o.'s ~s** изнемогвам, не мога повече, не знам вече какво да правя; **to draw on o.'s own ~s** върша нещо сам (без чужда помощ); сам се оправям; **to leave s.o. to his own ~s** оставям някого сам (да си блъска главата); **to be left/thrown on/upon o.'s own ~s** оставен съм сам на себе си/сам да се оправям; **to have no inner ~s (of character)** нямам вътрешни възможности, не ми достигат сили; за начин за прекарване на времето, развлечение; **4.** находчивост, съобразителност, досетливост, изобретателност; **man of ~** съобразителен/находчив човек; човек, който умее да се измъква от трудни положения; **5.** ост. възможност за подкрепа/помощ; □ **lost without ~** безвъзвратно изгубен.

resourceful [ri'sɔ:sful] a находчив, съобразителен, досетлив, изобретателен.

respect¹ [ri'spekt] n **1.** почит, уважение, зачитане, внимание; **out of ~ to/for** от уважение към; **to have ~ for, to hold in ~** уважавам, почитам, зачитам; **with all ~ to your great learning** моите уважения към големите ви знания (следва някакво възражение); **~ of persons** раболепие; пристрастие; **2.** pl почитания; **give my best ~s to** предайте моите почитания/поздрави на; **3.** отношение; **in/with ~ to** по отношение на, колкото се отнася до; във връзка с; **without ~ to** без оглед на; **in this (one) ~** (само) в това отношение; **to have ~ to** отнасям се до, свързан съм с; вземам под внимание; **in ~ that** ост. понеже, тъй като.

respect² v **1.** почитам, уважавам, зачитам, тача; **2.** спазвам (правила и пр.); **3.** щадя, отнасям се с внимание към; не се натрапвам на; □ **to ~ persons** раболепнича; проявявам пристрастие.

respectability [ri,spektə'biliti] n **1.** почтеност, порядъчност; **2.** pl обществени условности; благоприличие.

respectable [ri'spektəbl] **I.** a **1.** почтен, достоен за уважение, уважаван; порядъчен; приличен (за дрехи и пр.); **2.** значителен, доста голям, големичък, немалък; **3.** доста добър; поносим, сносен, търпим; **II.** n почтен човек.

respecter [ri'spektə] n: **no ~ of persons** човек, който не отдава значение на обществените различия.

respectful [ri'spektful] a почтителен; **at a ~ distance** на почтено разстояние.

respectfully [ri'spektfuli] adv почтително; **~ yours** с почит (на края на писмо).

respecting [ri'spektiŋ] prep относно.

respective [ri'spektiv] a съответен; относителен; **they went to their ~ rooms** всеки си отиде в стаята си.

respectively [ri'spektivli] *adv* съответно; поотделно.

respirable ['respirəbl] *a* който може да се диша.

respiration [,respi'reiʃn] *n* 1. дишане; 2. дъх.

respirator ['respireitə] *n* 1. респиратор; 2. газова маска.

respiratory ['respirətəri, ri'spaiərətəri] *a* дихателен.

respire [ri'spaiə] *v* 1. дишам; вдишам и издишам; вдишвам; 2. поемам дъх, отдъхвам си, почивам си; 3. ободрявам се, съвземам се, идвам на себе си; 4. *ост.* излъчвам, от мене лъха.

respite[1] ['respait, 'respit] *n* 1. отдих, почивка, отмора; **without (a)** ~ неуморно, без почивка; 2. временно облекчение; отсрочка; временно спиране на изпълнение на присъда.

respite[2] *v* 1. давам отдих на; облекчавам временно; 2. давам отсрочка на; отлагам; забавям; временно спирам изпълнението на присъда.

resplendence,-cy [ri'splendəns, -si] *n* блясък.

resplendent [ri'splendənt] *a* блестящ, бляскав; сияен.

respond[1] [ri'spɔnd] *v* 1. отговарям; 2. отзовавам се, обаждам се, отвръщам, реагирам; отзивчив съм (**to**); **to** ~ **to kindness** разбирам от добро; **to** ~ **to treatment** реагирам/поддавам се на лечение; 3. *ост.* отговарям, съответствувам, подходящ съм; 4. *ам. юр.* отговорен съм; **to** ~ **in damages** длъжен съм да платя обезщетение.

respond[2] *n* 1. *църк.* ектения; 2. *арх.* подпорна колона.

respondent [ri'spɔndənt] I. *a* 1. отговарящ; 2. отзивчив (**to**); 3. *юр.* обвиняем; II. *n* 1. защитник (*на теза и пр.*); 2. *юр.* обвиняем; ответник (*особ. при бракоразводно дело*).

response [ri'spɔns] *n* 1. отговор; 2. отзив, отклик, отзвук; 3. *църк.* ектения.

responsibility [ris,pɔnsi'biliti] *n* 1. отговорност; **position of** ~ отговорен пост/място; **on o.'s own** ~ на своя отговорност; 2. задължение.

responsible [ri'spɔnsibl] *a* 1. отговорен (**to s.o. for s.th.**); свързан с отговорност; 2. отговорен, разумен, (благо)надежден, сигурен, почтен.

responsions [ri'spɔnʃnz] *n pl* първи университетски изпит (*в Оксфорд*).

responsive [ri'spɔnsiv] *a* 1. отговарящ; служещ за отговор; 2. отзивчив; съчувствен; впечатлителен; 3. *църк.* с ектения.

responsory [ri'spɔnsəri] *n* църковен химн след четене на евангелието, респонзориум.

rest[1] [rest] *n* 1. почивка, отдих, отмора; покой, спокойствие; мир; **at** ~ 1) в покой; неподвижен; спокоен; успокоен; 2) в гроба, починал; **to bring to** ~ спирам (*нещо*); **to come to** ~ спирам; **to go to o.'s** ~ умирам, почивам; **to lay to** ~ 1) погребвам; 2) *прен.* отстранявам окончателно, премахвам (*съмнения и пр.*); **to have/take a/o.'s** ~ почивам си; **to have a good night's** ~ спя/наспивам се добре; **to set s.o.'s mind at** ~ успокоявам някого; **to set a question at** ~ уреждам въпрос; 2. място за почивка; спирка; приют; подслон; 3. подпора, опора, подложка, подставка, стойка; 4. *муз., проз.* пауза; 5. *attr* почивен, за почивка.

rest[2] *v* 1. почивам (си), отпочивам (си), отдъхвам (си), отморявам се; лежа/стоя неподвижно; давам почивка/отдих/спокойствие на; почивам си; спокоен съм; **let/may he** ~ **in peace** мир на праха му; **God** ~ **his soul** бог да го прости; 2. почивам, лежа, облягам се, опирам се (**on**); крепя се, основан съм (**on**); 3. слагам, облягам, закрепвам, подпирам (**on, against**); 4. спирам се, попадам, насочен съм (*за поглед*); **to let o.'s eyes** ~ **on** спирам поглед върху; 5. основавам, базирам (**on**); възлагам (*надежда*), на-

дявам се, уповавам се, разчитам (**on**); 6. оставам незасят (*за земя*); 7. *ам. юр.* преставам да викам повече свидетели/да представям повече доказателства; **to** ~ **o.'s case** приключвам с изложението си (*за прокурор, адвокат*); □ **the matter cannot** ~ **here** работата не се свършва с това, не можем да оставим нещата така.

rest[3] *n* 1. **the** ~ остатък, останала част; останалите, другите; останалото; **and (all) the** ~ **of it** и така нататък, и прочие; **for the** ~ иначе, във всяко друго отношение; 2. *фин.* резервен фонд.

rest[4] *v* 1. оставам (*в дадено състояние*); **(you may)** ~ **assured that** бъдете/можете да бъдете уверени/сигурни, че; **to** ~ **satisfied** доволен съм; 2. **to** ~ **with** в ръцете съм на, възложен съм на, зависи от; падам върху (*за отговорност*); **it** ~**s with you to decide** ти трябва да решиш; **it does not** ~ **with me** не зависи от мене.

re-state [ri:'steit] *v* излагам отново/по различен начин.

restaurant ['restərɔŋ, *ам.* 'restərənt] *n* ресторант.

rest-cure ['restkjuə] *n* лечение чрез почивка.

rest-day ['restdei] *n* почивен ден.

rested ['restid] *a* отпочинал, отморен.

restful ['restful] *a* 1. спокоен, тих, мирен; 2. успокоителен.

rest home ['rest,houm] *n* почивен/старчески дом.

rest house ['rest,haus] *n* странноприемница; хижа, заслон.

resting-place ['restiŋpleis] *n* 1. място за почивка; 2. *прен.* вечно жилище (*и* last ~).

restitution [,resti'tju:ʃn] *n* 1. възвръщане, възстановяване; **to make** ~ **of s.th. to s.o.** връщам някому нещо; 2. компенсация, обезщетение; възмездие; **to make** ~ компенсирам, обезщетявам; 3. възвръщане към първоначалната форма/положение (*поради еластичност*).

restive ['restiv] *a* 1. опак; неподатлив (на контрол), непокорен; 2. ~ **restless**.

restless ['restlis] *a* неспокоен; нервен; който не може да си намери място/не го свърта на едно място.

restoration [,restə'reiʃn] *n* 1. връщане, възвръщане; 2. възстановяване; възобновяване; подновяване; поправка; реставриране, реставрация; 3. *пол.* реставрация; **the R.** Реставрацията на английската монархия през 1660 г.; 4. *attr* 1) възстановителен; 2) **R.** от епохата на Реставрацията на английската монархия.

restorative [ri'stɔ:rətiv] *мед.* I. *a* 1. възстановителен; 2. тонизиращ; II. *n* тоник, тонизиращо/укрепващо лекарство.

restore [ri'stɔ:] *v* 1. връщам, възвръщам (*нещо взето*) (**to**); 2. възстановявам; подновявам; реставрирам, реконструирам; 3. възстановявам, връщам, възвръщам (*към предишно състояние*) (**to**); **to** ~ **s.o. to health** възстановявам здравето на някого, излекувам някого; **to** ~ **s.o. to his rights** възвръщам/възстановявам правата на някого, реабилитирам някого.

restorer [ri'stɔ:rə] *n* 1. реставратор; 2. възстановително средство.

restrain [ri'strein] *v* 1. въздържам, задържам, удржам, сдържам; възпирам, ограничавам, обуздавам, попречвам (**from** *с ger*); 2. затварям, арестувам.

restrained [ri'streind] *a* сдържан, умерен.

restraint [ri'streint] *n* 1. въздържане, сдържане, възпиране, ограничаване, обуздаване; ограничение; *прен.* спирачка; **without** ~ свободно, на воля; необуздано; **in** ~ **of** за ограничение на;|**to put a** ~ **on** обуздавам, ограничавам, усмирявам, укротявам; действувам сковаващо; **to break through every** ~ , **to break loose from all** ~, **to throw off all** ~ преставам да се въздържам, отпускам се; |пускам му края; върша своеволия; **2.** сдържаност, резервираност; самообладание; умереност; **3.** строгост (*на стил*); **4.** затваряне (*в арест и пр.*); **under** ~ 1) под арест; 2) в приют за душевно болни.

restrict [ri'strikt] *v* ограничавам; стеснявам (**to, within**); **to be** ~**ed to advising** позволено ми е/мога само да давам съвети.

restricted [ri'striktid] *a* **1.** ограничен, тесен; **2.** за тесен/ограничен кръг; **3.** поверителен; □ ~ **area** 1) *авт.* участък с ограничена скорост; 2) *ам.* район, забранен за военни.

restriction [ri'strikʃn] *n* ограничение.

restrictive [ri'striktiv] *a* ограничителен.

rest room ['rest͵rum] *n ам.* обществена тоалетна.

result[1] [ri'zʌlt] *v* резултат/последица съм, произлизам, произтичам, следвам (**from**); **nothing** ~**ed from** нищо не излезе от; **to** ~ **in** имам за резултат/последица, свършвам с; **it** ~**ed in nothing** това не доведе до нищо; **it** ~**ed badly** свърши зле, резултатът беше лош.

result[2] *n* резултат; последица, ефект; изход.

resultant [ri'zʌltənt] **I.** *a* **1.** произтичащ, произлизащ; **2.** равнодействуващ, сумарен; **II.** *n физ., мат.* резултатна/равнодействуваща сила.

resume [ri'zju:m] *v* **1.** вземам/заемам/окупирам отново; получавам обратно, възвръщам си; **to** ~ **o.'s seat** сядам отново/пак; **2.** почвам отново, подновявам, възобновявам, продължавам (*след прекъсване*); **to** ~ **a story** продължавам/подемам пак разказ; **3.** резюмирам, правя резюме, обобщавам.

résumé ['rez(j)u:mei] *n фр.* резюме, обобщение.

resumption [ri'zʌmpʃn] *n* **1.** вземане/добиване отново; получаване обратно; **2.** подновяване, възобновяване, продължаване.

resumptive [ri'zʌmptiv] *a* обобщаващ, резюмиращ.

re-surface [ri:'sə:fis] *v* **1.** настилам/асфалтирам наново; **2.** изплувам (*за подводница и пр.*).

resurgence [ri'sə:ʤəns] *n* съживяване, възраждане, активизиране.

resurgent [ri'sə:ʤənt] *a* надигащ/съживяващ се отново; възраждащ се; активизиращ се.

resurrect [͵rezə'rekt] *v* **1.** възкресявам; съживявам; **2.** възобновявам, съживявам; въвеждам отново (в употреба); **3.** възкръсвам; **4.** изравям (от земята).

resurrection [͵rezə'rekʃn] *n* **1.** възкресение; **2.** възкресяване; съживяване; възобновяване; □ ~ **man = body snatcher**.

resurrectionist [͵rezə'rekʃənist] **1.** = **body snatcher; 2.** *ам.* човек, който вярва във възкресението на мъртвите; **3.** човек, който възкресява/възобновява (*обичай и пр.*).

resuscitate [ri'sʌsiteit] *v* **1.** възкресявам; съживявам (*и мед.*); възвръщам към живот; възобновявам; **2.** възкръсвам; съживявам се; възраждам се.

resuscitation [ri͵sʌsi'teiʃn] *n* **1.** възкресяване; съживяване; **2.** *мед.* реанимация; **3.** възкръсване, оживяване, съживяване; възраждане.

resuscitator [ri'sʌsiteitə] *n* кислороден апарат.

ret [ret] *v* (-**tt**-) **1.** кисна, топя (*лен, коноп*); **2.** намокрям се, изгнивам (*за сено*).

retail[1] ['ri:teil] *n* **1.** продажба на дребно; **by** ~ на дребно; **2.** *attr* на дребно; ~ **dealer** търговец на дребно.

retail[2] *adv* на дребно.

retail[3] *v* **1.** продавам (се) на дребно (**at, for** за); **2.** разправям, раздрънквам.

retailer [ri'teilə] *n* **1.** търговец на дребно; **2.** разпространител (*на слухове и пр.*); ~ **of gossip** клюкар.

retain [ri'tein] *v* **1.** задържам; запазвам; спирам, възпирам; **to** ~ **hold of** държа, не изпускам; **2.** крепя, поддържам; ~**ing wall** подпорна стена; **3.** помня, запомням; **4.** ангажирам, запазвам предварително (*маса и пр.*); ангажирам предварително (*адвокат*); ~**ing fee** предварителен хонорар на адвокат.

retainer [ri'teinə] *n* **1.** *юр.* договор с адвокат; **2.** = **retaining fee** *вж.* **retain 4**; **3.** човек от свитата на благородник, придворен; дълголетен прислужник (*в семейство*); слуга, прислужник (*и прен.*); **4.** *тех.* застопоряващо устройство; осигурител; фиксатор.

retake[1] [ri:'teik] *v* (-**took**[-'tuk]; -**taken**[-'teikn]) **1.** вземам(си) обратно; превземам отново; **2.** фотографирам/снемам отново; правя дубъл.

retake[2] ['ri:teik] *n* преснимане на кадър; дубъл.

retaliate [ri'tælieit] *v* **1.** отплащам/отвръщам/отговарям със същото, връщам си, отмъщавам си; **2.** прилагам репресалии; водя митническа война.

retaliation [ri͵tæli'eiʃn] *n* отплата, отмъщение; репресивна мярка.

retaliatory [ri'tælieitəri] *a* в отплата, за отмъщение; репресивен.

retard [ri'ta:d] *v* **1.** забавям; спъвам, преча на, възпрепятствувам; ~**ed** бавно развиващ се (*за дете*); **2.** забавям се, бавя се.

retardant [ri'ta:dənt] *a* забавящ; спъващ.

retardate [ri'ta:deit] *n* бавноразвиващ се човек.

retardation, retardment [͵rita:'deiʃn, ri'ta:dmənt] *n* **1.** забавяне; спъване; **2.** закъснение, закъсняване.

retch[1] [retʃ] *v* повдига ми се, гади ми се.

retch[2] *n* повдигане, гадене.

retention [ri'tenʃn] *n* **1.** задържане; запазване; ангажиране; **2.** спиране, възпиране; **3.** запомняне, запаметяване.

retentive [ri'tentiv] *a* **1.** задържащ, запазващ (*влага и пр.*) (**of**); ~ **memory** силна/добра памет; **2.** прикрепяващ, за прикрепване.

rethink[1] [ri:'θiŋk]|*v* (-**thought** [-'θɔ:t]) помислям си /премислям/обмислям отново/пак.

rethink[2] [ri:'θiŋk] *n разг.* повторно обмисляне; **you'd better have a** ~ не е зле да си помислиш пак.

rethought *вж.* **rethink**[1].

reticence ['retisns] *n* **1.** сдържаност, резервираност; **2.** затвореност, необщителност, мълчаливост; потайност; **3.** премълчаване.

reticent ['retisnt] *a* **1.** сдържан, резервиран; **2.** затворен, необщителен, мълчалив, потаен; който мълчи/премълчава (**about, on, upon**).

reticle ['retikl] *n* **1.** *опт.* визирен кръст; **2.** географска мрежа.

reticulate,-lated [ri'tikjulit, -leitid] *a* мрежест, мрежовиден.

reticulation [ri͵tikju'leiʃn] *n* мрежовидна шарка/фигура/строеж.

reticule ['retikju:l] *n* **1.** *ост.* дамска (плетена) чанта; **2.** = **reticle**.

retina ['retinə] *n* (*pl* -**nas, -ae** [-ni:]) *анат.* ретина.

retinue ['retinju:] *n* свита.

retire[1] [ri'taiə] *v* **1.** оттеглям се, отдръпвам се; уединявам се; **to** ~ (**to bed/to rest/for the night**) лягам си; **to** ~ **into o.s.** затварям се в себе си; **to** ~ **from the world**

оттеглям се от света, уединявам се;|ставам монах/
отшелник; **2.** *воен.* отстъпвам (**to, from**); давам за-
повед за отстъпление; отстъпвам; **3.** оттеглям се, на-
пускам работа, излизам в оставка/пенсия, пенсио-
нирам се; **to ~ on a pension** пенсионирам се; **retiring
age** възраст за пенсиониране, пенсионна възраст; **4.**
пенсионирам; уволнявам; **5.** *фин.* изтеглям/изваж-
дам от обръщение; **6.** *крикет, бейзбол* приключвам
играта, бивам принуден да приключа/принуждавам
да приключи играта; **7.** *сп.* спечелвам окончателно;'
за последен път (*първенство*).
retire[2] *n воен.* заповед за отстъпление; отбой; **to sound
the ~** свиря отбой.
retired [ri'taiəd] *a* **1.** усамотен, уединен, самотен; **2.** в
оставка; пенсиониран; напуснал работа; ликвиди-
рал; **~ list** списък на офицери в оставка; **~ pay**
пенсия.
retirement [ri'taiəmənt] *n* **1.** оттегляне, отдръпване; остав-
ка; пенсиониране; **2.** уединяване, уединение, усамо-
тение; уединено място.
retiring [ri'taiəriŋ] *a* **1.** скромен, стеснителен; **2.** сдър-
жан, резервиран; затворен, необщителен, саможив.
retool [ri:'tu:l] *v* **1.** снабдявам с нови съоръжения; **2.**
реорганизирам, модернизирам.
retort[1] [ri'tɔːt] *v* отговарям, отвръщам (дръзко/язвител-
но/остроумно); отплащам със същото; обръщам
(*подигравка, довод*) (**on, against** срещу).
retort[2] *n* отплата, отмъщение; репресивна мярка; дър-
зък/язвителен/остроумен отговор.
retort[3] *n* реторта.
retort[4] *v хим.* дестилирам.
retortion [ri'tɔːʃn] *n* **1.** обръщане/прегъване/извиване
назад; **2.** репресивна мярка.
retouch [ri:'tʌtʃ] *v* ретуширам (*и прен.*).
retrace [ri'treis] *v* **1.** проследявам (*нещо*) до източника
му; **2.** преповтарям си; **3.** възстановявам в паметта
си, мъча се да си спомня; **4.** връщам се по; **to ~
o.'s steps/way** връщам се по стъпките си/по същия
път; *прен.* преценявам/обмислям пак миналите си
постъпки.
retract [ri'trækt] *v* **1.** дръпвам (*се*) назад, отдръпвам
(се), прибирам (се), свивам (се); скъсявам (се); **2.**
вземам назад, оттеглям (*думи*); отказвам се/отри-
чам (се)/отмятам се (от); **3.** отменям, анулирам.
retractation [,ri:træk'teiʃn] *n* **1.** отказване, отричане,
отмятане; **2.** отменяне, анулиране.
retractile [ri:'træktail] *a* който може да се дръпва на-
зад/прибира/свива/скъсява.
retraction [ri'trækʃn] *n* **1.** дръпване назад, прибиране,
свиване, скъсяване; сбръчкване; ретракция; **2.** = **re-
tractation.**
retractive [ri'træktiv] *a* **1.** = **retractile; 2.** *анат.* свивателен.
retractor [ri'træktə] *n анат.* свивателен мускул.
retral ['ri:trəl] *a зоол.* гръбен, заден.
retread[1] [ri:'tred] *v авт.* възстановявам, регенерирам
(*гума*).
retread[2] [ri:'tred] *n* **1.** *авт.* възстановена/регенерирана гу-
ма; **2.** *ам.* нещо поправено/ремонтирано; **3.** *ам.*
преквалифициран пенсионер.
retreat[1] [ri'tri:t] *v* **1.** отстъпвам (*и воен.*); оттеглям се,
отдръпвам се; **2.** *шах* оттеглям (*фигура*).
retreat[2] *n* **1.** *воен.* (сигнал за) отстъпление; отбой;
отдръпване; **to beat a ~** бия отбой (*и прен.*); **to sound
a/the ~** давам сигнал за отстъпление, бия отбой;
to make good o.'s ~ отстъпвам в пълен ред; *прен.*
измъквам се благополучно; **2.** *воен.* заря; **3.** уеди-
нение, усамотение; усамотеност; **4.** усамотено мяс-
то; убежище, прибежище; приют, общежитие; бър-

retrospective 213

лога, свърталище; **5.** *рел.* уединяване/оттегляне за
молитва; **to go into ~** уединявам се да се моля.
retrench [ri'trentʃ] *v* **1.** съкращавам, намалявам, огра-
ничавам (*разходи, срок и пр.*); **2.** съкращавам, мах-
вам, отстранявам (*пасаж и пр.*); **3.** правя икономии,
намалявам разходите си.
retrenchment [ri'trentʃmənt] *n* **1.** съкращаване; съкра-
щение; ограничаване, намаляване; скъсяване; пре-
махване, отстраняване; **2.** икономии; **3.** *воен. ист.*
резервен/вътрешен окоп.
retrial [ri:'traiəl] *n юр.* повторно разглеждане на дело.
retribution [,retri'bju:ʃn] *n* възмездие, отплата, отмъ-
щение; наказание.
retributive [ri'tribjutiv] *a* наказателен, служещ за нака-
зание.
retrieval [ri'tri:vəl] *n* **1.** (въз)връщане; **2.** поправяне, по-
добряване; подобрение; възстановяване; **beyond/
past ~** непоправим; **3.** спасяване; спасение; избавя-
не, отърваване; □ **information ~** *изч. тех.* обработ-
ване на информация.
retrieve[1] [ri'tri:v] *v* **1.** възвръщам си, получавам/намирам
отново; **2.** припомням (си); **3.** поправям (*грешка и
пр.*); подобрявам, оправям, възстановявам (*поло-
жение, финансово състояние*); **4.** спасявам, изба-
вям, отървавам (**from, out of**); **5.** намирам и дона-
сям (*дивеч — за куче*); **6.** *сп.* успявам да върна
(*топка*); **7.** *изч. тех.* обработвам (*информация*).
retrive[2] = **retrieval** 2, 3.
retriever [ri'tri:və] *n* порода ловджийско куче.
retroact [,retrou'ækt] *v* **1.** реагирам; действувам в обрат-
на посока; **2.** *юр.* имам обратна сила.
retroaction [,retrou'ækʃn] *n* **1.** обратно действие; **2.** *юр.*
обратна сила.
retroactive [,retrou'æktiv] *a* с обратна сила.
retrocede [,retrou'si:d] *v* оттеглям се, отдръпвам се,
отстъпвам (*и територия*).
retrocession [,retrou'seʃn] *n* отстъпване (*на територия*).
retrochoir ['retroukwaiə] *n арх.* пространство зад олта-
ра.
retroflex(ed) ['retroufleks(t)] *a* **1.** извит/обърнат назад;
2. *фон.* ретрофлексиран.
retrograde[1] ['retrəgreid] **I.** *a* **1.** обърнат/насочен назад;
отстъпателен; обратен (*и за ред*); **2.** влошаващ се,
водещ към по-лошо; **3.** назадничав, ретрограден,
реакционен; **II.** *n* назадничав/ретрограден човек.
retrograde[2] *v* **1.** движа се/отивам назад/в обратна по-
сока; оттеглям се, отстъпвам; **2.** влошавам се; де-
генерирам; регресирам.
retrogression [,retrou'greʃn] *n* упадък, регрес, дегенерация.
retrorocket ['retrə,rɔkit] *n косм.* спомагателна ракета за
намаляване скоростта на космически кораб.
retrorse [ri'trɔːs] *a бот., зоол.* обърнат назад/надолу.
retrospect[1] ['retrəspekt] *n* преглед на миналото; поглед
към миналото; **in ~** като погледнем назад (*към
минало събитие*).
retrospect[2] *v* поглеждам назад (към миналото); пре-
мислям минали събития.
retrospection [,retrə'spekʃn] *n* връщане към миналото,
хвърляне поглед назад към миналото.
retrospective [,retrə'spektiv] **I.** *a* **1.** ретроспективен (*и за из-
ложба*); обърнат назад (*към миналото*); **2.** с обратна
сила; **3.** намиращ се зад някого; обърнат назад (*за
поглед*); **II.** *n ам.* ретроспективна/юбилейна излож-
ба.

retroussee [rə'tru:sei] *a фр.* чип (*за нос*).

retry [ri:'trai] *v* разглеждам отново (*дело*), съдя отново.

retsina [ret'sinə] *n* вид ароматно гръцко вино.

rettery ['retəri] *n* топило (*за лен и пр.*).

return[1] [ri'tə:n] *v* 1. връщам се (**to** в, **from** от) (*и на някакъв въпрос, към някакъв навик и пр.*); 2. връщам; слагам обратно (**to, into**); 3. отплащам (се), отвръщам (на), отговарям (на); **to ~ s.o's love/affection** отговарям на чувствата на някого; **to ~ thanks** 1) чета молитва (*след ядене*); 2) отговарям на/благодаря за наздравица/съболезнования; 4. донасям, докарвам, давам (*доход и пр.*); 5. отговарям, отвръщам, възразявам; 6. съобщавам официално, обявявам, декларирам; **to ~ (a verdict of) guilty** *юр.* признавам за виновен; **to ~ the details of o.'s income** декларирам доходите си (*за облагане*); **to be ~ed as unfit for work/military service** обявяват ме за инвалид/негоден за военна служба; **to ~ a soldier as killed** вписвам името на войник в списъка на убитите; 7. избирам (*за депутат*) (**to Parliament, etc.** в парламента и пр.); 8. *карти* връщам цвета на партньора си; 9. *сп.* връщам (*топка*); 10. *арх.* правя чупка (*за/на стена*).

return[2] *n* 1. връщане; **the ~ of the seasons** смяната на годишните времена; **by ~ (of post)** с обратна поща; 2. връщане, възвръщане (*на вещ, симптом и пр.*); **for sale or ~** *търг.* за продажба или да се върне (обратно на доставчика); 3. отплата, възмездие, възнаграждение, компенсация; **in ~** в замяна; в отговор; срещу това; **in ~ for** срещу, в отговор/замяна нз; 4. *често pl* печалба, доход, постъпление; добив; рандеман; 5. (служебно) съобщение, доклад, отчет; данъчна декларация; 6. *често pl* резултат от избори; избиране (за депутат); 7. *pl* статистически данни; 8. *pl* върнати/непродадени стоки; 9. *арх.* чупка, извивка, ъгъл (*на стена*); 10. завой, извивка (*на път и пр.*); 11. *сп.* връщане на удар; удар в отговор на друг; 12. *карти* връщане на цвят; 13. *юр.* връщане/предаване на изпълнителен лист и пр. на съответната инстанция; 14. = **~ ticket**; 15. *pl* вид мек тютюн; 16. *attr* обратен; в обратна посока; повторен; даден в отговор на друг; **~ game/match** мач реванш; □ **(I wish you) many happy ~s (of the day)** честит рожден ден; за много години.

returnable [ri'tə:nəbl] *a* 1. подлежащ на връщане (*за стока*); 2. *юр.* който трябва да се върне (*в съответната инстанция*).

returnee [rita:'ni:] *n* ам. 1. човек, който се е върнал (*отнякъде*); 2. демобилизиран войник.

returning officer [ri'tə:niŋ 'ɔfisə] *n* чиновник, под чийто надзор се извършват парламентарни избори.

return ticket [ri'tə:n,tikit] *n* билет за отиване и връщане.

reunion [ri'ju:niən] *n* 1. повторно обединяване; 2. среща, събиране (*на бивши колеги, съученици и пр.*); **family ~** семейна среща.

reunite [ri:ju:'nait] *v* събирам (се) отново; съединявам се/обединявам се отново; **to be ~d with o.'s family** връщам се пак при/в семейството си.

re-up [ri:'ʌp] *v* (**-pp-**) *v ам.* записвам се пак доброволец (*в армията*).

rev[1] [rev] *v* (**-vv-**) 1. увеличавам броя на оборотите (*на двигател*); форсирам, ускорявам (*и с* **up**); пускам (*двигател*); 2. въртя се, работя (*за двигател*).

rev[2] *n* оборот (*на двигател*).

rev[3] *n разг.* свещеник; игуменка.

revamp [ri:'væmp] *v* 1. поправям, закърпвам (*и обувка*); 2. *разг.* подновявам, преработвам.

revanchism [ri'va:nʃizm] *n пол.* реваншизъм.

reveal [ri'vi:l] *v* 1. откривам, разбулвам; 2. разкривам, разгласявам, издавам; 3. показвам, проявявам (*качества и пр.*).

reveille [ri've(i)li] *n воен.* заря.

revel ['revl] *v* (**-ll-**) 1. гуляя, пирувам; веселя се; 2. наслаждавам се, предавам се, отдавам се (**in**); **to ~ in gossip** душа давам за клюки; 3. **to ~ away** изгулявам, прахосвам.

revel[2] *n често pl* пир, гуляй; веселие, веселба; **~ rout** *ост.* гуляйджии.

revelation [,revə'leiʃn] *n* 1. откриване; 2. разкриване, разбулване; 3. откровение; 4. откритие; 5. **the R. (of St John), R.s** *библ.* откровението на св. Йоан, апокалипсисът.

reveller ['revlə] *n* гуляйджия; веселбар.

revelry ['revlri] *n* гуляй, пируване; веселба, веселие.

revenant ['revənənt] *n* човек, завърнал се от оня свят/от изгнание; дух, привидение.

revenge[1] [ri'vendʒ] *v* отмъщавам (си) за (*и refl*); **to ~ an insult on/upon s.o.** отмъщавам си някому за обида; **to ~ s.o.** отмъщавам заради някого; **to be ~d on s.o.,to ~ o.s. on s.o.** отмъщавам си някому.

revenge[2] *n* 1. отмъщение, мъст; отмъстителност; **in ~/as a ~** за отмъщение; **to have/get o.'s ~**, **to take ~** отмъщавам си (**on s.o.** на някого, **for s.th.** за нещо); 2. *сп.* реванш.

revengeful [ri'vendʒful] *a* отмъстителен.

revenger [ri'vendʒə] *n* отмъстител.

revenue ['revinju:] *n* 1. (годишен) доход; приход на държавното съкровище; отдел за държавните приходи (*и* **inland ~**, *ам.* **internal ~**); **to defraud the ~** ощетявам държавата; 2. *pl* доходи, приходи, постъпления; 3. *attr* митнически; **~ cutter** полицейски митнически катер; **~ officer** митнически/акцизен чиновник; **~ stamp** гербова марка; **~ tax** държавен данък; акциз.

reverberant [ri'və:bərənt] *a* ехтящ; отекващ.

reverberate [ri'və:bəreit] *v* 1. отразявам, отеквам; еча, ехтя, кънтя, отеквам се; 2. въздействувам, отразявам се (**on, upon**).

reverberating furnace [ri'və:bəreitiŋ,fə:nəs] *n метал.* отражателна пещ.

reverberation [ri,və:bə'reiʃn] *n* 1. отразяване, отражение; 2. гръм; ехтене, кънтеж, ечене, ехо; 3. *pl прен.* въздействие, отражение.

reverberatory [ri'və:bəreitəri] *a* отражателен; **~ furnace = reverberating furnace**.

revere [ri'viə] *v* почитам, уважавам, тача; благоговея пред.

reverence[1] ['revərəns] *n* 1. почит, уважение; благоговение; **to hold in ~, to feel ~ for** уважавам; благоговея пред; 2. преподобие, преосвещенство; **his ~** *шег.* светния му; 3. *ост.* реверанс, поклон.

reverence[2] = **revere**.

reverend ['revərənd] I. *a* 1. (досто)почтен; 2. *църк.* преподобен; **Very R.** негово преподобие; **Right R.** негово преосвещенство (*титла на владика*); **Most R.** негово високо преосвещенство (*титла на архиепископ, не католически епископ*); **R. Mother** (майка-)игуменка. II. *n pl* свещеници, духовни лица.

reverent, reverential ['revərənt, revə'renʃl] *a* почтителен; благоговеен.

reverie ['revəri] *n* 1. замисленост, замечтаност, унесеност; блян, блянове, мечта, мечти, мечтание; **to fall into a ~** замислям се, замечтавам се; 2. *ост.* налудничава идея, заблуда.

revers [ri'viə] *n* (*pl без изменение*) ревер; капак (*на джоб и пр.*).

reversal [ri'və:sl] *n* 1. обръщане; преобръщане, катурване; размества не; връщане (назад); промяна; 2. *тех.* обръщане посоката на движението, реверсиране; обратно движение/ход; 3. *ел.* смяна на полярността; 4. *метеор.* смяна на посоката на вятъра на 180°; 5. *юр.* отменяне, анулиране; 6. влошаване.

reverse[^1] [ri'və:s] *a* обратен; противоположен (**to**); опак; извърнат; преобърнат, който е надолу с главата; ~ **side** обратна страна, опако; гръб; ~ **gear** *авт.* (зъбно колело за) обратен ход; ~ **fire** *воен.* огън откъм тила.

reverse[^2] *v* 1. обръщам (в обратна посока/наопаки/надолу); преобръщам, катурвам; размествам; променям; **to** ~ **arms** *воен.* обръщам пушките с приклада нагоре; **to** ~ **the order of** поставям в обратен ред; **their positions are now** ~**d** сега положението им е разменено; 2. *тех.* давам обратен/заден ход, обръщам; реверсирам; **reversing light** *авт.* светлина за заден ход; 3. започвам да се въртя в обратна посока (*при валс*); 4. отменям, анулирам; □**to** ~ **the charge(s)** съобщавам на централата, че повиканото по телефона лице ще плати разговора; **to** ~ **o.s.** *ам.* отмятам се (*от споразумение и пр.*).

reverse[^3] *n* 1. нещо противоположно/обратно; **very much/quite the** ~ точно обратното; **your remarks are the** ~ **of polite** забележките ви съвсем не са любезни; 2. обратна страна (*на монета и пр.*); 3. *тех.* (даване на) заден ход, реверсиране; реверсиращ механизъм; **to put a car into** ~ давам заден ход; **to go into** ~ давам заден ход; *прен.* отмятам се; 4. *ел.* превключване; 5. неуспех, несполука, поражение; □ **in** ~ обратно, в обратна посока; **to take in the** ~ *воен.* нападам/обстрелвам откъм тила.

reversible [ri'və:səbl] **I.** *a* 1. обратим; 2. *тех.* реверсивен; с обратен ход; който може да бъде обърнат; 3. с две лица (*за плат*); **II.** *n* плат/палто и пр. с две лица.

reversion [ri'və:ʃn] *n* 1. връщане (*към предишно състояние, навик и пр.*); 2. *биол.* атавизъм, реверсия (*и* **to type**); 3. *юр.* реверсия, връщане на имот на дарителя/наследниците му (*обик. след смъртта на временния притежател*); право на наследяване на такъв имот; ~ подлежащ да се върне на дарителя/наследниците му (*за имот*); 4. осигуровка/застраховка за живот; 5. право на заемане на длъжност след овакантяването й; нещо, което човек очаква/има право да наследи.

reversional,-ary [ri'və:ʃənəl, -əri] *a юр.* зависещ от смъртта на временния притежател.

reversioner [ri'və:ʃənə] *n юр.* наследник на имот и пр., върху който друг има временни права.

revert [ri'və:t] *v* 1. връщам се (**to**) (*към предишното състояние, на даден въпрос и пр.*); изпадам пак в диво състояние; влошавам се пак (*след подобрение*); регресирам; 2. *юр.* бивам върнат на предишния собственик (*за имот*); **to** ~ **to the state** ставам собственост на държавата; 3. *ряд.* обръщам (*поглед*); □ **to** ~ **o.'s steps** връщам се назад (*по стъпките си*).

revet [ri'vet] *v* (-**tt**-) *стр.* облицовам (*с камък и пр.*).

revetment [ri'vetmənt] *n стр.* 1. (каменна/бетонна) облицовка; 2. подпорна стена.

review[^1] [ri'vju:] *v* 1. преглеждам (отново); 2. правя преглед на, хвърлям поглед върху; изпадам пак се мислено към; 3. *воен.* правя преглед на (*войски и пр.*); 4. рецензирам, пиша резензии/критики; **to be favourably** ~**ed** получавам добри отзиви (*за книга и пр.*); 5. *юр.*

преразглеждам; 6. преговарям, правя преговор на (*нещо изучено*).

review[^2] *n* 1. преглед, преглеждане; разглеждане; **to come under** ~ бивам разглеждан; 2. (хвърляне) поглед назад, връщане към миналото; **to pass o.'s life in** ~ прѐмислям (отново) целия си живот/минало; 3. *воен.* преглед (*на войски*); 4. рецензия, критика, отзив; ~ **copy** екземпляр, даден за рецензиране; 5. преговор (*на нещо изучено*); 6. *юр.* преразглеждане; 7. периодично списание.

reviewer [ri'vju:ə] *n* рецензент, критик.

revile [ri'vail] *v* ругая, наругавам, хокам (*и с* **at, against**).

revise [ri'vaiz] *v* 1. преглеждам, проверявам; ревизирам; поправям; **to** ~ **o.'s sentiments/opinions** ревизирам променям\отношенията/мненията си; 2. преработвам; подобрявам (*издание*); **the Revised Version** подобрен превод на Библията (1870—1884); **the Revised Standard Version** *ам.* превод на Библията от 1946—1952г.; 3. преговарям (*нещо изучено*).

revision [ri'viʒn] *n* 1. повторно преглеждане, проверка, преглед, ревизия; 2. преработено/подобрено издание; 3. преговор.

revisionist [ri'viʒənist] *n пол.* 1. ревизионист; 2. *attr* ревизионистки.

revisory [ri'vaizəri] *a* ревизионен.

revival [ri'vaivl] *n* 1. съживяване, връщане към живот; идване в съзнание; 2. възраждане; подем, възход; **the R. of Learning/Letters** Възраждането, Ренесансът; 3. възобновяване, възстановяване (*и на пиеса*); нова постановка (*на пиеса*); ~ **of old customs** възстановяване на стари обичаи; 4. религиозна/сектантска кампания.

revivalist [ri'vaivəlist] *n* 1. *рел.* сектант; ентусиазиран религиозен проповедник; 2. възстановител (*на стари обичаи и пр.*).

revive [ri'vaiv] *v* 1. идвам на себе си/в съзнание, свестявам се; 2. съживявам (се) (*и прен.*); възкресявам, връщам към живот (*и прен.*); възраждам (се); подновявам; възстановявам (*и пиеса и пр.*).

reviver [ri'vaivə] *n* 1. подновител, възстановител; 2. *sl.* възбудително питие; 3. препарат за освежаване на цветове и пр.

revivify [ri'vivifai] *v* 1. съживявам, връщам към живот; 2. възстановявам.

revocable [ri'voukəbl] *a* отменяем.

revocation [ˌrevə'keiʃn] *n* отменяне, анулиране.

revoke[^1] [ri'vouk] *v* 1. отменям, анулирам; 2. отнемам (*разрешително и пр.*); вземам си назад (*обещание и пр.*); 3. *карти* правя ренонс.

revoke[^2] *n карти* ренонс.

revolt[^1] [ri'voult] *v* 1. въставам, разбунтувам се, вдигам се (**against**); **to** ~ **from/against a ruler** отхвърлям владетел; **to** ~ **to s.o.** въставам и минавам на страната на някого; **his** ~**ed subjects** въсталите му поданици; 2. отвращавам се, погнусявам се, възмущавам се, негодувам (**against, at, from**); 3. отвращавам, погнусявам; възмущавам.

revolt[^2] *n* 1. въстание, бунт; бунтарство, бунтарски дух; **in** ~ въстанал; **to rise in** ~ въставам, вдигам се; 2. отвращение, погнуса; възмущение, негодувание.

revolting [ri'voultiŋ] *a* отвратителен, противен, гнусен, гаден; възмутителен.

revolute ['revəlu:t] *a бот.* с извит надолу край.

revolution [ˌrevə'luʃn] *n* 1. въртене, завъртане, оборот;

2. периодична смяна, връщане; 3. революция; 4. коренна промяна/преустройство/прелом.

revolutionary [ˌrevəˈluʃənəri] I. *a* революционен; II. *n* революционер.

revolutionist [revəˈluːʃənist] *n* революционер.

revolutionize [revəˈluːʃənaiz] *v* 1. революционизирам; 2. променям коренно.

revolve [riˈvɔlv] *v* 1. въртя (се); 2. връщам се периодически; 3. обмислям, премислям, обсъждам (*и* to ~ in o.'s mind).

revolver [riˈvɔlvə] *n* 1. револвер; 2 *тех.* барабан.

revue [riˈvjuː] *n театр.* ревю.

revulsion [riˈvʌlʃn] *n* 1. рязка промяна, обрат, прелом; 2. погнуса, отвращение; отвръщане; 3. *мед.* ревулсия, отвличане.

reward[1] [riˈwɔːd] *n* 1. (парична) награда; възнаграждение; in ~ for като награда за; the financial ~s of материалната изгода от; 2. възмездие, наказание; □ gone to his ~ починал, отишъл си от тоя свят, на оня свят.

reward[2] *v* награждавам (**with**); възнаграждавам, отплащам се за, компенсирам; it is ~ing to струва си да.

reword [riːˈwəːd] *v* редактирам отново, изразявам другояче/с други думи.

rewrite[1] [riːˈrait] *v* (-**wrote** [-ˈrout]; -**written** [-ˈritn]) 1. написвам/преписвам отново; 2. редактирам отново, давам/правя нова редакция на.

rewrite[2] [ˈriːrait] *n* преработен текст; нова версия/редакция; ~ **man** *жур.* стилизатор.

Reynard [ˈrenəd] *n* Кума Лиса.

Rhaeto-Romanic [ˌriːtouraˈmænik] *a* реторомански.

rhapsode [ˈræpsoud] *n старогр.* рапсод.

rhapsodic(al) [ræpˈsɔdik(əl)] *a* 1. възторжен, приповдигнат; бомбастичен; 2. несвързан, разбъркан.

rhapsodist [ˈræpsədist] *n* рапсод.

rhapsodize [ˈræpsədaiz] *v* превъзнасям се, говоря с голям възторг (**about, on, over**).

rhapsody [ˈræpsədi] *n* 1. *муз.* рапсодия; 2. възторжено/бомбастично/приповдигнато съчинение/реч.

rhatany [ˈrætəni] *n* 1. юж.-ам. храст (Krameria); 2. сушени корени от този храст.

rhea [riə] *n зоол.* юж.-ам. щраус.

Rhenish [ˈreniʃ] I. *a* рейнски; II. *n* рейнско вино.

rhenium [ˈriːniəm] *n хим.* рений.

rheostat [ˈriːoustæt] *n ел.* реостат.

rhesus [ˈriːsəs] *n* маймуна резус (Macaca mulata) (*и* ~ **monkey**); □ **R. baby** бебе, родено с отрицателен резус-фактор; **R.-factor** резус-/RH-фактор.

rhetor [ˈriːtə] *n* 1. *старогр.* ретор; 2. *прен.* оратор, вития (*и пренебр.*)

rhetoric [ˈretərik] *n* риторика.

rhetorical [riˈtɔrikəl] *a* риторичен; ~ **question** риторичен въпрос, въпрос за ефект.

rhetorician [ˌretəˈriʃn] *n* оратор, вития.

rheum [ruːm] *n ост.* 1. секреция; хрема; 2. *поет.* сълзи.

rheumatic [ruːˈmætik] I. *a* ревматичен; ~ **fever** остър ставен ревматизъм; II. *n* 1. човек, страдащ от ревматизъм; 2. *pl разг.* ревматични болки.

rheumaticky [ruˈmætiki] *a разг.* ревматичен.

rheumatism [ˈruːmətizm] *n* ревматизъм.

rheumy [ˈruːmi] *a ост.* 1. хремав; 2. влажен; сълзящ.

rhinal [ˈrainəl] *a анат.* носен, назален.

Rhinestone [ˈrainstoun] *n* 1. кристал; 2. изкуствен диамант.

rhino[1] [ˈrainou] *разг. съкр. от* **rhinoceros**.

rhino[2] *n sl.* пари, мангизи.

rhinoceros [raiˈnɔsərəs] *n* носорог.

rhizome [ˈraizoum] *n бот.* коренище, ризом.

rhodium [ˈroudiəm] *n хим.* родий.

rhododendron [ˌroudəˈdendrən] *n бот.* рододендрон.

rhodora [rouˈdourə] *n бот.* сев.-ам, растение.

rhomb [rɔm] *n* ромб.

rhombi *вж.* **rhombus.**

rhombic [ˈrɔmbik] *a* ромбичен.

rhomboid [ˈrɔmbɔid] *n* ромбоид

rhombus [ˈrɔmbəs] *n* (*pl* -**buses** [-bəsiz], -**bi** [-bai]) ромб.

rhubarb [ˈruːbaːb] *n* 1. *бот.* ревен (Rheum); 2. *разг.* глъчка 3. *sl.* шумна кавга, караница; 4. *sl.* глупости.

rhumb [rʌm] *n мор.* румб.

rhyme[1] [raim] *n* 1. рима; римувана дума; in ~ в рими, римуван; **double/female/feminine** ~ женска рима; **single/male/masculine** ~ мъжка рима; **imperfect** ~ непълна рима;, 2. *често pl* римувано стихотворение, стихче; □ **without** ~ **or reason** ни в клин, ни в ръкав.

rhyme[2] *v* 1. римувам, пиша (римувани) стихове; 2. римувам се (**with**); *прен.* хармонирам, съгласувам се (**with**).

rhymer, rhymester [ˈraimə, ˈraimstə] *n* стихоплетец.

rhythm [riðm, riθm] *n* ритъм.

rhythmic(al) [ˈriðmik(əl)] *a* ритмичен, (от)мерен.

riant [ˈraiənt] *a книж.* засмян.

rib[1] [rib] *n* 1. ребро; **to poke/dig s.o. in the** ~**s** ръчкам/сръчквам някого в ребрата; 2. парче месо от ребрата; 3. остър край, ръб; удебеление; изпъкнала ивица на плат; лице на ластик (*при плетене*); ивица между бразди; 4. *тех.* реборд; 5. ребро, склон на планина; 6. жилка на лист; нервюра; ос на перо; 7. рудна жила; 8. *ав.* ребро, нервюра; 9. *арх.* ребро на кръстовиден свод; 10. *стр.* надлъжна греда на покрив; 11. *мор.* шпангоут; 12. радиална пръчка на чадър; 13. *стр.* основна/подпорна греда; 14. *шег.* жена, съпруга, ребро Адамово; 15. *ам. sl.* закачка, шега; пародия.

rib[2] *v* (-**bb**-) 1. правя ръбове/бразди, набраздявам; плета ластик; 2. *стр.* укрепвам/заякчавам с греди/ребра; 3. *sl.* закачам, дразня.

ribald [ˈribəld] I. *a* 1. неприличен, нецензурен; цапнат в устата; 2. подигравателен, непочтителен, груб (*за език, смях и пр.*); II. *n* циник, мръсник; сквернословец.

ribaldry [ˈribəldri] *n* 1. неприличен/нецензурен език; сквернословие; нецензурност; 2. непочтителност; груби шеги.

riband [ˈribənd] = **ribbon**[1].

ribbed [ribd] *a* 1. с ръбове, ръбест; на ивици/райета; рипсен; ластичен (*за плетка*); 2. герипт (*за хартия*)

ribbing [ˈribiŋ] *n* 1. ребра; 2. ластик (*плетка*).

ribbon[1] [ˈribən] *n* 1. панделка; лента (*и на орден*); тясна ивица; 2. *pl* парцали; 3. *pl* юзди; **to take the** ~**s** карам кола; □ ~ **building/development** (безпланов) строеж на къщи край шосе.

ribbon[2] *v* 1. украсявам с панделки/ленти; 2. разкъсвам на· ленти/парцали; 3. образувам/правя ивици; на шарвам с ивици/резки.

rice[1] [rais] *n* 1. ориз (Oryza sativa); **rough** ~ арпа; 2 *attr* оризов, оризен.

rice[2] *v ам.* настъргвам във форма на оризови зрънца

rice-field [ˈraisfiːld] *n* оризище.

rich [ritʃ] *a* 1. богат, заможен; 2. богат, съдържащ много (**in**); ~ **in minerals, etc.** богат на минерали и пр.; 3. богат, хубав, скъп, разкошен, пищен, вели колепен, със сложна украса (**with** от); 4. богат, обилен; тлъст, мазен; тучен; хранителен; силно под правен, пикантен; много сладък; ~ **milk** гъсто мляко; ~ **wine** силно вино; ~ **odour** силен аромат; **5.** плодороден; изобилен, богат; **6.** мек, плътен (*за цвят, глас и пр.*); **7.** гъст (*за боя*); **8.** *разг.* много забавен; **that's** ~ ! *често ирон.* много смешно! неповторимо! **9.** *sl.* нецензурен; **II.** *n*: the ~ богатите (хора).

Richard Roe ['ritʃəd'rou] *n юр.* въображаем ответник.

riches ['ritʃiz] *n pl* **1.** богатство; **2.** богатства, съкровища; ценности.

richly ['ritʃli] *adv* **1.** богато, разкошно; пищно; **2.** напълно.

richness ['ritʃnis] *n* **1.** богатство, великолепие; **2.** изобилие, пищност; избуялост; **3.** мазнина; хранителност; тучност.

rick[1] [rik] *n* копа, купа (*сено и пр.*).

rick[2] *v* натрупвам/събирам на копа.

rick[3] = **wrick**.

rickets ['rikits] *n pl* рахит(изъм).

rickety ['rikiti] *a* **1.** рахитичен; **2.** слаб, неустойчив; не сигурен; колеблив (*за движение*); **3.** разнебитен, разхлопан.

rickey ['riki] *n* питие от джин, сода и подправки.

rickrack ['rikræk] *n* назъбен ширит за гарнитура.

ricksha(w) ['rikʃɔ:] *n* рикша.

ricochet[1] ['rikouʃei, 'rikəʃet] *n* рикошет.

ricochet[2] *v* (-tt-) рикоширам, отскачам, отплесвам се.

ricrac = **rickrack**.

rictus ['riktəs] *n* **1.** ширина на устния отвор; отворено положение на устата; **2.** неволно зяпване/хилене.

rid [rid] *v* (**rid**, *ост.* **ridded** ['ridid]) **1.** отървавам, спасявам, избавям (**of**); **to get** ~ **of, to** ~ **o.s. of** отървавам се от; **2.** *ост.* премахвам, очиствам.

ridable ['raidəbl] *a* на/по който може да се язди.

riddance ['ridns] *n* отърваване, спасение, избавяне; **it was a good** ~ добре се отървахме (*от някого, нещо*), добре, че се махна; **good** ~ ! прав му/ти/й и пр. път.

ridden *вж.* **ride**[1].

riddle[1] [ridl] *n* гатанка, загадка (*и прен.*); **to ask s.o. a** ~ (за)давам някому гатанка; **to read a** ~ отгатвам гатанка; разбулвам/разбирам загадка; **to talk in** ~**s** говоря с гатанки/със загадки, говоря загадъчно.

riddle[2] *v* **1.** отгатвам (*гатанка*); разбулвам, разбирам (*загадка*); **2.** говоря с гатанки/със загадки.

riddle[3] *n* **1.** решето, едро сито; **2.** *тех.* екран; щит.

riddle[4] *v* **1.** сея, пресявам; **2.** *прен.* пресявам, проверявам внимателно; **3.** надупчвам (*с куршуми и пр.*), правя на решето; **4.** *прен.* зачесвам (*с въпроси и пр.*), сипвам; обрывам; **5.** *pp* пълен; прояден, прогнил, разяден (**with** *с, от*).

ride[1] [raid] *v* (**rode** [roud]; **ridden** ['ridn]) **1.** яздя, яхам (*кон*); **to** ~ **to death** съсипвам (*кон — от яздене*); **to** ~ **a race** участвувам в конно надбягване; **to** ~ **for a fall** 1) яздя лудо; 2) *прен.* търся си белята; 3) *пол.* сам си докарвам поражението; **2.** возя се (*с автобус, влак и пр.*) (**in, on**); яздя (*велосипед*); **3.** возя, повозвам, качвам (*на превозно средство*); **to** ~ **a child on o.'s back** нося дете на гръб; **4.** обикалям, обхождам, пропътувам, прекосявам; изминавам (*разстояние*); **to** ~ **a ford** минавам река в брод на кон; **5.** вървя, движа се (*за превозно средство*); **6.** нося се, движа се; плувам; плъзгам се; **the bird/ship was riding (on) the wind/the waves** птицата/корабът се носеше по вятъра/вълните; **7.** на котва съм (*и* **to** ~ **at anchor**); **to** ~ **hard** клатушкам се (*за закотвен кораб*); **8.** измъчвам, потискам, не оставям на мира, тормозя; вадя душата на; владея; **to be ridden by fears** измъчват ме страхове; **to be ridden by prejudices** жертва съм на предразсъдъци; **9.** *ам. sl.* дразня, закачам; измъчвам, тормо-

зя; **10.** тежа (*за ездач — еди-колко килограма*); **11.** с прил. ... съм за езда; **the ground rode hard after the frost** след мраза земята беше твърда за яздене; **12.** държа крак (*на педал*); **13.** надвиснал съм над; **14.** свивам се, за да намаля силата на удар; □ **to let s.th.** ~ не се занимавам вече с нещо, зарязвам нещо; **to** ~ **again** възстановявам се, възвръщам силите си; **to** ~ **high** имам успех; **to** ~ **o.'s hobby** начесвам си крастата; **to** ~ **herd on** *ам. sl.* следя, проверявам; **to** ~ **a joke to death** повтарям шега до втръсване, прекалявам с шега;

ride at насочвам (се) към (*с кон*);

ride away заминавам, отдалечавам се;

ride down 1) настигам; 2) задминавам; 3) събарям; стъпквам, сгазвам;

ride off = **ride away**; □ **to** ~ **off on a side issue** отплесвам се, отвличам се от темата;

ride on 1) зависи от; 2) разчитам на; □ **to** ~ **on s.o.'s success** възползувам се от успеха на някого;

ride out 1) излизам с кола/на езда; 2) *мор.* издържам на (*буря*); 3) излизам от затруднение; преодолявам;

ride up 1) идвам/приближавам се на кон *и пр.;* 2) измъквам се, изискачвам, вдигам се нагоре (*за дреха*).

ride[2] *n* **1.** езда; разходка (*на кон, велосипед, с кола и пр.*); пътуване; **to give s.o. a** ~ качвам някого на колата си; **to take for a** ~ 1) качвам на колата си; 2) вземам на подбив, подигравам се/майтапя се с; 3) измамвам, изигравам, мятам; 4) *ам. sl.* (отвличам и) убивам, пречуквам, очиствам; **bumpy** ~ пътуване по неравен път; друсане; **to steal a** ~ возя се/пътувам без билет; **2.** алея, път, просека; **3.** влакче; виенско колело (*в увеселителен парк*).

rider ['raidə] *n* **1.** конник, ездач; **2.** пътник; **3.** допълнителна клауза, допълнение (*към документ*); особено мнение, препоръка (*към присъда*); законопроект на трето четене; **4.** *мат.* задача за проверка на теорема; извод.

riderless ['raidəlis] *a* без ездач.

ridge[1] [ridʒ] *n* **1.** гребен (*на хълм, вълна*); хребет, било; планинска верига; **2.** водораздел; **3.** подводна скала, риф; **4.** *стр.* било на покрив; **5.** ивица между бразди; **6.** ръб; рязка; изпъкнала ивица.

ridge[2] *v* **1.** набраздявам (се), набръчквам (се), образувам ивици; **2.** насаждам в леха.

ridged [ridʒd] *a* **1.** ръбест; на ивици; набразден; **2.** *стр.* двустранен (*за покрив*).

ridge-piece,-pole ['ridʒpi:s, -poul] *n* хоризонтална греда на покрив.

ridge-tile ['ridʒtail] *n* капак (*керемида*)

ridge-tree ['ridʒtri:] = **ridge-piece**.

ridgy ['ridʒi] = **ridged**.

ridicule[1] ['ridikju:l] *n* **1.** присмех, подигравка, подбив; осмиване; **to hold up to** ~ осмивам, излагам на присмех; **2.** *ост.* посмешище.

ridicule[2] *v* осмивам, подигравам.

ridiculous [ri'dikjuləs] *a* смешен, за смях; нелеп, абсурден.

riding[1] ['raidiŋ] *n* **1.** езда; **2.** път (през/край гора).

riding[2] *n* административна единица на графството Йоркшир.

riding-breeches ['raidiŋbritʃiz] *n pl* панталони за езда; брич.

riding-habit ['raidiŋhæbit] *n* дамски костюм за езда.

riding hall ['raidiŋ hɔ:l] *n* (покрит) манеж.

riding-lamp, -light ['raidiŋlæmp, -lait] *n мор.* светлина на мачтата на закотвен кораб.

rife [raif] *a predic* 1. (широко) разпространен; **to be ~** шири се, разпространявам се; нося се (*за слух*); 2. **~ with** пълен с; **to be ~ with** гъмжа от, изобилствувам с, пълен съм с.

riff [rif] *n* джазов рефрен.

riffle[1] ['rifl] *n ам.* улей за промиване на златото и пр.

riffle[2] *v ам.* промивам (*злато и пр.*) в улей.

riffle[3] *v* 1. бъркам/разбърквам (*карти*) с помощта на палците; 2. прелиствам с палец (**through**); 3. въртя (*нещо*) в ръка; 4. *ам.* образувам бързеи/вълнички.

riffle[4] *n* 1. *ам.* бързей, вълнички; 2. бъркане на карти с помощта на палците; шум от такова бъркане на карти.

riffler ['riflə] *n* рифелна пила.

riff-raff ['rifræf] *n* паплач, сган, измет.

rifle[1] ['raifl] *n* 1. пушка, винтовка; 2. нарез (*на оръжие*); 3. *pl воен.* стрелци, стрелкова част.

rifle[2] *v* 1. претършувам и обирам; плячкосвам; 2. правя витлов нарез (*на оръжие*).

rifle-bird ['raiflbə:d] *n* австралийска райска птица.

rifle-green ['raiflˌgri:n] *a*, *n* тъмнозелен (цвят).

rifle-grenade ['raiflgriˌneid] *n* пушечна граната.

rifleman ['raiflmən] *n* (*pl* -**men**) 1. стрелец; 2. = **rifle-bird**.

rifle-range ['raiflreindʒ] *n* 1. стрелбище; 2.: **within ~** в обсега на пушечна стрелба.

rifle-shot ['raiflʃɔt] *n* 1. пушечен изстрел; разстояние един пушечен изстрел; 2. (добър/отличен) стрелец.

rift[1] [rift] *n* 1. пукнатина, цепнатина; **~ in the clouds** разкъсване на облачността; 2. недоразумение; спор; разрив; отчуждаване; **~ in the lute** обстоятелство, което нарушава щастието/хармонията.

rift[2] *v* разцепвам (се), напуквам (се), разкъсвам (се).

rift[3] *n* плитчина.

rig[1] [rig] *v* (-**gg**-) 1. снабдявам (с такелаж, платна и други съоръжения); подготвям (се) за пътуване (*за кораб*); 2. снабден съм с такелаж и пр.; 3. монтирам; пригодявам (**for**); 4. обличам; снабдявам (*с дрехи и пр.*); екипирам (*обик. с* **out**);
   rig out 1) *мор.* екипирам, снабдявам с такелаж и пр.; 2) *разг.* обличам; издокарвам; екипирам;
   rig up 1) = **rig out** 2; 2) монтирам; 3) построявам/ нагласявам/инсталирам на бърза ръка/как да е/ с подръчни материали; скалъпвам (*и прен.*).

rig[2] *n* 1. *мор.* такелаж и система от платна; 2. съоръжения; апаратура; устройство; 3. *разг.* облекло, тоалет; вид, фасон, каяфет; **in full ~** издокаран; облечен официално; 4. *ам.* екипаж (*хора и коне*); 5. сондова кула.

rig[3] *v* (-**gg**-) нагласявам (за собствена изгода); фалшифицирам (*изборни резултати и пр.*); **to ~ the market** изкуствено повишавам/понижавам цените на борсата.

rig[4] *n* 1. измама, шмекерия; 2. *борс.* спекулативна сделка, спекулация; изкуствено повишаване/понижаване на цените.

rigadoon [rigə'du:n] *n* старинен бърз танц.

rigging ['rigiŋ] *n* 1. *мор.* такелаж, платна и други съоръжения; 2. такелаж; 3. *разг.* облекло.

right[1] [rait] *a* 1. верен, точен, правилен; прав; който се търси/има предвид; **the ~ time** точното време; **is this the ~ house/way**. това ли е къщата/пътят (който търсим)? **am I ~ for Paris?** това ли е влакът/пътят

за Париж? **the ~ man in the ~ place** подходящ човек за дадена/всяка служба; **the sum won't come ~** сборът не излиза; **things will come ~** всичко ще се оправи; **to know the ~ people** имам (силни) връзки; **have you got the ~ fare?** имате ли точно пари? (*за билет*); **the ball is ~** *тенис* топката е добра/вътре; **to get s.th. ~** разбирам (правилно); **let's get this ~** да се разберем по този въпрос; **to put/set s.th. ~** оправям/ изправям/уреждам нещо; **to put a watch ~** наглася- вам/сверявам часовник; **to put s.o. ~** поправям/ коригирам някого; оправям/излекувам някого; **to set o.s. ~ on a matter** осведомявам се по даден въпрос; **to set o.s. ~ with s.o.** оправдавам се пред някого; **that's ~ !** точно така! именно! **all ~** добре; **it's all ~ for you to laugh** лесно ти е да се смееш; **Mr/Miss R.** *шег.* бъдещият съпруг/съпруга; 2. справедлив, честен, почтен; прав; **I thought it ~ to счетох за** (най-)правилно/уместно/за свой дълг да; **to do the ~ thing** постъпвам почтено; 3. прав, на правилно мнение; **~ you are!** — **oh !** *разг.* добре! дадено! ясно! 4. здрав; в добро/нормално състояние; нормален; **to feel all ~** добре съм, чувствувам се добре; **not (quite) ~ in the/in o.'s head, not in o.'s ~ mind** не с всичкия си (ум); **all is ~ with the world** всичко е наред, всичко в света е хубаво; **as ~ as rain/as a trivet** съвсем здрав; в отлично състояние/положение; 5. лицев; горен; **~ side/way up** 1) изправен; 2) изправено; **~ side out** с лицевата страна навън; 6. десен (*обр. на ляв*); **on o.'s ~ side** отдясно, от дясната (ми) страна; **~ hand/arm** *прен.* дясна ръка, пръв помощ- ник; **to put o.'s ~ hand to the work** работя здраво, запретвам ръкави; 7. *пол.* десен, консервативен; реакционен; 8. *геом.* прав (*за ъгъл, ост. и за линия*); 9. *разг.* пълен, истински, цял; **I made a ~ mess of it** съвсем я оплесках; голяма каша забърках.

right[2] *adv* 1. право; направо; **go ~ on/ahead** вървете направо напред; сте в влезте направо; моля заповядайте; 2. изцяло, докрай; чак; **~ to the end** чак до края, до самия край; **~ at the top** на самия връх, чак на върха, най-горе; **to turn ~ round** прав пълен кръг, обръщам (се) кръгом; **rotten ~ through** изцяло/съвсем прогнил; **there was a wall ~ round the house** имаше стена около цялата къща; 3. точно, тъкмо; право; веднага; **~ in the middle (of)** точно в средата (на), посред; **shot ~ through the heart** за стрелян право в сърцето; **~ off/away/***ам.* **now** веднага, незабавно, още сега; **~ now** сега, в момен- та; **~ after** веднага/точно след; 4. правилно; спра- ведливо; добре; **you did ~ to wait** добре направи че почака; **if I remember ~** ако не се лъжа, ако си спомням правилно; **nothing goes ~ with him** ни- как/в нищо не му върви; **he is to blame ~ enough** че е виновен, виновен е, няма съмнение, че е вино- вен; 5. надясно; 6. *ост., диал.* много; **you know ~ well** твърде добре знаеш.

right[3] *n* 1. право, справедливост; добро; **to be in the ~** имам право; **to do s.o. ~** , **to do ~ by s.o.** пос- тъпвам/отнасям се справедливо с някого; 2. право; привилегия; *pl* права; **by ~ of** по силата на; **by what ~ с какво право; in o.'s own ~** на лично основани- **within o.'s ~s** в правата си; **by/of ~(s)** по прав- **~ of way** 1) право на преминаване, свободен пъ- обществен път през частна собственост; обществе- сервитут; ивица земя, през която е построена ж линия; 2) *авт.* предимство; **to stand on/assert o ~s** отстоявам правата си; 3. *pl* изправност; **to pu- set to ~s** нареждам, оправям; разтребвам; слага- в ред/изправност; 4. *pl* истинско положение, факт the ~s and wrongs of the case истинските факти, истината; 5. дясна страна; дясна ръка, десница; 6. *бокс.* десен удар; 7. *воен.* десен фланг; 8. *авт.* десен завой; 9. *пол. често* R. десница, консерватори; 10. *ам. фин.* (документ за) право на акционери да закупуват акции от нова серия по текущи цени.

right⁴ *v* 1. изправям (се); оправям (*курс на кораб и пр.*); възстановявам равновесието на; **to ~ o.s.** изправям се (*след залитане*), възстановявам равновесието си; 2. оправям, изправям (*грешка, несправедливост и пр.*); **it's a fault that will ~ itself** това е грешка/дефект, който сам ще се оправи/ще изчезне; 3. защищавам, застъпвам се за; 4. *refl* реабилитирам се; оправдавам се.

rightable ['raitəbl] *a* поправим.

right-about¹ ['raitəbaut] *n* обратна посока; **to send s.o. to the ~** изпъждам/изгонвам някого; давам някому пътя; **~ turn** *воен.* обръщане кръгом.

right-about² *adv* обратно, на/в обратната посока; **to turn/face ~** *воен.* обръщам се кръгом; правя волтфас.

right-down ['raitdaun] *a* съвършен, истински, отявлен.

righten ['raitn] *v* изправям, оправям; изкупвам (*грешка и пр.*).

righteous ['raitʃəs] *a* 1. честен; добродетелен; праведен; 2. справедлив, основателен.

rightful ['raitful] *a* 1. законен, истински (*за собственик и пр.*); 2. справедлив, основателен; 3. полагащ се, подобаващ.

right-hand ['raithænd] *a* десен; на/за дясната ръка; **~ man** съсед отдясно; *прен.* дясна ръка, пръв помощник.

right-handed ['raithændid] *a* 1. който си служи с дясната ръка (*не левак*); 2. бокс десен, с дясната ръка; 3. *тех.* за дясната ръка; 4. който е с посока на часовниковата стрелка; движещ се в посока от ляво на дясно.

right-hander ['raithændə] *n* 1. *бокс* удар с дясната ръка; 2. човек, който си служи с дясната ръка.

rightist ['raitist] *n пол.* десничар, консерватор; реакционер.

rightly ['raitli] *adv* с право, справедливо; правилно.

right-minded ['rait͵maindid] *a* здравомислещ, нормален; праволинеен.

rightness ['raitnis] *n* правота; правилност; справедливост.

righto ['raitou] *int разг.* добре, дадено.

rightward ['raitwəd] *a, adv* десен, към дясната страна; *adv* **~s** надясно.

right wing ['raitwiŋ] *n* 1. *воен.* десен фланг; 2. *сп., пол.* дясно крило; 3. *attr* десничарски, консервативен; реакционен.

right-winger ['raitwiŋə] *n* 1. *пол.* десничар, консерватор; реакционер; 2. *сп.* играч на дясното крило.

rigid ['riʤid] *a* 1. твърд, неогъваем; 2. скован, вкочанен; неподвижен; 3. твърд, строг, суров; непреклонен; безкомпромисен; строг, неизменен (*за програма и пр.*); 4. много труден (*за изпит*); 5. закрепен неподвижно; устойчив.

rigidify [ri'ʤidifai] *v* втвърдявам (се).

rigidity [ri'ʤiditi] *n* 1. твърдост; 2. скованост, вкочаненост; неподвижност; 3. твърдост, строгост; непреклонност; неизменяемост; 4. *тех.* устойчивост; неизменност (*на положение*).

rigmarole ['rigməroul] *n* дълга несвързана история/разказ; празни приказки, бръщеж.

rigor ['raigɔː, 'rigə] *n лат. мед.* вкочанясване; тръпки (*при треска*); **~ mortis** трупно вкочанясване.

rigor² *ам.* = **rigour.**

rigorism ['rigərizm] *n* строгост; взискателност.

rigorous ['rigərəs] *a* 1. строг, непреклонен; 2. взискателен; щателен; точен; 3. суров (*за климат*).

rigour ['rigə] *n* 1. строгост, непреклонност; 2. точност; взискателност; 3. суровост (*на климат*); 4. *често pl* тежки условия; 5. *pl* строги мерки.

rile [rail] *v разг.* 1. дразня; 2. *ам.* мътя, размътвам.

riley ['raili] *a разг.* 1. раздразнен; 2. *ам.* мътен, размътен.

rill¹ [ril] *n* ручей, поточе.

rill² *v* тека, бъбля, бълбукам (*за поточе*).

rill(e) [ril] *n* тясна бразда на повърхността на Луната.

rillet ['rilit] *n* ручейче.

rim¹ [rim] *n* 1. ръб, край; рамка (*на очила, сито*); 2. *тех.* венец; бандаж; скоба, опорен пръстен; 3. *поет.* пръстен, венец; **golden ~** корона; 4. *мор.* водна повърхност; **the ~ of the ocean** *поет.* хоризонтът.

rim² *v* (-mm-) слагам/правя ръб на; слагам в рамка; слагам рамка на, обкръжавам; служа за ръб/рамка; образувам ръб.

rime¹ [raim] *n* скреж; слана.

rime² *v* оскрежавам, покривам със скреж; осланявам.

rime³ = **rhyme.**

rimless ['rimlis] *a* без рамка/ръб.

rimose, -ous ['raimous, -əs] *a* попукан, с пукнатини.

rimy ['raimi] *a* оскрежен, покрит със скреж.

rind¹ [raind] *n* 1. кора (*на дърво, плод*); 2. външен пласт (*на сирене и пр.*); външна дебела кожа (*на сланина*).

rind² *v* беля, обелвам; махам корана на.

rinderpest ['rindəpest] *n вет.* чума по рогатия добитък.

ring¹ [riŋ] *n* 1. пръстен, халка; **key ~** халка за ключове; 2. обръч (*за гимнастика*); 3. *бот.* годишен пръстен; 4. кръг (*и около очите; от пушек и пр.*); 5. циркова арена; 6. *бокс* ринг; 7. заградено място за надаване/за оглеждане на конете (*при надбягвания*)/на говеда и пр. (*на изложба*); 8. залагане на конни надбягвания; 9. *търг.* картел; 10 *борс.* обединение на капиталисти за контрол на пазара; 11. *прен.* клика, банда; 12. *ам.* политическа надпревара, борба за власт; 13. *тех.* фланец; околовръстен улей; жлеб; 14. *физ.* затворена верига, ядро, пръстен; □ **to make/run ~s round s.o.** *разг.* лесно побеждавам/явно превъзхождам някого, правя някого на нищо/на пух и прах; **to hold/keep the ~** наблюдавам борба/спор и не позволявам на никого да се меси.

ring² *v* 1. обкръжавам, заграждам в кръг, правя кръг около (**about, round, in**); образувам кръг; **to ~ cattle** събирам разпръснати говеда; 2. слагам пръстен/халка на (*птица*), опръстенявам; слагам халка на носа на (*говедо*); 3. изрязвам кръг в кората на (*дърво*); 4. режа (*лук и пр.*) на кръгчета; 5. мятам халка/обръч/пръстен върху (*клин, пръчка и пр. — при игра*): 6. правя кръг(ове) (*за подгонена лисица*); 7. издигам се, извисявам се спираловидно, кръжа нагоре (*за птица и пр.*).

ring³ *v* (**rang** [ræŋ]; **rung** [rʌŋ]) 1. звъня, бия (*за звънец, камбана*); бия (*камбана*); звъня, звънвам, позвънявам; давам сигнал със звънец; **to ~ the bell** позвънявам; *прен.* успявам, спечелвам; **to ~ a peal** бия (с) всичките камбани; 2. звънтя; удрям, за да звънне (*монета и пр.*); звуча; **to ~ true/false** 1) звъня като истинска/фалшива (*за монета*); 2) звуча правилно/ неправилно, звуча искрено/неискрено; **his words still ~ in my ears/heart** още чувам/помня думите му; 3. ехтя, еча, кънтя, прокънтявам (*и* *прен.*) (with); **the world rang with his praises** славата му се носеше из целия свят; **4.** буча, пищя (*за уши*); **5.** позвънявам, извиквам по телефона (*обик. с* up); □ **it ~s a bell** звучи ми познато, напомня ми нещо;

ring back обаждам се по телефона (*на някой, който ме е търсил*); обаждам се пак;

ring around обаждам се по телефона на различни хора;

ring down *театр.* свалям (*завеса*); падам (*за завеса*); □ **to ~ down the curtain on s.th.** слагам край на нещо, обявявам нещо за приключено;

ring for извиквам с позвъняване, позвънявам за;

ring in обявявам идването на (*нещо, някого*) с камбани; **to ~ in the New Year** възвестявам с камбанен звън настъпването на Новата година;

ring off затварям телефона; свършвам разговора (*по телефон*); **the telephone rang off** прекъснаха връзката;

ring out 1) прозвучавам; отеквам; прокънтявам; 2) изпращам с камбанен звън (*старата година и пр.*);

ring round = ring around;

ring up 1) *театр.* давам сигнал за вдигане (*на завесата*); вдигам (*завеса*); **to ~ up the curtain on s.th.** бележа началото на, откривам (*нова епоха и пр.*); 2) позвънявам, обаждам се/повиквам по телефона; 3) отбелязвам (*сума*) на каса.

ring⁴ *n* **1.** звън; звънтене, звънтеж; **there's a ~ at the door** звъни се; **I recognized his ~** познах го по начина, по който звъни; **two ~s for** звънете два пъти за; **2.** звук; звънливост; звучене; **~s of laughter** звънлив смях; **3.** повикване по телефона; **to give s.o. a ~** позвънявам/обаждам се на някого); **4.** звън на църковните камбани; **5.** *прен.* ефект, впечатление; звучене; **it has the ~ of truth** звучи правдоподобно; **melancholy ~** тъжно впечатление/звучене; **it has a familiar ~** звучи ми познато.

ring-bark ['riŋbɑːk] *v* изрязвам кръг в кората (на) (*дърво*).

ring-bone ['riŋboun] *n* *вет.* нарастък на надкопитната става на кон.

ring dance ['riŋˌdɑːns] = **round dance.**

ring-dove ['riŋdʌv] *n* *зоол.* гривяк (Columbia palumbus).

ringed [riŋd] *a* **1.** с пръстен; опръстенен; **2.** отбелязан/заграден с кръг.

ringent ['rindʒənt] *a* *бот.* широко разтворен.

ringer¹ ['riŋə] *n* **1.** халка (*за мятане при игра*); **2.** човек, който опръстенява птици; **3.** *лов.* лисица, която бяга в кръг; **4.** *ам.* двойник; **dead ~ for** същински двойник на; **5.** *ам. sl.* измамник; кон/състезател и пр., чиито то качества са невярно съобщени.

ringer² *n* **1.** звънар; **2.** връв за дърпане на звънец.

ring-finger ['riŋfiŋgə] *n* безименен пръст.

ringing ['riŋiŋ] *a* **1.** звънлив, еклив; звучен; **2.** отекващ; резониращ; **3.** *ам.* решителен, единодушен.

ringleader ['riŋliːdə] *n* *неодобр.* главатар, водач, тартор; подстрекател.

ringlet ['riŋlit] *n* **1.** пръстенче; **2.** къдрица, букла.

ring-mail ['riŋmeil] *n* ризница, броня.

ringmaster ['riŋmɑːstə] *n* ръководител на цирково представление.

ring-neck ['riŋnek] *n* птица/змия с пръстен на шията.

ring-road ['riŋroud] *n* околовръстно шосе.

ring-shaped ['riŋʃeipt] *a* пръстеновиден.

ringside ['riŋsaid] *n* **1.** предни места в цирк/боксов ринг; **2.** *attr* преден (*за място*).

ring-tail ['riŋteil] *n* **1.** *зоол.* женската на полския блатар; **2.** *ам.* = **racoon**; **3.** *мор.* вид малко платно.

ringworm ['riŋwəːm] *n* *мед.* тения; трихофития.

rink¹ [riŋk] *n* **1.** (закрита) пързалка за кънки/хокей; **2.** място за каране на летни кънки.

rink² *v* пързалям се (*на кънки и пр.*).

rinse¹ [rins] *v* **1.** плакна, изплаквам (*често с* out); **2.** оцветявам (*коса*) с лосион; **3. to ~ down** преглътвам (*храна*) с помощта на питие.

rinse² *n* **1.** изплакване; **to give s.th. a ~** изплаквам нещо; **2.** лосион за оцветяване на коса.

rinsings ['rinsiŋz] *n pl* **1.** помия; **2.** остатъци; **3.** утайка.

riot¹ ['raiət] *n* **1.** бунт, метеж; размирица; **the R. Act** закон против нарушителите на обществения ред (*в Англия*); **to read the R. Act** 1) предупреждавам тълпа да се разпръсне; 2) *прен.* чета конско евангелие, мъмря най-строго; **~ squad/police** полицейско отделение за борба с размирици; **2.** шумна веселба; **to run ~** 1) разлудувам се, лудувам; 2) раста буйно; 3) разпалвам се (*за въображение*); **3.** *разг.* нещо много смешно; ужасно смешен човек; *прен.* комедия; фурор; **4.** изблик; буен растеж; изобилие от ярки цветове, богатство на цветове; **~ of colour** пищна/пъстра картина; **to indulge in a ~ of emotion** давам пълна свобода на чувствата си; **5.** *ост.* разврат.

riot² *v* **1.** бунтувам се; участвувам в бунт; **2.** веселя се шумно; вдигам врява; държа се разюздано; нарушавам обществения ред; **3.** живея разюздано/безпътно; **4. to ~ away** пропилявам (*пари и пр.*); **5. to ~ in** отдавам се страстно/всецяло на; наслаждавам се на, много обичам.

rioter ['raiətə] *n* **1.** бунтовник, размирник, нарушител на обществения ред; **2.** гуляйджия; разюздан човек.

riotous ['raiətəs] *a* **1.** бунтовен, буен; безреден; **2.** бунтовен, разбунтуван; размирен; **3.** необуздан, невъздържан, шумен; **4.** разюздан; безчинен; разгулен; **5.** избуял, пищен; **6.** *разг.* много смешен.

rip¹ [rip] *v* (-pp-) **1.** разпарям (се), разкъсвам (се), съдирам (се), раздирам (се); **to ~ open** разкъсвам, разпарям; **2.** цепя/режа (*дърво*) по дължина; **3.** свалям/махам керемиди и пр. от (*покрив*); **4.** препускам; втурвам се (**into**); карам с пълна скорост; **to let her/it ~** карам кола и пр. с пълна скорост; **to let things ~** оставям работите да се развиват сами; изпускам контрол; не се меся; **to let o.'** anger **~** давам воля на гнева си; **5.** *ам.* удрям шумно;

rip away махам; смъквам;

rip down 1) скъсвам; 2) свалям;

rip into 1) врязвам се в; 2) нападам свирепо (*прен.*);

rip off 1) откъсвам; 2) смъквам (*маска*); 3) *sl.* от мъквам, задигам, свивам; ограбвам;

rip out 1) отпарям (*подплата и пр.*); 2) измъквам; изтръгвам; 3) премахвам, унищожавам; 4) *раз.* пускам, изпускам (*ругатня и пр.*);

rip up 1) разкъсвам, накъсвам; 2) разпарям; раз плитам; 3) разкъртвам (*път и пр.*); 4) пренебрег вам без колебание (*спогодба и пр.*); 5) *прен.* разчовъркам, разчоплям, разпалвам (*стара кавга пр.*).

rip² *n* цепка; цепване; съдрано място.

rip³ *n* бързей; обратно течение; бурно море.

rip⁴ *n* *разг.* **1.** кранта; **2.** развратник, коцкар; пропаднал тип; **3.** ненужна/негодна вещ.

riparian [rai'pɛəriən] *книж.* **I.** *a* крайречен; на речен бряг; ~ **rights** права над земя край река; **II.** *n* собственик на земя край река.

rip-cord ['ripkɔːd] *n ав.* шнур за отваряне на парашут/на мех на балон.

rip current ['rip,kʌrənt] *n* силно насрещно течение (*откъм брега*).

ripe[1] [raip] *a* **1.** (у)зрял (*за плод, сирене и пр.*); ~ **lips** устни като череши; **2.** зрял, опитен; ~ **old age** дълбока старост; **of** ~ **r years** по-възрастен, възмъжал; **3.** назрял, готов (**for**); **opportunity** ~ **to be seized** възможност, която само чака да се възползуваш от нея; **4.** *sl.* много смешен/забавен; **5.** *sl.* нецензурен; **6.** *sl.* пиян.

ripe[2] = **ripen**.

ripen ['raipn] *v* **1.** узрявам; правя/оставям да узрее; **2.** съзрявам; **to** ~ **into manhood** възмъжавам.

riposte[1] [ri'poust] *n* **1.** *фехт.* рипост; **2.** *прен.* бърз контраудар/отговор.

riposte[2] *v* **1.** *фехт.* парирам удар; **2.** *прен.* отговарям на удара с удар.

ripper ['ripə] *n* **1.** инструмент за сваляне на керемиди; **2.** = **ripsaw**; **3.** *ост. sl.* чудо човек/нещо/момиче; **4.** жесток убиец (*често психопат*).

ripping ['ripiŋ] *a, adv* чудесен, чудо, екстра.

ripple[1] ['ripl] *n* гребен (*за лен*).

ripple[2] *v* разчесвам (*лен*).

ripple[3] *n* **1.** вълничка; леко вълнение, накъдряне (*на водна и пр. повърхност.*); леки вълни (*на коса*); **2.** ромон; ~ **of laughter** лек/звънлив/сребрист смях; ~ **of applause** откъслечни аплодисменти; **3.** *ам.* малък бързей; **4.** вълнообразна ивица (*на пясък и пр.*) (*и* ~ **mark**).

ripple[4] *v* **1.** вълнувам (се) леко, накъдрям (се); **2.** ромоля; **3.** лея се звънливо (*за смях и пр.*); **4.** падам на меки гънки/вълни.

ripply ['ripli] *a* леко развълнуван; леко накъдрен.

riprap ['ripræp] *n стр.* трошляк, отсевки.

rip-roaring ['rip,rɔːriŋ] *a разг.* шумен, буен.

ripsaw ['ripsɔː] *n* трион за разрязване по дължина.

ripsnorter ['ripsnɔːtə] *n* **1.** енергичен човек, хала, юначага; **2.** нещо много здраво/яко/бързо; **3.** екстра/чудо човек/нещо.

riptide ['riptaid] = **rip current**.

ripuarian [ripju'ɛəriən] *a ист.* рипуарски.

Rip Van Winkle [,ripvæn'wiŋkl] *n* човек, изостанал от времето си.

rise[1] ['raiz] *v* (**rose** ['rouz]/**risen** ['rizn]) **1.** издигам се; вдигам се; извишавам се; **2.** *прен.* издигам се; **to** ~ **to greatness** ставам велик; **to** ~ **to wealth** забогатявам; **to** ~ **in the world** издигам се, правя кариера; **to** ~ **to be a general** издигам се/стигам до генералски чин; **3.** ставам (*и сутрин*), надигам се; изправям се (*на крака*); **4.** възкръсвам (**from the dead/the grave** от мъртвите/от гроба); **5.** изгрявам; **dawn** ~**s** зазорява се; **6.** закривам се (*за заседание, парламент и пр.*); **7.** излизам (*за цирей и пр.*); **8.** извирам (*за река*); приижвам; **9.** надигам се, излизам (*за вятър и пр.*); започвам да се вълнувам (*за море*); идвам (*за прилив*); **10.** издигам се, нараствам, расте (*за глас, интерес, надежда и пр.*); покачвам се, вдигам се (*за цени, температура и пр.*); увеличавам се; повдигам се (*за настроение и пр.*); **her colour rose** тя пламна, изчерви се (*за лице*); **tears rose in her eyes** в очите ѝ бликнаха сълзи; **11.** вдигам се, кипвам, втасвам (*за тесто и пр.*); **12.** възниквам, зараждам се, пораждам се; появявам се; **to** ~ **to view** появявам се (*пред погледа*); **13.** въставам,

(раз)бунтувам се (**against**); **14.** *лов.* вдигам се (*за дивеч*); вдигам (*дивеч, -риба*); **15.** *мор.* забелязвам (*кораб и пр.*) на хоризонта; **16.** *ряд.* ставам, случвам се;

rise above *прен.* издигам се над (*дребни чувства и пр.*);

rise to **1)** показвам се достоен/годен да се справя с; **to** ~ **to the occasion** достойно се справям с положението, доказвам, че съм на висотата на положението; **I can't** ~ нямам сили/възможност/средства да го направя; **2)** аплодирам, откликвам на (*актьор и пр.*).

rise[2] *n* **1.** издигане (*и прен.*); изкачване; възход; ~ **to power** идване на власт; **2.** покачване, увеличение, повишаване, повишение; нарастване; **prices are on the** ~ цените се покачват; **3.** изкачване; нанагорнище; възвишение, хълм; **4.** произход, начало; **to have/take o.'s** ~ **in/from** произлизам/произхождам/възниквам от; **to give** ~ **to** предизвиквам, пораждам; **5.** извор (*на река*); **the river has its** ~ **in** реката извира от; **6.** кълване (*на риба*); **there was not a sign of a** ~ нищо не клъвна; **without getting a** ~ без нищо да клъвне (*на въдицата ми*); **7.** *тех.* стрелка (*на свод, дъга*); **8.** *тех.* провисване (*на проводник*); **9.** изтъняване, коничност (*на ствол, обла греда*); **10.** *арх.* височина (*на стъпало и пр.*); **11.** *геол.* въстание (*на пласт*); наклон;\ □ **to get/take a** ~ **out of s.o.** предизвиквам някого; карам· някого да избухне/да се издаде; **at** ~ **of day/sun** призори.

risen *вж.* **rise**[1].

riser ['raizə] *n* **1.** човек, който става; **early** ~ ранобудник; **2.** *стр.* стойка, стълб; **3.** вертикална/възходяща тръба; **4.** *жп.* възглавница; **5.** *метал.* мъртва глава; **6.** *ам. театр.* подвижен подиум.

risibility [rizi'biliti] *n* склонност/способност да се смеем.

risible ['rizibl] *a* **1.** склонен/способен да се смее; **2.** свързан със смеха; влизащ в действие при смях (*за мускул*); **the** ~ **faculty** способността да се смеем; **3.** *ряд.* смешен.

rising[1] ['raiziŋ] *a* **1.** изгряващ; **2.** издигащ се, напредващ; **the** ~ **generation** младото/подрастващото поколение; **3.** нанагорен; **4.** *фон.* възходящ (*за двугласна, интонация*); **5.** нарастващ, надигащ се (*за чувство и пр.*); увеличаващ се, покачващ се, растящ; **6.** наближаващ (*дадена възраст, брой*); **to be** ~ **twenty** наближавам двайсетте; ~ **ten thousand** към десет хиляди.

rising[2] *n* **1.** изгрев, изгряване; **2.** ставане; **3.** закриване (*на сесия и пр.*); **4.** въстание, бунт; **5.** възвишение; **6.** *прен.* издигане; **7.** увеличение, повишение; **8.** възкресение.

risk[1] [risk] *n* **1.** риск, опасност; **at the** ~ **of, at** ~ **to** с риск на/да; **at** ~ изложен на опасност; **at o.'s own** ~ на собствена отговорност, за своя сметка; **to run/take** ~**s/a** ~ рискувам, излагам се на опасност; **to run/take the/a** ~ **of** (*с ger*) рискувам да, има опасност да; **2.** сума на застраховка; застрахован човек/имот; вид на застраховка; **war** ~ **(insurance)** *ам.* застраховка срещу военни щети; **to be a good/poor** ~ **(for insurance)** **1)** изгоден/неизгоден съм за застраховане (*за имот*); **2)** здрав/болнав съм.

risk[2] *v* рискувам, излагам се на риск/опасност (*с ger* да); решавам се; **to** ~ **s.o.'s anger** рискувам да ядосам някого, решавам се (да направя нещо), въпреки че знам, че ще ядосам някого; **to** ~ **defeat/loss**

рискувам да бъда победен/да загубя; **I'll ~ it** ще рискувам.

risky ['riski] *a* 1. рискован, опасен; несигурен; 2. = **risqué**.

risotto [ri'zɔtou] *n* ит. готв. ризото.

risqué ['riskei] *a* фр. малко неприличен/нецензурен.

rissole ['risoul] *n* кюфте.

rite [rait] *n* 1. ритуал(и), обред, церемония; 2. църк. обред, литургия; **~ of passage** църковен обред при преминаване в ново състояние (*юношество, брак, смърт*); 3. *attr* ритуален, обреден.

ritual [ri'tjuəl] = **rite**.

ritualism ['ritjuəlizm] *n* ритуалност, обредност; прекалено спазване на обредите.

ritualistic [,ritjuə'listik] *a* ритуален, обреден; спазващ ритуала.

ritualize ['ritjuəlaiz] *v* 1. придавам ритуален характер на, превръщам в ритуал; налагам ритуал на; 2. спазвам/извършвам обред/ритуал; 3. развивам (*у някого*) чувство за обредност.

ritzy ['ritsi] *a sl.* луксозен, елегантен; шикозен; снобски.

rivage ['raividʒ] *n поет.* бряг.

rival[1] ['raivl] *n* 1. съперник; конкурент; 2. *attr* конкурентен; конкуриращ; ~ **firm** фирма конкурент.

rival[2] *v* (-ll-) 1. съпернича на/с; конкурирам; равен съм на; сравнявам се с; 2. *ост.* съперници сме, съперничим си.

rivalry ['raivlri] *n* съперничество; конкуренция; съревнование, надпревара.

rive [raiv] *v* (**rived** [raivd]; **riven** ['rivn], **rived**) 1. *поет.* разцепвам (се), разкъсвам (се); отцепвам, откъсвам, отскубвам (*и с* **off, away**); **heart riven by grief** разкъсано от мъка сърце; 2. *тех.* разцепвам (се), разпуквам (се).

rivel ['rivl] *v* (-ll-) *ост.* сбръчквам (се), съсухрям (се).

river ['rivə] *n* 1. река; поток (*и прен.*); **the R. Thames,** *ам.* **the Thames R.** река Темза; 2. *attr* речен; □ **to sell down the ~** *sl.* измамвам, предавам; **to be up the ~** *ам. sl.* в затвора съм; **to send up the ~** *ам. sl.* осъждам на затвор, пращам в затвора.

riverbank ['rivəbæŋk] *n* речен бряг.

river-basin ['rivəbeisn] *n* басейн на река.

river-bed ['rivəbed] *n* корито на река.

river-head ['rivəhed] *n* извор(и) на река.

river-horse ['rivəhɔ:s] *n* хипопотам, речен кон.

riverine ['rivərain] *a* (край)речен.

riverside ['rivəsaid] *n* 1. бряг на река; 2. *attr* крайречен.

rivet[1] ['rivit] *n тех.* нит.

rivet[2] *v* 1. *тех.* занитвам; 2. *прен.* приковавам (*внимание, поглед и пр.*) (**on**); **to ~ to the spot/ground** приковавам на място.

riviére ['riviɛə] *n* фр. огърлица (*обик. от няколко реда*).

rivulet ['rivjulit] *n* речичка, поточе, ручейче.

roach[1] [routʃ] *n* (*pl без изменение*) вид шаран (Rulilus rululus); □ **as sound as a ~** здрав като бик.

roach[2] *n ам.* 1. хлебарка; 2. фас от цигара (*обик. с марихуана*).

roach[3] *n мор.* извивка на долната част на корабно платно.

road[1] [roud] *n* 1. път (*и прен.*); шосе; улица; платно на улица; **on the ~** на път; **to be on the ~** 1) на път съм, пътувам; 2) търговски пътник съм; на обиколка съм (*за търговски пътник*); **rule of the ~** правила/правилник за движението; **to travel/go by ~** пътувам с кола и пр. (*не с влак*); **to take**

the ~ тръгвам, потеглям, отпътувам; **to take to the ~** ставам скитник; *ост.* ставам разбойник; **to be in s.o.'s ~/in the ~** *разг.* преча някому; **get out of the/my ~** *разг.* махни се, не ми пречи; **royal ~ to** *прен.* лесен път към; **~ up!** пътят е затворен! (*поради поправка*); **one for the ~** *разг.* последна чашка преди тръгване; 2. *мин.* галерия, щрек; 3. *ам. разг.* влак, жп линия; 4. *pl мор.* рейд.

road[2] *v* проследявам (*дивеч*) по миризмата (*за куче*).

roadability [roudə'biliti] *n авт.* способност да се движи добре по всякакъв път; добра федерация.

roadbed ['roudbed] *n* пътно платно; легло на жп линия.

road block ['roud,blɔk] *n* барикада на път; барикада от коли и пр.(*при преследване на престъпник и пр.*); нещо, което препречва пътя (*и прен.*).

road-book ['roudbuk] *n* справочник/пътеводител за автомобилисти.

road gang ['roud,gæŋ] *n ам.* работници/затворници, които строят/поправят пътищата.

road-hog ['roudhɔg] *n* човек, който кара лудо и опасно.

road-holding ['roudhouldiŋ] *n авт.* стабилност, издръжливост.

road-house ['roudhaus] *n* ресторант/бар край шосе.

roadman ['roudmən] *n* (*pl* **-men**) работник по поддържане на пътищата.

roadmanship ['roudmənʃip] *n* умение да се кара правилно (*кола и пр.*).

road metal ['roud,metl] *n стр.* трошляк.

road runner ['roud,rʌnə] *n* вид сев.-ам. кукувица (Geoсоссух californianus).

road sense ['roud,sens] *n* умение да се движа/да карам по улица и пр.

road show ['roud,ʃou] *n* представление на пътуващ театър.

roadside ['roudsaid] *n* 1. място край пътя; **by the ~** край пътя; 2. *attr* крайпътен; намиращ се/растящ край пътя.

roadstead ['roudsted] *n мор.* рейд.

roadster ['roudstə] *n* 1. малък открит спортен автомобил; 2. кон/колело за дълги пътувания; 3. товарен кон; 4. лека двуколка; 5. скитник.

road test[1] ['roud,test] *n* 1. изпробване на автомобил на шосе; 2. шофьорски изпит на шосе.

road test[2] *v* 1. изпробвам (*автомобил*) на шосе; 2. проверявам (*кандидат за шофьор*) на шосе.

roadway ['roudwei] *n* 1. път; 2. платно на улица/мост и пр.

roadwork ['roudwə:k] *n ам. сп.* дълго бягане (*като тренировка*).

roadworks ['roudwə:ks] *n pl* строеж и поправка на пътища, пътни строежи.

roadworthy ['roudwə:oi] *a* годен, използваем (*за превозно средство*).

roam[1] [roum] *v* скитам (се), бродя (**about**); блуждая; преброждам.

roam[2] *n* скитане, бродене.

roan [roun] I. *a* пъстър, шарен, дорест; II. *n* 1. кон/крава с пъстър косъм; 2. мека агнешка кожа (*за подвързия и пр.*).

roar[1] [rɔ:] *v* 1. рева, изревавам; викам; 2. буча, фучи (*за огън, вятър, море и пр.*); тътна; **to ~ by** профучавам (*за кола и пр.*); **to ~ off** тръгвам с трясък, изфучавам (*за кола и пр.*); 3. рева, викам, изревавам; крясвам (**at** на); смея се гръмогласно; **to ~ out song** изпявам гръмогласно; **to ~ out an order** изкомандувам гръмогласно; **to ~ s.o. down** заглушавам някого, принуждавам някого с викове да млъкне; 4. *вет.* хъркам (*за кон*).

roar[2] *n* 1. рев, изреваване; викане; 2. бучене; тътен, тътнеж; силен шум; 3. гръмогласен вик/смях; **to set in a ~** карам да избухне в смях; □ **everything went with a ~** всичко мина с огромен успех/отлично.

roarer ['rɔːrə] *n* текнефес кон.

roaring[1] ['rɔːriŋ] *а* 1. шумен; гръмогласен; 2. буен; бурен; 3. оживен (*за търговия и пр.*); отличен; *прен.* кипящ; **in ~ health** в отлично здраве; **the ~ game** = **curling**.

roaring[2] *adv разг.* ужасно, страшно.

roast[1] [roust] *v* 1. пека (се), изпичам (се); грея се, препичам се; **to be simply ~ing** умирам/завирам от горещина; 2. *метал.* пържа (*руда*); калцирам, изпичам; 3. *разг.* подигравам, закачам; 4. *ам.* критикувам остро.

roast[2] *n* 1. печено (месо); парче месо за печене; 2. печене; 3. *ам.* излет, на който се пече месо; 4. *ам. разг.* жестока критика; □ **to cry ~ meat** хваля се с късмета си.

roast-beef ['roustbiːf] *n готв.* ростбиф, печено говеждо.

roaster ['roustə] *n* 1. пещ за печене на месо; 2. долапче за печене на кафе; 3. прасенце/пиле и пр., подходящо за печене; 4. много горещ ден; 5. *метал.* пещ за пържене на руда.

roasting ['roustiŋ] *n* 1. печене; 2. *разг. прен.* калай; подигравки; **to give s.o. a good ~** здравата наругавам/подигравам някого.

roasting-jack ['roustiŋdʒæk] *n* въртящ се шиш за печене на месо.

rob [rɔb] *v* (-bb-) ограбвам, грабя, обирам; отнемам (**of**); извършвам кражба/грабеж; □ **to ~ Peter to pay Paul** ограбвам един, за да задоволя друг.

robber ['rɔbə] *n* разбойник; грабител; крадец; обирник.

robbery ['rɔbəri] *n* грабеж, обир, кражба; разбойничество; обирничество; **daylight ~** *разг.* пладнешки обир; чисто обирничество/експлоатация.

robe[1] [roub] *n* 1. широка горна дреха, роба, пеньоар; 2. официална/вечерна рокля; 3. дълга бебешка роклича; 4. *pl* одежди; 5. *поет.* одежда, мантия, одеяние; 6. *ам.* кожена/вълнена покривка за краката (*при пътуване*); □ **the (long) ~** съдийската професия/съсловие, съдиите.

robe[2] *v* обличам (се); слагам одеждите си.

robe-de-chambre [rɔbdə'ʃɑːmbr] *n фр.* домашна роба.

robin ['rɔbin] *n зоол.* 1. червеношийка (*и* **~ redbreast**) (Erithacus rubecola); 2. *ам.* червеногуш дрозд (Turdus migratorius).

Robin Goodfellow ['rɔbin'gudfelou] *n* палав дух от англ. народни приказки.

Robin Hood ['rɔbin'hud] *n* легендарен средновековен герой от англ. балади и приказки.

roborant ['rɔbərənt] *med.* I. *а* усилващ; II. *n* лекарство за усилване, усилващо лекарство.

robot ['roubɔt] *n* 1. робот, автомат (*и прен.*); 2. *attr* автоматичен; **~ bomb** реактивен снаряд; **~ pilot** *ав.* автопилот.

robotize ['rɔbətaiz] *v ам.* 1. автоматизирам; 2. превръщам (*някого*) в робот.

robust [rou'bʌst] *а* 1. як, здрав, силен (*и прен.*); 2. здрав (*за дисциплина*); 3. енергичен, жив, укрепващ (*за упражнение и пр.*); тежък, изискващ усилие (*за труд*); 4. ясен, бистър (*за ум*); 5. *ам.* силен (*за кафе, вино*); 6. *ам.* грубоват (*за хумор и пр.*).

robustious [rə'bʌstʃəs] *а* 1. самоуверен, нахакан; 2. шумен; 3. *ост.* = **robust**.

roc [rɔk] *n* гигантска птица от ориенталските приказки.

rocaille [rou'kai] *n фр. изк.* украса, наподобяваща миди и пр., характерна за стила рококо.

rocambole ['rɔkəmboul] *n бот.* рокамбол (Allium scorodoprasum).

rochet ['rɔtʃit] *n църк.* бяла ленена владишка/игуменска одежда.

rock[1] [rɔk] *n* 1. скала, канара; камък; **the R.** Гибралтар; **dwelling cut in the ~** скално жилище; **to run upon the ~s** 1) блъскам се/разбивам се в скалите; 2) *прен.* претърпявам неуспех; **to see ~s ahead** 1) *мор.* виждам (опасни) скали напред; 2) *прен.* виждам опасност/пречки/затруднения; 3. опора, спасение; **R. of Ages** Исус Христос; 4. твърд захарен бонбон, карамел (*във форма на пръчка*) (*обик. в съчет.*); 5. *ам. sl.* диамант; скъпоценен камък; 6. *ам. sl.* често *pl* пара, пари, мангизи; 7. = **~-dove**; 8. = **~-fish**; 9. = **Plymouth Rock**; □ **on the ~s** *разг.* 1) съвсем без пари, загазил, фалирал; 2) в криза (*за брак и пр.*); 3) сервиран с кубчета лед (*за питие*).

rock[2] *v* 1. люлея (се), клатя (се), люшкам (се); олюлявам се; разтърсвам (се) разклащам (се); **to ~ to sleep** приспивам (с люлеене); **~ed in hopes** приспан с надежди; **to ~ the boat** *прен.* създавам опасно положение; 2. зашеметявам; замайвам (*и прен.*); 3. *sl.* смайвам, стряскам; 4. танцувам рок.

rock[3] *n* 1. люлеене, клатене, люшкане; 2. = **rock-and-roll**.

rock[4] *n* хурка.

rockabilly ['rɔkə,bili] *n ам.* вид поп-музика.

rock-and-roll [rɔkən'roul] *n* рок(ендрол).

rock and rye [rɔkən'rai] *n* вид американско уиски.

rockaway ['rɔkəwei] *n ам. ост.* вид карета.

rock-bottom ['rɔkbɔtm] *n* 1. най-ниско ниво; 2. *attr* най-нисък (*за цена и пр.*).

rock-bound ['rɔkbaund] *а* заграден от скали; скалист.

rock-cake ['rɔkkeik] *n* твърда курабия със стафиди.

rock-candy ['rɔkkændi] = **rock**[1] 4.

rock-cork ['rɔkkɔːk] *n минер.* вид азбест.

rock-crystal ['rɔkkristl] *n минер.* прозрачен кварц.

rock-dove ['rɔkdʌv] *n* див/скален гълъб (Columba livia).

rocker ['rɔkə] *n* 1. стол люлка; 2. *pl* кънки с извито острие; 3. *тех.* балансьор, кобилица; кулиса; мотовилка; 4. люлеещо се конче и пр. (*играчка*); 5. *мин.* корито за промиване на злато; □ **off o.'s ~** смахнат, луд; **to go off o.'s ~** побърквам се.

rockery ['rɔkəri] *n* алпинеум.

rocket[1] ['rɔkit] *n* 1. ракета; ракетен двигател; 2. *sl.* остро мърмрене, скастряне; 3. *attr* ракетен, реактивен; **~ propulsion** (движение с помощта на) ракетен двигател.

rocket[2] *v* 1. обстрелвам с ракети; 2. излитам право нагоре; стрелвам се нагоре/напред; политам като стрела; 3. *разг.* повишавам се рязко (*за цени и пр.*); издигам се много бързо (*за човек*).

rocket[3] *n бот.* 1. вечерница (Hesperis matronalis); 2. вид кръстоцветно растение, използувано като салата (Eruca sativa).

rocketeer [,rɔkə'tiə] *n* 1. специалист по ракетна техника; 2. човек, който изстрелва/пилотира ракета.

rocketry ['rɔkitri] *n* ракетна техника.

rock-fall ['rɔkfɔːl] *n* свличане на камъни; свлечени камъни.

Rock fever ['rɔk ,fiːvə] *n мед.* малтийска треска.

rock-fish ['rɔkfiʃ] *n* риба, която се крие в скалите.

rock-garden ['rɔkgɑːdn] = **rockery**.

rock-hewn ['rɔkhjuːn] *а* издялан в скала/камък.

rocking-chair ['rɔkiŋtʃɛə] n стол люлка.
rocking-horse ['rɔkiŋhɔːs] n детско конче люлка.
rock-n-roll = **rock-and-roll**.
rock-oil ['rɔkɔil] n нефт.
rock-pigeon ['rɔkpidʒən] = **rock-dove**.
rock-ribbed ['rɔkribd] a 1. поддържан от/съдържащ скални пластове; 2. ам. твърд, неотстъпчив.
rock-rose ['rɔkrouz] n бот. желтак (Cistus, Helianthemum).
rock-salt ['rɔksɔːlt] n каменна сол.
rock-snake ['rɔksneik] n зоол. питон.
rock-sucker ['rɔksʌkə] = **lamprey**.
rock-tar ['rɔkta:] = **rock-oil**.
rock tripe ['rɔk‚traip] n вид ядивен лишей от рода Umbilicaria.
rock wool ['rɔkwul] n вид изолационен материал.
rock-work ['rɔkwə:k] n 1. = **rockery**; 2. катерене по скали, алпинизъм; 3. арх. зидария, наподобяваща камък.
rocky[1] ['rɔki] a 1. скалист, каменист; **the R. Mountains, the Rockies** Скалистите планини; 2. твърд, неотстъпчив; коравосърдечен; корав, нечувствителен; 3. опасен, труден.
rocky[2] a разг. 1. несигурен, колеблив, нестабилен; заман; 2. пийнал; махмурлия.
rococo [rə'koukou] a, n (в) стил рококо.
rod [rɔd] n 1. пръчка, прът; вейка; 2. бой с пръчки, наказание; 3. жезъл; 4. въдичарски прът; въдичар; 5. мярка за дължина (около 5 м); 6. тех. щанга, лост; бутален прът; теглич; мотовилка; 7. анат. пръчица (в ретината); 8. (пръчковиден) бацил; 9. sl. револвер; пистолет; 10. sl. пенис; 11. библ. племе, род; □ **to kiss the** ~ безропотно понасям бой/наказание; **to have a** ~ **in pickle for s.o.** имам зъб на някого, каня се да накажа/отмъстя на някого; **to make a** ~ **for o.'s own back** сам си навличам беля; **to ride the** ~s ам. sl. пътувам под жп вагон.
rode вж. **ride**[1].
rodent[1] ['roudnt] n зоол. гризач; ~ **officer** работник в службата за борба с гризачи.
rodent[2] a мед. гризещ, разяждащ.
rodeo ['roudiou] n 1. събиране/подбиране на говеда за дамгосване; място, където се събират говеда за дамгосване; 2. каубойски състезания, родео.
rodman ['rɔdmən] n (pl -men) въдичар.
rodomontade[1] [‚roudəmɔn'teid] n 1. самохвалство; 2. attr пълен със самохвалство.
rodomontade[2] v хваля ce, перча ce.
roe[1] [rou] n сърна (Capreolus capreolus) (и ~ **deer**).
roe[2] n 1. хайвер (и hard ~); 2. мляко (на мъжка риба) (и soft ~).
roebuck ['roubʌk] n сръндак, сърнец.
roentgen ['rɔntjən] n 1. рентген; 2. attr рентгенов.
roe-stone ['roustoun] n минер. оолит.
rogation [rou'geiʃn] n 1. обик. pl църк. литания; 2. ист. предлагане на закон за одобрение от народа; закон, предложен за одобрение.
rogation flower [rou'geiʃn‚flauə] n бот. вид телчарка (Polygala).
roger ['rɔdʒə] int 1. радиотел. прието! (за съобщение); 2. sl. дадено! съгласен съм.
rogue[1] [roug] n 1. мошеник, измамник; ~s' **gallery** полицейски архив от снимки на престъпници; ~s' **march** музика, с която се изгонва провинил се войник; 2. шег. пакостник, немирник, калпазанин, дя-

вол; 3. див самец, който живее отделно от стадото (слон и пр.); 4. биол. отклоняващ се от вида екземпляр/вариант/организъм; 5. плашлив кон; 6. мрачен/свиреп човек; 7. бот. бурен, 8. attr свиреп, зъл, подивял (за животно).
rogue[2] v 1. биол. отстранявам отклоняващи се от вида екземпляри/бурени; 2. мамя, измамвам; живея мошенически.
roguery ['rougəri] n 1. мошеничество, измама; 2. немирство, пакостничество, дяволия.
roguish ['rougiʃ] a 1. мошенически, измамнически; 2. дяволит, закачлив; пакостлив.
roil [rɔil] v 1. мътя, размътвам; 2. дразня, досаждам (на).
roily ['rɔili] a 1. мътен, размътен; 2. раздразнен.
roister ['rɔistə] v 1. вдигам шум/врява/гюрултия; веселя ce шумно; лудувам; гуляя; 2. перча ce.
roisterer ['rɔistərə] n 1. гуляйджия; веселяк; 2. перчо.
roistering ['rɔistəriŋ] a 1. шумен; весел; гуляйджийски; 2. наперен.
rôle, role [roul] n фр. роля.
roll[1] [roul] n 1. свитък; руло (и фризура); ролка; топ (плат и пр.); вълмо; топчица (масло и пр.); 2. тех. барабан, ролка; валяк; 3. кифла; малка франзела; руло; 4. списък; регистър; летопис; каталог; **Master of the R.s** началник на държавния архив; ~ **of honour** списък на загиналите за родината; **to strike off the** ~ зачерквам от списъка на адвокатите (поради нечестност и пр.); **to call the** ~ извиквам/проверявам по списък; 5. арх. спирала на йонийска колона; 6. подвит край (на яка и пр.); 7. ек, естене, тътен, тътнеж; 8. непрекъснато биене на барабан; 9. клатушкане, (бордово) клатене; наклоняване; 10. търкаляне; олюляваща се походка; 11. цилиндрична кутия (за документи и пр.); 12. възвишения; вълнообразни очертания; 13. ам. sl. пачка банкноти; спестени пари; 14. ав. двойно преобръщане през крило.
roll[2] v 1. търкалям (ce), (из)търкулвам (ce); валям (ce); овалвам (ce); **heads will** ~ прен. ще има да се търкалят глави, ще има строги наказания; 2. въртя (ce), навивам (ce), завивам (ce), увивам (ce); свивам (ce); запрятам (ръкави и пр.); 3. въртя (очи); въртя ce (за очи); блещя ce; 4. клатя (ce), клатушкам (ce), люшкам (ce); клатя ce като вървя (и **to** ~ **in o.'s gait**); 5. тека (за река, време); влача (води те си — за река); нося ce бавно, влача ce (за облаци); 6. карам/бутам на колела; движа ce, пътувам (с кола и пр.); трополя (за кола); 7. вълнувам ce, нося големи бавни вълни (за море); простирам ce (вълнообразно); 8. еча, ехтя, тътна, гърмя; бия бързо/непрестанно (за барабан, барабан); нося се разнасям ce (за звук); 9. точа (ce), разточвам (ce); източвам (тесто и пр.); 10. стр. пресовам, изравнявам (път и пр.), 11. метал. валцовам; 12. фон. произнасям с вибрации (напр. r); 13. муз. свиря арпежи; 14. ам. sl. претършувам джобовете на, обирам (спящ, пиян човек); 15. ам. започвам; напредвам; задвижвам; **let's get** ~ing хайде да почваме; 16. ам. скитам, бродя; □ **to be** ~ing **money/wealth** много съм богат; **to be** ~ing **in luxu** живея в голям разкош; ~ed **in one** (съединено) едно; и едното, и другото; **saint and philosoph** ~ed **in one** (едновременно) светец и философ; **to** the wine on o.'s tongue пия виното на малки глъ ки; **to** ~ **with a punch** ам. извивам ce, за да изб на силата на удар; **to** ~ **the bones** ам. играя на хвърлям зарове;

roll about 1) *разг.* забавлявам се; заливам се от смях; 2) въртя (се);

roll along 1) движа се, пътувам, напредвам; 2) карам (*количка и пр.*);

roll around идвам, пристигам;

roll away 1) заминавам, отдалечавам се; 2) разсейвам се, разпръсвам се (*за мъгла и пр.*); 3) откарвам се (*с количка и пр.*);

roll back 1) оттеглям се (*за вълни, бойна линия и пр.*); 2) отбивам, давам отпор на (*недоволство и пр.*); 3) връщам (се) в паметта/съзнанието; 4) ам. връщам (*цени*) към предишното равнище, намалявам;

roll by 1) минавам (*с кола и пр.*); 2) минавам, тека (*за време*);

roll in 1) идвам, пристигам; стичаме се, трупаме се; 2) ам. разг. лягам си; 3) гоним се (*за вълни*);

roll off 1) отпечатвам, извъртявам (*на циклостил и пр.*); 2) изтъркулвам, падам; 3) развивам се (*за кълбо*); 4) изреждам бързо, избърборвам;

roll on 1) минавам, тека (*за време*); търкалям се (*за години и пр.*); ∼ **on the day when** по-скоро да дойде денят, когато; 2) обувам, навличам (*чорапи и пр.*);

roll out 1) точа, разточвам (*тесто и пр.*); 2) разстилам (*килим, карта*); 3) изговарям/изричам/прозвучавам ясно/отчетливо; 4) *ам. разг.* ставам (сутрин);

roll over (пре)обръщам (се);

roll round идвам, пристигам;

roll up 1) свивам (се) на кълбо; увивам се; свивам; навивам; 2) запрятам; **to** ∼ **up o.'s sleeves** запрятам ръкави (*и прен.*); 3) трупам (се), натрупвам (се); 4) идвам, пристигам; стичаме се; явявам се (**to** в); 5) *воен.* ограждам (*неприятел*); 6) издигам се на кълба, къдря се (*за дим и пр.*).

rollaway ['rouləwei] *n* сгъваемо/походно легло (*и* ∼ **bed**).

rollback ['roulbæk] *n ам.* общо намаление на цените.

roll-call ['roulkɔ:l] *n воен., уч.* проверка (на присъствуващите), извикване по списък.

rolled [rould] *a* листов; валцован; прокатен; □ ∼ **gold** дубле.

roller ['roulə] *n* 1. валяк; въртящ се цилиндър; ролка; вал; 2. валцовчик; 3. дълга вълна; 4. дълъг навит бинт (*и* ∼ **bandage**); 5. ролка (*за коса*); 6. жълтоклюна чавка/гарга (Coracia garrulis); 7. вид канарче.

roller bearing ['roulə,bɛəriŋ] *n* ролков лагер.

roller coaster ['roulə,koustə] *n* влакче в увеселителен парк.

roller-skate ['rouləskeit] *v* карам ролкови/летни кънки.

roller-skates ['rouləskeits] *n pl.* ролкови/летни кънки.

roller-towel ['roulətauəl] *n* пешкир на ролка.

roll-film ['roulfilm] *n фот.* филм.

rollick ['rɔlik] *v* веселя се, лудувам.

rollicking ['rɔlikiŋ] *a* весел, безгрижен; шумен.

rolling ['rouliŋ] *a* 1. хълмист; 2. разг. много богат.

rolling-mill ['rouliŋmil] *n* 1. валцов/прокатен стан/цех; 2. валцова мелница.

rolling-pin ['rouliŋpin] *n* точилка.

rolling-stock ['rouliŋstɔk] *n* 1. жп. подвижен състав; 2. авт. парк.

roll-neck ['roulnek] *n* широка обърната яка.

roll-off ferry ['roulɔf,feri] *n* феринбот, от който се разтоварват вагони/камиони и пр.

roll-on ['roulɔn] *n* ластичен колан без копчета/връзки.

roll-on ferry ['roulɔn,feri] *n* феринбот, на който се разтоварват вагони/камиони и пр.

roll-over ['roulouvə] *n* преобръщане; прекатурване.

roll-top desk ['roultɔp,desk] *n* бюро с извит сгъваем капак.

roly-poly ['roulipouli] *n* 1. вид руло с мармалад; 2. шишко, дундьо (*обик. за дете*); 3. *attr* шишкав, пълничък.

rom [rɔm] *n* циганин.

Romaic [rou'meiik] **I.** *a* новогръцки, ромейски; **II.** *n* новогръцки/ромейски език.

romaine [rou'mein] *ам.* = **cos**¹.

Roman ['roumən] **I.** *a* 1. римски; **r. alphabet** латинска азбука; **r. numerals** римски цифри; **r. letters/type** *печ.* прав светъл шрифт; ∼ **candle** вид фойерверк; ∼ **nose** орлов нос; ∼ **holiday** 1) (садистично) удоволствие за сметка на другите/на чужд гръб; 2) размирици; 2. католически (*и* ∼ **Catholic**); **II.** *n* 1. римлянин; 2. католик (*и* ∼ **Catholic**); 3. *печ. обик.* **r.** прав светъл шрифт.

Romance [rə'mæns] *a,* романски (език/диалект).

romance¹ [rə'mæns] *n* 1. *лит.* рицарски роман; романс (*и муз.*); 2. любовна история; *прен.* роман; 3. романтика, романтичност; 4. измислица, небивалица.

romance² *v* 1. разказвам небивалици, измислям, фантазирам; украсявам разказа си с измислици, преувеличавам; 2. имам/правя любов (с), ухаждам.

romancer [rə'mænsə] *n* 1. автор на рицарски романи; 2. лъжец фантазьор.

Romanes ['roumənes] = **Romany** 2.

Romanesque [roumə'nesk] *a, n арх.* римски (стил).

roman-fleuve [rouma:n'flə:v] *n фр.* дълъг семеен роман, роман сага.

Romanian [rou'meiniən] **I.** *a* румънски; **II.** *n* 1. румънец; 2.румънски език.

Romanic [rə'mænik] *a* романски.

Romanism ['roumənizm] *n често пренебр.* католицизъм, католичество.

Romanist ['roumənist] *n* 1. католик; 2. специалист по римско право/история; специалист по романските езици.

Romanize ['roumənaiz] *v* 1. покатоличвам (се), приближавам (се) до догмите на католическата църква; 2. *ист.* латинизирам; 3. пиша с латински букви; печатам с латински шрифт.

Romansh [rə'mænʃ] *a, n* реторомански (диалект).

romantic [rə'mæntik] **I.** *a* романтичен; **II.** *n* 1. романтик (*писател и пр.*); 2. *pl* романтични чувства/идеи; излияния.

romantically [rə'mæntikəli] *adv* романтично.

romanticism [rə'mæntisizm] *n* романтизъм.

romanticist [rə'mæntisist] *n* романтик.

romanticize [rə'mæntisaiz] *v* 1. пиша/композирам в романтичен стил; придавам романтичен характер (на); 2. романтик съм, държа се като романтик.

Romany ['rɔməni] *n* 1. циганин; **the** ∼ циганите; 2. цигански език; 3. *attr* цигански.

Rome [roum] *n* 1. Римската империя; 2. католическата църква; □ ∼ **was not built in a day** хубавите неща стават бавно; **when in** ∼ **do as** ∼ **does/as the Romans do** когато си на гости, уважавай обичаите на домакините.

Romish ['roumiʃ] *a пренебр.* католически, попски.

romp¹ [rɔmp] *v* 1. лудувам, палувам; 2. спечелвам/успявам лесно (*особ. при състезание*) (*и с* **in, through**); **to** ∼ **through o.'s exams** вземам си изпитите, без да усетя.

romp² *n* 1. палаво дете, немирник; *ост.* лудетина, мъжка Гана; 2. лудория; игра; **to have a ~/a game of ~s** лудувам; 3. *разг.* лесна победа, лесен успех.

rompers ['rɔmpəz] *n pl* детски гащиризон, ританки.

romping, -ish, -y ['rɔmpiŋ, -iʃ, -i] *a* палав, буен, луд.

rondeau, -el ['rɔndou, -əl] *n проз.* рондо.

rondo ['rɔndou] *n муз.* рондо.

rondure ['rɔndjə] *n книж.* закръгленост.

roneo ['rouniou] *n* циклостил.

Röntgen = roentgen.

rood [ru:d] *n* 1. *ост.* кръст, разпятие; 2. мярка за повърхнина (*около 1 декар*).

rood-arch ['ru:da:tʃ] *n арх.* свод между кораба и хора.

rood-beam ['ru:dbi:m] *n арх.* греда над входа на олтара (с разпятие).

rood-loft ['ru:dlɔft] *n арх.* галерия над преградата между кораба и хора.

rood-screen ['ru:dskri:n] *n арх.* преграда между кораба и хора.

rood-tree ['ru:dtri:] *n ост.* кръст Христов.

roof¹ [ru:f] *n* 1. покрив; 2. таван (на минна галерия); 3. подслон; □ **~ of the mouth** *анат.* (твърдо) небце; **~ of the world** висока планина/плато; **~ of heaven** небосвод небесен свод; **to go through/hit/raise the ~** *разг.* 1) страшно се ядосвам, вдигам пара; 2) вдигам ужасна врява/къщата на главата си; 3) ръкопляскам бурно; **that would put the gilded ~ on it** то ще бъде вече върхът.

roof² *v* покривам (като) с покрив; слагам покрив на (*и с in, over*).

roofer ['ru:fə] *n* 1. работник, който прави/поправя покриви; 2. *разг.* благодарствено писмо след гостуване.

roof garden ['ru:f,ga:dn] *n* градина/ресторант на покрив.

roofing ['ru:fiŋ] *n* (материал за) покрив.

roof-tree ['ru:ftri:] *n стр.* главна хоризонтална греда на покрив.

rooinek ['ru:inek] *n юж.-афр.* нов преселник (*особ. англичанин*).

rook¹ [ruk] *n* 1. полска врана (Corvus frugilegus); 2. измамник, мошеник (*особ. на карти*).

rook² *v* 1. мамя, измамвам (*особ. на карти*); 2. *разг. прен.* скубя, оскубвам (*купувач и пр.*).

rook³ *n шахм.* топ, тур.

rookery ['rukəri] *n* 1. място, където се въдят врани; ято врани; 2. колония от пингвини/тюлени и пр.; 3. бедняшки къщички; разнебитена бедняшка къща с много обитатели.

rookie ['ruki] *n sl.* новобранец, "заек".

room¹ [ru:m] *n* 1. стая, помещение; 2. *pl* квартира, апартамент; 3. място, (празно) пространство; **there is no ~ to turn in/to swing a cat** няма накъде да се обърнеш/завъртиш; 4. *прен.* място, почва, възможност; повод, причина; **there is ~ for improvement** има още да се желае, може да се подобри; **there's no ~ for doubt** няма (място/причини за) съмнение; 5. *ост.* пост, служба; □ **in s.o.'s ~** *ост.* вместо някого; **to prefer s.o.'s ~ to his company** предпочитам някой да го няма, предпочитам да не виждам някого; **to leave the ~** *разг.* отивам в тоалетната.

room² *v ам. разг.* 1. живея, квартирувам (**at** у, **with** с); 2. давам квартира/стая на.

roomer ['ru:mə] *n* квартирант.

rooming house ['ru:(:)miŋ,haus] *n* къща с мебелирани стаи за даване под наем.

roommate ['ru:(:)mmeit] *n* съквартирант.

roomy ['ru:mi] *a* просторен, широк.

roost¹ [ru:st] *n* 1. прът, на който кокошките спят; курник, кокошарник; 2. място за спане; □ **misdeeds/curses come home to ~** лошите дела/клетвите се връщат на този, който ги е извършил/изрекъл; **to come home to ~** прибирам се у дома (*след странствуване*).

roost² *v* 1. лягам си/прибирам се да спя; 2. *ам.* прибирам за спане.

roost³ *n* силен морски прилив.

rooster ['ru:stə] *n* 1. петел; мъжкият на някои други птици; 2. *ам. разг.* перко, фукльо.

root¹ [ru:t] *n* 1. корен (*и анат., ез., прен.*); **to take/strike ~, to put down ~s** вкоренявам се, пускам корен(и); **the ~ of the matter** същината на въпроса; **~ and branch** напълно, из корен, из основи; **to pull up by the ~s** изтръгвам с корена, изкоренявам; **to pull up o.'s ~s** премествам се на ново място/нова работа; започвам нов живот другаде; **to put down new ~s** установявам се на друго място, започвам нов живот другаде; 2. кореноплодно растение; 3. *тех.* впадина (*на резба; зъбно колело*); корен (*на заварчен шев*); 4. *муз.* основен тон (*на акорд*); 5. *библ.* потомък.

root² *v* 1. вкоренявам (се); *прен.* кореня се; 2. внедрявам; **firmly/deeply ~ed** дълбоко внедрен, дълбок; 3. *прен.* приковавам; **to ~ to the ground/spot** приковавам на земята/наместо; 4. *поет.* изтръгвам, отделям(**from**); 5. **to ~ up/out** изкоренявам (*и прен.*).

root³ *v* 1. ровя/рия със зурла; **to ~ (about) for** търся; 2. **to ~ out/up** изравям, намирам (*и прен.*).

root⁴ *v ам. обик. с* **for** 1. насърчавам (*състезател и пр.*) с викове; 2. подпомагам, желая успеха (*на някого*).

rootage ['ru:tidʒ] *n* 1. вкореняване; 2. *бот.* коренна система.

root-crop ['ru:tkrɔp] *n* кореноплодно растение.

rooted ['ru:tid] *a* 1. вкоренен; 2. установен; (дълбоко) внедрен; дълбок.

rooter¹ ['ru:tə] *n* животно, което рови/рие.

rooter² *n ам.* запален привърженик, запалянко.

roothold ['ru:thould] *n* 1. (място за) вкореняване; 2. опора.

rootle ['ru:tl] = **root³.**

rootless ['ru:tlis] *a* без корен (*и прен.*).

root-stalk ['ru:tstɔ:k] *n бот.* ризом.

root-stock ['ru:tstɔk] *n* 1. = **root-stalk**; 2. първоначален източник.

rooty¹ ['ru:ti] *a* 1. пълен с корени; 2. подобен на корен.

rooty² *n воен. sl.* хляб.

rope¹ [roup] *n* 1. въже; 2. *прен.* въже, бесилка; 3. *pl мор.* такелаж, корабни въжета; 4. *pl* въжета (*около боксов ринг и пр.*); **on the ~s** 1) вързани един за друг (*за алпинисти*); 2) *прен.* притиснат до стената, в безизходно положение; 5. плитка, венец (*коса, лук и пр.*); наниз (*от перли и пр.*); 6. *ам.* ласо; 7. луга, лугава/провлачена течност; □ **to know the ~s** ориентиран съм (*в работа и пр.*), познавам си работата; **to put s.o. up to the ~s, to show s.o. the ~s** ориентирам/въвеждам някого (*в работа и пр.*); **to give s.o. plenty of/enough ~ (to hang himself/and he'll hang himself)** давам някому свобода на действие (за да си счупи главата); **to be at/come to the end of o.'s ~** *разг.* изчерпвам/изчерпал съм всичките си сили/възможности, не мога повече, капитулирам; **on the high ~** *sl.* обесен; **on the high ~s** 1) в повишено настроение; 2) надут, наперен.

rope² *v* 1. завързвам с въже(та); влача с въжета; навързвам (*алпинисти*) при катерене (*и с together*); 2. *ам.* хващам с ласо; 3. *сп.* задържам (*кон*), за да не

спечели състезание; **4.** провлачам се (*за течност*);
rope in 1) ограждам с въже(та); 2) *разг. прен.*
хващам, впрягам, въвличам (*в работа, в някакво
движение и пр.*);
rope off преграждам с въже(та);
rope up завързвам/стягам с въже.
rope-dancer['roupdɑːnsə] *n* въжеиграч.
ropemanship ['roupmənʃip] *n* **1.** изкуство на въжеиграч;
2. умение/изкуство на катерач/алпинист.
ropery ['roupəri] *n* **1.** въжарска работилница; **2.** *ост.*
мошеничество.
rope-walk ['roupwɔːk] = **ropery** 1.
rope-walker['roupwɔːkə] = **rope-dancer.**
ropeway ['roupwei] *n* въжена линия.
ropework ['roupwɔːk] *n* **1.** = **ropery** 1; **2.** система от въ-
жета.
ropey = **ropy**.
rope-yard ['roupjɑːd] = **ropery** 1.
rope-yarn ['roupjɑːn] *n* **1.** връв/коноп за въжета; **2.** *прен.*
дребна работа, дреболия.
ropy ['roupi] *a* **1.** провлачен, лугав (*за течност*); **2.**
жилест, мускулест; **3.** *sl.* долнокачествен.
Roquefort ['rɔkfɔː] *n* (сирене) рокфор (*и ~* **cheese**).
rorqual ['rɔːkwəl] *n* вид голям кит (*род* Balaenoptera).
rorty ['rɔːti] *a sl.* весел.
rosace ['rouseis] *n арх.* розет(к)а (*и прозорец*).
rosacean, -eous [rou'zeiʃn, -əs] *a бот.* от семейството на
розите.
rosarian [rə'zɛəriən] *n* **1.** човек, който отглежда рози; **2.**
църк. монах розарианец.
rosarium [rə'zɛəriəm] *n* розариум, розова градина.
rosary ['rouzəri] *n* **1.** = **rosarium; 2.** *църк.* молитвена
броеница; (серия) молитви.
rose[1] [rouz] *n* **1.** роза; **2.** розов цвят, розово; **old ~**
тъмнорозово; **3.** розет(к)а (*и ел., арх.*); **4.** сито (*на
лейка, душ*); разпръсквач; пулверизатор; **5.** (изряз-
ване на) диамант (като) розетка; **6.** *разг.* the ~
червен вятър (*болест*); □ **it is not all ~s** не е тол-
кова лесно; **to gather life's ~s** търся удоволствията
в живота, наслаждавам се на живота; **life is not a
bed of ~s, life is not ~s all the way** животът не е
само удоволствия/не е толкова лек; **to have ~s in
o.'s cheeks** имам румени бузи, на бузите ми цъф-
тят рози; **to bring back the ~s to s.o.'s cheeks** пра-
вя пак да заруменеят бузите на някого, възвръ-
щам здравето/щастието на някого; **under the ~**
тайно, поверително.
rose[2] *вж.* **rise**[1].
roseate ['rouziət] *a книж.* розов.
rose-bay ['rouzbei] *n бот.* **1.** рододендрон; **2.** олеандър;
3. теснолистна върбулика (Epilobium angustifolium).
rosebud ['rouzbʌd] *n* **1.** розова пъпка; **2.** хубаво момиче.
rose-chafer ['rouztʃeifə] *n зоол.* обикновена бронзовка
(Cetonia aurata).
rose-coloured ['rouz,kʌləd] *a* розов (*и прен.*); **to see things
through ~ glasses/spectacles** виждам нещата през ро-
зови очила.
rose-cut ['rouzkʌt] *a* шлифован във форма на розетка
(*за диамант и пр.*).
rose-diamond ['rouzdaiəmənd] *n* диамант розетка.
rose-hip ['rouzhip] *n* шипка (*плод*).
rose-leaf ['rouzliːf] *n* лист на роза, розов лист; □
crumpled ~ дребна неприятност, която разваля на-
строението.
rose-mallow ['rouzmælou] *n бот.* **1.** ружа (Althaea); **2.**
хибискус.
rosemary ['rouzməri] *n бот.* розмарин.
rose-noble ['rouznoubl] *n ост.* английска златна монета.

rose of May ['rouzəvmei] *n* бял нарцис.
rose of Sharon ['rouzəvʃɛərən] *n* **1.** жълт кантарион, звъ-
ника (Hypericum); **2.** хибискус.
roseola, rose-rash [rou'ziələ, 'rouzræʃ] *n мед.* розеола.
rose-root ['rouzruːt] *n бот.* вид тлъстига (Sedum).
rosery ['rouzəri] *n* = **rosarium.**
rose-water ['rouzwɔːtə] *n* **1.** розова вода; **2.** *attr* превзето
сантиментален/деликатен.
rose-window ['rouzwindou] *n арх.* прозорец розет(к)а.
rosewood ['rouzwud] *n* палисандрово дърво.
Rosicrucian [rouzi'kruːʃn] *n* член на тайно дружество за
окултизъм.
rosily ['rouzili] *adv* **1.** розово (*и прен.*); **2.** весело, опти-
мистично.
rosin[1] ['rɔzin] *n* дървесна смола; колофон.
rosin[2] *v* натърквам с колофон.
roster[1] ['rɔstə, 'roustə] *n* **1.** *воен.* разписание на дежур-
ства и пр.; **2.** *разг.* списък.
roster[2] *v* включвам в списък.
rostra *вж.* **rostrum.**
rostral ['rɔstrəl] *a* **1.** *арх.* рострален, украсен с изобра-
жение на корабен нос; **2.** *зоол.* на зурлата/клюна.
rostrate ['rɔstreit] *a* **1.** = **rostral** 1; **2.** *зоол.* със зурла/
клюн.
rostrum ['rɔstrəm] *n* (*pl* **-s, -ra** [-rə]) **1.** трибуна; **2.** извит
украсен нос на (стар боен) кораб; **3.** *зоол.* клюн;
зурла.
rosy ['rouzi] *a* **1.** розов (*и прен.*); румен; **2.** весел, опти-
мистичен, *прен.* светъл.
rot[1] [rɔt] *v* (-tt-) **1.** гния, загнивам, изгнивам (*и прен.*);
причинявам гниене; плесенясвам; разлагам се (*и
прен.*); **to ~ off** изгнивам и падам (*за клон и пр.*);
2. *sl.* шегувам се, закачам се.
rot[2] *n* **1.** гниене, загниване; гнилост; плесен; **2.** *вет.*
метил; **3.** *sl.* глупости; **4.** поквара, развала; демо-
рализация; поредица провали/неуспехи.
rota ['routə] *n* **1.** = **roster**[1]; **2.** R. върховен съд на като-
лическата църква.
Rotarian [rou'tɛəriən] **I.** *a* ротариански; **II.** *n* ротарианец,
член на ротарианския клуб.
rotary ['routəri] **I.** *a* въртящ се; въртелив; ротационен;
ротативен; **II.** *n* **1.** *тех.* пробивна машина за вър-
теливо сондиране; ротационен компресор; **2.** *печ.*
ротационна машина; **3.** *ам. авт.* площад/пресечка
с еднопосочно движение; **4.** the R. световното ро-
тарианско дружество.
Rotary Club ['routəri,klʌb] *n* ротариански клуб, дру-
жество за обществена дейност с представители на
различни професии.
rotary fan ['routəri,fæn] *n* вентилатор.
rotatable [rou'teitəbl] *a* въртящ се.
rotate[1] [rou'teit] *v* **1.** въртя (се); **2.** редувам (се), сменям
(се) подред.
rotate[2] [rou'teit] *a бот.* с форма на колело; кръгъл.
rotation [rou'teiʃn] *n* **1.** въртене; завъртане; **2.** редуване,
сменяване, смяна, периодично повтаряне; **by/in ~**
на смени, подред; **~ of crops** сеитбообращение.
rotative ['routətiv] *a* ротативен, ротационен; редуващ
се.
rote[1] [rout] *n* **1.** механично запомняне/повтаряне; **by
~** наизуст; **2.** *ам.* рутина.
rote[2] *n ам.* шум на вълни/прибой.
rote[3] *n* средновековен струнен инструмент.
rotgut ['rɔtgʌt] *n* долнокачествено спиртно питие.

rotifer ['rɔtifə] n зоол. ротатория.

rotisserie [rɔ'tisəri] n фр. 1. заведение, където се сервира скара; 2. скара (прибор).

rotor ['routə] n 1. тех. ротор; работно колело (на турбина); 2. ав. носещо витло, ротор.

rotten ['rɔtn] a 1. гнил, изгнил, загнил, прогнил (и прен.); 2. разяден, прояден; метиляв; 3. sl. долен, морално пропаднал; 4. sl. отвратителен, калпав, негоден, никакъв; \ to feel ~ не ми е добре, не ме бива, хич ме няма; □ ~ borough ист. гнила паланка; град, избирателната колегия на който е съществувала само от името.

rotter ['rɔtə] n sl. негодник.

rotund [rou'tʌnd] a 1. кръгъл; закръглен; пълничък, 2. звучен, плътен (за глас); 3. високопарен, цветист (за стил и пр.).

rotunda [rou'tʌndə] n арх. ротонда.

rotundity [rou'tʌnditi] n 1. кръгла форма; 2. закръгленост, пълнота; 3. звучност, плътност (на глас); 4. високопарност (на стил и пр.).

roturier [rou'tjuəriei] n фр. плебей.

rouble ['ru:bl] n рус. рубла.

roué ['ru:ei] n фр. развратник.

rouge[1] [ru:ʒ] n 1. червило, руж; 2. крокус, червен прах за полиране.

rouge[2] v 1. начервявам (се), червя (се); 2. зачервявам се.

rouge[3] n футб. меле.

rough[1] [rʌf] a 1. груб; грапав, неравен (за повърхност); остър (за плат и пр.); загрубял (за ръце и пр.); рошав, несресан; рунтав; див (за местност); 2. груб, неизгладен (и прен.); необработен; неизлъскан, нешлифован; in the ~ state 1) необработен; 2) необязден (за кон); ~ grazing паша на естествено пасище; ~ work груба работа; 3. приблизителен, груб (за изчисление и пр.); at a ~ guess приблизително; ~ justice почти справедливо отношение; 4. развълнуван, бурен (за море); 5. буен, бурен (за вятър, време); ~ passage 1) лошо пътуване по море, пътуване в бурно море; 2) прен. тежко преживяване; 6. буен, разбунтуван (за дете, тълпа); 7. груб (за обноски, език и пр.); невнимателен; невъзпитан; просташки, грубиянски; брутален; жесток; to give s.o. (a lick with) the ~ side/edge of o.'s tongue наругавам/нарязвам някого; ~ customer грубиян; ~ usage грубо отношение, грубост; ~ work/sl. stuff 1) насилие; 2) сп. грубо нарушение; to call s.o. ~ names ругая някого; ~ elements хулигани, грубияни; ~ quarters of a town квартали, където вилнеят хулигани, престъпници и пр.; ~ handling грубо отнасяне; 8. груб, остър, дрезгав, дразнещ; 9. лош, суров, тежък, труден (за живот и пр.); to have a ~ time (of it) 1) живея зле, търпя лишения, тегля; 2) изтеглям (си), изпащам (си); to give s.o. a ~ time измъчвам/тормозя някого; it is ~ (luck) on him не му е леко, жалко за него; 10. стипчив, тръпчив; 11. фон. аспириран, с придихание.

rough[2] n 1. неравност (на терен); грапава страна на нещо; 2. голф неравна част на игрище; 3. the ~ незавършен вид; in the ~ 1) в незавършен вид; 2) приблизително, горе-долу; 4. неприятна страна, трудност; to take the ~ with the smooth приемам нещата както са, понасям спокойно превратности-

те на съдбата; 5. хулиган, грубиян; бандит; 6. шип (на подкова на кон).

rough[3] v 1. правя неравен; правя грапавини/шипове; слагам/правя шипове на подковата на кон; 2. нахвърлям в общи черти (и с in, out); 3. започвам обработката на (диамант и пр.); 4. to ~ up 1) разрошвам (коса и пр.); 2) sl. бия, набивам; малтретирам; 5. to ~ it понасям несгоди/лишения/неудобства; живея при лоши/сурови условия; □ to ~ s.o. up the wrong way раздразням някого.

rough[4] adv 1. грубо, сурово, жестоко; 2. тежко, с лишения; to sleep ~ спя на открито/където намеря.

roughage ['rʌfidʒ] n груба храна.

rough-and-ready ['rʌfən'redi] a 1. направен набързо/как да е, импровизиран, временен; нахвърлян; 2. груб, но ефикасен; ~ methods груби, но ефикасни методи; ~ fellow грубоват, но енергичен човек, човек без фасони/преструвки.

rough-and-tumble ['rʌfən'tʌmbl] I. a безреден; объркан; шумен, буен; II. n (общ) бой, меле, сборичкване, схватка.

rough-cast[1] ['rʌfka:st] n 1. стр. хоросан; 2. грубо изработен модел/план, скица.

rough-cast[2] v (-cast) 1. стр. измазвам с хоросан; 2. нахвърлям (план и пр.), скицирам.

rough-dry ['rʌfdrai] v изсушавам, без да гладя.

roughen ['rʌfn] v правя/ставам груб/неравен/грапав; загрубявам; правя да загрубее.

rough-footed ['rʌf,futid] a с пера по краката

rough-hew['rʌfhju:]v (-hewed [-hju:d];-hewn[-hju:n]) оформявам/изработвам грубо; скицирам.

rough-hewn ['rʌfhju:n] a 1. грубо изработен; скициран; 2. прен. недодялан.

rough-house[1] ['rʌfhaus] n sl. сбиване, сборичкване.

rough-house[2] v sl. 1. бия се, боричкам се; буйствувам; 2. понатупвам; 3. закачам

roughleg ['rʌfleg] n зоол. северен/пернатоног/гащат мишелов (Buteo lagopus).

rough-leged ['rʌf,leigd] a с космати/пернати крака.

roughly ['rʌfli] adv 1. грубо; 2. приблизително, горе-долу.

rough-neck ['rʌfnek] n ам. sl. 1. грубиян, хулиган; 2. работник на нефтена сонда.

roughness ['rʌfnis] n 1. грапавост, грапавина, неравност; грубост; загрубялост; рунтавост; рошавост; 2. необработеност; 3. бурност (на море); вълнение; буйност; 4. грубост, простащина, грубиянство; бруталност, жестокост; 5. острота, дрезгавост; 6. суровост, тежки условия (на живот); 7. стипчивост, тръпчивост.

rough-rider ['rʌfraidə] n 1. човек, който обяздва коне; 2. човек, свикнал да язди дълго и по лоши пътища.

rough-shod ['rʌfʃɔd] a 1. подкован с издадени шипове; 2. насилнически, груб; □ to ride ~ over отнасям се грубо/арогантно с; пренебрегвам/погазвам грубо.

rough-spoken ['rʌf,spoukn] a с груб език.

rough-up ['rʌfʌp] n sl. бой, сборичкване.

rough-wrought ['rʌfrɔ:t] a подработен; недообработен.

roulade [ru:'la:d] n фр. муз., готв. рулада.

roulette [ru:'let] n фр. 1. рулетка (хазартна игра); 2. перфоратор (за марки и пр.).

Roumanian [ru'meiniən] = **Romanian.**

Roumansh [ru'mænʃ] = **Romansh.**

round [raund] a 1. кръгъл, объл; цилиндричен; 2. закръглен, заоблен; пълен, прегърбен; движещ се в кръг; (за)обиколен; 3. фон. закръглен, лабиален; 4. звучен, плътен, мек; 5. изгладен, гладък, завършен (за стил, изречение); 6. значителен, добър; good ~

sum значителна сума; **to go at a good ~ pace** вървя бързо/енергично; **7.** цял, пълен; **~ dozen** цяла/кръгла дузина; **~ ton** цял тон; **~ figures/numbers** цели числа; **8.** приблизителен, закръглен (*за числа*); **9.** откровен, прям; недвусмислен; грубоват; **in ~ terms** недвусмислено, направо; малко грубо; **~ unvarnished tale** гола/чиста истина; **10.** ярък, жив (*за описание, образ*).

round² *n* **1.** кръг, окръжност; **2.** завъртане; кръгово движение; **3.** кръгло парче (*хляб и пр.*); сандвич; **~ of beef** дебело парче говежди бут; **4.** обиколка; тур; инспекция; патрул; **to go the/to make o.'s ~s** посещавам пациентите си; обхождам участъка си; **to be on o.'s ~s** в обиколка съм; по инспекция съм; **to go the ~s of** минавам от човек на човек/от място на място; пръскам се из, преминавам из (*за новина*); **5.** серия, редица, цикъл; рутина; **the daily ~** всекидневието, всекидневната рутина; **the earth's yearly ~** смяната на сезоните; **~ of pleasures** поредица от удоволствия; **~ of drinks** по чаша (питие) за всички (присъствуващи); **to stand a ~ of whisky** черпя всички по едно уиски; **6.** *сп.* рунд; тур; етап; **7.** изстрел; залп; патрон; снаряд; **~ after ~ of cheers/applause** непрекъснати аплодисменти, буря от аплодисменти; **8.** *муз.* канон; **9.** = **round dance**; **10.** обла летва; пречка, стъпало (*на подвижна стълба*); пречка, пръчка (*отдолу на стол*); **11.** *изк.* скулптура (*не релеф*); **in the ~ 1)** изк. изваян, скулптиран; **2)** *театр.* със сцената в средата на залата; **3)** *прен.* описан/осветлен всестранно/от всички страни.

round³ *v* **1.** закръглям (се), заоблям (се); **2.** *фон.* лабиализирам (се); **3.** заобикалям, обикалям/минавам около/край; **to ~ a corner** свивам зад ъгъл; **4.** завършвам, придавам завършен вид на (*често с off, out*); **5.** *мат.* закръглявам (*число*) (*често с off*);
   round down намалявам (*цена и пр.*) чрез закръгляне;
   round off 1) = **round³ 4; 2)** = **round³ 5; 3)** изглаждам, закръглям (*ръб и пр.*);
   round on нахвърлям се върху (*и прен.*);
   round out 1) = **round³ 4; 2)** закръглям се, понапълнявам; **3)** допълвам (*с подробности и пр.*);
   round up 1) събирам; подбирам (*говеда*); **2)** арестувам, прибирам; **3)** повишавам (*цена и пр.*) чрез закръгляне;
   round upon = **round on**.

round⁴ *adv* **1.** наоколо; в кръг; кръгом; със заобикаляне; **to turn/run ~ and ~** въртя се/тичам в кръг; **room hung ~ with pictures** стая, цялата накачена с картини; **taken all ~** общо взето; **it's a long way ~** много се заобикаля (ако вървим по този път); **to take the longest way ~** тръгвам по най-дългия/най-обиколния път; **all the year ~** през цялата година; **2.** от човек на човек; от място на място; **to hand/pass ~** поднасям/раздавам на всички; **to send ~** разпращам; **there's not enough to go ~** няма да стигне/да има за всички; **3.** насам; тук; **bring my car ~** докарайте ми колата; **if you happen to be ~** ако случайно си насам/имаш път насам; **to ask s.o. ~** поканвам някого у дома си.

round⁵ *prep* **1.** около; **all/right ~ the lake, etc.** около цялото езеро и пр.; **to argue ~ and ~ a subject** споря все около един въпрос (*без да го засягам пряко*); **2.** около, към, приблизително (*и* **about**); **3.** из, по; **all ~** навсякъде по, из целия град; **4.** зад, оттатък.

round⁶ *v* ост. шепна.

roundabout ['raundəbaut] **I.** *a* **1.** (за)обиколен; **2.** със заобикалки; **in a ~ way** със заобикалки; **3.** пълен, закръглен (*за човек*); **II.** *n* **1.** обиколка, обиколен път;

2. *авт.* площад/пресечка с еднопосочно движение; **3.** въртележка (*на панаир и пр.*); **what you lose on the swings you make on the ~s** нямаш ни печелба, ни загуба; **4.** *ам.* къс тесен мъжки жакет.

round-arm ['raunda:m] *a* сп. извършен с хоризонтално махово движение (*за удар*).

round-backed ['raundbækt] *a* с извит гръб, прегърбен; гърбав.

round dance ['raund͵da:ns] *n* **1.** хоро; **2.** танц, при който двойките се въртят в кръг.

roundel ['raundl] *n* **1.** кръгче, диск; **2.** медальон; **3.** арх. кръгла ниша/прозорец/кула; **4.** *проз.* рондо; **5.** = **round dance**; **6.** *воен. ав.* отличителен знак на самолет (*показващ националността*).

roundelay ['raundəlei] *n* **1.** песничка с рефрен; **2.** = **round dance**; **3.** *ост.* птича песен.

rounder ['raundə] *n* **1.** инструмент/работник, който изглажда/закръгля (*ръбове и пр.*); **2.** *ам. sl.* безделник, лентяй; пияница; **3.** *pl с гл. в sing* вид игра с топка и бухалка; един рунд на тази игра.

round game ['raund͵geim] *n карти* игра без партньори.

roundhand ['raundhænd] *n* кръгло едро изписване на букви; кръгъл едър почерк.

Roundhead ['raundhed] *n ист.* парламентарист, пуританин (*по време на Кромуел, XVII в.*).

roundheaded ['raundhedid] *a* **1.** кръглоглав; **2.** пуритански.

round-house ['raundhaus] *n* **1.** *мор.* кабина/кабини към кърмата на кораб; **2.** *жп.* ремонтно депо; **3.** *ост.* арест, арестантска килия; **4.** *ам. sl. бокс* удар с широко махово движение на ръката.

roundly ['raundli] *adv* **1.** енергично, живо; **2.** направо, без заобикалки, грубо.

roundness ['raundnis] *n* закръгленост.

round robin ['raund͵robin] *n* **1.** петиция, в която подписите са в кръг (*за да не личи чие име е първото*); **2.** *ам.* турнир (*на шах и пр.*), при който всеки състезател трябва да играе с всички други; **3.** *ам.* конференция; обсъждане; участници в конференцията; **4.** *ам.* писмо/циркуляр, изпратен до членове на организация и пр.

round-shot ['raundʃɔt] *n* воен. ист. топовен снаряд.

roundsman ['raundzmən] *n* (*pl* **-men**) **1.** търговски помощник, който доставя стоки/приема поръчки по домовете; **2.** *ам.* районен полицейски инспектор.

round table ['raund͵teibl] *n* **1.** кръгла маса; **2.** *прен.* конференция на кръглата маса (*и* **~ conference**); ☐ **the R.T.** кръглата маса, на която са седели рицарите на крал Артур.

round-top ['raundtɔp] *n* мор. марс.

round trip ['raund͵trip] *n* **1.** обиколка; отиване и връщане; **2.** *attr* обиколен; за отиване и връщане.

round-up ['raundʌp] *n* **1.** събиране/подбиране на говеда; събрани/подбрани говеда; говедари, които ги събират; **2.** арестуване на заподозрени лица; **3.** преглед (*на събития и пр.*); резюме, обобщение; **4.** антология.

round worm ['raund͵wə:m] *n* кръгъл червей, нематод.

roup [ru:p] *n вет.* дифтерит по кокошките.

rouse¹ [rauz] *v* **1.** събуждам (се), пробуждам (се), разбуждам (се) (*и прен.*); **2.** раздвижвам, стресвам; предизвиквам, раздразням, ядосвам; **to ~ s.o. to action** подбуждам някого към действие; **to ~ o.s. прен.** раздвижвам се, размърдвам се; **3.** бъркам, разбърквам (*течност*); **4.** *мор.* вдигам, издигам, дърпам, тегля (**in, out, up**); **5.** *лов.* изплашвам, вдигам (*дивеч*).

rouse² *n* 1. *воен.* заря; 2. разтърсване, раздвижване (*и прен.*).

rouse³ *n ост.* 1. чаша вино и пр.; 2. наздравица; 3. гуляй.

rouseabout ['rauzəbaut] = roustabout.

rouser ['rauzə] *n sl.* 1. нещо изключително/забележително; 2. опашата лъжа.

rousing ['rauziŋ] *a* 1. въодушевяващ, вдъхновяващ; възбуждащ; 2. възторжен; 3. буен (*и за огън*); оживен (*за търговия и пр.*); 4. *разг.* изключителен, знаменит; 5. *разг.* нагъл, опашат (*за лъжа*).

roust [raust] *v* 1. = rouse¹ 1; 2. *ам. разг.* измъквам (от леглото) (*и с* up); 3. to ~ out *ам. разг.* изхвърлям; *прен.* изритвам.

roustabout ['raustəbaut] *n ам.* 1. пристанищен работник; прост моряк; 2. общ работник (*в нефтена рафинерия, цирк и пр.*).

rout¹ [raut] *n* 1. разгром, пълно поражение; безредно бягство/отстъпление; to put to ~ разгромявам напълно; обръщам в безредно бягство; 2. тълпа, навалица; сбирщина; 3. *юр.* група нарушители на обществения ред; нарушение на обществения ред; 4. изплашена/разбунтувана тълпа; 5. шум, бъркотия; безредици; 6. *ост.* (голяма) вечеринка; тържество; прием.

rout² *v* разгромявам; обръщам в бягство; дезорганизирам напълно.

rout³ *v* 1. рия, ровя (*и с* about); 2. to ~ out/up измъквам, вдигам (*от легло, скривалище и пр.*); 3. to ~ out/up изнамирам, откривам, измъквам; 4. изрязвам, гравам (*и с* out).

rout⁴ *v диал.* рева (*за говедо*).

route¹ [ru:t] *n* 1. маршрут; курс; път (*и прен.*); bus ~ автобусна линия; en ~ на път (for); 2. *воен.* (*и* [raut]) заповед за поход; ~ march 1) учебен поход; 2) походна крачка/стъпка (*и* ~ step); 3. *ам.* определен район (*за доставки и пр.*).

route² *v* определям маршрута на; изпращам по определен маршрут.

routeman ['ru:tmən] *n* (*pl* -men) *ам.* доставчик на даден район; лице, което разпределя работата на такива доставчици.

routine [ru:'ti:n] *n* 1. рутина; установен/заведен ред, практика; the day's ~ редовната/ежедневната работа; 2. често повтаряна фигура (*при танц и пр.*); 3. *театр.* често повтарян номер; 4. *изч. тех.* програма; 5. *attr* редовен, установен, обикновен, обичаен; рутинен; шаблонен.

routinism ['ru:tinizm] *n* рутинерство; формализъм.

routinize ['ru:tinaiz] *v ам.* превръщам в рутина, рутинирам.

roux [ru:] *n фр. готв.* запръжка от масло и брашно.

rove¹ [rouv] *v* 1. скитам, странствувам, бродя; блуждая, лутам се; 2. преброждам; 3. блуждая (*за очи*);4. *ост.* пиратствувам.

rove² *n* скитане, бродене; блуждаене.

rove³ *v текст.* флаеровам (*вълна и пр.*), приготвям за предене.

rove⁴ *в.ж.* reeve².

roven *в.ж.* reeve².

rover ['rouvə] *n* 1. скитник; 2. непостоянен човек; 3. *ист.* пират; пиратски кораб; 4. старши бойскаут; 5. случаен предмет, избран за прицел при стрелба с лък; at ~s 1) по далечен прицел; 2) наслуки; по предположение.

roving ['rouviŋ] *a* скитнически; свързан с много пътуване; ~ commission работа, свързана с много пътуване; ~ ambassador посланик на разположение; □ ~ eye склонност да се заглеждам в хубави жени.

row¹ [rou] *n* 1. ред, редица; поредица; in a ~ 1) в една редица/линия; 2) *разг.* един подир друг; for five days in a ~ пет дни наред/вече; in the front ~ на първия ред; 2. улица (*често в имена*); □ hard/long/stiff ~ to hoe тежка работа, зор; it doesn't amount to a ~ of beans/pins пет пари не струва; ~ house *ам.* една от редица къщи, построени на калкан.

row² *v ряд.* нареждам в редици (*и с* up).

row³ *v* 1. греба, карам лодка с гребла; карам/разхождам/прекарвам с лодка; 2. участвувам в състезание по гребане; заемам (*дадено място*) в гребна лодка; 3. имам (*даден брой*) гребла (*за лодка*); row down настигам (*при гребни състезания*); row out изтощавам от гребане.

row⁴ *n* 1. гребане; разстояние, изминато с гребна лодка; 2. разходка с гребна лодка.

row⁵ [rau] *n* 1. шум, глъчка, врява; hold your ~ *sl.* млъкни, затваряй си устата; what's the ~? какво става? 2. кавга, караница, свада; сбиване, бой; скандал; to kick up/make a ~ вдигам скандал, ругая, правя сцена; to be (always) ready for a ~ голям скандалджия съм; to get into a ~ ругаят ме, вдигат ми скандал.

row⁶ [rau] *v разг.* ругая; карам се (with).

rowan ['rouən] *n* 1. самодивско дърво, офика (Sorbus aucuparia); 2. плод на това дърво (*и* ~ berry).

row-boat ['roubout] *n* гребна лодка.

rowdy ['raudi] I. *a* груб, свадлив, шумен; II. *n* грубиян, хулиган.

rowdyism ['raudiizm] *n* хулиганство, хулиганско държание.

rowel¹ ['rauəl] *n* колелце на шпора.

rowel² *v* (-ll-) бодвам, пришпорвам.

rowen ['rauən] *n* 1. отава; втора коситба; 2. неразорана угар, оставена за пасище.

rowing-boat ['rouiŋbout] = row-boat.

rowlock ['rɔlək, 'rʌlək, *ам.* 'roulək] *n мор.* ключ за гребло.

royal ['rɔi(ə)l] I. *a* кралски, царски; R. Institution Кралски британски институт за разпространение на научни знания; 2. царски, величествен; великолепен; разкошен; to have a ~ time прекарвам чудесно; to be in ~ spirits в отлично настроение съм; II. *n* 1. кралска/царска особа; 2. елен с напълно развити рога; 3. *мор.* бомбрамсел; 4. *печ.* голям формат хартия; 5. *ост.* вид златна монета; □ the R.s 1) Кралският шотландски полк; 2) Кралската флота.

royal fern ['rɔiəl,fə:n] *n бот.* осмунда (Osmunda regalis).

royalist ['rɔiəlist] *n* 1. роялист, монархист; 2. *ам.* магнат — краен реакционер; 3. *attr* роялистки, монархически.

royal jelly ['rɔiəl,ʤeli] *n* пчелно млечице.

royal mast ['rɔiəl,ma:st] = royal II, 3.

royal stag ['rɔiəl,stæg] = royal II, 2.

royalty ['rɔi(ə)lti] *n* 1. кралско/царско достойнство; 2. кралска/царска особа; кралски особи; член на кралското семейство; 3. право/привилегия, получена от краля; 4. *pl* хонорар, възнаграждения (*под форма на процент от прихода*); 5. *мин.* възнаграждение, заплатено на собственика на земя за експлоатиране на подземни богатства.

rozzer ['rɔzə] *n sl.* полицай.

rub¹ [rʌb] *v* (-bb-) 1. трия (се), търкам (се); разтривам, разтърквам; натърквам, натривам; to ~ dry изтривам до сухо; изсушавам; **to ~ o.'s hands** потривам ръце (*и прен.*); **2.** протривам (се), протъркам (се); **to ~ sore** протривам до кръв; **3.** *ам.* дразня, раздразням; □ **to ~ shoulders/elbows with** общувам с (*обик. знатни хора*); **to ~ s.o. (up) the wrong way** раздразвам някого (*с нетактично държане*);

rub along *разг.* 1) карам я някак, преживявам; 2) карам, разбирам се, погаждам се (**with**);

rub away 1) трия/търкам непрекъснато; 2) изтривам (се), изличавам (се); премахвам (*болка*) чрез разтриване;

rub down 1) почиствам, тимаря (*кон*); 2) правя фрикция, изтривам, изтърквам; 3) изтърквам (*стена и пр.*); шлифовам;

rub in 1) натърквам, втривам; 2) натяквам; втълпявам, постоянно повтарям/изтъквам; **no one likes his faults being ~bed in** никой не обича постоянно да му се изтъкват грешките; **don't ~ it in, stop ~bing it in** стига си натяквал;

rub off 1) изтривам (се), изтърквам (се), изличавам (се); 2) *прен.* заличавам (се), намалявам (се) (*за ефект и пр.*); 3) **to ~ off onto/on to** *разг.* преминавам на, отразявам се на; *прен.* заразявам;

rub on 1) натривам; 2) = **rub along**;

rub out 1) изтривам (се), изличавам (се); 2) *ам. sl.* убивам, пречуквам, очиствам;

rub through 1) претривам през; 2) карам я, оправям се;

rub up 1) изтривам, излъсквам; 2) *разг.* опреснявам (*знания*); освежавам (*памет и пр.*); 3) **to ~ up against** отривам се о (*стена и пр.*); срещам случайно.

rub² *n* **1.** триене, търкане; натриване, натъркване; разтриване, разтривка; **2.** неравност на терен, **3.** пречка, затруднение; **the ~ is that** пречката/работата е там, че; **there's the ~** това е трудното; **4.** подигравка, присмех; неприятност; **5.** протрито място.

rud-a-dub ['rʌbə‚dʌb] *n* барабанен бой, барабанене.

rubber¹ ['rʌbə] *n* **1.** гума; каучук; **2.** гумичка; приспособление за триене; **3.** предмет, направен от гума; галош; *ам.* автомобилна гума; гуми на автомобил; **4.** човек, който трие/търка; масажист; телях; полировчик; **5.** брус, точило; брусовка, пила за груба обработка; **6.** *sl.* презерватив; **7.** *attr* гумен, каучуков.

rubber² *n* *карти* робер.

rubberize ['rʌbəraiz] *v* гумирам, импрегнирам с каучук.

rubberneck¹ ['rʌbənek] *n ам. sl.* **1.** (*досадно*) любопитен човек; **2.** турист, екскурзиант; **~ wagon** автобус за туристи; **3.** *attr* досадно любопитен.

rubberneck² *v ам. sl.* **1.** гледам/разглеждам/зяпам с любопитство; **2.** протягам врат да видя.

rubber plant ['rʌbə‚plɑ:nt] *n* **1.** каучуконосно растение (Ficus, Hevea); **2.** фикус, каучуконосна смокиня (Ficus elastica).

rubber stamp ['rʌbə‚stæmp] *n* **1.** гумен печат; **2.** *разг.* човек без собствено мнение/преценка; бюрократ; **3.** *ам. разг.* клише; **4.** *ам. разг.* рутинно/безкритично одобрение.

rubber-stamp *v* **1.** подпечатвам, слагам печат на; **2.** одобрявам/приемам безкритично.

rubbery ['rʌbəri] *a* **1.** като гума; еластичен; **2.** жилав, здрав.

rubbing ['rʌbiŋ] *n* копие (*от модел и пр.*), получено чрез триене върху хартия.

rubbish ['rʌbiʃ] *n* **1.** смет, боклук (*и прен.*), отпадъци; **2.** глупости, безсмислици.

rubble ['rʌbl] *n* **1.** натрошен камък; баластра, чакъл; **2.**

стр. неодялан камък; зидария от неодялан камък; **3.** натрупани отломъци/останки; **to reduce to ~** превръщам в куп камъни, разрушавам напълно; **4.** *прен.* отломки.

rubblework ['rʌblwə:k] = **rubble** 2.

rubdown ['rʌbdaun] *n* фрикция, разтривка, масаж.

rube [ru:b] *n ам. sl.* **1.** селяндур; **2.** наивник.

rubella, rubeola [ru:'belə, ru:'biələ] *n мед.* рубеола.

Rubicon ['ru:bikən] *n* р. Рубикон; □ **to pass/cross the ~** правя решителна крачка; вземам окончателно/безвъзвратно решение.

rubicund ['ru:bikənd] *a* румен, червендалест.

rubidium [ru'bidiəm] *n хим.* рубидий.

rubiginous [ru'biʤinəs] *a* ръждивочервен.

rubious ['ru:biəs] *a поет.* рубиненочервен.

ruble — **rouble**.

rubric ['ru:brik] *n* **1.** рубрика; заглавие/пасаж, написан с червени/отличаващи се букви; **2.** *рел.* литургическо правило, вмъкнато в молитвеник; *прен.* правило, упътване; редакторска забележка; **3.** отличителен знак/извивка след подпис; **4.** *минер.* хематит; **5.** *attr* червен(икав); отбелязан с червено.

rubricate ['ru:brikeit] *v* **1.** отбелязвам с червено; **2.** разпределям в рубрики; **3.** установявам с правило; регулирам.

ruby¹ ['ru:bi] *n* **1.** рубин; **above rubies** безценен, неоценим; **2.** рубинов цвят; **3.** *печ.* рубин; **4.** *attr* рубинов, яркочервен; □ **~ wedding** 40-годишнина от сватба.

ruby² *v* боядисвам/оцветявам в рубиненочервено.

ruche [ru:ʃ] *n фр.* рюш, къдрички (*на дреха и пр.*).

ruck¹ [rʌk] *n* **1.** тълпа, маса, простолюдие; обикновени хора; **to get out of the ~** *прен.* отделям се от тълпата, изпъквам; **2.** изостанали/изоставащи състезатели; **3.** куп(чина).

ruck² *n* гънка, дипла; набор; бръчка.

ruck³ *v* нагъвам (се), надиплям (се); смачквам (се); набирам (се).

ruckle¹ ['rʌkl] = **ruck** 2,3.

ruckle² *v шотл.* хъхря, хриптя.

rucksack ['rʌksæk, 'ruksæk] *n нем.* раница.

ruckus ['rʌkəs] = **ruction**.

ruction ['rʌkʃn] *n разг. често pl.* препирня, караница, кавга; врява, гюрултия.

rudbeckia [rʌd'bekiə] *n* сев.-ам. градинско цвете с подобни на слънчогледи цветове.

rudd [rʌd] *n зоол.* вид червеноперка (Scardinius erythropthalmus).

rudder ['rʌdə] *n* **1.** кормило, рул; **2.** ръководен принцип/начало.

rudderless ['rʌdəlis] *a* **1.** без кормило/рул; **2.** *прен.* без компас, лутащ се, без ръководно начало/принцип.

rudder-fish ['rʌdəfiʃ] = **pilot-fish**.

ruddle¹ ['rʌdl] *n* червена охра.

ruddle² *v* **1.** бележа/дамгосвам (*овце*) с червена охра; **2.** начервявам грубо/нескопосно.

ruddy ['rʌdi] *a* **1.** яркочервен; **2.** румен; червендалест; **~ health** цветущо здраве; **3.** *sl.* проклет, мръсен; **~ lie** мръсна лъжа.

rude [ru:d] *a* **1.** груб, оскърбителен, невъзпитан; **to be ~ to** държа се грубо/невъзпитано към, оскърбявам; **2.** нетактичен; тромав; просташки; **3.** прост, груб, примитивен; примитивно изработен; **4.** необработен, суров, в естествен вид; **cotton in its ~ state** суров памук; **5.** здрав, як; **in ~ health** здрав (като бик); **6.**

изненадващ, рязък; груб; **7.** бурен, буен (*за време, темперамент*); суров; **8.** приблизителен, груб.

rudeness ['ru:dnis] *n* **1.** грубост, неучтивост; невъзпитание; оскърбителност; **2.** простота, примитивност; **3.** суровост.

rudiment ['ru:dimənt] *n* **1.** недоразвит/рудиментарен орган/част; **2.** *обик. pl* основно начало, елементарен принцип; *pl* елементарни познания, основи; **3.** *прен.* следа, останка; **4.** зачатък, начало; първично състояние.

rudimental,-ary [ru:di'mentl, -əri] *a* **1.** недоразвит, рудиментарен; зачатъчен; първичен; **2.** елементарен, основен.

rue[1] [ru:] *v* разкайвам се (за), скърбя (за), съжалявам (за); кая се (за); I ~ **the day when** проклинам/проклет да е денят, когато.

rue[2] *n ост.* **1.** разкаяние, съжаление; **2.** състрадание; милост.

rue[3] *n бот.* седеф(че) (Ruta graveolens).

rueful ['ru:ful] *a* **1.** плачевен; (достоен) за оплакване/съжаление; **2.** печален, унил, мрачен; обезсърчен; **the Knight of the R.Countenance** *лит.* рицарят на печалния образ (*Дон Кихот*).

rufescent [ru:'fesnt] *a книж.* червеникав; червенеещ.

ruff[1] [rʌf] *n* **1.** рюш, къдрички (*на дреха и пр.*); **2.** *зоол.* яка (*от пера, косми*); грива; **3.** *зоол.* пъстър бойник (Philomachus pugnans).

ruff[2] *n карти* цакане.

ruff[3] *v карти* играя коз, цакам.

ruff[4], **ruffe** *n зоол.* бибан, ропец (Acerina cernua).

ruffian ['rʌfiən] *n* главорез; грубиян; хулиган; брутален престъпник.

ruffianism ['rʌfiənizm] *n* грубиянство; бруталност; хулиганство.

ruffianly ['rʌfiənli] *a* грубиянски; брутален; хулигански.

ruffle[1] ['rʌfl] *v* **1.** разрошвам (се), разчорлям (се); набръчквам (се) (*за водна повърхност*) (*и с* up); **the bird** ~**d its feathers** птицата си наежи; **2.** надиплям, набирам, гофрирам; **3.** смущавам (се), безпокоя (се); обърквам (се); раздразням (се); **man impossible to** ~ невъзмутим човек, човек със здрави нерви; **to** ~ **s.o./s.o.'s temper/s.o.'s feathers** ядосвам/нервирам някого; **4.** прелиствам бързо.

ruffle[2] *n* **1.** набор; волан; жабо; **2.** вълничка; накъдрена повърхност; бръчка, гънка; **3.** смущение, безпокойство, тревога; **4.** кавга, спречкване; **5.** *воен.* (бързо и непрекъснато) биене на барабан.

ruffle[3] *v* перча се, емча се, държа се предизвикателно.

rufous ['ru:fəs] *a* червеникаво/ръждивокафяв, риж.

rug [rʌg] *n* **1.** килим(че), черга; **2.** (пътническо) одеяло; □ **to pull the** ~ (**out**) **from under s.o.** преставам да подкрепям/укривам някого.

rugby ['rʌgbi] *n сп.* ръгби (*и с* **football**) (*и* R).

rugged ['rʌgid] *a* **1.** грапав; неравен; назъбен; скалист, каменист; горист; **2.** със силно врязани/изразени черти, с неправилни/тежки черти (*за лице*); набръчкан; **3.** намръщен; **4.** груб, суров, строг; непреклонен; **5.** недодялан, нешлифован, груб; прост (но добродушен); **6.** як, здрав, солиден; **7.** тежък, труден, суров; **8.** бурен, лош (*за време*).

rugger ['rʌgə] *n сп. разг.* = **rugby**.

rugose ['ru:gous] *a* набръчкан, нагърчен, нагънат.

rugosity [ru:'gɔsiti] *n* **1.** набръчканост, нагърченост, нагънатост; **2.** бръчка, гънка.

ruin[1] ['ru:in] *n* **1.** гибел, разруха, разрушение; разорение;

провал (*на надежди и пр.*); **to bring to** ~ разорявам, погубвам; **drink will be his** ~/**the** ~ **of him** пиянството ще го погуби; **to go to** ~ разрушавам се, рухвам; **2.** падение, поквара; прелъстяване, обезчестяване; озлочестяване; **3.** *обик. pl* развалина, руина, останка; **the city lies in** ~**s** градът е/лежи в развалини, градът е напълно разрушен; **4.** *прен.* развалина (*за човек*); жалки останка; **5.** фалит, фалиране; □ **blue** ~ *sl.* долнокачествен джин.

ruin[2] *v* **1.** разрушавам, унищожавам, разорявам; съсипвам, погубвам; прелъстявам, обезчестявам, озлочестявам; **2.** руша се, разрушавам се; загивам; **3.** *поет.* падам презглава, сгромолясвам се.

ruination [rui'neiʃn] *n* **1.** разорение; гибел; разруха; **2.** разрушаване, унищожаване.

ruinous ['ru:inəs] *a* **1.** разрушителен; пагубен, гибелен, погубващ; разорителен, **2.** разрушен, в развалини; **3.** *разг.* безбожно скъп, безбожно висок (*за цена*).

rule[1] [ru:l] *n* **1.** правило; установен начин/метод; **according to/by** ~ по правилата; **to do everything according to/by** ~ върша всичко по установения начин (без собствена преценка); **as a (general)** ~ като/по правило, обикновено, ̈ най-често, по принцип, изобщо; **to make it a** ~ **to**, **to make a** ~ **of** (*c ger*) имам за правило да, обикновено; **rainy weather is the** ~ **here** тук обикновено/редовно вали дъжд; **standing** ~ установено правило; ~ **of three** *мат.* просто тройно правило; ~ **of thumb** практическо правило; **to work to** ~ спъвам производството, правя италианска стачка; **2.** постановление, решение; ~ **absolute** *юр.* постановление, прекратяващо действието на предишно условно постановление; ~ **nisi** условно решение; **3.** *pl* устав, правилник, статут; **4.** власт, господство; управление, ръководство; **5.** линия; линеал; **6.** *печ.* наборна линийка; **en-**~ съединителна чертица; **em-**~ тире; □ **the** ~**s** 1) *ист.* зона около затвор за длъжници, където някои от тях могат да живеят; 2) австралийски футбол.

rule[2] *v* **1.** властвувам; управлявам; господствувам (над); ръководя (*и с* over); **to** ~ **the roast/roost** аз командувам/заповядвам; **to be** ~**d by** ръководя се от; оставям се на (*чувство и пр.*); **2.** постановявам; определям; **to** ~ **a motion out of order, to** ~ **that a motion is out of order** заявявам, че дадено предложение не може да се приеме за гласуване/е против процедурните правила; **to** ~ **out** изключвам, заявявам, че е неприемлив(о); **3.** начертавам, линирам; ~**d paper** линирана хартия; **to** ~ **off** разделям с черти, разграфявам; **4.** *търг.* на (*дадено*) равнище съм (*за цени*); **prices** ~**d high** цените бяха (общо взето) високи.

ruler ['ru:lə] *n* **1.** владетел, властелин; господар; управител; **2.** линия, линеал.

ruling[1] ['ru:liŋ] *a* **1.** управляващ, ръководещ; **to be the** ~ **spirit** ръководя, имам ръководна роля; **2.** преобладаващ, доминиращ; ~ **passion** главна/доминираща страст; ~ **price** преобладаваща/текуща цена.

ruling[2] *n юр.* постановление.

rum[1] [rʌm] *n* **1.** ром; **2.** *ам.* спиртна напитка.

rum[2] *a* **1.** странен, чудат; ~ **go/start** странна работа; **2.** опасен; мъчен; ~ **customer** подозрителен субект/човек.

Rumanian [ru'meiniən] = **Romanian**.

Rumansh [ru'mænʃ] = **Romansh**.

rumba ['rʌmbə] *n* румба (*танц*).

rumble[1] ['rʌmbl] *v* **1.** боботя, тътна; трополя; **to** ~

by/along изтрополявам; **2. to ~ out/forth** измърморвам, избуботвам; **3.** куркам (*за черва*); **4.** *метал.* почиствам/полирам в барабан.

rumble² *n* **1.** буботене, тътен, тътнеж, грохот; тропот, трополене; **2.** куркане (*за черва*); **3.** *ам.* улично сбиване (*между гангстери, хулигани*); **4.** *ам.* недоволство, мърморене; **5.** място (*и за багаж*) в задната част на карета; **6.** *метал.* барабан за почистване/полиране.

rumble³ *v sl.* разбирам, чактисвам.

rumble seat ['rʌmbl͵siːt] *n авт.* подвижна седалка в задната (открита) част на спортен автомобил.

rumble-tumble ['rʌmbl͵tʌmbl] *n* **1.** друсане, тръскане; **2.** тежко движеща се кола/камион.

rumbling ['rʌmbliŋ] = **rumble²** 1,2,3,4.

rumbustious [rʌm'bʌstʃəs] *a разг.* шумен, буен, размирен.

rumen ['ruːmen] *n (pl -s, rumina* ['ruːminə]) *зоол.* търбух.

ruminant ['ruːminənt] **I.** *a* **1.** *зоол.* преживен, преживящ; **2.** замислен; склонен към размисъл; **II.** *n* преживно животно.

ruminate ['ruːmineit] *v* **1.** преживям; **2.** размишлявам, мисля **(about, on, over).**

rumination [͵ruːmi'neiʃn] *n* **1.** преживяне; **2.** размисъл, размишление.

rummage¹ ['rʌmidʒ] *v* **1.** тършувам, ровя; разравям, претърсвам, претършувам **(in, about); 2.** измъквам, изнамирам **(out, up).**

rummage² *n* **1.** претърсване, претършуване; обиск; **2.** сбирщина, остатъци, вехтории.

rummage-sale ['rʌmidʒseil] *n* **1.** благотворителен базар; **2.** оказионна разпродажба; **3.** разпродажба на непотърсени вещи в митница.

rummer ['rʌmə] *n* (висока) украсена чаша, стакан.

rummy¹ ['rʌmi] *n* = **rum².**

rummy² *n sl. ам.* пияница, къркач.

rummy³ *n карти* руми.

rumour¹. *ам.* **rumor** ['ruːmə] *n* мълва, слух; **~ has it that** говори се, че, носи се слух, че.

rumour² *v обик. pass* пускам/разгласявам слух/мълва; **it is ~ed that** говори се/носи се слух, че; **the ~ed disaster** бедствието, за което се говори.

rumourmonger ['ruːmət͵mʌŋɡə] *n* клюкар, сплетник.

rump [rʌmp] *n* **1.** бут, задница; тръпка; **2.** *прен.* жалка останка.

rumple¹ ['rʌmpl] *v* **1.** смачквам, намачквам; набръчквам; **2.** разбърквам; разчорлям, разрошвам.

rumple² *n* бръчка, гънка.

rumpsteak ['rʌmpsteik] *n* говеждо месо от бута; рамстек.

rumpus ['rʌmpəs] *n sl.* шум, врява, гюрултия; бъркотия, суматоха; кавга, караница.

rumpus room ['rʌmpəs͵rum] *n ам.* стая за игри и пр. (*обик. в сутерена*).

rum-runner ['rʌm͵rʌnə] *n ам.* контрабандист на спиртни напитки; кораб, който пренася контрабанда спиртни напитки.

run¹ [rʌn] *v* **(ran** [ræn]; **run) 1.** бягам, тичам, търча; изтичвам; пробягвам, преминавам (*разстояние*); избягвам, побягвам; **to ~ the streets** тичам по улиците (*без контрол*); **2.** карам да тича; **to ~ s.o. off his feet/legs** съсипвам някого от тичане/ходене/шетане; **to ~ o.s. to death/into a state of collapse** съсипвам се от тичане; тичам до смърт/до изнемощяване; **to ~ o.s. out of breath** тичам до задъхване; **to ~ s.o. hard/close** 1) почти настигам някого, по петите съм на някого; 2) *прен.* опасен съперник съм за някого; **it was a close ~ thing** резултатът беше почти равен; **3.** разпространявам се бързо (*за новина и пр.*); пробягвам; **chills/cold shivers ran down/up his spine**

студени тръпки го побиха; **4.** движа се (*за превозно средство*); циркулирам; пускам (в движение) (*допълнителни коли и пр.*); **5.** движа се, въртя се, върви, работя (*за машина и пр.*); **to leave the engine ~ning** не изключвам/загасвам мотора; **6.** простирам се (*в някаква посока*); преминавам, следвам **(along по); 7.** тека, лея се; **to ~ blood** залят съм с кръв, окървавен съм; **to ~ with sweat** цял съм/потънал съм в пот; **8.** тека, капя; пропускам, изпускам; гноя, сълзя (*за рана*); **my nose ~s, I ~ at the nose** носът ми тече; **9.** изливам; пускам (*вода във вана и пр.*); **10.** разливам се (*за боя, мастило*); пускам (*за боя*); **11.** топя (се), разтопявам (се); изливам във форма; **12.** протичам, минавам; изтичам, преминавам, отминавам; **all my arrangements ran smoothly** всичко мина, както го бях предвидил; **his life had only a few hours to ~** оставаха му още няколко часа живот/да живее; **13.** важа, валиден/действителен/в сила съм; **14.** играя се, давам се (*за пиеса и пр.*); **15.** гласи (*за документ и пр.*); **16.** *сп.* бягам; участвувам в състезание по бягане/в надбягване; записвам (*кон*) да участвува в надбягване; надбягвам се с; свършвам състезание (*първи, втори и пр.*); **I'll ~ you to that tree** да се надбягваме до онова дърво; **17.** *пол.* кандидатствувам, поставям кандидатурата си **(for);** поставям кандидатурата на **(for); 18.** вървя, котирам се, струвам средно **(at); 19.** карам (*кола и пр.*); движа (*машина и пр.*); направлявам движението на; закарвам, завеждам (с кола); **to ~ a car into a garage** вкарвам кола в гараж; **to ~ o.'s car off the road** изкарвам колата си вън от пътя; **20.** прокарвам, прекарвам; мушкам, втъквам, вдявам (*конец*); промушвам (*със сабя и пр.*); **to ~ a comb/o.'s fingers through o.'s hair** прекарвам гребен/пръсти през косата си; **to ~ the vacuum cleaner over the carpet** минавам килима с прахосмукачката; **to ~ o.'s eyes along/over/down** хвърлям бегъл поглед на, оглеждам; **to ~ o.'s hand/fingers over s.th.** прокарвам ръка/пръсти върху нещо, докосвам нещо леко с ръка/пръсти; **21.** завеждам, ръководя, управлявам; командувам; експлоатирам; **to ~ a hotel/restaurant** държа/съдържател съм на хотел/ресторант; **22.** поддържам (*кола и пр.*); **23.** пускам в продажба, продавам; **24.** гоня, подгонвам, преследвам (*дивеч*); **25.** успявам да премина през; прекарвам контрабанда; **to ~ a blocade** пробивам блокада; **to ~ arms** правя контрабанда с оръжие; **26.** пускам бримка (*за чорап*); **27.** слагам, подреждам (*в картотека и пр.*); полагам, слагам (*кабел и пр.*); **28.** трупам, натрупвам (*сметки, дългове*); **29.** пълзя, вия се (*за растение*); **30.** *ам.* печатам, отпечатвам; **31.** прекарвам, начертавам, чертая (*линия и пр.*); **32.** изкарвам на паша, паса (*добитък*); **33.** *билярд* правя ред сполучливи удари; *карти* играя последователно печеливши карти; **34.** *муз.* изсвирвам/изпявам в бърза последователност; **35.** навлизам в река да си хвърля хайвера; **36.** ставам; стигам до някакво състояние; **our apples ~ rather small** ябълките ни са доста дребни; **to ~ free** свободен/на свобода съм; **to ~ mad** полудявам; **to ~ high** 1) висок съм (*за цени, доходи и пр.*); 2) *прен.* разгарям се; **passions/feelings ran high** страстите се разгоряха; **to ~ hot** ставам/тека гореща (*за вода в кран*); □ **it ~s in the blood/the family** това е наследствена черта, това им е в кръвта; **to ~ before the wind** *мор.* плавам с попътен вятър; **a heavy sea was ~ning** морето беше\бурно; **he who ~s** may read съвсем лесно е за разбиране; to ~ to meet o.'s troubles предварително се кахъря/тюхкам; to ~ a parallel too far отивам твърде далеч с някакво сравнение;

run about 1) тичам насам-натам/от човек на човек; 2) тичам, играя (*без контрол — за дете*); 3) ходя;

run across срещам случайно; натъквам се/попадам на;

run aftter 1) гоня, тичам подир; 2) *разг.* тичам по (*жени и пр.*); 3) увличам се по (*нови теории и пр.*);

run against 1) = run across; 2) *сп.* състезавам се с (*някого*); 3) *ам.* конкурент съм на (*някого — в избори*); 4) блъскам се в;

run along *разг.* отивам си, махам се;

run around 1) *разг.* ходя по жени; ходя по любов с различни мъже/жени; 2) движа се, общувам (**with** с);

run at нахвърлям се върху, нападам;

run away 1) избягвам, побягвам (**from**); забягвам; 2) *прен.* бягам (**from** от), затварям си очите (**from** пред); 3) освобождавам се от контрола (*на ездача и пр.*); откъсвам се, минавам напред (**from** от) (*за кон, състезател*); 4) развихрям се (*за въображение и пр.*);

run away with 1) избягвам, забягвам с (*някого*); приставам на; 2) открадвам, задигам; 3) повличам, завличам, побягвам с (*ездач, кола — за кон*); 4) *прен.* гълтам (*средства и пр.*); 5) спечелвам лесно (*състезание и пр.*); блясвам (*в представление и пр.*); 6) завладявам напълно (*за чувство и пр.*); **his temper ran away with him** той загуби самообладание, той избухна; **he let his tongue ~ away with him** той изгуби мярка на езика си, надума/наговори какво ли не; □ **to ~ away with the idea/notion that** оставам с впечатление, че, втълпявам си/въобразявам си, че;

run back 1) пренавивам (*филм и пр.*); 2) преглеждам, разглеждам, хвърлям поглед (**over** върху) (*нещо минало*);

run behind изоставам (с, от); **to be ~ning fifteen minutes behind (schedule)** изоставам с 15 минути (от графика/програмата);

run down 1) събарям, повалям; сблъсквам се с; удрям се в; прегазвам; смачквам; 2) спирам (*за механизъм*); изтощавам (се), изчерпвам (се) (*и прен.*); 3) застигам; хващам, залавям; откривам, намирам; 4) намалявам, пускам по-слабо; 5) намалявам персонала; 6) критикувам; изказвам се презрително/пренебрежително за; недооценявам; 7) стигам, простирам се (**to** до);

run for 1) = run¹ 17; 2) **to ~ for it** хуквам да бягам;

run in 1) *sl.* арестувам, окошарвам; 2) *авт.* разработвам (*кола, мотор*); 3) *печ.* набирам без нов ред, вмъквам; 4) идвам/влизам за малко, хлътвам; 5) вкарвам в (*разноски, дългове*);

run into 1) сблъсквам се с; блъскам в; срещам случайно, попадам/натъквам се на; 3) *прен.* вкарвам в; навличам си; **to ~ into debt/the red** заборчлявам; **to ~ s.o. into debt** вкарвам някого в дългове; 4) (до)стигам до (*даден брой и пр.*); **his income ~s into five figures** доходът му достига до

десетки хиляди (*лири и пр.*); □ **to ~ s.o. into the ground** изтощавам някого;

run off 1) избягвам; изплъзвам се, офейквам; **to ~ off with** отмъквам, задигам, избягвам с; **to ~ off with s.o.** избягвам с/приставам на някого) 2) излизам, изскачам от (*релси и пр.*); 3) изтичам; пускам да изтече, източвам; 4) отпечатвам, изваждам, изкарвам (*копия и пр.*); 5) *прен.* отклонявам се; 6) пиша/написвам/казвам/рецитирам бързо/гладко; 7) *сп.* провеждам (*състезание*); решавам изхода (*на състезание*) чрез повторна среща; 8) провеждам, правя (*опит*); 9) изгонвам, прогонвам; □ **to ~ off at the mouth** *ам. sl.* приказвам/дрънкам много;

run on 1) говоря непрекъснато/безспир/надълго и нашироко; не спирам (*за език*); 2) минавам, тека (*за време*); продължавам, не спирам; 3) *печ.* свързвам, сливам; не отделям с нов ред; 4) пиша слято; 5) *проз.* правя анжамбман; 6) занимавам се с, въртя се около;

run out 1) изтичвам навън; 2) издавам се навън; 3) изчерпвам се, свършвам се; свършва ми се; **we're ~ning out of petrol, etc., the petrol, etc. is ~ning out** свършва ни се бензинът и пр.; **to ~ s.o. out (of breath)** не ми достига дъх (от тичане); 4) оттеглям се (*за прилив*); 5) изтичам, свършвам (*за срок*); загубвам валидност, ставам невалиден; 6) *разг.* възлизам (**at** на — *за сума и пр*) 7) *мор.* развивам (*се*) (*за въже*); 8) завършвам, приключвам (*състезание, курс и пр.*); 9) *sl.* изоставям, зарязвам (**on** s.o./s.th някого/ нещо);

run over 1) преливам (*за течност*) (*и прен.*), препълнен съм; **to ~ over with energy** изпълнен съм с/преливам от енергия; 2) прегазвам; 3) преглеждам/повтарям набързо; **to ~ o.'s eye(s)/an eye over** хвърлям поглед върху, преглеждам набързо; 4) притичвам; отскачам, отивам набързо (**to**); 5) закарвам;

run through 1) пробождам, промушвам; 2) преминавам бързо през, мяркам се (*за мисъл и пр.*); 3) просвирвам (*запис*); 4) прожектирам; 5) преповтарям/преглеждам набързо; карам (*някого*) да повтори; свършвам набързо; 6) пропилявам; 7) зачертавам, зачерквам;

run to 1) (до)стигам до, възлизам на; 2) стигам за (*за средства*); мога да си позволя (*да купя и пр.*); 3) склонен съм към; **to ~ to sentiment** склонен съм към/избива ме на сантименталност;

run together сливам (се);

run up 1) вдигам, издигам (*знаме и пр.*); 2) затичвам се; 3) направям/скалъпвам/построявам/ушивам набързо; 4) трупам, натрупвам (*дългове, богатство*); 5) увеличавам се, повишавам се, раста, нараствам (**to**); възлизам (**to**); наддавам; **to ~ up the bidding** наддавам постоянно (*при търг, за да покача цената*); 6) събирам (*колона цифри*); 7) **to ~ up against** натъквам се на, сблъсквам се с;

run upon 1) = run on 4; 2) = run up 7.

run² *n* **1.** бягане, тичане; бяг; пробег; **at a/the ~** тичешком, бегом; **to be on the ~** 1) в движение съм; 2) укривам се, бягам, беглец съм; **to keep the enemy on the ~** *воен.* преследвам неприятеля безпощадно/непрекъснато; **to have s.o. on the ~** обръщам някого в бягство, принуждавам някого да бяга; **2.** пробег (*на кола и пр.*); пътуване, екскурзия (*с кола и пр.*); **to go for a ~, to have a ~** разхождам (*с кола*); **~ up to town** отскачане/кратко пътуване до града; **3.** курс (*на превозно средство*); район (*на ре-*

портер и пр.); **trial** ~ пробен курс; **4.** ход, работа, действие; **5.** ход, развитие, насока, направление, тенденция; курс; **the** ~ **of the market** тенденцията на пазара; **6.** продължителност; последователност; ред; **7.** дължина, протежение; **8.** редица, поредица; серия; *карти* поредица, секвенция; *сп.* поредица от успешни удари; ~ **of luck** продължителен късмет; ~ **of success** поредица успехи; ~ **of power** дълго задържане на власт; **at a** ~ подред; наведнъж; **to have a long** ~ 1) играя се дълго (*за пиеса и пр.*); 2) оставам дълго на мода; **to have a** ~ **of fifty nights** даван/игран съм 50 пъти; **9.** свобода/ право на използване; **the** ~ **of s.o.'s house/library** къщата/библиотеката на някого ми е на разположение; **10.** *търг.* търсене (*на стока и пр.*); ~ **on a bank** *ик.* (паническо/масово) изтегляне на суми от банка; **11.** нещо средно/обикновено; **the common/general/ordinary** ~ **of man(kind)** обикновените хора, простосмъртните; **the normal** ~ **of students** средните/обикновените студенти; **out of the common** ~ от по-висока класа/качество; **12.** постоянен път на животни; **13.** пасище; оградено място за животни; **14.** направление, посока; **15.** шанца; **16.** пасаж (*от риба*); *ряд.* стадо; **17.** партида (*от стоки*); **18.** *тех.* цикъл; (режим на) работа; **19.** *тех.* улей; канал за изпускане; **20.** *мин.* бремсберг; **21.** *муз.* рулада; **22.** *ам.* поток, ручей; **23.** дължина (*на проводник и пр.*); **24.** *геол.* направление (*на жила и пр.*); **25.** изпусната бримка; **26.** *крикет* пробег между вратите; точка, получена за пробег; □ **in the long** ~ в края на краищата, в последна сметка; **in the short** ~ в близко бъдеще/ перспектива, в кратък период; **first** ~ премиера; **to come down with a** ~ спадам бързо (*за цени и пр.*); **to have a** ~ **for o.'s money** изкарвам си парите, спечелвам; **to give s.o. a** ~ **for his money** озорвам някого, накарвам някого да се изпоти; **it's all in the day's** ~ това е обикновено нещо, свикнали сме с такива неща.

run[3] *a* **1.** топен, стопен; **2.** *тех.* излят; **3.** контрабанден.

runabout ['rʌnəbaut] *n* **1.** скитник, бродяга; **2.** малък автомобил/самолет/моторница.

runaround ['rʌnəraund] *n* извъртания, шикалкавене.

runaway[1] ['rʌnəwei] *n* **1.** беглец, дезертьор; **2.** побягнал кон; **3.** лесна/решителна победа; **4.** нещо, което не се поддава на контрол; **5.** бягство.

runaway[2] *a* **1.** избягъл; забягнал; ~ **match** женитба с приставане на момата; **2.** неудържим; бързо растящ; който не може да се контролира; **3.** решителен; лек, лесен (*за победа*).

runcible spoon ['rʌnsibl͵spu:n] *n* тризъба вилица.

runcinate ['rʌnsineit] *a* *бот.* назъбен.

rundle ['rʌndl] *n* **1.** стъпало; **2.** кръг, диск, колело.

run-down[1] ['rʌndaun] *a* **1.** изтощен, капнал; **2.** спрял (*за часовник и пр.*); **3.** западнал; **4.** занемарен, порутен.

run-down[2] *n* **1.** намаление, намаляване, спадане; **2.** подробен анализ; преглед; резюме.

rune [ru:n] *n* **1.** *ез.* руна; **2.** *ост.* магия, заклинание; **3.** *ряд.* песен.

rung[1] [rʌŋ] *n* **1.** стъпало, стъпенка; напречник; **2.** спица на колело; □ **the lowest/highest** ~ **(of the ladder)** *прен.* най-ниското/най-високото обществено положение.

rung[2] *вж.* **ring**[3].

runic ['ru:nik] *a* рунически.

run-in ['rʌnin] *n* **1.** *разг.* постепенно приближаване; **2.** спор, кавга, свада; **3.** *печ.* вмъкнат материал без нов ред.

runlet ['rʌnlit] *n* поточе, ручейче.

runnel ['rʌnl] *n* **1.** ручей, поток; **2.** канавка.

runner ['rʌnə] *n* **1.** бегач, състезател по бягане; **2.** бързоходец; куриер; хоп; разсилен; **3.** *ист.* полицай; **4.** контрабандист; **5.** плъзгач, шина (*на шейна и пр.*); **6.** *бот.* ластар, мустаче; пълзящо растение; **7.** *тех.* работно/ходово колело; ротор; **8.** горен воденичен камък; **9.** *метал.* леяк; канал за леене; шлакоуловител; **10.** тишлайфер; пътека (*за стълбище и пр.*) **11.** *зоол.* птица със слабо развити криле; птица, която лесно бяга; **12.** *ам.* вид риба.

runner bean ['rʌnə͵bi:n] = **scarlet runner.**

runner-up ['rʌnər'ʌp] *n* **1.** състезател/отбор, спечелил второ място; **2.** *пол.* подгласник.

running[1] ['rʌniŋ] *a* **1.** бягащ, тичащ; ~ **fight** оттегляне/отстъпление с бой; **2.** за бягане/надбягване; **3.** непрекъснат; текущ; ~ **account** текуща сметка; ~ **commentary** 1) коментар под текст; 2) постоянни забележки (*придружаващи реч, събитие и пр.*); непрекъснати коментарии; 3) радиорепортаж; ~ **fire** *воен.* честа безредна стрелба; ~ **hand** непрекъснат/свързан почерк; **4.** течащ; гноящ; сълзящ; **5.** работещ, в ход, **6.**експлоатационен (*за разноски и пр.*); **7.** *бот.* пълзящ, виещ се; **8.** *predic* последователен; **(for) three days** ~ три дни наред, в продължение на три дни; **9.** сегашен, настоящ, текущ; ~ **the month** този месец; ~ **prices** сегашни/текущи цени; ~ **repairs** текущи поправки; **10.** линеен; □ ~ **jump** скок със затичване; **take a** ~ **jump at yourself!** *sl.* разкарай се! чупи се! изпарявай се!

running[2] *n* **1.** бягане, бяг; надбягване; **2.** ръководство, управление, ръководене; **3.** ход, работа, действие; въртене, обръщение; **4.** контрабанда; контрабандиране; □ **to be in/out of the** ~ имам/нямам изгледи да спечеля; **to make the** ~ определям темпото, водя (*и прен.*); **to take up the** ~ повеждам, заставам начело, начело съм (*при състезание*).

running-board ['rʌniŋbɔ:d] *n* *авт.* стъпало.

running-knot ['rʌniŋnɔt] *n* възел с примка.

running head(line) ['rʌniŋhed(lain)] *n* *печ.* колонтитул.

running mate ['rʌniŋ͵meit] *n* **1.** кон от същата конюшня, допуснат на състезание, за да определя скоростта; кон, който се очаква да спечели втора награда; **2.** *пол.* кандидат за по-малката от две изборни длъжности (*за вицепрезидент и пр*); **3.** близък/постоянен помощник/съдружник.

running stitch ['rʌniŋ͵stitʃ] *n* тропоска.

running title ['rʌniŋ͵taitl] *n* *печ.* колонтитул.

runny ['rʌni] *a* **1.** (полу)течен; **2.** сополив.

run-off ['rʌnɔf] *n* **1.** *сп.* решаващо състезание/среща (*обик. след равен резултат*); **2.** оттичане, оттичащи се води.

run-of-the-mill, -mine ['rʌnəvðə͵mil, -͵main] *a* обикновен, среден, посредствен.

run-on[1] ['rʌnɔn] *a*: ~ **line** *проз.* анжамбман; ~ **sentence** изречение със запетайка, където бихме очаквали точка.

run-on[2] *n* *печ.* вмъкнат материал (*без нов ред*).

run-over ['rʌnouvə] *n* **1.** материал за печатане, надхвърлящ определеното за него място; **2.** *attr* надхвърлил определения обем.

runt [rʌnt] *n* **1.** малорасло животно; изтърсак; **2.** дребен човек, джудже, завързак, слабак; **3.** вид едър гълъб.

run-through ['rʌnθru:] *n* **1.** бегъл преглед; **2.** бърза репетиция.

run-up ['rʌnʌp] *n разг.* подготвителен период, подготовка.

runway ['rʌnwei] *n* 1. *ав.* писта; 2. пътека (*към водопой*); 3. спуск, улей (*за трупи*); 4. коритото (*на река*); 5. *театр.* тясна рампа, водеща от сцената към залата.

rupee [ru:'pi:] *n* рупи (*парична единица на Индия, Пакистан и пр.*).

rupiah [ru:'pi:ə] *n* рупия (*парична единица на Индонезия*).

rupture[1] ['rʌptʃə] *n* 1. скъсване; разкъсване; спукване; пробиване; 2. *ел.* пробив (*на изолацията*); 3. *прен.* скъсване (*на отношения*), разрив, раздяла; 4. *мед.* херния.

rupture[2] *v* 1. скъсвам (се); разкъсвам (се); пробивам (се); спуквам (се); 2. скъсвам (*отношения*); разстройвам (*брак и пр.*); 3. *мед.* получавам херния.

rural ['ruərəl] *a* селски; провинциален; ~ **dean** свещеник на няколко енории; ~ **(free) delivery** *ам.* безплатно доставяне на пощата в отдалечени селски райони; **in** ~ **seclusion** усамотен на село/в дълбоката провинция.

ruralist ['ruərəlist] *n* провинциалист; селски жител.

ruralize ['ruərəlaiz] *v* 1. (отивам да) живея на село/в провинцията; поселячвам се; 2. поселячвам; провинциализирам; придавам селски/провинциален вид на.

Ruritanian [ruəri'teiniən] *a* пълен с интриги/заговори/приключения и пр.

ruse [ru:z] *n* хитрост, уловка, подвеждане.

rush[1] [rʌʃ] *n* 1. *бот.* шавар, дзука (Juncus); тръстика; 2. = **rushlight**.

rush[2] *v* 1. втурвам се (**in, into, out, out of, at**); хвърлям се, връхлитам (**at**); **an idea** ~ed **into my head** изведнъж ми хрумна една идея; **fools** ~ **in where angels fear to tread** глупците се заемат с неща, пред които най-мъдрите се колебаят, глупците не мислят за последствията; **the words** ~ed **to his lips** той заговори бързо, без много да се замисля; 2. впивам, впускам се, хвърлям се (необмислено) (**into** *в някакво начинание*); **to** ~ **through o.'s work** свършвам си работата набързо/надве-натри, претупвам си работата; 3. карам/тикам/движа стремително; откарвам/изпращам бързо (**to**); карам (*някого*) да бърза, притеснявам, вадя душата на; **to** ~ **s.o through lunch** карам някого да изяде обеда си набързо; **to be** ~ed имам много работа, много съм притеснен от работа; **I refuse to be** ~ed не съм съгласен да ме притесняват/да ми вадят душата; **to** ~ **s.o. into doing s.th.** карам някого да направи нещо, без да му дам време да помисли; **to** ~ **s.o. off his feet** 1) принуждавам някого да действува, без да му дам време да помисли; 2) изтощавам *някого*; **to** ~ **a bill through Parliament** прокарвам законопроект през парламента по бързата/съкратената процедура; **to** ~ **into print** изпращам бързо на печат (*ръкопис*); **to** ~ **the ending** *театр.* ускорявам развръзката; 4. *воен.* щурмувам, нападам, атакувам; превземам с щурм; **the passengers tried to the boats** пътниците се мъчеха да се вмъкнат насила в лодките; **to** ~ **the gates** нахлувам през вратите; 5. *sl. прен.* оскубвам (*купувач*); 6. *ам. sl.* ухажвам усилено, свалям; 7. *ам. sl.* проагитирам, мъча се да спечеля някого (*за член на организация и пр.*); 8. **to** ~ **up** 1) явявам се внезапно, изниквам, изскачам; 2) повишавам бързо/рязко, изпращам бързо.

rush[3] *n* 1. втурване, спускане; стремително движение; нахлуване; щурм, атака, нападение; 2. изблик, прилив; 3. бързане; притеснение; 4. усилено (*улично*) движение; 5. усилена дейност; **gold** ~ златна треска, треска за злато; 6. внезапно търсене (**for** *на някаква стока*); внезапно раздвижване/активизиране; 7. струя, вълна; 8. *кино* първи/пробни снимки; 9. *ам. sl.* усилено ухажване, сваляне; особено внимание (*за да се спечели някой за член и пр.*).

rush[4] *a* 1. претупан, свършен надве-натри; 2. (много) спешен/бърз; 3. оживен, натоварен.

rush-bottomed ['rʌʃbɔtəmd] *a* със седалище от тръстика (*за стол*).

rush candle ['rʌʃ,kændl] = **rushlight**.

rushee [rʌ'ʃi:] *n ам. sl.* студент, когото проагитират да стане член на дружество и пр.

rush-hour ['rʌʃauə] *n* час на най-голямо движение/навалица, час пик.

rushlight ['rʌʃlait] *n* 1. свещ от натопена в лой сърцевина на тръстика; 2. слаба светлина, светлинка (*и прен.*).

rushy ['rʌʃi] *a* 1. тръстиков, от тръстика/шавар; 2. пълен/обрасъл с тръстика/шавар.

rusk [rʌsk] *n* сухар.

russet ['rʌsət] *n* 1. червеникавокафяв цвят; 2. груб домашно тъкан плат, шаек; шаечна дреха; 3. сорт тъмночервена зимна ябълка; 4. щавена, но небоядисана кожа; 5. *attr* червеникавокафяв; шаечен; груб.

Russian ['rʌʃn] I. *a* руски; II. *n* 1. руснак, русин; 2. руски език.

russianize ['rʌʃənaiz] *v* русифицирам; придавам руски характер на.

rust[1] [rʌst] *n* 1. ръжда (*и бот.*); 2. *прен.* западане, изоставане, затъпяване (*поради бездействие*); 3. ръждив цвят.

rust[2] *v* 1. ръждясвам; правя да ръждяса, разяждам; 2. *бот.* причинявам ръжда; 3. добивам ръждив цвят; 4. *прен.* затъпявам (*поради бездействие*), западам.

rustic ['rʌstik] I. *a* 1. = **rural**; 2. прост, непринуден; 3. груб, недодялан, просташки; 4. грубо изработен; с груба повърхност; от неодялани греди; от грубо одялан камък; II. *n* селянин, селяк.

rusticate ['rʌstikeit] *v* 1. (отивам да) живея на село; изпращам да живее на село; оселячвам (се); 2. изключвам временно (*студент*); 3. одялвам грубо (*камък*); строя от грубо одялани камъни.

rusticity [rʌ'stisiti] *n* 1. селски характер; селска черта; 2. простота, грубоватост.

rustle[1] ['rʌsl] *v* 1. шумоля; правя да шумоли; шумоля с; 2. *ам.* действувам/движа се енергично; успявам да докопам/постигна благодарение на енергията си; 3. *ам.* крада, открадвам (*особ. добитък*); 4. **to** ~ **up** *разг.* намирам, откривам, доставям.

rustle[2] *n* шумолене.

rustler ['rʌslə] *n* 1. *ам. разг.* енергичен/деен човек; 2. *sl.* конекрадец; крадец на добитък.

rustless ['rʌstlis] *a* неръждаем; неръждясал.

rustproof ['rʌstpru:f] *a* неръждаем.

rusty ['rʌsti] *a* 1. ръждясал, ръждив; 2. *бот.* повреден от ръжда; 3. с ръждив цвят; 4. остарял, овехтял; избелял; 5. дрезгав, хриплив, груб; 6. позабравен (*за знания, умения*); който не е във форма; **his English is a bit** ~ позабравил е английския; 7. упорит, инат; 8. *диал.* раздразнен, сърдит.

rut[1] [rʌt] *n* 1. коловоз; бразда; 2. *прен.* рутина, шаблон; привичка; **to be in a** ~ живея/работя/действувам еднообразно/все по същия начин; **to get/fall/sink into a** ~ изпадам в рутина, шаблонизирам се; **to fall into**

a conversational ~ повеждам шаблонен/скучен разговор.

rut[2] *v* (-tt-) *главно* pp набраздявам, оставям следи с колела; ~ted road набразден/изровен път.

rut[3] *n* разгонване (*на животно*); in ~ разгонен.

rut[4] *v* (-tt-) разгонен съм (*за животно*).

rutaceous [ru'teiʃəs] *a* бот. седефов. росенов.

ruth [ru:θ] *n* ост. милост, състрадание.

ruthenium [ru:'θi:niəm] *n* хим. рутений.

ruthless ['ru:θlis] *a* безжалостен, безмилостен, безскру-

пулен.

ruttish ['rʌtiʃ] *a* похотлив.

rutty ['rʌti] *a* набразден, изровен (*от колела*), неравен (*за път*).

rye [rai] *n* 1. бот. ръж (Secale cereale); 2. уиски (*и* ~ whisky);3. = rye-grass.

rye-grass ['raigra:s] *n* бот. райграс (Lolium perenne).

S

S,s [es] *n* буквата S.

sabbat = sabbath 3.

sabbatarian [ˌsæbə'tɛəriən] I. *a* съботянски; II. *n* съботянин.

sabbath, S. ['sæbəθ] *n* 1. шабат, събота (*у евреите*); 2. неделя (*у протестантите*); ден за почивка; **to keep the** ~ почитам неделята, почивам си в неделя; **to break the** ~ работя в неделя; 3. сборище на вещици (*u witches'* ~); 4. *attr* неделен, празничен.

sabbatic(al) [sə'bætik(əl)] *a* съботен (*у евреите*); неделен (*у протестантите*); празничен; ~ **year** 1) библ. седма година (когато израилтяните оставят земята на угар); 2) всяка седма година, през която университетски преподавател няма лекции (*и* ~).

saber *ам.* = sabre.

sable ['seibl] *n* 1. самур (Mustella/Martes zibellina); 2. самурова кожа; 3. *поет.* черен цвят; *pl* траур, траурна дреха; 4. *attr* самуров; черен; траурен; □ **his** ~ **Majesty** дяволът, сатаната.

sabot ['sæbou] *n фр.* 1. сабо, дървена обувка; 2. снаряден пръстен.

sabotage[1] ['sæbəta:ʒ] *n фр.* саботаж.

sabotage[2] *v* саботирам.

saboteur ['sæbətə:] *n фр.* саботьор.

sabra ['sæbrə] *n* евреин, роден в Израел (*не имигрант*).

sabre[1] ['seibə] *n* 1. сабя; 2. кавалерист; *pl* кавалерия.

sabre[2] *v* посичам, съсичам; раннявам (*със сабя*).

sabre-rattling ['seibərætliŋ] *n* 1. дрънкане на оръжия, заплаха с война; 2. *attr* войнствен.

sabretache ['sæbətæʃ] *n фр. воен.* хусарска паласка.

sabre-toothed lion, tiger ['seibətu:d laiən, ˌtaigə] *n* предисторическо животно с дълги горни кучешки зъби.

sabulous ['sæbjuləs] *a* песъчлив.

sac [sæk] *n анат.* торбичка; алвеола.

saccharide ['sækəraid] *n хим.* захарид.

saccharin(e) ['sækərin] *n* захарин.

saccharine ['sækərain] I. *n* = saccharin(e); II. *a* . захарен, захарист; 2. *прен.* сладникав.

saccharose ['sækərous] *n хим.* захароза, тръстикова захар.

sacerdotal [sæsə'doutəl] *a* 1. свещенически; жречески; 2. приписващ тайнствена сила/власт на духовенството.

sachem ['seitʃem] *n* 1. индиански вожд; 2. *ам. пол.* виден деец на демократическата партия.

sachet ['sæʃei] *n фр.* (торбичка с) ароматни билки/прах; малко пакетче шампоан.

sack[1] [sæk] *n* 1. торба; чувал; сак; 2. рокля/палто сак; 3.

sl. легло; **to hit the** ~ лягам си; □ **to get the** ~ *разг.* уволняват ме, изхвърлят ме; **to give s.o. the** ~ *разг.* уволнявам/изхвърлям някого.

sack[2] *v* 1. слагам в чувал(и); 2. *разг.* уволнявам, изхвърлям; 3. **to** ~ **out** *sl.* заспивам; лягам си.

sack[3] *v* грабя, плячкосвам; предавам на плячкосване.

sack[4] *n* плячкосване, разграбване, грабеж.

sack[5] *n ост.* вид бяло (испанско) вино.

sackbut ['sækbʌt] *n ист.* примитивен тромбон.

sackcloth ['sækkləθ] *n* 1. зебло, кенсвир; 2. *библ.* власеница; □ ~ **and ashes** дълбока скръб/разкаяние.

sacking ['sækiŋ] *n* зебло, кенсвир.

sack-race ['sækreis] *n* надбягване в чували.

sacque [sæk] = sack[1] 2.

sacra *вж.* sacrum.

sacral ['sækrəl] *a* 1. обреден; 2. *анат.* сакрален, кръстен.

sacrament ['sækrəmənt] *n* 1. *рел.* тайнство; причастие; **to partake of/receive the** ~ причестявам се; **to give the last** ~ причестявам (умиращ); 2. *ост.* (тържествена) клетва; 3. божествено/тайнствено влияние; символ; знамение.

sacramental [ˌsækrə'mentəl] I. *a* 1. *рел.* свързан с тайнство; светопричастен; тайнствен; 2. *ост.* клетвен; II. *n рел.* обред, подобен на (но не включен в) тайнствата (*напр. ръсене със светена вода*).

sacramentalism, sacramentarianism [sækrə'mentəlizm, ˌsækrəmen'tɛəriənizm] *n* вяра в/строго спазване на тайнствата.

sacrarium [sæk'rɛəriəm] *n* (*pl* -ria [-riə]) *лат.* 1. светилище, светая светих; 2. свещен/кръщелен купел (*у католиците*).

sacred ['seikrid] *a* 1. свещен, свят; ~ **music** религиозна/църковна музика; 2. посветен (to); ~ **to the memory of** в памет на (*надпис на надгробен паметник*); 3. свят, ненарушим; неприкосновен; □ ~ **cow** *разг.* непогрешим човек/организация

sacrifice[1] ['sækrifais] *n* 1. жертвоприношение; 2. жертва; жертвуване; **at a great** ~ **of life** с цената на много жертви/убити; 3. продажба на загуба; **to sell at a** ~ продавам на загуба/под костуемата цена.

sacrifice[2] *v* 1. извършвам жертвоприношение; 2. принасям в жертва, жертвувам, пожертвувам; 3. продавам на загуба/под костуемата цена.

sacrificial [ˌsækri'fiʃəl] *a* жертвен.

sacrilege ['sækrilidʒ] *n* светотатство, кощунство.

sacrilegious [ˌsækri'lidʒəs] *a* светотатствен, кощунствен.

sacrist(an) ['sækrist(ən)] *n църк.* пазител на светите одежди и утвари.

sacristy ['sækristi] *n църк.* ризница.

sacrosanct ['sækrəsæŋkt] *a* свещен, неприкосновен.

sacrum ['seikrəm] *n* (*pl* -s, -ra [-rə]) *анат.* сакрум, кръст.

sad [sæd] *a* 1. тъжен, натъжен, опечален; печален, нерадостен, скръбен; **in** ~ **earnest** *ост.* съвсем сериозно; **a ~der and a wiser man** човек, осъзнал грешките си/чукнат от живота; помъдрял човек; **2.** *разг., често шег.* много лош/слаб, ужасен, страшен; жалък (*за опит*); **to make ~ work of** оплесквам; **3.** клисав, тежък; **4.** тъмен, мрачен (*за цвят*); **5.** *ост.* сериозен; □ **~ dog** нехранимайко, хаймана; **~ sack** *ам. sl.* кутсузин; некадърник, неоправник.

sadden ['sædn] *v* натъжавам (се), нажалявам (се), опечалявам (се).

saddle[1] ['sædl] *n* **1.** седло; самар; **in the ~** 1) на кон, яхнал; 2) на власт; **to be in the ~** 1) на власт съм, разпореждам се; 2) работя с увлечение; **2.** гръб, филе (*на животно*); **~ of mutton** овнешко филе; **3.** *геогр.* седловина; **4.** аръш (*част от конски хамут*); **5.** *техн.* подложка; възглавница; уплътнение; □ **to put the ~ on the right horse** *разг.* обвинявам справедливо, посочвам истинския виновник.

saddle[2] *v* **1.** оседлавам; **2.** натоварвам; обременявам (**with**); **to be ~d with** *прен.* нося/имам на гърба си; **3.** качвам се на седлото (*и с* **up**).

saddleback ['sædlbæk] *n* **1.** *геогр.* седловина; **2.** *арх.* покрив с два фронтона; **3.** вид гларус; **4.** черно прасе с бяла ивица на гърба.

saddlebag ['sædlbæg] *n обик. pl* дисаги; чанта на колело/мотоциклет.

saddlebow ['sædlbou] *n* преден лък на седло.

saddle-cloth ['sædlklɔθ] *n* потник под седло/самар.

saddle-horse ['sædlhɔːs] *n* кон за езда.

saddler ['sædlə] *n* седлар, сарач.

saddle-roof ['sædlruːf] *n* = **saddleback 2**.

saddlery ['sædləri] *n* **1.** седларство, сарачество; **2.** сарачница; **3.** сарашки стоки.

saddle shoe ['sædl ʃuː] *n ам.* вид обувка с цветен банд отпред.

saddle-tree ['sædltriː] *n* рамка на седло/самар.

sad-iron ['sædaiən] *n* ютия.

sadism ['seidizm] *n* садизъм.

sadness ['sædnis] *n* скръб, печал, униние.

safari [sə'faːri] *n араб.* ловна експедиция в Африка, сафари.

safe[1] [seif] *a* **1.** невредим, здрав (*и читав*); в безопасност; запазен, спасен, избавен; **~ and sound** невредим, здрав и читав; **to see s.o. ~ home** изпращам някого до вкъщи (*да не му се случи нещо*); **~ arrival** благополучно пристигане; **2.** безопасен, сигурен; надежден, верен; на когото може да се разчита; **in ~ hands** в добри ръце, на сигурно място; **at a ~ distance** на почетно разстояние, достатъчно далеч; **~ house** солидна/здрава къща; **as ~ as houses/as the Bank of England** съвсем надежден/сигурен; **~ load** *техн.* допустим товар; **they've got him** – държат го, хванали са го, не може да им избяга; **to be on the ~ side** 1) за всеки случай; за по-сигурно; 2) в безопасност съм; **it is ~ to say** може със сигурност/спокойно да се каже/твърди; **he is ~ to win/come** той непременно ще спечели/дойде; **~ seat for the Tories** място (в парламента), което непременно ще бъде спечелено от консерваторите; **to be a ~ catch** *сп.* ловя топката безпогрешно; **~ period** дни, когато няма опасност от забременяване; **3.** предпазлив; който не поема рискове; **better to be ~ than sorry** бъди предпазлив, за да не съжаляваш после; □ **with a ~ conscience** с чиста съвест.

safe[2] *n* **1.** сейф, огнеупорна каса; **2.** кафез (*за провизии*); хладилен шкаф/помещение.

safe conduct ['seif,kɔndəkt] *n* **1.** пропуск, открит лист; **2.** охрана.

safe-cracker ['seifkrækə] *n* касоразбивач.

safe-deposit ['seifdipozit] *n* сейф, хранилище (*в банка*).

safeguard[1] ['seifgaːd] *n* **1.** гаранция, защита; предпазна мярка; предпазител (**against**); **2.** охрана.

safeguard[2] *v* гарантирам; предпазвам; охранявам, защищавам; **to ~ an industry** *ик.* вземам протекционни мерки по отношение на дадена индустрия.

safe-keeping ['seifkiːpiŋ] *n* съхранение.

safe-light ['seiflait] *n фот.* фотолабораторна лампа.

safely ['seifli] *adv* **1.** благополучно; **2.** сигурно, със сигурност.

safety ['seifti] *n* **1.** безопасност, сигурност; непокътнатост, запазеност; **to play for ~** избягвам всякакъв риск; **for ~'s sake** за (по-голяма) сигурност; **in a place of ~** на сигурно/безопасно място; **~ first** безопасността преди всичко, без рискове; **~ first policy** предпазлива политика; **2.** = **catch**; **3.** *attr* предпазен; защитен; **~ factor, factor of ~** коефициент на сигурност.

safety-belt ['seiftibelt] *n* предпазен ремък/колан.

safety catch ['seifti,kætʃ] *n mex.* **1.** предпазен/застопоряващ елемент; **2.** „котка" на асансьор.

safety curtain ['seifti,kəːtn] *n театр.* противопожарна завеса.

safety|glass ['seifti,glaːs] *n* нечупливо/нетрошливо стъкло.

safety lamp ['seifti,læmp] *n* (обезопасена) миньорска лампа.

safety-lock ['seiftilɔk] *n* секретна брава.

safety-match ['seiftimætʃ] *n* (безопасна) кибритена клечка.

safety-net ['seiftinet] *n* предпазна мрежа при акробатични номера.

safety-pin ['seiftipin] *n* безопасна игла.

safety razor ['seifti,reizə] *n* самобръсначка.

safety valve ['seifti,vælv] *n* **1.** *mex.* предпазен вентил/клапан; **2.** *прен.* отдушник; □ **to sit on the ~** 1) потискам чувствата си; 2) водя политика на репресии.

safety zone ['seifti,zoun] *n ам.* място, безопасно за пешеходци.

safflower ['sæflauə] *n бот.* шафранка, багрилен/див шафран (Carthamus tinctorius).

saffron ['sæfrən] *n* **1.** *бот.* жълт минзухар, шафран (Crocus sativus); **2.** жълт цвят.

sag[1] [sæg] *v* (-gg-) **1.** хлътвам, вгъвам се; изкривявам се; вися, провисвам; **~ging shoulders** увиснали рамене; **2.** *прен.* отпадам, отслабвам; западам; клюмам; **3.** *търг.* спадам (*за цени*); намалява ми се цената; **4.** *мор.* отклонявам се от курса.

sag[2] *n* **1.** хлътване, вгъване; изкривяване; провисване; **2.** *търг.* спадане на цените; **3.** *мор.* дрейф, отклонение от курса; свойство (*на платноходка*) да се обръща само под напора на вятъра.

saga ['saːgə] *n лит.* **1.** сага, исландска хроника; **2.** сказание, предание; героичен епос; **3.** дълъг семеен роман (*и* **~ novel**); хроника; дълга история.

sagacious [sə'geiʃəs] *a* **1.** проницателен, далновиден, прозорлив; пресметлив; **2.** интелигентен, умен (*за животно*).

sagacity [sə'gæsiti] *n* проницателност, далновидност, прозорливост; пресметливост; интелигентност.

sagamore ['sægəmɔː] *n* индиански вожд.

sage[1] [seidʒ] *a* **1.** далновиден, мъдър, умен; учен; **2.** *често ирон.* велемъдър, всезнаещ; сериозен, важен.

sage[2] *n* мъдрец; маг.

sage[3] *n бот.* градински чай (Salvia officinalis).

sage-brush ['seiʤbrʌʃ] *n бот. ам.* пелин (Artemisia).

sage-green ['seiʤgri:n] *a, n* сивозелен (цвят).

saggar, -er ['sægə] *n* капсула/ковчеже за изпичане на порцеланови изделия.

sagittal ['sæʤitəl] *a* стреловиден.

Sagittarius [,sæʤi'tɛəriəs] *n* Стрелец (*съзвездие и знак на зодиака*).

saggitate(d) ['sæʤiteit(id)] *a бот.* стреловиден.

sago ['seigou] *n* 1. *бот.* сагова палма (и ~ palm); 2. саго, палмено нишесте.

sahib ['sa:ib, sa:b] *n инд.* господин; сър; господар; европеец.

said *вж.* say[1].

sail[1] [seil] *n* 1. корабно платно; **under** ~ с опънати/вдигнати платна; **(at) full** ~ с опънати/вдигнати платна; *прен.* тържествено; **in full** ~ с всички платна; **to set** ~ отплувам (**from** от, **to, for** за); **to take/haul in** ~ свивам/събирам платната; *прен.* намалявам амбициите си, посвивам платната; **to make** ~ 1) вдигам платно/платна; 2) отплувам; **to strike** ~ 1) свивам/прибирам платната; 2) признавам се за победен; 2. платноход(ка); *геям.; събир.* платноходни кораби; **twenty** ~ 2θ кораба; 3. плаване; мореплаване, пътуване по море; **to go for a** ~ отивам на разходка с платноходка; 4. крило на вятърна мелница (и ~ **arm**).

sail[2] *v* 1. пътувам с, карам, управлявам (*плавателен съд*); 2. проплувам, пропътувам; **to** ~ **uncharted seas** плувам по неизследвани морета; 3. отплувам, тръгвам на път, отпътувам; 4. нося се, рея се, летя; 5. пълзгам се плавно, плувам; 6. движа се тържествено;

   sail in залавям се/намесвам се енергично/решително;

   sail into 1) влизам тържествено в; 2) *разг.* нападам, нахвърлям се върху;

   sail through изкарвам (*изпит и пр.*) без всякакво усилие.

sailboat ['seilbout] *n* платноход(ка).

sailcloth ['seilklɔθ] *n* брезент.

sailer ['seilə] *n* платноход, кораб с платна; **good/slow** ~ бързоходен/бавен кораб.

sailfish ['seilfiʃ] *n* вид риба меч (Istiophorus).

sailing ['seiliŋ] *n* 1. плаване, навигация; 2. ветроходство; 3. тръгване, отпътуване, отплуване; ~ **orders** заповед за отплуване.

sailing-master ['seiliŋma:stə] *n* шкипер; капитан (*на яхта*); щурман.

sailing-ship ['seiliŋʃip] *n* кораб с платна.

sailor ['seilə] *n* 1. моряк, матрос; мореплавател; ~ **s'** ·**home** пансион за моряци; **to be a good/bad** ~ не страдам/страдам от морска болест, добре/зле понасям пътуване по море; 2. плоска дамска/детска шапка (и ~ **hat**).

sailoring ['seiləriŋ] *n* моряшки живот.

sailorly ['seiləli] *a* 1. моряшки; 2. стегнат, спретнат; кадърен.

sailors'-choice ['seiləztʃɔis] *n ам.* различни видове риби в Атлантическия океан.

sailplane ['seilplein] *n* планер, безмоторен самолет.

sainfoin ['seinfɔin] *n бот.* еспарзета (Onobrychis viciaefolia).

saint[1] [seint] *пред имена често* [sint, snt] *n* светец (*и прен.*), светия; *пред име* свети (*често съкр.* **St. St**); **calender of** ~ s църковен календар; ~ **'s day** патронен празник на църква; имен ден; □ **St Anthony's fire** *мед.* червен вятър, еризипел; ерготи-

зъм, отравяне с мораво рогче; **St Bernard (dog), great St Bernard** санбернарско куче; **St Elmo's fire = corposant**; **St John's wort** *бот.* жълт кантарион, звъника (Hypericum); **St Stephen's** Камарата на общините.

saint[2] *v* канонизирам; почитам като светец; ~ **ed** -свят, свещен; □ **my** ~ **ed aunt!** *разг.* боже мой!

sainthood ['seinthud] *n* 1. святост; 2. *събир.* светци, светии.

saintlike ['seintlaik] *a* като (на) светец.

saintly ['seintli] *a* свят; непорочен, безгрешен; като (на) светец.

saith |seθ] *ост.* = says.

sake [seik] *n*: **for the** ~ **of, for...** ~ **'s** ~ за, заради; в интерес на; от уважение към; с цел да, за да; **for my** ~ (за)ради мене; за мой хатър; **for God's/heaven's/goodness'/pity's/**разг. Pete's ~ за бога! **to talk for the** ~ **of talking** говоря, за да се намирам на приказки; **for old times'** ~, **for old** ~ **'s** ~ заради старото ни приятелство; **for the** ~ **of argument** колкото/за да поспорим; **art for art's** ~ изкуство заради изкуството, „чисто изкуство"; **to pursue learning for its own** ~ уча заради самото учение.

saké ['sa:ki] *n* японска оризова ракия.

saker ['seikə] *n* 1. вид голям сокол (Falco sacer); 2. *ост. воен.* малък топ.

sal [sæl] *n хим.* сол; ~ **volatile** амониев карбонат; амоняк; ~ **ammoniac** амонячна сол, нишадър.

salaam[1] [sə'la:m] *n араб.* селям; поздрав; темане, поклон.

salaam[2] *v* правя селям/темане, покланям се; поздравявам.

salable ['seiləbl] *a* 1. който може да се продаде; който се търси/бързо се продава, търсен; 2. *прен.* продажен, подкупен.

salacious [sə'leiʃəs] *a* 1. похотлив, сластолюбив, сластен; 2. неприличен, нецензурен, пикантен; мръсен; порнографски.

salacity [sə'læsiti] *n* похот(ливост), сладострастие, сласт; 2. нецензурност, пикантност.

salad ['sæləd] *n* 1. салата; 2. *attr* за салата; ~ **dressing** подправка за салата (*оцет, зехтин и пр.*); ~ **oil** зехтин; □ ~ **days** младежки години, първа младост.

salamander ['sæləmændə] *n* 1. *зоол.* дъждовник, саламандър; 2. *мит.* саламандра, саламандър; 3. нажежено желязо/тиган; мангал; преносима пещ; 4. *метал.* налеп, настил.

salami [sə'la:mi] *n итал.* (силно подправен) салам.

salariat [sə'lɛəriæt] *n събир.* чиновници, хора, които са на заплата.

salary[1] ['sæləri] *n* заплата.

salary[2] *v* плащам заплата на; **salaried man** човек на/ със заплата.

sale [seil] *n* 1. продажба; продаване, продан; **for** ~ продава се; **goods on** ~ стоки за продан/продажба; **articles for which there is no** ~ стоки, които не се търсят/за които няма пазар; **articles that command a sure/ready** ~ стоки, които много се търсят/които лесно се продават/харчат; **I haven't made a** ~ нищо не съм продал; 2. продажба на търг, аукцион; **to put up for** ~ обявявам на търг; 3. разпродажба (с намалени цени) (*и* **bargain/clearance** ~); ~ **of work** благотворителен базар на вещи, изработени от членове на организация и пр.

saleable = salable.

salep ['sælep] *n тур.* салеп.

saleratus [,sælə'reitəs] *n ам.* сода бикарбонат.

sale-ring ['seilriŋ] *n* участници в търг.

sale-room ['seilrum] *n* 1. аукционна зала; 2. зала/помещение за продажби.

sales clerk ['seilz͵klɑːk] *n* продавач (*в магазин*).

salesgirl, -lady ['seilzgɜːl, -leidi] *n* продавачка (*в магазин*).

salesman ['seilzmən] *n* (*pl* **-men**) 1. продавач; 2. търговски пътник/посредник.

salesmanship ['seilzmənʃip] *n* 1. търговски похват; изкуство да се привличат купувачи/клиенти; 2. *прен.* умение да убеждавам.

sales promotion ['seilzprə͵mouʃn] *n* (методи за) рекламиране на стоки/увеличение на продажбите.

sales resistance ['seilzri͵zistəns] *n* нежелание да се купува; неотзивчивост към реклама на стоки.

sales talk ['seilz͵tɔːk] *n* увещаване на клиента, рекламиране на стоката; *прен.* убеждаване да се приеме някаква идея, проагитиране, кандардисване.

sales tax ['seilz͵tæks] *n* данък върху продажбите.

saleswoman ['seilzwumən] *n* (*pl* **-women** [wimin]) продавачка.

salework ['seilwɜːk] *n* 1. стока за продан; 2. небрежна работа.

Salic ['sælik] *a* *ист.* салически; ~ **law** закон, според който жените нямат право да наследяват короната.

salicylic ['sæli'silik] *a* *хим.* салицилов.

salience ['seiliəns] *n* 1. очебийност; изтъкнатост; 2. изпъкналост, издаденост; издутина.

salient ['seiliənt] I. *a* 1. очебиен, очевиден; изпъкващ, забележителен, характерен; 2. изпъкнал, издаден; ~ **angle** *геом.* изпъкнал ъгъл; 3. *ост.* бликащ, скачащ; II. *n* 1. *геом.* изпъкнал ъгъл; 2. издатина, издаденост; 3. *воен.* клин.

saliferous [sə'lifərəs] *a* *геол.* съдържащ сол (*за пласт*).

salina [sə'lainə] *n* *ит.* 1. солено блато; солена почва; 2. солна мина; со̀лница.

saline ['seilain] I. *a* 1. солѐн; 2. со̀лен, соленист, салинен; II. *n* 1. = **salina**; 2. *хим.* сол; 3. *мед.* физиологичен разтвор.

salinity [sə'liniti] *n* соленост.

saliva [sə'laivə] *n* слюнка.

salivary ['sælivəri] *a* *физиол.* слюнчен.

salivate ['sæliveit] *v* *мед.* 1. отделям слюнка; 2. предизвиквам отделяне на слюнка.

salivation [sæli'veiʃn] *n* отделяне на слюнка.

sallet ['sælit] *n* *ист.* лек шлем.

sallow¹ ['sælou] *a* жълтеникав, бледен, нездрав.

sallow² *n* 1. *бот.* ива (Salix caprea); 2. върбова фиданка.

sally¹ ['sæli] *n* 1. *воен.* вилазка, внезапно нападение от обсада; 2. излет, разходка, екскурзия; 3. изблик, избухване, кипване; 4. духовита забележка, острота (*и* ~ **of wit**).

sally² *v* 1. *воен.* правя вилазка, нападам внезапно от обсада (**out**); 2. излизам, тръгвам, отправям се, запътвам се (**forth, out**).

Sally lunn ['sæli͵lʌn] *n* вид кифла.

sally-port ['sælipɔːt] *n* *воен.* врата за вилазки (*в укрепление*).

salmagundi [sælmə'gʌndi] *n* 1. ястие от кълцано месо, аншуа, зеленчуци и подправки; 2. *прен.* миш-маш, бъркотия, каша.

salmi ['sælmi] *n* рагу от дивеч.

salmon ['sæmən] *n* 1. *pl без изменение* сьомга (Salmo salar); 2. розово-оранжев цвят.

salmon trout ['sæmən͵traut] *n* *зоол.* балканска пъстърва (Salmo trutta).

salon [sæ'lɔːn, 'sælɔːn] *n* *фр.* 1. салон, приемна стая/зала; 2. *ист.* прием на видни общественици, литератори и пр. в салоните на дама от висшето общество; 3. изложбена зала; 4. ежегодна изложба на картини на живи художници; 5. моден/козметичен салон.

saloon [sə'luːn] *n* 1. салон, зала (*в параход, хотел и пр., за изложби*); зала за пътници от първа класа (*в кораб*); ~ **deck** палуба за пътници от първа класа; ~ **passenger** пътник от първа класа; ~ **bar** първокласен бар (*в ресторант и пр.*); 2. *жп.* салон-вагон; 3. вид голям закрит автомобил; 4. *ам.* кръчма, пивница, бар.

saloon-keeper [sə'luːnkiːpə] *n* *ам.* съдържател на пивниı а/бар, кръчмар.

saloon-pistol, -rifle [sə'luːnpistl, -raifl] *n* пистолет/пушка за стрелба на закрито.

salsify ['sælsifai] *n* *бот.* 1. козя брада, брадица (Tragopodon); 2. **black** ~ кокеш (Scorzonera).

salt¹ [sɔ(ː)lt] *n* 1. сол; **in** ~ осолен, в саламура; 2. *хим.* сол; ~ **of lemon** лимонена киселина; 3. *pl* очистително; 4. пикантност, острота, остроумие, духовитост; това, което придава пикантност/привлича най-много; **adventure is the** ~ **of life to some men** някои хора душа дават/живеят само за приключения; 5. *разг.* опитен моряк (*и* **old** ~); 6. солено блато; солено поле; 7. *pl* нахлуване на солена вода в речно устие; ☐ **to eat** ~ **with s.o.** гостувам някому; **to eat s.o.'s** ~ 1) гостувам някому; 2) издържан/зависим съм от някого; **to sit above/below the** ~ *ист.* седя на масата между господарите/слугите; **not to be worth/to be hardly worth o.'s** ~ не струвам парите, дето ми плащат; не ме бива за нищо; **to take** ~ **with a grain/pinch of** ~ приемам с резерва, поставям под съмнение, считам за преувеличено/съмнително; **the** ~ **of the earth** солта на земята, най-ценните хора; **I am not made of** ~ не съм от захар, не ме е страх да не се измокря; **to put/cast** ~ **on s.o.'s tail** хващам/пипвам/улавям някого; **to rub** ~ **into a wound** унижавам още повече; **like a doze of** ~**s** *sl.* много бързо, тутакси.

salt² *a* 1. солен, посолен, осолен; 2. живеещ/растящ в солени води; солен; 3. *прен.* горчив, лют; ~ **tears** горчиви сълзи; 4. остроумен, духовит; пикантен, солен; пиперлия; 5. *разг.* много скъп, солен.

salt³ *v* 1. соля, посолвам, насолявам, осолявам (*и* **away, down**); давам сол на (*животно*); 2. придавам пикантност на; 3. *търг.* *sl.* подправям; увеличавам; надписвам; **to** ~ **an account** вписвам твърде високи/ниски цени в сметка; **to** ~ **the books** надписвам приходите; **to** ~ **a mine** изкуствено подобрявам качеството на проба, за да получа по-добра цена при продажба; 4. *вет.* имунизирам (*кон*);

    salt away 1) скътвам, спестявам; 2) осолявам, слагам в саламура;

    salt down = salt away;

    salt up = salt away 1.

saltation [sæl'teiʃn] *n* 1. *книж.* скачане, подскачане, скок; 2. *биол.* мутация.

saltatorial, saltatory [͵sæltə'tɔːriəl, 'sæltətəri] *a* 1. пригоден за скачане; 2. скачащ, движещ се със скачане/скокове; скокообразен (*и за развитие*).

salt-box ['sɔːltbɔks] *n* 1. солница; 2. *ам.* къща с два етажа отпред и един отзад.

saltbush ['ɔːltbuʃ] *n* *бот.* лобода (Atriplex).

salt-cellar ['sɔltselə] *n* солница.

salter ['sɔ:ltə] *n* търговец/продавач на сол.

saltern ['sɔ:tən] *n* сòлница.

salt horse ['sɔ:lt‚hɔ:s] *n sl.* говежда консерва.

saltine [sɔl'ti:n] *n ам.* тънка солена бисквита.

salt junk ['sɔ:lt‚dʒʌŋk] *мор. sl.* = **salt horse**.

salt-lick ['sɔ:ltlik] *n* място, където животните отиват да лижат сол.

salt-marsh ['sɔ:lt‚ma:ʃ] *n* заливана от морето ливада.

salt-pan ['sɔ:ltpæn] *n* солено езеро; сòлница.

saltpetre, *ам.* -peter ['sɔltpi:tə] *n хим.* селитра.

salt-pit ['sɔ:ltpit] *n* сòлница.

saltshaker ['sɔltʃeikə] *n ам.* солнѝца (*с дупчици*).

saltwater ['sɔltwɔ:tə] *a* морски, соленоводен.

saltworks ['sɔltwə:ks] *n* сòлница.

saltwort ['sɔltwət] *n бот.* 1. вълмо, корай, луга (Salsola kali); 2. *ам.* вид ароматен храст (Batis maritima).

salty ['sɔ(:)lti] *a* 1. солен; 2. солен, пикантен, леко нецензурен; остроумен; 3. напомнящ морето/моряшкия живот.

salubrious [sə'lu:briəs] *a* здрав, здравословен.

salubrity [sə'lu:briti] *n* здравословност.

saluki [sə'lu:ki] *n* вид азиатска/сев. -афр. хрътка.

salutary ['sæljutəri] *a* 1. полезен, благотворен; 2. здравословен; лечебен.

salutation [‚sælju'teiʃn] *n* 1. поздрав, поздравяване, приветствие; *pl* поздрави, привети; 2. обръщение (*в писмо*).

salutatorian [sə‚lu:tə'tɔ:riən] *n ам.* втори по успех випускник, който произнася слово на годишния акт.

salutatory [sə'lju‚tətəri] I. *a* поздравителен, приветствен; II. *n ам.* приветствено слово.

salute[1] [sə'l(j)u:t] *v* 1. поздравявам, приветствувам; 2. *воен.* отдавам чест (на); салютирам, давам салют; 3. *ам.* приветствувам, одобрявам; 4. *ост.* целувам (*при среща, раздяла*); 5. *ост.* срещам, посрещам; **the sight that ~d him** гледката, която се изпречи пред него.

salute[2] *n* 1. поздрав; 2. *воен.* салют; отдаване чест; **the ~** стойка при отдаване чест; **to take the ~** 1) отвръщам при отдаване чест; 2) приемам почетния салют; **to return/acknowledge the ~** изстрелвам контрасалют; 3. *ост.* целувка (*при среща, раздяла*).

salvable ['sælvəbl] *a* спасяем; избавим.

salvage[1] ['sælvidʒ] *n* 1. спасяване на имущество (*при пожар, корабокрушение и пр.*); 2. спасено имущество/стока; 3. възнаграждение за спасяване на имущество; 4. изваждане на потънал плавателен съд; **~ company** компания, която се занимава с изваждане на потънали плавателни съдове; 5. (използване на) отпадъци.

salvage[2] *v* спасявам от унищожение/потъване/пленяване.

salvation [sæl'veiʃn] *n* спасение, избавление; **to work out o.'s own ~** сам намирам изход от беда, сам се избавям; **to find ~** ставам християнин; **S. Army** Армия на спасението (*религиозно-благотворителна организация*).

salvationist, S. [sæl'veiʃənist] *n* 1. член на **Salvation Army** (*вж.* salvation); 2. *ам.* (сектантски) проповедник.

salve[1] [sælv] *n* 1. мехлем; 2. успокоително средство/влияние; успокоение.

salve[2] *v* 1. намазвам с мехлем; лекувам; 2. успокоявам (*съвест*); утоложвам; задоволявам.

salve[3] = **salvage**[2].

salver ['sælvə] *n* поднос, табла, табличка.

salvia ['sælviə] *n бот.* конски босилек. какула.

salvo[1] ['sælvou] *n* 1. *воен.* оръдеен залп; салют; 2. изблик, буря (*от аплодисменти*).

salvo[2] *n* 1. резерва, уговорка, условие; **with an express ~ of their rights** с изрична уговорка за запазване на всичките им права; 2. *прен.* усукване, извъртане; претекст; средство за измъкване.

Sam [sæm] *n*: **to stand ~** *sl.* черпя, плащам; □ **upon my ~** бога ми, честна дума.

samara [sə'mærə] *n бот.* семе/плод на бряст и пр.

Samaritan [sə'mæritən] I. *a* самарянски; II. *n* самарянин; **good ~** приятел в нужда.

samba ['sæmbə] *n* самба (*танц*).

sambar, -ur ['sæmbə] *n зоол.* индийски елен (Cervus unicolor).

sambo[1] ['sæmbou] *n* 1. потомък на индианец и негър; 2. *разг.* S. негър.

sambo[2] *n сп.* самбо.

Sam Browne (belt) [sæm‚braun ('belt)] *n* офицерски портупей.

same[1] [seim] *a, pron обик.* c **the, this, that, these, those** 1. същ(и), еднакъв, идентичен; **he is the ~ age as** той е на същата възраст като; **at the ~ time** по същото време, същевременно; при това; **the very ~** точно същият; точно такъв; **one and the ~** един и същи; 2. същото; **it is all/just the ~ to me** все ми е едно, безразлично ми е; **much the ~** почти непроменен/какъвто си беше, в същото състояние; почти същото; **~ here** *разг.* (и аз) също; 3. *търг. юр.* (*често без* **the**) същият, гореказаният, споменатият.

same[2] *adv* (c **the**) също (така); по същия начин; **all/just the ~** въпреки това/всичко.

sameness ['seimnis] *n* 1. еднаквост, тъждественост, идентичност; сходство, прилика; 2. еднообразие, монотонност.

samisen ['sæmisen] *n* японска триструнна китара.

samite ['sæmait] *n ост.* златотъкан брокат.

samlet ['sæmlit] *n* млада сьомга.

Samoan [sə'mouən] I. *a* самоански; II. *n* 1. самоанец, жител на островите Самоа; 2. самоански език.

samp [sæmp] *n* 1. едро смляна царевица; 2. качамак.

sampan ['sæmpən] *n* плоскодънна китайска лодка.

samphire ['sæmfaiə] *n бот.* 1. крайморска салата, морски копър (Crithmum maritima); 2. = **glasswort**.

sample[1] ['sæmpl] *n* 1. проба, мостра, образец; **to be up to ~** отговарям на мострата; **~ post** (пощенска такса за) мостра без стойност; 2. пример, образец, модел; **to give a ~ of o.'s knowledge/skill** показвам какво знам/мога; 3. *тех.* шаблон, модел; 4. *attr* мострен, пробен, за мостра/проба; **~ book** 1) албум с мостри; 2) *печ.* пробен екземпляр от книга; **~ passage** характерен/случайно избран пасаж; **~ plot** опитен участък (*в разсадник и пр.*).

sample[2] *v* 1. вземам проба/проби от; избирам образец; правя анализ; пробвам, изпитвам; 2. дегустирам, опитвам; 3. *прен.* вкусвам от.

sampler ['sæmplə] *n* 1. изпробвач; изпитвач; дегустатор; 2. *ам.* сборник (*от откъси*); албум с мостри; 3. покривка и пр. с различни видове бродерия.

samurai ['sæmurai] *n ам.* самурай; **the ~** кастата на самураите.

sanative ['sænətiv] *a* целебен, лечебен, целителен.

sanatorium [sænə'tɔ:riəm] *n* (*pl* **-s, -ria** [-riə]) санаториум.

sanatory ['sænətəri] = **sanative**.

sanbenito [sænbe'ni:tou] *n ист.* 1. черна дреха, в която обличали осъдените на изгаряне от инквизицията; 2. жълта риза на разкаянието.

sanctification [‚sæŋktifi'keiʃn] *n* 1. освещаване; 2. очистение от грехове; 3. санкциониране; оправдаване.

sanctified ['sæŋktifaid] *a* **1.** осветен; **2.** лицемерно набожен.

sanctify ['sæŋktifai] *v* **1.** освещавам; придавам святост на; **2.** очиствам от грехове; **3.** оправдавам; одобрявам; санкционирам.

sanctimonious [,sæŋkti'mounjiəs] *a* **1.** лицемерен, лицемерно набожен; **2.** *ост.* свят, свещен.

sanctimony ['sæŋktiməni] *n* **1.** лицемерие, лицемерна набожност; **2.** *ост.* светост.

sanction[1] ['sæŋkʃn] *n* **1.** разрешение; санкция; ратификация, ратифициране; одобрение, насърчение; **2.** *често pl* санкция, наказателна мярка; **3.** подбуда, подтик; **4.** *ист.* декрет.

sanction[2] *v* **1.** санкционирам, ратифицирам; **2.** одобрявам; разрешавам; **3.** *юр.* предвиждам наказание за, санкционирам.

sanctity ['sæŋktiti] *n* **1.** светост; **2.** нерушимост, неприкосновеност; **3.** *pl* свещени/свети задължения/права/. предмети.

sanctuary ['sæŋktjuəri] *n* **1.** светилище; светиня; храм, олтар; **2.** убежище *(и прен.); юр.* право на убежище; място, където човек не може да бъде арестуван; **3.** резерват *(за птици и пр.)*.

sanctum (sanctorum) ['sæŋktəm (sæŋk'tɔ:rəm)] *n лат.* **1.** светилище, светая светих *(и прен.);* **2.** *разг.* кабинет, бърлога.

sand[1] [sænd] *n* **1.** пясък; **2.** *pl* пясък, плаж; пясъци; пясъчна пустиня; **3.** *обик. pl* песъчинки; **4.** *и pl* = **sandbank**, **sand-bar**; **5.** жълтеникавочервен цвят; **6.** *ам. sl.* твърдост, издръжливост, смелост; □ **built on ~** несигурен; *прен.* построен на пясък; **head in the ~** отказ да призная/видя опасността; **the ~s are running out** не остава вече време, краят наближава; **rope of ~** измамна сигурност, измамно чувство за сигурност.

sand[2] *v* **1.** поръсвам с/заравям в пясък; **2.** смесвам с/прибавям пясък в; **3.** чистя/почиствам с пясък/гласпапир.

sandal ['sændl] *n* сандал; **~led** обут със сандали.

sandal(wood) ['sændl(wud)] *n* сандалово дърво (Santaluni album).

sandarac(h) ['sændəræk] *n* сандарак *(смола от африканско хвойново дърво)*.

sandbag[1] ['sændbæg] *n* торба/торбичка с пясък, пясъчна торба.

sandbag[2] *v* (-gg-) **1.** *воен.* укрепявам с пясъчни торби; подпълвам с пясъчни торби *(цепнатина и пр.)*; **2.** удрям в тила/зашеметявам с пясъчна торбичка; **3.** *ам. sl.* принуждавам, насилвам.

sandbank ['sændbæŋk] *n* пясъчна плитчина.

sand-bar ['sændba:] *n* пясъчен нанос/насип.

sandblast[1] ['sændbla:st] *n тех.* пясъчна струя *(за почистване на камък, стъкло и пр.)*.

sandblast[2] *v* почиствам с пясъчна струя/с песъкоструен апарат.

sandblind ['sændblaind] *a* полусляп, недовиждащ.

sandbox ['sændbɔks] *n* **1.** сандък с пясък *(на локомотив и пр.)*; **2.** място с пясък за игра на деца; **3.** *ост.* кутийка за ръсене на пясък върху мастило.

sandboy ['sændbɔi] *n*: **as happy/jolly/merry as a ~** много весел.

sand dollar ['sænd,dɔlə] *n зоол.* морски таралеж. (Echinoidea).

sand-drift ['sænddrift] *n* плаващи пясъци.

sand eel ['sænd,i:l] *n зоол.* вид змиорка *(род Ammodytes)*.

sander ['sændə] *n* **1.** приспособление/камион за пръскане пясък по пътища; **2.** *тех.* песъкоструен апарат.

sanderling ['sændəliŋ] *n зоол.* трипръст пясъчник (Crocethia alba).

sandfly ['sændflai] *n зоол.* **1.** мушица от рода Simulium; **2.** папатак (Phlebotomus papatasii).

sand-glass ['sændgla:s] *n* пясъчен часовник.

sandhill ['sændhil] *n* дюна.

sandhog ['sændhɔg] *n ам. sl.* работник на подводен тунел.

sandlot ['sændlɔt] *n ам.* **1.** празно място, използвано за игрище; **2.** *attr* любителски, махаленски *(за спортна игра)*.

sandman ['sændmən] *n дет.* сънчо.

sand-paper[1] ['sændpeipə] *n* гласпапир, шкурка.

sand-paper[2] *v* изтърквам с гласпапир/шкурка.

sand-piper ['sændpaipə] *n зоол.* вид бекас (Actitis hypolencos).

sand-pit ['sændpit] *n* пясък *(в детско игрище)*.

sand-shoe ['sændʃu:] *n* гуменка; плажна обувка.

sandsoap ['sændsoup] *n* груб сапун.

sand-spout ['sændspaut] *n* пясъчен стълб *(при вихрушка)*; смерч.

sandstone ['sændstoun] *n минер.* пясъчник.

sand-storm ['sændstɔ:m] *n* пясъчна буря, самум.

sand table ['sænd,teibl] *n воен.* релефен модел от пясък.

sandwich[1] ['sændwidʒ] *n* сандвич.

sandwich[2] *v* **1.** правя сандвич; **2.** слагам/намествам; поставям/вмъквам помежду; **to be ~ed between** притиснат съм между.

sandwich boards ['sændwidʒ,bɔ:dz] *n pl* рекламни плакати, прикрепени на гърба и гърдите на човек.

sandwich-man ['sændwidʒmən] (*pl* **-men**) *n* човек, който носи рекламни плакати на гърба и гърдите си, човек-реклама.

sandwort ['sændwət] *n бот.* песъчарка (Arenaria).

sandy ['sændi] **I.** *a* **1.** пясъчен; песъчлив; **2.** жълтеникавочервен; **II.** *n* човек с жълтеникавочервена коса.

Sandy ['sændi] *n разг.* (прозвище за) шотландец.

sane [sein] *a* **1.** нормален *(не луд)*; здравомислещ; **2.** разумен, смислен.

Sanforize ['sænfəraiz] *v текст.* правя несвиваем.

sang *вж.* **sing**.

sangaree [sæŋgə'ri:] *n* сладко подправено разредено вино.

sang-froid [sa:'frwa:] *n фр.* невъзмутимост, хладнокръвие.

sanguinary ['sæŋgwinəri] *a* **1.** кървав; кръвопролитен; **2.** кръвожаден; **3.** жесток, варварски; кървав *(за закон)*; □ **~ language** език, пълен с псувни.

sanguine[1] ['sæŋgwin] **I.** *a* **1.** жизнерадостен, сангвиничен; пълнокръвен; **2.** оптимистичен; **~ of success** уверен в успеха/че ще успее; **3.** румен; кървавочервен; **II.** *n* **1.** (рисунка с) червен тебешир/молив; **2.** кървавочервен цвят.

sanguine[2] *v поет.* окървавявам, оцапвам/опръсквам с кръв.

Sanhedrim, -rin ['sænidrim, -rin] *n евр.* **1.** синедрион; **2.** *прен. обик.* **s.** синедрион, съвет, събрание; сборище.

sanicle ['sænikl] *n бот.* дебрянка (Sanicula europaea).

sanitarium [sæni'tɛəriəm] *ам.* = **sanatorium**.

sanitary ['sænitəri] **I.** *a* **1.** чист, хигиеничен; **2.** санитарен, здравен; хигиенен; **~ officer** хигиенист; **~ towel/napkin** дамска превръзка; **~ ware** санитарен фаянс; **~ engineer** канализационен инженер; **II.** *n ам.* обществен клозет.

sanitate ['sæniteit] *v* хигиенизирам.

sanitation [ˌsæniˈteiʃn] *n* 1. здравеопазване; хигиенизиране; 2. канализация.

sanitize [ˈsænitaiz] *v* 1. хигиенизирам; дезинфекцирам; 2. *ам.* правя по-приемлив, придавам по-приемлив вид на.

sanity [ˈsæniti] *n* 1. здрав разум, нормална психика; 2. уравновесеност, трезвост; здрав разум; разсъдливост.

sank *вж.* **sink**[1].

Sanscrit [ˈsænskrit] I. *a* санскритски; II. *n* санскрит(ски език).

sansculotte [sæŋkjuˈlɔt] *n фр. ист.* санкюлот.

Sanskrit = **Sanscrit**.

Santa Claus [ˈsæntəˌklɔːz] *n* Дядо Коледа, Дядо Мраз.

sap[1] [sæp] *n* 1. *бот.* сок, мъзга; 2. *бот.* беловина; 3. *прен.* жизнен сок/сили, жизненост; 4. *поет.* кръв; 5. *sl.* мухльо; глупак; зубрач; 6. *ам.* палка с тежка кръгла топка.

sap[2] *v* (**-pp-**) 1. източвам соковете на (*дърво*); 2. *прен.* изсмуквам, изстисквам (*сили и пр.*), изтощавам; 3. махам беловината на (*дърво*); 4. *ам.* зашеметявам с (*удар с*) палка.

sap[3] *n* 1. *воен.* покрит окоп; 2. *прен.* подривна дейност, подриване.

sap[4] *v* (**-pp-**) 1. копая окопи; нападам от окоп; 2. подривам, подкопавам (*и прен.*),

sap-green [ˈsæpgriːn] I. *a* жълто-зелен; II. *n* жълто-зелен цвят; сиво-зелена боя от плодовете на зърнастеца.

saphead [ˈsæphed] *n sl.* мухльо; глупак.

sapid [ˈsæpid] *a* 1. вкусен, приятен; ароматен; 2. интересен, съдържателен, смислен.

sapidity [səˈpiditi] *n* 1. (приятен) вкус/аромат; приятност; 2. съдържателност, смисленост.

sapience [ˈseipiəns] *n* 1. *книж.* мъдрост; преценка; 2. *често ирон.* велемъдрие.

sapient [ˈseipiənt] *a* 1. *книж.* мъдър; 2. *ирон.* велемъдър.

sapless [ˈsæplis] *a* 1. без сок; сух, изсъхнал; 2. безжизнен; безинтересен, безцветен; блудкав.

sapling [ˈsæpliŋ] *n* 1. фиданка; младок; 2. юноша, младеж; 3. млада хрътка.

saponaceous [ˌsæpəˈneiʃəs] *a книж.* 1. сапунен; 2. *ам.* мазен, мазнишки.

saponify [səˈpɔnifai] *v хим.* осапунявам (се).

sapor [ˈseipə] *n книж.* вкус; аромат, мирис.

sapper [ˈsæpə] *n воен.* сапьор, пионер.

Sapphic [ˈsæfik] I. *a* 1. *проз.* сафически; 2. лесбийски; II. *n pl* сафически стихове.

sapphire [ˈsæfaiə] *n* 1. сапфир; 2. *attr* сапфирен.

sapphism [ˈsæfizm] *n* лесбийство.

sappy [ˈsæpi] *a* 1. сочен; 2. жизнен, пълен с енергия; 3. *sl.* глупав; мекушав, сантиментален.

saprogenic [ˌsæprəˈdʒenik] *a* гнилостен (*за бактерии*).

saprophyte [ˈsæprəfait] *n биол.* сапрофит.

sapwood [ˈsæpwud] *n бот.* беловина.

saraband [ˈsærəbænd] *n* сарабанда.

Saracen [ˈsærəsən] *n ист.* сарацин.

Saracenic [ˌsærəˈsenik] *a* сарацински.

sarcasm [ˈsɑːkæzm] *n* сарказъм.

sarcastic [sɑːˈkæstik] *a* саркастичен.

sarcenet [ˈsɑːsənet] *n* тънък копринен плат за подплата и пр.

sarcocarp [ˈsɑːkəkɑːp] *n бот.* месо на плод; месест плод.

sarcoma [sɑːˈkoumə] *n* (*pl* **-s, -mata** [-mətə]) *мед.* саркома.

sarcophagus [sɑːˈkɔfəgəs] *n* (*pl* **-es, -gi** [-gai]) саркофаг.

sard [sɑːd] *n минер.* вид кафяво-оранжев халцедон.

sardine [sɑːˈdiːn] *n* сардина; сардела; **packed like ~s** натъпкани като сардели.

Sardinian [sɑːˈdiniən] I. *a* сардински; II. *n* 1. сардинец; 2. сардински диалект.

sardonic [sɑːˈdɔnik] *a* сардоничен, язвителен.

sardonyx [ˈsɑːdəniks] *n минер.* сардоникс, вид халцедон.

saree = **sari**.

sargasso [sɑːˈgæsou] *n бот.* саргасово водорасло.

sarge [sɑːdʒ] *n разг. скър. от* **sergeant**.

sari [ˈsɑːri] *n инд.* сари (*женска дреха, наметало*).

sark [sɑːk] *n шотл., ост.* риза.

sarky [ˈsɑːki] *a sl.* саркастичен.

sarong [səˈrɔŋ] *n* саронг (*малайско облекло*).

sarsaparilla [ˌsɑːsəpəˈrilə] *n фарм.* тоническо средство (*от екстракт от корени на ам. тропическо дърво*).

sars(e)net = **sarcenet**.

sartorial [sɑːˈtɔːriəl] *a превз.* шивачески, шивашки.

sartorius [sɑːˈtɔːriəs] *n анат.* шивашки мускул.

sash[1] [sæʃ] *n* шарф (*на офицер, орденоносец*); широк платнен колан, пояс.

sash[2] *n* рамка на прозорец; прозорец (*с рамката*).

sashay [ˈsæʃei] *v ам. разг.* 1. нося се (елегантно, плавно ходя напрено; 2. движа се настрана/диагонално.

sash-window [ˈsæʃwindou] *n* прозорец на две части, които се отварят нагоре и надолу.

sasin [ˈseisin] *n* индийска черна антилопа.

sass[1] [sæs] *n ам. разг.* дързък/нахален отговор; дръзки приказки, дързост.

sass[2] *v ам. разг.* отвръщам дръзко/нахално.

sassafras [ˈsæsəfræs] *n бот. ам.* лаврово дърво.

Sassenach [ˈsæsənæk] *n шотл. ирл. презр.* англичанин.

sassy [ˈsæsi] *a ам.* дързък, нахален.

sat *вж.* **sit**.

Satan [ˈseitn] *n* сатана.

satanic(al) [səˈtænik(əl)] *a* сатанински.

satanism [ˈseitənizm] *n* 1. сатанинство, сатанински характер/склонности; 2. сатанизъм.

satchel [ˈsætʃəl] *n* (ученическа) чанта (за гръб).

sate[1] [seit] *ост.* = **sat** (*вж.* **sit**).

sate[2] *v* 1. засищам, задоволявам (*апетит и пр.*); 2. пресищам.

sateen [sæˈtiːn] *n* памучен сатен.

sateless [ˈseitlis] *a книж.* ненаситен.

satellite [ˈsætəlait] *n* 1. *астр.* спътник, сателит; изкуствен спътник; 2. *прен.* сателит, човек от нечий антураж; епигон; 3. (град/държава) сателит (*и* ~ **town/state**); 4. *attr* сателитен.

satiable [ˈseiʃəbl] *a* утолим; задоволим.

satiate[1] [ˈseiʃieit] *v* 1. утолявам, засищам, насищам; 2. пресищам.

satiate[2] [ˈseiʃieit] *a* 1. заситен; 2. преситен.

satiation [seiʃiˈeiʃn] *n* 1. насищане; наситеност, насита; 2. пресищане, преситеност, пресита.

satiety [səˈtaiəti, ˈseiʃiəti] *n* насита; пресита; **to (the point of)** ~ до насита/пресита.

satin[1] [ˈsætin] *n* 1. атлаз; 2. *attr* атлазен; сатиниран; лъскав, гланцов, гланциран; ~ **finish** (лек) гланц; ~ **paper** лъскава/гланцова хартия.

satin[2] *v* гланцирам, сатинирам; лъскам.

satinet(te) [sætiˈnet] *n текст.* сатинет.

satiny [ˈsætini] *a* като атлаз; гладък; лъскав.

satire [ˈsætaiə] *n* сатира.

satiric(al) [səˈtirik(əl)] *a* сатеричен; саркастичен.

satirist [ˈsætərist] *n* сатирик.

satirize [ˈsætəraiz] *v* осмивам, пиша сатира (за).

satisfaction [ˌsætisˈfækʃn] *n* 1. задоволство, удовлетворение (**at, with**); задоволяване; удоволствие; **to the ~ of** 1) така че да задоволи, както изисква; 2) за удоволствие на; **it is a ~ to know that** приятно е да се знае, че; **to give ~ (to)** задоволявам, удовлетворявам (*нечии изисквания, нужди*); **the ~ of not having to do it/of being successful** радостта, че няма нужда да го направя/че съм успял; 2. уреждане, изплащане (*на дълг*) (**of**); обезщетение (**for**); 3. удовлетворение за обида (*и чрез дуел*); **to give ~** извинявам се за обида; съгласявам се на дуел; **to demand/obtain ~** искам/получавам удовлетворение; 4. *рел.* изкупление; **to make ~ for** изкупвам; **in ~ of** като изкупление за.

satisfactory [ˌsætisˈfæktəri] *a* 1. задоволителен; сносен, добър; достатъчен; 2. *рел.* изкупителен.

satisfy [ˈsætisfai] *v* 1. задоволявам, удовлетворявам; харесвам на; **to ~ the examiners** издържам изпит с тройка; **to rest satisfied** доволен/удовлетворен съм; 2. задоволявам, утолявам (*глад, любопитство*); 3. изпълнявам, спазвам, съблюдавам; 4. погасявам дълг; обезщетявам; компенсирам; посрещам; (*задължения и пр.*); 5. убеждавам, уверявам; **to ~ o.s. of the truth of** убеждавам се в истинността на; 6. успокоявам, разсейвам (*съмнения и пр.*).

satisfying [ˈsætisfaiiŋ] *a* 1. приятен; задоволяващ; 2. обилен, питателен, сит.

satrap [ˈsætrəp] *n* 1. *ист.* сатрап; 2. сатрап, деспот, тиранин.

satrapy [ˈsætrəpi] *n* *ист.* сатрапия.

saturate [ˈsætʃəreit] *v* 1. пропивам/просмуквам се в; напоявам; накисвам; **to be ~d** *разг.* мокър съм до кости; 2. *хим.* насищам; **~d solution** наситен разтвор; 3. насищам (*пазар*), *обик. pass* пропивам, просмуквам (**in, with**) (*за пороци, суеверия, знания и пр.*); **to ~ o.s. in** задълбочавам се в, изучавам подробно; 5. *воен.* разрушавам напълно (с бомби).

saturation [ˌsætʃəˈreiʃn] *n* насищане, наситеност; **~ point** *хим.* точка на насищане.

Saturday [ˈsætədi] *n*/събота.

Saturn [ˈsætən] *n* *астр., мит.* Сатурн.

saturnalia [ˌsætəˈneiliə] *n pl лат.* 1. S. сатурналии, древноримски тържества в чест на бога Сатурн; 2. *прен. обик. с гл. в sing* вакханалия, оргия, пир.

Saturnian [sæˈtəːniən] I. *a* 1. сатурнов; **~ age** златен век; **~ metre/verse** ранноримски стих; 2. щастлив, блажен; непорочен; II. *n* 1. (въображаем) жител на Сатурн; 2. *pl* **~ metre/verse**.

saturnine [ˈsætənain] *a* 1. мрачен, навъсен, намръщен; 2. *ост.* роден под влиянието на Сатурн; 3. *хим.* оловен; 4. *мед.* засегнат от оловно отравяне.

saturnism [ˈsætənizm] *n* *мед.* оловно отравяне, сатурнизъм.

satyagraha [saːtjaːˈgraːhaː] *n инд.* пасивна съпротива (*на злото*).

satyr [ˈsætə] *n* 1. *мит.* сатир; 2. развратник; 3. *зоол.* пеперуда от сем. Satirydae.

satyric [səˈtirik] *a* сатирски, сатировски.

sauce[1] [sɔːs] *n* 1. сос; подправка; 2. (нещо, което придава) пикантност/разнообразие; 3. *ам.* компот от плодове; плодов кисел; *диал.* зеленчуци с месо; 4. *разг.* дързост, нахалство, дръзък език; **none of your ~!** я недей нахалничи! 5. *ам. sl.* питие; □ **to serve with the same ~** *прен.* връщам със същото/със същата монета, връщам си го; **what is ~ for the goose is ~ for the gander** с какъвто аршин мериш, с такъв ще ти мерят.

sauce[2] *v* 1. гарнирам със сос; слагам сос на; 2. придавам пикантност на (*и прен.*); 3. *разг.* отговарям дръзко/нахално на, отвръщам на.

sauce-boat [ˈsɔːsbout] *n* сосиера.

sauce-box [ˈsɔːsbɔks] *n разг.* нахалник.

saucepan [ˈsɔːspən] *n* тенджера.

saucer [ˈsɔːsə] *n* 1. чинийка (*за чаша*); 2. плитка котловина, хлътнатина.

saucer-eyed [ˈsɔːsəraid] *a* с големи ококорени очи; ококорен.

sauciness [ˈsɔːsinis] *n* нахалство, дързост, безочливост.

saucy [ˈsɔːsi] *a* 1. нахален, дързък, безочлив; 2. жив, весел; 3. *sl.* елегантен, шик, моден.

sauerkraut [ˈsauəkraut] *n нем.* кисело зеле.

sauna [ˈsɔːnə, ˈsaunə] *n* сауна.

saunter[1] [ˈsɔːntə] *v* разхождам се бавно/спокойно, шляя се; □ **to ~ through life** прекарвам живота си безцелно.

saunter[2] *n* (бавна/спокойна) разходка; **to come at a ~** идвам, без да бързам.

saunterer [ˈsɔːntərə] *n* 1. разхождащ се човек; 2. празноскитащ.

saurel [sɔˈrel] *n зоол.* сафрид (Trachurus).

saurian [ˈsɔːriən] *a зоол.* от рода на гущерите.

saury [ˈsɔːri] *n зоол.* вид риба (Scombresox saurus).

sausage [ˈsɔsidʒ] *n* 1. наденица; салам; суджук, луканка (*и flat ~*); 2. *ав. разг.* наблюдателен балон (*и ~ baloon*); □ **not a ~** *sl.* съвсем нищо, нищичко; **~ fingers** пръсти като кебапчета.

sausage-dog [ˈsɔsidʒdɔg] *n разг.* дакел.

sausage-roll [ˈsɔsidʒroul] *n* пирожка с мляно месо.

sauté[1] [ˈsoutei] *фр.* I. *a* леко запържен/задушен; II. *n* соте.

sauté[2] *v* запържвам/задушавам леко.

sautern(e) [souˈtəːn] *n фр.* сотерн (*вид бяло вино*).

savage[1] [ˈsævidʒ] I. *a* 1. див, дивашки (*и прен.*); 2. свиреп, жесток; безжалостен; 3. *разг.* разярен, яростен; 4. дивашки, просташки; II. *n* 1. дивак; 2. свиреп/жесток човек; 3. грубиян, простак.

savage[2] *v* 1. правя да подивее; 2. хапя; стъпквам (*за кон*); 3. нападам яростно/свирепо.

savagery [ˈsævidʒri] *n* 1. дивачество; 2. диващина, варварство, свирепост, зверство, зверщина.

savanna(h) [səˈvænə] *n* савана, прерия, гола равнина.

savant [ˈsævənt, ˈsəvaːn] *n фр.* учен.

save[1] [seiv] *v* 1. спасявам, избавям; запазвам (**from**); пестя, спестявам (*усилия, време и пр.*); **to ~ o.s. trouble** спестявам си/избягвам неприятности/главоболия; 3. пестя, икономисвам, туря настрана (*и с* **up**); 4. *сп.* спасявам (*топка*); 5. запазвам се добре, не се развалям, трая (*за храна*); □ **to ~ o.'s bacon/skin** спасявам/отървавам (си) кожата; **to ~ o.'s breath** мълча си, премълчавам; **God ~ us!** пази боже! **(God) ~ us!** пази боже!

save[2] *n* спасяване.

save[3] *prep., ост. cj* освен, с изключение на; освен дето, освен ако; **~ that** освен това, че.

save-all [ˈseivɔːl] *n* 1. нещо, което пази/предпазва; 2. работно облекло/престилка; 3. *мор.* мрежа за улавяне на паднали предмети (*при товарене*); 4. съд за събиране на отпадъци; 5. *мор.* малко помощно платно; 6. скъперник.

saveloy [ˈsævəlɔi] *n* сух салам.

saver [ˈseivə] *n* 1. спасител, избавител; 2. спестовник; спестител; 3. *често в съчет.* нещо, което ни спестява (*труд, време*); **some machines are ~s of labour** някои машини спестяват труд.

savin [ˈsævin] *n бот.* смрадлива хвойна (Juniperus sabina).

saving[1] ['seiviŋ] *a* 1. спасителен; 2. пестелив, спестовен; 3. стиснат, свидлив; 4. *юр.* съдържащ уговорка; ~ **clause** (клауза с) уговорка.

saving[2] *n* 1. спасяване, избавяне; 2. спестяване; *pl* спестявания, спестени пари.

saving[3] *prep, cj* с изключение (на), освен; □ ~ **your presence/** *ост.* **your reverence** прощавайте за израза.

savings-bank ['seiviŋzbæŋk] *n* спестовна каса.

saviour, *ам.* **savior** ['seiviə] *n* спасител; **the S.** Спасителят (Христос).

savoir-faire [,sævwa:'fɛə] *n фр.* такт(ичност), умение.

savoir-vivre [,sævwa:'vi:vr] *n фр.* добро възпитание; добър тон.

savor *ам.* = **savour.**

savory[1] ['seivəri] *n бот.* чубрица (Satureja).

savory[2] = **savoury.**

savour[1] ['seivə] *n* 1. (характерен) вкус/дъх/аромат; 2. *прен.* оттенък, следа; 3. *прен.* пикантност, интерес; стимул.

savour[2] *v* 1. имам вкус/дъх/аромат (**of** на); 2. *прен.* напомням, докарвам, имам оттенък (**of** на); 3. *книж., ост.* вкусвам с наслада/удоволствие/критично; наслаждавам се на; 4. *ост.* слагам подправка на; придавам вкус/аромат на.

savoury ['seivəri] I. *a* 1. вкусен, апетитен; 2. пикантен; 3. приятен; 4. почтен, добър (*за репутация*); II. *n* салата и пр. преди ядене; нещо солено (*напр. сирене*) след ядене.

savoy [sə'vɔi] *n* вид зимно къдраво зеле (*и* ~ **-cabbage**).

Savoyard [sə'vɔiɑ:d] *n* савоец.

savvy[1] ['sævi] *v sl.* знам; схващам, разбирам, чактисвам лесно загрявам.

savvy[2] *n sl.* акъл; схватливост; чактисване, загряване умение, такт.

saw[1] *вж.* **see**[1].

saw[2] [sɔ:] *n* сентенция, поговорка, мъдра мисъл, максима.

saw[3] *n* трион.

saw[4] *v* (**sawed** [sɔ:d]; **sawed, sawn** [sɔ:n]) режа/нарязвам/ отрязвам с трион; режа се с трион; □ **to** ~ **the air** ръкомахам, жестикулирам; **to** ~ **at** стържа на (*цигулка и пр.*).

sawbones ['sɔ:bounz] *n sl.* хирург.

sawbuck ['sɔ:bʌk] *n* 1. = **sawhorse;** 2. *ам. sl.* банкнота от 10 долара.

sawder[1] ['sɔ:də] *n разг.*: **soft** ~ ласкателство, мили очи, подмилкване.

sawder[2] *v разг.* лаская, правя мили очи на, подмилквам се/подмазвам се на.

sawdust ['sɔ:dʌst] *n* дървени стърготини.

sawed-off ['sɔ:dɔf] *a* 1. с прерязана/скъсена цев (*за пушка*); **clause** дребен, нисичък (*за човек*).

saw-fish ['sɔ:fiʃ] *n зоол.* риба трион (Pristis).

saw-fly ['sɔ:flai] *n зоол.* листна оса (*сем.* Tenthretinidae).

sawhorse ['sɔ:hɔ:s] *n* магаре за рязане на дърва.

saw-mill ['sɔ:mil] *n* дъскорезница.

sawn *вж.* **saw**[4].

sawney ['sɔ:ni] *n* 1. *презр.* **S.** шотландец; 2. *sl.* глупак, простак.

sawwort ['sɔ:wə:t] *n бот.* сърпец (Serratula tinctoria).

sawyer ['sɔ:jə] *n* 1. резач на дърва; 2. *ам.* залято от река дърво; 3. вид дървоядец червей.

sax[1] [sæks] *n* секира (*и археол.*).

sax[2] *съкр. от* **saxophone.**

saxatile ['sæksə'tail] *a* скален, живеещ в скали.

saxe (blue) ['sæks(blu:)] *n* светлосин цвят/боя.

saxhorn ['sækshɔ:n] *n муз.* саксхорн.

saxifrage ['sæksifridʒ] *n бот.* обичниче, потайниче.

Saxon ['sæksn] *n* 1. *ист.* саксонец; 2. *шотл., ирл.* англичанин; 3. жител на Саксония (*в ГДР*); 4. *ист.* (англо)саксонски език, староанглийски език; 5. *attr ист.* (англо)саксонски; германски; □ **in plain** ~ без заобикалки, на прост език.

saxony ['sæksəni] *n* (плат от) фина прежда.

saxophone ['sæksəfoun] *n* саксофон.

say[1] [sei] *v* (**said** [sed]) казвам (**s.th. to s.o.**); **to** ~ **o.'s lesson** казвам/разказвам си урока; **to** ~ **o.'s prayers** казвам/ чета си молитвата; **you may well** ~ **so** имаш право, право казваш; **so you** ~ така казваш/мислиш ти (*но може да не си прав*); **what have you to** ~ **for yourself?** как ще обясниш/оправдаеш поведението си? **to have nothing to** ~ **for o.s.** 1) с нищо не мога да се оправдая; 2) няма какво да кажа, нищо не говоря, мълча си; ~ **no more!** достатъчно! ясно! **to** ~ **s.o. nay** *ост.* отказвам някому; **that is to** ~ тоест, с други думи, другояче казано; **I should** ~ бих казал, струва ми се; **what I** ~ **is that** аз мисля/казвам, че; моето мнение е, че; **no sooner said than done** речено-сторено; **they** ~, **it is said** казват; **he is said to be** казват, че бил; ~ **five pounds/days** да кажем/речем пет лири/дни; ~ **it were true** да кажем/речем, че е истина; **it** ~ **s much/s.th. for** това говори/показва много за; **it** ~**s nothing to me** не ми говори нищо, не ме вълнува; **you don't** ~ **(so)!** *разг.* нима! хайде де! **I'll** ~ *разг.* да, разбира се; **I'm not** ~**ing** няма да кажа, отказвам да говоря; **and so** ~ **all of us** и всички мислим така; **what do/would you** ~ **to a glass of beer?** искаш ли (да изпием по) една бира? **it** ~**s in the paper** във вестника пише/се казва; **the clock** ~**s...** часовникът показва...; **(I)** ~ слушай! □ **there is no** ~**ing when/what** не се знае кога/какво; един господ знае кога/какво; **it goes without** ~**ing** от само себе си се разбира; **before you could** ~ **knife/Jack Robinson** преди да можеш да се обърнеш/завъртиш, преди да усетиш; **you said it! you can** ~ **that again!** *разг.* така е! точно така! ~**s you!** *sl.* ами! краставици на търкалета!
 say about казвам/разказвам за;
 say back казвам в отговор, отвръщам;
 say on продължавам да разказвам;
 say over (пре)повтарям.

say[2] *n* (решаващо) мнение, (последна) дума; **to say/have o.'s** ~ изказвам се, казвам всичко, което искам, казвам си думата; **to have a** ~ **in the matter** имам думата/влияние по този въпрос; **to have no** ~/**not much** ~ **in the matter** нямам думата/не мога да решавам по този въпрос.

saying ['seiiŋ] *n* поговорка; **as the** ~ **is/goes** както се казва.

say-so ['seisou] *n ам. разг.* 1. (лично) твърдение/мнение; произволно решение; **I can't take that only on your** ~ не мога да приема това, само защото ти го твърдиш; 2. (право на) решение; решителна дума; **on the** ~ **of his doctor** по решение на лекаря му.

scab[1] [skæb] *n* 1. струпей; коричка (*на рана*); 2. краста; кел; 3. *бот.* краста по кората на дърветата; 4. *разг.* стачкоизменник; работник, който отказва да влезе в профсъюза/който приема по-ниска заплата от определената; 5. *разг.* мошеник, негодник.

scab[2] *v* (-**bb**-) 1. зараствам, образувам коричка (*за рана*); 2. ставам стачкоизменник; отказвам да членувам в профсъюз; приемам по-малка заплата от определената (*от профсъюза*).

scabbard[1] ['skæbəd] *n* ножница; □ **to throw away the ~** хвърлям се в борба/бой.

scabbard[2] *v* прибирам/слагам в ножницата.

scabbed [skæbd] *a* 1. крастав; келав; 2. жалък, никакъв

scabby ['skæbi] *a* 1. покрит със струпеи; грапав; 2. сърбящ; 3. *разг.* = scabbed 2.

scabies ['skeibii:z] *n мед.* краста, скабиес.

scabious[1] ['skeibiəs] *n бот.* самогризка, заешки уши (Scabiosa).

scabious[2] *a мед.* краслав; от краста.

scabrous ['skeibrəs] *a* 1. *бот., зоол.* грапав, неравен; 2. *прен.* труден, деликатен; 3. неприличен, циничен, нецензурен; мръсен; скандален.

scad[1] [skæd] *n зоол.* вид сафрид (Trachurus).

scad[2] *n ам. sl.* голямо количесто, куп, маса.

scaffold[1] ['skæfəld] *n* 1. ешафод; *прен.* смъртно наказание; **to go to the ~** екзекутират ме; 2. *стр.* скеле.

scaffold[2] *v* правя/вдигам скеле около.

scaffolding ['skæfəldiŋ] *n стр.* (материал за) скеле.

scagliola [skæli'oulə] *n ит. стр.* имитация на мрамор.

scalable ['skeiləbl] *a* по който може да се изкатери човек.

scalar ['skeilə] *n* 1. *мат.* скалар(на величина); 2. *attr* 1) *мат.* скаларен; 2) *бот.* като стълбица.

scalawag ['skæləwæg] *ам.* = scallywag.

scald[1] [skɔ:ld] *v* 1. опарвам; попарвам; 2. подварявам (се); ~**(ed) cream** каймак от подварено мляко; 3. мия с вряла вода; попарвам; □ ~**ing tears** горчиви сълзи.

scald[2] *n* опарване; изгаряне с вряла течност; изгорено място.

scald[3] = skald.

scale[1] [skeil] *n* 1. блюдо на везна; **(pair of)** ~s везна, везни; 2. **the S.s** Везни (*съзвездие и знака на зодиака*); □ **to hold the ~s even** съдя/решавам безпристрастно; **to tip/turn the ~s** *прен.* накланям везните; решавам въпроса; **to swing the ~s in favour of** накланям везните в полза на; **to throw into the ~s** прибавям като фактор/довод (*в спор и пр.*); **to turn the ~(s) at...,** **go to ~ at...** тежа...; **to go to ~** *сп.* тегля се, меря се (*за жокей*).

scale[2] *v* 1. тегля, претеглям; 2. тежа; 3. *сп.* **to ~ in/out** тегля се преди/след надбягвания (*за жокей*).

scale[3] *n* 1. люспа (*и зоол.*); коричка, корица (*и на рана*); 2. обвивка на листна пъпка; 3. *тех.* котлен камък, накип; окисна корица; обгар; 4. зъбен камък; □ **the ~s fell from his eyes** *прен.* той прогледна, видя/ разбра истината; **to remove the ~s from s.o.'s eyes** отварям на някого очите за истината, разкривам/казвам някому истината.

scale[4] *v* 1. чистя люспите на (*риба*); лющя (се) (*и за мазилка*) (*и с* off); 2. *тех.* образувам накип/обгар/котлен камък; 3. чистя котлен/зъбен камък.

scale[5] *n* 1. скàла, стълбица (*на термометър и пр.*); линия; размерения на линия; линеал; 2. таблица; ~ **of wages** надничен блок, таблица за работната заплата; 3. мащаб; размер; **drawn to ~** по възприет мащаб; **on a large/grand/vast ~** в голям мащаб; **on a small ~** в малък мащаб, скромно; ~ **model** модел по мащаб, мащабен модел; **economies of ~** икономии, постигнати поради по-голямо количество на производство и пр.; **in ~** съразмерен; **out of ~** несъразмерен; 4. *муз.* гама; 5. *мат.* система на изчисление (*и* ~ **of notation**); 6. *прен.* (обществена) стълбица; **high/low in the social ~** с ви-

соко/ниско обществено положение; **at the top/bottom of the ~** на най-горното/най-ниското стъпало, на върха/дъното.

scale[6] *v* 1. катеря се/покатервам се по; изкачвам, достигам (*връх и пр.*); 2. определям по таблица; свеждам към/определям мащаб; 3. съизмерим съм (*за величина*); 4. меря, измервам; 5. **to ~ down/up** намалявам/увеличавам пропорционално.

scale-armour ['skeilɑ:mə] *n ист.* люспеста броня.

scale-board ['skeilbɔ:d] *n* тънка дъсчица.

scale-bug ['skeilbʌg] *n зоол.* щитоносна вошка (Coccidae).

scale-fern ['skeilfə:n] *n бот.* люспеста папрат (Ceterach officinarum).

scale-insect ['skeilinsekt] = scale-bug.

scalene ['skeili:n] *I. a* 1. *геом.* разностранен (*за триъгълник*); наклонен (*за конус, цилиндър*); 2. *анат.* стълбест (*за мускул*); **II.** *n* 1. *геом.* разностранен триъгълник; 2. *анат.* стълбест мускул.

scalepan ['skeilpæn] *n* блюдо на везни.

scaling-ladder ['skeiliŋlædə] *n* 1. *ист.* обсадна стълба; 2. пожарникарска стълба.

scall [skɔ:l] *n ост.* краста; кел.

scallawag ['skæləwæg] = scallywag.

scallion ['skæliən] *n* лук, арпаджик; праз.

scallop[1] ['skæləp] *n* 1. вид мида (Pecten); (кръгла) раковина; 2. (съд във форма на) раковина (*за печене*); ястие, печено в такъв съд; 3. *pl* фестон.

scallop[2] *v* 1. готвя/пека в раковина; 2. *ам.* пека в бял сос, поръсен със сухар; 3. фестонирам.

scallywag ['skæliwæg] *n* 1. кранта, дръгливо добиче; 2. *sl.* нехранимайко, негодник, пройдоха; 3. *ам. ист. презр.* южняк, който приема политиката на северните щати след гражданската война.

scalp [skælp] *n* 1. скалп; **out for ~s** войнствено/нападателно/много критично настроен; 2. *прен.* трофей; 3. *ам. разг.* дребна печалба; 4. *шотл.* гола скала/връх.

scalp[2] *v* 1. скалпирам (*и прен.*); 2. *ам. разг.* купувам евтино (*билети и пр.*) и препродавам с печалба; спекулирам на дребно с ценни книжа.

scalpel ['skælpəl] *n мед.* скалпел.

scalp lock ['skælp,lɔk] *n* дълъг кичур коса на бръснатата глава на индианец.

scaly ['skeili] *a* 1. люспест; 2. покрит с накип/котлен камък; 3. *ам.* жалък, долен, низък.

scamp[1] [skæmp] *n* 1. калпазанин, дявол (*често гал.*); хаймана; 2. *ист.* разбойник.

scamp[2] *v* претупвам (*работа*).

scamper[1] ['skæmpə] *v* 1. тичам, (под)скачам, лудувам (about); 2. избягвам, офейквам (away, off).

scamper[2] *n* игра, лудуване; бягане; галоп; **to take a dog for a ~** извеждам куче да поиграе/потича.

scan [skæn] *v* (-nn-) 1. *проз.* скандирам (се); правя метричен анализ на; **the verse does not ~** стихът е неправилен (ритмически); 2. разглеждам, изследвам, изучавам внимателно; 3. хвърлям бегъл поглед на, поглеждам бегло; 4. *телев.* разлагам, разгъвам (*образ*); 5. *рад.* сканирам, изследвам (*пространство*) с радиолокатор.

scandal ['skændəl] *n* 1. скандал; позор, срам; позорна постъпка; **it is a ~ that** скандално е, че; 2. клюки, злословия; клюкарствуване; злословене; сплетни; **to talk ~** клюкарствувам, сплетнича; 3. *юр.* клевета; □ ~ **sheet** вестник, пълен с клюки и скандални истории.

scandalize[1] ['skændəlaiz] *v* възмущавам, скандализирам шокирам.

scandalize[2] *v мор.* намалявам плошта на (*платно*).

scandalmonger ['skændəlmʌŋgə] *n* клюкар, сплетник, интригант.

scandalous ['skændələs] *a* 1. възмутителен, позорен, срамен, скандален; 2. клеветнически; клюкарски.

scandent ['skændənt] *a бот.* пълзящ, виещ се.

Scandinavian [ˌskændi'neiviən] I. *a* скандинавски; II. *n* скандинавец.

scandium ['skændiəm] *n хим.* скандий.

scanner ['skænə] *n* 1. *телев.* устройство за разлагане (*на изображение*); 2. радиолокационна антена; 3. многоточков измервателен уред.

scanning ['skæniŋ] *n* 1. *телев.* разлагане, развиване; 2. радиолокационно изследване; търсене (*на цел*).

scansion ['skænʃn] *n проз.* скандиране.

scansorial [skæn'sɔ:riəl] *a зоол.* 1. лазещ; катерещ се; 2. пригоден за лазене/катерене.

scant[1] [skænt] *a ост.* = **scanty**[1]; **with ~ courtesy** нелюбезно; ~ **of breath** задъхан.

scant[2] *v ост.* намалявам; икономисвам; скъпя.

scanties ['skæntiz] *n pl разг.* дамски пликчета.

scantling ['skæntliŋ] *n ряд.* 1. малка греда/дъска; 2. *ост.* малко количество; 3. образец, мостра; 4. определени размери (*при строеж, особ. на кораб*).

scanty ['skænti] *a* 1. оскъден, недостатъчен, ограничен; 2. беден, слаб (*за реколта*); 3. късичък, мъничък (*за дреха*).

scape[1] [skeip] *n* 1. *бот.* стъбло; 2. *арх.* тяло на колона.

scape[2] *ост.* = **escape**.

scapegoat ['skeipgout] *n* козел отпущения, изкупителна жертва.

scapegrace ['skeipgreis] *n* хаймана, пройдоха, нехранимайко; негодник.

scaphoid ['skæfɔid] *a анат.* лодковиден, ладиевиден.

scapula ['skæpjulə] *n* (*pl* **-lae** [-li:]) *анат.* лопатка, скапула.

scapular ['skæpjulə] I. *a анат.* скапуларен, лопатъчен, раменен; II. *n* 1. *църк.* скапуларий, презраменник; 2. *мед.* превръзка за рамо; 3. *зоол.* махово перо.

scapulary ['skæpjuləri] *n* = **scapular** II, 1,3.

scar[1] [ska:] *n* 1. белег (*от рана*); 2. белег, рязка, драскотина; 3. *прен.* белег, следа; **to leave a ~ on** оставям дълбока следа върху, засягам дълбоко.

scar[2] *v* (**-rr-**) 1. оставям белег; правя белег/рязка; 2. зараствам с белег (*обик. с* over).

scar[3] *n* стръмна/изпъкнала скала.

scarab ['skærəb] *n* 1. *зоол.* скарабей (*бръмбар*); 2. (камък/пръстен с) изображение на скарабей (*у египтяните*).

scaramouch ['skærəmautʃ] *n ост.* 1. смешник, шут (*от ит. комедии*); 2. негодник, нехранимайко.

scarce[1] [skeəs] *a* 1. недостатъчен, оскъден; 2. рядък, дефицитен (*за стока и пр.*); който рядко се среща; □ **to make o.s. ~** *разг.* изпарявам се, махам се.

scarce[2] = **scarcely**.

scarcely ['skeəsli] *adv* 1. едва; 2. едва-що; тъкмо; ~ **had I entered when** едва-що бях влязъл, когато/и; 3. едва ли; **he can ~ have said so** едва ли е казал това.

scarcity ['skeəsiti] *n* 1. недостиг, липса, оскъдица; недостатъчност; 2. глад; 3. рядкост.

scare[1] [skeə] *v* 1. плаша (се), изплашвам (се), уплашвам (се); **to ~ s.o. out of his wits** здравата изплашвам някого, изкарвам ума на някого; **to be ~d stiff (of)** ужасно/страшно се боя (от), умирам от страх (от); 2. уплашвам и прогонвам (off, away); 3. **to ~ up** *ам.* събирам, намирам (*пари и пр.*).

scare[2] *n* 1. уплаха, паника, ужас; **war ~** страх от война; **to give s.o. a ~** изплашвам някого; 2. *attr жур.*

сензационен; създаващ паника; ~ **story** сензационен материал.

scarecrow ['skeəkrou] *n* (бостанско) плашило (*и прен.*).

scaredy-cat ['skeədiˌkæt] *n ам.* бъзльо, пъзльо.

scare-head(ing) ['skeəhed(iŋ)] *n жур.* сензационно заглавие (*с едри букви*).

scaremonger ['skeəˌmʌŋgə] *n* паникьор, разпространител на тревожни слухове.

scarf[1] [ska:f] *n* 1. шалче, шарф, ешарп; 2. широка мъжка вратовръзка; 3. *воен.* шарф; 4. продълговата покривка, тишлайфер.

scarf[2] *v* слагам/мятам шалче (на); увивам с шалче.

scarf[3] *n* 1. *тех.* скосен ръб; скосяване; срязване под остър ъгъл; 2. дълга ивица китова мас.

scarf-pin ['ska:fpin] *n* игла за вратовръзка.

scarf-skin ['ska:fskin] *n* епидермис; живец (*около нокът*).

scarifier ['skærifaiə] *n мед., тех.* скарификатор.

scarify ['skærifai] *v* 1. разравям със скарификатор; 2. *мед.* скарифицирам, правя нарези на (*тъкан*); 3. *прен.* наранявам/уязвявам дълбоко (*с критика и пр.*).

scarious ['skeəriəs] *a бот.* сух; *зоол.* люспест.

scarlatina [ska:lə'ti:nə] *n мед.* скарлатина.

scarlet ['ska:lət] I. *a* 1. ален, червен; **to turn ~** пламвам, изчервявам се силно; 2. развратен; противен, гаден; ~ **woman** *ост.* 1) блудница, проститутка; 2) = ~ **whore**; ~ **hat** кардиналска шапка; ~ **letter** *ам.* червена буква А, носена като позорен знак от съгрешили жени; II. *n* 1. ален цвят, алено; 2. червен плат (*за военни униформи и пр.*); червени дрехи.

scarlet fever ['ska:lətˌfi:və] = **scarlatina**.

scarlet runner ['ska:lətˌrʌnə] *n бот.* градински боб с червени цветове (Phaseolus multiflorus).

scarlet whore ['ska:lətˌhɔ:] *n* 1. *библ.* голямата блудница, Вавилон; 2. *ост.* римската католическа църква; папизъм.

scarp [ska:p] *n* = **escarp**.

scarper ['ska:pə] *v sl.* избягвам, офейквам.

scary ['skeəri] *a разг.* 1. страшен, страховит; 2. плашлив, пъзлив; уплашен.

scat[1] [skæt] *v* (**-tt-**) *обик. itr* махам се, изпарявам се; пст (*към котка*).

scat[3] *n sl.* пеене на импровизирана джазова мелодия.

scat[3] *v* (**-tt-**) *sl.* импровизирам джазова мелодия.

scat[4] *n* животински изпражнения.

scathe[1] [skeiδ] *v* 1. *поет.* повреждам, поразявам; съсипвам; 2. *прен.* унищожавам (*с критика и пр.*); нападам жестоко: **scathing criticism/look** унищожителна критика/поглед; 3. *обик. в отр. изр.* увреждам, засягам, *прен.* докосвам.

scathe[2] *n поет.* вреда; повреда; **without ~** невредим.

scatology [skə'tɔlədʒi] *n* 1. капрология; 2. (интерес към) порнография.

scatter ['skætə] *v* 1. пръскам (се), разпръсквам (се); 2. нарьсвам, посипвам (**with** c); 3. разпръсквам, разгонвам (*тълпа, облаци и пр.*); 4. *физ.* разсейвам; 5. пръскам, раздавам щедро/с широка ръка; 6. *прен.* разбивам, осуетявам (*надежди и пр.*).

scatter-brain ['skætəbrein] *n* развейпрах; забраван, заплес.

scatter-brained ['skætəbreind] *a* вятърничав, лекомислен; разсеян.

scattered ['skætəd] *a* 1. разхвърлян, разпръснат, разпилян; 2. разпокъсан, разкъсан (*за облачност*); 3.

разположен нарядко; **thinly ~ population** рядко население.

scatter-good ['skætəgud] *n* прахосник.

scatter-gun ['skætəgʌn] = **shotgun**.

scattering[1] ['skætəriŋ] *a* разпилян, разпръснат; в различни посоки; **~ votes** малък брой гласове.

scattering[2] *n* **1.** разпръскване; **2.** *физ.* разсейване; **3.** малък брой; **~ of visitors** малко/редки посетители.

scatter rug ['skætə‚rʌg] *n* килимче.

scatty ['skæti] *a разг.* луд, шантав; **to drive s.o. ~** подлудявам някого.

scaup [skɔːp] *n зоол.* северна потапница (Aythia marila).

scaur [skɔː] = **scar**[3].

scavenge ['skævindʒ] *v* **1.** чистя улиците, събирам смет; търся (полезни отпадъци) (**for**); **2.** *тех.* продухвам (*цилиндър на двигател*); отстранявам отработени газове; пречиствам (*разтопен метал*).

scavenger ['skævəndʒə] *n* **1.** уличен метач, чистач, боклукчия; **2.** животно, което се храни с мърша; **3.** любител на порнографията.

scazon ['skeizən] *n проз.* хориямб.

scenario [si'naːriou, *ам.* si'nɛəriou] *n* сценарий (*и прен.*); либрето.

scene [siːn] *n* **1.** място на действие/събитие; действие; *прен.* сцена, арена; **~ of strife** арена на борба; **2.** гледка, пейзаж; зрелище; обстановка; **you need a change of ~** имаш нужда от промяна (на обстановката); **3.** сцена, картина (*на пиеса*), епизод (*във филм и пр.*); **4.** сцена, скандал; **5.** *pl* декори, кулиси; **behind the ~s** зад кулисите (*и прен.*); **6.** *ост.* сцена, театър; драматично изкуство; **7.** сфера на действие; място (на нещо модно); **the drug ~** положението с наркотиците; търговията с наркотици; **to be on the ~** движа се със забележителни/светски хора; **to make the ~ with** участвувам в нещо с (*някой забележителен човек*); □ **to come on the ~** (по)явявам се; **to quit the ~** умирам; **to set the ~** *вж.* **set**[1] 1.

scene-dock ['siːndɔk] *n* склад за декори.

scene-painter ['siːnpeintə] *n* ‚художник-декоратор.

scenery ['siːnəri] *n* **1.** декори; **2.** пейзаж, природа; **change of ~** *вж.* **scene 2.**

scene-shifter ['siːnʃiftə] *n* сценичен работник.

scene stealer ['siːn‚stiːlə] *n ам.* актьор, който съзнателно привлича вниманието върху себе си (*без да има централна роля*).

scenic ['siːnik] *a* **1.** сценичен, театрален; **2.** живописен; панорамен (*за път*); **~ splendours** природни красоти, величествена природа; **~ railway** малко влакче, което минава през изкуствени пейзажи (*в увеселителен парк*); **3.** изобразяващ сцена/действие (*за картина и пр.*).

scenography [si'nɔgrəfi] *n* сценография.

scent[1] [sent] *n* **1.** миризма, мирис, аромат, (благо)ухание; **2.** парфюм; **3.** *лов.* следа, диря (*по миризма*); подушване; обоняние (*особ. на куче*); **on the (right) ~** по следите (*и прен.*); **off the ~** изгубил следата, по погрешна следа (*и прен.*); **to put/throw s.o. off the ~** пращам някого по лъжливи следи (*и прен.*); успявам да заблудя някого; **on a false/wrong ~** по погрешна следа; **4.** разпръснати хартийки при кроса **hare and hounds** (*вж.* **hare**[1] □).

scent[2] *v* **1.** душа; подушвам (*и с* **out**); **2.** *прен.* подушвам, усещам; **3.** изпълвам с благоухание; (на)парфюмирам; пръскам с парфюм.

scent-bag ['sentbæg] *n* **1.** *зоол.* торбичка, в която се отделя миризливо вещество; **2.** торбичка с анасон и пр., използувана при лов на лисици.

scented ['sentid] *a* **1.** ароматен, благоуханен; **2.** парфюмиран, ароматизиран.

scepsis ['skepsis] *n фил.* скепсис.

scepter *ам.* = **sceptre**.

sceptic ['skeptik] **I.** *a* скептичен/скептически; **II.** *n* скептик.

sceptical ['skeptikəl] *a* скептичен, скептически.

scepticism ['skeptisizm] *n* скептицизъм.

sceptre ['septə] *n* скиптър (*и прен.*).

schadenfreude ['ʃaːdnfrɔidə] *n нем.* злорадство.

schedule[1] ['ʃedjul, *ам.* 'skedjul, 'skedəl] *n* **1.** списък, каталог; **2.** таблица; **3.** разписание; план; програма; **on ~**, **up to ~** навреме, точно; **behind ~** със закъснение/изоставане; (**according**) **to ~** по плана/разписанието; **full ~** пълна/запълнена програма; голяма/пълна заетост; **4.** опис, инвентар.

schedule[2] *v* **1.** правя списък/опис/инвентар; включвам в списък/опис; **2.** *особ. ам.* планирам, определям (по план), проектирам.

scheelite ['ʃiːlait] *n минер.* шеелит.

schematic [skiː'mætik] *a* схематичен.

scheme[1] [skiːm] *n* **1.** план, проект, програма; **2.** схема, скица, диаграма, таблица; система, метод, начин; **~ of life** начин на живот; **~ of society** устройство на обществото; **3.** интрига, скрит план, заговор, комплот.

scheme[2] *v* **1.** планирам, проектирам, възнамерявам; **2.** правя скрити планове, заговорнича; интригантствувам; **scheming young man** интригант, нечестен млад човек.

schemer ['skiːmə] *n* интригант, нечестен човек.

scherzo ['skɛətsou] *n муз.* скерцо.

schism ['sizm] *n* схизма, разкол.

schismatic [siz'mætik] **I.** *a* схизматически, разколнически; **II.** *n* схизматик, разколник.

schist [ʃist] *n геол.* шиста.

schizo ['skitsou] *съкр. от* **schizophrenic II.**

schizophrenia [skitsou'friːniə] *n мед.* шизофрения.

schizophrenic [skitsou'frenik] *мед.* **I.** *a* шизофреничен; **II.** *n* шизофреник.

schmal(t)z [smɔlts] *n разг.* сладникава сантименталност.

schmo(e) [ʃmou] *n ам. sl.* глупак, простак.

schnapps [ʃnæps] *n нем.* ракия.

schnitzel ['snitsl] *n нем.* шницел.

schnook [ʃnuk] *n ам. sl.* глупак, простак.

schnorkel ['snɔːkl] *n* шнорхел.

scholar ['skɔlə] *n* **1.** учен; **2.** грамотен/образован човек; **3.** стипендиант; **4.** ученик; □ **to be a good French ~** добре зная френски.

scholarlike, -ly ['skɔləlaik, -li] *a* **1.** начетен; **2.** научен; на (високо) научно равнище.

scholarship ['skɔləʃip] *n* **1.** начетеност, ерудиция, знания; **2.** стипендия.

scholastic [skə'læstik] **I.** *a* **1.** схоластичен; педантичен; ограничен; **2.** училищен; учебен, образователен; учителски; **3.** учен, научен; **II.** *n* схоластик; педант.

scholasticism [skə'læstisizm] *n* схоластика; схоластичност.

scholiast ['skouliæst] *n* коментатор, анотатор (*на древни автори*).

scholium ['skouliəm] *n* (*pl* **-ia** [-·iə]) бележка, коментар (*към ст. гр., лат. текст*).

school[1] [skuːl] *n* **1.** училище; **to teach ~** *ост.* учителствам; **we were at ~ together** съученици сме, от училище се знаем; **2.** институт; факултет; школа; **3**

учебни занятия, училище; **4.** *муз., лит., изк.* школа; **5.** *pl* изпити (*обик. за научна степен*); сграда, където се провеждат тези изпити; **6. the ~s** (доктрините на) средновековните университети; **~ doctors** преподаватели в средновековните университети; **7.** *attr* училищен; ученически; **~ doctor** училищен лекар.

school² *v* **1.** уча, обучавам; **2.** приучвам; тренирам; дисциплинирам; обуздавам; **to ~ o.s. to patience, etc.** приучвам се на търпение и пр.; **3.** пращам на училище, давам образование на; **4.** *ост.* мъмря.

school³ *n* пасаж, ято, стадо (*риба*).

schoolable ['sku:ləbl] *a* **1.** податлив на обучение; **2.** на училищна възраст.

school-board ['sku:lbɔːd] *n* училищно настоятелство; отдел просвета.

schoolbook ['sku:lbuk] *n* учебник.

schoolboy ['sku:lbɔi] *n* ученик.

schoolfellow ['sku:lfelou] *n* съученик.

schoolgirl ['sku:lgəːl] *n* ученичка.

schoolhouse ['sku:lhaus] *n* училище, училищна сграда.

schooling ['sku:liŋ] *n* **1.** образование; възпитание; **2.** школовка, тренировка.

school-leaver ['sku:lliːvə] *n* завършващ училище.

schoolman ['sku:lmən] *n* (*pl* -men) **1.** схоластик; **2.** *ам.* учител.

school-ma'm, -marm ['sku:lma:m] *n ам. разг.* **1.** учителка; **2.** старомодна/педантична/превзета жена, „даскалица".

schoolmaster¹ ['sku:lma:stə] *n* учител.

schoolmaster² *n* **1.** риба/кит, водач на пасаж; **2.** вид тропическа риба (Lutjanus apodus).

schoolmate ['sku:lmeit] *n* съученик, другар от училище.

schoolmistress ['sku:lmistris] *n* учителка.

schoolmistressy ['sku:lmistrisi] *a разг.* превзет.

schoolroom ['sku:lrum] *n* класна стая.

schoolteacher ['sku:lti:tʃə] *n* (начален) учител.

school-time ['sku:ltaim] *n* **1.** (време на) учебни занятия; **2.** ученичество, ученически години.

schoolwork ['sku:lwəːk] *n* **1.** уроци; **2.** домашна работа.

schooner ['sku:nə] *n* **1.** *мор.* шхуна; **2.** *ам.* = **prairie schooner**; **3.** *ам.* висока чаша за бира.

schorl [ʃɔːl] *n минер.* черен турмалин.

schuss¹ [ʃus] *n нем. ски* шус.

schuss² *v ски* спускам се, правя шус.

sciatic [sai'ætik] *a* **1.** *анат.* седалищен; **2.** страдащ от ишиас.

sciatica [sai'ætikə] *n мед.* ишиас.

science ['saiəns] *n* **1.** наука (*обик. точна — физика, химия, естествени науки, математика*); **natural ~** естествознание, естествени науки; **man of ~** учен (*физик, естественик, химик*); **2.** вещина, умение, техника; **3.** *ост.* (по)знания; □ **~ fiction** научнофантастичен роман (*и като жанр*).

sciential [sai'enʃəl] *a* **1.** научен; **2.** знаещ, компетентен; способен.

scientific [saiən'tifik] *a* **1.** научен; точен; **2.** природонаучен; **3.** вещ, умел, изкусен, опитен.

scientist ['saiəntist] *n* **1.** учен; **2.** физик, естественик.

sci-fi ['saifi] *n разг.* научнофантастичен.

silicet ['sailiset] *adv лат.* а именно, тоест.

scilla ['silə] *n бот.* синчец (Scilla bifolia).

scimitar ['simitə] *n* ятаган.

scintilla ['sintilə] *n* **1.** искра; **2.** *прен.* следа, зрънце, капчица; **not a ~ of truth** ни капка истина.

scintillate ['sintileit] *v* **1.** святкам, искря; блещукам; излъчвам; **2.** *прен.* блестя, блясвам.

scintillation [,sinti'leiʃn] *n* **1.** святкане, искрене; блещукане; излъчване; **2.** искра; светкавица.

sciolism ['saiəlizm] *n* повърхностни знания, мнима ученост, дилетантство.

sciolist ['saiəlist] *n* псевдоучен, дилетант.

scion [saiən] *n* **1.** издънка, филиз; **2.** *прен.* потомък, издънка.

scirocco = **sirocco**.

scissel ['sisl] *n* метални изрезки.

sissile ['sisail] *a* цеплив.

scission ['siʃn] *n* **1.** рязане, разрязване, изрязване; **2.** отделяне, разделяне.

scissor ['sizə] *v* режа; подрязвам; разрязвам, срязвам (**up, off**); изрязвам, отрязвам (**out, off**).

scissors ['sizəz] *n pl* **1.** ножици (*и* **pair of ~**); **2.** *сп.* ножица; □ **~ and paste** 1) компилация; 2) *attr* компилиран.

scissortail ['sizəteil] *n* вид американска птица (Muscivora forficata).

sciurine, -oid ['saijurain, -oid] *a зоол.* от рода на катериците.

sclerosis [skli'rousis] *n* **1.** *мед.* склероза; **2.** *бот.* втвърдяване.

sclerotic [skli'rɔtik] *a* **1.** *мед.* склеротичен, склерозен; склерозирал; **2.** твърд, втвърден.

sclerous ['skliərəs] *a* **1.** твърд, втвърден; **2.** *мед.* склерозиран.

scoff¹ [skɔf] *v* подигравам се, надсмивам се, осмивам (**at**).

scoff² *n* **1.** подигравка, присмех, насмешка; **2.** посмешище.

scoff³ *v sl.* лапам, нагъвам.

scoff⁴ *n sl.* ядене, кльопачка.

scoffer ['skɔfə] *n* **1.** присмехулник; **2.** безбожник.

scofflaw ['skɔflɔː] *n ам. разг.* постоянен закононарушител, човек, който пет пари не дава за законите.

scold¹ [skould] *v* карам се (на), мъмря, хокам, гълча.

scold² *n* кавгаджийка.

scollop ['skɔləp] = **scallop**.

scomber ['skɔmbə] *n зоол.* скумрия.

sconce¹ [skɔns] *n* стенен свещник, аплик.

sconce² *n ост., шег.* глава, теме.

sconce³ *n* **1.** *воен.* закритие, окоп; **2.** *ост.* убежище, подслон.

sconce⁴ *v унив.* налагам глоба (*обик. от една халба бира*).

sconce⁵ *n унив.* халба бира (*като глоба за лошо държане на трапезата*).

scone [skɔn, skoun] *n* **1.** вид кифла; **2.** *sl.* глава, тиква.

scoop¹ [sku:p] *n* **1.** черпак; гребло; лопата (*на водно колело*); лопатка (*за захар, брашно, за изстъргване вътрешността на плод и пр.*); **2.** загребване; загребано количество; **at one ~** с един замах (*и прен.*); **3.** *мед.* хирургически инструмент като лопатка; **4.** дупка, вдлъбнатина, издълбано място; **5.** *разг.* голяма печалба (*особ. търговска, получена чрез изпреварване на конкурентите*); **6.** *жур.* сензационна новина, публикувана преди другите вестници; последни сведения.

scoop² *v* **1.** греба; загребвам, изгребвам (*и с* **in, up**); **2.** копая, изкопавам, издълбавам (**out**); **3.** *разг.* реализирам голяма печалба (като изпреварвам конкурентите); **4.** *жур. разг.* успявам пръв да отпечатам сензационна новина.

scoot [sku:t] *v разг.* офейквам, бягам, махам се.

scooter ['sku:tə] *n* 1. детско колело тротине; 2. мопед; 3. скутер.

scop [skɔp] *n* древен английски поет/певец.

scope[1] [skoup] *n* 1. обсег, сфера, обхват; компетенция, компетентност; възможност; **mind of wide/limited ~** голям/ограничен ум; **beyond the ~ of** извън възможностите/компетентността на; 2. широта; размах; простор; кръгозор; **to give ~ for** давам простор/широки възможности за; **to give ~ to** давам пълна свобода/размах на; 3. *мор.* дължина на веригата от кораба до пуснатата котва; 4. *ост.* намерение, цел.

scope[2] *разг. съкр. от* **telescope, microscope** *и пр.*

scorbutic [skɔ:'bju:tik] *a мед.* скорбутен; болен от скорбут.

scorch[1] [skɔ:tʃ] *v* 1. обгарям (се), изгарям (се), опърлям (се); 2. свивам (се), съсухрям (се) (*от вятър, горещина*); 3. *прен.* унищожавам (с критика), съсипвам, карам да потъне в земята; 4. *sl.* карам лудо/бясно; □ **~ed earth (policy)** *воен.* унищожаване на всичко, което може да бъде от полза за нашественика.

scorch[2] *n* 1. обгаряне, изгаряне; изгорено място; 2. *sl.* лудо/бясно каране.

scorcher ['skɔ:tʃə] *n* 1. ужасно горещ ден; 2. *sl.* човек, който кара лудо/бясно; 3. *разг.* унищожителен отговор/забележка/критика; 4. *sl.* нещо удивително/забележително.

scorching ['skɔ:tʃiŋ] *a* 1. горещ, изгарящ; зноен; палещ; 2. *прен.* унищожителен, жесток (*за критика и пр.*).

score[1] [skɔ:] *n* 1. рязка, черта, бразда, драскотина; 2. *ост.* черта, линия, старт; **to go off at ~** впускам се/стрелвам се от старта; 3. отбелязване на вересии с резки (*особ. в кръчма*); сметка; дълг; **to run up a ~** задлъжнявам, натрупвам дългове; **to pay/settle/wipe off old ~s** *прен.* уреждам стари сметки, отмъщавам си; 4. *сп.* точки; (голов) резултат; **to keep (the) ~** отбелязвам точките; 5. двадесет; **four ~ and ten** деветдесет; 6. *pl* множество, голям брой; **~s of times** много пъти, много често, десетки пъти; 7. *муз.* партитура; 8. причина; **on the ~ of** по причина на, поради, заради; 9. точка, пункт, въпрос; **on that ~** по този въпрос, що се отнася до това; 10 *разг.* отговор/забележка на място; острота; предимство; късмет; **to be clever at making ~s off s.o.** умея да направя някого да изглежда смешен/да се подиграя с някого; □ **to know the ~** *ам.* знам как стоят нещата, познавам истинското положение.

score[2] *v* 1. драскам, надрасквам, правя резки на; отбелязвам с черта/рязка; **heart ~d by sorrow** наранено от скръб сърце; 2. водя сметка; *сп.* следя за/отбелязвам резултата (*при игра*); отбелязвам точка/гол; *карти* правя взятка; 3. имам успех/късмет, печеля, жъна успех; **to ~ a point/an advantage over** спечелвам преимущество над, вземам връх над; 5. *sl.* набавям си наркотици (незаконно); 6. *разг.* (раз)критикувам остро; 7. *муз.* оркестрирам; аранжирам (**for**); приготвям музика/партитура (*за филм и пр.*);

    score off 1) *разг.* правя (*някого*) да изглежда смешен, унижавам (и **to ~ point off s.o.**);

    score out зачерквам, задрасквам;

    score under подчертавам;

score up отбелязвам точките/резултата; □ **to ~ s. th. up against s.o.** запомням нещо (*извършено, казано от някого*), за да си отмъстя/да си го върна.

score-board ['skɔ:bɔ:d] *n* табло с резултатите (*при състезания*).

score-book, -card ['skɔ:buk, -ka:d] *n сп.* книга/карта за отбелязване на резултата.

score keeper ['skɔ:ˌki:pə] *n сп* лице, което отбелязва резултата при състезание.

scorer ['skɔ:rə] *n сп.* 1. = **score keeper**; 2. играч, който отбелязва гол/точка.

scoria ['skɔ:riə] *n* (*pl* **-riae** [-rii:]) шлака, сгурия; *pl* шлакови парчета от вулканичен произход.

scorify ['skɔrifai] *v* шлаковам, ошлаковам.

scorn[1] [skɔ:n] *n* 1. презрение; **to hold in ~** презирам; 2. присмех, насмешка; **to laugh s.o. to ~** осмивам, подигравам се на; 3. обект на презрение/присмех.

scorn[2] *v* презирам; отказвам с презрение (**to**).

scornful ['skɔ:nful] *a* презрителен; надменен; пренебрежителен.

Scorpio ['skɔ:piou] *n* Скорпион (*съзвездие и знак на зодиака*).

scorpion ['skɔ:piən] *n* 1. *зоол.* скорпион; 2. S. = **Scorpio**; 3. *библ.* бич с шипове; 4. *ист.* балиста (*метателна машина*); 5. *sl.* жител на Гибралтар.

scot [skɔt] *n ист.* налог; данък; □ **to pay o.'s ~ and lot** поемам дела си (*от парични задължения*).

Scot [skɔt] *n* 1. шотландец; 2. *ист.* келт (преселен от Ирландия в Шотландия).

scotch[1] [skɔtʃ] *v* 1. *ост.* рязвам, срязвам; ранявам; 2. унищожавам (окончателно); обезвредявам; осуетявам (*план*).

scotch[2] *n* драскотина, лека рана.

scotch[3] *v* подпирам с клин (*бъчва и пр.*).

scotch[4] *n* клин (*за подпиране на бъчва и пр.*).

Scotch [skɔtʃ] **I.** *a* шотландски; **II.** *n* 1. английски диалект, говорен в Шотландия; 2. **the ~** *pl* шотландците; 3. (шотландско) уиски.

Scotch broth ['skɔtʃˌbrɔθ] *n* гъста овнешка супа.

Scotch fir ['skɔtʃˌfə:] *n* бял бор (Pinus sylvestris).

Scotchman ['skɔtʃmən] *n* (*pl* **-men**) шотландец.

Scotch pine ['skɔtʃˌpain] = **Scotch fir**.

Scotch tape ['skɔtʃˌteip] *n* прозрачни лепенки, скоч, тиксо.

Scotchwoman ['skɔtʃwumən] *n* (*pl* **-women** [-wimin]) шотландка.

Scotch woodcock ['skɔtʃˌwudkɔk] *n* печена филия с аншуа и яйце.

scoter ['skoutə] *n зоол.* вид потапница (Melanitta).

scotfree ['skɔtfri:] *a* 1. здрав, невредим; 2. безнаказан; **to get off ~** измъквам се безнаказано, излизам сух от водата.

Scoticism, Scoticize = **Scotticism, Scotticize**.

Scotland Yard ['skɔtləndˌja:d] *n* Скотланд Ярд.

Scots [skɔts] *a, n* шотландски (диалект).

Scotsman ['skɔtsmən] *n* (*pl* **-men**) = **Scotchman**.

Scots pine ['skɔts,pain] = **Scotch fir**.

Scotswoman ['skɔtswumən] *n* (*pl* **-women** [-wimin]) = **Scotchwoman**.

Scotticism ['skɔtisizm] *n* шотландска дума/произношение и пр.

Scotticize ['skɔtisaiz] *v* 1. подражавам на шотландски обичаи/произношение и пр.; 2. придавам шотландски характер на.

Scottish ['skɔtiʃ] = **Scotch I**.

scoundrel ['skaundrl] *n* мошеник, разбойник, негодник.

scoundrelly ['skaundrəli] *a* мошенически, разбойнически.

scour¹ [skauə] *v* **1.** търкам, изтърквам, жуля, изжулвам; лъскам, излъсквам; **2.** мия, измивам, промивам; **3.** лъсвам (*за почистен съд и пр.*); **4.** изкопавам (*канал и пр. — за вода*); **5.** *мед.* прочиствам (се) (*за черва*); имам диария (*за животно*).

scour² *n* **1.** изтъркване, излъскване, изчистване; **to give s.th. a good ~** добре изтърквам/излъсквам нещо; **2.** ерозионно действие; **3.** корито, канал, изровено място (*от вода*); **4.** дълбоко/бързо течение; **5.** химикал за чистене на дрехи; **6.** *и pl вет.* вид диария.

scour³ *v* **1.** движа се бързо; профучавам; **2.** преброждам; **3.** претърсвам, претършувам; **to ~ about for/after s.th.** търся нещо.

scourer ['skauərə] *n* **1.** тел(че) и пр. за чистене; **2.** прах за чистене.

scourge¹ [skə:dʒ] *n* **1.** бич, камшик; **2.** *прен.* бич, напаст, бедствие; **the white ~** туберкулоза.

scourge² *v* **1.** бия с камшик, шибам; **2.** измъчвам, мъча, тормозя; **3.** опустошавам; **4.** *ам.* критикувам остро, бичувам.

scouring rush ['skauəriŋˌrʌʃ] *n* хвощ (Equisetum hyemale).

scourings ['skauəriŋz] *n pl* **1.** изстъргана нечистотия; **2.** *прен.* измет.

scouse [skaus] *n* **1.** ливърпулец; **2.** ливърпулски диалект; **3.** вид ливърпулска яхния.

scout¹ [skaut] *n* **1.** разузнавач (*и за кораб, самолет и пр.*); патрул; **2.** разузнаване; разузнавателна експедиция/акция; **on the ~** на разузнаване; **3.** *често* S. бойскаут; **4.** *разг.* (добър) човек; **5.** лице, което търси нови/обещаващи спортисти/актьори и пр.; **6.** прислужник (*в Оксфордски колеж*).

scout² *v* **1.** разузнавам; проучвам; **2. to ~ about/round for** търся нещо.

scout³ *v* отхвърлям (презрение/присмех) (*идея и пр.*).

scout car ['skautˌka:] *n воен.* бронирана разузнавателна кола.

scoutcraft ['skautkra:ft] *n* разузнавателно умение; разузнавачество.

scoutmaster ['skautma:stə] *n* **1.** командир на разузнавателен отряд; **2.** командир на скаутска дружина.

scow [skau] *n* шлеп, плоскодънна гемия (*за въглища и пр.*).

scowl¹ [skaul] *v* мръщя се, намръщвам се, гледам навъсено (**at**).

scowl² *n* мръщене, намръщване; намръщено изражение/поглед.

scrabble¹ ['skræbl] *v* **1.** дращя, драскам; **2. to ~ about for s.th.** опипвам за/търся нещо; **3. = scramble**¹·

scrabble² *n* **1.** драскане, дращене; **2.** драсканици; **3.** ровене; **4. = scramble**²; **5.** вид игра с букви.

scrag¹ [skræg] *n* **1.** мършав човек/животно; слабо/линеещо растение; **2.** овнешки/телешки врат (*и ~ end*); **3.** *sl.* (тънък) врат/шия.

scrag² *v* (-gg-) **1.** хващам за шията; **2.** извивам врата на; душа, одушвам; **3.** обесвам.

scraggly ['skrægli] *a* **1.** щърбав, нащърбен; счупен; **2.** висящ на парцали; провиснал; **3.** рошав, рунтав.

scraggy ['skrægi] *a* **1.** мършав; кокалест; **2. = scraggly**.

scram [skræm] *v* (-mm-) *обик. imp.* махам се, пръждосвам се, чупя се.

scramble¹ ['skræmbl] *v* **1.** катеря се, лазя; **2.** движа се бързо и тревожно; **3.** натискам се, боря се, блъскам се, сбивам се (**for**) (*и прен.*); **4.** хвърлям, разхвърлям (*нещо, за да го събере някой*); **5.** разбърквам; **~ eggs** готвя/правя бъркани яйца; **6.** правя/свършвам как да е (*и с* **through**); **to ~ into o.'s clothes** навличам си как да е дрехите; **to ~ to o.'s feet** изправям се бързо; **7.** *воен. ав.* излитам бързо (*да пресрещна не-*

приятел); давам заповед за бързо излитане; **8.** обърквам (*предаване по телефон, радио и пр.*) чрез промяна на честотата на вълната (*за да не може да бъде разбрано освен с шифър*).

scramble² *n* **1.** катерене, лазене; **2.** боричкане, блъскане, борба, надпревара (**for**) (*и прен.*); **3.** мотоциклетно състезание по неравен терен; **4.** *воен. ав.* бързо излитане.

scran [skræn] *n sl.* **1.** храна, кльопачка; **2.** остатъци от храна; □ **bad ~ to you!** *ирл.* да опустееш дано!

scrannel ['skrænl] *a ост.* **1.** слаб, мършав; **2.** писклив, креслив.

scrap¹ [skræp] *n* **1.** парче(нце), късче; *pl* парчетии; остатъци (*от храна*); отпадъци; **not a ~ of** никак, никакъв; **~ of paper** парче хартия (*и прен. — за документ и пр.*); **2.** *pl* брак, шкарто; стари железа; скрап, метални отпадъци; **3.** изрезка, откъс (*от вестник и пр.*); **4.** *pl* пръжки.

scrap² *v* (-pp-) (из)хвърлям на боклука (*и прен.*); бракувам.

scrap³ *n sl.* сбиване; счепкване, кавга; **to have a bit of a ~ with** посчепквам се с.

scrap⁴ *v sl.* боричкам се; счепквам се, скарвам се (**with**).

scrapbook ['skræpbuk] *n* албум за залепване на изрезки.

scrape¹ [skreip] *v* **1.** стържа, остъргвам; цикля (**away, off, out**); **to ~ clean** изчиствам; **to ~ o.'s plate clean** изяждам всичко в чинията си; **2.** ожулвам, одрасквам; **3.** едва минавам (*покрай нещо*); докосвам се (**against, along, by, through**); **4.** икономисвам, правя икономии, живея икономично; **to ~ a living** едва свързвам двата края; **to ~ (together/up) a sum of money** едва събирам сума; **5.** скърцам, стържа; **to ~ (on) the fiddle** стържа на цигулка; **to ~ o.'s throat** окашлям се; **to ~ o.'s feet (along the floor)** стържа с крака по пода (*от нетърпение, недоволство*); **6.** изстъргвам, издълбавам (*и с* **out**);□ **to ~ (up) (an) acquaintance with** успявам да се запозная с, натрапвам се на; **to bow and ~** *ост.* правя реверанс; *прен.* раболепнича, докарвам се;

scrape along *разг.* **1)** едва свързвам двата края, карам някак (**on** с); **2) to ~ along with** разбирам се с, карам с;

scrape away остъргвам, изстъргвам;

scrape by 1) **= scrape along**¹; **2)** едва се промъквам (*без да докосна*);

scrape in/into *разг.* едва успявам да вляза в (*училище, университет и пр.*);

scrape off **= scrape away**;

scrape out 1) **= scrape away**; **2)** издълбавам, изравям (*дупка*);

scrape through едва издържам/изкарвам (*изпит и пр.*); едва се справям;

scrape together *разг.* едва събирам; едва спестявам;

scrape up **= scrape together**.

scrape² *n* **1.** стъргане, остъргване; **2.** драскотина, остъргано/ожулено място; **3.** стъргане, скърцане (*и на лък*); драсване, драскане (*на перо и пр.*); **4.** тънък пласт масло (*на филия*); **5.** *разг.* неприятност, затруднение, беля; **to get into a ~** навличам си неприятност; правя беля; **6.** *ам.* свада, кавга; сбиване; **7.** *ост.* реверанс.

scrape-penny ['skreippeni] *n* скъперник, скръндза.

scraper ['skreipə] *n* **1.** стъргалка, стъргало (*за обувки и пр.*); **2.** грейдер (*машина за чистене на път*); **3.**

тех. скрепер; шабър; **4.** лош цигулар, стъргач; (лош) бръснар.

scrap-heap ['skræphi:p] *n* бунище, боклук (*и прен.*); куп железни отпадъци; □ ~ **policy** отричане/отхвърляне на старото.

scrapings ['skreipiŋz] *n pl* останки, отпадъци (*от стъргане*).

scrap-iron, -metal ['skræpaiən, -metl] *n* старо желязо, скрап.

scrapper ['skræpə] *n ам. разг.* скандалджия; кавгаджия.

scrapple ['skræpl] *n ам.* вид наденица.

scrappy[1] ['skræpi] *a* **1.** нееднороден; смесен; от различни неща; ~ **furniture** най-различни мебели; ~ **dinner** импровизиран обед, обед от каквото се намери; **2.** откъслечен; несвързан; непоследователен.

scrappy[2] *a ам. разг.* агресивен; кавгаджийски; който налита на бой/кавга.

scratch[1] [skrætʃ] *v* **1.** драскам, драща; драсвам (*кибрит и пр.*); одрасквам; надрасквам; **2.** чеша (се); **3.** търся, ровя (**about for**) (*и прен.*); **4.** драща, скърцам; надрасквам/написвам (набързо); **5.** *сп.* оттеглям се от състезание; изваждам/елиминирам от състезание; **6.** *ам.* зачерквам (*име*) в избирателна бюлетина; **7.** *прен.* едва я карам/свързвам двата края (*и с* **along**); □ **to ~ the surface of** *прен.* плъзгам се по повърхността на, не навлизам в същността на; ~ **my back and I'll ~ yours** халваджия за бозаджия, услужи ми/похвали ме и аз ще ти услужа/ще те похваля; **to ~ o.'s head** двоумя се, чудя се, почесвам се по главата;
    scratch along = scratch[1] 7;
    scratch off задрасквам, зачерквам;
    scratch out 1) = scratch off; 2) = scratch up; □ **to ~ s.o.'s eyes out** *разг.* издирам очите на някого;
    scratch together едва събирам;
    scratch up 1) изравям (*и прен.*); 2) = scratch together.

scratch[2] *n* **1.** драска; драскотина; одраскване (*разг. и за рана*); **to come through without a ~** излизам невредим; **2.** драсване (*на перо*); драскулка; лош почерк; ~ **of the pen** драсване на перото (*и прен.*); **3.** дращене; скърцане; **4.** чесане; почесване; **5.** *сп.* стартова линия; **to start from ~** *прен.* почвам от началото/от АБ /без нищо/без всякаква подготовка; **to be/come up to ~** на (нужното) равнище съм; **to bring up to ~** подготвям/докарвам/довеждам до нужното равнище; **6.** *sl.* пари, мангизи; **7.** *pl вет.* напукване на копитото на кон; **8.** нулев резултат, нула; **9.** *ам.* зачеркнат от списъка/отстранен/елиминиран състезател.

scratch[3] *a* **1.** смесен; разнороден; събран от къде да е; направен от какво да е; импровизиран; **2.** *сп.* без хандикап; първокласен; ~ **player** състезател без хандикап; първокласен играч; ~ **race** състезание без хандикап.

Scratch *n*: **Old** ~ дяволът, сатаната.

scratch line ['skrætʃlain] *n сп.* стартова линия.

scratch pad ['skrætʃpæd] *n ам.* бележник.

scratch sheet ['skrætʃ,ʃi:t] *n ам. сп.* списък на елиминираните състезатели и на залаганията (*при конни надбягвания*).

scratch test ['skrætʃ,test] *n мед.* проба за алергичност (*чрез одраскване на кожата*).

scratch-wig ['skrætʃwig] *n* частична перука, тупе.

scratch-work ['skrætʃwə:k] *n изк.* сграфито.

scratchy ['skrætʃi] *a* **1.** надраскан; лошо написан/нарису-

ван; **2.** дращещ; скърцащ; **3.** причиняващ сърбеж; който има сърбеж; **4.** зъл, хаплив; **5.** бодлив.

scrawl[1] [skrɔ:l] *v* **1.** драскам, надрасквам (**over** по); **2.** написвам набързо, надрасквам.

scrawl[2] *n* **1.** драскулка; **2.** лош/неразбираем почерк; лошо/набързо написано писмо.

scrawny ['skrɔ:ni] *a* мършав, слаб; кокалест.

scream[1] [skri:m] *v* **1.** пищя, крещя, викам (**at s.o.** на някого); **to ~ out** изкрещявам; **2.** смея се гръмогласно/истерично (*и* **to ~ with laughter, to ~ o.'s head off**); **3.** свистя, фуча (*за вятър, машина и пр.*).

scream[2] *n* **1.** писък, крясък, вик; ~**s of laughter** истеричен смях; **2.** свистене, фучене, пищене; **3.** *sl.* нещо ужасно смешно; ужасно смешен човек, скица.

screamer ['skri:mə] *n* **1.** кресльо, пискун; птица, която крещи; **2.** *sl.* ужасно смешна история; нещо удивително; **3.** *печ. sl.* удивителна; **4.** *ам. жур.* сензационно заглавие.

screaming ['skri:miŋ] *a* **1.** пищящ, крещящ, викащ; **2.** крещящ (*за цвят*); **3.** ужасно смешен.

screamingly ['skri:miŋli] *adv*: ~ **funny** ужасно смешно, да си умреш от смях.

scree [skri:] *n* сипей.

screech[1] [skri:tʃ] *v* пищя/крещя (зловещо/пронизително); **2.** издавам остър/стържещ звук.

screech[2] *n* **1.** (пронизителен/зловещ) крясък, писък; **2.** остър/стържещ шум.

screech-owl ['skri:tʃaul] *n зоол.* сова, кукумявка (Otus).

screed [skri:d] *n* **1.** дълго скучно писмо, ферман; дълга/скучна реч, тирада; дълъг пасаж; **2.** *стр.* изравнителна летва (*при измазване*); шаблон.

screen[1] [skri:n] *n* **1.** параван (*и прен.*); щит, преграда; (рамка с) мрежа (*за врата, прозорец*); **fire ~** параван за пред камина; **2.** прикритие (*и воен.*); заслон; **behind a ~ of trees** прикрит зад дърветата; **under ~ of night** под прикритието на нощта; в тъмното; **3.** *воен.* части/кораби, изпратени за прикритие; **4.** екран; the ~ киното; **5.** преграда в църква между нефа и олтара; **6.** дъска и пр. за обяви; **7.** *крикет* подвижна дъска платно на игрище; **8.** решето, сито; **9.** *рад.* екранираща мрежа; **10.** *фот.* светлофилтър; **11.** *печ.* растер; **12.** (система за) щателна проверка.

screen[2] *v* **1.** преграждам, отделям (*и с* **off**); скривам; слагам мрежа на (*прозорец и пр.*); **2.** покровителствувам, пазя, скривам, прикривам (**from**); **3.** прожектирам (*филм и пр.*); **4.** филмирам, правя филм/сценарий по (*роман и пр.*); подходящ съм за филм/за екрана; **to ~ well/badly** подходящ съм/не съм подходящ за филм (*за сценарий, актьор*); **5.** сея, пресявам, отсявам; сортирам; **6.** проверявам/проучвам внимателно (*кандидати и пр.*); **7.** преглеждам внимателно (*за болести, оръжие и пр.*).

screenings ['skri:niŋz] *n pl* отсевки.

screen-play ['skri:nplei] *n* сценарий за филм.

screen test ['skri:n,test] *n* пробни снимки (*за филмов актьор*).

screen writer ['skri:n,raitə] *n* филмов сценарист.

screw[1] [skru:] *n* **1.** винт (*и* **male/exterior ~**); гайка (*и* **female/interior ~**); **2.** *мор.* корабно витло; гребен, винт; *ав.* въздушно витло; **3.** завинтване; завъртване; **give it another ~** завинти го още веднъж; **4.** завъртане, отпращане настрана (*на топка*); **5.** свитьче, нещо навито; малко количество (*тютюн и пр.*), завито в хартия; **6.** *прен.* натиск; **to put the ~s on, to give s.o. another turn of the ~, to apply the ~** упражнявам натиск върху/принуждавам някого); **7.** *разг.* скъперник, скрънза, циция; **8.** *sl.* заплата, надница; **9.** кранта; **10.** *ам. sl.* надзирател в затвор; **11.** *ам. sl.* полово сношение.

screw[2] *v* **1.** завинтвам (се); **2.** извивам, завъртам; **3.** стискам, притискам; свивам, **4.** изнудвам; измъквам насила (**out of** от); **5.** скъпя се, стискам се; скъперник съм; **6.** *sl.* ограбвам с взлом; **7.** *ам. sl.* имам полово сношение с; **8.** *sl.* измамвам, **to get ~ed** измамват/минават ме; наказват ме; □ **to ~ o.'s face into wrinkles** сбръчквам лице;

screw about *ам. sl.* шляя се, бездействувам, губя си времето;

screw down завинтвам; скрепявам с винт(ове);

screw on завинтвам; □ **to have o.'s head ~ed on straight/the right way** имам ум в главата си, разумен/здравомислещ съм;

screw up 1) завинтвам, затягам; затварям, заключвам; 2) свивам/смачквам на топка; 3) свивам (*очи, вежди и пр.*); 4) *sl.* оплесквам, обърквам (*работа*); 5) *sl.* притеснявам, правя нервен/напрегнат; 6) затягам дисциплината на, стягам; □ **to ~ up o.'s courage, to ~ o.s. up** събирам смелост.

screwball ['skru:bɔ:l] *n ам. sl.* смахнат/ексцентричен човек, чешит.

screwdriver ['skru:draivə] *n* отвертка.

screwed [skru:d] *a sl.* пиян.

screwy ['skru:i] *a* **1.** усукан, навит; **2.** изтощен, капнал (*за кон*); **3.** *sl.* луд, шантав; пиян; **4.** *ам. sl.* странен, чудат, невероятен (*за история и пр.*); смешен, нелеп; съмнителен, нечестен.

scribal ['skraibəl] *a* писачески; писмовен; **~ error** грешка при преписването/на преписвача.

scribble[1] ['skribl] *v* **1.** пиша/написвам набързо/небрежно, надрасквам; **2.** драскам по, надрасквам; **3.** *пренебр., шег.* съчинителствувам, пописвам.

scribble[2] *n* **1.** драсканица, драскулка; лош/нечетлив почерк; **2.** набързо написана/надраскана бележка и пр.

scribble[3] *v* разчесвам, кардирам (*вълна и пр.*).

scribbler ['skriblə] *n пренебр.* писач, драскач.

scribbling-pad ['skriblɪŋ͵pæd] *n* бележник.

scribe[1] [skraib] *n* **1.** *ист.* преписвач (*на ръкописи*); **2.** *ост.* секретар; писач на писма; **3.** *библ.* книжник; **4.** *ам. шег.* писател, автор; журналист; **5.** острие за поставяне знаци на дърво, камък и пр.

scribe[2] *v* правя знак на дърво и пр. с острие.

scrim [skrim] *n* **1.** здрав памучен/ленен плат; **2.** *ам. театр.* тюл.

scrimmage[1] ['skrimidʒ] *n* **1.** сборичкване, схватка; **2.** *ам.* = **scrummage**.

scrimmage[2] *v* **1.** сборичквам се, боря се, участвувам в схватка; **2.** *сп.* правя меле.

scrimp [skrimp] = **skimp**.

scrimpshank ['skrimpʃæŋk] *v воен. sl.* кръшкам.

scrimshaw[1] ['skrimʃɔ:] *n* резба/украса върху раковини/слонова кост и пр.; украсени с резба раковини и пр.

scrimshaw[2] *v* украсявам с резба раковини/слонова кост и пр.

scrip[1] [skrip] *n ост.* кесия, торбичка.

scrip[2] *n* **1.** документ за притежание (*на акции и пр.*) (*и събир.*); **2.** допълнителни акции, дадени вместо дивидент; **3.** книжни пари (*особ. временно издадени*).

script[1] [skript] *n* **1.** писмо, начин на писане, азбука, писмени знаци; **2.** писане на ръка, ръкопис; **3.** печатарски курсив, имитиращ писане на ръка; **4.** *юр.* оригинал, ръкопис (*на документ и пр.*); **5.** *уч.* писмена работа (*при изпит*); **6.** сценарий; текст (*на актьор, говорител*); ръкопис/текст на пиеса и пр.

script[2] *v* пиша/написвам сценарий (за).

scriptorium [skrip'tɔ:riəm] *n* (*pl* **-s, -ria** [-riə]) *ист.* стая за преписване на ръкописи (*в манастир и пр.*).

scriptural ['skriptʃərəl] *a* библейски.

scripture ['skriptʃə] *n* **1. S.** Светото писание, Библията (*и* **Holy S., the S.'s**); **2.** цитат/пасаж от Библията; **3.** свещени книги (*нехристиянски*); **4.** *ост.* надпис; ръкопис; **5.** *attr* библейски.

scriptwriter ['skriptraitə] *n* сценарист.

scrivener ['skrivnə] *n ост.* **1.** писар; **2.** нотариус; прошенописец; **3.** лихвар; **4.** *шег.* писател, писач, драскач.

scrofula ['skrɔfjulə] *n мед.* скрофулоза, скрофули, живеница.

scrofulous ['skrɔfjuləs] *a* **1.** *мед.* скрофулозен, болен от скрофули/живеница; **2.** *прен.* морално паднал, покварен.

scroll[1] [skroul] *n* **1.** свитък (на стар ръкопис); **2.** *арх.* спираловиден орнамент, волута; **3.** извита предна част на цигулка и пр.; извита рамка на стол; **4.** завъртулка (*на подпис*); **5.** *ост.* списък; **on the ~ of fame** между знатните/великите.

scroll[2] *v* **1.** навивам (се), завивам (се); **2.** *арх.* украсявам с волути.

scroll-head ['skroulhed] *n* извита декоративна греда на носа на кораб.

scroll-work ['skroulwə:k] *n* резба с извивки/спирали.

Scrooge [skru:dʒ] *n* скъперник, циция, скръндза (*и* **s.**).

scrotum ['skroutəm] *n анат.* скротум, мъдница, мъдна торбичка.

scrounge [skraundʒ] *v sl.* **1.** отмъквам, задигам, свивам; **2.** тършувам; изнамирам; **3.** живея на муфта/на юнашка версия; **4.** изпросвам, издрънчвам.

scrounger ['skraundʒə] *n* **1.** крадец на дребно; **2.** муфтаджия.

scrub[1] [skrʌb] *n* **1.** шубрак; **2.** полупустинна област в Австралия; **3.** недорасъл човек/животно, завързак; мелез (*за куче и пр.*); **4.** незначителен/дребен човек; **5.** *ам. сп.* (играч от) втори отбор.

scrub[2] *v* (**-bb-**) **1.** търкам, жуля; изтърквам (*и с* **out, off**); **2.** *тех.* пречиствам (*газ*); **3.** *sl.* отменям; отлагам.

scrub[3] *n* почистване, изтъркване.

scrubber ['skrʌbə] *n* **1.** чистач; **2.** четка за дъски и пр.; **3.** *тех.* скрубер.

scrubbing-brush ['skrʌbɪŋbrʌʃ] *n* твърда четка (*за дъски и пр.*)

scrubby ['skrʌbi] *a* **1.** нискостъблен; недорасъл (*и за животно*); **2.** обрасъл/покрит с шубрак; **3.** бодлив, четинест, небръснат (*за брада*); **4.** незначителен, нищожен; долнокачествен; жалък; **5.** развлечен, неспретнат, нечист, мърляв.

scrub-up ['skrʌbʌp] *n разг.* основно почистване.

scrubwoman ['skrʌbwumən] *n* (*pl* **-women** [-wimin]) *ам.* чистачка.

scruff [skrʌf] *n* тил, задна част на врата; **to take s.o. by the ~ of the neck** хващам някого за врата/шията.

scruffy ['skrʌfi] *a разг.* мърляв, мръсен; износен; развлечен.

scrum [skrʌm] = **scrummage**.

scrummage ['skrʌmidʒ] *n сп.* спорна топка.

scrumptious ['skrʌmʃəs] *a разг.* чудесен; много вкусен.

scrunch [skrʌntʃ] = **crunch**.

scruple[1] ['skru:pl] *n* **1.** колебание, съмнение; скрупули, угризение на съвестта; **to make no ~ to** не се колебая/двоумя да; **to have ~s about doing s.th.** неудобно/съвестно ми е да направя нещо, **man of no ~s** безскрупулен човек; **2.** скрупул (*аптекарска мярка = 20 грана*); **3.** малко количество, мъничко.

scruple² *v* колебая се, не ми се ще (**to** да); имам известни скрупули.

scrupulosity [ˌskruːpjuˈlɔsiti] *n* (прекалена) съвестност.

scrupulous [ˈskruːpjuləs] *a* **1.** съвестен; добросъвестен; съзнателен (**about, in**); **2.** педантично честен/коректен; **3.** щателен, внимателен, грижлив, коректен; ~ **honesty** абсолютна честност; ~ **cleanliness** изрядна чистота; ~ **attention/care** най-голямо внимание/грижа.

scrutable [ˈskruːtəbl] *a* разбираем; разгадаем.

scrutator [skruːˈteitə] *n книж.* внимателен изследвач.

scrutineer [ˌskruːtiˈniə] *n* **1.** преброител, проверител (*при избори*); **2.** изследвач; наблюдател.

scrutinize [ˈskruːtinaiz] *v* разглеждам/изследвам подробно/внимателно/критично.

scrutiny [ˈskruːtini] *n* **1.** внимателно/подробно/критично разглеждане/изследване; **2.** критичен/изпитателен поглед; **3.** проверка на бюлетините след избори.

scry [skrai] *v* гадая на кристал.

scuba [ˈskuːbə] *n* леководолазен дихателен апарат.

scud¹ [skʌd] *v* (**-dd-**) **1.** нося се/движа се леко/бързо/плавно; **2.** *мор.* нося се по вятъра.

scud² *n* **1.** бързо/леко/плавно движение; бяг; **2.** облаци/мъгли, носени от вятъра; **3.** преваляване; **4.** порив на вятър; **5.** пръски от пяна.

scuff¹ [skʌf] *v* **1.** тътря си краката; **2.** одрасквам; протривам (се); **3.** *ам.* побутвам с крак.

scuff² *n* **1.** тътрене на краката; **2.** одраскано/протрито място; **3.** чехъл.

scuffle¹ [ˈskʌfl] *v* **1.** боря се, боричкам се; **2.** тътря се; **3.** разравям (*с гребло и пр.*).

scuffle² *n* боричкане; сбиване; схватка.

sculduddery, sculduggery = **skulduggery**.

scull¹ [skʌl] *n* **1.** (дълго кормово) весло; **2.** лодка с весла; малка гребна лодка, скул.

scull² *v* карам лодка с весло/весла.

sculler [ˈskʌlə] *n* **1.** гребец; **2.** лодка с весла.

scullery [ˈskʌləri] *n* помещение за миене на кухненски съдове, черна кухня.

scullery-maid [ˈskʌlərimeid] *n* помагачка на готвачката, миячка на съдове.

scullion [ˈskʌljən] *n ост.* слуга в кухнята, мияч на чинии.

sculp [skʌlp] *v разг.* вая, извайвам.

sculpin [ˈskʌlpin] *n зоол.* **1.** вид американски главоч (*сем.* Cottidae); **2.** вид американски морски скорпион (Scorpaena guttata).

sculpt [skʌlpt] = **sculp**.

sculptor [ˈskʌlptə] *n* скулптор, ваятел.

sculptress [ˈskʌlptris] *ж.р. от* **sculptor**.

sculptural [ˈskʌlptʃərəl] *a* скулптурен, пластичен; подобен на скулптура; като изваян.

sculpture¹ [ˈskʌlptʃə] *n* **1.** скулптура; **2.** статуя, скулптурно произведение; **3.** *бот., зоол.* изпъкнали/вдлъбнати очертания по растение/мида.

sculpture² *v* **1.** вая, извайвам; украсявам със скулптура; **2.** *геол.* оформявам, изменям (*земната кора — за ерозия и пр.*).

sculpturesque [ˌskʌlptʃəˈresk] *a* **1.** като статуя, като изваян, пластичен; **2.** величествен, царствен.

scum¹ [skʌm] *n* **1.** нечиста пяна; **2.** *метал.* обгар, накип; **3.** *прен.* отрепка; *събир.* измет.

scum² *v* (**-mm-**) **1.** пеня се, образувам/отделям нечиста пяна; **2.** чистя/очиствам пяна, препенвам.

scumble¹ [ˈskʌmbl] *v изк.* смекчавам очертанията на рисунка с лек пласт непрозрачна боя/чрез леко разтъркване.

scumble² *n изк.* (лек пласт непрозрачна боя за) смекчаване на очертанията; мекост на очертанията; флу.

scummer [ˈskʌmə] *n* лъжица за обиране на пяна.

scummy [ˈskʌmi] *a* покрит с пяна, пенест; като пяна; *метал.* покрит с обгар.

scunner [ˈskʌnə] *n* отвращение; **to take a** ~ **against** намразвам.

scup [skʌp] *n* вид риба (Stenostomus chrysops).

scupper¹ [ˈskʌpə] *n мор.* шпигат.

scupper² *v sl.* **1.** нападам внезапно и избивам; нападам и потопявам (*кораб*); **2.** побеждавам; разстройвам/объркам напълно.

scuppernong [ˈskʌpənɔŋ] *n ам.* (вино от) вид мискетово грозде.

scurf [skəːf] *n* **1.** пърхот; **2.** инкрустация на метал; котлен камък, накип; **3.** *бот.* люспици.

scurfy [ˈskəːfi] *a* покрит с пърхот/люспици.

scurrility [skʌˈriliti] *n* циничност, вулгарност; цинизъм; циничен/вулгарен език/забележка.

scurrilous [ˈskʌriləs] *a* неприличен, мръсен, циничен, вулгарен.

scurry¹ [ˈskʌri] *v* **1.** бягам, тичам, припкам, препускам; **2.** лутам се, щурам се, суетя се; **3. to** ~ **through** претупвам, свършвам набързо.

scurry² *n* **1.** бягане, тичане, препускане; шум от бързи стъпки; **2.** кратко надбягване; **3.** суетня, шетня; бързане; □ ~ **of rain** внезапен пороен дъжд; ~ **of snow** снежна вихрушка; ~ **of dust** облак прах.

scurvy¹ [ˈskəːvi] *a* долен, низък, подъл.

scurvy² *n* скорбут.

scurvy-grass [ˈskəːvigrɑːs] *n бот.* пореч (Cochlearia officinalis).

scut [skʌt] *n* къса опашка (*на заек, елен*).

scuta *вж.* **scutum**.

scutage [ˈskjuːtidʒ] *n ист.* откуп от военна служба.

scutate [ˈskjuːteit] *a бот., зоол.* щитовиден; покрит с люспи.

scutch¹ [skʌtʃ] *v* чукам, мъна (*лен и пр.*).

scutch² *n* мъналка.

scutcheon [ˈskʌtʃən] *n* **1.** = **escutcheon 1,3**; **2.** табелка с име.

scutellum [skjuːˈteləm] *n* (*pl* **-lla** [-lə]) *бот., зоол.* щитовидна люспица.

scutter [ˈskʌtə] = **scurry**.

scuttle¹ [ˈskʌtl] *n* кофа за въглища.

scuttle² *n* **1.** прозорче с капак на покрив/стена; **2.** люк.

scuttle³ *v* **1.** пробивам (*кораб*); отварям люковете (*на кораб, за да го потопя*); **2.** разрушавам собственото си дело.

scuttle⁴ *v* **1.** офейквам, избягвам (**off, away**); **2.** *пол.* оттеглям се, дезертирам, отказвам се от мандат.

scuttle⁵ *n* бягане; офейкване; измъкване; дезертиране.

scuttlebutt [ˈskʌtlbʌt] *n* **1.** *мор.* каца с вода за пиене; **2.** *sl.* слух, мълва, клюка.

scutum [ˈskjuːtəm] *n* (*pl* **-ta** [-tə]) *бот., зоол.* щитче, щитовидна люспа.

scythe¹ [saið] *n* коса (*за косене*).

scythe² *v* кося, режа.

Scythian [ˈsiθiən, ˈsiðiən] *ист.* **I.** *a* скитски; **II.** *n* **1.** скит. **2.** скитски език.

sea [siː] *n* **1.** море; океан; **by** ~ по море; **at** ~ на плаване, на път по море; в морето; (**all/completely**) **at** ~ съвсем объркан/озадачен; **on the** ~ 1) на/край морето/океана; **beyond/over the** ~(**s**) отвъд морето/океана, в чужбина; **to go to** ~, **to follow the** ~ ставам моряк; **to put (out) to** ~ отплувам, тръгвам (*за кораб*); **the open** ~, **the high** ~**s** открито море; **to take to/stand out to the open** ~ излизам в открито море; **on the high** ~**s**, **out at** ~ при пълен прилив; **the four** ~**s** моретата, които заобикалят Великобритания; **the seven** ~**s**, **the Seven S.s** *поет.* седемте океана, световните океани; **the freedom of the** ~**s** свобода на корабоплаването/на търговията по море; **2.** *ряд.* езеро; **the S. of Galilee** Галилейското езеро; **3.** вълна; състояние на морето; **heavy/great** ~ голяма вълна; бурно море; **short** ~ море с къси, неравномерни вълни; **long** ~ море с дълги равномерни вълни; **4.** моряшки занаят/живот; **5.** *прен.* море, безкрайно много; ~**s of blood** потоци кръв, реки от кръв; ~ **of troubles/care** безкрайно много нещастия/грижи; **6.** *attr* морски; крайморски, приморски.

sea anchor [ˈsiːˌæŋkə] *мор.* приспособление за предпазване от дрейф на кораб/хидроплан.

sea anemone [ˈsiːəˌneməni] *n зоол.* актиния.

sea-bag [ˈsiːbæg] *n* моряшка торба.

sea-bank [ˈsiːbæŋk] *n* **1.** морски бряг; **2.** дига, крайморски вал.

sea-bathing [ˈsiːbeiðiŋ] *n* къпане в морето; морски бани.

sea-bear [ˈsiːbɛə] **1.** = **polar bear** (*вж.* **polar** 1); **2.** = **fur seal.**

Seabee [ˈsiːbiː] *n ам. воен.* войник от батальон за строеж и охрана на морски бази.

sea-bells [ˈsiːbelz] *n бот.* вид поветица (Convolvulvus soldanella).

sea-biscuit [ˈsiːbiskit] *n* сухар.

seaboard [ˈsiːbɔːd] *n* **1.** крайбрежие, морски бряг; брегова линия; **2.** *attr* (край)морски.

sea-born [ˈsiːbɔːn] *a поет.* роден от морето.

sea-borne [ˈsiːbɔːn] *a* превозен/доставен по море; морски (*за търговия*).

sea-bread [ˈsiːbred] *n* сухар.

sea-breeze [ˈsiːbriːz] *n* вятър откъм морето; **sea breeze** бриз.

sea-calf [ˈsiːkaːf] = **seal¹** 1.

sea canary [ˈsiːkəˌnɛəri] *n* бял кит.

sea-captain [ˈsiːkæptn] *n* **1.** капитан на кораб; **2.** велик мореплавател/командир на флот.

sea change [ˈsiːˌtʃeindʒ] *n* **1.** промяна, трансформация; **2.** (благоприятна) промяна на времето.

sea-chest [ˈsiːtʃest] *n* сандък на моряк.

sea-coal [ˈsiːkoul] *n ост.* каменни въглища.

seacoast [ˈsiːkoust] *n* крайбрежие, морски бряг.

sea-cow [ˈsiːkau] *n зоол.* **1.** ламантин (Trichechus latirostris); **2.** морж; **3.** хипопотам.

seacraft [ˈsiːkraːft] *n* **1.** мореплаване; **2.** морски плавателни съдове.

sea-devil [ˈsiːdevl] *n* = **devil-fish.**

sea-dog [ˈsiːdɔg] *n* **1.** тюлен; **2.** = **dogfish; 3.** стар опитен моряк (*и* **old** ~); пират; **4.** светлина на морския хоризонт, предвещаваща лошо време.

seadrome [ˈsiːdroum] *n ав.* плаваща площадка за излитане/кацане.

sea-ear [ˈsiːiə] *n* вид морски охлюв.

sea-fan [ˈsiːfæn] *n* вид корал.

seafarer [ˈsiːfɛərə] *n поет.* моряк, мореплавател.

seafaring [ˈsiːfɛəriŋ] *n* **1.** мореплаване; **2.** *attr* моряшки; мореплавателен; ~ **man** моряк.

seafolk [ˈsiːfouk] *n* моряци.

seafood [ˈsiːfuːd] *n* (ястия от) риба, раци, миди и пр.

sea-front [ˈsiːfrʌnt] *n* крайморска част на град; крайморски булевард.

sea furbelow [ˈsiːˌfəːbəlou] *n* вид морско водорасло.

sea gate [ˈsiːˌgeit] *n* път/канал/излаз към морето.

sea-girt [ˈsiːgəːt] *a поет.* опасан/обкръжен от морета.

seagoing [ˈsiːgouiŋ] *a* **1.** морски (*за кораб*); **2.** моряшки.

sea-grape [ˈsiːgreip] *n* **1.** = **glasswort; 2.** саргасово водорасло; **3.** вид дърво с гроздовидни плодове; **4.** *pl* яйца на сепия.

sea grass [ˈsiːˌgraːs] *n бот.* морска зостера (Zostera marina).

sea-gull [ˈsiːgʌl] *n* чайка (Larus).

sea-hog [ˈsiːhɔg] = **porpoise¹.**

sea-horse [ˈsiːhɔːs] *n* **1.** морж (Odobenus rosmarus); **2.** морско конче (Hippocampus); **3.** *мит.* кон с опашка на риба.

sea-island (cotton) [ˈsiːailənd(ˌkɔtn)] *n* вид памук със здрави дълги влакна (Gossypium barbadense).

sea-kale [ˈsiːkeil] *n бот.* крамбе (Crambe maritima).

seal¹ [siːl] *n* **1.** тюлен; **2.** тюленова кожа.

seal² *v* ходя на лов за/ловя тюлени.

seal³ *n* **1.** печат; отпечатък (*и прен.*); клеймо; пломба; **under** ~ **of confidence/silence** поверително; **to set o.'s** ~ **to, to set the** ~ **on** 1) запечатвам; подпечатвам; 2) одобрявам; ~**s of office** канцеларски/министерски печати; **2.** *прен.* знак, доказателство, гаранция; ~ **of love** 1) целувка; 2) дете; **3.** *тех.* уплътнение; спойка; заварка; воден хидравличен затвор.

seal⁴ *v* **1.** подпечатвам, слагам печат/клеймо на; скрепявам с печат; запечатвам (*и прен.*)(*и с* **up**); пломбирам (*стока и пр.*); ~**ed orders** тайни (служебни) заповеди; **2.** затварям плътно (*очи, устни*); **to** ~ **s.o's lips** налагам някому мълчание, принуждавам някого да мълчи; **it is a** ~**ed book to me** това е затворена книга за мене, нищо не разбирам от това; **3.** затварям херметически (*и с* **up**); запоявам; замазвам; засмолявам; асфалтирам; изолирам; **4.** решавам (окончателно); одобрявам; установявам; ~**ed pattern** *воен.* установен образец (*на съоръжения, облекло и пр.*); **his fate is** ~**ed** съдбата му е решена; **5. to** ~ **off** затварям (*граница*); заграждам, изолирам (*квартал и пр.*).

sea-lawyer [ˈsiːlɔːjə] *n* **1.** *разг.* моряк/човек, който вечно се оплаква/търси правата си; **2.** мошеник.

sea-legs [ˈsiːlegz] *n pl:* **to find/get o.'s** ~ свиквам с моряшкия живот; свиквам с люшкането на кораба; **to have good** ~ не страдам от морска болест.

sea-lemon [ˈsiːlemən] *n зоол.* мекотело от рода Doris.

sea-leopard [ˈsiːlepəd] *n* вид тюлен.

sealer¹ [ˈsiːlə] *n* контрольор по мерки и теглилки.

sealer² *n* **1.** ловец на тюлени; **2.** кораб за ловене на тюлени.

sealery [ˈsiːləri] *n* **1.** лов на тюлени; **2.** място, където се въдят/ловят тюлени.

sea-letter [ˈsiːletə] *n* паспорт на кораб на неутрална страна.

seal fishery [ˈsiːl ˌfiʃəri] = **sealery.**

sea-lift [ˈsiːlift] *n* превоз на припаси по море.

sea-lily [ˈsiːlili] *n зоол.* вид иглокожо.

sea-line [ˈsiːlain] *n* **1.** брегова линия; **2.** хоризонт в открито море.

sealing-wax [ˈsiːliŋwæks] *n* червен восък.

sea-lion [ˈsiːlaiən] *n* вид голям тюлен (Zalophus, Otaria).

Sea Lord [ˈsiːlɔːd] *n* висш военен на служба в адмиралтейството.

seal-ring [ˈsiːlriŋ] *n* пръстен с печат.

sealskin [ˈsiːlskin] *n* (палто от) тюленова кожа.

Sealyham [ˈsiːliəm] *n* порода териер (*и* ~ **terrier**).

seam¹ [siːm] *n* **1.** шев (*и анат.*); **2.** следа, белег (*от рана*);

бръчка (*на лицето*); **3.** *геол.* тънък пласт, прослойка; **4.** *тех.* спойка.

seam² *v* **1.** съшивам; съединявам с шев; **2.** набраздявам, набръчквам; оставям белег на.

seaman ['si:mən] (*pl* **-men**) **1.** моряк, матрос; **2.** мореплавател.

seamanlike,-ly ['si:mənlaik, -li] *a* моряшки; (присъщ) на опитен моряк.

seamanship ['si:mənʃip] *n* мореплавателно умение.

sea-mark ['si:ma:k] *n* фар, маяк, брегови знак.

sea-mat ['si:mæt] *n* вид морско мекотело.

sea-mew ['si:mju:] *n* вид чайка (Larus canus).

sea-mouse ['si:maus] *n* вид морски червей.

seamstress ['semstris], *ам.* ['si:mstris] *n* шивачка.

seamy ['si:mi] *a* с непочистени шевове; □ **the ~ side (of life)** отрицателната/лошата/грозната страна (на живота).

séance ['seia:ns] *n фр.* **1.** събрание, заседание; сеанс; **2.** спиритически сеанс.

sea-nettle ['si:netl] *n* парлива медуза.

sea-parrot ['si:pærət] *n* тъпоклюна кайра, тупик (Fratercula arctica).

sea-pass ['si:pa:s] = **sea-letter.**

sea-pay ['si:pei] *n* заплата за военноморска служба.

sea pen ['si: pen] *n* вид перест полип.

sea-pie ['si:pai] *n* **1.** стридояд (Haematopus ostralegus); **2.** вид моряшки пирог.

sea-piece ['si:pi:s] *n изк.* морски пейзаж.

sea-pig ['si:pig] *n* **1.** вид делфин; **2.** = **dugong.**

sea pilot ['si:ˌpailət] = **sea pie 1.**

sea pink ['si:ˌpiŋk] *n бот.* вид гърлица (Statice armeria).

seaplane ['si:plein] *n* хидроплан, водосамолет.

seaport ['si:pɔ:t] *n* пристанищен град, морско пристанище.

sea-power ['si:ˌpauə] *n* **1.** страна с морска флота, морска сила; **2.** военноморски сили.

sear¹ [siə] *a* увяхнал, изсъхнал, съсухрен; □ **the ~ and yellow leaf** *поет.* старостта.

sear² *v* **1.** обгарям; **2.** изсушавам, съсухрям (се); изсъхвам; **3.** правя да закоравее/загрубее, притъпявам; **~ed conscience** притъпена съвест; □ **his memory is ~ed by the event** това събитие е оставило незаличими следи в паметта му.

search¹ [sə:tʃ] *v* **1.** претърсвам; обискирам, правя обиск на; **2.** *мед.* сондирам (*рана*); **3.** изследвам, разглеждам внимателно; взирам се в (*и прен.*); **to ~ s.o.'s face** мъча се да прочета мислите/чувствата на някого; **to ~ o.'s heart/conscience** взирам се/вслушвам се в сърцето/съвестта си; **to ~ o.'s memory** мъча се да си спомня; **4.** прониквам в, пронизвам (*за вятър, куршум*); **воен.** обстрелвам (*пространство*); шаря по (*за прожектор*); □ **~ me** *разг.* отде да знам;
    search for търся (внимателно/усилено);
    search out 1) търся; 2) намирам, издирвам;
    search through претърсвам; преглеждам внимателно.

search² *n* **1.** търсене, претърсване; обиск; **to be in ~ of** търся; **to make a ~ for** търся, претърсвам за; **right of ~** право на воюваща страна да спира и претърсва кораби на неутрална страна; **2.** търсене, издирване, стремеж (**for, after**); **3.** изследване, проучване.

searching ['sə:tʃiŋ] *a* **1.** изпитателен, проницателен (*за поглед*); **2.** внимателен, щателен (*за преглед и пр.*); **3.** остър, пронизващ (*за вятър*).

searchlight ['sə:tʃlait] *n* прожектор.

search-party ['sə:tʃpa:ti] *n* спасителен отред/команда/група.

search warrant ['sə:tʃˌwɔrənt] *n* заповед/разрешително за обиск.

sea-rover ['si:rouvə] *n* **1.** пират; **2.** пиратски кораб.

seascape ['si:skeip] *n изк.* морски пейзаж.

seashell ['si:ʃel] *n* черупка от мида/охлюв.

seashore ['si:ʃɔ:] *n* морски бряг.

seasick ['si:sik] *a:* **to be ~** страдам от морска болест; лошо ми е, повръща ми се.

seasickness ['si:siknis] *n* морска болест.

seaside ['si:said] *n* **1.** морски бряг, крайбрежие; **to go to the ~** отивам на море; **2.** *attr* (край)морски; **~ resort** морски курорт.

sea-snail ['si:sneil] *n* **1.** вид морски охлюв; **2.** вид малка риба със смукало на корема (Liparis).

season¹ ['si:zn] *n* **1.** годишно време, сезон (*и театр., сп., търг. и пр.*); **dead/dull/off ~** мъртъв/слаб сезон; **strawberries are in ~ /out of ~** сега е/не е сезонът на ягодите; **between ~** междинен сезон; **~'s greetings/compliments** коледни поздрави; **2.** подходящо време/момент; *ост.* (известно) време, период; **a word in ~** навременен съвет; **in and out of ~** когато трябва и когато не трябва; по всяко време; **mating ~** брачен период (*у животни*); **3.** = **season-ticket.**

season² *v* **1.** оставям да изсъхне (*дървен материал*); изсъхвам; оставям да отлежи (*вино и пр.*); отлежавам; **2.** подправям, слагам подправки на (*храна*); **3.** (за)калявам; аклиматизирам, привиквам (**to**); **~ed soldier** кален/опитен/стар войник; **4.** разнообразявам, придавам пикантност на, подслаждам; **conversation ~ed with wit** разговор, изпъстрен с духовитости; **5.** *книж.* смекчавам; **let mercy ~ justice** нека в правосъдието да има и милосърдие.

seasonable ['si:zənəbl] *a* **1.** подходящ за сезона; **2.** навременен, намясто.

seasonal ['si:zənəl] *a* сезонен; случащ се/явяващ се в определено време.

seasoning ['si:zəniŋ] *n* подправка (*за ядене*).

season-ticket ['si:zntikit] *n* абонаментна карта.

seat¹ [sit] *n* **1.** място (*за сядане*); стол; пейка; **to take a ~** сядам; **to take o.'s ~** сядам, заемам мястото си; **to keep o.'s ~** не ставам, оставам на мястото си/седнал; **2.** място, членство (*в парламента и пр.*); избирателен район/колегия; **to win/lose o.'s ~** спечелвам/изгубвам изборите за парламента; **3.** седалище, седалка (*на стол и пр.*); **4.** седалище, задник; **5.** дъно (*на панталон*); **6.** резиденция, седалище; имение; **7.** център, огнище; местонахождение; **~ of learning** научен център; огнище/средище на знания; **~ of war, war ~** театър на военни действия; **the disease has its ~ in the liver** огнището на болестта е в черния дроб; **8.** стойка на ездач; **to have a good/poor ~** яздя добре/лошо; **9.** подставка, подложка, основа; □ **by the ~ of o.'s pants** *разг.* по инстинкт.

seat² *v* **1.** слагам да седне; *refl* сядам; **please be ~ed** моля, седнете; **2.** поставям, нагласям, слагам на подставка (*машинна част и пр.*); **3.** побирам (седнали), има места за 1000 души; **4.** поправям седалището/слагам ново седалище на (*стол и пр.*); слагам ново дъно на (*панталон*); **5.** мачкам се/разтеглям се/развличам се при от сядане; **6.** *разг.* намирам се, населявам, обитавам, живея; **family long ~ed in this county** семейство, което отдавна живее в това графство; **the pain is ~ed in the stomach** огнището на болката е в стомаха.

seat-belt ['si:tbelt] *n ав., авт.* предпазен ремък/колан.

seater ['si:tə] *n в съчет.* кола с даден брой места.

sea-urchin ['si:ə:tʃin] *n* морски таралеж (Echinoidae).

sea-wall ['si:wɔ:l] *n* дига край морето.

seaward ['si:wəd] *a* ,*adv* (насочен/разположен/гледащ) към морето.

seaware ['si:wɛə] *n* морски водорасли, използвани за тор.

sea-way ['si:wei] *n* 1. морски път; 2. движение на кораб напред; **to make** ~ напредвам (*за кораб*); 3. положение на кораб в открито море; 4. бурно море; 5. канал/река за морски кораби (*към вътрешно пристанище*).

seaweed ['si:wi:d] *n* морска трева/водорасло.

sea-wife ['si:waif] = **wrasse.**

sea-wolf ['si:wulf] *n* 1. вид едра морска риба (Anarrhicus lupus); 2. пират, морски вълк/разбойник.

seaworthy ['si:wə:ði] *n* здрав, издръжлив, годен (*за кораб*).

sebaceous [si'beiʃəs] *a физиол.* мастен.

sec [sek] *a фр.* сух, не сладък (*за вино*).

secant ['sekənt] *геом.* **I.** *a* сечащ, пресичащ; **II.** *n* секателна, секанта.

secateurs ['sekətə:z] *n pl* секатор (*градинарски ножици*).

secede [si'si:d] *v* отделям се, отцепвам се (*от държава, организация и пр.*) (**from**).

secession [si'seʃn] *n* отделяне, отцепване.

secessionism [si'seʃənizm] *n* отцепничество, разкол.

seclude [si'klu:d] *v* изолирам, отделям; *refl* уединявам се, усамотявам се, оттеглям се (**from**).

secluded [si'klu:did] *a* самотен, усамотен, уединен, изолиран.

seclusion [si'klu:ʒn] *n* 1. изолиране; изолация, усамотение, уединение; 2. уединено/усамотено място; **in the** ~ **of o.'s own home** уединен у дома си.

second[1] ['sekənd] *a* 1. втор(и); вторичен; второстепенен; от второ качество; който отстъпва (*на някого по нещо*); **to be the** ~ **to come** идвам втори; **every** ~ **day** през ден, всеки втори ден; ~ **in command** заместник командир; ~ **to none** който не отстъпва на никого, най-добър от всички; **at** ~ **hand** от втора ръка; не от източника; ~ **birth** възраждане, прераждане; ~ **chamber** горна камара (в парламент); ~ **coming/advent** *рел.* второ пришествие; ~ **distance** *изк.* среден план; ~ **teeth** постоянни (*немлечни*) зъби; 2. втори, повторен, допълнителен; още един; ~ **helping** още една/втора порция.

second[2] *adv* на второ място; втори.

second[3] *n* 1. помощник; секундант; 2. втора награда; второ място (*в състезание и пр.*); състезател, който спечелва втора награда/място; **to come in a good** ~ спечелвам второто място с малка разлика от победителя; 3. секунда; *разг.* момент, миг; 4. *муз.* секунда; 5. *pl.* второкачествени стоки; второкачествено брашно; 6. *pl* втори/повторни порции; второ ядене; 7. *авт.* втора скорост.

second[4] *v* 1. подкрепям, поддържам (*предложение и пр.*); помагам на; 2. секундант съм на.

second[5] *n* [si'kɔnd] *v воен.* превеждам (*офицер*) от строева служба в щаба.

secondary ['sekənd(ə)ri] **I.** *a* 1. второстепенен; 2. вторичен; 3. *хим.* двувалентен; вторичен; 4. *геол.* мезозойски; вторичен; □ ~ **school/education** средно училище/образование; ~ **planet** *астр.* спътник; ~ **evidence** *юр.* косвени доказателства; ~ **battery/cell** *ел.* акумулаторна батерия/клетка; **II.** *n* 1. помощник; заместник; делегат, представител; 2. *астр.* спътник; 3.

зоол. второстепенно махово крило; 4. *геол.* вторичен/мезозойски пласт.

second-best ['sekənd‚best] *a* второкачествен; не най-хубав/добър; ~ **clothes** всекидневни дрехи; **to come off** ~ претърпявам неуспех/поражение.

second-class ['sekənd‚kla:s] *a* 1. второкласен; от/за втора класа (*за хотел, билет и пр.*); **to travel** ~ пътувам (във) втора класа; ~ **honours** много добър (*не отличен*) успех; 2. второкачествен, по-долен; непривилегирован; с ограничени граждански/политически права; 3. с намалена тарифа (*за пощенска пратка, напр. вестници, списания и пр.*).

second-guess ['sekənd‚ges] *v ам.* 1. умувам/критикувам/сещам се, когато е вече късно; 2. предвиждам; опитвам се да предвидя; 3. отгатвам преди, опитвам се да отгатна преди (*някой друг*); опитвам се да изиграя (*някого*).

second-hand ['sekəndhænd] *a* 1. купен/продаден на старо, употребяван; оказионен; вехтошарски; ~ **dealer** търговец на старо, вехтошар; ~ **bookshop** антикварна книжарница; **to buy** ~ купувам на старо; 2. непряк, от втора ръка (*за сведения и пр.*); **at** ~ чрез посредник.

second hand ['sekənd‚hænd] *n* секундарник.

secondly ['sekəndli] *adv* второ, на второ място.

second-rate ['sekəndreit] *a* 1. посредствен; 2. второкачествен.

second-rater ['sekəndreitə] *n* посредствен човек.

second-sight ['sekəndsait] *n* ясновидство, пророчество.

second-story man ['sekəndstɔ:ri‚mæn] *n* (*pl* **-men**) *ам. sl.* крадец, който влиза през горния етаж.

secrecy ['si:krəsi] *n* 1. тайна; потайност; таен/секретен характер; **in (absolute)** ~ в (пълна) тайна, (съвсем) тайно; 2. пазене на тайна; способност да се пази тайна; **to swear/bind s.o. to** ~ заклевам някого да пази тайна.

secret[1] ['si:krət] *a* 1. таен, секретен; скрит, прикрит; **to keep s.th.** ~ **(from s.o.)** пазя нещо в тайна (от някого); ~ **service** държавно разузнаване и контраразузнаване; **S. Service** *ам.* секретен отдел при Министерството на финансите; ~ **agent** агент на държавното разузнаване и контраразузнаване; шпионин (*на чужда държава*); 2. таен, незаконен; 3. уединен, усамотен, скрит, таен; 4. потаен, мълчалив.

secret[2] *n* тайна; **to be in the** ~ посветен съм в тайната; **to let s.o. into a** ~ посвещавам някого в тайна; **to make no** ~ **of** не крия; **in** ~ тайно.

secretaire [‚sekri'tɛə] *n фр.* писалищна маса, секретер.

secretarial [‚sekri'tɛəriəl] *a* секретарски; за секретари; ~ **school/courses** училище/курс за секретари/стенографи/машинописци.

secretariat(e) [‚sekri'tɛəriæt] *n* секретариат.

secretary ['sekritri] *n* 1. секретар; 2. министър (**for** на), държавен секретар (*u* ~ **of state**); **S. of State** *ам.* министър на външните работи; 3. *ам.* = **secretaire.**

secretary-bird ['sekritribə:d] *n* африканска птица, подобна на щъркел (Sagittarius serpentarius).

secretary-general ['sekritri‚dʒenərəl] *n* генерален/главен секретар.

secrete [si'kri:t] *v* 1. скривам, укривам; 2. *физиол.* отделям.

secretion [si'kri:ʃn] *n* 1. скриване, укриване; 2. *физиол.* отделяне; секреция, секрет.

secretive ['si:krətiv] *a* мълчалив, скрит, потаен (*за човек*).

secretory [si'kri:təri] *a физиол.* отделителен.

sect [sekt] *n* секта.

sectarian [sek'tɛəriən] **I.** *a* сектантски; **II.** *n* сектант.

sectarianism [sek'tɛəriənizm] *n* сектантство.

sectile ['sektail] *a* цепителен (*за минерал и пр.*).

section[1] ['sekʃn] *n* **1.** разделяне, разсичане; **2.** сечение, разрез; напречно сечение, профил; **3.** парче, отрязък сегмент; част; секция; **4.** част, раздел; подразделение; отдел; параграф; **5.** квартал, район; *ам.* район от 1 кв миля; **6.** слой, част (*на население*); **7.** участък (*на път и пр.*); ~ **gang** работници, които поддържат/поправят даден участък от жп линия; **8.** *воен.* отделение; **9.** *печ.* знак § (*и* ~ **mark**); **10.** *биол.* подвид.

section[2] *v* **1.** разделям/разрязвам на части; **2.** подреждам по дялове; **3.** представям в разрез.

sectional ['sekʃənəl] **I.** *a* **1.** секционен; групов, **2.** местен, локален; **3.** разделен на/съставен от части/дялове; **4.** представен/даден в разрез; **II.** *n ам.* разглобяемо канапе.

sectionalism ['sekʃənəlizm] *n* регионализъм; местен патриотизъм.

sector ['sektə] *n* **1.** *геом.* сектор; **2.** *воен.* сектор, участък; **3.** сектор, дял, клон, бранш; **4.** *тех.* кулиса.

secular ['sekjulə] **I.** *a* **1.** светски, мирски, не църковен (*за музика, изкуство*); ~ **power** държавна (*не църковна*) власт; държава, **the** ~ **arm** *ист.* държавна власт, която привежда в изпълнение присъдите на църковен съд; **2.** вековен; дълговечен; (дълго)траен, постоянен; ~ **change** бавна, но трайна промяна; **3.** ставащ веднъж на 100 години; **4.** който не е положил монашески обет; ~ **clergy** свещеници, бяло духовенство; **II.** *n* **1.** свещеник; **2.** мирянин.

secularism ['sekjulərizm] *n* отхвърляне на религиозното обучение; отхвърляне на намесата на църквата в държавните работи.

secularity [,sekju'læriti] *n* **1.** светски (*нерелигиозен*) характер; **2.** бавен, но постоянен характер (*на дадена промяна и пр.*).

secularize ['sekjuləraiz] *v* **1.** придавам светски характер на (*образование и пр.*); освобождавам от религиозно влияние; **2.** одържавявам (*църковен имот*); отнемам правата на (*църковен съд*); **3.** освобождавам от монашески обет.

secure[1] [si'kjuə] *a* **1.** спокоен, сигурен, необезпокоен от грижи; **2.** уверен, сигурен (**of** в); **to feel** ~ **as to/about the future** спокоен съм/не се тревожа за бъдещето; ~ **of victory** уверен в победата; **3.** в безопасност, запазен, гарантиран; застрахован (**from, against** срещу); **to be** ~ **from interruption/attack** сигурен съм, че няма да бъда прекъснат/нападнат; **4.** сигурен, надежден, здрав, траен, солиден; **5.** добре затворен/закрепен; **6.** на сигурно място.

secure[2] *v* **1.** затварям/залоствам/заключвам здраво; укрепявам (**against**); **2.** осигурявам, обезпечавам, запазвам, гарантирам (**against, from** срещу, от); **3.** арестувам; **4.** връзвам/завързвам/закрепям здраво; **5.** *мед.* завързвам (*кръвоносен съд*); **6.** снабдявам се с, сдобивам се с, набавям си, намирам; **7.** постигам (*цел*); **8.** осигурявам си (*поддръжка и пр.*).

security [si'kjuəriti] *n* **1.** сигурност, безопасност (**against, from**); спокойствие; **S. Council** Съвет за сигурност (*при ООН*); **2.** увереност, доверие; **3.** защита, охрана; (отдел за) държавна сигурност; ~ **police/forces** органи на държавната сигурност; ~ **risk** лице, което

представлява опасност за държавната сигурност; **4.** гаранция, залог; **in** ~ **of** като гаранция за; **on** ~ срещу залог, с гаранция; **5.** гарант. поръчител; **6.** *pl uк.* ценни книжа.

sedan [si'dæn] *n* **1.** *ост.* стол носилка, портшез (*и* ~ **chair**); **2.** затворен автомобил, лимузина.

sedate[1] [si'deit] *a* спокоен, уравновесен, улегнал; сериозен; невъзмутим.

sedate[2] *v мед.* давам успокоително/седативно лекарство на.

sedative ['sidətiv] *мед.* **I.** *a* успокоителен, седативен; **II.** *n* успокоително/седативно средство.

sedentary ['sedntəri] *a* **1.** заседнал, неподвижен (*за начин на живот*); ~ **occupation** седяща работа; **2.** *зоол.* непрелетен; немиграционен; **3.** неподвижно прикрепен, неподвижен; **4.** седнал (*за положение*).

sedge [sedʒ] *n бот.* острица (Carex).

sediment ['sedimənt] *n* **1.** утайка; **2.** *геол.* утаечен слой.

sedimentary [,sedi'mentəri] *a* утаечен.

sedimentation [,sedimən'teiʃn] *n* утаяване.

sedition [si'diʃn] *n* **1.** подмолна противодържавна дейност; **2.** размирици, бунт(ове).

seditious [si'diʃəs] *a* **1.** подмолен, противодържавен; бунтарски; **2.** провинен в противодържавна дейност.

seduce [si'djuːs] *v* **1.** отклонявам от правия път, съблазнявам (**from s.th.** от нещо, **into doing s.th.** да направи нещо); **2.** прелъстявам, съблазнявам; **3.** привличам, увличам, съблазнявам.

seducer [si'djuːsə] *n* прелъстител, съблазнител.

seduction [si'dʌkʃn] *n* **1.** съблазняване, прелъстяване; **2.** съблазън; **3.** привлекателност.

seductive [si'dʌktiv] *a* **1.** съблазнителен, привлекателен; **2.** убедителен, привличащ; увличащ.

seductress [si'dʌktris] *ж.р. от* **seducer**.

sedulity [si'djuːliti] *n книж.* усърдие, прилежание.

sedulous ['sedjuləs] *a книж.* усърден, прилежен.

sedum ['siːdəm] *n бот.* тлъстига.

see[1] [siː] *v* (**saw** [sɔː]; **seen** [siːn]) **1.** виждам; **there is nothing to be** ~**n** нищо не се вижда; **I can't** ~ **my way** не виждам пътя/къде вървя; **I can't** ~ **to read** не мога да чета, защото не виждам; ~**ing is believing** да видиш значи да повярваш; **to** ~ **things** имам халюцинации, привиждат ми се разни неща; **to** ~ **stars** виждам звезди по пладне; **things** ~**n** реални/действителни неща; **to** ~ **s.o. fall(ing)** виждам някого да/как пада; **he was** ~**n to fall** видяха го да/как пада; ~ **you (later), (I'll) be** ~**ing you** довиждане; **to** ~ **visions** виждам в бъдещето, пророкувам; **2.** гледам (*пиеса и пр.*); разглеждам (*град и пр.*); **there is nothing to** ~ няма нищо за гледане; **3.** преглеждам (*вестник, болен, къща и пр.*); **4.** виждам, срещам (се с); посещавам; приемам; **come and** ~ **us** елате у нас, елате ни на гости; **to** ~ **a doctor/lawyer** съветвам се с лекар/адвокат; **the president does not** ~ **anyone today** председателят не приема никого днес; **5.** погрижвам се; внимавам, гледам; проверявам, виждам; ~ **that it is done** погрижи се да се направи; ~ **you don't lose it** гледай/внимавай да не го изгубиш; **to** ~ **for o.s.** сам проверявам/виждам; **to** ~ **s.o. right** погрижвам се за някого, погрижвам се някой да бъде правилно възнаграден и пр.; **6.** виждам, схващам, разбирам; гледам на; научавам се, узнавам (*от вестник и пр.*); **as far as I can** ~ доколкото разбирам; **to** ~ **an argument/the point** разбирам довод/за какво се отнася; **I** ~ **things differently** другояче гледам на нещата; **I can't** ~ **my way (clear) to do(ing) that** виждам как бих могъл да направя това; ~ ? раз-

бирате ли? I ~ разбирам; да, ясно; **as I ~ it** както аз гледам на нещата; **he can't ~ a joke** той няма чувство за хумор; **not to ~ the good/use/advantage of doing s.th.** не виждам смисъла/ползата да се направи нещо; **you ~** нали разбирате, видите ли (*вмъкнато*); **to ~ o.s. obliged to** виждам се принуден да; **to ~ through a brickwall** бързо схващам, сече ми умът; **7.** виждам, помислям, размислям; **let me ~** чакай да видя/помисля; **I'll ~ what I can do** ще видя/помисля какво мога да направя; **8.** изпращам, придружавам; **to ~ s.o. home/to the door** изпращам някого до вкъщи/до вратата; **9.** виждам, преживявам; изпитвам; **to have ~n better/o.'s best days** западнал съм (*за човек*); износен/овехтял/изтъркан съм (*за предмет*); **this coat has ~n hard wear** това палто е много носено/е носено, носено; **I have ~n the day/time when** помня времето, когато; **he'll never ~ fifty, etc. again** прехвърлил е петдесетте и пр; **he first saw fire at** той получи бойно кръщение при; **10.** считам, смятам, намирам; **if you ~ fit/proper** ако считате за подходящо/редно; **11.** представям си, виждам (**as** като); **I can't ~ myself doing such a thing** не мога да си представя да направя такова нещо; **12.** приемам, съгласявам се, позволявам; понасям; готов съм, предпочитам; **I do not ~ myself being made use of** не приемам/позволявам да ме използват; **are you going to ~ me treated like that?** ще търпиш/позволиш ли да се отнасят така с мен? **I would ~ him in prison before I gave him money** предпочитам да отиде в затвора, ама няма да му дам пари; □ **I'll ~ you blowed/damned/dead/further first!** как не! това няма да го бъде! върви по дяволите! **am.** слушай! виж какво! **this is a coat I ~ you in** това палто ще ти прилича;
  see about 1) погрижвам се за; занимавам се с; 2) проучвам;
  see across придружавам при пресичане (*на улица*);
  see after грижа се/погрижвам се за;
  see beyond *прен.* виждам по-далеч от; предвиждам;
  see in посрещам (*новата година и пр.*);
  see into 1) гледам (*в бъдещето и пр.*); 2) разглеждам, проучвам: 3) вниквам в;
  see of срещам (се с), виждам; **to ~ little of s.o.** рядко се виждам с някого; **we must ~ more of each other** трябва по-често да се виждаме; **I haven't ~n much of him lately** рядко го виждам напоследък; **he isn't ~n much of outside the office** рядко го виждат вън от службата; **to ~ the end of** виждам края на; □ **to ~ the back/the last of s.o.** отървавам се от някого;
  see off 1) изпращам (*на гара и пр.*); 2) изгонвам, прогонвам; **to ~ s.o. off the premises** извеждам някого до изхода;
  see out 1) придружавам/изпращам до вратата; **I'll ~ myself out** сам ще изляза; 2) стоя до края (на); 3) изтрайвам/изкарвам до края (*на даден период*); 4) надживявам (*някого*); **he'll ~ us all out** ще ни надживее/погребе всичките; □ **to ~ the old year out** изпращам старата година;
  see over/round разглеждам, преглеждам (*къща и пр.*);
  see through 1) виждам (през); 2) прозирам, разбирам (*подбуди и пр.*); разбирам преструвките/машинациите на; 3) помагам (*някому*) в затруднение; 4) издържам/изкарвам докрай/до края на; 5) извеждам на добър край; 6) превеждам през;

see to грижа се/погрижвам се за; занимавам се с; **to ~ to it that** погрижвам се да.
see[2] *n* епархия; **the Holy/Apostolic S., the S. of Rome** папският престол.
seed[1] [si:d] *n* **1.** семе (*и прен.*); зърно; *събир.* семена; сперма; зародиш; **to go/run to ~** 1) прецъфтявам; давам семе; 2) занемарявам се; бивам занемарен (*за градина и пр.*); **to sow the good ~** разпространявам добро влияние/идея/християнското учение; **2.** *ост.* потомство; **to raise up ~** раждам деца, отглеждам потомство; **the ~ of Abraham** евреите, еврейството; **3.** *тенис sl.* играч, определен във висока категория.
seed[2] *v* **1.** сея, засявам; **2.** давам семе; прецъфтявам; ронят ми се/падат ми семената; **3.** очиствам/отделям семената на; **4.** *сп.* отбирам по-добрите състезатели за финални срещи.
seed-bed ['si:dbed] *n* леха с разсад.
seed-cake ['si:dkeik] *n* кейк с ким или други подправки.
seed-coral ['si:dkɔrəl] *n* ситни корали (*за украшение*).
seed-corn ['si:dkɔ:n] *n* зърно за посев/семе.
seed-crystal ['si:dkristl] *n* крист. зародишен кристал.
seeder ['si:də] *n* **1.** редосеялка; **2.** уред за вадене на семена (*от плод*).
seed-fish ['si:dfiʃ] *n* риба в разплодния период.
seed-leaf ['si:dli:f] *n бот.* семедел, котиледон.
seedling ['si:dliŋ] *n* младо стръкче; младок; *pl* разсад.
seed pearl ['si:d,pə:l] *n* дребен бисер/маргарит.
seedsman ['si:dzmən] *n* (*pl* -men) **1.** търговец на семена, семенар; **2.** сеяч.
seed-vessel ['si:dvesl] *n бот.* семенна кутийка.
seedy ['si:di] *a* **1.** пълен със семена; семест; **2.** оръфан, опърпан; западнал; занемарен; **3.** *разг.* неразположен; в лошо настроение; **4.** *ам. прен.* съмнителен; долнопробен.
seeing[1] ['si:iŋ] *cj* тъй като (*и ~ that*).
seeing[2] *prep* поради, (като се има) предвид.
seek [si:k] *v* (**sought** [sɔ:t]) **1.** търся, диря; мъча се да открия/достигна; **to ~ the shore** стремя се да достигна брега, насочвам се към брега; **to ~ o.'s bed** *шег.* лягам си; **the reason is not far to ~** мъчно да се открие причината; **2.** търся, стремя се към (*и с for, after*); искам; (**much**) **sought after** много търсен; **3.** опитвам се, мъча се (*с inf*); □ **in critical judgment they are sadly to ~** у тях липсва (всякаква) критична преценка; ... **is (much) to ~...** липсва;... трудно се намира.
  seek out 1) потърсвам; 2) издирвам;
  seek through претърсвам.
seeker ['si:kə] *n* търсач; човек, който се мъчи да открие; **~ after truth** човек, който търси истината; **pleasure- ~s** хора, които търсят удоволствия.
seel [si:l] *v ост.* зашивам очите на (*ястреб*).
seem [si:m] *v* **1.** изглеждам; **to ~ (to be) tired, etc.** изглеждам уморен и пр.; **it ~s to me** струва ми се, изглежда ми, вижда ми се; **I ~ to remember** като че ли си спомням; **it ~s (that), it would ~ that** като то че ли, изглежда, май че; **it ~s as though/as if** като че ли; **so it ~s, so it would ~** така изглежда, май че е така; **it ~s not** изглежда не, май че не; **2.** давам си вид на, правя се на.
seeming ['si:miŋ] *a* привиден, мним; **the ~ and the real** привидното и действителното, лъжата и истината.
seemingly ['si:miŋli] *adv* привидно; на вид; както изглежда.
seemly ['si:mli] *a* **1.** приличен, пристоен; подобаващ; **2.** приятен наглед, хубав.

seen вж. **see**[1].

seep [si:p] v просмуквам се; стичам се, прониквам (**through**); капя.

seepage ['si:pidʒ] n просмукване; филтрация; изтичане; стичане; просмукваща се влага; извор (и ~ **of water**).

seer[1] [siə] n 1. пророк, гадател; 2. (особено) прозорлив човек.

seer[2] n индийска мярка за тегло (около 1 кг).

seersucker ['siəsʌkə] n крепон на ивици.

see-saw[1] ['si:sɔ:] n 1. климушка, люлка (върху пън и пр.); 2. люлеене, клатене, люшкане; 3. attr клатещ се; непостоянен, колеблив; ~ **motion** люлеене, клатене; ~ **policy** неустойчива/непостоянна политика.

see-saw[2] adv нагоре-надолу, напред-назад.

see-saw[3] v 1. люлея се (на климушка); клатя се, клатушкам се; 2. колебая се (**between**); постоянно се променям; ту се издигам, ту спадам.

seethe [si:ð] v кипя (и прен.) (**with** от); **the country was seething with discontent** в страната кипеше недоволство; **streets seething with people** улици, гъмжащи от народ.

see-through ['si:θru:] a прозрачен.

segment[1] ['segmənt] n 1. част, дял, откъс; 2. геом. сегмент, отрез.

segment[2] v деля (се), разделям (се), сегментирам.

segmentation [‚segmen'teiʃn] n деление, разделяне, сегментация.

segregate[1] ['segrigeit] v отделям (се), разделям (се), изолирам (се) (**from**).

segregate[2] n изолиран/различен индивид (и биол.).

segregation [‚segri'geiʃn] n 1. отделяне, разделяне, изолиране; изолация; 2. биол., пол. сегрегация.

seiche [seiʃ] n колебание в нивото на езеро/вътрешно море поради атмосферното налягане.

Seidlitz powder ['sedlits‚paudə] n вид очистително.

seigneur, seignior ['seinjə:] n феодален владетел, сеньор; **grand** ~ благородник; важна личност.

seigniorage ['seinjəridʒ] n 1. право/права на феодален владетел; феодална власт; 2. кралско право на процент за сечене на монети; държавен налог върху правото за сечене на монети.

seigniorial [sei'njɔ:riəl] a феодален, господарски; владетелски.

seigniory ['seinjəri] n 1. власт на феодал; феодална власт; 2. феодално владение.

seine[1] [sein] n гриб (рибарска мрежа) (и ~ **net**).

seine[2] v ловя риба с гриб.

seise, seisin = **seize, seizin**.

seismal, -ic ['saizməl, -ik] a земетръсен, сеизмичен.

seismograph ['saizməgra:f] n сеизмограф.

seismography [saiz'mɔgrəfi] n сеизмография.

seismology [saiz'mɔlədʒi] n сеизмология.

seize [si:z] v 1. хващам, сграбчвам; 2. арестувам, хващам; 3. завземам, превземам; завладявам (и прен.); присвоявам си; конфискувам; 4. юр. въвеждам във владение (често **seise**); **to be** ~**d of** бивам въведен във владение на; дават ми; 5. възползвам се от, използвам (случай и пр.) (и с **on, upon**); 6. главно pass обхващам, обземам; **to be** ~**d with fear** обзема ме страх; 7. мор. връзвам, превръзвам здраво; 8. тех. заяждам (за лагер и пр.) (и с **up**).

seizin ['si:zin] n юр. (встъпване във) владение.

seizure ['si:ʒə] n 1. конфискация, конфискуване; конфискувани стоки/имоти; 2. арестуване, хващане; 3. завземане, превземане, завладяване; 4. апоплектичен удар; припадък, пристъп, криза.

selachian [si'leikiən] зоол. I. a хрущялен; II. n хрущялна риба.

select[1] [si'lekt] v избирам, подбирам.

select[2] a 1. подбран, избран; висококачествен; 2. достъпен само за избрани хора; ~ **committee** (специална) парламентарна комисия.

selection [si'lekʃn] n 1. избор; подбор; биол. подбор, селекция; 2. сбирка, избрани екземпляри/модели и пр; 3. сборник от избрани произведения.

selective [si'lektiv] a 1. избиращ, подбиращ; 2. селективен; □ ~ **service** ам. задължителна военна повинност.

selectivity [silek'tiviti] n селективност.

selectman [si'lektmən] n (pl men) ам. член на градския съвет в някои щати на Нова Англия.

selector [si'lektə] n 1. човек, който избира/подбира; 2. тех. селектор.

selenic [si'li:nik] a хим. селенов.

selenite ['selənait] n хим., минер. селенит.

selenium [si'li:niəm] n хим. селен.

selenography [‚seli'nɔgrəfi] n селенография (изучаване на лунната повърхност).

selenology [‚seli'nɔlədʒi] n наука за луната.

self[1] [self] n 1. собствена личност, (собствено) аз; **my own/very** ~ самият/именно аз; **to be o.'s own** ~ **again** съвсем съм се възстановил, пак съм такъв какъвто преди; **o.'s former** ~ това, което съм бил някога; **o.'s better/worse** ~ по-добрата/по-лошата страна на характера ми; **o.'s second/other** ~ моят най-добър/най-близък приятел; моето второ аз; 2. егоизъм; лична изгода; 3. същност, същина; 4. едноцветно цвете/животно; 5. рет. самият; **Caesar's** ~ -самият Цезар; 6. търг., ост., шег. самият аз/мен и пр; **pay to** ~ да се плати на подписалия (за чек); **your good selves** вие самите, вас самите; **for** ~ **and wife** за мен и жена ми; **let us drink to our noble selves** да пием за нас самите/ за себе си.

self[2] a 1. еднакъв, от същия цвят/материал; 2. едноцветен; 3. чист, без примес.

self- [self] pref само-, себе-; на/в себе си.

self-abandoned [‚selfə'bændənd] a отдаден на страстите си, разпуснат; без задръжки.

self-abasement [‚selfə'beismənt] n самоунижение.

self-abnegation [‚selfæbni'geiʃn] n себеотрицание, самопожертвувателност.

self-absorbed [‚selfəb'sɔ:bd] a погълнат в себе си.

self-abuse [‚selfə'bju:s] n 1. онанизъм; 2. самообвинение, самобичуване.

self-acting [‚self'æktiŋ] a автоматичен.

self-addressed [‚selfə'drest] a адресиран до подателя.

self-aggrandizement [‚selfə'grændizmənt] n собствено издигане; самоизтъкване, самовъзвеличаване; безскрупулен кариеризъм.

self-appointed [‚selfə'pɔintid] a самозван.

self-assertion [‚selfə'sɔ:ʃn] n 1. отстояване на собствените права; налагане на собствената воля; 2. самоизтъкване.

self-assertive [‚selfə'sɔ:tiv] a 1. умеещ да отстоява правата си/да се налага, властен; самоуверен; 2. самоизтъкващ се.

self-centred [‚self'sentəd] a егоцентричен.

self-collected [‚selfkə'lektid] a спокоен, хладнокръвен.

self-coloured [‚self'kʌləd] a 1. едноцветен; 2. с естествения си цвят.

self-command [‚selfkə'ma:nd] n самообладание.

self-communion [ˌselfkə'mjuːniən] *n* задълбочаване в себе си; самонаблюдение, самоанализ.

self-conceit [ˌselfkən'siːt] *n* (високо) самомнение; суета, суетност.

self-confidence [ˌself'kɔnfidəns] *n* самоувереност.

self-conscious [ˌself'kɔnʃəs] *a* 1. стеснителен; стеснен, смутен; неловък; 2. *псих.* съзнаващ мислите/действията си.

self-consciousness [ˌself'kɔnʃəsnis] *n* 1. стеснителност; стеснение, смущение; 2. съзнание за собственото аз.

self-contained [ˌselfkən'teind] *a* 1. въздържан, резервиран; необщителен; 2. самостоятелен, с отделен вход; 3. *тех.* отделен, самостоятелен; който не се нуждае от спомагателни механизми.

self-control [ˌselfkən'troul] *n* самообладание, самоконтрол.

self-criticism [ˌself'kritisizm] *n* самокритика.

self-defeating [ˌselfdi'fiːtiŋ] *a* в разрез с поставената цел/със собствените интереси.

self-defence [ˌselfdi'fens] *n* самозащита, самоотбрана.

self-denial [ˌselfdi'naiəl] *n* себеотрицание.

self-dependence [ˌselfdi'pendəns] *n* самостоятелност.

self-deprecating, -deprecatory [ˌself'deprikeitiŋ, ˌdepri'keitəri] *a* прекалено скромен, подценяващ се.

self-determination [ˌselfdiˌtəːmi'neiʃn] *n* 1. *пол.* самоопределение; 2. свобода на волята.

self-devotion [ˌselfdi'vouʃn] *n* преданост, себеотрицание, самопожертвувателност.

self-display [ˌselfdis'plei] *n* парадиране, самоизтъкване.

self-distrust [ˌselfdis'trʌst] *n* неувереност, липса на самоувереност.

self-dramatization [ˌselfˌdræmətai'zeiʃn] *n* парадиране с качествата/чувствата/нещастията си; търсене на съчувствие чрез прекалено емоционална изява.

self-educated [ˌself'edjukeitid] *a* самообразован, самоук.

self-effacing [ˌselfi'feisiŋ] *a* прекалено скромен, свит, самообезличаващ се.

self-employed [ˌselfim'plɔid] *a* който работи в собствената си фирма и пр.; самостоятелен, не на заплата; на частна практика.

self-esteem [ˌselfis'tiːm] *n* 1. самоуважение; 2. самомнение.

self-evident [ˌself'evidənt] *a* очевиден (сам по себе си).

self-examination [ˌselfigzæmi'neiʃn] *n* самонаблюдение, самоанализ.

self-existent [ˌselfig'zistənt] *a* самостоятелен, независим; водещ самостоятелно съществуване.

self-forgetful [ˌselffə'getful] *a* себеотрицателен, безкористен, алтруистичен.

self-fulfilment [ˌselfful'filmənt] *n* самоизява; постигане на цели/амбиции (със собствени усилия).

self-governing [ˌself'gʌvəniŋ] *a* самоуправляващ се, автономен.

self-government [ˌself'gʌvənmənt] *n* 1. самоуправление, автономия; 2. самоконтрол.

self-heal [ˌself'hiːl] *n* *бот.* усойче (Prunella vulgaris).

self-help [ˌself'help] *n* самопомощ.

selfhood [ˈselfhud] *n* 1. индивидуалност; собствена личност; 2. егоизъм, себичност.

self-image [ˌself'imidʒ] *n* представа за собствено аз/за собственото си значение.

self-importance [ˌselfim'pɔːtəns] *n* самомнение; надутост, важност.

self-important [ˌselfim'pɔːtənt] *a* самомнителен; надут, важен.

self-improvement [ˌselfim'pruːvmənt] *n* самообразование; самоусъвършенствуване.

self-indulgence [ˌselfin'dʌldʒəns] *n* даване воля/задоволяване на собствените желания/страсти/апетити; самоугаждане.

self-interest [ˌself'intrist] *n* егоизъм, себелюбие, корист.

selfish [ˈselfiʃ] *a* егоистичен, себелюбив, себичен.

self-knowledge [ˌself'nɔlidʒ] *n* самопознание.

selfless [ˈselflis] *a* самоотвержен, себеотрицателен, самопожертвувателен; безкористен.

self-love [ˈselfˌlʌv] *n* себелюбие, егоизъм.

self-made [ˌself'meid] *a* който сам се е издигнал (*за човек*).

self-mastery [ˌself'maːstəri] *n* самообладание, самоконтрол.

self-opinionated [ˌselfə'pinjəneitid] *a* своеволен; упорит, твърдоглав.

self-pity [ˌself'piti] *n* самооплакване, вайкане, самосъжаление.

self-possessed [ˌselfpə'zest] *a* спокоен, хладнокръвен; запазващ/запазил самообладание.

self-propelled [ˌselfprə'peld] *a* самоходен (*за оръдие и пр.*).

self-raising [ˌself'reiziŋ] *a* смесен със сода/бакпулвер (*за брашно*).

self-realization [ˌselfriəli'zeiʃn] *n* самоосъществяване, развиване на собствените заложби.

self-recording [ˌselfri'kɔːdiŋ] *a* *тех.* самопишещ, самозаписващ.

self-regard [ˌselfri'gaːd] *n* егоизъм, себелюбие; корист.

self-reliance [ˌselfri'laiəns] *n* самоувереност, увереност в себе си.

self-reliant [ˌselfri'laiənt] *a* самоуверен, уверен в себе си.

self-respect [ˌselfri'spekt] *n* самоуважение, чувство за собствено достойнство.

self-respecting [ˌselfri'spektiŋ] *a* който уважава себе си, който има чувство за собствено достойнство.

self-restraint [ˌselfri'streint] *n* въздържане, въздържаност; самоконтрол.

self-righteous [ˌself'raitʃəs] *a* 1. самодоволен; уверен в собствените си морални принципи; 2. фарисейски.

self-rising [ˈselfraiziŋ] = **self-raising.**

self-sacrifice [ˌself'sækrifais] *n* саможертва; самопожертвуване, себеотрицание.

selfsame [ˈselfseim] *a* (този) същият, т ьзи именно.

self-satisfaction [ˌselfsætis'fækʃn] *n* 1. самодоволство; 2. самозадоволяване, задоволяване на собствените нужди.

self-satisfied [ˌself'sætisfaid] *a* самозадоволен; надут, важен.

self-seeker [ˌself'siːkə] *n* егоист; кариерист.

self-seeking [ˌself'siːkiŋ] *a* егоистичен, себичен; кариеристичен.

self-service [ˌself'səːvis] *n* 1. самообслужване; 2. *attr* на/със самообслужване.

self-styled [ˌself'staild] *a* самозван.

self-sufficiency [ˌselfsə'fiʃənsi] *n* 1. самостоятелност, независимост; 2. самозадоволяване; 3. самонадеяност, самомнителност.

self-sufficient [ˌselfsə'fiʃənt] *a* 1. самостоятелен, независим; 2. самозадоволяващ се; 3. самонадеян, самомнителен.

self-supporting [ˌselfsə'pɔːtiŋ] *a* който сам се издържа/е независим; на самоиздръжка; който си покрива разноските (*за предприятие*).

self-violence [ˌself'vaiələns] *n* самоубийство.

self-will [ˌself'wil] *n* упорство, упоритост; своеволие.

self-willed [ˌself'wild] *a* упорит; своеволен.

self-winding [ˌself'waindiŋ] *a* който се навива сам/автоматически.

sell[1] [sel] *v* (**sold** [sould]) **1.** продавам (*и прен.*); **the house is to ~** къщата се продава; **2.** продавам се, харча се, вървя (**at, for** за, по); **3.** *sl.* измамвам, изигравам, мятам; **sold again!** пак ме/те метнаха! **4.** рекламирам; популяризирам, лансирам; спечелвам (*читатели, поддръжници и пр.*) (**on** за); **to ~ o.s.** представям се добре, лансирам се; **to be sold on s.th.** приемам/харесвам нещо;

   sell off разпродавам (на ниски цени); ликвидирам;

   sell out 1) продавам; разпродавам (се), изпродавам; **we are sold out of eggs** нямаме вече яйца, яйцата се свършиха/разпродадоха; **2)** разпродавам нечие имущество за дългове; **3)** *прен.* продавам се (**to**); продавам, предавам (*кауза, приятел*);

   sell up 1) разпродавам имуществото си; **2)** разпродавам нечие имущество за дългове.

sell[2] *n разг.* **1.** измама; **2.** разочарование.

seller ['selə] *n* **1.** продавач; **2.** нещо, което се продава (*добре, зле*); **this car is a poor ~** тази кола не се търси; **million-copy ~** книга, от която са продадени един милион екземпляра.

selling plate, race ['seliŋpleit, -reis] *n* конно надбягване, при което печелившият кон се продава на търг.

sell-off ['seləf] *n борс.* (рязко) спадане на цените на ценните книжа.

sell-out ['selaut] *n* **1.** концерт/представление и пр., за които всички билети са продадени; **2.** *разг.* измама; предателство; предател; **3.** разпродажба.

sellotape ['selouteip] *n* прозрачна лепенка, скоч, тиксо.

seltzer ['seltsə] *n* вид минерална вода; сода, газирана вода (*и ~ water*).

selvage, selvedge ['selviʤ] *n* кант, кенар, ива *(на плат)*.

semantic [si'mæntik] *ез.* **I.** *a* семантичен; **II.** *n pl с гл. в sing* семантика.

semaphore[1] ['seməfɔ:]*n*семафор.

semaphore[2] *v* сигнализирам със семафор.

sematic [si'mætik] *a биол.* сигнален, предпазен (*за цвят*).

semblance ['semblans] *n* подобие; образ, (външен) вид; **to put on a ~ of anger/gaiety, etc.** правя се на ядосан/весел и пр.; **to bear the ~ of** приличам на, имам вид на; **~ of justice** нещо като/поне малко правосъдие/справедливост.

semen ['si:men] *n биол.* сперма.

semester [si'mestə] *n* семестър.

semi- [ˌsemi] *pref* полу-.

semibreve ['semibri:v] *n муз.* цяла нота.

semi-centenary, -centennial [ˌsemisen'ti:nəri, -sen'tenjəl] **I.** *a* ставащ веднъж на петдесет години; **II.** *n* петдесетгодишнина.

semicircle ['semiˌsə:kl] *n* полукръг.

semicircular [ˌsemi'sə:kjulə] *a* с форма на/нареден в полукръг.

semicolon [ˌsemi'koulən] *n* точка и запетая.

semi-conscious [ˌsemi'kɔnʃəs] *a* **1.** в полусъзнание; **2.** полуосъзнат.

semi-detached [ˌsemidi'tætʃt] *a* с една стена на калкан (*за къща*); **~ houses** къщи близнаци.

semi-final [ˌsemi'fainəl] *сп.* **I.** *a* полуфинален; **II.** *n* полуфинал(ен мач).

semi-manufactured [ˌsemiˌmænju'fæktʃəd] *a:* **~ goods** полуфабрикати.

semimanufactures [ˌsemiˌmænju'fæktʃəz] *n pl ам.* полуобработени материали.

semi-monthly [ˌsemi'mʌnθli] **I.** *a* полумесечен; **II.** *n* списание, което излиза два пъти месечно.

seminal ['seminəl] *a* **1.** *биол.* семенен; **~ fluid** сперма; **2.** *биол.* зародишен, зачатъчен; **3.** творчески, плодотворен.

seminar [ˌsemi'na:] *n* семинар.

seminary ['seminəri] *n* **1.** духовна семинария; **2.** *ост.* училище (*особ. девическо*); **3.** *прен.* разсадник.

semination [ˌsemi'neiʃn] *n биол.* осеменяване.

semiquaver ['semikweivə] *n муз.* шестнадесетина нота.

Semite ['si:mait] *n* семит.

Semitic [si'mitik] **I.** *a* семитски; **II.** *n* семитски език.

semitone ['semitoun] *n муз.* полутон.

semivowel ['semivauəl] *n фон.* полугласен звук.

semolina [ˌseməˌli:nə] *n* грис.

sempstress ['sem(p)stris] = **seamstress.**

sen [sen] *n* сен (*японска парична единица*).

senate ['senət] *n* **1.** сенат; **2.** академичен съвет.

senatorial [ˌsenə'tɔ:riəl] *a* сенаторски; сенатски.

senatorship ['senətəʃip] *n* сенаторство.

send [send] *v* (**sent** [sent])**1.** пращам, изпращам (**s.th. to s.o., s.o. s.th.**); **2.** запращам, хвърлям, мятам; **the blow sent him sprawling** ударът го просна на земята; **to ~ s.o. flying** повалям/събарям някого; **to ~ things flying** разпилявам/разхвърлям неща; **to ~ crashing** събарям с трясък; **3.** докарвам (*до някакво състояние*), накарвам; **to ~ s.o. crazy/mad** докарвам някого до лудост, подлудявам някого; **to ~ s.o. to sleep** приспивам някого, накарвам някого да заспи; **to ~ s.o. into a rage** вбесявам някого; **4.** *рад.* предавам; **5.** *ост.* давам, дарявам; **God/heaven ~ it may be so** дай боже да е така; **~ him victorious** да му дари победа; **6.** изпълвам с възторг, докарвам до екстаз; □ **to ~ s.o. about his business/packing/to the right about** изгонвам/отпращам някого; давам някому пътя;

   send away 1) уволнявам; изгонвам, отпращам; **2) to ~ away for** поръчвам (*нещо*) да ми се изпрати (*отдалеч*);

   send back връщам, изпращам обратно;

   send down 1) намалявам, причинявам спадане на (*цена, температура и пр.*); **2)** изключвам от университет (*временно*); **3)** пращам в затвора; **4)** потопявам (*кораб*); **5)** пращам от столицата в страната;

   send for 1) повиквам, изпращам за (*лекар, майстор и пр.*); **2)** поръчвам (*книга и пр.*) по пощата; изпращам (*някого*) да вземе (*нещо*);

   send forth излъчвам (*топлина, аромат и пр.*); издавам, надавам (*звук, вик*); давам, пускам (*издънки и пр.*); сипя, изсипвам (*дъжд*);

   send in подавам (*заявление, документи и пр.*); представям (*ръкопис, доклад, предмет за изложба и пр.*); давам (*името си, визитната си картичка на прислужник и пр.*);

   send off 1) изпращам (*писмо и пр., някого на гарата и пр.*); **2)** *сп.* отстранявам (*играч*);

   send on 1) изпращам, препращам (*на някакъв адрес*); **2)** изпращам предварително (*багаж и пр.*); пращам напред; **3)** предавам (*заповед и пр.*);

   send out 1) = send forth; 2) изпращам, разпращам; **3)** *рад.* предавам, излъчвам; **4)** изгонвам; **5) to ~ out for** изпращам да купи/вземе;

   send round 1) предавам/подавам от човек на човек; **2)** изпращам (*някого*) да вземе (*нещо*);

   send up 1) покачвам, причинявам покачване (*на цени, температура и пр.*); **2)** хвърлям във въздуха, правя да експлодира; **3)** *разг.* подигравам, окарикатурявам, имитирам, пародирам; 4) *ам. разг.* пращам в затвора, осъждам на затвор; 5) изпращам (*документи и пр.*) в по-горна инстанция.

sendal ['sendəl] *n ист.* фин копринен/ленен плат.

sender ['sendə] *n* 1. подател (*на писмо и пр.*); този, който изпраща (*съобщение и пр.*); 2. *рад.* предавател.

send-off ['sendɔf] *n* 1. изпращане (*на гарата и пр.*); 2. насърчаване, насърчение (*в ново начинание и пр.*).

send-up ['sendʌp] *n разг.* 1. сатира, пародия, карикатура; 2. *attr* сатиричен.

Senegalese [ˌseniɡə'liːz] I. *а* сенегалски; II. *n (pl без изменение)* сенегалец.

senescence [si'nesns] *n книж.* остаряване, стареене; старост.

seneschal ['seniʃl] *n ист.* сенешал, управител на замък.

senile ['siːnail] *а* старчески; сенилен; грохнал; изкуфял.

senility [si'niliti] *n* старост; сенилност; грохналост; изкуфялост.

senior ['siːniə] I. *а* по-стар (to от); старши; John Smith S. Джон Смит старши; ~ boys/girls ученици от по-горните класове; ~ partner шеф на фирма; ~ high school горните класове на средното училище; ~ citizen *евф.* пенсионер; □ the ~ service флотът; II. *n* по-стар, старши; *ам.* студент от най-горния курс; he is my ~ by five years той е пет години по-стар от мене; о.'s ~ s по-старите от мене.

seniority [ˌsiːni'ɔriti] *n* старшинство (*ам. и по трудов стаж*).

senna ['senə] *n бот., фарм.* сена (Cassia acutifolia).

sennet ['senit] *n ист.* тържествен тръбен сигнал.

sennight ['senait] *n ост.* седмица.

sensation [sen'seiʃn] *n* 1. усещане; чувство; 2. сензация.

sensational [sen'seiʃənəl] *а* 1. сензационен; 2. *ряд.* сетивен; свързан с усещанията.

sensationalism [sen'seiʃənəlizm] *n* 1. любов към сензациите; търсене на сензационното; 2. *фил.* сенсуализъм.

sense[1] [sens] *n* 1. сетиво; ~ of smell/hearing/touch обоняние/слух/осезание; pleasures of ~ сетивни удоволствия/наслади; 2. чувство, усещане, усет; ~ of duty/humour/responsibility чувство за дълг/хумор/отговорност; ~ of direction/locality чувство за ориентация; 3. (здрав) разум, здрава преценка; man of ~ разумен човек; to talk ~ говоря смислено/разумно; what is the ~ of talking like that? какъв смисъл има да се говори така? 4. значение, смисъл; to make ~ of разбирам, проумявам; his words don't make ~ думите му са безсмислени/неразбираеми; the decision makes ~ решението е разумно; in a ~ в известен смисъл; in the strict/literal/figurative/full/best ~ в строгия/буквалния/преносния/пълния/най-добрия смисъл (на думата); 5. *pl* ум, разум; разсъдък; to be in o.'s (right) ~ s с ума си/нормален съм; to be out of o.'s ~ s луд/ненормален съм; to bring s.o. to his ~ s вкарвам ума в главата на някого, вразумявам някого; to come to o.'s ~ s вразумявам се; идвам на себе си; any man in his ~ s всеки разумен човек; to take leave of o.'s ~ s полудявам; държа се неразумно/глупаво; to frighten/scare s.o. out of his ~ s подлудявам някого от страх, изкарвам ума на някого; 6. (общо) настроение/отношение, насока; to take the ~ of a meeting мъча се да доловя настроението на събрание (*чрез въпроси и пр.*); 7. *геом.* посока; 8. *attr* сетивен; ~ organs сетивни органи.

sense[2] *v* 1. усещам, долавям, чувствувам; предчувствувам; 2. схващам, разбирам.

senseless ['senslis] *а* 1. в безсъзнание; безчувствен; to knock s.o. ~ зашеметявам някого; 2. глупав, неразумен; безсмислен.

sensibility [ˌsensi'biliti] *n* 1. (способност за) усещане, усет; чувствителност (to за, към); 2. точност, чувствителност (*на уред*); 3. прекалена/остра чувствителност (*и pl*).

sensible ['sensəbl] *а* 1. сетивен; видим, осезаем; забележим; 2. значителен, забележим, доста голям; 3. в съзнание; 4. (благо)разумен, здравомислещ; 5. ~ of който забелязва/чувствува/съзнава; to be ~ of danger усещам опасност; I am ~ of the fact that съзнавам, че; 6. практичен, подходящ (*за дрехи*); 7. *ост.* чувствителен (to към).

sensibly ['sensəbli] *adv* 1. значително, забележимо; 2. (благо)разумно; 3. практично, удобно.

sensitive ['sensitiv] *а* 1. чувствителен (to към); ~ market неустойчив/нестабилен пазар; 2. *фот.* светлочувствителен; 3. обидчив, чувствителен, който (лесно) се засяга (about, to); to be ~ to criticism/blame засягам се от критика/обвинения; to be ~ about o.'s appearance чувствителен съм по отношение на външността си; 4. точен, прецизен, чувствителен (*за уред*); 5. *прен.* деликатен (*за въпрос, положение*); свързан с отговорности; таен.

sensitive plant ['sensitiv ˌplaːnt] *n бот.* срамежлива мимоза (Mimosa pudica).

sensitize ['sensitaiz] *v* 1. правя чувствителен; изострям чувствителността на; 2. *фот.* правя светлочувствителен.

sensor ['sensə] *n ел.* чувствителен елемент.

sensorial [sen'sɔːriəl] *а* сетивен.

sensorium [sen'sɔːriəm] *n биол.* съзнание, орган на съзнанието; мозък; сивото вещество на мозъка; нервна система.

sensory ['sensəri] = **sensorial.**

sensual ['senʃuəl] *а* 1. чувствен, плътски; сладострастен; полов, сексуален; 2. сетивен; 3. *фил.* сенсуален.

sensualism ['senʃuəlizm] *n* 1. сладострастие, похотливост; 2. *фил.* сенсуализъм.

sensuous ['senʃuəs] *а* сетивен, чувствен.

sent *вж.* **send.**

sentence[1] ['sentəns] *n* 1. *юр.* присъда; to be under ~ of осъден съм на; death ~, ~ of death смъртна присъда; life ~ доживотен затвор; to pass ~ on осъждам, произнасям присъда; *прен.* съдя, критикувам; 2. *грам.* изречение; 3. *ост.* решение, мнение; 4. *ост.* мъдрост, сентенция.

sentence[2] *v* осъждам (to на).

sententious [sen'tenʃəs] *а* нравоучителен, моралистичен; афористичен; надуто-банален.

sentience ['senʃəns] *n псих.* чувствителност, способност да се усеща; съзнание.

sentient ['senʃənt] *а псих.* чувствителен; усещащ; съзнаващ; съзнателен.

sentiment ['sentimənt] *n* 1. чувство; емоционалност; 2. сантименталност; 3. отношение, мнение, гледище; those are/*шег.* them's my ~ s така мисля аз.

sentimental [ˌsenti'mentəl] *а* сантиментален; разнежен.

sentimentality [ˌsentimən'tæliti] *n* сантименталност.

sentimentalize [ˌsenti'mentəlaiz] *v* 1. ставам сантиментален, разчувствувам се, разнежвам се (over, about); 2. имам сантиментално отношение към; 3. разнежвам; 4. правя прекалено сантиментален, представям прекалено сантиментално.

sentinel ['sentinəl] = **sentry; to stand ~ over** книж. пазя, бдя над.

sentry ['sentri] n воен. часови, часовой, караул; пост, стража.

sentry-box ['sentriboks] n воен. караулна будка, караулка.

sentry-go ['sentrigou] n 1. участък на караул; 2. караул (служба); **to be on ~** караул съм, карауля.

sepal ['sepəl] n бот. чашелистче.

separability [,sepərə'biliti] n отделимост.

separable ['sepərəbl] a отделим.

separate[1] ['sep(ə)rət] I. a 1. отделен; самостоятелен; обособен; **~ estate** собствено имущество на съпругата след брака; **~ maintenance** издръжка на съпругата след развод по взаимно съгласие; 2. отделен; изолиран; **to keep two things ~** не смесвам две неща; II. n 1. печ. отделен отпечатък; 2. обик. pl блуза/пола и пр., която не е част от комплект.

separate[2] ['sepəreit] v 1. отделям (се), деля (се), разделям (се) **(from)**; сортирам (u c **up**); **to ~ milk** отделям каймака от млякото; 2. ам. уволнявам (u воен.).

separation [,sepə'reiʃn] n 1. отделяне, обособяване; изолиране; сортиране; 2. раздяла (u на съпрузи без развод — u **judicial/legal ~**); **~ allowance** издръжка на съпруга на войник/моряк; 3. изолация; 4. ам. уволнение, уволняване (u воен.); **~ centre** демобилизационен пункт; 5. хим. разлагане.

separationism, separatism [,sepə'reiʃnizm, 'sepərətizm] n сепаратизъм.

separative ['sepərətiv] a сепаративен.

sepia ['si:pjə] n сепия (боя); рисунка/снимка в червеникавокафяво.

sepoy ['si:poi] n ист. индийски войник (в европейска армия).

sepsis ['sepsis] n мед. сепсис.

sept [sept] n (ирландски) род; племе.

septal ['septl] a преграден.

septangle ['septængl] n седмоъгълник.

septangular [sep'tængjulə] a седмоъгълен.

September [sep'tembə] n септември.

septenary [sep'ti:nəri] I. a състоящ се от седем; седморен; седемгодишен; II. n числото седем, седмица, седморка.

septennial [sep'teniəl] a 1. седемгодишен; 2. който става веднъж на седем години.

septet(te) [sep'tet] n муз. септет.

septic ['septik] a 1. мед. септичен; 2. разг. ужасен, отвратителен.

septic(a)emia [,septi'si:miə] n мед. отравяне на кръвта.

septicity [sep'tisiti] n мед. септичност.

septuagenarian [,septjuəʤi'nɛəriən] a, n седемдесетгодишен (човек).

septum ['septəm] n (pl **-ta** [-tə]) биол. преград(к)а.

sepulchral [si'pʌlkrəl] a погребален; гробовен; гробен.

sepulchre[1], ам. **sepulcher** ['sepəlkə] n гроб(ница); □ **whited ~** лицемер.

sepulchre[2] v погребвам.

sepulture ['sepəltʃə] n книж. погребване; погребение.

sequacious [si'kweiʃəs] a ряд. 1. логичен, последователен, свързан; 2. неоригинален, подражателски; 3. сервилен.

sequel ['si:kwəl] n 1. продължение; втора част/серия (на роман, филм); 2. последствие, резултат; **in the ~** впоследствие.

sequence ['si:kwəns] n 1. ред, редица, серия, поредица; цикъл (стихотворения и пр.); редуване; 2. последователност; 3. муз. карти секвенция; 4. кино сцена (от филм); 5. **~ of tenses** грам. съгласуване на времената; □ **in rapid ~** бързо едно след друго.

sequent, sequential ['si:kwənt, si'kwenʃəl] a 1. следващ; 2. явящ се като разултат.

sequester [si'kwestə] v 1. отделям, уединявам, изолирам; **~ed life** усамотен/изолиран живот; 2. юр. секвестирам; конфискувам; отчуждавам.

sequestrate ['sekwistreit] v = **sequester**[2].

sequestration [,sekwi'streiʃn] n 1. уединение, усамотение, усамотяване; 2. юр. секвестиране; конфискуване; отчуждаване.

sequin ['si:kwin] n 1. пайета (за украса на дреха); 2. стара венецианска/турска монета.

sequoia [si'kwɔiə] n бот. секвоя.

sera вж. **serum**.

serac ['seræk] n леден връх на глетчер.

seraglio [se'ra:liou] n 1. харем; 2. дворец, сарай.

serai [se'rai] n 1. кервансарай; 2. дворец, сарай.

serape [sə'ra:pei] n юж.-ам. вълнено наметало.

seraph ['serəf] n (pl **-s, -im** [-im]) серафим.

seraphic [se'ræfik] a ангелски; божествен.

Serb [sə:b] n 1. сърбин; 2. сръбски език.

Serbian ['sə:biən] I. a сръбски; II. n = **Serb**.

sere [siə] = **sear**[1].

serecloth = **cerecloth**.

serenade[1] [,serə'neid] n серенада.

serenade[2] v пея/свиря/правя серенада на.

serendipity [,seren'dipiti] n способност да се откриват случайно интересни/ценни неща.

serene[1] [si'ri:n] I. a 1. ясен, ведър, безоблачен; 2. спокоен, тих (за море, живот, усмивка и -пр.); 3. в титли: **His/Her S. Highness** негова/нейна светлост; □ **all ~** sl. всичко е наред, няма опасност; II. n поет. ясно/ведро/безоблачно небе; ведрина; тихо/спокойно море.

serene[2] v поет. 1. прояснявам; 2. успокоявам.

serenity [si'reniti] n 1. безоблачност, ведрина; 2. спокойствие, мир, тишина; 3. титла = **Serene Highness** (вж. **serene** 3.).

serf [sə:f] n крепостник, крепостен селянин; роб.

serfdom ['sə:fdəm] n крепостничество; робство.

serge [sə:ʤ] n текст. шевиот.

sergeant ['sa:ʤənt] n 1. сержант; **~ major** старши сержант; 2. старши полицай.

serial ['siəriəl] I. a 1. сериен; пореден; 2. излизащ на части (за роман и пр.); сериен, в няколко серии (за филм); II. n 1. роман, който излиза на части; сериен филм; 2. ряд. периодично издание.

serialize ['siəriəlaiz] v издавам на части.

seriate[1] ['siərieit] v нареждам, подреждам.

seriate[2] a нареден в серия/поредица.

seriatim [,siəri'eitim] adv лат. точка по точка.

sericious [sə'riʃəs] a бот. зоол. пухкав, покрит с лъскав пух.

sericulture [,seri'kʌltʃə] n копринарство.

series ['siəri:z] n (pl без изменение) 1. низ; серия, поредица, редица, ред; **in ~** поред; 2. геол. група, система; 3. ел. последователно/серийно съединение; 4. мат. прогресия; 5. зоол. група.

serin ['serin] n диво канарче (Serinus canarius).

seringa [sə'riŋgə] n = **syringa**.

serio-comic ['siəriou'kɔmik] a шеговито-сериозен.

serious ['siəriəs] a 1. сериозен; **are you ~?** сериозно ли говориш? **and now to be ~** а сега да говорим сериозно; **to be ~ about s.th.** отнасям се сериозно към нещо; **2.** сериозен; важен, значителен.

seriousness ['siəriəsnis] *n* сериозност; важност; **in all ~** съвсем сериозно.

serjeant ['saːʤənt] *n* **1.** = **sergeant 1; 2.** *ист.* адвокат (*и* **S.-at-Law**); **Common S.** помощник на главния съдия.

Serjeant-at-Arms ['saːʤəntət,aːmz] *n* придворен церемониалмайстор; съдебен служител, отговарящ за реда; *парл.* носител на жезъла.

sermon ['səːmən] *n* **1.** проповед, слово; поучение; **2.** *прен.* лекция, конско (евангелие).

sermonize ['səːmənaiz] *v* пренебр. проповядвам, чета проповеди/лекции/конско евангелие.

serotine ['serətin] *n* вид прилеп (Eptesicus serotinus).

serotinous [si'rotinəs] *а бот.* късен.

serous ['siərəs] *а физиол.* серозен.

serpent ['səːpənt] *n* **1.** книж. змия (*и прен.*); змей; дракон; **2.** лукав човек, лисица, велзевул; **3.** серпант (*старинен духов инструмент*); □ **the (old) S.** дяволът, сатаната.

serpent-eater ['səːpənt,iːtə] = **secretary-bird**.

serpentine[1] ['səːpəntain] **I.** *а* **1.** змийски, змиевиден; **2.** лъкатушен, криволичещ; гърчещ се; извиващ се; ~ **windings** серпентини (*на път и пр.*); криволици, извивки; **3.** лукав, коварен, вероломен; □ ~ **verse** стих, който започва и свършва със същата дума; **II.** *n* **1.** минер. серпентина; **2.** фигура при пързаляне на кънки.

serpentine[2] *v* вия се, извивам се, лъкатуша, криволича.

serpigious [səː'piʤiəs] *а мед.* пълзящ.

serrate(d) [si'reit(id)] *а* назъбен, нарязан.

serried ['serid] *а* стегнат, сбит, сгъстен; **in ~ ranks** в стегнати редици.

serum ['siərəm] *n* (*pl* **-s, -ra** [-rə]) серум.

servant ['səːvənt] *n* **1.** слуга, прислужник (*и* **domestic ~**); **2.** служител; **public ~** държавен служител; полицай; пожарникар; **civil ~** държавен служител; (висш) чиновник; ~ **of God/Christ** божи/Христов служител; ~ **of the ~s of God** титла на папата; **Your humble/obedient ~** Ваш покорен слуга (*като завършък на писмо*); **your humble ~** *шег.* моя милост; **your ~, sir** на вашите услуги, господине.

servant-girl, -maid ['səːvəntgəːl, -meid] *n* слугиня, домашна прислужница.

serve[1] [səːv] *v* **1.** служа (на), слуга съм (на); заемам/изпълнявам служба, работя, на служба съм (**in, at**); служа, отслужвам (*литургия*); **to ~ in/with the army/navy, etc.** служа във войската/флотата и пр.; **to ~ on a committee, etc.** член съм на комисия и пр.; **to ~ under s.o.** служа под командата/началството на някого; **2.** служа, послужвам, ползувам; ставам, бива ме, достатъчен/подходящ съм (**as, for** за); задоволявам (*изисквания и пр.*); благоприятствувам, благоприятен съм; **it will ~** това става/ще свърши работа; **to ~ s.o.'s needs/purposes** отговарям на нуждите/целите на някого; **to ~ the/o.'s need/turn** послужвам, свършвам работа; **as occasion ~s** при (подходящ) случай; **as memory ~s** (всякога) когато си спомня; **to ~ the purpose of** служа за; **it has ~d its purpose** изигра си ролята; **to ~ no purpose** не ставам/влизам в работа; безсмислен съм; **3.** обслужвам (*клиенти, машина, район и пр.*); услужвам (на); **can I ~ you in any way?** мога ли да ви услужа/да ви бъда полезен с нещо? **4.** прислужвам, поднасям ядене; сервирам; **to ~ at table** прислужвам на масата; келнер/сер-

витьор съм; **5.** карам, изкарвам, отбивам (*служба*); излежавам (*присъда*); **to ~ time** лежа в затвора; **to ~ o.'s time/term/sentence** излежавам си присъдата; **to ~ o.'s time** изкарвам военната си служба; **to ~ o.'s apprenticeship** чиракувам; **6.** отнасям се с, постъпвам с, третирам; **they have ~d me shamefully** отнесоха се отвратително с мен; **7.** връчвам (*призовка и пр.*); (**on s.o., s.o. with** на някого); **8.** *сп.* сервирам, бия сервис; **9.** покривам (*женска — за бик и пр.*); **10.** *мор.* увивам с канап/жица и пр.; □ **(it)** ~**s him right** така му се пада; **serve out 1)** сервирам (*порции и пр.*); разпределям (*провизии и пр.*); **2)** отмъщавам си, връщам си (**for** за); **I'll ~ him out** ще му дам да разбере, ще му го върна;
serve up сервирам, поднасям (*и прен.*);
serve with 1) вж. **serve**[1] **7; 2)** снабдявам с; обслужвам с.

serve[2] *n сп.* сервис.

service[1] ['səːvis] *n* **1.** служба, работа; служене; служба, учреждение, бюро; **to be in ~** слугувам, домашна прислужница съм; **to go into ~** ставам домашна прислужница; **to take ~ with** постъпвам на работа у/при; **diplomatic/military ~** дипломатическа/военна служба; **the (fighting) ~s** сухоземни, морски и въздушни сили; **on (active) ~** на действителна служба; **to have seen ~** **1)** служил съм във войската/флотата и пр.; **2)** овехтял/износен съм; **these boots have seen good ~** тези обувки са много носени/са ми вършили много работа; **2.** служба; обслужване; *pl* комунални услуги; **postal ~** пощенска служба, поща; **railway ~** жп съобщения; **bus ~** рейс(ове), автобусни съобщения; ~ **charge** процент за обслужване, бакшиш (*в хотел и пр.*); **free ~** безплатно обслужване/поправки (*в гаранционен срок*); **to send a car for ~** пращам кола за (редовен) ремонт; **3.** услуга; **to do/render s.o. a ~** правя някому услуга, услужвам някому; **can I be of ~ to you?** мога ли да ви услужа с нещо? **to be at s.o.'s ~** на услугите/на разположение съм на някого; **4.** заслуга (**to** към); **5.** *църк.* служба, литургия; **burial/funeral ~** опело; **memorial ~** панихида, помен; **6.** сервиз (*за хранене и пр.*); **7.** *юр.* връчване (*на призовка и пр.*); **8.** *сп.* сервис, подаване на топка; **9.** *attr* **1)** служебен; **2)** войскови, военен; ~ **dress** (непарадна) униформа; ~ **medal** военно отличие; **3)** обслужващ, сервизен.

service[2] *v* **1.** обслужвам; **2.** поддържам (в добро състояние), поправям, ремонтирам; **3.** = **serve**[1] **9.**

service[3] *n бот.* оскруша (Sorbus domestica) (*и* ~**-tree**).

serviceable ['səːvisəbl] *а* **1.** полезен; който върши/влиза в работа; **2.** траен, здрав (*за дрехи и пр.*); **3.** услужлив.

service-book ['səːvisbuk] *n църк.* требник.

service entrance ['səːvis,entrəns] *n* заден/черен/служебен вход.

service flat ['səːvis,flæt] *n* апартамент в сграда с обща прислуга.

service industry ['səːvis,indəstri] *n* предприятия за услуги.

serviceman ['səːvismən] *n* (*pl* **-men**) военнослужещ.

service-pipe ['səːvispaip] *n* водопроводна/газопроводна тръба.

service road ['səːvis,roud] *n* страничен/частен път.

service station ['səːvis,steiʃn] *n авт.* бензиностанция; сервиз.

servicewoman ['sə:viswumən] *n* (*pl* **-women** [-wimin]) жена военнослужещ.

serviette[sə:vi'et]*n*салфетка.

servile ['sə:vail] *a* 1. робски; на роби; ~ **revolt** бунт на роби; 2. угоднически, сервилен, раболепен, рабски; ~ **to public opinion** роб на общественото мнение.

servility [sə:'viliti] *n* угодничество, раболепие, сервилност.

servitor ['sə:vitə] *n* ост. слуга, прислужник.

servitude ['sə:vitju:d] *n* 1. робство, робия; **in** ~ **to** поробен от; 2. юр. сервитут.

servo- ['sə:vou] *pref* спомагателен, помощен.

sesame ['sesəmi] *n* бот. сусам (Sesamum indicum); □ **open** ~ ! сезам, отвори се!

sesquipedalian [ˌseskwipi'deiljən] *a* книж. многосричен; много дълъг.

sessile ['sesail] *a* 1. бот. без дръжка (*за лист и пр.*); 2. неподвижен; неподвижно прикрепен.

session ['seʃn] *n* 1. заседание; **to be in** ~ заседавам; **to go into close/secret** ~ заседавам тайно/при закрити врата; 2. сесия (*на парламент и пр.*); 3. учебна година; учебен ден; *ам.* семестър; срок; 4. *разг.* време/период, посветен на дадена работа; **to have a recording** ~ правя запис; □ **petty** ~**s** мирови съд; **Court of S.'s** върховен граждански съд в Шотландия.

sessional ['seʃənəl] *a* на/за дадена сесия; заседателен.

sestet(te) [ses'tet] *n* проз. секстина.

set[1] [set] *v* (**set**) 1. поставям, слагам, турям; намествам; настанявам, нареждам; **to** ~ **foot** стъпвам (*някъде*); **to be** ~ разположен съм, намирам се (**in**); **to** ~ **the stage** *театр.* нареждам декорите; **to** ~ **the scene** описвам какво става (*някъде*); **the scene is now** ~ **for** положението е назряло за; 2. садя, насаждам; посаждам; 3. насаждам (*квачка на яйца*); слагам (*яйца*) в инкубатор; 4. оставям (*тесто, вино*) да втаса/ферментира; 5. обръщам (се), насочвам (се); навеждам; тека, движа се (*в дадена посока*); **the current** ~**s strongly** течението се усилва; **the current** ~**s eastward** течението е към изток; **opinion is** ~**ting against it** общественото мнение е против; **the wind** ~**s from the west** вятърът духа откъм запад; **the tide has** ~ **in his favour** започва да печели поддръжка/одобрение; **his soul** ~ **to grief** душата му се наскърби. 6. поставям, слагам; нагласявам; курдисвам, навивам (*часовник*); **to** ~ **the alarm-clock for/at 6 o'clock** навивам будилника за 6 часа; **to** ~ **the hands of the clock to/at twelve** нагласявам стрелките на часовника на 12; **to** ~ **a door ajar** открехвам врата; **to** ~ **a watch** слагам/поставям стража/часови; 7. закрепявам, прикрепям; поставям; монтирам (*скъпоценен камък и пр.*); инкрустирам; украсявам; осейвам (**with**); **sky** ~ **with stars** небе, осеяно със звезди; **field** ~ **with daisies** поле, осеяно с маргаритки; **to** ~ **a wall with broken glass** слагам/нареждам счупени стъкла върху ограда; 8. намествам (*счупена кост и пр.*); зараствам (*за кост*); 9. слагам (*име, подпис, печат*); удрям (*печат*); 10. точа, наточвам, остря, наострям; правя чапраз (*на трион*); **to** ~ **the edge of a razor** наточвам/наострям бръснач; 11. определям, фиксирам (*място, време, цена, правила и пр.*); уговарям, назначавам; поставям (*рекорд*); 12. докарвам до някакво състояние; **to** ~ **in order** подреждам; **to** ~ **free** освобождавам; **to** ~ **on end** изправям (*пред-*

мет); **to** ~ **on fire, to** ~ **fire to** подпалвам; **to** ~ **on foot** организирам, слагам начало на; **to** ~ **s.o. on his feet** правя някого финансово независим; **to.** ~ **straight** оправям (*нещо изкривено*); **to** ~ **s.o. straight** осведомявам/информирам някого правилно/напълно; **to** ~ **s.o. on his way** придружавам някого за част от пътя му; 13. карам (*да с pres p*); **to** ~ **s.o. thinking** накарвам някого да се замисли; **to** ~ **the dogs barking** разлайвам кучетата; **to** ~ **laughing** разсмивам; **to** ~ **going** задвижвам; 14. възлагам (*работа*), (за)давам (*урок, задача*) (**to** на); определям (*тема за изпит, материал за изучаване*); **to** ~ **the papers for an examination** приготвям/давам темите за изпит; **to** ~ **s.o. to do s.th.** възлагам някому да направи нещо; **to** ~ **o.s. to do s.th.** залавям се с нещо; решавам да направя нещо; 15. втвърдявам (се); сгъстявам (се); съсирвам (се); свивам, стискам; **his face** ~ лицето му доби твърд/решителен вид; лицето му се вкамени; **his eyes** ~ очите му се изцъклиха; **to** ~ **o.'s teeth** стискам зъби (*и прен.*); твърдо решавам; **he** ~ **his jaws in determination** стисна решително челюсти; 16. връзвам (плод), завързвам; 17. правя водна ондулация (на), ондулирам; 18. залязвам, захождам; **his star has/is** ~ *прен.* звездата му залезе, славата му премина; 19. *печ.* набирам (*и с up*); **to** ~ **out/wide** правя разредка; 20. стоя (добре), лежа, падам (*за дреха*); 21. ценя, държа на; **to** ~ **a great deal by** много държа на; **to** ~ **a high value on** много държа на/ценя; **to** ~ **much/little (store) by/on** ценя/не ценя; държа/не държа на; 22. *лов.* правя стойка, заставам неподвижно (*за куче при откриване на дивеч*); 23. заставам срещу партньора си (*при танц*); 24. пиша музика към/за (*и с* **to music**); аранжирам; 25. *бридж* вкарвам (*противника си*);

set about 1) заемам се/залавям се енергично с, пристъпвам към (*и с ger*); 2) карам (*някого*) да започне да върши нещо; 3) *разг.* нападам, нахвърлям се върху (*и прен.*); 4) разпространявам, разнасям (*слухове*);

set against 1) опълчвам/настройвам против; **to** ~ **o.s./o.'s face** ~ решително се противопоставям на; 2) противопоставям на, поставям срещу (*предимства, недостатъци*);

set apart 1) отделям, изолирам (**from**); 2) = **set aside**1;

set aside 1) слагам настрана, отделям; спестявам; запазвам, предназначавам (**for**); 2) оставям настрана, не обръщам внимание на, не гледам на, игнорирам; 3) отхвърлям, оставям без последствие (*и юр.*);

set at 1) нахвърлям се върху, нападам; 2) насъсквам (*куче*) срещу;

set back 1) забавям; попречвам на; спъвам; връщам назад; 2) построявам/поставям назад/навътре (*от път и пр.*); 3) дръпвам/отдръпвам назад (*уши — за кон и пр.*); 4) *sl.* струвам (*на някого*); **the dinner will** ~ **you back 20 pounds** обедът ще ти струва 20 лири;

set by = **set aside** 1;

set down 1) слагам на земята; стоварвам; 2) свалям (*пътник*); 3) кацам (*за самолет*); 4) записвам отбелязвам; набелязвам; 5) *юр.* определям (*ден, дата*); насрочвам (*дело*); 6) приписвам, отдавам (**to** на); 7) смятам, считам, преценявам, определям (*някого, нещо*) (**as** като); **to** ~ **o.s. down as** представям се за/като; зарегистрирам/записвам се (*в хо-*

тел и пр.) като (писател, търговец и пр.); 8) разг. срязвам, скастрям;

set forth 1) тръгвам; отпътувам; потеглям; 2) излагам (план, политика, теория); обяснявам, разяснявам;

set forward 1) = set forth 1; 2) подпомагам, съдействувам на;

set in 1) (за)почвам, наставам, настъпвам (за време, мрак, процес, реакция и пр.); започвам и вероятно ще продължа; it ~ in to rain заваля дъжд; it is ~ting in for a wet day ще бъде дъжделиво днес; the rain had ~ in for the night щеше да вали цяла нощ; the weather is ~ting in fine времето ще бъде/ще се задържи хубаво; a rot ~s in разг. започва упадък; всичко почва да запада, всичко тръгва наопаки; 2) идвам (за прилив); духам към брега; 3) установявам се, разпространявам се (за мода, течение и пр.); □ to be ~ in o.'s habits имам строго установени навици;

set off 1) тръгвам, потеглям (on a journey на път); 2) възпламенявам (бомба и пр.); прен. разпалвам (спор и пр.); 3) задвижвам, пускам (механизъм); изстрелвам (ракета и пр.); 4) карам (с ger да); карам (някого) да започне (on s.th. нещо); причинявам, правя да избухне (стачка и пр.); to ~ s.o. off laughing/crying, etc. разсмивам/разплаквам и пр. някого; to ~ s.o. off on a story/a subject накарвам някого (да се впусне) да разказва/да говори на дадена тема; 5) прен. подчертавам, правя да изпъкне; правя по-привлекателен; 6) компенсирам, балансирам (against с); 7) отделям (from от);

set on 1) нападам; 2) подстрекавам, насъсквам; 3) тръгвам; 4) насочвам (по следите на); осведомявам за; 5) възлагам (надежди и пр.) на; залагам (живота си и пр.) на; □ to ~ o.'s mind on s.th. твърдо съм решил/намислил нещо; хвърлил съм мерак на нещо;

set out 1) заемам се; имам за цел (to да); 2) тръгвам, отпътувам; 3) нареждам; излагам (на показ); 4) излагам, обяснявам; заявявам; 5) = set off 5; 6) to ~ out on започвам (кариера и пр.); 7) посаждам, насаждам;

set to 1) започвам да работя/да ям/да се бия и пр.; залавям се решително/твърдо; 2) to ~ s.o. to s.th./to doing s.th. възлагам на някого/карам някого да направи нещо; to ~ o.'s mind/wits to заемам се с (проблем и пр.); to ~ o.'s wits against s.o. else's споря с някого; 3) слагам (печат, подпис) на;

set up 1) издигам, поставям (паметник и пр.); закрепвам; поставям (обява и пр.); опъвам (палатка); подреждам, слагам; 2) основавам, учредявам, създавам; въвеждам (правило и пр.); to ~ up a home задомявам се, създавам дом и семейство; to ~ up house нареждам се (в собствен дом); заживяваме като мъж и жена (и с together); 3) започвам (търговия и пр.); установявам се на практика (as като); to ~ up shop разг. започвам търговия (as като); започвам да работя/практикувам, установявам се (as като); 4) помагам (някому) да започне, нареждам, настанявам (някого); to ~ o.'s son up in business/as a bookseller, etc. помагам на сина си да стане търговец/книжар и пр.; to be ~ up for the rest of o.'s life осигурил съм се до края на живота си; 5) надавам (вик); 6) предизвиквам, причинявам; 7) разг. закалявам; възстановявам (силите на), ободрявам; 8) снабдявам (with); 9) предлагам (за разискване); излагам, излизам с (теория и пр.); изработвам (план и пр.); 10) печ. набирам (текст);

11) сп. поставям (рекорд); 12) to ~ (o.s.) up as/for/to be смятам се за, смятам, че съм; претендирам, че съм; 13) to ~ o.s. up against противопоставям се на, противя се на, боря се срещу; 14) to ~ s.o./s.th. up against сравнявам някого/нещо с; 15) издигам (на власт); 16) правя да се възгордее/да стане суетен; 17) ам. sl. черпя (някого); плащам (за някого); 18) ам. разг. зарадвам, вдъхновявам; възбуждам; □ to be well ~ up добре съм сложен; снажен съм;

set upon нападам, нахвърлям се на/върху.

set² a 1. неподвижен; прен. мъртъв, безжизнен; оцъклен; замръзнал (за поглед, усмивка); 2. определен, установен; уговорен, уречен; традиционен; предписан; ~ book задължителна книга (за изпит и пр.); ~ phrase установен израз; прен. клише; of ~ purpose умишлено, преднамерено, с цел; 3. съставен/написан предварително (за реч); 4. твърд, непоколебим; упорит; 5. твърдо погълнат/предаден (on от, на); 6. твърдо решен (on, upon, и с ger); 7. готов; предразположен, склонен (to); □ ~ fair хубаво време (без промени); ~ scene сцена с подредени декори.

set³ n 1. комплект; серия, ред, поредица; гарнитура (мебели); сервиз; ~ of teeth горни и долни зъби; изкуствени зъби, зъбна протеза; toilet/dressing-table ~ тоалетни принадлежности; dining-room ~ трапезария (мебели); ~ of novels by Dickens поредица романи от Дикенс; 2. група, компания; кръг; клика, котерия; банда; literary ~ литературни кръгове; 3. луковица/издънка за засаждане; 4. поет. залез; 5. насока (и прен.); посока, направление; тенденция; наклонност; псих. предразположение (to към); the ~ of his mind is towards склонен е към; 6. конфигурация, очертания, линия; устройство; линия (на дреха); стойка; поза; положение; the ~ of o.'s head начинът, по който си държа главата; 7. (водна) ондулация; фризура; 8. серия от фигури (при танц); 9. последна мазилка; втвърдяване (на цимент и пр.); 10. тех. остатъчна деформация; 11. театр. декори (за дадена сцена); кино и място, където се снима, снимачна площадка; 12. апарат, прибор; радиоапарат, радиоприемник; 13. тенис сет; сп. тур; 14. дупка на язовец; 15. гранитно паве; 16. яйца в полог; пилило; 17. лов. стойка на куче (при намиране, посочване на дивеч); 18. печ. ширина на буква в шрифт; разстояние между буквите; 19. редица музикални/джазови изпълнения (следвани от пауза); 20. футб. нападателна формация; 21. мат. множество.

seta ['si:tə] n (pl -tae [-ti:]) бот., зоол. четина.

setaceous [si'teiʃəs] a бот., зоол. четинест.

setback ['setbæk] n спънка, пречка; (временно) влошаване; (временен) неуспех/поражение.

set-down ['setdaun] n 1. скастряне, срязване; 2. отпор; противодействие.

set-off ['setɔf] n 1. украшение, украса; 2. компенсация; 3. противовес; контраст; средство, за да изпъкне нещо; 4. юр. насрещен иск; 5. арх. издатина; 6. печ. офсет.

set-out ['setaut] n 1. начало, почване; 2. подготовка; 3. изложба, изложени предмети; витрина.

set piece ['set,pi:s] n 1. театр. оформен декор (здание, скала и пр.); 2. фойерверки; 3. лит., муз., изк. стилизирано/формалистично произведение; 4. воен. маневри по строго определен план.

set square ['set,skwɛə] n ъгълник, винкел.

sett [set] = set³ **3, 14, 15.**

settee [se'ti:] *n* канапе(нце).

setter ['setə] *n* **1.** сетер (*порода куче*); **2.** словослагател (*и* type-~).

setting ['setiŋ] *n* **1.** среда, обстановка; условия; **2.** *театр.* поставяне, постановка; мизансцен; (художествено) офомяване; декори; костюми; **3.** рамка, обковка (*на скъпоценен камък*); **4.** музика към текст; **5.** яйца в полог; **6.** прибори, чинии, чаши за едно лице (*на маса*); **7.** залез, залязване.

settle¹ ['setl] *n* дълга пейка с облегало.

settle² *v* **1.** настанявам (се), натъкмявам (се), нареждам (се), разполагам (се); настанявам се (*на работа и пр.*); установявам се (*да живея някъде*); **3.** заселвам (се), колонизирам; **4.** кацам (**on**); падам, трупам се (*за сняг, прах и пр.*); **the snow is settling** снегът не се топи/се трупа; **5.** установявам се (*в дадена област, положение, посока*); **the wind is settling in the north** вятърът духа от север; **the cold has ~d in my chest** настинката ми е в гърдите; **6.** улягам се, слягам се; хлътвам; правя да улегне/да се слегне; почвам да потъвам (*за кораб и пр.*); **the rain ~d the dust** прахът се слегна от дъжда, дъждът угаси праха; **7.** успокоявам (се), умирявам (се), уталожвам (се), укротявам (се); **things will soon ~ into shape** положението скоро ще се успокои/нормализира/избистри; **8.** решавам, определям; уговарям, назначавам (*ден, цена и пр.*); решавам (*то да*); **that ~s the matter, that ~s it** това ще реши въпроса; **what have you ~d to do?** какво реши да направиш? **9.** уреждам (*спор, сметки*); уреждам сметки, разплащам се; изплащам (*дълг и пр.*) (*и с* **up**); **to ~ o.'s affairs** уреждам си работите; правя си завещанието; **to ~ an old score** уреждам стара сметка (*и прен.*); **to ~ s.o.'s hash** *разг., прен.* оправям си сметките с някого; ликвидирам/пречуквам някого; **now to ~ with you!** сега дай да си оправим сметките с тебе! (*и прен*); **10.** утаявам се; правя да се утаи; избистрям се (*за течност*); **11.** *ам.* забременявам (*за животно*); **12.** улеснявам храносмилането; **to ~ the stomach** успокоявам стомаха, улеснявам храносмилането;

settle back 1) връщам се (*към нормално състояние*); 2) облягам се, настанявам се удобно (*на стол*);

settle down 1) настанявам се (спокойно/удобно); установявам се (*някъде*); заживявам редовен/спокоен живот; свиквам (**to** с); **to marry and ~ down** оженвам се и заживявам редовен живот/и мирясвам; 2) успокоявам се, уталожвам се, стихвам; 3) хлътвам, слягам се; 4) започвам да потъвам (*за кораб*); 5) утаявам се, падам на дъното; 6) залавям се, пристъпвам (**to** с, към); съсредоточавам се (**to**); 7) обземам; *прен.* падам (**on, over** върху); **a brooding expression ~d on his face** лицето му доби замислен/мрачен израз;

settle for съгласявам се на; готов съм да приема;

settle in/into 1) настанявам (се) (в) (*ново жилище, училище и пр.*); помагам (*някому*) да се настани; 2) заживявам редовен живот; свиквам (с); 3) започвам, настъпвам (*за настроение и пр*);

settle on 1) установявам се/спирам се на, избирам; уговарям (*план*); 2) оставям/завещавам на;

settle up плащам, уреждам си сметката (**with** с).

settled ['setld] *a* **1.** определен, установен, постоянен; устойчив; **2.** заселен, населен; **3.** вкоренен, траен (*за навик и пр.*); **4.** улегнал, спокоен; уравновесен; ~ **weather** непроменливо/тихо/спокойно време.

settlement ['setlmənt] *n* **1.** селище; колония; *ам.* село; **2.** заселване, колонизиране, колонизация; **3.** настаняване, нареждане; установяване; **4.** уреждане (*на сметки, спор*); споразумение; решение; решаване (*на въпрос*); **5.** *юр.* прехвърляне/приписване на имот; обезпечаване, осигуряване (*на деца, съпруга*); **marriage** ~ брачен контракт/договор; осигуряване на владение на имуществото на бъдеща съпруга; **6.** група лица, живеещи в беден квартал, за да помагат на обитателите му (*и* **welfare** ~, ~ **house**).

settler ['setlə] *n* **1.** заселник; колонист; **2.** *sl.* решаващ удар/довод/събитие.

settlings ['setliŋz] *n pl* утайка.

settlor ['setlə] *n юр.* завещател; лице, което прехвърля/приписва имущество.

set-to ['set,tu:] *n* сбиване, бой; свада, кавга.

set-up ['setʌp] *n* **1.** (изправена) стойка; **2.** организация, устройство; план; структура, строеж; **3.** положение, ситуация; **4.** *ам. разг.* състезание и пр., нагласено да завърши с лесна победа; лесна работа; **5.** = **setting** 6; **6.** *кино* кадър; мизансцен.

seven ['sevn] *n* **1.** седем; **2.** седмица, седморка.

sevenfold ['sevnfould] *a, adv* седмократен, седморен; седмократно.

seventeen ['sevn,ti:n] *n* седемнадесет.

seventeenth ['sevnti:nθ] **I.** *a* седемнадесети; **II.** *n* една седемнадесета (част).

seventh ['sevnθ] **I.** *a* седми; **II.** *n* **1.** седма (част); **2.** *муз.* септима.

seventieth ['sevntiəθ] *a* седемдесети.

seventy ['sevnti] *n* седемдесет.

seven-up ['sevnʌp] *n ам.* вид игра на карти.

sever ['sevə] *v* **1.** отделям, разделям, разлъчвам; **2.** отрязвам, прерязвам; скъсвам (се); **3.** прекъсвам, скъсвам (*отношения*).

several ['sevrəl] *a, n* **1.** няколко, неколцина; малко; ~ **of us** някои/няколко от нас; **2.** отделен, индивидуален; единичен; различен; **each** ~ **part** всяка отделна част; **they went their** ~ **ways** всеки си тръгна по пътя; **collective and** ~ **responsibility** колективна и лична отговорност; **on three** ~ **counts** по три различни точки; **3.** съответен; свой; **all of us in our** ~ **stations** всеки от нас на своето място (в обществото).

severally ['sevrəli] *adv* поотделно, поединично.

severance ['sevərəns] *n* **1.** отделяне, разделяне; разлъка; **2.** отрязване; скъсване; **3.** скъсване, прекъсване (*на отношения, договор*); ~ **pay** обезщетение на служител при прекъсване на трудов договор.

severe [si'viə] *a* **1.** строг, суров; корав; неотстъпчив; **to be** ~ **with** строг съм към; **to be too** ~ **on** прекалено строг съм към, отнасям се твърде сурово/жестоко към, критикувам твърде строго; **2.** лош (*за време*); лош, тежък, суров (*за климат*); лош, тежък (*за заболяване, рана*); силен, голям (*за студ, конкуренция, безработица и пр.*); ~ **winter** тежка/много студена/сурова зима; **3.** тежък, труден (*за изпит и пр.*); усилен; ~ **pace** усилена/бърза крачка/ход; твърде бързо темпо; **4.** строг, неукрасен, прост (*за стил*); **5.** щателен, основен (*за преглед*).

severely [si'viəli] *adv* строго и пр. (*вж.* **severe**); □ **to leave/let** ~ **alone** не се докосвам до, не обръщам никакво внимание на, не се занимавам с; игнорирам.

severity [si'veriti] *n* 1. строгост, суровост; 2. тежък характер (*на заболяване и пр.*); 3. трудност (*на изпит и пр.*); взискателност, високи изисквания; 4. строгост, простота (*на стил*); 5. щателност (*на преглед*).

Sèvres ['seivrə] *n фр.* севър(ски порцелан).

sew [sou] *v* (**sewed** [soud]; **sewn** [soun], **sewed**) шия, ушивам;
    sew in зашивам; пришивам; слагам; вшивам;
    sew on пришивам, слагам (*копче и пр.*);
    sew together съшивам, зашивам;
    sew up 1) = **sew together**; 2) *sl.* уреждам (*сделка и пр.*); 3) *sl.* изтощавам; обърквам; напивам; 4) *ам. разг.* спечелвам пълен контрол (*върху нещо*); осигурявам си (*поддръжка, гласове*).

sewage ['sju:idʒ] *n* 1. канални нечистотии/води; 2. канализация.

sewage-farm ['sju:idʒfa:m] *n* земеделско стопанство, което използва канални води за наторяване.

sewer[1] ['souə] *n* шивач.

sewer[2] ['sjuə] *n* канал; клоака.

sewer[3] ['sjuə] *n ист.* майордом.

sewerage ['sjuəridʒ] *n* = **sewage**.

sewing-machine ['souiŋmə,ʃi:n] *n* шевна машина.

sewn *вж.* sew.

sex[1] [seks] *n* 1. пол; **the fair/gentle/softer ~** женският/нежният пол, жените; **the sterner ~** силният пол, мъжете; 2. полови сношения; 3. *attr* полов, сексуален; **~ appeal** сексапил; **~ bomb/pot** сексбомба, много съблазнителна жена; **~ kitten** младо момиче, което разчита на сексапила си.

sex[2] *v* 1. откривам/определям пола на; 2. **to ~ up** възбуждам полово; увеличавам сексапила (на); вмъквам сексуални елементи в (*книга, филм и пр.*).

sexagenarian [,seksədʒi'neəriən] *a, n* шейсетгодишен (човек).

sexed [sekst] *a* 1. имащ пол/полови инстинкти; 2. полово привлекателен; сексапилен.

sexennial [sek'seniəl] *a* траещ седем години; ставащ веднъж на седем години.

sexless ['sekslis] *a* безполов.

sextain ['sekstein] *n проз.* секстина.

sextan ['sekstən] I. *a* явяващ се (на) всеки шести ден; II. *n* треска, явяваща се всеки шести ден.

sextant ['sekstənt] *n мор.* секстант.

sextet(te) [seks'tet] *n муз.* секстет.

sexton ['sekstən] *n* клисар; гробар.

sextuple ['sekstjupəl] *a* шесторен, шестократен.

sexual ['sekʃuəl] *a* полов, сексуален.

sexuality [,sekʃu'æliti] *n* сексуалност.

sexy ['seksi] *a* 1. сексуален, еротичен; 2. сексапилен; 3. порнографски.

sez-you ['sez,ju:] *int sl.* как не! дрън-дрън! ще ти се!

shabby ['ʃæbi] *a* 1. износен, изтъркан; опърпан; дрипав, парцалив; 2. занемарен, запуснат; бедняшки; 3. подъл, низък, долен, мръсен; **~ trick/turn** мръсен номер; 4. дребен, нищожен; никакъв; 5. скъпернически; беден (*за възнаграждение*).

shabby-genteel ['ʃæbidʒen,ti:l] *a* който се мъчи да прикрие бедността си; който е изпаднал аристократ.

shack[1] [ʃæk] *n* колиба, барака.

shack[2] *v:* **to ~ up with** живея незаконно с (*някого*).

shackle[1] ['ʃækl] *n* 1. *pl* белезници, окови; вериги; букаи; пранги; 2. *pl* окови. окови, гнет, тирания; 3. *тех.* скоба, стяга; брънка.

shackle[2] *v* 1. оковавам във вериги; слагам белезници/букаи на; 2. спъвам, преча (на); 3. **to ~ s.o. with** натоварвам/претрупвам някого с.

shad [ʃæd] *n зоол.* карагьоз (Alosa).

shaddock ['ʃædək] *n* 1. тропическо дърво, което ражда плод, подобен на грейпфрут (Citrus grandus); 2. плодът на това дърво.

shade[1] [ʃeid] *n* 1. сянка; полумрак; **in the ~** на сянка; **to cast/throw/put in(to) the ~** *прен.* засенчвам, затъмнявам; 2. *pl книж.* тъмнина, мрак; 3. нюанс, отсенка (*на цвят, значение и пр.*); тон (*на цвят*); **people of all ~s of opinion** хора с най-различни убеждения; 4. малка/незначителна разлика; малко количество, мъничко; **a ~ better** малко по-добре; 5. сянка, призрак, привидение; дух (*на умрял човек*); **the ~s** адът, царството на сенките; 6. параван; абажур; козирка за очите; 7. *ам.* транспарант; 8. *pl ам. sl.* тъмни очила, очила за слънце.

shade[2] *v* 1. засенчвам, затулям, предпазвам от светлина; слагам абажур на; затъмнявам; 2. щриховам, туширам; 3. нюансирам; преливам се, преминавам в (*друг цвят*) (**into, off into**); изчезвам постепенно (**away, off**); променям (се) постепенно (**off into**); 4. *прен.* помрачавам (*лице*); 5. намалявам малко (*цени и пр.*).

shadow[1] ['ʃædou] *n* 1. сянка (*и прен.*); **in ~** в сянка; **in/under the ~ of** под сянката на; **to cast a ~ on** хвърлям сянка върху (*и прен.*); **to be afraid of o.'s own ~** боя се от сянката си; **may your ~ never grow less!** бъди все така здрав/щастлив; 2. *pl* мрак, тъмнина; сенки (*и под очите*); 3. нещо недействително; подобие; сянка, призрак (*и прен.*); **to catch at ~s** *прен.* гоня вятъра; **he is the ~ of his former self** станал е на сянка, нищо не е останало от него; **to be worn to a ~** много съм отслабнал, станал съм на сянка; 4. *прен.* сянка, следа; **there is not a ~ of doubt** няма никакво/ни следа от съмнение; 5. закрила, защита, покровителство; 6. неразделен другар/спътник; 7. детектив, преследвач; 8. *козм.* сенки; 9. *attr* готов в случай на нужда; **~ cabinet** лица, набелязани да влязат в кабинета, в случай че партията им дойде на власт; **~ factory** завод, който може да бъде приспособен за военни нужди.

shadow[2] *v* 1. помрачавам, затъмнявам, хвърлям сянка върху (*и прен.*); 2. загатвам за; предвещавам; предвестник съм на (*и с* **forth**); 3. следя, дебна, вървя по петите/следите на.

shadow box ['ʃædou,bɔks] *n* стъклена витрина (*за художествени предмети*).

shadow-boxing ['ʃædoubɔksiŋ] *n* боксиране с въображаем противник (*за упражнение*).

shadowgraph ['ʃædougra:f] *n* 1. рентгенова снимка; 2. = **shadow play**.

shadow play ['ʃædou,plei] *n* пиеса, при която зрителите виждат само сенки на екран (*и* **~ pantomime, ~ show**).

shadowy ['ʃædoui] *a* 1. сенчест, засенчен; 2. неясен, смътен; 3. призрачен, недействителен.

shady ['ʃeidi] *a* 1. сенчест, засенчен; 2. съмнителен, тъмен, непочтен; със съмнителна репутация; 3. долен, долнопробен; □ **to be on the ~ side of fifty, etc.** прехвърлил съм петдесетте и пр.

shaft[1] [ʃa:ft] *n* 1. (дръжка на) копие, брадва и пр.; стрела (*и прен.*); 2. лъч, сноп (*светлина*); 3. гръм, мълния; 4. ствол, стъбло; 5. стълб, колона; 6. островърха кула; 7. комин; 8. процеп, теглич, аръш, стръка; 9. шахта; 10. *тех.* вал, ос; шпиндел; □ **to get the ~** *sl. ам.* измамват/мятат ме.

shaft[2] *v ам. sl.* измамвам, мятам.

shag[1] [ʃæg] *n* **1.** рошава/чорлава коса; рошава/рунтава козина; **2.** *ост.* груб/мъхнат плат, шаяк; **3.** ситно нарязан тютюн; **4.** = cormorant; **5.** *attr* = shaggy.

shag[2] *v* (-gg-) **1.** вися на рошави кичури; **2.** разрошвам; **3.** гоня, прогонвам.

shag[3] *v sl.* имам полови отношения с; □ ~ged out изтощен.

shaggy [ʃægi] *a* **1.** рунтав; космат; влакнест, мъхнат; **2.** рошав, несресан; **3.** обрасъл с гъста/груба растителност; с груби клони; □ ~ dog story дълга глупава история, тъп виц.

shagreen [ʃæˈgriːn] *n* **1.** шагрен(ова кожа); **2.** кожа на акула (*използвана за полиране*).

shah [ʃɑː] *n* перс. шах (*владетел*).

shaik(h) = sheik(h).

shake[1] [ʃeik] *v* (shook [ʃuk]; shaken [ˈʃeikən]) **1.** клатя (се), разклащам (се); треса (се), разтърсвам (се); друсам (се), раздрусвам (се); люлея (се), разлюлявам (се); треперя, разтрепервам се; изтърсвам (*килим и пр.*); to ~ hands (with s.o.) ръкувам се, здрависвам се (с някого); to ~ s.o.'s hand ръкувам се с някого; поздравявам някого (*за нещо*); to ~ o.'s head клатя глава (*в знак на отказ, неодобрение, загриженост*) (at, over на, при); to ~ o.'s finger/fist/stick at заплашвам с пръст/юмрук/бастун; to ~ with cold/fear треперя от студ/страх; to ~ with fever тресе ме; to ~ in o.'s shoes умирам от страх, треперят ми гащите; his sides were shaking with laughter, he shook his sides with laughter той се тресеше от смях; **2.** *разг.* ръкуваме се; стискаме си ръцете; we shook on the bargain стиснахме си ръцете, като сключихме сделката/като се споразумяхме; **3.** отървавам се/отърсвам се от, отстранявам; **4.** потрисам, поразявам; развълнувам, разтревожвам; **5.** *прен.* разклащам, разколебавам (*вяра и пр.*); отслабям; to ~ s.o.'s composure нарушавам душевното равновесие на някого; **6.** треперя (*за глас и пр.*); изпълнявам трели; □ to ~ o.s. free/loose from отървавам се/отърсвам се от;
shake down 1) бруля, обрулвам; тръсвам (*за да падне, спадне*); 2) стръсквам (се), сбивам (се); 3) постилам (*слама, одеяло и пр. на пода*); 4) *разг.* свиквам/привиквам с нова работа/нови условия; 5) *разг.* правя пробно пътуване с, разработвам (*кола и пр.*); 6) *sl.* измъквам пари от (*някого*); 7) *sl.* претърсвам (*за контрабанда и пр.*); 8) *разг.* лягам си; 9) настанявам се временно (*някъде*);
shake off 1) отърсвам (*прах и пр.*); 2) отърсвам се/отървавам се/освобождавам се от (*някого, навик, болест и пр.*);
shake out 1) изтърсвам (*килим и пр.*); 2) разгъвам, разстилам (*платно и пр.*); разпръсвам се; to ~ out into fighting formation разгръщам се в боен ред; □ to ~ s.o. out of освобождавам/изваждам някого от (*някакво състояние*);
shake up 1) разклащам; разтърсвам, раздрусвам (*и прен.*); 2) оправям (с тупане) (*възглавница и пр.*); 3) *прен.* раздвижвам, събуждам; 4) реорганизирам основно.

shake[2] *n* **1.** клатене, поклащане; разклащане; разтърсване; раздрусване; разлюляване; разтреперване, трепетене; ~ of the head поклащане на главата (*в знак на отказ, неодобрение и пр.*); to give s.th. a good ~ добре изтърсвам/разтърсвам нещо; all of a ~ цял разтреперан; the ~s треска, треперене;

делириум тременс; **2.** ръкостискане; **3.** сътресение, удар, шок; **4.** *ам.* трус, земетресение; **5.** пукнатина, цепнатина; **6.** *разг.* миг, момент; in two ~s (of a lamb's tail), in a brace of ~s за/в (един) миг; **7.** *муз.* трела; □ **fair** ~ *ам. sl.* добра възможност/перспектива; честно отношение; честна сделка; **no great** ~s *sl.* нищо особено, не кой знае какво.

shake-down [ˈʃeikdaun] *n* **1.** импровизирано легло; **2.** *ам. sl.* изнудване; **3.** *ам. sl.* претърсване; **4.** разработване, изпробване (*на кола и пр.*).

shaken вж. shake[1].

shake-out [ˈʃeikaut] *n* **1.** рязко намаление на цените (*на ценни книжа и пр.*); **2.** временна икономическа криза; безработица вследствие на такава криза; изтласкване на по-слаби конкуренти от пазара.

shaker [ˈʃeikə] *n* **1.** съд за приготвяне на коктейл (*и* cocktail ~); солница, захарница и пр. с дупчици; **2.** S. шейкър (*член на религиозна секта*); **3.** *тех.* дърмон, вибрационно сито.

Shakespearian [ʃeikˈspiəriən] *a* шекспировски; ~ scholar шекспировед.

shake-up [ˈʃeikʌp] *n* **1.** *прен.* раздвижване; **2.** основна промяна/реорганизация.

shako [ˈʃækou] *n* вид цилиндрична военна шапка с перо, кивер.

shaky [ˈʃeiki] *a* **1.** трепереш, разтреперан, треперлив; разклатен, неустойчив; разнебитен, съсипан; слаб, немощен; **2.** несигурен, съмнителен, ненадежден; колеблив, неуверен; **3.** напукан (*за дървен материал*).

shale [ʃeil] *n геол.* глинести лиски/шисти.

shall [ʃæl, ʃəl, ʃl] *v* (should [ʃud]) **1.** *спомагателен гл. за образуване на бъдеще време в 1 л. ед. и мн. ч. и 2 л. във въпр. форма* ще; да; I/we ~ go ще отида/отидем; ~ I open the window? да отворя ли прозореца? what ~ you tell him? какво ще му кажеш? **2.** *модален гл. за изразяване на увереност, обещание, заповед, заплаха във 2 и 3 л.*: it ~ be done ще бъде направено; you ~ not kill ти не бива да убиваш; **3.** *модален гл. в подчинени изречения — обик. не се превежда:* it is necessary/I insist that it ~ be done необходимо е/настоявам да се направи.

shalloon [ʃəˈluːn] *n* лек вълнен плат.

shallop [ˈʃæləp] *n* малка лодка.

shallot [ˈʃælət] *n* вид дребен лук.

shallow[1] [ˈʃælou] **I.** *a* **1.** плитък (*и прен.*); плитководен; **2.** *прен.* повърхностен, празен; незначителен; **II.** *n* често pl плитчина.

shallow[2] *v* **1.** ставам (по-)плитък; **2.** намалявам дълбочината на.

shalt [ʃælt] *v ост.* 2 л. ед. ч. на shall.

sham[1] [ʃæm] *v* (-mm-) преструвам се (на), правя се (на); симулирам; to ~ ill/illness преструвам се на болен to ~ (a)sleep правя се на заспал; to ~ dead/death преструвам се/правя се на умрял.

sham[2] *n* **1.** преструване, преструвка; симулация; измама, шарлатания; **2.** фалшификация, имитация; **3.** преструван, симулант; **4.** мошеник, измамник, шарлатан; **5.** *attr* престорен; подправен, фалшив, фалшифициран, неистински; ~ fight показно учебно сражение; ~ plea *юр.* защита, предложена за печелене на време; ~ pearls фалшиви/изкуствени перли; ~-Gothic псевдоготически.

shaman [ˈʃæmən] *n* шаман, жрец.

shamble[1] [ˈʃæmbl] *v* влача си краката, влача се, тътря се, мъкна се.

shamble[2] *n* тромава походка/вървеж.

shambles [ˈʃæmblz] *n pl обик. с гл. в sing.* **1.** касапниц (*и прен.*); кланица; 2. *разг.* пълна бъркотия/каша; **to make a ~ of** съвсем оплесквам (*и прен.*).

shambling ['ʃæmblɪŋ] *a* тромав (*за походка*).

shame¹ [ʃeim] *n* 1. срам; свян; **quite without ~ , dead/lost to ~** без срам, загубил всякакъв срам; 2. срам, позор; **(for) ~ !** срамота! **~ on you!** засрами се! как не те е срам! **to bring ~ on** опозорявам, посрамвам; **to cover o.s. with ~** посрамвам се, опозорявам се; **to put to ~** засрамвам (*и с по-добро постижение*); **to think it a ~ to do s.th.** смятам за срамно да извърша нещо; **I cannot do it for very ~** просто ме е срам да го направя; **to cry ~ on s.o.** обвинявам някого, че е постъпил подло; 3. *разг.* безобразие; неприятност; **what a ~ !** какво безобразие! колко жалко!

shame² *v* срамя, засрамвам, посрамвам; позоря, опозорявам; **to ~ s.o. into/out of doing s.th.** засрамвам някого и го принуждавам да направи/да не направи нещо; **to ~ s.o. into silence** накарвам някого да се засрами и да млъкне.

shame-faced ['ʃeimfeist] *a* 1. срамежлив, стеснителен; засрамен; 2. скромен, свенлив.

shameful ['ʃeimful] *a* срамен, позорен; неприличен, срамотен; възмутителен, скандален.

shameless ['ʃeimlis] *a* безсрамен.

shammer ['ʃæmə] *n* преструван, симулант.

shammy ['ʃæmi] = **chamois**.

shampoo¹ [ʃæm'pu:] *n* 1. шампоан; 2. миене на косата; **to give s.o. a ~** измивам косата на някого.

shampoo² *v* 1. мия/измивам косата (на); 2. измивам/изчиствам (*килим и пр.*) с препарат.

shamrock ['ʃæmrɔk] *n* 1. вид детелина (Trifolium minus/dubium); 2. националната емблема на Ирландия.

shamus ['ʃeiməs] *n ам. sl.* 1. полицай; 2. частен детектив.

shandry(dan) ['ʃændri(dæn)] *n* лека двуколка; таратайка.

shandy(gaff) ['ʃændi(gæf)] *n* бира, смесена с лимонада и пр.

shanghai [ʃæŋ'hai] *v sl.* 1. *мор.* упойвам (*някого*) и го отвличам (*да стане моряк*); 2. насила закарвам/докарвам (**into** в); принуждавам (*някого*) със заплаха/измама (**into doing s.th.** да направи нещо).

shank [ʃæŋk] *n* 1. *анат.* подбедреница, подколенница; 2. крак; **on S.'s mare/pony** *разг.* с хаджи пешовия файтон, пеша; 3. *тех.* дръжка (*на инструмент*); тяло (*на болт, нит, котва, въдица*); 4. *жп.* теглич; 5. *печ.* стъпка (*на буква*); 6. *геол.* крило на гънка; 7. стъбло, ствол; дръжка (*на цвете*); 8. кончов (*на чорап*); 9. цев (*на ключ*); 10. тясна средна част на подметка; 11. колона; 12. ос; 13. *ам. разг.* остатък, останала част; първа/главна част (*на нещо, на период*).

shankpiece ['ʃæŋkpi:s] *n* подложка в средата на стъпалото на обувка, подплънка.

shan't [ʃa:nt] *съкр. от* shall not.

shantung [ʃæn'tʌŋ] *n текст.* шантунг.

shanty¹ ['ʃænti] *n* моряшка хорова песен.

shanty² *n* колиба, барака; хижа; коптор.

shantyman ['ʃæntimən] *n* (*pl* -men) *мор.* солист на моряшка хорова песен.

shantytown ['ʃæntitaun] *n* бедняшки квартал.

shape¹ [ʃeip] *n* 1. форма; облик, вид; очертание; **in ~** 1) по форма; 2) наред; в добро състояние; **in the ~ of** във форма на; под формата на; **in no ~ (or form)** под никаква форма; **monster in human ~** звяр в човешки образ; **to have nothing in the ~ of money** нямам пукната пара; **out of ~** безформен; смачкан; **to put/get o.'s ideas into ~** събирам/оформявам си мислите; **to lick into ~** оформявам, придавам сносен/приемлив вид на; доизкусурявам; правя човек от; **to take ~** оформявам се, придобивам форма; **to take ~ in** намирам израз в; 2. състояние; ред; **to put o.'s room into ~** нареждам си стаята; **in bad/poor ~** в лошо състояние, зле; **in (good) ~** в добро състояние, добре; **to keep in ~** поддържам си формата/здравето; 3. неясна/смътна фигура; призрак, привидение; 4. калъп; форма; образец, модел; (фасонен) профил; 5. извадено от форма желе и пр.

shape² *v* 1. оформявам (се) (*и прен.*); давам/придобивам форма; моделирам; фасонирам; кроя, скроявам; **~d like a pear** крушовиден; **dress ~d to the body** рокля, скроена по тялото; 2. оформявам се, развивам се; оформявам, създавам; оформявам, изразявам (с думи); **to ~ well** развивам се добре, давам добри надежди; **if things ~ right** ако нещата се развият както трябва/правилно; 3. приспособявам, пригаждам; нагласям; 4. насочвам (**to**); **to ~ o.'s course** насочвам се; 5. **to ~ up** 1) *разг.* развивам се, оформявам се; 2) **to ~ up to** а) *ам. разг.* привиквам към; б) *бокс* нападам, налитам; в) предизвиквам.

shapeless ['ʃeiplis] *a* безформен.

shapely ['ʃeipli] *a* 1. добре сложен/оформен, строен; 2. хубав, правилен (*за черти на лицето и пр.*).

shard [ʃa:d] *n* 1. чиреп, къс от глинен съд; 2. *зоол.* елитра, твърдо крило (*на насекомо*).

share¹ [ʃeə] *n* 1. дял, част, пай; участие; **fair ~** (полагаема) част; **lion's ~** лъвски дял; **to fall to the ~ of** падам се на; **to have no ~ in** нямам дял/участие в; **to take a ~ in** вземам участие в; **to go ~s with s.o.** деля с някого (*разноски и пр.*), делим си поравно с някого; **the matter received its full ~ of attention** въпросът бе разгледан с нужното внимание; 2. *фин.* дял (*в предприятие*), акция; *pl* ценни книжа.

share² *v* 1. деля, разделям, поделям (си); **to ~ and ~ alike** делим поравно; **to ~ (out) among** разделям между; **to ~ a taxi with** возя се в (същото) такси с; **to ~ a room with** живея/спя в една стая с; **to ~ (in) the cost of** поемам част от разноските по; 2. участвувам, вземам участие; споделям (*и с* in); **generally ~d opinion** мнение, споделяно от всички; **to ~ (in) s.o.'s grief/joy** споделям скръбта/радостта на някого; 3. **to ~ out** разделям, разпределям.

share³ *n* лемеж, палешник.

sharecropper ['ʃɛəkrɔpə] *n* изполичар.

shareholder ['ʃɛəhouldə] *n* акционер.

shark¹ [ʃa:k] *n* 1. акула; 2. *прен.* мошеник, измамник; хищник; лихвар; изнудвач; 3. *ам. sl.* човек, отличен в дадена област, ас.

shark² *v ам.* мамя, измамвам; изнудвам; измъквам; живея мошенически.

sharkskin ['ʃa:kskin] *n* 1. кожа от акула; 2. вид плътен копринен плат.

sharp¹ [ʃa:p] *a* 1. остър, изострен, заострен; подострен; 2. ясен, ясно очертан/определен; ярък, ярко изразен; остър (*за черти на лицето*); 3. остър (*за завой и пр.*); рязък, стръмен; 4. остър, рязък (*за звук*); остър, пронизващ, бръснещ (*за вятър*); 5. остър, рязък, (*за вкус*); лют, парлив; тръпчив, стипчив; резлив; кисел; със силен/рязък вкус; 6. остър, силен, мъчителен (*за болка и пр.*); 7. остър, рязък, язвителен, хаплив; троснат; 8. остър (*за слух, зрение, ум*); тънък, наблюдателен; умен, схватлив, (природно) интелигентен; буден; **to keep a ~ watch on** следя зорко; **to be ~ at arithmetic, etc.** добър съм в/бива ме по смятане и пр.; 9. жив, бърз, енергичен; напрегнат (*за борба и пр.*); ~ **walk** бърза разходка; ~ **work** 1) бързо свършена работа; 2) напрегната борба; ~'**s the word!** по-бързо! давай! 10. хитър, изкусен; безскрупулен; непочтен, нечестен; задкулисен; **he was too ~ for me** той ме надхитри; 11. *sl.* модерен, елегантен; контешки; **to be a ~ dresser** обличам се елегантно/модно/контешки; 12. *фон.* беззвучен (*за съгласна*); 13. *муз.* с диез; много висок (*фалшив*).

sharp² *n* 1. *муз.* диез; 2. тънка игла за шев; 3. *разг.* мошеник, измамник, шарлатан; 4. *ам. разг.* експерт, познавач.

sharp³ *adv* 1. точно (*за време*); **at 6 o'clock ~** точно в 6 часа; 2. рязко; изведнъж; под остър ъгъл; **to turn ~ round** завивам/обръщам се изведнъж; 3. *муз.* високо (*фалшиво*).

sharp⁴ *v ам. муз.* 1. подвигам с полутон; 2. пея високо (*фалшиво*), повишавам.

sharp-cut ['ʃɑ:pkʌt] *a* ясно очертан.

sharpen ['ʃɑ:pn] *v* 1. остря, наострям, подострям; точа, наточвам; 2. *прен.* изострям, усилвам, засилвам.

sharpener ['ʃɑ:pnə] *n* 1. острилка; 2. точилен камък, брус.

sharper ['ʃɑ:pə] *n* мошеник, измамник (*особ. при игра на карти*).

sharp-freeeze ['ʃɑ:pfri:z] *v* (-**froze** [-frouz]; -**frozen** [frouzn]) = **quick-freeze**.

sharpie ['ʃɑ:pi] *n ам.* 1. вид дълга лодка; 2. = **sharper**; 3. *sl.* умен/акъллия човек; 4. *sl.* конте.

sharp-set ['ʃɑ:pset] *a* 1. добре наточен/наострен; 2. много гладен; настървен.

sharpshooter ['ʃɑ:pʃu:tə] *n* снайпер, изкусен стрелец.

sharp-sighted ['ʃɑ:psaitid] *a* 1. с остро зрение; 2. проницателен, далновиден.

sharp-witted ['ʃɑ:pwitid] *a* с бърз/остър ум.

shatter ['ʃætə] *v* 1. разбивам (се), разтрошавам (се), строшавам (се); раздробявам (се); 2. разбивам (*надежди и пр.*); разстройвам, съсипвам (*нерви, здраве и пр.*); подкопавам (*доверие*).

shave¹ [ʃeiv] *v* (**shaved** [ʃeivd]; **shaved, shaven** ['ʃeivn]) 1. бръсна (се), обръсвам (се), избръсвам (се); **to ~ off** обръсвам; 2. рендосвам; шевинговам; 3. режа/отрязвам тънко (*и с* **off**); 4. минавам съвсем близо/почти се докосвам до; докосвам/закачам леко.

shave² *n* 1. бръснене, обръсване; **to have a ~** обръсвам се; **to give s.o. a ~** обръсвам някого; 2. тънко парче; 3. крив рукан, обирачка; 4. стружка; □ **a close/near/narrow ~** едва избягната опасност; **to have a close ~ of it** едва се отървавам/измъквам, за малко не пострадвам.

shaveling ['ʃeivliŋ] *n* 1. *ост. пренебр.* монах; поп; 2. младок.

shaven ['ʃeivn] *a* (о)бръснат; подстриган (*за монах*); ниско окосен (*за ливада*).

shaver ['ʃeivə] *n* 1. (електрическа) самобръсначка; 2. *разг.* младок, хлапак, момче.

Shavian ['ʃeiviən] *a* от/на Бърнард Шоу; характерен за/в стила на Шоу.

shaving ['ʃeiviŋ] *n* 1. бръснене; 2. *тех.* шевинговане; 3. *pl* стружки; талаш.

shawl¹ [ʃɔ:l] *n* шал.

shawl² *v* намятам с шал.

shawn [ʃɔ:n] *n* средновековен обой.

she [ʃi:] *pers pron, n* 1. тя; 2. женска (*на животно*); ~-**goat** коза; ~-**wolf** вълчица.

shea [ʃi:] *n бот.* африканско дърво с ореховидни плодове (Butyrospemum parkii) (*и* ~ **tree**); ~ **butter** масло от семената на това дърво.

sheaf¹ [ʃi:f] *n* 1. сноп; 2. сноп(че), връзка; пачка.

sheaf² *v* връзвам на сноп(и).

shear¹ [ʃiə] *v* (**sheared** [ʃiəd], *ост.* **shore** [ʃɔ:]; **sheared, shorn** [ʃɔ:n]) 1, стрижа; 2. отрязвам (*и с* **off**); срязвам (*и с* **through**); 3. лишавам (**of** от); *прен.* оскубвам; 4. махам мъха на (*плат*); 5. *геол.* наклонявам (се); срязвам (се).

shear² *n* 1. *pl* ножици (*за стригане на овце и пр.*); 2. стригане; настриг; 3. *тех.* срязване; напречна сила; наклон на режещ ръб; 4. *мин.* вертикален подкоп.

shearer ['ʃiərə] *n* стригач.

shear-legs = **sheer-legs**.

shearling ['ʃiəliŋ] *n* 1. веднъж стригана овца; 2. кожа от млада овца (с вълната).

shearwater ['ʃiəwɔ:tə] *n зоол.* средиземноморски буревестник (Puffinus).

sheatfish ['ʃi:tfiʃ] *n зоол.* сом (Silurus glanis).

sheath [ʃi:θ] *n* 1. ножница, кания; 2. кобур, калъф; 3. презерватив; 4. *тех.* обвивка; обшивка; кожух; покривка; 5. *анат.* обвивка, капсула; 6. тясна рокля без колан.

sheathe [ʃi:ð] *v* 1. слагам/прибирам в ножница; 2. *тех.* обшивам, обковавам.

sheave¹ [ʃi:v] *v* събирам на снопи.

sheave² *n тех.* шайба; ролка с канал.

shebang [ʃi'bæŋ] *n ам. sl.* 1. къща, жилище; 2. учреждение, фирма; работа, организация; **the whole ~ collapsed** цялата работа отиде по дяволите; **head of the whole ~** шеф (на цялата организация).

shebeen [ʃə'bi:n] *n* тайна кръчма.

shed¹ [ʃed] *v* (**shed**) 1. меня, сменявам (*кожа, перушина*); падат/капят/окапват ми (*листата, косите, рогата*); изхлузвам, хвърлям (*кожата си — за змия*); хвърлям (*хайвера си*); 2. свалям (си), махам (си) (*дреха*); 3. лея, проливам, роня (*сълзи*); проливам (*кръв*); 4. излъчвам (*и прен.*), пръскам, хвърлям (*светлина, топлина и пр.*); 5. отървавам се/отърсвам се от; 6. не пропускам (*вода и пр.*).

shed² *n* 1. барака; навес, заслон, сайвант; 2. гараж; хангар; депо.

sheen [ʃi:n] *n* 1. лъскавина, гланц; 2. *поет.* блясък, сияние.

sheep [ʃi:p] *n* (*pl без изменение*) 1. овца (*и прен.*); 2. *pl* паство; 3. овча кожа; □ **to cast/make ~'s eyes at** хвърлям влюбени погледи на, гледам влюбено; **the ~ and the goats** *рел.* праведните и грешниците.

sheep-cote ['ʃi:pkout] = **sheepfold**.

sheep-farm ['ʃi:pfɑ:m] *n* овцеферма.

sheepfold ['ʃi:pfould] *n* кошара за овце.

sheep-hook ['ʃi:phuk] *n* овчарска гега/кривак.

sheepish ['ʃi:piʃ] *a* 1. стеснителен; 2. възглупав; 3. смутен.

sheep-run ['ʃi:prʌn] *n* пасище.

sheepshank ['ʃi:pʃæŋk] *n мор.* възел за скъсяване на въже.

sheep's-head ['ʃi:pshed] *n* 1. овча глава; 2. глупак, тъпак; 3. вид риба (Archosargus probatocephalus).

sheepskin ['ʃi:pskin] *n* 1. овча кожа; 2. обработена овча кожа; пергамент; 3. *ам. разг.* диплома, тапия.

sheepwalk ['ʃi:pwɔ:k] *n* пасище.

sheep-wash ['ʃi:pwɒʃ] *n* дезинфекционна течност за овце; място, където се дезинфекцират овце.

sheer[1] [ʃiə] *a* 1. явен, очевиден, чист; пълен, абсолютен; цял, истински, същински; ~ **nonsense** чиста глупост; **by ~ force** (само) със сила; 2. отвесен; много стръмен; 3. прозрачен, тънък, фин (*за плат и пр.*).

sheer[2] *n* тънка/прозрачна материя.

sheer[3] *adv* 1. отвесно; стръмно; право надолу; 2. напълно, съвсем, изцяло.

sheer[4] *v* 1. отклонявам (се) от пътя/курса (*особ. за кораб*); 2. **to ~ off** *разг.* 1) махам се, отивам си; 2) отбягвам (*някого, нещо*).

sheer[5] *n* мор. отклонение от курса.

sheer-hulk ['ʃiəhʌlk] *n* стар кораб, използван като понтон с подемен кран.

sheer-legs, sheers ['ʃiəlegz, ʃiəz] *n pl* подемен кран, крик.

sheet[1] [ʃi:t] *n* 1. чаршаф; **between the ~s** в леглото; 2. лист (*хартия, метал и пр.*); тънък пласт; ~ **of glass** цяло стъкло; 3. *печ.* печатна кòла; 4. вестник; брошура; 5. корабно платно; 6. повърхност, пространство; ~ **of water** водно пространство, вода; ~ **of ice** ледено поле/кора; ~ **of flame** огнена завеса; **the rain came down in ~s** дъждът се изливаше като перде/като из ведро; ~ **lightning** разпръсната/разсеяна светкавица; 7. плоска тава (*за печене*); 8. *геол.* пласт; 9. лист (с) пощенски марки; 10. карта, схема, диаграма; 11. *attr* (който е) на листа; ~ **clean** чисто досие, безукорна служба, неопетнена репутация.

sheet[2] *v* 1. покривам, увивам (*с чаршаф и пр.*); 2. точа/разточвам на листа; 3. *тех.* режа на листове; 4. лея се на потоци; ~**ed rain** пороен/проливен дъжд.

sheet[3] *n мор.* 1. шкот; 2. *pl* предна/задна част на гребна лодка; □ **three ~s in/to the wind** *sl.* пиян-залян.

sheet[4] *v мор.* връзвам/изопвам с шкот.

sheet-anchor ['ʃi:tæŋkə] *n мор.* 1. запасна котва; 2. *прен.* последна надежда/убежище.

sheeting ['ʃi:tiŋ] *n* 1. плат за чаршафи; 2. *тех.* обвивка; кофраж; листов материал; пластина; 3. *геол.* разслояване.

sheet-music['ʃi:tmju:zik]*n* неподвързани ноти.

sheik(h) [ʃeik] *n* 1. шейх; 2. *разг.* очарователен мъж; донжуан.

shekel ['ʃekl] *n* 1. шекел (*староеврейска мярка и монета*); 2. *pl sl.* богатство, пари, мангизи.

sheldrake ['ʃeldreik] *n зоол.* 1. бял ангъч; пъстър килифар, лисича пещерна гъска (Tadorna); червен ангъч, ръждив килифар (Casarca ferruginea); 2. = **merganser**.

shelf [ʃelf] *n* 1. лавица, полица, рафт; 2. издатина, ръб; 3. риф, подводна скала; подводен пясъчен насип; плитчина; **continental ~** *геол.* шелф; □ **on the ~** *прен.* изоставен, зарязан, захвърлен, бракуван; който няма изгледи да се ожени; временно отложен; **to put on the ~** *прен.* пращам в архивата; изхвърлям; зарязвам; слагам под миндера; отлагам временно.

shell[1] [ʃel] *n* 1. раковина; черупка (*и прен.*); обвивка; люспа, ципа; пашкул; **to go/retire into o.'s ~** *прен.* свивам се в черупката си; **to come out of o.'s ~** *прен.* излизам от черупката си; 2. скелет, корпус (*на здание, кораб и пр.*); 3. *воен.* гилза; патрон; снаряд; граната; 4. лека лодка, *прен.* черупка; 5. *готв.* тарталет; 6. предпазител на ефес; 7. среден клас в някои училища; 8. форма без съдържание, фасада; **the ~ of o.'s former self** жалка останка; 9. покрит подиум на открито; 10. *тех.* кожух, обшивка; броня; 11. *физ.* обвивка, слой (*от електрони в атома*); 12. *поет.* лира.

shell[2] *v* 1. люща, беля; чушкам; роня (*царевица*); роня се; падам от черупката/шушулката си; 2. обстрелвам с артилерия, бомбардирам; **shell off** люща/олющвам се, беля/обелвам се; **shell out** *разг.* плащам, давам, бръквам се; **to ~ out on repairs/damages** плащам за поправки/щети.

she'll *съкр. от* she will.

shellac[1][ʃə'læk]*n* шеллак.

shellac[2] *v* (-ck-) 1. полирам с шеллак; 2. *ам. sl. прен.* натупвам, напердашвам; накарвам да млъкне.

shellback ['ʃelbæk] *n* стар моряк.

shell egg ['ʃel,eg] *n* яйце с черупка.

shellfire ['ʃelfaiə] *n воен.* артилерийски огън.

shellfish ['ʃelfiʃ] *n* ракообразно животно, мекотело с черупка (*стрида, рак и пр.*).

shell-heap ['ʃelhi:p] *n* 1. куп черупки; 2. = **midden** 2.

shell-jacket ['ʃeldʒækit] *n* къса полуофициална куртка.

shellproof ['ʃelpru:f] *a* брониран, защитен от артилерийска стрелба.

shell-shock ['ʃelʃɒk] *n мед.* психическо разстройство вследствие на тежки бойни условия.

shellwork ['ʃelwɜ:k] *n* украшение от/с раковини.

shelter[1] ['ʃeltə] *n* подслон, заслон; закътано място; прибежище, убежище; закритие, скривалище; приют; навес; **bus ~** автобусна спирка с навес; **to take/seek ~ from** подслонявам се от; **to get under ~** скривам се (*и в противовъздушно скривалище*); **to give ~ to** давам подслон на, подслонявам, приютявам.

shelter[2] *v* подслонявам (се), приютявам (се); намирам/давам подслон на; закътвам; защищавам, предпазвам (**from** от).

sheltered ['ʃeltəd] *a* защитен, закътан; ~ **place** закътано място; зàвет; □ ~ **life** спокоен живот, живот без опасности и грижи; ~ **trades** занаяти/промишлености, защитени срещу чужда конкуренция.

shelter-belt ['ʃeltəbelt] *n* полезащитен пояс (*от дървета*).

sheltie, shelty ['ʃelti] *n* 1. шотландско пони; 2. шотландско овчарско куче.

shelve [ʃelv] *v* 1. слагам на полица/рафт; 2. поставям полици в; 3. отлагам (разглеждането/решаването на); слагам под миндера; захвърлям; изоставям; 4. уволнявам; 5. накланям се/спускам се леко надолу (*за терен*).

shenanigan [ʃi'nænigən] *n обик. pl ам. разг.* 1. глупости, щуротии, лудории; 2. номер, измама.

shepherd[1] ['ʃepəd] *n* овчар, пастир.

shepherd[2] *v* 1. паса; грижа се за; водя; 2. подбирам, подкарвам, повеждам.

shepherdess ['ʃepədis] *n ж.р. от* **shepherd**[1].

shepherd's plaid ['ʃepədzplæd] *n текст.* пепит.

shepherd's pie ['ʃepədzpai] *n* мусака с картофено пюре.

shepherd's purse ['ʃepədz,pɜ:s] *n бот.* овчарска торбичка (Capsella bursa pastoris).

Sheraton ['ʃerətən] *n* английски стил на мебели от 18 в.

sherd [ʃɜ:d] = **shard** 1.

sheriff ['ʃerif] *n* шериф.

sherry ['ʃeri] *n* шери (*питие*).

shew [ʃou] *v* (**shewed** [ʃoud]; **shewn** [ʃoun])= **show**[1].

shibboleth ['ʃibəleθ] *n* 1. лозунг; парола; 2. остаряла доктрина/формула.

shield[1] [ʃi:ld] *n* 1. щит; *хер.* щит с герб; 2. защита, закрила, покровителство; защитник, закрилник; 3. *тех.* щит, екран, защитно устройство; преграда; защитно ограждане (*на реактор*); 4. *ам.* значка на полицай; 5. *ам.* потник (*за под мишницата*).

shield² v 1. защищавам, пазя, браня, отбранявам; предпазвам, щадя, закрилям (**from** от); 2. закривам, затулям (*очи с ръка и пр.*); 3. *тех.* екранирам.

shift¹ [ʃift] v 1. меня (се), променям (се); местя (се), премествам (се), отмествам (се), измествам (се); прехвърлям (се); обръщам/променям посоката (*за вятър*); завъртам, обръщам (*кормило и пр.*); to ~ **the blame/responsibility (on) to** прехвърлям вината/ отговорността на; to ~ **o.'s ground** променям становището/подхода/доводите си; to ~ **the scene** 1) *театр.* сменям декорите; 2) прехвърлям действието (*в роман и пр.*) другаде; 2. *авт.* сменям (*скорост*), минавам (**to** на) (*друга скорост*); 3. справям се, оправям се, карам криво-ляво (*обик.* to ~ **for o.s.**); изхитрям се, хитрувам; to ~ **for a living** изкарвам си как да е/както мога прехраната; 4. *sl.* изяждам, изпивам; 5. *sl.* движа се бързо; 6. *ряд.* извъртам, шикалкавя.

shift² n 1. (постепенна) промяна; разместване, изместване; **population** ~ движение на населението; **sound** ~ *фон.* систематична звукова промяна; 2. смяна, сменяне; ~ **of crops** сеитбообращение; ~ **of the wind** промяна на посоката/обръщане на вятър; 3. смяна (*работници*); **to work in** ~s работя на смени; **to be on the day/night** ~ на дневна/нощна смяна съм; 4. прехвърляне (*на отговорност и пр.*); 5. *авт.* скорост; скоростен механизъм; превключване; 6. *геол.* отсед, косо изместване; 7. средство; хитрина, хитрост; уловка, въдица; **to make** ~ справям се (**with** с, **without** без); **to make** ~ **to do s.th.** успявам (някак) да направя нещо; **as a last** ~ като последно средство; 8. *бридж* обявяване на цвят, различен от този на партньора; 9. тясна, невталена рокля; *ост.* риза.

shifting [ʃiftiŋ] a променлив; подвижен.

shift-key [ʃiftki:] n клавиш/копче (*на пишеща машина*) за сменяне на регистъра.

shiftless [ʃiftlis] a 1. некадърен; 2. безпомощен; безотговорен; мързелив.

shifty [ʃifti] a 1. находчив, изобретателен, ловък; 2. хитър, измамен, измамнически; лъжлив; несигурен; ~ **eyes** очи на хитрец/лъжец, шарещи очи.

shikar [ʃiˈkɑ:] n *англоинд.* лов.

shikaree, shikari [ʃiкəˈri:, ʃiˈkɑːri] n *англоинд.* (професионален) ловец.

shill [ʃil] n *ам. sl.* поставено лице, което купува/играе, за да привлича купувачи/играчи.

shillelagh [ʃiˈleilə] n *ирл.* сопа, тояга.

shilling [ʃiliŋ] n шилинг; □ **to take the King's/Queen's** ~ *ост.* ставам войник/моряк.

shilly-shally¹ [ʃiliˈʃæli] v колебая се, двоумя се.

shilly-shally² n колебание, нерешителност, двоумене.

shim [ʃim] n *тех.* тънка уплътнителна вложка; шайба.

shimmer¹ [ʃimə] v блещукам; трептя (*за светлина*).

shimmer² n блещукане; трептяща светлина.

shimmy¹ [ʃimi] n 1. шими (*танц*); 2. *авт., ав.* вибрация, трептене.

shimmy² v 1. танцувам шими; 2. *авт., ав.* вибрирам, трептя.

shin¹ [ʃin] n пищял.

shin² v (-nn-) 1. катеря се, изкатервам се (**up** по); 2. ритам по пищяла.

shin-bone [ʃinboun] = **shin¹**.

shindig [ʃindig] n *разг.* 1. шумна веселба/забава; 2. = **shindy**.

shindy [ʃindi] n *разг.* кавга, врява; сбиване; **to kick up a** ~ вдигам врява.

shine¹ [ʃain] v (**shone** [ʃɔn], *ам.* [ʃoun]) 1. светя; блестя; сияя; лъщя (**with** от); 2. *прен.* блестя, правя впечатление; 3. (*pt, pp* **shined**) лъскам, излъсквам (*и с* **up**); **shine on** осветявам, огрявам; **shine out** блестя; блясвам (*и прен.*); **shine through** 1) промъквам се (*за светлина*); 2) *прен.* виждам се, съзирам се, проблясвам; **shine up to** *ам. sl.* докарвам се на.

shine² n 1. светлина; блясък; лъскавина, гланц; лъскане (*на обувки и пр.*); **to give o.'s shoes a** ~ лъскам си обувките; **to take the** ~ **out of** 1) премахвам лъскавината от; 2) *прен.* намалявам блясъка/привлекателността на; 3) *прен. разг.* засенчвам (*някого*), слагам (*някого*) в джоба си; 2. *sl.* веселба, лудория; сензация; врява, шум; □ **to take a** ~ **to s.o.** *sl.* харесвам/привързвам се към някого.

shiner [ʃainə] n 1. *pl sl.* пари; 2. *sl.* ударено/насинено око; 3. *ам.* вид сладководна риба (Notropis).

shingle¹ [ʃiŋgl] n 1. тънка дъска/летва; дървени покривни плочки; 2. *ам.* фирма (*на магазин и пр.*); **to put up o.'s** ~ започвам работа/практика (*като лекар, адвокат и пр.*).

shingle² v покривам (*покрив*) с дървени плочки.

shingle³ n морски речен чакъл, дребни камъчета.

shingle⁴ n късо подстригана коса, бубикопф.

shingle⁵ v подстригвам (се) бубикопф.

shingles [ʃiŋglz] n *pl мед.* херпес зостер.

shingly [ʃiŋgli] a чакълест, покрит с камъчета.

shinn(e)y [ʃini] n *ам.* (пръчка за) вид хокей.

shinny [ʃini] v *ам. разг.* катеря се, изкатервам се (**up** по).

shinty [ʃinti] n = **shinn(e)y**.

shiny [ʃaini] a 1. лъскав; **your nose is** ~ носът ти лъщи; 2. излъскан, лъснал; износен.

ship¹ [ʃip] n 1. кораб, параход; екипаж на кораб; **to take** ~ качвам се на кораб; 2. *sl.* (състезателна) лодка; 3. *разг.* самолет; дирижабъл; космически кораб; 4. *attr* корабен, параходен; □ **when my** ~ **comes home** когато забогатея.

ship² v (-pp-) 1. товаря/натоварвам/качвам (се) на кораб; 2. ставам моряк; постъпвам на служба на кораб; вземам/наемам на служба в кораб; 3. изпращам, превозвам (*стоки*); 4. прибирам в кораба/лодката; 5. прикрепвам, слагам (*мачта и пр.*); 6. **to** ~ **off** пращам, изпращам; *разг.* отървавам се от; □ **to** ~ **water/a sea** бивам залян (*от вълна*) (*за кораб, лодка*).

ship-biscuit [ʃipbiskit] n сухар.

shipboard [ʃipbɔ:d] n **on** ~ на кораб(а).

ship-breaker [ʃipbreikə] n предприемач, който разваля стари кораби.

shipbuilding [ʃipbildiŋ] n 1. корабостроене; корабостроителница (*и* ~ **yard**); 2. *attr* корабостроителен.

ship-chandler [ʃiptʃɑ:ndlə] n корабен доставчик.

shipman [ʃipmən] n (*pl* -men) *ост.* 1. моряк; 2. капитан на кораб.

shipmaster [ʃipmɑ:stə] n капитан/собственик на кораб.

shipmate [ʃipmeit] n моряк от същия кораб; спътник по море.

shipment [ʃipmənt] n 1. изпращане (*на стоки*); 2. пратка; изпратена/натоварена стока.

ship-money [ʃipmʌni] n *ист.* данък за доставяне на кораби при война.

shippable [ʃipəbl] a годен за изпращане (*за стока*).

shipper [ʃipə] n търговец, който изпраща стоки; вносител, износител.

shipping [ˈʃipiŋ] *n* **1.** *събир.* кораби, параходи; (търговски) флот; **2.** натоварване/изпращане/превоз на стоки; **3.** *attr* параходен.

shipping-agent [ˈʃipiŋeiʤənt] *n* представител на параходното дружество.

shipping-articles [ˈʃipiŋaːtiklz] *n pl* трудов договор между капитан и моряци (*и* ship's articles).

shipping-master [ˈʃipiŋmaːstə] *n* лице, в чието присъствие се подписват трудови договори между капитан и моряци.

shipping-office [ˈʃipiŋofis] *n* **1.** кантора на представител на параходно дружество; **2.** кантора, където се наемат моряци.

shipshape [ˈʃipʃeip] *adv, a predic* в отлично състояние.

shipway [ˈʃipwei] *n* **1.** стапел; **2.** канал за кораби.

ship-worm [ˈʃipwəːm] *n* вид мида, която се врязва в кораби.

shipwreck[1] [ˈʃiprek] *n* **1.** корабокрушение; **to suffer** ~ претърпявам корабокрушение, разбивам се; **2.** гибел, крушение, провал.

shipwreck[2] *v* **1.** претърпявам корабокрушение; **2.** причинявам корабокрушение; **3.** провалям (се), опропастявам (се), съсипвам.

shipwright[ˈʃiprait]*n* корабостроител.

shipyard[ˈʃipjaːd]*n*корабостроителница.

shire [ʃaiə] *n* графство (*административна единица в Англия*); **the S.'s** графствата в средна Англия.

shire-horse [ˈʃaiəhɔːs] *n* порода едър впрегатен кон.

shirk[1] [ʃəːk] *v* клинча/изклинчвам (от); избягвам, бягам, гледам да се изплъзна/измъкна (от) (*отговорност и пр.*).

shirk[2], **shirker** [-ə] *n* кръшкач.

shirr [ʃəː] *v* **1.** набирам, правя набор; **2.** *ам.* пека (*яйца*) без черупките.

shirt [ʃəːt] *n* **1.** риза (*мъжка*); **2.** шемизета (*и* ~ **blouse**); □ **to put o.'s** ~ **on** залагам всичките си пари на; **to lose o.'s** ~ претърпявам голяма загуба, загубвам много пари.

shirt-front [ˈʃəːtfrʌnt]*n*(колосан)нагръдник.

shirting [ˈʃəːtiŋ] *n* плат за ризи.

shirt-sleeves [ˈʃəːtsliːvz] *n pl:* **in o.'s** ~ по риза.

shirt-waist[ˈʃəːtweist]*n* блуза/рокля шемизета.

shirty [ˈʃəːti] *a sl.* ядосан, нервиран.

shit[1] [ʃit] *n вулг.* **1.** лайна; **2.** *sl.* хашиш; **3.** лайно (*за човек*); **4.** глупости, дрън-дрън.

shit[2] *v* (-tt-) *вулг.* сера; □ **to** ~ **on s.o.** *sl.* правя някому мръсно, издавам някого (на полицията).

shiver[1] [ˈʃivə] *v* треперя, потрепервам, тръпна, потръпвам (**with** от); треперя от студ, зъзна.

shiver[2] *n* тръпка; *pl* тръпки, треперене; **to send cold** ~**s down s.o.'s back, to give s.o. the cold** ~**s** накарвам някого да изтръпне, ужасявам някого; **to have/get the** ~**s** треперя, изтръпвам, разтрепервам се.

shiver[3] *n* треска, тресчица; **to break into** ~**s** = **shiver**[4].

shiver[4] *v* разбивам (се) на хиляди парчета.

shivery[1] [ˈʃivəri] *a* **1.** трепереш, разтреперан; **2.** трескав; зъзнещ.

shivery[2] *a* чуплив.

shoal[1] [ʃoul] **I.** *a* плитък; **II.** *n* **1.** плитчина; (подводен) пясъчен насип; **2.** *обик. pl* опасност; пречка, спънка.

shoal[2] *v* **1.** ставам по-плитък; **2.** навлизам в по-плитки води (*за кораб*).

shoal[3] *n* **1.** рибен пасаж, стадо риби; **2.** маса; куп; тълпа; **in** ~**s** с купища; на тълпи.

shoal[4] *v* събирам се на пасаж (*за риби*).

shoat [ʃout] *n ам.* младо прасе, прасенце.

shock[1] [ʃɔk] *n* **1.** удар; тласък; сблъскване; разтърсване; сътресение; **electric** ~ електрически удар; **to get an electric** ~ хваща ме ток; **earthquake** ~**s** (земни) трусове; **to collide/clash with a mighty** ~ сблъсквам се със страшна сила; ~ **absorber** *тех.* амортисьор; буфер; **2.** *псих.* шок; **3.** сътресение; удар; уплаха; **to give s.o. a** ~ стряскам/потрисам/разтърсвам/ужасявам някого; **to have/get a** ~ изплашвам се, бивам потресен/разтърсен; **3.** *прен.* удар, загуба; вреда; **4.** *attr* ударен; ~ **therapy/treatment** *мед.* шокова терапия; ~ **troops** *воен.* ударни части; ~ **tactics** *воен.* тактика на внезапни удари (*и прен.*); ~ **wave** ударна вълна.

shock[2] *v* **1.** потрисам, ужасявам, поразявам; **2.** отвращавам, погнусявам; възмущавам; шокирам; **to be** ~**ed at** възмутен съм от; **3.** причинявам шок/електрически удар; **4.** *ряд.* сблъсквам се.

shock[3] *n* кръстец.

shock[4] *v* нареждам на кръстци.

shock[5] *n* рошава/чорлава/сплъстена коса (*и* ~ **of hair**); ~ **head** рошава глава, рошльо.

shock-brigade [ˈʃɔkbrigeid] *n* ударна бригада.

shocker [ˈʃɔkə] *n разг.* **1.** отвратителен човек; нещо отвратително; **2.** евтин булеварден роман (*и* **shilling** ~).

shocking[1] [ˈʃɔkiŋ] *a* възмутителен, скандален, отвратителен; □ ~ **pink** ярко/крещящо розово.

shocking[2] *adv* ужасно, отвратително; ~ **bad** ужасен, ужасно лош.

shock-proof [ˈʃɔkpruːf] *a* издръжлив на удари.

shock-worker[ˈʃɔkwəːkə] *n* ударник.

shod *вж.* **shoe**[2].

shoddy [ˈʃɔdi] *n* **1.** (плат от) дреб; **2.** *прен.* боклук; нещо просто/просташко/просташки претенциозно; **3.** *attr* калпав, лош; просташки претенциозен.

shoe[1] [ʃuː] *n* **1.** обувка (*половинка*); **high** ~ цяла/висока обувка; **low** ~ половинка; **2.** подкова, петало; **to cast/throw a** ~ пада ми подковата; **3.** *тех.* челюст (*на спирачка*); сменяема наставка; звено от гъсенична верига; **4.** железен плаз (*на шейна*); **5.** железен шип (*на бастун и пр.*); □ **that's another pair of** ~**s** това е друг въпрос/работа; **to be in s.o.'s** ~**s** намирам се в положението на някого; **to put o.s. in s.o.'s** ~**s** поставям се в положението на някого; **I know where the** ~ **pinches** знам къде (го) стиска чепикът; **the** ~ **is on the other foot** не е така работата, положението се е променило; отговорността пада другаде; **to put the** ~ **on the right foot** обвинявам когото трябва/справедливо; **to be in/to fill s.o.'s** ~**s** заемам мястото на някого; **dead men's** ~**s** наследство; място, пост (*очакван след смъртта на някого*).

shoe[2] *v* (**shod** [ʃɔd]) **1.** обувам; снабдявам с обувки; **2.** подковавам (*кон*); **3.** слагам железен шип на.

shoeblack[ˈʃuːblæk] *n* ваксаджия.

shoehorn[ˈʃuːhɔːn] *n* обувалка.

shoe lace [ˈʃuːleis] *n* връзка за обувки.

shoe-leather [ˈʃuːleðə] *n* кожа за обувки; □ **to save** ~ спестявам си ходенето/отиването (*някъде*).

shoemaker[ˈʃuːmeikə]*n*обущар.

shoestring [ˈʃuːstriŋ] *n ам.* **1.** връзка за обувки; **2.** съвсем малко количество; съвсем малък капитал; **to start a business on a** ~ започвам търговия почти от нищо; **3.**

attr съвсем оскъден/малък; ~ **majority** съвсем малко мнозинство.

shoetree ['ʃuːtriː] *n* калъп за (поддържане формата на) обувки.

shone *вж.* **shine**[1].

shoo [ʃuː] *v* изпъждам, прогонвам, изкъшквам (**away, off**); ~ ! къш!

shoofly ['ʃuːflai] *n ам.* **1.** детско столче люлка; **2.** страничен/временен път.

shoo-in ['ʃuː͵in] *n ам. sl.* състезател/кандидат, който сигурно ще спечели.

shook[1] *вж.* **shake**[1].

shook[2] [ʃuk] *n* **1.** дъски/обръчи за една бъчва; материал за един сандък и пр.; **2.** кръстец.

shook-up ['ʃukʌp] *a ам. sl.* потресен; разтревожен, изплашен (*u* all ~).

shoot[1] [ʃuːt] *v* (**shot** [ʃɔt]) **1.** стрелям; изстрелвам (**at** по); застрелвам, простредвам; разстрелвам; удрям; гръмвам, изгърмявам (*за оръжие*); взривявам (*снаряд*); **to ~ dead/to death** застрелвам, убивам; **to ~ to kill** стрелям на месо; **to ~ home** улучвам (целта) (*u прен.*); **to ~ on/at sight** стрелям без предупреждение; **2.** ходя на лов (за); претърсвам (*място*) за дивеч; **3.** хвърлям, мятам, запращам; **to ~ a glance at** мятам поглед на, стрелвам с поглед; **4.** стрелвам се, профучавам, прелитам (*u c* **along, past**); спускам (се) (по); бивам хвърлен/изхвърлен (**out of** от) (*кола u пр.*); изхвърчавам; **to ~ the rapids** спускам се по бързеите; **5.** разпуквам се, разтварям се (*за пъпка*); напъпвам, пускам пъпки/издънки; покарвам, раста; **6.** стоварвам, разтоварвам; изсипвам, изхвърлям; пускам по улей и пр.; **7.** изпускам, пръскам, хвърлям (*лъчи*); **8.** пъхвам, напъхвам (*лост, резе u пр.*); **9.** щрака ме, боли ме; ~**ing pain** остра болка, бодеж; **10.** *сп.* шутирам, бия; **to ~ a goal** вкарвам гол; **11.** *кино* снимам (*филм*), правя снимки; **12.** играя (*голф, на зарове u пр.*); **13.** *ам.* залагам (**on**); *прен.* хвърлям (*пари*); **to ~ the works** хвърлям всичките си сили/средства; **14.** *sl.* инжектирам (*лекарство, наркотик*); **15.** изпращам бързо; изкарвам бързо (*кола u пр.*); **16.** *ам. sl.* говоря, приказвам; ~ ! казвай! □ **to ~ the bull** хваля се, преувеличавам; **to ~ the breeze** дрънкам, дърдоря, плещя; **to ~ the cat** повръщам, дера котки/лисици; **to ~ the sun** *разг.* отървавам се от; **to ~ the sun** измервам височината на слънцето със секстант;

shoot ahead излизам/стрелвам се напред; вземам преднина;

shoot away 1) стрелям непрекъснато, продължавам да стрелям; 2) изстрелвам, свършвам (*снарядите u пр.*); 3) отивам си бързо, избягвам; 4) откъсвам, отнасям (*крак, ръка u пр. — за снаряд*);

shoot down 1) свалям (*вражески самолет*); 2) застрелвам, повалям; 3) *прен.* эборвам, смазвам (*нечии доводи u пр.*); 4) *ам. sl.* изменям на (*кауза u пр.*); □ **to ~ s.o. down in flames** *sl.* наругавам някого здравата;

shoot forth напъпвам, пускам пъпки/издънки;

shoot in *воен.* подпомагам (*пехота*) при настъпление с танкове, артилерия и пр.;

shoot off 1) = **shoot away** 3, 4; 2) изстрелвам; стрелям; □ **to ~ off o.'s mouth/face** *разг.* много приказвам/дрънкам, раздрънквам се;.

shoot out 1) изскачам, изхвръквам (**of** от); явявам се, излизам; 2) *разг.* изхвърлям, изгонвам; 3) издавам (се), протягам (се) навън; размахвам (*ръце*); хвърлям (*лъчи u пр.*); **to ~ out o.'s tongue** показвам си езика (*за змия u пр.*); изплезвам се; **to ~ out o.'s lips** муся се; правя презрителна гримаса; 4) изригвам (*ругатни u пр.*); □ **to ~ it out** *sl.* водя решителна престрелка, решавам въпрос с оръжие;

shoot through 1) пронизвам; прострелвам; 2) *обик. pass прен.* примесвам, смесвам (**with** c);

shoot up 1) качвам се/покачвам се бързо (*за цени u пр.*); 2) порастъам, източвам се (*за дете u пр.*); 3) издигам се, извисявам се (*за връх u пр.*); излитам/стрелвам се нагоре; 4) *ам. разг.* убивам, застрелвам; ранявам; 5) *разг.* тероризирам със стрелба.

shoot[2] *n* **1.** издънка, израстък, филиз; мустаче; вейка, стрък; **2.** бързей; праг (*на река*); **3.** = **chute** 2; **4.** (ходене на) лов; група ловци; ловен парк; право на лов(уване) (*в дадено място*); **5.** стрелба, стреляне; състезание по стрелба; **6.** лъч (*светлина*); **7.** бодеж, остра болка; **8.** сваляне (*на пръст, лед*); **9.** (пробно) изстрелване (*на ракета u пр.*); □ **the whole ~** *разг.* всичко; всички.

shoot-'em-up ['ʃuːtəm͵ʌp] *n ам. sl.* филм, пълен с убийства.

shooter ['ʃuːtə] *n* **1.** стрелец; **2.** *в съчет.* огнестрелно оръжие; **pistolet**; **six-~** револвер, изстрелващ шест патрона; **3.** *сп.* играч, който бие топката към целта; **4.** *крикет* силна ниска топка.

shooting ['ʃuːtiŋ] *n* **1.** стрелба; лов; право на лов; ~ **season** ловен сезон; **to go** ~ ходя/отивам на лов; **2.** ловно имение/парк; **3.** изстрелване; пущане (*на стрела u пр.*).

shooting-box ['ʃuːtiŋbɔks] *n* ловна хижа.

shooting-gallery ['ʃuːtiŋgæləri] *n* стрелбище (*u на панаир*).

shooting-iron ['ʃuːtiŋaiən] *n sl.* огнестрелно оръжие, пистолет.

shooting script ['ʃuːtiŋ͵skript] *n кино* разкадрован/постановъчен сценарий.

shooting star ['ʃuːtiŋ͵staː] *n* **1.** метеор; **2.** *ам.* вид иглика (Dodecatheon maedia).

shooting-stick ['ʃuːtiŋstik] *n* бастун, който се приспособява за столче.

shooting war ['ʃuːtiŋ͵wɔː] *вж.* **war**[1] 1.

shop[1] [ʃɔp] *n* **1.** магазин; дюкян; **to keep ~ for s.o.** пазя/обслужвам магазин вместо някого; **2.** цех; работилница; отдел; ателие; фабрика, завод; ~ **committee** цехов комитет (*на профсъюз*); **closed** ~ *ам.* предприятие, което приема на работа само профсъюзни членове; **open** ~ *ам.* предприятие, което приема на работа и непрофсъюзни членове; **3.** *sl.* учреждение, кантора, работно място; заведение; жилище; театър; **4.** работа, професия; **to talk** ~ говоря по служебни/професионални въпроси извън работата; **5.** *sl.* затвор, пандиз; □ **all over the** ~ (разпилени) навсякъде; във всички посоки.

shop[2] *v* (**-pp-**) **1.** пазарувам, отивам/ходя на пазар; *ам.* разглеждам стоките в (*магазин*); търся да купя нещо на сметка (*u to* ~ **around**); **2.** *sl.* натиквам в затвора; **to ~ on s.o.** издавам някого на полицията.

shop-assistant ['ʃɔpə͵sistənt] *n* продавач в магазин.

shop-boy ['ʃɔpbɔi] *n* продавач в магазин.

shop-breaker ['ʃɔpbreikə] *n* крадец, който ограбва магазин с взлом.

shop-floor ['ʃɔpflɔː] *n* работници (*в дадено предприятие*).

shop-girl ['ʃɔpgəːl] *n* продавачка в магазин.

shop hours ['ʃɔp‚auəz] *n pl* работно време на магазин.

shopkeeper ['ʃɔpkiːpə] *n* (дребен) търговец.

shop-lift ['ʃɔplift] *n* крада от магазин (*правейки се на купувач*).

shop-lifter ['ʃɔpliftə] *n* купувач, който краде от магазин.

shopman ['ʃɔpmən] *n* (*pl* **-men**) **1.** (дребен) търговец; продавач в магазин; **2.** работник в ремонтен цех.

shopper ['ʃɔpə] *n* купувач.

shopping ['ʃɔpiŋ] *n* **1.** пазаруване, пазар; **to go ~ , to do o.'s ~** отивам на пазар; пазарувам; **2.** *attr* пазарски; за пазар; търговски; **~ list** списък на покупки.

shop-soiled ['ʃɔpsɔild] *a* **1.** замърсен, залежал (*за стока*); **2.** *прен.* овехтял; изгубил свежестта си; изтъркан.

shop-steward ['ʃɔpstjuəd] *n* цехов отговорник.

shoptalk ['ʃɔptɔːk] *n* **1.** професионален език/терминология/жаргон; **2.** служебни/професионални разговори извън работата.

shopwalker ['ʃɔpwɔːkə] *n* надзирател в универсален магазин.

shop window ['ʃɔpwindou] *n* витрина (*на магазин*); □ **to put all o.'s goods in the ~** показвам/хваля се с всичките си знания/постижения и пр.

shop-worn ['ʃɔpwɔːn] = **shop-soiled.**

shore[1] [ʃɔː] *n* **1.** бряг (*на море, голямо езеро*); **to go/come on ~** слизам на брега, дебаркирам; **2.** подпора; **3.** *attr* брегови; на брега, на сушата.

shore[2] *v обик. с* **up** подпирам, подкрепям.

shore[3] *вж.* **shear**[1].

shoreless ['ʃɔːlis] *a поет.* безбрежен, безкраен.

shorn *вж.* **shear**[1].

short[1] ['ʃɔːt] *a* **1.** къс; **a ~ way off** наблизо; **to be ~ in the arm/leg** имам (много) къси ръце/крака; **2.** дребен, нисък (*на ръст*); **3.** кратък; краткотраен, къс; *търг.* краткосрочен; **a ~ time ago** неотдавна; **in a ~ time** скоро, не след дълго; **in the ~ term** в кратък (недалечен) период; **Bob is ~ for Robert** Боб е съкратено от Роберт; **4.** *фон.* кратък; неударен; **5.** рязък, груб, отсечен; кратък, лаконичен; **to be ~ of speech** говоря рязко; **to be ~ with s.o.** скастрям някого; говоря грубо на някого; **~ temper** сприхав нрав; **6.** недостатъчен, оскъден, който не достига; непълен; в по-малко; **~ time** непълен работен ден/седмица, частична безработица; **there are two shirts ~** липсват две ризи (*при проверка*); **we are two shirts ~** не ни достигат две ризи; **to be ~ of s.th.** не ми достига нещо, имам съвсем малко от нещо; **to go ~ of** лишавам се от; **to run ~ of** свършвам, изразходвам, оставам без; **we are running ~ of provisions, our provisions are running ~** провизиите ни са на привършване; **to be ~ on** *разг.* липсва ми, не ми достига; **little/not far ~ of** почти, едва ли не; **nothing ~ of** съвсем; **it's little ~ of a miracle** това е истинско чудо; **7.** ронлив, трошлив, чуплив (*за метал и пр.*); ронлив, маслен (*за тесто*); **8.** силен, без примес, неразреден (*за питие*); **9.** недостигащ, недостигнал (*до целта*); **when we were five miles ~ of** когато бяхме на пет мили от; □ **I'm rather ~ today** днес съм доста притеснен, днес нямам много време.

short[2] *adv* **1.** кратко; внезапно; рязко; преждевременно; **to pull up/stop ~** спирам изведнъж/внезапно; **to stop ~ of** спирам се пред (*и прен.*); **to stop ~ at** ограничавам се с, не отивам по-далеч от; **to take/cut/stop s.o. ~** прекъсвам някого (рязко); **to be taken ~** 1) заварен съм неподготвен, изненадан съм; 2) *разг.* изведнъж ми се прихожда по нужда; **2.** прекалено

късо; **3.** (малко) далеч от целта; под очакванията; □ **~ of** преди; като изключим (*и с ger*); **to come/fall ~ of the mark/s.o.'s expectations/o.'s duty** не улучвам целта (*и прен.*)/не оправдавам очакванията на някого/не изпълнявам дълга си; **~ of a miracle we are ruined** ако не стане чудо, изгубени сме, ще се спасим само по чудо; **to sell ~** 1) измамвам, предавам; 2) подценявам, недооценявам; 3) *търг.* продавам (*акции, които не притежавам*) с надежда да купя от същите на по-ниска цена.

short[3] *n* **1.** нещо късо/кратко; **for ~** за по-кратко, съкратено; **in ~** накратко казано, с две думи; **2.** *фон., проз.* къса гласна/сричка, неударена сричка; **3.** късометражен филм; **4.** концентрат (*питие без примес*); **5.** *pl* шорти; мъжки гащета; **6.** *pl* ситни трици; **7.** *ел.* късо съединение; **8.** *борс. pl* краткосрочни акции; **9.** *pl* промишлени отпадъци.

short[4] *v* **1.** *ел. разг.* правя/причинявам късо съединение; **2.** *ам.* измамвам при покупка (*в тегло и пр.*).

shortage ['ʃɔːtidʒ] *n* **1.** липса, недостиг, недоимък; криза; **2.** (*касов*) дефицит.

shortbread, cake ['ʃɔːtbred, -keik] *n* сладкиш от маслено тесто.

short-change ['ʃɔːtʃeindʒ] *v* връщам по-малко ресто; измамвам.

short-circuit[1] ['ʃɔːtsəːkit] *n* |*ел.* късо съединение.

short-circuit[2] *v* **1.** *ел.* правя/причинявам късо съединение; **2.** съкращавам път/процедура; *прен.* заобикалям (*трудност*); **3.** *ам. разг.* осуетявам; спъвам, попречвам на.

shortcoming ['ʃɔːtkʌmiŋ] *n* **1.** *обик. pl* слабост, недостатък, дефект; **2.** липса, недостиг (**in**); **3.** несправяне, неизпълнение.

short-cut ['ʃɔːtkʌt] *n* **1.** пряк път, кестирме; **2.** начин на пестене на време и пр., кратка процедура.

shortcut ['ʃɔːtkʌt] *v* (**-cut**) **1.** минавам по пряк път/кестирме; **2.** съкращавам процедура/метод.

short-dated ['ʃɔːtdeitid] *a* **1.** *борс.* краткосрочен; **2.** валиден за кратко време (*за билет*).

shorten ['ʃɔːtn] *v* **1.** скъсявам (се), намалявам (се); **2.** съкращавам (*текст и пр.*); **3.** *мор.* свивам, прибирам (*платна*); **4.** слагам мазнина в (*тесто*).

shortening ['ʃɔːtniŋ] *n* **1.** мазнина (*за тестени сладкиши*); **2.** скъсяване.

shortfall ['ʃɔːtfɔːl] *n.* *фин.* дефицит.

shorthand ['ʃɔːthænd] *n* **1.** стенография; **to take down in ~** стенографирам; **2.** *attr* стенографски, стенографиран; който знае стенография; **~ writer** стенограф.

short-handed ['ʃɔːthændid] *a* с недостатъчно работна ръка/персонал.

short-lived ['ʃɔːtlivd] *a* **1.** който не живее дълго; **2.** мимолетен, краткотраен; непродължителен, кратък.

shortly ['ʃɔːtli] *adv* **1.** накратко, с две думи; **2.** скоро, не след дълго; **3.** рязко, грубо, безцеремонно; **4.** внезапно.

short-range ['ʃɔːtreindʒ] *a* **1.** на близко разстояние (*за стрелба*); **2.** краткосрочен, за кратък период (*за планиране и пр.*).

short-rib ['ʃɔːtrib] *n анат.* лъжливо ребро.

short-sighted ['ʃɔːtsaitid] *a* късоглед (*и прен.*); недалновиден.

short-spoken ['ʃɔːt‚spoukn] *a* рязък; лаконичен.

short-tempered ['ʃɔːt‚tempəd] *a* сприхав, избухлив.·

short-term ['ʃɔːttəːm] *a* краткосрочен.

short-waisted ['ʃɔːt͵weistid] *a* 1. с къс гръден кош; 2. с висока талия.

short-winded ['ʃɔːt͵windid] *a* който лесно се задъхва/страда от задух.

shot[1] [ʃɔt] *n* 1. (*pl без изменение*) сачма, сачми; 2. *воен.* гюлле (*и сп.*); оръдеен снаряд; **to put the ~** тласкам гюлле; 3. изстрел; изстрелване; стрелба; *прен.* хаплива забележка; **to fire a ~** стрелям, давам изстрел; **flying ~** стрелба по движеща се цел; **that it a ~ at you** това е камък в твоята градина; **like a ~** веднага; охотно; **to be off like a ~** тръгвам веднага, изхвръквам; 4. *сп.* шут, удар (*към целта*); *прен.* опит (*за отгатване и пр.*); **it's your ~** твой ред е; **to have/take a ~** опитвам се да, правя опит да (*и с ger*); **to make a lucky ~** отгатвам правилно (*отговор и пр.*); **to make a bad ~** не отгатвам; **~ in the dark** догадка наслуки, просто догадка; 5. *воен.* дължина (*на изстрел*); обсег, далекобойност; **out of ~** вън от обсега на оръжие; 6. стрелец; **dead ~** отличен стрелец, стрелец, който винаги улучва; 7. снимка; *кино* кадър; **close ~** едър план; 8. хвърляне на мрежа; хвърлени мрежи (*при морски риболов*); 9. *мин.* взривна дупка; заряд; впръскване (*в скала, руда*); 10. инжекция; инжектиране (*и на наркотик*); **~ in the arm** инжекция; *прен.* помощ, подпомагане, насърчение; **to give s.o./s.th. a ~ in the arm** помагам на някого/на нещо (*напр. промишленост*) да се съземе/възстанови; 11. *разг.* глътка, чашка; 12. *sl.* (важна) личност; **big ~** важна личност, голяма клечка; □ **not a ~ in the/in o.'s locker** ни пукната пара; **to call o.'s ~** *ам.* казвам предварително как смятам да постъпя; **to call the ~s** *ам. sl.* командувам; контролирам.

shot[2] *вж.* **shoot**[1].

shot[3] *a* 1. шанжан (*за плат*); 2. изпъстрен, примесен (**with** с) (*и прен.*); **hair ~ with grey** прошарена коса; **~ through with wit** примесен/пълен с остроумие; 3. *разг.* изтощен, капнал, съсипан; 4. *sl.* пиян.

shot[4] *n* (дял от) сметка/разноски; **to stand ~** плащам сметката.

shotgun ['ʃɔtgʌn] *n* 1. (ловджийска) пушка; 2. *attr* 1) насилствен, насилнически; **~ marriage/wedding** брак, наложен поради бременност на жената; 2) с широк обсег и несигурен ефект (*за мерки и пр.*).

shot-proof ['ʃɔtpruːf] *a* непробиваем от куршуми, брониран.

shot-put ['ʃɔtput] *n* сп. тласкане на гюлле.

shotten ['ʃɔtn] *a* който си е хвърлил хайвера; □ **~ herring** изтощен/изхабен човек.

shot-tower ['ʃɔttauə] *n ист.* кула, където се изливат сачми.

should *вж.* **shall** 1. *спомагателен глагол за образуване на бъдеще време в миналото в 1. л. ед. и мн. ч.* ще, щях; **he knew I ~ be there** той знаеше, че ще бъда там; 2. *модален глагол* трябва, би трябвало; *с perf inf* трябваше; **you ~ tell him** трябва да му кажеш; **you ~ have told him** трябваше да му кажеш (*но не си му казал*); 3. бих; **I ~ like to come** бих искал да дойда; 4. *след if:* **if he ~ come** ако (случайно) дойде; □ **who ~ appear but my father!** и кой (мислиш) се появи — баща ми!

shoulder[1] ['ʃouldə] *n* 1. рамо; плешка; *pl* гръб (*и прен.*); **~ to ~** рамо до рамо (*и прен.*); **to take a responsibility on o.'s ~s** нагърбвам се с/поемам отговорност; **to lay the blame on s.o.'s ~s** стоварвам

вината върху някого/на гърба на някого; **to have broad ~s** широкоплещест съм; *прен.* имам широк гръб; 2. ръб, опорен пръстен, чело; издатък, издатина, изпъкналост; стъпало; 3. банкет (*на път*) (*и hard ~*); 4. разклонение (*на планинска верига*), скат; 5. *печ.* рамо на буква; □ **straight from the ~** 1) пряк, открит (*за нападение*); 2) искрен (*за критика и пр.*); 3) направо, фронтално; открито, без заобикалки; **to put/set o.'s ~ to the wheel** залягам, залавям се здраво за работа.

shoulder[2] *v* 1. нарамвам, слагам/нося на рамо/гръб; *прен.* нагърбвам се с, поемам (*отговорност и пр.*); **~ arms!** *воен.* пушки на рамо! 2. блъскам/избутвам с рамо; **to ~ (o.'s way) through a crowd** пробивам си път през тълпа.

shoulder-bag ['ʃouldəbæg] *n* дамска чанта за през рамо.

shoulder-belt ['ʃouldəbelt] *n воен.* портупей.

shoulder-blade ['ʃouldəbleid] *n анат.* лопатка, скапула.

shoulder-board, -mark ['ʃouldəbɔːd, -maːk] *n ам.* пагон.

shoulder-strap ['ʃouldəstræp] *n* 1. пагон; 2. презрамка (*на бельо и пр.*).

shout[1] [ʃaut] *v* 1. викам, извиквам, провиквам се; крещя, изкрясквам (**at** s.o. на някого); **to ~ with laughter** смея се гръмогласно; **to ~ for/with joy** провиквам се радостно, викам от радост; **within ~ing distance** (на)близо; 2. *австр. sl.* черпя, почерпвам; □ **all is over bar/but the ~ing** мъчното свърши, успяхме;
shout down надвиквам; заглушавам (*оратор с викове*); накарвам да млъкне;
shout for извиквам (*някого да дойде*);
shout out извиквам, провиквам се.

shout[2] *n* 1. вик; провикване; възглас; **~s of applause** бурни аплодисменти, одобрителни възгласи; 2. *австр.* черпня, черпене; ред (*на някого*) да черпи.

shove[1] [ʃʌv] *v* 1. бутам (се), блъскам (се); тикам, тласкам; **to ~ (o.'s way) through the crowd** пробивам си път през тълпата; 2. *разг.* бутам, пъхам, мушкам;
shove off 1) *мор.* бутам лодка (от брега); тръгвам; 2) *разг.* тръгвам (си), отивам (си), махам се;
shove out избутвам, изтласквам; **to ~ out o.'s hand** давам/протягам ръка; **to ~ out o.'s tongue** изплезвам език, изплезвам се.

shove[2] *n* тласък, бутане, блъскане; **to give s.th. a ~** бутвам/блъсвам нещо.

shove-halfpenny ['ʃʌvheipni] *n* вид хазартна игра.

shovel[1] ['ʃʌvl] *n* 1. лопата; бел; 2. механична лопата, екскаватор; лемеж на окопвач.

shovel[2] *v* (-ll-) 1. копая; рина; греба; насипвам/разравям с лопата; 2. тъпча; насипвам; трупам; **to ~ (down) food into o.'s mouth** тъпча храна в устата си, тъпча се; **to ~ in/up money** трупам пари;
shovel out изривам, изхвърлям с лопата;
shovel up наринвам, натрупвам.

shovelboard ['ʃʌvlbɔːd] *n* вид хазартна игра.

shovel hat ['ʃʌvlhæt] *n* широкопола шапка на свещеник.

shovel-head ['ʃʌvlhed] *n* 1. вид есетра (*род Siluroides*); 2. вид акула (*Sphyrna tiburo*).

shoveller ['ʃʌvlə] *n* 1. ринач, копач; машина за копане; 2. *зоол.* клокач, лопатар (*Spatula clypeata*).

show[1] [ʃou] *v* (showed [ʃoud]; shown [ʃoun], *ряд.* showed) 1. показвам; посочвам (s.o. s.th., s.th. to s.o. някому нещо, нещо на някого; **how to do s.th.** как да направи нещо); **to be ~n s.th.** показват ми нещо; **dress that ~s the figure** рокля, която подчертава фигурата; **your dress ~s your petticoat** фустата ти се вижда под роклята; **colour that doesn't ~ the dirt** цвят, който носи кир; **to ~ o.s.** показвам се, мяркам се; **to ~ o.'s cards/hand** разкривам си картите (*и прен.*); **2.** показвам, излагам (на показ), представям; давам, представям (*филм, пиеса и пр.*); дава се (*за филм и пр.*); **to have nothing to ~ for o.'s efforts** усилията ми са били напразни, нищо нямам насреща; **he has been through university but he has nothing to ~ for it** завършил е университет, но не му личи/нищо не е спечелил от това; **to ~ cause** *юр.* представям доказателства/мотиви; **3.** показвам, проявявам (*качества*); доказвам, разкривам; **to ~ kindness/mercy, etc.** проявявам любезност/милост и пр.; **to ~ signs of** показвам/давам признаци за/на; **to ~ signs of wear** износен съм (*за дреха*); **to ~ o.s. (to be) a coward** проявявам се като страхливец; **to ~ s.o. to be a rascal** разобличавам някого като мошеник; **his new book ~s him to be a first-rate novelist** новата му книга го представя като първокласен романист; **that ~s how little you understand me** това показва/доказва колко́ малко ме разбираш; **it all/it just goes to ~** всичко това е явно доказателство; явно е, че е така; **to ~ the white feather** проявявам се като страхливец, проявявам малодушие; **4.** виждам се, забелязвам се, показвам се, подавам се; явявам се; личи (ми); **it ~s in his face** личи му по лицето; **the stain won't ~** петното няма да изглежда/да се забелязва; **to ~ white/black/dark, etc.** белея се/чернея се, тъмнея и пр.; **he failed to ~** той не се яви; **to ~ strong** проявявам сила; проявявам се силно/рязко (*за качество*); **5.** въвеждам, завеждам (*с различни предлози и наречия, вж. по-долу*); **6.** ам. свършвам (*при състезание*); □ **I'll ~ you!** ще те науча аз тебе! **to ~ s.th. the fire** подгрявам нещо леко;

  show around развеждам (из), показвам;

  show in/into въвеждам/поканвам да влезе (в);

  show off 1) излагам (на видно място); изтъквам; правя акцент, подчертавам; 2) перча се/надувам се/парадирам (с);

  show out/out of 1) извеждам (от), изпращам до вратата; 2) гледам (*за прозорец*) (**on** към);

  show over = show around;

  show round = show around;

  show through прозирам; виждам се, забелязвам се (през);

  show up 1) *разг.* явявам се, идвам; мяркам се; 2) изпъквам, виждам се ясно; проявявам се (за изпъкне; изтъквам; 3) изобличавам, разобличавам; 4) *ам. разг. прен.* засенчвам, затъмнявам (*някого*); 5) поканвам (*някого*) да се качи; придружавам (*някого*) до горе.

show[2] *n* **1.** показване, излагане; показ; демонстрация; **to vote by a ~ of hands** гласувам с вдигане на ръка; **to be on ~** виждам се, изложен съм; **~ of force** демонстрация на сила; **2.** изложба; **3.** представление, спектакъл; програма; филм; шоу; зрелище; шествие; **Lord Mayor's ~** шествие при встъпване в длъжност на кмета на Лондон; **travelling ~** пътуващ цирк/менажерия/трупа; **4.** вид, гледка; **fine ~ of blossom** великолепно нацъфтели дървета/цветя; **5.** *sl.* работа; проява; предприятие, организация; **to boss/run the ~** разпореждам, командувам; аз коля, аз беся; **to steal the ~** привличам цялото внимание, затъмнявам всички; **to put up/make a good ~** добре се справям/представям; **rather a poor ~** слаба работа; **good ~ !** добре! отлично! **poor ~ !** лошо! **6.** следа, признак; **some ~ of justice** ǀ известна

малко справедливост; **7.** парадиране, парадност; реклама; фукане; преструване, преструвка; **to do s.th. for ~** върша нещо, за да се покажа; **to be fond of ~** обичам парадността; обичам да се фукам; **to make a great ~ of being** всячески се старая да се покажа; **under ~ of** под маската на; **~ of generosity** привидна щедрост; **8.** *разг.* възможност, шанс; **to give s.o. a fair ~** давам някому възможност (*да се защити и пр.*); **9.** *ам. сп.* (състезател, който спечелва) трето място; **10.** *attr* показен, образцов; **the ~ pupil of the class** светилото/гордостта на класа; **surgeon's ~ case** много сполучливо опериран пациент, жива реклама на хирург.

show-bill ['ʃoubil] *n* афиш.

show biz ['ʃoubiz] *sl.* = **show business.**

show-boat ['ʃoubout] *n* речен кораб с пътуващ театър.

show business ['ʃoubiznis] *n* театърът/киното/циркът/вариетето и пр. като професия/търговско предприятие.

show-case ['ʃoukeis] *n* (вътрешна) витрина (*и прен.*).

showdown ['ʃoudaun] *n* **1.** разкриване на картите (*и прен.*) **2.** *sl.* открит конфликт, конфронтация; последно изпитание.

shower[1] ['ʃauə] *n* **1.** преваляване; **heavy ~** кратък проливен дъжд; **the rain came down in ~s** валеше като из ведро; **2.** душ; баня с душ (*и* **~ -bath**); **to have/take a ~** изкъпвам се на/вземам душ; **3.** *прен.* дъжд, поток (*от стрели, писма и пр.*); **4.** сноп (*от искри, космически лъчи и пр*); **5.** *ам.* даряване/подаръци на младоженка.

shower[2] *v* **1.** лея (се), изливам (се), сипя (се); **2.** обсипвам/отрупвам с (*подаръци, въпроси и пр.*) (**on s.o.** някого); **3.** вземам душ.

showery ['ʃauəri] *a* дъжделив, с преваляния.

showgirl ['ʃougə:l] *n* статистка във вариете.

showing ['ʃouiŋ] *n* **1.** показване, представяне и пр. (*вж.* **show**[1]); **to make a poor ~** представям се зле; **firm with a poor financial ~** фирма с лошо/разклатено финансово положение; **2.** изложение; доказателства; **on your own ~** както вие сам признавате; □ **on present ~** както изглеждат сега нещата.

showman ['ʃoumən] *n (pl* **-men)** **1.** собственик/организатор на цирк/менажерия/вариете и пр.; **2.** рекламаджия; човек, който умее да хвърля прах в очите.

showmanship ['ʃoumənʃip] *n* рекламаджийство; прах в очите.

shown *вж.* **show**[1].

show-off ['ʃouɔf] *n* **1.** парадиране, фукане; **2.** фукльо.

showpiece ['ʃoupi:s] *n* **1.** експонат; **2.** образцов/отличен екземпляр, нещо (като) за изложба.

show place ['ʃou,pleis] *n* туристически обект, забележителност.

show room ['ʃou,rum] *n* изложбена зала за стоки.

show-stopper ['ʃoustɔpə] *n разг.* номер/изпълнител, който бива многократно бисиран.

show-window ['ʃouwindou] *n* витрина (*на магазин*).

showy ['ʃoui] *a* **1.** с външен блясък; ярък, крещящ; ефектен; претенциозен; **2.** показен, външен, параден.

shrank *вж.* **shrink**[1].

shrapnel ['ʃræpnəl] *n* (парче) шрапнел.

shred[1] [ʃred] *n* **1.** парцалче, късче, парченце; стружка; тясна ивичка; **in ~s, torn to ~s** на парцали, дрипав; **without a ~ of clothing on him** съвсем гол; **to tear to ~s** 1) разкъсвам на парчета; 2) напълно оборвам/разсипвам, правя на пух и прах; **2.** *прен.*

следа, капка; **not a ~ of evidence/truth** никакви доказателства/ни капка истина.

shred² *v* (**-dd-**) нарязвам (на тънки ивици); настъргвам; режа се, стържа се (*лесно и пр.*); **~ded wheat** тестено произведение, подобно на кадаиф.

shrew [ʃru] *n* **1.** зла/опърничава жена; **2.** *зоол.* земеровка (*сем.* Soricidae) (*и* ~ **mouse**).

shrewd [ʃru:d] *a* **1.** умен, проницателен; хитър, отракан, ловък; тънък; ~ **guess** хитра догадка/предположение; ~ **observer** тънък наблюдател; **2.** *ост.* силен, тежък (*за удар, болка и пр.*); жесток, хаплив (*за студ и пр.*).

shrewish [ʃru:iʃ] *a* свадлив, заядлив, опърничав.

shriek¹ [ʃri:k] *v* **1.** пищя, крещя; изпищявам, изкрещявам; **2.** смея се/изсмивам се гръмогласно (*и* to ~ **with laughter**).

shriek² *n* писък, крясък; ~**s of laughter** гръмогласен смях.

shrievalty [ʃri:vəlti] *n* служба на шериф.

shrift [ʃrift] *n ост.* изповядване; изповед и опрощение; □ **short ~** 1) кратък срок между осъждане и изпълнение на присъдата; 2) рязко/грубо отношение; **to give s.o. short ~** отнасям се грубо/рязко с някого; ликвидирам някого набързо.

shrike [ʃraik] *n зоол.* сврачка (*сем.* Laniidae).

shrill¹ [ʃril] *a* **1.** писклив, остър, пронизителен; **2.** невъздържан; **3.** остър, рязък.

shrill² *v* издавам писклив/креслив звук; пищя; изпявам/изговарям креслива.

shrimp¹ [ʃrimp] *n* **1.** скарида (Natantia); **2.** дребен човек, дребосък, фъстък; **3.** бледорозов цвят.

shrimp² *v* ловя скариди.

shrine¹ [ʃrain] *n* **1.** гробница на светец; капище; олтар/параклис, посветен на светец; ковчег за мощи; **2.** *прен.* олтар; светилище; свето място; □ **to worship at the ~ of Mammon** кланям се на Мамона, стремя се само към богатство.

shrine² = **enshrine**.

shrink¹ [ʃriŋk] *v* (**shrank** [ʃræŋk]; **shrunk** [ʃrʌŋk]) свивам се; намалявам (се), смалявам се; стопявам се (*за доход и пр.*); правя (*плат*) да се свие; □ **to ~ into o.s.** *прен.* затварям се в черупката си;
shrink away 1) отдръпвам се, избягвам; 2) смалявам се; изчезвам;
shrink back отдръпвам се; отбягвам (*вж.* **shrink from**);
shrink from отдръпвам се от; отбягвам; **to ~ (back) from doing s.th.** не желая/не ми е приятно/противно ми е да върша нещо;
shrink on *тех.* поставям (*нагрята шина*);
shrink up свивам се (*и прен. — от смущение и пр.*).

shrink² *n* **1.** свиване; **2.** *sl.* психиатър.

shrinkage [ʃriŋkiʤ] *n* свиване; смаляване; слягане.

shrinking [ʃriŋkiŋ] *a* **1.** смаляващ се, намаляващ се, стопяващ се (*за капитал и пр.*); **2.** срамежлив, стеснителен, плах, боязлив; ~ **violet** срамежлив/много скромен човек.

shrive [ʃraiv] *v* (**shrove** [ʃrouv]; **shriven** [ʃrivn]) *ост.* изповядвам (*някого*); опрощавам греховете (на); изповядвам се (*и refl*).

shrivel [ʃrivl] *v* (**-ll-**) сбръчквам се; съсухрям се; изсъхвам (*и с* **up**).

shriven *вж.* **shrive**.

shroff [ʃrɔf] *n ост.* сараф.

shroud¹ [ʃraud] *n* **1.** саван, покров; плащаница; **2.** *прен.* було, покривало, покривка, саван; **under ~ of darkness** под булото на нощта; **wrapped in a ~ of mystery** забулен в тайна; **3.** *pl мор.* ванти; □ **you have no pockets in your ~** не можеш да го занесеш в гроба си.

shroud² *v* **1.** увивам/покривам със саван; **2.** закривам, обвивам, забулвам (*и прен.*).

shrove *вж.* **shrive**.

Shrove [ʃrouv] *a*: ~ **Tuesday** последният ден на карнавала преди велики пости; ~ **Sunday** сирна неделя.

Shrovetide [ʃrouvtaid] *n* великденски заговезни.

shrub¹ [ʃrʌb] *n* храст; шубрак.

shrub² *n* коктейл от портокалов/лимонов сок и ром.

shrubbery [ʃrʌbəri] *n* (градински кът с) храсти.

shrubby [ʃrʌbi] *a* **1.** храстовиден; **2.** обрасъл с храсти.

shrug¹ [ʃrʌg] *v* (**-gg-**) **1.** свивам рамене (*и* to ~ **o.'s shoulders**); **2.** to ~ **off** 1) пренебрегвам, игнорирам, отхвърлям (с пренебрежение); 2) *прен.* отърсвам се от.

shrug² *n* свиване (на раменете).

shrunk *вж.* **shrink¹**.

shrunken [ʃrʌŋkən] *a* свит; смален; съсухрен; повехнал.

shuck¹ [ʃʌk] *n ам.* **1.** шушулка, чушка; люспа; черупка; външна обвивка; **2.** *pl разг.* глупости; ~**s!** глупости! дявол да го вземе! **it is not worth ~s** пет пари не струва.

shuck² *v ам.* **1.** беля, обелвам; **2.** *sl.* свалям, махам (*дреха и пр.*) (*и с* **off**); **3.** не обръщам внимание на.

shudder¹ [ʃʌdə] *v главно прен.* потръпвам, изтръпвам, трепна (от ужас), побиват ме тръпки; **I ~ to think/at the thought** тръпки ме побиват, като си помисля; **to ~ at the sight of** изтръпвам при вида на; **to ~ with cold** треперя от студ.

shudder² *n* потръпване; **it gives me the ~s** *разг.* ужасява ме.

shuffle¹ [ʃʌfl] *v* **1.** влача/тътря си краката; влача се, тътря се; **2.** въртя се, шавам; **3.** бъркам, разбърквам (*карти и пр.*); **to ~ the cards** *прен.* разменям ролите; опитвам нов курс/политика; **4.** размествам; преразпределям; **5.** извъртам, усуквам, шикалкавя; **6.** върша нещо как да е, претупвам;
shuffle into 1) навличам (*дреха*); 2) набутвам;
to ~ o.s. into *прен.* набутвам се в;
shuffle off 1) свалям, свличам (*дреха*); 2) смъквам, свалям, отървавам се от (*отговорност и пр.*);
to ~ off responsibility on to others прехвърлям отговорност на други;
shuffle on навличам, слагам (*дреха*);
shuffle out of 1) измъквам от; 2) отмахвам, пропъждам от (*мисълта си и пр.*);
shuffle through свършвам как да е, претупвам.

shuffle² *n* **1.** влачене, тътрене (на краката); **2.** танцова стъпка с провличане на крак; **3.** (ред за) разбъркване на карти; **4.** разместване; преразпределение; преустройство (*на правителство*); **5.** извъртане, усукване, шикалкавене; измама, мошеничество.

shuffleboard [ʃʌflbɔːd] = **shovelboard**.

shun [ʃʌn] *v* (**-nn-**) отбягвам, избягвам, бягам от (*и прен.*).

shunt [ʃʌnt] *v* **1.** премествам; **2.** *жп.* маневрирам; вкарвам в друга/глуха линия, отвеждам на запасен коловоз; **3.** *ел.* шунтирам, включвам паралелно; **4.** отлагам; отбягвам, отклонявам (*разискване*) (**on to another subject** към друг въпрос); *прен.* слагам под миндера/в архивата; пращам (*някого*) в глуха линия; **5.** *ам.* снова (**between**); **6.** *разг.* отивам си, разкарвам се.

shunt² *n* **1.** *жп.* маневра; стрелка; отклонение; прекарване на запасен коловоз; **2.** *ел.* шунт; **3.** *sl. авт.* сблъскване, катастрофа.

shunter ['ʃʌntə] *n жп.* стрелочник.

shush [ʃʌʃ] *v* шъткам; ~ ! шт!

shut [ʃʌt] *v* (**shut**) **1.** затварям (се); заключвам (се); **to** ~ **the door against/on s.o., to** ~ **the door in s.o.'s face** затварям някому вратата, затварям вратата под носа на някого; **to** ~ **o.'s head/mouth/trap** *разг.* затварям си устата, мълча; **2.** прещипвам, приклещвам; **to** ~ **o.'s finger/dress in the door** прещипвам си пръста/затискам си роклята на вратата; □ **to be** ~ **of s.o.** *sl.* отървавам се от някого;
  shut away 1) уединявам, изолирам; затварям; 2) *прен.* прогонвам (*мисъл, чувство*);
  shut down 1) смъквам (се), затварям (се) надолу (*за прозорец, капак и пр.*); 2) затварям, закривам (*предприятие и пр.*); прекратявам работа (*за предприятие*); 3) спускам се (*за нощ*) (**on** върху, над);
  shut in 1) затварям, заключвам; 2) заграждам, заобикалям; изолирам; 3) = **shut down** 3;
  shut off 1) изключвам, спирам (*машина, ток и пр.*); 2) изолирам (**from** от);
  shut out 1) не (до)пускам да влезе; не допускам, изключвам (*възможност и пр.*); закривам (*гледка*); 2) *сп., карти* преча на (*противника*) да отбележи точка/да обяви свой цвят;
  shut to затварям се, заключвам се (*за врата и пр.*);
  shut up 1) затварям (*и в затвор*); заключвам; прибирам на сигурно място; 2) *разг.* накарвам да млъкне, затварям (*някому*) устата; млъквам, затварям си устата; ~ **up!** млък(ни)! да млъчиш! □ **to** ~ **up shop** 1) затварям магазин (*вечер или за постоянно*); 2) оттеглям се от работа; преставам да работя.

shut-down ['ʃʌtdaun] *n* закриване (*на предприятие и пр.*).

shut-eye ['ʃʌtai] *n разг.* дрямка, сън; подремване.

shut-in ['ʃʌtin] **I.** *a* затворен; изолиран; **II.** *n ам.* инвалид; човек, принуден да пази стаята.

shut-off ['ʃʌtɔf] *n тех.* изключване, спиране; савак, затвор; клапан.

shut-out ['ʃʌtaut] *n* **1.** *сп.* попречване на противника да отбележи точки; **2.** *бридж* бараден анонс (*и* ~ **bid**).

shutter¹ ['ʃʌtə] *n* **1.** капак, кепенк (*на прозорец*); жалузи; **2.** *тех.* шибър; клапа; *фот.* затвор, обтуратор; **3.** *стр.* кофраж.

shutter² *v* слагам кепенци/капаци на; спускам кепенците/капаците.

shuttering ['ʃʌtəriŋ] *n стр.* кофраж.

shuttle¹ ['ʃʌtl] *n* **1.** совалка; **2.** *тех.* затвор (*на шлюз*); **3.** редовен рейс/влак (*обслужващ кратко разстояние*) (*и* ~ **bus/train/service**); **space** ~ многократно използваема космическа ракета, совалка; □ ~ **diplomacy** *пол.* „дипломация на совалката".

shuttle² *v* снова; движа/подмятам напред-назад.

shuttlecock¹ ['ʃʌtlkɔk] *n* **1.** *сп.* волан (*топка с перце*); бадминтън; **2.** нещо, което постоянно се подмята напред-назад.

shuttlecock² *v* подмятам (напред-назад); снова.

shy¹ [ʃai] *a* **1.** плашлив; **2.** свенлив, срамежлив, стеснителен; плах, боязлив; **to be** ~ **of** (*и с ger*) стеснявам се от/пред/да; **to fight** ~ **of s.o./of doing s.th.** отбягвам някого/да върша нещо; **3.** *sl.* комуто не достига; който е изгубил (**of, on**); **I'm three quid** ~ загубих три лири (*особ. на покер*); **he looks 10 years** ~ **of sixty** изглежда с десет години по-млад

от шейсетте; **4.** неплодовит (*за животно, растение*).

shy² *v* **1.** плаша се (*за кон*) (**at** от); **2.** *прен.* дърпам се, плаша се, не се решавам; резервирам се (**from, away from, at**).

shy³ *v* хвърлям; мятам; замервам (**at**).

shy⁴ *n* **1.** хвърляне, мятане; удар; **to have/take a** ~ **at** замервам по; **2.** опит (**at doing s.th.** да направя нещо); **3.** *разг.* злонамерено подмятане, камък в градината (**at s.o.** на някого).

Shylock ['ʃailɔk] *n* жесток лихвар/кредитор.

shyster ['ʃaistə] *n ам.* нечестен адвокат; мошеник, шарлатанин.

si [si:] *n муз.* си.

siamang ['saiəmæŋ] *n зоол.* голям гибон (Symphalangus syndactylus).

Siamese [saiə'mi:z] **I.** *a* сиамски; **II.** *n* (*pl без изменение*) **1.** сиамец, сиамци; **2.** сиамски език.

sib [sib] **I.** *a* сроден; **II.** *n* роднина (**to** на); брат; сестра.

Siberian [sai'biəriən] *n а.* сибирски; *n* сибирец.

sibilant ['sibilənt] *a, n фон.* съскав/шипящ (звук).

sibilate ['sibileit] *v* произнасям съскаво.

sibling ['sibliŋ] *n* брат; сестра; ~ **species** *антроп.* сродни/близки видове.

sibyl ['sibil] *n* **1.** пророчица, гадателка; **2.** вещица, магьосница.

sic¹ [sik] *adv лат.* така.

sic² = **sick**³.

sicative ['sikətiv] **I.** *a* сикативен, сушилен; **II.** *n* сикатив.

sice [sais] *n* шест (*на зар*).

sick¹ [sik] **I.** *a* **1.** болен; **to take** ~ *разг.* разболявам се; **to fall** ~ *ам.* разболявам се; ~ **headache** мигрена; ~ **smell** неприятна миризма, миризма на болест; **2.** *predic* на когото му се повръща/повдига/гади; **to feel** ~ повръща ми се; **I'm going to be** ~ ще повърна; **to be** ~ **to/at the stomach** *ам.* повръща ми се; **3.** *predic* отвратен, раздразнен, ядосан; **it makes me** ~ отвращава ме, противно ми е; **it's enough to make one** ~ просто да се отвратиш; **to be** ~ **with s.o.** яд ме е на някого; **to be** ~ **(and tired) of** (*и с ger*) омръзнало ми е да; **to be** ~ **to death/to the back teeth of** до гуша ми е дошло от; **4.** *predic* нещастен, разочарован (**at, about**); тъжен, натъжен, тъгуващ (**for**); **to be** ~ **at failing to pass the exam** мъчно ми е, че не съм издържал изпита; **to be** ~ **for home** мъчно ми е за дома/за родината; **to be** ~ **at heart** тъгувам, натъжен съм; **5.** *attr* болен, болезнен (*и прен.*); перверзен, извратен; ~ **look** болезнен вид, вид на болен; ~ **humour/jokes** черен хумор/шеги; **6.** нуждаещ се от ремонт (*за кораб*); *ам.* разклатен (*за предприятие, икономика*); **7.** *ам.* изтощен, слаб (*за почва*); **8.** *ам.* съвсем изостанал (*в състезание*); **II.** *n*: **the** ~ болните.

sick² *v разг.* повръщам (*и с* **up**).

sick³ *ам. и* **sic** *v обик. itr* дръж! (*на куче*).

sick-bay ['sikbei] *n мор.* лазарет.

sick-bed ['sikbed] *n* легло на/за болен.

sick-benefit ['sikbenifit] *n* осигуровка/помощ при заболяване.

sick-call ['sikkɔ:l] *n* **1.** посещение/повикване при болен; **2.** *воен.* записване на болни.

sicken ['sikn] *v* **1.** разболявам се, заболявам, поболявам се; **to be** ~**ing for** проявявам признаци на, разболявам се от; **2.** отвращавам; гади ми се, противно ми става/е, лошо ми става; **to** ~ **at s.th./at the**

thought of s.th. лошо ми става/гадно ми е като гледам/като си помисля за нещо; **to ~ of s.th.** омръзва ми/опротивява ми/до гуша ми идва от нещо.

sickening ['siknɪŋ] *a* отвратителен, гаден, противен; □ **~ fear** сковаваш страх.

sick-flag ['sikflæg] *n мор.* жълто знаме (*знак за карантина*).

sickle ['sikl] *n* **1.** сърп; **2.** **S.** Лъв (*съзвездие и зодиакален знак*); **3.** *attr* сърповиден; **~ moon** полумесец, лунен сърп.

sick-leave ['sikli:v] *n* отпуск по болест.

sick-list ['siklist] *n* списък на болни; **to be on the ~** отсъствувам по болест.

sickly[1] ['sikli] *a* **1.** болнав; хилав; нездрав (*за цвят на лицето и пр.*); **2.** бледен, слаб, мъждукащ (*за светлина*); **3.** блед, тъжен (*за усмивка*); **4.** нездравословен (*за климат*); **5.** гаден, противен (*за миризма, вкус*); **6.** *прен.* сладникав, сладникаво сантиментален.

sickly[2] *v ост.* придавам болнав/нездрав цвят/вид на.

sickness ['siknis] *n* **1.** болест; боледуване; **2.** повръщане, гадене.

sick-pay ['sikpei] *n* заплата на болен служител/работник.

sick-room ['sikrum] *n* стая на/за болен/болни.

side[1] [said] *n* **1.** страна (*на предмет, въпрос и пр.*); **the right/wrong ~** лицето/опакото; **~ by ~** един до друг; рамо до рамо; задружно; **by s.o.'s ~** до някого; сравнен с някого; **to put s.th. to one ~** слагам нещо настрана; отлагам нещо; **to look on the bright/dark/gloomy ~ of things** гледам розово/мрачно на нещата, оптимист/песимист съм; **to study all ~s of a question** проучвам/разглеждам въпрос от всички страни/всестранно; **there are two ~s to the story** историята има две страни; **on this ~ (of)** отсам; **on that ~ (of)** оттатък, отвъд; **2.** *геом.* стена; повърхност; **3.** бряг; склон; **4.** ръб, край (*на тротоар и пр.*); **5.** страна, линия (*родствена*); **on the father's/mother's ~** по бащина/майчина линия; **6.** половина от заклано животно (*по дължина*); плешка; бут; **7.** страна (*при спор и пр.*); отбор; партия; **to take ~s** вземам страна; **to take ~s with** поддържам; **to be on s.o.'s ~** на страната на някого съм, поддържам/подпомагам някого; **to let the ~ down** излагам отбора/партията си, представям се зле; **on ~** *сп.* правилно, не в засада; **off ~** *сп.* офсайд, (в) положение на засада; **to be on the right ~** поддържам властвуващата партия/властвуващите; **8.** отдел, профил (*на учебно заведение*); **9.** *sl.* важничене, фукане; **to put on ~** важнича, фукам се; **to have no ~, to be without ~** скромен съм, не се фукам; **10.** *attr* страничен; маловажен; второстепенен; допълнителен (*към главно ядене*); кос (*за поглед*); **~ effect** страничен ефект (*на лекарство и пр.*); □ **to burst/split o.'s ~s (with laughter)** пукам се/тресa се от смях; **to get on the blind/soft ~ of s.o.** намирам слабото място на някого; **to get on the right ~ of s.o.** спечелвам благоволението/благоразположението на някого; **to keep on the right ~ of s.o.** гледам да не раздразня/да не изгубя благоразположението на някого; **to keep on the right ~ of the law** не нарушавам законите; **to be on the right/wrong ~ of fifty** нямам още/надхвърлил съм петдесетте (години); **on the long/high/low,**

etc. **~** малко дълъг/висок/нисък и пр., въздълъг/доста висок/възнисък и пр.; **on this ~ the grave** на този свят; докато сме живи; **on this ~ idolatry** почти, но не съвсем с преклонение.

side[2] *v:* **to ~ with** вземам страната на, поддържам.

side-arms ['saidɑ:mz] *n pl* сабя; нож; *ам.* револвер (*който се носи на поясен ремък*).

sideboard ['saidbɔ:d] *n* **1.** бюфет (*мебел*); **2.** странична дъска (*на каруца и пр.*).

sideburns ['saidbɜ:nz] *n pl разг.* бакенбарди.

side-car ['saidkɑ:] *n* **1.** кош на мотоциклет; **2.** вид коктейл.

side-dish ['saiddiʃ] *n* леко допълнително блюдо.

side-face ['saidfeis] *n* профил.

side-glance ['saidglɑ:ns] *n* **1.** поглед изкосо; **2.** намек.

side-kick ['saidkik] *n ам. sl.* **1.** приятел, другар; **2.** подчинен; съдружник.

sidelight ['saidlait] *n* **1.** странична светлина; страничен прозорец/фар/фенер и пр.; **2.** случайни/странични сведения; ново осветление (*на въпрос и пр.*).

side-line[1] ['saidlain] *n* **1.** странична работа/занимание/интереси; **2.** стока, която се продава покрай главната; **3.** *сп.* странична черта на игрище; *pl* пространството зад чертата на игрище; място за зрителите; **to put s.o. on the ~s** *прен., сп.* изваждам някого от строя; **on the ~s** като зрител.

side-line[2] *v сп.* изваждам (*играч*) от строя.

sidelong ['saidlɒŋ] *a* движещ се встрани; кос (*за поглед*).

sideman ['saidmən] *n* (*pl* **-men**) *ам.* оркестрант (*особ. в джазов оркестър*).

sidereal [sai'diəriəl] *a* **1.** звезден; **2.** астрономически, звезден (*за година, час и пр.*).

siderite ['sidərait] *n минер.* сидерит.

side-saddle ['saidsædl] *n* дамско седло.

side show ['said ʃou] *n* **1.** странична атракция (*на панаир, цирк и пр.*); **2.** странично/маловажно събитие/случка; странично занимание.

side-slip[1] ['saidslip] *n* **1.** *авт.* занасяне; **2.** *ав.* плъзгане на крило; **3.** *sl.* извънбрачно дете.

side-slip[2] *v* (**-pp-**) **1.** *авт.* занасям; **2.** *ав.* плъзгам се на крило.

sidesman ['saidzmən] *n* (*pl* **-men**) заместник-епитроп.

side-splitting ['said split iŋ] *a* **1.** много/ужасно смешен; **2.** гръмогласен (*за смях*).

side-step[1] ['saidstep] *n* **1.** стъпка/отстъпване встрани; **2.** странично стъпало.

side-step[2] *v* (**-pp-**) **1.** отстъпвам/дръпвам се настрана; **2.** отбягвам (*удар и пр.*); заобикалям (*въпрос*).

side-stroke ['saidstrouk] *n* **1.** *сп.* плуване на една страна; **2.** страничен удар.

side-track[1] ['saidtræk] *n жп.* запасен/страничен коловоз; □ **to get on to a ~** *разг.* отклонявам се от въпроса.

side-track[2] *v* **1.** *жп.* вкарвам в запасен/страничен коловоз; **2.** отклонявам (*някого*) от целта; отклонявам разглеждането на; отлагам, забавям.

side-view ['saidvju:] *n* профил; страничен изглед/вид.

sidewalk ['saidwɔ:k] *n ам.* тротоар; □ **~ superintendent** *шег.* зяпач при строеж и пр.

sideward(s), -way(s) ['saidwəd(z), -wei(z)] *a adv* кос(o); на верев; отстрани; с рамото напред.

side-whiskers ['saidwiskəz] *n pl* бакенбарди.

side-wind ['saidwind] *n* **1.** страничен вятър; **2.** косвено влияние; *прен.* косвен път.

sidewinder ['saidwaində] *n* **1.** силен страничен удар (с юмрук); **2.** вид гърмяща змия (Crotalus cerastes).

siding ['saidiŋ] *n* **1.** = **side-track[1]**; **2.** *ам. стр.* обшивка (*на сграда*).

sidle ['saidl] *v* **1.** вървя/движа се с рамото напред; **2.** промъквам се боязливо/предпазливо (along, away, in, out, up).

siege[1] [si:ʤ] n 1. воен. обсада; state of ~ обсадно положение; to lay ~ to 1) обсаждам (град и пр.); 2) прен. преследвам, не оставям на мира; to raise a ~ вдигам обсада; 2. ост. трон; ранг, положение; 3. ам. продължително боледуване/напрежение.

siege[2] ост. = besiege.

sienna [si'enə] n сиенска пръст, сиена; вид охра.

sierra [si'erə] n исп. 1. планинска верига с остри върхове; 2. вид испанска скумрия (Scomberomorus).

siesta [si'estə] n исп. следобедна почивка/сън.

sieve[1] [siv] n 1. сито; решето; to have a head/memory like a ~ нищо не мога да запомня, имам много слаба памет; 2. филтър; 3. плямпало, дрънкало; човек, който не може да пази тайна.

sieve[2] v 1. пресявам; 2. филтрирам.

sift [sift] v 1. пресявам; отсявам (from от) (и с out) 2. ръся, наръсвам; поръсвам; 3. прен. пресявам; проучвам основно; разграничавам, отделям (и с out); 4. прониквам (за пясък и пр.) (through през, into в); прецеждам се, прониквам (за светлина).

sifter ['siftə] n сито; решето.

sigh[1] [sai] v 1. въздишам, въздъхвам; to ~ a long sigh въздишам дълбоко; to ~ with relief/for grief въздишам с облекчение/от скръб; 2. стена (за вятър); 3. копнея, тъгувам, въздишам (for за, по); 4. казвам с въздишка (forth, out).

sigh[2] n 1. въздишка; стон; to give/heave a ~ of въздишам от (облекчение и пр.); 2. стон, стенание (на вятър).

sight[1] [sait] n 1. зрение; short/long ~ късогледство/далекогледство; 2. поглед; обсег на погледа, зрително поле; to catch ~ of, to have/get a ~ of виждам, зървам, съзирам, забелязвам; to lose ~ of 1) изгубвам от погледа си; изпускам от очи/поглед; 2) загубвам дирите на, нямам новини от; 3) забравям, не вземам предвид; to keep s.th./s.o. in ~ не изпускам нещо/някого от погледа си; to keep in ~ of s.th. движа се така, че да не загубя нещо от погледа си; to come in ~ появявам се; at (the) ~ of при вида на; като видя; at first ~ от/на пръв поглед; to be in/within ~ виждам (се), съзирам (се); близо съм (of до); out of ~ 1) невидим; скрит (от погледа); 2) ам. прекалено скъп, недостъпен; to be out of ~ не се виждам/съзирам; to go/pass out of ~ изгубвам се от погледа, изчезвам; to keep out of ~ крия се, не се мяркам; to keep out of s.o.'s ~ не се мяркам пред очите на някого; to put out of ~ скривам; пренебрегвам; out of ~, out of mind далеч от очите, далеч от сърцето; out of my ~ ! махай се! да ми се махаш от очите! payable on ~ търг. платим при представяне (за полица и пр.); to play/translate at ~ свиря/превеждам прима виста; to know s.o. by ~ зная някого (без да сме се запознавали); I can't bear the ~ of him не мога да го търпя/понасям/гледам; 3. гледна точка; преценка; in my ~ по моя преценка; in the ~ of God в очите на бога; 4. гледка; pl забележителности, природни красоти, туристически обекти; to see the ~s разглеждам забележителностите; 5. разг. смешна гледка; посмешище; to make a ~ of o.s. правя си на карикатура; what a ~ you are! виж се на какво приличаш/какво си плашило! she does look a ~ ! цяло плашило/карикатура е! 6. воен. мерник, визир; front ~ мушка; визиране; to take a ~ прицелвам се; визирам; 7. воен. прицел; to set o.'s ~s on прен. имам/избирам си за цел; 8. разг. много, куп;

безброй; a ~ of money луди пари; a long ~ better далеч по-добър/добре; he is a ~ too clever твърде хитър е; not by a long ~ съвсем не, никак.

sight[2] v 1. виждам, съзирам, забелязвам; 2. наблюдавам (звезда и пр.) с телескоп; 3. насочвам (оръжие); визирам; прицелвам се; 4. воен. снабдявам (пушка и пр.) с прицелни приспособления.

sighted ['saitid] a 1. воен. с мерник (за оръжие); 2. с (нормално) зрение, зрящ.

sightless ['saitlis] a 1. сляп, лишен от зрение; 2. невидим.

sightly ['saitli] a 1. хубав, с приятна външност; привлекателен; 2. ам. от който/където има хубав изглед.

sight-read ['saitri:d] v (-read [-red]) чета ноти/свиря по ноти прима виста.

sightseeing ['saitsi:iŋ] n разглеждане на забележителности; to go ~ разглеждам забележителности.

sightseer ['saitsi:ə] n турист, екскурзиант.

sigil ['siʤil] n 1. печат; 2. магически знак/образ.

sign[1] [sain] n 1. знак (и на зодиак); белег, признак, симптом (и мед.); следа; символ; ~ manual ист. саморъчен подпис/знак; ~ of the cross прекръстване; to make the ~ of the cross прекръствам (се); to converse by ~s разговарям със знаци/жестове; as a ~ of в знак на; ~ of the times (характерен) белег на времето/епохата; no/little ~ of никакъв/почти никакъв признак на/следа от; there was no ~ of him нямаше го никакъв, беше изчезнал; the weather shows ~s of improvement има изгледи времето да се оправи; to make no ~ не давам никакъв знак, не давам да се разбере какво мисля/как реагирам; 2. мат. знак; positive/plus ~ плюс; negative/minus ~ минус; 3. таен знак; парола (и воен.); ~ and countersign парола и отговор; 4. пътепоказател, знак; табела, фирма; реклама; road ~s пътни знаци; at the ~ of the Red Lion в заведението кръчмата „Червения лъв"; 5. знамение, поличба; 6. ам. следа (на диво животно); 7. attr ез. знаков.

sign[2] v 1. давам/правя знак (to на); 2. подписвам (се) (и refl); to ~ o.'s name to a cheque подписвам (се на) чек; □ to ~ a bill into law ратифицирам закон;

sign away отказвам се от, преотстъпвам писмено (права, имот и пр.);

sign in/into записвам (се), зарегистрирам (се) (в);

sign off 1) рад. обявявам края на програма; 2) разг. приключвам (работа);

sign on 1) наемам (работници); вземам във войската и пр.; постъпвам на работа/във войската (с договор, за даден период); 2) зарегистрирам се като безработен; 3) рад. обявявам началото на предаване; 4) записвам се (за екскурзия и пр.);

sign out 1) подписвам се при напускане (на болница и пр.); 2) подписвам се (при даване/вземане на нещо); to ~ books out of a library подписвам се при заемане книги от библиотека;

sign over потвърждавам с подпис продажбата (на);

sign up 1) = sign on 1; 2) записвам (се) (в клуб и пр.); 3) убеждавам (някого) да подпише договор и пр.; привличам, осигурявам си поддръжката/участието (на някого).

signal[1] ['signl] n 1. сигнал; знак; сигнализация; семафор; 2. ел. импулс; 3. воен. знак, сигнал; повод.

signal[2] v (-ll-) 1. давам знак/сигнал на/за, сигнализирам на/за (*и ç to*) **to ~ a message** предавам съобщение със сигнали; **to ~ that one is about to turn left/right** сигнализирам, че ще правя ляв/десен завой, давам ляв/десен мигач; **2.** *ез.* характерен белег съм за (*дадена форма/функция*); **3.** *attr* 1) сигнален; 2) изключителен, забележителен.

signal-book ['signlbuk] *n воен.* код, шифър от условни знаци.

signal-box ['signlbɔks] *n жп.* блокпост.

Signal Corps ['signl͵kɔ:] *n pl ам. воен.* свързочни войски.

signalize ['signəlaiz] *v* **1.** отпразнувам, отбелязвам (*събитие*); **2.** изтъквам; прославям.

signally ['signəli] *adv* изключително, забележително; **to fail ~** претърпявам пълен неуспех; **to fail ~ to** съвсем не успявам да.

signalman ['signlmən] *n* (*pl* **-men**) **1.** *жп.* стрелочник; **2.** *воен.* свързочник.

signatory ['signətəri] *юр.* **I.** *а* подписващ (*договор, документ*); **II.** *n* подписваща/участвуваща страна (*в договор и пр.*).

signature ['signətʃə] *n* **1.** подпис; подписване; **2.** *печ.* сигнатура; **3.** *муз.* ключ (*и* **key ~**); **4.** *рад.* мелодия/сигнал при откриване на дадена програма, музикална шапка (*и* **~ tune**); **5.** *ам.* лекарски указания върху рецепта.

signboard ['sainbɔ:d] = **sign**[1] **4.**

signet ['signit] *n* (частен) печат; **the ~** *ист.* кралският печат.

signet-ring ['signitriŋ] *n* пръстен с печат.

significance [sig'nifikəns] *n* значение; значителност, важност, значимост; **look of deep ~** многозначителен поглед; **of great/little ~** от голямо/малко значение; **of no ~** без значение.

significant [sig'nifikənt] *а* **1.** смислов, със значение, значим; изразяващ (**of**); **2.** знаменателен, показателен (**of** за); **3.** важен, значителен.

signification [͵signifi'keiʃn] *n* **1.** значение, смисъл (*на дума и пр.*); **2.** посочване, изразяване.

significative [sig'nifikətiv] *а* показващ, изразяващ (**of**).

signify ['signifai] *v* **1.** изразявам (*съгласие и пр.*); давам да се разбере (**that** че); **2.** показвам, означавам; знача; **3.** имам значение, важен съм; **it doesn't ~** няма значение, нищо от това, не е важно; **it signifies little/much** няма особено/има голямо значение.

sign-language ['sainlæŋgwidʒ] *n* разговаряне чрез знаци/жестове.

signor [si:'njɔ:] *n͵ит.* синьор, господин.

signora [si:'njɔ:rə] *n ит.* синьора, госпожа.

signorina [si:njə'ri:nə] *n ит.* синьорина, госпожица.

signpost ['sainpoust] *n* пътепоказател.

silage ['sailidʒ] *n* силаж.

silence[1] ['sailəns] *n* **1.** мълчание; безмълвие; тишина; **dead/blank ~** пълно мълчание, мъртва тишина; **in ~** мълчаливо; с мълчание; **to pass over in ~** не споменавам, отминавам с мълчание; не протестирам срещу; **to keep/maintain/observe ~** мълча; пазя мълчание/тишина; **to break the ~** нарушавам мълчанието, заговорвам; **~ gives consent** мълчанието е знак за съгласие; **to put/reduce to ~** накарвам да млъкне; **2.** забрава, забвение; **to pass into ~** бивам забравен, изпадам в забвение.

silence[2] *v* **1.** накарвам да млъкне/замълчи; смълчавам; заглушавам; **2.** успокоявам, умирявам (*дете и пр.*).

silencer ['sailənsə] *n тех.* (шумо)заглушител.

silent ['sailənt] *а* **1.** тих, мълчалив, безмълвен; ням (*за филм*); **to be/keep ~** мълча, не говоря; **2.** мълчалив; неизказан; **the ~ majority** обикновените хора, които рядко си изказват мнението; **3.** *ез.* ням, който не се произнася (*за буква*); **4.** безшумен, тих; замлъкнал, затихнал, смълчан; □ **~ butler** *ам.* съд за събиране отпадъци от маса и пр.; **the ~ service** *ам. воен.* подводният флот.

silesia [si'li:ʃə] *n* вид плат за подплата.

silhouette[1] [͵silu'et] *n* силует; очертание; профил.

silhouette[2] *v* **1.** *обик. pass* откроявам се, очертавам се (**against** на фона на); **2.** изобразявам като силует.

silica ['silikə] *n хим., минер.* силициев двуокис; кварц, кремък.

silicate ['silikət] *n͵хим.* силикат.

siliceous, -ic [si'liʃəs, -ik] *а хим.* силициев.

silicify [si'lisifai] *v* превръщам (се) в/напоявам (се) със силикат.

silicious = **siliceous.**

silicon ['silikən] *n хим.* силиций.

silicone ['silikoun] *n хим.* силоксан, силикон.

silicosis [͵sili'kousis] *n мед.* силикоза.

silk [silk] *n* **1.** коприна; **~ culture** бубарство; **2.** копринена дреха; копринена мантия на държавен адвокат; *pl* копринена униформа на жокей, борец и пр.; **to take ~** ставам държавен адвокат; **3.** *разг.* държавен адвокат; **4.** коса, коприна (*на царевица и пр.*); **5.** *attr* копринен.

silk cotton ['silk͵kɔtn] = **kapok.**

silken ['silkən] *а* **1.** като коприна, копринен (*за коса и пр.*); мек, кадифян (*за глас*); **2.** *ост.* копринен; облечен в коприна; **3.** подмилкващ се; подкупващ; предразполагащ.

silk-grower ['silkgrouə] *n* бубар.

silk hat ['silk͵hæt] *n* цилиндър (*шапка*).

silk stocking ['silk͵stɔkiŋ] *ам.* **I.** *а* **1.** елегантен; **2.** богат; аристократичен; **II.** *n* **1.** богато/елегантно облечен човек; **2.** богаташ; аристократ.

silkworm ['silkwə:m] *n* копринена буба (Bombyx mori).

silky ['silki] = **silken 1, 3.**

sill [sil] *n* **1.** подпрозоречна дъска, разширен перваз; **2.** праг, стъпало (*на врата, шлюз*); **3.** *стр.* подлога, напречна греда; **4.** *геол.* силов поток, пластова интрузия, внедрен/интрузивен пласт; **5.** *мин.* долнище на въглищен пласт.

sillabub ['siləbʌb] *n* десерт от каймак, захар и вино.

silly ['sili] **I.** *а* **1.** глупав; **2.** *ам. разг.* замаян, зашеметен; **to knock s.o. ~** зашеметявам някого (с удар); **3.** *ост.* наивен; безпомощен; □ **~ season** *жур.* постен/мъртъв сезон; **II.** *n* глупчо, глупак; наивник.

silo[1] ['sailou] *n* силоз; силажна яма.

silo[2] *v* силажирам.

silt[1] [silt] *n* тиня, нанос, утайка.

silt[2] *v обик. с* **up** затлачвам (се)/задръствам (се) с тиня; **to ~ through** просмуквам се.

silurian [si'luəriən] *геол.* **I.** *а* силурски; **II.** *n* силур(ски период).

silvan ['silvən] *n поет.* горски.

silver[1] ['silvə] *n* **1.** сребро; **worked with ~** *текст.* със сребърни нишки; **2.** *събир.* сребърни монети; дребни пари; сребърни предмети; **to change into ~** раз валям (*банкнота*) в дребни пари; **table ~** (сребърни) прибори; **3.** сребърен цвят/блясък; **4.** *attr* 1) сребърен; ~ **wedding** сребърна сватба; 2) сребрист 3) мек, ясен (*за звук*); □ **to have a ~ tongue** крас норечив съм; **every cloud has a ~ lining** всяко зл за добро, всяко нещо си има и добрата страна; **the ~ screen** киното.

silver[2] *v* **1.** посребрявам (*и прен.*); сребрея; **2.** амалгамирам (*стъкло*).

silver birch ['silvə,bə:tʃ] *n* бяла бреза (Betula alba).

silver-fir ['silvəfə:] *n* бяла/сребриста ела (Abies pectinata).

silver fish ['silvə,fiʃ] *n* **1.** вид сребриста рибка (Carassius auratus); **2.** вид безкрило насекомо (Lepisma saccharina).

silver fox ['silvə,fɔks] *n* сребърна лисица (Vulpes fulva).

silver-gilt ['silvəgilt] *n* позлатено сребро; имитация на позлата върху сребро.

silvern ['silvən] *a поет. ост.* сребърен; сребрист.

silver paper ['silvə,peipə] *n* **1.** станиол; **2.** тънка увивна хартия.

silver-plate[1] ['silvəpleit] *n събир.* сребърни/посребрени съдове/прибори.

silver-plate[2] *v* посребрявам.

silver-point ['silvəpɔint] *n изк.* (рисунка с) молив със сребърен връх.

silverside ['silvəsaid] *n* **1.** най-хубавата част от бута; **2.** *ам.* вид дребна рибка със сребърни ивици (*и ~s*).

silversmith ['silvəsmiθ] *n* майстор/търговец на сребърни изделия.

silverstick ['silvəstik] *n* висш придворен офицер (*и S.*).

silver-tongued ['silvə,tʌŋd] *a* красноречив, сладкодумен; сладкогласен.

silverware ['silvəwɛə] *n* сребърни изделия/съдове/прибори.

silverweed ['silvəwi:d] *n бот.* вид очеболец (Potentilla anserina).

silvery ['silvəri] *a* **1.** сребрист; **2.** ясен, звънлив, сребрист.

silviculture ['silvikʌltʃə] *n* лесовъдство.

simian ['simiən] **I.** *a* **1.** от рода на човекоподобните маймуни; **2.** маймуноподобен; маймунски; **II.** *n* човекоподобна маймуна.

similar ['similə] *a* подобен (*и геом.*); сходен, приличен; от същия вид (**to**).

similarity [simi'læriti] *n* подобие (*и геом.*); сходство, прилика.

similarly ['similəli] *adv* по същия начин; също така.

simile ['simili] *n лит.* сравнение.

similitude [si'militju:d] *n* **1.** подобие, прилика; образ, вид; **in the ~ of** във вид на; **2.** = **simile**; **to talk in ~s** говоря с/правя сравнения.

simmer[1] ['simə] *v* **1.** къкря; варя/вря на тих огън; оставям да ври/покъкри; **2.** *прен.* надигам се, разпалвам се (*за гняв и пр.*); едва се сдържам; **to ~ with rage/laughter** едва сдържам гнева/смеха си;
    simmer down 1) изварявам/извирам бавно; 2) *прен.* уталовявам се, успокоявам се, стихвам; **simmer over** *прен.* преливам.

simmer[2] *n* къкрене; **to keep at a/on the ~** оставям да къкри.

simnel ['simnəl] *n* вид коледен/великденски сладкиш (*и ~ cake*).

simoniac [si'mouniæk] *n* човек, провинен в симония.

simon-pure ['saimən,pjuə] *a* **1.** истински, автентичен; **2.** чист, праведен; **3.** привидно чист, лицемерен; □ **the real S.** самият той; самото то.

simony ['siməni] *n* симония (*търговия с църковни длъжности*).

simoom, simoon [si'mu:m, -mu:n] *n* самум (*вятър*).

simp [simp] *разг. съкр. от* **simpleton**.

simper[1] ['simpə] *v* усмихвам се престорено/превзето/глуповато.

simper[2] *n* престорена/превзета/глуповата усмивка.

simple[1] ['simpl] *a* **1.** прост (*не сложен*); **~ equation** уравнение от първа степен; **~ fraction** правилна дроб; **2.** лесен, прост; **as ~ as ABC/as shelling peas** много просто/лесно, просто като фасул; **3.** прост, неукрасен (*за стил и пр.*); семпъл; скромен, обикновен (*и за произход*); **the ~ life** прост/естествен/природосъобразен живот; **4.** естествен, непринуден, искрен, простодушен; **5.** лековерен, наивен; прост; глупав; **S. Simon** глупчо; **6.** малоумен; **7.** същински, истински; **the ~ truth** самата/чистата истина; **~ fact** факт, истина.

simple[2] *n* **1.** лековита билка; **2.** лекарство от билки; **3.** обикновен/прост човек; **4.** глупак.

simple-hearted ['simpl,ha:tid] *a* откровен, простосърдечен.

simple-minded ['simpl,maindid] *a* **1.** = **simple-hearted**; **2.** лековерен, наивен; **3.** глупав, глуповат.

simpleton ['simpltən] *n* глупак.

simplex ['simpleks] *n грам.* проста (*непроизводна*) дума.

simplicity [sim'plisiti] *n* **1.** простота; **2.** леснота; **it's ~ itself** *разг.* съвсем лесно/просто е; **3.** непринуденост; откровеност; естественост; **4.** наивност; лековерие; глупост.

simplification [,simplifi'keiʃn] *n* опростяване; нещо опростено.

simplify ['simplifai] *v* опростявам, опростотворявам; правя по-лесен/по-прост.

simplism ['simplizm] *n* опростенчество; повърхностен подход.

simplistic [sim'plistik] *a* опростенчески, прекалено опростен.

simply ['simpli] *adv* **1.** просто; скромно; **2.** лесно; **3.** просто, само; **it's ~ a matter of** това е само/просто въпрос на; **4.** съвсем, много, просто; **it's ~ terrible** това е просто ужасно; **~ beautiful** много красив.

simulacrum [,simju'leikrəm] *n* (*pl* **-cra** [-krə]) *лат.* **1.** подобие, образ, изображение; **2.** смътна/измамна прилика; измама; преструвка.

simulate ['simjuleit] *v* преструвам се; симулирам; правя се/преструвам се на; представям се като; правя се да приличам на, имитирам; **~d innocence/enthusiasm** престорена наивност/възторг; **~d fur** имитация на кожа; **to ~ illness** правя се/преструвам се на болен; **a chameleon ~s its surroundings** хамелеонът се мени според средата.

simulation [,simju'leiʃn] *n* преструване, симулиране, симулация; имитиране, имитация; преструвка.

simulator ['simjuleitə] *n* **1.** симулант; **2.** *тех.* моделиращо устройство; имитатор; *ав.* тренажер.

simulcast ['simjulka:st] *v* предавам едновременно по радиото и по телевизията.

simultaneity [,siməltə'ni:iti] *n* едновременност.

simultaneous [siməl'teinjəs] *a* едновременен.

sin[1] [sin] *n* **1.** грях; греховност; **to live in ~** живея греховно; имам извънбрачни отношения, прелюбодействувам; **~ offering** дар/приношение за опрощаване на греховете; изкупителна жертва; **2.** *разг.* провинение, простъпка, нарушение, прегрешение (**against** спрямо); **it's a ~ to** грехота/безобразие е да; □ **like ~** *sl.* здравата; **for my ~s** *шег.* за изкупление на греховете ми.

sin[2] *v* (**-nn-**) греша, съгрешавам, извършвам грях; прегрешавам, извършвам прегрешение (**against**); **to ~ against propriety** нарушавам благоприличието; □ **more ~ned against than ~ning** достоен по-

скоро за съчувствие/съжаление, отколкото за об-
винение.

sinapism ['sinəpizm] *n мед.* синапизъм, синапена хартия/
лапа.

since[1] [sins] *adv с перфектни времена* оттогава; след това;
с прости времена преди; **I have not seen him** ~ не съм
го виждал оттогава; **it has** ~ **been rebuilt** след това
бе възстановено; **more than ever before or** ~ повече
от всякога; **ever** ~ оттогава насам; **long** ~ отдавна,
от дълго време насам; **he did it many years** ~ той
направи това преди много години; **I saw him not**
long ~ видях го неотдавна.

since[2] *prep* от (*дадено време, събитие в миналото*); ~
the war от войната насам; ~ **that time,** ~ **then** от-
тогава (*насам/досега*).

since[3] *cj* **1.** откакто; ~ **I have known him** откакто го
познавам; **how long is it** ~ **you were in London?** пре-
ди колко време беше в Лондон? **how long is it** ~
you haven't seen him? откога не си го виждал? **2.**
тъй като, щом като; понеже; ~ **you wish it** щом
(като) искаш/желаеш.

sincere [sin'siə] *a* искрен; прям.

sincerely [sin'siəli] *adv* искрено, откровено; ~ **yours** искре-
но Ваш (*завършък на неофициално писмо*).

sincerity [sin'seriti] *n* искреност, откровеност; прямота;
speaking in all ~ искрено казано.

sinciput ['sinsipʌt] *n анат.* лоб, синципут.

sine [sain] *n мат.* синус.

sinecure ['sainikjuə] *n* синекура.

sine die [,saini'daii] *adv лат.* за неопределено време.

sine qua non [,sainikwei'noun] *n лат.* задължително усло-
вие.

sinew ['sinju:] *n* **1.** сухожилие; **2.** *pl* мускули; *прен.* сила,
енергия, издръжливост; **3.** *pl прен.* движеща сила,
опора; □ **the ~s of war** пари, парични средства.

sinewless ['sinjulis] *a* слаб; отпуснат.

sinewy ['sinjui] *a* **1.** жилест (*за месо*); **2.** жилав, здрав, му-
скулест; жилест; **3.** *прен.* стегнат (*за стил*); строг (*за*
език).

sinful ['sinful] *a* грешен, греховен; престъпен.

sing [siŋ] *v* (**sang** [sæŋ]; **sung** [sʌŋ]) **1.** пея; изпявам; **to** ~
to sleep приспивам с песен; **2.** пригоден/лесен съм
за пеене; **3.** свиря, пея, бръмча (*за насекомо*); сви-
ря, свисти (*за вятър, куршум и пр.*); шушна, свиря
(*за чайник и пр.*); бръмча, буча (*за уши*); **4.** възпя-
вам, славя; съчинявам стихове за (*и с of*); **5.** *ам. sl.*
признавам си/издавам всичко, издавам майчиното
си мляко;
    sing in посрещам (*новата година*) с песни;
    sing out 1) изпращам (*старата година*) с песни;
2) викам, провиквам се, извиквам (*for s.o.* някого);
    sing up пея по-силно.

singe[1] [sindʒ] *v* леко изгарям (*при гладене*); опърлям,
пърля; □ **to** ~ **o.'s wings** опарвам се, опарвам си
пръстите; ~**d cat** човек, който е по-добър, отколко-
то изглежда.

singe[2] *n* леко изгаряне; опърляне.

singer ['siŋə] *n* **1.** певец; **2.** пойна птица; **3.** поет.

Singhalese [siŋgə'li:z] **I.** *a* сингалски, от/на Шри Ланка;
II. *n* сингалец, жител на Шри Ланка; **2.** сингалски
език, езикът на Шри Ланка.

singing ['siŋiŋ] *n* пеене; ~ **lesson/master** урок/учител по
пеене.

single[1] ['siŋgl] *a* **1.** (един) единствен, само един, едни-

чък; **not a** ~ нито/ни един; **2.** единичен; за един
човек; ~ **(bed)room** стая с едно легло; ~ **track** *жп.*
единична/еднопосочна линия, единичен коло-
воз; ~ **ticket** билет само за едно пътуване; ~
game = single[2] 1; **3.** обособен; отделен; **every** ~
day всеки (божи) ден; **4.** сам(отен); неженен, не-
омъжена; **to remain** ~ не се оженвам, оставам не-
женен; **the** ~ **life/state** ергенски/бекярски живот; **5.**
искрен; праволинеен, честен; ~ **devotion** пълна
преданост; ~ **eye** отдаденост на една цел; **eye** ~
to the truth преданост на истината; ~ **heart/mind**
честна душа; **6.** *бот.* с един ред цветни листчета;
7. слаб (*за бира и пр.*).

single[2] *n* **1.** тенис обик. *pl* единична игра (*не на двойки*);
2. билет за едно пътуване; **3.** крикет удар, при който
се отбелязва само една точка; **4.** стая с едно легло
(*в хотел*); място за един човек (*в ресторант*).

single[3] *v:* **to** ~ **out** избирам; изтъквам; набелязвам.

single-breasted ['siŋgl,brestid] *a* еднореден (*за костюм и*
пр.).

single-entry ['siŋglentri] *n ик.* просто счетоводство.

single-eyed ['siŋgl,aid] *a* **1.** едноок; **2.** искрен, праволинеен,
честен; целенасочен.

single-foot ['siŋglfut] *ам.* **= rack**[4].

single-handed[1] ['siŋgl,hændid] *a* **1.** еднорък; **2.** извършен с
една ръка/от един човек; пригоден за една ръка; **3.**
извършен без чужда помощ.

single-handed[2] *adv* сам, без чужда помощ.

single-hearted, -minded ['siŋgl,ha:tid, -,maindid] *a* предан,
всеотдаен; праволинеен, целенасочен.

singleness ['siŋglnis] *n* искреност, преданост, всеотдай-
ност, праволинейност; ~ **of purpose** целенасоченост.

single-space ['siŋglspeis] *v* пиша на машина с единичен ин-
тервал.

singlestick ['siŋglstik] *n* (пръчка за) фехтовка.

singlet ['siŋglət] *n* (долна) фанелка, потник.

singleton ['siŋgltən] *n бридж* сек.

single-track ['siŋgltræk] **= one-track.**

singly ['siŋgli] *adv* **1.** (по)отделно, един по един; **2.** сам,
без жена/мъж; **3.** сам, без чужда помощ.

singsong ['siŋsɔŋ] *n* **1.** монотонно/напевно четене; моно-
тонно пеене; напевност; **2.** импровизиран концерт;
3. *attr* напевен; монотонен.

singular ['siŋgjulə] **I.** *a* **1.** *грам.* единствен (*за число*); **the**
first person ~ първо лице единствено число; **2.** не-
обикновен, изключителен, рядък; **3.** *юр.* отделен;
all and ~ всички заедно и поотделно; **4.** чудат,
странен, необикновен; ексцентричен; **II.** *n грам.*
единствено число.

singularity [,siŋgju'læriti] *n* странност; необичайност; чу-
датост; нещо странно.

Sinhalese [sinhə'li:z] **= Singhalese.**

sinister ['sinistə] *a* **1.** зловещ, злокобен; **2.** застрашителен,
страшен; злобен, лош, зъл; престъпен; **3.** *хер.* на ля-
вата страна; **bar/bend** ~ диагонална черта на лявата
страна на герб — знак за незаконороденост.

sinistral ['sinistrəl] *a* ляв, в лява посока; *зоол.* с извивки в
лява посока.

sink[1] [siŋk] *v* (**sank** [sæŋk] ; **sunk** [sʌŋk]) **1.** потъвам, затъ-
вам (*и прен.*); **he was left to** ~ **or swim** оставиха го
да се справи, както може/на произвола на съдба-
та; **here goes,** ~ **or swim** хайде, пък каквото ста-
не/излезе, или-или; ~**ing (feeling)** премаляване (*от*
страх и пр.); **to** ~ **into the memory/mind** запечат-
вам се в паметта; **to** ~ **into decay** западам; **to** ~
into insignificance губя (всякакво) значение, ставам
съвсем незначителен; **to** ~ **into a deep sleep** заспи-

вам дълбоко; **to ~ into o.s.** затварям се в себе си; **to ~ into the grave** умирам; **2.** залязвам, скривам се; **3.** хлътвам (*за очи, бузи*) снишавам се, спускам се, хлътвам (*за терен*); падам ниско (*за облаци, мрак и пр.*); **4.** спадам, намалявам (*за ниво на води и пр.*); **5.** смъквам се, отпускам се, падам (*в кресло, на земята и пр.*) **(back, into, on to, down)**; **his head sank on his breast** главата му се отпусна на гърдите, той отпусна глава; **his eyes sank** той сведе очи; **his legs sank under him** краката му се подкосиха; **my heart/spirits sank** сърцето ми се сви; **6.** спадам, снижавам се (*за глас*); **7.** обезценявам се, спадам (*за ценни книжа и пр.*); намалявам (*за брой*); отслабвам, стихвам (*за буря и пр.*); отпадам, гасна; западам, падам ниско; загубвам престиж; **the patient is ~ing fast** болният си отива/свършва; **8. to ~ in** просмуквам се (*за вода*); *прен.* прониквам в/достигам до съзнанието; **9.** потопявам (*кораб*); **10.** забивам (*кол, нож, зъби и пр.*); **11.** изкопавам, пробивам (*кладенец и пр.*); **12.** скривам, прикривам; пренебрегвам, оставям настрана; **let's ~ our differences** да оставим настрана разногласията си; **13.** *фин.* амортизирам, изплащам (*дълг*); влагам (*пари*) на вятъра; **14.** гравирам, изрязвам; **16.** излагам, унижавам; **17.** осуетявам (*план*) побеждавам, свършвам с (*някого*); **we are sunk** свършено е с нас, изгубени сме; **18.** *голф, билярд* вкарвам (*топка*) в дупката.

sink² *n* **1.** кухненска мивка; **2.** помийна яма; клоака; преливник; отток; отточна тръба; **3.** *геол.* малка депресия, впадина; пукнатина в скала, през която се изцежда вода; **4.** тресавище; **5.** *прен.* клоака (*и ~ of iniquity*).

sinker ['siŋkə] *n* **1.** тежест (*на рибарска мрежа и пр.*); **2.** *ам. sl.* поничка.

sink-hole ['siŋkhoul] = **sink²** 2,3.

sinking-fund ['siŋkiŋfʌnd] *n фин.* амортизационен фонд.

sinner ['sinə] *n* **1.** грешник; **2.** нарушител; виновник; **3.** *шег.* калпазанин.

Sino- ['sainou] *a в съчет.* китайски; **~-American** китайско-американски.

sinology [si'nɔlədʒi] *n* синология, китаистика.

sinter¹ [sintə] *n метал.* синтер, огар.

sinter² *v метал.* синтеровам (се), спичам (се).

sinuate ['sinjuət] *a бот.* със силно изрязани краища (*за лист*).

sinuosity [,sinju'ɔsiti] *n* **1.** криволичене, лъкатушене; **2.** извивка, завой; **3.** сложност, заплетеност.

sinuous ['sinjuəs] *a* **1.** криволичещ, лъкатушещ; **2.** извиващ се; змиевиден; **3.** гъвкав, пъргав; **4.** сложен, заплетен.

sinus ['sainəs] *n анат.* синус.

sinusitis [sainə'saitis] *n мед.* синузит, синуит.

Sioux [su:] *n* (*pl* **Sioux** [su:z]) **1.** сиукс (*индианец*); **2.** сиукски език; **3.** *attr* сиукски.

sip¹ [sip] *v* (**-pp-**) сръбвам, отпивам; сърбам.

sip² *n* глътка.

siphon¹ ['saifn] *n* сифон.

siphon² *v* **1.** източвам със сифон (**out, off**); източвам се; **2. to ~ off** *прен.* отклонявам (*суми и пр.*).

sippet ['sipit] *n* **1.** пържено/печено късче хляб (*като гарнитура за супа и пр.*); **2.** парченце, частица (*и прен.*).

sir¹ [sə:] *n* **1.** господине (*обръщение към по-възрастни, по-високопоставени лица*); **2. S.** сър (*благородническа титла, при обръщение — с първото име*).

sir² *v* (**-rr-**) обръщам се към някого с названието „господине", викам някому „господине".

sirdar ['sə:da:] *n инд., перс.* **1.** командир; **2.** *ист.* британски главнокомандуващ англоегипетските войски.

sire¹ [saiə] *n* **1.** *ост.* ваше величество; **2.** *поет.* отец, баща; **3.** баща (*на животно*); жребец (*за разплод*).

sire² *v* **1.** баща съм на (*животно*); **2.** *прен.* автор съм на.

siren ['saiərən] *n* **1.** *мит.* сирена; **2.** прелъстителка; жена с прекрасен глас; **3.** сирена (*сигнална свирка*); **4.** *зоол.* сирена (*сем. Sirenidae*); **5.** *attr* (като) на сирена; примамлив.

sirloin ['sə:lɔin] *n* говеждо филе.

sirocco [si'rɔkou] *n метеор.* сироко.

sirrah ['sirə] *n ост., презр. в обръщение* господине! ей ти!

sirree [sə'ri:] *ам. емфатично в обръщение* = **sir¹** 1.

sirup *ам.* = **syrup**.

sis [sis] *n ам. в обръщение* сестро.

sisal ['sisl] *n бот.* (влакно от) американска агава (Agave sisalana).

siskin ['siskin] *n зоол.* птичка, подобна на щиглеца (Spinus).

siss = **sis**.

sissified ['sisifaid] = **sissy** 4.

sissy ['sisi] *n* **1.** мамин син, мамино детенце; **2.** пъзльо, малодушен човек; **3.** *ам.* момиченце; **4.** *attr* глезен; женствен; страхлив.

sister ['sistə] *n* **1.** сестра; **2.** калугерка, сестра; **3.** старша медицинска сестра; **4.** *attr* близък, подобен; сроден; от същия вид; □ **the three/the fatal ~s** *мит.* парките, орисниците, съдбата.

sisterhood ['sistəhud] *n* **1.** сестринство, (добри) сестрински отношения; **2.** религиозно/благотворително общество на калугерки; **3.** група жени, свързани с общи интереси.

sister-in-law ['sistərinlɔ:] *n* (*pl* **sisters-in-law**) зълва, снаха, балдъза, етърва.

sisterly ['sistəli] *a* сестрински.

sistrum ['sistrəm] *n* систрум (*древен египетски музикален инструмент*).

Sisyphean [sisi'fiən] *a* сизифов, тежък и безсмислен.

sit [sit] *v* (**sat** [sæt]) (**-tt-**) **1.** седя; сядам (*и с* **down**); **to ~ at home** стоя си вкъщи; бездействувам; **to ~ tight** 1) седя/държа се здраво (*на седло, люлка и пр.*); 2) *прен.* държа на своето, не отстъпвам; издържам; **2.** мътя (*за птица*); кацвам, кацнал съм; **3.** член съм (*на комисия, парламент и пр.*); **to ~ in parliament for a constituency** представям избирателен окръг в парламента; **to ~ on a committee** член съм на комисия; **4.** заседавам (*за парламент и пр.*); **5.** позирам (**to a painter** на художник); **to ~ for o.'s portrait** рисуват ме; **6.** намирам се, съм, стоя, лежа; **~ting tenant** настоящ/сегашен квартирант; **7.** стоя, лежа (*за дреха*); прилягам (*и прен.*); подхождам (**on** на); **imperiousness ~s well on her** подхожда/прилича ѝ да се държи властно; **8.** възсядам; яздя; **9.** слагам (*някого*) да седне; **~ you down** *ост.* седнете; **10.** *ам.* имам места за, побирам (*за зала, кола и пр.*); □ **to ~ at s.o.'s feet** уча се от/ученик съм на някого; **~s the wind there/in that quarter?** *прен.* натам ли духа вятърът? такава ли била работата? **joy sat on every countenance** на всички лица бе изписана/се четеше радост; **this food ~s heavy on the stomach** тази храна пада тежко/тежи на стомаха; **the responsibility ~s heavy on him** отговорността му тежи; **his principles ~ loosely on him** принципите му не го обвързват твърде, не държи твърде на принципите си; .

sit about/around седя и бездействувам;

sit back 1) облягам се, отпускам се (в кресло и пр.); 2) почивам си, отпускам се; 3) бездействувам; скръствам ръце;

sit by стоя безучастно, не се меся;

sit down 1) сядам; **to ~ down to table/to a meal** сядам да се храня; **to ~ down to o.'s work** сядам на работа; 2) слагам да седне; 3) воен. установявам се на лагер; обсаждам; 4) **to ~ down before/under** приемам безропотно; 5) стачкувам,· без да напускам предприятието/завода; изразявам протест, като сядам пред полицията (по време на демонстрация); □ **to ~ down hard on a plan, etc.** ам. разг. противопоставям се енергично на план и· пр.;

sit for явявам се на (изпит);

sit in 1) седя в завода/университета и пр. в знак на протест (докато бъдат задоволени исканията ми); 2) **= baby-sit**; 3) **to ~ in on** участвувам в;

sit on 1) член съм на (комисия и пр.); разглеждам, анкетирам (въпрос — за комисия); 2) разг. пренебрегвам; не се занимавам с (оплакване и пр.); 3) разг. скастрям, срязвам, натривам носа на (някого), слагам (някого) на мястото му;

sit out 1) стоя до края на (концерт, реч и пр.); 2) стоя навън/на открито; 3) не участвувам в, изпускам (танц, игра и пр.); 4) стоя/оставам по-дълго от (някой друг);

sit round = sit about/around;

sit through = sit out 1;

sit under слушам/следвам курс от лекции на (даден професор);

sit up 1) седя изправен (на стол и пр.); сядам (в леглото); 2) изправям се на задните си крака (за куче); 3) стоя (до късно), не си лягам, будувам; 4) разг. стряскам се, сепвам се, поразмислям се, стягам се; **to make s.o. ~ up (and take notice)** изведнъж привличам вниманието на някого; стряскам някого, карам някого да се поразмисли.

sitar ['sita:] n ситар (вид индийска лютня).

sit-down (strike) ['sitdaun(ˌstraik)] n стачка без напускане на работното място.

site¹ [sait] n 1. местоположение, място; 2. място/парцел за строеж и пр.; строителен обект; **launching ~** ракетна площадка.

site² v 1. разполагам, поставям; определям място за; 2. определям мястото на (експлозия и пр.).

sith [siθ] cj ост. тъй като.

sit-in ['sitin] n 1. = **sit-down;** 2. протестна демонстрация, при която участниците не напускат дадена сграда, докато не бъдат задоволени исканията им.

sitter ['sitə] n 1. седящ/седнал човек/пътник; 2. = **baby-sitter** (и ~ **-in**); 3. квачка; 4. изк. модел (на художник); 5. sl. лесен удар; лесна работа; наивник, балама.

sitting ['sitiŋ] n 1. седене; 2. заседание; 3. сеанс (и при позиране на художник); смяна на хранещите се (в стол, ресторант и пр.); **at one ~** на един път/дъх; на една смяна; 4. яйца за мътене, люпило; 5. църк. трон (в църква).

sitting-room ['sitiŋrum] n 1. всекидневна (стая); 2. място/ места за сядане.

situate ['sitjueit] v поставям, разполагам.

situated ['sitjueitid] a 1. разположен, с (добро, лошо и пр.)

разположение (за сграда); 2. прен. в някакво положение; **to be rather awkwardly ~** в доста неудобно/неловко/затруднено положение съм.

situation [sitju'eiʃn] n 1. разположение, местоположение (на град и пр.); 2. прен. положение; 3. работа, служба; длъжност; **to be in/out of a ~** имам/нямам работа, на работа/без работа съм; □ **~ comedy** театр. комедия на положението.

six [siks] n 1. шест; 2. шестица, шесторка; 3. шести номер (за обувки и пр.); □ **~ of one and half a dozen of the other** все едно и също (нещо), без всякаква разлика; **everything is at ~es and sevens** всичко е в пълен безпорядък/с краката нагоре; **to knock/hit s.o. for a ~** разг. 1) нанасям тежко поражение на някого; 2) вземам· акъла на някого.

sixain(e) ['siksein] n проз. строфа с шест стиха.

sixfold ['siksfould] a, adv шестократен, шесторен; шесторатно, .шесторно.

six-footer ['siksfutə] n човек висок шест фута (около 180 см).

six-gun ['siksgʌn] = **six-shooter.**

sixpence ['sikspəns] n шест пенса.

sixpenny ['sikspəni] a който струва шест пенса; за шест пенса.

six-shooter ['siksʃu:tə] n барабанен револвер с шест патрона.

sixteen ['siks'ti:n] n (числото) шестнадесет.

sixteenth ['siks'ti:nθ] I. a шестнадесети; II. n една шестнадесета (част); шестнайсетина (нота) (и ~ **note**).

sixth [siksθ] I. a шести; **the ~ (form)** най-горният клас на средното училище; II. n 1. една шеста (част); 2. муз. секста.

sixtieth ['sikstiəθ] I. a шейсети; II. n една шейсета (част).

sixty ['siksti] n (числото) шейсет.

sizable ['saizəbl] a доста/порядъчно голям.

sizar ['saizə] n студент стипендиант; ист. студент, който плаща намалена такса срещу прислужване в трапезарията и пр.

size¹ [saiz] n 1. големина; размер(и); мярка; обем; **of great ~** голям; просторен; **of some ~** доста голям, големичък; **they are both of a ~** еднакво големи са; **it is about the ~ of a walnut** голямо е колкото орех; **to try s.th. for ~** опитвам дали нещо става/е подходящо (и прен.); 2. номер (на дреха и пр.); ръст (на човек и пр.); формат (на книга и пр.); калибър (на пушка и пр.); печ. кегел; **what ~ do you take?** кой номер носите? 3. унив. ост. порция; □ **that's about the ~ of it** това е положението, така е горе-долу.

size² v 1. сортирам; класирам; подреждам по големина/ръст; 2. **to ~ up** 1) преценявам размерите на, премервам; 2) разг. преценявам (някого, дадено положение); 3. **to ~ up to/with** равнявам се на, мога да се сравня с.

size³ n клей; лепило; скроб, чур.

size⁴ v намазвам с клей/лепило; скробвам, чуросвам.

sizeable = sizable.

sizzle¹ ['sizl] v пръщя, цвъртя (при пържене).

sizzle² n пръщене, цвъртене.

skald [skɔ:ld] n ист. скандинавски епически поет, скалд

skat [skæt] n карти скат, трупа.

skate¹ [skeit] n кънка.

skate² v пκънкьор.   на/карам кънки.

skate³ n зоол. скат, морска лисица (Raja).

skate⁴ n ам. sl. кранта.

skater ['skeitə] n

skating-rink ['skeitiŋriŋk] n пързалка за кънки.

skean [ski:n] n ост. къса шотландска/ирландска кама.

skedaddle [ski'dædl] *v разг.* офейквам, измъквам се, изпарявам се.

skein [skein] *n* 1. чиле (*конци*); 2. ято (*диви гъски и пр.*); 3. *прен.* объркано положение, бъркотия.

skeletal ['skelitəl] *a* скелетен; като скелет.

skeleton ['skelitən] *n* 1. скелет (*и прен.*); **reduced to a ~** запричаличал на скелет, (станал) на кожа и кости; 2. *тех.* скелет (*на сграда и пр.*); 3. схема, скица, план; 4. *attr* 1) като скелет; 2) минимален, сведен до минимум; **~ crew/staff/service** минимален/съвсем малък персонал; **~ army** *воен.* армия с намален състав (*при маневри*); □ **~ at the feast** нещо/някой, който разваля доброто настроение; **~ in the cupboard, family ~** неприятна/позорна семейна тайна.

skeletonize ['skelitənaiz] *v* 1. правя/ставам на скелет; 2. нахвърлям (*пиеса, план и пр.*); резюмирам.

skeleton key ['skelitən‚ki:] *n* шперц.

skene = skean.

skep [skep] *n* 1. кошница; 2. сламен/плетен кошер.

skeptic, skepticism = sceptic, scepticism.

skerry ['skeri] *n* риф; скала в морето; скалист остров.

sketch[1] ['sketʃ] *n* 1. скица; план (*на съчинение и пр.*); 2. *лит.* скеч; кратко есе/описание/разказ; 3. кратка музикална композиция.

sketch[2] *v* скицирам (*и прен.*); рисувам; *прен.* нахвърлям, описвам накратко, очертавам (*и с* **out**).

sketch-block, -book ['sketʃblɔk, -buk] *n* скицник, блок за рисуване.

sketchily ['sketʃili] *adv* повърхностно; непълно, без подробности, отгоре-отгоре.

sketchiness ['sketʃinis] *n* непълнота; недоизкусуреност; празнота (*в познания и пр.*); липса на подробности.

sketch-map ['sketʃmæp] *n* схематична карта.

sketchy ['sketʃi] *a* бегъл, непълен, повърхностен; схематичен; **to have a ~ meal** похапвам какво да е/каквото има.

skew[1] [skju:] *a* 1. кос (*и мат., арх.*); наклонен; изкривен; веревен, на верев; 2. несиметричен.

skew[2] *n* наклон; **on the ~(-whiff) = askew.**

skew[3] *v* 1. слагам/поставям/изрязвам косо; 2. изкривявам; 3. изопачавам (*данни, смисъл и пр.*).

skewback ['skju:bæk] *n арх.* сводова пета.

skewbald ['skju:bɔ:ld] *a* пъстър, на петна (*за кон*).

skewer[1] ['skjuə] *n* 1. шиш; 2. *шег.* шпага; кама.

skewer[2] *v* 1. набождам с/на шиш; 2. пробождам.

skew-eyed ['skju:‚aid] *a разг.* кривоглед, разноглед.

ski[1] [ski:] *n* (*pl* **ski, skis**) ска; **~ pole** щека; **~ tow** ски-влек.

ski[2] *v* карам ски.

ski-bob ['ski:bɔb] *n* вид велосипед на ски вместо на колела.

skid[1] [skid] *n* 1. спирачна челюст; 2. приспособление за спускане/дъска за плъзгане на товар; 3. направляваща релса/дъска; 4. *авт.* плъзгане, занасяне; буксуване; □ **on the ~s** *разг.* 1) готов за пускане; 2) *sl.* на път да се провали; **to put the ~s under s.o.** *разг.* 1) принуждавам някого да побърза; 2) тласкам някого към провал; слагам някому динена кора.

skid[2] *v* (**-dd-**) 1. *авт., ав.* плъзгам се (по крило), занасям; буксувам; намалявам скоростта; 2. плъзгам/вдигам по дъска.

skiddy ['skidi] *a* плъзгав, хлъзгав.

skid-lid ['skidlid] *sl.* = **crash-helmet.**

skid-pan ['skidpæn] *n авт.* хлъзгава писта за упражнение на шофьори.

skid road ['skid‚roud] *n* 1. път за влачене на трупи; 2. част на град, посещавана от дървари; 3. = **skid row.**

skid row ['skid‚rou] *n ам. разг.* квартал с долнопробни кръчми и пр.

skier ['ski:ə] *n* скиор.

skiff [skif] *n* 1. малка/лека лодка; 2. *сп.* скиф.

skiffle ['skifl] *n* вид популярна джазова музика със солист китарист.

skiing ['ski:iŋ] *n* (каране на) ски, ски-спорт.

ski-joring ['ski:jɔ:riŋ] *n* зимен спорт, при който скиорът е теглен от кон/кола.

skilful ['skilful] *a* 1. сръчен, ловък, вещ, опитен (**at, in** в); 2. майсторски, изкусен.

ski lift ['ski:‚lift] *n сп.* лифт (*за скиори*).

skill [skil] *n* 1. умение, сръчност, ловкост, вещина; **mechanical ~** техническа сръчност; **want/lack of ~** несръчност, неумение; 2. занаят.

skilled [skild] *a* 1. вещ, опитен, изкусен (**in s.th., in doing s.th.** в нещо); 2. квалифициран; изискващ опитност/квалификация.

skillet ['skilit] *n* 1. малка тенджера с крачета и дълга дръжка; 2. *ам.* тиган.

skillful *ам.* = **skilful.**

skilly ['skili] *n* рядка супа/каша.

skim [skim] *v* (**-mm-**) 1. обирам каймак/пяна/мазнина от (*мляко, бульон и пр.*); 2. плъзгам се, нося се (**along, over**); едва/леко докосвам; 3. прочитам/преглеждам бегло (*и с* **through, over**); засягам бегло (*въпрос*); 4. *ам.* плъзгам (се) по повърхността на; 5. *ам.* покривам (се) с пяна/тънък пласт/слой; замъглявам (се).

skim(med)-milk ['skim(d)milk] *n* обезмаслено мляко.

skimmer ['skimə] *n* 1. лъжица за обиране на каймак, пяна и пр; 2. широкопола твърда сламена шапка; 3. вид морска птица (Rynchops).

skimp [skimp] *v* 1. не давам достатъчно, скъпя се, икономисвам; **to ~ s.o. in food** броя някому залъците; **to ~ s.o. in money** не давам някому достатъчно пари, държа някого изкъсо; 2. правя икономии, живея пестеливо, броя всеки лев; 3. *ам.* гледам през пръсти на (*работата си*).

skimpy ['skimpi] *a* 1. оскъден, недостатъчен; 2. тесен, къс (*за дреха*); 3. *ам.* небрежен, направен през пръсти.

skin[1] [skin] *n* 1. кожа (*на човек, животно*); 2. *бот.* ципа; 3. кора (*на плод и пр.*); 4. кора, кожица (*върху крем, мляко*); 5. мях (*за вино*); 6. външен пласт/слой; обшивка; обелка; 7. *ам. sl.* скрънза, скъперник; 8. *ам. sl.* мошеник; мошеничество, измама; □ **next (to) o.'s ~** на голо; **to waste away to ~ and bone** ставам на кожа и кости; **to come off with a whole ~** *разг.* спасявам кожата, оставам здрав и невредим; **he cannot change his ~** *разг.* такъв си е, не можеш да го промениш; **to have a thick/thin ~** нечувствителен/чувствителен съм; **to jump out of o.'s ~** не се от себе си съм (*от радост, възмущение и пр.*); **to get under s.o.'s ~** *разг.* 1) влизам под кожата на някого; 2) дразня някого; 3) вълнувам/стимулирам някого; **by/with the ~ of o.'s teeth** едва-едва, едвам; **it's no ~ off my nose** това не ме засяга; от това нищо не губя, дори печеля; **under the ~** 1) дълбоко в себе си; 2) по душа.

skin[2] *v* (**-nn-**) 1. дера, одирам; 2. беля, обелвам; 3. ожулвам (си) (*коляното и пр.*); 4. покривам се с коричка; образувам коричка, зараствам (*за рана*) (*с* **over**); 5. *sl.* обирам; изигравам; 6. *ам. sl.* наругавам, накастрям; *прен.* напердашвам, побеждавам; 7. *sl.* измъквам се (**away**); промъквам се (**through**).

skin-deep ['skin‚di:p] *a* повърхностен, недълбок (*и за рана*).

skin-dive ['skindaiv] *v* плавам под водата с акваланги.

skin-flick ['skinflik] *n sl.* порнографски филм.

skinflint ['skinflint] *n* скрънѕдза.

skinful ['skinful] *n sl.* толкова, колкото може да изпие човек.

skin-game ['skingeim] *n* 1. нечестна хазартна игра; измама, трик; 2. *прен.* безпощадна борба/конкуренция.

skin-head ['skinhed] *n* хулиган (с остригана глава).

skinner·['skinə] *n* 1. кожар (който обработва, търгува с кожи); 2. мошеник; 3. *ам. sl.* мулетар, говедар.

skinny ['skini] *a* 1. мършав, много слаб; 2. *разг.* свидлив; оскъден.

skin-tight ['skintait] *a* много тесен, съвсем опънат (за дреха).

skip[1] [skip] *v* (-pp-) 1. (под)скачам; рикоширам, отскачам; 2. скачам на въже; 3. прескачам (поток и пр.) (over, across); 4. прескачам (при четене); изпускам (при разказ и пр.); ~ it! остави! (това) няма значение! 5. прескачам (клас в училище); 6. хвърлям така, че да подскача по повърхността; 7. *sl.* измъквам се, офейквам; to ~ town измъквам се от града.

skip[2] *n* 1. скок; 2. пропускане, изпускане; пропуск.

skip[3] *n тех.* скип, скипов подемник.

skip[4] *n* капитан на отбор при игра на кегли и пр.

skip jack ['skip‚dʒæk] *n зоол.* вид лефер/тон.

skipper ['skipə] *n* 1. *мор.* шкипер, капитан на (малък търговски/риболовен) кораб; 2. *ав.* капитан; 3. *сп. разг.* капитан на отбор; □ ~'s daughters вълни с бели гребени.

skirl[1] [skə:l] *n* пищене на гайда.

skirl[2] *v* пищя (за гайда).

skirmish[1] ['skə:miʃ] *n* 1. схватка, престрелка (и прен.); 2. размяна на остроумия.

skirmish[2] *v* 1. влизам в схватка/престрелка; 2. *ам.* търся, тършувам.

skirt[1] [skə:t] *n* 1. пола (дреха, на дреха); divided ~ пола панталон; 2. *вулг.* жена, фуста; 3. странична (висяща) част на седло; 4. перваз (на дюшеме и пр.); 5. често *pl* край, ръб; покрайнини, периферия; 6. волан, набор (на покривка и пр.); 7. диафрагма (на животно); месо от кръста.

skirt[2] *v* 1. движа се покрай (along); заобикалям; 2. гранича с; 3. to ~ (a)round *прен.* избягвам, отбягвам (трудност и пр.), заобикалям (ам. и без around).

skirting(-board) ['skə:tiŋ(bɔ:d)] *n* перваз (на дюшеме).

skit [skit] *n* сатира, пародия (on).

skitter ['skitə] *v* 1. = skim 2; 2. движа въдицата ниско над водата; 3. тичам; втурвам се; избягвам.

skittish ['skitiʃ] *a* 1. плашлив (за кон); 2. жив, игрив, закачлив; 3. капризен, глезен; кокетлив; вятърничав.

skittle[1] ['skitl] *n* 1. кегъл, кегла (и ~ -pin); 2. *pl с гл. в sing* игра на кегли.

skittle[2] *v* 1. играя на кегли; 2. прахосвам, пилея;3. to ~ out *крикет* изкарвам лесно от играта.

skive [skaiv] *v* 1. цепя (кожа); остъргвам; 2. *sl.* измъквам се от (задължение), кръшкам.

skivvy ['skivi] *n разг., презр.* слугиня, фараш.

skua ['skjuə] *n зоол.* морелетник (Stercorarius).

skulduggery ['skʌldʌgəri] *n шег.* мошеничество, (хитра) измама.

skulk [skʌlk] *v* 1. спотайвам се, крия се; кръшкам, клинча; 2. движа се дебнешком; дебна; to ~ off измъквам се.

skulk(er) ['skʌlk(ə)] *n* кръшкач.

skull [skʌl] *n* череп; □ thick ~ дебела глава, дебелогла-

вие; глупост; ~ and crossbones череп и кости; пиратско знаме; знак за смъртна опасност.

skull-cap ['skʌlkæp] *n* 1. кепе; 2. *бот.* превара (Scuttelaria).

skullduggery = **skulduggery**.

skunk[1] [skʌŋk] *n* 1. *зоол.* скункс (Mephitis); кожа от скункс; 2. мерзавец, подлец.

skunk[2] [skʌŋk] *v ам. sl.* 1. сразявам, правя на пух и прах (противник); 2. изигравам; не плащам.

sky[1] [skai] *n* небе; □ under the open ~ под открито небе, на открито; to praise/laud/extol to the skies превъзнасям (до небесата); the ~ is the limit *разг. прен.* няма граница; under distant skies в далечни страни.

sky[2] *v* 1. *сп.* хвърлям/мятам (топка) нависоко; 2. окачвам много нависоко.

sky-borne ['skai‚bɔ:n] *a* въздушен (за войски и пр.).

skyey ['skaii] *a* 1. небесносин; 2. небесен; въздушен, лек.

sky-high ['skaihai] *a, adv* (стигащ) до небето (и прен.); до/в небесата.

sky-jack ['skaidʒæk] *sl.* = hijack[1] 2.

skylark ['skaila:k] *n* полска чучулига (Alauda arvensis).

skylight ['skailait] *n* 1. прозорец на покрив, тавански прозорец; оберлихт; 2. *мор.* светъл люк.

skyline ['skailain] *n* 1. хоризонт; линия на хоризонта; 2. очертание върху фона на небето; силует (на град и пр.).

sky pilot ['skai‚pailət] *n* 1. *sl.* свещеник, поп; 2. летец, авиатор.

sky-rocket[1] ['skairɔkit] *v* 1. увеличавам (се) неимоверно (за цени, производство и пр.); 2. устремявам се нагоре.

sky-rocket[2] *n* ракета.

skyscape ['skaiskeip] *n* картина, изобразяваща небе.

skyscraper ['skaiskreipə] *n* небостъргач.

skyward ['skaiwəd] *a, adv* (отправен) към небето/нагоре.

skyway ['skaiwei] *n* 1. въздушна линия; 2. *ам.* пътен надлез (в град).

sky-writing ['skairaitiŋ] *n* димен надпис, очертан от самолет, въздушна реклама.

slab[1] [slæb] *n* 1. плоча; таблетка (шоколад и пр.); 2. дебело парче, порязаник; 3. капак, крайна дъска при бичене на трупи; 4. надвиснал скален пласт; 5. (шосе с) бетонно покритие; 6. *sl.* операционна/дисекционна маса.

slab[2] *v* (-bb-) 1. разрязвам (трупи) на дъски, разбичвам; 2. покривам с плочи, покривам (път) с бетон.

slabber ['slæbə] = **slobber**.

slack[1] [slæk] *a* 1. отпуснат; to keep a ~ hand/rein 1) отпускам поводите на кон; 2) *прен.* държа хлабаво, отпускам; 2. халтав, хлабав, разхлабен; незакрепен; развинтен; 3. небрежен, отпуснат; 4. бавен; застоял, неподвижен; ~ water 1) застояла вода; 2) време между прилив и отлив; 5. слаб, умерен (за огън); 6. слаб, мъртъв (за търговия, сезон); ~ demand слабо търсене; 7. *фон.* отворен (за гласна); □ ~ suit *ам.* (всекидневни) панталони и сако/риза; ~ lime гасена вар.

slack[2] *n* 1. провис (на въже и пр.); 2. *тех.* хлабина, междина, игра, луфт; 3. ситни въглища, въглищен прах; 4. застой; мъртъв/слаб сезон (в търговия и пр.); 5. = ~ water (вж. slack[1] 4); 6. *pl ам.* всекидневни/спортни панталони.

slack[3] *adv* отпуснато, хлабаво; вяло; небрежно; to bake/dry ~ изпичам/изсушавам бавно/недостатъчно.

slack[4] *v* 1. *прен.* отпускам се (и с off); отпускам (някого); ставам/правя небрежен/нехаен; кръшкам; 2. отпускам, отхлабям, разхлабвам (въже и пр.) (и с away, off); **3. to ~ up** намалявам скоростта *(при спиране)*; **4. = slake 2.**

slacken ['slækn] *v* **1.** намалявам *(скорост и пр.)*, забавям *(темпо)*; стихвам, затихвам; **2.** отпускам *(поводи и пр.) (и с* **away, off**).

slacker ['slækə] *n разг.* мързеливец, лентяй; кръшкач.

slag [slæg] *n* **1.** шлака; **2.** лава.

slain вж. **slay.**

slake [sleik] *v* **1.** утолявам, уталожвам, насищам, задоволявам *(и прен.)*; **2.** гася *(вар).*

slakeless ['sleiklis] *a поет.* неутолим, ненаситен.

slalom ['sla:ləm] *n ски* слалом; **giant ~** гигантски слалом.

slam¹ [slæm] *v* (**-mm-**) **1.** блъсвам (се), хлопвам (се), затръшвам (се); **to ~ to, to ~ shut** затварям (се) с шум, затръшвам (се); **2.** блъскам, удрям; (за)тръшвам; **to ~ o.'s fist on the table** блъсквам с юмрук по масата; **3.** *sl.* критикувам жестоко, жуля, ругая; **4.** *sl.* цапардосвам; побеждавам, правя на пух и прах;
  slam down тръшкам, тръсвам;
  slam on удрям *(спирачка)*;
  slam out of излизам бързо/шумно от, излетявам от;
  slam to вж. **slam¹ 1.**

slam² *n* **1.** блъсване; затръшване; трясък; **2.** *бридж* шлем; **grand ~** голям шлем; **little/small ~** малък шлем; **3.** *sl.* жестока критика.

slam(-bang) ['slæm(bæŋ)] *a, adv разг.* **1.** шумен; с гръм и трясък; **2.** енергичен, но необмислен; енергично, но необмислено.

slander¹ ['sla:ndə] *n* клевета, злословие.

slander² *v* клеветя, оклеветявам, злословя (по адрес на), черня, очерням.

slanderer ['sla:ndərə] *n* клеветник.

slang¹ [slæŋ] *n* **1.** *ез.* сленг, жаргон, арго *(и професионален, групов)*; **2.** *attr* жаргонен.

slang² *v* **1.** ругая, наругавам; **~ing match** размяна на ругатни; **2.** говоря на/употребявам жаргон.

slangy ['slæŋi] *a* **1.** жаргонен; **2.** употребяващ/служещ си с/пълен с жаргон.

slant¹ [sla:nt] *v* **1.** наклонявам (се); спускам се надолу; насочвам надолу/настрани; **2.** представям/предавам тенденциозно; преиначавам *(новини и пр.)*; насочвам, създавам *(литература, филм за дадени читатели, зрители)*; **stories ~ed towards youth** разкази за младежта.

slant² *n* **1.** наклон; склон; **on the/on a ~ = aslant; 2.** *разг.* (подчертана) тенденция/гледна точка/позиция.

slantways,-wise ['sla:ntweiz, -waiz] *a, adv* кос(о).

slap¹ [slæp] *n* плесница, шамар; **~ in the face** плесница *(и прен.)*; афронт; **~ on the back** поздравления, похвали.

slap² *v* (**-pp-**) **1.** плясвам, шляпвам; зашлевявам; **2. to ~ down** тръшкам, плясвам *(нещо на маса и пр.).*

slap³ *adv* **1.** (на)право; изведнъж, неочаквано; **the car ran ~ into the wall** колата се блъсна право в стената; **he told me ~ out** каза ми направо; **2.** шумно; силно; направо.

slap-bang ['slæpbæŋ] = **slap³ 2.**

slapdash¹ ['slæpdæʃ] *a* **1.** небрежен; **2.** бърз, прибързан, импулсивен.

slapdash² *adv* небрежно, надве-натри, както дойде.

slap-happy ['slæp,hæpi] *a разг.* **1.** безгрижен, весел; шумен; **2.** зашеметен/замаян от удари.

slapjack ['slæpʤæk] *n ам.* **1.** вид игра на карти; **2.** палачинка.

slapstick ['slæpstik] *n театр.* **1.** пръчка на шут; **2.** груб фарс, клоунада *(и ~* **comedy**).

slap-up ['slæpʌp] *a sl.* **1.** съвсем модерен, съвременен; **2.** първокласен; богат.

slash¹ [slæʃ] *v* **1.** сека; разсичам; цепя, разцепвам; режа, разрязвам; **2.** правя разрез *(на дреха, така че да се вижда отдолу друг плат)*; **sleeve ~ed with red** ръкав с разрез, през който се вижда червена подплата; **3.** критикувам остро, режа; **4.** намалявам рязко *(цени и пр.)*; съкращавам, режа *(ръкопис и пр.)*; **5.** шибам, удрям *(с камшик)*; плюшя; □ **to ~ o.'s way** пробивам си път с удари.

slash² *n* **1.** удар със сабя/нож и пр.; **2.** разрез, цепка; цепнатина; рана; **3.** *ам.* (останали клони и пр. в) сечище; **4.** *вулг. sl.* пикане, изпикаване.

slashing ['slæʃiŋ] *a* **1.** остър, сатиричен, саркастичен; жесток, безпощаден; **2.** шибащ *(за дъжд и пр.)*; **3.** смел, стремителен; **4.** *разг.* първокласен, отличен; **5.** огромен.

slat [slæt] *n* **1.** летва; **2.** *pl ам. sl.* ребра; хълбоци, бедра.

slate¹ [sleit] *n* **1.** *геол.* шисти; плоча от шисти; плочник; **2.** плоча *(за покрив)*; **3.** плоча *(за писане)*; **4.** *ам.* предварителен списък на кандидати; **5.** тъмносив цвят; **~ black** черен (цвят) с лилав оттенък; **~ blue** сивосин (цвят); **~ clean** чисто досие; **to start with a clean ~, to wipe the ~ clean** започвам отново (след като ми са простени стари прегрешения), обръщам нова страница.

slate² *v* **1.** покривам *(покрив)* с плочи; **2.** *ам.* определям за кандидат, включвам в списък/мероприятие.

slate³ *v разг.* критикувам остро, съдирам, чеша; ругая, наругавам.

slate-pencil ['sleitpensl] *n* калем *(за писане).*

slather¹ ['sla:ðə] *n обик. pl ам.* голямо количество, куп, маса.

slather² *v ам. разг.* **1.** намазвам дебело/обилно (на); **2.** пилея, разпилявам.

slattern ['slætən] *n* повлекана, мърла.

slatternly ['slætənli] *a* нечист, мръсен; развлечен,-небрежен; неизмарен, мърляв.

slaty ['sleiti] *a* **1.** плочест, шистов; **2.** тъмносив.

slaughter¹ ['slɔ:tə] *n* **1.** клане; колене, изколване; **2.** *прен.* клане, сеч; кръвопролитие, касапница.

slaughter² *v* **1.** коля, заколвам; **2.** избивам; изколвам.

slaughterhouse ['slɔ:təhaus] *n* **1.** кланица, скотобойна; **2.** *прен.* сеч, касапница.

slaughterous ['slɔ:tərəs] *a книж.* унищожителен; кръвопролитен; кръвожаден.

Slav [sla:v] **I.** *a* славянски; **II.** *n* славянин.

Slavdom ['sla:vdəm] *n* славянство.

slave¹ [sleiv] *n* роб *(и прен.)*; **~ to/of** роб на; **S. States** *ист.* южните/робовладелческите щати; **~ trade/traffic** търговия с роби.

slave² *v* **1.** работя като роб, мъча се; робувам; **to ~ (away) at** мъча се/трепя се с; **2.** *ост.* заробвам, поробвам; **3.** *ист.* търгувам с роби.

slave-born ['sleiv,bɔ:n] *a* роден в робство.

slave-driver ['sleivdraivə] *n* **1.** *ист.* надзирател на роби; **2.** *прен.* експлоататор, прекалено взискателен работодател.

slave-holder ['sleivhouldə] *n* робовладелец.

slave-hunt ['sleivhʌnt] *n* гонитба на избягал роб.

slaver¹ ['sleivə] *n* **1.** търговец на роби; **2.** кораб, който пренася роби.

slaver² ['slævə] *n* **1.** слюнка; лига; **2.** подмазване, подлизурство; **3.** глупости; лигавщини.

slaver³ ['slævə] *v* **1.** лигавя (се), олигавям (се); **2.** подмазвам се.

slavery ['sleivəri] *n* **1.** робство; робия; **in** ~ в/под робство; **to sell s.o. into** ~ продавам някого като роб; **2.** тежка/зле платена работа, робия; □ **white** ~ търговия с бели робини; (принудителна) проституция.

slavey ['sleivi] *n разг.* слугиня, момиче за всичко.

Slavic ['sla:vik] *ез.* **I.** *a* славянски; **II.** *n* групата на славянските езици.

slavish ['sleiviʃ] *a* **1.** робски (*за подражание и пр.*); **2.** угоднически, робски, сервилен.

Slavonian [slə'vouniən] **I.** *a* словенски; *ост.* славянски; **II.** *n* **1.** словенец; **2.** словенски език.

Slavonic [slə'vɔnik] *a* славянски.

Slavophile ['sla:voufail] *n* славянофил.

slaw [slɔ:] *n ам.* салата от зеле (*и* **coleslaw**).

slay [slei] *v* (**slew** [slu:]; **slain** [slein]) **1.** убивам; **2.** *sl.* правя силно впечатление на, шашвам, убивам.

sleave¹ [sli:v] *n ост.* тънки (заплетени) нишки.

sleave² *v* оправям, размотавам, разплитам.

sleazy ['sli:zi] *a* **1.** тънък, слаб (*за плат*); **2.** *разг.* мръсен, занемарен; **3.** *ам.* евтин, прост, долнокачествен (*и прен.*); хитър.

sled¹ [sled] *n* шейна.

sled² *v* (**-dd-**) карам/пренасям с/возя се на/пътувам с шейна.

sledge¹ [sledʒ] *n* **1.** = **sled¹**; **2.** = **sledge-hammer¹**.

sledge² = **sledge-hammer²**.

sledge-hammer¹ ['sledʒhæmə] *n* **1.** тежък ковашки/боен чук; **2.** *attr* тежък (*и прен.*); съкрушителен; тираничен.

sledge-hammer² *v* удрям (като) с чук; нанасям тежки удари.

sleek¹ [sli:k] *a* **1.** лъскав; гладък, приглаген; **2.** добре охранен/гледан/облечен; здрав; **3.** твърде любезен, мазен; хитър.

sleek² *v* **1.** приглаждам (*коса и пр.*); **2.** успокоявам; изглаждам (*неприятности и пр.*).

sleep¹ [sli:p] *n* сън; спане; **to go to** ~ **1)** заспивам; **2)** изтръпвам (*за крайник*); **to get to** ~ успявам да заспя; **to get a** ~ поспивам; **to get a good night's** ~ отспивам си добре; **to snatch a little** ~ подрямвам си; **to put to** ~ **1)** приспивам, слагам да спи; **2)** упойвам; убивам безболезнено; **to put s.o.'s suspicions to** ~ разсейвам/приспивам нечии съмнения/подозрения; **to send to** ~ приспивам, карам/правя да заспи; **to read/cry o.s. to** ~ чета/плача, докато заспя; **to have o.'s** ~ **out** отспивам си, наспивам се; **to come out of o.'s** ~ събуждам се; **to be overcome with** ~ оборва ме сън; **not to lose any** ~ **about/over s.th.** не се безпокоя/тревожа за нещо; **the last** ~ , **the** ~ **that knows no waking, the** ~ **of death** смъртта, вечният сън.

sleep² *v* (**slept** [slept]) **1.** спя; заспал съм; **to** ~ **like a log/top** спя дълбоко/непробудно/като заклан; **to** ~ **the sleep of the just/righteous** спя като праведник; **to** ~ **with one eye open** спя много леко/като заек; **his bed has not been slept in** креватът му е оправен, не е спал в кревата си; **2.** нощувам, пренощувам; **3.** имам легла за (*даден брой гости*), побирам (*за нощуване*); **4.** спя (*за пумпал*); **5.** тих/спокоен съм (*за море*); **6.** *прен.* спя, бездействувам;

sleep around *разг.* спя с кого да е, имам/правя любов с този-онзи;

sleep away 1) проспивам; **2)** отървавам се/осво-

бождавам се от (*неприятност и пр.*), като поспя/преспя;

sleep in 1) спя там, където работя; **2)** *ам.* успивам се;

sleep off = **sleep away 2**;

sleep on 1) продължавам да спя, не се събуждам; **2) to** ~ **on s.th., to** ~ **on it** преспивам, преди да взема решение;

sleep out не спя там, където работя;

sleep through проспивам; не се събуждам от (*звънец, сигнал за тревога и пр.*);

sleep together/with *евф.* спя с (имам полови отношения).

sleeper ['sli:pə] *n* **1.** спящ човек; **to be a light/heavy** ~ спя леко/тежко; **2.** *разг.* (легло/кушетка в) спален вагон; **3.** *ам. жп.* траверса; **4.** нещо, което неочаквано има успех (*за пиеса, стока и пр.*); **5.** *често pl* детска пижама ританка; **6.** животно в зимен сън/летаргия.

sleeping-bag ['sli:piŋbæg] *n* спален чувал.

sleeping-car ['sli:piŋka:] *n* спален вагон.

sleeping-draught ['sli:piŋdra:ft] *n* приспивателно/сънотворно лекарство.

sleeping sickness ['sli:piŋsiknis] *n* сънна болест.

sleepless ['sli:plis] *a* **1.** безсънен; **2.** неспокоен; **3.** буден (*и прен.*).

sleep-walker ['sli:pwɔ:kə] *n* сомнамбул.

sleepy ['sli:pi] *a* **1.** сънен, съилив; **2.** заспал, тих (*за селище*); **3.** *прен.* заспал, ненаблюдателен; **4.** ленив; **5.** приспивен.

sleepyhead ['sli:pihed] *n* сънливко, сънльо.

sleet¹ [sli:t] *n* **1.** суграшица; лапавица; киша; **2.** *ам.* (тънък) лед.

sleet² *v*: **it is** ~**ing** вали/пада суграшица.

sleety ['sli:ti] *a* **1.** кишав; **2.** *ам.* заледен.

sleeve [sli:v] *n* **1.** ръкав; **2.** калъф на грамофонна плоча; **3.** = **windsleeve**; **4.** *тех.* втулка; гилза; тръба; муфа; шибърен кран; преходен конус; нипел; щуцер; цилиндър; барабан (*на микрометър*); кожух (*на съединител*); □ **to have s.th. up o.'s** ~ имам нещо предвид, наумил съм си/кроя нещо; **to laugh up o.'s** ~ подсмивам се под мустак/тайно.

sleeveless ['sli:vlis] *a* без ръкави.

sleigh [slei] = **sled**.

sleight [slait] *n ост.* ловкост, умение, изкуство; трик.

sleight-of-hand ['slaitəvhænd] *n* жонгльорство, фокусничество, ловкост (*и прен.*); ловка измама.

slender ['slendə] *a* **1.** тънък, слаб; строен; **2.** нежен, крехък, деликатен; **3.** недостатъчен, оскъден (*за доход и пр.*); **4.** слаб (*за надежда, познанство*); необоснован, неоснователен, слаб (*за довод и пр.*).

slenderize ['slendəraiz] *v* правя/ставам по-слаб, изтънявам.

slept *вж.* **sleep²**.

sleuth [slu:θ] *n* **1.** копой; хрътка (*и* ~ **hound**); **2.** *разг.* детектив, таен агент, копой.

slew¹ *вж.* **slay**.

slew² [slu:] *v ам.* обръщам (се) (*и с* **round**).

slew³ *n ам.* тресавище; плитчина.

slice¹ [slais] *n* **1.** парче, резен, филия; **2.** дял, част, пай; ~ **of good luck** късмет; **3.** широк плосък нож/лопатка (*за обръщане, сервиране*), шпатула; **4.** *сп.* сечена топка, удар настрана; □ ~ **of life** реалистично изображение на всекидневен живот; частица живот.

slice² *v* **1.** режа, нарязвам; разрязвам (*и с* **up**); **2.** разделям, разпределям; **3.** поря (*вълни, въздух*); **4.** *сп.* сека (*топка и пр.*); **5. to** ~ **off** отрязвам, отсичам; **6.** обръщам/вземам с шпатула/лопатка.

slick¹ [slik] *a разг.* **1.** гладък; хлъзгав; **2.** ловък, изкусен; **3.** повърхностен; повърхностно привлекателен; лек (*за автор, списание и пр.*); повърхностно убедителен; **4.** *ам. sl.* отличен, екстра.

slick² *v* изглаждам, приглаждам, оглаждам; намазвам (*с брилянтин и пр.*); **to ~ o.s. (up)** подокарвам се.

slick³ *n* **1.** разлят бензин/нефт и пр.; хлъзгаво място (*на път*); **2.** *ам. разг.* луксозно/лъскаво списание.

slick⁴ *adv* **1.** право, направо, точно; **2.** гладко, плавно; **3.** ловко, умело.

slicker ['slikə] *n ам.* **1.** мушама, дъждобран; **2.** *разг.* хитрец, измамник; **3.** *sl.* елегантен/обигран гражданин.

slide¹ [slaid] *v* (**slid** [slid]; **slid(den)** **1.** плъзгам (се), хлъзгам (се), пързалям (се); мушвам (се), пъхам (се) (незабелязано) (**in, into, out, out of, away**); минавам незабелязано/постепенно (*за време*); **3.** *прен.* подхлъзвам се, прегрешавам (*и* **to ~ into sin**); **to ~ into a bad habit** постепенно/неусетно придобивам лош навик; **4.** *прен.* развивам се по естествения си път/без намеса; **let it ~!** остави! не обръщай внимание! карай да върви! **to let things ~** оставям нещата на самотек, пускам му края, проявявам безгрижие/небрежност; **5.** *муз.* свиря/пея легато; **6. to ~ over** *прен.* едва засягам, заобикалям (*въпрос и пр*).

slide² *n* **1.** плъзгане, хлъзгане, пързаляне; **2.** пързалка; **3.** наклонена плоскост; стръмнина; улей (*за спускане на трупи и пр.*); **4.** плъзгач; **5.** *тех.* шибър; **6.** свличане на земен пласт; лавина; *геол.* разлом, разсед; **7.** *ик.* пълзяща скала (*и* **sliding scale**); **8.** диапозитив; касета; **9.** предметно стъкло (*за микроскоп*); **10.** шейна; **11.** *муз.* легато; портаменто; **12.** фиба за коса; **13.** инструмент от типа на тромпета; движещата се част на такъв инструмент; **14.** = **sliding seat**.

slide fastener ['slaid ˌfa:snə] *n ам.* цип.

slide-rule ['slaidru:l] *n* логаритмична/сметачна линийка.

sliding seat ['slaidiŋˌsi:t] *n* подвижна седалка (*в гребна лодка*).

slight¹ [slait] *a* **1.** тънък, слаб; **2.** крехък; чуплив; **3.** малък, незначителен, лек, слаб; **not the ~est doubt/hope** ни най-малко съмнение/надежда; **to some ~ extent** малко нещо, до/в известна степен; **not in the ~est (degree)** ни най-малко; **4.** повърхностен, незначителен (*за писател, постижение, наблюдение и пр.*).

slight² *v* **1.** обиждам; пренебрегвам, не зачитам; **2.** *ам.* върша/свършвам как да е.

slight³ *n* обида; незачитане, пренебрежение; **to put a ~ on s.o.** обиждам някого, проявявам пренебрежение/незачитане към някого.

slim¹ [slim] *a* **1.** тънък, строен; **2.** слаб, долнокачествен; **3.** *разг.* малък, недостатъчен, оскъден; **~ chance/hope** слаба възможност/надежда; **~ evidence** оскъдни/съвсем недостатъчни доказателства; **4.** хитър; безскрупулен.

slim² *v* (**-mm-**) **1.** отслабвам; пазя диета за отслабване; **2.** правя да отслабне/да изглежда слаб; **~ming exercises** упражнения за отслабване; **~ming clothes** дрехи, в които човек изглежда по-слаб.

slime¹ [slaim] *n* **1.** тиня, лепкава кал, талог; **2.** слуз, слиз, лигавина; **3.** *прен.* тиня, кал; **4.** подлизурство.

slime² *v* **1.** покривам със слуз; **2.** изчиствам от слуз (*риба и пр.*).

slimy ['slaimi] *a* **1.** лигав, слизест; **2.** тинест, кален; **3.** *прен.* мазен, гаден, сервилен (*и* **~-tongued**).

sling¹ [sliŋ] *n* **1.** прашка, ластик; **2.** клуп; превръзка през рамо; **3.** *тех.* товароподемна примка; такелажна верига; **4.** хвърляне (*с прашка*).

sling² *v* (**slung** [slʌŋ]) **1.** хвърлям (*с прашка*); мятам; **to ~ over o.'s shoulder** мятам на рамо, нарамвам; **to ~ s.o. out** изхвърлям някого; **2.** провесвам; закачвам (*люлка и пр.*); **3.** повдигам с ремък/въже; □ **to ~ ink** *разг.* пиша, писателствувам.

sling³ *n ам.* уиски/джин/коняк/ром със сода, захар, лимон и пр.

slingshot ['sliŋʃɔt] *n* прашка с дървен чатал.

slink¹ [sliŋk] *v* (**slunk** [slʌŋk]) **1.** промъквам се, прокрадвам се (*обик. с* **in, out, off, away**); дебна (**about**); **2.** помятам, раждам преждевременно (*за животно*).

slink² *n* пометнато/недоносено животно.

slinky ['sliŋki] *a* **1.** дебнещ; **2.** *sl.* очертаващ фигурата (*за дреха*).

slip¹ [slip] *v* (**-pp-**) **1.** хлъзгам (се), подхлъзвам (се); **2.** пъхвам (се), шмугвам (се), промъквам (се); вмъквам (се) (**away, out, past, by, in, into, through**); **to ~ into o.'s clothes** навличам/обличам набързо дрехите си; **to ~ out of o.'s clothes** събличам се бързо; **3.** нося се, плъзгам се (плавно); **4.** изплъзвам се (*и прен.*); **s.th. ~s through my fingers** нещо се изплъзва из пръстите ми (*и прен.*); **to let s.th. ~** **1)** изпускам/изтървавам нещо (*и прен.*); **2)** изпускам се, издавам неволно нещо; **5.** изплъзвам се от (*и прен.*); измъквам се/освобождавам се от; **your name has ~ped my memory** името ви се е изплъзнало от паметта ми; **to ~ s.o.'s notice/attention** минавам незабелязан от някого; **the dog has ~ped its collar** кучето се е измъкнало/освободило от нашийника си; **to ~ o.'s skin** хвърлям кожата си (*за змия*); **6.** правя неволна грешка; изтървавам се; промъквам-се случайно (*за грешка*); изпускам (*при четене, плетене и пр.*); **7.** пускам (*стрела, котва*); **8.** пускам, освобождавам (*куче и пр.*); откачам (*вагон*); **9.** помятам (*за животно*); **10.** развързвам се, не държа (*за възел*); **11.** изкълчвам, навехвам;

   slip along нося се/движа се плавно;

   slip away **1)** измъквам (се) незабелязано; изплъзвам се, отивам си; изчезвам (*и прен.*); **2)** минавам неусетно (*за време*);

   slip back *прен.* връщам се назад; влизам пак в духа на (**into**);

   slip by **1)** минавам неусетно (*за време*); **2)** промъквам се; □ **to let ~ by** пропускам (*възможност и пр.*);

   slip down **1)** падам, хлъзгам се; свличам се; **2)** лесно се пия/гълтам;

   slip in/into **1)** промъквам се, вмъквам се (в); **2)** *прен.* вмъквам (между другото); подмятам; **3)** обличам, навличам (*дреха*);

   slip off **1)** измъквам се; изплъзвам се; **2)** събличам, свалям, изхлузвам (*дреха и пр.*);

   slip on обличам, навличам, нахлузвам;

   slip out **1)** изплъзвам се, измъквам се; **2)** разчувам се;

   slip over *ам.* пробутвам (*някому някаква работа*); измамвам, мятам;

   slip through промъквам (се) (през) (*и прен.*);

   slip up *разг.* сбърквам, правя грешка;

slip² *n* **1.** подхлъзване, хлъзгане; **2.** неволна грешка; опущение, пропуск; гаф; **~ of the tongue/pen** грешка на езика/перото; **3.** спадане, намаление; **4.** парче, къс; ивица; ~ **of wood** треска, дъсчица; ~ **of paper** листче; ~ **of a garden** градинка; 5. *печ.* шпалта; **6.** младо момче/момиче (*обик.* ~ **of a boy/girl**); **7.** издънка, фиданка, калем (*за присаждане*); **8.** дамски комбинезон; **9.** *pl* плувки (*и* **bathing-~s**); **10.** калъф (*за възглавница*); **11.** *тех.* буксуване; **12.** *мор.* хелинг; **13.** *геол.* преместване при разсед; **14.** нашийник (*на куче*); **15.** клипс; **16.** рядка смес от глина, боя и вода (*в грънчарството*); **17.** скеля, кей.

slip-carriage ['slipkæridʒ] *n* жп. вагон, който се откача без спиране на влака.

slipcase ['slipkeis] *n* картонен калъф за книга.

slip-coach ['slipkoutʃ] = **slip-carriage**.

slip-cover ['slipkʌvə] *n* **1.** калъф (*за мебел*); **2.** обложка (*на книга*).

slip-knot ['slipnɔt] *n* **1.** хлабав възел; **2.** примка на връв.

slip-on/-over ['slipɔn, -ouvə] **I.** *a* който се облича през главата; който не се закопчава, без връзки/копчета; **II.** *n* пуловер; дамски ластичен колан.

slipper[1] ['slipə] *n* **1.** пантоф, чехъл; **2.** *тех.* челюст на спирачка; плъзгач, кръстоглав.

slipper[2] *v* разг. натупвам с чехъл.

slippery ['slipəri] *a* **1.** плъзгав, хлъзгав; **2.** *прен.* опасен, деликатен; **to be on a** ~ **slope** тръгнал съм по опасен път; **3.** *прен.* ненадежден, несигурен; непостоянен; хитър, безскрупулен.

slippy ['slipi] *a* разг. **1.** = **slippery**; **2.** бърз, чевръст; **to be/look** ~ бързам.

slip-road ['sliproud] *n* страничен/местен път.

slipshod ['slipʃɔd] *a* **1.** обут с чехли/със стари обувки; **2.** размъкнат, нечист, мърляв; **3.** небрежен, немарлив.

slipslop ['slipslɔp] **I.** *a* **1.** = **slipshod 3**; **2.** слаб (*за питие*); **II.** *n* **1.** слабо питие; *прен.* помия; **2.** глупаво/сантиментално говорене/писане, плещене.

slip-sole ['slipsoul] *n* **1.** стелка, подложка; **2.** вардало.

slipstream ['slipstri:m] *n* ав. попътна струя.

slip-up ['slipʌp] *n* разг. грешка; опущение; неуспех.

slipway ['slipwei] *n* мор. хелинг.

slit[1] [slit] *v* (slit) разрязвам; цепя (се), разцепвам (се); разсичам; ~ **trench** воен. малък окоп.

slit[2] *n* **1.** разрез; цепнатина, цепка; (тесен) отвор; шлиц; **2.** воен. визьор.

slither ['sliðə] *v* хлъзгам (се), плъзгам (се).

slithery ['sliðəri] *a* хлъзгав, плъзгав.

sliver[1] ['slivə] *n* **1.** треска, тресчица; отломък; тънко резенче; **2.** вълмо, снопче; къделя.

sliver[2] *v* **1.** цепя (*дърво*); цепя (се), отцепвам (се), отчупвам (се); **2.** образувам/правя вълмо.

slob [slɔb] *n* **1.** тиня; кал; **2.** *sl.* лош работник, мърляч; **3.** *sl.* простак, глупак.

slobber[1] ['slɔbə] *v* **1.** = **slaver**[3] **1**; **2.** *прен.* лигавя се, сантименталнича (**over**); **3.** *прен.* оплесквам.

slobber[2] *n* **1.** = **slaver**[2] **1**; **2.** *прен.* лигавене.

slobbery ['slɔbəri] *a* **1.** лигав; **2.** немарлив, небрежен, мърляв.

sloe [slou] *n* бот. трънка (Prunus spinosa).

sloe-eyed ['slou,aid] *a* с тъмни бадемови очи.

slog[1] [slɔg] *v* (-gg-) **1.** удрям, блъскам, бъхтя; **2.** бия пт т; влача се; **3.** *прен.* бъхтя се; **to** ~ **away at o.'s work** бъхтя се, трепя се.

slog[2] *n* **1.** силен удар; **2.** тежък/упорит труд, бачкане; **3.** тежък път/ходене.

slogan ['slougən] *n* **1.** лозунг; **2.** боен зов.

sloganeer [,slougə'niə] *n* ам. лозунгаджия.

slogger ['slɔgə] *n* **1.** играч (*на крикет*), който има силен удар; **2.** упорит работник, бачкач.

sloop [slu:p] *n* **1.** едномачтов платноход; **2.** *ист.* малък военен кораб (*и* ~ **of war**).

slop[1] [slɔp] *n* **1.** локва, кал; разлята течност; **2.** *pl* течна храна (*за болни и пр.*); **3.** *pl* помия (*и прен.*); **4.** *pl* екскременти, изпражнения; **5.** *прен.* лигавщини, излияния.

slop[2] *v* (-pp-) изплисквам (се), разливам (се) (**over** на, по);
    slop about/around 1) плискам се (*за течност*); 2) шляпам (*в кал и пр.*); 3) *разг.* мотая се, моткам се;
    slop out 1) разливам се; изплисквам се; 2) изпразвам кофи с помия/изпражнения (*в затвор и пр.*);
    slop over 1) преливам (*се*), изливам (се) (**into** в); изплисквам се; 2) *прен.* лигавя се с, глезя (*дете и пр.*).

slop[3] *n* **1.** работен комбинезон; широка връхна дреха; **2.** *pl.* евтини готови дрехи; **3.** *pl* мор. моряшки дрехи/постелки/завивки; ~ **chest** сандък на моряк.

slop[4] *n* sl. полицай, фанте.

slop basin, bowl ['slɔpbeisn, -boul] *n* купичка за изсипване на утайка от чаени/кафени чаши.

slope[1] [sloup] *n* наклон; наклоненост; полегатост; склон, скат; откос; ~ **of a curve** мат. кривина; ~ **up** нанагорнище; ~ **down** нанадолнище; **rifles at the** ~ воен. пушки на рамо; □ **to do a** ~ = **slope**[2] **2**.

slope[2] *v* **1.** наклонявам (се), навеждам (се); спускам (се); **to** ~ **up** издигам се, възвишавам се (*за терен и пр.*); **to** ~ **down** накланям се, спускам се надолу; **to** ~ **forward/backward** наклонен съм надясно/наляво (*за почерк*); **to** ~ **arms** воен. слагам пушки на рамо; **2.** *sl.* измъквам се, офейквам (*и с* **off**).

slop pail ['slɔp,peil] *n* помийна кофа.

sloppy ['slɔpi] *a* **1.** кален, покрит с локви; мокър (*от разлята течност — за маса, под*); **2.** течен, воден; като помия (*за храна*); **3.** *разг.* небрежен, немарлив; **to be a** ~ **dresser** обличам се/нося се развлечено; **4.** *разг.* сладникаво/блудкаво сантиментален.

slop-shop ['slɔpʃɔp] *n* магазин за (евтини) готови дрехи.

slopwork ['slɔpwə:k] *n* **1.** производство на евтини готови дрехи; **2.** немарлива/долнокачествена работа.

slosh[1] [slɔʃ] *n* **1.** = **slush**[1] **1**; **2.** *sl.* силен удар; **3.** (малко) количество течност; **4.** плискане, плисък; **5.** *разг.* слаба/разредена напитка; **6.** *sl.* сладникава сантименталност.

slosh[2] *v* **1.** плискам; изплисквам, разливам; **2.** цапам, шляпам (*във вода и пр.*) (*и с* **about**); **3.** намокрям; напръсквам; **4.** *sl.* цапардосвам.

slot[1] [slɔt] *n* **1.** прорез; разрез; пролука; цепнатина, цепка; **2.** дълбей, жлеб; **3.** определено/подходящо място (*в програма, йерархия и пр.*).

slot[2] *v* (-tt-) **1.** правя разрез/цепка/дълбей/жлеб в; **2.** слагам в цепка (*монета и пр.*); **3.** намирам/определям подходящо място за; **to** ~ **graduates into jobs** намирам работа за/разпределям завършили университет.

slot[3] *n* следа, диря (*на диво животно*).

slot[4] *v* (-tt-) проследявам (*дивеч*).

sloth [slouθ] *n* **1.** мързел, леност; **2.** зоол. ленивец (*сем.* Bradypodidae).

slothful ['slouθful] *a* ленив, мързелив; муден.

slot-machine ['slɔtməʃi:n] *n* монетен автомат.

slouch[1] [slautʃ] *v* **1.** ходя/седя/стоя отпуснато; отпускам, прегърбвам (*рамене и пр.*); **2.** мъкна се, влача се (*и с* **about, around**); **3.** смъквам (*периферия на шапка*); вися надолу (*за периферия*).

slouch² *n* **1.** отпуснатост; приведена/отпусната походка; прегърбена стойка; **to walk with a** ~ влача си краката; **2.** *sl.* небрежен работник, мърляч; небрежна работа; **to be no** ~ **at** бива ме в; **it's no** ~ **of a place** хубаво място; **3.** = **slouch-hat.**

sloucher ['slautʃə] *n* туткавец, мързелан; мърляч.

slouch-hat ['slautʃhæt] *n* широкопола мека шапка.

slough¹ [slau] *n* **1.** блато, тресавище, мочур(ище); **2.** *прен.* блато; ~ **of despond** пълно отчаяние.

slough² [slʌf] *n* **1.** стара/хвърлена кожа на змия; изпадали пера/косми/люспи; струпей; мъртва тъкан; **2.** изоставен навик.

slough³ [slʌf] *v* **1.** сменям (се), променям (се) (*за кожа, пера и пр.*) (*и с* **off**); **2.** люшя се, обелвам се (*и с* **off**); **3.** отказвам се от (*навик и пр.*) (*и с* **off**); **4.** карти изхвърлям, чистя.

sloughy¹ ['slaui] *a* блатист, мочурлив.

sloughy² ['slʌfi] *a* на/като струпей.

Slovak ['slouvæk] *a* **1.** словак; **2.** *attr* словашки.

sloven ['slʌvn] *n* повлекан, немарливец.

Slovene ['slouvi:n] *n* словенец.

Slovenian [slou'vi:njən] *n* = **Slavonian.**

slovenly ['slʌvnli] *a* небрежен, немарлив, мърляв; **done in a** ~ **way** направен надве-натри/през куп за грош, претупан.

slow¹ [slou] *a* **1.** бавен; забавен; муден; тежък; ~ **heart** *мед.* брадикардия; **to be** ~ **to start/in starting** не бързам да започна/тръгна; **to be** ~ **to anger** не се ядосвам лесно, не съм сприхав; **to be** ~ **in arriving/coming** закъснявам; **he is not** ~ **to defend himself** той реагира бързо в своя защита; **in** ~ **motion** със забавено темпо; ~ **and/but sure** бавен, но сигурен; ~ **and steady wins the race** който върви полека, отива далеко, бавно, но сигурно; ~ **goods** *жп.* стоки/товар с малка бързина; **2.** тих, слаб (*за огън*); **3.** който изостава/е изостанал (*за часовник*); **4.** несъобразителен; *прен.* бавен; тъп; **he's frightfully** ~ той много бавно загрява; ~ **child** бавноразвиващо се дете; **5.** *търг.* слаб, в застой; слабо търсен (*за стока*) (*и* ~ **moving**); **6.** скучен, вял, безинтересен; *прен.* заспал; изостанал (*и за град*).

slow² *v* забавям (се), намалявам скоростта/темпото (**up, down, off**).

slow³ *adv* бавно; **to go** ~ **1)** карам бавно; **2)** забавям темпото (*за да си отпочина*); **3)** внимавам; **4)** работя бавно в знак на протест; **to go** ~ **with** пестя, икономисвам.

slowcoach ['sloukoutʃ] *n* **1.** бавен/муден човек; **2.** бавно загряващ човек; тежка гемия; **3.** назадничав/старомоден човек.

slow-down ['sloudaun] *n* **1.** забавяне; **2.** умишлено забавяне на производството (*вид стачка*).

slow match ['slou‚mætʃ] *n* бикфордов шнур.

slow-motion ['sloumouʃn] *a* с/на бавни обороти.

slowpoke ['sloupouk] *ам.* = **slowcoach.**

slow-witted ['slou‚witid] *a* глуповат, тъп, бавно загряващ.

slow-worm ['slouwə:m] *n* *зоол.* слепок (Anguis fragilis).

slubber ['slʌbə] *v* **1.** омърсявам, оцапвам; **2.** *прен.* претупвам, свършвам през куп за грош.

sludge [slʌʤ] *n* **1.** киша, лапавица; **2.** утайка, мътилка; шлам; **3.** тънък плаващ лед.

sludgy ['slʌʤi] *a* тинест, кален; мътен.

slue¹ = **slew**².

slue² *ам.* = **slough.**

slug¹ [slʌg] *n* **1.** *зоол.* плужек, гол охлюв (*сем.* Limacidae); **2.** мързелан, дембел; **3.** бавнодвижещо се превозно средство.

slug² *v* (**-gg-**) **1.** движа се бавно, мъкна се; **2.** забавям; **3.** бездействувам, мързелувам.

slug³ *n* **1.** (грубо излят) куршум; сачма; **2.** *метал.* полуизпечена/полуизпържена руда; заготовка; **3.** *печ.* реглета; линотипен ред; **4.** *ам.* (фалшив) жетон (*за монетен автомат*); **5.** *физ.* слъг (*единица за маса*).

slug⁴ = **slog**¹.

slug⁵ *n ам.* **1.** тежък удар (*с юмрук*); **2.** чашка силно питие.

slug-abed ['slʌgəbed] *n* мързелан, човек, който обича да се излежава.

slugfest ['slʌgfest] *n ам.* шумна кавга/бой.

sluggard ['slʌgəd] *n* леlivец, мързеливец, мързелан.

sluggish ['slʌgiʃ] *a* **1.** бавен, муден; бавнотечащ; **2.** мързелив, ленив; бездеен; бавно действуващ; **3.** *търг.* слаб, в застой.

sluice¹ [slu:s] *n* **1.** шлюз; бент, яз; врата на док/шлюз; водозащитна преграда; **2.** водовод, преливник; тръбен водоизпускател; **3.** *мин.* улей/корито за промиване на злато/руда; **4.** *разг.* изплакване, измиване, промиване.

sluice² *v* **1.** отварям шлюз; отвеждам (*вода*); **2.** *мин.* промивам в улей/корито; **3.** тека, изтичам (*и с* **out**); **4.** заливам, обливам; промивам, измивам със силна струя.

sluice-gate ['slu:sgeit] *n* шлюзова врата; пропускателен отвор.

slum¹ [slʌm] *n* **1.** беден/пренаселен квартал; **2.** овехтяла порутена къща; ~ **clearance** (кампания за) събаряне на къщи в бедняшки квартали и преместване на жителите им при по-добри условия.

slum² *v* (**-mm-**) **1.** обикалям бедните квартали с благотворителна цел/от любопитство (*и* **to go** ~**ming**); **2.** *разг.* живея бедняшки.

slumber¹ ['slʌmbə] *n поет.* (лек) сън (*често pl*); покой.

slumber² *v* **1.** спя (спокойно/леко); **to** ~ **away** проспивам; **2.** бездействувам; *прен.* дремя, спя.

slumb(e)rous ['slʌmbrəs] *a* сънлив, дремлив; задрямал; приспивен.

slumgullion ['slʌmgʌliən] *n* чорба от месо и зеленчуци.

slummy ['slʌmi] *a* бедняшки.

slump¹ [slʌmp] *n* **1.** *ик.* рязко спадане (*на цени и пр.*); икономически спад/криза; **2.** (период на) загуби (*в спорта и пр.*); спаднал интерес; **3.** слягане/свличане на почвата; **4.** приведена/прегърбена стойка.

slump² *v* **1.** (с)падам рязко (*за цени, интерес, качество и пр.*); **2.** слягам се, свличам се (*за почва*); **3.** отпускам се, падам, стоварвам се (**into a chair** на стол, **to the ground/floor** на земята) (*и с* **down**); **4.** ходя приведен/прегърбен; **5.** *прен.* провалям се.

slung *вж.* **sling**².

slunk *вж.* **slink**¹.

slur¹ [slə:] *v* (**-rr-**) **1.** сливам (*звукове, букви, думи — при говорене, писане, четене*); говоря/отпечатвам неясно; **2.** *муз.* изпълнявам легато; **3.** *ост.* петня, опетнявам; клеветя; омаловажавам; **4. to** ~ **over** *прен.* замазвам, заглаждам; премълчавам, отминавам (*грешки, различия и пр.*); **5.** *ам. прен.* претупвам, свършвам как да е.

slur² *n* **1.** клевета, обида; петно; злостна забележка, инсинуация; **to cast a** ~ **on** петня, опетнявам; **to keep o.'s reputation free from (all)** ~**s** пазя репутацията си чиста/неопетнена; 2. *муз.* легато; 3. слят/неясен изговор; 4. *печ.* неясно отпечатване, зацапване, зацапан текст.

slurp ['slə:p] *v* мляскам; сърбам (шумно).

slurry ['slʌri] *n* 1. рядък цимент/глина/кал; глинена каша; циментово тесто; 2. суспензия (*на ситни въглища*).

slush[1] [slʌʃ] *n* 1. киша, лапавица; (рядка) кал; 2. сантиментална измислица; глупава/евтина сантименталност; глупости; 3. смазка против ръждясване; 4. *мор.* отпадъци от сланина/мас.

slush[2] *v* 1. изцапвам, изкалвам; цапам в кал/лапавица; 2. обливам, заливам; плискам; 3. изпълвам (*фуги*) с хоросан; 4. *тех.* смазвам.

slush fund ['slʌʃˌfʌnd] *n ам.* пари за подкупи (*при избори и пр.*).

slushy ['slʌʃi] *a* 1. кишав, кален; 2. сладникаво сантиментален, лигав.

slut [slʌt] *n* 1. повлекана; 2. уличница; 3. *ост. шег.* момиче; 4. кучка.

sluttish ['slʌtiʃ] *a* развлечен, небрежен, мръсен (*за жена*).

sly [slai] *a* 1. хитър, лукав, потаен; **on the ~** (по)тайно, крадешком; 2. закачлив, дяволит; многозначителен, ироничен.

slyboots ['slaibu:ts] *n pl с гл. в sing разг. шег.* хитрец.

slype [slaip] *n* пасаж, галерия (*в катедрала*).

smack[1] [smæk] *n* 1. плесница; шляпване; 2. мляскане, млясване (*и ~ of the lips*); шумна целувка; **to give s.o. a hearty ~** целувам някого сърдечно и шумно; 3. плющене (*на камшик*); удар; □ **to get a ~ in the eye/face** *разг.* претърпявам неуспех/разочарование; **to have a ~ at s.th.** *разг.* опитвам се да направя нещо.

smack[2] *v* 1. пляскам, плясвам, шляпвам; 2. мляскам, млясвам; **to ~ o.'s lips** 1) мляскам; 2) *прен.* обливам се; 3. *разг.* целувам шумно, мляскам; 4. плющя (с) (*камшик и пр.*).

smack[3] *adv* право; **~ in the middle** право в средата.

smack[4] *n* 1. вкус, миризма, мирис (**of** на); 2. мъничко, нещичко, следа; **to have a ~ of obstinacy/recklessness in o.'s character** падам (си) малко упорит/безразсъден, имам известна доза упоритост/безразсъдство.

smack[5] *v* 1. имам вкус/миризма/примес, намирисвам (**of**); 2. *прен.* приличам, напомням, намирисвам; **opinions that ~ of heresy** малко еретични мнения.

smack[6] *n* малка рибарска платноходка.

smack-dab ['smækdæb] *ам. разг.* = **smack**[3].

smacker ['smækə] *n разг.* 1. звучна целувка; 2. силен/звучен удар; 3. една лира стерлинга; един долар.

smacking ['smækiŋ] *a* 1. звучен, шумен; 2. силен (*за вятър*).

small[1] [smɔ:l] *a* 1. малък, неголям; дребен; ситен; **the ~ hours** малките часове, часовете след полунощ; **~ capitals**/*разг.* **caps** *печ.* капители; **~ craft** лодка; **~ waist** тънка талия; **the ~ screen** малкият екран, телевизията; 2. дребен, малък, незначителен; **~ shopkeeper/farmer** дребен търговец/земеделец; **~ talk** банален/дребен/светски разговор; 3. скромен (*и за произход*); **in a ~ way** скромно, в малък мащаб; безпретенциозно; 4. почти никакъв; **to have ~ cause for** почти нямам причина/повод за; **and ~ wonder** и нищо чудно; **to pay ~ attention to** не обръщам почти никакво внимание на; **no ~** немалък, доста голям; **he has ~ Latin** почти не знае латински; 5. дребнав; *прен.* дребен; ограничен; 6. слаб, разреден (*за питие*); **~ beer** 1) слаба бира; 2)

дребни/празни работи, дреболии; **to think no ~ beer of o.s.** мисля се за много нещо, имам голямо мнение за себе си; **to be ~ beer** не съм/не представлявам нищо особено; 7. тих (*за глас*); □ **to feel ~** чувствувам се засрамен/унижен; **to make s.o. feel ~** засрамвам/унижавам някого, смачквам някому фасона.

small[2] *adv* дребно, на дребни/малки парчета; ситно; със ситни букви/почерк; □ **to sing ~** *разг. прен.* пея/запявам друга песен, снемам мерника, ставам поскромен.

small[3] *n* 1. най-тясна/тънка част; **the ~ of the back** кръстът; 2. *pl разг.* дребни неща (*за пране*); 3. *pl* първи университетски изпит (*в Оксфорд*).

smallage ['smɔ:lidʒ] *n* керевиз, целина (Apium graveolens).

smallholder ['smɔ:lhouldə] *n* дребен (селски) собственик.

smallholding ['smɔ:lhouldiŋ] *n* дребна (селска) собственост.

smallish ['smɔ:liʃ] *a* възмалък; възнисък; недостатъчен.

small-minded ['smɔ:lˌmaindid] *a* дребнав, ограничен.

smallpox ['smɔ:lpɔks] *n* едра шарка, вариола; **marked with ~** сипаничав.

small-scale ['smɔ:lskeil] *a* в малък мащаб, дребен.

small-sword ['smɔ:lsɔ:d] *n* шпага, рапира.

small-time ['smɔ:ltaim] *a* незначителен, дребен, маловажен.

small wares ['smɑ:lˌwɛəz] *n pl* галантерия, кинкалерия, пасмантерия.

smalt [smɔ:lt] *n тех.* шмалта.

smarm [smɑ:m] *v разг.* 1. изглаждам, замазвам; намазвам; 2. подмазвам се, лаская.

smarmy ['smɑ:mi] *a* подмазващ се, мазен.

smart[1] [smɑ:t] *a* 1. интелигентен, умен; бърз, находчив; остроумен, хитър; безскрупулен; нахакан; **~ dealing/practice** безскрупулно деяние/държане; **he's a ~ one** *разг.* бива си го; **~ talker** човек, който умее да говори/убеждава; **~ alec(k)/alick** хитрец; всезнайко; 2. бърз, чевръст, пъргав, енергичен; сръчен; прецизен; **look ~ (about it)! you'd better be pretty ~ about it!** побързай! не се бави! **to make a ~ job of** свършвам работа бързо и прецизно; **to be ~ in answering** винаги имам готов отговор; **~ walk** бърз ход; бърза разходка; **at a ~ pace** бързо, енергично, с бързи крачки; 3. спретнат, стегнат; моден; елегантен, шик; светски; **to make o.s. ~** обличам се елегантно; **the ~ set/society** светското общество, хайлайфът; 4. силен (*за удар и пр.*); тежък, суров (*за наказание*); 5. смъдящ; 6. значителен, доста голям.

smart[2] *v* 1. смъди (ме), боли (ме); пари (ми); 2. причинявам смъдене/болка, смъдя; 3. *прен.* боли ме, огорчен съм, страдам; **to ~ under an injustice/rebuke** измъчвам се от неправда/укор; **to ~ with vexation** силно съм раздразнен; **to ~ for s.th.** *прен.* плащам за нещо, изпащам си; **the insult ~s yet** обидата още не е забравена.

smart[3] *n* 1. смъдене, смъдеж; болка; 2. огорчение, болка.

smarten ['smɑ:tn] *v* 1. спретвам (се), докарвам (се), оправям (се) (*и с* **up**); правя/ставам по-спретнат/по-елегантен; 2. **to ~ up** ускорявам; оживявам (се); подобрявам, правя по-ефикасен.

smart-money ['smɑ:tmʌni] *n* 1. *юр.* обезщетение (*особ. твърде високо*); 2. *ам.* суми, вложени в предприятие въз основа на тайно получени сведения; хора, влагащи такива суми; 3. *ост.* откуп (*от военна служба*); 4. *воен.* инвалидна пенсия/помощ.

smart-weed ['smɑ:twi:d] *n бот.* пача трева, пипериче (Polygonum hydropiper).

smarty ['smɑːti] *n ам. разг.* всезнайко; хитрец; нахакан човек.

smartypants ['smɑːtipænts] *n pl с гл. в sing* = **smarty**.

smash[1] [smæʃ] *v* **1.** счупвам (се), разбивам (се), строшавам (се) (*и с* **up**); смачквам (се), смазвам (се); **to ~ in/down a door, to ~ a door open** разбивам врата; **2.** удрям (се)/блъскам (се) с все сила; удрям, запращам; забивам (*топка*); **3.** фалирам, банкрутирам (*и с* **up**); **4.** унищожавам (*противник*);
smash in 1) вмъквам се/влизам насила; 2) разбивам; пробивам; □ **to ~ s.o.'s face in** разбивам мутрата на някого;
smash up 1) разбивам, унищожавам; нанасям тежки поражения на; 2) фалирам.

smash[2] *n* **1.** счупване; сблъскване; удар; катастрофа; **to hit o.'s head an awful ~** страшно си удрям главата; **2.** трясък; **3.** фалит; **to go ~** фалирам; **4.** поражение; **5.** *сп.* забиване (*на топка*); **6.** студена алкохолна напитка с подправки; **7.** *ам. разг.* (нещо, което има) голям успех (*и* ~ **hit**).

smash[3] *adv* с трясък; с все сила; **to go ~ into** блъскам се с все сила в.

smasher ['smæʃə] *n* **1.** нещо изключително; пленителен/чудесен човек, бомба; **2.** силен удар.

smashing ['smæʃiŋ] *a* **1.** тежък, съкрушителен; **2.** *разг.* чудесен, великолепен, екстра.

smash-up ['smæʃʌp] *n* **1.** катастрофа (*и прен.*); **2.** фалит; рухване.

smatter[1] ['smætə] *v* говоря повърхностно; имам повърхностни познания по.

smatter[2], **smattering** [-riŋ] *n* повърхностни (по)знания (**of** по).

smaze [smeiz] *n* дим и мъгла.

smear[1] [smiə] *v* **1.** мажа, намазвам; **to ~ oil on, to ~ with oil** намазвам с масло; **2.** оцапвам (се), нацапвам (се), измърсявам (се); зацапвам (*дума при писане и пр.*); **3.** *прен.* петня, опетнявам, очерням; **4.** *ам. sl.* смазвам (*противник*).

smear[2] *n* **1.** петно, леке; **2.** *мед.* намазка (*и на предметно стъкло*); **3.** *разг.* петно; клевета, опит за оклеветяване.

smear-word ['smiəwəːd] *n* заклеймяващ/мръсен епитет.

smeary ['smiəri] *a* зацапан, замърсен, мръсен, нечист; лепкав.

smell[1] [smel] *n* **1.** миризма, мирис, аромат (**of** на); **to have/take a ~ of s.th.** помирисвам нещо; **2.** обоняние.

smell[2] *v* (**smelled, smelt** [smelt]) **1.** усещам мирис (на); мириша, помирисвам; душа (*и с* **at**); подушвам, надушвам; издавам/имам мирис/аромат, мириша (**of** на); воня, смърдя; **3.** *прен.* воня, смърдя, много съмнителен съм; **to ~ to high heaven** воня (*и прен. — за сделка и пр.*);
smell about/around *прен.* душа, търся сведения;
smell of 1) мириша на, имам аромат/миризма на; 2) *прен.* намирисвам/приличам на; **s.th. ~s of the lamp** изглежда, че нещо е изработено с много труд/с много нощни бдения; **to ~ of the shop** 1) полагам големи усилия да си продам стоката; 2) говоря твърде технически/професионално;
smell out 1) подушвам, откривам/намирам с душене; 2) разкривам, откривам (*тайна*);
smell up умирисвам, вмирисвам.

smeller ['smelə] *n sl.* нос.

smelling-bottle ['smeliŋbɔtl] *n* шишенце с амонячна сол (*за вдишване*).

smelling-salts ['smeliŋsɔːlts] *n pl* амонячна сол за вдишване.

smelly ['smeli] *a* вонлив, вонящ, зловонен.

smelt[1] [smelt] *v* топя, стопявам; разтопявам, произвеждам (*метал*) чрез топене.

smelt[2] *n* метал. стопилка; стопен метал.

smelt[3] *n зоол.* корюшка (*риба*) (Osmerus).

smelt[4] *вж.* **smell**[2].

smile[1] [smail] *n* усмивка; **to be all ~s** изглеждам много щастлив; много съм любезен, разливам се в усмивки; **to give a faint ~** усмихвам се едва-едва.

smile[2] *v* (*и* **on, upon**); **to ~ a bitter smile** усмихвам се горчиво; **to keep smiling** 1) не преставам да се усмихвам; 2) не падам духом при нещастие/неприятност; **2.** изразявам с усмивка, усмихвам се в знак на (*съгласие и пр.*); **to ~ a welcome** посрещам/поздравявам с усмивка; □ **to come up smiling** *разг.* бързо се съвземам след неуспех.

smirch[1] [sməːtʃ] *v* **1.** омърсявам, изцапвам; **2.** петня, опетнявам.

smirch[2] *n* петно (*главно прен.*).

smirk[1] [sməːk] *n* самодоволна/глупава/мазна усмивка.

smirk[2] *v* усмихвам се/хиля се самодоволно/глупаво/мазно.

smite [smait] *v* (**smote** [smout]; **smitten** ['smitn]) **1.** удрям (се), блъскам (се); **a strange sound smote upon our ears** странен шум ни блъсна в ушите/достигна до ушите ни; **2.** наказвам; поразявам; измъчвам; **his conscience/heart smote him** съвестта започна да го мъчи/заговори в него; **smitten with mad ambition** обладан/измъчван от бясна амбиция; **smitten with fear** обхванат/обладан от страх; **smitten with remorse** разкайвам се, обзет съм от разкаяние; **to be smitten with a pretty girl** влюбвам се в/лапвам по хубаво момиче; **smitten with plague** нападнат от чума; **smitten with palsy** парализиран.

smith [smiθ] *n* ковач; **shoeing ~** налбантин.

smithereens, smithers ['smiðəriːnz, 'smiðəz] *n pl разг.* парченца, късчета; **to smash to/into ~** строшавам; правя на парчета.

smithery ['smiðəri] *n* **1.** ковачница; **2.** ковашки занаят.

smithy ['smiði] *n* ковачница.

smitten *вж.* **smite**.

smock[1] [smɔk] *n* широка набрана риза/работна дреха/комбинезон; рубашка.

smock[2] *v* **1.** набирам, украсявам с набори; **2.** обличам в работен комбинезон/рубашка.

smog [smɔg] *n* черна мъгла; мъгла, примесена с пушек.

smoke[1] [smouk] *n* **1.** пушек, дим; **2.** пушене, изпушване (*на цигара и пр.*); **to have a ~** изпушвам една цигара и пр.; **3.** *разг.* цигара, пура, лула; □ **to go up/end in ~** безрезултатен съм, не давам никакъв резултат; изпарявам се (*за надежди и пр.*); **there is no ~ without fire** има си крушка опашка; **that's all ~** всичко това е вятър/измислица; **like ~** *sl.* съвсем бързо/лесно; моментално.

smoke[2] *v* **1.** пуша, димя; **2.** пуша (*тютюн и пр.*); пуша се (*за цигара и пр.*); **no smoking** пушенето забранено; **3.** пуша, опушвам; задимявам; окадявам, одимявам; **~d glass** тъмно стъкло; **4.** изпускам пара; **5. to ~ out** 1)дезинфекцирам (*стая и пр.*); 2) изгонвам с пушек (*оси от гнездо и пр.*); 3) изкарвам наяве; **6.** *sl.* разярен съм, вдигам пара.

smoke-filled room ['smoukfild͵rum] *n ам.* стая (*в хотел и пр.*) за тайни политически заседания.

smoke-house ['smoukhaus] *n* помещение за опушване на риба и пр.

smoke-jack ['smoukʤæk] *n* механизъм за въртене на шиш.

smokeless ['smouklis] *a* бездимен.

smoker ['smoukə] *n* 1. пушач; 2. купе за пушачи; 3. приятелска среща на мъже (*в клуб и пр.*).

smoke-screen ['smoukskri:n] *n* димна завеса (*и прен.*).

smokestack ['smoukstæk] *n* 1. (висок) комин (*и на кораб*); 2. кюнец.

smoking carriage, compartment ['smoukiŋkæriʤ, kəm'pa:tmənt] *n* вагон/купе за пушачи.

smoking-mixture ['smoukiŋmikstʃə] *n* смес от тютюн за лула.

smoking-room ['smoukiŋrum] *n* 1. пушалня; 2. *attr* нецензурен, неприличен.

smoky ['smouki] *a* 1. димен; задимен, запушен, опушен; пушещ, димящ; замъглен; 2. тъмносив.

smolder *ам.* = **smoulder.**

smooth[1] [smu:ð] *a* 1. гладък, равен (*и за стих, глас*); 2. плавен, спокоен (*за движения, полет и пр.*); *прен.* спокоен, гладък, лесен; **to make things ~ for s.o.** улеснявам някого; **to get into ~ water** измъквам се/излизам от затруднение; **the way is ~ now** сега е вече лесно; 3. спокоен, уравновесен (*за нрав*); 4. любезен; лицемерен, хитър; ласкателен; **~ words** любезности; преструвки; 5. нестипчив, нетръпчив, пивък.

smooth[2], **smoothe** *v* 1. изглаждам, оглаждам, приглаждам; разглаждам (**out, down, over, away**); 2. **to ~ down** успокоявам се (*за море и пр.*); 3. изглаждам (*фраза и пр.*); успокоявам (се) (*и с* **down**); улеснявам; изглаждам, премахвам, смекчавам (*трудности, различия*) (**away, over**); **to ~ s.o.'s path** улеснявам (пътя на) някого; 4. *тех.* лъскам, полирам, шлифовам; изглаждам.

smooth-bore ['smu:ðbɔ:] *a, n* гладкоцевна (пушка).

smooth-faced ['smu:ð¸feist] *a* 1. (о)бръснат; 2. голобрад; младолик; 3. любезен; лицемерен, хитър.

smooth-spoken, -tongued ['smu:ð¸spoukən, ¸tʌŋd] = **smooth-faced 3.**

smorgasbord ['smɔ:gəsbɔ:d] *n швед.* 1. бюфет с различни ордьоври и пр.; 2. *прен.* смесица, миш-маш.

smote *вж.* **smite.**

smother[1] ['smʌðə] *v* 1. задушавам (се); душа (се); 2. потушавам, угасявам (*огън*); 3. *прен.* сдържам, удържам; обуздавам, овладявам (*смях, чувство*); 4. отрупвам, обгръщам, обсипвам; **to ~ with kisses/kindness** обсипвам с целувки/любезност; **to be ~ed in/with dust** цял съм обсипан/покрит с прах; задушавам се от прах; 5. *готв.* задушавам; 6. **to ~ up** потулвам (*скандал и пр.*).

smother[2] *n* гъст облак дим/прах.

smoulder[1] ['smouldə] *v* 1. тлея; пуша; 2. *прен.* тая се; **~ing hatred** затаена/скрита омраза.

smoulder[2] *n* тлеене; тлеещ огън.

smudge[1] [smʌʤ] *v* 1. зацапвам (се); 2. изгонвам с пушек (*насекоми*); 3. *прен.* опетнявам.

smudge[2] *n* 1. петно (*и прен.*); зацапано място (*при писане, печатане*); 2. *ам.* огън, който пуши силно (*за изгонване на насекоми*); пушек от такъв огън.

smudgy ['smʌʤi] *a* 1. оцапан, зацапан; 2. опетнен.

smug [smʌg] *a* самодоволен.

smuggle ['smʌgl] *v* контрабандирам, вмъквам контрабанда, внасям тайно (**into**); изнасям тайно (**out of**); **to ~ away** скривам, укривам.

smuggler ['smʌglə] *n* контрабандист; кораб, който пренася контрабанда.

smut[1] [smʌt] *n* 1. сажда; петно от сажди; 2. *бот.* плесен, главня (*по житата*); 3. мръсни/нецензурни думи, цинизми.

smut[2] *v* (-tt-) 1. изцапвам (се) със сажди; опушвам; 2. заразявам (се) от главня (*за жито*); 3. опетнявам, осквернявам.

smutty ['smʌti] *a* 1. оцапан (със сажди); очернен; 2. заразен от главня (*за жито*); 3. неприличен, мръсен, циничен.

snack[1] [snæk] *n* 1. закуска, леко ядене, похапване; 2. дял, част.

snack[2] *v* похапвам леко, закусвам.

snackbar ['snækba:] *n* закусвалня.

snaffle[1] ['snæfl] *n* вид юздечка; □ **to ride s.o. on the ~** отнасям се меко/внимателно към някого.

snaffle[2] *v* 1. слагам юздечка на; 2. *sl.* отмъквам, задигам, свивам.

snafu[1] [snæ'fu:] *a ам. sl.* объркан, хаотичен, в безпорядък.

snafu[2] *n ам. sl.* бъркотия, хаос; грешка, гаф.

snag[1] [snæg] *n* 1. опасно стърчащ дънер/клон/камък/зъбер (*и под водата*); 2. корен от счупен зъб; стърчащ зъб; 3. малко разкление на еленов рог; 4. *прен.* непредвидено/неочаквано препятствие/пречка; **to come upon/strike a ~** срещам неочаквано затруднение; **there is a ~ in it somewhere** има някаква скрита пречка; **without a ~** без всякаква спънка/трудност, съвсем гладко.

snag[2] *v* (-gg-) 1. блъскам се/закачам се на дънер/клон/камък/зъбер; повреждам се/пробивам се/скъсвам се при блъскане/закачане; 2. чистя/прочиствам от (скрити) дънери/клони и пр.; 3. спъвам, попречвам на; 4. *ам.* хващам, залавям, пипвам; успявам да получа/докопам.

snagged [snægd] *a* 1. пълен с дънери (*за речно дъно*); 2. възлест, чепат; 3. стърчащ.

snaggle-tooth ['snægltu:θ] *n* (*pl* -**teeth** [-ti:θ]) стърчащ/счупен зъб.

snaggy ['snægi] = **snagged.**

snail [sneil] *n* 1. охлюв (*ам. и гол*); **at a ~'s pace/** *ост.* **gallop** като охлюв/костенурка, много бавно; 2. бавен, муден човек.

snake[1] [sneik] *n* змия (*и прен.*); □ **~ in the grass** скрита опасност; скрит враг; **~ in o.'s bosom** черен неблагодарник, изменник; **to see ~s** имам делириум тременс.

snake[2] *v* 1. вия се/извивам се/пълзя като змия; 2. влача (*трупи*).

snake-charmer ['sneiktʃa:mə] *n* змиеукротител.

snake fence ['sneik¸fens] *n ам.* зигзагообразна ограда.

snake-pit ['sneikpit] *n sl.* лудница (*и прен.*).

snakeroot, -weed ['sneikru:t, -wi:d] *n бот.* дебрянка (Sanicula europaea); дъбравник (Eupatorium); пача трева (Polygonium bistorta).

snaky ['sneiki] *a* 1. змиевиден; змийски; 2. пълен със змии; 3. извиващ се, гъвкав (*за движения и пр.*); 4. подъл, лукав, коварен; зъл.

snap[1] [snæp] *v* (-pp-) 1. щраквам (се); плющя (с) (*камшик*); изплющявам; **to ~ o.'s fingers** щраквам с пръсти; **to ~ o.'s fingers at s.o./in s.o.'s face** изразявам пренебрежение към някого, показвам, че не давам пет пари за някого; **to ~ shut** захлопвам се; 2. счупвам (се), отчупвам (се), скъсвам (се); прасвам (се); 3. хапя/захапвам шумно/бързо; щраквам (със) зъби; 4. казвам рязко, отсичам; сопвам се; 5. правя (моментална) снимка, снимам; 6. святкам, искря (*за очи*); 7. стрелям наслуки;

snap at 1) понечвам да захапя; 2) сопвам се на; 3) приемам веднага/с готовност (*предложение и пр.*);

snap back 1) отвръщам рязко/сопнато; 2) отскачам бързо назад;

snap down 1) затварям/захлопвам шумно (*капак и пр.*); 2) изплющявам (*за камшик*);

snap in/into: to ~ in/into it *sl.* залавям се веднага за нещо;

snap off 1) отчупвам; 2) отхапвам; 3) щраквам (*за да загася*); □ **to ~ s.o.'s head/nose off** сопвам се на някого, прекъсвам някого рязко/грубо;

snap out изричам рязко/грубо; отсичам; □ **to ~ out of it** *разг.* отърсвам се бързо (*от лошо настроение, навик*);

snap to хлопвам (се), захлопвам (се);

snap up 1) грабвам (*и прен.*); разграбвам (*стоки, билети*); 2) захапвам, залапвам; 3) прекъсвам/възразявам рязко/грубо; □ **~ it up!** *ам. sl.* по-бързо! давай!

snap[2] *n* **1.** тракане, щракване; изплющяване; прасване; **with a ~** шумно; **2.** бързо захапване/грабване; **3.** закопчалка; клипс; *mex.* стяга, клема; запънка; ключалка; **4.** хрупкава бисквита; **5.** (моментална) снимка; **6.** кратко застудяване; рязка промяна на времето; **7.** *разг.* енергия; сила; живост; замах; **put some ~ into it!** по-живо! **8.** вид игра на карти; **9.** *ам. sl.* лесна/доходна/изгодна работа; **10.** малко нещо, парченце.

snap[3] *a* **1.** внезапен, неочакван; направен без предупреждение; необмислен; неподготвен; **2.** затварящ се с прищракване; **3.** *ам. разг.* лесен, лек.

snap[4] *adv* бързо; шумно; **to go ~** прасвам (се).

snapback ['snæpbæk] *n ам.* **1.** бързо възстановяване (*на цени*); **2.** *футб.* бързо връщане от центъра.

snap bean ['snæp,bi:n] *n ам.* вид зелен фасул.

snap-brim ['snæpbrim] *a* със спусната отпред периферия (*за шапка*).

snapdragon ['snæpdrægən] *n бот.* кученце (Antirrhinum).

snap fastener ['snæp,fa:snə] *n* **1.** *mex.* запънка, езиче, зъбец; **2.** закопчалка (*на ръкавица и пр.*), вид секретно копче.

snapper ['snæpə] *n* **1.** вид риба (*род Pagrosomus*); **2.** вид костенурка (Chelydra serpentina) (*и* **snapping turtle**); **3.** = **click-beetle**.

snappish ['snæpiʃ] *a* **1.** който хапе (*за куче*); **2.** раздразнителен, сприхав; рязък; сърдит.

snappy ['snæpi] *a* **1.** = **snappish**; **2.** жив, пъргав, енергичен; **make it ~ ! look ~ !** по-бързо! по-живо! **3.** *разг.* елегантен.

snapshot ['snæpʃɔt] *n* **1.** (моментална) снимка; **2.** бърз изстрел; изстрел наслуки.

snare[1] [snɛə] *n* **1.** примка; капан; клопка; **2.** уловка; трик; примамка.

snare[2] *v* улавям в капан; впримчвам (*и прен.*); примамвам.

snarl[1] [sna:l] *v* ръмжа, зъбя се, озъбвам се (*и прен.*).

snarl[2] *n* ръмжене, зъбене, озъбване (*и прен.*).

snarl[3] *v* **1.** обърквам (се), омотавам (се), уплитам (се); **2.** усложнявам (се), заплитам (се); **3. to ~ up** 1) обърквам (се), задръствам (се) (*за улично движение и пр.*); 2) *прен.* забърквам (се), заплитам (се), объркам (се).

snatch[1] [snætʃ] *v* **1.** грабвам, сграбчвам; открадвам; **2.** откубвам, изтръгвам; отнасям; *sl.* отвличам (**away, off, from, up**); **to ~ a kiss** открадвам си целувка; **3. to ~ at** 1) посягам да взема/грабна; 2) приемам веднага/охотно (*предложение и пр.*).

snatch[2] *n* **1.** грабване, сграбчване; посягане; **2.** откъс, парче; **~es of conversation** откъслечен разговор; **3.** кратък период/време; **to work by/in ~es** работя с прекъсвания/на пресекулки; **to have a ~ of sleep** дремвам малко; **4.** лека закуска, похапване; **5.** *sl.* отвличане.

snatch-purse, -thief ['snætʃpə:s, -θi:f] *n* апаш, крадец на чанти.

snatchy ['snætʃi] *a* откъслечен; който се извършва на пресекулки.

snath, snathe ['sna:ð,sneið] *n* дръжка на коса.

snazzy ['snæzi] *a sl.* шик(озен).

sneak[1] [sni:k] *v* **1.** дебна, промъквам (се), прокрадвам се (**by, in**); **to ~ out** измъквам (се); **2.** *sl.* отмъквам, задигам; крада на дребно; **to ~ a smoke** изпушвам тайно една цигара; **3.** *sl.* наклеветявам, наковладвам (**on s.o.** някого); клевети, издайнича.

sneak[2] *n* **1.** *разг.* подлец, доносник; **2.** *ам. разг.* измъкване; **3.** = **~-thief**; **4.** *pl ам.* = **sneakers**; **5.** *attr* извършен тайно/без предупреждение; **~ attack** неочаквано нападение; **~ preview** *ам.* закрита (предварителна) прожекция (*на нов филм*).

sneakers ['sni:kəz] *n pl* гуменки.

sneaking ['sni:kiŋ] *a* **1.** подъл; **2.** скрит, таен; неизразен, необясним; смътен; **~ suspicion** смътно подозрение.

sneak-thief ['sni:kθi:f] *n* крадец на дребно.

sneaky ['sni:ki] = **sneaking 1**

sneer[1] [sniə] *v* **1.** подигравам се, подсмивам се, надсмивам се (**at** на); осмивам, подигравам; усмихвам се подигравателно/презрително; **2.** презирам (**at**).

sneer[2] *n* **1.** подигравателна/презрителна усмивка; **2.** подигравка, насмешка; сарказъм; саркастична забележка.

sneeringly ['sniəriŋli] *adv* подигравателно; презрително.

sneeze[1] [sni:z] *v* кихам; изкихвам се; □ **it's not to be ~d at** *разг.* не е за пренебрегване/изхвърляне.

sneeze[2] *n* кихане, кихавица.

snick[1] [snik] *v* **1.** клъцвам; **2.** *крикет* первам леко (*топка*) настрана.

snick[2] *n* **1.** клъцване; резка, белег; **2.** *крикет* лек удар настрана.

snicker[1] ['snikə] *v* **1.** кикотя се, хихикам; подсмивам се; **2.** цвиля леко.

snicker[2] *n* **1.** кикот(ене), хихикане; подсмиване, насмешка; **2.** леко цвилене.

snickersnee ['snikəzni:] *n шег.* дълъг нос.

snide[1] [snaid] *a* **1.** фалшив; **2.** подигравателен; злонамерен, хитро злепоставящ; **3.** *ам.* подъл, долен.

snide[2] *n* фалшиви монети/бижута.

sniff[1] [snif] *v* **1.** подсмърчам; **to ~ up** смръквам; **2.** мириша, душа; помирисвам (**at**); **to ~ at s.th.** 1) мириша/душа нещо; 2) гледам с пренебрежение/муся се на нещо; **to ~ out trouble** подушвам неприятности.

sniff[2] *n* **1.** подсмърчане; смъркване; **to get a ~ of air** глътвам малко въздух; **2.** помирисване, душене.

sniffle ['snifl] = **snuffle**.

sniffy ['snifi] *a разг.* **1.** високомерен, презрителен; **2.** вмирисан.

snifter ['sniftə] *n* **1.** *sl.* глътка силно питие; **2.** *ам.* (тумбеста) чаша за коняк.

snigger[1] ['snigə] *v* кикотя се, хихикам (подигравателно) (**at, over**).

snigger[2] *n* кикот(ене), хихикане, сподавен смях.

snip[1] [snip] v (**-pp-**) режа, обрязвам; кълцам, клъцвам; окълцвам; отрязвам (**off**).

snip[2] n 1. рязване; клъцване; 2. отрезка, парче(нце); 3. sl. изгодна сделка/покупка, кьораво; 4. pl ножици; 5. ам. sl. млад/незначителен човек; младок; нахакан младеж.

snipe[1] [snaip] n 1. зоол. (pl без изменение) голяма бекасина (Capella media); 2. изстрел от засада/прикритие; 3. долен/никакъв човек.

snipe[2] v 1. ходя на лов за бекасини; 2. стрелям/убивам от прикритие; 3. прен. нападам/критикувам ловко.

sniper ['snaipə] n снайпер, точен/изкусен стрелец.

snippet ['snipit] n 1. отрязък; 2. pl откъслечни сведения/знания; откъси (от книга и пр.); 3. ам. разг. = snip[2] 5.

snippy ['snipi] a 1. откъслечен; 2. разг. рязък; подигравателен, хаплив.

snit [snit] n ам. вълнение; раздразнение.

snitch [snitʃ] v 1. крада, открадвам, свивам; 2. доноснича, издавам (**on s.o.** някого).

snivel[1] ['snivl] v 1. подсмърчам; разсополивям се; 2. хленча, подсмърчам, вайкам се; 3. разкайвам се лицемерно.

snivel[2] n 1. сополи; 2. хленч; подсмърчане; вайкане; 3. лицемерие, лицемерно разкаяние.

sniveller ['snivlə] n 1. сополанко; 2. хленчещ/лицемерно разкаян човек.

snob [snɔb] n сноб; ~ **appeal/value** качество, което привлича снобите.

snobbery ['snɔbəri] n снобизъм.

snobbish ['snɔbiʃ] a снобски, превзет, превзето интелектуален.

snood [snu:d] n филе/мрежа/панделка за коса.

snook[1] [snuk] n sl.: **to cock a ~ at** правя дълъг нос на.

snook[2] n зоол. различни видове тропически риби.

snooker ['snukə] n вид билярд.

snookered ['snukəd] a разг. затруднен, в затруднено положение.

snoop[1] [snu:p] v разг. навирам си носа (**into**); слухтя, дебна, подслушвам (**around, about**).

snoop[2] ам. = **snooper**.

snooper ['snu:pə] n човек, който си навира носа навсякъде.

snoot [snu:t] n sl. 1. нос; 2. ам. презрителна гримаса; 3. ам. = **snob**.

snooty ['snu:ti] a разг. високомерен; презрителен; снобски.

snooze[1] [snu:z] v дремя; (по)дрямвам.

snooze[2] n дрямка; подрямване.

snore[1] [snɔ:] v хъркам.

snore[2] n хъркане.

snorkel ['snɔ:kl] n шнорхел.

snort[1] [snɔ:t] v 1. сумтя (пухтя; изсумтявам (и с **out**) (и прен.); **to ~ defiance** сумтя/изсумтявам предизвикателно; 2. пръхтя (за кон); 3. разг. изсмивам се; 4. вдъхвам; всмуквам.

snort[2] n 1. сумтене; пухтене; изсумтяване; 2. ам. разг. глътка силно питие; 3. = **snorkel**.

snorter ['snɔ:tə] n разг. 1. нещо изключително; 2. трудна работа/задача; 3. силна буря; 4. ам. = **snort**[2] 2.

snorting ['snɔ:tiŋ] a поразителен, смайващ.

snorty ['snɔ:ti] a 1. = **snorting**; 2. разг. презрителен, надменен; раздразнителен, обидчив.

snot [snɔt] n вулг. 1. сопол; 2. подлец, леке.

snotty[1] ['snɔti] a 1. вулг. сополив; 2. разг. ядосан, раздразнен; нахален, нахакан (и ~ **-nosed**).

snotty[2] n мор. sl. мичман.

snout [snaut] n 1. зурла, рило; хобот; муцуна; 2. разг. (голям) нос; 3. тех. наконечник; мундщук; сопло.

snow[1] [snou] n 1. сняг; снеговалеж (и **fall of ~**); 2. белтъци на сняг (със захар); 3. sl. кокаин, хероин; 4. побелели коси; 5. attr снежен; от/за сняг; □ **the ~s of yesteryear/last year** прен. ланският сняг, нещо безвъзвратно изгубено.

snow[2] v 1. вали/пада сняг; 2. ръся се/падам като сняг; 3. ам. sl. пленявам, завладявам, убеждавам/измамвам с чара си;
snow in 1) прен. валя, трупам се, сипя се (за подаръци и пр.); 2) **to be ~ed in** затрупан съм със сняг, не мога да излязя;
snow off обик. pass отлагам/отменям поради силни снеговалежи;
snow under 1) затрупвам със сняг; 2) прен. отрупвам (с работа и пр.) (**with**); 3) **to be ~ed under** ам. изгубвам избори с голямо болшинство на противника;
snow up = **snow in**.

snowball[1] ['snoubɔ:l] n 1. снежна топка; 2. бот. картоп (Viburnum); 3. нещо, което расте/се трупа неимоверно.

snowball[2] v 1. хвърлям/бия (се)/замервам (се) със снежни топки; 2. прен. раста/увеличавам се/умножавам се бързо.

snow-bird ['snoubə:d] n 1. = **junco**; 2. sl. наркоман.

snow-blind ['snou͵blaind] a временно ослепен от блясъка на снега.

snow-blink ['snoubliŋk] n сияние/отражение на сняг/лед (на небето).

snowboot ['snoubu:t] n шушон.

snowbound ['snoubaund] a заснежен; откъснат/прекъснат от снегове.

snow-broth ['snoubrɔθ] n 1. стопен/топящ се сняг; снежна киша; 2. много студено питие.

snow-capped, -clad, -covered ['snoukæpt, -klæd, -kʌvəd] a покрит със сняг, снежен, заснежен (за планина).

snowdrift ['snoudrift] n снежна преспа.

snowdrop ['snoudrɔp] n бот. кокиче (Galanthus nivalis).

snowfall ['snoufɔ:l] n снеговалеж.

snowflake ['snoufleik] n снежинка.

snow job ['snou͵dʒɔb] n ам. (хитър) опит за измама/заблуждаване.

snow-line, -limit ['snoulain, -limit] n геогр. граница на вечните снегове.

snow-man ['snoumæn] n (pl **-men** [-men]) снежен човек.

snowmobile ['snoumәbi:l] n ам. автомобил, приспособен за пътуване по сняг.

snow-plough ['snouplau] n снегорин.

snow-shoe ['snouʃu:] n ракета за ходене по сняг, снегоходка.

snow-slide, -slip ['snouslaid, -slip] n лавина.

snow-storm ['snoustɔ:m] n снежна буря/виелица, фъртуна.

snow-white ['snou͵wait] a снежнобял, белоснежен.

snowy ['snoui] a 1. снежен; снеговит; 2. = **snow-white**.

snub[1] [snʌb] v (**-bb-**) 1. прен. срязвам, поставям (някого) на мястото му; отнасям се хладно/пренебрежително/високомерно към; 2. спирам, спъвам (кораб, кон).

snub[2] n 1. презрително/високомерно отношение; укор; подигравка; груб отказ; 2. спиране, спъване; 3. чип нос (обик. ~ **nose**).

snub-nosed ['snʌb͵nouzd] a чипонос.

snuff[1] [snʌf] n 1. емфие; 2. всмръкване; мед. прах за всмръкване; 3. = **sniff**[2]; □ **to be up to ~** разг. 1) отракан съм, не съм вчерашен; 2) ам. на нужната висота съм.

snuff[2] v 1. = **sniff**[1]; 2. смърквам емфие.

snuff[3] *n* нагар на свещ.

snuff[4] *v* **1.** изчиствам/изрязвам нагара на свещ; **2. to ~ out** 1) угасявам, загасявам (*свещ*); 2) потушавам (*въстание*); 3) *прен.* убивам, унищожавам (*надежда и др.*); **to ~ it, to ~ out** *sl.* умирам, пуквам, хвърлям топа.

snuff-box ['snʌfbɔks] *n* кутия за емфие.

snuffers ['snʌfəz] *n pl* щипци за чистене/загасяване на свещ.

snuffle[1] ['snʌfl] *v* **1.** сумтя; **2.** гъгна, говоря/пея през нос; **3. = sniff**[1].

snuffle[2] *n* **1.** сумтене; **2.** гъгнене; носов говор/звук/пеене; **3.** *pl* запушен нос, хрема.

snuffy [snʌfi] *a* **1.** пожълтял от/с цвят на емфие; **2.** раздразнен, нервен; **3.** високомерен.

snug[1] [snʌg] *a* **1.** уютен; топъл и приятен; закътан; **2.** спретнат, прибран; **3.** плътно прилепващ (*за дреха*); **4.** доста добър, достатъчен (*за доход*); **5.** скрит, таен.

snug[2] *v* **1.** подреждам, спретвам; **2.** гуша се, сгушвам се (**up, together**); **3. to ~ down** *мор.* подготвям кораб за буря.

snug(gery) ['snʌg(əri)] *n разг.* уютна стая.

snuggle ['snʌgl] *v* **1.** притискам (се), гушвам (се), сгушвам (се); **to ~ up to s.o., to ~ in s.o.'s arms** сгушвам се в прегръдките на някого; **2.** настанявам се уютно (*и с* **down**); **3.** загръщам (се), завивам (се) (**up, in**).

so[1] [sou] *adv* **1.** *за степен* толкова, така; **not ~ big, etc. as** не толкова/така голям и пр., колкото/като; **he was not ~ much angry as disappointed** не беше толкова ядосан, колкото разочарован, по-скоро беше разочарован, отколкото ядосан; **be ~ kind as to** бъди така добър да; **~ sorry!** извинете! **he was ~ ill that** беше така болен/зле, че; **he is not ~ clever a boy as his brother** не е толкова интелигентен като брат си; **ever ~** (толкова) много; **2.** *за начин* така, тъй, по този/такъв начин; **quite/just ~** точно така, съвършено вярно, именно; **is that ~**? така ли? нима? **must it be ~**? така ли трябва (да бъде)? **if ~** ако е така, в такъв случай; **why/how ~**? защо/как така? **as X is to Y, ~ Y is to Z** *мат.* както x се отнася към y, така y се отнася към z; **as a man sows ~ he shall reap** каквото посееш, такова ще пожънеш; **~ that** така че; **~ as to** за да; така че да; **and ~ on and ~ forth** и така нататък; **~ to say/speak** така да се каже; **or ~** приблизително, около; **in a month or ~** след около един месец; **3.** също и (*аз, ти и пр.*), и (*аз, ти и пр.*) също; **he is twenty and ~ am I** той е на двайсет години и аз също; **I liked the film and ~ did my husband** филмът ми хареса и на мъжа ми също; **4.** *за изразяване на съгласие:* **he is an excellent actor. ~ he is** той е отличен актьор. — вярно, така е; **she works very hard. — ~ she does** тя работи много (усърдно). — вярно, така е; **5.** *замества дума, фраза:* **I told you ~** казах ти; **I believe/think ~ , ~ I believe/think** мисля, че да, така мисля; **I don't think ~** не ми се вярва, не мисля, че е така; **you don't say ~**? нима? наистина ли? хайде де! **6.** *в съчет.:* **~ far** дотук, толкова далеч; досега, до този момент; **~ far as I know** доколкото знам; **~ far, ~ good** дотук добре; **~ far from being a help he was a hindrance** не само че не помагаше, ами пречеше; **~ long as** при условие че, ако; **~ much/many** толкова (и толкова); **he didn't ~ much as ask me to sit down** дори не ме покани да седна; **this is ~ much nonsense** това са просто глупости; **~ much for his manners** това

са маниерите му, толкова му е възпитанието; **they are poor, ~ much ~ that** те са бедни дотолкова, че.

so[2] *cj* така че; и така, следователно, значи; **~ you're back** значи си се върнал; **she asked me to go ~ I went** тя ме покани да отида и аз отидох; **it costs a lot of money ~ use it carefully** скъпо е, така че употребявай го внимателно.

soak[1] [souk] *v* **1.** кисна, накисвам; натопявам; мокря, намокрям; напоявам; **2.** прониквам, пропивам (се), просмуквам (се), поемам, попивам (*и прен.*); абсорбирам; всмуквам, поглъщам (**up, in, through**); **~ing wet** мокър до кости, съвсем мокър; **to get ~ed (through)** съвсем се измокрям; **3. to ~ in** *прен.* прониквам в съзнанието; **to ~ o.s. in** *прен.* поглъщам (*дадена литература, атмосфера*); **4.** *разг.* пия, пиянствувам; **~ed** пиян-залян; **5.** *sl.* скубя, оскубвам, одирам.

soak[2] *n* **1.** накисване; **to give s.th. a good ~** накисвам нещо добре; **2.** течност, в която се накисва нещо; **3.** *sl.* пияница; **4.** *sl.* пиене, гуляй.

soaker ['soukə] *n* **1.** *разг.* проливен дъжд; **2.** *sl.* пияница.

so-and-so ['souənsou] *n* еди-кой си; онзи там (*презр.*); еди-какво си.

soap[1] [soup] *n* **1.** сапун; **soft ~** 1) течен сапун; 2) ласкателство; **2.** *sl.* ласкателство, докарване, подмазване; **3.** *ам.* = **~ opera**; □ **no ~** *разг.* тая няма да я бъде, не се приема, не може.

soap[2] *v* **1.** (на)сапунисвам; **2.** *sl.* докарвам се/подмазвам се на, лаская.

soap-boiler ['soupbɔilə] *n* сапунджия, производител на сапун.

soap-box ['soupbɔks] *n* **1.** сандък за сапун; **2.** импровизирана трибуна; **~ orator** уличен оратор.

soap-dish, -holder ['soupdiʃ, -houldə] *n* сапуниера.

soap opera ['soup,ɔpərə] *n ам. рад., телев.* серийна мелодрама.

soapstone ['soupstoun] *n минер.* сапунен камък, стеатит, талк.

soap-work(s) ['soupwə:k(s)] *n* сапунена фабрика.

soapwort ['soupwə:t] *n бот.* сапунче (Saponaria officinalis).

soapy ['soupi] *a* **1.** сапунен; пенест; **2.** (на)сапунисан; **3.** угоднически, мазен.

soar [sɔ:] *v* **1.** извисявам се; рея се; **2.** покачвам се много (*за цени и пр.*); **3.** възвисявам се, стремя се (нависоко); **~ing ambition** високи/големи амбиции; **~ing ideals** високи/възвишени идеали.

sob[1] [sɔb] *v* (**-bb-**) **1.** ридая, плача, хълцам, хлипам; **to ~ o.'s heart out** плача сърцераздирателно; **2. to ~ out** (раз)казвам хлипайки/хълцайки.

sob[2] *n* ридание, хълцане, сподавен плач.

sober[1] ['soubə] *a* **1.** трезвен; **as ~ as a judge** съвсем трезвен; **2.** спокоен, въздържан, умерен, сериозен, трезв; *прен.* здрав; **in ~ earnest** съвсем сериозно; **~ fact** (реален) факт; **in ~ fact** всъщност; **3.** убит, неяръ (*за цвят*).

sober[2] *v* **1.** изтрезнявам; правя да изтрезнее (*обик. с* **up**); **2.** отрезвявам, правя да отрезвее; ставам/правя по-сериозен; преставам да лудувам/да върша глупости (*обик. с* **down, up**).

sober-minded ['soubə,maindid] *a* сериозен, здравомислещ, трезвомислещ, уравновесен.

sobersides ['soubəsaidz] *n pl с гл. в sing разг.* сериозен/улегнал човек

sobriety [sə'braiəti] *n* **1.** трезвеност; **2.** трезвост, уравновесеност, здравомислие.

sobriquet ['soubrikei] *n фр.* прякор; псевдоним; прозвище.

sob sister ['sob,sistə] *n разг.* **1.** журналистка (*рядко журналист*), която пише сантиментални репортажи/отговаря на лични въпроси на читателите; **2.** (непрактичен) сантиментален човек, който се мъчи да прави добро.

sob story ['sob,stɔ:ri] *n* сантиментална/тъжна история (*често измислена*).

so-called ['sou,kɔ:ld] *a* така наречен, иже нарицаем.

soccer ['sɔkə] *n* футбол.

sociability [,souʃə'biliti] *n* общителност.

sociable ['souʃəbl] **I.** *a* **1.** общителен; **2.** дружески, другарски; приятен; **II.** *n* **1.** *ам.* = social II; **2.** *ост.* ландо; канапенце/велосипед за двама.

social ['souʃəl] **I.** *a* **1.** обществен, социален; ~ **democrat** социалдемократ; ~ **science** социология; ~ **security** обществено осигуряване; ~ **welfare** обществено благополучие/благо/добруване; ~ **(welfare) worker** служащ/доброволен сътрудник по общественото подпомагане; ~ **service** благотворителна дейност; ~ **services** държавни служби за образование, здравеопазване, пенсии, жилища и пр.; **2.** светски; обществен; ~ **activities** светски/обществени задължения/занимания; s.o.'s ~ **set** обществото/средата на някого; ~ **climber** кариерист; **his** ~ **equals** равните нему по общественото положение; **3.** дружески, приятелски; **to spend a** ~ **evening** прекарвам вечер между приятели/в приятелска среда; □ ~ **disease** 1) венерическа болест; 2) социално заболяване (*напр. туберкулоза*); ~ **engineering** социално инженерство (*течение в приложната социология*); **II.** *n* вечеринка, забава; другарска среща.

socialism ['souʃəlizm] *n* социализъм.

socialist ['souʃəlist] **I.** *a* социалистически; **II.** *n* социалист.

socialite ['souʃəlait] *n* човек от хайлайфа/висшето общество.

sociality [souʃi'æliti] *n* **1.** социалност; общественост, обществен характер; **2.** общителност; **3.** социален/обществен инстинкт; **4.** обществен обичай; обществено действие; **5.** *pl* светски задължения.

socialization [,souʃəlai'zeiʃn] *n* социализация, обобществяване.

socialize ['souʃəlaiz] *v* **1.** социализирам, обобществявам; ~d **medicine** *ам.* обществено/държавно медицинско обслужване; **2.** правя общителен/годен за обществен живот; **3.** общувам, сближавам се (with с); държа се приятелски; **4.** организирам масово участие в.

society [sə'saiəti] *n* **1.** общество (*и биол.*); общественост; **2.** дружество; **the Royal S.** Британското кралско научно дружество; **3.** *рел.* орден; секта; **the S. of Jesus** йезуитският орден; **4.** светско/високо общество; **5.** компания, група, общество; общуване; **to be at o.'s best/to be embarrassed in** ~ най-добре се проявявам/смущавам се, когато съм в компания/между хора; **to prefer** ~ **to solitude** предпочитам да съм между хора, отколкото да съм сам; **6.** *attr* светски; ~ **news/gossip/column** *жур.* светски новини, новини за/от висшето общество.

sociologist [,sousi'ɔləʤist] *n* социолог.

sociology [,sousi'ɔləʤi] *n* социология.

sock[1] [sɔk] *n* **1.** къс/мъжки чорап; **2.** стелка на обувка; **3.** *ист.* сандал на комически актьор; комедия; **4.**

= **wind sleeve, sock;** □ **to pull up o.'s** ~**s** *разг.* давам си зор, размърдвам се; **put a** ~ **in it!** мълчи! стига си дрънкал!

sock[2] *v:* **to** ~ **away** *ам.* скътвам (*пари*).

sock[3] *v sl.* удрям (силно), цапардосвам; хвърлям, запращам; **to** ~ **it to s.o.** здравата напердашвам някого.

sock[4] *n sl.* (силен) удар.

sockdolager, -oger [sɔk'dɔləʤə] *n ам. sl.* **1.** решаващ удар/довод; **2.** нещо огромно/изключително.

socket ['sɔkit] *n* **1.** вдлъбнатина, гнездо; **2.** *тех.* фасунга; цокъл; (съединителна) муфа; **3.** *анат.* орбита, очница; **4.** *анат.* алвеола, трапчинка.

sockeye ['sɔkai] *n зоол.* вид сьомга (Onchorhyncus nerka).

socle ['sɔkl] *n арх.* цокъл; подставка.

Socratic [sə'krætik] *a* сократовски.

sod[1] [sɔd] *n* чим; □ **the old** ~ *разг.* родината; **under the** ~ в гроба.

sod[2] *n* **1.** *вулг.* = **sodomite; 2.** мръсник; **3.** *шег.* човек.

sod[3] *v* (-dd-) *вулг.:* ~ **it!** ~ **off!** махай се!

soda ['soudə] *n* **1.** сода, натриев (би)карбонат; **washing** ~ сода за пране; **baking/cooking** ~ сода за хляб; **2.** газирана вода, сода (*и* ~ **water**); ~ **pop** лимонада; газирано питие.

soda-fountain ['soudəfauntin] *n* **1.** инсталация/кран за газирана вода; **2.** щанд за газирана вода, сладолед и др.

soda-jerk(er) ['soudəʤə:k(ə)] *n sl.* продавач на (щанд за) газирана вода, сладолед и пр.

sodality [sə'dæliti] *n* (религиозно) общество, братство.

sodden[1] ['sɔdn] *a* **1.** съвсем мокър/измокрен; пропит, просмукан; **2.** клисав; недопечен; недоварен; **3.** затъпял от пиянство; **4.** подпухнал (*за лице*); **5.** *ам.* тъп, затъпял.

sodden[2] *v* накисвам, намокрям; размеквам (се), разкисвам (се).

sodium ['soudiəm] *n хим.* натрий.

sodomite ['sɔdəmait] *n* содомит, педераст, хомосексуалист.

sodomy ['sɔdəmi] *n* содомия, педерастия, хомосексуализъм.

soever [sou'evə] *adv книж.* какъвто/каквото/където/колкото и да; **how great** ~ **it may be** колкото и да е голямо.

sofa ['soufə] *n* диван, канапе, софа, кушетка.

soffit ['sɔfit] *n арх.* софит.

soft[1] [sɔft] *a* **1.** мек; гъвкав; ~ **palate** *анат.* меко небце; **2.** мек (*за светлина, климат*); **3.** тих, мек, приятен (*за глас и пр.*); **4.** лек, тих, спокоен (*за сън, дишане*); **5.** лек (*за вятър*); **6.** нежен, деликатен; съчувствен; отстъпчив; **to have a** ~ **tongue** деликатен съм, не съм рязък; ~ **answer** кротък/деликатен отговор (*особ. на грубост*); ~ **things/words** нежности; ~ **nothings** нежности, комплименти; **to take a** ~ **line** проявявам отстъпчивост; **7.** мек; неясен (*за очертания*); **8.** мек, неваровит (*за вода*); **9.** безалкохолен (*за питие*); **10.** към който не се привиква (*за наркотик*); **11.** ковък, гъвкав; **12.** *фон.* палатален; звучен; **13.** слаб, женствен, изнежен; отпуснат (*и за мускули*); **14.** *sl.* лесен, лек (*за работа*); **15.** лек (*за наклон, условия*); **16.** *разг.* смахнат, слабоумен; лековерен; **to be** ~ **on/about s.o.** лапнал/хлътнал съм по някого; **17.** влажен, дъждовен, дъждовит; **18.** *фот.* неконтрастен; **19.** незащитен, уязвим (*за позиция*); □ ~ **coal** битуминозни въглища; ~ **fruit** ягоди, малини и под.; ~ **goods/wares** текстил(ни произведения); ~ **furnishings** пердета, килими и пр.; ~ **money** книжни пари; ~ **pedal** *муз.*

ляв педал; ~ **prices** спадащи цени; ~ **sell** ненатрапчива реклама; ~ **radiation** *физ.* меко излъчване; ~ **landing** *косм.* меко кацане; ~ **sugar** захар на пясък, пудра захар.

soft² *adv* тихо; леко; **to lie** ~ лежа на меко/на мека постеля.

soft³ = **softy**.

soften ['sɔfn] *v* **1.** омеквам; омекотявам (се), смекчавам (се), размеквам (се) (*и прен.*); ~**ing of the brain** *мед.* размекване на мозъка; **2.** намалявам съпротивата на; деморализирам; размеквам (*и с* **up**).

soft-headed ['sɔft,hedid] *a* малоумен, улав.

soft-hearted ['sɔft,hɑːtid] *a* мекосърдечен, добросърдечен; отзивчив.

softie = **softy**.

soft-pedal ['sɔftpedl] *v* (-**ll**-) **1.** *муз.* натискам левия педал; **2.** *прен.* предавам в по-мека форма; прикривам важността на, замазвам.

soft-soap ['sɔftsoup] *v* *разг.* лаская, подмазвам се/докарвам се на.

soft-spoken ['sɔft,spoukn] *a* **1.** с тих/приятен глас; **2.** любезен.

software ['sɔftwɛə] *n* *изч. тех.* програмно осигуряване.

soft-witted ['sɔft,witid] = **soft-headed**.

softy ['sɔfti] *n* *разг. прен.* баба, хапльо, лековерен/сантиментален човек.

soggy ['sɔgi] *a* **1.** влажен, мокър, просмукан; **2.** блатист, мочурлив; **3.** клисав; **4.** *прен.* тежък; скучен.

soigné ['swɑːnei] *a* *фр.* (изискано) елегантен, с грижливо поддържана външност.

soil¹ [sɔil] *n* почва (*и прен.*), земя, пръст; **native** ~ родна земя, родина; **man of the** ~ земеделец; човек, привързан към земята.

soil² *v* **1.** цапам (се), изцапвам (се), измърсявам (се), замърсявам (се); омърсявам (се) (*и прен.*); **2.** *прен.* опетнявам.

soil³ *n* **1.** петно (*и прен.*), леке; изцапване; **2.** тор; изпражнения; нечистотии.

soil⁴ *v* храня (*добитък*) с прясно сено/фураж.

soil-pipe ['sɔilpaip] *n* канализационна тръба (*на клозет*).

soiree ['swɑːrei] *n* *фр.* соаре, вечеринка.

sojourn¹ ['sɔʤə(ː)n] *v* *книж.* живея/пребивавам временно.

sojourn² *n* временно (място)пребиваване.

sol¹ [sɔl] *n* *муз.* сол.

sol² *n* *хим.* зол.

solace¹ ['sɔləs] *n* утешение, утеха, успокоение (**from** от).

solace² *v* утешавам, успокоявам; развличам.

solan ['soulən] *n* *зоол.* бял рибояд (Sula bassana).

solar ['soulə] **I.** *a* *астр.* слънчев; ~ **flare** слънчево изригване; ~ **wind** слънчева радиация; **II.** *n* **1.** = **solarium**; **2.** дневна стая на горния етаж (*в средновековна къща*).

solarium [sə'lɛəriəm] *n* (*pl* -**ria** [-riə]) соларий, солариум (*и мед.*).

solarize ['souləraiz] *v* **1.** *фот.* преекспонирам; **2.** излагам/подлагам на действието на слънчевите лъчи.

solar plexus ['soulə,pleksəs] *n* *анат.* слънчев сплит.

solatium [sə'leiʃəm] *n* (*pl* -**tia** [-ʃə]) **1.** *юр.* обезщетение, компенсация; **2.** утешение.

sold *вж.* **sell**.

solder¹ ['souldə] *v* споявам (се), запоявам (се).

solder² *n* мек припой; спойка.

soldering-iron ['souldəriŋaiən] *n* поялник.

soldier¹ ['souldʒə] *n* **1.** войник; военен; воин; пълководец; **2.** мравка/термит войник; **3.** *sl.* крышкач; **4.** = **soldier-crab**; □ ~ **of fortune** наемник, наемен войник; авантюрист.

soldier² *v* **1.** служа войник/във войската; **to go** ~**ing** отивам/ставам войник; **to be tired of** ~**ing** омръзва ми войниклъкът/войнишкият живот; **2.** *sl.* крышкам, клинча; □ **to** ~ **on** упорствувам в работата въпреки трудностите.

soldier-crab ['souldʒəkræb] *n* *зоол.* рак отшелник (*сем.* Paguridae).

soldierlike, -ly ['souldʒəlaik, -li] *a* **1.** храбър, решителен; **2.** стегнат, изправен; като на военен.

soldiership ['souldʒəʃip] *n* **1.** военно изкуство; **2.** военщина; войниклък.

soldiery ['souldʒəri] *n* войска, войници, войнство.

sole¹ [soul] *n* **1.** подметка; **2.** табан, долната част на ходилото; **3.** долна част, подставка; **4.** *тех.* основа, пета, подложка; **5.** *стр.* надлъжна греда; **6.** *метал.* дъно, под (*на топилна пещ*).

sole² *v* слагам подметка/подметки на.

sole³ *n* *зоол.* морски език (*сем.* Soleidae).

sole⁴ *a* **1.** единствен; **2.** *юр. ост.* неженен, неомъжена.

solecism ['sɔlisizm] *n* **1.** граматична грешка; погрешно употребена дума/израз; солесизъм; **2.** лошо/некоректно/просташко държане.

solely ['soulli] *adv* единствено, само.

solemn ['sɔləm] *a* **1.** тържествен; **2.** официален, церемониален; **3.** сериозен, тежък, важен (*за вид и пр.*); **the** ~ **truth** самата истина; **4.** *прен.* надут; ~ **fool** надут глупак; **to put on a** ~ **face** придавам си важен вид.

solemnity [sə'lemniti] *n* **1.** тържественост; **2.** официалност; **3.** сериозност, важност, тежест; **4.** *често pl* тържество; **5.** *юр.* формалност (*необходима за придаване валидност на нещо*).

solemnize ['sɔləmnaiz] *v* **1.** отпразнувам тържествено; **2.** извършвам тържествен обред (*женитба и пр.*); **3.** извършвам/изпълнявам формалност; **4.** придавам тържественост/сериозност на.

sol-fa¹ ['sɔlfɑː] *n* *муз.* солфеж.

sol-fa² *v* пея солфежи.

solicit [sə'lisit] *v* **1.** моля, прося (**s.o. for s.th** някого за нещо, нещо от някого); **2.** моля настоятелно (за), настоявам (пред); ходатайствувам (пред); отстоявам, пледирам (*кауза*); **3.** привличам/търся настоятелно (*внимание и пр.*); **to** ~ **s.o.'s custom/s.o. for his custom** старая се да спечеля някого за клиент/купувач; **4.** предлагам се на (*непознат мъж — за проститутка*); **fined for** ~**ing** глобена за явна проституция.

solicitation [sə,lisi'teiʃn] *n* **1.** молба, просба; **2.** настояване, ходатайство; търсене (*на клиенти и пр.*); **3.** привлекателност.

solicitor [sə'lisitə] *n* **1.** адвокат (*който дава консултации и има право да пледира само в по-нисшите инстанции*); **2.** *ам.* търговски агент, пласьор; **3.** *ам.* човек, който събира помощи за благотворителни цели; **4.** *ам.* градски/окръжен/министерски юрисконсулт; **S.-General** правителствен юрисконсулт; *ам.* заместник-министър на правосъдието.

solicitous [sə'lisitəs] *a* **1.** силно желаещ, изпълнен с желание (**of** за, **to** *с inf* да); **2.** загрижен (**about, for**); грижлив, внимателен.

solicitude [sə'lisitjuːd] *n* загриженост; грижа, внимание.

solid¹ ['sɔlid] **I.** *a* **1.** твърд (*не течен*); ~ **state** твърдо състояние; **to become** ~ втвърдявам се; ~ **foods** нетечни/твърди храни; **2.** плътен (*не кух*); изпълнен, цял; монолитен; неразглобяем; **3.** *геом.* с три измерения, тримерен; кубичен; пространствен; ~ **geometry** стереометрия; ~ **angle** пространствен ъгъл; ~ **measure** мярка за вместимост, кубическа мярка; **4.** солиден, здрав, як; масивен; набит, едър; **of** ~ **build/frame** едър, набит; **5.** *прен.* солиден, здрав, сигурен (*и финансово*); убедителен, обоснован; основателен; ~ **comfort** материална осигуреност; **6.** непрекъснат, цял; общ; **two** ~ **hours** цели два часа; ~ **colour** един цвят (*без шарки*); **7.** чист (*за метал*); ~ **gold** чисто злато; **8.** единен, единодушен; ~ **vote** пълно болшинство; **to be/go** ~ **for** единодушно подкрепям; **9.** написан слято (*за сложна дума*); **10.** *печ.* без разредка; **11.** *ам.* близък, в приятелски отношения (**with**); **II.** *n* **1.** *физ.* твърдо тяло/фаза; **2.** *pl* твърда храна; **3.** *геом.* фигура с три измерения; **4.** сложна дума, написана слято.

solid² *adv* единодушно.

solidarity [ˌsɔliˈdæriti] *n* сплотеност, солидарност; единомислие; единство.

solidify [səˈlidifai] *v* **1.** втвърдявам (се); кристализирам; **2.** обединявам (се), сплотявам (се).

solidity [səˈliditi] *n* **1.** твърдо състояние; **2.** плътност; монолитност; **3.** здравина, якост; масивност; набитост; **4.** *прен.* убедителност; основателност; финансова/материална сигурност.

solid-state [ˈsɔlidsteit] *a* безлампов; полупроводников (*за изчислителна машина*).

solidungulate [ˌsɔlidˈʌŋgjuleit] *a* зоол. еднокопитен.

soliloquize [səˈliləkwaiz] *v* **1.** произнасям монолог; **2.** говоря си сам.

soliloquy [səˈliləkwi] *n* **1.** монолог; **2.** говорене на себе си.

solipsism [ˈsɔlipsizm] *n фил.* солипсизъм, краен субективизъм.

solitaire [ˌsɔliˈtɛə] *n* **1.** солитер (*голям брилянт или друг скъпоценен камък*); украшение с един брилянт; **2.** вид игра с топчета; **3.** *ам.* пасианс.

solitary [ˈsɔlit(ə)ri] **I.** *a* **1.** самотен; сам; усамотен; уединен; отделен, откъснат; **2.** единствен, само един; един (отделен); **II.** *n* **1.** самотник; отшелник; **2.** *разг.* строг тъмничен затвор.

solitude [ˈsɔlitjuːd] *n* **1.** самота; усамотение; уединение; усамотеност; **2.** усамотено/уединено място; пустиня.

solmization [ˌsɔlmiˈzeiʃn] *n муз.* солфеж(иране).

solo¹ [ˈsouloʊ] *n* **1.** *муз.* соло; **2.** *ав.* летене (*на пилот*) без инструктор; **3.** *карти* игра без партньор; **4.** *attr* солов; сам; без партньор.

solo² *v ав.* летя без инструктор.

soloist [ˈsoulouist] *n* солист.

Solomon's seal [ˈsɔləmənzˌsiːl] *n* **1.** *бот.* момкова сълза (Polygonatum); **2.** шестолъчна звезда (*образувана от два преплетени триъгълника*).

solstice [ˈsɔlstis] *n астр.* слънцестоене; **summer/winter** ~ лятно/зимно слънцестоене.

solubility [ˌsɔljuˈbiliti] *n хим.* разтворимост.

soluble [ˈsɔljubl] *a* **1.** *хим.* разтворим; **2.** разрешим.

solus [ˈsouləs] *a predic лат.* сам (*особ. в ремарки към пиеса*).

solution [səˈluːʃn] *n* **1.** разтваряне; разтвор; **2.** решение (*и мат.*), разрешение, разрешаване, отговор (*на въпрос, загадка*) (**of, for, to**).

solvable [ˈsɔlvəbl] *a* **1.** разрешим; **2.** разтворим.

solve [ˈsɔlv] *v* **1.** решавам, намирам решение/отговор на (*и мат.*); намирам обяснение на; **2.** *ост.* развързвам, разплитам.

solvency [ˈsɔlvənsi] *n* платежоспособност.

solvent [ˈsɔlvənt] **I.** *a* **1.** *юр.* платежоспособен; **2.** *хим.* раз-

тварящ; **3.** *прен.* смекчаващ, облекчаващ, отслабящ; **II.** *n* **1.** разтворител; **2.** *прен.* фактор, отслабящ/смекчаващ действието на нещо.

Somali [səˈmaːli] **I.** *a* сомалийски; **II.** *n* **1.** сомалиец; **2.** езикът сомали.

somatic [souˈmætik] *a биол.* телесен, соматичен.

sombre, *ам.* **somber** [ˈsɔmbə] *a* **1.** тъмен; мрачен, навъсен (*и за небе*); **2.** сериозен; печален, меланхоличен, мрачен.

sombrero [sɔmˈbrɛəroʊ] *n исп.* сомбреро (*широкопола шапка*).

some¹ [sʌm, səm] *a, pron* **1.** *неопределено количество/брой* няколко; някои; малко; ~ **of them** някои от тях; ~ **sugar/bread** малко захар/хляб; ~ **apples/eggs** няколко ябълки/яйца; **have** ~ **more tea** пийни още малко чай; **there are** ~ **children outside** вън има няколко деца; **this marmalade is good —** **have** ~ този мармалад е хубав — опитай го; **a pound and then** ~ един фунт и още малко; **2.** *значително количество, брой* доста (много); **for** ~ **time** (от) доста време; **we went** ~ **miles out of our way** отдалечихме се на доста мили от пътя си; **I had (quite)** ~ **trouble in finding it** доста трудно го намерих; **that is** ~ **help** това е наистина помощ; **that is** ~ **proof** това е известно/доста сериозно доказателство; **he spoke at** ~ **length** той говори доста дълго; **that's saying** ~ *ам. sl.* и тая не е малка; **3.** някой; някакъв; ~ **man is asking for you** някакъв човек те търси; **I read it in** ~ **book or other** четох го в някаква/някоя книга; **4.** *sl.* забележителен, не какъв да е; **that was** ~ **storm** ама че беше буря; ~ **car** чудесна кола; *ирон.* то пък една кола.

some² *adv* **1.** приблизително, около; **there were** ~ **twenty people** имаше около четиридесет души; **that was** ~ **twenty years ago** това беше преди около двайсет години; **2.** *разг.* до известна степен, значително; известно време; **we talked** ~ поговорихме малко; **he went** ~ **to win** *ам.* доста се постара да спечели. -

somebody¹ [ˈsʌmbədi] *pron* някой.

somebody² *n* важен човек; **he thinks he is** ~ мисли се за (много) нещо.

somehow [ˈsʌmhau] *adv* по някакъв начин, някак си; ~ **or other** по един или друг начин, някак си, така или иначе.

someone [ˈsʌmwʌn] = **somebody¹**.

someplace [ˈsʌmpleis] *adv разг.* някъде.

somersault¹ [ˈsʌməsɔːlt] *n* **1.** салто; **to turn/throw a** ~ правя салто; **2.** *прен.* обръщане на 180°.

somersault² *v* правя салто.

something [ˈsʌmθiŋ] *n* нещо; ~ **else** още нещо; нещо друго; **he is a teacher or** ~ той е учител или нещо подобно; **he is** ~ **in the department of education** има някакъв (важен) пост в Министерството на просветата; **he thinks himself** ~ мисли се за (много) нещо; **it is** ~ **to be home again** хубаво (нещо) е да се върнеш у дома; ~ **of a** нещо като, малко нещо; **to be** ~ **of a liar** (обичам да) послъгвам; **to be** ~ **of a scholar/carpenter** падам малко учен/дърводелец, обичам да се занимавам с наука/дърводелство; **he has** ~ **about him** има нещо (ценно/привлекателно/интересно) в него; **take a drop of** ~ пийни си нещо; **I hope to see** ~ **of you while you're here** надявам се да те видя/срещна, докато си тук; □ ~ **like** 1) почти, приблизително, нещо като; **it was** ~ **like that** беше горе-долу така; 2) прекрасен, чудесен; **he was** ~ **like an actor** беше чудесен актьор; **that's** ~ **like it** това/така е чудесно; **he swears** ~ **awful** ужасно ругае/псува.

sometime[1] ['sʌmtaim] *adv* някога, по някое време; ~ **or other** някога, някой ден.

sometime[2] *a* бивш, някогашен.

sometimes ['sʌmtaimz] *adv* понякога.

someway ['sʌmwei] *adv* някак (си).

somewhat ['sʌmwɔt] *adv* малко; доста; до известна степен; □ **he is** ~ **of a liar** той малко послъгва; **I found it** ~ **of a difficulty/bore** доста трудно/скучно ми беше.

somewhere ['sʌmwɛə] *adv* 1. някъде; ~ **about** към, около, приблизително; ~ **else** някъде другаде, на друго място; 2. *евф.* в ада/пъкъла и пр.; **I will see him** ~ **first** никога/за нищо на света/да пукна няма да го сторя/направя; **to get** ~ *sl.* постигам известен успех.

somite ['soumait] *n зоол.* сегмент.

somnambulism [sɔm'næmbjulizm] *n* сомнамбулизъм, лунатизъм.

somnambulist [sɔm'næmbjulist] *n* сомнамбул, лунатик.

somniferous [sɔm'nifərəs] *a* приспивателен, сънотворен.

somnolence, -cy ['sɔmnələns, -si] *n* сънливост, дремливост.

somnolent ['sɔmnələnt] *a* 1. сънлив, дремлив; 2. приспивен; действуващ приспивателно.

son [sʌn] *n* син; потомък; **o.'s father's (own)** ~ 1) достоен за син; 2) цял бащичко; ~ **and heir** първороден син; ~ **of the soil** 1) местен жител; 2) земеделец, селянин; ~ **of a gun** *разг.* кучи син; ~ **of Adam** *ам.* мъж, момче; **the S. of Man** *рел.* син човечески, Христос; **the** ~**s of men** човешкият род, човечеството.

sonant ['sounənt] *фон.* I. *a* звучен, сонантен; II. *n* звучна съгласна; сонант.

sonar ['souna:] *n* уред/система за откриване на потънали предмети чрез отразени звукови вълни, хидролокатор.

sonata [sə'na:tə] *n муз.* соната.

sonatina [sɔnə'ti:nə] *n муз.* къса соната, сонатина.

sonde [sɔnd] *n* сонда, *особ.* метеорологична радиосонда.

song [sɔŋ] *n* 1. песен; **not worth an old** ~ без стойност; **a** ~ **and a dance** *разг.* празни приказки, бръщвеж, много шум за нищо; усукване; **for a/an old** ~ много евтино, на безценица; 2. пение, пеене; **to burst/break forth into** ~ запявам.

song-bird ['sɔŋbə:d] *n* пойна птичка.

song-book ['sɔŋbuk] *n* сборник от песни, песнопойка.

songster ['sɔŋstə] *n* 1. певец; 2. пойна птичка; 3. поет; 4. *ам.* = **song-book**.

songstress ['sɔŋstris] *n* певица.

song-thrush ['sɔŋˌθrʌʃ] *n зоол.* поен дрозд (Turdus musicus).

sonic ['sɔnik] *a* звуков, със скоростта на звука; ~ **bang/boom** гърмеж, получен при летене на самолет със свръхзвукова скорост; ~ **barrier** = **sound barrier**.

son-in-law ['sʌninlɔ:] *n* зет.

sonnet ['sɔnit] *n* сонет; ~ **sequence** поредица от сонети с обща тематика.

sonneteer[1] [sɔni'tiə] *n* 1. поет, който пише сонети; 2. *пренебр.* стихоплетец.

sonneteer[2] *v* пиша сонети, възпявам в сонети.

sonny ['sʌni] *n* сине, синко.

sonobuoy ['sounəbɔi] *n* шамандура, която лови и предава по радиото подводни звуци, радиохидроакустична шамандура.

sonofabitch = **son of a bitch**.

son of a bitch ['sʌnəvəbitʃ] *n* (*pl* **sons of bitches** ['sʌnzəv,bitʃiz]) *вулг.* 1. кучи син; копиле; 2. противен човек/нещо (*и като възклицание*).

sonometer [sə'nɔmitə] *n* сонометър, аудиометър.

sonority [sə'nɔriti] *n* звучност, гръмкост; реторичност.

sonorous [sə'nɔ:rəs, 'sɔnərəs] *a* 1. плътен, звучен, резонантен (*за глас, инструмент*); 2. мелодичен (*за стих*); 3. ре-

торичен, високопарен, претенциозен (*за стил*).

sonsy, -sie ['sɔnsi] *a шотл.* приятен, миловиден, миличък; **a** ~ **lass** закръгленичко весело момиче.

soon [su:n] *adv* 1. скоро; **as** ~ , **as** ~ **as**, **so** ~ **as** веднага щом като; **I would (just) as** ~ **walk as ride** спокойно мога и пеш да си ходя (нямам предпочитание); **he could as** ~ **write an epic as drive a car** той никога няма да се научи да кара кола; 2. рано; **you spoke too** ~ ти заговори много рано, избърза със заговорването; **no** ~**er... than** едва-що... и, веднага след; **no** ~ **er said than done** речено-сторено; **I would** ~ **er... than** предпочитам да, по-скоро бих... отколкото да; **I had no** ~ **er arrived than I was told to start back again** едва бях пристигнал и ми казаха да се връщам; **the** ~**er the better** колкото по-рано/по-скоро, толкова по-добре; ~ **or late,** ~**er or later** рано или късно, все някога.

soot[1] [sut] *n* сажди; **a flake of** ~ сажда.

soot[2] *v* покривам/изчерням със сажди.

sooth [su:θ] *n ост.* истина, действителност, факт; **in (good)** ~ наистина.

soothe [su:ð] *v* 1. утешавам, успокоявам; 2. облекчавам, смекчавам (*болка*); 3. лаская; отстъпвам на, глезя, коткам.

soothing ['su:ðiŋ] *a* успокояващ; утешителен; облекчаващ.

soothsayer ['su:θseiə] *n* 1. гадател, пророк; врач; 2. *зоол.* богомолка (Mantis).

soothsaying ['su:θseiŋ] *n* предсказание, пророчество.

sooty ['suti] *a* 1. покрит/пълен/опушен/начернен със сажди; 2. тъмен, черен.

sop[1] [sɔp] *n* 1. залък хляб, напоен/натопен в мляко, супа и пр.; 2. дребна отстъпка/подарък, направен за укротяване/предразполагане/подкуп; 3. рушвет, подкуп; 4. *разг.* глупак; слабак; страхливец.

sop[2] *v* (**-pp-**) 1. потопявам, накисвам, намокрям, наквасвам (*хляб и пр.*); 2. попивам с кърпа, гъба и пр. (**up**); 3. всмуквам, поемам (**up**); 4. *разг.* давам рушвет/подкуп на, „смазвам колелото/колата" на.

soph [sɔf] *ам. разг.* = **sophomore**.

sophism ['sɔfizm] *n* софизъм.

sophist ['sɔfist] *n* софист.

sophistic(al) [sə'fistik(əl)] *a* софистки, софистичен.

sophisticate [sə'fistikeit] *v* 1. употребявам софизми; извъртам; 2. подправям, изменям (*чужд текст*); 3. подправям (*вино и пр.*), фалшифицирам; 4. лишавам от наивност/простота; изтънчвам, изфинявам; 5. просвещавам; култивирам; усъвършенствувам; 6. усложнявам.

sophisticated [sə'fistikeitid] *a* 1. лишен от наивност/простота, прекалено изискан/изтънчен/префинен; 2. вещ, опитен, обигран; 3. усъвършенствуван; сложен; 4. светски, с житейски опит; 5. подправен, неистински.

sophistication [sə'fistikeiʃən] *n* 1. (прекалена) изисканост, изтънченост; 2. усъвършенстваност, сложност; 3. поправка; 4. подправяне, фалшификация; 5. софистика.

sophistry ['sɔfistri] *n* софистика; извъртане; **a piece of** ~ софизъм.

sophomore ['sɔfəmɔ:] *n ам.* 1. студент второкурсник; 2. ученик втора година на средно училище/техникум/колеж.

soporific ['sɔpəˌrifik, 'soupərifik] I. *a* сънотворен, приспивателен; II. *n* сънотворно средство.

sopping[1] ['sɔpiŋ] *a* просмукан с течност, наквасен, подгизнал, вир вода.

sopping[2] *adv* много, съвсем, крайно.

soppy ['sɔpi] *a* **1.** мокър, подгизнал; вир-вода; **2.** дъждовен; **3.** *разг.* отпуснат; блудкаво сантиментален; **4.** глупав; ~ **on** гламаво влюбен.

soprano [sə'pra:nou] *n* сопрано.

sorbet ['sɔ:bit] *n* шербет.

sorbo ['sɔ:bou] *n* порест/шуплест каучук; дунапрен (*и* ~ **rubber**).

sorcerer ['sɔ:sərə] *n* магьосник, вълшебник, чародеец.

sorceress ['sɔ:səris] *n* магьосница, чародейка.

sorcery ['sɔ:səri] *n* магьосничество, магии, вълшебство.

sordid ['sɔ:did] *a* **1.** мръсен; мизерен; **2.** *прен.* гаден, гнусен, подъл, безчестен, долен; безсрамен; **3.** користолюбив, алчен.

sordidly ['sɔ:didli] *adv* мръсно, гадно и пр. (*вж.* **sordid**).

sordidness ['sɔ:didnis] *n* мизерия, нищета и пр. (*вж.* **sordid**).

sordino [sɔ:'dinou] *n* (*pl* **sordini** [sɔ:'di:ni:]) *муз.* сурдинка (*и* **sordine**).

sore[1] [sɔ:] *a* **1.** болезнен, наранен, разранен и пр.; възпален; ~ **throat** възпалено гърло, гърлобол; **my throat is** ~ боли ме гърлото; **2.** огорчен, наскърбен, обиден, скръбен; **to feel** ~ **about** огорчен съм от; ~ **subject/point** неприятна тема, болен въпрос; **3.** тежък, труден, мъчителен; **in** ~ **need** в крайна нужда; **a sight for** ~ **eyes** мила/приятна гледка, *особ.* приятен/желан гост.

sore[2] *n* наранено/възпалено/болно място; **open** ~ *прен.* обществена язва; **old** ~s стари болки/рани; *прен.* мъчителни спомени.

sore[3] *adv ост. поет.* тежко, мъчително, жестоко; ~ **troubled** силно обезпокоен.

sorehead ['sɔ:hed] *n ам. sl.* навъсен/нацупен/раздразнен/ кисел човек.

sorel ['sɔrel] *n зоол.* тригодишен лопатар.

sorely ['sɔ:li] *adv книж.* **1.** дълбоко, тежко; **2.** силно, много, извънредно; ~ **needed** крайно необходим.

soreness ['sɔ:nis] *n* **1.** болезненост; чувствителност; **2.** раздразнение.

sorghum ['sɔ:gəm] *n* тропическо житно растение, сорго.

sorites [sə'raiti:z] *n фил.* сорит.

sorority [sə'rɔriti] *n* **1.** сестринско религиозно общество; **2.** *ам.* женски клуб в университет/колеж.

sorosis [sə'rousis] *n* (*pl* **-es** [-i:z]) *бот.* зърнест плод (*черница и пр.*).

sorrel[1] ['sɔrəl] **I.** *a* червеникавокафяв (*особ. за кон*), дорест; **II.** *n* **1.** червеникавокафяво животно, *особ.* кон; **2.** = **sorel**.

sorrel[2] *n бот.* киселец (Rumex).

sorrow[1] ['sɔrou] *n* **1.** скръб, печал, горест, болка; **2.** съжаление, покаяние; **3.** скърбене, оплакване, жалба; **4.** нещастие, злочестина.

sorrow[2] *v* тъгувам, скърбя, жаля (**at, for, after, over** за).

sorrowful ['sɔrouful] *a* **1.** скърбящ; натъжен, опечален; **2.** тъжен, скръбен, печален; **3.** жалък.

sorry ['sɔri] *a* **1.** *predic* съжаляващ, каещ се; **to be/feel** ~ **about/for** съжалявам, съчувствам на, жал ми е за; **I am** ~ **to hear that** мъчно ми е да чуя, че; **I am** ~ **to say** за съжаление; **I'm (so)** ~ , ~ ! извинете, прощавайте; съжалявам; **2.** *книж.* жалък; лош, противен; безполезен, безсмислен; ~ **sight** жалка/тъжна гледка; ~ **excuse** неубедително извинение; ~ **fellow** негодник.

sort[1] [sɔ:t] *n* **1.** вид, род, сорт; категория; **he is not my** ~ той не ми е по вкуса/не е моят тип; **what** ~ **of?** като какъв? що за? **nothing of the** ~ нищо подобно; **of a** ~ , *разг.* **of** ~s някакъв си, незначителен, посредствен; **a poet of a** ~ поет от съмнителна величина; **a peace of a** ~ не особено задоволителен мир; **2.** *остп.* начин, маниер; **that's your** ~ това е твой маниер; □ **after/in a** ~ , **in some** ~ , *разг.* ~ **of** до известна степен, донякъде, малко нещо, някак си, горе-долу; **he** ~ **of hinted** той позагатна; **a good** ~ *разг.* добър/славен човек; **the better** ~ по-видните хора; **out of** ~s без настроение, раздразнителен, кисел.

sort[2] *v* **1.** сортирам, отделям; разпределям (*и с* **over**); **to** ~ **out o.'s cards** подреждам картите си по цветове; **2.** *книж.* подхождам, отивам, отговарям, съответствувам (**with**); **to** ~ **well/ill with** подхождам си/не си подхождам с; **3.** общувам; **4. to** ~ **out** избирам; подреждам; *sl.* наказвам, „нареждам"; **5.** намирам решение; **leave us to** ~ **ourselves out** оставете ни сами да се оправим/да изгладим недоразуменията си.

sorter ['sɔ:tə] *n* сортировач (*особ. в поща*); сортировъчна машина.

sortie ['sɔ:ti:] *n* **1.** *воен.* вилазка; **2.** *ав.* излитане за сражение; **3.** *косм.* излизане на космонавт от кабината.

sortilege ['sɔ:tilidʒ] *n* пророкуване чрез хвърляне на жребие.

sortition [sɔ:'tiʃən] *n* хвърляне на жребие.

sorus ['sɔ:rəs] *n* (*pl* **-ri** [-rai]) *бот.* куп, грозд, *особ.* от спорангии върху лист на папрат, сорус.

SOS ['es'ou'es] *n* **1.** *мор., ав.* сигнал за помощ; **2.** вик/молба/зов за помощ.

so-so ['sou'sou] *a, adv разг.* горе-долу, не особено добре/ хубаво.

sostenuto [sɔstə'nu:tou] *adv, a, n муз.* сдържано, (в) умерено темпо.

sot [sɔt] *n* пияница, затъпял от пиене човек.

sottish ['sɔtiʃ] *a* оглупял, затъпял от пиянство; пиянски.

sotto voce ['sɔtou'voutʃi] *adv um.* **1.** тихо, полугласно; **2.** настрани.

sou [su:] *n фр.* су (*монета*); **not a** ~ ни пет пари, ни пукнат грош.

soubrette [su:'bret] *n театр.* (роля на) дяволита прислужница, субретка.

souchong ['su:ʃɔŋ] *n* вид черен катайски чай.

souffle ['su:fəl] *n мед.* лек шум при преслушване.

soufflé ['su:flei] *n готв.* суфле.

sough[1] [sʌf, sau] *n* шептене, стенене, свирене, фучене (*на вятър*).

sough[2] *v* стена, свиря, фуча (*за вятър*).

sought *вж.* **seek**.

soul [soul] *n* **1.** душа, дух; **to be the (life and)** ~ **of** душата съм на; **upon my** ~ честна дума, кълна се; **to sell o.'s** ~ **for** душа давам за; ~ **brother/sister** събрат негър; ~ **mate** 1) другар по душа; 2) любовник, любовница; ~ **music** джазови разработки на негърски религиозни песни; **to commend o.'s** ~ **to God** предавам богу дух, умирам; **he cannot call his** ~ **his own** обърнал се е на роб, изцяло се е предал/подчинил; **2.** човек, личност; *пренебр.* човечец, душица; **poor** ~ бедничкият, горкият; **jolly old** ~ веселяк; **not a** ~ **must know** абсолютно никой/жива душа не бива да знае; **the ship sank with 300** ~s параходът потъна с триста души на борда.

soul-destroying ['souldistrɔiŋ] *a прен.* убийствен, унищожителен, опустошителен.

soul food ['soulfud] *n* традиционната храна на американските негри (*чревца, свински джолан, зеле и пр.*); евтина храна.
soulful ['soulful] *a* 1. изпълнен с/издаващ дълбоко чувство; 2. *разг.* сантиментален, прекалено емоционален.
soulless ['soullis] *a* бездушен, безинтересен, вял.
soul-stirring ['soulstəriŋ] *a* вълнуващ, затрогващ.
sound[1] [saund] *n* 1. звук; шум; within ~ of на разстояние да се чува; the ~s of speech звуковете на речта; ~ and fury празни/голи думи; ~s off *театр.* задкулисни шумове (*и прен.*); звукова кулиса; 2. тон, смисъл; звучене; I don't like the ~ of не ми звучи добре, не ми харесва тонът (*на реч и пр.*); the rumors have a sinister ~ слуховете са доста зловещи; 3. звукови трептения; 4. звукозапис; 5. *attr* звуков; ~ engineer звукооператор; ~ department звукозапис (*студио*).
sound[2] *v* 1. звуча, прозвучавам; издавам шум/звук; to ~ loud издавам силен звук, звуча силно; to ~ true звуча вярно; 2. извличам/произвеждам звук; издавам звук; to ~ a horn свиря с клаксон; to ~ a bell звъня със звънец; to ~ the alarm давам (звуков сигнал за) тревога; 3. произнасям, озвучавам; the h in 'hour' is not ~ed буквата h в 'hour' не се произнася; 4. разгласявам, публикувам; прославям; 5. *юр.* важа, знача; 6. to ~ off *ам. разг.* 1) говоря силно; 2) оплаквам се надълго и широко; 3) открито и енергично изказвам мнението си.
sound[3] *a* 1. здрав, в добро състояние, непокътнат (*за тяло, орган и пр.*); of ~ body and mind здрав тялом и духом; ~ in wind and limb невредим, в отлично здраве; 2. здрав, нормален; 3. солиден, стабилен, як (*за сграда и пр.*); 4. добър, логичен, правилен, добре обоснован (*за довод и пр.*); 5. солиден, благоразумен, сериозен, безпогрешен; 6. сигурен, изпитан, на който може да се разчита; ~ scholar сериозен/ерудиран учен; 7. благонадежден, сигурен, платежоспособен; 8. *юр.* законен, действителен; ~ title to land законно право над земя; 9. *тех.* в изправност (*за машина, механизъм и пр.*).
sound[4] *adv* здраво, крепко; to sleep ~ спя добре/дълбоко, имам здрав сън.
sound[5] *v* 1. измервам дълбочина (*на вода*); изследвам морско/речно дъно; 2. правя метеорологични изследвания на горните пластове на атмосферата чрез уреди в балон; 3. *мед.* изследвам със сонда; преслушвам със стетоскоп; 4. сондирам (*някого по въпрос и пр.*) (about, on); 5. изследвам, изпитвам; проверявам изправността на (*колела и пр.*) чрез почукване; 6. гмуркам се (*за кит и пр.*); 7. to ~ out проучвам, изяснявам.
sound[6] *n мед.* хирургическа сонда.
sound[7] *n* 1. тесен пролив; 2. въздушен/плавателен мехур (*на риба*).
sound barrier ['saund͵bæriə] *n* звукова бариера; to break the ~ превишавам скоростта на звука.
sound-box ['saundbɔks] *n* 1. резонатор; 2. мембрана на грамофон.
sound effects ['saundifekts] *n pl рад., кино, телев.* звукови ефекти.
sounder[1] ['saundə] *n* слухов телеграфен апарат, клопфер.
sounder[2] *n мор.* механичен лот (*за измерване на водни дълбочини*).
sound-film ['saundfilm] *n* тонфилм, говорещ филм.
sounding[1] ['saundiŋ] *a* 1. звучен, силен; 2. гръмък, бомбастичен; празен; надут, важен.
sounding[2] *n* 1. измерване на водни дълбочини; 2. *обик. pl* установена с лот водна дълбочина; 3. място, където се правят измервания на водна дълбочина.
sounding-balloon ['saundiŋbə͵lu:n] *n* балон за измерване на температура, влажност, налягане и пр. в атмосферата.
sounding-board ['saundiŋbɔ:d] *n* 1. *муз.* резонатор; 2. *прен.* средства за разгласа на мнения/изявления и пр.
sounding-line ['saundiŋlain] *n мор.* лот.
sounding-rod ['saundiŋrɔd] *n мор.* прът за измерване на водата в трюма.
soundless ['saundlis] *a* беззвучен; безшумен, тих.
soundlessly ['saundlisli] *adv* безшумно, тихо.
sound-proof[1] ['saundpru:f] *a* 1. непропускащ/изолиращ звука; 2. изолиран от звук/шум.
sound-proof[2] *v* изолирам от звук/шум.
sound-recording ['saundri͵kɔ:diŋ] *n телев.* звукозапис.
sound-track ['saundtræk] *n* звуков запис към филм.
sound-truck ['saundtrʌk] *n* кола/камион с високоговорител.
sound-wave ['saundweiv] *n* звукова вълна.
soup[1] [su:p] *n* 1. супа; 2. *sl.* мощност на мотор; 3. *sl.* нитроглицерин; □ in the ~ в затруднение; ~ and fish *sl.* вечерно облекло.
soup[2] *v разг.* увеличавам мощта на мотор чрез свръхподхранване.
soupçon ['su:psɔn] *n фр.* малко количество; a ~ of мъничко (*особ. в готварски рецепти*).
soup-kitchen ['su:p͵kitʃən] *n* безплатна трапезария (*за бедни или пострадали при бедствие*).
soup-plate ['su:ppleit] *n* дълбока/супена чиния.
soup-spoon ['su:pspu:n] *n* супена лъжица.
soup-ticket ['su:ptikit] *n* купон за безплатно хранене.
soupy ['su:pi] *a* 1. като супа, чорбест; 2. много облачен/мъглив (*за време*); 3. блудкаво сантиментален, сълзлив.
sour[1] ['sauə] *a* 1. кисел (*и за почва*); 2. вкиснал, прокиснал; *прен.* кисел, сърдит, раздразнителен; рязък; 3. (под)квасен; 4. *ам.* некачествен, незадоволителен; негоден; 5. неприятен, противен.
sour[2] *v* 1. прокисвам се, вкисвам се; *прен.* развивам се зле, провалям се, пропадам; излизам несполучлив/неуспешен; 2. огорчавам се; озлобявам се.
sour[3] *n ам.* коктейл с лимон.
source [sɔ:s] *n* 1. извор (*на река*); 2. извор, източник, начало; ~ language *ам.* езикът, от който (нещо) се превежда; ~ materials документи, паметници и пр., служещи за изследвания, първоизточници.
sourdough [sauə'dou] *n* 1. квас (*особ. от тесто*); 2. *ам. sl.* дългогодишен заселник (*особ. в Канада и Аляска*).
sourpuss ['sauəpu:s] *n sl.* раздразнителен/вечно недоволен човек, мърморко.
soursop ['sauəsɔp] *n* тропическо дърво с едри сочни кисели плодове.
sousaphone ['su:zəfoun] *n* голям басов меден инструмент.
souse[1] [saus] *n* 1. саламура; маринада; 2. пача; 3. *ам.* маринована свинска глава/крачета/уши; 4. накисване; мариноване; 5. *sl.* пияница.
souse[2] *v* 1. слагам в/заливам със саламура; маринувам; 2. потапям, накисвам, наквасвам се; 3. *sl.* напивам (се).
souse[3] *v* 1. връхлитам (down on върху) (*за птица*); 2. *ав.* пикирам.
soused [saust] *a* 1. маринован; 2. *sl.* пиян.
soutache ['su:ta:ʃ] *n фр.* суташ (*вид тесен галон, ширит*).
soutane [su:'ta:n] *n фр.* расо на католишки свещеник.

souteneur ['su:tənə:] *n фр.* издържан от проститутки мъж, сутеньор.

south[1] [sauθ] *n* **1.** юг (*обик. с определит. чл.*); **the S.** *ам.* Южните щати; **2.** южната част на град, държава и пр.

south[2] *a* южен; **the S. Seas** южната част на Тихия океан.

south[3] *adv* на юг; южно (**of** от).

south[4] *v* **1.** отправям се към/движа се на юг (*особ. за кораб*); **2.** *астр.* пресичам меридиан (*за небесно тяло*).

southbound ['sauθbaund] *a* пътуващ/отправен на юг.

.**Southdown** ['sauθdaun] *n* английска порода овце.

southeast[1] ['sauθ'i:st] **I.** *a* югоизточен; **II.** *n* югоизток.

southeast[2] *adv* на югоизток, югоизточно.

southeaster [sauθ'i:stə] *n* (силен) югоизточен вятър.

southeasterly ['sauθ'i:stəli] *a, adv* югоизточен; югоизточно.

southeastern|['sauθ'i:stə:n] *a* югоизточен.

southerly ['sʌðəli] *a, adv* южен; на юг.

southern ['sʌðən] *a* южен, южняшки; **S. Cross** *астр.* Южният кръст.

southerner ['sʌðənə] *n* южняк.

southernmost ['sʌðənmoust] *a* най-южен.

southernwood ['sʌðənwud] *n бот.* божо дръвче, катриника (Artemisia abrotanum).

southing ['sauðiŋ] *n мор.* придвижване на юг.

southpaw ['sauθpɔ:] *n сп. разг.* играч левак (*особ. в бейзбол*).

southron ['sauðrən] *шотл.* **I.** *a* южен; английски; **II.** *n* южняк; англичанин.

south-south-east ['sauθsauθ'i:st] *adv* по средата между юг и югоизток.

south-south-west['sauθsauθ'west] *adv* по средата между юг и югозапад.

southward[1] ['sauθwəd] *a* южен, обърнат на юг.

southward[2], **southwards** [-z] *adv* на/към югозапад.

southwest[1] [sauθ'west] **I.** *a* югозападен; **II.** *n* югозапад.

southwest[2] *adv* на/към югозапад.

southwester [sauθ'westə] *n* (силен) югозападен вятър.

southwesterly [sauθ'westəli] *a, adv* югозападен (*и за вятър*); югозападно.

souvenir ['su:vəniə] *n* (нещо за) спомен, сувенир.

sou'-wester ['sau'westə] *n мор.* **1.** = southwester; **2.** непромокаема шапка, предпазваща и врата.

sovereign[1] ['sɔvrin] *n* **1.** суверен; **2.** златна лира (*английска монета*).

sovereign[2] *a* **1.** върховен; независим, суверенен; абсолютен, неограничен; **~ rights** пълни/суверенни права; **~ power** върховна власт; **2.** пълновластен; **3.** висш; върховен; неоспорим; **4.** ефикасен (*за лекарство*).

sovereignty ['sɔvrənti] *n* **1.** върховна власт; **2.** суверенитет; **3.** независима/суверенна държава.

Soviet ['souviet] *n рус.* **1.** S. съвет (*орган на държавната власт в СССР*); **the ~s** руснаците, болшевиките, руският народ, съветските народи; **2.** *attr* съветски, руски; **~ Union** Съветски съюз.

sovietism ['souvietizm] *n* съветска система на управление.

sovietize ['souvietaiz] *v* въвеждам съветска система на управление.

sovkhoz ['sɔvkɔz] *n* (*pl* -**zi**, -**zes**) *рус.* совхоз.

sovran ['sɔvrən] *поет.* = sovereign.

sow[1] [sou] *v* (**sowed** [soud]; **sown** [soun], **sowed**) **1.** сея, засявам, посявам; **~ the wind and reap the whirlwind** който гроб копае другиму, сам пада в него; **2.** *прен.* сея, пораждам, слагам начало на; предизвик-

вам, подстрекавам; **3.** посипвам, обсипвам, покривам плътно (**with** с).

sow[2] *n* **1.** свиня; **2.** *метал.* слитък; □ **to get/take the wrong ~ by the ear** правя/идвам до погрешно заключение, сгрешавам; сбърквам адреса.

sowback ['saubæk] *n* нисък пясъчен хребет.

sowbread ['saubred] *n бот.* дива цикламa, ботурче.

sower ['souə] *n* **1.** сеяч; **2.** сеялка.

sowing ['souiŋ] *n* сеитба; посев.

sowing-machine['souiŋməʃi:n]*n* сеялка.

sown *вж.* **sow**[1].

sow-thistle ['sauθisl] *n бот.* кострец (Sonchus).

soy [sɔi] *n* **1.** вид японски/китайски сос за риба, приготвен от соя; **2. ~ (bean)** = **soya (bean)**.

soya ['sɔiə] *n бот.* соя (*и* **~ bean**) (Soja hispida).

sozzled ['sɔzld] *a* пиян-залян.

spa [spa:] *n* (курортно място с) минерален извор; бани.

space[1] [speis] *n* **1.** пространство, площ; място; **2.** разстояние, празно място; **3.** *печ.* разредка; **4.** период/промеждутък от време; **within the ~ of** в продължение/разстояние/течение на; **after a short ~** след кратко време; **to rest a ~** почивам си малко; **5.** място (*във влак и пр.*).

space[2] *v* **1.** оставям място между букви, думи, редове и пр.; поставям на интервали (*и с* **out**); **2.** *печ.* разреждам, набирам с разредка/шпац.

space-bar ['speisba:] *n* клавиш за интервал (*на пишеща машина*).

spacecraft['speiskra:ft]*n* космически кораб.

space flight ['speisflait] *n* космически полет.

space-heater ['speishi:tə] *n* отоплително тяло (*електрическа, газова печка и пр.*).

spaceman ['speismən] *n* (*pl* -**men**) **1.** човек, който пътува из космоса; **2.** човек, чиято работа е свързана с космонавтиката; **3.** извънземен жител, посетил нашата планета.

space mark ['speisma:k] *n печ.* знак за разстояние (#) (*в коректури*).

space medecine ['speismedsin] *n* дял от медицината, занимаващ се с влиянието на космическите полети върху човешкото тяло, космическа медицина.

space platform ['speisplætfɔ:m] *n* космическа площадка.

spaceport['speispɔ:t]*n* космодрум.

space probe ['speisproub] *n косм.* изследователска ракета; автоматична научноизследователска станция.

space rocket ['speisrɔkit] *n* ракета за изстрелване на космически кораби.

space ship ['speisʃip] *n* ракетен кораб за междупланетни полети.

space station ['speissteiʃən] *n* космическа станция.

space suit ['speis,sju:t] *n косм.* скафандър.

space time ['speistaim] *n физ., фил.* четвъртото измерение.

space travel ['speistrævəl] *n* пътуване из космоса.

space traveller = **spaceman 1**.

space vehicle = **spacecraft**.

space walk ['speiswɔ:k]*n* излизане на космонавт извън космическия кораб в космическото пространство.

space-writer ['speisraitə] *n* писател/журналист, работещ на хонорар.

spacial = **spatial**.

spacing ['speisiŋ] *n* **1.** нареждане с разстояние; **2.** интервал между букви/думи/редове.

spacious ['speiʃəs] *a* **1.** просторен, пространен, обширен; **2.** широк (*за кръгозор и пр.*).

spaciously ['speiʃəsli] *adv* просторно, обширно.

spaciousness ['speiʃəsnis] *n* просторност, обширност, широта.

spade¹ [speid] *n* **1.** лизгар, бел, права лопата; **2.** остра лопата за рязане на китова мас; **to call a ~ a ~** наричам нещата с истинските им имена, казвам истината право в очите.

spade² *v* прекопавам/копая с лопата (*и с* up).

spade³ *n* пика (*карта*); **in ~s** *ам. sl.* до голяма степен; крайно.

spade⁴ *n* кастрирано животно.

spade beard ['speidbiəd] *n* **1.** продълговата заострена накрая брада; **2.** продълговата брада, завършваща в права линия

spade-bone ['speidboun] *n анат.* лопатка.

spadework ['speidwə:k] *n прен.* грубата/черната предварителна/подготвителна работа; неприятна/неблагодарна работа.

spadger ['spæʤə] *n sl.* врабче.

spado ['speidou] *n* кастриран/импотентен мъж/животно.

spaghetti [spə'geti] *n um.* тънки макарони, спагети.

spahi [spa:hi:] *n ucm.* спахия.

spake вж. **speak.**

spall¹ [spɔ:l] *n* късче, парченце (*от руда, камък*).

spall² *v* ломя, троша, цепя, чупя (*руда, камъни*).

spalpeen [spæl'pi:n] *n upл.* **1.** хлапак; **2.** пакостник, безделник.

spam [spæm] *n* вид мляна/кълцана шунка/бут с подправки (*консерва*).

span¹ [spæn] вж. **spin**¹.

span² *v* (-nn-) **1.** измервам с педя; **2.** обхващам, обгръщам (*и прен.*); **his eye ~ned the distance** той измери разстоянието с око; **3.** простирам се над, свързвам две противоположни точки (*за мост, свод и пр.*); **to ~ a river with a bridge** построявам мост над река; **4.** продължавам, трая, обхващам, разпростирам се върху; **his career ~ned four decades** кариерата му обхваща четири десетилетия.

span³ *n* **1.** педя (*мярка около 23 см*); *прен.* късо разстояние; протежение, пространство; **2.** ограничен период от време; промеждутък; продължителност, времетраене; **the whole ~ of Roman history** цялата история на Римската империя; **3.** дължина от край до край; **4.** *ав.* разпереност на крилата; **5.** част от мост между две подопори.

span⁴ *n ам.* чифт животни (*коне, мулета, волове и пр.*).

spang [spæŋ] *adv ам. разг.* **1.** точно, право; **2.** напълно, съвсем.

spandrel ['spændrəl] *n apx.* пазва на свод.

spangle¹ ['spæŋgəl] *n* **1.** дребен лъскав предмет/частичка; **2.** пайети, лотура; **3.** *бот.* малък израстък на дъбов лист.

spangle² *v* **1.** украсявам/гарнирам с пайети; **2.** обсипвам/осейвам с лъскави предмети.

spangly ['spæŋgli] *a* отрупан/украсен с пайети и пр.

Spaniard ['spæniəd] *n* испанец.

spaniel ['spæniəl] *n* **1.** спаниел (*дребна порода куче*); **2.** подлизурко, подмазвач.

Spanish ['spæniʃ] **I.** *a* испански; **II.** *n* испански език.

Spanish bayonet ['spæniʃ,beiənit] *n бот.* вид юка (Yucca aloifolia).

Spanish influenza ['spæniʃ,influ'enzə] *n мед.* пандемичен грип/инфлуенца.

Spanish Main ['spæniʃ'mein] *n ucm.* североизточният бряг на Северна Америка и част от Карибско море.

Spanish Moss ['spæniʃmɔs] *n бот.* тропическо епифитно растение (Tillandsia usneoides), растящо на висящи туфи по дърветата.

Spanish omelette ['spæniʃ'ɔmlit] *n* омлет със запържени зеленчуци (*лук, чушки, домати*), обик. непрегьнат.

spank¹ [spæŋk] *v* **1.** плесвам, наплесквам, шляпвам; бия с ръка, натупвам (*обик. дете по задничето*); **2.** движа се бързо/енергично; профучавам (*обик. за кон*).

spank² *n* плесване, шляпане, (на)тупване.

spanker ['spæŋkə] *n* **1.** бърз кон, бегач; **2.** забележителен по размери/качества човек/предмет; **3.** *мор.* бизан (*платно*).

spanking¹ ['spæŋkiŋ] *n* наплескване, натупване (*на дете*); бой.

spanking² *a* **1.** бърз, енергичен; **2.** *sl.* отличен, чудесен, превъзходен; поразителен; **we had a ~ time** прекарахме чудесно; **3.** силен; **~ breeze** силен попътен вятър.

spanner ['spænə] *n* **1.** винтов/гаечен ключ; **2.** *стр.* напречник; **to throw a ~ into the works** саботирам проект/планове/начинание; **3.** = **span-worm.**

span roof ['spænru:f] *n* двустранен покрив.

span-worm ['spænwə:m] *n ам. зоол.* гъсеница педомерка.

spar¹ [spa:] *n* **1.** *мор.* рангоут (*мачти, рейки, стенги и пр.*); **2.** як дървен/металев прът; греда; **3.** *ав.* лонжерон.

spar² *v* поставям мачти/греди.

spar³ *n минер.* шпат.

spar⁴ *v* (-rr-) **1.** боксирам се (*особ. при тренировка*); боричкам се; **to ~ at** правя движения с юмруци срещу някого; **2.** боря се с шипове (*за петли*); **3.** карам се, препирам се, споря; **to ~ for time** мъча се да печеля време.

spar⁵ *n* **1.** боксов мач; **2.** борба с петли; **3.** препирня, спор.

sparable ['spærəbl] *n* малко обущарско гвоздейче без главичка.

spar-buoy ['spa:bɔi] *n* шамандура с вертикален дълъг прът.

spar-deck ['spa:dek] *n мор.* горна палуба, спардек.

spare¹ [spɛə] *a* **1.** свободен, излишен, неизползуван, в повече; **~ room** стая за гости; **~ parts** резервни части; **2.** оскъден; пестелив (*и за стил*); **3.** сух, слаб (*за телосложение*).

spare² *v* **1.** щадя, пощадявам; **if we are ~d** ако оживеем/оцелеем; **~ my blushes** не ме карай да се изчервя(вам); **2.** жаля, щадя, пазя; **to ~ no expenses** не жаля средствата; **to ~ o.s.** пазя си силите, не си давам зор, не се пресилвам; **not to ~ o.s.** не си щадя силите, правя всичко възможно, полагам всички усилия; **~ the rod and spoil the child** без бой децата се разглезват, пръчката е излязла от рая; **3.** пестя, икономисвам; **enough and to ~** достатъчно и предостатъчно; **4.** отделям (*време, внимание и пр.*); **I have no time to ~** нямам никакво свободно/излишно време; **can you ~ me a pound/a minute?** можеш ли да ми дадеш/отделиш една лира/минута?

spare³ *n* **1.** резервна част (*на кола, уред и пр.*); **2.** *ам.* събаряне на всички кегли с първите две топки.

sparely ['spɛəli] *adv* оскъдно; скромно; икономично.

spare-rib ['spɛərib] *n* (свински) ребра с много малко останало по тях месо.

spare tyre ['spɛətaiə] *n прен. разг.* натрупани над талията тлъстини.

sparge [spa:ʤ] *v* поръсвам, попръсквам, навлажнявам (*особ. при варене на бира*).

sparing ['spɛəriŋ] *a* **1.** умерен; предпазлив; **2.** икономичен (**in**), пестелив (**of**), стиснат; скъп (*на думи и пр.*); **3.** ограничен, оскъден; **4.** снизходителен; милостив.

sparingly ['spɛəriŋli] *adv* умерено; пестеливо; скъпо.

spark¹ [spa:k] *n* **1.** искра; *прен.* искрица (*живот, надежда и пр.*); **2.** електрическа искра; **3.** *прен.* проблясък, проява (*на интелект, духовитост и пр.*); **4.** *pl мор. sl.* радист; □ **as the ~s fly upward** естествено, неизбежно; **to strike ~s out of s.o.** накарвам някого да блесне (*в разговор и пр.*).

spark² *v* **1.** пускам искри, искря; **2.** *ел.* давам искра.

spark³ *n* **1.** весел младеж; **2.** галантен кавалер; **3.** ухажор.

spark⁴ *v* **1.** проявявам се като галантен кавалер; **2.** ухажвам.

spark-coil ['spa:kkɔil] *n ел.* индукционна макара.

spark-gap ['spa:kgæp] *n ел.* искров промеждутък.

sparking-plug ['spa:kiŋplʌg] *n* **1.** *авт.* свещ; **2.** *ам.* инициатор.

sparkish ['spa:kiʃ] *a* **1.** весел; **2.** галантен.

sparkle¹ ['spa:kl] *v* **1.** блещукам; **2.** искря (*за вино, очи и пр.*); **3.** шумя, кипя (*за шампанско*); **4.** блестя (*за интелект и пр.*).

sparkle² *n* **1.** искрене, блестене, блясък; **2.** веселост; **3.** остроумие.

sparkler ['spa:klə] *n* **1.** *sl.* брилянт; **2.** фойерверк; **3.** *pl sl.* искрящи очи.

sparklet ['spa:klit] *n* искрица.

sparkling ['spa:kliŋ] *a* **1.** искрящ; **2.** блестящ; **3.** газиран, искрящ, пенлив (*за вино*).

spark-plug ['spa:kplʌg] = **sparking-plug**.

sparring-match ['spa:riŋmætʃ] *n* **1.** боксов мач (*особ. за тренировка*); **2.** *прен.* препирня, спор.

sparring partner ['spa:riŋ,patnə] *n* **1.** *бокс* партньор при тренировка; **2.** *прен.* човек, с когото ти е интересно да спориш.

sparrow ['spærou] *n* врабче.

sparrow-grass ['spærougra:s] *n вулг.* аспержа.

sparrow-hawk ['spærouhɔ:k] *n* ястреб врабчар (Accipiter nisus).

sparry ['spa:ri] *a минер.* изобилствуващ с/подобен на шпат.

sparse ['spa:s] *a* рядък; пръснат, разпръснат, разпилян (*за растения, население*); **~ beard** рядка брада.

sparsely ['spa:sli] *adv* разпръснато, нарядко.

sparsity ['spa:siti] *n* рядкост; недостатъчност, оскъдица.

Spartacist ['spa:təsist] *n* спартакист, спартаковец (*член на основания от Карл Либкнехт съюз „Спартак"*).

Spartan ['spa:tən] **I.** *a* спартански; **II.** *n* **1.** спартанец; **2.** смелчага.

spasm ['spæzm] *n* **1.** спазма, гърч; **2.** изблик; пристъп.

spasmodic [spæz'mɔdik] *a* конвулсивен, спазматичен; идващ на пристъпи.

spasmodically [spæz'mɔdikəli] *adv* на пристъпи; на/с прекъсвания.

spastic ['spæstik] **I.** *a* спастичен, спазматичен; **II.** *n* болен от церебрален паралич.

spat¹ [spæt] *n* хайвер на стриди.

spat² *v* (-tt-) хвърлям си хайвера (*за стрида*).

spat³ *n обик. pl* гети.

spat⁴ *вж.* **spit³**.

spat⁵ *n ам.* **1.** скарване; **2.** плесване; **3.** незначително количество.

spat⁶ *v* (-tt-) дърля се, препирам се, карам се.

spatchcock¹ ['spætʃkɔk] *n* убита и веднага сготвена птица.

spatchcock² *v разг.* вмъквам/прибавям думи набързо, обик. неуместно (*в писмо, телеграма и пр.*).

spate [speit] *n* **1.** прииждане (*на река*); **in ~** придошъл; **2.** *прен.* изобилие, маса; порой, поток; **3.** *ам.* избухване; изблик (*на гняв и пр.*).

spathe [speið] *n бот.* лист под/около съцветие.

spatial ['speiʃəl] *a* пространствен.

spatiality [speiʃi'æliti] *n* пространственост.

spatially ['speiʃəli] *adv* пространствено.

spatter¹ ['spætə] *v* **1.** изпръсквам, опръсквам; **2.** пръскам; лискам, плискам (се); **3.** тракам, потраквам (*за дъждовни капки*); **4.** черня, клевети.

spatter² *n* **1.** изпръскване, опръскване; **2.** плискане; **3.** потракване.

spatula ['spætjulə] *n тех., фарм.* шпатула.

spatulate ['spætjuleit] *a бот., зоол.* във форма на шпатула; с широк заоблен край.

spavin ['spævin] *n вет.* подуване/надебеляване на ставите (*особ. у конете*), шпат.

spavined ['spævind] *a вет.* болен/окуцял от шпат (*за кон*).

spawn¹ [spɔ:n] **I.** *v* **1.** хвърлям хайвера си, снасям яйца (*за риба, жаба и пр.*); **2.** размножавам се чрез хайвер; **3.** засаждам с мицел; **4.** *презр.* размножавам се, плодя се; създавам, раждам; умножавам се.

spawn² *n* **1.** хайвер; яйца; **2.** *презр.* потомство; племе; **3.** *презр.* изчадие; **4.** *бот.* мицел.

speak [spi:k] *v* (**spoke** [spouk], *ост.* **spake** [speik]; **spoken** [spokən]) **1.** говоря, приказвам, разговарям (**to, with** с, **about** за); думам; **to ~ the truth** говоря/казвам истината; **to ~ o.'s mind** говоря откровено, казвам каквото мисля; **strictly/properly ~ing** по-точно казано, строго погледнато; **roughly ~ing** казано общо (*без подробности*); **generally ~ing** в общи линии казано; **legally ~ing** от правна гледна точка; **English spoken** тук се говори английски; **2.** говоря, произнасям слово/реч; изказвам се; **to ~ to the point** говоря по същество/точно по въпроса; **3.** *мор.* разменям сигнали (*с друг кораб*); **4.** издавам звуци, звуча, зазвучавам (*за музикален инструмент и пр.*); гърмя, загърмявам, гръмвам (*за оръдие и пр.*); **5.** *прен. ост.* говоря/свидетелствувам за, соча, показвам; **it ~s for itself** не се нуждае от доказателства; **6.** лая по заповед (*за куче*); **to ~ for** говоря от името на, ставам изразител на мнението/желанията/чувствата на; свидетелствувам в полза на; **to ~ for o.s.** говоря само от свое име, изказвам личното си мнение;

speak of споменавам, говоря за; **nothing to ~ of** нищо особено, немного, не е кой знае колко/какво;

speak out говоря силно/ясно/открито/без колебание или страх;

speak to 1) говоря на, поговорвам с; обръщам се към, заговорвам някого; 2) (за)свидетелствувам, потвърждавам;

speak up 1) говоря високо/силно; говоря ясно и открито; 2) изказвам се; 3) заговорвам, проговорвам; 4) **to ~ up for** застъпвам се за.

speak-easy ['spi:ki:zi] *n ам. разг.* контрабандно питейно заведение (*особ. през сухия режим*).

speaker ['spi:kə] *n* **1.** говорител; **2.** радиоговорител, спикер; **3.** оратор; **a good/poor ~** добър/лош оратор; **4. the S.** *парл.* председател на долната камара на Английския парламент, спикер.

speakership ['spi:kəʃip] *n парл.* председателство (*длъжност и период*).

speaking¹ ['spi:kiŋ] *a* **1.** говорещ, приказващ; **2.** изразителен; очебиен, красноречив; **~ likeness** поразителна прилика; жив портрет.

speaking² *n* говорене, приказване; реч.

speaking-trumpet ['spi:kiŋ,trʌmpit] *n* **1.** рупор; **2.** *ост.* слухова тръба (*за глух човек*).

speaking-tube ['spi:kiŋtju:b] *n* **1.** домофон; **2.** тръба за разговаряне с шофьор/кочияш; **3.** *мор.* тръба за разговаряне от разстояние.

spear[1] ['spiə] *n* **1.** копие; **2.** *поет.* копиеносец; **3.** харпун; **4.** *бот.* филиз, млад стрък трева и пр.

spear[2] *v* **1.** пронизвам, промушвам (*с копие*); **2.** забивам харпун в; **3.** *бот.* пускам дълги филизи.

spear grass ['spiəgra:s] *n* вид дълга твърда трева.

spearhead ['spiəhed] *n* **1.** острие на копие; **2.** човек/ част, повеждаща атака; **3.** челен отряд, авангард (*и прен.*).

spearman ['spiəmən] *n* (*pl* **-men**) копиеносец.

spearmint ['spiəmint] *n бот.* градинска мента (Mentha spicata).

spear side ['spiəsaid] *n* мъжката/бащината линия в рода.

spec [spek] *n разг.* спекулация, рисковано предприятие; **I did it on ~** направих го наслуки; **it turned out a good ~** излезе добре/успешно.

special[1] ['speʃl] *a* **1.** специален, нарочен; **for a ~ purpose** със специална цел; **~ anatomy** анатомия на отделните части на тялото; **~ hospital** специализирана болница; **~ case** 1) специален/особен случай; 2) *юр.* писмено изложение на факти, депозирано от страните в съдебен процес; **~ constable** граждански мобилизиран човек в полицията при критични обстоятелства; **~ licence** разрешение за брак без спазване на формалностите; **~ pleading** 1) *юр.* нови/допълнителни доказателства, представени от страна в процес; 2) *разг.* софистика; **2.** необикновен, необичаен, особен; **3.** специален, извънреден, изключителен; **~ delivery** бърза поща; **~ edition** извънредно издание (*на вестник*); **4.** определен.

special[2] *n* **1.** специално нещо/лице; **2.** специален влак/автобус и пр.; **3.** извънредно издание (*на вестник*); *рад., телев.* извънредно предаване; **4.** = **special constable** (*вж.* **special**[1] 1).

specialist ['speʃəlist] *n* специалист.

speciality [speʃi'æliti] *n* **1.** особеност, характерна/отличителна черта; **2.** специалност; **to make a ~ of** специализирам се в/по; **3.** специален обект на внимание/занимание; **4.** специалитет.

specialization [speʃəlai'zeiʃn] *n* специализация; специализиране.

specialize ['speʃəlaiz] *v* **1.** специализирам се (**in** в); **2.** приспособявам (се); **3.** *биол.* модифицирам орган и пр. и го приспособявам за нова функция; **4.** ограничавам; **5.** точно определям, специфицирам.

specially ['speʃəli] *adv* специално, нарочно; особено.

specialty ['speʃəlti] *n* **1.** *юр.* официален договор, акт; **2.** = **speciality** 2, 3.

specie ['spi:ʃi:] *n* звонкови монети; **to pay in ~** плащам в пари; **to return insult in ~** отвръщам на оскърблението с оскърбление.

species ['spi:ʃi:z] *n* (*pl без изменение*) **1.** *биол.* вид; **2.** род, вид, сорт; порода; разновидност; **the/our ~** човешкият род.

specific[1] [spi'sifik] *a* **1.** специфичен, особен; **2.** характерен, типичен, свойствен; **3.** точно определен; ограничен; недвусмислен; **4.** *биол.* видов; **the generic and ~ names of plants** родовите и видовите наименования на растенията; **5.** *мед.* специфичен.

specific[2] *n* **1.** специфично средство/лекарство; **2.** характерно качество/черта; **3.** *обик. pl* подробности, детайли.

specification [spesifi'keiʃn] *n* **1.** *обик. pl* спецификация; **2.** подробности, уточняване (*на договор и пр.*).

specificity [spesi'fisiti] *n* специфичност, специфика.

specific performance [spi'sifikpə'fɔ:məns] *n юр.* точно изпълнение на поетите по договор задължения.

specify ['spesifai] *v* **1.** определям, уточнявам, установявам; изрично упоменавам; **2.** давам спецификация, **3.** придавам особен характер/вид.

specimen ['spesimən] *n* **1.** образец, мостра; **2.** екземпляр, специмен; експонат; **3.** *мед.* проба за лабораторно изследване (*кръв, урина и пр.*); **4.** *разг., обик. презр.* екземпляр, субект, тип, терк.

speciology [spi:ʃi'ɔlɔdʒi] *n* наука за произхода и развитието на видовете.

speciosity [spi:ʃi'ositi] *n* **1.** привидна благовидност; **2.** показност.

specious ['spi:ʃəs] *a* **1.** благовиден; **2.** показен; измамливо привлекателен, външно/привидно приемлив; **~ refinement** външна/повърхностна изисканост.

speck[1] [spek] *n* **1.** петънце, точица (*и от загниване*); **2.** дребно нещо, частичка, зрънце.

speck[2] *v* **1.** петня; **2.** нашарвам, покривам/изпъстрям с петна/точици.

speckle[1] ['spekl] *n* петънце; луничка (*на кожата*).

speckle[2] *v* покривам/изпъстрям с петна/точки/лунички; нашарвам.

speckled ['spekld] *a* на петна/точки/лунички; пъстър; луничав.

specs [speks] *n разг.* очила.

spectacle ['spektəkl] *n* **1.** зрелище, гледка; **to make a ~ of o.s.** ставам за смях/подигравка; **2.** спектакъл, представление; **3.** *pl* очила; **4.** цветни стъкла (*на семафор и пр.*).

spectacled ['spektəkld] *a* **1.** с очила, очилат; **2.** с кръгове около очите (*за змия и пр.*).

spectacular[1] [spek'tækjulə] *a* **1.** грамаден, грандиозен, импозантен; ефектен, пищен; **2.** драматичен, вълнуващ, поразителен.

spectacular[2] *n* грандиозно представление и пр.

spectator [spek'teitə] *n* зрител; наблюдател; очевидец.

spectra *вж.* **spectrum**.

spectral ['spektrəl] *a* **1.** призрачен; **2.** *физ.* спектрален.

spectre ['spektə] *n* привидение, призрак, сянка, фантом.

spectrogram ['spektrəgræm] *n* спектрограма.

spectroscope ['spektrəskoup] *n* спектроскоп.

spectroscopy [spek'trɔskəpi] *n* спектроскопия.

spectrum ['spektrəm] *n* (*pl* **-ra**) **1.** спектър; **~ analysis** спектрален анализ; **2.** *физ.* остатъчен образ, послеобраз.

specular ['spekjulə] *a* отразяващ, огледален.

speculate ['spekjuleit] *v* **1.** отдавам се на размисъл, размишлявам (**on, upon, about**); обмислям; **2.** *търг.* занимавам се със спекула.

speculation [,spekju'leiʃn] *n* **1.** размишление; размишляване; **2.** теория; предположение, хипотеза; **3.** спекулация (*и търг.*).

speculative ['spekjulətiv] *a* **1.** умозрителен, теоретичен; **2.** спекулативен; несигурен, рискован.

speculator ['spekjuleitə] *n* **1.** мислител; **2.** спекулант.

speculum ['spekjuləm] *n* (*pl* **-la**) **1.** металическо огледало; **2.** *мед.* разширител (*на отвор, тръба, канал*); **3.** рефлектор; **4.** око (*на крило на птица*).

sped *вж.* **speed**[2].

speech [spi:tʃ] *n* **1.** говор, реч; **to have ~ with s.o.** разговарям с някого; **2.** реч, слово; **to deliver/make a ~** произнасям реч; **set ~** предварително подготвена реч; **~ from the throne** тронно слово; **3.** език; говор, диалект, жаргон; **4.** звук от инструмент (*особ. от орган*); **5.** *театр.* реплика; **6.** *ост.* слух, мълва.

speech community ['spi:tʃkə,mjuniti] *n* езикова общност.

speech correction ['spi:tʃkə'rekʃn] = **speech therapy**.

speech-day ['spi:tʃdei] *n уч.* годишен акт.

speechify ['spi:tʃifai] *v шег., ирон.* ораторствувам.

speechless ['spi:tʃlis] *a* **1.** занемял, онемял; безмълвен; ~ **with surprise** занемял от изненада; **2.** ням; **3.** неизразим; **4.** изумен.

speech-reading ['spi:tʃri:diŋ] *n* разбиране на говора по движението на устните.

speed[1] [spi:d] *n* **1.** бързина, скорост; **with all/top** ~ много бързо; **at full/top** ~ с пълна скорост, с най-голяма бързина; **2.** *тех.* брой на оборотите; **a three-**~ **engine** трискоростен двигател; **3.** *фот.* скорост; **4.** сполука, благоденствие; щастие, успех; **5.** *sl.* метедрин (*наркотик*).

speed[2] *v* (**sped** [sped]) **1.** движа се бързо, летя; **motors sped past** префучаваха автомобили; **2.** отпращам набързо; запращам (*стрела*); **3.** *ост.* преуспявам, правя да преуспее/процъфти; **God** ~ **you!** да те поживи/да ти помогне господ! **4.** (*pt* **speeded**) установявам/регулирам скоростта на (*машина, мотор*); **5.** *авт.* карам с превишена скорост; **6. to** ~ **up** (*pt, pp* **speeded**) ускорявам; увеличавам продукцията; повишавам скоростта.

speedball ['spi:dbɔ:l] *n pl.* смес от кокаин и хероин/морфин.

speedboat ['spi:dbout] *n* бързоходна моторна лодка.

speed-cop ['spi:dkɔp] *n sl.* полицай, контролиращ движението.

speeder ['spi:də] *n тех.* регулатор на скоростите; приспособление за увеличаване на скоростта.

speedily ['spi:dili] *adv* бързо; скоро, незабавно.

speed-indicator ['spi:dindi,keitə] = **speedometer**.

speed limit ['spi:dlimit] *n* максимална позволена скорост за каране на .превозни средства.

speed merchant ['spi:dmə:tʃənt] *n* моторист, каращ с голяма скорост.

speedometer [spi:'dɔmitə] *n тех.* спидометър, скоростомер.

spead reading ['spi:d'ri:diŋ] *n* метод за скоростно/бегло четене.

speed-reducer ['spi:dri'dju:sə] *n тех.* редуктор.

speedster ['spi:dstə] *n ам.* моторист, каращ с превишена скорост.

speed trap ['spi:dtræp] *n* част от шосе, контролирано от прикрити полицаи/радар и пр.

speed-up ['spi:dʌp] *n* **1.** увеличаване на скорост, ускорение; **2.** повишаване на производителността на труда без допълнително възнаграждение.

speedway ['spi:dwei] *n* **1.** мотописта; **2.** *ам.* (коридор на) шосе за ускорено движение.

speedwell ['spi:dwel] *n бот.* великденче, вероника (Veronica officinalis).

speedy ['spi:di] *a* **1.** бърз; спешен; **2.** незабавен.

speiss [spais] *n метал.* шпайза.

speleology [spi:li'ɔlədʒi] *n* изучаване на пещерите, спелеология.

spell[1] [spel] *n* **1.** заклинание; **under a** ~ омагьосан; омаян; **to break the** ~ развалям магията; прекъсвам очарованието; **2.** чар, очарование, обаяние.

spell[2] *v* (**spelt, spelled** [spelt, speld]) **1.** изричам/пиша дума буква по буква; **how do you** ~ **your name?** как се пише името́ ви? **to learn to** ~ (**correctly**) уча се да пиша правилно; **2.** образувам дума (*за букви*); **3.** означавам; предвещавам; **4.** довеждам до, имам за последица;

    spell backward 1) пиша/изричам буквите на дума отзад напред/в обратен ред; 2) *прен.* изопачавам;

spell out 1) произнасям по буквите; 2) изписвам/изработвам бавно/с мъка; 3) *печ.* напиши цяло/несъкратено, изпиши; 4) **to** ~ **s.th. out** обяснявам подробно/изяснявам нещо;
    spell over = **spell out** 1, 2.

spell[3] *n* (кратък) период; **to do a** ~ **of work** поработвам (малко); **wait (for) a** ~ почакайте малко; **a cold** ~ **in March** кратко застудяване през март; **a long** ~ **of fine weather** дълъг период от хубаво време; **a** ~ **of illness** кратко боледуване; **a** ~ **of coughing** закашляне, пристъп на кашлица; **to take** ~**s at the wheel with** редувам се с някого в шофирането (*при пътуване с кола*).

spell[4] *v* **1.** работя/правя нещо на смени/с почивки; отменям, сменям (*в работата и пр.*); **will you** ~ **me at the oars?** ще ме смениш ли в гребането? **2.** *ам.* правя почивка; давам отдих на.

spellbind ['spelbaind] *v* (**-bound** [-baund]) **1.** омагьосвам; **2.** очаровам, обайвам; пленявам, завладявам.

spellbinder ['spelbaində] *n разг.* оратор (*особ. политически*), който завладява слушателите си; магьосник на словото.

spellbound ['spelbaund] *a* **1.** очарован, омагьосан, запленен; **2.** смаян, слисан.

spelldown ['speldaun] *ам.* = **spelling-bee**.

speller ['spelə] *n* **1.** човек, който пише/изговаря думи буква по буква; **a good** ~ човек, който пише правилно; **2.** *ам.* = **spelling-book**.

spelling ['speliŋ] *n* правопис, ортография; **variant** ~**s of a word** правописни варианти на дадена дума; ~ **pronunciation** произнасяне на дума, както е написана, а не както трябва да се чете.

spelling-bee ['speliŋbi:] *n* състезание по правопис.

spelling-book ['speliŋbuk] *n* ръководство по правопис.

spelt[1] [spelt] *n бот.* вид пшеница, шпелта (Triticum spelta).

spelt *вж.* **spell**[2].

spelter ['speltə] *n* цинк (*особ. на пръчки*).

spelunker [spe'lunkə] *n* пещерняк, спелеолог.

spence [spens] *n ост.* килер за храна.

spencer[1] ['spensə] *n* тясно късо (вълнено) жакетче.

spencer[2] *n мор.* малко корабно платно, използувано при буря.

spend [spend] *v* (**spent** [spent]) **1.** харча, похарчвам (**on**, *ам.* **for** за); изхарчвам; **to** ~ **a penny** *разг.* използувам клозета; **2.** изразходвам (*сили и пр.*); **3.** прекарвам (*време и пр.*); **4.** употребявам; пропилявам; изхабявам (*време, труд и пр.*); **5.** отдавам, жертвувам; **6.** изтощавам (*и refl*); утихвам, стихвам; **the storm is spent** бурята утихна; **7.** *мор.* загубвам (*мачта и пр.*); **8.** хвърлям хайвера си (*за риба*).

spending money ['spendiŋmʌni] *n ам.* джобни пари, пари за харчлък.

spendthrift[1] ['spendθrift] *n* разточителен човек, прахосник, разсипник.

spendthrift[2] *a* разточителен, разпилян, прахоснически.

Spenserian [spen'siəriən] *a* в стила на Спенсър; ~ **stanza** Спенсърова строфа.

spent[1] [spent] *вж.* **spend**.

spent[2] *a* изтощен, изнемощял, капнал.

sperm[1] [spə:m] *n* сперма.

sperm[2] *n* **1.** *зоол.* кашалот; **2.** спермацет; **3.** китова мас.

spermaceti [spə:mə'seti] *n* спермацет, китова мас.

spermary ['spə:məri] *n* мъжка полова жлеза, тестикул.

spermatic [spə:'mætik] *a биол.* семенен.

spermatocyte ['spə:mətə,sait] *n биол.* мъжка полова клетка, от която се развива сперматозоид.

spermatozoid [spə:mətə'zouid] *n биол.* сперматозоид.

spermatozoon [spə:mətə'zouən] *n* (*pl* **-zoa** [-zou]) *биол.* сперматозоид.

sperm-oil ['spə:mɔil] *n* мас от кашалот, спермацет.

spermwhale ['spə:mweil] *n* кашалот (Physeter catodon).

spew [spju:] *v* 1. изригвам, изхвърлям, бълвам; *ост.* повръщам; 2. сипя, изсипвам.

sphagnum ['sfægnəm] *n* (*pl* **-na** [-nə]) *бот.* торфен мъх.

sphenoid ['sfi:nɔid] *a* клиновиден, клинообразен; ~ **bone** клиновидна кост.

sphere¹ [sfiə] *n* 1. *геом.* сфера; 2. сферично/кълбовидно тяло; кълбо; 3. *астр.* небесно тяло, звезда, планета; 4. *поет.* небесни селения, небе; 5. *прен.* област/поле/сфера на действие; компетенция, компетентност; 6. среда, кръг, обкръжение, обстановка.

sphere² *v* 1. затварям/поставям в сфера, обграждам; придавам сферична форма на; 2. *поет.* въздигам до небесата, превъзнасям, възхвалявам.

spheric ['sferik] *a* 1. = **spherical**; 2. *поет.* небесен; възвишен.

spherical ['sferikl] *a* сферичен, сферически.

spheroid ['sfiərɔid] *n* леко сплеснато кълбо, сфероид.

spheroidal [sfiə'rɔidl] *a* почти сферичен, сфероиден.

spherule ['sferu:l] *n* сферичка, сферичка.

sphery ['sfiəri] *a* 1. сферичен; 2. *поет.* небесен.

sphincter ['sfiŋktə] *n анат.* пръстеновиден мускул, сфинктер.

sphygmograph ['sfigməgra:f] *n мед.* апарат за автоматично записване на пулса, сфигмограф.

sphygmomanometer [,sfigmomə'nɔmitə] *n мед.* апарат за измерване на кръвното налягане.

sphygmus ['sfigməs] *n физиол.* пулс.

sphynx [sfiŋks] *n* сфинкс (*и прен.*).

spica ['spaikə] *n* 1. *бот.* класовидно съцветие; 2. превръзка във форма на рибена кост/клас.

spice¹ [spais] *n* 1. подправка; *събир.* подправки (*за ястия и др. храни*); **sugar and** ~ **and all that's nice** всички хубави неща накуп; 2. *прен.* оттенък, следа, жилка; **a** ~ **of the devil in o.'s character** известна проклетия в характера; **a** ~ **of malice** злобица; 3. *поет.* приятен мирис; 4. *прен.* нещо, което придава вкус/интерес/пикантност.

spice² *v* 1. подправям, слагам подправки на (*ядене*); 2. примесвам; *прен.* придавам интерес/пикантност.

spice-bush ['spaisbuʃ] *n* американски храст от семейството на дафиновото дърво (Lyndera benzoin).

spicery ['spaisəri] *n* 1. подправки, специи; 2. пикантност.

spick and span ['spikən'spæn] *a* 1. чист и спретнат; тип-топ; 2. пресен; нов-новеничък.

spicy ['spaisi] *a* 1. ароматен, ароматичен; подправен; 2. *прен.* пикантен, сензационен, пиперлия; неприличен; 3. *sl.* жив, енергичен; буен, сприхав.

spider ['spaidə] *n* 1. паяк; 2. вид чугунен тиган с крака (*за огнище*); 3. *прен.* интригант; 4. *тех.* звезда.

spider-crab ['spaidəkræb] *n зоол.* (морски) паяк (Oxyrhyncha).

spider-man ['spaidəmən] *n* (*pl* **-men**) строител, работещ на високи сгради.

spider monkey ['spaidə'mʌnki] *n* вид маймуна.

spidery ['spaidəri] *a* 1. подобен на паяк; 2. пълен с паяци; 3. много тънък (*за почерк, крака, спици и пр.*).

spiel¹ [spi:l] *n ам.* сладкодумно слово, увлекателно разказана история.

spiel² *v* говоря сладкодумно, разказвам словоохотливо/увлекателно.

spieler ['spi:lə] *n sl.* 1. *ам.* словоохотлив оратор; 2. *австрал.* картоиграч мошеник.

spiffing ['spifiŋ] *n sl.* стегнат, издокаран, изтупан; хубав, приятен.

spif(f)licate ['spiflikeit] *v шег.* бия жестоко; съсипвам, унищожавам.

spiffy ['spifi] = **spiffing**.

spigot ['spigət] *n тех.* 1. канелка, чеп; 2. кран.

spike¹ [spaik] *n* 1. острие, шип; клин; метален прът, кол (*на ограда*); 2. *pl сп.* обуща на бегач (*с шипове*); 3. заострен край на перила на ограда; 4. *бот.* клас (*на жито*); висок стрък, завършващ с класовидно съцветие; 5. рог на млад елен; 6. *воен. ист.* втулка (*на подсип*).

spike² *v* 1. слагам шипове на; 2. пробождам, промушвам; *сп.* ранявам (*играч*) с шиповете на обущата си; 3. *волейбол* забивам топка; 4. *ист.* разбивам подсипа на топ; *прен.* изваждам от строя; разсейвам (*слух*); **to** ~ **s.o.'s guns** осуетявам плановете на някого; 5. *разг.* прибавям алкохол на (*напитки*).

spike heel ['spaikhi:l] *n* висок, тънък и заострен ток на дамска обувка.

spikenard ['spaikna:d] *n* нард (*ароматично растение и мехлем от него*).

spiky ['spaiki] *a* 1. заострен, изострен; 2. покрит с шипове; 3. *прен.* упорит, неотстъпчив; обидчив.

spile¹ [spail] *n* 1. *стр.* кол, пилот; 2. втулка, запушалка; чеп, тапа.

spile² *v* пробивам дупка за чеп (*на бъчва*).

spill¹ [spil] *v* (**spilt, spilled** [spilt, spild]) 1. разливам (се), разсипвам (се); проливам (*кръв и пр.*); **to** ~ **the beans** издавам тайна, раздрънквам, ял съм кокоши крак; 2. лисвам, изсипвам; изхвърлям, изтърсвам (*от кон, кола и пр.*); 3. *ам. sl.* откривам, разкривам, издавам, раздрънквам; **come on,** ~ **it** хайде казвай, изплюй камъчето; 4. *мор.* избутвам въздуха от платно, преди да го свия.

spill² *n* 1. изсипване, изтърсване и пр. (*вж.* **spill**¹); 2. *разг.* падане.

spill³ *n* 1. тънка тресчица/навита хартия (*за палене на свещ, лула*); 2. дървена запушалка/тапа; 3. *тех.* недозаварка; косъмна пукнатина.

spillage ['spilidʒ] *n* 1. разпиляване; 2. разпиляни материали; 3. брак.

spillikin ['spilikin] *n* 1. пръчица от дърво/(слонова) кост и пр.; 2. *pl* игра с такива пръчици.

spillover ['spilouvə] *n* 1. разпространяване; 2. свръхизлишък; 3. пренаселеност, свръхнаселение.

spillway ['spilwei] *n стр.* преливник (*на язовирна стена*).

spilt [spilt] *вж.* **spill**¹.

spilth [spilθ] *n* 1. изсипване, разливане; изхвърляне; 2. излишък; 3. отпадък, боклук.

spin¹ [spin] *v* (**span** [spæn], **spun** [spʌn]) (**-nn-**) 1. преда, изпридам; 2. *за паяк, буба и пр.* плета, изплитам (*мрежа, пашкул и пр.*); 3. въртя (се), завъртам (се), замайвам (се); **my head is** ~**ning** главата ми се върти, вие ми се свят, зашеметен/замаян съм (*от учудване и пр.*); **to send s.o.** ~**ning** зашеметявам някого (*със силен удар*); 4. изработвам/извъртявам/изтеглям на струг (*метал*); 5. хвърлям жребие/чоп (*с монета*); 6. изхвърлям (*топка и пр.*) с въртене; 7. *разг.* движа се бързо/шеметно; 8. ловя риба с въртяща се изкуствена стръв; 9. *sl.* скъсвам/сдрусвам на изпит; □ **to** ~ **a yarn** разказвам надълго измислена/невероятна история, проточвам разказ;

   spin along летя, нося се (*за кола и пр.*);
   spin around = **spin round**
   spin out 1) проточвам, разтакам (*работа, разисквания и пр.*); 2) разтеглям, проточвам, удължавам

(*разказ и пр.*); 3) прекарвам, изразходвам (*време, пари и пр.*); **just to ~ out the time** само/просто за да мине времето; **to ~ out o.'s money** харча пестеливо/по малко;
   spin round обръщам се бързо/рязко/внезапно.

spin² *n* **1.** предене; **2.** въртене, завъртване; **3.** *прен.* замайване, объркване; **4.** бърза/кратка разходка/обиколка (*с кола, велосипед, лодка и пр.*); **5.** *ав.* бързо въртене на самолет при вертикално спускане; **flat ~** *разг.* вълнение, паника.

spinaceous [spi'neiʃəs] *a* като/подобен на спанак.

spinach ['spinidʒ] *n* **1.** спанак; **2.** *ам.* нежелано/ненужно нещо.

spinal ['spainəl] *a* гръбначен; **~ column** гръбначен стълб; **~ cord** гръбначен мозък.

spindle¹ ['spindl] *n* **1.** вретено; **2.** тънко нещо/човек; **3.** *тех.* вал, ос, шпиндел; **4.** = **spindle-tree**.

spindle² *v* изтънявам се, източвам се, издължавам се.

spindle-legged, -shanked ['spindllegd, -ʃæŋkt] *a* с дълги тънки като клечки/мотовилки крака.

spindle-legs, -shanks ['spindllegz, -ʃæŋks] *n* човек с дълги тънки крака; дългун, крачун.

spindle side ['spindlsaid] *n* майчината/женската линия в рода.

spindle-tree ['spindltri:] *n бот.* чашкодрян (Euonymus europaeus).

spindly ['spindli] *a* вретеновиден; тънък дълъг, източен, изтънен.

spin-drier ['spindraiə] *n* центрофуга за изсушаване на пране.

spindrift ['spindrift] *n* пръски от пяна на вълни; **~ clouds** леки перести облаци.

spin-dry ['spindrai] *v* изсушавам пране с центрофуга.

spine [spain] *n* **1.** гръбначен стълб, гръбнак; **2.** *бот., зоол.* игла, бодил, шип, трън; **3.** *анат.* остър тънък костен израстък, нарастък, шип.

spine-chiller ['spaintʃilə] *n* книга/филм и пр., предизвикващ ужас.

spinel ['spinəl] *n минер.* шпинел (*вид кристал*).

spineless ['spainlis] *a* **1.** *зоол.* безгръбначен (*и прен.*); **2.** безхарактерен; слаб; **3.** *бот.* без бодли.

spinet ['spinit, spi'net] *n муз.* вид клавесин, спинет(а).

spinifex ['spainifeks] *n* австралийска трева с твърди остри листа.

spininess ['spaininis] *n* бодливост, трънливост.

spinnaker ['spinəkə] *n мор.* голямо триъгълно платно, спинацер.

spinner ['spinə] *n* **1.** предач; **2.** предачна машина; **3.** стругар; **4.** = **spinneret**.

spinneret ['spinəret] *n* **1.** паяжинна жлеза (*на паяк*), слюнчена жлеза (*на копринена буба*); **2.** приспособление за получаване на влакна от синтетични нишки.

spinney ['spini] *n* **1.** храсталак, гъсталак; **2.** малка горичка.

spinning-house ['spiniŋhaus] *n ист.* изправителен дом за жени.

spinning-jenny ['spiniŋdʒeni] *n ист.* предачна машина.

spinning-wheel ['spiniŋwi:l] *n* чекрък.

spin-off ['spinɔf] *n* случайни/непредвидени резултати, *особ.* вследствие на индустриално/технологично развитие.

spinous ['spainəs] *a* **1.** *бот., зоол.* покрит/пълен с бодли; бодлив, трънлив; **2.** приличащ на трън/бодил.

spin-out ['spinaut] *n авт.* буксуване/занасяне на кола.

spinster ['spinstə] *n* неомъжена жена; стара мома.

spinule ['spainju:l] *n бот., зоол.* иглица; бодилче, трънче.

spiny ['spaini] *a* **1.** покрит/пълен с игли; **2.** бодлив, трънлив; *прен.* труден, тежък; щекотлив.

spiracle ['spaiərəkl] *n* **1.** *зоол.* дихателен отвор, стигма; **2.** *тех.* отдушник.

spiral¹ ['spaiərəl] *a* спирален, спираловиден; винтов; **~ balance** кантар, пружинни везни.

spiral² *n* **1.** спирала; **2.** спирална пружина; **3.** *зоол.* спираловидна черупка.

spiral³ *v* **1.** движа се спираловидно; **2.** образувам спирала.

spirant ['spaiərənt] *фон.* **I.** *a* спирантен, *особ.* фрикативен; **II.** *n* спирантна/фрикативна съгласна.

spire¹ [spaiə] *n* **1.** шпил, шпиц, заострен връх на кула/дърво и пр.; **2.** нещо във форма на острие.

spire² *v* **1.** изострям се/изтънявам се нагоре; **2.** слагам/построявам шпил.

spire³ *n* **1.** спирала; **2.** извивка на спирала.

spirit¹ ['spirit] *n* **1.** дух, духовно начало; душа; **in (the) ~** вътрешно; мислено; духом; **2.** дух, призрак, привидение; **3.** дух; ум; **4.** дух, смисъл, същност; **5.** *обик.* pl дух, настроение, душевно състояние, разположение; порив; **good/high/great ~s** добро/повишено настроение; смелост, самоувереност; **low/poor ~s** лошо/потиснато настроение; **6.** характер; **a man of unbending ~** твърд/непреклонен човек, **7.** дух, смелост, храброст; въодушевление; живот, пламък; **a man of ~** смел/сърцат човек; **with ~** енергично; смело, самоуверено; пламенно; **8.** *обик.* pl спирт, алкохол, алкохолни питиета; **9.** разтвор, тинктура; **~s of camphor** камфоров спирт; **~s of salt** *ост.* солна киселина; **~(s) of wine** *ост.* чист/винен спирт.

spirit² *v* **1.** грабвам/отвличам тайно и мистериозно (**away, off**); **2.** ободрявам, развеселявам, въодушевлявам (**up**).

spirit blue ['spiritblu:] *n* синя анилинова боя, разтворима в спирт.

spirited ['spiritid] *a* **1.** енергичен, жив, оживен, разгорещен; храбър; **2.** смел; буен (*за кон*); **3.** *в съчет. с прилагателно с... дух, в ... настроение*; **low-~** *в* лошо настроение, унил.

spirit-gum ['spiritgʌm] *n* разтворено в спирт лепило.

spiritism ['spiritizm] = **spiritualism**.

spirit-lamp ['spiritlæmp] *n* спиртна лампа, спиртник.

spiritless ['spiritlis] *a* **1.** бездушен; апатичен, вял; отпуснат; **2.** без настроение, безрадостен; **3.** страхлив.

spirit-level ['spiritlevəl] *n* спиртен нивелир, терзия, либела.

spirit-rapping ['spiritræpiŋ] *n разг.* викане на духове, спиритически сеанс.

spiritual¹ ['spiritjuəl, -tʃuəl] *a* **1.** духовен; **2.** одухотворен, възвишен; свят; **3.** свръхестествен; **4.** духовен, църковен, свещенически; **5.** религиозен.

spiritual² *n* негърска религиозна песен.

spiritualism ['spiritjuəlizm] *n фил.* спиритуализъм.

spiritualist ['spiritjuəlist] *n фил.* спиритуалист, идеалист.

spiritualistic [,spiritjuə'listik] *a фил.* спиритуалистически.

spirituality [,spiritju'æliti] *n* **1.** духовност; **2.** одухотвореност; **3.** църковно право/юрисдикция; **4.** pl църковни такси/данъци и пр.; **5.** *ам.* духовенство.

spiritualization [,spiritjuəlai'zeiʃən] *n* **1.** одухотворяване; **2.** възвисяване; **3.** *ряд.* одушевяване.

spiritualize ['spiritjuəlaiz] *v* **1.** одухотворявам; **2.** въздигам, пречиствам, възвисявам; **3.** *ряд.* одушевявам.

spiritually ['spiritjuəli] *adv* духовно; религиозно.

spirituel(le) [spiritju'el] *a фр.* **1.** нежен, изтънчен, префинен; ефирен; **2.** остроумен, с жив/пъргав ум.

spirituous ['spiritjuəs] *a* съдържащ голям процент дестилиран алкохол.

spirogyra ['spaiərə'ʤeiərə] *n бот.* спирален жабуняк (*вид водорасло*).

spirometer [spaiə'rɔmitə] *n* инструмент за измерване капацитета на белите дробове чрез издишания въздух, спирометър.

spirt = **spurt**[3,4].

spiry[1] ['spaiəri] *a* 1. островрьх, със заострен врьх; 2. висок и тьнък.

spiry[2] *a* спирален, спираловиден.

spit[1] [spit] *n* 1. шиш; 2. дълга, вдадена в морето ивица земя; дълъг подводен бряг.

spit[2] *v* (-**tt**-) набождам на/пробождам с шиш/сабя и пр.

spit[3] *v* (**spat** [spæt]) 1. плюя, храча; **to ~ on/upon** *прен.* плюя на; 2. фуча (*за котка*); 3. съскам, цвъркам, цвъртя, пращя (*за кипяща вода, нещо, което се пържи, свещ и пр.*); 4. пращя, пускам искри (*за дърво, въглен в огън*); 5. изричам ядно/злобно; сипя заплахи/клетви и пр.; 6. ръмя, рося; припръсквам, пръскам (*за дъжд, сняг*); 7. пускам мастило (*за писалка*); □ **to ~ at s.o.** заплювам някого; **to ~ it out** *разг.* изплювам камъчето, казвам си го; **to be the ~ting image of** = **to be the dead ~ and image of** (*вж.* **spit**[4] 4).

spit[4] *n* 1. плюене, храчене; 2. плюнка, храчка; 3. леко преваляване; 4. голяма/пълна прилика; **to be the (dead/very) ~ (and image) of** образ и подобие съм на, приличаме си като две капки вода с; □ **~ and polish** *воен.* почистване на оръжието; *мор.* идеална чистота; *прен.* лустросване, прекалена чистота и ред.

spit[5] *n* 1. права лопата, бел; 2. дълбочина един бел.

spite[1] [spait] *n* яд; злоба, проклетия, злина; **from/in/out of ~** от злоба, напук; **to have a ~ against** имам зъб на; **in ~ of** въпреки.

spite[2] *v* правя напук, дразня, ядосвам; обиждам; **to cut off o.'s nose to ~ o.'s face** сам си навреждам от желание да ядосам/да навредя на някого, заради бълхата изгарям дюшека.

spiteful ['spaitful] *a* злобен, злостен.

spitfire ['spaitfaiə] *n* сприхав/избухлив човек.

spittle ['spitl] *n* плюнка, храчка.

spittoon [spi'tu:n] *n* плюзалник.

spitz [spits] *n* шпиц (*порода куче*).

spiv [spiv] *n* 1. черноборсаджия на дребно; 2. безделник, лентяй.

splanchnic ['splæŋknik] *a анат.* коремен, чревен, висцерален.

splash[1] [splæʃ] *v* 1. пръскам, изпръсквам, опръсквам; напръсквам; 2. измокрям; 3. плискам, изплисквам; заливам; 4. цопвам се; 5. шляпам, цапам, газя; прегазвам, прецапвам; 6. падам/блъскам се/удрям се шумно (*за поток*); 7. приземявам се в океана (*за космически кораб*); 8. украсявам/освежавам с контрастни цветове/тъкани; 9. помествам на видно място (*новина*); □ **to ~ o.'s money about** *sl.* пръскам/пилея пари, за да направя впечатление.

splash[2] *n* 1. пръскане, изпръскване, напръскване; впръскване; 2. малко количество, няколко капки (*обик. за сода в уиски и пр.*); 3. кално петно; изпръскано място; цветно петно; 4. плисък, плясък, плискане; 5. цопване, шляпване; 6. сензация, сензационни новини и пр.

splash-board ['splæʃbɔ:d] *n* калник; броня (*на превозно средство*).

splash-down ['splæʃdaun] *n* приземяване на космически кораб и пр. в океана.

splash guard ['splæʃga:d] *n авт.* калник на задно колело.

splashing ['splæʃiŋ] *n sl.* великолепен, изумителен.

splatter ['splætə] *v* плискам/пръскам леко.

splay[1] [splei] *v* 1. скосявам, наклонявам (*стени на отвор*); 2. изрязвам на верев.

splay[2] *a* кос, наклонен, наведен; разширен.

splay[3] *n* наклонена повърхност; разширена амбразура.

splay-foot(ed) ['spleifut(id)] *a* с плоско стъпало, дюстабан; патрав, с изкривени навън крака.

spleen [spli:n] *n* 1. *анат.* далак; 2. лошо настроение; яд, злоба; 3. *ост.* меланхолия, сплин.

spleenful, -ny ['spli:nful, -ni] *a* 1. злобен; 2. раздразнителен, заядлив.

splendent ['splendənt] *a поет.* 1. лъскав, светъл, блестящ; 2. прочут, знаменит.

splendid ['splendid] *a* 1. блестящ, великолепен, разкошен; 2. *разг.* прекрасен, чудесен, отличен.

splendiferous [splen'difərəs] *a шег.* 1. = **splendid**; 2. измамно блестящ.

splendour ['splendə] *n* блясък, величие; великолепие, пищност, разкош.

splenectomy [spli'nektəmi] *n мед.* изваждане на далака.

splenetic[1] [spli'netik] *a книж.* 1. далачен; 2. язвителен, злъчен; раздразнителен.

splenetic[2] *n* 1. язвителен/злъчен/раздразнителен човек; 2. лекарство против заболяване на далака.

splenial ['spli:niəl] *a* 1. *анат.* на шийните мускули; 2. с форма на шина.

splenic ['spli:nik] *a анат.* далачен; разположен в далака.

splenitis [spli:'naitis] *n мед.* възпаление на далака.

splenius ['spli:niəs] *n* (*pl* -**nii** [-niai]) *анат.* шиен мускул.

splenomegaly [splenou'megəli:] *n мед.* увеличение на далака.

splice[1] [splais] *v* 1. *мор.* снаждам, наставям, сплитам въже; 2. съединявам, наставям, снаждам, скопвам (*греди, летви и пр.*); 3. *разг.* оженвам, свързвам в брак; □ **to ~ the mainbrace** *мор. sl.* пийвам си за ободряване.

splice[2] *n* снаждане, сплетка; снадка, наставяне, скопка (*на въжета, греди и пр.*); □ **to sit on the ~** *крикет sl.* играя отбранително.

spline [splain] *n тех.* 1. шпонка; 2. шпонков жлеб/канал.

splint[1] [splint] *n* 1. тънка ивица дърво, лента (*за кошници и пр.*); 2. *мед.* шина; 3. *анат.* фибула (*и ~-bone*); 4. *зоол.* надкостница; *вет.* тумор на надкостницата; 5. треска; парче, отломък; 6. *тех.* щифт, шплинт.

splint[2] *v мед.* слагам/поставям в шини.

splinter[1] ['splintə] *n* отломък, парче; цепеница, тресѐ; подпалка; шрапнел; **~ group/party** *полит.* фракция.

splinter[2] *v* цепя (се), разцепвам (се); натрошавам (се), разтрошавам (се), разбивам (*и с off*).

splinter-bar ['splintəba:] *n* терзия, кантарка (*на кола*).

splinter-proof ['splintəpru:f] *a* предпазващ от летящи гранати и пр.

splintery ['splintəri] *a* 1. на/като тресѐ; 2. който лесно се цепи; 3. нацепен, разтрошен; 4. пълен с отломки.

split[1] [split] *v* (**split**) (-**tt**-) 1. цепя (се), разцепвам (се) (*и прен.*); съдирам (се), раздирам (се); разделям (се); **the government ~ on the question/issue** правителството не беше единодушно по този въпрос; **to ~ the ticket/o.'s vote** гласувам за кандидати от противоположни партии; **to ~ the vote** *за кандидат* привличам гласове от друг кандидат, за да осигуря избирането на трети кандидат; 2. раздвоявам се; 3. отцепвам се, напускам; скъсвам връзките си;

to ~ **the difference** постигам компромисно решение при уточняване на цени и пр. *(при сделки)*; □ **to ~ hairs/straws** цепя косъма на две, сея на корена (му) ряпа; **to ~ s.o.'s ears** проглушавам ушите на някого; **to ~ (o.'s sides)** пукам се от смях; **my head ~s/is ~ting** имам силно главоболие, главата ми се пръска, цепи ме глава; **a ~ second** кратък миг;
  split off разцепвам; разбивам; отцепвам се;
  split on: to ~ on s.o. *sl.* издавам нечия тайна, доноснича по нечий адрес, наклеветявам някого;
  split up 1) разделям (се) *(на групи и пр.)*; разцепвам (се); отцепвам (се) *(от партия)*; разлагам (се); 2) разделяме/поделяме/разпределяме си *(сума, плячка и пр.).*

split² *n* 1. цепене, разцепване, разделяне; 2. раздвояване; 3. цепка, пукнатина, пукнато/съдрано/цепнато място; 4. несъгласие, разкол, разцепление; отцепване; 5. = **splint¹** 2; 6. тънка цепена кожа; 7. *разг.* половин чаша уиски и пр.; малко шише минерална/газирана вода; 8. плодов десерт със сладолед; 9. *ел.* разклонение; 10. *pl сп.* шпагат.

split infinitive ['splitin'finitiv] *n грам.* инфинитив с вмъкнато наречие между частицата **to** и глаголната част.

split-level ['splitlevl] *a арх.* построен на различни нива *(за къща, апартамент).*

split mind ['splitmaind] = **split personality.**

split pea(s) ['splitpi:(z)] *n* сушен и разцепен на две грах.

split personality ['splitpə:sə'næliti] *n* 1. раздвоение на личността; 2. *разг.* шизофрения.

split shot, -stroke ['split'ʃot, -strouk] *n крикет* удар, с който две топки се изпращат едновременно в различни посоки.

splitter ['splitə] *n* 1. нещо, което разцепва/разделя; 2. разколник.

splodge = **splotch.**

splosh [splɔʃ] *n* 1. *разг.* = **splash** 1—5; 2. *sl.* пари.

splotch¹ [splɔtʃ] *n* 1. голямо неправилно петно **(on** върху); 2. изцапано място.

splotch² *v* 1. оцапвам, нацапвам, изплесквам; покривам с петна; 2. правя/нахвърлям едри цветни петна.

splotchy ['splɔtʃi] *a* изплескан, наплескан, изпоцапан; петна.

splurge¹ [splə:dʒ] *n разг.* самохвалство, перчене.

splurge² *v* 1. хваля се, перча се, фукам се; 2. харча нашироко, пилея.

splutter¹ ['splʌtə] *v* 1. пръскам слюнки при говорене; пръскам мастило при писане *(за писалка)*; 2. говоря бързо и объркано/неразбрано; издърдорвам, изломотвам; 3. запъвам се, заеквам, пелтеча *(от яд, вълнение).*

splutter² *n* 1. неразбрано/несвързано говорене; ломотене; запъване; 2. смесен/неясен шум; 3. съскане; цвъртене.

Spode [spoud] *n* 1. вид английска фина керамика; 2. порцеланови изделия.

spoil¹ [spoil] *n* 1. *често pl* открадвани неща, плячка; **~s of war** военни трофеи; 2. печалба, изгода; доходни служби/длъжности; 3. *ам.* държавни служби/привилегии и пр., разпределени между поддръжниците на партията, спечелила властта; **~s system** система на печелене на политически привърженици чрез високи служби и др. привилегии; 4. изкопна пръст и други материали за изхвърляне; 5. нещо сбъркано/повредено при изработването.

spoil² *v* **(spoiled, spoilt** [spoild, spoilt]) 1. развалям (се), повреждам (се); 2. глезя, разглезвам, обграждам с прекалено внимание; **a spoilt child of fortune** галеник на съдбата; 3. *sl.* пребивам, смазвам от бой; „очиствам"; 4. *ост. книж.* грабя, ограбвам; 5. силно желая, горя от желание; **to be ~ing for (a fight, etc.)** търся повод, пей давам *(да се сбия и пр.).*

spoilable ['spoiləbl] *a* нетраен, подлежащ на бързо разваляне *(за стоки).*

spoilage ['spoilidʒ] *n* 1. повреждане на хранителни продукти и пр.; 2. *търг.* (загуба от) фира; 3. *печ.* изхабена/бракувана хартия.

spoiler ['spoilə] *n* 1. грабител; 2. *ав., авт.* въздушен дефлектор.

spoil-five ['spoilfaiv] *n* вид игра на карти.

spoilsman ['spoilzmən] *n (pl* **-men)** *ам.* 1. привърженик на системата за печелене на привърженици чрез даване на привилегии; 2. политически кариерист.

spoil-sport ['spoilspo:t] *n* човек, който разваля играта/удоволствието на другите.

spoilt *вж.* **spoil²**.

spoke¹ [spouk] *n* 1. спица *(на колело)*; 2. прът за запиране на колело; пречка, препятствие; **to put a ~ in s.o.'s wheel** обърквам/разстройвам/осуетявам спъвам работата/плановете на някого; **to put in o.'s ~** намесвам се в чужди работи; 3. стъпенка на подвижна стълба; 4. *мор.* ръчка на ръба на щурвал.

spoke² *v* 1. поставям спици на *(колело)*; 2. запирам *(колело).*

spoke³, spoken¹ *вж.* **speak.**

spoken² [spoukən] *a* 1. устен, говорим; 2. изречен, произнесен.

spokeshave ['spoukʃeiv] *n* крив рукан, обирачка *(кацарско сечиво).*

spokesman ['spouksmən] *n (pl* **-men)** човек, който говори от името на други; представител, делегат.

spoliation [spouli'eiʃn] *n* 1. грабеж; ограбване *(особ. на неутрален кораб по време на война)*; 2. *юр.* унищожаване/подправяне на документ.

spoliator ['spoulieitə] *n* грабител.

spondaic [spon'deiik] *a проз.* спондеически.

spondee ['spondi:] *n проз.* спондей.

spondylitis [spondi'laitis] *n* възпаление на гръбначния стълб, спондилит.

sponge¹ [spʌndʒ] *n* 1. гъба, сюнгер *(и зоол.)*; **to throw/toss/chuck up/in the ~** вдигам ръце, предавам се, признавам се за победен *(за боксьор)* *(и прен.)*; **to pass the ~ over** съгласявам се да се помиря/да забравя обида и пр.; 2. меко добре втасало тесто; 3. пандишпан; 4. *прен.* готован, хрантутеник, паразит; 5. изтриване/изтъркване/измиване с гъба; **to have a ~ (down)** изтривам се с гъба; 6. *мед.* тампон; 7. *sl.* пияница.

sponge² *v* 1. мия (се)/измивам (се)/изтривам (се) с гъба; 2. живея на чужд гръб; 3. попивам като/със сюнгер; **sponge on** живея на гърба на; **to ~ on s.o. for tobacco/drink** пуша от цигарите/пия за сметка на някого;
  sponge out 1) изтривам/заличавам (като) с гъба; 2) *прен.* изглаждам *(недоразумение и пр.)*;
  sponge up попивам *(течност)* с гъба.

sponge cake ['spʌndʒkeik] *n* пандишпан.

sponge cloth ['spʌndʒklɔθ] *n* вид мека памучна материя.

sponge-cucumber, -gourd ['spʌndʒ'kju:kʌmbə, -'guəd] *n бот.* луфа.

sponger ['spʌndʒə] *n* 1. *прен.* готован, хрантутник; 2. събирач на сюнгери.

sponging-house ['spʌnʤiŋhaus] *n* *ист.* предварителен арест за длъжници.

spongy ['spʌnʤi] *a* 1. гъбест, порест, шуплест; 2. еластичен, пружиниращ; 3. рохкав; влажен, блатист (*за почва*); 4. шуплив (*за метал*).

sponsion ['spɔnʃən] *n* 1. поръчителство, гаранция; 2. *юр.* въвличане на държава в ангажимент, извършено от неупълномощено лице.

sponson ['spɔnsn] *n* 1. странична издутина на боен кораб/танк, използувана при стрелба; 2. късо допълнително крило за стабилизиране на хидроплан.

sponsor¹ ['spɔnsə] *n* 1. поръчител; 2. настойник, опекун, попечител; 3. кръстник; 4. организатор; 5. лице, което внася законодателен проект; 6. лице/фирма/организация, която плаща телевизионна/радиопрограма срещу вмъкване на реклама по време на излъчването й; 7. организация, подкрепяща кандидат в избори.

sponsor² *v* 1. поръчител съм на, поръчителствувам за; 2. организирам/устройвам/отговарям за (*концерт и пр.*); 3. плащам за рекламна програма по радиото/телевизията.

sponsorship ['spɔnsəʃip] *n* 1. поръчителство; 2. настойничество, опекунство, попечителство.

spontaneity [spɔntə'ni:iti] *n* 1. спонтанност, непринуденост, непосредственост; 2. доброволност; 3. самопроизвол.

spontaneous [spɔn'teiniəs] *a* 1. спонтанен; естествен, непринуден, непосредствен; ~ **combustion** самозапалване; 2. доброволен; 3. самопроизволен; 4. неволен, неосъзнат, инстинктивен.

spoof¹ [spu:f] *v sl.* 1. измамвам, мятам, изигравам; 2. майтапя.

spoof² *n sl.* 1. измама; 2. шеговита пародия; майтап; 3. *attr* лъжлив, измислен.

spook [spu:k] *n* *шег.* дух, призрак, (при)видение.

spooky ['spu:ki] *a* *шег.* 1. призрачен, напомнящ призраци; 2. обитаван от призраци; 3. неспокоен, нервен; плашлив (*за кон и пр.*).

spool¹ [spu:l] *n* макара, шпула, масур, ролка; бобина.

spool² *v* навивам на макара и пр. (*вж.* **spool¹**).

spoon¹ [spu:n] *n* 1. лъжица; **born with a silver ~ in o.'s mouth** роден с късмет, предопределен да бъде богат; **a wooden ~** *ист.* дървена лъжица, давана на студента-математик с най-нисък успех; *прен.* утешителна награда; 2. вид гребло, весло; 3. вид пръчка за голф; 4. ~(-bait) блесна̀; „лъжичка" за въдица.

spoon² *v* 1. греба/загребвам/черпя/сипвам с лъжица; 2. ловя риба с изкуствена стръв/блесна̀.

spoon³ *n sl.* 1. глупак; простак; ахмак; 2. глупашки/слепешката влюбен човек; **to be ~s on s.o.** лапнал съм по някого.

spoon⁴ *v sl.* 1. ухажвам лигаво; занасям се по; 2. демонстрирам публично любовта си по някого.

spoonbill ['spu:nbil] *n* *зоол.* лопатарка (*птица*) (Plataleidae).

spoon bread ['spu:nbred] *n* *ам.* вид качамак.

spoondrift ['spu:ndrift] = **spindrift**.

Spoonerism ['spu:nərizm] *n* (*случайно*) разместване на (началните) букви на съседни думи, при което се получава нещо смешно (*напр.* tons of soil *вм.* sons of toil).

spoon-fed ['spu:nfed] *a* 1. изкуствено хранен (*за дете и пр.*); 2. изкуствено поддържан чрез постоянно подпомагане (*за индустрия и пр.*); 3. на когото знанията се наливат в главата на малки дози.

spoon-feed ['spu:nfi:d] *v* (**-fed** [-fed]) храня с лъжичка; 2. *прен.* наливам знания в главата на; давам всичко наготово.

spoon-food ['spu:nfu:d] *n* храна за малки деца (*кашички и пр.*) (*и прен.*).

spoonful ['spu:nful] *n* една лъжица (*количество — и като мярка*).

spoon-meat ['spu:nmi:t] = **spoon-food**.

spoony ['spu:ni] *a sl.* сантиментално/лигаво/слепешката влюбен; занесен.

spoor¹ ['spuə, spɔ:] *n* диря/следа на диво животно.

spoor² *v* вървя по дирите на (*диво животно*).

sporadic [spə'rædik] *a* спорадичен, единичен, случаен; непостоянен; разпилян.

sporadically [spə'rædikli] *adv* случайно, спорадично, разпиляно.

sporangium [spə'rænʤiəm] *n* (*pl* **-gia** [-ʤiə]) спорангий.

spore [spɔ:] *n* *бот.* спора.

sporogenesis [spɔrə'ʤenisis] *n* 1. образуване на спори; 2. размножаване чрез спори.

sporran ['spɔrən] *n* висяща отпред кожена торба (*част от шотл. народна носия*).

sport¹ [spɔ:t] *n* 1. спорт, спортни игри; (**athletic**) ~s лека атлетика; атлетически състезания; **country** ~s лов, риболов, стрелба, конни състезания; **to have good ~** връщам се с пълна чанта риба/дивеч; 2. шега, закачка; подигравка, присмех; посмешище; 3. забавление, развлечение; удоволствие; игра; **to make ~ of** подигравам се, присмивам се, взимам на подбив; **to be the ~ of fortune** съдбата си играе с мен; 4. *sl.* арабия; добър човек; спортсмен; 5. *ам.* = **playboy**; 6. *биол.* игра на природата, изненадващо отклонение от типа, случайна разновидност; 7. *и pl attr* спортен (*за кола, облекло и пр.*).

sport² *v* 1. играя, забавлявам се, развличам се; играя си, шегувам се (**with** с); 2. нося, кича се с; нося за показ, перча се с; 3. *биол.* отклонявам се от нормалния тип, мутирам.

sportful ['spɔ:tful] *a* *ам.* 1. забавен, занимателен; 2. игрив; 3. шеговит.

sporting ['spɔ:tiŋ] *a* 1. спортен; занимаващ се с/интересуващ се от спорт; **a ~ing man** любител на спорта, спортуващ, спортист; 2. спортсменски, честен; великодушен; 3. рискован; готов да поеме риск; криещ известен риск; 4. *биол.* проявяващ тенденция за отклонение от типа.

sporting house ['spɔ:tiŋhaus] *n* *ам.* публичен дом.

sportive ['spɔ:tiv] *a* весел, игрив; *ам.* разпален, необуздан.

sportscast ['spɔ:tska:st] *рад., тел.* спортно предаване.

sports coat ['spɔ:tskout] *n* спортно сако/жакет, яке (*и* **sports jacket**).

sports ground ['spɔrtsgraund] *n* игрище.

sportsman ['spɔ:tsmən] *n* (*pl* **-men**) 1. спортист; ловец; рибар; 2. спортсмен; честен/порядъчен човек; честен/великодушен противник.

sportsmanlike ['spɔ:tsmənlaik] *a* спортсменски; честен; великодушен.

sportsmanship ['spɔ:tsmənʃip] *n* 1. спортсменство; честност, порядъчност; великодушие; 2. спортно умение.

sportswear ['spɔ:tswεə] *n* спортно облекло.

sportswoman ['spɔ:tswumən] *n* (*pl* **-women**) спортистка.

sporty ['spɔ:ti] *a* *разг.* 1. спортен; 2. спортсменски; 3. весел; 4. разпуснат, развратен; 5. ярък, крещящ (*за облекло*).

spot¹ [spɔt] *n* 1. петно (*и прен.*); петънце; леке; 2. точка (*на плат*); **a ~ on o.'s reputation** опетнена репутация; **without ~ or stain** неопетнен, чист (*за име и пр.*); 3. пъпка, пришка; 4. място, местенце; **in ~s**

тук-там, на места; *ам.* частично, отчасти, до известна степен; **on the ~** на (самото) място; в момента; **to act on the ~** действувам веднага/незабавно; **to be on the ~** присъствувам, очевидец съм; *прен.* на мястото си съм, справям се с положението; в добра форма съм; *sl.* намирам се в затруднение/опасност; загазил съм го; **to put s.o. on the ~** *ам. sl.* поставям някого в затруднение/опасност; решавам да убия/пречукам/очистя някого; **running on the ~** бягане на място; **hot ~** нажежено място (*и прен.*); **a tender/raw/sore ~** *прен.* слабо/уязвимо място; болен/болезнен въпрос/тема и пр.; **to have a soft/warm ~ for s.o.** имам слабост към/обичам някого; **5.** черна точка на билярдна маса; (черно петно на) бяла топка за билярд; **6.** *разг.* малко количество, мъничко (*храна, питие, работа и пр.*); **7.** неприятност, неприятно положение, затруднение; **in a (tight) ~** *разг.* натясно, в затруднение; **8. ~ cash** *търг.* заплащане при доставка; **9.** *рад., телев.* подходящо място в програма за съобщения/рекламни; **10.** *pl* леопард.

spot² *v* (-tt-) **1.** правя/ставам на петна, изцапвам; *прен.* опетнявам, опозорявам; **2.** *разг.* забелязвам, съзирам, зървам; (раз)познавам; откривам/определям самоличността/народността и пр. (*на някого*); **3.** откривам, забелязвам; набелязвам; **to ~ the winner** познавам/налучквам кой ще излезе победител (*в състезание и пр.*); **4.** определям (*мястото, времето*); **5.** набелязвам (*обекти*); **6.** следя за появата/движението/развитието на; **7.** *воен.* определям точно неприятелски позиции; **8.** обсипвам, осейвам; **9.** *разг.* припръсквам, ръми (*за дъжд*).

spot check¹ ['spɒtʃek] *n* **1.** проверка на място; **2.** внезапна анкета.

spot check² *v* **1.** правя бърза/внезапна проверка/анкета/проучване; **2.** вземам проба наслуки.

spotless ['spɒtlis] *a* **1.** безупречно чист; **2.** *прен.* неопетнен; безупречен.

spotlight¹ ['spɒtlait] *n* **1.** *театр.* (светлина от) прожектор; **2.** привличащо вниманието положение; **to be in the/to hold the ~** център на вниманието съм.

spotlight² *v* осветявам; *прен.* насочвам внимание върху.

spotted ['spɒtid] *a* на петна/капки/точки; **~ Dick/dog** 1) далматинска порода куче; 2) *sl.* пудинг със стафиди; **~ fever** 1) цереброспинален менингит; 2) петнист тиф.

spotty ['spɒti] *a* **1.** = **spotted; 2.** пъпчив; **3.** *разг.* неравен/нееднакъв по качество (*за работа и пр.*).

spouse [spauz] *n книж., шег.* брачен партньор, съпруг, съпруга.

spout¹ [spaut] *v* **1.** струя, бликам, шуртя, лея се; избликвам; **2.** изригвам (*за лава*); **3.** изхвърлям високо (*вода и пр.*); **4.** *разг.* декламирам; ораторствувам.

spout² *n* **1.** чучур, гърло, шопка (*на чайник и пр.*); **2.** (водосточна) тръба, улей; **3.** силна струя, стълб (*вода, дим и пр.*); дихателен отвор/ноздра на кит (*и ~-hole*); □ **up the ~** *sl.* 1) заложен; 2) безполезен; безнадежден; 3) в затруднение; 4) бременна (*за жена*).

sprag [spræg] *n* **1.** чеп/клин за запиране на колело; **2.** *мин.* подпора.

sprain¹ [sprein] *v* навяхвам, изкълчвам.

sprain² *n* навяхване, изкълчване.

sprang *вж.* **spring¹.**

sprat [spræt] *n* **1.** килка; хамсия; цаца; **2.** *прен.* дребосък; незначителен човек, „дребна риба"; **to throw/risk a ~ to catch a herring/mackerel/whale** рискувам нещо дребно, за да спечеля нещо голямо.

sprawl¹ [sprɔːl] *v* **1.** просвам се, изтягам се; **2.** пълзя, разпростирам се на всички страни (*за растение, град и пр.*); **a ~ing handwriting** разтегнат/разкрачен почерк.

sprawl² *n* **1.** отпусната поза, изтягане; **2.** разпръснато застроена площ; разпиляна група/маса и пр.

spray¹ [sprei] *n* **1.** (разцъфнала) клонка, клонче, вейка; **2.** украшение във форма на клонче.

spray² *n* **1.** капчици, пръски; **2.** течност за пръскане (*на дървета и пр.*); **3.** пръскачка; пулверизатор; **4.** пръскане, оросяване; **blanket ~** *агр.* пръскане на широки площи; **5.** *козм.* спрей.

spray³ *v* пръскам/оросявам (*с пръскачка, пулверизатор и пр.*); ръся (*и прен.*).

spray-drain ['spreidrein] *n* отводнителен ров, изпълнен с клони и пръст.

sprayer ['spreiə] *n* **1.** пръскачка; пулверизатор; **2.** дюза; цицка/струйник (*на пръскачка*).

spray-gun ['spreigʌn] *n* бояджийски/овощарски пистолет.

spread¹ [spred] *v* (**spread**) **1.** разстилам (се), настилам, постилам; **2.** мажа, намазвам; **3.** простирам (се); протягам, разпервам (*ръце, криле, клони*) (*и с* out); разгръщам (*знаме и пр.*); **4.** разпространявам (се), разнасям (се) (*за слух и пр.*); пренасям (*болест и пр.*); разпръсквам; разпилявам; **my friends are ~ all over the country** имам приятели из цялата страна; **5.** *refl* разпростирам се надълго и широко (*при говорене, писане*); **6.** продължавам, трая, обхващам (*период от време*); **7.** занимавам се с много работи наведнъж; **8.** проявявам щедро гостоприемство; разпущам се.

spread² *n* **1.** разпространение; обхват, обсег; **2.** протежение, пространство; **3.** размах (*на криле*); **4.** покривка; *разг.* угощение, гуляй; **5.** разстояние между две точки; *търг.* разлика между две цени/две качества и пр.; **6.** паста/пастет и друга храна, която се маже върху хляб/бисквити и пр.; **7.** *разг.* напълняване (*особ.* **middle-age ~**), натрупване в средната възраст на тлъстини около талията.

spread eagle ['spredi:gl] *n* **1.** *хер.* образ на орел с разперени криле и крака; **2.** *сп.* фигура при кънки; **3.** *attr ам.* бомбастичен; шовинистически.

spread-eagle ['spredi:gl] *v* **1.** връзвам (*някого*) за ръцете и краката; **2.** просвам; **3.** *ам.* държа шовинистични речи.

spreader ['spredə] *n* **1.** разпространител (*на идеи и пр.*); **2.** приспособление на пръскачка за разширяване на струята; **3.** нож за мазане на филия и пр.; **4.** *тех.* разширител; механически разпределител; разделка; разпорка; разстилачка на мазилка/настилка и пр.

spread-over ['spredouvə] *n* ненормиран работен ден в някои индустрии.

spree¹ [spriː] *n* **1.** шумна веселба/веселие/забавление; **to have a ~ /to go on a ~** веселя се; **2.** гуляй, пиянство; **3. buying/shopping/spending ~** лудо купуване; бясно харчене/пилеене на пари.

spree² *v* **1.** веселя се, забавлявам се; **2.** гуляя, пиянствувам.

sprent [sprent] *a ост.* попръскан, напръскан, поръсен.

sprig¹ [sprig] *n* **1.** клонче, клонка, вейка, гранка; **2.** украшение във форма на клонче; **3.** *пренебр.* потомък; издънка; младок; **4.** гвоздейче без главичка, щифт

sprig² *v* (**-gg-**) украсявам с клончета; бродирам/рису-
вам клончета; **~ged print** басма на клончета.
sprightliness ['spraitlinis] *n* живост, веселост.
sprightly ['spraitli] *a* жив, оживен, весел.
sprigtail ['sprigteil] = **pintail.**
spring¹ [sprin] *v* (**sprang** [spræn], **sprung** [sprʌn]) **1.** скачам,
подскачам, отскачам; **to ~ at/upon s.o.** (на)хвър-
лям се върху някого; **to ~ forward** скачам втур-
вам се напред; **to ~ out** изскачам внезапно; **to ~**
(over) s. th. прескачам нещо; **to ~ to o.'s feet** ска-
чам на крака; **to ~ to the attack** хвърлям се в ата-
ка, нахвърлям се върху; **to ~ to arms** грабвам
оръжието; **2.** бликвам, извирам; **3.** никна, поник-
вам, изниквам (*и с* **up**); **4.** появявам се внезапно.
възниквам, създавам се (*и с* **up**); **5.** произхождам,
произлизам, водя началото си (**from** от); **to ~ into**
existence раждам се, появявам се, възниквам,
възниквам (*и с* **up**); **6.** извивам се, изкорубвам се
(*за греда и пр.*); **7.** пуквам (се), разцепвам (се);
to ~ a leak протичам (*за кораб и пр.*); **8. to ~ up**
духвам, повявам (*за вятър*); **9.** *лов.* вдигам/под-
гонвам дивеч; **10.** възпламенявам се, експлоди-
рам; **11.** правя нещо неочаквано; **to ~ a surprise on**
s.o. изненадвам някого; **to ~ a proposal/a new**
theory on s.o. изненадвам някого с неочаквано
предложение/нова теория; **12.** отскачам, правя да
отскочи (*за пружина и пр.*); **the door sprang** на вра-
тата се захлопна; **13.** слагам пружини на, слагам
на пружина; **14.** освобождавам някого от арест/
затвор срещу гаранция.
spring² *n* **1.** скок, отскок; отскачане, подскачане; **2.**
пружина, ресор; **3.** еластичност, гъвкавост; пърга-
вост, енергия; **3.** извор, източник; **to take o.'s ~**
(from, out of) извирам; *прен.* произтичам; **to have**
o.'s ~ from произхождам/произлизам от; **5.** подбу-
да, причина; мотив; **6.** *мор.* пукнатина; **7.** *арх.* до-
лен край/начало на свод.
spring³ *n* **1.** пролет; **2.** *attr* пролетен.
springal(d) ['sprinɔl(d)] *n ост.* младеж, юноша.
spring-balance ['sprin̩bæləns] *n* пружинен кантар, теглилка.
ка.
spring bed ['sprin̩bed] *n* пружинено легло, легло с пружи-
нен матрак.
spring-board ['sprin̩bɔ:d] *n сп.* трамплин (*и прен.*).
springbok ['sprinbɔk] *n* дребна юж.-афр. газела
(Antidorcas euchore).
spring chicken ['sprin̩tʃikn] *n прен.* млад/неопитен/наивен
човек.
spring-clean ['sprinkli:n] *v* правя основно (пролетно) по-
чистване.
springe [sprindʒ] *n* капан за ловене на дребен дивеч.
springer ['sprinə] *n* **1.** *арх.* най-долната част на извивката
на арка; **2.** дребна порода ловджийско куче; **3.** =
springbok.
spring gun ['sprin̩gʌn] *n* пушка, изгърмяваща автоматич-
но при докосване.
spring-halt ['sprin̩hɔ:lt] *n вет.* шпат.
springiness ['sprininis] *n* еластичност, гъвкавост; пърга-
вост; пружиниране.
springlike ['sprinlaik] *a* пролетен, като пролет.
springtail ['sprinteil] *n* малко безкрило скачащо насекомо
(Collembola).
springtide ['sprin̩taid] *n* пролетен сезон, пролет (*и прен.*).
spring-tide ['sprin̩taid] *n* максимален прилив.
springtime ['sprintaim] *n* пролетен сезон, пролет; *прен.*
младост; разцвет.
spring water ['sprin̩wɔtə] *n* изворна вода.

springy ['sprini] *a* еластичен, гъвкав; пружиниращ.
sprinkle¹ ['sprinkl] *v* пръскам, напръсквам; ръся, поръс-
вам; *прен.* изпъстрям, осейвам (**with** с).
sprinkle² *n* **1.** малко количество, мъничко; **2.** попръсква-
не, поръсване; **3.** леко припръскване (*на дъжд, сняг*
и пр.); **a smart ~** *ам. разг.* доста, множко.
sprinkler ['sprinklə] *n* пръскачка (*за поливане на затревена*
площ, погасяване на пожар и пр.).
sprinkling ['sprinklin] *n* **1.** поръсване, попръскване; **2.** мал-
ко количество; малък брой; **a ~ of spectators** тук-
там по някой зрител.
sprint¹ [sprint] *v сп.* спринтирам.
sprint² *n сп.* спринтиране, спринт.
sprinter ['sprintə] *n сп.* спринтьор.
sprit [sprit] *n мор.* прът, издигащ се по диагонал на
мачта, шпринг.
sprite [sprait] *n* **1.** фея, елфа; **2.** зъл дух.
spritsail ['spritseil] *n мор.* триъгълно платно, прикрепе-
но на пръта по диагонал на мачтата.
sprocket ['sprɔkit] *n тех.* зъб на колело, захващащ ве-
рига/филмова и др. перфорирана лента.
sprocket-wheel ['sprɔkitwi:l] *n* зъбно колело (*за веригата*
на велосипед и пр.).
sprout¹ [spraut] *n* **1.** никна, изниквам, пониквам; **2.** из-
раствам, пораствам; **3.** прораствам; **4.** напъпвам; **5.**
пускам да расте.
sprout² *n* **1.** издънка, филиз; *прен.* потомък, младок; **2.**
pl = **Brussels ~s** (*вж.* **Brussels**).
spruce¹ [spru:s] *n бот.* смърч (Picea).
spruce² *a* **1.** спретнат, стегнат, издокаран; **2.** напет.
spruce³ *v* придавам спретнат вид, издокарвам (*обик. с*
up).
spruce-beer ['spru:sbiə] *n* бира от игли и клонки на смърч.
sprue¹ [spru:] *n тех.* вертикален леяк/стояк.
sprue² *n* тропическо заболяване на тънките черва, съ-
проводено с възпаление на устната кухина, спило-
за, спру.
sprung *вж.* **spring¹**.
spry [sprai] *a* жив, пъргав, енергичен, чевръст; **look ~ !**
по-живо!
spud¹ [spʌd] *n* **1.** малка мотичка за окопаване; **2.** *sl.* кар-
тоф.
spud² *v* (**-dd-**) **1.** окопавам с мотичка; **2.** пускам сонда,
правя сондажен отвор.
spue [spju:] = **spew.**
spume¹ [spju:m] *n* пяна.
spume² *v* пеня се.
spumous, -my ['spju:məs, -mi] *a* пенлив; като пяна; покрит
с пяна.
spun *вж.* **spin¹**.
spun glass ['spʌnglɑ:s] *n* стъклени влакна/нишки.
spunk [spʌnk] *n* **1.** прахан; **2.** *разг.* смелост, кураж; **3.** жи-
вост, енергичност.
spunky ['spʌnki] *a разг.* смел, енергичен; издръжлив.
spun silk ['spʌnsilk] *n* евтина материя от къси копринени
влакна и отпадъци, често примесени с памук.
spun sugar ['spʌn̩ʃugə] *n* захарен памук.
spun yarn ['spʌnjɑ:n] *n* **1.** *текст.* прежда от къси влакна;
2. *мор.* малко леко пресукано въже.
spur¹ [spə:] *n* **1.** шпора; **to put/set ~s to** пришпорвам
(*кон*) (*и прен.*); **to win o.'s ~s** *ист.* спечелвам ри-
царско звание; *прен.* създавам си име, получавам
признание; **2.** подбуда, подтик, стимул, импулс; **on**
the ~ of the moment спонтанно, импулсивно;
импровизирано; изведнъж; **3.** *бот., зоол.* тънък/ос-

тър израстък на някоя част; шип; **4.** издадена скала/хребет; разклонение (*на планина, път, жп линия*); **5.** = **climbing-irons; 6.** стена, съединяваща укрепление с вътрешността.

spur² *v* (**-rr-**) **1.** пришпорвам (*и прен.*); **2.** слагам шпори на; **3.** подтиквам, подбуждам, стимулирам (*често с* **on**); **4.** яздя бързо, препускам.

spurge [spə:ʤ] *n бот.* млечка (Euphorbia).

spurious ['spjuəriəs] *a* **1.** фалшив, неистински, лъжлив; **2.** фалшифициран, подправен, изопачен; недостоверен; **3.** незаконороден; **4.** лъжлив, несъщ (*за растение, животно и пр.*).

spurn¹ [spə:n] *v* **1.** отхвърлям презрително, отблъсквам; **2.** отритвам, изритвам, пропъждам, изгонвам; **3.** отнасям се с презрение към.

spurn² *n* **1.** ритник; отхвърляне, отблъскване; **2.** презрително отношение.

spurrier ['spə:riə] *n* майстор на шпори.

spurry, -rey ['spə:ri] *n бот.* вид бурен (Spergula).

spurt¹ [spə:t] *v сп.* напъвам се, правя внезапно усилие; давам бърз ход (*при надбягвания и пр.*).

spurt² *n* внезапно усилие, напън; бърз ход, голяма скорост.

spurt³ *v* **1.** бликвам, избликвам, шурвам; **2.** изхвърлям (*струи вода и пр., кълба дим, пламъци и пр.*).

spurt⁴ *n* **1.** силна струя; изблик (*и прен.*); **2.** порив на вятър.

spur wheel ['spə:wi:l] *n* цилиндрично зъбно колело.

spurwort ['spə:wə:t] *n бот.* брош (Rubia tinctoria).

sputnik ['sputnik] *n рус., косм.* спътник (*особ. първият от 1957 г.*).

sputter¹ ['splʌtə] *v* **1.** пръскам слюнки; **2.** пръщя (*за огън*); **3.** цвъртя (*за нещо, което се пържи*); **4.** говоря бързо, разгорещено и неразбрано, ломотя, дърдоря.

sputter² *n* **1.** пръщене, цвъртене; **2.** ломотене, дърдорене.

sputum ['spju:təm] *n* (*pl* **sputa** [-tə]) **1.** плюнка, слюнка; **2.** *мед. обик. pl* храчки.

spy¹ [spai] *n* таен агент, шпионин; **to be a ~ on** шпионирам (*някого, нещо*).

spy² *v* **1.** виждам, забелязвам, съзирам; откривам; **2.** следя, шпионирам (**on/upon s.o.**); **to ~ into s.th.** мъча се да открия тайна/да проумея нещо; **to ~ out** проучвам/разузнавам тайно.

spyglass ['spaigla:s] *n* малък телескоп.

spyhole ['spaihoul] *n* шпионка (*на врата и пр.*).

squab¹ [skwɔb] *a* нисък и дебел, дундест, тумбест.

squab² *n* **1.** нисък и дебел човек; **2.** младо неоперено гълъбче/гардже; **~ pie** пирог с месо от гълъб/с овнешко или свинско, ябълки и лук; **3.** мека възглавничка/седалка на стол/кола; кушетка, отоманка.

squabble¹ ['skwɔbl] *n* кавга, разправия; счепкване (*за дребни неща*).

squabble² *v* карам се, разправям се, дрънкам се, дърля се (*за дреболии*).

squad [skwɔd] *n* **1.** *воен.* взвод, *ам.* отделение; **~ car** *ам.* полицейска патрулираща кола с радиовръзка; **~ drill** обучение на новобранци; **2.** група, бригада (*работници и пр.*), команда; **3.** *ам.* атлетически отбор.

squadron ['skwɔdrən] *n* **1.** ескадрон; *ам.* кавалерийска дивизия; **2.** *мор.* ескадра; **3.** *ав.* ескадрила; **~ leader** *ав.* командир на ескадрила; **4.** група хора, организирани за известна цел; бригада.

squalid ['skwɔlid] *a* **1.** мръсен, мизерен, бедняшки; **2.** про-

тивен, долен; **3.** запуснат, занемарен; **4.** жалък, окаян, презрян.

squall¹ [skwɔ:l] *v* **1.** рева, изревавам; пищя, запищявам (*от страх, болка*); **2.** крещя.

squall² *n* **1.** рев, писък; **2.** внезапна буря; снежна вихрушка, лапавица; **arched ~** екваториална гръмотевична буря; **black ~** буря с тъмни гръмоносни облаци; **white ~** вихрушка в ясно време; **to look out for ~s** *прен.* внимавам, пазя се от опасност или неприятности.

squalor ['skwɔlə] *n* мръсотия; мизерия, нищета; **2.** низост, подлост.

squama ['skweimə] *n* (*pl* **-ae** [i:]) *n зоол.* люспа.

squander ['skwɔndə] *v* прахосвам, пилея, разпилявам, пропилявам (*пари, време и пр.*).

squanderer ['skwɔndərə] *n* прахосник, разточителен човек.

squandermania ['skwɔndəmeiniə] *n жур.* непростимо разточителство/прахосничество (*особ. на правителство*).

square¹ [skweə] *n* **1.** квадрат, квадратно парче; **2.** квадратен/правоъгълен площад; плац; **3.** *воен.* каре; **4.** мярка за повърхност = 9,29 м²; **5.** *ам.* квартал, блок (*между пресечните на четири улици*); **6.** *мат.* квадрат на число; **the ~ of three is nine** три на квадрат е равно на девет; **7.** линеал във форма на L/T; **on the ~** 1) под прав ъгъл; 2) *прен.* открито, честно; **out of ~** не точно/съвсем под прав ъгъл; **8.** квадратно шалче/кърпа; **9.** квадратче на шахматна и пр. дъска; **back to ~ one** *разг.* отново в изходна позиция; безуспешно, безрезултатно; **10.** *sl.* консервативен/старомоден/закостенял човек.

square² *a* **1.** квадратен, четвъртит; правоъгълен; **2.** *мат.* квадратен, на квадрат; **~ root** корен квадратен; **three ~** три на квадрат; **~ foot/metre/mile** квадратен фут/метър/миля; **3.** перпендикулярен; под прав ъгъл; **4.** ясен, недвусмислен; честен, прям; **~ refusal** решителен/категоричен отказ; **~ deal** честна сделка, споразумение с взаимна изгода; **to play a ~ game** играя/постъпвам честно; **5.** правилен, точен; уреден; изравнен, уравновесен; **to set things ~** оправям работите; **to be ~ with s.o.** квит съм с някого; **to get ~ with s.o.** оправям си сметките с някого, отвръщам си на някого; **to call (it)** ~ считам, че сме квит; удовлетворен съм; **all ~** 1) с чисти/разчистени сметки; 2) *голф* равен резултат.

square³ *v* **1.** правя квадратен/правоъгълен; придавам квадратна форма на; **2.** изправям, оправям; подравнявам; **to ~ the circle** извършвам невъзможното; **3.** балансирам (*сметки и пр.*); **4.** *мат.* повдигам на квадрат; **5.** поставям/съм под прав ъгъл; **6.** сверявам хоризонталността/правостта на линия/повърхност; **7.** *сп.* изравнявам резултат; **8.** уреждам си сметките с (*и с* **up**); *прен.* връщам си, отмъщавам си; **9.** сверявам/съобразявам с последни данни и пр.; **10.** измервам/намирам квадратурата на; **11.** *sl.* давам рушвет, подкупвам; **12.** ограждам с квадрат(че);

  square away 1) уреждам сметките си с някого; 2) подреждам, слагам в пълен ред; поставям (се) в пълна готовност; 3) приготвям се за спор/бой;

  square off *ам.* заемам позата на боксьор; заставам в отбранителна позиция;

  square up 1) = **square away**; 2) **to ~ up to** справям се решително (*с трудност и пр.*).

square⁴ *adv* **1.** право, изправено, перпендикулярно; **2.** честно, открито.

square brackets ['skweə͵brækits] *n pl* квадратни скоби.

square-built ['skweəbilt] *a* широкоплещест.

squarehead [ˈskwɛəhed] *n ам. sl.* скандинавски/немски/холандски емигрант.

square leg [ˈskwɛəleg] *n крикет* (позиция на) филдер/защитник.

squarely [ˈskwɛəli] *adv* 1. честно, почтено; 2. прямо, категорично; 3. точно насреща.

square meal [ˈskwɛəmiːl] *n* истинско/пълноценно ядене/нахранване.

square-rigged [ˈskwɛərigd] *a мор.* с хоризонтални рейки.

square-shouldered [ˈskwɛəʃouldəd] *a* с широки изправени рамене.

square-toed [ˈskwɛətoud] *a прен.* старомоден; педантичен; пуритански.

squarson [ˈskwɑːsən] *n шег.* свещеник земевладелец.

squash¹ [skwɔʃ] *v* 1. мачкам, смазвам; смачквам (се); правя/ставам на пулп; 2. *разг.* потушавам (*бунт и пр.*); 3. *прен.* турям на място, запушвам устата на; 4. блъскам (се), тъпча (се), натъпквам (се).

squash² *n* 1. плодова каша, пулп; 2. плодов сок (*питие*); **orange** ~ вид оранжада; 3. блъсканица, тълпа; 4. (*шум от*) цопване/жвакане с мокри обувки; 5. ~ (**rackets**) *сп.* игра, подобна на тенис.

squash³ *adv* с цопване/плясък.

squash⁴ *n бот.* тиква (Cucurbita).

squash hat [ˈskwɔʃhæt] *n* мека филцова шапка.

squashy [ˈskwɔʃi] *a* 1. много мек; кашав; 2. презрял (*за плод*); 3. мокър, мочурлив.

squat¹ [skwɔt] *v* 1. клеча, кляквам; приклякам/сядам с прибрани към тялото крака; 2. приклякам, присвивам се към земята (*за животно*); 3. *разг.* сядам, настанявам се, седя; 4. настанявам се без разрешение в квартира и пр.; 5. настанявам се на държавна земя (*за заселник*).

squat² *a* 1. нисък и дебел; 2. дундест, тумбест.

squatter [ˈskwɔtə] *n* 1. (при)клекнал човек/животно; 2. човек незаконно настанил се на земя/в квартира и пр.; 3. заселник на държавна земя; 4. *австрал.* едър овцевъд.

squaw [skwɔː] *n* 1. индианка; 2. *презр.* жена, съпруга.

squawk¹ [skwɔːk] *v* 1. гракам, грача, крякам; изкрясква; 2. *sl.* шумно протестирам.

squawk² *n* крясък, грачене, грак; ~ **box** *разг.* високоговорител.

squaw-man [ˈskwɔːmən] *n* (*pl* -**men**) *ам.* бял, женен за индианка.

squeak¹ [skwiːk] *v* 1. писукам, църкам, цвърча; 2. скърцам (*за врата и пр.*); 3. *sl.* издавам тайна, доноснича, издайнича.

squeak² *n* 1. писък, писукане, цвърчене; 2. скърцане, скръцване; 3. едва спечелен успех/победа; **a narrow/near/close/tight** ~ избавяне на косъм; **to have a narrow** ~ едва се спасявам.

squeaker [ˈskwiːkə] *n* 1. пискун; 2. младо гълъбче; 3. *sl.* доносник, издайник; *ам.* избори, състезания и пр., спечелени с незначителна разлика.

squeaky [ˈskwiːki] *a* 1. писклив, креслив, пронизителен; 2. скърцащ.

squeal¹ [skwiːl] *v* 1. пискам, врещя; квича; 2. оплаквам се; хленча; протестирам; 3. изскърцвам остро (*за спирачки*); 4. *sl.* доноснича; издайнича.

squeal² *n* писък; вряск; квичене; остро изскърцване (*на спирачки и пр.*).

squealer [ˈskwiːlə] *n* 1. пискун; 2. младо гълъбче; 3. човек, който вечно се оплаква/хленчи, недоволник; 4. *sl.* издайник, доносник.

squeamish [ˈskwiːmiʃ] *a* 1. гнуслив, гадлив; 2. неразположен, изпитващ гадене; 3. обидчив, докачлив; 4. прекалено старателен, придирчив, педантичен; претенциозен.

squeegee¹ [ˈskwiːdʒiː] *n* 1. гумена миячка за прозорци/под и пр. 2. *фот.* гумена ролка за подсушаване на отпечатани снимки.

squeegee² *v* 1. почиствам под/стъкла на прозорци и пр. с гумена миячка; 2. *фот.* пресовам/подсушавам с гумена ролка.

squeeze¹ [skwiːz] *v* 1. стискам; изстисквам; изцеждам; процеждам (*сълза и пр.*); **to** ~ **dry** изстисквам докрай/до капка; 2. тъпча (се), натъпквам (се); 3. притискам, прищипвам; мачкам, смачквам; сгъстявам (се), притеснявам, насвивам; 4. промушвам се, промъквам се, вмъквам се (**into**); **to** ~ **out of** измъквам се от; **to** ~ **o.'s way through a crowd** пробивам си път през тълпата; **to** ~ **o.s through a window** промушвам се/вмъквам се през прозорец; 5. изтръгвам (*пари, признание и пр.*) (**from/out of s.o.**); 6. *бридж* скуизирам; 7. спечелвам състезания и пр. с незначителна разлика; 8. упражнявам икономически натиск, притискам; 9. правя отпечатък на монета и пр. (*с восък и пр.*).

squeeze² *n* 1. стискане, изстискване, изцеждане; 2. притискане; натиск, принуда; **to give s.o.'s hand a** ~ стискам някому ръката; **to give s.o. a** ~ притискам/прегръщам някого; 3. блъскане, блъсканица; **a tight/close/narrow** ~ трудно положение, затруднение; 4. *бридж* скуизиране; 5. финансови ограничения; икономически натиск; 6. изнудване, незаконна комисиона; 7. отпечатък (*от монета и пр.*).

squeeze bottle [ˈskwiːzbɔtl] *n* пластмасово шише и пр., съдържанието на което се изважда чрез пристискане.

squeezer [ˈskwiːzə] *n* 1. изнудвач, експлоататор; 2. уред/преса за изстискване на сок; 3. фалцувачка, огъвачка; гауч-преса.

squelch¹ [skweltʃ] *v* 1. шляпам/джапам, жвакам в кал и пр.; 2. смазвам, стъпквам, унищожавам; 3. *прен.* срязвам, запушвам устата на.

squelch² *n* 1. шляпане, джапане; 2. смазване, унищожаване, съкрушителен удар; 3. *прен.* срязване, рязък отговор.

squib¹ [skwib] *n* 1. фишек, бомбичка; запалка на снаряд; малка ръчна ракета; **a damp** ~ беуспешен опит да се направи впечатление; 2. сатиричен памфлет, пасквил; 3. кратка новина/съобщение, поместено за попълване на празнина в колона/страница на вестник/списание.

squib² *v* (-**bb**-) 1. отправям нападки към (*писмено, устно*); пиша пасквили; 2. пущам фишеци (*и прен.*).

squid¹ [skwid] *n* вид сепия, използувана за стръв.

squid² *v* ловя риба със сепия или подобна на нея стръв.

squiffy [ˈskwifi] *a sl.* леко пийнал, фирнал.

squiggle [ˈskwigl] *n* драскулка, завъртулка.

squill [skwil] *n* 1. *бот.* синчец (Scilla); 2. луковицата на синчеца, използувана като пургатив; 3. *зоол.* вид скарида (Squilla).

squint¹ [skwint] *n* 1. кривогледство; 2. *разг.* бърз/бегъл поглед; **to have a** ~ **at** поглеждам/преглеждам набързо/бегло/скрито (*нещо*); 3. склонност, наклонност (**to, towards** към); 4. малък отвор в стената на църквата.

squint² *v* 1. кривоглед съм; гледам накриво; 2. хвърлям бърз поглед, поглеждам косо (**at** към); 3. примигвам, присвивам очи; 4. *разг.* клоня, имам склонност (**to, towards** към).

squint³ *a* кривоглед, разноглед.

squint-eyed ['skwintaid] *a* **1.** кривоглед; **2.** предубеден; **3.** с лош/зъл поглед; **4.** неодобрителен, презрителен; **5.** злобен; завистлив.

squinting ['skwintiŋ] *a* **1.** кривоглед; **2.** крив, изкривен; ~ **construction** *грам.* неправилна/неясна/двусмислена конструкция.

squirarchy = squirearchy.

squire¹ [skwaiə] *n* **1.** земевладелец, помешчик, сквайър; **2.** главният земевладелец в дадена област/селище; **3.** *ам.* мирови съдия/адвокат; **4.** придружител/кавалер на дама; **5.** галантен кавалер; **6.** *ист.* оръженосец, щитоносец.

squire² *v* придружавам/кавалерствувам на (*дама*).

squirearchy ['skwaiəra:ki] *n* земевладелците (*като съсловие*); власт на земевладелците.

squirelet, -ling ['skwaiəlit, -liŋ] *n* дребен земевладелец.

squirm¹ [skwə:m] *v* **1.** гърча се, въртя се, свивам се като червей; **2.** проявявам/изпитвам смущение/срам/неудобство; измъчвам се, тормозя се.

squirm² *n* гърчене, неспокойно въртене.

squirrel ['skwirəl, *ам.* 'skwərəl] *n* катерица (Squirus vulgaris).

squirt¹ [skwə:t] *n* **1.** бликам, струя, изхвърлм струи; **2.** пръскам, църкам (*като със спринцовка*).

squirt² *n* **1.** струя; **2.** спринцовка; **3.** *разг.* нахакан хлапак, келеш.

squish [skwiʃ] **1. = squash¹** 1; **2. = squelch¹**.

squit [skwit] *n* дребен/незначителен човек, нищожество.

stab¹ [stæb] *v* (**-bb-**) **1.** промушвам, пробождам, намушвам, ръгвам с нож/кама и пр.; **to ~ to death** убивам с нож/кама; **to ~ in the back** пробождам в гърба; *прен.* злословя за, клеветя, извършвам предателство по отношение на; **2.** причинявам болка/мъка на; режа, бода, промушвам (*за болка*).

stab² *n* **1.** (рана от) промушване с остро оръжие; **a ~ in the back** *прен.* предателско нападение; наклеветяване; **2.** внезапна остра болка, бодеж; **3.** *разг.* опит, усилие.

stabile ['steibi:l] *n* абстрактна скулптура/постройка.

stability [stəbiliti] *n* устойчивост, постоянство; стабилност, стабилитет; твърдост.

stabilization ['steibilai'zeiʃn] *n* стабилизиране, стабилизация.

stabilize ['steibilaiz] *v* стабилизирам (се); правя/ставам устойчив, закрепвам, затвърдявам.

stabilizer ['steibəlaizə] *n мор., ав.* стабилизатор, жироскоп.

stable¹ [steibl] *a* **1.** устойчив, стабилен; твърд, здрав; постоянен, траен, неизменен; **2.** решителен, непоколебим.

stable² *n* **1.** конюшня, обор; **2.** *събир.* породисти коне от една конюшня; **3.** *прен.* хора/изделия с общ произход/принадлежност; група, сбирка.

stable³ *v* **1.** поставям/държа в конюшня; **2.** живея в/като то в конюшня.

stable-boy, -man ['steiblbɔi, -mən] *n* прислужник в конюшня.

stable-companion ['steibəlkəm'pæniən] *n* **1.** кон от същата конюшня; **2.** *прен. разг.* член на същия клуб и пр.; съученик.

stable-mate ['steibəl,meit] **= stable-companion.**

stabling ['steibliŋ] *n събир.* конюшници.

stably ['steibli] *adv* устойчиво, стабилно; твърдо, здраво.

staccato [stə'ka:tou] *a, adv, n муз.* (да се свири/пее) отсечено и отривисто, стакато.

stack¹ [stæk] *n* **1.** купа сено и пр.; **2.** куп, купчина; **3.** *разг.* голямо количество, маса, куп, много; ~**s of money** купища пари; **4.** *pl* лавици за книги в библиотека/книжарница; ~(**-room**) книгохранилище в библиотека; **5.** *воен.* пирамида (*от пушки и пр.*); **6.** висок фабричен комин; комин на локомотив/параход; група комини на покрив на къща; **7.** обемна мярка за дърва = 3,05 м³; **8.** *киберн.* памет за временно съхранение в компютър.

stack² *v* **1.** нареждам/натрупвам на куп; **2.** нареждам/подреждам нещо тайно с цел да измамя някого; **3.** инструктирам пилоти да кръжат на дадена височина преди кацане на летище; **4.** ~ **up** натрупвам (се), струпвам (се) (*и прен.*).

stacte ['stækti:] *n староевр.* ароматична съставка на тамяна.

stadium ['steidiəm] *n* **1.** стадион; **2.** стадий, етап; **3.** старогръцка мярка за дължина около 200 м, стадия.

staff¹ [sta:f] *n* **1.** тояга; **2.** жезъл; **3.** стълб, флагщок (*на знаме и пр.*); **4.** *прен.* стълб, основа, опора; **the ~ of life** хляб; **5.** нивелирна рейка; **6.** *воен.* щаб, състав; *attr* генералщабен; **7.** персонал, тяло, състав, колегия; **to be on the ~ of** работя като щатен служител в; **8.** *муз.* (*pl* **staves** [steivz]) петолиние.

staff² *v* снабдявам с персонал; **a well-~ed institution** добре комплектувано учреждение; **an under-~ed hospital** болница с недостатъчен персонал.

stag¹ [stæg] *n* **1.** елен (*особ. в петата година*); **2.** кастриран бик/шопар; **3.** борсов спекулант; **4.** *ам.* сам мъж; мъж, който излиза и се забавлява сам/по ергенски; **a ~ party** ергенски/мъжки гуляй; ~ **film**, *ам.* ~ **movie** филм, подходящ само за мъже, *обик.* порнографски.

stag² *v* **1.** следя, наблюдавам; **2.** излизам/забавлявам се сам/по ергенски.

stag-beetle ['stægbi:tl] *n* бръмбар рогач (Lucanidae).

stage¹ [steidʒ] *n* **1.** естрада, площадка, подиум; скеле; **2.** сцена (*в театър*); **3.** театър; драма; драматургия; драматическо изкуство; актьорска професия; **to be/go on the ~** съм/ставам актьор; **to put/bring on the ~** поставям (*пиеса и пр.*); **to hold the ~** имам/заемам първенствуваща роля/място в разговор и пр.; **to quit the ~** излизам/слизам от сцената (*и прен.*); **4.** поприще, поле на дейност; **5.** стадий, етап, фаза, период; **6.** спирка; разстояние между две спирки/спирания; преход; **to travel by easy ~s** пътувам на кратки преходи/с чести спирки/без да бързам; (**fare-**)~ част от маршрута на автобус и пр., за която се плаща определена такса; **7.** ~(**-coach**) *ист.* пощенска кола, дилижанс; **8.** масичка/подставка на микроскоп; **9.** *геол.* пластове утаечни скали от една и съща формация; **10.** *ел.* стъпало; **11.** *косм.* част от ракета с отделен мотор, степен на ракета; **a multi**-~ **rocket** многостепенна ракета.

stage² *v* **1.** поставям (*пиеса*); **2.** имам сценични качества, сценичен съм (*за пиеса*); **3.** организирам; представям; провеждам.

stage-craft ['steidʒkra:ft] *n* драматургически опит/вещина; театрознание.

stage-direction ['steidʒdi,rekʃn] *n* авторска забележка в пиеса, ремарка.

stage-door ['steidʒdɔ:] *n* служебен/заден вход на театър.

stage-effect ['steidʒi,fekt] *n* сценичен ефект.

stage-fever ['steidʒ,fi:və] *n* **1.** влечение/страст към сцената/театъра; **2.** театромания.

stage-fright ['steidʒfrait] *n* нервност при появяване пред публика, артистична/сценична треска.

stage-hand ['steiʤhænd] *n* театр. работник за смяна на декорите, осветлението и пр.

stage-manage ['steiʤ‚mæniʤ] *v* 1. осъществявам техническо ръководство и контрол при поставянето на пиеса; 2. *разг.* организирам, уреждам.

stage-manager ['steiʤ‚mæniʤə] *n* помощник-режисьор; инспициент.

stage play ['steiʤplei] *n* театрална постановка на пиеса.

stager ['steiʤə] *n*: old ~ човек с богат/дълъг опит; ветеран.

stage right(s) ['steiʤrait(s)] *n* изключително право за поставяне на пиеса.

stage-setting ['steiʤsetiɳ] *n* художествено оформление, мизансцен.

stage-struck ['steiʤstrʌk] *a* силно увлечен по театъра.

stage-wait ['steiʤweit] *n* закъснение/техническа засечка по време на представление.

stage whisper ['steiʤ‚wispə] *n* 1. *театр.* настрана; 2. думи, предназначени да бъдат чути от други, но не от лицето, на което се говори.

stagflation [stæg'fleiʃn] *n* период на инфлация по време на застой в производството.

stagger[1] ['stægə] *v* 1. клатушкам се, залитам, олюлявам се; to ~ to o.'s feet ставам олюлявайки се; 2. зашеметявам, правя да се олюлее; 3. колебая се; разколебавам се; 4. смайвам, слисвам, изумявам; 5. разполагам/подреждам в шахматен ред/на зигзаг; 6. подреждам работно време/почивни дни/отпуски и пр. така, че да не се застъпват/съвпадат.

stagger[2] *n* 1. клатушкане, люшкане, олюляване; 2. замайване на главата, зашеметяване; 3. *pl вет.* въртоглавие (*у овцете*), колер (*у конете*); 4. разположение в шахматен ред/на зигзаг.

staggering ['stægəriɳ] *a* 1. олюляващ се, залитащ; 2. зашеметяващ, замайващ; смущаващ; объркващ; 3. смайващ, изумителен, потресающ.

staghound ['stæghaund] *n* хрътка за лов на елени.

staging ['steiʤiɳ] *n* 1. *стр.* скеле; 2. поставяне на пиеса, постановка; 3. полици за растения в парник; 4. ~ post спирка на въздушна линия.

Stagirite ['stæʤirait] *n*: the ~ Аристотел.

stagnancy ['stægnənsi] *n* 1. застоялост; 2. инертност; неподвижност; бездействие.

stagnant ['stægnənt] *a* 1. застоял (*за вода*); 2. бавен, муден, бездеен, инертен; *прен.* загнил; в застой.

stagnate ['stægneit] *v* 1. не изтичам, застоявам се; замърсявам се (*за вода*); 2. спирам, бездействувам, в застой съм, инертен съм.

stagnation [stæg'neiʃn] *n* 1. застой; застоялост; 2. инертност, бездействие.

stagy ['steiʤi] *a* театрален, неестествен, пресилен; афектиран.

staid [steid] *a* спокоен, трезвен, улегнал, уравновесен; сериозен.

stain[1] [stein] *v* 1. цапам (се), изцапвам (се); ставам на петна; лекясвам; 2. боядисвам, оцветявам; хващам боя; 3. *прен.* петня, опетнявам, очерням; покварявам; позоря.

stain[2] *n* 1. петно, леке (*и прен.*); 2. боя, багрилно вещество; цветна политура.

stainable ['steinəbl] *a* 1. който лесно се цапа/хваща петна; 2. който лесно се оцветява/хваща боя.

stained glass ['steindgla:s] *n* стъклопис; цветно/оцветено стъкло.

stainless ['steinlis] *a* 1. чист, без петна; 2. неопетнен (*и прен.*).

stainless steel ['steinlis‚sti:l] *n* неръждаема стомана.

stair [steə] *n* 1. стъпало на стълбище; 2. *pl* стълба, стълбище (*и* a flight of ~s); below ~s в сутеренния етаж; в слугинските/кухненските помещения.

staircase ['steəkeis] *n* стълбище; cork-screw/spiral ~ вита стълба, спираловидно стълбище.

stair-rod ['steərɔd] *n* метална пръчка за прикрепване на пътека на стълбище.

stairway = staircase.

staith(e) ['steið] *n* кей със съоръжения за товарене на въглища.

stake[1] [steik] *n* 1. заострен кол; дебела тояга (*за ограда, подпора и пр.*); to drive/set/stick o.'s ~s *ам.* заселвам се; to move/pull up ~s *ам.* заминавам, изселвам (се); 2. *ист.* стълб на клада; *прен.* изгаряне на клада; to die at the ~s бивам изгорен/умирам на кладата; 3. малка наковалня; 4. залог (*при игра на карти, бас, обзалагане и пр.*); to play at high/low ~s карти и пр. играя на големи/малки суми; at ~ *прен.* 1) заложен на карта, рискован, несигурен; 2) в опасност; спорен, оспорван; 5. паричен интерес; дял от капитал в предприятие; to have a ~ in заинтересован съм материално от (*успеха, процъфтяването на нещо*); 6. основен въпрос/принцип (*около който се спори, води борба*); 7. *pl* парична награда при конни надбягвания; конни надбягвания за парична награда.

stake[2] *v* 1. привързвам, прикрепям към/с кол, колове (*растение, младо дърво и пр.*); 2. *обик.* с off, out заграждам/преграждам с колове, очертавам граница с колчета/колове; 3. поставям на карта, рискувам, залагам (on на); 4. *ам.* оказвам парична и др. помощ.

stake-boat ['steikbout] *n* лодка, маркираща пътя на състезателните лодки.

stakeholder ['steikhouldə] *n* лице, което пази парите, заложени от обзаложилите се/басиралите се.

stake-net ['steiknet] *n* рибарска мрежа, окачена на/прикрепена с колове.

stakeout ['steikaut] *n ам.* полицейски надзор върху заподозряно място/лице.

stalactite ['stæləktait] *n* сталактит.

stalagmite ['stæləgmait] *n* сталагмит.

stale[1] ['steil] *a* 1. стар, баят, (*за хляб и пр.*); 2. спарен, запарен, застоял (*за въздух*); 3. изхабен, изгубил свежестта си; 4. изтъркан, банален, безинтересен (*за виц, новина и пр.*); 5. загубил давност (*за дълг и пр.*); 6. преуморен; претренирал, пресилил се (*за атлет, изпълнител и пр.*).

stale[2] *v* правя/ставам безинтересен/обикновен, изхабявам се, изтърквам се.

stale[3] *n* пикоч (*на добитък*).

stale[4] *v* пикая (*особ. за добитък*).

stalemate[1] ['steilmeit] *n* 1. *шах* пат; 2. *прен.* задънена улица, патово положение.

stalemate[2] *v* 1. *шах* довеждам противника си до положение на пат; 2. *прен.* довеждам до безизходно положение/застой/задънена улица.

stalk[1] [stɔ:k] *n* 1. *бот.* стъбло; дръжка на лист/цвят/плод и пр.; 2. *зоол.* стълбче (*на орган*); 3. ос, вретено (*на перо*); 4. столче (*на чаша*); 5. висок фабричен комин.

stalk[2] *v* 1. крача горделиво/наперено; шествувам; 2. ширя се, вилнея (*за болест и пр.*); 3. дебна (*дивеч*); вървя дебнешком.

stalk[3] *n* 1. горделива/наперена походка; 2. дебнене на дивеч и пр.

stalking-horse ['stɔ:kiŋhɔ:s] *n* **1.** кон, използуван от ловци за прикритие; **2.** *прен.* претекст, предлог.

stall[1] [stɔ:l] *n* **1.** (отделение в) обор/краварник/конюшня; **2.** щанд, сергия; барака, палатка (*на панаир*); дюкянче; **3.** място напред (*в партера на театър*); **4.** трон (*в църква*); **5.** сан на каноник; **6.** *мин.* забой; **7.** кожен/гумен предпазител за пръст; **8.** помещение с душ за един човек (*в баня*); **9.** *ав.* загубване на скорост.

stall[2] *v* **1.** отвеждам/държа добиче в обор/конюшня (*обик. за угояване*); **2.** поставям прегради в обор/конюшня; **3.** запъвам се/затъвам/загазвам в кал/сняг (*за кон, каруца, кола*); **4.** *тех.* спирам поради претоварване на мотора/недостатъчно гориво; *ав.* блокирам поради загуба на скорост и пр.

stall[3] *v* **1.** печеля време, бавя, разтакам; преча, спъвам умишлено; **2.** шикалкавя, усуквам, извъртам; **to ~ off** отлагам/избягвам чрез измама.

stallage ['stɔ:lidʒ] *n* място/право за издигане/наем за ползуване на сергия/щанд на пазар.

stall-feed ['stɔ:lfi:d] *v* угоявам (*добитък*) в обор.

stallion ['stæliən] *n* жребец.

stalwart[1] ['stɔ:lwət] *a* **1.** здрав, як, силен; **2.** смел, твърд, решителен, непоколебим.

stalwart[2] *n* *пол.* предан/безкомпромисен член на партия.

stamen ['steimən] *n* *бот.* тичинка.

stamina ['stæminə] *n* жилавост, издръжливост, сила, енергия.

staminal ['stæminəl] *a* *бот.* тичинков.

staminate ['stæmineit] *a* *бот.* само с тичинки (*без песгик*).

stammer[1] ['stæmə] *v* заеквам, запъвам се, пелтеча; **to ~ out** изричам със запъване; измънквам.

stammer[2] *n* заекване, запъване, пелтечене.

stammerer ['stæmərə] *n* човек, който заеква, пелтек.

stamp[1] [stæmp] *v* **1.** тропам (*и с* **about**); тъпча с крака, стъпквам, потушавам (*огън и пр.*); тупвам по земята с копито (*за кон*); **to ~ o.'s foot (on the ground)** тропвам с крак; **to ~ flat** стъпквам/утъпквам (*трева*); **2.** щамповсам, отпечатвам; удрям печат, подпечатвам, слагам щемпел на; **3.** сека (*монета*); **4.** облепям с марки; **5.** *мин.* разбивам, натрошавам, пулверизирам (*руда и пр.*); **6.** премахвам, унищожавам; **7.** *обик. refl* запечатвам (се), врязвам (се) (*в паметта*) (**on, in**); **8.** характеризирам определям (**as** като); **9.** *прен.* налагам/давам отпечатък върху;

   stamp down стъпквам, смачквам, сгазвам, утъпквам;

   stamp out 1) стъпквам, потушавам, угасявам; 2) потъпквам, смазвам, потушавам (*въстание и пр.*); справям се с, ликвидирам (*болест и пр.*).

stamp[2] *n* **1.** печат, щемпел, клеймо; пломба, етикет(че) (*на стока*); подпечатване; **2.** отпечатък; **3.** отличителен знак/белег, „печат"; **4.** род, вид, категория; качество; манталитет; **of the right ~** какъвто трябва; **5.** тропот; тропане с крак; **6.** *мин.* чук(ачка), чукална машина.

Stamp Act ['stæmp'ækt] *n* закон за гербовия налог.

stamp-collector ['stæmpkə‚lektə] *n* колекционер на марки, филателист.

stamp-duty ['stæmpdju:ti] *n* гербов налог.

stampede[1] [stæm'pi:d] *n* **1.** паническо бягство (*на хора, животни*); паника; **2.** *ам. пол.* спонтанно масово движение/акция.

stampede[2] *v* **1.** причинявам паническо бягство; **2.** хуквам да бягам; **3.** постъпвам безразсъдно; **4.** *ам. пол.* предизвиквам/участвувам в спонтанна масова акция.

stamp-machine ['stæmpmə‚ʃi:n] *n* автомат за продажба на пощенски марки.

stamp-mill ['stæmpmil] *n* чукова/ударна мелница.

stance [stæns] *n* **1.** *голф, крикет* позиция, поза (*при удар*); **2.** *прен.* позиция, отношение.

stanch[1] [sta:ntʃ] *v* спирам потока на (*кръв, сълзи и пр.*); запушвам течаща рана.

stanch[2] = **staunch**[1].

stanchion[1] ['sta:nʃn] *n* стълб, подпора; преграда, скоба; прът и пр. за преграждане на добитък в обор.

stand[1] [stænd] *v* (**stood** [stud]) **1.** стоя; стоя прав, държа се на краката си; **to ~ fast/firm** държа се здраво на краката си; не се клатя, не залитам; *прен.* държа се, запазвам възгледите/позициите си; не отстъпвам; **to ~ in s.o.'s light** тъмнея на; преча/попречвам/бъркам на кариерата и пр. на някого; **2.** ставам (*обик. с* **up**); **3.** спирам се, заставам; **to ~ still** стоя на едно място, не мърдам; стоя мирно/неподвижно; стихвам, притихвам; замирам; **~ and deliver!** горе ръцете! парите или живота! **4.** висок съм...; **she ~s five foot three** тя е висока пет фута и три инча; **5.** оставам на мястото си; запазвам се, задържам се; не се променям; **this paint will ~** тази боя няма да избелее/да се изтрие; **the house still ~s** къщата е още там/още стои; **to be left ~ing** оцелявам (*за сграда*); **6.** оставам в сила, валиден съм (*и to* ~ **good**); **the order ~s** заповедта е още в сила; **this translation may ~** този превод може да остане и така; **7.** издържам, понасям, търпя, изтърпявам, изтрайвам, устоявам на; подложен съм на; **to ~ fire** *воен.* издържам на огъня на неприятеля; *прен.* издържам на изпитание; устоявам на нападки; **to ~ the test of time** издържам проверката на времето; **8.** съм/намирам се в дадено положение/място; **to ~ alone** сам съм, не получавам подкрепа от никого; нямам равен на себе си; **to ~ guard** стоя на пост; **to ~ clear of a door, etc.** отмествам се/пазя се/стоя настрана от врата и пр. (*при затварянето ѝ*); **to ~ first** пръв съм (*на списък и пр.*); **to ~ s.o.'s friend** проявявам се като приятел на някого; **to ~ corrected** признавам/приемам, че съм сбъркал; **to ~ rebuked** приемам критиката, признавам вината си; **to ~ convicted of** осъден съм за; **to ~ aghast** ужасявам се, шокирам се; **to ~ prepared/ready** готов съм; **how does he ~ on...?** какво мисли той по/за/относно...? **as matters ~** както стоят работите; при сегашното положение на нещата; **the matter ~s thus** работата/въпросът стои така; **how do we ~ in the matter of...?** как сме откъм/с/по отношение на...?; **I don't know where I ~** *прен.* не знам къде съм/какво ми е положението; **as it ~s** нещата са все така; не настъпва никаква промяна; **the thermometer ~s at...** термометърът показва (все)...; **tears ~ing in her eyes** с очи, плувнали в сълзи; **9.** слагам, поставям, турям; изправям; **to ~ s.o. in the corner** изправям някого в ъгъла (*за наказание*); **10.** *разг.* черпя, почерпвам, угощавам (*и с to*); **to ~ a drink** черпя, плащам за пиенето; **11.** *лов.* правя стойка (*за куче*); **12.** *мор.* насочвам се, отправям се (**for** към); □ **to ~ to gain/win** имам всички изгледи за успех; **to ~ to lose** очаква ме сигурен неуспех;

   stand about вися/стоя без работа, мотая се;

   stand against противя се/съпротивлявам се на; устоявам на;

stand around = **stand about;**

stand aside 1) дръпвам се настрана, отдръпвам се, отмествам се; 2) не взимам участие, оставам безучастен; 3) *прен.* отстъпвам;

stand away отдръпвам се, отмествам се;

stand back 1) отдръпвам се назад, отстъпвам; 2) отдалечен съм от; 3) *прен.* оставам/стоя (си) настрана;

stand by 1) стоя със скръстени ръце; не предприемам нищо; безучастен зрител съм; 2) заставам на страната на, поддържам, защищавам, подкрепям, помагам на; 3) държа на, придържам се към, спазвам; **to ~ by o.'s promise/word/friend** оставам верен на обещанието/думата/приятеля си; 4) готов съм да действувам, нащрек съм; *рад.* готов съм да продължа да слушам/предавам програма; 5) **to ~ by for s.o.** замествам някого в служба и пр.;

stand down 1) *юр.* слизам/излизам от свидетелското място; 2) отказвам се от участие (*в състезание и пр.*); оттеглям кандидатурата си (*в избори*); отстъпвам в полза на;

stand for 1) съм/боря се/застъпвам се за; поддържам, подкрепям; 2) знача, означавам, символизирам; 3) кандидат съм, кандидатирам се за (*служба, депутатско място*); 4) *разг.* търпя, понасям; **I won't ~ for it** няма да допусна това;

stand in 1) *разг.* струвам, костувам (*някому*); 2) **to ~ in (with)** *разг.* взeмам участие/помагам в разноски и пр.; **to ~ in for** поемам временно функциите/работата на (*някого*), замествам (*някого*), дублирам(*актьор*); 3) **to ~ in with** поддържам, подкрепям; участвувам в разноски и пр.; в добри/приятелски отношения съм с; в съюз съм с; **to ~ in towards** *мор.* насочвам се към;

stand off 1) държа се/стоя на разстояние, страня от; отдръпвам се, оттеглям се, отмествам се (**from** от); 2) минавам без услугите на; освобождавам/съкращавам временно (*главно работници*); 3) *мор.* поемам/поддържам курс навътре в морето;

stand on 1) държа/настоявам на (*правата си и пр.*); спазвам строго; 2) *мор.* поддържам същия курс;

stand out 1) излизам напред, (по)явявам се; избивам (*за пот и пр.*); 2) изпъквам, издавам се напред; изпъкнал съм; стърча; **his eyes stood out of his head** *прен.* той се опули/ококори (*от изненада, страх и пр.*); 3) *прен.* изпъквам, отделям се, открoявам се (**from** от); бия на/хвърлям се в очи; **to ~ out against/in contrast to** изпъквам ясно на фона на/контрастирам с; 4) държа се, не се предавам, не отстъпвам, противопоставям се (**against** на); 5) стоя/държа се настрана; оставам вън (*от игра и пр.*); не участвувам; 6) **to ~ out to sea** *мор.* отплувам в открито море; 7) **to ~ a concert out** оставам прав до края на концерт;

stand over 1) бивам отложен/отсрочен, оставам нерешен; 2) наблюдавам, надзиравам;

stand to 1) готов съм за атака; подготвям атака; **~ to!** *воен.* на оръжие! 2) държа на, придържам се към, спазвам; подкрепям;

stand up 1) ставам на крака, стоя прав; 2) *разг.* не се явявам на среща, оставям (*някого*) да ме чака; зарязвам, изоставям; 3) изправям, държа прав (*за наказание*); 4) оставам валиден; звуча правдоподобно; 5) издържам на (*и прен.*); 6) опъвам се; противостоя твърдо/смело, противопоставям се/ излизам насреща на; 7) **to ~ up for** застъпвам се за, отстоявам (*права и пр.*); **to ~ up for o.s.** за-

щищавам/отстоявам правата си; 8) **to ~ up against** изпъквам, откроявам; меря се/сравнявам се с; 9) **to ~ up with** ставам да танцувам с; кум съм на; **stand with: ~ well, etc. with** в добри и пр. отношения съм с.

stand[2] *n* 1. спиране; **to come/be brought to a ~** спирам се, бивам спрян; **to be at a ~** объркан съм, недоумявам; 2. съпротива, отпор; **to make a ~** съпротивлявам се, противопоставям се (**against** на); **to make a ~ for** застъпвам се за, защищавам; 3. място; (твърда) позиция, становище; **to take a/o.'s ~** 1) заставам, изправям се; 2) основавам се, базирам се; взимам становище (**on**); 4. подставка, подпора; конзола; стойка (*за ноти*); етажерка; закачалка (*за шапки, чадъри и пр.*); 5. сергия, щанд; 6. пиаца (*за таксита и пр.*); 7. *тех.* стенд; 8. естрада (*за оркестър*); 9. трибуна (*на стадион*); 10. посев, насаждение; **a good ~ of clover** гъста детелина; **a ~ of trees** група дървета, горичка; 11. *театр.* място, където гастролираща трупа спира за представление; 12. *ам.* свидетелско място; □ **~ of arms** въоръжение на войник; **~ of colours** знамена на полк.

standard[1] ['stændəd] *n* 1. знаме (*и прен.*), флаг; 2. мерило, критерий; норма, стандарт; мостра, образец; равнище, ниво, уровен; **~ of life/living** жизнено равнище, ниво на живота; **up to/below ~** на/под нивото/стандарта; **to come up to ~** отговарям на стандарта; **well up to ~** на доста високо равнище; **of a low ~** долнокачествен; **by any ~s** от всяко гледище, както и да се погледне; **to judge by the ~s of** съдя от гледището на; **to set o.'s ~s by** водя се по; **to set o.'s ~s high** имам висок мерник, взискателен съм; 3. *ост.* категоризиране по ниво в първоначално училище; 4. еталон; **gold ~** златен еталон; 5. стълб, подпора; подставка, стойка; 6. права тръба (*водосточна, за газ*); 7. високостеблено растение (*особ. роза, овощно дръвче*).

standard[2] *a* 1. общоприет, установен; стандартен, типов, нормален, обикновен; 2. образцов, класически; общопризнат за най-добър (*за книга, справочник и пр.*); **~ English** общоприет/правилен английски език.

standard-bearer ['stændəd͵bɛərə] *n* знаменосец (*и прен.*).

standardization [stændədai'zeiʃn] *n* стандартизация, уеднаквяване.

standardize ['stændədaiz] *v* стандартизирам, уеднаквявам.

standard lamp ['stændədlæmp] *n* стояща лампа, лампион.

standard time ['stændədtaim] *n* местно време.

standaway ['stændəwei] *a ам.* разперен (*за пола и пр.*).

stand-by ['stændbai] *n* (*pl* **-bys** [-baiz]) 1. опора; помагало; 2. заместник; резервно съоръжение; 3. пълна готовност за действие; **to be on ~-by** готов/налице/на разположение съм; 4. *attr* запасен, резервен.

standee [stæn'di] *n* правостоящ.

stand-in ['stændin] *n* 1. благоприятно положение; 2. заместник, заместител; 3. *театр., кино* дубльор.

standing[1] ['stændiŋ] *a* 1. стоящ, прав; правостоящ; изправен на крака; **~ room** място за правостоящи (*в театър, превозно средство и пр.*); **a ~ ovation** бурни овации със ставане на крака; **to leave s.o./s.th. ~** изправарвам, оставям след себе си (*и прен.*); **~ meal** ядене на крак; **~ corn** непожънато жито; **~ water** застояла вода; **~ jump** *сп.* скок от място; 2. постоянен, установен; приет; **~ army** постоянна/редовна войска; 3. постоянно валиден (*за покана, предложение, нареж-*

дане, поръчка и пр.); **4.** постоянен, неизменен; траен (за цвят, боя и пр.); ~ **committee** постоянен комитет/присъствие; ~ **joke** постоянна тема/повод за шеги; ~ **orders** постоянна разпоредба, устав, правилник; □ **all** ~ мор. без да сваря да сваля платната; прен. изненадан, неподготвен.

standing² n **1.** (извоювано/обществено) положение; репутация, реноме; **a person of high** ~ високопоставено лице; **to have no** ~ не съм компетентен, нямам думата; **2.** сп. класа; класиране; **3.** времетраене, продължителност; **of a long** ~ дългогодишен, отдавнашен; **от дълго време; 4.** местоположение.

standing stone ['stændiŋ,stoun] n археол. побит камък.

standoff ['stændɔf] n **1.** ам. равен резултат; **2.** прен. нерешено/безизходно положение.

stand-offish ['stænd'ɔfiʃ] a сдържан, резервиран; надменен; студен, неприветлив.

stand-out ['stænd'aut] n ам. забележително нещо; изключителен човек.

standpatter ['stænd'pætə] n ам. противник на реформи/промени.

standpipe ['stændpaip] n права тръба; хидрант.

standpoint ['stændpɔint] n гледище, становище.

standstill ['stændstil] n спиране, застой; прекъсване; **to be at/come to a** ~ спирам, запирам се; прен. намирам се в безизходно положение; **to bring to a** ~ спирам, възпирам, запирам.

stand-up ['stændʌp] a прав, изправен; ~ **collar** висока права яка; ~ **meal** ядене на крак.

stanhope ['stænəp] n лека едноместна открита каляска.

staniel ['stænjəl] n зоол. ветрушка, керкенез (Falco tinnunculus).

stank вж. **stink¹**.

stannary ['stænəri] n калаена мина; район, където се добива калай.

stanza ['stænzə] n строфа, станса.

stanzaic [stæn'zeik] a написан в строфи/станси.

staph [stæf] разг. = **staphylococcus**.

staphylococcus [stæfilə'kɔkəs] n (pl **-cocci** [-'kɔkai]) бакт. стафилокок.

staple¹ ['steipl] n **1.** скоба, скобка; **2.** дупка в рамката на врата, в която влиза езичето на брава при заключване; **3.** книговезко телче; **4.** гнездо, втулка (за стойка на обой).

staple² v слагам скоба на, заскобвам.

staple³ n **1.** важен/главен/основен продукт/артикул; **2.** суров материал, суровина; **3.** главен елемент/предмет/тема; **it formed the** ~ **of conversation** това беше главната тема за разговор; **4.** текст. (качество на) влакно/нишка; **cotton of short** ~ памук с къси влакна; **5.** ист. търговски център.

staple⁴ a важен, главен, основен; ~ **diet** основна храна.

staple⁵ v сортирам (вълна и пр.) по качество; класифицирам.

stapler ['steiplə] n сортировач на вълна.

star¹ [sta:] n **1.** звезда; **2.** звезда (емблема, орден, значка); **five-pointed** ~ петолъчка; **S~s and Stripes** знамето на САЩ; **3.** печ. звездичка; **4.** бяло петно (на челото на животно); **5.** прен. съдба; щастие; сполука; **the** ~**s were against it** съдбата е против това; **to bless/curse o.'s** ~**s** благославям/проклинам съдбата си; **to thank o.'s lucky** ~**s** благодарен съм, имал съм късмет; **6.** звезда, светило, знаменитост; **the** ~ **system** включване на няколко знаменитости

в пиеса/филм със спекулативна цел; **7.** белег за качество/категория; **a five-**~ **work of art** първокласно произведение на изкуството; **a five-**~ **hotel, etc.** хотел и пр. от най-висока категория; **8.** attr звезден; □ **to see** ~**s** искри ми изкачат от очите, виждам звезди по пладне; **the** ~ **route** ам. разнасяне на поща от частни раздавачи/дружества.

star² v (**-rr-**) **1.** украсявам/осейвам със звезди; **2.** отбелязвам/маркирам със звездичка; **3.** играя главна(та) роля; **4.** изтъквам/представям като звезда (артист, изпълнител и пр.); ~**ing X and Y** кино в главните роли Х и У.

starboard¹ ['sta:bɔd] n десен борд/страна на кораб/самолет.

starboard² v обръщам кормилото надясно.

starch¹ [sta:tʃ] n **1.** скорбяла; нишесте; **2.** кола; **3.** прен. скованост, официалност; **4.** attr 1) нишестен; 2) скован, официален.

starch² v колосвам.

starchy ['sta:tʃi] a **1.** съдържащ скорбяла/кола; **2.** колосан; **3.** скован, официален; педантичен.

star-crossed ['sta:krɔst] a ост. злочест, клет.

stardom ['sta:dəm] n театр., кино **1.** положение/ранг на звезда; **2.** събир. звездите.

star-dust ['sta:dʌst] n звезден прах; прен. чувство на мистична романтика/ефирност.

stare¹ [stɛə] v **1.** гледам втренчено/вторачено; вглеждам се, заглеждам се, взирам се (**at, upon** в); пуля се, опулвам се, блещя се, кокоря се, ококорвам се (от изненада, учудване, ужас, глупост и пр.); опулен/облещен/ококорен съм (за очи); **to** ~ **s.o. in the face** очевиден/явен/неизбежен съм (за факт и пр.); пред носа съм на, ще извадя очите на (за предмет); **ruin** ~**s him in the face** заплашва/грози го гибел; **to** ~ **s.o. out of countenance** дразня/смущавам/нервирам някого с втренчения си поглед; **to** ~ **s.o. down/out** принуждавам някого да сведе очи/да извърне поглед; **to** ~ **s.o. up and down** измервам някого с поглед; **to** ~ **s.o. into silence** накарвам с поглед някого да занемее; **to make s.o.** ~ слисвам/смайвам някого; **2.** изпъквам, прекалено бия на очи, поразявам.

stare² n втренчен/вторачен поглед; опулени/ококорени очи.

starfish ['sta:fiʃ] n зоол. морска звезда (Asteroidea).

star-gazer ['sta:geizə] n **1.** астролог; **2.** шег. астроном.

staring ['stɛəriŋ] a широко отворен, опулен, ококорен (за очи); втренчен, вторачен (за поглед); **2.** ярък, крещящ; □ (**stark**) ~ **mad** луд за връзване, съвсем луд.

stark¹ [sta:k] a **1.** изстинал, скован, вкочанен (за труп); **stiff and** ~ бездиханен; **2.** пълен, чист, абсолютен; ~ **madness/folly** истинска лудост/безумие; **3.** силен, твърд, непоколебим; **4.** очевиден, ярък; **5.** (почти) без украса; гол; **6.** рязък, остър, груб.

stark² adv напълно, изцяло, съвършено; ~ **mad** луд за връзване; ~ **naked** гол-голеничък.

starless ['sta:lis] a беззвезден.

starlet ['sta:lit] n звездица, звездичка.

starlight ['sta:lait] n **1.** звездна светлина; **by** ~ при светлината на звездите; **2.** attr звезден; ~ **night** светла/звездна нощ.

starlike ['sta:laik] a подобен на/като звезда; ярък/светъл като звезда.

starling ['sta:liŋ] n скорец (Sturnus).

starlit ['sta:lit] a **1.** = **starlight** 2; **2.** осветен/огрян от звезди.

starred [sta:d] a обсипан/осеян със звезди; украсен/маркиран със звезда.

starry ['sta:ri] *a* 1. звезден; 2. ярък/сияещ като звезда; светнал, грейнал, сияещ (*за очи*); ~-**eyed** *разг.* ентусиазиран, но непрактичен; фантазьорски, неприложим.

star-shell ['sta:ʃel] *n воен.* осветителен снаряд.

star-spangled['sta:spæŋgld]*a*обсипан/осеян със звезди; **the S.-Spangled Banner** националното знаме/химн на САЩ.

start¹ [sta:t] *v* 1. трепвам, сепвам се, стряскам се; **to ~ in o.'s seat/chair** подскачам на мястото/стола си; 2. сменям рязко положението си, скачам; **to ~ aside** отсквачам настрани; **to ~ from o.'s chair/seat** скачам от стола/мястото си; **to ~ to o.'s feet** скачам на крака, рипвам; 3. подплашвам се, изправям се на задните си крака (*за кон*); 4. тръгвам, потеглям, поемам; отправям се, запътвам се (**on** за); 5. почвам, започвам; залавям се за, турям начало на (*често с* on); **to ~ s.th.** *разг.* създавам неприятности; 6. привеждам в движение (*машина*), запалвам (*мотор*); пускам (*влак*); 7. пускам в действие/обръщение; лансирам; **to ~ a rumour** пускам слух; 8. слагам начало на, създавам; **to ~ life** 1) раждам се; 2) започвам кариерата си; **to ~ a family** създавам семейство; **to ~ a baby** *разг.* забременявам; 9. добивам, запалвам (*огън*); 10. причинявам (*пожар, трудности и пр.*); **to ~ the whole trouble** забърквам цялата каша; 11. повдигам (*въпрос, възражение*); 12. карам, накарвам; ставам причина за; **to ~ s.o. thinking** карам някого да се замисли; 13. помагам на някого да започне (*работа и пр.*); 14. изплашвам, подплашвам (*дивеч*); 15. *сп.* стартирам; давам сигнал за стартиране; 16. появявам се внезапно, изскачам; издавам се напред; **his eyes ~ed from their sockets** очите му изскочиха/изхвръкнаха (*от изненада, уплаха и пр.*); **tears ~ed to her eyes** сълзи бликнаха в очите ѝ; 17. разхлабвам (се), измятам се, поддавам (*за греди, дъски, летви и пр.*); 18. *ав.* излитам; 19. *мор.* наливам/изливам (*спиртно питие*) от бъчва;
start back 1) дръпвам се, стъписвам се; отскачам назад; 2) тръгвам обратно;
start in *разг.* почвам, започвам, залавям се за/ да; начевам, започвам да ям от (*хляб, ядене и пр.*);
start off 1) (за)почвам; тръгвам, потеглям; 2) слагам начало на; 3) карам/накарвам/помагам да започне;
start out1) *разг.* започвам, правя първите стъпки в нещо; 2) заемам се/залавям се с; 3) появявам се, излизам; избивам, потичам (*за пот*);
start up 1) скачам; подскачам (*от изненада, уплаха и пр.*); 2) появявам се, пораждам се; възниквам/изниквам неочаквано; 3) пускам, привеждам в действие (*машина*), запалвам (*мотор*); завъртам (*перка на самолет*); 4) възбуждам, предизвиквам, пораждам; **to ~ up memories** събуждам спомени; 5) започвам;
start with почвам/започвам с; □ **to ~ with** 1) най-напред, (първо на) първо, преди всичко; 2) първоначално, отначало.

start² *n* 1. трепване, сепване, стряскане; **to give a ~** трепвам, сепвам се, стряскам се; **to give s.o. a ~** сепвам/уплашвам някого; **to wake with a ~** сепвам се и се събуждам; 2. тръгване, потегляне; почване; начало; изходна/отправна точка; **a ~ in life** начало на самостоятелен живот/кариера; **to get/make a good ~** започвам добре (*живота, кариерата си и пр.*); **to make a fresh ~** започвам отново, тръгвам

по нов път; **to make an early ~** тръгвам/заминавам рано; **from ~ to finish** от начало до край; **for a ~** *разг.* като начало; преди всичко, най-напред; 3. *сп.* старт, стартиране; **false ~** неправилно стартиране; *прен.* несполучлив опит; 4. предимство, преднина, аванс; **to get the ~ of** изпреварвам, вземам преднина пред; **to have the ~ of** имам преднина пред, по-напред съм от; 5. пускане, привеждане в движение (*на машина*), запалване (*на мотор*); 6. *ав.* излитане.

starter ['sta:tə] *n* 1. човек, който дава сигнал за стартиране, стартер; **under ~'s ordrers** на старт; 2. състезател, участник в състезание; 3. *тех.* стартер, пускач, подкарвач, запалител; 4. *разг.* предястие, ордьовър.

starting gate ['sta:tiŋgeit] *n сп.* бариера на старт (*в хиподрум и пр.*).

starting handle ['sta:tiŋhændl] *n* ръчка за задвижване на мотор.

starting-point ['sta:tiŋpɔint] *n* отправна точка, изходен пункт.

starting-post ['sta:tiŋpoust] *n сп.* стълб на старт.

starting-price ['sta:tiŋprais] *n сп.* курс на обзалагане при старта.

startle ['sta:tl] *v* 1. сепвам (се), стряскам (се); изплашвам, разтревожвам; изненадвам, учудвам; слисвам; 2. разтърсвам; **to ~ s.o. out of his apathy** изваждам някого от апатията му.

startling ['sta:tliŋ] *a* потресаващ, поразителен, изумителен, обезпокоителен, тревожен.

starvation [sta:'veiʃn] *n* глад, гладуване (*и прен.*); умиране от глад; **~ wages** много ниска надница; **to live on the ~ line** почти гладувам.

starve [sta:v] *v* 1. умирам от глад; гладувам (*и прен.*); **to ~ to death** умирам от глад; **to be starving** умирам, жадувам, копнея (**of, for** за); *разг.* гладен съм; 2. уморявам от глад; държа гладен; лишавам; *прен.* подлагам на духовен и пр. глад; **to ~ into surrender** принуждавам (*гарнизон и пр.*) да се предаде поради липса на припаси; 3. умъртвявам, убивам, атрофирам (*чувство и пр.*); 4. *ост.* умирам/премалявам от студ.

starveling¹ ['sta:vliŋ] *n* изтощен от глад/недохранен човек/животно.

starveling² *a* 1. гладуващ; 2. *прен.* оскъден, недостатъчен.

starving ['sta:viŋ] *a* гладен, изгладнял, гладуващ.

starwort ['sta:wət] *n бот.* звездица (Stellaria).

stash¹ [stæʃ] *v sl.* 1. скривам, скътвам, прибирам на сигурно място (*и* ~ **away**); 2. прекратявам, спирам; напущам.

stash² *n ам. sl.* 1. къща; скривалище; таен склад; 2. скрито/укрито нещо; **a ~ of narcotics** складирани контрабандни наркотици.

stasis ['steisis] *n* (*pl* stases [-si:z]) *мед.* забавяне, застой, стаза.

state¹ [steit] *n* 1. състояние, положение, условия; **married ~** задоменост; **single ~** незадоменост, ергенство, моминство; **~ of affairs/things** (сегашното) положение на нещата, ситуация, обстановка; **~ of emergency** извънредно положение; **~ of health** здравословно състояние; **~ of mind** душевно състояние; **~ of war** положение на война; **in a bad ~ of repair** съвсем разнебитен; **in a ~** *разг.* 1) в крайно несретнат вид, раздърпан, мръсен; 2) развълнуван, разтревожен, извън себе си; не на себе си; **2.** (високо) социално положение, ранг, класа; **in a style befitting his** ~ както подобава на човек с неговото положение/от неговия ранг; **3.** стадий, състояние; **larval** ~ ларвовиден стадий; **gaseous** ~ газообразно състояние; ~ **of play** 1) крикет резултат; 2) *прен.* съотношение на силите (*между две спорещи и пр. страни*); **4.** великолепие, пищност, разкош; тържественост, помпозност; **in (great)** ~ (много) тържествено; **occasion of** ~ тържествен случай; □ **to lie in** ~ изложен съм за поклонение (*за мъртвец*).

state² *a* официален, тържествен, параден, церемониален; ~ **ceremony/visit** официално тържество/посещение; ~ **opening** тържествено откриване (*на парламент и пр.*); ~ **coach** кралска каляска; ~ **call** *разг.* официално посещение/визита.

state³ *v* **1.** излагам, изразявам, казвам; изявявам; заявявам, обявявам, съобщавам, формулирам; **to** ~ **o.'s case** излагам доводите си; **it is** ~**d that** казва се/твърди се, че; **2.** определям; посочвам, уточнявам, упоменавам; **3.** *мат.* изразявам с условни знаци.

state⁴ *n* **1.** S. държава; **matters of S.** държавни работи; **2.** щат; **S.s General** *ист.* Генералните щати.

state⁵ *a* **1.** държавен; ~ **trial** политически процес; **S. Department** Министерството на външните работи на САЩ; ~ **prisoner, prisoner of** ~ политически затворник; ~ **service** държавна служба; **2.** *ам.* отнасящ се до отделен щат; **S.'s Rights** автономия на отделните сев.-ам. щати.

state-aided ['steit͵eidid] *a* субсидиран от държавата.

state-council ['steit͵kaunsil] *n* държавен съвет.

statecraft ['steitkra:ft] = **statesmanship**.

stated ['steitid] *a* **1.** определен, установен, уговорен; редовен; **at** ~ **intervals** на определени срокове/интервали; **2.** обявен, оповестен; посочен.

state farm ['steitfa:m] *n* държавно земеделско стопанство.

statehouse ['steithaus] *n* **1.** сградата, в която заседава законодателният орган на щат; **2.** сградата на Конгреса на САЩ.

stateless ['steitlis] *a* без поданство/гражданство.

stateliness ['steitlinis] = **statesmanship**.

stately ['steitli] *a* величествен, величав; великолепен, блестящ; тържествен, грандиозен, внушителен; достоен; ~ **house** грандиозна къща, *обик.* открита за посетители.

statement ['steitmənt] *n* **1.** излагане, изразяване, казване; изложение, твърдение; изявление, изказване; **2.** свидетелско показание; **3.** официален отчет, бюлетин.

stater ['steitə] *n* статер (*старогръцка златна, сребърна монета*).

state-room ['steitrum] *n* **1.** приемна зала; **2.** самостоятелна кабина (*на параход*); *ам.* самостоятелно (спално) купе във влак.

Stateside ['steitsaid] *adv. ам. разг.* от/в/към САЩ.

statesman ['steitsmən] *n* (*pl* **-men**) опитен държавник; дал новиден/прозорлив политически деец.

statesmanlike ['steitsmənlaik] *a* държавнически.

statesmanship ['steitsmənʃip] *n* държавническо изкуство.

static(al) ['stætik(əl)] *a* **1.** статичен, неподвижен; пасивен; **2.** неизменен, постоянен.

statics ['stætiks] *n pl с гл. в sing* **1.** статика; **2.** *рад., телев.* атмосферни смущения.

station¹ ['steiʃn] *n* **1.** място, позиция, пункт, пост; стан-

ция; **2.** гара; **a through** ~ гара, на която не спират бързи влакове; **a goods** ~ сточна гара; **3.** спирка (*автобусна и пр.*); **4.** пощенски клон; **5.** *ист.* военен пост (*в Индия*); служебните лица, живеещи там; **6.** *австрал.* овцевъдна ферма; пасище за овце; **7.** военна/военноморска база; **8.** обществено положение, статус; работа, професия; звание, ранг; **9.** земемерски пункт; **10.** *pl* серия от 14 картини, изобразяващи мъките на Исус Христос (*и* **S.s of the Cross**); **11.** *бот., зоол.* естествена среда; **12.** *attr* станционен.

station² *v* **1.** поставям на определено място, настанявам, разполагам; **2.** *воен.* поставям на пост(ове), разставям; настанявам, разквартирувам; **to** ~ **a guard** поставям караул.

stationary ['steiʃnri] *a* **1.** неподвижен, стоящ на едно място, постоянен; неизменен, непроменлив; ~ **air** въздухът, който остава в дробовете при нормално дишане; ~ **diseases** сезонни заболявания; ~ **war** позиционна война; **2.** закрепен на едно място, непреносим; **3.** неподвижен, инертен, в застой, който не се развива.

station break ['steiʃn͵breik] *n рад., телев.* промеждутък между две програми, в който се съобщава името на предавателната станция, правят се съобщения и пр.

stationer ['steiʃnə] *n* **1.** книжар, който продава канцеларски принадлежности; **2.** *ост.* книжар, книгоиздател.

stationery ['steiʃnəri] *n* **1.** канцеларски принадлежности; **2.** книжарница за канцеларски принадлежности.

station-house ['steiʃnhaus] *n* полицейски участък.

station-master ['steiʃn͵ma:stə] *n* началник-гара.

station-wagon ['steiʃn͵wægən] *n ам.* голям автомобил, комби.

statism ['steitizm] *n* държавно планиране и контрол.

statist ['steitist] *n* **1.** статистик; **2.** привърженик на държавното планиране и контрол.

statistic [stə'tistik] *n* статистически факт/пункт.

statistical [stə'tistikl] *a* статистичен, статистически.

statistician [͵stætis'tiʃn] *n* статистик.

statistics [stə'tistiks] *n pl с гл. в sing* статистика.

stator ['steitə] *n* статор (*особ. на електрически генератор, мотор*).

statoscope ['stætəskoup] *n* вид чувствителен барометър, статоскоп.

statuary¹ ['stætjuəri] *a* скулптурен, ваятелски; ~ **marble** висококачествен бял мрамор.

statuary² *n* **1.** скулптура, ваятелство; **2.** скулптор, ваятел; **3.** скулптури, статуи.

statue ['stætju:, 'stætʃu:] *n* скулптура, статуя.

statuesque [stætju'esk, stætʃu'esk] *a* подобен на статуя, като изваян; неподвижен; величествен, внушителен.

statuette [stætju'et] *n* статуйка, статуетка.

stature ['stætʃə] *n* **1.** ръст, височина, бой; **of a large/small** ~ висок/нисък; **tall of** ~ висок на ръст; **2.** *прен.* ръст, калибър.

status ['steitəs] *n* **1.** (обществено) положение, ранг, чин; **people of medium** ~ средна ръка хора; **2.** *юр.* правно положение; **the** ~ **quo** статукво, съществуващото положение; **the** ~ **quo (ante)** предишното положение.

statute ['stætju:t] *n* **1.** статут, закон, законодателен акт; **2.** постановление; **3.** устав, правилник; **4.** *библ.* божествен закон.

statute-book ['stætju:tbuk] *n* сборник от закони, кодекс.

statute law ['stætju:tlɔ:] *n* писан закон.

statutory ['stætjutəri] *a* изискван от закона, установен със закон.

staunch¹ [stɔ:ntʃ] *a* **1.** верен, предан, лоялен; твърд, непоколебим; **2.** здрав, устойчив; **3.** непромокаем, херметически.

staunch² = **stanch**¹.

stave¹ [steiv] *n* **1.** дъга (*на бъчва и пр.*); **2.** стъпало (*на подвижна стълба*); **3.** строфа; **4.** *муз.* петолиние; **5.** *pl* = *pl om* **staff**¹ **5.**

stave² *v* (**staved, stove** [steivd, stouv]) слагам дъги на (*бъчва и пр.*);
    stave in продънвам, разбивам, смазвам; пробивам дупка в (*бъчва, лодка*);
    stave off 1) отклонявам, предотвратявам; 2) отбивам, отблъсквам, отхвърлям; 3) забавям, отлагам (*провал, крах и пр.*).

stave-rhyme ['steivraim] *n* алитерация.

stay¹ [stei] *v* **1.** стоя, оставам; **to ~ at home** 1) оставам си/стоя си вкъщи; 2) обичам да си стоя вкъщи, не обичам да излизам; **to ~ indoors** оставам/стоя вкъщи; **to ~ alive/faithful** оставам жив/верен; **to ~ in bed** лежа, не ставам; пазя леглото; **to ~ for/to dinner, etc.,** *разг.* **to ~ dinner, etc.** оставам на обед и пр.; **to be/come to ~** идвам/оставам завинаги/за постоянно; не възнамерявам да си отида; установявам се/затвърдявам се окончателно; влизам в постоянна употреба; ставам постоянно явление; **2.** отсядам, настанявам се; пребивавам временно (**at, in** в); на гости съм, прекарвам (**with** у); **3.** спирам, възпирам, задържам; **to ~ o.'s hand** въздържам се да не направя нещо; **to ~ s.o.'s hand** възпирам някого, попречвам на някого да направи нещо; **4.** задоволявам временно, залъгвам (*глад и пр.*); **5.** проявявам издръжливост, държа се докрай (*и сп.*); **6.** *юр.* отлагам, прекратявам, преустановявам; **7.** спирам се, чакам, почаквам, бавя се, не бързам;
    stay away 1) не отивам, не идвам, не се явявам; 2) стоя настрана, не се меся; страня, отбягвам; **to ~ away from school/work** не отивам на училище/работа;
    stay behind оставам (*не заминавам, не напускам*); оставам (*някъде*) след другите;
    stay down 1) стоя долу/надолу; не се надигам/издавам и пр.; 2) задържам се (*в стомаха, без да бъда повърната — за храна*); 3) не се разрошвам, не хвърча (*за коса*);
    stay in 1) стоя/оставам вътре/вкъщи, не излизам; 2) оставам в училище след часовете (*като наказание*); 3) оставам на мястото си (*в текст, книга, доклад и пр.*);
    stay off отказвам се, въздържам се (*от цигари, бонбони и пр.*);
    stay on 1) продължавам да стоя, оставам още, не си отивам, не заминавам; 2) задържам се, не падам; 3) не угасвам, продължавам да горя/светя;
    stay out 1) стоя/оставам навън, не се прибирам; 2) стоя настрана, пазя се от (*неприятности и пр.*); **to ~ out of reach** гледам да не ме хванат, измъквам се, изплъзвам се; 3) (продължавам да) стачкувам; 4) оставам до края на (*представление и пр.*); стоя/оставам/издържам по-дълго от другите;
    stay up 1) не си лягам, стоя до късно вечер; 2) не падам; не потъвам; не прилягам и пр.; 3) оставам закачен/несвален (*за обява и пр.*);
    stay with 1) = **stay**¹ **2;** 2) **to ~ with s.o.** *разг.* изслушвам някого, чувам какво (още) ще ми каже.

stay² *n* **1.** престой; прекарване, пребиваване; спиране, отсядане; **to make a short/long ~** оставам/спирам (се) за кратко/дълго; **2.** спиране, възпиране, обуздаване, ограничаване; спирачка, пречка; **to put a ~ on** обуздавам; **3.** *юр.* отлагане, отсрочка; прекратяване

на съдопроизводство; **4.** издръжливост; **5.** *ост.* въздържаност, самоконтрол.

stay³ *n* **1.** банел; **2.** *pl* корсет; **3.** *прен.* опора, подкрепа.

stay⁴ *n мор.* щаг; **to be in ~s** лавирам (*за кораб*).

stay⁵ *v* подпирам, подкрепям (*и прен.*) (*и с* **up**).

stay-at-home ['steiət,houm] *n* домосед, домошар, къщно пиле.

stayer ['steiə] *n* **1.** издръжлив човек/животно; **2.** *сп.* стайер.

staying power ['steiŋpauə] *n* издръжливост, жилавост; жизненост.

stay-in-strike = **sit-down (strike).**

staysail ['steiseil] *n мор.* стаксел.

stead [sted] *n книж.* място; **in s.o.'s ~** вместо някого; **to stand s.o. in good ~** оказвам се полезен/свършвам добра работа на някого.

steadfast ['stedfəst] *a* **1.** неподвижен, прикован; **2.** постоянен, твърд, непоколебим, устойчив; траен.

steadily ['stedili] *adv* постоянно, неотклонно.

steading ['stediŋ] *n* ферма, чифлик.(*с постройките*).

steady¹ ['stedi] *a* **1.** устойчив, стабилен; здрав; балансиран; **the table is not ~** масата се клати; **not ~ on his legs** едва се държи на краката си, не го държат краката; **to hold s.th. ~** крепя/държа нещо да не мърда/ да не се клати; **to keep/stand ~** не мърдам; **2.** твърд, непоклатим, непоколебим; верен, сигурен; **a ~ gaze** твърд/прикован/неподвижен поглед; **a ~ hand** твърда/сигурна/здрава ръка (*и прен.*); **3.** постоянен, равномерен, отмерен; еднакъв; неизменен, установен; редовен, системен, методичен; непрестанен, неотклонен; **~ light** спокойна светлина; неподвижен пламък; **~ movement** непрекъснато движение; **~ price** твърда цена; **~ work** постоянна/редовна работа; **4.** спокоен, улегнал, уталожен; трезвен, разсъдлив, сериозен; солиден; с добро държание; **5.** прилежен, усърден, трудолюбив; ▢ **~ !** внимателно! внимавай! спокойно! дръж се! **~ on!** стой! спри! намали хода! не бързай! **go ~ (with)** *разг.* ходя постоянно (с), имам си приятел/приятелка; **keep her ~ !** *мор.* дръж/подържай прав курс!

steady² *v* **1.** крепя (се), закрепвам (се); уравновесявам (се), преставам да треперя/да се клатя/да мигам/ да трептя и пр.; стабилизирам (се) (*и за цени*); **to ~ a ladder** закрепявам/потягам стълба; **to ~ o.'s hand** надвивам/преодолявам треперенето на ръката си; **the boat steadied** лодката престана да се клати; **to ~ o.s. against** опирам се в; **2.** успокоявам (се), уталожвам (се) (*и с* **down**); **3.** вразумявам се, улягам; **4.** обуздавам, усмирявам, укротявам (*кон*); забавям, успокоявам (*темп*).

steady³ *n разг.* постоянен приятел/приятелка.

steady-going ['stedigouiŋ] *a* спокоен, улегнал, уравновесен.

steak [steik] *n* **1.** дебело парче месо/риба (*за пържене, печене на скара*); **2.** бифтек.

steak house ['steikhaus] *n* специализиран ресторант за бифтеци и пр.

steal¹ [sti:l] *v* (**stole** [stoul]; **stolen** [stoulən]) **1.** крада, открадвам (*и прен.*); **2.** придобивам/присвоявам тайно/по непозволен начин; **3.** грабвам, открадвам с изненадващо/с хитрост; **to ~ a kiss** открадвам си целувка; **to ~ a glance at s.o.** поглеждам някого крадешком; **4.** правя/извършвам нещо незабелязано; отнемам (*нещо от някого*) по позволен/непозволен начин; **5.** движа се/промъквам се/измъквам се тихо/незабелязано/крадешком, прокрадвам се;

mist stole over the valley над долината падна неусетно мъгла; □ **to ~ a ride** возя се/пътувам без билет; **to ~ s.o.'s thunder** използвам думите/мислите/идеите на някого; **to ~ a march on s.o.** 1) изпреварвам някого в нещо; 2) придобивам незабелязано предимство пред някого;

   steal away 1) измъквам се; 2) грабвам, открадвам (*сърце и пр.*); отвличам;

   steal by промъквам се край;

   steal in вмъквам се;

   steal out измъквам се, излизам крадешком/незабелязано;

   steal up (to) приближавам се крадешком (до);

   steal upon изненадвам.

steal² *n* 1. *ам. разг.* крадене; кражба; 2. *разг.* открадната вещ; 3. нещо неочаквано лесно; неочаквана добра сделка; 4. *ам.* съмнителна политическа спогодба.

stealth [stelθ] *n*: **by ~** крадешком мълчешката, тихомълком.

stealthy ['stelθi] *a* 1. потаен, скрит, прикрит; 2. тих, безшумен, предпазлив; 3. плах, боязлив.

steam¹ [sti:m] *n* 1. пàра, изпарение; *прен. разг.* енергия, сила; **live/exhaust/wet/dry ~** прясна/отработена/влажна/суха пàра; **under ~, with ~ up** под пàра; **with full/all o.'s ~ on** под пълна пàра, много бързо; **to get up/raise ~** усилвам парата; *прен.* 1) ускорявам вървежа си, тръгвам по-бързо; 2) вдигам пàра, гневя се; **to let off ~** пускам пàра; *прен.* 1) намирам отдушник за/давам воля на чувствата си; 2) намалявам напрежението; **to run out of ~** *прен.* изчерпвам се; загубвам силата/ентусиазма си; **under o.'s own ~** *прен.* без чужда помощ/подтик, със собствени сили; 2. *attr* парен, работещ с пàра.

steam² *v* 1. пускам пàра; издигам се във вид на пàра; **to ~ away** изпарявам се, извирам; 2. движа се/работя с пара; пътувам; плувам; **the train ~ed into the station** влакът навлезе в района на гарата; **the ship ~ed away** параходът се отдалечи; 3. *разг.* работя енергично, напредвам бързо, „пердаша" **(ahead, away)**; 4. готвя/задушавам на пàра; 5. паря, запарвам, попарвам; 6. изчиствам с пàра (*дрехи*); 7. издавам/изпущам пàра (*за животно*); 8. **to ~ up** запотявам се от пàра (*за прозорци и пр.*); **to be/get all ~ed up** *прен. разг.* разгорещявам се, кипвам.

steamboat ['sti:mbout] *n* лодка/плавателен съд, който се движи с пàра.

steam-boiler ['sti:m'bɔilə] *n* парен котел.

steam-box, -chest ['sti:mbɔks, -tʃest] *n тех.* парoразпределител.

steam-coal ['sti:m'koul] *n* въглища за парни котли.

steam-engine ['sti:m'enʤin] *n* парна машина, парен двигател.

steamer ['sti:mə] *n* 1. съд за готвене на пара; 2. параход.

steam-gauge ['sti:m'geiʤ] *n* манометър.

steam-hammer ['st:m'hæmə] *n* парен чук.

steam-heat ['sti:mhi:t] *n* горещината на пàра (*в радиатори, тръби*).

steam-heating ['sti:m'h:tiŋ] *n* парно отопление.

steam iron ['sti:m,aiən] *n* ютия с пара.

steam-jacket ['sti:m'ʤækit] *n* парен кожух, парна риза.

steam-power ['sti:mpauə] *n* парна енергия.

steam-radio ['sti:m'reidiou] *n разг.* радиопредаване.

steam-roller¹ ['sti:m'roulə] *n* парен валяк; *прен.* съкрушителна сила.

steam-roller² *v* 1. набивам/отъпквам с валяк; 2. *прен.*

смазвам, унищожавам, помитам.

steamship ['sti:mʃip] *n* параход.

steam-shovel ['sti:m'ʃɔvəl] *n* парен екскаватор.

steam-tight ['sti:mtait] *a* непропускащ пара, пароупорен.

steam train ['sti:mtrein] *n* влак с парен локомотив.

steam turbine ['sti:m'tə:bain] *n* парна турбина.

steamy ['sti:mi] *a* 1. парен, парообразен; 2. запотен (*за прозорец*); 3. врящ; изпаряващ се; наситен с пàра; 4. *ам. прен.* еротичен.

stearic acid [sti'ærik'æsid] *n хим.* стеаринова киселина.

stearin ['sti:ərin] *n хим.* стеарин.

steatite ['sti:ətait] *n минер.* стеатит (*вид талк*).

steed [sti:d] *n поет., шег.* кон.

steel¹ ['sti:l] *n* 1. стомана, челик; **grip of ~** желязна хватка; **heart of ~** жестоко/корàво/безмилостно сърце; 2. стоманено острило; 3. огниво; 4. меч, шпага; **enemy/foe/foeman worthy of o.'s ~** достоен противник/съперник; **cold ~** хладно оръжие (*кама, сабя и пр.*); 5. метална банела; 6. *attr* стоманен, железен, челичен; *прен.* твърд като стомана, коравосърдечен, жесток, неумолим.

steel² *v* 1. покривам/обточвам със стомана; 2. калявам, закалявам (*и прен.*); **to ~ o.s.** закоравявам, ставам нечувствителен/груб/жесток (**against** към).

steel band ['sti:lbænd] *n* оркестър от ударни инструменти, направени от газени варели.

steel blue ['sti:lblu:] *n* синкаво/стоманено сив цвят.

steel-clad ['sti:lklæd] *a* брониран.

steel guitar ['sti:lgi'ta:] *n* хавайска китара.

steel engraving ['sti:lin'greiviŋ] *n* гравюра върху стомана.

steel-nerved ['sti:lnə:vd] *a* със здрави/железни нерви.

steel-plated ['sti:l'pleitid] *a* покрит със стомана; брониран.

steel wool ['sti:lwul] *n* стоманена вълна (*за изтъркване, полиране*).

steelwork ['sti:lwə:k] *n* 1. *събир.* стоманени изделия; 2. стоманена конструкция; *pl с гл. в sing* стоманолеярен завод.

steely ['sti:li] *a* 1. твърд като стомана; 2. твърд, непреклонен, суров.

steelyard ['sti:lja:d] *n* ръчен кантар с топуз.

steenbok ['sti:nbɔk] *n* дребна африканска антилопа (Raphicerus).

steening ['sti:niŋ] *n* каменна облицовка на кладенец.

steep¹ [sti:p] *a* 1. стръмен, врьл; 2. бърз, внезапен; 3. *разг.* прекален, извънреден, краен, неприемлив (*за цена, искане и пр.*); преувеличен, невероятен (*за разказ и пр.*).

steep² *n* стръмнина, стръмен скат, урва.

steep³ *v* 1. топя, топвам, потапям; мокря, намокрям; кисна, накисвам; 2. напоявам, импрегнирам, насищам; **to be ~ed in** тъна в, пропит съм изцяло от; всецяло предан съм на; 3. потапям/мия в луга.

steep⁴ *n* 1. натопяване, накисване; 2. течност, в която се натопява/накисва нещо.

steepen ['sti:pən] *v* правя/ставам (по-)стръмен.

steeple ['sti:pl] *n* 1. шпил, шпиц, островърха кула; 2. камбанария.

steeplechase ['sti:pltʃeis] *n* 1. вид конно надбягване с препятствия, стипъл-чейз; 2. крос (кънтри).

steeplechaser ['sti:pl,tʃeisə] *n* 1. участник в стипъл-чейз; 2. кон, обучен за надбягвания с препятствия.

steeple-crowned ['sti:plkraund] *a* с високо заострено дъно (*за шапка*).

steeple-jack ['sti:plʤæk] *n* човек, който строи/поправя комини/кули/камбанарии и пр.

steer¹ [stiə] *v* 1. управлявам; насочвам, направлявам; карам (*кола, кораб, шейна и пр.*); **a car that ~s well** кола, която лесно се управлява/кара; 2. *прен.* държа курс, следвам път; **to ~ a steady course** водя твърда политика; вървя неотклонно по своя път; **to ~ a middle course** водя умерена политика, избягвам крайностите; **3.** насочвам (се), упътвам (се); плувам (**for** към).

steer² *n* младо кастрирано добиче.

steerage ['stiəriʤ] *n* **1.** управляване, направляване; **2.** *мор.* сила на кормилото; **3.** трета/туристическа класа в параход.

steerage-way ['stiəriʤwei] *n мор.* изминатото разстояние, необходимо за овладяване на движението на плавателен съд.

steering-column ['stiəriŋ'kɔləm] *n* кормилен вал.

steering committee ['stiəriŋkə'miti] *n* управителен съвет, ръководство.

steering gear ['stiəriŋgiə] *n* кормилен механизъм.

steering post ['stiəriŋpoust] = **steering-column**.

steering-wheel ['stiəriŋwi:l] *n* кормило, волан, щурвал.

steersman ['stiəzmən] *n* (*pl* **-men**) кормчия, щурман.

steeve [sti:v] *v мор.* подреждам товар на кораб с помощта на дълъг прът.

stein [stain] *n ам.* керамична халба (*за бира и пр.*).

stela, -le ['sti:lə, -li] *n* (*pl* **stelae** ['sti:li:]) възпоменателна плоча/стълб.

stellar ['stelə] *a* **1.** звезден; **2.** *ам.* главен (*за роля и пр.*).

stellate(d) ['steleit(id)] *a* **1.** звездовиден; **2.** *бот.* във формата на венче (*за листа*).

stem¹ [stem] *n* **1.** стебло, стрък; ствол; **2.** дръжка (*на плод, цвете, лист*); **3.** столче (*на винена чаша*); **4.** дръжка (*на лула*); **5.** ос с винт за навиване на джобен часовник; **6.** *грам.* основа (*на дума*); **7.** родова линия, произход, потекло; **8.** *муз.* вертикална чертичка (*на нота*); **9.** *мор.* нос (*на кораб*); **from ~ to stern** по цялото протежение на кораба.

stem² *v* (**-mm-**) **1.** заприщвам, преграждам; заграждам; спирам, възпирам, задържам; **2.** движа се/напредвам срещу вятъра/течението; съпротивлявам се на; **to ~ the tide/current/flood/torrent of** задържам, препречвам пътя на, противодействувам на; **3.** *ски* намалявам скоростта с рало.

stem³ *v* **1.** проследявам произхода/развитието на; водя началото си, произхождам, произлизам, произтичам (**from** от); **2.** махам/изчиствам опашките/дръжките на плод и пр.; **3.** слагам дръжки (*на изкуствени цветя и пр.*).

stemma ['stemə] *n* (*pl* **-mata** [-mətə]) **1.** родословно дърво, родословие; произход, потекло; **2.** *зоол.* стематично око.

stemmed [stemd] *a* с изчистени дръжки/опашки (*за ягоди, малини и пр.*).

stem ware ['stemwɛə] *n* стъклени чаши със столче.

stem-winder ['stemwaində] *n* джобен часовник, който се навива с винтче.

Sten [sten] *n* английски тип шмайзер, автомат.

stench [stentʃ] *n* воня, зловоние, смрад.

stencil¹ ['stensil] *n* **1.** шаблон (*и* **~-plate**); восъчен/циклостилен лист; **2.** шарка/надпис на/от шаблон.

stencil² *v* **1.** украсявам с шарка, нанасям шарка с шаблон; **2.** пиша на восъчен лист.

steno ['stenou] *n ам. разг.* **1.** стенограф; **2.** стенография.

stenographer [ste'nɔgrəfə] *n* стенограф.

stenographic [stenə'græfik] *a* стенографски.

stenography [ste'nɔgrəfi] *n* стенография.

stenosis [sti'nousis] *n* (*pl* **-ses** [si:z]) *мед.* стеснение на канали/отвори, стеноза.

stenotype ['stenətaip] *n* механична стенография, стенотипия.

stentorian [sten'tɔ:riən] *a* гръмлив, гръмовен (*за глас*).

step¹ [step] *n* **1.** стъпка; крачка; **~ by ~** стъпка по стъп-

ка, постепенно; **in/out of ~** в/не в крак (*и прен.*); **to break ~** не вървя в крак; **to fall into ~** тръгвам в крак; **to keep ~** вървя в крак, не изоставам; **to take a ~ forward/back** правя крачка/стъпка напред/назад; **to watch o.'s ~s** гледам къде стъпвам, внимавам да не се спъна, вървя предпазливо; *прен.* внимавам какво правя, отварям си очите; **2.** (*късо*) разстояние; **it is but a ~ to our house** къщата ни е само на две крачки оттук; **it is a good ~ to** има доста път до; **to make a long ~ towards** правя голяма крачка напред, напредвам значително; **3.** звук от стъпки; вървеж, походка; **4.** следа/отпечатък от стъпка; **5.** танцова стъпка; **6.** *прен.* стъпка, постъпка; мярка; **to take ~s** вземам мерки; **7.** (височината на едно) стъпало (*на стълба, кола и пр.*); праг; място, където може да се стъпи; **8.** (**a pair of**) **~s** = **step-ladder**; **9.** служебна степен; **10.** гнездо на стълб/мачта; **11.** *тех.* синхронизъм; **to bring into ~** синхронизирам.

step² *v* (**-pp-**) **1.** стъпвам, ходя, вървя, крача; **~ this way, please** минете/елате насам, моля; **~ lively!** *ам.* по-бързо! по-живо! **to ~ across the street/road** пресичам улицата/шосето; **to ~ over a stream** прекрачвам/прескачам поточе; **2.** танцувам, правя танцови стъпки; **to ~ it** вървя пеш; танцувам; **3.** **to ~ up/down** *ел.* увеличавам/намалявам (*волтажа*) с трансформатор; **4.** правя/изсичам стъпала; **5.** *мор.* слагам/закрепям (*мачта*) в гнездо;

step aside (от)дръпвам се настрана, отмествам се; *прен.* оттеглям се, отдръпвам се, отстъпвам;

step back дръпвам се назад, връщам се, отстъпвам;

step down 1) спускам се; 2) слизам (*от кола, самолет и пр.*); 3) оттеглям се; подавам оставка; абдикирам;

step forward излизам напред, пристъпвам, изстъпвам се;

step in/into 1) влизам, навлизам; качвам се в; **to ~ into a boat** качвам се на лодка; 2) получавам неочаквано; **to ~ into a good job** постъпвам на добра работа; **to ~ into a good fortune** наследявам неочаквано голямо наследство; 4) отбивам се за малко; посещавам, навестявам; 4) обувам (*чорапи и пр.*); обличам, намъквам (*фуста и пр.*); 5) намесвам се; присъединявам се, включвам се;

step off 1) слизам от (*влак, трамвай, кола и пр.*); 2) отмервам/измервам с крачки; 3) правя грешка, сбърквам; 4) умирам;

step on 1) стъпвам върху, настъпвам; натискам с крак (*педал и пр.*); **to ~ on the gas/on it** *разг.* бързам, побързвам, забързвам, „давам газ"; 2) качвам се;

step out 1) излизам за малко; 2) вървя/стъпвам живо/с ускорени крачки; забързвам; 3) = **step off**; 4) *разг.* забавлявам се; 5) водя активен светски живот; **to ~ out to/on s.o.** изневерявам на някого; 7) умирам;

step up 1) приближавам се (**to** към); 2) излизам напред; придвижвам се напред, напредвам; 3) повдигам, повишавам (*данъци и пр.*); увеличавам (*производство и пр.*); засилвам (*дейност и пр.*); ускорявам (се), засилвам (се); 4) получавам повишение.

stepbrother ['step'brʌðə] *n* доведен/заварен брат.

stepchild ['steptʃaild] *n* доведено/заварено дете, доведеник/завареник.

stepdaughter ['step'dɔ:tə] *n* доведена/заварена дъщеря.

step-down ['stepdaun] *a* намаляващ (се); *ел.* понижаващ (*волтажа — за трансформатор*).

stepfather ['step'fa:ðə] *n* втори баща.

step-ins ['stepinz] *n pl разг.* дамски чорапогащи; дамско (долно) облекло, което се облича отдолу нагоре; вид дамски пантофки.

step-ladder ['steplædə] *n* подвижна сгъваема стълба.

stepmother ['stepmˊʌðə] *n* мащеха; груба/небрежна майка (*и прен.*).

steppe [step] *n рус.* степ.

stepped-up ['steptʌp] *a* засилен; ускорен, повишен.

stepping-stone ['stepiŋstoun] *n* 1. камък за преминаване (*в река, кално място и пр.*); 2. *прен.* трамплин, мост.

stepsister ['step'sistə] *n* доведена/заварена сестра.

stepson ['stepsən] *n* доведен/заварен син.

step-up ['stepʌp] *a ел.* повишаващ (*за трансформатор*).

stercoraceous [stə:kə'reiʃəs] *a* 1. от/като тор; 2. тòрен (*за насекомо и пр.*).

stereo ['steriou] *разг.* = **stereophonic, stereoscope, stereoscopic, stereotype.**

stereochemistry ['steriou'kemistri] *n* стереохимия.

stereometry [steri'ɔmitri] *n* стереометрия.

stereophonic [steriə'fɔnik] *a* стереофоничен.

stereoscope ['steriəskoup] *n* стереоскоп.

stereoscopic [steriə'skɔpik] *a* стереоскопичен.

stereotape ['steriouteip] *n* стереолента.

stereotype[1] ['steriətaip] *n* 1. стереотип; 2. *attr* стереотипен.

stereotype[2] *v* 1. стереотипирам, печатам със стереотип; 2. *прен.* зафиксирвам; шаблонизирам.

stereotyped ['steriətaipt] *a* стереотипен, неизменен; шаблонен, изтъркан.

sterile ['sterail] *a* 1. безплоден, ялов; *прен.* безрезултатен; 2. стерилен; стерилизиран; 3. безсъдържателен, безинтересен, сух.

sterility [ste'riliti] *n* 1. безплодност, яловост; 2. стерилност.

sterilization ['sterilai'zeiʃn] *n* стерилизиране.

sterilize ['sterilaiz] *v* стерилизирам, обеззаразявам; обезплодявам.

sterlet ['stə:lit] *n зоол.* чига (Acipenser ruthenus).

sterling[1] ['stə:liŋ] *a* 1. пълноценен, истински, чист (*за злато и сребро*); 2. ценен; истински; солиден, сигурен, верен; надежден; ∼ **fellow** човек, на когото може да се разчита.

sterling[2] *n* английски пари, лира стерлинг, английска лира; **the** ∼ **area** стерлинговата зона.

sterna *вж.* **sternum.**

stern[1] [stə:n] *a* строг, суров, корав; неумолим; неотстъпчив, непреклонен, твърд; неприветлив, отблъскващ; **the** ∼**er ̓sex** мъжете.

stern[2] *n* 1. *мор.* кърма; **(to move)** ∼ **foremost** (движа се) на заден ход/*прен.* непохватно; ∼**-chase** преследване отблизо на параход от друг параход; 2. задна част; задник, дирник; 3. опашка (*особ. на куче лисичар*).

stern-faced[1] ['stə:nfeist] *a* със строго/сурово изражение на лицето, намръщен, начумерен.

stern-faced[2] *n* въже/верига за връзване на кораб към кея, швартово въже.

stern-post ['stə:npoust] *n мор.* ахтерщевен.

stern-sheets ['stə:nʃi:ts] *n pl* задната част на лодка (*зад гребците*), обик. с места за пътници.

sternum ['stə:nəm] *n* (*pl* **-nums, -na** [-nəmz, -nə]) *анат.* гръдна кост.

sternutation [stə:nju'teiʃn] *n мед., шег.* кихане, кихавица.

sternward ['stə:nwəd] *adv мор.* назад, към кърмата.

stern-way ['stə:nwei] *n* заден ход (*на кораб*).

stern-wheeler ['stə:nwi:lə] *n* параход с едно голямо гребно колело отзад.

stertorous ['stə:tərəs] *a* хрипкав, придружен с хъркане (*за дишане, особ. при апоплексия*).

stet [stet] *v:* ∼! остава! да остане! (*коректорски знак, отменящ поправка*).

stethoscope ['steθəskoup] *n* стетоскоп.

stetson ['stetsən] *n* мъжка висока широкопола шапка.

stevedore ['sti:vədɔ:] *n* пристанищен хамалин.

stevengraph ['sti:vəngra:f] *n* изтъкана от коприна картина.

stew[1] [stju:] *v* 1. варя, сварявам, задушавам (*ядене и пр.*); вря, къкря; **to** ∼ **in o.'s own juice** пържа се в собственото си масло, понасям последиците от собствените си постъпки; ∼**ed tea** много силен/горчив/престоял чай (*запарка*); 2. увирам, сварявам се (*от горещина, задуха*); много ми е горещо; 3. *уч. sl.* уча усилено, зубря; 4. *ам. разг.* тревожа се, страхувам се (**over** за); вълнувам се.

stew[2] *n* 1. варено, задушено, яхния; **Irish** ∼ овнешка яхния с картофи и лук; 2. **in a** ∼ *разг.* неспокоен, възбуден, объркан, разтревожен, разгневен; 3. смесица от най-различни неща, „попара".

stew[3] *n обик. pl* публичен дом, вертеп.

stew[4] *n* рибарник, развъдник за риба/стриди.

steward ['stjuəd] *n* 1. управител, иконом, домакин; 2. разпоредител (*на представление, състезание и пр.*); 3. сервитьор; 4. бордов домакин, стюард (*на параход, влак, самолет*) □ **Lord High S. of England** длъжностно лице, ръководещо коронации и пр.; **Lord S. of the Household** главен камерхер.

stewardess ['stjuədis] *n* сервитьорка, стюардеса (*на параход, влак, самолет*).

stewing ['stjuiŋ] *a* който става за компот (*за плод*).

stew-pan ['stjupæn] *n* тенджера с капак (*за задушаване*).

stew-pot ['stjupɔt] *n* 1. гърне с похлупак; 2. = **stew-pan.**

stick[1] [stik] *v* (**stuck** [stʌk]) 1. бода, бодвам; забождам; набождам; пробождам, пронизвам; муша, мушкам, намушвам; ръгам, ръгвам; забивам, забучвам; втиквам, натиквам; затъквам, натиквам; набивам; пъхам, пъхвам, напъхвам; вкарвам, вкарвам; **stuck with pins** набоден с карфици; 2. коля, заколвам; **to** ∼ **pigs** коля свине; ходя на лов за глигани (*на кон и с копие*); 3. *разг.* бутвам, тиквам, мушвам; слагам, поставям, турям; наблъсквам; 4. лепя (се); залепнам се; лепвам, лепвам (се), прилепвам (се), прилепнал съм (**to** към); лепна, лепкав съм; **he** ∼**s like a bur** *прен.* той е голяма лепка, няма отърване от него; 5. забивам се (*за игла, стрела и пр.*); набождам се (**in, into** на); 6. стоя, оставам; *сп.* държа се, не се предавам; запазвам се (*и прен.*) **to** ∼ **indoors** стоя си/кисна вкъщи; **to** ∼ **to the mind** оставам в ума/съзнанието; 7. запирам се, запъвам се, залоствам се; загазвам, затъвам (*и* **to get stuck**) заяждам се, закучвам се; **to** ∼ **fast** загазвам/затъвам здравата; изпащам си; **to** ∼ **in s.o.'s throat/craw/gizzard** спирам се/затъквам се на гърлото/присядам на/задавям някого; *прен.* идвам много на/не мога да бъда смлян от/отвращавам някого; 8. стърча, подавам се, издавам (се), показвам (се); 9. *разг.* търпя, изтърпявам, понасям; **to** ∼ **it** понасям нещо търпеливо; 10. озадачавам, затруднявам, смущавам; **to be stuck for an answer** не зная какво да кажа, затруднявам се да отговоря; 11. подпирам с/забивам пръчка до (*растение*), за да се увива около нея; **12.** *sl.* мамя, измамвам; вземам в повече пари/такси и пр. от (*някого*); **to ~ s.o. for a fiver** измъквам/изкрънквам пет лири от някого;

stick about/around *разг.* стоя наблизо, навъртам се;

stick at *разг.* 1) постоянствувам в/с (*работа, занимание и пр.*); 2) имам/проявявам скрупули; **to ~ at nothing** не се спирам пред нищо;

stick by *разг. прен.* подкрепям; оставам верен на/лоялен към;

stick down 1) *разг.* слагам, турям; 2) *разг.* записвам, написвам; 3) залепвам (*етикет, плик и пр.*);

stick in 1) лепя, залепвам, налепвам (*в албум и пр.*); 2) прибавям, вмъквам, бутвам; 3) стоя си вкъщи; 4) **to ~ in to = stick at** 1;

stick on 1) залепвам; 2) крепя се на; 3) оставам някъде; запазвам се; 4) **to ~ on to** следя отблизо, не изпускам от очи; □ **stuck on** влюбен до уши, хлътнал по; **to ~ it on** взимам високи такси, скубя;

stick out 1) подавам (се), издавам се напред, изпъквам; пъча, изпъчвам; протягам (*крак и пр.*); изплезвам (*език*) (**at** на); издавам (*челюст и пр.*) напред; 2) очевиден съм; лича отдалеч (*обик.* **to ~ out a mile**); 3) настоявам на, поддържам; 4) издържам, изтрайвам; 5) **to ~ out for** настоявам за, искам настоятелно, изисквам, държа на;

stick to 1) залепвам (се) за; **the nickname stuck to him** прякорът му остана; 2) *разг.* държа на, придържам се към; оставам верен на; **to ~ to the point** не се отклонявам/отвличам от въпроса/същината; **to ~ to o.'s business** гледам си (добре) работата; **to ~ to it** упорствувам, твърдя; 3) *разг.* държа, задържам (*обик. незаконно*); **some of the money stuck to his fingers** той си присвои/сложи част от парите в джоба;

stick together 1) залепям; слепвам (се); 2) поддържаме се с, не се делим; 3) не общуваме с другите; държим се настрана;

stick up 1) залепям, окачвам (*обява и пр.*); 2) набучвам; 3) подавам се, стърча нагоре; 4) слагам/окачвам да стърчи/да боде очите/да дразни; 5) нападам с оръжие, обирам (*банка и пр.*); 6) **~'em up! ~ your hands up!** *sl.* горе ръцете! 7) **to ~ up for** *разг.* подкрепям, застъпвам се за, защищавам, браня; 8) **to ~ up to s.o.** *разг.* опъвам се/оказвам съпротива на някого; 9) *sl.* озадачавам, обърквам, сащисвам; □ **to be stuck up** суетен/самомнителен/надменен съм;

stick with 1) оставам верен на, не изоставям (*някого, нещо*); 2) **to be/get stuck with** не мога да се отърва от; хързулнали/натрапили са ми (*задача, отговорност и пр.*).

stick² *n* **1.** пръчка; сучка, клечка, клонче; стрък(че); *прен.* мъничко, шушка (**of** от); **a ~ of celery** стрък целина; **a ~ of chocolate** парче шоколад; **a ~ of shaving soap** сапун за бръснене; **2.** бастун; прът, тояга (*и прен.*); **(to shake) the big ~** (демонстрирам) сила/мощ; (провеждам) политика на заплаха от военна/политическа интервенция; **big ~ policy** политика от позиция на силата; **to use big ~ methods** бия, пердаша; **to give s.o. the ~** бия някого с пръчка; **the boy wants the ~** това момче си плаче за бой; **just a few ~s of furniture** само няколко най-необходими обикновени мебели; **not a ~ of the house was left standing** от (съборената) къща не остана нищо; **3.** *ам. sl.* цигара от марихуана; **4.** *печ.* компас (*и* **composing ~**); **5.** *муз.* диригентска пал-

ка; **6.** *мор. шег.* мачта; **7.** инертен/бездушен/сух/дървен човек; **8.** бодване, промушване, ръгване; **9.** *ам. разг.* гористи пущинаци, отдалечени/затънтени краища; **out in the ~s** далеч от същината на нещата; **to have/get hold of the wrong end of the ~** разбирам съвършено погрешно, заблуждавам се; **10.** лост за превключване на скорости.

sticker ['stikə] *n* **1.** упорит/неуморим човек; **2.** гост, който се застоява; **3.** *крикет* бавен играч; **4.** разлепвач на афиши; **5.** *ам.* афиш, обява; етикет; **6.** труден за разрешаване проблем.

stick figure ['stikfigə] *n* рисунка на човек/животно с кръг за глава и прави линии за трупа и крайниците.

sticking-place,-point ['stikiŋpleis,-pɔint] *mex.* място/точка/момент на засечка (*и прен.*).

sticking plaster ['stikiŋ 'pla:stə] *n* лейкопласт; пластир.

stick insect ['stik 'insekt] *n* насекомо, наподобяващо пръчица.

stick-in-the-mud ['stikinðəmʌd] *n* бавен/инертен/неамбициозен/непредприемчив/консервативен човек.

stickjaw ['stikdʒɔ:] *n разг.* лепкав дъвчащ бонбон, карамел му.

stickleback ['stiklbæk] *n* бодливка, къдринка (*риба*) (Gasteroste).

stickler ['stiklə] *n* **1.** човек, който педантично се придържа към/подкрепя/проповядва нещо (**for**); **2.** нещо, което смущава/обърква.

stickpin ['stikpin] *n ам.* карфица за вратовръзка.

stick-to-itiveness [stik'tu:itivnis] *n разг.* упоритост, постоянство.

stickup ['stikʌp] *n* бандитско нападение, ограбване, обир, кражба.

sticky ['stiki] *a* **1.** лепкав, леплив; влажен; **to be ~** лепна (**with** от); **2.** мокър, влажен, кален (*за път, време и пр.*); **3.** *разг.* неотстъпчив, педантичен, създаващ трудности; **to be ~** запъвам се, заинатявам се; **4.** *разг.* проблематичен; мъчителен, деликатен, опасен, крайно неприятен.

stiff¹ [stif] *a* **1.** твърд, корав, нееластичен; колосан; плътен, гъст; **2.** вдървен, вкочанен, вцепенен, схванат (*за крак, врат и пр.*); **to have a ~ leg/back** схванал ми се е кракът/гърбът; **to feel ~ after a long walk** схванал съм се от дълго ходене; **3.** твърд, стабилен, устойчив (*за пазар, цени и пр.*); **4.** остър, твърд (*за косъм*); **5.** който не се движи свободно/заяжда/запъва/се закучва (*за брава и пр.*); **6.** твърд, решителен, категоричен, непреклонен, неколебим; неотстъпчив, рязък; упорит; **to keep/carry a ~ upper lip** проявявам твърдост, не падам духом, не се оплаквам; **7.** скован, принуден, неестествен, дървен; хладен, резервиран; високомерен, надменен, надут, нелюбезен, важен; скован (*за израз*); ъгловат (*за почерк*); **8.** мъчен, тежък, труден; **a ~ climb** уморително изкачване; **a ~ slope** стръмен склон; **9.** силен (*за вятър, питие и пр.*); **10.** ожесточен (*за сражение*); **11.** гъст, лепкав (*за глина и пр.*); **~ dough** сбито тесто; **12.** суров, строг, тежък (*за наказание и пр.*); **13.** прекомерно висок (*за цена*); **14.** **~ with** *sl.* пълен с; **15.** *predic* напълно, безкрайно, прекалено, извънредно; **she was bored/scared ~** тя беше страшно отегчена/уплашена; **that's a bit ~!** *разг.* това е малко прекалено/несправедливо! □ **(as) ~ as a poker/ramrod/buckram** като глътнал бастун.

stiff² *n sl.* **1.** книжни пари; **2.** труп; **3. (big)** ~ непоправим глупак.

stiffen ['stifən] *v* **1.** втвърдявам се; вкоравявам се; сгъстявам се, правя/ставам по-твърд; колосвам; **2.** усилвам, подсилвам (се); **3.** настръхвам, наежвам се.

stiff-necked *a* **1.** упорит, твърдоглав, инат; **2.** високомерен, надут.

stiffness ['stifnis] *n* **1.** скованост; **2.** надменност, високомерие и пр. (*вж.* **stiff¹**).

stifle¹ ['staifl] *v* **1.** душа, задушавам (се) (*от горещина, пушек и пр.*); удушавам; **2.** гася, потушавам, угасявам (*огън*); потискам, сподавям (*стон и пр.*); сдържам, спирам (*плач и пр.*); **3.** потъпквам, смазвам, задушавам (*въстание*); **4.** потулям, замазвам, замазвам, заливвосвам.

stifle² *n* колянна става (*на кон, куче и пр.*) (*и* ~**-joint**).

stifling ['staiflin] *a* душен, задушен, задушлив; горещ.

stigma ['stigmə] *n* (*pl* **-mas, -mata** [-məz, -mətə]) **1.** позор, петно; **to put** ~ **on** лепвам петно на; **2.** *ист.* клеймо, дамга; **3.** *анат.* белег, петно, пора (*pl* **-mata**); **4.** *бот.* близалце (*pl* **-mas**); **5.** *църк.* белези, подобни на раните на Христос.

stigmatize ['stigmətaiz] *v* петня, опетнявам; позоря, опозорявам; клеймя, заклеймявам (**as** като).

stile [stail] *n* стъпала/прегради, през които могат да преминават хора, но не и добитък; прелез; турникет.

stiletto [sti'letou] *n* (*pl* **-os, -oes** [ouz]) **1.** малка кама, стилет; **2.** шило (*за бродерия, шев и пр.*); ~ **heel** = **spike heel.**

still¹ [stil] *a* **1.** тих, спокоен; мирен; неподвижен, застоял; безшумен; сподавен, стихнал; ~ **hunt** *ам.* дебнене, преследване (*на дивеч*) (*и прен.*); **(as)** ~ **as the grave/as death** безмълвен, занемял; **to lie** ~ лежа неподвижно; **2.** който не искри/не се пени (*за питие*); **3.** безмълвен, ням; **the** ~ **small voice** гласът на съвестта.

still² *adv* **1.** още, все още; **2.** все пак, въпреки това, въпреки всичко; от друга страна; **3.** *със сравн. ст.* още (по-); ~ **more/less** още повече/по-малко; ~ **taller, taller** ~ още по-висок.

still³ *n* **1.** *поет.* пълна тишина, мълчание, безмълвие; **in the** ~ **of the night** в (сред)нощната тишина; **2.** (фотографска) снимка; *кино* кадър.

still⁴ *v* **1.** успокоявам (се); усмирявам (се); **2.** укротявам се, стихвам; **3.** утолявам (*глад*).

still⁵ *n* **1.** дестилатор, казан за варене на ракия и пр.; **2.** спиртна фабрика.

still⁶ *v* дестилирам; варя (*ракия и пр.*).

stillage ['stiliʤ] *n* дъска; рамка (*за изцеждане, сушене на дрехи, складиране на вещи за опаковане и пр.*), стелаж.

still-birth ['stilbə:θ] *n* раждане на мъртво дете, мъртво раждане.

still-born ['stilbɔ:n] *a* **1.** мъртвороден (*за дете*); **2.** *прен.* безуспешен, безплоден, несполучлив.

still life ['stillaif] *n* (*pl и* **-lifes**) *изк.* натюрморт.

still-room ['stilrum] *n* **1.** помещение за дестилиране; **2.** килер (*за конфитюри, сладка, напитки и пр.*).

stillness ['stilnis] *n* тишина, спокойствие.

still picture ['stil'pikt∫ə] *n* фотографска снимка, фотография.

stilly ['stili] *adv* тихо, спокойно, безшумно.

stilt [stilt] *n* **1.** *обик. pl* кокили; **to walk on** ~**s** ходя с кокили; **on** ~**s** надут, бомбастичен; **2.** *pl sl.* крака; **3.** *зоол.* кокилар, кокилобегач (*птица*) (*и* ~**-bird**/**plover**) (Himantopus).

stilted ['stiltid] *a* **1.** надут, бомбастичен; **2.** неестествен, скован; **3.** приповдигнат (*за стил*).

Stilton ['stiltn] *n* вид краве сирене, стилтон.

stimulant¹ ['stimjulənt] *a* възбуждащ, стимулиращ.

stimulant² *n* **1.** възбудително средство/лекарство; спиртно питие; **he never takes** ~**s** той не пие спиртни питиета/не взима стимулиращи средства; **2.** подбуда, подтик, стимул.

stimulate ['stimjuleit] *v* **1.** подбуждам, подтиквам, стимулирам; насъсквам; възбуждам, провокирам; **2.** поощрявам, насърчавам.

stimulation ['stimju'lei∫n] *n* **1.** подбуждане, възбуждане, стимулиране; **2.** поощряване, насърчаване, насърчение.

stimulus ['stimjuləs] *n* (*pl* **-li** [-lai]) **1.** подтик, подбуда, стимул; влияние; **2.** възбудително средство.

sting¹ [stiŋ] *v* (**stung** [stʌŋ]) **1.** жиля, ожилвам; парвам, опарвам (*за коприва и пр.*); **2.** причинявам остра болка; жуля, щипя, смъдя; **the pepper stung his tongue** пиперът му залютя; **3.** жегвам, смъдвам; уязвявам, оскърбявам, огорчавам, засягам, ранявам; мъча, терзая; **stung with envy/desire** измъчван/терзан от завист/желание; **he was stung by her words** той беше уязвен от думите ѝ; **it** ~**s me to the heart/to the quick** това ме засяга дълбоко; **4.** смъдя, лютя (*за очи и пр.*); **5.** възбуждам, предизвиквам, пораждам; **anger stung him into action** гневът го накара да се раздвижи; **6.** *sl.* измамвам в цена, оскубвам, измъквам пари от (*някого*); **how much did they** ~ **you for?** колко (пари) те ожулиха/ти взеха/те накараха да дадеш?

sting² *n* **1.** жило; **2.** ужилване; опарване (*от коприва и пр.*); **3.** остра/парлива болка; смъдеж, смъдване; **the** ~ **of hunger** спазмите на глада; **the** ~**s of conscience** угризенията на съвестта; **to take the** ~ **out of** смекчавам (*укор, обида и пр.*); **4.** язвителност, злъчност; жегване; жегване; **5.** парливост; **the breeze has a** ~ **in it** ветрецът е леко остричък/ парлив/пощипва.

stingaree ['stiŋgəri:] *n ам.* = **sting-ray.**

stinger ['stiŋə] *n* **1.** жило; **2.** силен/причиняващ болка удар; **3.** остра/хаплива забележка; **4.** *ам.* вид коктейл.

stinginess ['stinʤinis] *n* скъперничество, стиснатост, бодкаджийство, свидливост.

stinging ['stiŋiŋ] *a* **1.** който жили/пари/смъди/причинява силна болка; **2.** *прен.* язвителен, злъчен, хаплив.

stinging-nettle ['stiŋiŋnetl] *n* обикновена пареща коприва (Urtica).

stingless ['stiŋlis] *a* *зоол.* без жило (*и прен.*).

stingo ['stiŋgou] *n ост. sl.* силна бира.

sting-ray ['stiŋray] *n зоол.* скат (*голяма морска риба*) (Dasyatidae).

sting-winkle ['stiŋwiŋkl] *n* мида, която пробива дупки в черупките на други миди.

stingy ['stinʤi] *a* **1.** скъперничeски, стиснат, свидлив; **2.** оскъден, беден.

stink¹ [stiŋk] *v* (**stank** [stæŋk] , **stunk** [stʌŋk]) **1.** воня, смърдя (**of**); **to** ~ **of/with money** *прен.* червив съм с пари; **2.** *sl.* мириша, подушвам, помирисвам, познавам по миризмата; **3.** омирисвам, осмърдявам; прогонвам с лоша миризма (**out**); **it** ~**s** крайно неприятно/противно/долнокачествено е.

stink² *n* **1.** воня, зловоние, смрад; **to raise/kick up a** ~ **(about s.th.)** *разг.* правя източен въпрос, изразявам силно недоволство, протестирам шумно (за нещо); **2.** *pl уч. sl.* химия.

stinkard ['stiŋka:d] *n* **1.** вонящ/смрадлив човек; *прен.* мръсник, презряна гад; **2.** вонящо животно; вид язовец.

stink-ball ['stiŋkbɔːl] *n разг.* ръчна химическа граната.

stinker ['stiŋkə] *n sl.* **1.** гад, гадина (*и прен.*); **2.** нещо лошо/долнокачествено; **3.** нещо силно оскърбително (*писмо и пр.*); **4.** *разг.* нещо изключително трудно (*изпит и пр.*).

stinking ['stiŋkiŋ] *a* вонящ, зловонен, смрадлив; *прен.* ужасен, гаден, мръсен.

stink-pot ['stiŋkpɔt] *n sl.* **1.** = stink-ball; **2.** противен човек; неприятно/гадно/долнокачествено нещо.

stinkwood ['stiŋkwud] *n* юж.-афр. дърво с неприятна миризма.

stint[1] [stint] **1.** скъпя се, свиди ми се, неохотно давам; ограничавам се; **to ~ service** не обичам да услужвам; **to ~ o.s. of food** правя икономии от храната си, отделям от залъка си, търпя лишения; **he does not ~ his praise** той не скъпи похвалите си; **2.** *ам.* спирам, прекратявам; **3.** *ам.* възлагам работа/задача на (*някого*).

stint[2] *n* **1.** ограничаване, ограничение; **without ~** неограничено, щедро, безрезервно, всеотдайно; **2.** възложена работа; урок; **to do o.'s daily ~** върша всекидневната си работа.

stintless ['stintlis] *a* **1.** щедър, всеотдаен, безрезервен; **2.** неограничен.

stipe [staip] *n бот.* дръжка, стебло.

stipend ['staipend] *n* възнаграждение (*особ. на свещеник*).

stipendiary [stai'pendiəri] **I.** *a* платен, на заплата/възнаграждение; **II.** *n* платен служител.

stipple[1] ['stipl] *v* **1.** гравирам с пунктир; **2.** рисувам с точици, нанасяни с върха на четката.

stipple[2] *n* **1.** гравиране с пунктир; **2.** рисуване с точици, нанасяни с върха на четка; **3.** точица, петънце.

stipulate ['stipjuleit] *v* **1.** уговарям, договарям, поставям като условие; предвиждам, определям; уреждам; **at the ~d time** в уреченото време; **to ~ for** настоявам за; **not of the ~d quality** неотговарящ на исканото/уговореното качество; **2.** *ам. юр.* признавам за вярно твърдение на противника (**for**); **3.** осигурявам, гарантирам.

stipulation [stipu'leiʃn] *n* **1.** постановяване; уговаряне; **2.** условие; споразумение, спогодба; **on the ~ that** при условие, че.

stipule ['stipjuːl] *n бот.* прилистник.

stir[1] [stəː] *v* (-rr-) **1.** движа (се), раздвижвам (се), мърдам (се), размърдвам (се), помръдвам (се), шавам, размахвам (се); **not to ~ an eyelid** не ми трепва окото; **to be ~ring** на крак/станал/в движение съм; **he never ~s out of the house** той никога не излиза/не помръдва от къщи; **2.** нарушавам покоя на; бъркам, разбърквам, размесвам; мътя, размътвам; **to ~ the fire** стъквам огъня; **to ~ (up) o.'s tea/coffee** разбърквам чая/кафето си; **3.** вълнувам, раздвижвам, възбуждам; трогвам; **to ~ s.o.'s blood** възбуждам нечия страст, пораждам възторг/ентусиазъм у някого; **my blood ~s at the very thought of it** само при мисълта за това всичко в мен кипва; **to ~ pity in s.o.** възбуждам съжаление у някого; **to ~ the gorge** предизвиквам отвращение/погнуса; **to ~ to activity** раздвижвам/карам (*някого*) да се раздвижи/размърда; **4.** пораждам (се), възниквам; **pity ~red in his heart** в сърцето му се пробуди жалост;

    stir up 1) разбърквам/размесвам добре; разклащам, разтърсвам; размътвам; 2) възбуждам, пораждам, предизвиквам (*любопитство, недоволство и пр.*); раздухвам, подклаждам; подбуждам, подтиквам (**to** към); **to ~ up trouble** интригувам, сея раздори; 3) раздвижвам, съживявам, оживявам;

ободрявам; **he wants ~ring up** той трябва да бъде изваден от инертност/да бъде раздвижен.

stir[2] *n* **1.** движение; **not a ~** нищо не помръдва, пълен покой; **2.** бъркане, ръчкане; **to give the fire a ~** стъквам огъня; **3.** раздвижване; суетене, шетня; **4.** объркване, уплаха; вълнение, възбуда; шум, врява, дандания; сензация; **to create/make a ~** причинявам вълнение, предизвиквам сензация; **to make a ~ in the world** вдигам голям шум около себе си; **to create little ~** не намирам широк отклик, минавам почти незабелязано.

stir[3] *n sl.* затвор, дранголник, пандиз.

stirabout ['stəːrəbaut] *n* **1.** овесена/царевична каша; **2.** суматоха, суетня; **3.** вечно бързащ/зает човек.

stirk [stəːk] *n* биче, юница, теле.

stirless ['stəːlis] *a* спокоен, неподвижен.

stirps [stəːps] *n* **1.** *юр.* родоначалник; **2.** *зоол.* група, категория.

stirrer ['stəːrə] *n* **1.** *тех.* машина/уред за размесване/разбъркване; **2.** **to be an early ~** ранобуден съм, ставам рано.

stirrer-up ['stəːrərʌp] *n* виновник; подстрекател (**of**).

stirring ['stəːriŋ] *a* **1.** деен, енергичен; вечно зает; **a ~ child** неспокойно дете; **2.** оживен (*за град и пр.*); **3.** вълнуващ; разнообразен, изпълнен със събития (*за живот, времена и пр.*).

stirrup ['stirəp] *n* **1.** стреме; **2.** *мор.* въже с халка; **3.** *тех.* стреме, гривна, обица, халка, скоба.

stirrup-cup ['stirəpkʌp] *n* чаша вино на тръгване/за изпроводяк.

stirrup-leather ['stirəp,leðə] *n* ремък на стреме.

stirrup-pump ['stirəp,pʌmp] *n* ръчна/портативна помпа за вода.

stitch[1] [stitʃ] *n* **1.** бод; **long ~** едър шев; **to put ~es in** зашивам (*рана*); **to take out the ~es** изваждам конците (*на рана*); □ **without a ~ of clothing on, not a ~ on** гол-голеничък; **not a dry ~ on** мокър до кости; **a ~ in time** нещо, направено навреме; **2.** бримка; **to drop/take up/pick up a ~** изпускам/хващам бримка; **in ~es** *разг.* в неудържим смях; **3.** плетка; **4.** остра болка, бодеж (*особ. встрани, при бързо тичане*).

stitch[2] *v* шия; **to ~ up** зашивам; закърпвам; *печ.* подшивам, броширам.

stitchery ['stitʃəri] *n* шев; бродерия, ръкоделие.

stitchwort ['stitʃwəːt] *n бот.* мишовка, звездица (Stellaria).

stithy ['stiði] *n ост., поет.* **1.** ковачница; **2.** наковалня.

stiver ['staivə] *n* петак, петаче; **not to have a ~** нямам пукната пара, нямам нищо; **not to care a ~** пет пари не давам.

stoat [stout] *n* сибирска белка, хермелин с лятната си кафява козина.

stock[1] [stɔk] *n* **1.** пън (*и прен.*); дънер, ствол; стъбло; присад; **~s and stones** неодушевени предмети; *прен.* безчувствени хора, кютюци; **2.** опора, подпора, подставка; *pl* греди, върху които се поставя кораб в строеж; **on the ~s** в строеж; *прен.* в подготвителна фаза; **3.** дръжка, ръкохватка; **4.** приклад, ложа (*на пушка*); **5.** *ост. ист.* дървена стегалка, обик. за краката на дребни нарушители, тумрук; **6.** род, произход; семейство, сой; порода; раса; **7.** група сродни езици, езиково семейство; **8.** запас; наличност; инвентар; **9.** добитък, стока; **in ~** на склад, в наличност; **out of ~** изчерпан, изпродаден; **to lay in a ~ of** запасявам се с; **to take ~** инвентаризирам; *прен.* правя преглед; разглеждам критично, преценявам (**of**); **10.** капитал на дружество; основен капитал; акции; *ост.* държавен заем; **the ~s** *ост.* държавни ценни книжа; **to take ~** купувам акции, ставам акционер; **to take ~ in** *sl.* вярвам в; придавам значение на; **to set ~ by** интересувам се от; ценя; **his ~ stands high** той се котира високо, ценят го; **his ~ is rising/falling** *прен.* акциите му се покачват/спадат; **to put little ~ in** не вярвам много на; **11.** суров материал; вторични суровини; отпадъци; **12.** бульон; **13.** старовремска широка връзка; **14.** *бот.* летен шибой (Matthiola); **15.** *биол.* колония; сложен организъм; **16.** парк (*от коли*); подвижен състав; **17.** средно денонощно производство; **18.** *карти* нераздадената част на колодата; **19.** *тех.* винторезна дъска; **20.** *метал.* шихта, шаржа; **21.** подложка (*при присаждане*); **22.** *мор.* напречник, кръстовище (*на котва*); **23.** *ам. театр.* постоянен репертоар; **24.** *търг.* оборотен капитал; *ик.* паричен фонд; национално богатство.

stock² *v* **1.** снабдявам, оборудвам; **to ~ a pond with fish** зарибявам езеро; **to ~ a park with game** развъждам дивеч в парк; **to ~ a shop** зареждам магазин със стоки; **to ~ o.'s mind with knowledge** натрупвам знания; **2.** имам/държа на склад; продавам, имам в наличие/за продан; запасявам (се); **3.** засявам; **4.** слагам приклад (*на пушка*); поставям ръкохватка и пр.; **5.** *ист.* слагам (*нарушител*) в стегалка/тумрук.

stock³ *a* **1.** наличен, постоянно на разположение/на склад; **2.** постоянен, неизменен; обичаен; шаблонен (*за шега и пр.*); **~ phrase** изтъркана фраза; **3.** стандартен (*за артикул*); **4.** разплоден, за разплод (*за добитък*).

stockade¹ [stɔˈkeid] *n* **1.** укрепление/ограда от колове; **2.** *ам.* затвор, лагер, каторга.

stockade² *v* ограждам/укрепявам с (ограда от) колове.

stock-book [ˈstɔkbuk] *n* стокова книга.

stock boy [ˈstɔkbɔi] *n ам.* отговорник на склад.

stock-breeder [ˈstɔkˌbriːdə] *n* скотовъд, животновъд.

stockbroker [ˈstɔkˌbroukə] *n* борсов посредник/агент.

stock-car [ˈstɔkaː] *n* **1.** *ам.* товарен вагон за добитък; **2.** вид състезателна кола.

stock company [ˈstɔkˌkʌmpəni] *n* **1.** акционерно дружество; **2.** *театр.* постоянен актьорски състав, гостуващ в театри.

stockdove [ˈstɔkdʌv] *n* див гълъб, хралупар (Columba oenas).

stock exchange [ˈstɔkiksˌtʃeindʒ] *n* фондова борса.

stock farm [ˈstɔkfaːm] *n* животновъдна ферма.

stockfish [ˈstɔkfiʃ] *n* сушена риба без сол.

stockholder [ˈstɔkhouldə] *n* акционер.

stockinet(te) [stɔkiˈnet] *n* **1.** еластично трико; **2.** еластичен бинт.

stocking [ˈstɔkiŋ] *n* **1.** (дълъг) чорап; **a pair of ~s** чифт чорапи; **(measured) in o.'s ~s/~(ed) feet** (мерен) по чорапи, без обувки; **2.** долната, различна по цвят част на крака на кон.

stocking cap [ˈstɔkiŋkæp] *n сп.* плетена островърха шапка с пискюл/помпон.

stock-in-trade [ˈstɔkintreid] *n* **1.** запас от стоки; **2.** необходим инвентар за занаят/професия; *прен.* обичайни/присъщи похвати/уловки (*на политик, артист и пр.*).

stockish [ˈstɔkiʃ] *a* глупав; безчувствен; дървен, непохватен.

stock-jobber [ˈstɔkˌdʒɔbə] *n* борсов спекулант; *ам.* безскрупулен борсов агент.

stock-list [ˈstɔklist] *n* борсов бюлетин.

stockkeeper [ˈstɔkkiːpə] *n ам.* **1.** овчар, говедар; **2.** отговорник на склад, магазинер.

stockman [ˈstɔkmən] *n* (*pl* **-men**) **1.** *австрал.* работник в животновъдна ферма; **2.** собственик на животновъдна ферма.

stock-market [ˈstɔkmaːkit] *n* (сделки на) фондова борса.

stock phrase [ˈstɔkfreiz] *n* изтъркана фраза, клише.

stockpile [ˈstɔkpail] *n* запас, резерва (*на стоки, материали и пр.*).

stock-pot [ˈstɔkpɔt] *n* **1.** тенджера за бульон; **2.** склад, хранилище; **3.** богат запас/резерва.

stockrider [ˈstɔkraidə] *n австрал.* каубой.

stock-room [ˈstɔkrum] *n* склад, хранилище.

stock shot [ˈstɔkʃɔt] *n кино* кадър от филмотека.

stock-still [ˈstɔkstil] *a* **1.** много тих, безмълвен; **2.** неподвижен; **to stand ~** стоя/оставам като закован на мястото си.

stock-taking [ˈstɔkteikiŋ] *n* **1.** проверка на инвентар/стока/доставка; **2.** *прен.* критически преглед/анализ на събития/политика и пр.; **3.** преоценка на ценности.

stock-whip [ˈstɔkwip] *n* пастирски камшик.

stocky [ˈstɔki] *a* як, здрав; нисък и набит.

stockyard [ˈstɔkjaːd] *n* оградено място за добитък (*особ. при кланица*).

stodge¹ [stɔdʒ] *n разг.* **1.** тежка/засищаща храна; **2.** *прен.* скучна работа/мисъл/идея и пр.; безинтересен човек.

stodge² *v разг.* **1.** тъпча, натъпквам (*особ. с храна*), пресищам, засищам; **2.** ям лакомо; ям до насита, натъпквам се; **3.** стъпвам тежко, мъкна се.

stodgy [ˈstɔdʒi] *a* **1.** тежък, засищащ, трудносмилаем (*за храна*); **2.** лепкав, клисав (*за хляб и пр.*); **3.** натъпкан, претъпкан, издут (*за торба и пр.*); **4.** тромав, тежък; еднообразен, безинтересен, скучен (*за книга, стил и пр.*).

stoep [stuːp] *n юж.-афр.* терасирана веранда пред къща.

stogie, -gy [ˈstougi] *n* **1.** тежка/груба обувка; **2.** (дълга тънка евтина) пура.

stoic [ˈstouik] *n фил.* стоик.

stoic(al) [ˈstouik(l)] *a* стоически.

stoicism [ˈstouisizm] *n* **1.** *фил.* стоицизъм; **2.** безразличие към удоволствия/болка; твърдост.

stoke [stouk] *v* **1.** поддържам, подклаждам (*огън*); пълня (*пещ*) с гориво, работя като огняр; **2.** *разг.* похапвам здраво (*обик. с* **up**).

stokehold, -hole [ˈstoukhould, -houl] *n* котелно помещение.

stoker [ˈstoukə] *n* огняр; **mechanical ~** стокер.

stole¹ [stoul] *n* **1.** *църк.* епитрахил; **2.** дълъг дамски шал.

stole², stolen вж. **steal.**

stolid [ˈstɔlid] *a* **1.** безстрастен, отпуснат, вял; безжизнен, неемоционален, флегматичен; **2.** безчувствен; тъп; **3.** упорит.

stolidity [stɔˈliditi] *n* **1.** безжизненост, отпуснатост; безстрастност, флегматичност; **2.** безчувственост; тъпота; **3.** упоритост.

stolon [ˈstoulən] *n бот.* ластун (*на ягода и пр.*), ластар.

stomach¹ [ˈstʌmək] *n* **1.** стомах; *евф.* за корем, търбух, шкембе; **2.** апетит, охота; **3.** склонност, наклонност, желание, вкус; **to have no ~ for** не одобрявам, не мога да понасям.

stomach² *v* **1.** ям с апетит, услажда ми се; **2.** приемам, търпя, понасям (*обик. отр.*); **I cannot ~ it** не мога да понеса/преглътна/„смеля“ това.

stomach-ache [ˈstʌmək ˌeik] *n* болка в стомаха/червата; **to**

have a ~ боли ме стомахът; **it gives me a** ~ *разг.* това ми е противно.

stomachal ['stʌməkəl] *a* стомашен.

stomacher ['stʌməkə] *n ист.* корсаж на рокля, покриващ бюста и горната част на корема.

stomachic [stə'mækik] *a* **1.** стомашен; **2.** храносмилателен; **3.** възбуждащ апетит.

stomach-pump ['stʌməkrʌmp] *n мед.* стомашна помпа.

stomach-tube ['stʌməktju:b] *n мед.* стомашна сонда.

stomatitis [stoumə'taitis] *n мед.* стоматит.

stomatology [stoumə'tɔləʤi] *n* стоматология.

stone¹ [stoun] *n* **1.** камък; **a** ~**'s throw** един хвърлей камък; **2.** камък (*материал*); *мед.* камък (*в орган*); **3.** каменна плоча; паве; **4.** пул (*на табла и др. игри*); □ **to have a heart of** ~ коравосърдечен съм; **not to leave a** ~ **standing** не оставям камък върху камък; **to leave no** ~ **unturned** правя/опитвам всичко възможно, пущам всичко в ход; обръщам света наопаки; **to throw a** ~ **at** *прен.* осъждам, обвинявам, оклеветявам, порицавам някого; **a rolling** ~ неспокоен дух, човек, който не се задържа на едно място/постоянно мени работата си; **a rolling** ~ **gathers no moss** цигулар къща не храни.

stone² *v* **1.** замерям/пребивам/убивам с камъни; **to** ~ **s.o. out of a place** пропъждам някого от някъде с камъни; **2.** изграждам/облицовам с камъни; слагам каменна настилка на; **3.** чистя (*плод*) от костилки.

stone³ *a* направен от камък, каменен.

Stone Age ['stouneiʤ] *n* каменният век.

stone-blind ['stounblaind] *a* съвсем сляп.

stone-boiling ['stounbɔiliŋ] *n* загряване на вода чрез нажежени камъни.

stone-borer ['stounbɔ:rə] *n зоол.* вид мекотело (Lithophaga).

stone-breaker ['stounbreikə] *n* **1.** каменар, каменоделец; **2.** каменотрошачка.

stone-broke ['stounbrouk] *a ам.* без петак, без пукната пара.

stonechat ['stountʃæt] *n зоол.* ливадарче (Saxicola torquata).

stone-coal ['stounkoul] *n* антрацит.

stone-cold ['stounkould] *a* съвсем студен/изстинал, леден (*за чай и пр.*).

stonecrop ['stounkrɔp] *n бот.* тлъстига (Sedum).

stone-crusher ['stounkrʌʃə] = **stone-breaker.**

stone-cutter ['stounkʌtə] *n ам.* каменоделец.

stoned [stound] *a* **1.** с каменна настилка/паваж; **2.** с изчистени костилки; **3.** *разг.* леко замаян/опиянен; пиян.

stone-dead ['stounded] *a* мъртъв, безжизнен.

stone-deaf ['stoundef] *a* съвсем глух, глух като пън.

stone-dresser ['stoundresə] *n* каменоделец.

stone-fence ['stounfens] *n ам. sl.* смесена алкохолна напитка, *особ.* уиски със сайдер.

stone-fruit ['stounfru:t] *n бот.* плод с костилка; *pl* костилкови овошки.

stoneless ['stounlis] *a* безкостилков (*за плод*).

stonemason ['stounmeisn] *n* каменоделец зидар.

stone-pine ['stounpain] *n бот.* италиански кедър, пиния (Pinus pinea).

stone-pit ['stounpit] *n* каменна кариера, каменоломна.

stone-saw ['stounsɔ:] *n* трион за рязане на камък.

stonewall ['stounwɔ:l] *v пол.* правя обструкции; протакам дебати.

stoneware ['stounwɛə] *n* керамични изделия (*обик. гледжосани*).

stonework ['stounwə:k] *n* каменна зидария; каменоделство.

stonewort ['stounwə:t] *n бот.* **1.** див магданоз; **2.** вид сладководно водорасло.

stonily ['stounili] *adv* хладно; със смразяващо безразличие.

stonk [stɔŋk] *n* артилерийски обстрел.

stonker ['stɔŋkə] *v австрал. sl.* обърквам, сразявам.

stony ['stouni] *a* **1.** каменлив, каменист; **2.** *прен.* безразличен, безучастен, студен; коравосърдечен; **3.** безизразен; втренчен; смразяващ, вцепеняващ (*за поглед*); **4.** *sl.* без пукната пара (*и* ~ **broke**).

stony-hearted ['stouni,ha:tid] *a* коравосърдечен, безмилостен, жесток.

stood *вж.* **stand**¹.

stooge¹ [stu:ʤ] *n sl.* **1.** *театр.* актьор във вариете, осмиван от комедиант; **2.** лице, станало/служещо за посмешище; **3.** изкупителна жертва; **4.** *разг.* подставено лице.

stooge² *v* **1.** вървя по гайдата (**for** на); играя второстепенна роля; асистирам; върша черната работа; **2. to** ~ **around** обикалям, навъртам се, шляя се, мая се; убивам си времето; **3. to** ~ **about** *ав.* кръжа преди приземяване.

stool¹ [stu:l] *n* **1.** стол без облегалка; табуретка, столче; ~ **of repentance** *ист.* позорен стол в шотл. църкви (*за прелюбодейци и пр.*); **to fall between two** ~s от два стола, та на земята; **2.** ниско столче за краката/за коленичене; **3.** специален стол за ходене по нужда; клозет, нужник; **to go to** ~ отивам по нужда; **4.** *pl мед.* изпражнения; **5.** корен/дънер на отсечено дърво, пускащ (нови) издънки; **6.** *арх.* подпрозоречна дъска; **7.** = **stool-pigeon.**

stool² *v* **1.** пускам издънки (за корен, дънер); **2.** ходя по нужда; **3.** *sl.* доносвам; **4.** *лов.* примамвам с миоре/мамец; идвам при миоре/мамец (за птица).

stool-pigeon ['stu:lpiʤən] *n* **1.** *лов.* миоре, мамец; **2.** *прен.* доносник; агент провокатор.

stoop¹ [stu:p] *v* **1.** навеждам се; **2.** изгърбвам се, ходя приведен/изгърбен; **3.** унижавам се (дотам да, до степен да); **to** ~ **to conquer** унижавам се, за да успея/за да постигна целта си; **4.** прибягвам до низост/безчестие; отпускам се, деградирам; **a man who would** ~ **to anything** човек, способен да извърши всякаква низост; **5.** благоволявам, проявявам снизхождение; **6.** *ост.* спускам се стремглаво надолу, връхлитам върху (*за сокол*) (*и прен.*).

stoop² *n* прегърбване, прегърбена стойка.

stoop³ *n ам.* малка покрита веранда пред къща; покрито преддверие; площадка; навес.

stooping ['stu:piŋ] *a* приведен, прегърбен.

stop¹ [stɔp] *v* (**-pp-**) **1.** затварям; препречвам; попречвам; запушвам (се), задръствам (се); заграждам, преграждам; **2.** пълня, запълням; пломбирам (зъб); запушвам, затапям (шише и пр.); **to** ~ **o.'s ears** запушвам ушите си; *прен.* не искам да чуя/да слушам; **to** ~ **s.o.'s mouth** *прен.* запушвам устата на някого, принуждавам го да замлъкне (с рушвет и пр.); **to** ~ **a gap** *прен.* попълням празнина, временно замествам някого при нужда; **to** ~ **a wound** превързвам (кървяща) рана; **3.** спирам (се), възпирам (се); **to** ~ **dead/short** спирам внезапно/рязко; млъквам, замлъквам; **to** ~ **s.o. short** прекъсвам рязко някого, заставям го да млъкне; **to** ~ **short of** спирам се пред; **to** ~ **short at s.th.** ограничавам се с, не отивам по-далеч от; **to** ~ **a cheque/payment** нареждам на банка да не изплаща чек; преустановявам финансови операции (*за банка*); **4.** *бридж* имам спирачка в/спирам цвят; **5.** спирам; преставам да (*с ger*); **to ~ talking** преставам да говоря; **to ~ to talk** спирам (се), за да поговоря; спирам (се); карам/принуждавам някого да спре; **to ~ at nothing** не се спирам пред нищо, безпощаден/жесток съм; **there is no ~ping him** никой/нищо не може да го спре; **what is ~ping you?** какво те задържа/спира, какво ти пречи (*да направиш нещо*); **~ it!** стига вече! престани! **~ thief!** дръжте крадеца! **enough to ~ a clock** *разг.* ужасно грозен (*за лице и пр.*); **6.** спирам, прекъсвам, прекратявам (*работа, игра и пр.*); **7.** *юр.* прекратявам (*дело*); **8.** *сп.* отбивам (*удар, топка и пр.*); **9.** *разг.* отбивам се за малко, отсядам, оставам за кратко; **to ~ with friends** гостувам у приятели; **to ~ and have dinner with** оставам за вечеря у; **to ~ at a hotel** спирам/отсядам в хотел; **10.** правя удръжки, удържам (**out of** от) (*заплата и пр.*); **11.** *муз.* натискам струна, клапан и пр.; приглушавам звук; **12.** слагам препинателни знаци на; **13.** отчеквам, откършвам върха на (*растение*); **14.** *мор.* прикрепвам здраво с въже; □ **to ~ a bullet** бивам ранен/убит от куршум; **road ~ped** пътят е затворен (*надпис*);

stop by *ам. разг.* наминавам, отбивам се за малко;

stop down *фот.* затварям блендата;

stop off 1) запълвам част от калъпа с пясък (*в стъкларството и леярството*); 2) прекъсвам пътуването си; спирам/отбивам се за кратко време;

stop over = **stop off** 2;

stop up запълвам, запушвам; □ **to ~ up (late)** не лягам/стоя до късно нощем.

stop² *n* **1.** спиране; край; **to come to a ~** спирам (*за влак и пр.*); **to bring s.th. to a ~, to put a ~ to s.th.** прекратявам/спирам/слагам край на нещо; **2.** кратък престой; пауза; **3.** спирка (*трамвайна и пр.*); **4.** знак/сигнал за спиране/прекратяване; **5.** препинателен знак; точка; **6.** пречка, спънка, препятствие; **7.** *бридж* спирачка в цвят, стопър; **8.** *муз.* клапан/вентил на духов инструмент; лад на струнен инструмент; (копче на) регистър на орган; **9.** натискане с пръст на струна (*на цигулка и пр.*); **10.** задръстване, спиране (*на улично движение и пр.*); **11.** запрещение; вето; ембарго; **12.** *тех.* ограничител, стопор; запънка; **13.** приглушаване на звук; *прен.* тон, маниер на говорене; **to put on/pull out the pathetic ~** говоря затрогващо; **with all the ~s out** с големи усилия; **14.** *фот., опт.* бленда, диафрагма; **15.** *фон.* оклузия; преградна съгласна; **16.** *мор.* въже за притягане/прикрепване.

stop-and-go ['stɔpəngou] *a ам.* съпроводен с често спиране; контролиран от светофари.

stop bath ['stɔpbɑ:θ] *n фот.* фиксажна баня.

stopcock ['stɔpkɔk] *n* спирателен/запорен кран.

stop consonant ['stɔpkɔnsənənt] *n фон.* преградна съгласна.

stope [stoup] *n мин.* добивен забой.

stopgap ['stɔpgæp] *n* **1.** *тех.* тапа, запушалка, пробка; **2.** временен заместник; заместител; временна мярка, палиатив.

stop-lamp ['stɔplæmp] *n авт.* стоп-сигнал (*на кола и пр.*); стоп-лампа.

stop-light ['stɔplait] *n* **1.** червена светлина на светофар; **2.** = **stop-lamp**.

stop-order ['stɔpɔ:də] *n* нареждане до борсов агент да купува/продава ценни книжа при известна цена.

stopover ['stɔpˌouvə] *n* прекъсване по време на пътуване; престой; **2.** билет, даващ право на престой.

stoppage ['stɔpidʒ] *n* **1.** спиране, прекратяване, преустановяване (*на работа, движение и пр.*); **2.** удържане, удръжка (*от заплата*); **3.** запушване, задръстване.

stopper¹ ['stɔpə] *n* **1.** тапа, запушалка; **2.** *тех.* стопор, затварачка, затвор, савак; запънка, спирачка; **to put a ~ on** *разг.* спирам, прекратявам, слагам край на; **3.** *бридж* спирачка в цвят; **4.** *мор.* стопор.

stopper² *v* **1.** запушвам, затапям; **2.** *мор.* закрепвам въже със стопор.

stopping¹ ['stɔpiŋ] *a* бавен, пътнически.

stopping² *n* **1.** спиране, запушване; **2.** цимент; амалгама/злато и пр. за зъбна пломба.

stopple¹ ['stɔpl] *n* тапа, запушалка; восъчни и пр. запушалки за уши.

stopple² *v* запушвам, затапям.

stop-press ['stɔppres] **I.** *a* получен и напечатан в последната минута (*за новина*); **II.** *n* **1.** последни новини; **2.** извънредно издание на вестник.

stop-signal ['stɔpsignəl] *n жп.* сигнал за спиране, червена светлина.

stop street ['stɔpstri:t] *n* странична улица, на която спирането при влизане в главна е задължително.

stop valve ['stɔpvælv] *n тех.* обратен клапан, спирателен вентил.

stop-watch ['stɔpwɔtʃ] *n сп.* секундомер.

storage ['stɔ:ridʒ] *n* **1.** складиране; прибиране, съхранение; **2.** хранилище, склад; **cold ~** хладилник, хладилно помещение/склад; *прен.* висящо положение; *sl.* гробище, гроб; **3.** такса за съхраняване в склад/хладилник; магазинаж; **4.** акумулиране (*на енергия*); **5.** *киберн.* запомнящо устройство, памет.

storage battery ['stɔridʒˌbætəri] *n* акумулаторна батерия, акумулатор (*и ~ cell*).

storage heater ['stɔ:ridʒhi:tə] *n* акумулаторен електрически радиатор.

storage reservoir ['stɔ:ridʒ'rezəvwɔ:] *n* водохранилище.

storax ['stɔ:ræks] *n* **1.** *бот.* дърво, от кората на което се получава ароматна смола; **2.** балсам, който се прави от тази смола, стиракс.

store¹ [stɔ:] *n* **1.** запас (*и прен.*); изобилие; **to hold/keep s.th. in ~** запасен съм с нещо; **to lay in a ~ of** запасявам се с; **in ~** в запас; на склад; *прен.* бъдещ, предстоящ; отреден от съдбата; **to have a treat in ~ for** готвя приятна изненада за; **who knows what the future may hold in ~** кой знае какво ни чака/какво ни готви/крие бъдещето; **~ is no sore** от много глава не боли; **2.** *pl* припаси; **marine ~s** стари корабни материали за продан; **3.** склад; магазия; хранилище (*и на компютър*); **4.** имущество, материални средства; **5.** голям универсален магазин; *ам.* смесен магазин; □ **to lay/put/set ~ by/on** отдавам значение на, ценя; **to lay/put/set little/no (great) ~ by/on** не отдавам значение на, считам за маловажно, не ценя.

store² *a* **1.** *ам.* купен от магазин, купешки; готов (*за дреха*); **2.** още неугояван/неугоен (*за добитък*).

store³ *v* **1.** пълня с; трупам, натрупвам; **2.** запасявам (се) с (*и с* **up**); **3.** държа/оставям на склад, складирам; прибирам в склад (*реколта и пр.*); **4.** побирам; съдържам; съхранявам (*за склад и пр.*); **5.** зареждам, снабдявам, съоръжавам (**with** с).

store-cattle ['stɔ:kætl] *n* добитък за угояване.

store-clothes ['stɔ:kloudz] *n* готови дрехи, конфекция.

store-house ['stɔ:haus] *n* **1.** склад, хранилище, хамбар; **2.** изобилен източник, извор, съкровищница; *прен.* жива енциклопедия.

store-keeper ['stɔːkiːpə] *n* 1. магазинер, склададжия; 2. *ам.* собственик на магазин; търговец.

store-room ['stɔːrum] *n* стая за провизии, килер; *воен.* вещеви склад.

store-ship ['stɔːʃip] *n воен.* кораб, транспортиращ запаси.

storey ['stɔːri] *n* етаж; **the upper** ~ *шег.* ум, мозък, акъл; глава; **a one-/many-storeyed house** едноетажна/многоетажна къща.

storiated ['stɔːrieitid] *a* изрисуван, украсен с исторически/легендарни сюжети.

storied ['stɔːrid] *a* 1. легендарен; 2. изпълнен със сцени от историята

stork [stɔːk] *n* щъркел.

stork's bill ['stɔːksbil] *n бот.* вид мушкато (Pelargonium).

storm[1] [stɔːm] *n* 1. буря; **а ~ of rain** проливен дъжд; **а ~ of hail** силна градушка; **а ~ of snow** снежна виелица; 2. *прен.* буря, ураган, вихрушка; град (*от куршуми и пр.*); 3. кипеж; бурен изблик (*на чувства и пр.*); бурна епоха; **a ~ of cheers** гръмко ура; **a ~ of applause** бурни ръкопляскания/овации; **~ and stress** революционен кипеж; *лит.* период на бурен устрем; 4. *воен.* пристъп, щурм; **to take by ~** щурмувам, превземам с щурм; *прен.* увличам, завладявам; □ **to bring a ~ about o.'s ears** казвам/правя нещо, което предизвиква буря от негодувание/възмущение и пр.

storm[2] *v* 1. щурмувам, превземам с щурм; 2. бушувам, беснея, вилнея (*за вятър и пр., и прен.*); **he ~ed out of the room** той излезе от/напусна шумно/гневно/демонстративно стаята; 3. *прен.* горещя се, беснея; **to ~ at** ругая.

storm-beaten ['stɔːmbiːtn] *a* 1. блъскан/тласкан от бури; 2. *прен.* много видял и преживял.

storm-belt ['stɔːmbelt] *n* зона/пояс на бури.

storm-bird ['stɔːmbəːd] = **storm petrel**.

storm boat ['stɔːmbout] *n мор.* десантен катер.

storm-bound ['stɔːmbaund] *a* спрян/забавен/възпрепятствуван от буря.

storm-centre ['stɔːmˈsentə] *n* 1. *метеор.* център на циклон; 2. огнище на раздори/епидемия и пр.; 3. водач на недоволство/смут/бунт.

storm-cloud ['stɔːmklaud] *n* буреносен/черен облак (*и прен.*).

storm cock ['stɔːmkɔk] *n зоол.* вид дрозд.

storm-cone ['stɔːmkoun] *n мор.* вид сигнал за буря.

storm-door ['stɔːmdɔː] *n* допълнителна външна врата, предпазваща от буря.

storm-finch ['stɔːmfintʃ] = **storm petrel**.

stormily ['stɔːmili] *adv* бурно, яростно (*и прен.*).

storm-lantern ['stɔːmlæntən] *n* петролна лампа със защитен от вятъра пламък.

storm petrel ['stɔːmˈpetrəl] *n зоол.* вид буревестник (Hydrobates pelagicus).

storm-proof ['stɔːmpruːf] *a* 1. неуязвим/защищаващ от бури; 2. непропускащ вятър; 3. *воен.* непревземаем.

storm-sail ['stɔːmseil] *n* малко/дебело платно за бурно време.

storm-signal ['stɔːmˈsignəl] *n* сигнал за приближаваща буря.

storm-tossed ['stɔːmtɔst] *a* 1. подмятан/тласкан от буря; 2. *прен.* преживял трудности и несгоди.

storm-trooper ['stɔːmtrupə] *n* 1. щурмовак; 2. *нем. ист.* есесовец.

storm-troops ['stɔːmtrups] *n* 1. щурмови отряди; 2. *нем. ист.* есесовски отряди.

storm-window ['stɔːmwindou] *n* допълнителен външен прозорец срещу бури.

stormy ['stɔːmi] *a* 1. бурен, яростен (*и прен.*); 2. предвещаващ буря.

stormy petrel ['stɔːmiˌpetrəl] *n* 1. = **storm petrel**; 2. човек, който предвещава/носи тревоги/неприятности.

storm-zone ['stɔːmzoun] = **storm-belt**.

story[1] ['stɔːri] *n* 1. история; предание, легенда; слух; **the ~ goes (that)** казват (че); **it's the (same) old ~** пак старата история, все същото; 2. разказ, кратка повест; приказка; **short ~** разказ; **long short ~** повест; новела; **funny ~** 1) смешна/весела история, анекдот; 2) смешно/глупаво положение; **to cut/make a long ~ short** накратко казано; **it is quite another/a very different ~ now** нещата много се промениха, сега положението е съвсем друго; **they all tell the same ~** всички казват едно и също нещо; **he can tell a good ~** той е добър разказвач/умее да разказва; 3. сюжет, фабула; 4. дребна лъжа, измишльотина; **to tell stories** измислям си, съчинявам си; **oh, you ~!** *разг. дет.* ах, ти, лъжецо/лъжльо! 5. *жур.* вестникарска статия; материал за вестник.

story[2] = **storey**.

story-book ['stɔːribuk] *n* 1. книга с разкази/приказки; 2. книга за деца.

story-teller ['stɔːriˈtelə] *n* 1. разказвач на приказки/анекдоти; 2. автор на разкази/приказки; 3. *разг.* лъжец, лъжльо.

story-writer ['stɔːriˈraitə] *n* автор на разкази/приказки.

stoup [stuːp] *n* 1. голяма чаша; бокал; 2. съд за светена вода.

stout[1] [staut] *a* 1. як, здрав; 2. твърд, упорит; издръжлив; траен; 3. смел, храбър, решителен; **а ~ fellow** *разг.* храбрец, смелчага; 4. пълен, дебел, набит; корпулентен; **to get/grow ~** напълнявам.

stout[2] *n* силна тъмна бира.

stout-hearted ['stautˈhaːtid] *a* смел, храбър, решителен; упорит.

stout-heartedness ['stautˈhaːtidnis] *n* храброст, кураж; упоритост.

stoutish ['stautiʃ] *a* възпълен, възедебеличък.

stoutness ['stautnis] *n* 1. пълнота, корпулентност; 2. якост, издръжливост; 3. упоритост, решителност.

stove[1] [stouv] *n* 1. готварска/отоплителна печка (*с дърва, въглища, електричество, газ и пр.*); **slow-combustion ~** печка с бавно горене; 2. *тех.* пещ; 3. парник, оранжерия, топлилник; **~ plants** отгледани в оранжерия растения; 4. мангал; 5. сушилна камера.

stove[2] *v* 1. отглеждам/форсирам (*растения*) в парник; 2. изварявам/опушвам (*дрехи и пр. — за дезинфекция*).

stove[3] *вж.* **stave**[2].

stove-pipe ['stouvpaip] *n* 1. кюнец; 2. *разг.* цилиндър (*ам. и ~ hat*).

stove-polish ['stouvpɔliʃ] *n* боя за лъскане на печки.

stow [stou] *v* 1. прибирам, подреждам, слагам на място (**away**); 2. сгъвам, скатавам (*в кутии, куфари и пр.*); **we were ~ed in an attic** *разг.* набутаха ни в един таван; 3. натоварвам (*кораб*); пълня, натъпквам (**with** с); 4. *ам.* поставям, смествам; 5. *sl.* отказвам се от; прекратявам, спирам; **~ it!** стига! млъкни! спри!

stowage ['stouidʒ] *n* 1. нареждане, подреждане, складиране, разпределяне (*на стока*); натоварване (*на кораб*); 2. склад, магазия; 3. такса за товарене, магазинаж.

stowaway[1] ['stouəwei] *n* пътник, пътуващ тайно без билет.

stow away² *v* промъквам се в параход и пр., за да пътувам безплатно/незабелязано.

strabismic [strə'bizmik] *а мед.* кривоглед, разноглед.

strabismus [strə'bizməs] *n мед.* кривогледство, разногледство.

straddle¹ ['strædl] *v* 1. разкрачвам се; разтварям крака; седя/стоя с разкрачени крака; 2. възсядам, яхвам; **to ~ a river** *воен.* завземам/разполагам се на двата бряга на река; 3. разпростирам се на всички страни; 4. *воен.* хващам във вилка; 5. *карти* удвоявам мизата.

straddle² *n* 1. разкрачване; разкрач; 2. *пол.* колеблива/двойствена политика; 3. *воен.* хващане във вилка; 4. *борс.* срочна сделка; 5. *карти* удвояване на мизата.

Stradivarius [strædi'vɛəriəs] *n* струнен инструмент Страдивариус.

strafe¹ [stra:f] *v sl.* 1. обстрелвам/бомбардирам жестоко; 2. наказвам строго; 3. ругае; 4. повреждам.

strafe² *n sl.* 1. тежка артилерийска бомбардировка/обстрел; 2. строго наказание; 3. ругатня, руганe.

straggle¹ ['strægl] *v* 1. движа се/вървя разпръснато/без ред; влача се; 2. изоставам от частта си; 3. разположен съм тук-там/разпиляно/разпръснато (*за селище и пр.*); **houses that ~ round the lake** разпръснати около езерото къщи; **the guests ~d off** гостите се разотидоха по двама-трима/на групички; **keep your mind from straggling** не се разсейвай; 4. израствам дълъг и рехав (*за растение, брада и пр.*).

straggle² *n* разпръсната/разпиляна група хора/неща.

straggler ['stræglə] *n* 1. изоставащ от частта си войник и пр.; 2. *ост.* скитник, бродяга.

straggling ['strægliŋ] *а* 1. разпръснат, разпилян; 2. откъслечен; 3. дълъг, рехав; провиснал; пълзящ на всички посоки (*за растение и пр.*).

straggly ['strægli] = **straggling** 1, 3.

straight¹ [streit] *а* 1. прав; в права посока, непрекъсващ, директен; пряк; 2. прав, изправен; правилен; в ред/изправност; **to have a ~ eye** имам вярно/точно/набито око; **your tie is not ~** връзката ти е накриво; **are the pictures ~?** право ли са окачени картините? **to put the room ~** разтребвам/оправям стаята; **to put things/matters ~** оправям/уреждам работата; 3. прям, открит, недвусмислен; 4. честен, почтен, лоялен; *ам. пол.* всеотдаен, напълно предан на партията си; **to keep ~** оставам честен/порядъчен; 5. откровен, искрен; 6. прост, ясен, точен; **to get/keep/put/set the facts/records ~** поправям грешка/неточност; **a ~ fight** *пол.* изборна кампания само с двама кандидати; 7. чист (*за питие и пр.*); **a ~ gin** чаша джин без сода/вода; 8. *sl.* нормален, неизвратен; 9. *sl.* сериозен, достоверен, надежден; **a ~ face** нищо неизразяващо лице; **to keep a ~ face** запазвам сериозно изражение, въздържам смеха си; □ **as ~ as a ram-rod** съвсем изправен, като глътнал бастун.

straight² *n* 1. изправеност, право положение; права/хоризонтална част; 2. *сп.* последната равна част пред финала; **on the ~** 1) по права линия; 2) *sl.* честно; **out of the ~** 1) криво; 2) *sl.* непочтено; 3. обикновен/нормален/порядъчен човек; 4. *покер* кента.

straight³ *adv* 1. право, направо, директно; **to go ~** 1) вървя направо; 2) *sl.* ставам отново порядъчен; **to read a book ~ through** прочитам книга от кора до

кора; **to go/come ~ to the point** преминавам направо/веднага към същината на работата/въпроса, говоря без заобикалки/усукване; **to walk in ~** влизам направо, без да чукам; **to let s.o. have it ~** казвам някому направо/откровено; **~ out** направо, открито, без заобикалки; 2. право, изправено; **put it ~** сложи го изправено, изправи го; 3. *в съчет.:* **~ away** незабавно, веднага, тутакси; изведнъж; **~ off** веднага, без колебание, без да му мисля; **~ out** незабавно, без всякакво колебание, направо.

straightaway ['streitəwei] *а ам.* 1. бърз, незабавен; 2. прям; 3. ясен, разбираем, достъпен.

straight-bred ['streitbred] *а* чистокръвен, некръстосан (*за порода*).

straight-cut ['streitkʌt] *а* нарязан надлъжно на тънки ивици (*за тютюн*).

straihgt-edge ['streitedʒ] *n* дървена и пр. линия за чертане/проверка на прави линии/повърхности; шаблонна линийка.

straighten ['streitən] *v* изправям (се), изпъвам (се) (*и с* **up**); 2. оправям, слагам в ред; поправям се (*и с* **out, up**); 3. *разг.* оправям се, ставам отново порядъчен.

straightforward ['streitfɔ:wəd] *а* 1. прям, откровен; открит, недвусмислен; 2. честен, порядъчен; 3. прост, ясен, разбираем.

straightforwardness ['streitfɔ:wədnis] *а* 1. прямота, откровеност, искреност; 2. честност.

straight man ['streitmæn] *n театр.* актьор, с когото комикът се шегува/подиграва.

straightness ['streitnis] *n* 1. правост, изправеност (*на линия и пр.*); 2. честност, почтеност; 3. прямота.

straight-out ['streitaut] *а ам.* 1. решителен; 2. прям; рязък; 3. *пол.* безкомпромисен, отявлен.

straight part ['streitpa:t] *n* роля без дегизиране.

straight ticket ['streit,tikit] *n* (гласуване за) партийна листа/програма без изменение.

straightway ['streitwei] *adv ост.* 1. право, направо; 2. веднага, незабавно.

strain¹ [strein] *v* 1. опъвам, обтягам, разтягам, изпъвам; 2. напъвам (се), напрягам (се); пресилвам (се); 3. пристягам, свивам, присвивам; 4. огъвам (се); 5. навяхвам, измятам; 6. извращавам, изопачавам, разтягам (*закон*); злоупотребявам с (*власт, права, доверие и пр.*); изменям в своя полза; **to ~ a point** правя отстъпка/изключение; 7. цедя (се), процеждам (се) (*през цедка и пр.*), филтрирам (се); 8. изцеждам, изстисквам; 9. *книж.* притискам (*до себе си*), прегръщам;
strain after мъча се да постигна, стремя се към; **strain at** дърпам, тегля (*за вързано животно*); опъвам се (*и прен.*);
strain off процеждам през цедка; отцеждам.

strain² *n* 1. напрежение (*и тех.*); опъване, обтягане; напън; 2. голямо усилие; пресилване, пренапрежение; преумора; изтощение; **to do s.th. without ~** правя нещо с лекота; **to be at (full)/on the ~** крайно напрегнат съм; **it was a great ~ on my attention** трябваше да напрегна цялото си внимание; **it will be a great ~ on my purse/resources** ще ми струва извънредно много средства; 3. измятане, разтягане (*на сухожилие*); 4. *тех.* деформация.

strain³ *n* 1. вид, сорт, род; порода (*животни, насекоми и пр.*); жилка, наследствена черта (*в характер и пр.*); 2. тон; начин на говорене/писане; обща тенденция, дух; **in the same ~** в същия дух; *обик. pl* звуци; напеви; мелодия; 3. *поет.* поезия; песен; 4. наклонност, склонност; **there is a ~ of mysticism in**

him той е склонен към мистицизъм; **5.** известно количество, елемент, оттенък.

strained ['streind] *a* **1.** опънат, обтегнат (*и прен.*); **2.** разтегнат, изметнат (*за сухожилие*); **3.** неестествен, принуден; пресилен, преувеличен (*за стил и пр.*); ~ **relations** обтегнати/неприязнени отношения; ~ **cordiality** престорена/неискрена сърдечност; **4.** изопачен, преиначен, неверен (*за тълкуване и пр.*); **5.** прецеден; филтриран.

strainer ['streinə] *n* цедка; цедилка; гевгир.

strait¹ [streit] *a ост.* **1.** тесен, ограничен; **2.** строг, взискателен; **3.** *ам.* труден, затрудняващ, затруднителен.

strait² *n* **1.** *геогр. и pl* пролив; **2.** *обик. pl* затруднение, затруднено положение, нужда; **in dire** ~ в бедствено положение, в беда.

straiten ['streitn] *v* ограничавам, стеснявам, затруднявам; стягам, затягам; **to be in ~ed circumstances** в затруднено материално положение съм, живея в бедност/нищета; **to be ~ed for provisions** не ми достигат провизии, имам продоволствени затруднения.

strait-jacket¹ ['streit͵dʒækit] *n* **1.** усмирителна риза; **2.** *прен.* ограничителни мерки; нещо, което пречи на/спира развитието.

strait-jacket² *v* **1.** слагам усмирителна риза на; **2.** усмирявам; **3.** преча на/спирам развитието.

strait-laced [͵streit'leist] *a прен.* строг, суров, пуритански; тесноград, нетолерантен.

strake [streik] *n мор.* стрингер.

stramonium [strə'mouniəm] *n* **1.** *бот.* татул (Datura); **2.** *фарм.* страмоний (*сушени листа от татул, използувани като средство против астма*).

strand¹ [strænd] *n поет.* бряг, крайбрежие.

strand² *v* **1.** изхвърлям на брега; засядам на пясък; **2.** *прен.* изоставям.

strand³ **1.** нишка, дилка; жичка; **2.** шнур, връв; **3.** кичур (*коса*); **4.** низ, наниз; **5.** *прен.* черта, елемент, съставна част; **6.** линия на развитие (*в разказ и пр.*).

strand⁴ *v* **1.** скъсвам (*нишка*); **2.** усуквам (*нишки, въже и пр.*); **3.** *прен.* вплитам.

stranded ['strændid] *a* **1.** заседнал (*за кораб*); **2.** *прен.* изпаднал в безизходица (*без превоз, средства, приятели и пр.*); **3.** изоставен в нужда, безпомощен; **4.** изостанал от другите, загубил се.

strange [streindʒ] *a* **1.** чужд, непознат; неизвестен; **2.** чуждестранен; **3.** странен, чуден, особен, необичаен; неочакван, необясним; **4.** незапознат, непривикнал (*с място, работа и пр.*); □ ~ **to say/relate** странно/чудно/интересно наистина; **to feel** ~ **1)** чувствувам се няак особено/неловко, замаян съм; **2)** изпитвам неувереност; липсва ми опит; **it feels** ~ това е ново/непознато усещане; **to be** ~ **to s.th.** нещо ми е чуждо/непривично, не съм свикнал с нещо.

strangely ['streindʒli] *adv* странно, чудато, необичайно.

strangeness ['streindʒnis] *n* странност, чудатост, необичайност, непознатост.

stranger ['streindʒə] *n* чужденец, странник, непознат; чужд човек; **you are quite a** ~ **here** къде се губиш, забравихме се вече; **he's a perfect** ~ **to me** той ми е съвършено непознат; **he is no** ~ **to me** зная го, познаваме се с него; **I am a** ~ **here** не познавам тези места; не съм оттук; аз съм само гост тук; **I am no** ~ **to sorrow** преживял съм/познавам добре скръбта; **to be a/to be no** ~ **to fear/hatred, etc.** чуждо/познато ми е чувството страх/омраза и пр.; **to make a** ~ **of** държа се хладно/резервирано към; **the little** ~ *разг.* новороденото; **to see/spy** ~**s** ис-

кам да бъдат отстранени външните лица (*от Камарата на общините*).

strangle ['stræŋgl] *v* **1.** удушавам, задушавам; давя се, задушавам се; **2.** сподавям, потискам (*въздишка и пр.*); **3.** *прен.* потушавам, потъпквам, задушавам.

strangle-hold ['stræŋglhould] *n* **1.** душене, задушаване; **2.** *прен.* нещо, което ограничава/спъва развитието.

strangler ['stræŋglə] *n* удушвач.

strangles ['stræŋglz] *n pl вет.* катар.

stangulate ['stræŋgjuleit] *v* **1.** = **strangle**; **2.** *мед.* притискам, пристягам (*вена и пр.*); прищипвам.

strangulation [stræŋgju'leiʃən] *n* **1.** удушаване, задушаване; **2.** *мед.* притискане, стягане, прищипване (*на кръвоносен съд и пр.*).

strangury ['stræŋgjuri] бавно и болезнено уриниране, странгурия.

strap¹ [stræp] *n* **1.** ремък, каиш; каишка (*и за часовник*); ивица, лента; **to give s.o. a** ~ напердашвам някого; **2.** ивица лейкопласт; **3.** *тех.* подпорна планка; спирачна лента.

strap² *v* (**-pp-**) **1.** връзвам, пристягам с ремък/каиш(ка) и пр.; **2.** прикрепям (*превръзка*) с лейкопласт; **3.** бия с каиш; **4.** точа на ремък.

straphang ['stræphæŋ] *v разг.* пътувам правостоящ (*в трамвай, автобус и пр.*).

straphanger ['stræphæŋə] *n разг.* правостоящ пътник (*в трамвай и пр.*).

strapless ['stræplis] *a* без презрамки (*за дреха*).

strap-oil ['stræpɔil] *n sl.* бой/пердах с каиш.

strapontin [stra:'pɔn'tæn] *n фр.* подвижна/допълнителна седалка/стол (*в театър и пр.*).

strappado [strə'peidou] *n ист.* (уред за) изтезание чрез вдигане и спускане с въже.

strapper ['stræpə] *n* едър човек, здравеняк.

strapping¹ ['stræpiŋ] *a разг.* висок, едър, мускулест, здрав.

strapping² *n* **1.** кожа за каиши; **2.** бой с каиш; **3.** *мед.* лейкопласт, пластир.

strap work ['stræpwə:k] *n арх.* украса във форма на плетеници.

strass [stræs] *n* стъклена маса, от която се правят изкуствени скъпоценни камъни.

strata *вж.* **stratum.**

strategem ['strætidʒəm] *n* (военна) хитрост; хитрина, измама.

strategic(al) [strə'ti:dʒik(l)] *a* стратегически.

strategics [strə'ti:dʒiks] *n pl с гл. в sing* стратегия, стратегическо умение.

strategist ['strætidʒist] *n* стратег.

strategy ['strætidʒi] *n* стратегия.

strath [stræθ] *n шотл.* широка речна долина.

strathspey [stræθ'spei] *n* жив шотландски танц.

strati *вж.* **stratus.**

straticulate [strə'tikjulit] *a геол.* разположен на/съставен от тънки пластове; слоест, напластен.

stratification [͵strætifi'keiʃn] *n геол.* напластяване, стратификация.

stratify ['strætifai] *v* напластявам (се), наслоявам (се).

stratigraphy [strə'tigrəfi] *n* стратиграфия (*дял от геологията*).

stratocirrus ['strætou'sirəs] *n метеор.* слоестоперест облак.

stratocracy [strə'tɔkrəsi] *n* военно управление.

stratocumulus ['strætou'kju:mjuləs] *n метеор.* слоестокупест облак.

stratosphere ['strætəsfiə] *n* стратосфера.

stratum ['streitəm, 'stra:təm] *n* (*pl* **strata** [-tə]) **1.** *геол.* пласт, слой; **2.** обществен слой, класа; ниво.

stratus ['streitəs, 'stra:təs] *n* (*pl* **strati** [-ai]) *метеор.* слоест облак.

straw[1] [strɔ:] *n* **1.** слама; сламка; **to catch/clutch/grasp at/cling to a** ~ ловя се/хващам се за сламка; **a man of** ~ 1) сламено чучело; 2) *прен. разг.* лесно победим въображаем противник; ненадежден човек; човек без солидно финансово положение; подставено лице; леко оборим аргумент; **2.** сламена/пластмасова и пр. сламка за пиене на питие; **3.** сламена шапка; **4.** *attr* сламен, от слама; с цвят на слама; □ **the last** ~ последната капка, която прелива чашата на търпението и пр.; **a** ~ **that shows which way the wind blows** лек намек, сочещ накъде вървят работите; **not worth a** ~ *прен.* неструващ пет пари; **to make bricks without** ~ залавям се за работа, без да имам необходимите материали; **to be in the** ~ *ост.* родилка съм.

straw[2] *v* застилам/покривам със слама; пълня/натъпквам със слама (*стол, дюшек и пр.*); осейвам със слама.

strawberry ['strɔ:bri] *n* ягода; **crushed** ~ фрезов цвят; ~ **leaves** *прен.* емблема/титла на херцог.

strawberry blonde ['strɔ:briblɔnd] *n* жена с жълтеникаво-червена коса.

strawberry mark ['strɔbrima:k] *n* червеникаво петно по кожата, белег от раждане.

strawberry tongue ['strɔ:britʌη] *n* *мед.* малиновочервен подут език (*при скарлатина*).

strawberry tree ['strɔbritri:] *n* *бот.* арбутус (Arbutus unedo).

straw-board['strɔ:bɔ:d]*n* груб картон.

straw boss ['strɔ:bɔs] *n* *ам.* помощник-бригадир; надзирател.

straw coloured ['strɔ:kʌləd] *a* с цвят на слама, бледожълт.

straw flower ['strɔ:flauə] *n* *бот.* вид безсмъртниче (Helichrysum bracteatum).

straw vote ['strɔ:vout] *n* *ам.* неофициално гласуване/допитване за проверка на общественото мнение по даден проблем и пр.

straw wine ['strɔ:wain] *n* вид сладко десертно вино.

strawy ['strɔ:i] *a* сламен; като слама; напълнен/покрит със слама.

stray[1] [strei] *v* **1.** отдалечавам се, отделям се (**from** от); отклонявам се, заблуждавам се; рея се, зарейвам се; изгубвам се; **2.** *прен.* отклонявам се от правия път, изпадам/влизам в грях; **3.** *поет.* бродя, скитам; **4.** отвличам се, разсейвам се, блуждая.

stray[2] *n* **1.** изгубено/заблудено животно; загубило се дете; **2.** *юр.* имот, останал без наследници; **3.** *рад.* електрически смущения.

stray[3] *a* **1.** изгубен, заблуден; бездомен, безстопанствен (*особ. за котки, кучета и пр.*); **2.** случаен, отделен, единичен; неочакван; **a few** ~ **instances** единични случаи; **a** ~ **taxi** случайно минаващо такси; **a** ~ **bullet** случаен/заблуден куршум; **3.** разпръснат, разпилян (*за къщи, мисли и пр.*); **4.** *физ.* разсеян (*за лъчение*).

strayed [streid] *a* заблуден, заблудил се, изгубен.

streak[1] [stri:k] *n* **1.** рязка, черта, линия; драскотина; ивица; **the first** ~**s of dawn** първите проблясъци на зората; **like a** ~ **of lightning** много бързо, като мълния; **2.** кратък период; поредица; **a** ~ **of luck** късмет; **to hit a winning** ~ известно време все печеля, проработ-

ва ми късметът (*в карти и пр.*); **3.** *мин., геол.* тънък слой; жила, прослойка; **4.** *прен.* черта, жилка; елемент, лека склонност към; **a nervous** ~ известна нервност, склонност към паникьосване; **to have a** ~ **of cruelty/eccentricity, etc.** присъща ми е/склонен съм да проявявам жестокост/ексцентричност и пр., има нещо жестоко/ексцентрично и пр. у мен; **5.** *бот.* вид вирусно заболяване на растения (*картофи, домати, малини и пр.*).

streak[2] *v* **1.** шаря/нашарвам с линии/резки/жилки; **2.** тека/стичам се на струйки, оставяйки следи/дири; **3.** нашарвам се на резки; **4.** летя, хуквам; втурвам се (**off**); **5.** *разг.* притичвам/прибягвам полугол на публично място; **6.** вея се, развявам се (*за знаме*).

streaked ['stri:kt] *a* **1.** на ивици; на тънки пластове; прошарен с тлъстина (*за месо и пр.*); **2.** набразден; **3.** *прен.* развълнуван, неспокоен; разстроен; **4.** с обезцветени по-светли ивици (*за коса*).

streaky ['stri:ki] *a* на резки/ивици/пластове; ~ **bacon** шарена сланина/бекон; **2.** разтревожен, изплашен; **3.** непостоянен, променчив, на когото не може да се разчита.

stream[1] [stri:m] *n* **1.** поток (*и прен.*); река; **2.** течение, струя; **to go with the** ~ вървя с течението, правя каквото правят другите; **to go against the** ~ вървя срещу течението; **3.** непрекъснат поток от (*думи, събития, мисли и пр.*); **4.** насока, ход, тенденция; **5.** *уч.* подбрана група, поток; **6. a** ~ **of light/sun** светла струя/слънчев лъч; **7.** върволица, поток (*от хора, коли и пр.*).

stream[2] *v* **1.** тека изобилно; струя, лея (се), бликам, шуртя; **2.** движа се в непрекъснат поток (*за коли, хора и пр.*); **3.** вея се, развявам се; **4.** разделям (*ученици*) в паралелки/потоци по способности/интелигентност.

streamer ['stri:mə] *n* **1.** вимпел; дълго тясно знаме; дълга лента, серпантина; **2.** *жур.* едро заглавие по цялата ширина на страницата; **3.** *pl астр.* северно сияние.

streamlet ['stri:mlit] *n* рекичка, поточе, ручейче.

streamline[1] ['stri:mlain] *n* **1.** естествено течение на вода/въздух; линия на въздушен поток; **2.** аеродинамична/обтекаема форма (*на кола, самолет и пр.*).

streamline[2] *v* **1.** придавам аеродинамична форма на; **2.** опростявам; модернизирам; организирам, правя по-резултатен; ускорявам; рационализирам (*производствен процес и пр.*).

streamlined['stri:mlaind]*a* **1.** аеродинамичен; **2.** опростен, модернизиран; сполучливо интегриран; добре организиран; **3.** *sl.* приятно закръглен (*за жена*).

stream of consciousness ['stri:məv'kɔnʃəsnis] **1.** *псих.* поток на съзнанието; **2.** *лит.* вътрешен монолог.

streamy ['stri:mi] *a* **1.** като поток; **2.** изобилстващ с потоци; **3.** веещ се, развяващ се.

street [stri:t] *n* **1.** улица; **I live in/***ам.* **on the same** ~ а живея на същата улица; **in/on the** ~ празноски тащ; бездомен; безработен; **2.** хората, които жи веят/работят на дадена улица; **the** S. Флий Стрийт, пресата (*в Англия*); Уол Стрийт, банките (САЩ); **3.** *attr* уличен, за/на/из улицата; ~ **cries** ви кове на улични продавачи; □ **the man in the** ~ об икновеният/средният гражданин/човек; широкат публика; мнение; **to be/go on/wal** **the** ~**s** уличница/проститутка съм; **not in th** **same** ~ **with** *разг.* съвсем/далеч не може да се ме ри с; **she is cleverer than you by long** ~**s, she is** ~ **above/ahead of you** тя е далеч по-умна от те (**right**) **up my** ~ *разг.* познато, приемливо; **it is n**

up my ~ at all не е в кръга на моите интереси, не разбирам от тези работи, не съм по тази част.

streetcar ['stri:tka:] *n ам.* трамвай.

street-door ['stri:tdɔ:] *n* главен/преден вход.

street-guide ['stri:tgaid] *n* план (на улиците) на град.

street-sweeper ['stri:t‚swi:pə] *n* **1.** уличен метач; **2.** машина за метене на улиците.

street theatre = **guer(r)illa theatre**.

street urchin ['stri:tə:tʃin] *n* безпризорно дете, гаменче, гаврош.

street-walker ['stri:t‚wɔ:kə] *n* уличница, проститутка.

strength [streŋθ] *n* **1.** сила, мощ, мощност; ~ **of body** физическа сила; ~ **of mind** сила на духа; **from** ~ от силна/здрава позиция; **from** ~ **to** ~ все по-успешно, напред и все напред; **on the** ~ **of** на основание на; по силата на; разчитайки/основавайки се на; **2.** трайност, здравина, якост; сила на съпротивлението; издръжливост; **3.** *тех.* съпротивление; **4.** численост, числен състав; *воен.* ефектив; **in** ~ в голям брой; **in full** ~ в пълен състав; **up to/below** ~ *воен.* в пълен/непълен състав; с попълнен/непопълнен щат; в достатъчен/недостатъчен брой; **what is your** ~? *разг.* колко души сте? **to bring on the** ~ вписвам, зачислявам.

strengthen ['streŋθən] *v* **1.** засилвам (се), усилвам (се), заякчавам (се); **2.** укрепявам, заздравявам, подсилвам.

strengthening ['streŋθəniŋ] *a* подсилваш, даваш сила.

strenuous ['strenjuəs] *a* **1.** напрегнат, усилен, упорит; морителен (*за борба, труд и пр.*); **2.** усърден, енергичен, ревностен.

strep [strep] *разг.* = **streptococcus**.

streptococcus [streptə'kɔkəs] *n* (*pl* **-cocci** [-kɔkai]) *бакт.* стрептококок.

streptomycin [streptə'maisin] *n фарм.* стрептомицин.

stress[1] [stres] *n* **1.** натиск; напор; напрежение; усилие; **times of** ~ тежки/трудни времена, усилно време; **by** ~ **of weather** поради лошо време/буря; **by/under the** ~ **of** под въздействието на; **under** ~ **of circumstances** от силата на обстоятелствата; **2.** тежест, гнет; **3.** подчертаване, изтъкване, наблягане, емфаза; важност, значение; **to lay** ~ **(up)on s.th.** придавам голямо/особено значение на, наблягам много на; подчертавам силно; **4.** *тех.* натоварване, усилие; налягане; ~ **limit** предельно напрежение; **tractive** ~ теглителна сила; **5.** *фон.* (знак за) ударение/ударена сричка; **6.** *муз.* акцент; **7.** *псих.* стрес.

stress[2] *v* **1.** подчертавам, наблягам на; **2.** чета/изричам с ударение; слагам/поставям фонетично и пр. ударение; **3.** подлагам на механическо/физическо/умствено и пр. натоварване/напрежение.

stressless ['streslis] *a* неударен (*за сричка*).

stretch[1] [stretʃ] *v* **1.** разтягам (се), разтеглям (се), обтягам (се), разширявам (се), удължавам (се), разпъвам (се); опъвам (*въже и пр.*); протягам (*ръка, крак*); протягам се (*и* **to** ~ **o.s.**); просвам се/повалям на земята; **to** ~ **(o.s.) out on** изтягам се/излягам се/лежа проснат на (*трева, пясък, диван и пр.*); **to** ~ **out to reach s.th.** протягам се да стигна нещо; **to** ~ **o.'s legs** поразтръпвам се, раздвижвам се; **2.** постилам, просвам (*килим и пр.*); **3.** разтеглям, извращавам, заобикалям, извъртам (*закон*); превишавам (*права, власт и пр.*); злоупотребявам с (*привилегия, власт и пр.*); пресилвам (*истина*); разширявам (*значение на дума*); **to** ~ **a point (in s.o's favour)** правя изключение/отстъпка (за хатър на някого), затварям си очи-те, замижавам; **to** ~ **the truth** преувеличавам; лъжа; **4.** разстилам се, простирам се (*за поле, планина и пр.*); **5.** продължавам, трая, обхващам (*за епоха и пр.*);

---

strict **343**

пр.); **6.** *разг.* свалям, повалям, просвам (*с удар*) (*и* ~ **out**).

stretch[2] *n* **1.** протягане; разтягане; **to give a** ~ протягам се; **2.** еластичност (*на материя и пр.*); **3.** удължаване, разпереност, разтег (*на самолетно крило*); **4.** напрежение, напрегнатост, напрягане; **nerves on the** ~ опънати нерви; **by a** ~ **of the imagination** с малко повечко въображение; **5.** пространство, повърхност, протежение; **a** ~ **of open country** открита местност; **a** ~ **of water** водно пространство; **6.** промеждутък от време, период; **at a/one** ~ наведнъж, без прекъсване; на един дъх; **for a long** ~ **of time** продължително време, дълго; **7.** разходка за раздвижване/отмора; **8.** *sl.* срок на тъмничен затвор; **he is doing his** ~ той си излежава присъдата; **9.** *тех.* валцуване, изтегляне; **10.** *мор.* галс.

stretch[3] *a* еластичен, от еластична материя; лесно разтягащ се, разтеглив.

stretched ['stretʃt] *a* проснат; опнат, изтегнат, разтегнат; **to be fully** ~ съсипан съм от работа.

stretcher ['stretʃə] *n* **1.** *тех.* разтегачка, уред за разширяване; **2.** *pl разг.* чорапи от крепнайлон; **3.** напречна греда; надлъжно поставена тухла/камък; **4.** подрамник, рамка за опъване на платно на картина; **5.** носилка; походно легло; **6.** пречка, свързваща краката на стол/маса; **7.** опора за краката (*в лодка*); **8.** *sl.* преувеличение; лъжа.

stretcher-bearer ['stretʃə'bɛərə] *n* санитар, пренасящ болни на носилка.

stretcher-party ['stretʃəpa:ti] *n* санитарна група с носилки (*при злополука и пр.*).

stretch-out ['stretʃaut] *n ам. разг.* изискване от работниците да извършват допълнителна работа без (или с минимално) допълнително възнаграждение; повишаване на нормите без съответно повишаване на заплащането.

stretchy ['stretʃi] *a* еластичен, разтегаем, разтеглив.

stretto ['stretou] *n муз.* част/заключителен пасаж от фуга, изпълняван в ускорено темпо, стрето.

strew [stru:] *v* (*pp* **strewed, strewn** [stru:d, stru:n]) (раз)пръсвам; обсипвам, осейвам; **to** ~ **flowers, etc. over a path, to** ~ **a path with flowers, etc.** обсипвам/покривам/застилам път с цветя и пр.

'strewth [stru:θ] = **'struth**.

stria ['straiə] *n* (*pl* **striae** [straii:]) **1.** *анат., зоол., бот.* рязка, черта, ивица; браздичка; **2.** *геол.* жилка; **3.** *арх.* вертикален жлеб, канелюр.

striate(d) ['straieit(id)] *a анат., зоол., бот.* на ивици/резки, набразден; **2.** *геол.* с/образуващ жили; **3.** *арх.* с вертикални жлебове/канелюри.

stricken ['strikən] *a* **1.** поразен, връхлетян (*от болест и пр.*); **2.** пострадал, постигнат от бедствие; ~ **with grief** сломен от скръб, покрусен; **3.** *в съчет.* обхванат/обзет от (*ужас, паника и пр.*); **4.** равен, без връх (*за мярка*); **5.** *ам.* задраскан, зачеркнат (**from** от); □ ~ **field** решителен бой; полесражение.

strickle ['strikl] *n* **1.** равнилка (*при мерене на зърнени храни*); **2.** точило (*за коса и др. сечива*).

strict [strikt] *a* **1.** строг, взискателен; недопускащ отклонения/изключения; **to keep a** ~ **hand over s.o.** държа някого здраво/строго; **in** ~ **seclusion** в пълно уединение; **in** ~ **confidence** строго поверително; ~ **imprisonment** строг тъмничен затвор; **2.** точен, стриктен; тесен, ограничен.

strictly ['striktli] *adv* строго; точно; ~ **speaking** по-точно казано, строго погледнато.

strictness ['striktnis] *n* 1. строгост, взискателност; 2. точност.

stricture ['striktʃə] *n* 1. *обик. pl* строга критика, порицание; осъждане; **to pass** ~**s (up)on s.o.** критикувам, не одобрявам; порицавам някого; 2. ограничаване, ограничение; 3. *мед.* стеснение на канал, орган и пр., стриктура.

stride[1] [straid] *v* (**strode** [stroud] ; **stridden** [stridn]) 1. крача; прекрачвам (**over, across**); 2. обикалям, ходя из (*улици и пр.*); 3. вървя с/правя големи крачки; 4. *ряд.* възсядам, яхвам.

stride[2] *n* (голяма) крачка; разкрач; **to get into/hit o.'s** ~ влизам в темпото, навлизам в работата си, заработвам бързо и ефикасно; **to take s.th. in o.'s** ~ върша нещо с лекота, справям се с нещо без усилие; правя нещо мимоходом; **to shorten/to lengthen the** ~ забавям/ускорявам крачката; **to be thrown out of o's** ~ смутен/объркан съм; **to make great** ~**s** напредвам бързо, правя голям прогрес; □ **she took the news in her** ~ тя посрещна спокойно новината.

stridency ['straidənsi] *n* пронизителност; острота, рязкост.

strident ['straidənt] *a* остър, рязък; пронизващ (*за звук и пр.*).

stridor ['straidə] *n* 1. скърцащ/пронизващ звук; 2. *мед.* хрип, свистене (*при дишане*).

stridulant ['stridjulənt] *a* 1. *зоол.* цвъртящ, скръцлив (*за насекомо*); 2. *мед.* свирещ, свистящ, хрипкав.

stridulate ['stridjuleit] *v зоол.* цвърча, скърцам (*за насекомо*).

stridulation ['stridju'leiʃn] *n* цвъртене, скърцане.

stridulous ['stridjuləs] *a* рязък, пронизващ (*за глас*).

strife [straif] *n* 1. борба; спор, несъгласие; кавга; 2. съперничество, съревнование.

strigose ['straigəs] *a* 1. *бот.* окосмен, люспест (*за лист и пр.*); 2. *зоол.* набразден, на ивици/резки (*за насекомо*).

strike[1] [straik] *v* (**struck** [strʌk] ; **struck, stricken** ['strikən]) 1. удрям (се), блъскам (се), сблъсквам (се) (**on, against** о, в, с); 2. удрям, нанасям удар (*с ръка, оръжие и пр.*); ~ **while the iron is hot** желязото се кове, докато е горещо; 3. прострелвам, промушвам; 4. *воен.* удрям, нападам; 5. удрям-(*клавиш, акорд и пр.*); дръпвам (*струна*); **to** ~ **to the heart** забивам нож в сърцето (*и прен.*); **to** ~ **hands/a bargain** сключвам сделка, постигам споразумение; 6. поемам, хващам, тръгвам по (*път*); **to** ~ **to the left** завивам наляво; 7. удрям, поразявам, повалям (*за болест, гръм и пр.*); всявам ужас (**in, into** у, в); **to be struck blind/deaf** внезапно ослепявам/оглушавам; 8. бия, удрям (*за часовник*); удрям (*за час*); **his hour has struck** *прен.* часът му удари; 9. правя впечатление; **how did the film** ~ **you?** какво впечатление ти направи филмът? какво мислиш за филма? **it** ~**s me that** прави ми впечатление, че; **it struck my eye** направи ми впечатление, забелязах; **it** ~ **s me as ridiculous** вижда ми се/струва ми се смешно/абсурдно; **the idea struck me that** дойде ми наум/хрумна ми, че; 10. натъквам се на, правя находка; откривам (*залежи и пр.*); **to** ~ **oil** откривам петрол; *прен. разг.* забогатявам; удрям кьоравото; **to** ~ **it lucky** *разг.* извадвам късмет, щастие ми се усмихва; **to** ~ **it rich** забогатявам неочаквано; **to** ~ **home** удрям/попадам на място, улучвам; *прен.*

постигам желания резултат; 11. паля (се), запалвам (се), драсвам (*кибрит*), щраквам (*запалка*); **to** ~ **fire/sparks/light out of** вадя искри от (*кремък и пр.*), *прен.* накарвам (*някого*) да блесне (*в разговор и пр.*); 12. сека, изсичам (*монети, медали*); 13. свивам (*платно на лодка, знаме*); вдигам лагер; 14. стачкувам; 15. заемам поза; 16. изравнявам (*мярка за жито и пр.*); 17. правя (*баланс*); намирам (*средно число*); 18. съставям (*жури и пр.*); 19. сключвам (*сделка*); 20. клъввам (*за риба*); ухапвам (*за змия и пр.*); засичам (*с въдица*); 21. вкоренявам (се); поникнам, хващам се (*за растение*); закрепвам се за скала (*за мида*); 22. образувам, описвам (*кръг, дъга*), тегля (*черта*); 23. проникнам (*за светлина*); пронизвам (*за студ*); просмуквам се, избивам (*за влага*) (**through** през); 24. зачерквам, задрасквам; 25. *воен.* предавам се; 26. *ам. воен.* служа като ординарец;

~ **at** посягам да ударя; *прен.* посягам на (*свободи и пр.*); **to** ~ **at the root of** *прен.* опитвам се/мъча се да изкореня, изкоренявам;

strike back отвръщам на удара с удар; не оставам длъжен;

strike down повалям, събарям; убивам (*за болест и пр.*) (*и прен.*);

strike in 1) удрям, засягам, проникнам в (*за болест и пр.*); 2) обаждам се; намесвам се (*в работа, разговор и пр.*);

strike off 1) отсичам; 2) заличавам, зачерквам (*от списък на адвокати, лекари и пр.*); 3) отпечатвам (*екземпляр, копие*); 4) *ам.* правя (*нещо*) добре и с лекота; 5. *ам.* описвам (*нещо*) ясно и точно;

strike on 1) попадам на; идва ми/хрумва ми внезапно (*идея*); 2) осветявам (*за светлина*); □ **to be struck on** влюбен съм в;

strike out 1) замахвам, удрям (**at** по); **to** ~ **out right and left** удрям безразборно/наляво и надясно; 2) поемам/заплувам енергично (**for, towards** към) (*за плувец*); 3) започвам, предприемам; **to** ~ **out for o.s.** заработвам самостоятелно, ставам самостоятелен; **to** ~ **out on a new plan** започвам да прилагам нов план; 4) измислям, изобретявам; **to** ~ **out on a line of o.'s own** проявявам оригиналност/самобитност; вървя по свой път; 5) задрасквам, зачерквам;

strike through задрасквам, зачеквам;

strike up 1) запявам, засвирвам; 2) започвам, завързвам (*разговор, познанство, приятелство и пр.*)

strike[2] *n* 1. стачка; стачкуване; **to be (out) on** ~ стачкувам; **to come/go out on** ~ излизам на/започвам стачка; стачкувам; 2. нападение (*особ. от въздуха*) 3. неочаквана находка; *прен.* попадение; неочакван успех; **lucky** ~ щастливо откритие; 4. *геол., мин* посока, направление (*на пласт*); 5. *тех.* равнило 6. клъвване (*на риба*); 7. *ам. сп.* удар.

strike-breaker ['straikbreikə] *n* стачкоизменник.

strikebound ['straikbaund] *a* парализиран от стачка (*за завод, индустрия и пр.*).

strike-pay ['straikpei] *n* надници, плащани на стачкуващ работници от профсъюзните фондове.

striker ['straikə] *n* 1. стачник; 2. *тех.* чукач; 3. рибар, кой то изстрелва харпун; 4. *тенис* играч, който връща топката; *футб.* играч, който шутира; 5. ударен инструмент; 6. чукче (*на стенен часовник*); език (*камбана*); ударник (*на огнестрелно оръжие*); 7. *ам.* ковач.

striking ['straikiŋ] *a* 1. поразителен, забележителен, удивителен; 2. ударен, атакуващ; 3. удрящ, биещ; **a clock** часовник, който отбелязва часовете с биене

string[1] [striŋ] *n* **1.** връв, канап; **on a ~** изцяло под влиянието/властта на; **to have/keep s.o. on a ~** *разг.* въртя някого на пръста си, водя го за носа; **2.** тетива; **to have two ~s to o.'s bow** *прен.* имам и друг начин за постигане на целта си; не разчитам само на едно нещо; **3.** спортна категория; **first ~** 1) най-добър атлет/играч; 2) атлет/играч от първи състав/от А отбор; *прен.* главна надежда/опора; **second ~** 1) дубльор; 2) атлет/играч от втори състав/Б отбор; *прен.* друга възможност, алтернатива; **4.** струна (*на цигулка и пр.*) (*и прен.*); **to touch the ~s** свиря (*на арфа и пр.*); **the ~s** струнните инструменти в оркестъра, шрайхът; **to touch a ~** засягам някаква струна/чувствително/болно място; **5.** кордаж (*на ракета за тенис*); **6.** ширит, лента; връзка; **7.** жила, жилка; сухожилие; **8.** конец (*на зелен фасул и пр.*); **9.** низ, наниз, сплит; връзка (*маниста, лук и пр.*); *прен.* ред, редица, върволица; поредица; **10.** *разг.* условие, ограничение; **witout/with no ~s attached** безкористен, необвързващ, без предварителни условия/уговорки (*за помощ, заем и пр.*); **11.** *конен сп.* коне, принадлежащи на един собственик.

string[2] *v* (**strung** [strʌŋ]) **1.** снабдявам с канап/връв/тетива; слагам струни (*на цигулка и пр.*); настройвам (*цигулка и пр.*); **2.** завързвам/пристягам с връв; **3.** нанизвам (*маниста, гердан и пр.*); **4.** чистя (*фасул*) от конците; **5.** *прен.* стягам се, напрягам се; **nerves strung up to the highest pitch** с опънати до крайна степен нерви; **6.** точа се, ставам на конци (*за лепило и пр.*); **7.** *ам. разг.* баламосвам, будалкам; **string along** 1) *разг.* мамя, залъгвам; 2) **to ~ along with** придружавам, съпровождам; верен/предан съм; доверявам се; **string out** нареждам/разполагам в дълга верига; движа се в колона/върволица; **string up** 1) напрягам (*воля и пр.*); опъвам (*нерви*); 2) окачвам на връв; *sl.* обесвам; 3) подготвям; 4) подстрекавам.

string alphabet ['striŋ'ælfəbet] *n* азбука за слепи (*с възли на връв*).

string bag ['striŋbæg] *n* пазарска мрежа.

string band ['striŋbænd] *n* струнен оркестър.

string bass ['striŋbeis] *n* контрабас.

string bean ['striŋbi:n] *n* *бот.* зелен фасул (Phaseolus vulgaris).

string-board ['striŋbɔ:d] *n* странична дъска на стълба.

string-course ['striŋkɔ:s] *n* *арх.* междуетажен корниз/перваз/пояс/мулюра.

stringed ['striŋd] *a* струнен (*за инструмент*); **four ~** четириструнен.

stringency ['strinʤənsi] *n* **1.** строгост (*на правила, разпоредби*); **2.** сила, убедителност (*на довод и пр.*); **3.** недостиг, липса (*на пари*).

stringendo [strin'ʤendou] *adv* *муз.* с ускоряващо се темпо.

stringent ['strinʤənt] *a* **1.** строг (*за правилник и пр.*); **2.** неоспорим (*за довод и пр.*); **3.** *фин.* ограничен (*за пазар, средства*).

stringer ['striŋə] *n* **1.** акордьор; **2.** надлъжна греда; **3.** *тех.* подпорна греда (*на мост*); **4.** *геол.* жила; **5.** *жур.* нещатен дописник.

string-halt ['striŋhɔ:lt] *n* *вет.* шпат.

stringiness ['strinjinis] *n* **1.** жилавост (*на месо*); **2.** лепкавост.

string-piece ['striŋpi:s] *n* хоризонтална носеща/съединителна греда.

string quartet ['striŋkwɔ:'tet] *n* *муз.* струнен квартет.

string tie ['strinjtai] *n* много тясна вратовръзка.

string vest ['strinjvest] *n* (едро)мрежест потник.

stringy ['strinji] *a* **1.** твърд, жилав, жилест; **2.** гъст, лепкав, точещ се.

strip[1] [strip] *v* (**-pp-**) **1.** лишавам от собственост/принадлежност/ранг и пр.; **2.** оголвам (*къща и пр.*) от мебелировка/(*легло*) от завивки/(*кораб*) от съоръжения/(*дърво*) от кора и клони; **to ~ (down)** разглобявам (*машина и пр.*) за преглед/поправка; отстранявам (*боя*) с разтворител; **3.** обирам (*плодове на дърво, пари на човек*); **4.** събличам (се); **to ~ s.o. to the skin** събличам някого съвсем гол; **~ped to the waist** гол до кръста; **4.** издоявам до капка (*крава и пр.*); **6.** повреждам, изхабявам (*нарез, зъби на колело*); **7.** *воен. мор.* демонтирам; **8.** остригвам (*куче*).

strip[2] *n* **1.** ивица (*вода, земя, хартия и пр.*); лента; **metal ~** железна шина; **comic ~** комичен/приключенски и пр. разказ в рисунки, комикс; **2.** дрехи, носени от членове на футболен отбор; □ **to tear s.o. off a ~** *sl.* смъмрям/порицавам гневно някого.

strip[3] *v* (**-pp-**) режа/нарязвам на ивици.

strip cartoon ['strip‚ka:'tu:n] *n* (вестник, поместващ) комичен/приключенски роман в рисунки.

stripe [straip] *n* **1.** рязка, райе; шарка (*на тигър и пр.*); **2.** раиран плат; **blue with a white ~** син плат/синьо на бели райета; **3.** нашивка, шеврон; **to get/lose a ~** произведен/понижен съм; **4.** отпечатък/белег от камшик; **5.** *ост.* удар с камшик; **6.** *ам.* вид, тип, категория; **7.** *pl* *разг.* тигър.

striped ['straipt] *a* раиран, на райета; на резки.

striper ['straipə] *n* *воен. sl.* лице с военен чин; **2.** флотски офицер; **3.** сержант.

strip-lighting ['striplaitiŋ] *n* *ел.* луминесцентно осветление.

stripling ['stripliŋ] *n* младеж; *ам.* юноша.

stripper ['stripə] *n* **1.** *тех.* стрипер-кран; **2.** вид комбайн; **3.** *тех.* мънач; **4.** *sl.* кабаретна артистка, която постепенно се съблича гола.

strip-tease ['stripti:z] *n* кабаретен номер, при който изпълнителката постепенно се съблича гола, стриптийз.

stripy ['straipi] *a* на резки/райета, раиран.

strive [straiv] *v* (**strove** [strouv]; **striven** ['strivn]) **1.** стремя се, правя усилия; опитвам се; **2.** боря се (*с противник, трудност, изкушение и пр.*) (**with, against**).

striving ['straiviŋ] *n* усилия, борба, стремеж (**for**).

strobile ['stroubil] *n* *бот.* борова шишарка; шишарковиден цвят.

stroboscope ['stroubəskoup] *n* *опт.* стробоскоп.

strode *вж.* **stride**[1].

stroke[1] [strouk] *n* **1.** удряне, удар (*и прен.*); *мед.* припадък, пристъп, удар (*апоплектичен и пр.*); **a ~ of genius** гениално хрумване; чудесна идея; **a ~ of business** изгодна сделка; **a ~ of lightning** попадение на мълния; **a clever ~** *прен.* ловък ход, неочакван резултат; **I haven't done a ~ of work** не съм свършил нищо, не съм си мръднал пръста; **2.** удар (*на часовник, сърце и пр.*); **3.** *прен.* удар, нещастие, беда; **4.** загребване (*при гребане, плуване*); **the swimming ~s** плувни стилове; **5.** удар, плясък, размах (*на криле*); **6.** единично движение, замах (*на четка, перо, бутало и пр.*); **at a ~** с един замах/удар; **7.** тънка линия/черта, щрих; **with one ~ of the pen** с едно драсване на перото; само с един подпис; **8.** поглаждане с ръка, погалване, помилване; **9.** *сп.* първи гребец; □ **to be off o.'s ~** не се представям добре (*със свирене, игра и пр.*).

stroke[2] *v* **1.** гладя/поглаждам с ръка, милвам, галя;

to ~ s.o. down успокоявам/усмирявам гнева на някого; to ~ s.o. (up) the wrong way дразня/нервирам някого; 2. първи гребец на лодка съм, определям темпото на гребане.

stroll[1] [stroul] v 1. разхождам се бавно/безцелно; шляя се, разкарвам се; 2. странствувам (за театрална трупа и пр.).

stroll[2] n разходка; to go for/take a ~ разхождам се, поразтъпквам се.

stroller ['stroulə] n 1. разхождащ се човек; 2. скитник, бродяга; 3. детска спортна количка; 4. странствуващ артист, музикант и пр.

strolling ['strouliŋ] a бродещ; странствуващ (артист, музикант).

stroma ['stroumə] n (pl -mata [-mətə]) биол. основна съединителна тъкан, строма.

strong [strɔŋ] a 1. силен; твърд (и прен.); a ~ candidate сериозен кандидат; ~ drink алкохолно питие; ~ measures решителни/драстични мерки; to have ~ nerves имам здрави нерви; to be ~ in добър, силен, сведущ съм по; to be ~ in the affections of people обичан съм от всички; ~ language обидни/силни думи, ругатни, хули; the ~ point of силното място/силата на; ~ evidence убедително доказателство; ~ resemblance голяма прилика; ~ style сбит, стегнат изразителен стил; 2. здрав, як, издръжлив; a ~ castle здраво укрепена крепост; ~ fellow здравеняк; ~ eyes добро зрение; ~ in health в добро здравословно състояние; to grow ~er засилвам се, укрепвам; the ~ здравите/силните хора; 3. неоспорим, необорим (за аргумент и пр.); 4. със силна миризма, зловонен; ~ cheese миризливо/пикантно сирене; ~ butter гранясало масло; 5. многоброен; на брой; a ~ army многочислена армия; an army 100 000 ~ армия, наброяваща 100 000 души, стохилядна армия; 6. голям, горещ (за привърженик); 7. грам. силен (за глагол, склонение); фон. ударен; 8. търг. растящ, покачващ се, задържащ се висок (за цена, курс); 9. фот. контрастен; 10. силен, остър, рязък (за вкус, мирис и пр.); □ to be ~ on s.th. придавам особено голямо значение на нещо; ~ meat прен. костелив орех; the ~er sex силният пол, мъжете; to be going ~ продължавам да съм в добро здраве/състояние; to come/go it ~ разг. нямам мярка, не се спирам пред нищо; прекалявам, преувеличавам, пресилвам.

strong arm ['strɔŋa:m] n употреба на сила; by the ~ чрез сила/насилие.

strong-arm[1] ['strɔŋa:m] a разг. брутален, насилнически (за метод, тактика и пр.).

strong-arm[2] v употребявам груба сила/насилие; нападам.

strong-box ['strɔŋbɔks] n каса за ценности, сейф.

stronghold ['strɔŋhould] n укрепление, крепост; прен. опора.

strong interaction ['strɔŋintərˈækʃn] n физ. силно взаимодействие между някои елементарни частици.

strongish ['strɔŋiʃ] a доста силен.

strongly ['strɔŋli] adv силно, решително, енергично.

strong-minded ['strɔŋmaindid] a 1. с жив/остър ум; 2. енергичен, решителен; самостоятелен.

strong-point ['strɔŋpoint] n 1. специално укрепена отбранителна позиция; опорна точка; 2. прен. това, в което

то е силата на някого/в което е най-добър; отличителна способност.

strong-room ['strɔŋrum] n помещение за съхраняване на ценности, трезор.

strong suit ['strɔŋsju:t] n 1. бридж\и пр. силен цвят; 2. прен. това, в което човек е най-добър/в което е силата му.

strontia ['strɔnʃə] n хим. стронциев окис.

strontium ['strɔnʃəm] n хим. стронций; ~ 90 силно радиоактивен изотоп на стронция (съдържащ се в праха при атомна експлозия).

strop[1] [strɔp] n 1. ремък/каиш за точене; точило; 2. мор. строп.

strop[2] v (-pp-) точа на ремък/с точило.

strophanthin [strəˈfænθin] n фарм. строфантин.

strophe ['stroufi] n строфа, стихове.

strophic ['stroufik] a строфичен, съставен от строфи.

stroppy ['strɔpi] a sl. сърдит, ядосан; раздразнителен; труден, мъчен (за човек).

structural ['strʌktʃərəl] a 1. структурен; 2. ез., псих. и пр. структурален (за лингвистика и пр.); 3. строителен (за инженерство, материали и пр.); ~ steel строителна стомана; 4. тектоничен.

structuralism ['strʌktʃərəlizm] n 1. псих. структурализъм; 2. структурална лингвистика.

structure ['strʌktʃə] n 1. структура, строеж, устройство; постройка (на художествено произведение и пр.); 2. голяма сграда/постройка.

structureless ['strʌktʃəlis] a биол., геол. аморфен.

strudel ['stru:dl] n щрудел; apple ~ щрудел с ябълки.

struggle[1] ['strʌgl] v 1. боря се, преборвам се (with, against); 2. прен. напрягам се, мъча се, правя усилие; to ~ to o.'s feet изправям се/ставам с усилие/мъка; to ~ for a prize състезавам се/боря се за награда; to ~ along напредвам с мъка; разг. карам я някак си; to ~ in/out/through с мъка си пробивам път да вляза/изляза/премина; we ~d through преодоляхме всички трудности/препятствия;
struggle away откъсвам се (и прен.);
struggle into 1) навличам (дреха); 2) с мъка заемам (място, положение);
struggle up с голямо усилие/едва изкачвам (връх склон и пр.).

struggle[2] n 1. борба, преборване (и прен.) (with c, for за) бой; hand-to-hand ~ ръкопашен бой; to give in without a ~ предавам се без всякаква съпротива; 2. борба усилие; the ~ for existence/life борба за съществуване (и биол.).

struggling ['strʌgliŋ] a борещ се (особ. прен.); ~ artist ми зерстващ художник.

strum[1] [strʌm] v (-mm-) дрънкам (на пиано, китара и пр.).

strum[2] n дрънкане (на пиано, китара и пр.).

struma ['stru:mə] n (pl -mae [-mi:]) 1. скрофули; гуша; ме скрофулоза; 2. бот. леко удебеление в основата н орган.

strumose ['stru:mous] a заболял от струма; скрофулозе

strumpet ['strʌmpit] n ост. проститутка.

strung вж. **string**[1].

strut[1] [strʌt] v (-tt-) ходя/стъпвам важно/наперено; перч се.

strut[2] n важна/наперена походка/стъпка.

strut[3] n стр. коса подпора, паянта.

strut[4] v (-tt-) подпирам/подкрепям с коса подпора.

'struth [stru:θ] int виж ти! ей богу! бога ми!

struthious ['stru:θiəs] a зоол. щраусов.

strychnic ['striknik] a стрихнинов.

strychnine ['strikni:n] n стрихнин.

strychn(in)ism ['strikn(in)izm] n отравяне със стрихнин

stub[1] [stʌb] n 1. пън; 2. корен (на зъб); 3. малко пар остатък (*от нещо*); угарка; къс молив; **a ~ of a tail** късо отрязана опашка; **4.** кочан (*от билети и пр.*); **5.** *тех.* коляно; **~ line** тръбна наставка, щуцер.

stub² v (**-bb-**) **1.** изкоренявам пънове (*обик. с* up); **2.** удрям крака си в нещо; **3.** подритвам; **4.** загасям (*цигара, пура*) чрез натискане в пепелник и пр. (*обик. с* out); **5.** прочиствам (*площ*) от коренища.

stubbed [stʌbd] *a* **1.** отсечен (*за дърво*); притъпен; скъсен; **2.** разчистен от пънове и коренища.

stubble ['stʌbl] *n* **1.** стърнище; **2.** набола/неизбръсната брада; **a week's ~ on his chin** небръснат от една седмица.

stubbly ['stʌbli] *a* **1.** покрит със стърнища; **2.** набол, четинест (*за брада*); стърчащ, щръкнал (*за коса*).

stubborn ['stʌbən] *a* **1.** крайно упорит, непреклонен; инат; **2.** неподатлив; труден за обработване.

stubbornness ['stʌbənnis] *n* упоритост, упорство; инат.

stubby ['stʌbi] *a* **1.** нисък и набит; **2.** къс и дебел (*за пръсти на ръка*).

stucco ['stʌkou] *n* хоросанова/циментова замазка/мазилка.

stuccowork ['stʌkouwə:k] *n* декоративна мазилка/замазка.

stuck *вж.* **stick¹**.

stuck-up ['stʌk'ʌp] *a разг.* надменен, наперен, надут.

stud¹ [stʌd] *n* **1.** расови коне, отглеждани за разплод; **at ~** заеман за разплод срещу такса (*за расов кон*); **2.** конезавод.

stud² *n* **1.** кабър; декоративен гвоздей с голяма глава; **2.** металическа плочка за маркировка (*на пресечки и пр.*); **3.** копче за (подвижна) яка (*на риза и пр.*); **4.** *тех.* разпорка (*на верига*); разделка; шайба; **5.** стойка в дървена преграда.

stud³ v (**-dd-**) **1.** притягам; приковавам; **2.** покривам/украсявам с едри гвоздеи с големи глави; **iron ~ded door** дървена порта, украсена с ковани гвоздеи; **3.** обсипвам, осейвам; **4.** поставям стойка в дървена преграда.

stud-book ['stʌdbuk] *n* родословна книга на расови коне.

studding-sail ['stʌdiŋseil] *n мор.* допълнително платно, лисел.

student ['stju:dənt] *n* **1.** студент; **a law ~** студент по право, юрист; **2.** *ам.* ученик; **3.** ученолюбив човек; **4.** човек, който изучава внимателно/проучва нещо; **5.** учен; **6.** стипендиант.

studentship ['stju:dəntʃip] *n* **1.** студентски години, студентство; **2.** стипендия.

stud-farm ['stʌdfa:m] *n* конезавод.

stud-horse ['stʌdhɔ:s] *n* жребец.

studied ['stʌdid] *a* **1.** преднамерен, грижливо обмислен; предварително подготвен; умишлен; **2.** престорен, изкуствен; **3.** прекалено изискан, претенциозен (*за стил и пр.*); **4.** *ам.* начетен.

studiedly ['stʌdidli] *adv* **1.** обмислено, преднамерено; престорено.

studio ['stju:diou] *n* **1.** ателие, студио (*на художник, фотограф и пр.*); **2.** *рад., телев., кино* студио; **3.** разтегателен диван.

studious ['stju:diəs] *a* **1.** прилежен, усърден, работлив; **2.** старателен, грижлив (**of, to** с *inf*); **3.** обмислен; преднамерен; **4.** подчертан.

study¹ ['stʌdi] *n* **1.** изучаване, изследване, проучване; **a ~ group** работна група; **2.** и *pl* учение, учебни занимания, следване; наука; **to make a ~ of** проучвам, изследвам; **to finish o.'s studies** завършвам ученето си; **3.** есе; етюд; скица; музикално упражнение; **4.** грижа, внимание, старание; **5. to be a quick/slow ~** *театр.* бързо/бавно заучавам ролите

си; **6.** работен кабинет; *уч.* читалня, занималня; **7.** обект/проблем за/заслужаващ проучване.

study² v **1.** изучавам, изследвам, проучвам; **2.** уча, следвам; **to ~ for the bar** следвам право; **3.** разглеждам внимателно и подробно (*карта и пр.*); проявявам интерес към; **4.** старая се, полагам грижи за; **5.** зачитам, почитам; **6.** уча наизуст, запаметявам (*роля и пр.*); **7.** разгадавам, разчитам; **8.** размишлявам; **9.** обмислям.

study-hall ['stʌdihɔ:l] *n уч.* занималня.

stuff¹ [stʌf] *n* **1.** материя, вещество; **good/nasty ~** хубаво/отвратително нещо; **sweet ~** сладки неща; **lots of ~ about it in the papers** много/сума нещо има писано за това във вестниците; **his poems are poor ~** стиховете му са слаби; **doctor's ~** лекарство; **rough ~** *разг.* колоездачно състезание; *sl.* хулиганство; **that's the ~** ха така; точно така! браво! **2.** боклуци; сбирщина от предмети; непотребни вещи; **3. all ~ (and nonsense)!** глупости! **4.** материал (*и прен.*); елементи, заложби, характер; **do your ~** покажи какво можеш; изкарай си номера; **to know o.'s ~** разбирам си от работата/занаята; **there's good ~ in him** той е многообещаващ, има добри заложби; **5.** *тех.* уплътнителен материал; **6.** *sl.* пари; **7.** *ост.* вълнен плат; **~ gown** вълнена тога на младши адвокат.

stuff² v **1.** тъпча, натъпквам (*и прен.*); **to ~ o.s.** тъпча се, преяждам; **2.** пълня, напълвам (*кокошка и пр.*); **3.** запълням, запушвам; пломбирам (*зъб*); **my nose is ~ed up** носът ми е запушен; **4.** препарирам; **5.** тъпча/натъпквам със знания (*при подготовка за изпит*); **6.** пъхвам, мушвам; **7.** заблуждавам, подвеждам; **8.** *sl.* заразявам; **9.** *ам. пол.* пускам фалшива бюлетина в урната; **10.** *вулг.* съвъкупявам се с жена.

stuffed shirt ['stʌftʃə:t] *n разг.* наперено нищожество.

stuffiness ['stʌfinis] *n* задуха; тежък/застоял въздух.

stuffing ['stʌfiŋ] *n* **1.** тъпчене, натъпкване; пълнене; **2.** *готв.* пълнеж, плънка, фарш; **3.** материал за пълнене на възглавници, дюшеци и пр.; **4.** *тех.* уплътняване, шайба; □ **to knock/take/beat the ~ out of s.o.** *разг.* 1) смазвам/съсипвам/разпердушинвам някого; смачквам фасона на някого; оборвам нечии доводи; 2) отслабям/измарям/изтощавам някого; оставям го без сили (*за болест и пр.*).

stuffing-box ['stʌfiŋbɔks] *n тех.* салник.

stuffy ['stʌfi] *a* **1.** задушен, непроветрен (*за помещение*); застоял (*за въздух*); **2.** *разг.* тесногръд, старомоден; безинтересен, скучен, „мухлясал"; **3.** *разг.* превзет; педантичен; докачлив; недоволен, нацупен, нелюбезен; **4.** *ам.* запушен (*за нос*).

stull [stʌl] *n ам. мин.* подпора.

stultification [stʌltifi'keiʃn] *n* **1.** омаловажаване; окарикатуряване; **2.** затъпяване.

stultify ['stʌltifai] v **1.** правя да изглежда безсмислен/безполезен/нелогичен; омаловажавам; окарикатурявам; **2.** *юр.* доказвам невменяемостта на; **3.** разстройвам; **4.** свеждам до нула; **5.** правя да затъпее (*умствено*).

stum¹ [stʌm] *n* гроздов сок, шира, мъст.

stum² v (**-mm-**) **1.** спирам (*със сяра и пр.*) ферментацията на вино; **2.** подновявам ферментацията на вино (*като добавям шира*).

stumble¹ ['stʌmbl] v **1.** спъвам се, препъвам се (**over** о, в); **2.** запъвам се, запирам се, обърквам се; казвам/чета неуверено; **3.** извършвам прегрешение; греша; **4.** *ост.* озадачавам;

    stumble across натъквам се/попадам на;

    stumble against блъскам се/спъвам се в;

    stumble along вървя/тичам с неуверени стъпки; залитам, олюлявам се;

    stumble at озадачавам се/обърквам се от;

    stumble on/upon попадам/натъквам се неочаквано на.

stumble² *n* **1.** препъване; залитане; **2.** *прен.* погрешна стъпка; грешка; прегрешение.

stumbling-block ['stʌmbliŋblɔk] *n* спънка, пречка, препятствие; трудност.

stumer ['stju:mə] *n sl.* **1.** фалшива монета/банкнота; невалиден чек; **2.** измама; провал; **3.** за нищо негоден човек.

stump¹ [stʌmp] *n* **1.** дънер, пън; **2.** остатък от нещо; корен (*на зъб*); изписан молив; угарка; ампутиран крайник; **3.** дървен крак; **4.** *разг.* крака, "пергели", джонгъли; **to stir o.'s ~s** *разг.* размърдвам се, активизирам се; забързвам; **5.** импровизирана трибуна; **to go/bе on/take the ~** държа политически речи, водя агитация; **6.** *крикет* една от пръчките на вратата; **to draw ~s** приключвам играта; **7.** *pl* късо остригана щръкнала коса; **8.** *жив.* естомп, вишер; **9.** тежка стъпка; □ **to run against a ~** сблъсквам се с някаква трудност; **to be up a ~** *ам. разг.* в безизходно положение съм, не зная какво да правя.

stump² *v* **1.** очиствам от пънове; **2.** озадачавам, затруднявам, обърквам; **to be ~ed for an answer** не зная как да отговоря; **3.** вървя/стъпвам тежко/шумно/тромаво; **4.** спирам развитието на; **5.** *крикет* изваждам от играта; **6.** водя предизборна агитация; **7.** ходя/извървявам пеша (*и* **to ~ it**); **8.** отсичам, окастрям силно (*дърво*); **9.** удрям се, препъвам се; **10.** *жив.* размазвам/разтривам с естомп; **11.** *sl.* оставам без пари; **to be ~ed** без стотинка съм; **12.** *ам.* призовавам на съревнование; предизвиквам;

    stump along куцам, накуцвам; стъпвам тежко;

    stump in/out влизам/излизам куцешком/накуцвайки;

    stump up *sl.* плащам искана сума, "изръсвам се".

stumper ['stʌmpə] *n* **1.** *крикет разг.* вратар; **2.** *разг.* труден/затрудняващ въпрос; **3.** неразрешима задача.

stumpy ['stʌmpi] *a* **1.** нисък и набит; **2.** къс и дебел (*за пръсти на ръка*); **3.** покрит/пълен с пънове (*за терен*).

stun [stʌn] *v* (**-nn-**) **1.** зашеметявам; довеждам до безсъзнание (*за удар*); **2.** изплашвам; смайвам; слисвам; **3.** проглушавам ушите (*за шум*); **4.** шокирам; **5.** *sl.* замайвам (*за радост, любов и пр.*).

stung *вж.* **sting¹**.

stunk *вж.* **stink¹**.

stunner ['stʌnə] *n* **1.** *разг.* прекрасен/прелестен/изумителен човек/предмет; **he is a ~** той е чудо, няма грешка; **this hat is a ~** тази шапка е истинска прелест; **she is a ~** тя е удивително красива; **2.** *разг.* голям майстор (*на сладкиши, салати и пр.*).

stunning ['stʌniŋ] *a* **1.** зашеметяващ, слисващ; шокиращ; **2.** поразително красив, очарователен, разкошен; смайващ.

stunsail, stuns'l ['stʌnsel, -sl] = **studding-sail**.

stunt¹ [stʌnt] *v* спирам изкуствено растежа на, осакатявам (*дърво, растение и пр.*) (*и прен.*).

stunt² *n* **1.** *разг.* ефектен акробатически и пр. номер; действие, свързано с голям риск и изискващо лов-

кост и смелост; **2.** сензационна новина/реклама и пр.; **3.** *ав.* фигура от висшия пилотаж; **4.** *футб.* смяна в позициите на защитниците с цел да се внесе объркване у противника.

stunt³ *v ав.* правя въздушна акробатика.

stunted ['stʌntid] *a* спрян в растежа/развитието си; закърнял.

stunt man ['stʌntmən] *n кино* дубльор на артист в сцени, свързани с опасност/ловкост.

stupe¹ [stju:p] *n* горещ компрес; лапà.

stupe² *v* слагам горещ компрес/лапà.

stupe³ *n разг.* глупак.

stupefacient [stju:pi'feiʃnt] *n ам.* **1.** притъпяващо сетивата средство; **2.** *мед.* упояващо/наркотично средство, опиат.

stupefaction [stju:pi'fækʃn] *n* **1.** притъпяване; **2.** слисване, изумление.

stupefy ['stju:pfai] *v* **1.** притъпявам, затъпявам; замайвам (*за опиат*); **2.** вцепенявам (*от страх и пр.*); **3.** изумявам, втрещявам, смайвам.

stupendous [stju:'pendəs] *a* **1.** изумителен (*особ. по размери*); **2.** удивителен, поразителен, слисващ.

stupid¹ ['stju:pid] *a* **1.** глупав, бавно схващащ, тъп; **2.** безинтересен, безсмислен; **3.** зашеметен, замаян, затъпял (*от пиянство, болка, сън и пр.*).

stupid² *n разг.* глупак.

stupidity [stju:'piditi] *n* глупост; тъпота.

stupor ['stju:pə] *n* **1.** унес, пълна апатия, полусъзнание; **2.** *мед.* вцепенение, ступор.

stuporous ['stju:pərəs] *a* **1.** унесен; **2.** *мед.* вцепенен, в ступор.

sturdied ['stə:did] *a вет.* въртоглав (*за овца*).

sturdiness ['stə:dinis] *n* якост, набитост; здравина.

sturdy¹ ['stə:di] *a* **1.** здрав, жизнен; силен, як; **2.** твърд, решителен, енергичен; упорит.

sturdy² *n вет.* въртоглавие.

sturgeon ['stə:dʒən] *n зоол.* есетра (Acipenser).

stutter¹ ['stʌtə] *v* **1.** заеквам, пелтеча; **2.** говоря смутено/неуверено/със заекване.

stutter² *n* заекване, запъване, пелтечене.

stutteringly ['stʌtəriŋli] *adv* със заекване/запъване.

sty¹ [stai] *n* **1.** кочина; *прен.* много мръсно/замърсено място; **2.** *прен.* бардак.

sty² *v* затварям/запирам/държа в кочина.

sty³, stye [stai] *n* ечемик на окото.

Stygian ['stidʒiən] *a гр. мит.* тъмен, мрачен; ужасен, страхотен.

style¹ [stail] *n* **1.** *изк.* стил; **2.** маниер, начин (*на писане, говорене и пр.*); **3.** вид, сорт; тип; **that ~ of behaviour, behaviour of that ~** такова държане/поведение; **4.** изящество, изисканост, елегантност, шик, финес; **to dress in ~** обличам се изискано/с вкус; **5.** оригиналност, индивидуалност; **6.** великолепие, пищност, блясък, лукс; **to live in (great/grand) ~** живея в разкош/на широка нога; **7.** мода; **8.** кройка; модел, фасон, направа; **in all sizes and ~s** във всички номера, размери и модели; **9.** титла, звание; фирма; **10.** = **stylus 1**; **11.** резец/игла за гравиране; грамофонна игла; стилет; **12.** *бот.* пестик, плодник; **13.** стил (*летоброене*); □ **to do s.th. in ~** правя нещо, както по добава/със замах; **to have no ~** прост/съвсем обикновен съм; липсва ми изисканост (*в облекло, държане и пр.*).

style² *v* **1.** зова, назовавам, титулувам; **2.** оформям, конструирам (*кола, уред и пр.*).

stylet ['stailit] *n* **1.** малка кама, стилет; **2.** *мед.* стилет, сонда; **3.** *зоол.* четинест израстък/придатък.

styli вж. **stylus.**

styliform ['stailifɔ:m] а зоол. шиловиден.

styling ['stailiŋ] n 1. оформление; 2. стилистична обработка.

stylish ['stailiʃ] а моден, елегантен, изискан; стилен.

stylishness ['stailiʃnis] n елегантност, изисканост, шик.

stylist ['stailist] n 1. стилист; 2. моделиер; декоратор.

stylistic [stai'listik] а стилов, стилистичен.

stylistics [stai'listiks] n pl с гл. в sing стилистика.

stylite ['stailait] n рел. стълпник.

stylize ['stailaiz] v изк. стилизирам.

stylo ['stailou] разг. = **stylograph.**

stylobate ['stailəbeit] n арх. стилобат.

stylograph ['stailəgra:f] n автоматична писалка, стило.

stylus ['stailəs] n (pl styli [-ai]) 1. ист. острие за писане; 2. грамофонна игла (от сапфир и пр.); 3. бот. стълбче; 4. стрелка на слънчев часовник, гномон.

stymie¹ ['staimi] n 1. голф стайми; 2. прен. трудно/безизходно положение.

stymie² v поставям в трудно положение; преча, попречвам; осуетявам (план, преговори и пр.).

styptic ['stiptik] I. а кръвоспиращ; II. n кръвоспиращо средство.

Styx [stiks] n мит. реката Стикс (ограждаща ада); **to cross the ~** умирам.

suability [sjuə'biliti] n юр. подсъдност.

suable ['sjuəbl] а юр. подсъден.

suasion ['sweiʒən] n убеждаване; **moral ~** морално въздействие.

suasive ['sweisiv] а книж. убедителен.

suave [swa:v, sweiv] а 1. учтив, вежлив, любезен, приветлив; 2. привидно ласкав, подмилкващ се; 3. благ, пивък (за вино); 4. успокояващ (за лекарство и пр.).

suavely ['swa:vli] adv 1. учтиво, любезно; 2. ласкаво.

suavity ['swa:viti] n 1. приветливост, вежливост; 2. (привидна) любезност/ласкавост; 3. изисканост.

sub¹ [sʌb] n разг. 1. воен. нисш офицерски чин; подчинен; 2. подводница; 3. абонамент; 4. заместник; заместител; 5. заместник-редактор; 6. аванс (от заплата); 7. ам. голям сандвич от дълга кифла.

sub² v (-bb-) разг. 1. замествам някого; 2. = **sub-edit.**

sub- pref с различни части на речта 1. по-ниско от; отдолу, под (subsoil, subtitle, subscribe); 2. подчинен; на второ място; по-долу от (по положение, значение, качество, степен и пр.) (sub-editor, substation); поделение, подразделение от (subcommittee, subspecies); 3. непълно, ненапълно, не по нормата, в по-ниска степен; донякъде, малко нещо (subacid, subaudible, subhuman, subnormal); 4. почти като, приближаващ се до, граничещ със (subtropic, suburb).

subabdominal [sʌbəb'dɔminəl] а подкоремен.

subacid ['sʌb'æsid] а 1. възкисел; 2. прен. леко язвителен.

subaerial [sʌb'ɛəriəl] а повърхностен, надпочвен (за корени и пр.).

subaltern ['sʌbltən] n нисш офицерски чин; подчинен.

subaquatic [sʌbə'kwætik] а 1. подводен; 2. бот. отчасти воден.

subaqueous [sʌb'eikwiəs] а подводен.

subarctic [sʌb'a:ktik] а субарктичен.

subastral [sʌb'æstrəl] а земен.

subatomic [sʌbə'tɔmik] а отнасящ се до частици, по-малки от атома.

subaudition [sʌbɔ:'diʃn] n подразбиране, четене между редовете.

subaverage [sʌb'ævəriʤ] а под средното ниво.

sub-basement [sʌb'beismənt] n подсутеренен етаж.

subclass ['sʌbkla:s] n биол. подклас, подгрупа.

subcommittee ['sʌbkəmiti] n подкомисия; подкомитет.

subconscious [sʌb'kɔnʃəs] I. а подсъзнателен; II. n подсъзнание.

subconsciously [sʌb'kɔnʃəsli] adv подсъзнателно.

subconsciousness [sʌb'kɔnʃəsnis] n подсъзнание.

subcontinent [sʌb'kɔntinənt] n субконтинент.

subcontract [sʌb'kɔntrækt] n 1. договор, съставящ част от друг договор; 2. договор, преотстъпен от един предприемач на друг.

subcutaneous [sʌbkju'teiniəs] а подкожен.

subdean [sʌb'di:n] n заместник-декан.

subdeb ['sʌbdeb] ам. разг. = **subdebutante.**

subdebutante [sʌb'debjuta:nt] n 1. младо момиче, на което предстои да бъде въведено в обществото; 2. момиче на 15—16 години.

subdivide [sʌbdi'vaid] v подразделям.

subdivision [sʌbdi'viʒn] n подразделяне; подразделение.

subdominant [sʌb'dɔminənt] n муз. четвъртата нота на диатоничната гама, субдоминанта.

subdual [sʌb'djuəl] n подчиняване; подчинение.

subdue [səb'dju:] v 1. покорявам, подчинявам; укротявам, усмирявам; 2. намалявам; снишавам, смекчавам.

subdued [sʌb'dju:d] а 1. сломен, потиснат; 2. унил, тих; 3. убит (за цвят); омекотен (за светлина и пр.); споделен (за глас, звук).

sub-edit [sʌb'edit] v работя като помощник-редактор във вестник и пр.

sub-editor [sʌb'editə] n помощник-редактор (на вестник и пр.).

suberect [sʌbi'rekt] а почти изправен (за растение, храст).

suberin ['sju:bərin] n основна съставка на корка.

subfamily ['sʌbfæmili] n 1. подсемейство; 2. подгрупа на езиково семейство.

subfreezing [sʌb'fri:ziŋ] а отрицателен, под нулата (за температура).

subfusc [sʌb'fʌsk] а 1. възтъмен, убит (за цвят); 2. прен. незначителен, незабележителен.

subgenus [sʌb'ʤi:nəs] n (pl -nera [-nərə]) бот. зоол. поделение на род, състоящо се от няколко вида, подрод.

subgrade ['sʌbgreid] n стр. основа на пътна настилка; жп. земно платно.

subgroup ['sʌbgru:p] n подгрупа.

subhead(ing) ['sʌbhed(iŋ)] n подзаглавие.

subhuman [sʌb'hju:mən] а нечовешки, недостигнал човешко ниво, почти животински.

subirrigation [sʌbiri'geiʃn] n подпочвено напояване.

subjacent [səb'ʤeisənt] а лежащ/разположен под/по-ниско от.

subject¹ ['sʌbʤikt] n 1. поданик, гражданин; 2. грам. подлог; 3. предмет, тема (на разговор и пр.); въпрос (за обсъждане, разискване); **on the ~ of** относно, що се касае до; **while we are on the ~ of** тъкмо говорим за; **to change the ~** сменям темата на разговор; 4. сюжет, тема, тематика; 5. учебен предмет/дисциплина; **compulsory/optional ~s** задължителни/факултативни предмети; 6. предмет, обект (на опит, проучване и пр.); 7. муз. тема, мотив; 8. мед. пациент; 9. мед. труп (при аутопсия); 10. повод, основание; причина; мотив; 11. човек, субект; 12. фил. субект.

subject² а 1. зависим, несамостоятелен (за държава и пр.); подчинен, подвластен (на закон и пр.); **to be held ~** намирам се в зависимост, държан съм в подчинение; 2. предразположен (към простуда, заболяване и пр.); склонен (**to** към); имащ тенденция; **~ to**

anger гневлив; **to be ~ to temptation** изложен съм/поддавам се лесно на изкушение; **the trains are ~ to delay when there is fog** влаковете често правят закъснение, когато има мъгла; **3.** подлежащ (*на обсъждане, одобрение, ратифициране и пр.*); **the plan is ~ to corrections** планът може да претърпи известни корекции; **the times of all trains are ~ to alteration** в разписанието на влаковете могат да бъдат правени промени; **4. ~ to** при условие че, само ако (*за валидност и пр.*); **this is to be done ~ to your approval** това ще бъде направено само при положение че вие го одобрите/с ваше одобрение.

subject³ [səb'dʒekt] *v* **1.** подчинявам, покорявам; **2.** подлагам (*на разпит, критика, изтезания*); излагам (*на присмех*); **3.** представям, предоставям (*за обсъждане*)

subject catalogue ['sʌbdʒikt'kætələg] *n* предметен каталог.

subject-heading ['sʌbdʒikt'hediŋ] *n* предметен указател.

subjection [səb'dʒekʃn] *n* **1.** покоряване, подчиняване; подчинение, зависимост, зависимо положение; **to keep/hold in ~** държа в подчинение; **to bring into ~** обуздавам; подчинявам; **2.** подлагане, подхвърляне (*на анализ, критика и пр.*).

subjective [səb'dʒektiv] *a* **1.** субективен; личен; **2.** *грам.* свойствен на/отнасящ се до подлога; подложен; **~ case** именителен падеж.

subjectiveness [səb'dʒektivnis] *n* субективност.

subjectivism [səb'dʒektivizm] *n* *фил.* субективизъм.

subjectivity [sʌbdʒek'tiviti] *n* **1.** субективност; **2.** субективизъм.

subject-matter ['sʌbdʒikt'mætə] *n* тема, въпрос, предмет, съдържание (*на книга, реч, обсъждане и пр.*).

subjoin [sʌb'dʒɔin] *v* добавям накрая, прилагам, притурям, прикрепям.

sub judice [sʌb'dʒu:disi] *a* **1.** *лат. юр.* още нерешен/неприключен, в процес на разглеждане (*за дело*); **2.** подлежащ на обсъждане, нерешен, спорен (*за въпрос, проблем*).

subjugate ['sʌbdʒugeit] *v* подчинявам, покорявам, поробвам.

subjugation [sʌbdʒu'geiʃn] *n* подчиняване, покоряване, поробване; подчинение.

subjugator [sʌbdʒu'geitə] *n* покорител, поробител; завоевател.

subjunctive [səb'dʒʌŋktiv] **I.** *a* подчинителен; **II.** *n* *грам.* подчинително наклонение, конюнктив.

sublease¹ ['sʌbli:s] *n* договор за пренаемане; **to have the ~ of** пренаел съм.

sublease² [sʌb'li:s] = **sublet.**

sublessor [sʌb'lesə] *n* наемател, който дава помещение/земя и пр. за пренаемане.

sublet [sʌb'let] *v* (**-tt-**) давам под наем помещение/земя и пр. на пренаемател.

sublethal [sʌb'li:θəl] *a* почти смъртоносен.

sublieutenant [,sʌbleftenənt] *n* *мор.* младши лейтенант.

sublimate ['sʌblimeit] *v* **1.** *хим.* сублимирам; **2.** *прен.* пречиствам; възвисявам; идеализирам.

sublimate ['sʌblimeit] *n* *хим.* **1.** сублимат; **2.** пречистен/рафиниран продукт.

sublimation [sʌbli'meiʃn] *n* *хим.* сублимация, сублимиране.

sublime¹ [sə'blaim] *a* **1.** благороден, издигнат, възвишен; **2.** грандиозен, величествен, поразителен, несравним; **the S. Porte** *ист.* Високата порта; **3.** сюбли-

мен, върховен; краен; **~ impudence** безподобна безочливост, връх на нахалството; **4.** *анат.* повърхностен; **5.** *поет.* горд, надменен, високомерен; **6.** чист, пречистен, висококачествен.

sublime² *n:* **the S.** великото, възвишеното.

sublimely [sə'blaimli] *adv* грандиозно; сюблимно; блажено.

subliminal [sʌb'liminəl] *a* **1.** *псих.* подсъзнателен, подпрагов; **2.** приеман подсъзнателно (*за реклама и пр.*).

sublimity [səb'limiti] *n* величие, величественост; сюблимност.

sublingual [sʌb'liŋgwəl] *a* *анат.* подезичен.

sublunary [sʌb'lu:nəri] *a* намиращ се под луната; земен; светски.

sub-machine-gun [,sʌbmə'ʃi:ngʌn] *n* автомат, шмайзер.

subman ['sʌbmən] *n* (*pl* **-men**) **1.** получовек; **2.** глупав/брутален човек.

submarginal [sub'mɑdʒinəl] *a* **1.** *биол.* разположен около краищата; **2.** *прен.* под необходимия минимум; непродуктивен, недоходен.

submarine¹ [sʌbmə'ri:n] *a* подводен.

submarine² [sʌbmə'ri:n] *n* **1.** подводница; **2.** *ам.* голям сандвич от дълга кифла.

submarine³ *v* *ам.* потапям/торпилирам с подводница.

submaxillary [sʌbmæk'siləri] *a* *анат.* подчелюстен.

submediant [sʌb'mi:diənt] *n* *муз.* долна медианта, шеста степен.

submerge [səb'mə:dʒ] *v* потопявам (се), гмурвам (се); потъвам.

submerged [səb'mə:dʒd] *a* потопен, залян с вода; подводен; □ **the ~ tenth** тънещата в мизерия и дългове част от населението; декласираните.

submergence [səb'mə:dʒəns] *n* потопяване, потопяване; потъване.

submerse [sʌb'mə:s] = **submerge.**

submicroscopic [sʌb,maikrə'skɔpik] *a* много малък, невидим с обикновен микроскоп.

submission [sʌb'miʃn] *n* **1.** подчинение, покорност, послушание; отстъпване, отстъпчивост; смирение; **2.** даване, подаване, представяне (*на документи и пр.*); **3. in my ~** *юр.* според моята теза, аз твърдя.

submissive [sʌb'misiv] *a* покорен, смирен, послушен, христим; **a man ~ to advice** човек, който се вслушва в съвети.

submit [səb'mit] *v* **1.** предавам, предоставям, отстъпвам; **to ~ o.s.** to предавам се във властта на, подчинявам се на; **2.** представям, предявявам (*за мнение обсъждане, решение и пр.*); **to ~ the case to a cou** отнасям случая до съда, завеждам дело; **3. I ~ that** *юр.* аз твърдя, че; **4.** подчинявам се (**to на**) понасям, търпя; **to ~ to terms** приемам условията **to ~ to defeat** примирявам се с поражението; пре ставам да се съпротивлявам; **5.** подлагам (*на ана лиз, обработка и пр.*); **to ~ o.s. to surgery** подлага се на операция.

subnormal [sʌb'nɔ:məl] *a* по-нисък/по-малък от нормалното, под нормата/нормалното (*за температур интелигентност и пр.*).

suborbital [sʌb'ɔ:bitl] *a* по-кратък/по-къс от една орбит

suborder [sʌb'ɔ:də] *n* *бот.* подразред.

subordinate¹ [səb'ɔ:dinit] **I.** *a* подчинен, зависим (**to**); вт ростепенен; вторичен; **~ clause** *грам.* подчинен изречение; **II.** *n* подчинен.

subordinate² [səb'ɔ:dineit] *v* подчинявам; правя зависи второстепенен.

subordinating [sʌ,bɔ:di'neitiŋ] *a* *грам.* подчинителен (*за юз*).

subordination [sʌ,bɔːdi'neiʃn] *n* подчиняване; подчинение; зависимост; субординация (*и грам.*).

suborn [sə'bɔːn] *n* накарвам (*някого*) чрез подкуп и пр. да извърши незаконно деяние (*особ. лъжесвидетелство*).

subornation [sʌbɔː'neiʃn] *n* подтикване/склоняне чрез подкуп към незаконно деяние (*особ. лъжесвидетелство*).

suborner [sʌ'bɔːnə] *n* човек, който си служи с рушвети.

suboxide [sʌb'ɔksaid] *n* хим. окис, съдържащ минимално количество кислород, субоксид.

subplot ['sʌbplɔt] *n* лит. второстепенна сюжетна линия.

subpoena¹ [sə'piːnə] *n* юр. призовка.

subpoena² *v* юр. призовавам с призовка; **to ~ a witness** връчвам призовка на свидетел по дело.

subpolar [sʌb'poulə] *a* субполярен.

subprogram ['sʌb'prougræm] *n* ам. полусамостоятелна част от програма (*за компютър и пр.*).

subregion ['sʌb'riːdʒn] *n* подрайон (*на фауна и пр.*).

subreption [səb'repʃn] *n* премълчаване, укриване, преиначаване.

subrogation [sʌbrə'geiʃn] *n* заменяне (*особ. на кредитор*).

sub rosa [sʌb'rouzə] *a* лат. таен, строго поверителен (*за съобщение и пр.*).

subscribe [səb'skraib] *v* 1. подписвам (*писмо, документ и пр.*); 2. подписвам (*петиция и пр.*); 3. участвувам в подписка; 4. абонирам се (*за вестник, списание*) (to), 5. **to ~ to** 1) присъединявам се (*към мнение, предложение*); 2) съгласявам се с; одобрявам, подкрепям (*теория, становище*); 6. **to ~ for a book** записвам се за книга преди излизането й от печат.

subscriber [səb'skraibə] *n* 1. участник в подписка/петиция и пр.; 2. абонат (*на вестник, списание, телефон и пр.*).

subscription [səb'scripʃn] *n* 1. подпис; подписване; 2. подписка, доброволна вноска; лепта; 3. абонамент; **to take out a ~ to a paper** абонирам се за вестник; 4. членски внос (*за организация, клуб и пр.*); **a ~ concert** концерт за абонати.

subsection [sʌb'sekʃn] *n* подсекция; подраздел.

subsequent ['sʌbsikwənt] *a* следващ, последващ; по-късен; **the ~ events** последвалите събития; **~ to his death** след смъртта му; **~ upon** като резултат на.

subsequently ['sʌbsikwəntli] *adv* впоследствие, после, сетне, след това.

subserve [səb'səːv] *v* подпомагам, съдействувам на (*цел, намерение*).

subservience, -cy [səb'səːviəns, -si] *n* 1. раболепие, подлизурство, сервилност; 2. робуване, сляпо придържане (*към мода и пр.*); 3. съдействие, помощ (*за някаква цел*).

subservient [səb'səːviənt] *a* 1. раболепен, сервилен; 2. подчинен, подвластен; 3. съдействуващ, спомагащ; помощен, спомагателен.

subshrub ['sʌbʃrʌb] *n* малък/нискорастящ храст.

subside [səb'said] *v* 1. утихвам, стихвам; преставам; отминавам (*за буря, гняв и пр.*); 2. падам, спадам (*за температура, вода и пр.*); 3. утаявам се (*за вода*); 4. улягам, слягам се (*за почва*); 5. поддавам, хлътвам (*за сграда*); затъвам, потъвам (*за кораб*); 6. шег. отпускам се, намествам се, потъвам (*в кресло и пр.*); 7. **to ~ into walk** преминавам в ход/вървеж (*след тичане*); **to ~ into silence** замлъквам, потъвам в мълчание.

subsidence [səb'saidəns] *n* стихване, спадане и пр. (*вж.* **subside**).

subsidiary¹ [səb'sidiəri] *a* 1. допълнителен, спомагателен; помощен; **~ company** филиал; **~ stream** приток (*на река и пр.*); 2. от второстепенно значение; 3. субсидиран.

subsidiary² *n* 1. помощник, помагач; 2. филиал.

subsidize ['sʌbsidaiz] *v* субсидирам.

subsidy ['sʌbsidi] *n* субсидия, дотация.

subsist [səb'sist] *v* 1. живея, преживявам, храня се; издържам се, препитавам се, съществувам; **she ~s on milk** тя се храни само с мляко; **he ~s by begging** той се препитава с/живее от просия; 2. продължавам да съществувам, запазвам се, оцелявам (*за обичаи, предразсъдъци и пр.*); 3. издържам, поддържам, изхранвам.

subsistence [səb'sistəns] *n* 1. съществуване; препитание, прехрана; **~ level/wages** ниво/заплата, позволяваща задоволяване само на най-насъщните нужди; **~ allowance/money** продоволствени/командировъчни пари; **~ farming** земеделие, едва стигащо за задоволяване на собствените нужди; 2. (**means of**) **~** средства за съществуване.

subsoil ['sʌbsɔil] *n* подпочва.

subsonic [sʌb'sɔnik] *a* по-малък от скоростта на звука (*за скорост*).

subspecies ['sʌbspiːʃiːz] *n* биол. подвид, подразделение.

substance ['sʌbstəns] *n* 1. вещество, материя; плътност, твърдост; 2. фил. субстанция; 3. съдържание, същност, същина; **in ~** по същина/същество; в общи линии; на практика; **an argument of little ~** слаб/несъстоятелен аргумент; 4. реалност, действителност; реална стойност/ценност; **to drop/throw away the ~ for the shadow** оставям питомното да гоня дивото; 5. имущество, богатство, състояние; **a man of ~** богат/състоятелен човек.

substandard [sʌb'stændəd] *a* 1. под нормалния/изискуемия стандарт; 2. ез. извън рамките на/отклоняващ се от общоприетата употреба.

substantial [səb'stænʃəl] *a* 1. реален, веществен; 2. съществен, важен, значителен, голям; фактически, истински; основен, главен; **~ agreement** разбиране/съгласие по основните въпроси; 3. хранителен, питателен (*за храна*); изобилен, задоволяващ, засищащ (*за ядене*); 4. здрав, траен, солиден, масивен; 5. едър, пълен; 6. богат, състоятелен.

substantiality [səbstænʃi'æliti] *n* реалност и пр. (*вж.* **substantial**).

substatially [səb'stænʃəli] *adv* 1. по същество, всъщност, в основата си; 2. съществено, значително.

substantiate [səb'stænʃieit] *v* 1. привеждам факти/доводи/доказателства; потвърждавам, доказвам; 2. придавам реална форма на, конкретизирам.

substantiation [səb'stænʃi'eiʃn] *v* 1. доказване; 2. доказателство.

substantival [,sʌbstən'taivəl] *a* грам. употребяван като съществително; отнасящ се до/служещ за съществително, субстантивен.

substantive¹ ['sʌbstəntiv] *a* 1. самостоятелен, независим; 2. грам. отнасящ се до съществителното; означаващ/изразяващ съществуване; **the ~ verb** глаголът **to be**; **noun ~** съществително име; 3. реален, веществен; траен, постоянен; 4. съществен, важен; **~ issues/motions** въпроси/предложения по същество (*не процедурни*); **~ provisions** оперативна част (*на документ и пр.*); **~ rank** действително звание/ранг (*не почетно и пр.*); **~ law** юр. материално/имущественно право; ~ **right** основно/човешко право; **5.** изричен; **6.** самобитен, индивидуален.

substantive² *n грам.* съществително име, субстантив.

substation ['sʌbsteiʃn] *n* електрическа подстанция.

substituent [səb'stitjuənt] *n хим.* заместител.

substitute¹ ['sʌbstitjuːt] *n* **1.** заместник; **2.** заместител, сурогат, ерзац (**for**); **3.** заместване, замяна.

substitute² *v* замествам, заменям; подменям; **to ~ for s.o.** замествам някого временно; **to ~ A for B** замествам В с А.

substitution [sʌbsti'tjuːʃn] *n* **1.** замяна; заместване, субституция (*и мат.*); **2.** *attr* заместителен.

substratum ['sʌbstreitəm, -straːtəm] *n* (*pl* **-strata**) **1.** долен слой/пласт; **2.** база, основа; субстрат.

substructure ['sʌbstrʌktʃə] *n стр.* **1.** основа, фундамент; **2.** долно строене (*на път*).

subsume [səb'sjuːm] *v* включвам, отнасям (**under** в, към) (*клас, категория; правило*).

subtenant ['sʌb,tenənt] *n* пренаемател.

subtend [səb'tend] *v геом.* опирам се/отговарям на (*за страна, хорда*).

subterfuge ['sʌbtəfjuːdʒ] *n* увъртане, хитруване; уловка; претекст.

subterminal [sʌb'təːminəl] *a* който се намира/става към края.

subterranean, -neous [sʌbtə'reiniən, -niəs] *a* **1.** подземен; **2.** (по)таен, скрит.

subtil(e) ['sʌtl] = **subtle.**

subtilize ['sʌbtilaiz] *v* **1.** възвисявам; пречиствам; облагородявам; **2.** изострям (*ум, чувство и пр.*); **3.** споря изкусно; **4.** впускам се в големи подробности/тънкости; мъдрувам, умувам.

subtitle ['sʌbtaitl] *n* **1.** подзаглавие (*на книга*); **2.** *кино* субтитър.

subtle ['sʌtl] *a* **1.** тънък, лек, фин, неуловим, едва доловим; **2.** остър, проницателен (*за ум*); **3.** изтънчен, рафиниран; **4.** умел, изкусен, ловък; сложен; **a ~ device** хитро/остроумно приспособление/средство; **5.** коварен, лукав.

subtlety ['sʌtlti] *n* **1.** тънкост, финост, нежност; неуловимост; **2.** острота, проницателност (*на ума, възприятията и пр.*); **3.** изкусност, ловкост; **4.** лукавство, коварство; **5.** изтънченост, изисканост, финес.

subtonic [sʌb'tɔnik] *n муз.* чувствителен тон, седма степен.

subtopia [sʌb'toupiə] *n пренебр.* типово застроени предградия.

subtract [səb'trækt] *v мат.* изваждам (**from** от).

subtraction [səb'trækʃn] *n мат.* изваждане.

subtrahend ['sʌbtrəhend] *n мат.* умалител.

subtropical [sʌb'trɔpikəl] *a* субтропичен.

subulate ['sʌbjulit] *a бот., зоол.* тънък, заострен, шилест.

suburb ['sʌbəːb] *n* **1.** предградие; **2.** *pl* околности на град.

suburban [sə'bəːbən] *a* **1.** от/на/за предградията; **2.** *пренебр.* ограничен, тесногръд, буржоазен, еснафски.

suburbanite [sə'bəːbənait] *n* жител на предградие.

suburbia [sə'bəːbiə] *n пренебр.* **1.** предградия; **2.** жителите на предградията; **3.** манталитет на жител на предградие.

subvention [səb'venʃn] *n* подпомагане, помощ; субсидия, дотация.

subversion [səb'vəːʃn] *n* **1.** подривна дейност; **2.** сваляне, смъкване (*на правителство и пр.*), събаряне, катурване; **3.** поквваряване; гибел.

subversive [səb'vəːsiv] *a* **1.** подривен, подмолен; **2.** разрушителен, пагубен, гибелен.

subvert [səb'vəːt] *v* **1.** руша устои, събарям, свалям, катурвам; **2.** поквварявам; разрушавам, погубвам.

subway ['sʌbwei] *n* **1.** тунел, подлез; **2.** *ам.* подземна железница, метро; **3.** подземен канал (*за инсталация*).

subzero [sʌb'ziərou] *a* отрицателен, под нулата (*за температура*).

succedaneum [sʌksi'deiniəm] *n* (*pl* **-ia**) заместник; заместител.

succeed [sək'siːd] *v* **1.** постигам целта си, успявам; **2.** процъфтявам, преуспявам; имам успех; удава ми се, съумявам (**in** *c ger*); **to ~ in doing s.th.** успявам/съумявам да направя нещо; **to ~ with** имам успех/успявам с; **to ~ as** имам успех като (*адвокат и пр.*); **3.** идвам след, (по)следвам; заемам мястото/приемник съм на; наследявам; **to ~ to a throne/an estate/a title/an office/a position** наследявам трон/имение/титла/служба/длъжност; **to ~ o.s.** *ам.* преизбран съм на длъжност/пост; **day ~ed day** дните се нижеха един след друг.

success [sək'ses] *n* успех, сполука; **without ~** безуспешно; **to be a ~** имам успех, сполучвам, успявам; **nothing succeeds like ~** един успех влече след себе си друг.

successful [sək'sesful] *a* **1.** сполучлив, благополучен; **to be ~** имам успех, успявам, провървява ми; **2.** преуспял (*в живота и пр.*).

successfully [sək'sesfuli] *adv* успешно, благополучно.

succession [sək'seʃn] *n* **1.** последователност, редуване; **in ~** поред, подред, наред; **for days/years in ~** дни/години наред/една след друга; **2.** (непрекъсната) редица, поредица; **a ~ of victories** няколко победи една след друга; **3.** приемственост; право на наследяване (*на титла, имот, трон и пр.*); **~ duty** данък наследство; **law of ~** закон за наследството; **~ of crops** сеитбообръщение; **4.** приемници, наследници.

successive [sək'sesiv] *a* следващ, последващ; последователен.

successively [sək'sesivli] *adv* последователно, едно след друго.

successor [sək'sesə] *n* приемник, наследник; заместник.

succinct [sək'siŋkt] *a* **1.** сбит, стегнат; кратък и ясен (*за стил*); **2.** препасан; плътно прилягащ (*за дреха*).

succory ['sʌkəri] = **chicory.**

succotash ['sʌkətæʃ] *n ам.* ядене от (зелен) боб и зелена царевица.

succour¹ ['sʌkə] *n* **1.** помощ, дадена във време на нужда; **2.** *pl ост.* подкрепления.

succour² *v* притичвам се на помощ на, (под)помагам, подкрепям.

succuba, -bus ['sʌkjuːbə, -bəs] *n* (*pl* **-bae, -bi** [-biː, -bai]) *мит.* зъл дух, който се превръща на жена, за да се съвокупява със спящи мъже.

succulence ['sʌkjuləns] *n* **1.** сочност; **2.** сочна растителност.

succulent ['sʌkjulənt] **I.** *a* **1.** сочен, месест; вкусен; **2.** дебел и сочен (*за стебла и листа*); **II.** *n бот.* растение с дебели и сочни стебла и листа (*кактус и пр.*).

succumb [sʌ'kʌm] *v* **1.** поддавам се, не издържам, отстъпвам (**to** на, пред); победен съм; покорен съм/запленен съм (*от красота, чар и пр.*); **2.** загивам, умирам (*от нещо*); **to ~ to grief/o.'s wounds, etc.** умирам от скръб/от раните си и пр.

such [sʌtʃ] *a* **1.** такъв, подобен; **~ a man**, **~ a one** такъв човек; **in ~ cases** в такива/подобни случаи; **2.** *неопределено* такъв какъвто; **on ~ a day as you may go** който/какъвто ден можеш да отидеш; **3.** *като сравнение* такъв; **~ love as his** такава голяма/искрена неискрена и пр. (*според контекста*) любов като неговата; **~ beauty as hers** такава/толкова голям хубост като нейната; **4.** *определено, но неуточнено* in ~ and ~ place, at ~ and ~ time на такова и такова/еди-какво си място, в толкова и толкова/еди-колко си часа; ~ and ~ a person такова и такова/еди-какво си лице; **5.** *за усилване при възклицание и пр.*: **we had ~ fun!** колко весело прекарахме! толкова се веселихме! **6.** ~ **as** като, като например; **poets ~ as Byron** поети като (например) Байрон; **insects ~ as bees, etc.** насекоми като пчелите и пр.; **7.** ~ **as,** ~ **that** такъв, който/че/щото; **her illness is not ~ as to cause anxiety** болестта ѝ не е такава, че да буди тревога; **his behaviour was ~ that we all came to hate him** държането му беше такова, че ние всички го намразихме; □ ~ **as it is** такъв какъвто е, макар и недобър и пр.; **you may use my car ~ as it is** можеш да използваш моята кола, макар и да не е толкова добра.

such² *pron* **1.** такъв; ~ **is his character** такъв му е характерът; ~ **is the case** такъв е случаят; ~ **was my intention** такова беше намерението ми; **2.** *в съчет.*: ~ **as** този/такъв който; тези/такива които; ~ **as live by begging** тези, които се препитават с просия; **all** ~ всички такива/от този род; **and (all)** ~ и тем подобни; **as** ~ като такъв; сам по себе си; **the name, as** ~, **means nothing** името, само по себе си, не значи нищо; **3.** такъв какъвто; **I am sending you** ~ **as I have** изпращам ти такива, каквито имам.

such³ *adv* толкова, такова, така; ~ **a long time ago** толкова отдавна; **you gave me** ~ **a fright** толкова/така ме уплаши; ~ **nasty weather** такова отвратително време.

suchlike¹ ['sʌtʃlaik] *a разг.* подобен, такъв, от този род; **and** ~ и тем подобни.

$uchlike² *pron разг.* някой/нещо от този/същия род; **cinemas, theatres and** ~ кина, театри и други такива.

suck¹ [sʌk] *v* **1.** суча, бозая; смуча (*бонбон и пр.*); **go and teach your grandmother to** ~ **eggs** на краставичар краставици не продавай; **the pump** ~**s** помпата гъргори, засмуква въздух; **2.** смуча, изсмуквам, всмуквам; абсорбирам; **to** ~ **dry** изсмуквам до дъно, пресушавам; *прен.* изстисквам като лимон, изчерпвам, изтощавам; **3.** смуча, използувам, експлоатирам (*знанията, ума и пр. на нкого*); **a** ~**ed orange** *прен.* изстискан лимон; черпя (*въздух и пр.*); черпя (*знания, информация и пр.*);

suck at смуча, всмуквам, дръпвам (*от лула и пр.*);

suck down 1) поглъщам, повличам към дъното (*за водовъртеж*); 2) глътвам, изпивам;

suck in 1) всмуквам, поемам, поглъщам; абсорбирам; 2) поглъщам, повличам към дъното (*за водовъртеж и пр.*); 3) *ам. разг.* вярвам всекиму, лековерен съм; 4) *sl.* мамя, изигравам; **to get** ~**ed in** подхлъзват ме на динена кора;

suck out изсмуквам; **to** ~ **advantage out of** извличам полза/изгода от;

suck up 1) всмуквам, поглъщам, абсорбирам; попивам; 2) изпивам, допивам (*чая си и пр.*); 3) **to** ~ **up to s.o.** *уч. sl.* подмазвам се на/угодничиа пред някого.

suck² *n* **1.** сукане, бозаене; кърмене; **a child at** ~ кърмаче, бозайниче; **to give** ~ **to** кърмя; *прен.* поя, напоявам (*за язовир и пр.*); **2.** (в)смукване, дръпване; **to take a** ~ смуквам, посмуквам; **to have/take a** ~ **at o.'s pipe** смуквам/дръпвам от лулата си; **3.** малка глътка; **4.** шум от сучене/смучене; **5.** *sl. особ. pl* разочарование; неуспех, провал; **what a** ~! ~**s!** какъв крах! какво фиаско! **6.** *уч. sl.* бонбони, сладкиши.

sucker ['sʌkə] *n* **1.** бозайник, сукалче (*особ. малкото на кит или пра̀сенце*); **2.** *зоол.* смукателен орган, смукалце; **3.** паразит, търтей, готованец; **4.** *бот.* издънка, израстък; **5.** *ам.* захарно петле на клечка; **6.** *ам. разг.* неопитен младеж; наивник, лапни-шаран, -ахмак; **7.** *тех.* смукателен клапан/тръба; бутало (*на помпа*).

sucking ['sʌkiŋ] *a* **1.** сучещ, бозаещ, ~ **child** кърмаче, сукалче; **2.** гол, още неопитен (*за птиче*); **3.** *прен.* млад, неопитен, начинаещ; ~ **barrister** млад адвокат, който то още няма поверени дела; **4.** всмукващ.

suckle ['sʌkl] *v* **1.** кърмя, давам да бозае; **2.** откърмям, отхранвам.

suckling ['sʌkliŋ] *n* сукалче.

suction ['sʌkʃən] *n* **1.** всмукване; **2.** *attr* всмукателен, вакуумен; ~ **pump** смукателна помпа.

suctorial [sʌk'tɔːriəl] *a* **1.** *зоол.* смукателен, смучещ; **2.** *анат.* пригоден за сукане/смукване.

Sudanese [suːdə'niːz] I. *a* судански; II. *n* суданец.

sudatorium [sjuːdə'tɔːriəm] *n* (*pl* -ia [-iə]) *лат.* гореща въздушна/парна баня.

sudatory ['sjuːdətəri] I. *a мед.* причиняващ изпотяване; II. *n* изпотяващо средство; парна баня.

sudden¹ ['sʌdn] *a* внезапен, ненадеен, неочакван; прибързан; □ ~ **death** 1) *сп.* продължение при равен резултат до отбелязване на гол; 2) *разг.* решаване на (спорно) нещо чрез хвърляне на чоп.

sudden² *n*: **all of a** ~ изведнъж, ненадейно, неочаквано; **on a** ~ *ост.* внезапно.

suddenly ['sʌdnli] *adv* внезапно, ненадейно, неочаквано; изневиделица.

suddenness ['sʌdnnis] *n* внезапност, неочакваност.

sudoriferous [sjuːdə'rifərəs] *a* **1.** *анат.* потен (*за жлеза*); **2.** *фарм.* предизвикващ изпотяване, потогонен.

sudorific [sjuːdə'rifik] I. *a* изпотяващ, причиняващ изпотяване; II. *n* средство за изпотяване.

suds [sʌdz] *n pl* сапунена вода/пяна; **to be/lie in the** ~ *прен.* закъсал/загазил съм; **2.** *ам. sl.* бира.

sudsy ['sʌdzi] *a* покрит/пълен със сапунена вода/пяна; пенест.

sue [sjuː] *v* **1.** давам под съд, съдя; **to** ~ **to a lawcourt for damages** съдя за щети; искам обезщетение по съдебен ред; **2.** прося, искам; умолявам; **to** ~ **s.o. for mercy** моля някого за пощада; **to** ~ **for a divorce** завеждам дело за развод; **to** ~ **out** измолвам, изпросвам, изходатайствувам; **3.** ухажвам.

suede, suède ['sweid] *n* шведска/чортова кожа, велур.

suet ['sjuit] *n* околобъбречна лой (*и за готвене*); ~ **pudding** вид варен пудинг с лой.

suffer ['sʌfə] *v* **1.** страдам, мъча се, измъчвам се; **2.** търпя, претърпявам; понасям, изпитвам; пострадвам; **3.** позволявам; търпя, допускам, толерирам; **4.** получавам наказание, бивам наказан; излежавам наказание; **to** ~ **for o.'s carelessness** бивам наказан за нехайството си; **5.** позволявам, разрешавам.

sufferable ['sʌfərəbl] *a* поносим, сносен, търпим.

sufferance ['sʌfərəns] *n* **1.** мълчаливо съгласие/разрешение; **on** ~ приет/търпян, но нежелан; **2.** търпение, търпеливост; **3.** страдание.

suffering ['sʌfəriŋ] I. *a* страдащ; II. *n* страдание, мъка, болка.

suffice [sə'fais] *v* удовлетворявам, задоволявам; достатъчен съм, стигам; ~ **it to say that** достатъчно е да се каже/ще се задоволя с това да кажа, че; **that will** ~

това е достатъчно; **one meal a day won't ~ my boy** едно ядене на ден не стига на моето момче.

sufficiency [sə'fiʃnsi] *n* **1.** достатъчност, достатъчно количество; задоволеност, задоволяване; **a ~ of food/fuel** достатъчно количество храна/гориво и пр.; **2.** *ост.* способност, умение.

sufficient [sə'fiʃnt] *a* достатъчен; задоволителен.

sufficiently [sə'fiʃntli] *adv* достатъчно, доволно.

suffix¹ ['sʌfiks] *n грам.* наставка, суфикс.

suffix² *v* прибавям наставка/суфикс.

suffocate ['sʌfəkeit] *v* **1.** удушавам, задушавам; **2.** задушавам се.

suffocation [sʌfə'keiʃn] *n* **1.** задушаване; удушаване; **2.** задух.

suffocative ['sʌfəkətiv] *a* **1.** задушаващ; задушлив; **2.** задушен.

suffragan ['sʌfrəgən] *n църк.* помощник-епископ.

suffrage ['sʌfriʤ] *n* **1.** *пол.* избирателно право, право на вот; **2.** гласуване, глас, вот.

suffragette [sʌfrə'ʤet] *n ист.* суфражетка.

suffragist ['sʌfrəʤist] *n* поборник за даване на избирателни права на жените.

suffuse [sə'fju:z] *v* разстилам се по; изпълвам, заливам (*със сълзи, светлина и пр.*); **evening sky ~d with crimson** обагрено с пурпур вечерно небе.

suffusion [sə'fju:ʒn] *n* **1.** покриване, разстилане; нещо разстлано/залято; тънък слой; **2.** багра, краска; руменина.

sugar¹ ['ʃugə] *n* **1.** захар; **burnt ~** карамелизирана захар, карамел; **~ of milk** хим. лактоза; **2.** хим. захароза, захарид; **~ of lead** оловен ацетат; **3.** сладки думи, хвалба, ласкателство; **she was all ~ and honey** тя се разтапяше от любезност; **4.** *ам. sl.* пари.

sugar² *v* **1.** подслаждам (*и прен.*); **2.** лаская.

sugar baby ['ʃugə'beibi] *n sl.* възлюблена, сладур.

sugar-basin ['ʃugəbeisin] *n* захарница (*за маса*).

sugar beet ['ʃugəbi:t] *n* захарно цвекло.

sugar-bowl ['ʃugəboul] = **sugar-basin.**

sugar-candy ['ʃugəkændi] *n* захарен бонбон, шекерче.

sugar-cane ['ʃugəkein] *n* захарна тръстика.

sugar-coat ['ʃugəcout] *v* покривам със захар, озахарявам; захаросвам; *прен.* подслаждам; предавам привидно хубав вид на.

sugar-daddy ['ʃugədædi] *n ам. sl.* богат възрастен мъж, покровител/ухажор на млади момичета.

sugar-maple ['ʃugəmeipl] *n* захарен клен (Acer saccharum).

sugarplum ['ʃugəplʌm] *n* кръгъл захарен бонбон; *прен.* подкуп.

sugar-refinery ['ʃugəri'fainəri] *n* захарна рафинерия/фабрика.

sugar-shaker, -sifter ['ʃugə'ʃeikə, -'siftə] *n* захарница за поръсване с пудра захар.

sugar-tongs ['ʃugətɔŋz] *n pl* щипци за захар на бучки.

sugary ['ʃugəri] *a* **1.** захарен, прекалено сладък; сладникав (*и прен.*); **2.** прекалено любезен, ласкателен, лицемерен.

suggest [sə'ʤest] *v* **1.** внушавам, подсказвам; извиквам в съзнанието, навеждам на мисълта; споменавам; **does this ~ anything to you?** говори ли ти нещо това? **an idea ~s itself to me** идва ми наум (такава) идея; **his face ~ed fear** изразът на лицето му издаваше страх; **2.** изказвам предположение; **do you ~ I am a liar?** да не би да искаш да кажеш, че съм лъжец? **3.** предлагам, правя предложение; □ **I ~ that** предполагам че, вярно ли е/не е ли вярно, че (*при разпит*).

suggestible [sə'ʤestibl] *a* **1.** податлив на внушение; **2.** който може да бъде внушен.

suggestion [sə'dʒestʃən] *n* **1.** внушение, намек, подсказване; сугестия; **full of ~** многозначителен; навеждащ (*на, към размисъл и пр.*); **2.** лека следа/диря (*от нещо*); **a ~ of a foreign accent** едва доловим чуждестранен акцент; **blue with no ~ of green** синьо без никакъв оттенък на зелено; **3.** съвет; идея; предложение; внушение; **4.** предположение; **my ~ is that you were not there at the time** предполагам/не е ли вярно, че не сте били там по това време; **5.** извикване на похотливи мисли/представи.

suggestive [sə'dʒestiv] *a* **1.** показващ, сочещ, указващ, подтикващ (of); **this book is very ~** тази книга те подтиква към размисъл; **~ question** *юр.* насочващ въпрос; **2.** извикващ/събуждащ неприлични представи/асоциации.

suicidal [,su:i'saidl] *a* самоубийствен; *прен.* гибелен, пагубен; убийствен (*за политика и пр.*).

suicide¹ ['su:isaid] *n* **1.** самоубийство; **to commit ~** самоубивам се; **to commit political ~** провалям се като политик/партия и пр.; **2.** самоубиец.

suicide² *v* самоубивам се.

sui generis ['su:i:'dʒenəris] *a лат.* своего рода; особен; уникален.

sui juris ['su:i:'dʒuəris] *a* пълнолетен; самостоятелен; дееспособен.

suit¹ [su:t] *n* **1.** молба, искане, просба, прошение; **to grant s.o.'s ~** удовлетворявам нечия молба; **2.** ухажване; **to press/plead/push o.'s ~** 1) моля настоятелно; 2) ухажвам упорито, пламенно; **3.** *юр.* иск, тъжба, съдебен процес, дело; **to be at ~** водя дело, съдя се; **4.** комплект, ансамбъл, сет; **in ~ with** заедно с, в хармония/съгласие с; **5.** костюм (*мъжки, дамски*); **a two/three-piece ~** костюм от две/три части/парчета; специално облекло (*за работа, спорт и пр.*); **in o.'s birthday ~** *шег.* гол-голеничък, както ме е майка родила; **6.** *карти* цвят; **long/short/strong ~** дълъг/къс/силен цвят; **to follow ~** отговарям на боята/цвета; *прен.* последвам примера, постъпвам както постъпва някой преди мен, и аз правя това, което правят другите.

suit² *v* **1.** удобен/подходящ съм; прилягам/съответствувам на, хармонирам с; **the day/hour doesn't ~ me** този ден/час не ми е удобен; **they are perfectly ~ed for each other** те са родени един за друг; **he is not ~ed for/to be a teacher** не го бива/не е за учител; **2.** приличам, отивам; подхождам, подобавам; **the new part ~s him** новата роля му подхожда; **her new hat does not ~ her** новата ѝ шапка не ѝ отива; **3.** задоволявам, допадам/харесвам на; понасям на, полезен/благоприятен съм за; изгоден съм за; **nothing ~s her today** днес не може да ѝ се угоди; **strong coffee doesn't ~ him** силното кафе му вреди; **~ yourself** 1) избери си по вкус; 2) направи/постъпи, както ти е удобно/приятно/както намерим за добре; **4.** приспособявам, пригодявам; съгласувам; **to ~ o.s. to** нагаждам се към/по; **to ~ the action to the word** изпълнявам веднага обещанието/заканата си; **5.** обезпечавам, снабдявам; **to ~ o.s. with s.th.** снабдявам се/запасявам се с нещо; **to be ~ed with a situation** имам работа, на служба съм.

suitable ['su:təbl] *a* подходящ, съответствуващ; годен, удобен (**for, to**); ~ **to the occasion** подобаваш за случая.

suitably ['su:təbli] *adv* съответствуващо, съответно; подходящо.

suitcase ['su:tkeis] *n* куфар.

suite [swi:t] *n* **1.** комплект, сет; гарнитура; серия; група; **dining-room** ~ гарнитура за столова; **2.** апартамент (*в хотел и пр.*) (*и* **a** ~ **of rooms**); **3.** свита, ескорт; **4.** *муз.* сюита.

suited ['su:tid] *a* подходящ, годен (**for, to** за).

suiting ['su:tiŋ] *n* плат/материя за костюми.

suitor ['su:tə] *n* **1.** просител, молител; *юр.* ищец; **2.** поклонник, ухажор, кандидат.

sulcate ['sʌlkeit] *a бот., анат.* набразден; надиплен.

sulcus ['sʌlkəs] *n* (*pl* **sulsi** ['sʌlsai]) **1.** бразда, вдлъбнатина; **2.** *анат.* мозъчна гънка.

sulfa = **sulpha**.

sulfur, etc. *вж.* **sulphur** и пр.

sulk[1] [sʌlk] *v* муся се, цупя се, мръщя се, чумеря се; сърдя се.

sulk[2] *n обик. pl* цупене, сърдене; **to be in the ~s, to have (a fit of) the ~s** в лошо настроение съм; муся се, цупя се.

sulky[1] ['sʌlki] *a* **1.** намръщен, намусен; мрачен, ядовит; потискащ (*и за време и пр.*); **2.** злопаметен; **3.** бавен, муден (*за движения и пр.*).

sulky[2] *n* едноместна двуколка.

sullage ['sʌlidʒ] *n* **1.** нечистотии, отпадъци; **2.** кална утайка.

sullen[1] ['sʌlən] *a* **1.** мрачен, сърдит, навъсен; потиснат; враждебен; **2.** начумерен, потискащ, угнетяващ; **3.** бавен, муден.

sullen[2] *n ост. обик. pl* мрачно настроение.

sully[1] ['sʌli] *v* петня, цапам, замърсявам, оплесквам; *прен.* опетнявам, опозорявам; дискредитирам.

sully[2] *n* петно, белег.

sulpha ['sʌlfə] *n* **1.** = **sulphonamides; 2.** *attr.*: ~ **drugs** сулфонамиди.

sulphate ['sʌlfeit] *n хим.* сулфат.

sulphide ['sʌlfaid] *n хим.* сулфид.

sulphite ['sʌlfait] *n хим.* сулфит.

sulphonamides [sʌl'fɔnəmaidz] *n фарм.* сулфонамиди.

sulphur ['sʌlfə] *n* **1.** сяра; **2. flowers of** ~ *фарм.* серен прах; **3.** жълто-зелен цвят; **4.** *зоол.* жълта ливадна пеперуда (*и* ~ **butterfly**).

sulphurate ['sʌlfəreit] *v* третирам/опушвам със сяра; сулфурирам.

sulphureous [sʌl'fjuəriəs] *a* **1.** сернист; **2.** жълто-зелен.

sulphuretted [,sʌlfju'retid] *a* напоен/съединен със сяра.

sulphuric [sʌl'fjuərik] *a хим.* серен; ~ **acid** сярна киселина, витриол.

sulphurous ['sʌlfərəs] *a* **1.** *хим.* сернист; **2.** *прен.* нажежен, нагорещен; страстен; **3.** зъл, сатанински; **4.** адски.

sulphury ['sʌlfəri] *a* сероподобен; серен; сернист.

sulsi *вж.* **sulcus**.

sultan ['sʌltən] *n* **1.** султан; **2.** порода бели кокошки; **3.** *бот.* (**sweet**) ~ вид ароматно цвете (Centaurea moschata).

sultana [sʌl'ta:nə] *n* **1.** султанка; **2.** фаворитка, любимка; **3.** вид стафида без семки; **4.** = **sultan** 2.

sultanate ['sʌltənit] *n* султанат, султанство.

sultriness ['sʌltrinis] *n* зной, пек; задуха.

sultry ['sʌltri] *a* **1.** зноен, жарък, душен; *прен.* огнен, страстен; **2.** страшен, сензационен (*за разказ*).

sum[1] [sʌm] *n* **1.** сума; ~ **total** обща сума/сбор; **2.** същност; ~ **and substance** същина, квинтесенция; **in** ~ накратко казано; **3.** *разг.* аритметическа за-

дача; **to do** ~**s** решавам задачи по аритметика; **4.** *ост.* връх, връхна точка.

sum[2] *v* събирам, сумирам (*и с* **up**); **to** ~ **up the situation** преценявам положението; **to** ~ **up a person** добивам впечатление от/съставям си преценка за/охарактеризирам някого.

sumac(h) ['su:mək] *n бот.* смрадлика, тетра (Rhus).

summarily ['sʌmərili] *adv* **1.** накратко; **2.** незабавно; безцеремонно.

summarize ['sʌməraiz] *v* резюмирам, обобщавам; повтарям накратко.

summary[1] ['sʌməri] *a* **1.** сбит, сумарен, кратък, съкратен; **2.** *юр.* по съкратена процедура (*за процес и пр.*); **3.** незабавен; безцеремонен; □ ~ **martial court** *амер.* дисциплинарен съд.

summary[2] *n* резюме, сводка, извлечение; кратко изложение; конспект.

summat ['sʌmət] *n sl., диал.* нещо.

summation [sə'meiʃn] *n* **1.** събиране; **2.** сумиране, обобщаване.

summer[1] ['sʌmə] *n* **1.** лято; **2.** разцвет; зрелост; **3.** година; **a girl of ten** ~**s** десетгодишно момиче; **4.** *attr* летен; □ **St Martin's/St Luke's/Indian** ~ сиромашко лято; *прен.* втора младост.

summer[2] *n*: ~(**-tree**) *арх.* напречна греда.

summer house ['sʌməhaus] **1.** лятна беседка (*в парк и пр.*); **2.** вила.

summerly ['sʌməli] = **summery**.

summersault = **somersault**.

summer pudding ['sʌməpudiŋ] *n* вид плодов сладкиш.

summer school ['sʌməsku:l] *n* университетски летни курсове.

summer-time ['sʌmətaim] *n* **1.** лятно време, лято; **2.** лятно часово време.

summery ['sʌməri] *a* **1.** летен; **2.** като/подхождащ за лято.

summit ['sʌmit] *n* **1.** връх, било, най-висока част; *прен.* апогей, предел; **2.** ~ (**conference/meeting/talks**) конференция/среща/разговори на най-високо равнище.

summon ['sʌmən] *v* **1.** призовавам, извиквам, свиквам; повиквам (*и в съд*); **2.** събирам, свиквам (*и парламент*).

summons[1] ['sʌmənz] *n* **1.** повикване (*в съд*), призовка; съдебно известие; **to serve a witness with a** ~ връчвам призовка на свидетел; **2.** *воен.* предложение/ултиматум за капитулация.

summons[2] *v* извиквам/призовавам в съда с призовка.

sump [sʌmp] *n* **1.** клоака, канал за нечистотии; **2.** *мин.* водосборна яма, зумпф; **3.** *тех.* водоочистителна инсталация; маслено корито.

sumpter ['sʌmptə] *n* товарно животно; ~**-horse** товарен кон.

sumptuary ['sʌmptjuəri] *a* отнасящ се до разходи; контролиращ/ограничаващ частните разходи в интерес на държавата (*за закон и пр.*).

sumptuous ['sʌmptjuəs] *a* разкошен, пищен, луксозен; разточителен, великолепен.

sumptuousness ['sʌmptjuəsnis] *n* богатство, разкош, пищност.

sun[1] [sʌn] *n* **1.** слънце, слънчева светлина; **in the** ~ на слънце, на припек; *прен.* на/в благоприятно/топлично/изгодно място/положение; **with/against the** ~ по посока/обратно на часовата стрелка; **under the** ~ на земята, в света; **to see the** ~ жив съм; раждам се; виждам бял свят; **to rise with the** ~ ставам рано/в зори; **his ~ is rising** звездата му изгрява; **his ~ is set** времето/славата му мина, неговата свърши; **to hail/adore the rising ~** подмазвам се на новата власт; **to take the ~** *разг.* припичам се на слънце; **a touch of the ~** лек слънчев удар; **to take/**sl. **shoot the ~** *мор.* измервам височината на слънцето; **to hold a candle to the ~** върша нещо съвсем излишно; **2.** *поет.* година; ден; **3.** небесно светило, *обик.* звезда—център на система; **4.** *поет.* изгрев.

sun² v (-nn-) излагам на слънце, подлагам на действието на слънчевите лъчи; **to ~ o.s.** припичам се/грея се на слънце; *прен.* радвам се.

sun and planet ['sʌnən'plænit] *a тех.* планетарен (*за механизъм*).

sun-baked ['sʌnbeikt] *a* изсушен/изпечен на/спечен от слънце.

sun-bath ['sʌnba:θ] *n* слънчева баня.

sunbathe ['sʌnbeið] *v* пека се на слънце, правя слънчева баня.

sunbeam ['sʌnbi:m] *n* **1.** слънчев лъч; **2.** *прен.* човек, *особ.* дете със слънчев характер.

sunblind ['sʌnblaind] *n* навес над прозорец, сенник; щори.

sun-bonnet ['sʌnbɔnit] *n* ленена/памучна широкопола шапка за слънце.

sunburn¹ ['sʌnbə:n] *n* почервеняване/почерняване/изгаряне от слънце.

sunburn² v почернявам/изгарям от слънце; добивам загар.

sunburnt,-burned ['sʌnbə:nt,-bə:nd] *a* почернял/загорял/обгорял/изгорял от слънце.

sunburst ['sʌnbə:st] *n* **1.** проблясване на слънце иззад облаци; **2.** фойерверк/украшение и пр. във форма на слънце с лъчи.

sundae ['sʌndi] *n* плодов сладолед със сметана, бадеми и пр.; мелба.

Sunday ['sʌndi] *n* **1.** неделя; **a month of ~s** неопределено дълъг период/промеждутък от време; **Show ~** последният неделен ден преди годишния акт в Оксфордския университет; **2.** *attr* неделен; празничен; **~ best, ~ go-to-meeting clothes** *обик. шег.* празничен костюм/премяна; най-хубавите дрехи; **~ school** *църк.* неделно училище; **~ truth** банална/изтъркана истина.

sunder ['sʌndə] *v книж.* разделям (се); разединявам, разтрогвам.

sundew ['sʌndju] *n бот.* росянка (Drosera).

sundial ['sʌndaiəl] *n* слънчев часовник.

sun-disk ['sʌndisk] *n* слънчев диск (*като емблема на бог на слънцето*).

sundog ['sʌndɔg] *n астр.* лъжливо слънце, пархелий.

sundown ['sʌndaun] *n* залез слънце.

sundowner ['sʌndaunə] *n* **1.** *австрал.* скитник, пристигащ във ферма след работното време да търси подслон; **2.** *ам.* човек, упражняващ частна практика след работното време; **3.** *разг.* чашка алкохол на залез слънце.

sun-dress ['sʌndres] *n* деколтирана рокля без ръкави.

sun-dried ['sʌndraid] *a* изсушен на слънце (*за плодове и пр.*).

sundries ['sʌndriz] *n pl* дреболии, джунджурии; това-онова.

sundry ['sʌndri] *a шег.* разни, различни, няколко.

sunfast ['sʌnfa:st] *a ам.* неизбеляващ (*за боя и пр.*).

sunfish ['sʌnfiʃ] *n зоол.* риба луна (Mola mola).

sunflower ['sʌnflauə] *n бот.* слънчоглед; □ **the S. State** *ам.* Канзас.

sung *вж.* **sing.**

sunglasses ['sʌngla:siz] *n pl* очила за слънце.

sun-hat ['sʌnhæt] *n* широкопола шапка за слънце.

sun-helmet ['sʌnhelmit] *n* тропическа каска.

sunk¹ [sʌnk] *a* **1.** хлътнал, потънал, потопен; **2.** *разг.* погубен, загубен.

sunk² *вж.* **sink¹.**

sunken ['sʌnkən] *a* **1.** потопен, потънал; затънал, заседнал; **~ rock** подводна скала; **~ battery** *воен.* батарея, окопана в земята; **2.** хлътнал (*за очи, бузи и пр.*).

sun-lamp ['sʌnlæmp] *n* кварцова лампа.

sunless ['sʌnlis] *a* мрачен, без слънце, усоен.

sunlight ['sʌnlait] *n* слънчева светлина; **in the ~** на слънце.

sunlit ['sʌnlit] *a* осветен/огрян от слънце(то).

sun lounge ['sʌnlaundʒ] *n* остъклена веранда/стая и пр. (*за повече слънце*).

sunn [sʌn] *n* индийски коноп, мадраски кълчища.

sunnily ['sʌnili] *adv* **1.** слънчево; **2.** весело, радостно, щастливо.

sunny ['sʌni] *a* **1.** слънчев; осветен от слънцето; **2.** радостен, весел, лъчезарен; оптимистичен; **the ~ side** *прен.* веселата/оптимистичната страна на нещата: **to be on the ~ side of thirty** нямам още 30 години; **to look on the ~ side of things** оптимист съм; □ **~ side up** изпържен само от едната страна (*за яйце*).

sun parlor ['sʌnpa:lə] *ам.* = **sun lounge.**

sunproof ['sʌnpru:f] *a* **1.** непроницаем за слънцето; **2.** неизбеляващ.

sunrays ['sʌnreiz] *n pl* **1.** слънчеви лъчи; **2.** *мед.* ултравиолетови лъчи (*за нагревки*); **~ treatment** хелиотерапия.

sunrise ['sʌnraiz] *n* изгрев слънце.

sun-roof ['sʌnru:f] *n* подвижен капак в покрива на автомобил.

sunset ['sʌnset] *n* **1.** залез слънце; **at ~** на залез (слънце); **2.** *прен.* залез.

sunshade ['sʌnʃeid] *n* **1.** слънчобран, чадър; **2.** сенник, навес, тента.

sunshine ['sʌnʃain] *n* **1.** слънчева светлина, слънце; **in the ~** на слънце, на припек; **2.** слънчево време; **3.** *прен.* радост, щастие; процъфтяване; топлина; бодрост.

sunshine roof ['sʌnʃainru:f] = **sun-roof.**

sunspot ['sʌnspɔt] *n* **1.** *астр.* слънчево петно; **2.** *разг.* слънчево кътче.

sunstroke ['sʌnstrouk] *n* слънчев удар, слънчасване.

sun-tan ['sʌntæn] *n* почерняване от слънцето, загар.

sun-trap ['sʌntræp] *n* закътано слънчево място, припек.

sun-up ['sʌnʌp] *ам.* = **sunrise.**

sunward ['sʌnwəd] *a* обърнат/с лице към слънцето.

sunwards ['sʌnwədz] *adv* по посока на/към слънцето.

sunwise ['sʌnwaiz] *adv* по посока на часовниковата стрелка.

sup¹ [sʌp] *v* (-pp-) поемам на малки глътки (*супа, чай и пр.*); сърбам; гълтам.

sup² *n* (малка) глътка; сръбване; **a ~ of tea** малко/една глътка чай.

sup³ *v* вечерям; **to ~ on/off bread and cheese** вечерям с хляб и сирене; □ **to ~ with Pluto** умирам.

super¹ ['sju:pə] *a* **1.** *разг.* от най-високо качество; чудесен, превъзходен; **2.** изключително умен/храбър/добър и пр.; **3.** **~(-duper)** *sl.* огромен; изключителен; великолепен; поразителен; **4.** *търг.* екстра качество; **5.** квадратен (*за мерки*).

super² *разг. съкр. от* **superficial, superfine, supernumerary; supercargo, superfilm, superintendent, supervisor** и др.

super³ *n разг.* **1.** *театр., кино* статист; **2.** *прен.* човек, който е в повече/излишен; незначителен/нежелан човек.

super⁴ *n търг.* тъкан/продукт от най-високо качество.

super-⁵ *pref* свръх-, над-, най-.

superable ['sju:pərəbl] *a* преодолим.

superabundance [,sju:pərə'bʌndəns] *n* свръхизобилие; излишък.

superabundant [,sju:pərə'bʌndənt] *a* свръхизобилен; предостатъчен; излишен; ~ **population** свръхнаселение.

superadd [sju:'ræd] *v* прибавям, добавям, надбавям.

superannuate [,sju:pər'ænjueit] *v* **1.** уволнявам поради негодност/старост; пенсионирам по (пределна) възраст; **2.** *уч.* изключвам/отстранявам поради надрастване на училищната възраст; **3.** *прен.* давам/предавам в архивата.

superannuated [,sju:pər'ænjueitid] *a* **1.** остарял, престарял; **2.** *разг.* изостанал от времето си; старомоден.

superatomic bomb [sju:pərə'tɔmik'bɔm] = **superbomb**.

superb [sju'pə:b] *a* великолепен, величествен; изключителен, превъзходен; блестящ; разкошен; прекрасен.

superbomb ['sju:pəbɔm] *n воен.* водородна бомба.

supercargo [sju:pə'ka:gou] *n (pl -goes) мор.* лице, отговарящо за продажбата и пр. на товара на търговски кораб.

supercharge ['sju:pətʃa:ʤ] *v* **1.** претоварвам; пресилвам; **2.** *тех.* пълня с компресор.

supercharger ['sju:pətʃa:ʤə] *n тех.* компресор; уред, служещ за принудително пълнене.

superciliary [sju:pə'siliəri] *a анат.* намиращ се на/около веждата, надочен.

supercilious [sju:pə'siliəs] *a* презрителен, високомерен; надменен, горделив.

superconductivity [,sju:pəkɔndʌk'tiviti] *n физ.* свръхпроводимост.

supercool ['sju:pəku:l] *v* преохлаждам (се) (*за течност и пр.*).

superdominant ['sju:pə'dɔminənt] *муз.* = **submediant**.

supereminent ['sju:pə'reminənt] *a* открояващ се с превъзходството си, изключителен.

supererogation ['sju:pər,erɔ'geiʃən] *n* престараване, пресилване.

superfatted [sju:pə'fætid] *a* прекалено мазен (*за сапун*).

superficial [sju:pə'fiʃl] *a* **1.** повърхностен, бегъл; **2.** *прен.* несериозен, лекомислен, плитък, безсъдържателен; празен; привиден, външен; **3.** *геол.* алувиален, наносен; **4.** квадратен (*за мярка*).

superficiality [sju:pə,fiʃi'æliti] *n* повърхностност, лекомислие.

superficies [sju:pə'fiʃi:iz] *n* (*pl без изменение*) **1.** повърхност, повърхнина; **2.** външен вид, външност.

superfilm ['sju:pəfilm] *n кино* суперпродукция.

superfine ['sju:pəfain] *a* **1.** извънредно фин/изтънчен; **2.** съвсем/прекалено тънък; **3.** *търг.* от най-високо качество.

superfluity [sju:pə'fluiti] *n* **1.** изобилие, обилност; **2.** излишък; **3.** *обик. pl* излишество; разточителство.

superfluous [sju:'pə:fluəs] *a* **1.** излишен, безполезен, ненужен; **2.** предостатъчен, прекален; **3.** разточителен.

superheat [sju:pə'hi:t] *v тех.* прегрявам (*течност, пара*).

superhet [sju:pə'het] *разг.* = **superheterodyne**.

superheterodyne [sju:pə'hetərədain] *n* суперхетеродинен радиоприемник.

superhighway ['sju:pəhaiwei] *n ам.* магистрала за ускорен трафик.

superhuman [sju:pə'hju:mən] *a* свръхчовешки.

superimpose [sju:pərim'pouz] *v* полагам върху, слагам отгоре; налагам.

superincumbent [sju:pərin'kjumbənt] *a* **1.** лежащ/почиващ/разположен отгоре/върху; **2.** *ам.* окачен/висящ над.

superinduce [,sju:pərin'dju:s] *v* **1.** въвеждам допълнително, привнасям; **2.** извиквам/предизвиквам допълнително.

superintend [sju:pərin'tend] *v* надзиравам, наглеждам, контролирам; завеждам, управлявам.

superintendence [sju:pərin'tendəns] *n* надзор, контрол; завеждане, управление.

superintendent [,sjupərin'tendənt] *n* **1.** надзирател, надзорник; **2.** директор, управител, завеждащ; **3.** старши полицейски офицер.

superior¹ [sju:'piəriə] *a* **1.** по-горен, по-висш, старши (**to**); **2.** по-добър, превъзхождащ, надминаващ (*по качество, количество и пр.*); изключителен, ненадминат; ~ **numbers** числено превъзходство; ~ **strength** сила, имаща превес; ~ **in speed to the rest** по-бърз от останалите; **3.** издигнат, стоящ (**to** над); недосегаем, недостижим (**to**); **to be/rise** ~ **to** не се поддавам на/ оставам глух за; преодолявам успешно; **4.** надменен, високомерен, горд, горделив; **5.** *печ.* напечатан/намиращ се над реда; **6.** *бот., зоол.* горен, разположен над/върху; ~ **wings** надкрилници (*у насекоми*).

superior² *n* **1.** човек, по-горен по ранг/положение/способности и пр.; **2.** началник, шеф, старши; **3.** игумен (*и* **Father S.**); игуменка (*и* **Mother/Lady S.**); **4.** *печ.* знак над печатния ред.

superiority [sju:piəri'ɔriti] *n* превъзходство; преимущество (**to** над, пред); **2.** старшинство.

superjet ['sju:pəʤet] *n ам.* свръхзвуков реактивен самолет.

superlative [sju:'pə:lətiv] **I.** *a* превъзходен; превъзхождащ/надминаващ всички; **2.** ~ (**degree**) *грам.* превъзходна степен; **II.** *n* преувеличение; суперлатив; **to speak in** ~s пресилвам, преувеличавам.

superlunary [sju:pə'lu:nəri] *a* **1.** намиращ се отвъд луната; **2.** небесен, неземен.

superman ['sju:pəmæn] *n (pl -men)* **1.** свръхчовек; **2.** *разг.* изключително умен/способен и пр. човек.

supermarket ['sju:pəma:kit] *n* голям магазин на самообслужване за хранителни стоки и домакински потреби, супермаркет, супер.

supernal [sju:'pə:nəl] *a поет.* небесен, божествен, възвишен.

supernatural [sju:pə'nætʃərəl] *a* свръхестествен.

supernumerary [sju:pə'nju:mərəri] **I.** *a* **1.** излишен, ненужен, в повече; **2.** извънреден, допълнителен, извънщатен; **II.** *n* **1.** извънщатен/свръхщатен служител; **2.** временен заместник; **3.** *театр., кино* фигурант, статист.

superphosphate [sju:pə'fɔsfeit] *n* суперфосфат.

superpower ['sju:pəpauə] *n пол.* една от най-мощните велики държави.

superprofit ['sju:pəprɔfit] *n* свръхпечалба.

supersaturate [sju:pə'sætʃureit] *v* пренасищам (*разтвор*).

superscription [,sju:pə'skripʃn] *n* надпис; адрес.

supersede [sju:pə'si:d] *v* **1.** замествам, заменям; заемам мястото на, измествам; **gas has been** ~**d by electricity** електричеството измести газта; **to** ~ **unskilled workers by skilled** подменям неквалифицирани работници с квалифицирани; **2.** отстранявам от длъжност и пр.; **3.** отменям; преустановявам, суспендирам.

supersensible [sju:pə'sensibl] *a* неуловим за сетивата; свръхестествен.

supersonic [sju:pə'sɔnik] *a* свръхзвуков (*за скорост*).

superstition[sju:pə'stiʃn]*n* суеверие.

superstitious[sju:pə'stiʃəs]*a* суеверен.

superstructure [sju:pə'strʌktʃə] *n* 1. *стр.* надстройка; 2. *стр.* частта на постройка над основите; 3. *фил.* надстройка; 4. *стр.* горно строене (*на път*); 5. надпалубни съоръжения.

supertanker ['sju:pə'tæŋkə] *n* огромен танкер.

supertax ['sju:pətæks] *n* прогресивно подоходен данък; допълнителен данък върху свръхпечалбите.

superterranean [‚sju:pətə'reiniən] *a* надземен, живеещ на повърхността на земята.

supervene [sju:pə'vi:n] *v* идвам/настъпвам като последица/допълнение; следвам, последвам (**on**).

supervise ['sju:pəvaiz] *v* надзиравам, наглеждам; ръководя.

supervision [sju:pə'viʒn] *n* надзор, наблюдение; ръководство.

supervisor ['sju:pəvaizə] *n* 1. надзирател, контрольор; 2. *ам.* училищен инспектор.

supervisory [‚sju:pə'vaizəri]*a* контролен, надзорен; ~ **body** контролен орган.

supine[1] ['sju:pain] *a* 1. лежащ на гръб/възнак/проснат; 2. обърнат с дланта нагоре (*за ръка*); 3. бездеен; муден, ленив, мързелив; 4. *ост.* наклонен, полегат.

supine[2] *n* грам. супин.

supper ['sʌpə] *n* вечеря; **the Last/Holy S.** *рел.* Тайната вечеря; **to sing for o.'s** ~ плащам си за полученото, отплащам се.

supplant [sə'pla:nt] *v* измествам, избутвам, изпъждам; вземам нечие място (*особ. с хитрост*).

supple[1] ['sʌpl] *a* 1. мек, гъвкав, еластичен; 2. ловък, хитър, бързо приспособяващ се; 3. податлив, отстъпчив; раболепен.

supple[2] *v* правя/ставам гъвкав и пр. (*вж.* **supple**[1]).

supple-jack ['sʌpldʒæk] *n* 1. *бот.* име на няколко увивни растения; 2. гъвкаво бастунче.

supplement[1] ['sʌplimənt] *n* 1. допълнение; приложение, притурка (*на вестник, списание и пр.*); прибавка, добавка; 2. *мат.* допълнителен ъгъл.

supplement[2] ['sʌpliment] *v* прибавям; допълвам; притурям.

supplemental [sʌpli'mentl] *a* 1. допълнителен, извънреден (*за рейс и пр.*); допълващ (**to, of**); ~ **angle** *геом.* допълващ ъгъл (*до 180°*); 2. добавъчен; ~ **estimates** допълнително отпуснати бюджетни суми.

supplementary [sʌpli'mentəri] *a* допълнителен, добавъчен; допълващ.

suppletion [sə'pli:ʃn] *n* ез. допълване, суплетивизъм.

suppletive [sə'pli:tiv] *a* ез. допълващ, суплетивен.

suppliant ['sʌpliənt] **I.** *a* умоляващ, умолителен; **II.** *n* смирен молител.

supplicant ['sʌplikənt] *n* молител.

supplicate ['sʌplikeit] *v* моля, умолявам.

supplication [sʌpli'keiʃn] *n* 1. смирена молитва; 2. молба, жалба.

supplicatory ['sʌplikətəri] *a* умолителен, умоляващ.

supplier [sə'plaiə] *n* снабдител (*човек, фирма и пр.*).

supply[1] ['sʌpli] *adv* гъвкаво, еластично и пр. (*вж.* **supple**[1]).

supply[2] [sə'plai] *v* 1. снабдявам, запасявам (**with** с); 2. доставям (*стоки и пр.*); удовлетворявам (*нужди*); 3. запълвам, попълвам; замествам; 4. давам, представям (*доказателства и пр.*); 5. *тех.* подавам (*ток и пр.*); захранвам, снабдявам.

supply[3] *n* 1. снабдяване, продоволствие; 2. наличност; запас, резерва; **in short** ~ в недостиг, недостатъчен, дефицитен; 3. *pl* припаси, продоволствие (*особ. за армия*); **food supplies** хранителни припаси, съестни продукти; 4. *pl* средства, отпускани за издръжка; 5. *търг.* предлагане; ~ **and demand** търсене и предлагане; 6. *тех.* захранване, подаване; приток; ~ **pressure** *ел.* напрежение на мрежата; 7. временен заместник (*особ. учител*).

support[1] [sə'pɔ:t] *v* 1. поддържам, подкрепям; подпирам; подпомагам; одобрявам; насърчавам; 2. търпя, понасям; издържам (*тежест, натиск и пр.*); 3. издържам, давам издръжка на; обезпечавам; 4. потвърждавам; подкрепям (*теория и пр.*); 5. *театр.* играя второстепенна роля.

support[2] *n* 1. поддръжка, подкрепа; **to speak in** ~ **of** поддържам, подкрепям, защищавам; 2. материална издръжка; човек, издържащ семейство и пр.; **without visible means of** ~ *юр.* без средства за препитание; 3. помощ, издръжка; ~ **price** минимална изкупна цена, гарантирана чрез държавни субсидии; 4. *воен.* артилерийска поддръжка; 5. опора, подпорка, подставка.

supporter [sə'pɔ:tə] *n* поддръжник, защитник, привърженик.

supporting [sə'pɔ:tiŋ] *a* 1. поддържащ; ~ **point** опорна точка; 2. *театр., кино* спомагателен; ~ **actor** изпълнител на второстепенна роля; ~ **staff** актьори от спомагателния състав; ~ **programme** допълнителни късометражни филми към главния филм; 3. *тех.* носещ (*за ос, конструкция*).

suppose [sə'pouz] *v* 1. предполагам, допускам, считам, мисля; **I** ~ **he won't come, I don't** ~ **he will come** предполагам, че той няма да дойде; **what do you** ~ **he meant?** какво мислиш, че той искаше да каже? 2. предполагам, изисквам (*за теория, очакван резултат и пр.*); **that** ~ **s a mechanism without flaws** това предполага безпогрешен механизъм; 3. представям си, въобразявам си; ~ **a fire broke out** представи си, че/ами ако избухне пожар; 4. *imp като форма за предложение*: ~ **we went for a walk** хайде да се поразходим, да бяхме се поразходили; ~ **we try once again** да опитаме още веднъж; 5. *в pass:* **to be** ~ **d to** 1) иска се/изисква се/очаква се от мен да; **a motorist is** ~ **d to stop at a zebra crossing if pedestrians wish to cross** шофьорът трябва да спре пред пешеходна пътека, ако пешеходци искат да пресичат; 2) предполага се/очаква се, че; **strong coffee is** ~ **d to keep one awake** счита се, че силното кафе причинява безсъние; **not to be** ~ **d to** 1) не се изисква/очаква от мен да; **she is not** ~ **d to do that every day** тя не е длъжна да прави това всеки ден; 2) *разг.* не ми се разрешава/не бива/не трябва да; **the office staff are not** ~ **d to use that entrance** не се разрешава на служителите да използуват този вход.

supposed [sə'pouzd] *a* 1. предполагаем; мним; 2. предназначен; очакван.

supposedly [sə'pouzidli] *adv* по общо мнение.

supposing [sə'pouziŋ] *cj* ако, в случай че, при положение че.

supposition [sʌpə'ziʃn] *n* предположение, хипотеза; **on the** ~ **that** при положение че, в очакване/очаквайки, че.

supposititious [sə'pɔzi'tiʃəs] *a* 1. фалшив, подправен, лъжлив; незаконен; 2. предполагаем.

suppository [sə'pɔzitəri] *n мед.* супозиторий; свещичка.

suppress [sə'pres] *v* 1. потискам; потъпквам, потушавам; 2. тая; сдържам, сподавям (*стон и пр.*); 3. спирам, забранявам (*вестник*); изземвам от печат, конфискувам (*книга и пр.*); 4. потулям, премълчавам.

suppression [sə'preʃn] *n* потискане, потъпкване и пр. (*вж.* **suppress**).

suppressor [sə'presə] *n* 1. потисник; 2. *ел.* стабилизатор.

suppurate ['sʌpjuəreit] *v мед.* гноя, бера, забирам.

suppuration [sʌpju'reiʃn] *n* гноене, загнояване.

supra ['sjuːprə] *adv* горе, по-горе (*в текст, книга*).

supranational [sjuːprə'næʃənl] *a* надхвърлящ рамките на националните интереси.

suprarenal ['sjuːprə'riːnəl] *a анат.* надбъбречен.

supremacist [sjuː'preməsist] *n* привърженик на расистката теория за превъзходството на бялата раса.

supremacy [sjuː'preməsi] *n* 1. върховна власт; господство; 2. превъзходство, първенство, надмощие; **Act of S.** *ист.* закон за върховната власт на английския крал над църквата.

supreme¹ [sjuː'priːm] *a* 1. най-висш, върховен; **S. Court** Върховен съд; **the S. (Being)** бог; **to make the ~ sacrifice** жертвувам живота си; **to reign** = властвувам неограничено/като абсолютен господар; 2. най-висок, най-голям; най-важен; краен; **at the ~ moment** в последния/критичния момент; **~ end/good** върховно/висше благо; **the ~ hour** последният/смъртният час.

supreme² *n* ястие, сервирано с гъст сметанов сос.

supremely [sjuː'priːmli] *adv* във висша степен, извънредно, безпределно.

sura(h) ['suːrə] *n* сура (*глава от корана*).

surah ['sjuːərə] *n* тънка копринена материя за шалчета и вратовръзки.

surcease¹ [səː'siːs] *n поет.* прекратяване, спиране; край.

surcease² *v* спирам, прекратявам (се).

surcharge¹ ['səːtʃaːdʒ] *n* 1. претоварване, допълнителен товар, свръхнатоварване; 2. допълнителна такса, доплащане (*за писмо и пр.*); 3. глоба; 4. преразход, свръхсметни разноски; 5. печат (*върху марка*); 6. *ел.* презареждане.

surcharge² *v* 1. претоварвам; 2. глобявам; 3. изисквам преразходени суми, начитам; 4. надпечатвам (*марка*) с по-голяма стойност; 5. *ел.* презареждам.

surcingle ['səːsingl] *n* подпруга, подпружен ремък, колан (*на кон*).

surcoat ['səːkout] *n ист.* 1. туника, носена върху броня; 2. къса горна дреха.

surd [səːd] I. *a* 1. *мат.* ирационален; 2. *фон.* беззвучен, тъмен, глух; II. *n* 1. *мат.* ирационално число; 2. *фон.* беззвучна съгласна.

sure¹ [ʃuə] *a* 1. сигурен, уверен, убеден; **to be/feel ~ of/about s.th.** сигурен съм за/убеден съм в нещо, не се съмнявам за/в нещо; **I am ~ I didn't mean to hurt you** аз наистина/съвсем не исках да те оскърбя; **to be ~ of o.s.** имам вяра/уверен съм в себе си; **to make ~ (that)** проверявам/убеждавам се/уверявам се, че; 2. верен, надежден; доверен; несъмнен, безспорен, положителен; сигурен, изпитан; **to be ~** разбира се, естествено; **be ~ to,** *разг.* **be ~ and** непременно/не забравяй/не пропускай да; **to have it for ~** знам с положителност; **~ thing!** *разг.* положително! всякак! □ **well, to be ~!** **well, I'm ~!** *учудване* (я) виж ти! **she made ~ he would come back** тя беше сигурна, че той ще се върне.

sure² *adv* 1. сигурно, несъмнено, без съмнение; **~**

enough наистина, действително; разбира се; **as ~ as eggs is eggs** *sl.* съвсем вярно/сигурно, като две и две четири; 2. *ам.* наистина, разбира се, безусловно; **you ~ said it** добре го каза.

sure³ *int* разбира се; естествено; всякак.

sure-fire ['ʃuəfaiə] *a ам. разг.* безпогрешен, верен; сполучлив (*за рецепта и пр.*).

sure-footed ['ʃuəfutid] *a* устойчив, здрав; непогрешим; уверен.

surely ['ʃuəli] *adv* 1. сигурно, устойчиво; безопасно; 2. вярно; сигурно, положително; непременно; несъмнено; 3. уверено; 4. наистина.

surety ['ʃuəti] *n* 1. *ост.* сигурност, увереност; **of a ~** навярно, несъмнено; 2. залог, гаранция; поръчител, гарант; поръчителство, гаранция; **to stand ~ for** поръчителствувам за, ставам гарант на някого.

surf [səːf] *n* 1. шум/плясък на разбиващи се вълни; 2. морска пяна.

surface ['səːfis] *n* 1. повърхност; *геол.* земна повърхност; **to rise/come to the ~** *прен.* появявам се, изплувам; **to work under the ~** работя под земята; 2. външност, външен вид; **on the ~ of it** погледнато отвън, на пръв поглед; **to look only at the ~ of things** гледам на нещата само от външната им страна; 3. *тех.* плоскост, повърхност; **heating ~** нагревателна площ; 4. *attr* 1) повърхностен, бегъл; външен (*за впечатления и пр.*); **~ politeness** привидна учтивост; 2) *тех.* плоскост; **~ tension** *ел.* повърхностно напрежение; 3) сухопътен; морски; извършващ се на повърхността; **~ mail** обикновена (не въздушна) поща.

surfeit¹ ['səːfit] *n* 1. излишество; прекаленост; 2. втръсване, преситеност, пресищане.

surfeit² *v* натъпквам се, пресищам се; преяждам (**on**).

surfing, surf-riding ['səːfin, 'səːfraidin] *n c n.* сърфинг.

surge¹ [səːdʒ] *v* надигам се, издигам се; вълнувам се, бушувам; нахлувам; **the current ~s** *ел.* има пренапрежение на тока.

surge² *n* 1. голяма вълна; 2. вълнение, вълни; нахлуване, прииждане; *прен.* изблик, устрем; бушуване; 3. *поет.* море.

surgeon ['səːdʒən] *n* 1. хирург; **~ dentist** зъболекар хирург; 2. военен/морски лекар.

surgery ['səːdʒəri] *n* 1. хирургия; 2. кабинет/приемна на лекар/зъболекар; **~ hours** приемни/консултационни часове на лекар; 3. *разг.* място, където депутат изслушва своите избиратели; 4. *разг.* юридическа консултация, адвокатска кантора.

surgical ['səːdʒikəl] *a* хирургически; **~ bag** санитарна чанта; **~ spirit** медицински спирт; **~ boot** *мед.* висока обувка за деформиран крак.

surly ['səːli] *a* груб, невъзпитан; навъсен, нацупен, кисел.

surmise¹ [sə'maiz] *n* предположение, догадка.

surmise² *v* изказвам предположение, правя догадки; подозирам; **I ~d that much** така и предполагах, подозирах такова нещо.

surmount [sə'maunt] *v* 1. преодолявам, превъзмогвам; 2. прехвърлям, преминавам; 3. издигам се/стърча над; 4. *обик. в pp* покривам, увенчавам (**with** с); **peaks ~ed with snow** снежни планински върхове.

surmullet [sə'mʌlit] *n зоол.* барбун (*риба*) (Mullus barbatus).

surname¹ ['səːneim] *n* 1. прякор, прозвище; 2. презиме, фамилно име.

surname² v измислям/давам пряког/прозвище на; наричам/зова по презиме/пряког.

surpass [sə'pa:s] v 1. надвишавам, превишавам; надминавам, надхвърлям; 2. превъзхождам.

surpassing [sə'pa:siŋ] a превъзхождащ; ненадминат, изключителен; **she was of ~ beauty** тя беше невиждана хубавица.

surplice ['sə:plis] n църк. стихар (широка бяла връхна дреха).

surplus¹ ['sə:pləs] n излишък, остатък; търг. активно салдо.

surplus² a 1. излишен, в повече; 2. добавъчен, принаден; **~ value** пол. ик. принадена стойност.

surplusage [sə:pləsidʒ] n 1. излишък; 2. юр. несъществени твърдения.

surprisal [sə'praizl] n изненада, почуда.

surprise¹ [sə'praiz] n 1. изненада, учудване; сюрприз; удивление, слисване, почуда; **by ~** внезапно, изненадващо, ненадейно; **(much) to my ~** за моя (голяма) изненада/удивление; **to take by ~** изненадвам, сварвам неподготвен; **to give s.o. the ~ of his life** смайвам/слисвам/трясвам някого; 3. изненадващо нападение/атака; 4. attr неочакван, ненадеен, изненадващ, внезапен; **~ effect** резултат, дължащ се на изненадващо действие/внезапност; **~ visit** посещение без предупреждение/уговорка.

surprise² v 1. изненадвам, учудвам; сюрпризирам; удивлявам; **I am ~d at you** ти ме учудваш/скандализираш; не очаквах това от теб; **I shouldn't be ~d if** никак няма да се изненадам, ако; 2. сварвам (някого) неподготвен; появявам се неочаквано; нападам внезапно; връхлитам върху; **I ~d him in the act** хванах го на местопрестъплението; **to ~ s.o. into doing s.th.** принуждавам някого (чрез изненадващо действие, въпрос и пр.) да направи нещо.

surprisedly [sə'praizidli] adv учудено, смаяно.

surprising [sə'praiziŋ] a 1. неочакван, ненадеен; изненадващ; внезапен; 2. удивителен; изумителен.

surprisingly [sə'praiziŋli] adv учудващо, изненадващо.

surrealism [sə:'riəlizm] n изк. сюрреализъм.

surrebutter [sə:ri'bʌtə] n юр. отговор на ищеца на възражението на ответника.

surrender¹ [sə'rendə] v 1. предавам се, капитулирам; **to ~ o.s. to the police** предавам се на полицията; 2. отказвам се от, изоставям; **to ~ hope** загубвам всяка надежда; **to ~ o.'s bail** явявам се в съда в определения срок (за пуснат под гаранция обвиняем); 3. отстъпвам/отказвам се от; **to ~ a right** отказвам се от правото си (**to** в полза на); 4. често refl отстъпвам; отдавам се, предавам се (на чувство, влияние и пр.) (**to**).

surrender² n 1. предаване, капитулация; 2. отказ (от); отстъпване, предаване (на); **~ value** сума, която се връща на застрахованото лице, когато то прекрати застраховката си.

surreptitious [sʌrep'tiʃəs] a таен, потаен; подмолен, нелегален; **~ look** скришен поглед (изпод вежди); **by ~ methods** потайно.

surreptitiously [sərep'tiʃəsli] adv тайничко, скришом, крадешком.

surrey ['sʌri] n ам. лека двуместна каляска.

surrogate ['sʌrəgeit] n 1. заместник; църк. епископски наместник; 2. ам. съдия по наследствени дела; 3. заместител, сурогат.

surround [sə'raund] v ограждам, заобикалям, обкръжавам; обсаждам.

surroundings [sə'raundiŋz] n pl 1. околности; 2. среда, обкръжение; околна обстановка.

surtax¹ ['sə:tæks] n допълнителен данък; добавъчен налог.

surtax² v облагам с допълнителен данък/налог.

surtout [sə:'tu:] n сюртук.

surveillance [sə:'veiləns] n надзор, наблюдение; **under ~** под наблюдение (обик. полицейско).

survey¹ [sə'vei] v 1. правя общ преглед/обзор на (събития, положение и пр.); 2. оглеждам, изследвам; инспектирам; 3. проучвам, обследвам; 4. измервам, размервам (земни участъци), правя земемерна снимка на.

survey² ['sə:vei] n 1. общ преглед, обзор; 2. изследване, инспекция; 3. отчет за направено проучване; 4. земемерско измерване/снимка/план; 5. топографски институт; 6. ам. данъчен участък.

surveyor [sə'veiə] n 1. инспектор, контрольор; 2. земемер; топограф.

survival [sə'vaivəl] n 1. преживяване, надживяване, оцеляване; **the ~ of the fittest** биол. естествен подбор; 2. оцелял предмет/човек; останка; 3. отживелица.

survive [sə'vaiv] v 1. живея по-дълго от, преживявам, надживявам; 2. оцелявам, оставам жив; запазвам се, съхранявам се.

survivor [sə'vaivə] n 1. останал жив/оцелял човек; **there are no ~s** никой не се е спасил, всички са загинали (при катастрофа и пр.); 2. оцелял/съхранил се предмет и пр.

sus¹ [sʌs] v (-ss-) sl. подозирам; **to ~ out** издирвам, разузнавам.

sus² n sl. подозрение.

susceptibility [səsepti'biliti] n 1. податливост; възприемчивост; **~ to a disease** предразположение към болест/ заболяване; 2. чувствителност; впечатлителност; 3. обидчивост, докачливост; 4. pl болно/уязвимо/ чувствително място (и прен.).

susceptible [sə'septibl] a 1. впечатлителен, възприемчив; 2. податлив, чувствителен (**to** към); 3. докачлив, обидчив; 4. допускащ, позволяващ; поддавам се (**to, of** на); 5. влюбчив.

susceptive [sə'septiv] a впечатлителен; чувствителен; възприемчив.

suspect¹ [sə'spekt] v 1. подозирам; съмнявам се/усъмнявам се в; 2. мисля, предполагам, допускам.

suspect² ['sʌspekt] n заподозряно лице; подозрителен човек.

suspect³ ['sʌspekt] a подозрителен, съмнителен, заподозрян.

suspend [sə'spend] v 1. окачвам, провесвам, обесвам; 2. спирам, прекратявам, преустановявам; **to ~ judgement** отлагам произнасянето на присъда; **to ~ o.'s judgement** въздържам се от изказване на мнение/вземане на решение; **to ~ payment** прекратявам плащанията; обявявам се за неплатежоспособен; 3. отстранявам временно от длъжност, игра и пр.; 4. оставям висящ, държа нерешен; отлагам/отсрочвам временно; 5. хим. суспендирам; 6. ост. правя зависим.

suspended [səs'pendid] a 1. пуснат надолу да виси, окачен, провесен; 2. прекратен, преустановен; **~ animation** летаргия; безсъзнание; прен. висящо/нерешено положение; **~ sentence** юр. условна присъда.

suspenders [səs'pendəz] n pl 1. жартиери; **~ belt** колан за жартиери; 2. презрамки, тиранти.

suspense [səs'pens] n напрежение, напрегнатост, безпокойство; 2. неизвестност, несигурност; очакване;

in ~ висящ, нерешен; **to keep/hold s.o. in** ~ държа някого в напрегнато очакване/неизвестност.

suspension [səsˈpenʃn] *n* **1.** окачване, провесване; **2.** временно отстраняване от длъжност/лишаване от права и пр.; **3.** прекратяване, преустановяване, прекъсване; суспендиране; ~ **of arms** *воен.* кратко/временно примирие; **4.** *хим.* суспенсия.

suspension bridge [səsˈpenʃnˌbridʒ] *n* висящ мост.

suspensive [səsˈpensiv] *a* **1.** временно прекратяващ/преустановяващ; **2.** неизвестен, несигурен; нерешителен; **3.** държащ в напрежение.

suspensory[1] [səsˈpensəri] *a* **1.** поддържащ; **2.** провесващ; **3.** задържащ, забавящ, закъснителен.

suspensory[2] *n* презрамка, превръзка, бандаж; суспензорий.

suspicion [səsˈpiʃn] *n* **1.** подозрение, съмнение; **on** ~ по подозрение; **under** ~ заподозрян, под. подозрение; **above** ~ извън всяко съмнение; **to cast** ~ **on s.o.'s good faith** поставям под съмнение честността на някого; **2.** *разг.* съвсем мъничко количество; *прен.* лека следа, нотка; **just a** ~ **of vanilla** съвсем мъничко ванилия; **a** ~ **of a smile** едва доловима усмивка; **a** ~ **of irony** лека нотка на ирония.

suspicious [səsˈpiʃəs] *a* **1.** подозрителен, съмнителен; **2.** подозрителен, мнителен, недоверчив; **to be/feel** ~ **of** подозирам; скептичен съм относно, нямам вяра в.

suspiciously [səsˈpiʃəsli] *adv* подозрително, съмнително; с подозрение; **it looks to me** ~ **like measles** много ми прилича на морбили.

suspiciousness [səsˈpiʃəsnis] *n* подозрителност, недоверие, съмнение.

suspire [səsˈpaiə] *v поет.* въздъхвам.

sustain [səsˈtein] *v* **1.** поддържам, подпирам; подкрепям; **2.** понасям, претърпявам (*поражение, загуби и пр.*); **3.** издържам, изтърпявам; устоявам (*на натиск и пр.*); ~**ed efforts** продължително усилие; **4.** *юр.* подкрепям; потвърждавам, оставям в сила; решавам в полза на; **the court** ~**ed his claim** съдът уважи иска му; **evidence to** ~ **an assertion** доказателство в подкрепа на твърдение; **5.** *воен.* издържам, изхранвам (*войска*).

sustained [səsˈteind] *a* **1.** продължителен; непрекъснат, постоянен; **2.** *физ.* незатихващ, незаглъхващ (*за вълни*).

sustaining [səsˈteiniŋ] *a* **1.** поддържащ, подкрепящ; ~ **power** издържливост, якост; ~ **programme** *рад., телев.* самостоятелна/необвързана с търговски организации програма; **2.** подкрепящ, подсилващ; ~ **food** калорична храна; **3.** потвърждаващ, доказващ.

sustenance [ˈsʌstinəns] *n* **1.** поддържане, поддръжка; **2.** препитание; **3.** хранителност, питателност; **4.** хранене; прехрана; **5.** храна (*и прен.*).

sustentation [ˌsʌstənˈteiʃn] *n* **1.** поддръжка, издръжка; **2.** подхранване; подкрепяне, подкрепа; **3.** средства за съществуване; **4.** съхраняване.

susurration [ˌsjuːsəˈreiʃn] *n книж.* шепот; ромолене, ромон.

sutler [ˈsʌtlə] *n ист.* съпровождащ войската лавкаджия.

suttee [səˈtiː] *n англоинд. ист.* обичай да се изгаря вдовицата заедно с трупа на мъжа й.

suture[1] [ˈsuːtʃə] *n* **1.** *анат., бот.* шев; **2.** *мед.* съшиване, зашиване, шев; **3.** *мед.* конец за зашиване на рана.

suture[2] *v мед.* зашивам (*рана*).

suzerain [ˈsjuːzərein] *n* **1.** *ист.* феодален владетел, сюзерен; **2.** сюзеренна държава.

suzerainty [ˈsjuːzəreinti] *n* сюзеренни права; сюзеренна власт.

svelt [svelt] *a* строен, гъвкав, изящен, грациозен (*обик. за жена*).

swab[1] [swɔb] *n* **1.** (подо)миячка с дръжка; **2.** тампон, фитил; **3.** *мед.* секрет/проба/натривка, взета с марля, памуче и пр.; **4.** *sl.* пипкав/тромав/мърляв човек; **5.** *ам. sl.* моряк.

swab[2] *v* (-bb-) **1.** чистя/мия с подомиячка; **2.** попивам/събирам (*вода*) от под и пр.; **3.** *мед.* поставям лекарство и пр. с тампон.

swaddle [ˈswɔdl] *v* **1.** повивам, увивам (*бебе*) в повои/пелени; **2.** *прен.* възпирам; ограничавам свободата (*на действията и мисълта*).

swaddling clothes [ˈswɔdliŋklouðz] *n pl* **1.** пелени, повои; **2.** *прен.* ограничение на свободата (*на мисълта и действията*); □ **still in** ~ все още несамостоятелен, устата му още на мляко мирише.

swag[1] [swæg] *n* **1.** гирлянда; фестон; драперия; **2.** плячка, плячкосване, грабеж; **3.** *австрал.* торба, вързоп, бохча (*на миньор и пр.*); **4.** рушвет; пари, получени от гешефти; **5.** голямо количество.

swag[2] *v* **1.** полюлявам се; вися; **2.** драпирам (*завеса и пр.*).

swage[1] [sweidʒ] *n* щамповъчен чук; ковашка щампа; пуансон.

swage[2] *v* щамповсам на горещо.

swagger[1] [ˈswægə] *v* **1.** ходя важно/наперено/самодоволно; перча се, големея се; **2.** хваля се; **3.** държа се арогантно.

swagger[2] *n* **1.** наперена походка; **2.** перчене, самомнителност, прекалена самоувереност; **3.** хвалене, самохвалство.

swagger[3] *a разг.* моден, елегантен, шик (*за облекло, общество и пр.*).

swagger-cane [ˈswægəkein] *n* къс бастун (*офицерски, войнишки*).

swagger-coat [ˈswægəkout] *n* дамско широко палто.

swagman [ˈswægmən] *n* **1.** скитник; **2.** странствуващ работник.

swain [swein] *n поет.* **1.** момък, ерген; любим; **2.** *шег.* либе, севда.

swallow[1] [ˈswɔlou] *v* **1.** гълтам, глътвам; преглъщам; **2.** поглъщам (*и прен.*) (*обик.* с **up**); **3.** *прен.* преглъщам (*обида и пр.*); **to** ~ **o.'s pride** унижавам се; сдържам, сподавям сълзите, гнева си и пр.; **4.** лековерно приемам/гълтам, лесно се хващам на въдицата. □ **to** ~ **o.'s words** вземам си думите назад, извинявам се за нещо казано.

swallow[2] *n* **1.** глътка; **at one** ~ на една глътка, наведнъж; на един дъх; **2.** *анат.* гърло; **3.** гълтане; глътка; **4.** = **swallow-hole.**

swallow[3] *n* лястовица; □ **one** ~ **does not make a summer** една лястовица пролет не прави.

swallow-dive [ˈswɔloudaiv] *n сп.* скок във вода „лястовица“.

swallow-hole [ˈswɔlouhoul] *n геол.* подземна река; понор.

swallow-tail [ˈswɔlouteil] *n* **1.** раздвоена опашка; **2.** *разг.* фрак; **3.** вид пеперуда (Papilio).

swallow-tailed [ˈswɔlouteild] *a* с раздвоена опашка/край; ~ **coat** фрак.

swam *вж.* **swim**[1].

swami [ˈswaːmi] *n* **1.** индуски идол; **2.** обръщение към брамин; **3.** мистик; йога.

swamp[1] [swɔmp] *n* тресавище; мочурище, блато.

swamp[2] *v* **1.** заливам, наводнявам; **2.** повличам, поглъщам, потопявам (*и прен.*); **3.** *прен.* отрупвам, затрупвам, обсипвам (*с въпроси, поръчки, писма и пр.*); **to be** ~**ed with work** затънал съм в работа.

swampy ['swɔmpi] *a* блатист; мочурлив.

swan[1] [swɔn] *n* **1.** лебед; **black ~** *прен.* странно явление, голяма рядкост; **2.** *астр.* Лебед *(съзвездие)*; **3.** *поет.* поет, бард; **the S. of Avon** Шекспир.

swan[2] *v* **(-nn-) 1.** разхождам се; нося се плавно; **2.** шляя се **(around).**

swan-dive ['swɔndaiv] = **swallow-dive.**

swan-flower ['swɔnflauə] *n* вид тропическа орхидея.

swan-herd ['swɔnhə:d] *n* човек, който отглежда и се грижи за лебеди.

swank[1] [swæŋk] *v разг.* перя се, перча се, фукам се, надувам се.

swank[2] *n* перчене, пъчене, надуване, фукня.

swanky ['swæŋki] *a разг.* **1.** самомнителен, наперен; **2.** биещ на очи; моден, елегантен, шик; **3.** скъп; ефектен; претенциозен.

swanlike ['swɔnlaik] *a* подобен на лебед; изящен, грациозен.

swan-maiden ['swɔnmeidn] *n* девойка от приказките, която може да се превръща в лебед.

swan-neck ['swɔnnek] *n* **1.** лебедова шия; **2.** предмет с форма на лебедова шия.

swannery ['swɔnəri] *n* развъдник за лебеди.

swansdown ['swɔnzdaun] *n* **1.** лебедов пух; **2.** мек пухкав памучен плат.

swan-shot ['swɔnʃɔt] *n* едри сачми.

swan-skin ['swɔnskin] *n* мек вълнен плат, каша.

swan-song ['swɔnsɔŋ] *n прен.* последна проява на поет/музикант/артист и пр., лебедова песен.

swap[1] [swɔp] *v* **(-pp-) 1.** разменям, правя замяна; сменям; **2. разменям си** *(удари, закачки и пр.);* □ **never ~ horses while crossing the stream** не прави промени по време на криза.

swap[2] *n разг.* размяна, замяна, смяна; трампа; сделка.

swaraj [swə'ra:dʒ] *n инд. ист.* (движение за) самоуправление на Индия.

sward [swɔ:d] *n книж.* **1.** тревна площ, морава; **2.** чим; **3.** торф.

sware *вж.* **swear**[1].

swarf [swɔ:f] *n* стружка, стърготина.

swarm[1] [swɔ:m] *n* **1.** рояк *(пчели и пр.);* **2.** маса, множество; рояк, рой, тълпа; **in ~s** на тълпи.

swarm[2] *v* **1.** роя се *(за пчели);* **2.** трупам се, тълпя се; **3.** намирам се в изобилие; гъмжа **(with** от).

swarm[3] *v* катеря се *(по въже, стълб и пр.) (и с* **up).**

swarm-cell, -spore ['swɔ:msel, -spɔ:] *n биол.* зооспора.

swart [swɔ:t] *a* **1.** *ост.* = **swarthy; 2.** *ам.* зловреден, гибелен; зъл.

swarthy ['swɔ:ði] *a* мургав, смугъл.

swash[1] [swɔʃ] *v* **1.** плискам се, пляскам *(за вода и пр.);* **2.** перча се.

swash[2] *n* плискане, плясък, (шум на) разбиващи се вълни.

swashbuckler ['swɔʃbʌklə] *n* **1.** надут самохвалко; дързък авантюрист; **2.** приключенски роман.

swashbuckling ['swɔʃbʌkliŋ] *a* **1.** самомнителен; **2.** безразсъдно авантюристичен; бандитски.

swastika ['swɔstikə] *n* пречупен кръст, свастика.

swat[1] [swɔt] *v* **(-tt-)** *sl.* **1.** удрям силно; **2.** убивам/смачквам със силен удар *(муха и пр.).*

swat[2] *n* приспособление за убиване на мухи.

swath [swɔ:ð] *n* откос *(при косене);* ивица между два откоса.

swathe[1] [sweið] *v* **1.** обвивам/увивам в *(топли дрехи);* **2.** бинтовам.

swathe[2] *n* бинт.

swathe[3] = **swath.**

sway[1] [swei] *v* **1.** люлея (се), люшкам (се), полюшквам (се); олюлявам се, полюлявам се; **2.** *прен.* люшкам се, колебая се; **3.** *прен.* клоня, наклонявам се; **4.** имам власт над, влияя/въздействувам на; **he is not to be ~ed** той е непоколебим, не може да му се влияе/въздействува; **5.** *поет.* владея, господствувам над; въртя *(сабя и пр.);* държа *(скиптър и пр.);* царувам.

sway[2] *n* **1.** люлеене, люшкане *(и прен.);* олюляване, полюляване; **2.** влияние; владичество, власт; **to have/hold/bear ~ over** имам власт/господствувам над, владея.

sway-backed, swayed ['sweibækt, sweid] *a* с ненормално хлътнал гръб, с изкривен навътре гръбнак *(особ. за кон).*

swear[1] [sweə] *v* **(swore** [swɔ:] , *ост.* **sware** [sweə]; **sworn** [swɔ:n]) **1.** кълна се, заклевам се; **to ~ on the Bible/on o.'s soul and conscience** кълна се в Библията/в душата и съвестта си; **to ~ allegiance** кълна се във вярност; **to ~ a charge/an accusation** обвинявам *(нккого)* под клетва; **to ~ revenge** заклевам се, че ще отмъстя; **I could have sworn that...** бях съвършено сигурен, че... **2.** заклевам *(нккого);* карам *(нккого)* да се закълне; **to ~ s.o. to secrecy** заклевам някого да пази тайна; **to ~ treason against s.o.** заявявам под клетва, че някой е извършил предателство; **to ~ the peace against s.o.** заявявам под клетва, че някой иска да ми нанесе телесна повреда; **4.** ругая, псувам; **5.** фуча, съскам *(за котка);*
    swear at 1) ругая, хокам; псувам; проклинам, кълна; 2) не си подхождаме/схождаме *(за цветове и пр.);*
    swear by 1) кълна се/заклевам се в; 2) *разг.* имам пълна вяра/кълна се в *(нккого, нещо);*
    swear in заклевам, карам да се закълне *(свидетел и пр.);* **to be sworn in** полагам клетва при встъпване в длъжност;
    swear off обещавам тържествено/заклевам се/заричам се да се откажа от; **I've sworn off smoking** зарекох се да не пуша вече;
    swear out получавам пълномощие за арестуване и пр. чрез обвинение, направено под клетва;
    swear to заявявам тържествено/заклевам се, че *(нещо е така);* **I think I've met him but I couldn't ~ to it** струва ми се, че съм го срещал, но не съм съвсем сигурен/не бих могъл да се закълна.

swear[2] *n разг.* ругатня; псувня; богохулство.

swear-word ['sweəwə:d] *n разг.* псувня, ругатня.

sweat[1] [swet] *n* **1.** пот; изпотяване, запотяване; **by the ~ of o.'s brow** с труд, с пот на чело; **a cold ~** студени капки пот, студена пот; **to break into a ~** избива ме пот; **in a cold ~, all of a ~** *разг.* облян в пот *(от тревога, уплаха и пр.);* **2.** изпотяване, избила влага *(по стена и пр.);* **3.** *разг.* тежък труд, черна работа; **a lot of ~ went into that job** много пот се проля по тази работа; **4.** състояние на нетърпение, тревога, уплаха и пр.; **5.** ферментация *(на листа на чай, тютюн и пр.);* □ **an old ~** *воен. sl.* ветеран; **no ~** без (особено) затруднение.

sweat[2] *v* **1.** потя се, изпотявам се *(и прен.);* **2.** запотявам се, овлажнявам се *(за стъкло, стена и пр.);* отделям влага; **3.** причинявам изпотяване, карам да се изпотя *(и прен.);* **to ~ it out** изтърпявам/издържам докрай; **he shall ~ for it** той ще се разкайва/ще плати скъпо за това; **4.** експлоатирам жестоко; **5.** работя

непосилно, трепя се; **6.** подлагам на ферментация (*листа на чай, тютюн и пр.*); **7.** *тех.* заварявам, запоявам;
sweat out 1) избавям се/отървавам се от (*тлъстини, простуда и пр.*) чрез изпотяване; **2)** очаквам с вълнение/нетърпение.

sweat-band ['swetbænd] *n* кожена и пр. лента за попиване на потта (*в шапка и пр.*).

sweat-duct ['swetdʌkt] *n анат.* потно каналче.

sweated ['swetid] *a* **1.** зле платен, жестоко експлоатиран (*за работник*); **2.** изработен от зле платени работници (*за продукт*).

sweater ['sweta] *n* **1.** човек, който обилно се поти; **2.** експлоататор, кожодер; **3.** дебел топъл пуловер, *особ.* спортен; □ ~ **girl** *разг.* момиче с добре оформен бюст.

sweater-gland ['swetaglænd] *n анат.* потна жлеза.

sweating¹ ['swetiŋ] *a* **1.** изпотен, потен; **2.** тежък и зле платен (*за труд*); **3.** експлоатиращ жестоко работниците си; експлоататорски.

sweating² *n* **1.** потене, изпотяване; **2.** запотяване, овлажняване; **3.** *тех.* заваряване, запойка; **4.** *ам.* изтезаване, измъчване (*на затворник*).

sweating-bath ['swetiŋbɑːθ] *n* гореща/турска баня, хамам.

sweating-room ['swetiŋrum] *n* **1.** потилня в турска баня; **2.** помещение за сушене на сирене.

sweat pants ['swetpænts] *n сп.* клин.

sweat-shop ['swetʃɔp] *n* фабрика/цех, където работят зле платени работници при крайно нехигиенични условия.

sweat suit ['swetsjuːt] *n* спортен екип (*клин и анцуг*).

sweaty ['sweti] *a* **1.** потен; запотен, изпотен; **2.** причиняващ изпотяване; **3.** подобен на пот.

Swede [swiːd] *n* **1.** швед; **2.** вид шведска ряпа.

Swedish ['swiːdiʃ] **I.** *a* шведски; **II.** *n* шведски език.

sweep¹ [swiːp] *v* (**swept** [swept]) **1.** нося се, понасям се; преминавам бързо, профучавам (**past, along, down** и пр.); **2.** движа се тържествено/величествено/плавно; **3.** влача се по земята (*за дреха*); **4.** простирам се, извивам се; **the coast line** ~s **away to the east** бреговата линия се вие далеч на изток; **5.** мета, измитам, помитам (*и прен.*); **to** ~ **the board** обирам всичко (*при хазарт*); спечелвам всички награди/отличия (*при състезания*); **6.** нахвърлям се върху, връхлитам; преминавам през; опустошавам, унищожавам, помитам; **to** ~ **the seas of o.'s enemies** очиствам моретата от неприятелски кораби; **7.** докосвам леко с ръка/пръсти; **8.** прекосявам във всички посоки, кръстосвам; **9.** претърсвам; разглеждам с телескоп и пр.; хвърлям бърз поглед, обхващам с поглед; **10.** обстрелвам с артилерия; имам в обсега си; **11.** спечелвам с голямо болшинство; увличам; повличам; запленявам, довеждам до възторг (*публика и пр.*) (*и с* away); **to** ~ **a costituancy** спечелвам с голямо мнозинство в избирателен район; **to** ~ **s.o. off his feet** увличам някого; докарвам някого в луд възторг; **12.** чистя, прочиствам (*канал, дъно на река и пр.*); **13.** прокарвам (*крива и пр.*); **14.** карам (*лодка*) с дълги тежки гребла; □ **to** ~ **under the carpet** потулвам, скривам;
sweep along 1) нося, влека със себе си (*за течение и пр.*); **2)** увличам (*публика и пр.*); **3)** понасям се (*с тълпа, поток и пр.*);
sweep aside *прен.* отминавам/отхвърлям с пренебрежение;
sweep away 1) измитам (*сняг и пр.*); отстранявам, отнасям; помитам; **2)** унищожавам напълно; ликвидирам бързо; **3)** изчезвам, изгубвам се (*за звук и пр.*);
sweep by 1) отминавам бързо, профучавам; **2)** минавам тържествено;
sweep down 1) влека, отнасям със себе си; **2)** връхлетявам върху; **3)** спускам се леко (*за хълм и пр.*);
sweep in 1) прониквам, нахлувам вътре (*за вятър и пр.*); **2)** влизам тържествено; **3)** идвам на власт/избран съм с голямо мнозинство (*и* **to** ~ **into power**);
sweep off 1) грабвам, помитам, отнасям (*за буря, епидемия и пр.*); **2)** свалям с широк замах (*шапка и пр.*);
sweep on движа се/нося се неотклонно напред;
sweep out 1) измитам, помитам (*стая и пр.*); **2)** излизам тържествено/гордо;
sweep past = sweep by;
sweep up 1) мета, помитам, смитам; **2)** бърша, избърсвам (*прах*); **3)** политам нагоре, излитам (*за птица, самолет*); **4)** извивам и свършвам.

sweep² *n* **1.** метене, помитане, измитане; едно замахване с метла/четка/сабя и пр.; **to give the room a good ~ (-out/-up)** измитам хубаво стаята; **to make a clean ~ of 1)** отървавам се от (*стари, ненужни, негодни неща, хора*); **2)** освобождавам се от, ликвидирам с (*предразсъдъците си и пр.*); **3)** печеля, обирам (*всички награди и пр.*); **the thieves made a clean ~** крадците обраха всичко; **2.** коминочистач; **3.** *sl.* груб/невъзпитан/противен човек, мръсен тип; **4.** непрестанно/неудържимо движение напред, прииждане; течени, **the onward ~ of civilization** непрестанният възход на цивилизацията; **5.** замах, размах, широко движение (*с метла, четка, сърп и пр.*); **6.** обхват, обсег (*и на артилерия и пр.*); **within/beyond the ~ of** в/извън обсега на; **7.** *сп.* обиране/спечелване на всички награди и пр.; **8.** извивка, завой, крива; **9.** пространство, шир, протежение; **a ~ of mountain country** обширна планинска местност; **a ~ of grass** затревена/тревиста местност/площ; **10.** геранило, кобилица, лост; **11.** крило на вятърна мелница; **12.** дълго тежко корабно гребло; **13.** *ав.* отнасяне (*от вятъра*); **14.** *тех.* шаблон (*при стругуване*); **15.** *разг.* = **sweepstake(s)**.

sweeper ['swiːpə] *n* **1.** автоматична метачка с четки (*за килими, улици и пр.*); **2.** уличен метач; **3.** прислужник, чистач (*в Индия*).

sweeping¹ ['swiːpiŋ] *a* **1.** бърз, стремителен, буен (*за поток и пр.*); **2.** широк, разстлан (*за равнина и пр.*); **a ~ curtsey** дълбок реверанс; **3.** *прен.* широк, с голям обхват; **a ~ reforms** радикални/всеобхватни реформи; **a ~ victory** пълна/съкрушителна победа; **a ~ statement** крайно/необосновано твърдение; **a ~ reductions** *търг.* голямо намаление на цените на всички стоки; **4.** безразборен.

sweeping² *n* **1.** метене, помитане; **2.** *pl* смет; *прен.* измет.

sweepingly ['swiːpiŋli] *adv* **1.** бързо, стремително, буйно; **2.** безразборно.

sweep-net ['swiːpnet] *n* **1.** голяма рибарска мрежа, сертме; **2.** мрежа за ловене на насекоми.

sweepstake ['swiːpsteik] *n* и *pl* лотарийно залагане, тотализатор.

sweet¹ [swiːt] *a* **1.** сладък; приятен, вкусен; **to have a ~ tooth** обичам да си похапвам сладки неща; **2.** пресен, свеж, чист (*за вода, въздух и пр.*); ~ **water** хубава/ пивка вода; **is the butter/milk ~?** прясно ли е маслото/млякото? (не е ли гранясало, прокиснало); **3.** благоуханен, ароматен; **the air is ~ with thyme** въздухът ухае на мащерка; **the rose smells ~** розата има сладък мирис; **4.** сладък, звучен, мелодичен; **5.** мил, приветлив; прелестен, очарователен; благ, ласкав, нежен (*за характер и пр.*); **to be ~ on** *разг.* обичам много, влюбен съм в, много ми харесва; **that's very ~ of you** много мило от твоя страна; ◻ **at o.'s own ~ will** когато/както аз искам/намеря за добре; **~ one** *sl.* силен удар с юмрук и пр.; **~ going** приятно/леко пътуване; **~ and twenty** хубаво двадесетгодишно момиче.

sweet² *n* **1.** бонбон(че); **2.** сладкиш, десерт; **3.** *обик. pl* удоволствия, наслади; сладости; **4.** мил(а), любим(а), възлюблен(а); **5.** *обик. pl* (благо)ухания, аромати.

sweet-and-sour ['swiːtən'sauə] *a* подправен със сос, съдържащ захар и лимон/оцет.

sweet bay ['swiːtbei] **1.** = **bay⁵ 1; 2.** вид американска магнолия.

sweetbread ['swiːtbred] *n* момици (*като храна*)

sweet-briar, -brier ['swiːtbraiə] *n* дива роза, шипка.

sweeten ['swiːtn] *v* **1.** подслаждам (*и прен.*); **2.** смекчавам; **3.** освежавам, проветрявам (*стая и пр.*); **4.** изпълвам с благоухание; **5.** наторявам (*почва*); **6.** облекчавам; **7.** *sl.* давам рушвет/подкуп.

sweetener ['swiːtənə] *n sl.* **1.** подкуп, рушвет; **2.** рушветчия.

sweetheart ['swiːthaːt] *n* любим(а), възлюблен(а), скъп(а) (*и като обръщение*).

sweetie ['swiːti] *n* **1.** бонбон(че); **2.** *разг.* любим(а), изгора (*и* **~-pie**).

sweeting ['swiːtiŋ] *n* **1.** вид сладка ябълка; **2.** *ост.* = **sweetheart.**

sweetish ['swiːtiʃ] *a* **1.** възсладък; **2.** сладникав.

sweatmeat ['swiːtmiːt] *n* **1.** бонбон; **2.** захаросани плодове/ядки.

sweetness ['swiːtnis] *n* **1.** сладост; **2.** благоуханност; аромат; **3.** ласкавост, приветливост; ◻ **~ and light** съчетание на красота, доброта и интелект.

sweet oil ['swiːtɔil] *n* маслиново масло, зехтин.

sweet pea ['swiːtpiː] *n бот.* ароматен грах (Lathyrus odoratus).

sweet potato ['swiːtpə'teitou] *n бот.* сладък картоф, батат (Ipomoea batatas).

sweetscented ['swiːtsentid] *a* ароматен, (благо)уханен.

sweetshop ['swiːtʃɔp] *n* магазин за захарни изделия.

sweetsop ['swiːtsɔp] *n* **1.** американско тропическо дърво (Annona squamosa); **2.** плодът на това дърво.

sweet talk ['swiːt'tɔːk] *n ам.* ласкателство, подмазване.

sweet-tempered ['swiːt'tempəd] *a* с благ характер, добросърдечен.

sweet-william ['swiːt'wiliəm] *n бот.* самакитка (Dianthus barbatus).

swell¹ [swel] *v* (**swelled** [sweld]; **swollen** ['swouln], **swelled**) **1.** издувам (се), надувам (се); подувам се; отичам; набъбвам; **2.** увеличавам (се), разраствам (се), нараствам, усилвам (се) (*и за звук*); *прен.* надувам (*цифри и пр.*); **3.** прииждам (*за река*), правя да придойде; **4.** издигам се, надигам се, извисявам се (*за повърхност, вълна и пр.*); **5.** разпростирам (се), разширявам се (*за очертания и пр.*); **6.** надигам се (*за чувство*); **to ~ with** преливам от, преизпълвам се с (*радост, гордост и пр.*), пукам се, кипя (*от яд и пр.*); **to ~ like a turkey-cock** надувам се като пуяк; **to ~ with importance** надувам се, важнича;

to ~ the chorus of присъединявам се към общото възхищение/протест и пр.; **~ed/swollen head** *sl.* самомнителност, гордост, надменност.

swell² *n* **1.** мъртво вълнение (*след буря и пр.*); **2.** възвишение; издатина; **3.** подуване, подутина; **4.** *муз.* (знак за) кресчендо и диминуендо; **5.** *разг. ост.* конте, франт; **6.** *разг.* видна/важна личност; богат/високопоставен човек; **7.** отличен играч и пр., майстор, компетентен/способен човек.

swell³ *a разг.* моден, елегантен, шик; първокласен; отличен, превъзходен; **~ society** висше/модно общество; елегантен свят.

swell-fish ['swelfiʃ] *n* риба, която се издува (Tetraodontidae).

swelling¹ ['sweliŋ] *n* **1.** подутина; тумор; **2.** изпъкналост, издутина; **3.** възвишение, могила; **4.** разширение, увеличение.

swelling² *a* **1.** издаден, издут; изпъкнал; **2.** *прен.* надут, високопарен.

swellish ['sweliʃ] *a разг.* моден, елегантен, ултрамодерен; контешки.

swell mob ['swelmɔb] *n sl. ост.* елегантно облечени крадци (*и* **swell-mobsmen**)

swell-organ ['swelɔːgən] *n* орган с механизъм за усилване на звука.

swelter¹ ['sweltə] *n* жега, зной, задуха.

swelter² *v* изнемогвам от горещина/задуха, обливам се в пот (*от жега*); **~ing heat** непоносима горещина, жега, зной.

swept *вж.* **sweep¹.**

swerve¹ [swəːv] *v* **1.** отклонявам се, свивам, свървам, криввам; **2.** *прен.* отклонявам се, отплесвам се, кръшвам; **3.** отклонявам (*от посока*).

swerve² *n* отклонение (*и прен.*).

swerveless ['swəːvlis] *a* прав; *прен.* неотклонен, твърд, непоклатим.

swift¹ [swift] *a* **1.** бърз; бързо минаващ (*за време и пр.*); **~ of foot** бързоног; **2.** неочакван, внезапен, незабавен; **~ to anger** силно раздразнителен, избухлив; **~ to take offence** обидчив, докачлив; **3.** кратък, мимолетен.

swift² *n* **1.** *зоол.* бързолет (Apodidae); **2.** *зоол.* вид дребно гущерче (Sceloporus); **3.** *тех.* барабан; въртележка; мотовило; шпула.

swiftly ['swiftli] *adv* бързо; набързо.

swiftness ['swiftnis] *n* бързина, скорост.

swig¹ [swig] *v* (**-gg-**) пия на големи глътки, гълтам, лоча, излочвам (*и с* **out**).

swig² *n* голяма глътка (*питие*); **to take a ~ at** сръбвам си от.

swill¹ *v* **1.** плакна, изплаквам, оплаквам (*и с* **out**); **2.** пия жадно, смуча, лоча, сърбам; **3.** *ам.* наливам се с питие; тъпча се с ядене.

swill² *n* **1.** плакнене, изплакване; **to give s.th. a ~ out** изплаквам нещо; **2.** помия; **3.** лошо питие (*вино и пр.*); **4.** пиене, напиване.

swim¹ [swim] *v* (**swam** [swæm]; **swum** [swʌm]) **1.** плувам, плавам; преплувам; **to ~ for the shore** плувам към брега; **to ~ to the shore** доплувам до/изплувам на брега; **to ~ with the tide/stream** плувам по течението; *прен.* правя каквото правят всички; **to ~ against the tide/stream** плувам срещу течението (*и прен.*), **to ~ a race** участвувам в плувни състезания; **2.** движа се/ нося се плавно; **3.** изпълнен/залян/плувнал съм, преливам (**with, in** с, в, от); **4.** карам (*някого, нещо*) да плува; **5.** въртя се, замайвам се; изпитвам замайване/световъртеж; **my head ~s** главата ми се мае, вие ми се свят.

swim[2] *n* **1.** плуване; преплуване; **to go for/have/take a** ~; (по)плувам, отивам да (по)плувам; **2.** дълбок вир с много риба; **3. the** ~ *прен.* главните текущи събития; **to be in the** ~ запознат съм добре с/ участвувам в това, което става; **4.** замайване, шемет; **my head is in a** ~ главата ми се мае, вие ми се свят.

swimmer ['swimə] *n* **1.** плувец; **2.** *зоол.* въздушен мехур; **3.** плувка/тапа на въдица.

swimming ['swimiŋ] *n* плуване; ~ **bath** закрит плувен басейн.

swimmingly ['swimiŋli] *adv прен.* леко, гладко, като по вода.

swimming pool ['swimiŋpu:l] *n* открит плувен басейн.

swimming suit ['swimiŋsju:t] *n* бански костюм (*и* **swim suit**).

swindle[1] ['swindl] *v* измамвам, изигравам; **to** ~ **s.o. out of s.th.** измъквам от някого нещо чрез измама.

swindle[2] *n* **1.** измама, мошеничество; **2.** лошокачествена стока.

swindler ['swindlə] *n* измамник, мошеник.

swine [swain] *n* **1.** свиня; **2.** *събир.* свине; **3.** противен човек/ *разг.* нещо.

swine-herd ['swainhə:d] *n* свинар.

swinery ['swainəri] *n* свинарник, кочина (*и прен.*).

swing[1] [swiŋ] *v* (**swung** [swʌŋ]; **swung**) **1.** люлявам (се), полюлявам (се); люшкам (се), клатушкам (се); махам, размахвам; **2.** вися, увисвам; провесвам; *sl.* обесвам; **he'll** ~ **for it** *разг.* ще го обесят за това; **3.** връзвам люлка; люлея се на люлка; **4.** въртя (се), завъртам (се); обръщам се бързо, свивам, завивам; отклонявам се; **to** ~ **open** отварям се (*за врата*); **to** ~ **to, to** ~ **shut** затварям се (*за врата*); затръшвам се; **5.** мятам (се); **to** ~ **a sack on o.'s back** мятам чувал на гърба си; **to** ~ **(o.s.) into the saddle** мятам се на седлото; **6.** вървя/движа се с бързи ритмични движения, маршрувам; скачам, провисвайки се на нещо (*за маймуна и пр.*); □ **to** ~ **round the circle** *ам.* обикалям избирателния си район;

  swing back 1) връщам се обратно (*за махало*); 2) обръщам се, променям се (*за обществено мнение и пр.*);

  swing over = **swing back** 2;
  swing up издигам (се).

swing[2] *n* **1.** люлеене, полюляване, залюляване; люшкане, клатене, клатушкане; **2.** замах, размах; ход (*и прен.*); обсег, обхват; **to go with a** ~ вървя/минавам гладко, без затруднения; **to give full** ~ **to** давам свобода/воля на; **3.** завъртане; **4.** жив/подчертан ритъм; ритмично движение; ритмична походка; **5.** суинг (*вид джазова музика, танц*); **to get into the** ~ **of** навлизам в, свиквам с (*работа и пр.*); **6.** люлка; **7.** *бокс* суинг; **8.** *физ.* амплитуда на люлеене; **9.** *тех.* максимално отклонение на стрелка (*на уред*); **10.** *търг. разг.* борсови колебания; **11.** обиколка, турне.

swing-back ['swiŋbæk] *n* **1.** *сп.* връщане на топка; **2.** промяна/обръщане на общественото мнение и пр.

swing-boat ['swiŋbout] *n* люлка лодка (*за люлеене — на панаир и пр.*).

swing-bridge ['swiŋbridʒ] *n* подвижен мост.

swing-door ['swiŋdɔ:] *n* двукрила летяща врата.

swinge [swindʒ] *v ост.* удрям силно, налагам.

swingeing ['swindʒiŋ] *a* **1.** силен, зашеметяващ (*за удар*); **2.** *разг.* грамаден, огромен (*за щети, данъци, болшинство и пр.*); ~ **lie** нагла лъжа.

swinging ['swiŋiŋ] *a разг.* **1.** жив, весел, жизнерадостен; **2.** моден, по последната мода, модерен.

swing joint ['swiŋdʒɔint] *n тех.* шарнирно съединение.

swingle[1] ['swiŋl] *n* мънкалка (*за биене на лен*).

swingle[2] *v* бия, мъна (*лен*).

swingle-tree ['swiŋltri:] *n* терзия, кантарка (*на кола*).

swing music ['swiŋmju:zik] *n* вид джазова музика за голям оркестър.

swing-plough ['swiŋplau] *n* плуг без колела.

swing wing ['swiŋwiŋ] *n* подвижно крило на самолет.

swinish ['swainiʃ] *a* свински; *прен.* груб, противен, просташки.

swink [swiŋk] *v ост.* трудя се, трепя се.

swipe[1] [swaip] *v* **1.** удрям силно и безразсъдно; **to** ~ **at** замахвам силно по; **2.** *sl.* открадвам, задигам, отмъквам, свивам.

swipe[2] *n* силен/безразсъден/неточен удар.

swipes [swaips] *n pl sl.* слаба/мътна/долнокачествена бира.

swirl[1] [swə:l] *v* въртя се, завъртам се (*за вода, прах и пр.*); **to** ~ **up** издигам се във вихрушка (*за прах*); **my head** ~s главата ми се върти.

swirl[2] *n* **1.** въртене; водовъртеж; **2.** бързо движение на риба във вода; **3.** нещо, навито спираловидно (*облак, коса и пр.*).

swish[1] [swiʃ] *v* **1.** махам/размахвам шумно (*камшик и пр.*); плющя; **2.** бия/шибам с пръчка; **3.** свистя; **to** ~ **off** отсичам/отбрулвам/покосявам с един замах; **4.** шумоля, движа се, шумулейки с копринените си дрехи (*за жена*).

swish[2] *n* **1.** мах, замах, размах; **2.** удар, шибване с пръчка/камшик; **3.** свистене; шумолене; **4.** *ам. sl.* педераст.

swish[3] *a разг.* елегантен, моден, шик; скъп.

Swiss [swis] **I.** *a* швейцарски; **II.** *n* швейцарец, швейцарци.

switch[1] [swɪtʃ] *n* **1.** тънка жилава пръчка, шибалка; издънка; вейка; **2.** фалшива плитка; изкуствен кичур; **3.** *ел., тех.* ключ; прекъсвач; превключвател; комутатор; **4.** *жп.* стрелка; **5.** *прен.* неочаквана пълна промяна/размяна/смяна на положения/роли/тактики и пр.; отклонение от обичайното процедиране.

switch[2] *v* **1.** бия с пръчка, шибам; **2.** въртя, завъртам; махам, замахвам, размахвам; **3.** прехвърлям се на друга линия (*за влак*); *прен.* рязко отклонявам/насочвам (*разговор, мисли и пр.*) в друга посока; внезапно сменям тактика и пр.; *бридж* сменям цвета;

  switch off 1) прекъсвам, изключвам (*ток и пр.*); угасям (*осветление, уред, апарат*); прекъсвам (*телефонна връзка*); 2) отклонявам (*влак*) в друга линия; 3) преминавам на друга тема; сменям тактиката;

  switch on 1) включвам (*ток*); запалвам (*радиотелевизионен приемник, осветление*); 2) **to** ~ **s.o. on** *sl.* вълнувам някого; правя някого щастлив;

  switch over 1) превключвам (*ток*); *рад., телев.* завъртам, премествам (*на друга вълна, станция, програма*); 2) **to** ~ **over to** сменям, променям, (пре)минавам на (*друга, нова тактика, система, техника и пр.*).

switchback ['switʃbæk] *n* **1.** зигзаговидна жп линия по стръмен наклон; **2.** стръмно шосе с остри завои/ серпантини; **3.** влакче със стръмни спущания и изкачвания (*за забавление по панаири и пр.*); **4.** резки промени в темпото/посоката; **a** ~ **road** *прен.* път с много превратности.

switch-blade ['switʃbleid] *n* джобно ножче, отварящо се с пружинка.

switchboard ['switʃbɔːd] *n* комутационно/разпределително табло; телефонен номератор.

switched on ['switʃtɔn] *a* **1.** намиращ се под въздействието на марихуана; **2.** добре осведомен, в крак с времето/събитията.

switch-man ['switʃmən] *n* (*pl* -men) жп. стрелочник.

switch-over ['switʃouvə] *n* промяна/смяна в положението; обрат в тактика/мнение и пр.

swivel[1] [swivl] *n* **1.** *тех.* шарнирно съединение; **2.** *attr* въртящ се; □ ~ **warrior** *воен. sl.* тиловак.

swivel[2] *v* -ll- въртя (се) (като) на ос.

swivel-chair ['swivlʃεə] *n* въртящ се стол.

swivel-eyed ['swivlaid] *a* разноглед; кривоглед.

swiz(z) ['swiz] *n* (*pl* swizzes) *разг.* **1.** горчиво разочарование; **2.** измама, мошеничество; заблуда.

swizzle[1] ['swizl] *n* **1.** *разг.* смесена алкохолна напитка, сервирана във висока чаша; ~ **stick** стъклена и пр. пръчица за разбъркване на смесени алкохолни напитки; **2.** = **swiz(z).**

swizzle[2] *v* **1.** бъркам (*смесено питие*) със стъклена и пр. пръчица; **2.** *sl.* напивам се здравата.

swob [swɔb] = **swab.**

swollen *вж.* **swell**[1].

swoon[1] [swuːn] *v* **1.** загубвам съзнание, припадам (**for joy** от радост, **with pain** от болка); **2.** *поет.* замирам, заглъхвам (*за звук*).

swoon[2] *n* припадък.

swoop[1] [swuːp] *v* **1.** спускам се, връхлитам, нападам ненадейно (*обик.* с **down, on, upon**); **2.** *ав.* пикирам (**down**); **3.** *разг.* сграбчвам, прибирам бързо, събирам, обирам (*обик.* с **up**).

swoop[2] *n* **1.** внезапно спускане, връхлитане; **2.** *ав.* пикиране; **3.** *воен.* внезапно/изненадващо нападение; **4.** замах; **at one (fell)** ~ с един удар/замах; наведнъж.

swop [swɔp] = **swap.**

sword [sɔːd] *n* **1.** меч; сабя, шпага, рапира; **the** ~ война, военна сила/мощ; **to draw/sheathe the** ~ започвам/прекратявам враждебни действия; **to put to the** ~ убивам, избивам; **at the point of the** ~ с оръжие/заплаха/насилие; насила; **at** ~'**s points** във взаимен антагонизъм, готови да се скарат/сбият; **to cross/measure** ~**s with** кръстосвам шпаги/премервам силите си/състезавам се/споря с; **to throw o.'s** ~ **into the scale** предявявам права с оръжие в ръка; **the** ~ **of justice** правосъдие; възмездие; **S. of State** меч, носен пред държавния глава при тържествени случаи; **2.** *прен.* военна сила, сила на оръжието; война; **the** ~ **of Damocles** надвиснала/грозяща опасност, дамоклев меч.

sword-arm ['sɔːdɑːm] *n* дясната ръка.

sword-belt ['sɔːdbelt] *n* портупей.

sword-cane ['sɔːdkein] = **sword-stick.**

sword-cut ['sɔːdkʌt] *n* (белег от) рана от сабя.

sword-dance ['sɔːddɑːns] *n* танц с/върху/около саби.

swordfish ['sɔːdfiʃ] *n* зоол. риба меч (Xiphias gladius).

sword-flag ['sɔːdflæg] *n* бот. жълт ирис/перуника.

sword-grass ['sɔːdgrɑːs] *n* бот. **1.** гладиола; **2.** вид шавар.

sword-hand ['sɔːdhænd] = **sword-arm.**

sword-law ['sɔːdlɔː] *n* военна власт; право на силния.

sword-lily ['sɔːdlili] *n* гладиола.

sword-play ['sɔːdplei] *n* **1.** фехтовка; **2.** *прен.* ожесточен спор, словесен двубой; размяна на остроумия.

swordsman ['sɔːdzmæn] *n* (*pl* -men) фехтовач.

swordsmanship ['sɔːdzmənʃip] *n* фехтовално умение/майсторство.

sword-stick ['sɔːdstik] *n* кух бастун, в който се поставя тънка сабя.

swore *вж.* **swear**[1].

sworn[2] *вж.* **swear**[1].

sworn[2] [swɔːn] *a* заклет; ~ **brothers** побратими; ~ **friends** най-верни/близки приятели; ~ **enemies** заклети/смъртни врагове.

swot[1] [swɔt] *v* (-tt-) *уч. sl.* уча усилено, кълва, зубря; назубрям.

swot[2] *n уч. sl.* **1.** зубрене, зазубряне, кълване; **2.** зубрач, кълвач; **3.** мъчна/трудна/тежка работа.

swum *вж.* **swim**[1].

swung *вж.* **swing**[1].

swung-dash ['swʌŋdæʃ] *n* печ. тилда.

sybarite ['sibərait] *n* разпуснат/тънещ в разкош човек, сибарит.

sycamore ['sikəmɔː] *n* бот. **1.** вид смокиново дърво (*в Сирия*); **2.** ~(-**maple**) голям клен, чинар (Acer pseudoplatanus); **3.** *ам.* платан, яблан, чинар (Platanus occidentalis).

syce [sais] *n инд.* коняр.

sycomore = **sycamore.**

sycophancy ['sikəfənsi] *n* подлизурство, угодничество.

sycophant ['sikəfənt] *n* мазник, подмазвач, подлизурко.

sycophantic [sikə'fæntik] *a* подмазвачески, подлизурски.

sycosis [sai'kousis] *n* кожно заболяване на корена на космите на брадата, сикоза.

syenite ['saiənait] *n минер.* сиенит.

syllabary ['siləbəri] *n* слогова/сричкова азбука.

syllabic [si'læbik] *a* **1.** сричков; **2.** сричкообразуващ.

syllabicate [si'læbikeit] = **syllabify.**

syllabify, syllabize [si'læbifai, 'siləbaiz] *v* разделям/произнасям на срички.

syllable[1] ['siləbl] *n* сричка; *прен.* дума; **not a** ~ нито дума, нито звук, ни гък; **in words of one** ~ кратко, ясно; безцеремонно.

syllable[2] *v* **1.** произнасям на срички; **2.** *книж.* изричам, произнасям; **two-/three-syllabled word** двусрична/трисрична дума.

syllabub = **sillabub.**

syllabus ['siləbəs] *n* (*pl* -buses [-bəsiz], -bi [-bai]) **1.** учебна програма; **2.** конспект, план (*на лекции, курс и пр.*); **3.** *катол.* списък на ересите.

syllepsis [si'lepsis] *n* отнасяне на една дума едновременно към две или повече други, съгласувайки я само с една от тях (neither I nor he knows нито аз, нито той знае).

syllogism ['silədʒizm] *n лог.* силогизъм.

sylph [silf] *n* **1.** *мит.* дух на ефира; **2.** нежна/изящна девойка/жена; **3.** вид колибри с раздвоена опашка.

sylph-like ['silflaik] *a* изящен, грациозен.

sylvan = **silvan.**

symbiosis [simbai'ousis] *n биол.* симбиоза.

symbol [simbl] *n* **1.** символ, емблема; **2.** условен писмен знак, обозначение; **3.** *църк.* кредо, верую.

symbolic(al) [sim'bɔlik(l)] *a* **1.** символичен; олицетворяващ; ~ **of** символизиращ; **2.** значителен, важен, знаменателен.

symbolically [sim'bɔlikəli] *adv* символично.

symbolism ['simbəlizm] *n* символизъм.

symbolist ['simbəlist] *n* символист.

symbolization [simbəlai'zeiʃn] *n* символизиране, символизация.

symbolize ['simbəlaiz] *v* **1.** символизирам; **2.** представям/изобразявам/обозначавам със символи.

symbology [sim'bɔlədʒi] *n* **1.** изкуство да се изобразява със символи; **2.** изучаване/тълкуване на символите; **3.** система от символи.

symmetric(al) [si'metrik(l)] *a* симетричен, съразмерен.

symmetrically [si'metrikəli] *adv* симетрично, съразмерно.

symmetry ['simitri] *n* симетрия, съразмерност.

sympathetic[1] [simpə'θetik] *a* **1.** съчувствен, състрадателен; симпатизиращ; **2.** благоразположен, одобряващ, отзивчив; ~ **strike** стачка в знак на солидарност; ~ **ink** симпатично мастило; **3.** сроден, близък; благоприятен; отговарящ на вкусовете, подходящ (*за среда и пр.*); **4.** мил, обичлив, симпатичен, приятен; **5.** *физиол.* ставащ/предизвикан по симпатия (*за болка и пр.*); симпатичен, симпатически (*за система, орган и пр.*).

sympathetic[2] *n* симпатичен нерв/система.

sympathetically [simpə'θetikəli] *adv* съчувствено.

sympathize ['simpəθaiz] *v* **1.** съчувствувам, изразявам/изказвам съчувствие (**with** на); **to** ~ **with s.o. in s.th.** съчувствувам на някого за нещо; **2.** разбирам, одобрявам, споделям; съгласявам се (*с мнение, становище и пр.*).

sympathizer ['simpəθaizə] *n* **1.** човек, съчувствуващ/споделящ скръбта и пр. на някого; **2.** симпатизант, съчувственик (*на партия, идея*).

sympathy ['simpəθi] *n* **1.** съчувствие, състрадание, отзивчивост (**with, for**); **a man of ready** ~ много отзивчив човек; **2.** симпатия (*и физиол.*); **3.** съгласие, разбирателство, хармония; споделяне; **to be in** ~ **with** съгласен съм с, напълно разбирам, споделям, одобрявам; **to be out of** ~ **with, to have no** ~ **for/with** не съм съгласен с, не одобрявам, не споделям; **4.** чувство на лоялност/солидарност; **in** ~ **with** от солидарност.

symphonic [sim'founik] *a* симфоничен.

symphonious [sim'founiəs] *a* хармоничен, съзвучен.

symphonist ['simfənist] *n* **1.** композитор на симфонии, симфонист; **2.** член на симфоничен оркестър.

symphony ['simfəni] *n* **1.** симфония; **2.** *ам.* симфоничен оркестър; **3.** хармония, съзвучие; **4.** *attr* симфоничен; ~ **orchestra** симфоничен оркестър.

symposiarch [sim'pouziaːk] *n* **1.** председател на симпозиум; **2.** *ист.* церемониал-майстор на пиршество.

symposiast [sim'pouziæst] *n* участник в симпозиум.

symposium [sim'pouziəm] *n* (*pl* **-sia** [-ziə]) **1.** *ист.* пиршество; **2.** философска/научна и пр. беседа/разискване; **3.** разискване на един или няколко сродни проблеми; симпозиум; **4.** сборник от статии/есета от различни автори на обща тема.

symptom ['simptəm] *n* симптом, признак (*и мед.*); белег, знак, указание.

symptomatic [simptə'mætik] *a* показателен, симптоматичен.

symptomatology [simptəmə'tɔlədʒi] *n* *мед.* **1.** изучаване на симптомите на болестите; **2.** симптоматичен комплекс на дадена болест.

synaeresis [si'niərisis] *n* (*pl* **-ses** [-siːz]) *фон.* сливане на две гласни в дифтонг или в една гласна, синереза.

synagogue ['sinəgɔg] *n* синагога.

synallagmatic [sinələg'mætik] *a* *юр.* двустранен (*за договор и пр.*).

sync(h) [siŋk] **1.** = **synchronization**; **2.** = **synchronize**.

syncarp ['sinkaːp] *n* *бот.* сложен плод (*къпина и пр.*).

synchroflash ['siŋkrouflæʃ] *n* приспособление към фотоапарат за отваряне на обектива едновременно със светването на светкавицата.

synchromesh ['siŋkroumeʃ] *a* предназначен да осигурява синхронизирана смяна на скоростите.

synchronic [siŋ'krɔnik] *a* синхроничен, синхронен, едновременен.

synchronism ['siŋkrənizm] *n* синхронност, едновременност.

synchronistic = **synchronous**.

synchronization [siŋkrounai'zeiʃn] *n* синхронизиране, синхронизация.

synchronize ['siŋkrənaiz] *v* **1.** синхронизирам; координирам, съгласувам по време; **2.** съвпадам по време, протичам едновременно, показвам едно и също време (*за часовник*); **3.** сверявам, коригирам (*часовник*); **4.** доказвам/установявам едновременността на (*събития и пр.*).

synchronizer ['siŋkrənaizə] *n* *тех.* синхронизатор.

synchronous ['siŋkrənəs] *a* едновременен, синхронен.

synchrony ['siŋkrəni] *n* едновременност, синхрония, синхронност.

synchrotron ['siŋkrətrɔn] *n* *физ.* апарат за ускоряване на електрони.

syncline ['sinklain] *n* *геол.* скално корито, синклинала.

syncopate ['siŋkəpeit] *v* *грам., муз.* синкопирам.

syncopation [siŋkə'peiʃn] *n* *грам., муз.* **1.** синкопиране; **2.** синкоп.

syncope ['siŋkəpi] *n* **1.** *мед.* припадък, синкоп; **2.** *грам., муз.* синкоп.

syncretism ['siŋkritizm] *n* *фил.* синкретизъм, еклектизъм.

syncretize ['siŋkritaiz] *v* обединявам/съчетавам несъвместими схващания/принципи/системи.

syndetic [sin'detik] *a* *грам.* съединителен, свързващ, съюзен.

syndic ['sindik] *n* **1.** *юр.* синдик; **2.** административен служител; **3.** член на комисия при Академичния съвет на университета в Кеймбридж.

syndicalism ['sindikəlizm] *n* синдикализъм.

syndicalist ['sindikəlist] *n* синдикалист.

syndicate[1] ['sindikeit] *n* синдикат, синдикален съвет; обединение.

syndicate[2] *v* **1.** обединявам в синдикат; **2.** публикувам материали чрез синдикат.

syndication [sindi'keiʃn] *n* обединяване/обединение в синдикат.

syndrome ['sindroum] *n* **1.** *мед.* синдром; **2.** типична комбинация от мнения, поведение и пр.

syne [sain] *шотл.* = **since** (*вж.* **auld lang syne**).

synecdoche [si'nekdəki] *n* синекдоха (*стилистична фигура*).

synecology [sini'kɔlədʒi] *n* синекология (*клон от екологията*).

syneresis = **synaeresis**.

synergic [si'nəːdʒik] *a* действуващ съвместно/обединено.

synesis ['sinəsis] *n* *ез.* синтактична контаминация.

synod ['sinəd] *n* *цьрк.* синод; съвет, съвещание.

synonym ['sinənim] *n* синоним (**of, for**).

synonymity [sinə'nimiti] *n* еднозначност, синонимност.

synonymous [si'nɔniməs] *a* еднозначен, синонимен (**with** на).

synonymy [si'nɔnimi] *n* **1.** синонимност, синонимия, еднозначност; **2.** синонимика.

synopsis [si'nɔpsis] *n* (*pl* **-ses** [-siːz]) кратък обзор, резюме.

synoptic [si'nɔptik] **I.** *a* **1.** *метеор.* синоптичен; **2.** нагледен, прегледен; конспективен; **3. the S. Gospels** *цьрк.* евангелията на Матей, Марко и Лука; **II.** *n* **1.** синоптик метеоролог; **2.** един от тримата автори на синоптичното евангелие.

syntactic [sin'tæktik] *a* синтактичен.

syntactically [sin'tæktikəli] *adv* синтактично, синтактически.

syntactics [sin'tæktiks] *n pl c гл. в sing* **1.** дял от математиката; **2.** дял от семиотиката.

syntax ['sintæks] *n* синтаксис.

synthesis ['sinθisis] *n* (*pl* -ses [-si:z]) синтез.

synthesize ['sinθisaiz] *v* синтезирам.

synthetic[1] [sin'θetik] *a* **1.** *хим., ез.* синтетичен; **2.** изкуствен, добит по изкуствен начин (*за лекарства, материи и пр.*); **3.** *шег.* престорен, неискрен.

synthetic[2] *n* получена по изкуствен начин материя (*пластмаса и пр.*).

synthetically [sin'θetikəli] *adv* по синтетичен начин, синтетично.

syntonic [sin'tɔnik] *a* **1.** нормално реагиращ, приспособяващ се към околната среда; **2.** *рад.* който резонира/се настройва на вълна.

syphilis ['sifilis] *n* сифилис.

syphilitic [sifi'litik] **I.** *a* сифилитичен; **II.** *n* сифилитик.

syphon = **siphon.**

syren = **siren.**

Syriac ['siriæk] *a, n* древносирийски (език).

Syrian ['siriən] **I.** *a* сирийски; **II.** *n* сириец.

syringa ['si'riŋgə] *n* **1.** жасмин; **2.** люляк.

syringe[1] ['sirindʒ] *n* **1.** спринцовка; шприц; **2.** помпа.

syringe[2] *v* **1.** инжектирам, впръсквам; **2.** пръскам, напръсквам.

syrinx ['siriŋks] *n* **1.** *мед.* фистула; **2.** *анат.* евстахиева тръба; **3.** *зоол.* гръклян на птица; **4.** устна хармоника.

syrup[1] ['sirəp] *n* **1.** сироп; гликоза; петмез; **2.** *разг.* сладникавост.

syrup[2] *v* сиропирам, заливам със сироп.

syrupy ['sirəpi] *a* **1.** като/със сироп; **2.** сладникав (*и прен.*).

systaltic [sis'tæltik] *a* пулсиращ.

system ['sistəm] *n* **1.** система (*философска, политическа и пр.*); **2.** метод; организация; ред, порядък; системност, методичност; **on a** ~ по дадена система; ~ **building** монтажно/панелно строителство; **3.** организъм, цяло; човешки организъм, тяло; **to get/work s.th. out of o.'s** ~ *прен.* освобождавам се/отървавам се от нещо, отреагирвам нещо; **4.** мрежа, система (*телефонна, жп. и пр.*); *геол.* система, формация, група; **5.** светът, вселената.

systematic [sisti'mætik] *a* системен, систематичен, методичен; систематически.

systematically [sisti'mætikəli] *adv* системно, методично; систематично.

systematics [sisti'mætiks] *n pl c гл. в sing* систематика; таксономия.

systematism ['sistimə'tizm] = **systematization.**

systematization ['sistimətai'zeiʃn] *n* систематизиране, систематизация.

systematize ['sistimətaiz] *v* привеждам в система, систематизирам.

systemic [sis'temik] *a* **1.** *физиол.* на целия организъм, органически; **2.** засягащ целия организъм (*за пестициди и пр.*).

systemless ['sistimlis] *a* безсистемен, неметодичен; несистематичен.

systole ['sistəli] *n* **1.** *физиол.* съкращаване на сърцето; **2.** *проз.* съкращаване на гласна/сричка по метрически причини.

syzygy ['sizigi] *n астр.* положение на луната по права линия със земята и слънцето, сизигия.

T

T, t [ti:] **1.** буквата Т; **to a T** точно, както трябва, съвършено, до най-малката подробност; **that suits me to a T** това ми е много удобно/отговаря напълно на желанията/възможностите ми; **to cross the t's** проявявам голяма прецизност, придавам значение на подробностите; **2.** нещо с форма на буквата Т; **T-bandage** превръзка във формата на буквата Т.

ta [ta:] *int дет. разг.* благодаря.

taal [ta:l] *n ист.*, *обик.* **the T.** ранна форма на африканс (*холандски диалект в Южна Африка*).

tab[1] [tæb] *n* **1.** закачалка на дреха и пр.; петлица, ушенце; **2.** *воен.* петлица; **red** ~ *sl.* щабен офицер; **3.** наушник; **4.** метално връхче на връзка за обувки; **5.** *ав.* тример; **6.** етикет (*за багаж и пр.*); **7.** *разг.* сметка; проверка; **to keep** ~(s) **on** контролирам, водя сметка за; не забравям; следя, наблюдавам, не изпускам от очи.

tab[2] *v* (-bb-) *разг.* слагам етикет(и) на.

tabard ['tæbəd] *n ист.* **1.** къса дреха без ръкави, носена от рицарите върху бронята; дреха на средновековен вестител; **2.** наметало.

tabaret ['tæbəret] *n* копринен раиран плат за тапицировка.

tabby ['tæbi] *n* **1.** копринен плат моаре; **2.** котка на сиви/кафяви ивици, котка тигър; котка (*особ. женска*); **3.** *презр.* клюкарка (*особ. стара мома*); **4.** *attr* на тъмни райета/ивици и пр.

tabernacle[1] ['tæbənækl] *n* **1.** *библ.* временно жилище/подслон; **2.** *ист.* лек/преносим еврейски храм; скиния; **3.** молитвен дом, храм, параклис; **4.** *арх.* ниша с навес (*за статуя на светия и пр.*); **5.** *мор.* гнездо на подвижна мачта.

tabernacle[2] *v* подслонявам се, обитавам временно.

tabernacle-work ['tæbənæklwə:k] *n арх.* резба/ажурна украса над амвони и пр.

tabes ['teibi:z] *n мед.* отслабване, изтощение, измършавяване; **dorsal** ~ атрофия, атаксия, табес.

tabinet ['tæbinet] *n* моаре от вълна и коприна.

tablature ['tæblətʃə] *n* **1.** *муз. ост.* нотно писмо (*особ. за лютня и пр.*); **2.** мислен образ, представа.

table[1] ['teibl] *n* **1.** маса; **2.** маса за хранене, трапеза; **at** ~ на масата, през време на ядене; **to be at** ~ обядвам, вечерям, храня се; **to sit down to** ~ сядам да се храня; **to leave the/to rise from** ~ ставам от масата, свършвам храненето си; **to lay/set/spread the** ~ слагам масата за ядене; **the pleasures of the** ~ хубаво ядене и пиене; **to keep a good** ~ храня се добре, винаги имам хубаво ядене вкъщи; **3.** маса, подставка за инструмент и пр.; **4.** *бридж* картите на мора, подредени на масата; **5.** дъска, дъсчица, плоча, плочка; плака; надпис на плоча и пр.; **the two** ~s, **the** ~s **of the law** Моисеевите таблици, скрижалите, десетте божи заповеди; **6.** плоска повърхност, стена (*на кристал, строеж и пр.*); **7.** плато, равнина; **8.** таблица, списък; ~ **of fares** *жп.* ценоразпис на билетите; □ **to lay (a bill, etc.) on the** ~ 1) отлагам за неопределено време разискването на (законороект и пр.); 2) предлагам за обсъждане; **to lie on the** ~. бивам отлаган (*за законопроект и пр.*); **to take from the** ~ *ам.* разглеждам отново (*законопроект и пр.*); **upon the** ~ общоизвестен, публично обсъждан; **under the** ~ пиян, препил, *особ.* след ядене; **to turn the** ~s **on s.o.** разменяме си ролите с някого; получавам превъзходство над някого; връщам/отвръщам/отмъщавам си на някого.

able[2] v **1.** слагам на маса(та); **2.** поставям на обсъждане; **to** ~ **a motion** правя/внасям предложение; **3.** отлагам за неопределено време обсъждането му; **4.** правя надпис върху плоча и пр.; записвам си; **5.** вписвам в списък, каталог и пр.; подреждам в таблици, диаграми и пр.; **6.** *карти* играя/давам/слагам карта; **7.** *тех.* шпунтувам, сглобявам шпунтувани дъски; **8.** *мор.* заздравявам платна с широки подгъвки.

tableau ['tæblou] n (*pl* -**eaux** [-ouz]) **1.** жива картина (*и* ~ **vivant**); **2.** *прен.* внезапно възникнало драматично положение; **3.** ~ **curtains** *театр.* диагонално отварящи се завеси (*нагоре и настрани*).

table-cloth ['teiblklɔθ] n покривка за маса.

table-cut ['teiblkʌt] a с плоска горна повърхност (*за диамант и пр.*).

table-d'hôte ['ta:bl'dout] n *фр.* общо меню в ресторант, табльод.

table-flap ['teiblflæp] n подвижно/сгъваемо крило на маса.

table-knife ['teiblnaif] n нож за хранене.

table-land ['teibllænd] n висока равнина, плато.

table-leaf ['teibl͵li:f] n **1.** допълнителна дъска за удължаване на маса; **2.** = **table-flap**.

table-lifting ['teibl͵liftiŋ] n спиритически сеанс (*и* **table-rapping/-turning**).

table-linen ['teibl͵linin] n покривки и салфетки за маса.

table manners ['teibl͵mænəz] n добри маниери при хранене.

table mat ['teiblmæt] n подложка за маса (*за под чаша, кана, горещ съд и пр.*).

table-money ['teiblmʌni] n **1.** *воен.* представителни пари на висш офицер; **2.** такса в клуб за право да се използува столовата му за обеди, вечери и пр.

tablespoon ['teiblspu:n] n супена лъжица (*и като мярка*).

tablespoonful ['teiblspu:nful] n една супена лъжица (*мярка*).

tablet ['tæblit] n **1.** плочица, дъсчица; табелка; възпоменателна плоч(к)а; **2.** таблетка (*лекарство, шоколад и пр.*); калъп (*сапун*).

table-talk ['teibltɔ:k] n разговор(и) на масата/трапезата.

table tennis ['teibl͵tenis] n тенис на маса, пинг-понг.

table-top ['teibltɔp] a за върху маса (*за снимка, календар и пр.*).

table-ware ['teiblwɛə] n сервизи и прибори за маса.

table wine ['teibl͵wain] n обикновено вино за пиене при хранене.

tabloid ['tæblɔid] n **1.** вестник с малък формат, много илюстрации и накратко и опростено дадени новини; **2.** таблетка (*лекарство*); **3.** *attr* кондензиран; концентриран; сбит и опростен.

taboo[1] n **1.** *рел.* табу; неприкосновен предмет; *разг.* нещо забранено/недопустимо да се споменава/върши; **2.** нещо забранено, възбрана; остракизъм.

taboo[2] a *predic.* **1.** свещен; който не бива да се докосва/споменава/употребява; забранен по религиозни, морални или др. причини; **2.** избягван; проклятт.

taboo[3] v **1.** слагам под възбрана, запрещавам; **2.** отбягвам.

tabor ['teibə] n *ист.* барабанче.

tabouret ['tæbəret] n **1.** табуретка; **2.** гергеф.

tabu = **taboo**.

tabular ['tæbjulə] a **1.** плосък; **2.** на тънки пластове/слоеве; **3.** подреден в редици/колони; **4.** изразен/изложен в таблици.

tabulate ['tæbjuleit] v **1.** подреждам/давам в редици, колони, таблици, диаграми и пр.; **2.** придавам плоска повърхност на.

tabulator ['tæbjuleitə] n **1.** човек, който прави таблици, диаграми и пр.; **2.** табулатор на пишеща машина.

tacamahac ['tækəmə͵hæk] n **1.** ароматична смола, от която се прави тамян; **2.** вид сев.-ам. топола (Populus balsamifera).

tacet ['tæsit] v *лат. муз.* указание, означаващо, че даден инструмент и пр. не участвува в част от музикалното произведение.

tachism(e) ['tæʃizm] n абстрактен експресионизъм в живописта.

tachometer [tæ'kɔmitə] n тахометър.

tachycardia [͵tæki'ka:diə] n *мед.* ускорена сърдечна дейност, тахикардия.

tachygraphy [tæ'kigrəfi] n вид стенография (*особ. у древните гърци и римляни*).

tachymeter [tæ'kimitə] n *топогр.* тахиметър.

tacit ['tæsit] a мълчалив, безмълвен (*за отговор, съгласие и пр.*).

tacitly ['tæsitli] adv мълчаливо, тихомълком; безмълвно.

taciturn ['tæsitə:n] a мълчалив; сдържан, необщителен.

taciturnity [͵tæsi'tə:niti] n мълчаливост; необщителност.

tack[1] n **1.** гвоздейче с широка главичка; кабърче; **2.** тропоска; **3.** *мор.* халс (въже); ъгъл на платно; **on the port/starboard** ~ с вятъра отляво/отдясно; **to make** ~ **and** ~ лавирам; **4.** *прен.* (политическа) линия/курс; **on the right/wrong** ~ *прен.* на прав/погрешен път; **5.** лепкавост (*на боя, лак и пр.*); **6.** странична клауза към законопроект.

ack[2] v **1.** закрепвам, прикрепвам; закачам/заковавам с гвоздейчета/кабърчета; **2.** прикачам леко, тропосвам; **3.** *мор.* променям курса на кораб спрямо вятъра; лавирам (*и с* **about**); **4.** *прен.* променям рязко курса/линията си; **5.** прибавям, добавям (**to, on to** към, на); *парл.* прибавям допълнителна/странична клауза към (финансов) законопроект.

tack[3] n седло, юзда и др. принадлежности за оседлаване на кон.

tack[4] n **1.** храна (*хляб, сухар и пр.*); **2.** *пренебр.* глупости, безсмислици.

tackboard ['tækbɔ:d] n дъска за окачване на обяви, съобщения и пр.

tackle[1] ['tækl] n **1.** принадлежности, съоръжения, такъми; инструменти; **fishing** ~ рибарски принадлежности; **2.** *мор.* такелаж; **3.** *тех.* полиспаст; **4.** *сп.* опит да се отнеме топката.

tackle[2] v **1.** закрепвам с корабни въжета; **2.** вдигам с полиспаст; **3.** нападам, счепквам се с; *сп.* опитвам се да спра/отнема топката; **4.** заемам се/залавям се енергично за работа и пр.; подемам/подхващам въпрос и пр.; **to** ~ **s.o. over a matter** говоря откровено с/опитвам се да убедя някого по даден въпрос; **5.** боря се, справям се (**with** с).

tackle-block ['tæklblɔk] n *тех.* макара/скрипец на полиспаст.

tackle-fall ['tæklfɔ:l] n *тех.* въже на полиспаст.

tacky[1] ['tæki] a лепкав, леплив, незасъхнал (*за лак, боя и пр.*).

tacky² *а ам.* 1. показващ лош вкус/стил; прост; 2. раздърпан, опърпан; 3. натруфен.

tact [tækt] *n* тактичност, такт; **to use** ~ постъпвам тактично; **to have/show** ~ проявявам тактичност.

tactful ['tæktful] *a* тактичен.

tactical ['tæktikl] *a* тактически; умел, изкусен.

tactician [tæk'tiʃən] *n* тактик.

tactics ['tæktiks] *n pl* тактика.

tactile ['tæktail] *a* 1. *физиол.* осезателен; 2. осезаем, осезателен.

tactility [tæk'tiliti] *n* осезаемост; осезателност.

tactless ['tæktlis] *a* нетактичен.

tactual ['tæktjuəl] *a физиол.* осезателен.

Tadjik [ta:'dʒik] I. *a* таджикски; II. *n* 1. таджик; 2. таджикски език.

tadpole ['tædpoul] *n зоол.* попова лъжичка.

taedium vitae ['ti:diəm,vaiti:, ,vi:tai] *n* умора от живота, съпроводена с желание за самоубийство.

tael [teil] *n* 1. азиатска мярка за тегло = 1,5 унции; 2. китайска сребърна монета.

ta'en [tein] *поет. съкр. от* **taken** (*вж.* **take**).

taenia ['ti:niə] *n* (*pl* **-niae** [-nii:]) 1. *зоол.* тения; 2. *анат.* тъкан във форма на панделка; 3. *арх.* ивица над архитрава на дорийска колона; 4. *ист.* панделка за коса.

taffeta ['tæfitə] *n* 1. тафта; 2. *attr* от тафта, тафтен.

taffrail ['tæfrail] *n мор.* ограда на хакборда.

Taffy ['tæfi] *n разг.* прякор на жител на Уелс.

taffy *n ам.* 1. = **toffee**; 2. *sl.* ласкателство, правене на вятър.

tag¹ [tæg] *n* 1. свободен/висящ край; 2. метален/пластмасов наконечник на връзки за обувки; 3. петелка отзад на висока обувка; 4. (връх на) опашка на животно; 5. висящ етикет на багаж и пр.; 6. прибавка, допълнение; 7. сплъстен кичур вълна на руното на овца; 8. *театр.* (морално) обобщение в края на драма; 9. изтъркана/банална фраза, клише; 10. кратък рефрен на песен и пр.

tag² *v* (**-gg-**) 1. слагам наконечник на връзка; прикачвам етикет на багаж, дреха и пр.; 2. маркирам, отбелязвам; ~**ged atoms** белязани атоми; 3. съчинявам/прибавям рефрен на; 4. римувам (се); 5. прибавям; лепвам (се); прикачам; присъединявам (се) (**to** към); съединявам, сглобявам (**together**); 6. *разг.* (пре)следвам, постоянно се влача/мъкна подир някого; следя, проследявам; **to** ~ **at s.o.'s heels** не се отделям от/вечно съм по петите на някого.

tag³ *n* гоненица (*игра*).

tag⁴ *v* (**-gg-**) хващам/докосвам при гоненица; *бейзбол* докосвам (*играч*) с топката.

tag-end ['tægend] *n* най-задна/най-ниска част от нещо; остатък; край.

tag line ['tæglain] *n* заключителен ред/фраза (*на пиеса, шега, обик. служеща за изясняване или за драматичен ефект*).

tag-rag = **ragtag**.

Tahitian [tə'hi:ʃən] I. *a* таитски; II. *n* 1. местен жител на о-в Таити; 2. таитски език.

taiga ['taigə] *n рус.* тайга.

tail¹ [teil] *n* 1. опашка; **with o.'s** ~ **between o.'s legs** с подвита опашка (*и прен.*); **with** ~ **up** *прен.* в добро настроение; **to turn** ~ обръщам гръб, бягам (*от опасност и пр.*); **close at s.o.'s** ~ по петите на някого; **to tread on o.'s own** ~ навреждам на себе си вместо на друг; 2. нещо, наподобяващо опашка; опашка на комета, хвърчило, самолет и пр.; 3. край, крайчец;

to look at s.o. out of the ~ **of o.'s eye** поглеждам някого с крайчеца на окото си; 4. долен/заден/изтънен край; част на керемида и пр., която се подава под друга; задна част (*на кола, самолет и пр.*); 5. край, завършък (*на дреха, върволица, процесия, явление и пр.*); **the** ~ **of a storm** сравнително притихване в края на буря; **the** ~ **of a stream** тиха вода след буйно течение/водовъртеж и пр.; 6. изтъняване, удължение (*на плитка и пр.*); 7. опашчица, чертичка, камшиче (*на буква, нота и пр.*); 8. *разг.* свита; 9. *прен.* опашка, по-малко влиятелна част (*на партия и пр.*); *сп.* по-слаба част на отбор и пр.; 10. шлейф (*на рокля*); 11. *pl разг.* фрак; 12. *sl.* човек, който следи/наблюдава някого; **to put a** ~ **on s.o.** *разг.* нареждам да бъде следен някой; 13. *обик. pl* обратната страна на монета, тура; 14. *вулг.* задник; 15. бялото поле на долния край на страница.

tail² *v* 1. слагам опашка на (*хвърчило и пр.*); 2. прибавям, прикачам (**on to** на, към); 3. *sl.* следя, проследявам, вървя по петите на; 4. режа/отрязвам опашката на (*агне и пр.*); 5. късам/режа/изчиствам дръжките на плодове; 6. вървя в края на/завършвам върволица, процесия и пр., нижа се, точа се (**after** след); 7. постепенно намалявам, загубвам се, изчезвам;
    tail after следя/следвам отблизо, вървя по петите на;
    tail away 1) изоставам; 2) влача се, точа се, мъкна се (*на края на група, върволица и пр.*); 3) замирам, заглъхвам, губя се, чезна; 4) постепенно изтънявам, намалявам се, разпилявам се, изчезвам;
    tail in закрепям края на греда в стена и пр.;
    tail off 1) = **tail away**; 2) понижавам се, влошавам си качеството;
    tail on прибавям, притурям.

tail³ *n юр.* ограничение на условията за наследяване.

tail⁴ *a юр.* ограничен, с известни условия (*за право на наследяване*).

tail-board ['teilbɔ:d] *n* заден/подвижен капак на камион, каруца и пр.

tailcoat ['teilkout] *n* фрак.

tail-end ['teilend] *n* 1. заден край, опашка (*на колона и пр.*); 2. последна/заключителна част; 3. заключителен период.

tail-gate¹ ['teilgeit] *n* 1. долна врата на шлюз; 2. = **tail-board**.

tail-gate² *v* карам на опасно близко разстояние зад друго превозно средство.

tailing ['teiliŋ] *n* 1. подаващата се навън част на вкопана в стена тухла/камък; 2. *обик. pl* отпадъци/остатъци от руда и пр.; 3. плява.

tag-rag = **ragtag**.

tailless ['teillis] *a* без опашка.

tail-light ['teillait] *n* 1. *жп.* червен буферен фенер; 2. *авт.* задна сигнална лампа, стоп-лампа.

tailor¹ ['teilə] *n* шивач, крояч (*обик. на дрехи по поръчка*).

tailor² *v* 1. кроя и шия дрехи по поръчка; **who** ~**s you?** кой ти шие? 2. приспособявам, нагаждам за; 3. изработвам майсторски, изкусурявам.

tailoring ['teiləriŋ] *n* 1. шивачество, шивашки занаят; шивашко умение/майсторлък; 2. кройка/линия на дреха; 3. приспособяване, пригаждане.

tailor-made¹ ['teiləmeid] *a за дамски костюм* ушит от шивач; вталена, с опростена линия, тайор; 2. съвсем подходящ/пригоден за целта/случая.

tailor-made² *n* 1. ушит по поръчка дамски костюм тайор; 2. *sl.* готова цигара (*не ръчно свита*).

tail-piece ['teilpi:s] *n* 1. струнник на цигулка, чело и пр.; 2. *печ.* винетка в края на глава/на книга; 3. притурка, прибавка, придатък.

tailpipe ['teilpaip] *n* 1. смукателна тръба на помпа; 2. *авт.* ауспух.

tailplane ['teilplein] *n ав.* стабилизатор, крепител; опашни площи.

tail-race ['teilreis] *n* вада/улей под воденичното колело.

tail-spin ['teilspin] *n* 1. *ав.* опашен свредел; 2. *прен.* остра финансова депресия; 3. *прен.* паника.

tail wind ['teilwind] *n* попътен вятър.

taint[1] [teint] *n* 1. петънце, петно; *прен.* позорно петно; 2. зараза; развала; поквара, порок; **meat free from ~** прясно месо; **free from moral ~** чист, непокварен; 3. следа (*от нещо лошо*); **without ~ of bias** без всякакво предубеждение.

taint[2] *v* 1. замърсявам, заразявам (*въздух, вода и пр.*); *прен.* покварявам, опетнявам; 2. развалям се, повреждам се (*за продукти и пр.*).

taintless ['teintlis] *a* 1. *прен.* чист; здрав; непорочен; неопетнен; 2. пресен, свеж (*за продукти и пр.*).

take[1] *v* (**took** [tuk]; **taken** [teikn]) 1) вземам; 2. водя, завеждам, отвеждам; откарвам (*с кола и пр.*) (**to** на, в); занасям (**to** на, в); **business often ~s me abroad** често ходя в чужбина служебно, работата ми често ме кара да пътувам из чужбина; 3. хващам, залавям; **to ~ prisoner/captive** пленявам, вземам в плен; **they were ~n prisoner/hostage** взеха ги пленници/заложници; **to ~ s.o. unprepared** изненадвам/хващам някого неподготвен; 4. вземам (*и при игри*), превземам, завладявам (*и прен.*); **I was much ~n by the idea** идеята много ми хареса; 5. възползувам се от, използувам (*възможности и пр.*); 6. вземам, насмам (*жилище, кола, работна ръка и пр.*); 7. вземам, заемам; обсебвам (*дума, идея и пр.*); 8. вземам, заемам; ангажирам (*място и пр.*); 9. абониран съм за, получавам/купувам си редовно (*вестник и пр.*); 10. вземам/използвам превозно средство; 11. вземам, поемам/тръгвам по (*път и пр.*); 12. прескачам, преодолявам (*препятствие и пр.*); 13. вземам, получавам, спечелвам (*диплома, награда и пр.*); **to ~ the biscuit/bun/cake** *sl.* надминавам всички, излизам първенец; 14. вземам, приемам, поемам (*храна, лекарство, въздух и пр.*); ям, пия; **to ~ breakfast/dinner, etc.** закусвам, обядвам и пр.; **do you ~ sugar in your tea?** със захар ли пиете чая си? **I cannot ~ whisky** не мога да пия/не ми понася пиенето на уиски; 15. вземам, приемам (*подарък, предложение и пр.*); **taking one thing with another** *прен.* (взето) едно на друго; **taking all in all** общо взето; **to ~ things as they come** приемам нещата такива, каквито са; **I am not taking any!** да имаш да вземаш! не извиняваш! благодаря! **he will not ~ no for an answer** той не приема/не се примирява с отказ; **I suppose we must ~ it at that** да приемем/допуснем, че е така, да повярваме; **~ it from me!** добре да го знаеш! 16. предполагам, смятам, приемам; **what time do you ~ it to be?** колко мислиш, че е часът? **how old do you ~ him to be?** колко години му даваш? **I ~ it that** предполагам, че; **as I ~ it** според мен; **people took him to be mad** хората го вземаха за луд; 17. разбирам, тълкувам; **to ~ s.o. seriously** вземам някого/постъпките на някого сериозно; **I don't know how to ~ him** не зная как да го разбирам/как да тълкувам думите/постъпките му; 18. поемам (*командуване, отговорност, риск и пр.*); **to ~ the consequences/the punishment** поемам/понасям последствията/наказанието; **he can ~ it** *разг.*

той издържа носи (*наказание, нещастие и пр.*); 19. вземам, отнемам (*време и пр.*), изисквам, трябва (ми), нужно (ми) е; **it ~s her/she ~ s hours/ages to dress** тя се облича с часове; **to ~ o.'s time over s.th./in doing s.th.** не се притеснявам/не си давам зор/не бързам с (извършването на) нещо; **~ your time** полека, не бързай, не се притеснявай; **it took four men to hold him** бяха необходими четирима души, за да го удържат; **it ~s a clever man to do that** ум трябва за тази работа, само умен човек може да я свърши; **that will ~ some explaining** това няма да е лесно да се обясни; **the work took some doing** работата не беше лесна/лека; **it took some finding** не беше лесно да се намери; **don't ~ so much asking** не чакай толкова да те молят, не се назлъндисвай толкова; 20. измервам (*температура, височина и пр.*); отчитам данни (*на измервателен уред*); 21. хващам, пипвам, разболявам се от; 22. правя снимка, снимам; излизам добре/зле на снимка; **to ~ well** излизам добре на снимка, фотогеничен съм; 23. обучавам, вземам (*клас*); следвам (*курс и пр.*); 24. имам успех, харесвам се; имам/оказвам въздействие; 25. хващам (се) (*за ваксина, присадка и пр.*); хващам, ловя (*за боя и пр.*); 26. побирам (*за кола и пр.*); 27. издържам (*товар и пр.*); поддържам, крепя, подкрепям (*за греда и пр.*); 28. пламвам (*за огън*); 29. нося (*номер на обувки и пр.*); **I ~ sixes in gloves** нося ръкавици номер шест; 30. *мат.* вадя, изваждам; 31. *грам.* вземам, управлявам; 32. *разг.* мамя, измамвам; □ **to ~ advice** приемам/вслушвам се в/потърсвам съвет; **to ~ legal/medical advice** съветвам се с адвокат/лекар; **to ~ heed/notice of** внимавам за, обръщам внимание на; **to ~ measures/steps** вземам мерки; **to ~ o.'s name from** нося името/наименованието си от; **to ~ pains/trouble** старая се, полагам грижи/старание; **to ~ s.th. apart/to pieces** разглобявам нещо; **the table ~s apart** масата се разглобява/е разглобяема; **to ~ to the offensive** минавам в офанзива; **he was ~n with a fit of laughter** той избухна в неудържим смях; **~ me with you** не мога да разбера какво казваш; **~ as read** да считаме, че е прочетено (*за протокол и пр.*); **a point well ~n** добре обоснован довод; **~ it!** нà ти! (*при удар, плесница*); **he was ~n from us in his prime** смъртта ни го отне млад/в разцвета на силите му;

take aback изненадвам, сепвам, стресвам;

take about развеждам;

take across превеждам, прекарвам/пренасям през; помагам на някого да прекоси улицата;

take after 1) приличам/метнал съм се на; 2) следвам примера на;

take along вземам със себе си;

take around развеждам (*из музеи и пр.*); завеждам;

take away 1) вземам, отнемам (**from** от); **not to be ~n away** не може/не е разрешено да се изнася (*за книга и пр. от библиотека*); **what ~s you away so soon?** защо толкова бързаш да си ходиш? **if your father should be ~n away** ако баща ти умре; 2) отнемам, премахвам; 3) *мат.* изваждам; 4) махам, завеждам някъде, отнасям; **~ it away (from here)** махни го (оттук); 5) отвличам (*внимание*);

take back 1) връщам; занасям/завеждам обратно; 2) приемам обратно; 3) вземам (*думите си*) назад; 4) връщам назад (*към минало и пр.*) (**to** към);

take down 1) снемам, свалям; 2) демонтирам, разглобявам; разрушавам (*сграда и пр.*); 3) записвам (си); правя запис на магнетофон; 4) **to be ~n down with** разболявам се/заболявам от; 5) **to ~ down o.'s hair** разпускам косата си; 6) **to ~ down s.o. (a peg or two)** *разг.* натривам носа на някого, смачквам му фасона; 7) поглъщам с мъка (*лекарство и пр.*);

take for вземам за (*обик. погрешно*); **what do you ~ me for?** за какъв ме вземаш?

take from 1) намалявам, отслабям, снижавам; 2) *мат.* изваждам;

take in 1) въвеждам (*посетител и пр.*); 2) **to ~ in s.o.'s name** съобщавам за идването на някого (*в къща и пр.*); 3) прибирам (*реколта и пр.*); 4) снабдявам се със запаси за зимата *и пр.*; 5) **to ~ in water** снабдявам се/запасявам се с вода (*за кораб и пр.*); пропускам вода (*за обувки и пр.*); 6) прибирам, подслонявам; вземам (*квартиранти*); 7) работя чуждо вкъщи (*пране, шев и пр.*); 8) печеля, спечелвам (*пари*); 9) абониран съм за; 10) стеснявам (*дреха*); свивам (*корабно платно*); 11) схващам, възприемам, разбирам; гълтам лековерно; 12) обхващам с поглед, виждам, забелязвам; 13) включвам, обхващам, обгръщам; 14) измамвам, изигравам, мятам; **he is not easily ~n in** той не се хваща на въдицата, не можеш лесно да го измамиш; 15) поемам, поглъщам; 16) завеждам в полицията; арестувам; 17) отивам на (*театър, кино*);

take off 1) отвеждам (*и refl.*); отивам си, махам се, тръгвам си; 2) събличам, свалям, снемам, махам; **to ~ off o.'s hat to s.o.** *прен.* свалям шапка на някого; 3) изпивам, глътвам, гаврътвам; 4) отрязвам, ампутирам; 5) имитирам, осмивам, карикатуря; 6) излитам (*за самолет, ракета и пр.*); 7) съкращавам (*брой*), отменям (*влакове, автобуси и пр.*); намалявам от (*цена, данък и пр.*); 8) задрасквам, махам от (*меню*); свалям от сцената/екрана; 9) вземам си кратка отпуска за някакъв празник/по някакъв случай; 10) *търг.* рязко се подобрявам; започвам да нося печалба; 11) започвам, водя началото си, произхождам (**from** от); 12) отклонявам се (*за път и пр.*); 13) грабвам, отнасям (*за болест*); 14) скачам, отскачам; □ **to ~ a load/weight off o.'s mind** *прен.* свалям си голям товар, облекчавам/успокоявам се; **it took a load off my mind** камък ми падна от сърцето; **to ~s o.'s mind/thought off s.th.** отвличам вниманието/мисълта на някого от нещо; **to ~ the smile off s.o.'s face** карам усмивката на някого да замръзне/изчезне; **sit down and ~ the weight off your feet** *разг.* седни и си почини; **to ~ o.'s eyes off s.o./s.th.** откъсвам поглед от някого/нещо;

take on 1) поемам работа/отговорност и пр.; наемам се/нагърбвам се с; 2) наемам/вземам/назначавам на служба (*работници и пр.*); 3) вземам (*пътници, товар и пр. — за превозно средство*); 4) *сп.* приемам като противник, премервам силите си с; влизам в разпра с; **I'll ~ you on at chess** съгласен съм/готов съм да изиграя една партия шах с теб; 5) придобивам, приемам (*форма, цвят и пр.*); 6) вълнувам се; 7) *прен.* разфучавам се, „хвръквам"; 8) идвам на мода, ставам популярен; имам

успех; 9) *ам. разг.* надувам се, фукам се; 10) наемам (*квартира и пр.*); 11) вземам допълнително; **the train took on two more cars** към влака прикачиха още два вагона; 12) прибавям; наддавам (*на тегло*); **she eats sparingly afraid to ~ on** тя яде малко, за да не. напълнее;

take out 1) изваждам (*и мат.*); прихващам си (*от сума и пр.*); 2) вадя, изваждам (*зъб, апендикс и пр.*); 3) изнасям (*книга от библиотека и пр.*); 4) отстранявам (*болка и пр.*); 5) извеждам, завеждам (*на разходка, театър, вечеря и пр.*); 6) вадя, изваждам, изчиствам, премахвам (*петно и пр.*); 7) издавам призовка; 8) *воен.* унищожавам, изваждам от строя; 9) взимам храна за вкъщи (*от ресторант и пр.*); 10) вадя, изваждам, получавам (*паспорт, патент и пр.*); 11) *разг.* получавам стоки срещу дължима сума; **he agreed to ~ the debt out in books** той се съгласи да си получи сумата в книги; **to ~ it out in goods** изплащат ми в стоки; 12) **to ~ it out of s.o.** изморявам/изтощавам/отразявам се зле на някого; 13) **to ~ it out of/on s.o.** изкарвам си/изливам си (*яда, недоволството и пр.*) на/върху някого; 14) **to ~ s.o. out of himself** *разг.* карам някого да забрави грижите/тревогите си; 15) *бридж* (по)качвам (*анонса на партньора си*); □ **to ~ the mickey/piss out of s.o.** *sl. вулг.* подигравам се с/присмивам се на/дразня/унижавам някого;

take over 1) поемам от някого (*служба и пр.*); поемам ръководство/управление, идвам на власт, встъпвам в длъжност и пр.; *воен.* поемам командуването; 2) вземам връх; поемам контрол върху; 3) поглъщам (*фирма и пр.*); 4) завладявам, присвоявам си, заемам; 5) получавам в наследство (*от предишен собственик*); 6) завеждам; откарвам, прекарвам, пренасям, отвеждам (**to** в, до); 7) изземвам (*сгради и пр.*); 8) развеждам из (*музей и пр.*);

take through прочитам/преглеждам/минавам (*молба, показания и пр.*) заедно с (*някого*); □ **to ~ s.th. through to success** извеждам нещо до успешен край;

take to 1) започвам да (*с ger*); 2) започвам да се занимавам с (*нещо*); посвещавам се на, отдавам се на (*нещо*); удрям на (*пиянство и пр.*); 3) привързвам се към; обиквам; допада ми; 4) бягам, побягвам, избягвам в (*гора, планина и пр.*); □ **to ~ a woman to o.'s bed** лягам с жена; **to ~ to bits/pieces** разглобявам; **to ~ to o.'s bed** лягам на легло (*обик. поради болест*);

take up 1) вдигам, повдигам; **to ~ up a street** махам паважа на/поправям улица; **to ~ s.th. up** скъсявам/стеснявам/повдигам нещо (*ръкав и пр. — на рамото*); 2) хващам, улавям (*бримка и пр.*); 3) заемам, поглъщам, ангажирам (*време, място, внимание и пр.*); 4) вземам (*пътници*); 5) арестувам; 6) заемам се за/с, започвам да се занимавам с; разглеждам, проучвам (*въпрос*); 7) вземам под покровителството си; подкрепям, поддържам (*кауза и пр.*); 8) поемам задължение/работа; 9) подемам (*прекъснат разказ, песен*); 10) повдигам (*въпрос*) (**with s.o.** пред някого); 11) прекъсвам, апострофирам; възразявам; 12) *търг.* изплащам (*дълг и пр.*); 13) навивам (*конец, лента и пр.*); 14) приемам (*бас и пр.*); **to ~ up the gauntlet/the glove** приемам хвърлената ръкавица; 15) вземам (*отношение*); заемам (*позиция*); 16) усвоявам, придобивам (*навик и пр.*); 17) подновявам (*приятелство и пр.*); 18) **to ~ up with s.o.** сближавам се/сприятелявам се/тръгвам с някого; 19) **to ~ s.o.**

up опровергавам твърдението на някого; 20) **to ~ s.o. up on s.th.** *разг.* принуждавам някого да докаже/потвърди (*твърдението си и пр.*); очаквам от някого да изпълни нещо (*обещанието си и пр.*); възразявам някому за нещо; 21) **to ~ up for s.o.** вземам страната на/подкрепям някого; **to be (much) ~n up with s.o./s.th.** много се интересувам от/проявявам голям интерес към някого/нещо;

take upon: to ~ (it) upon o.s. наемам се/нагърбвам се да, поемам отговорността за (*обик. самоволно*) (**to** да с *inf*).

take² n 1. улов (*дивеч, риба и пр.*); 2. *театр.* касов сбор; 3. *печ.* текст, даден за набор на един словослагател; 4. *кино* сцена, кадър (*за снимане*).

take-in ['teikin] n измама, мошеничество.

taken вж. **take¹**.

take-off ['teikɔf] n 1. комична имитация; пародия; карикатура; 2. *ав.* излитане, откъсване от земята (*на самолет, ракета и пр.*); 3. *сп.* място, от което се скача, трамплин.

taking¹ ['teikiŋ] a 1. привлекателен, пленителен, приятен; 2. заразителен, прилепчив (*за болест*).

taking² n 1. *pl* вземания, постъпления, печалби; 2. арест; 3. превземане; 4. *разг.* силно вълнение/безпокойство.

talbot ['tɔ:bət] n изчезнала порода бяла хрътка.

talc [tælk] n 1. слюда; 2. талк; 3. ~ **(powder)** = **talcum powder.**

talcky ['tælki] a от талк, съдържащ талк.

talcum powder ['tælkəm,paudə] n 1. талк на прах; 2. талк пудра.

tale [teil] n 1. приказка, разказ, история; **a ~ of a tub** измислица, измишльотина; **his ~ is told** песента му е изпята, неговата свърши; **to tell a ~** разказвам приказка; **this tells a ~** това е много показателно/говори много; **it tells its own ~** това не се нуждае от обяснение/коментар, положението е съвсем ясно; **to tell o.'s own ~** сам разказвам как е станало нещо; **to tell the ~** *sl.* разказвам жалостива история; 2. измислица, клюка, слух; **to tell ~s out of school** издавам (чужди) тайни, клюкарствувам; доноснича, издайнича; 3. *ост., поет.* общ брой; сбор, число; категория.

talebearer ['teilbɛərə] n клюкар, сплетник; издайник, доносник.

talebearing ['teilbɛəriŋ] n 1. издайничество, доносничество; 2. ковладене, наклеветяване; 3. сплетник, клюкар.

talent ['tælənt] n 1. дарба, талант (**for**); талантлив човек, талант; **local ~** местни таланти (*обик. любители*); ~ **scout/spotter** търсач/откривач на естрадни таланти; 2. *ист.* талант (*парична и мерна единица*).

talented ['tæləntid] a надарен, даровит, талантлив.

talentless ['tæləntlis] a бездарен.

talent show ['tæləntʃou] n *ам. муз.* преглед на млади изпълнители (*обик. певци*).

tales ['teili:z] n *юр.* списък на резервни съдебни заседатели.

talesman ['teilizmən] n (*pl* -men) *юр.* резервен съдебен заседател.

taleteller ['teiltelə] n 1. разказвач; 2. сплетник, клюкар.

talion ['tæliən] n *юр.* определяне на наказание на виновника по принципа зъб за зъб, око за око (lex talionis).

talipes ['tælipi:z] n *мед.* 1. деформирано стъпало; 2. деформация на стъпалото.

talipot ['tælipɔt] n вид палма (Corypha umbraculifera).

talisman ['tælizmən] n талисман, муска, амулет.

talismanic [,tæliz'mænik] a имащ сила на талисман.

talk¹ [tɔ:k] v 1. говоря, приказвам; разговарям (се) (**about, of** за); **to ~ big/tall** хваля се, говоря на едро; **to ~ through o.'s hat/through (the back of) o.'s neck** дрънкам глупости/непроверени неща; **to ~ (common) sense** говоря разумно/смислено; **that's no way to ~** така не се говори/приказва, що за език; **now you are ~ing** *sl.* виж така може, така приемам; **to ~ business** говоря делово; **to ~ politics** говоря за/бистря политика; **to ~ war** говоря войнствено/враждебно/предизвикателно; **to do the ~ing** говоря от името на/като представител на други; **to ~ o.s. hoarse** прегракам от говорене; **to ~ o.s. into prison** отивам в/стигам до затвора с непредпазливите си приказки; **to ~ s.o. into/out of doing s.th.** убеждавам/разубеждавам някого да направи нещо; **I know what I'm ~ing about** зная добре какво говоря, разбирам си от работата; 2. говоря, изнасям лекция/беседа; 3. говоря, одумвам, клюкарствувам; 4. приказвам си с; бъбря;

talk about 1) говоря/разговарям за; разисквам, обсъждам; 2) одумвам, клюкарствувам за; **to be/to get o.s. ~ed about** ставам обект/прицел на клюки/одумване; 3) *при възклицание, изразяващо изненада, възхищение, отвращение:* ~ **about luck!** късмет ли! и ти говориш за късмет! ~ **about noise!** шум, и то какъв!

talk at говоря (*нещо с някого*), така че да чуе трето лице;

talk away 1) започвам да говоря; продължавам да говоря, говоря, без да спра; 2) **to ~ s.o.'s fears/trouble, etc. away** убеждавам някого, че няма за какво да се бои/тревожи и пр.;

talk back възразявам, отвръщам дръзко;

talk down 1) надприказвам, наддумвам (*някого*); запушвам устата на (*някого*); 2) говоря снизходително/отвисоко, надценявам възможностите на слушателите си; 3) *ав.* инструктирам чрез радиовръзка (*пилот*) при кацане; 4) омаловажавам;

talk of говоря/приказвам/споменавам за; ~ing **of this** тъкмо/разгеле говорим за/сме на тази тема; 2) говоря за (*възможност, намерение да направя нещо*) (с *ger*);

talk out 1) разисквам подробно; изяснявам; уреждам, постигам споразумение; 2) *разг.* говоря високо и ясно; 3) *парл.* провалям гласуването на законопроект чрез проточване на разискванията по него;

talk over 1) обсъждам, разисквам подробно; 2) убеждавам, придумвам, спечелвам;

talk round 1) обсъждам надълго и широко, без да стигна до решение; 2) избягвам да говоря по същината на въпроса; 3) = **talk over** 2;

talk to 1) говоря с/на, разговарям с; 2) скарвам се на; наругавам; **to ~ to o.s.** говоря си сам;

talk up 1) хваля, препоръчвам (*книга и пр.*); 2) говоря силно и ясно.

talk² n 1. разговор, беседа; **to have a ~ with s.o.** разговарям/поговорвам с някого; 2. кратко слово/беседа (*особ. по радио, телевизия*); 3. (празни) думи; приказки; **it will all end in ~** нищо няма да излезе, ще си остане само с приказките; **idle ~** празни приказки; клюки; **to have plenty of small ~** умея да разговарям любезно с хората/да водя празни/леки салонни разговори; **4.** приказки, слухове, клюки; **there is some ~ of his coming back** говори се, че щял да се върне; **it is the ~ of the town** целият град говори за това; **5.** начин на говорене, говор, език (*бебешки и пр.*).

talkathon [ˈtɔːkəθən] *n* проточени дискусии.

talkative [ˈtɔːkətiv] *a* приказлив, бъбрив, словоохотлив.

talkee-talkee [ˈtɔːkiːtɔːki] *n* **1.** неспирно бъбрене; **2.** неправилен/развален английски език.

talker [ˈtɔːkə] *n* **1.** човек, който говори (*добре, зле и пр.*); **2.** човек, който говори много, но без резултат; **3.** бъбрив човек; **what a ~ this woman is!** каква бъбрица е тази жена!

talkie [ˈtɔːki] *n разг. ост.* говорещ филм (*и* **the talkies**).

talking [ˈtɔːkiŋ] *a* **1.** говорещ; който може/умее да говори; **2.** изразителен (*за очи и пр.*).

talking film [ˈtɔːkiŋfilm] *n* говорещ филм (*и* **talking picture**).

talking point [ˈtɔːkiŋpɔint] *n* тема/проблем за разискване/спор.

talking-shop [ˈtɔːkiŋʃɔp] *n презр.* говорилня (*за парламент и пр.*).

talking-to [ˈtɔːkiŋtu] *n* мърмене, смъмряне; **to give s.o. a good ~** нарязвам някого здравата, тегля му хубав калай.

talk show [ˈtɔːkʃou] *n* радио-/телевизионно интервю/дискусия.

tall[1] [tɔːl] *a* **1.** висок (*за човек, сграда, дърво и пр.*); **2.** *разг.* невероятен, преувеличен; изпълнен със самохвалство; **a ~ order** трудно изпълнима задача, прекомерно високо изискване.

tall[2] *adv* със самохвалство; **to talk ~** хваля се, разказвам небивалици.

tallage [ˈtælidʒ] *n ист.* данъци, налагани на васали от феодал.

tallboy [ˈtɔːlbɔi] *n* висок скрин.

tallish [ˈtɔːliʃ] *a* възвисок, високичък, доста висок.

tallow[1] [ˈtælou] *a* **1.** лой, сало; **2.** твърдо растително масло.

tallow[2] *v* **1.** намазвам/смазвам с лой; **2.** угоявам (*животно*).

tallowy [ˈtæloui] *a* лоен, като лой; мазен, тлъст; угоен.

tally[1] [ˈtæli] *n* **1.** рабош (*и* **~ -stick**); **2.** копие, дубликат (*от сметка и пр.*); **3.** етикет, картонче и пр. (*за багаж и пр.*); **4.** дъсчица/пластинка с името на растение и пр. (*в градина, парк и пр.*); **5.** съответствие, еш; **6.** установена единица при броене на предмети (*дузина, десет, сто и пр.*); **to keep ~ of** отмятам по списък (*стока*).

tally[2] *v* **1.** съответствувам си, отговарям на, съвпадам (**with** с); **2.** слагам етикет, картонче, надпис и пр. на (*багаж, растение и пр.*); **3.** *ам.* пресмятам, изчислявам; **4.** *мор.* слагам на кърмата.

tally-ho [ˈtælihou] *n* ловджийски вик „дръж!".

tallyman [ˈtælimən] *n* (*pl* **-men**) собственик на магазин, в който стоките се продават на кредит/изплащане.

tally-shop [ˈtæliʃɔp] *n ост.* дюкян, в който се продава на почек/кредит/изплащане.

Talmud [ˈtælmud] *n евр.* Талмуд (*сборник от закони, предписания и пр.*).

talon [ˈtælən] *n* **1.** нокът на хищна птица; **2.** талон от квитанция и пр.; **3.** *карти* талон.

talus[1] [ˈteiləs] *n* **1.** *геол.* сипей; **2.** склон, скат.

talus[2] *n* (*pl* **-i** [-ai]) *анат.* глезен, глезенна кост.

tamable [ˈteiməbl] = **tameable.**

tamale [təˈmɑːli] *n* вид мексиканско ястие.

tamarack [ˈtæməræk] *n* вид ам. лиственица (Laryx laricina).

tamarind [ˈtæmərind] *n* вид тропическо дърво/плод (Tamarindus indica).

tamarisk [ˈtæmərisk] *n* вечнозелен храст (Tamarix gallica).

tambour[1] [ˈtæmbuə] *n* **1.** барабан, тъпан; **2.** гергеф; **3.** *арх.* барабан; тамбур.

tambour[2] *v* шия/бродирам на гергеф.

tambourin [ˈtæmbərin] *n* **1.** провансалски барабан; **2.** провансалски танц.

tambourine [ˈtæmbəriːn] *n* дайре, тамбурина.

tame[1] [teim] *a* **1.** питомен, опитомен; укротен, дресиран; кротък; **2.** *шег.* опитомен, дресиран, послушен (*за човек*); **3.** еднообразен, безинтересен, скучен; **4.** посредствен, банален; **5.** *ам.* питомен, градински (*за растение*); култивиран, обработван (*за земя*).

tame[2] *v* **1.** опитомявам, дресирам; **2.** укротявам, обуздавам, смирявам; **3.** подчинявам (се), покорявам (се); **4.** смекчавам; **5.** правя безинтересен/банален/. скучен.

tameable [ˈteiməbl] *a* опитомим, укротим; поддаващ се на дресиране.

tameless [ˈteimlis] *a поет.* неукротим, необуздан; див.

tamer [ˈteimə] *n* укротител, усмирител, дресьор.

Tamil [ˈtæmil] *n* (езикът на) населението на Южна Индия и Северна Шри Ланка.

Tammany [ˈtæməni]*n ам.* **1.** организация на Демократическата партия в Ню Йорк; **2.** подкупничество в политическия живот.

tammy [ˈtæmi] = **tam-o'shanter.**

tam-o'-shanter [ˌtæm-ə-ˈʃæntə] *n* шотландска барета.

tamp [tæmp] *v* **1.** трамбовам, набивам, утъпквам; **2.** натъпквам, запълвам.

tampan [ˈtæmpən] *n* отровен юж.-афр. кърлеж.

tamper [ˈtæmpə] *v обик. с* **with** **1.** меся се, вмесвам се, бъркам се; **2.** пипам, бърникам; **3.** подправям, фалшифицирам; **4.** опитвам се да подкупя свидетел; **5.** правя безразсъдни/опасни експерименти.

tampion [ˈtæmpiən] *n* **1.** втулка, запушалка; **2.** *воен.* затулка за дуло.

tampon[1] [ˈtæmpən]*n* тампон.

tampon[2] *v* слагам тампон(и) на рана и пр.

tam-tam [ˈtæmtæm] *n* голям метален гонг, там-там.

tan[1] [tæn] *n* **1.** щава, дъбилно вещество; танин; **2.** жълтокафяв цвят; **3.** обгаряне от слънцето, загар, тен; мургавина; **4. the ~** *sl.* 1) цирк; 2) терен на школа за езда.

tan[2] *v* (**-nn-**) **1.** щавя; **2.** загарям, обгарям от слънцето, добивам загар/тен; **3.** *sl.* бия, пердаша; **to ~ s.o.'s hide** съдирам някого от бой.

tan[3] *a* светлокафяв, жълтеникавокафяв; бронзово кафяв (*за загар*).

tan[4] *съкр. от* **tangent** **II**.

Tanagra [ˈtænəgrə]*n* древногръцка статуетка от теракота, танагра.

tandem[1] [ˈtændəm] *n* **1.** велосипед за двама, тандем; **2.** (кола с) два коня, впрегнати един зад друг; **3.** *тех.* тандем.

tandem[2] *adv* за впрегнати коне или двама души на колело един зад друг.

tang[1] [tæŋ] *n* **1.** заострен край (*на пила, длето, нож и пр.*), който се вкарва в дръжката; **2.** остър/силен вкус/миризма/дъх; **3.** *прен.* оттенък; нотка; следа (**of** от); **4.** характерно свойство/качество.

tang[2] *v* дрънча, звънтя, гърмя.

tang[3] *n* дрънчене, звънтене, звън.

tangelo [ˈtændʒəlou] *n бот.* хибрид между мандарина и грейпфрут.

tangent [ˈtændʒənt] **I.** *a мат.* допирателен; **II.** *n мат.*

допирателна, тангента; тангенс; □ **to go/fly off at a ~** *прен.* отплесвам се.
tangential [tæn'ʤenʃəl] *а* 1. допирателен, тангенциален; 2. отклоняващ се; периферен.
Tangerine ['tænʤə'ri:n] I. *а* танжерски; II. *n* 1. жител на Танжер; 2. **t.** мандарина (*и* **t. orange**).
tangibility [,tænʤi'biliti] *n* 1. осезаемост, осезателност; 2. реалност, конкретност.
tangible ['tænʤibl] *а* 1. осезаем, осезателен; 2. *юр.* материален, веществен; 3. реален, конкретен, ясен, определен.
tangle[1] ['tæŋgl] *n* 1. объркано/заплетено кълбо/възел и пр.; сплъстена коса; **a ~ of woods** гъсти непроходими гори; 2. бъркотия, бъркания, хаос; объркано/заплетено положение; 3. сплетеност, заплетеност (*на клони и пр.*); **to get into a ~** обърквам се, оплитам се, комплицирам се; **my thoughts are in a ~** в главата ми е пълен хаос.
tangle[2] *n* вид морско водорасло (Laminaria).
tangle[3] *v* 1. забърквам (се), обърквам (се), заплитам (се), оплитам (се); усложнявам (се); 2. сплитам (се); сплъстявам (се); 3. *разг.* влизам в конфликт/разпра, скарвам се, сбивам се (**with** с).
tangly ['tæŋgli] *а* сложен, заплетен; объркан.
tango[1] ['tæŋgou] *n* танго.
tango[2] *v* танцувам танго.
tangram ['tæŋgrəm] *n* китайска игра, състояща се в комбиниране на седем геометрични фигури.
tangy ['tæŋgi] *а* остър, рязък, силен (*за вкус, миризма*).
tanist ['tænist] *n ист.* избран наследник на келтски вожд.
tank[1] [tæŋk] *n* 1. цистерна, резервоар, казан; 2. изкуствен водоем, водохранилище (*в Индия, Пакистан и др.*); 3. *воен.* танк; *attr* танков; 4. *ам.* затворническа килия.
tank[2] *v обик. с* **up** 1. пълня резервоар/цистерна; 2. съхранявам в цистерна; 3. *sl.* пия, наливам се, напивам се (*с бира и пр.*).
tankage ['tæŋkiʤ] *n* 1. събиране/съхраняване (*на вода и пр.*) в цистерни и пр.; 2. (такса за) съхраняване в/пълнене на цистерни и пр.; 3. вместимост на цистерна и пр.; 4. тор от кости и др. изсушени животински отпадъци.
tankard ['tæŋkəd] *n* 1. голяма чаша с дръжка и капак, халба, половиница.
tank-car ['tæŋkka:] *n* вагон-/камион-цистерна.
tank destroyer ['tæŋkdi'strɔiə] *n ам. воен.* противотанково оръдие.
tanked ['tæŋkt] *а sl.* пиян.
tank-engine ['tæŋkenʤin] *n* комбиниран локомотив с тендер.
tanker ['tæŋkə] *n* кораб-цистерна, танкер.
tank farm ['tæŋkfa:m] *n* площ за съхраняване на заредени с петрол цистерни.
tank-farming ['tæŋkfa:miŋ] *n агр.* отглеждане на растения без почва (*в хранителен разтвор*), хидропоника.
tannage ['tæniʤ] *n* щавене, дъбене (*на кожи*).
tank top ['tæŋktɔp] *n* тясна къса деколтирана горна дреха без ръкави.
tank trap ['tæŋktræp] *n воен.* противотанково препятствие.
tanner[1] ['tænə] *n* щавач, табак.
tanner[2] *n* английска сребърна монета (*по-рано 6 пенса, сега 2,5 пенса*).
tannery ['tænəri] *n* 1. работилница/цех за щавене на кожи; 2. щавене.
tannic ['tænik] *а* танинов; **~ acid** танин.

tannin ['tænin] *n хим.* танин.
tansy ['tænzi] *n бот.* вратига (Tanacetum).
tantalize ['tæntəlaiz] *v* измъчвам/дразня с/събуждам неосъществими надежди/желания.
tantalizing ['tæntəlaiziŋ] *а* измъчващ, дразнещ, възбуждащ вкуса/желанията/интереса; мъчителен.
tantalum ['tæntələm] *n хим.* тантал.
tantalus ['tæntələs] *n* 1. заключваща се поставка за шишета с напитки; 2. *зоол.* ибис.
tantamount ['tæntəmaunt] *а* равносилен, равностоен, равен, равняващ се (**to** на).
tantara ['tæntərə] *n* фанфарни звуци на тромпет, рог и пр.
tantra ['tæntrə] *n* късносанскритски религиозни писания.
tantrum ['tæntrəm] *n разг.* внезапно раздразнение, гневно избухване; **to fly/go into/throw a ~** прихващат ме, избухвам.
tan-yard ['tænja:d] = **tannery** 1.
tap[1] [tæp] *n* 1. кран; канелка; запушалка, чеп; **wine/beer on the ~** наливно вино/бира; **on ~** *прен.* готов за незабавно ползуване, постоянно на разположение; 2. качество, сорт (*на вино и пр.*); 3. = **tap-room**; 4. *тех.* метчик, винторез; 5. *ел.* разклонение; клема; 6. подслушване на телефонни разговори.
tap[2] *v* (**-pp-**) 1. слагам кран, тапа и пр. на; 2. пробивам дупка на (*бъчва и пр.*); **to ~ wine** точа вино от бъчва и пр.; 3. пробивам, правя пункция на, вадя течност и пр. чрез пункция и пр.; 4. *sl.* вземам на заем, измъквам, изкрънквам (*пари и пр.*); **to ~ s.o. for money/information, etc.** измъквам/изтръгвам от някого пари/сведения и пр.; 5. правя нарез на дърво за вадене на сок; 6. правя винтов нарез; 7. добирам се до, прониквам в; **to ~ new sources for information** сдобивам се с нови източници за сведения; **to ~ a new country** *разг.* спечелвам пазар в нова страна; **to ~ a house** *sl.* извършвам кражба с взлом; **to ~ the wire** хващам/засичам телеграфно съобщение; **to ~ the line** подслушвам телефонни разговори с друг апарат; **to ~ a subject** засягам/зачеквам въпрос; 8. *метал.* пробивам отвор за чугун; изпускам разтопен метал (*от пещ*); 9. *ел.* правя разклонение/отклонение.
tap[3] *v* (**-pp-**) 1. почуквам, потропвам (*на врата, прозорец и пр.*); 2. потупвам някого (**on the shoulder** по рамото); 3. *ам.* слагам капаче (*на ток на обувка и пр.*).
tap[4] *n* 1. почукване, потропване, похлопване; 2. потупване (*по рамото и пр.*); 3. *ам. воен.* сигнал за угасване на лампите в казарма; сигнал за обед в стола; 4. капаче (*на ток, подметка и пр.*).
tap-dance, -dancing ['tæpda:ns, -da:nsiŋ] *n* танц с ритмично потропване с крака.
tape[1] [teip] *n* 1. лента, ширит; 2. *сп.* лента на финала; **to breast the ~** скъсвам лентата с гърди, пристигам пръв на финала; *прен.* спечелвам състезание; 3. магнетофонна/телеграфна и пр. лента; 4. лепенка; 5. рулетка; сантиметър.
tape[2] *v* 1. връзвам/пристягам с лента; 2. подшивам/облепям с лента/ширит; 3. подшивам, подлепям (*коли на книга*); пристягам (*опаковка*) с лепенки; 4. записвам на магнетофонна лента; 5. измервам с метър/сантиметър/рулетка; **to have s.o. ~d** *sl.* претеглям/преценвам някого, виждам го колко пари струва; **to have it all ~d (out)** *разг.* съвсем ми е ясно, разбирам го напълно.
tape-line ['teiplain] = **tape-measure**.
tape-machine ['teipməʃi:n] *n* автоматичен телеграф.

tape-measure ['teipmeʒə] n рулетка; (шивашки) сантиметър.

taper[1] ['teipə] n 1. натопен във восък фитил; 2. свещица; 3. поет. светлинка.

.aper[2] a поет. заострен, изострен; изтънен.

taper[3] v заострям/изострям/изтънявам (се) (**off, away, down**).

tape-recorder['teipriko:də]n магнетофон.

tape-recording['teipri'ko:diŋ]n магнетофонен запис.

tapering ['teipəriŋ] a заострен, изострен; изтънен.

tapestried ['tæpistrid] a украсен/покрит/накачен с гоблени.

tapestry ['tæpistri] n гоблен; тъкан, подобна на/имитираща гоблен.

tapeworm ['teipwə:m] n зоол., мед. тения.

tap-hole ['tæphoul] n метал. отвор за изтичане/източване на чугун.

tapioca ['tæpi'oukə] n гранулирано нишесте от касава.

tapir ['teipə] n зоол. тапир.

tapis ['tæpi:] n: **on the ~** поставен на разглеждане/обсъждане.

tappet ['tæpit] n тех. 1. палец, ексцентрик; повдигач на клапан; 2. съединител, муфа, спряг на чукало; 3. шийка на мотовилка.

taproom ['tæprum] n общо помещение в пивница/кръчма.

tap-root ['tæpru:t] n бот. главен/отвесен корен.

tapster ['tæpstə] n прислужник в кръчма, който точи и сервира напитки.

tap-water ['tæpwɔtə] n течаща вода (от чешма).

tar[1] [ta:] n 1. катран, смола; **a touch of the ~ brush** негърска жилка; **to beat/knock/take the ~ out of s.o.** ам. разг. разпердушинвам някого; 2. разг. моряк, матрос.

tar[2] v (**-rr-**) мажа/намазвам с катран/смола, катраносвам; **to ~ and feather** намазвам с катран и овалвам в пера (като наказание); □ **~red with the same brush/stick** същата стока, от един дол дренки.

tar(r)adiddle ['tærədidl] n дребна лъжа, извъртане; измислица.

tarantella, -telle [tærən'telə, -'tel] n муз. тарантела.

tarantula [tə'ræntju:lə] n зоол. голям черен паяк, тарантул.

taraxacum [tə'ræksəkəm] n 1. бот. глухарче; 2. разслабително лекарство от корен на глухарче.

tarboosh [ta:'buʃ] n мюсюлмански фес.

tardiness ['ta:dinis] n 1. бавност, мудност; 2. разтакаване; закъснение.

tardy ['ta:di] a 1. бавен, муден; 2. разтакаващ се; отлагащ; закъснял; 3. колеблив, нерешителен.

tare[1] [tɛə] n 1. бот. глушина, фий; 2. плевел в нива; 3. ам. pl нежелано нещо/елементи.

tare[2] n тегло на опаковката, тара.

target ['ta:git] n 1. цел, мишена; прен. прицел, обект (**for** на, за); 2. запланиран резултат, цел; **~ figures** контролни цифри; **~ date** пусков срок; 3. ам. кръгъл жп сигнал, диск; 4. агнешки врат и предница (месо); 5. тех. шибър; 6. ист. малък кръгъл щит.

target language ['ta:git‚læŋguiʤ] n езикът, на който нещо се превежда.

tariff[1] ['tærif] n 1. тарифа (за мита, превоз и пр.); **~ reform** ист. протекционна митническа реформа; **~ walls** митнически бариери/прегради; 2. ценоразпис.

tariff[2] v 1. включвам в митническа тарифа; 2. оценявам.

tarlatan ['ta:lətən] n тънък прозрачен муселин, тарлатан.

tarmac[1] ['ta:mæk] n 1. = **tarmacadam**; 2. самолетна писта; настилка в летище пред аерогара/хангар.

tarmac[2] v (**-ck-**) покривам с настилка от сгур/чакъл и катран.

tarmacadam [ta:mə'kædəm] n пътна настилка от чакъл/сгур, споен/залят с катран.

tarn [ta:n] n планинско езерце.

tarnish[1] ['ta:niʃ] v 1. потъмнявам; губя/правя да загубиш лъскавината/блясъка си (за лъскава повърхност); 2. прен. петня, очерням.

tarnish[2] n 1. тъмен пласт върху метал/минерал и пр.; 2. петно (и прен.).

tarnishable ['ta:niʃəbl] a който лесно потъмнява/става на петна.

taro ['ta:rou] n тропическо растение, чиито корени се ядат.

taroc, tarot ['tærɔk, 'tærou] n колода от 78 карти; тарок (игра).

tarpaulin [ta:'pɔ:lin] n 1. насмолен брезент; мушама; 2. моряшко мушамено облекло/шапка; 3. ост. моряк.

tar paper ['ta:‚peipə] n импрегнирана със смола дебела хартия (като строителен материал).

tarpon ['ta:pən] n голяма океанска риба от рода на херингите.

tarragon ['tærəgən] n бот. вид пелин, използуван за подправка.

Tarragona [tærə'gounə] n сорт испанско червено вино.

tarry[1] ['ta:ri] a накатранен, насмолен; лепкав, смолист.

tarry[2] ['tæri] v книж. 1. бавя се, мая се; закъснявам; 2. стоя, оставам (**at, in**); 3. чакам, очаквам.

tarsal ['ta:səl] a анат. на глезена/пищяла.

tarsier ['ta:siə] n зоол. вид лемур.

tarsus ['ta:səs] n (pl si [-sai]) 1. анат. глезен; 2. зоол. пищял (на птица); 3. крайният член на насекомо/членестоного.

tart[1] [ta:t] n 1. плодова пита/пай; бисквита/сладка с мармалад; 2. sl. леко момиче; проститутка.

tart[2] a 1. кисел, трънчив; 2. хаплив, язвителен, саркастичен.

tart[3] v разг. натруфям (се); накичвам безвкусно (къща, заведение и пр.).

tartan ['ta:tən] n 1. разноцветно кариран вълнен плат (особ. шотл.); 2. дреха/шотл. носия от този плат.

tartar ['ta:tə] n 1. зъбен камък; 2. винен камък; **cream of ~** кремотартар.

Tartar ['ta:tə] I. a татарски; **t. sauce** сос тартар; II. n 1. татарин; 2. татарски език; 3. див/необуздан/груб; опак човек: **to catch a ~** намирам си майстора.

Tartarean [ta:'tɛəriən] a адски.

Tartarian [ta:'tɛəriən] a татарски.

tartaric [ta:'tærik] a произлизащ от/съдържащ винен камък; **~ acid** винена киселина.

Tartarus ['ta:tərəs] n мит. преизподня, ад.

tartlet ['ta:tlit] n малка сладка с мармалад.

tartly ['ta:tli] adv остро, язвително.

tartness ['ta:tnis] n 1. трънчив/кисел вкус; 2. хапливост, острота.

tartrate ['ta:treit] n сол/естер на винената киселина.

Tartuf(f)e [ta:'tu:f]n религиозен лицемер, тартюф.

task[1] [ta:sk] n 1. работа, задача (особ. трудна или неприятна); **to take s.o. to ~ (about/for s.th.)** дръпвам ушите/нахоквам някого (за това, че е направил нещо); 2. ам. норма на работник.

task[2] v 1. давам/задавам/възлагам работа; 2. поставям на изпитание; 3. изпробвам, проверявам.

task force, group ['ta:skfɔ:s, -gru:p] n воен. отряд/команда със специална задача.

task-master ['ta;skma:stə] *n* **1.** строг/взискателен учител; **2.** човек, който възлага задачи/работа на други; надзирател.

task-work ['ta:skwə:k] *n* **1.** работа на парче; **2.** тежка работа.

Tasmanian [təz'meiniən] **I.** *a* тасмански; **II.** *n* тасманец.

Tass [tæs] *n* телеграфна агенция на СССР, ТАСС.

tass [tæs] *n* шотл. **I.** чашка със столче; **2.** малка глътка (ракия и пр.).

tassel[1] ['tæsl] *n* **1.** пискюл; **2.** бот. брада, свила, коса (на царевица и пр.); **3.** лентичка в книга за отбелязване докъде е четено.

tassel[2] *v* (-ll-) **1.** украсявам с пискюли; **2.** откъсвам/махам косата на царевица; **3.** бот. образувам коса (за царевица и пр.).

taste[1] [teist] *v* **1.** опитвам, вкусвам; прен. вкусвам, познавам, изпитвам, чувствувам; **2.** опитвам вкуса на (вина, чайове и пр.), дегустирам; **3.** усещам/имам вкус на; докарвам на; **I can't ~** the garlic не усещам вкус на чесън; **it ~s bitter** има горчив вкус, горчи; **4.** вкусвам, ям, слагам в устата си; **I haven't ~d food for two days** не съм хапвал нищо от два дни; **5.** обичам, харесвам, изпитвам удоволствие от, радвам се на.

taste[2] *n* **1.** вкус; **a burnt ~** вкус на изгоряло; **to leave a bad ~ in the mouth** оставям лошо/неприятно чувство/впечатление; предизвиквам отвращение; **sweet/sour to the ~** сладък/кисел на вкус; **to add salt, etc. to ~** прибавям сол и пр. по вкус; **2.** вкус, разбиране; склонност; **to have a ~ for** обичам, имам предпочитание към, разбирам от; **to have expensive ~s in clothes** имам слабост към/обичам скъпи дрехи; **I have no ~ for sweets** не обичам бонбони; **a fine ~ in poetry, etc.** изискан вкус към/разбиране на поезия и пр.; **there is no accounting for ~s, ~s differ**, everyone to his ~ всеки си има вкус, разни хора — разни вкусове; **in good ~** изискано, с вкус; **in bad/poor ~** 1) безвкусно; 2) неприлично; неуместно; нетактично; некрасиво; **3.** проба; глътка, хапка, късче; **to have a ~ of s.th.** опитвам, вкусвам, пробвам (и прен.); **o's first ~ of gunpowder** бойно кръщение; **he gave me a ~ of his ill-nature** той си показа рогата/проклетията; **4.** следа, оттенък, нотка; **there was a ~ of sadness in his words** в думите му се долавяше тъга.

tasteful ['teistful] *a* **1.** направен с вкус, изискан; **2.** благоприличен.

tasteless ['teistlis] *a* **1.** безвкусен, просташки; **2.** нетактичен, неприличен, невъзпитан.

tasty ['teisti] *a* **1.** вкусен, апетитен; **2.** елегантен, изискан; **3.** пикантен.

tat[1] [tæt] *v* (-tt-) плета дантела със совалка.

tat[2] *n* грубо платно, зебло.

tat[3] *n:* tit for ~ вж. tit[2].

ta-ta [tæ'ta:] *int, n* дет., разг. **1.** довиждане; **2.** разходка; **to go ~s** отивам на разходка.

tatter ['tætə] *n* обик. pl **1.** дрипа, парцал; **to tear to ~s** разбивам/правя на пух и прах (доводи и пр.); **2.** pl дрипльо, голтак.

tatterdemalion [,tætədi'meiliən] *n* дриплю, парцаланко.

tattered ['tætəd] *a* дрипав, парцалив; съдран, опърпан.

tatting ['tætiŋ] *n* ръчно плетена със совалка дантела.

tattle[1] ['tætl] *v* бърборя, дрънкам, клюкарствувам.

tattle[2] *n* бърборене, дрънкане, клюкарствуване; клюки.

tattler ['tætlə] *n* **1.** дърдорко, бърборко; **2.** клюкар, сплетник; **3.** зоол. кюкавец (Totanus).

tattoo[1] [tə'tu:] *n* **1.** (сигнал за) вечерна заря с барабан/тръба; **2.** барабанене/потропване с пръсти; тропане; **her heart was beating a wild ~** сърцето й биеше лудо/до пръсване.

tattoo[2] *v* **1.** свиря вечерна заря; **2.** барабаня с пръсти; **3.** тропам, потропвам ритмично с ръка или крак.

tattoo[3] *v* татуирам.

tattoo[4] *n* татуировка.

tatty ['tæti] *a* **1.** дрипав, опърпан; раздърпан; **2.** безвкусно облечен, натруфен; **3.** посредствен.

tau [tau, tɔ:] *n* гръцката буква тау; **~ cross** кръст във форма на главно печатно Т.

taught вж. teach.

taunt[1] [tɔ:nt] *v* **1.** подигравам се/присмивам се на; надсмивам се; дразня (with за); **2.** упреквам, порицавам, укорявам; обвинявам.

taunt[2] *n* **1.** презрителна/саркастична насмешка, присмех, подигравка; нападка, оскърбление; **2.** предмет на насмешка/подигравка.

taupe [toup] *a* тъмносив/сивокафяв цвят.

taurine ['tɔ:rain] *a* книж. подобен на бик; волски.

tauromachy ['tɔ:rɔməki] *n* ост. бикоборство.

Taurus ['tɔ:rəs] *n* Телец (съзвездие и знак на зодиака).

taut [tɔ:t] *a* **1.** опънат, изопнат, напрегнат (и за нерви); **2.** стегнат, спретнат; в добро състояние (за кораб и пр.); **3.** принуден, неестествен (за усмивка и пр.); **4.** строг; изпълнителен; безпрекословен.

tauten ['tɔ:tn] *v* опвам (се), опъвам (се), изпъвам (се).

tautness ['tɔ:tnis] *n* опнатост, изпънатост.

tautological ['tɔ:tə'lɔʤikl] *a* тавтологичен.

tautology ['tɔ:'lɔʤi] *n* тавтология.

tautophony [tɔ:'tɔfəni] *n* повтаряне на един и същ звук.

tavern ['tævən] *n* **1.** кръчма, механа; **2.** хан.

taw[1] [tɔ:] *v* обработвам кожа с минерални вещества.

taw[2] *n* **1.** стъклено топче за игра; **2.** игра на топчета; **3.** черта, от която се хвърлят топчета (при игра).

tawdry ['tɔ:dri] **I.** *a* безвкусен, претрупан, натруфен, крещящ; евтин (за облекло и пр.); **II.** *n* евтини безвкусни труфила.

tawny ['tɔ:ni] *a* светлокафяв, жълтеникавокафяв.

taws(e) [tɔ:z] *n* шотл. кожен каиш за биене на деца.

tax[1] [tæks] *v* **1.** облагам с данъци; юр. определям разноските (по процес и пр.); **2.** подлагам на изпитание, изисквам много от, преуморявам; **3.** търся/искам сметка от; **4.** ам. искам, вземам (цена); **5. to ~ with** обвинявам в; приписвам деяние на.

tax[2] *n* **1.** данък, налог; **to lay/put/levy a ~ on s.th.** облагам нещо с данък; **2. ~ free, free of ~** без/необложен с данък; **2.** товар, бреме, голямо усилие/напрежение; изпитание; **it was a great ~ on my strength** това бе пряко силите ми; **this will be a ~ on your time** това ще ти отнеме много време.

taxability [tæksə'biliti] *n* облагаемост.

taxable ['tæksəbl] *a* подлежащ на облагане с данък.

taxation [tæk'seiʃn] *n* **1.** облагане с данъци; **2.** данъци и налози.

tax-collector ['tækskə,lektə] *n* данъчен агент, бирник.

tax-dodger ['tæksdɔʤə] *n* човек, който се измъква от плащане на данъци.

tax-farmer ['tæksfa:mə] *n* човек, откупващ от правителството правото да събира някои данъци.

taxi[1] ['tæksi] *n* такси (и ~-cab).

taxi[2] *v* **1.** пътувам/отивам/превозвам с такси; **2.** ав. движа се бавно по плаца преди излитане/след кацане (за самолет); **3.** ав. съпровождам самолет от мястото на кацането до аерогарата (за служебна кола в летище).

taxi-dancer ['tæksida:nsə] *n* наемен партньор за танци в танцувален салон, кабаре и пр.

taxidermy ['tæksidə:mi] *n* препариране на животни.

taxi-driver, -man ['tæksidraivə, -mæn] *n* шофьор на такси.

taximeter ['tæksimi:tə] *n* таксиметър (*автомат*).

taxing ['tæksiŋ] *a* труден, тежък, изморителен.

taxing-master ['tæksiŋma:stə] *n* съдебен чиновник, определящ разноските по процесите и пр.

taxis ['tæksis] *n* 1. *мед.* ръчно наместване на става и пр.; 2. *биол.* рефлекторно движение; 3. *грам.* ред; 4. *ист.* древногръцка военна част.

taxi stand ['tæksistænd] *n* таксиметрова стоянка/пиаца.

taxiway ['tæksiwei] *n* ам. писта в летище за отвеждане на самолет до мястото на излитането.

taxon ['tæksən] *n* (*pl* taxa ['tæksə]) *бот., зоол.* класификационна група на категория.

taxonomic(al) [tæksə'nɔmik(l)] *a бот., зоол.* класификационен.

taxonomy [tæk'sɔnəmi] *n* наука за класификацията, таксономия.

tax-payer ['tækspeiə] *n* данъкоплатец.

tazza ['ta:tsə] *n* широка плитка купа/фруктиера/ваза на подставка.

tea[1] [ti:] *n* 1. чай (*храст*) (Camellia sinesis); 2. чай (*за запарка*); 3. чай (*питие*); **early morning/wake up** ~ чай, който се пие в леглото преди ставане; **high/meat** ~ вечеря с чай; 4. билков и пр. чай/запарка; 5. следобеден чай; 6. бульон; 7. *sl.* марихуана.

tea[2] *v* 1. пия чай; 2. поднасям (*някому*) чай.

tea-bag ['ti:bæg] *n* чай в торбичка-филтър.

tea-ball ['ti:bɔ:l] *n* метална топка с дупки за запарване на чай.

tea-break ['ti:breik] *n* кратко прекъсване на работата за пиене на чай.

tea-caddy ['ti:kædi] *n* (метална) кутийка за съхраняване на чай.

tea-cake ['ti:keik] *n* козуначна пита/кифла, която се яде препечена и намазана с масло с чая.

teach [ti:tʃ] *v* (taught [tɔ:t]) 1. уча, обучавам; преподавам; **to** ~ **s.o. English, to** ~ **English to s.o.** преподавам на/уча някого английски; **to** ~ **children** преподавам на/обучавам деца; **to** ~ **s.o. (how) to swim/swimming** уча някого да плува; **to teach the piano/the violin, etc.** (препо)давам уроци по пиано/цигулка и пр.; **she** ~**es mathematics for a living** тя си изкарва препитанието с уроци по математика; **she taught him bridge** тя го научи да играе бридж; 2. научвам, приучвам; отучвам; давам някому да се разбере; **I will** ~ **you to/not to lie etc.** *разг.* като заплаха ще те науча аз тебе да лъжеш/да не лъжеш/как се лъже и пр.; **I'll** ~ **you a lesson!** ще те науча аз тебе! ще ти дам да се разбереш! 3. учителствувам, преподавам в учебно заведение; **he** ~**es in a high school** той е учител в едно средно училище; **she** ~**es in a higher institute** тя преподава в един висш институт.

teachable ['ti:tʃəbl] *a* 1. усвоим, достъпен (*за предмет*); 2. способен, схватлив, възприемчив.

teacher ['ti:tʃə] *n* учител, преподавател; ~**s institute/**ам. **college** педагогически институт.

teachership ['ti:tʃəʃip] *n* учителска длъжност/професия.

teach-in ['ti:tʃin] *n* поредица от лекции и дискусии извън учебната програма по важни въпроси от обществен интерес.

teaching ['ti:tʃiŋ] *n* 1. учителство, учителска професия; **to take up** ~ ставам учител; 2. *обик. pl* учение, доктрина.

teaching aid ['ti:tʃiŋeid] *n* учебно помагало (*картина, карта, магнетофон и пр.*).

teaching hospital ['ti:tʃiŋ,hɔspitl] *n* базова болница към медицински факултет и пр.

teaching machine ['ti:tʃiŋməʃi:n] *n* учебна техника.

tea-cloth ['ti:klɔθ] *n* покривка за сервиране на чай.

tea-cosy ['ti:kouzi] *n* калъф за покриване на порцеланов чайник с чай/кафе.

tea-cup ['ti:kʌp] *n* чаена чаша, чаша за чай; **a storm in a** ~ буря в чаша вода, много шум за нищо.

tea-dance ['ti:da:ns] *n* чай с танци.

tea-fight *разг.* = tea-party.

tea-garden ['ti:ga:dn] *n* 1. чайна плантация; 2. заведение с градина, където се сервира чай с леки закуски.

tea-gown ['ti:gaun] *n* полуофициална следобедна рокля.

tea-house ['ti:haus] *n* японска/китайска чайна.

teak ['ti:k] *n бот.* тиково дърво, тик (*растение и материал*).

tea-kettle ['ti:ketl] *n* метален и пр. чайник за топлене на вода.

teal [ti:l] *n* вид дребна дива патица, примкар.

tea-leaf ['ti:li:f] *n* листенце от запарен чай.

team[1] [ti:m] *n* 1. впряг; 2. отбор, екип, тим; 3. работен колектив, бригада.

team[2] *v* 1. впрягам заедно; 2. възлагам работа на бригада/артел; 3. **to** ~ **(up) with** *разг.* 1) в един отбор съм с; 2) обединявам се/сработвам се/работя заедно с.

team-mate ['ti:m,meit] *n* 1. *сп.* играч от същия отбор, съотборник; 2. работник от същата бригада/колектив.

team spirit ['ti:mspirit] *n* дух на колективност; колективно чувство.

teamster ['ti:mstə] *n* 1. човек, който кара впряг; 2. животно от впряг; 3. *ам.* шофьор на товарен камион.

team-work ['ti:mwə:k] *n* 1. организирана съвместна работа; колективни/общи усилия, сътрудничество; 2. работа на бригади; 3. конвейерна работа.

tea-party ['ti:pa:ti] *n* (гости на) чай.

teapot ['ti:pɔt] *n* порцеланов чайник за запарен/запарване на чай.

teapoy ['ti:pɔi] *n* трикрака (спомагателна) масичка при сервиране на чай.

tear[1] [tεə] *v* (tore [tɔ:]; torn [tɔ:n]) 1. късам (се), скъсвам (се), разкъсвам (се), откъсвам (се), дера (се), съдирам (се), одирам (се); **to** ~ **in half/in two/apart** скъсвам/раздирам на две; **to** ~ **to pieces** накъсвам на парчета; **to** ~ **open** разкъсвам (*плик, опаковка*), отварям (*писмо, пакет и пр.*); **to** ~ **a hole in** скъсвам/съдирам (си) (*рокля, чорап, джоб и пр.*); **to** ~ **o.'s hair** скубя си косата; **to** ~ **s.o.'s character to rags/shreds** изяждам някого с парцалите; **to** ~ **it** *sl.* провалям шансовете/плановете си; **torn by** раздиран/разкъсван от (*противоречиви чувства, междуособици и пр.*); **torn by anxiety** измъчван от тревога; **torn between** ръзкъсван между (*любов и дълг и пр.*); 2. втурвам се, тичам; летя, нося се като хала (**down, along, about, into, out of, etc.**);

tear around 1) тичам/нося се нагоре-надолу; 2) *ам.* водя буен/разпуснат живот;

tear away 1) откъсвам, отделям; **to** ~ **o.s. away** откъсвам се, отскубвам се, отделям се с мъка/насила от; 2) скъсвам, свалям, махам (*афиши и пр.*);

tear down 1) скъсвам; 2) смъквам, свалям; 3) разглобявам на части (*машина и пр.*); 4) събарям, разрушавам (*сграда и пр.*); 5) нося се бързо, летя; 6) опровергавам, оборвам (*твърдение и пр.*) пункт по пункт; 7) опозорявам, очерням, охулвам;

tear into *разг.* нахвърлям се яростно/опустошително на/върху;

tear off 1) откъсвам (*страници и пр.*); 2) скъсвам; 3) разкъсвам; свалям, смъквам (*обвивка, дрехи и пр.*); 4) одирам (*кожа и пр.*); 5) съчинявам/написвам набързо (*писма и пр.*).

tear out 1) скъсвам, откъсвам; 2) изтръгвам, отскубвам, изскубвам; **to ~ s.o.'s eyes out** изваждам някому очите;

tear up 1) разкъсвам, накъсвам; 2) изскубвам, изкоренявам (*дърво и пр.*); 3) развалям, изкъртвам, изваждам (*паваж, настилка и пр.*); 4) подривам, подкопавам (*основи и пр.*).

tear² *n* 1. скъсано/съдрано място, дупка; 2. *разг.* бързина, бързане, устременост; **to go full ~** вървя/летя/бързам като хала; 3. *разг.* вълнение, ярост, гняв; 4. *ам. sl.* пиршество, гуляй; запиване, пиянство.

tear³ [tiə] *n* 1. сълза; **in ~s** разплакан, облян в сълзи; **with ~s in o.'s eyes** със сълзи на очи; **to bring ~s to s.o.'s eyes** разплаквам някого; трогвам някого до сълзи; 2. капка (*роса, смола и пр.*).

tearaway ['tɛərəwei] I. *a* буен, стремителен; необуздан; II. *n* хулиган, грубиянин.

tear bomb ['tiəbəm] *n* бомба със сълзотворен газ.

tear-drop ['tiədrɔp] *n* 1. отронена сълза; 2. висулка на обица и др. украшения.

tear-duct ['tiədʌkt] *n анат.* сълзно каналче.

tearful ['tiəful] *a* 1. разплакан; 2. плачлив; 3. тъжен, печален, скръбен (*за новина и пр.*).

tear-gas ['tiəgæs] *n* сълзотворен газ.

tear-gland ['tiəglænd] *n анат.* сълзна жлеза.

tearing ['tɛəriŋ] *a* 1. раздиращ (*за болка*); 2. бесен, яростен; 3. главоломен (*за бързина и пр.*).

tear-jerker ['tiəʤə:kə] *n* сърцераздирателен филм/пиеса/разказ/песен и пр.

tearless ['tiəlis] *a* 1. сух (*за очи*); 2. тих, безмълвен (*за скръб*); 3. неспособен да плаче; 4. неизвикващ/непредизвикващ сълзи.

tear-off ['tɛərɔf] *n* част (от лист), която се откъсва по маркирана линия.

tea-room ['ti:rum] *n* малък ресторант/бюфет, в който се сервира чай, кафе и леки закуски.

tea-rose ['ti:rouz] *n* чаена роза.

tear-stained ['tiəsteind] *a* 1.\мокър/носещ следи от сълзи (*за лице и пр.*); 2. окапан с/размазан/зацапан от сълзи (*за писмо и пр.*).

tease¹ ['ti:z] *v* 1. чепквам, разчепквам; нищя, разнищвам; 2. кардирам; 3. шегувам се с, закачам; дразня, досаждам; вбесявам.

tease² *n* 1. човек, който обича да дразни/да се закача; 2. закачка, шега.

teasel¹ ['ti:zl] *n* 1. *бот.* лугачка (Dipsacus); 2. глава/плод от лугачка, употребяван за кардиране; 3. кардирна машина; 4. метална четка за кардиране.

teasel² *v* кардирам.

tea-service, -set ['ti:sə:vis, -set] *n* сервиз за чай.

tea-shop ['ti:ʃɔp] *n* 1. = **tea-room**; 2. магазин, в който се продава чай.

teaspoon ['ti:spu:n] *n* чаена лъжичка.

teaspoonful ['ti:spunful] *n* чаена лъжичка (*като мярка*).

tea-strainer ['ti:streinə] *n* цедка за чай.

teat [ti:t] *n* 1. *анат.* цица, пъпка, зърно на гърда; 2. *тех.* цапфа; 3. дръжка във форма на топка.

tea-table ['ti:teibl] *n* маса за чай; **~ gossip** разговор/клюки по време на чая.

tea-things ['ti:θinz] *n pl* прибори за чай, чаен сервиз.

tea-time ['ti:taim] *n* (обичайното) време за сервиране/пиене на чай.

tea-towel ['ti:tauəl] *n* кърпа за избърсване на порцеланови съдове.

tea-tray ['ti:trei] *n* табла/поднос за чаен сервиз.

tea-trolley ['ti:trɔli] *n* масичка с колелца за сервиране на чай.

tea-urn ['ti:ə:n] *n* съд с вряща вода за чай (*в ресторант и пр.*).

tea-wagon ['ti:wægn] = **tea-trolley**.

teazel, teazle = **teasel**.

tec [tek] *n sl.* 1. детектив; 2. детективски роман.

tech [tek] *n разг.* 1. техникум; 2. технически колеж/институт.

technic ['teknik] I. *a* = **technical**; II. *n* 1. = **technique**; 2. *pl c гл. в sing* технология; техника; технически науки; 3. *pl* техническа терминология; технически подробности/методи и пр.

technical ['teknikl] *a* 1. технически; индустриален; 2. технически, специален (*за термин и пр.*); 3. *юр.* формален; 4. изкусен.

technical hitch ['teknikl,hitʃ] *n* спиране/прекъсване поради техническа неизправност (*за радиопредаване и пр.*).

technicality [tekni'kæliti] *n* 1. техническа страна на нещо; 2. *pl* технически подробности; формалности; 3. *pl* специална терминология.

technically ['teknik(ə)li] *adv* 1. технически; 2. в специален смисъл.

technician [tek'niʃən] *n* 1. техник; 2. човек, добре запознат с/добре овладял техниката на работата си.

Technicolor ['teknikлlə] *n* 1. *кино* трицветен процес на снимане; 2. *прен.* жив/ярък цвят, яркост.

Technicolored ['teknikлləd] *a разг.* в ярки цветове/багри; *прен.* пресилен (*за стил, чувство и пр.*).

technique [tek'ni:k] *n изк.* техника, технически похвати/умение; сръчност.

technocracy [tek'nɔkrəsi] *n* общество, в което техниката и техническите експерти имат господствуваща роля, технокрация.

technocrat ['teknɔkræt] *n* 1. привърженик на технокрацията; 2. член на технокрацията, технократ.

technologist [tek'nɔlɔʤist] *n* 1. специалист по технология, технолог; 2. човек, изучаващ технология.

technology [tek'nɔlɔʤi] *n* 1. техника, техническа наука; 2. технология.

techy ['tetʃi] = **tetchy**.

tectonic [tek'tɔnik] *a* 1. архитектурен; строителен; конструктивен; 2. *геол.* тектоничен.

tectonics [tek'tɔniks] *n pl c гл. в sing* 1. строително изкуство/наука; 2. *геол.* тектоника.

tectorial [tek'tɔ:riəl] *a анат.* покривен.

Ted [ted] = **Teddy boy**.

ted [ted] *v* (-dd-) разпръсвам/обръщам (*трева, сено*) да съхне.

tedder ['tedə] *n* сеноoбръщачка.

teddy bear ['tedibɛə] *n* малко мече (*детска играчка*).

Teddy boy ['tedibɔi] *n* младо конте хулиган в Англия от средата на ХХ в.

Te Deum [tei'deiəm, ti:'di:əm] *n църк.* благодарствен химн-възхвала.

tedious ['ti:diəs] *a* скучен, досаден; еднообразен; проточен, дълъг.

tedium ['ti:diəm] *n* скука, досада; еднообразие.

tee¹ [ti:] *n* буквата t; нещо във формата на главно Т; **~ shirt = T-shirt**; **to a ~** точно; съвършено; напълно.

tee² *n* позлатена чадъровидна украса на върха на пагода/ступа.

tee³ *n* **1.** мишена (*в различни игри*); **2.** голф площадка, от която започва тур; купчинка пясък, на която се слага топката, преди да се удари.

tee⁴ *v голф* слагам топката за удар; **to ~ off** удрям топката; *прен.* започвам; **to ~ up** *прен.* подготвям, уреждам, организирам.

teed off [ti:d'ɔf] *a ам.* раздразнен, ядосан.

teem¹ [ti:m] *v* **1.** гъмжа, изобилствам, пъкам (**with** от, с); намирам се в голямо изобилие; **2.** *ост.* плодороден съм, раждам изобилно.

teem² *v* **1.** изливам/наливам метал в калъп; **2. to ~ down** лея се, плющя (*за дъжд*).

teen [ti:n] *n ост.* беда, нещастие; мъка, скръб.

teenage ['ti:neidʒ] *a* младежки, юношески.

teenager ['ti:neidʒə] *n* младеж/девойка на възраст от 13 до 19 г.

teener ['ti:nə] *ам.* = **teenager**.

teens [ti:nz] *n pl* възраст между 13 и 19 г.; **to be still in o.'s ~** нямам още 20 години.

teeny ['ti:ni] = **tiny**.

teensy-weensy, teensie-winsie ['ti:nzi'winzi], **teeny-weeny** ['ti:niwi:ni] *a разг. дет.* съвсем мъничък, дребничък.

teepee['ti:pi:] = **tepee**.

teeter¹ ['ti:tə] *n ам.* люлка за двама от дъска.

teeter² *v* **1.** клатя се, олюлявам се, залитам; **2.** колебая се; **3.** *ам.* люлея се.

teeth *вж.* **tooth¹**.

teethe [ti:ð] *v* **1.** никнат ми зъби (*за бебе*); **2.** започвам, начевам се; **teething troubles** начални трудности.

teething ['ti:ðiŋ] *n* никнене на (млечни) зъби; **~ ring** гумено/пластмасово кръгче за бебе да дъвче, когато му никнат зъби.

teethridge ['ti:θridʒ] *n анат.* алвеоли.

teetotal ['ti:toutl] *a* **1.** въздържателен, трезвен; **2.** *ам. разг.* пълен, цялостен, абсолютен.

teetotalism [ti:'toutəlizm] *n* пълно въздържание, трезвеност.

teetotaller [ti:'toutələ] *n* абсолютен въздържател, трезвеник.

teetotum [ti:'toutəm] *n* четиристенен пумпал с букви.

teff [tef] *n* африканско житно растение (Eragrostis abyssinica).

teg [teg] *n* овца във втората си година.

tegular ['tegjulə] *a* керемиден; нареден като/във форма на керемида.

tegument ['tegjumənt] *n анат.* покривка, обвивка (*ципа, кора и пр.*).

tegumental, -tary [tegju'mentl, -təri] *a биол.* обвивен.

tehee¹ [ti:'hi:] *n* сподавен подигравателен смях; хихикане, кикотене.

tehee² *v* хихикам, кикотя се.

teil [ti:l] *n бот.* липа (*и ~-tree*) (Tilia).

teknonymy [tek'nɔnimi] *n етн.* наричане на родителя по името на детето.

telaesthesia [teli's0i:siə] *n псих.* телепатично възприятие.

telamon ['teləmən] *n* (*pl* **-mones** [-mouni:z]) *арх.* мъжка фигура, поддържаща свод, атлант.

tele ['teli:] *ам.* = **television**.

telecamera [teli'kæmərə] *n* **1.** апарат за телефотография; **2.** телевизионна камера.

telecast¹ ['teli'ka:st] *v* предавам/излъчвам по телевизията.

telecast² *n* телевизионно предаване/излъчване/програма.

telecaster ['telika:stə] *n* говорител по телевизията.

telecine ['telisini] = **telefilm**.

telecommunication [telikɔmjuni'keiʃn] *n обик. pl* телекомуникационни връзки/съобщения.

telefilm ['telifilm] *n* **1.** игрален филм, излъчен по телевизията; **2.** телевизионен филм.

telegenic [teli'dʒenik] *a* който добре се предава/излиза по телевизията, телегеничен.

telegram ['teligræm] *n* телеграма.

telegraph¹ ['teligra:f] *n* **1.** телеграф; **by ~** телеграфически; **2.** *attr* телеграфически, телеграфен.

telegraph² *v* **1.** телеграфирам; изпращам по телеграфа, съобщавам телеграфически (*новини и пр.*); **2.** *прен.* давам/правя знак на (*някого*).

telegrapher [ti'legrəfə] *n* телеграфист.

telegraphese [teligræ'fi:z] *n разг.* телеграмен стил.

telegraphic [teli'græfik] *a* телеграфен, телеграфически; за телеграми; **~ address** телеграфен адрес.

telegraphically [teli'græfikəli] *adv* **1.** телеграфически, по телеграфа; **2.** сбито, кратко; съкратено.

telegraphist [ti'legrəfist] *n* телеграфист.

telegraph-pole, -post ['teligra:fpoul, -poust] *n* телеграфен стълб.

telegraphy [ti'legrəfi] *n* телеграфия; телеграфно предаване.

telemark ['telima:k] *n сп. ски* вид обръщане, завиване.

telemeter [te'lemitə] *n* уред за измерване на далечина; телеметър.

teleological [teliə'lɔdʒikl] *a* телеологичен.

teleology [teli'ɔlədʒi] *n* телеология.

telepathic [teli'pæθik] *a* телепатичен.

telepathist [ti'lepəθist] *n* **1.** телепат; **2.** човек, който вярва в/изучава телепатията.

telepathy [ti'lepəθi] *n* телепатия.

telephone¹ ['telifoun] *n* телефон; **by ~** по телефона; **to be on the ~** 1) имам телефон, телефонен абонат съм; 2) говоря по телефона, на телефона съм; **to be wanted on the ~** викат ме на/търсят ме по телефона; **to answer the ~** обаждам се при позвъняване на телефона; **to say/hear over the ~** казвам/чувам по телефона; **to speak/communicate with s.o. by ~** говоря/свързвам се с някого по телефона; **~ book/directory** телефонна книга/указател; **~ girl** телефонистка; **~ booth/box/kiosk** телефонна будка, телефон автомат; **~ call** телефонно повикване/позвъняване; **~ receiver** телефонна слушалка; **~ transmitter** микрофон в телефонна слушалка.

telephone² *v* телефонирам; съобщавам/предавам по телефона (*новини и пр.*); **to ~ s.o.** обаждам се по телефона/позвънявам/звънвам на някого.

telephonic [teli'fɔnik] *a* телефонен, предаден/получен по телефона.

telephonically [teli'fɔnikəli] *adv* телефонно, по телефона.

telephonist [ti'lefənist] *n* телефонист.

telephony [ti'lefəni] *n* телефония.

telephoto¹ [teli'foutou] *a* = **telephotographic**; **~ lens** обектив за телефотография, телеобектив.

telephoto² *n* **1.** телеобектив (*на фотоапарат*); **2.** снимка, направена с телеобектив.

telephotograph [teli'foutə'græf] *n* снимка, направена от далечно разстояние с телеобектив; **2.** снимка, предадена и получена чрез телефотография.

telephotography ['telifə'tɔgrəfi] *n* **1.** фотографиране от далечно разстояние; **2.** предаване на разстояние на фотографски образи, телефотография; **3.** получен образ/снимка чрез телефотография.

teleplay ['teliplei] *n* пиеса, написана за телевизия.

teleprinter [teli'printə] *n* електрическа пишеща машина.

възпроизвеждаща автоматично телеграфни съобщения, телетип.

teleprompter ['teli'prɔmptə] *n* механизъм, бавно разгръщащ написания с едри букви текст на телевизионен говорител.

telerecord ['teliriko:d] *v* правя телевизионен запис.

telerecording ['teliriko:diŋ] *n* телевизионен запис.

telergy ['telədʒi] *n псих.* телепатична способност/сила.

telescope[1] ['teliskoup] *n* телескоп.

telescope[2] *v* **1.** свивам (се), сбивам (се); сгъвам (се), като една част влиза в друга; **2.** сплесквам (се); **3.** връхлетяваме един в друг (*за влакове и пр.*).

telescopic [teli'skɔpik] *a* **1.** телескопен, телескопически; **2.** съставен от части, които влизат една в друга; ~ **umbrella** сгъваем чадър; ~ **aerial** сгъваема антена (*на транзистор и пр.*).

telescopic lens [teli'skɔpik‚lenz] = **telephoto lens** (*вж.* **telephoto**[1]).

telesthesia = **telaesthesia**.

telethon ['teliθən] *n телев.* много дълга програма, *обик.* за набиране на средства за благотворителна цел.

teletype, *ам.* **teletypewriter** ['telitaip, -raitə] = **teleprinter**.

teleview ['telivju:] *v* гледам (нещо) по телевизията; гледам телевизия.

televiewer ['telivju:ə] *n* телевизионен зрител.

televise ['telivaiz] *v* предавам/излъчвам по телевизията.

television ['telivi‚ʒn] *n* **1.** телевизия; телевизионни предавания/програми; **2.** *attr* телевизионен; ~ **set** телевизионен приемник/апарат.

televisor ['telivaizə] *n* **1.** телевизионен апарат, телевизор; **2.** *ам.* телевизионен говорител.

televisual [teli'viʒuəl] *a* телевизионен.

telex[1] ['teleks] *n* телекс.

telex[2] *v* предавам/съобщавам по телекса.

tell [tel] *v* (**told** [tould]) **1.** казвам, разказвам; разправям (**s.o. s.th.**, **s.th. to s.o.** някому нещо, **about s.th.** за нещо); **this fact** ~**s its own story** този факт не се нуждае от коментарии; **2.** казвам, съобщавам, уведомявам; **to** ~ **the world** *разг.* разказвам на всички/на целия свят; **don't** ~ **me!** ами! хайде де! Ħа мен ли ги разправяш; знам аз, няма защо ти да ми казваш; ~ **me another** на друг ги разказвай; **I'll** ~ **you what** знаеш ли какво, слушай; **you are** ~**ing me** *sl.* 1) добре го зная аз това; 2) хич и не ти вярвам аз; **I told you so! didn't I** ~ **you so!** казах ли ти! видя ли сега! **to** ~ **a lie/the truth** лъжа/казвам истината; **time will** ~ времето ще покаже; **3.** казвам; показвам, посочвам; обяснявам; **to** ~ **the time** показвам колко е часът (*за часовник и пр.*); **4.** казвам, нареждам, заповядвам (**s.o.** някому); **to do as one is told** правя каквото ми се каже/каквото/както ми наредят; **5.** издавам, издрънквам (*тайна и пр.*); **6.** познавам, разпознавам, различавам; **I can't** ~ **them one from the other** не мога да ги разпозная; **I can** ~ **him by his voice** познавам го по гласа; **one can** ~ **she is clever** личи си, че е умна; **as far as I can** ~ доколкото зная/мога да съдя/да преценя; **one/you never can** ~ човек никога не знае/не може да знае; **there is no** ~**ing** не можем да знаем, не се знае, никой не знае; **how can I** ~ откъде да знам; **7.** имам Ǐзначение; постигам ефект; отразявам се, лича (си); отличавам се, отделям се, изпъквам (*за глас, цвят и пр.*); **every little** ~**s** всяка дреболия си има значение; **breed will** ~, **good blood** ~**s** добрият род/произход си личи, куче да е, от сой да е; **the remark told** забележката оказа влияние/даде резултат; **every blow/shot told** всеки удар/изстрел попадаше в целта; **8.** говоря, свидетелствувам (*за неща*,

действия *и пр.*); **to** ~ Ʌ**for/in favour of** говоря в полза на; **to** ~ **against** говоря във вреда съм на, навреждам; **9.** броя, преброявам (*обик. за гласове в парламента*); **to** ~ **noses** *разг.* преброявам колко души сме; **all told** всичко на всичко, общо взето;

tell around разказвам, разпространявам;

tell off 1) наругавам, нахоквам, поставям на място; 2) *воен.* отделям/определям хора (*за дежурство и пр.*); 3) отмервам, отброявам;

tell on 1) отразявам се (зле) на, изтощавам; 2) наклеветявам.

tellable ['teləbl] *a* който може да се каже/разкаже.

teller ['telə] *n* **1.** разказвач; **2.** преброител на гласове в парламента; **3.** касиер в банка.

telling ['teliŋ] *a* **1.** изразителен; правещ силно впечатление, поразителен; подчертан; убедителен (*за аргумент и пр.*); многозначителен; **2.** силен (*за удар и пр.*).

telltale ['telteil] *n* **1.** издайник, доносник; клюкар, сплетник, клеветник; **2.** доказателство; указание, улика; **3.** *тех.* предупредително/сигнално приспособление; **4.** *attr* предателски, издайнически.

tellurian ['telu:riən] **I.** *a* земен; **II.** *n* жител на земята, земен жител.

tellurium [te'lu:riəm] *n хим.* телурий.

telly ['teli] *n разг.* телевизия; телевизор.

telpher ['telfə] *n* **1.** товароподемно/транспортно устройство, телфер; **2.** *attr* (електро)транспортен; въздушен (*за линия*).

telpherage ['telfəridʒ] *n* пренасяне/превоз с електрически влак/въздушен кабел и пр.

temerarious [temə'rɛəriəs] *a книж.* **1.** безумно смел, неустрашим; **2.** безразсъден.

temerity [ti'meriti] *n* **1.** смелост, неустрашимост; **2.** безразсъдство; **3.** дързост, нахалство.

temp [temp] *n разг.* временно назначен служител.

temper[1] ['tempə] *v* **1.** регулирам, темперирам, правя по-умерен/по-мек/по-слаб чрез размесване с нещо друго; смекчавам (*и прен.*); **to** ~ **strong drink with water** разреждам силно питие с вода; **to** ~ **justice with mercy** прилагам не само правосъдие, но и милост; **2.** *прен.* смекчавам, успокоявам, уталожвам; **3.** калявам метал/стъкло; калявам се, достигам до състояние на закаленост (*за метал, стъкло*); **4.** *прен.* закалявам, заяквам; **5.** омесвам (*глина и пр.*) с вода, за да омекне; ставам мек и гъвкав; **6.** *муз.* привеждам в хармония с, темперирам; **7.** *ост.* смесвам, размесвам в необходимото съотношение.

temper[2] *n* **1.** *метал.* закаляване, закалка; **2.** годност за обработване; гъвкавост, еластичност, мекота и пр.; **3.** нрав, характер, природа; **a man of stubborn/fiery, etc.** ~ упорит/пламенен и пр. човек; **4.** избухливост, раздразнителност, невъздържаност; **to show** ~ кисел/сприхав/раздразнителен съм; **to have a** ~ избухлив съм, лесно избухвам; **to get/fly/go into a** ~ кипвам, ядосвам се, избухвам; **5.** сдържаност, самообладание; **to keep/control/hold o.'s** ~ запазвам спокойствие, не се ядосвам, сдържам се, въздържам се; **out of** ~ (**with**) сърдит (на); **6.** настроение; **to be out of** ~ не съм в настроение; **to be in no** ~ **for** нямам настроение за; **7.** сръдня, яд (*особ. за дете*); **a fit/outburst of** ~ изблик на яд, пристъп на раздразнителност/опърничавост; **to be in a** ~ ядосан/разгневен съм.

tempera ['tempərə] *n изк.* темпера.

temperament ['tempərəmənt] *n* **1.** темперамент, нрав; **2.** свръхчувствителност; свръхраздразнителност; своенравност; **3.** *муз.* темперация.

temperamental [tempərə'mentl] *a* **1.** вроден, органически; **2.** свойствен на даден темперамент, природен; **3.** темпераментен, поривист; **4.** своенравен, импулсивен, неуравновесен.

temperance ['tempərəns] *n* **1.** умереност, въздържаност; **2.** въздържание, трезвеност; ~ **hotel** хотел, в който не се сервират спиртни напитки; ~ **society/league** въздържателно дружество.

temperate ['tempərit] *a* **1.** умерен, сдържан, въздържан (*за човек, възгледи и пр.*); **2.** умерен (*за климат, пояс и пр.*).

temperature ['temprətʃə] *n* **1.** температура; **to take s.o.'s** ~ меря температурата на някого; **to run a** ~ имам/правя/вдигам температура; **to have a** ~ *разг.* чмам огън/температура; **2.** *прен.* разгорещеност (*при дискусии и пр.*).

tempered ['tempəd] *a* **1.** *метал.* кален; **2.** мек, пластичен (*за глина и пр.*); **3.** умерен (*за ход и пр.*); **4.** *муз.* темпериран; **5.** *в съчет.* с... нрав/темперамент; **mild-~** мек/кротък по нрав.

temperer ['tempərə] *n* **1.** който калява и пр. (*вж.* **temper**[1]); **2.** машина за омесване на грънчарска глина.

tempest ['tempist] *n* силна буря (*и прен.*); **a** ~ **in a teapot** *ам.* = **a storm in a teacup** (*вж.* **teacup**).

tempestuous [tem'pestjuəs] *a* бурен, бушуващ, вилнеещ, яростен, бесен; размирен (*за време, море*) (*и прен.*).

Templar ['templə] *n* **1.** *ист.* тамплиер, рицар от ордена на тамплиерите; **2.** адвокат/студент юрист, живеещ в Темпъл (*бивша резиденция на тамплиерите в Лондон*); **3.** член на вид масонско дружество.

template ['templit] *n тех.* **1.** шаблон; **2.** подпорна греда на трегер; **3.** клин под подпора на кил на строящ се кораб.

temple[1] [templ] *n* **1.** храм; **2. the T.** лондонско адвокатско сдружение.

temple[2] *n анат.* сляпо око, слепоочие.

temple[3] *n тех.* разпънка, широкодържател, чампар (*на тъкачен стан*).

templet = **template**.

tempo ['tempou] *n* (*pl* -**pos** [-pouz] , -**pi** [-piː]) темпо, темп (*и прен.*).

temporal[1] ['tempərəl] *a* **1.** свързан с/ограничен от времето; съществуващ във времето; **2.** временен, преходен; **3.** светски, мирски; **4.** *грам.* за време.

temporal[2] *анат.* **I.** *a* слепоочен; **II.** *n* слепоочна кост.

temporality [,tempə'ræliti] *n* **1.** *юр.* временен характер; **2.** гражданска/светска власт; **3.** материални права и притежания; **4.** *обик. pl* църковни владения и доходи.

temporalty ['tempərəlti] *n ост.* миряни, светски лица.

temporarily ['temp(ə)rərili] *adv* временно.

temporariness ['tempərərinis] *n* временен характер.

temporary ['tempərəri] *a* временен, нетраен, преходен.

temporization ['tempərai'zeiʃn] *n* **1.** печелене на време, изчакване; **2.** нагаждане, приспособяване.

temporize ['tempəraiz] *v* **1.** не бързам с вземане на решение и пр., изчаквам, протакам, за да печеля време; **2.** нагаждам се, приспособявам се.

temporizer ['tempə'raizə] *n* **1.** човек, който обича да изчаква; **2.** нагаждач.

tempt [tempt] *v* **1.** изкушавам, съблазнявам, блазня; мамя, подмамвам, примамвам; **2.** *ост. библ.* поставям на изпитание; **3.** предизвиквам (*съдба, провидение и пр.*), рискувам.

temptation [temp'teiʃn] *n* изкушение, съблазън; **to give way/yield to** ~ поддавам се на изкушение/съблазън; **to throw/put** ~ **in s.o.'s way** изкушавам някого.

tempter ['temptə] *n* изкусител, съблазнител; **the T.** дяволът, сатаната.

tempting ['temptiŋ] *a* съблазнителен, примамлив, привлекателен, блазнещ.

temptress ['temptris] *ж.р. от* **tempter**.

ten [ten] *n* **1.** десет; ~ **to one** много вероятно; ~-**gallon hat** *ам.* каубойска широкопола шапка; ~ **times** *разг.* много повече, много по-голям и пр.; **he is** ~ **times the man you are** той е десет пъти по-добър/свестен от теб; **2.** десеторка, десетица; *карти* десятка; **3.** *авт.* кола с десет конски сили.

tenable ['tenəbl] *a* **1.** удържим, защитим (*за позиция, довод и пр.*); логичен, разумен, здрав (*за позиция, довод*); **2.** който може да се държи/заема; **a post** ~ **for two years** пост/служба/длъжност, която може да се заема две години.

tenace ['tenis] *n* бридж форшет.

tenacious [te'neiʃəs] *a* **1.** здрав, твърд, крепък; държащ (се) здраво, вкопчен; **2.** лепкав, леплив; здраво слепен; **3.** силен, задържащ (*за памет*); **4.** упорит, неотстъпващ от мнението си; отстояващ правата си.

tenacity [te'næsiti] *n* **1.** сила, твърдост, издръжливост; **2.** упоритост, неотстъпност, решителност; **3.** лепливост, лепкавост, сила на сцеплението; **4.** способност да задържа (*за памет*).

tenancy ['tenənsi] *n* **1.** наемане, държане под наем; период на наемане; **2.** къща/земя и пр., наета за временно ползуване; **3.** използувано на наета къща/земя и пр.; **4.** срок за използуването на земя/къща и пр. от наемател.

tenant[1] ['tenənt] *n* **1.** наемател на земя/къща/квартира и пр., арендатор, квартирант; ~ **right** право на наемател да използува наетата земя и пр. до изтичането на договорирания срок; **2.** обитател; **3.** *юр.* владетел на земя/къща и пр.

tenant[2] *v* използувам (*земя, къща и пр.*) като наемател (*обик. в pp*).

tenantry ['tenəntri] *n събир.* наематели, обитатели.

tench [tentʃ] *n зоол.* лин (*риба*) (Tinca tinca).

tend[1] [tend] *v* **1.** грижа се за, отглеждам; паса (*овце и пр.*); **2.** гледам, обслужвам (*болен, машина и пр.*); наглеждам, надзиравам; **to** ~ **(up) on s.o.** прислужвам някому (*особ. при ядене*).

tend[2] *v* **1.** клоня, насочен съм (**to, towards** към); **2.** клоня, имам склонност/тенденция, склонен съм (**to, towards** към); **prices are** ~**ing upwards** цените се покачват; **it** ~**s to become cold** захлажда се; **he** ~**s to exaggerate** той е склонен да преувеличава.

tendency ['tendənsi] *n* склонност, наклонност, тенденция; направление, насока (**to/to do s.th.** към/да правя нещо).

tendentious [ten'denʃəs] *a* тенденциозен; пристрастен, предубеден.

tender[1] ['tendə] *n* **1.** гледач (*на деца, болни и пр.*); **2.** малък кораб, снабдяващ по-голям с гориво и пр.; **3.** *жп.* тендер.

tender[2] *v* **1.** предлагам сума и пр. срещу погасяване на дълг; **2.** правя оферта; предлагам услугите си; **3.** изказвам, поднасям, изразявам (*благодарност, извинение и пр.*); **4.** подавам (*оставка*).

tender³ *n* **1.** официално предложение, оферта; търг; **to put out to ~** обявявам търг за; **2.** сума, внесена/предложена срещу погасяване на дълг/иск; **legal ~** законно платежно средство.

tender⁴ *a* **1.** нежен, деликатен; крехък; чуплив; слаб; **of ~ age** съвсем млад, неопитен, незрял; **2.** нежен, чувствителен, лесно уязвим, болезнен; неустойчив (*на студ и пр. — за растение и пр.*); **~ spot** чувствително/болно място (*и прен*); **a ~ subject** деликатен въпрос/тема; **3.** грижлив, внимателен, загрижен за; **to be ~ of hurting s.o.'s feelings** внимавам да не наскърбя/засегна някого; **4.** предан, нежен, любещ; **5.** мек, нежен (*за тон, глас и пр.*); **6.** мек, крехък (*за месо и пр.*).

tender-eyed ['tendəaid] *a* **1.** с меки/топли очи; **2.** със слабо зрение.

tender-foot ['tendəfut] *a* **1.** новозаселил се в страна с по-сурови условия; **2.** новак в работа и пр.

tender-hearted ['tendəha:tid] *a* добър, сърдечен, състрадателен, милостив.

tenderloin ['tendəlɔin] *n* филе (*месо*); **T. district** квартал на игрални домове, кабарета, публични домове и пр.

tenderly ['tendəli] *a* нежно, с нежност.

tenderness ['tendənis] *n* **1.** нежност, топлота (**for** към); **2.** крехкост, деликатност; чупливост; слабост; **3.** чувствителност, болезненост.

tendon [tendən] *n* анат. сухожилие; **Achilles ~** Ахилесово сухожилие.

tendril ['tendril] *n* бот. филиз, ластар, мустаче.

tenebrous [te'nebrəs] *a* ост. мрачен, тъмен; сумрачен; сенчест.

tenement ['tenəmənt] *n* **1.** жилище, квартира, апартамент; жилищен дом с евтини квартири (*и ~ house*); **2.** юр. недвижимо имущество; **3.** наета земя и др. имущество.

tenemental, -tary [teni'mentl, -təri] *a* нает от квартиранти/наематели; за даване под наем.

tenet ['tenit] *n* принцип, убеждение, догма.

tenfold¹ ['tenfould] *a* десеторен, десетократен.

tenfold² *adv* десеторно, десетократно.

tenner ['tenə] *n* разг. банкнота от десет лири/ам. десет долара.

tennis ['tenis] *n* сп. тенис; **a ~ ball/racket** топка/ракета за тенис; **~-court** тенис-корт; **~ elbow** възпаление на лакътната става от преумора от тенис.

tenon¹ ['tenən] *n* тех., стр. **1.** шип, цапфа; втулка; ключ/сглобка с шип; **2.** шпилка, жабка; езиче.

tenon² *v* тех., стр. съединявам/свързвам с шип/шпилка.

tenor¹ ['tenə] *n* **1.** ход, обща насока, тенденция; начин на живот; **2.** общ смисъл; значение, съдържание; **3.** юр. точно копие, препис.

tenor² *n* муз. **1.** тенор; партия на тенор; **~ violin** виола; **~ clef (C)** ключ до; **2.** attr теноров.

tenotomy [te'nɔtəmi] *n* мед. разрязване на сухожилие.

tenpins ['tenpinz] *n pl с гл. в sing* (игра на) кегли.

tense¹ [tens] *n* грам. глаголно време.

tense² *a* **1.** обтегнат, опънат, свит, стегнат (*за мускул и пр.*); изпънат, (из)опнат; вдървен, скован; **2.** напрегнат, изопнат, възбуден (*за нерви и пр.*); **~ moment** момент на напрежение; **~ voice** издаващ напрежение глас; **to be ~ with expectancy** очаквам с напрежение/вълнение; **3.** фон. напрегнат (*за гласна*).

tense³ *v* изпъвам (се), изопвам (се); стягам (се); напрягам (се); **to be/get ~d up** изпитвам нервно напрежение, ставам напрегнат.

tensile ['tensail] *a* разтеглив; **~ strength** издръжливост на опън, якост.

tensility [ten'siliti] *n* разтегливост; издръжливост, якост.

tension¹ ['tenʃən] *n* **1.** обтягане, разтягане; опъване, разпъване; **2.** изпънатост, опнатост; **3.** напрежение; напрегнатост, изопнатост (*на нерви и пр.*); **4.** обтегнати/опънати отношения; **5.** ел. в съчет. напрежение, волтаж; **high/low ~** високо/ниско напрежение; attr с високо/ниско напрежение; **6.** физ. еластичност (*на газ*); налягане (*на пара*); **7.** мед. налягане (*артериално, очно и пр.*).

tension² *v* подлагам на напрежение и пр. (*вж.* **tension**¹); създавам напрегнатост.

tensity ['tensiti] *n* **1.** напрежение; **2.** напрегнатост.

tensor ['tensə] *n* **1.** анат. флексор, сгъвач; **2.** мат. тензор.

ten-strike ['tenstraik] *n ам.* поразителен/смайващ успех/постижение.

tent¹ [tent] *n* палатка, шатра; **bell ~** кръгла палатка.

tent² *v* **1.** покривам (като) с палатка/палатки; **2.** настанявам (се) на лагер, лагерувам; **3.** живея временно на палатка.

tent³ *n мед.* тампон.

tent⁴ *n* испанско сладко червено вино, използувано главно за причастие.

tentacle ['tentəkl] *n* **1.** зоол. пипало; **2.** бот. ластар, мустаче; **3.** прен. пипало.

tentacled ['tentəkld] *a* **1.** зоол. с пипала; **2.** бот. с ластари/ мустачки.

tentacular [ten'tækjulə] *a* подобен на пипало/ластар/мустаче.

tentaculate [ten'tækjul(e)it] = **tentacled**.

tentage ['tentiʤ] *n* **1.** плат за палатки, брезент; **2.** съоръжения за палатка.

tentative¹ ['tentətiv] *a* **1.** пробен, експериментален; **a ~ conclusion** заключение, подлежащо на изменение; **a ~ offer** начално предложение при започване на преговори; **2.** колеблив, нерешителен, несигурен, неуверен; **3.** ам. временен; предварителен; **4.** предполагаем, хипотетичен.

tentative² *n* опит, проба; предложение/теория за изпробване.

tentatively ['tentətivli] *adv* **1.** за опит; като начало; **2.** колебливо, неуверено; **3.** ам. временно.

tenter ['tentə] *n* **1.** рамка за опъване и сушене на плат; **2.** тех. разпъвачка, ширилна машина.

tenterhook ['tentəhuk] *n тех.* кука за прикрепяне на плат на рамка/ширилна машина; **on ~s** в напрегнато очакване, на тръни.

tenth [tenθ] **I.** *a* десети; **II.** *n* десета част, една десетина.

tent-peg ['tentpeg] *n* колче за разпъване на палатка.

tenuis ['tenjuis] *n* (*pl* **tenues** ['tenjui:z]) фон. беззвучен преграден звук (k, p, t и пр.).

tenuity [ti'njuiti] *n* **1.** разреденост (*на въздух, течност и пр.*); **2.** тънкост, тънкота (*на косъм, глас и пр.*); слабост, оскъдност; простота (*на стил*).

tenuous ['tenjuəs] *a* **1.** разреден; **2.** тънък; слаб; **3.** беден, оскъден, незначителен; **4.** неуловим, лек, тънък.

tenure ['tenjuə, 'tenjə] *n* **1.** владение; собственост, имущество; **communal ~** общо владение/ползуване; **2.** условия за/срок на ползуване на владение; **3.** (период/срок на) заемане на служба/пост и пр.; **during his ~ of office** докато беше на служба/заемаше поста; **4.** *ам.* назначение на постоянна длъжност (*особ. за учител*).

tepee ['ti:pi:] *n* индианска колиба.

tepefy ['tepifai] *v* позатоплям (се).

tepid ['tepid] *a* **1.** топличък, възтопъл; хладък (*за вода и пр.*); **2.** хладен, равнодушен, безразличен (*за чувства и пр.*).

tepidity [te'piditi] *n* **1.** хладка/умерена температура; **2.** хладност, хлад; хладина, безразличие, равнодушие.

tepidly ['tepidli] *adv* **1.** хладно; **2.** равнодушно, с безразличие.

terai [tə'rai] *n* широкопола шапка от филц.

teraph(im) ['teraf(im)] *n* малък домашен идол у старите евреи.

teratoid ['terətoid] *a* биол. уродлив, патологичен.

teratology [terə'tɔlədʒi] *n* биол. изучаване на уродливи форми на живот и на патологични изменения в организмите, тератология.

teratoma [terə'toumə] *n* мед. вид тумор, тератома.

terbium ['tə:biəm] *n* хим. тербий.

tercel ['tə:sl] *n* мъжки ястреб, *особ.* ястреб-скитник.

tercentenary [tə:sen'ti:nəri] **I.** *a* тристагодишен; **II.** *n* (чествуване на) тристагодишнина.

tercentennial [tə:sen'teniəl] **I.** *a* ставащ (на) всеки/траещ триста години; **II.** *n* = **tercentenary II.**

tercet ['tə:sit] *n* **1.** проз. тристишие, терцина; **2.** муз. триола.

terebinth ['teribinθ] *n* вид юж.-европ. терпентиново дърво (Pistacia terebinthus).

terebinthine [teri'binθain] *a* терпентинов.

teredo [te'ri:dou] *n* зоол. корабен червей.

terete [te'ri:t] *a* биол. гладък и закръглен.

tergal ['tə:gl] *a* зоол. гръбен, дорсален.

tergiversate ['tə:dʒivə:seit] *v* **1.** ставам ренегат; **2.** правя противоречиви изказвания; **3.** извъртам, усуквам; меня позициите си.

tergiversation [tə:dʒivə:'seiʃən] *n* **1.** ренегатство, отстъпничество, предателство; **2.** извъртане, усукване.

term[1] [tə:m] *n* **1.** срок, период; **during his ~ of office** докато беше на служба/заемаше този пост; **presidential ~** президентски мандат; **2.** платежен срок, ден на плащане (*обик. на 3 месеца*); **to owe a ~'s rent** дължа наем за 3 месеца; **3.** семестър; учебен срок; **during ~** през учебно време; **4.** съдебна сесия; **5.** *мат.* член; **6.** *лог.* член (*на силогизъм*); **7.** термин; *pl* изрази, фразеология, език; **in ~s of approval** одобрително; **in flatterin/glowing ~s** ласкаво, хвалебствено; **in ~s of** с езика на; от гледна точка на; превърнат в; изчислен с; **in ~s of science** на езика на/от гледна точка на науката; **his work is not profitable in ~s of money** работата му не е изгодна от парична гледна точка; **in ~s of metrical measures** превърнато в метрична система; **in set ~s** ясно, определено, решително, недвусмислено; **8.** *ост.* край, граница; **9.** край на периода на нормалната бременност; **she has reached her ~** време е да се ражда (*за бременна жена*); **10.** *мед.* менструация, период; **11.** *pl* условия на договор и пр.; условия за плащане, цена, хонорар; **what are your ~s for lessons?** колко вземате за уроци? **on easy ~s** на износна цена, при изгодни условия; **not on any ~** на никаква цена, за нищо на света; **on these ~s** при тези условия; **to come to ~s** отстъпвам, приемам условията, примирявам се (**with** с); **the enemy came to ~s** неприятелят капитулира; **to bring s.o. to ~s** принуждавам някого да се съгласи на/да

приеме условията ми; **on ~s of friendship/equality, etc.** на приятелски/равни и пр. начала; **12.** лични отношения; **to be on good/friendly ~s with** в добри/приятелски отношения съм с; **we are not on speaking ~s** 1) не се познаваме, само се знаем; 2) не си говорим, скарани сме; **13.** *ист. рим.* граничен стълб, често с бюста на бога Термин; □ **~ of reference** компетенция, ресор; инструкции.

term[2] *v* наричам, назовавам, определям като.

termagant ['tə:məgənt] *n* **1.** зла/деспотична жена, кавгаджийка; **2.** *attr* свадлив, опърничав.

termer ['tə:mə] *n* човек, който излежава присъда/изслужва мандат и пр.

terminable ['tə:minəbl] *a* **1.** с ограничен/определен срок; **2.** който може да свърши/да бъде прекратен.

terminal[1] ['tə:minəl] *a* **1.** разположен/намиращ се накрая, краен, пограничен; **2.** намиращ се в последен/неизлечим стадий; **the ~ ward** отделение в болница за неизлечимо болни; **3.** последен, заключителен, завършващ; **4.** извършван/повтарящ се периодически; **5.** семестриален; сесиен; **6.** пределен, краен (*за скорост и пр.*); **7.** срочен; **8.** *бот.* намиращ се на върха на стебло и пр.

terminal[2] *n* **1.** край на жп/автобусна/въздушна и пр. линия, последна/крайна спирка; **2.** семестриален/срочен изпит; **3.** *арх.* украса на края на колона и пр.; **4.** *ел.* клема; извод; изводен изолатор; входно съединение; входен изолатор; **5.** завършък, край; крайна сричка/буква/дума; **6.** устройство за установяване на връзка с компютър и други съобщителни системи.

terminally ['tə:minəli] *adv* **1.** накрая; **2.** всеки семестър.

terminate ['tə:mineit] *v* **1.** приключвам, прекратявам (*договор, бременност*); завършвам (**with** с, на); **2.** слагам/поставям граница/предел на; ограничавам; **3.** съкращавам (*работници*).

termination [tə:mi'neiʃn] *n* **1.** завършване, свършване; **2.** грам. окончание; **3.** приключване; **4.** прекратяване (*на бременност, договор и пр.*); **5.** завършвам; **put a ~to s.th., to bring s.th. to a ~** завършвам/довеждам нещо докрай; **6.** изтичане на срок (*на до... и пр.*).

terminative ['tə:minətiv] *a* **1.** краен, заключителен, шващ; **2.** грам. пределен (*за гл. форма*).

terminator ['tə:mineitə] *n* **1.** този, който/това, което завършва/довършва нещо; **2.** *астр.* линия, отделяща осветената от неосветената част на небесно тяло, терминатор.

termini *вж.* **terminus.**

terminological [tə:minə'lɔdʒikl] *a* терминологичен; **~ inexactitude** терминологична неточност; *шег.* неистина.

terminology [tə:mi'nɔlədʒi] *n* терминология.

terminus ['tə:minəs] *n* (*pl* **-ni** [-nai] **-nuses** [-nəsiz]) **1.** крайна гара/аерогара/пристанище/спирка; **2.** крайна точка, цел; **3.** T. римски бог на границите, Термин; **4.** = **term 13; 5. ~ ad quem/ad quo** крайна/изходна точка на довод/политика/период; най-късна/най-ранна възможна дата.

termitary ['tə:mitəri] *n* гнездо/могила на термити.

termite ['tə:mait] *n* зоол. термит (Isoptera).

termless ['tə:mlis] *a* **1.** безграничен, безкраен, неограничен; **2.** безусловен.

term paper ['tə:mpeipə] *n* семестриална/срочна писмена работа.

term-time ['tə:mtaim] *n* **1.** семестър; учебно време; **2.** сесия (*съдебна и пр.*).

tern[1] [tə:n] *n зоол.* малка морска птица, подобна на чайка (Sterna).

tern[2] *n* тройка; три лотарийни номера, които, изтеглени заедно, носят голяма печалба; голяма лотарийна печалба.

ternary ['tə:nəri] *a* 1. троен, трикомпонентен; 2. *мат.* троичен.

ternate ['tə:neit] *a* 1. подреден на тройки; 2. *бот.* троен (*за листо*).

terne [tə:n] *n* матова ламарина, тенеке (*и ~ plate*).

Terpsichorean [tə:psikə'riən] *a* балетен, танцов; **the ~ art** балетното изкуство.

terrace[1] ['terəs] *n* 1. тераса (*и геол.*); 2. редица от еднотипни къщи (*обик. над склон*); 3. терасовидно засят/засаден хълм/наклон.

terrace[2] *v* построявам/устройвам във вид на тераси (*градина и пр.*). терасирам (*хълм, наклон и пр.*); **a ~d roof** плосък покрив тераса.

terra-cota [terə'kɔtə] *n изк.* 1. изпечена глина, теракота; керамика теракота; 2. цвят на изпечена глина.

terra firma ['terə'fə:mə] *n* суха земя; суша; твърда/здрава почва.

terrain [te'rein] *n* 1. местност, терен; 2. почва, терен; 3. *attr* земен, повърхностен; **~ flying** *ав.* ориентиране по земни обекти.

terra incognita [terəin'kɔgnitə] *n* 1. неизвестна/непозната територия; 2. неизследвана/непозната област.

terrapin ['terəpin] *n* 1. сладководна костенурка (Testudinidae); 2. вид сглобяема едноетажна сграда.

terraqueous [te'reikwiəs] *a* 1. състоящ се от суша и вода; 2. земноводен; 3. сухопътен и морски.

terrarium [te'rεəriəm] *n* (*pl* -riums [-riəmz] , -ria [-riə]) терариум.

terrazzo [tə'rætsou] *n ит. стр.* подова мозайка.

terrene [te'ri:n] *a* 1. от земя/пръст, пръстен; 2. земен, светски.

terrestrial [tə'restriəl] I. *a* 1. земен, сухоземен, сухопътен; 2. светски, земен; 3. растящ/живеещ на/в земята; 4. **~ planets** планетите на слънчевата система; II. *n* земен жител/обитател.

t... ['terit] *n* халка на хамут, през която минава юзда-

t...le ['terəbl] *a* 1. ужасен, страшен; 2. *разг.* краен, огромен; много лош/слаб; невъзможен.

terribly ['terəbli] *adv разг.* 1. ужасно, страшно; 2. крайно, невъзможно.

terrier[1] ['teriə] *n* 1. порода куче териер; 2. T. войник от териториалната армия.

terrier[2] *n* 1. имуществена книга на частни лица/корпорации; 2. *ист.* документи за имуществото на васали/арендатори.

terrific [tə'rifik] *a* 1. ужасен, страшен; 2. *разг.* огромен; знаменит, славен; чудесен, удивителен.

terrifically [tə'rifikəli] *adv* 1. ужасно, страшно; 2. *разг.* много, извънредно; удивително.

terrify ['terifai] *v* ужасявам; плаша; **to be terrified** ужасявам се, ужасно ме е страх.

terrine [tə'ri:n] *n* глинен съд, *особ.* за продажба на пастет и др. деликатеси.

territorial [teri'tɔ:riəl] I. *a* 1. териториален, областен; 2. поземлен; II. *n* войник/доброволец от териториалната армия.

territorialize [teri'tɔ:riəlaiz] *v* 1. разширявам с нови територии; 2. превръщам в зависима територия.

territory ['teritəri] *n* 1. територия, област (*и прен.*); 2. зависима област/територия; *ам.* област, която още няма правата на щат.

terror ['terə] *n* 1. ужас, страх; **to be in/have a ~ of** страхувам се от; **to strike ~ into s.o.** изпълвам някого с ужас; 2. терор; 3. човек/нещо, което вдъхва/вселява ужас; 4. *разг.* напаст, беля, страшилище (*за човек*).

terrorism ['terərizm] *n* терор, тероризъм.

terrorist ['terərist] *n* терорист.

terroristic [terə'ristik] *a* терористичен.

terrorize ['terəraiz] *v* тероризирам.

terror-stricken, -struck ['terərstrikn, -strʌk] *a* обзет/обладан от ужас, ужасен.

terry ['teri] *n текст.* хавлиена тъкан с неотрязана бримка (*и ~ cloth*).

terse [tə:s] *a* сбит, стегнат, ясен, изразителен (*за стил, реч*); изразяващ се ясно, стегнато и изразително (*за оратор и пр.*).

tersely ['tə:sli] *adv* кратко, сбито, стегнато, ясно.

terseness ['tə:snis] *n* сбитост, стегнатост, изразителност (*на стил*).

tertian ['tə:ʃn] *a мед.* който се явява през ден; **~ fever/ague** малария терциана.

tertiary[1] ['tə:ʃiəri] *a* 1. *геол.* третичен; 2. трети по ред/степен/важност и пр.; 3. намиращ се в третия стадий.

tertiary[2] *n* 1. *геол.* T. терциер; 2. *зоол.* махово перо от третия ред; 3. *църк. ист.* монах от трета степен.

terza rima [ˌtεatsə'ri:mə] *n ит. лит.* тристишна строфа с верижно кръстосана рима, терцина.

terylene ['terili:n] *n текст.* синтетично влакно; (плат от) терилен.

tessellate ['tesileit] *v* правя/покривам с мозаичен паваж.

tessellation ['tesileiʃn] *n* мозайка, мозаичен паваж.

tessera ['tesərə] *n* (*pl* -rae [-ri:]) мраморно/каменно/дървено и пр. кубче/паве за мозайка.

test[1] [test] *n* 1. изпитание; 2. изпит; контролна работа; тест; **to put to the ~** поставям на изпитание; 3. проба, изпробване, проверка; изследване, анализ; **~ fly** изпитателен/пробен полет/летене; 4. сериозно изпитание, пробен камък; 5. мерило, критерий; 6. *хим.* реакция; реактив; 7. *метал.* количество благороден метал, отделено за претегляне; 8. *метал.* купел; 9. **~ case** *юр.* дело, служещо за образец при решаване на аналогични дела.

test[2] *v* 1. подлагам на изпитание; 2. изпробвам; изпитвам, проверявам; изследвам; **to have o.'s blood ~ed** правя си изследване на кръвта; 3. *хим.* анализирам с реактив; 4. *метал.* купелувам.

test[3] *n зоол.* черупка, броня.

testable[1] ['testəbl] *a* който може да бъде изпробван/изпитан/проверен.

testable[2] *a юр.* който може да се завещава.

testaceous [tes'teiʃəs] *a* 1. с/от/като черупка; 2. керемиденочервен.

testacy ['testəsi] *n* положение на покойник, оставил валидно завещание.

testament ['testəmənt] *n* 1. *юр.* завещание (*и last will and ~*); 2. *църк.* завет, *обик.* Новият завет; **the New/the Old ~** Новият/Старият, Вехтият завет; 3. *разг.* писмено излагане на вярвания, убеждения, принципи и пр.

testamentary [testə'mentəri] *a юр.* 1. завещан; определен/предаден чрез завещание; 2. завещателен.

testate ['testeit] I. *a* оставил валидно завещание; II. *n* покойник, оставил валидно завещание.

testator [tes'teitə] *n* завещател.

testatrix [tes'teitriks] *ж.р. от* **testator**.

tester[1] ['testə] *n* **1.** човек, който проверява/подлага на изпитание/изпробва; лаборант; **2.** прибор/уред за изпробване/анализиране.

tester[2] *n* балдахин над легло/амвон/олтар.

tester[3] *n* ист. шилинг от времето на Хенрих VIII.

test-fly ['testflai] *v* ав. изпитвам самолет в полет.

testicle ['testikl] *n* анат. тестикул, тестис.

testiculate [tes'tikjulit] *a* яйцевиден, яйцеобразен.

testification [testifi'keiʃn] *n* **1.** свидетелствуване; **2.** показание.

testifier ['testfaiə] *n* свидетел (*в процес*).

testify ['testifai] *v* **1.** давам показания, свидетелствувам; **2.** изразявам лично убеждение; **3.** потвърждавам; **to ~ against** 1) отричам; 2) свидетелствувам против; **4.** заявявам тържествено/под клетва; **5.** показвам, доказвам, свидетелствувам (**to** за).

testily ['testili] *adv* раздразнено, сопнато, сприхаво; сухо.

testimonial [testi'mounjəl] *n* **1.** свидетелство, атестат; **2.** препоръка, препоръчително писмо; **3.** приветствено слово/адрес (*обик. придружено с подарък, парична сума*).

testimony ['testiməni] *n* **1.** свидетелски показания; **to bear ~ to** свидетелствувам за, потвърждавам; **2.** свидетелство, доказателство, данни; белег, показател; **the ~ of history** историческите данни; **3.** ост. тържествена декларация; **4.** библ. и pl скрижали, светото писание.

testiness ['testinis] *n* сприхавост, раздразнителност; сухота.

testing ['testiŋ] *a* изискващ огромни усилия/способности.

testis ['testis] (*pl*-**tes**[-ti:z]) = **testicle.**

test-match ['testmætʃ] *n* сп. мач от международно състезание по крикет/ръгби.

test-paper ['testpeipə] *n* **1.** хим. лакмусова хартия, лакмус; **2.** писмена контролна работа.

test-piece ['testpi:s] *n* музикален и пр. откъс, изпълнен от кандидат за участие в музикални и пр. конкурси.

test pilot ['testpailət] *n* пилот, който извършва полети за изпробване на самолети.

test-tube ['testtju:b] *n* **1.** епруветка; **2.** култура в опитна среда; **~ baby** бебе, родено в резултат на изкуствено осеменяване извън утробата на майката.

testudo [tes'tu:dou] *n* рим. ист. прикритие от щитове над обсаждащи войски.

testy ['testi] *a* сприхав, раздразнителен; обидчив.

tetanic ['tetənik] *a* подобен на/причиняващ тетанус.

tetanus ['tetənəs] *n* тетанус; мускулни спазми като при тетанус.

tetchy ['tetʃi] *a* **1.** раздразнителен; **2.** обидчив, докачлив.

tête-à-tete ['tetə'tet] *n, a, adv* фр. разговор (насаме), интимен (разговор), тет-а-тет.

tether[1] ['teðə] *n* **1.** въже/верига за връзване на животни за кол; **to be at the end of o.'s ~** на края на силите/ търпението/възможностите си съм, не мога вече; **2.** обсег/обхват на знания/власт и пр.

tether[2] *v* връзвам животно за кол.

tetrad ['tetrəd] *n* **1.** четворка, четири; **2.** група от четири; **3.** хим. четиривалентен елемент.

tetragon ['tetrəgɔn] *n* четириъгълник; **regular ~** квадрат.

tetragram(maton) ['tetrə'græm(ətɔn)] *n* четирибуквена дума; **2.** рел. евр. JHVH и др. като писмено обозначение за Йехова.

tetrahedron [tetrə'hi:drən] *n* геом. четиристен, тетраедър.

tetralogy [ti'trælədʒi] *n* тетралогия.

tetrameter [ti'træmitə] *n* проз. четиристъпен стих, тетраметър.

tetrandrous [ti'trændrəs] *a* с четири тичинки.

tetrapod ['tetrəpɔd] *a, n* четироног(о животно).

tetrarch ['tetra:k] *n* ист. тетрарх.

tetrarchy ['tetra:ki] *n* ист. тетрархия.

tetrastich ['tetrəstik] *n* проз. четиристишие.

tetrode ['tetroud] *n* физ., рад. електронна лампа с четири електрода.

tetter ['tetə] *n* екзема, лишей; **eating ~** кожна туберкулоза.

Teuton ['tju:tən] *n* тевтонец; разг. германец.

Teutonic [tju:'tɔnik] **I.** *a* тевтонски, германски; **II.** *n* прагермански език.

text [tekst] *n* **1.** текст; **2.** тема; **to stick to o.'s ~** не се отклонявам от темата си; **3.** цитат от Библията, проповед; **4.** книги/текстове, посочени като източници; **5.** едро ръкописно писмо, особ. в ръкописи (*и* **~ hand**).

textbook ['tekstbuk] *n* учебник, ръководство.

textile ['tekstail] **I.** *a* текстилен; **II.** *n* **1.** тъкан, материя, плат; **2.** обик. pl текстил, текстилни изделия.

textual ['tekstjuəl] *a* **1.** текстов; на/в текста; **2.** текстуален, буквален, дословен.

textualism ['tekstjuəlizm] *n* строго придържане към авторския текст.

textually ['tekstjuəli] *a* дословно, текстуално, точно.

textural ['tekstʃərəl] *a* **1.** на/в тъканта; **2.** на/в строежа/структурата.

texture ['tekstʃə] *n* **1.** качество на тъкан; **loose ~** рехава/рядка тъкан; \2. биол. структура на тъкан; **3.** текстура; консистенция; **4.** изк. фактура; строеж, устройство, структура; **5.** характерно качество, натюрел.

textured ['tekstʃəd] *a*: **close/loose ~** стегнат/рехав (*за плат и пр.*).

thalamus ['θæləməs] *n* **1.** анат. вътрешността на мозъка, откъдето излиза нерв, особ. зрителният; **2.** бот. чашка; **3.** гр. ист. стая за жени.

thalassic [θə'læsik] *a* морски.

thaler ['θa:lə] *n* ист. немска сребърна монета, талер.

thalidomide [θə'lidəmaid] *n* мед. успокоително средство, причиняващо деформация на крайниците на зародиша у бременна жена; **~ baby/child** бебе/дете, родено с деформации, причинени от вземането на лекарството от майката по време на бременността.

thallium ['θæliəm] *n* хим. талий.

thallophyte ['θæləfait] *n* талусно растение (*водорасло, лишей и пр.*).

thallus ['θæləs] *n* бот. талус.

than [ðæn, ðən] *cj.* отколкото, от (*със сравн. ст.*); **he is taller ~ you** той е по-висок от теб; **she is more ~ twenty** тя е над 20 години; **I'd do anything rather/sooner ~ ...** бих направил всичко друго, само не...; **easier said ~ done** по-лесно е да се каже, отколкото да се направи; **2.** освен; **anybody other ~ himself** всеки друг освен него, само не той; **no other ~ himself** никой друг/не някой друг, а самият той; **anywhere else ~ at home** всякъде другаде, само не у дома; **not known elsewhere ~ in London** неизвестен другаде освен в Лондон, известен само в Лондон; **nothing else ~** нищо друго, освен; само, изцяло; **my failure is due to nothing else ~ my own carelessness** моят неуспех се дължи изцяло на нехайството ми; **3.** когато; и (*обик. в случ.*); **hardly/scarcely... ~** едва/току-що... когато/и.

thanage ['θeiniʤ] *n ист.* **1.** титла/ранг на тан; **2.** земя под владението на тан.

thane [θein] *n* **1.** *ист.* тан; **2.** *шотл.* вожд на клан.

thank [θæŋk] *v* благодаря, благодарен съм; ~ **you** благодаря; ~ **you for the salt, please** подайте ми, моля, солта; ~ **you for nothing** *ирон.* много ти благодаря (*за отказана помощ*); **I will** ~ **you to mind your own business** не се бъркай в работите ми, ако обичаш; **I may** ~ **myself/I have only myself to** ~ **for that** сама съм си виновна за това; ~ **God/goodness/heaven(s), God be** ~**ed** *разг.* слава богу; ~ **goodness all is over** слава богу, всичко свърши.

thankful ['θæŋkful] *a* благодарен, признателен.

thankfully ['θæŋkfuli] *adv* благодарно, с благодарност.

thankless ['θæŋklis] *a* **1.** неблагодарен, непризнателен; **2.** неблагодарен; безполезен (*за работа, задача и пр.*).

thank-offering ['θæŋkɔ:fəriŋ] *n* благодарствено жертвоприношение.

thanks [θæŋks] *n pl* **1.** (израз на) благодарност; **to offer/express/extend o.'s** ~ изразявам/изказвам благодарността си; **to smile/bow o.'s** ~ усмихвам се/покланям се в знак на благодарност; ~ **to** 1) благодарение на; 2) вследствие на, заради; **we succeeded small** ~ **to you** и без твоята помощ успяхме; **small/**ирон. **much** ~ **I got for it** не получих никаква благодарност за това; **small/no** ~ **to give** ~ благодаря ти, не искам; **no,** ~ *разг.* благодаря; **to give** ~ произнасям благодарствена молитва при ядене; **2.** *разг.* = **thank you** (*вж.* **tnank**).

thanksgiving ['θæŋksgiviŋ] *n* **1.** изразяване на благодарност; **2.** благодарствен молебен; **3.** *ам.* **T. (Day)** официален празник в САЩ в памет на първите колонизатори.

that¹ [ðæt] *pron* (*pl* those [ðouz]) **1.** *demonstr* този; онзи; ~ **one** онзи (там); **(is)** ~ **you?** ти ли си?; **who's** ~? кой е (*на вратата, телефона и пр.*); ~'**s what he told me** това ми каза той; ~'**s where/how/why he lives** ето къде/как/защо живее той; **but for** ~ ако не беше това, без това; **have things come to** ~? до това ли/дотам ли е стигнала работата? **like** ~ така; по такъв начин; **and all** ~ и други подобни, и прочие; **this one and** ~ това-онова, различни неща; **(and)** ~'**s** ~ *разг.* това е то, и толкоз; **none of** ~ **now!** стига! **2.** *замества същ. за избягване на повторение:* **the scenery here is lovelier than** ~ **around our town** тук природата е по-красива, отколкото тази около нашия град; **3.** *за усилване:* **make up your mind and** ~ **at once!** решавай, и то веднага! **she is a clever girl —** ~ **she is** тя е умна девойка — наистина (умна е); **he is a fine chap —** ~ **he is not** той е славен човек — никак даже/съвсем не е такъв; **4.** *корелативно:* **those who wish to go may do so** онези, които желаят да си отидат, могат да го сторят; **(one of) those (who were) present/invited** (един от) присъствуващите/поканените; **5.** *rel с ограничаващо значение* който, когото; **the girl (**~**) I was speaking about** девойката, за която то говорех; **this is about all (**~**) I have to say** това е всичко, което мога да кажа; **there is the house (**~**) he built** ето я (там) къщата, която той построи; **the best (**~**) I can do** най-доброто, което мога да сторя; **what is it (**~**) makes you think so** какво те кара да мислиш така; **there is nothing here** ~ **matters** нищо тук не е от значение; □ ~'**s right/it!** точно така! браво! ~'**s a good boy** хайде, бъди/ти си добро момче; ~'**s a dear** хайде, бъди така мил

(*при молба за услуга и пр.*); ~'**s one of those days** това е един от онези дни, в които всичко върви наопаки.

that² *adv* **1.** *разг.* толкова, така, до такава степен; **I can't see** ~ **far** не виждам толкова далеч; **it was** ~ **big** беше ей толкова голямо; **he has done** ~ **much** (ето) толкова е направил; **it wasn't (all)** ~ **cold** не беше чак толкова студено; **2.** *rel* в който, когато, с/при и пр. който; **the day (**~**) I first met her** денят, в който/когато я видях за първи път; **at the speed (**~**) we were going we could not stop** при бързината, с която карахме, ние не можехме да спрем.

that³ *cj* **1.** че *често се изпуска*; **he said (**~**) he would come** той каза, че ще дойде; **the trouble is (**~**) I can't wait** бедата е, че не мога да чакам; **it is rather** ~ **he hasn't the money** причината е/по-скоро е това, че той няма пари; **2.** *след изрази като* **it is strange/unlikely/hardly** да; **it's unlikely** ~ **he'll be in** малко вероятно е да си е вкъщи; **3.** за да; **he lives** ~ **he may eat** той живее, за да яде; **4. so...** ~ толкова/така..., че; **I am so sleepy** ~ **I can't keep my eyes open** така ми се спи, че нищо не виждам; **5.** *желание, учудване, съжаление и пр.:* **oh,** ~ **I might see her once more!** о, да можех да я видя още веднъж! **oh,** ~ **I had never met her!** да не бях я срещал никога! **he should behave like that!** така да се държи! **to think** ~ **I knew nothing!** и аз да не зная нищо! □ **he has not been there** ~ **I know** доколкото зная, той не е бил там; **not** ~ **I know of** доколкото зная, не.

thatch¹ [θætʃ] *n* **1.** сламен/тръстиков покрив; **2.** *разг.* гъста рошава/сплъстена коса.

thatch² *v* слагам покрив от слама/тръстика.

thatching ['θætʃiŋ] *n* **1.** слагане на сламени покриви (*като занаят*); **2.** сламен/тръстиков покрив; **3.** слама/тръстика за покрив.

thaumaturge ['θɔ:mətə:ʤ] *n* чудотворец, магьосник; фокусник.

thaw¹ [θɔ:] *v* **1.** топя (се), разтопявам (се); *прен.* загубвам хладината си (*за човек*) (*и с out*); **2.** *разг.* (по)затоплям се (*за човек, време и пр.*); **3.** поотпускам се, ставам по-приветлив.

thaw² *n* топене, размразяване; отпускане, затопляне (*на времето*).

the [ðə] (*пред съгласна*); [ði] (*пред гласна и нямо h*); [ði:] (*под ударение*); *def. article* **1.** *с определящо знач.:* ~ **man in** ~ **corner** човекът в ъгъла; **England of** ~ **Tudors** Англия от времето на Тюдорите; **2.** *с родово знач.:* ~ **whale is a mammal** китът е млекопитаещо; **3.** *с редни числ. и прев. ст.:* **Edward** ~ **Seventh** Едуард VII; **in** ~ **last row** на последния ред; **4.** *с географски имена, имена на вестници и пр.:* **USA** САЩ; ~ **Hague** Хага; ~ **Alps** Алпите; ~ **Thames** Темза; ~ **Atlantic (Ocean)** Атлантическият океан; ~ **Times** в. Таймз; ~ **Browns** сем. Браун; **5.** *с разпределително знач.:* **50 p.** ~ **pound** по 50 пенса фунта; **four apples to** ~ **pound** по 4 ябълки в един фунт; **eight minutes to** ~ **mile** осем минути на миля; **6.** *със знач. на показ. мест.:* **at** ~ **moment** в момента, в този момент; **I like** ~ **man** харесва ми този човек; **7.** *със субстантивирано прил.:* 1) *в ед. ч. с отвлечено знач.:* ~ **sublime** възвишеното; 2) *в ед. ч. със знач. на мн. ч.:* ~ **poor** бедните; ~ **English** англичаните; 3) *в мн. ч.:* ~ **conservatives** консерваторите; 4) *с прил., означаващо езика на да* *ден народ*: **translated from ~ Spanish** преведено от испански; **8.** *с имената на някои болести*: **~ measles** шарка; **~ mumps** заушки; **9.** [ði:] (*винаги ударено*): **he too is Walter Scott but not ~ Walter Scott** и той е Уолтър Скот, но не прочутият Уолтър Скот; **he is ~ specialist on** той е най-добрият/най-известният специалист по; **tea is ~ drink for a cold** чаят е най-доброто питие, когато човек е настинал; **10.** *във възклицания*: какъв; **~ cheek!** какво нахалство!

the² *adv със сравн. ст.* **1.** още по-, толкова по-; **it will be ~ easier for you as you are younger** на тебе ще ти бъде още по-лесно, защото си по-млад; **so much better/~ worse for him** толкова по-добре/по-зле за него; **2.** колкото... толкова; **~ more I read ~ more I forget** колкото повече чета, толкова повече забравям; **less said about it ~ better** колкото по-малко говорим за това, толкова по-добре; да не говорим за това.

theatre ['θɪətə] *n* **1.** театър; **to go to the ~** ходя/отивам на театър; **open-air ~** театър на открито, летен театър; **the ~ of cruelty** театърът на ужаса; **the ~ of the absurd** театърът на абсурда; **picture ~** кинотеатър; **2. the ~** драма, драматургия; **3.** сценично изкуство; **this play is good ~** тази драма е сценична; **4.** амфитеатрална аудитория; **5.** *мед.* операционна зала; **6.** арена; **~ of operations/war** ~ арена на военни действия.

theatre-goer ['θɪətəgouə] *n* редовен посетител/любител на театъра.

theatre-going ['θɪətəgouɪŋ] *n* посещение на театри.

theatric [θɪ'ætrɪk] = **theatrical**.

theatrical [θɪ'ætrɪkl] *a* **1.** театрален, драматичен; сценичен; **2.** *пренебр.* театрален, мелодраматичен; показен, гонещ външни ефекти; изкуствен; **3.** надут, пищен.

theatricals [θɪ'ætrɪkəlz] *n pl* театрални представления, *особ.* любителски; **amateur ~** театрална самодейност.

theatricality [θɪætrɪ'kalɪtɪ] *n* **1.** *пренебр.* театралност, неестественост; показност; **2.** надутост, пищност.

Theban ['θi:bən] **I.** *a* тивански; **II.** *n* жител на гр. Тива, тиванец.

theca ['θi:kə] *n* (*pl* -**cae** [-si:]) **1.** *бот.* капсула; **2.** *зоол.* обвивка на какавида и пр.

thee [ði:] *pron pers ост.* косвен падеж *от* **thou** те, тебе, ти.

theft [θeft] *n* кражба.

thegn [θeɪn] = **thane**.

theine ['θi:ɪn] *n хим.* теин.

their [ðeə] *pron pers attr* техен.

theirs [ðeəz] *pron poss predic* техен; **this is mine and that is ~** това е мое, а онова тяхно; **he is a good friend of ~** той е техен добър приятел.

theism ['θi:ɪzm] *n фил.* теизъм.

them [ðem] *pers. pron* косвен падеж *от* **they 1.** тях, ги, им. **2.** *разг.* = **those.**

fhematic [θɪ'mætɪk] *a* **1.** тематичен, по тема; **~ catalogue** тематичен каталог; **2.** *грам.* тематичен.

theme [θi:m] *n* **1.** тема (*и муз.*); **2.** *грам.* основа; **3.** сигнал на радиостанция или при започване/свършване на радиопрограма.

theme-song ['θi:msɔŋ] *n* (основна) мелодия на филм и пр.

themselves [ðem'selvz] *pron* **1.** *refl* се, себе си, си, тях си;

they enjoyed ~ те се забавляваха; **2.** *emph* те самите, лично те.

then¹ [ðen] *adv* **1.** тогава, по това/онова време; **I was still a student ~** тогава бях още ученик; **the ~ existing laws** съществуващите по онова време закони; **~ and there, there and ~** още там, на самото място, на момента, веднага; **before ~** преди това, по-рано; **I shall wait till ~** ще чакам дотогава; **I shall be there by ~** ще бъда вече там дотогава; **2.** после, след това; **I had a week in Venice and ~ went to Rome** прекарах една седмица във Венеция и после отидох в Рим.

then² *cj* **1.** тогава, в такъв случай; следователно, значи; **take it ~ if you need it so much** вземи го тогава, щом толкова ти трябва; **if he read it ~ he knows** ако го е чел, значи знае; **~ why did he do it?** в такъв случай защо го е направил? **2.** освен това, също така, а/пък и; **~ there is my sister — you must not forget her** и после сестра ми — не бива да забравяш за/и нея; **(and) ~ you must remember it won't be easy for me** пък и не трябва да забравяш, че няма да ми е лесно; **3. all right/(very) well ~** добре тогава, добре де; **very well ~ have it your own way!** добре де, прави каквото искаш/както знаеш; **now ~** 1) и тъй/така...; **now ~, let's begin our lesson** и така, да започнем урока; 2) е-е! (*изразява протест, недоволство, предупреждение*); **now ~, stop talking, please?** е, (хайде) престанете да разговаряте, моля!

then³ *a* тогавашен, от онова време; **the ~ secretary** тогавашният секретар.

thenar ['θi:nə] *n анат.* **1.** длан; **2.** ходило, стъпало, тенар.

thence [ðens] *adv книж.* **1.** оттам; **2.** оттогава нататък; **a year ~** една година след това/по-късно; **3.** оттам, от това; затова, следователно; **~ it follows that** от това/оттук следва, че.

thenceforth, -forward [ðens'fɔ:θ, -'fɔ:wəd] *adv* оттогава насам.

theocracy ['θi'ɔkrəsi] *n* теокрация.

theodolite [θi'ɔdəlait] *n геод.* теодолит.

theogony [θi'ɔgəni] *n* **1.** дял от езическата теология, занимаваща се с произхода и родословието на боговете; **2.** поема за произхода на боговете.

theologian [θi:ə'louʤɪən] *n* теолог, богослов.

theological [θi:ə'lɔʤɪkl] *a* богословски.

theology [θi:'ɔləʤɪ] *n* теология, богословие.

theophany [θi:'ɔfəni] *n* явяване на бог пред хората в човешки вид.

theorem ['θɪərem] *n* теорема.

theoretic(al) [θɪə'retɪk(əl)] *a* теоретичен, теоретически.

theoretically [θɪə'retɪkəli] *adv* теоретично, на теория.

theoretician, theorist [θɪəri'tiʃən, 'θɪərist] *n* теоретик.

theorize ['θɪəraiz] *v* теоретизирам.

theory ['θɪəri] *n* **1.** теория; **~ of music** теория на музиката **atomic ~** атомна теория; **probability ~** теория на вероятностите; **in ~** на теория, теоретически; **2.** *разг.* теория, мнение.

theosophical [θi:ə'sɔfɪkl] *a* теософски.

theosophist [θi'ɔsəfist] *n* теософ.

theosophy [θi'ɔsəfi] *n* теософия.

therapeutical [θerə'pjutikl] *a* терапевтичен, лечебен.

therapeutics [θerə'pjutiks] *n pl* терапевтика; терапия.

therapeutist [θerə'pjutist] *n* терапевт.

therapy ['θerəpi] *n и в съчет.* терапия; **radio- ~** радиотерапия.

there¹ [ðeə] *adv* **1.** там; **~ it is!** 1) ето го! 2) това е то! **~ you are!** 1) ето те/ви! 2) ето какво стана! ето (ти) на! ~ **they come** ето ги, идат; ~ **goes the train** 1) ето го влакът; 2) ето че влакът замина/тръгна; **he left** ~ **last night** той замина оттам снощи; ~ **and then** още там, веднага; **we are (nearly)** ~ почти стигнахме вече; **halo/hi/you** ~! ей, ти там! **I have been** ~ **before** *sl.* знам ги тия работи, разбираме ги ние тия (неща); **to be all** ~ умен съм; с всичкия си съм; бива ме; **not to be all** ~ не съм с всичкия си, липсва ми нещо; **to get** ~ *разг.* постигам целта си, успявам; ~ **or thereabouts** горе-долу толкова/тогава; там някъде, татък; ~ **and back** дотам и обратно; 2. тук, по този въпрос/пункт, в този случай; **her attitude** ~ **is wrong** нейното отношение по този въпрос е погрешно; ~ **is where I disagree with you** тук/по този пункт именно не съм съгласен с теб; 3. ~ + **to be** има (безлично за наличие); ~ **is only one** има само един; ~ **are two** има две; ~ **is a page missing** липсва една страница; ~ **is no stopping him** той няма спиране, не можеш да го спреш; **for** ~ **to be progress** ~ **must be peace** за да има прогрес, трябва да има мир; 4. *пред някои непреходни гл.* не се превежда: ~ **comes a time when** идва време, когато; ~ **remains nothing for me to do but** нищо друго не ми остава да направя освен; ~ **once lived** живял някога/едно време.

there[2] *int* 1. ето (на)! вземи! ето ти! на (ти)! (*при плесница, удар и пр.*); 2. ~ (**you are)!** ето на! казах ли ти! 3. **so** ~! ето! на пък! пък на! (*на пук*); 4. ето, найпосле (*свърших, успях, отървах се и пр.*); 5. ~, ~! хайде, хайде (*не плачи, не се ядосвай и пр.*); 6. ~'s **a good boy/a dear!** хайде/браво, ти си добро момче!

thereabout(s) [δεərə'baut(s)] *qdv* приблизително/горе-долу толкова/тогава; там, татък; **he lives in Soho or** ~ той живее в Сохо или там някъде наблизо; **she must be thirty or** ~ тя трябва да е на около 30 години.

thereafter [δεər'a:ftə] *adv книж.* след това, после, впоследствие; оттогава насам/нататък.

thereat [δεər'æt] *adv ост.* там; след това; във връзка с това, по тази причина/повод.

thereby [δεə'bai] *adv* 1. така, по този/такъв начин; 2. по това, във връзка с това; **and** ~ **hangs a tale** и по този повод има какво да се разкаже, и това е свързано с една история.

therefor [δεə'fɔ:] *adv* за това, за тази цел.

therefore ['δεəfɔ:] *adv* по тази причина, затова; следователно.

therefrom [δεə'frɔm] *adv* от това, оттам.

therein [δεər'in] *adv* 1. там, на това място; 2. в това отношение; 3. *ам.* тогава.

thereinafter [δεərin'a:ftə] *adv юр.* пак там, по-долу, в следващата част/дял на документа и пр.

thereinbefore [δεərinbi'fɔ:] *adv юр.* пак там, по-горе (*в документ и пр.*).

thereof [δεər'ɔv] *adv* 1. от това, от него, от този източник; 2. на това, на него.

thereon [δεər'ɔn] *adv* 1. на/върху него; **a text with a comentary** ~ текст с коментар към него; 2 = **thereupon**.

thereto [δεə'tu:] *adv* към/в добавка към него.

theretofore [δεətə'fɔ:] *adv* дотогава, до/преди това време, по-рано.

thereunder [δεər'ʌndə] *adv* под него, по-долу.

thereunto [δεər'ʌntu:] = **thereto**.

thereupon [,δεərə'pɔn] *adv* 1. тогава, после; веднага/наскоро след това; 2. в резултат/вследствие на това; затова; във връзка с това.

therewith [δεə'wiδ] *adv* 1. с това; към/в добавка към това; 2. веднага след това.

therewithal [,δεəwiδ'ɔ:l] *adv* освен, заедно с, в добавка към.

theriac [θiəriək] *n* 1. лек против ухапване от змия и пр.; 2. *ам.* лек за всичко, панацея.

theriomorphic [θiəriə'mɔ:fik] *a* с форма/образ на животно (*особ. за божество*).

therm [θə:m] *n физ.* терм (*единица мярка за топлина*).

thermal[1] ['θə:məl] *a* 1. топлинен, термичен; калоричен; ~ **unit** калория (*единица мярка за топлина*); ~ **power station** топлоелектрическа централа; ~ **reactor** атомен термореактор; 2. горещ, термален, минерален (*за извор*).

thermal[2] *n* отвесно издигащ се поток от топъл въздух.

thermic ['θə:mik] *a* топлинен, термичен.

thermion ['θə:maiən] *n физ.* термоелектрон, термион.

thermionic [θə:mi'ɔnik] *a физ.* термоелектронен, термионен; ~ **rectifier** кенотрон.

thermit, thermite ['θə:mit, 'θə:mait] *n тех.* термит; ~ **welding** термитна спойка/заварка.

thermo- ['θə:mou] *pref* термо-, топло-.

thermochemistry [θə:mou'kemistri] *n* термохимия.

thermocouple ['θə:moukʌpl] *n ел.* термоелемент, термодвойка.

thermodynamics ['θə:moudai'næmiks] *n pl с гл. в sing* термодинамика.

thermoelectricity ['θə:mouilek'trisiti] *n* термоелектричество.

thermogenesis ['θə:mou'dʒenisis] *n биол.* термогенеза.

thermograph ['θə:mougra:f] *n* самопишещ термометър, термограф.

thermometer [θə'mɔmitə] *n* термометър, топломер; **clinical** ~ медицински/живачен термометър.

thermonuclear [θə:mou'njukliə] *a* термоядрен; ~ **bomb** водородна бомба.

thermoplastic [θə:mou'plæstik] *a, n* (вещество/материя/материал) който става мек и пластичен при загряване, термопластичен.

thermoregulation [,θə:mouregju'leiʃn] *n биол.* терморегулация.

thermoregulator ['θə:mouregju'leitə] *n* терморегулатор; термостат.

thermos ['θə:məs] *n* термос (*u* ~ **flask**).

thermosetting [θə:mou'setiŋ] *a* трайно втвърдяващ се след нагряване и оформяне (*за пластмаса*).

thermosphere ['θə:mousfiə] *n* термосфера.

thermostable [,θə:mou'steibl] *a* топлоустойчив.

thermostat ['θə:moustæt] *n* термостат; терморегулатор.

thermotaxic [θə:mou'tæksik] *a физиол.* терморегулиращ.

thesaurus [θi'sɔ:rəs] *n* (*pl* **-ri** [-rai]) 1. съкровищница, източник (**of**); 2. източник на информация; изчерпателен речник; енциклопедия.

these *вж.* **this**[1].

thesis ['θi:sis] *n* (*pl* **-ses** [-si:z]) 1. теза; тезис; 2. дисертация.

Thespian ['θespiən] I. *a* драматичен, трагически; II. *n* актьор.

theta ['θi:tə] *n* гръцката буква тета.

theurgic(al) [θi:'ə:dʒik(l)] *a* магически, вълшебен.

theurgist [θi:'ə:dʒist] *n* магьосник, вълшебник, чародей.

theurgy ['θi:ə:dʒi] *n* магия, вълшебство, чародейство.

thews [θju:z] *n pl* 1. мускули, мишци; телесна сила; 2. сила, енергия, жизнеспособност; морална/душевна сила.

they [δei] *pers pron* 1. те; ~ **who** тези, които; 2. хората; ~ **say** (хората) казват/разправят; **so** ~ **say** така казват/говорят.

thick¹ [θik] *a* **1.** дебел, плътен; черен (*за шрифт*); **an inch** ~ дебел един цол; **a** ~ **ear** подуто (*от плесница*) ухо; **the** ~ **end of the stick** дебелият край на тоягата; *прен.* най-лошата част на нещо (*сделка и пр.*); **2.** гъст, плътен, сбит; чест, рунтав, буен, гъст (*за коса и пр.*); ~ **with dust** покрит с дебел слой прах, потънал в прах; **air** ~ **with snow** въздух, премрежен/забулен от сняг; **trees** ~ **with leaves** силно разлистени/зашумени дървета; **to grow** ~**er** увеличавам се, сгъстявам се (*за тълпа и пр.*); **3.** изобилен, многоброен; чест; **4.** мътен, кален; **5.** мъглив, облачен, пребулен; мрачен; опушен (*за време и пр.*); **the air is** ~ *прен.* атмосферата е натегната/нажежена; **6.** непроницаем (*за мрак, мъгла*); **7.** глух, неясен, хрипкав, пресипнал (*за глас*); **8.** глупав, тъп; **9.** близък, интимен; (**as**) ~ **as thieves** неразделни другари; **10.** *predic разг.* прекален, мъчно поносим, нетърпим; **that's a bit/rather** ~ това е безобразие, прекаляваш.

thick² *n* **1.** най-гъстата част; **in the** ~ **of the wood** сред/вдън гората; **2.** дебелата част на нещо (*палец и пр.*); **3.** най-оживената част; **in the** ~ **of** в разгара на; **in the** ~ **of it/things** във водовъртежа на събитията; **through** ~ **and thin** решително, въпреки всички пречки, всякак; **to go through** ~ **and thin** преодолявам всички трудности, не отстъпвам пред нищо; **4.** *уч. sl.* тъпак.

thick³ *adv* **1.** дебело; **to spread the butter** ~ мажа маслото дебело, намазвам с дебел слой масло; **the snow/dust lay** ~ **everywhere** дебел пласт сняг/прах покриваше всичко; **2.** (на)гъсто, (на)често; силно; **to sow** ~ засявам нагъсто; **his heart beat** ~ сърцето му биеше учестено/силно/ускорено; ~ **and fast** начесто, едно след друго; **to fall/come** ~ (**and fast**) сипя се, посипвам се (*за сняг, удари и пр.*); **3.** неясно; с преплитащ се език; с пресипнал глас.

thicken ['θikən] *v* **1.** сгъстявам (се); тепам, валям (*платно*); **2.** сгъстявам се; увеличавам се, нараствам; **3.** усложнявам се, заплитам се (*за интрига и пр.*); **4.** ставам неясен/неразбран (*за глас и пр.*).

thicket ['θikit] *n* гъстак, гъсталак.

thickhead ['θikhed] *n* глупак, дръвник.

thick-headed ['θikhedid] *a* глупав, тъп.

thickish ['θikiʃ] *a* **1.** дебеличък, въздебел; **2.** гъстичък.

thickness ['θiknis] *n* **1.** дебелина; **2.** гъстота; плътност; сбитост; **3.** пласт, слой.

thickset¹ ['θikset] *a* **1.** нагъсто засаден; засаден на гъсти редове; **2.** нисък, набит; як, здрав.

thickset² *n* **1.** гъст жив плет (*и* ~ **hedge**); **2.** *текст.* четворно платно.

thick-skinned ['θikskind] *a прен.* безчувствен, дебелокож.

thick-skulled ['θikskʌld] = **thick-headed**.

thick-witted ['θikwitid] = **thick-headed**.

thief [θi:f] *n* (*pl* **thieves** [θi:vz]) крадец.

thieve [θi:v] *v* крада, извършвам кражби.

thievery ['θi:vəri] *n* крадене, кражба, апашлък.

thieves *вж.* **thief.**

thigh [θai] *n* бедро.

thigh-bone ['θaiboun] *n* бедрена кост.

thill [θil] *n* ок.

thimble ['θimbl] *n* **1.** напръстник; **2.** метален край/капаче; *тех.* съединител, муфа, втулка; **3.** *мор.* метален наконечник на въже.

thimbleful ['θimblful] *n* **1.** малко количество; мъничко; **2.** *разг.* малка глътка питие.

thimblerig ['θimblrig] *n* **1.** панаирджийски фокус с три напръстника и грахово зърно; **2.** *прен.* измама, мошеничество.

thin¹ [θin] *a* **1.** тънък, тъничък; **to wear** ~ изтънявам, излинявам, изтърквам се (*за плат и пр.*); **my skirt has worn** ~ полата ми се протри от носене; **2.** слаб, слабичък; мършав; **as** ~ **as a lath/rail, etc.** слаб като вейка; **to get/grow/become/wear** ~ отслабвам; **3.** намалявам постепенно (*и за действие на лекарство и пр.*); **my patience is wearing** ~ търпението ми е на изчерпване; **4.** слаб, рядък, разводнен, воднист (*за разтвор и пр.*); **5.** рядък, тънък, оредял, оскъден (*за коса, посев и пр.*); ~ **on top** оплешивял; **6.** рядък, разреден (*за въздух, газ*); ~ **air** *прен.* невидимост, несъществуване; **to appear out of** ~ **air** появявам се (като) изневиделица; **to disappear into** ~ **air** изчезвам безследно/като дим; **7.** тънък, слаб (*за глас*); **8.** малоброен, малочислен; **a** ~ **house** *театр.* слабо посетено представление; **9.** *прен.* плитко скроен, прозрачен, прозиращ; шит с бели конци; **a** ~ **excuse** слабо/неубедително извинение/претекст; **10.** беден, безсъдържателен (*за сюжет, фабула и пр.*); **11.** слаб, блед, неясен, неконтрастен (*за цвят, светлина*); □ **to have a** ~ **time (of it)** *sl.* прекарвам зле, имам си трудности/неприятности; ~ **on the ground** малоброен, малочислен; **a bit/rather/a little too** ~ невъзможен, нетърпим; **a** ~ **market** замрял пазар.

thin² *v* (-nn-) **1.** тънея, изтънявам; слабея, отслабвам; **2.** редея, оредявам; намалявам; **3.** намалявам броя на, разреждам, прореждам (*разсад, плодове и пр.*); разреждам, разбивам; разводнявам;

    thin away 1) намалявам; 2) изтънявам, изострям (се);

    thin down 1) слабея, отслабвам; 2) намалявам (се), смалявам (се);

    thin out 1) редея, оредявам; 2) разредявам (се), разреждам (се); намалявам броя на, прореждам (*разсад и пр.*).

thine [ðain] *poss pron predic, attr* твой.

thing [θiŋ] *n* **1.** нещо, предмет, вещ; **not a** ~ нищо, нищичко; **there was hardly a** ~ **to eat** нямаше почти нищо за ядене; **2.** *pl* вещи, принадлежности; багаж; дрехи, облекло; ~**s personal/real** *юр.* лични вещи движимо имущество/недвижимо имущество, имот; **take off your** ~**s** свали си палтото, шапката, съблечи се; **3.** *pl* сечива, инструменти; **4.** *pl* прибори, съдове; **5.** нещо, работа, постъпка; въпрос; факт, случай, явление, обстоятелство; **good** ~ сполучлива шега, остроумна забележка; добра сделка; добро/хубаво нещо; **the good** ~**s of life** благата на живота; **as a general** ~ изобщо; **as a usual** ~ обикновено; **the** ~ **is that** въпросът е, че; **it's a good** ~ (**that**) добре е, че; **that is not the same** ~ това не е едно и също; **as** ~**s are** при сегашното положение на нещата; **as** ~**s go** както вървят/се развиват нещата; **have** ~**s come to that?** дотам ли е стигнала работата, дотам ли се е стигнало? **6.** нещо необходимо/важно/истинско и пр.; **the** ~, **just/quite the** ~, **the right/very** ~ тъкмо това, което трябва/което се иска; **a good rest is just the** ~ **for you** това, от което имаш нужда, е една хубава почивка; **it is not**

(quite) the ~ to не е прилично/прието да; **the latest/last ~ in hats/shoes** шапки/обувки по последна мода; **quite the ~** съвсем модерно, най-модерно, по последната мода; 7. човек, същество; **a dear old ~** стара бабка, мил/симпатичен дядка; **young ~** младо същество, младеж, девойка; **a ~ like him** тип/гад като него; **dumb ~s** безсловесни същества; □ **above all ~s** преди/над всичко; **well, of all ~s!** как можа да се случи (точно това/така)! да не очакваш просто! **among other ~s** към/освен това, между другото; **and ~s** и други такива, и подобни, и така нататък; **(the) first ~** най-напред, първото нещо; **I'll do it (the) first ~ in the morning** първата ми работа утре сутрин ще бъде да направя това; **(the) first ~s first** най-важните работи — най-напред; **(the) last ~** 1) накрая, в последната минута; 2) всичко друго, само не това; **for one ~** първо (напърво); **for one ~ ... for another** едно че... и друго; **(the) next ~** след това; **other ~s being equal** при еднакви във всяко друго отношение условия; **no such ~** нищо подобно, съвсем не, никак даже; **not to know the first ~ about** хабер си нямам от; **that's one ~ certain** това е едно на ръка; **to do the handsome ~ by** отнасям се добре/внимателно към; **to know a ~ or two** зная това-онова, не съм вчерашен, и аз разбирам нещо; **to have a ~** *разг.* 1) не мога да търпя/понасям; 2) побъркан съм на (*тема*); **to make a good ~ (out) of** извличам полза от; печеля добри пари от; **to make a ~ of** отдавам преголямо значение на, суетя се около, правя голям въпрос от, считам за много важно; **well, of all ~s!** и таз хубава! **it's (just) one of those ~s** такава е положението, нищо не може да се направи, не можеш да го избегнеш; **to see ~s** 1) имам халюцинации, привижда ми се; 2) фантазирам, въобразявам си; **above all ~s** преди/над всичко, повече от всичко друго; **taking one ~ with another** като размисли човек; **and another ~** и още нещо; **to do ~s to** действувам/въздействувам силно на/върху; **to do o.'s ~** 1) постъпвам без задръжки/както ми е свойствено; 2) върша/свършвам нещо, за което ме бива/което ме интересува/влече; **to make ~s worse, it started raining** и стига това, ами взе, че и заваля.

thingamy, thingumajig, thingum(a)bob, thingummy [ˈθɪŋɡəmɪ, ˈθɪŋəməʤɪg, ˈθɪŋəm(ə)bɔb] *n разг.* кажи го де, как му беше името, как му викаха; **the ~** филанкишията.

think[1] [θɪŋk] *v* (thought [θɔːt]) 1. мисля, помислям; замислям се; на мнение съм; **as I ~** според мен; **I ~ so** мисля, че да, имаш право; **I ~ not** мисля, че не. грешиш; **so I thought, I thought that/as much** така си и мислех/помислих; **I ~ with you** и аз мисля като теб, на твоето мнение съм; **to ~ within o.s.** мисля си; **to ~ for o.s.** мисля самостоятелно; **to ~ again** променям намерението/решението си; **he never stops to ~** той никога не се замисля; **just/only ~** ти само/просто помисли; **I don't ~** ами! как не! **to ~ (that) it should come to this** как можа да се стигне дотам; 2. мисля, смятам, считам, предполагам; **he ~s her clever** той я смята за/намира, че е умна; **I do not ~ it prudent** не намирам, че е/мисля, че не е благоразумно; **I ~ it fit/proper** намирам за добре, считам за уместно; 3. сещам се, идва ми на/минава ми през ум (**to** да *с inf*); **I never thought to ask** не се сетих/и на ум не ми дойде да попитам; 4. представям си, въобразявам си; раз-

бирам; **I can't ~ how.../what...**, etc. не мога да разбера/да си представя как.../какво... и пр.; 5. смятам, мисля, възнамерявам (**to** да); □ **to ~ big** имам/проявявам големи амбиции; **to ~ o.s. silly** оглупявам/видиотявам се от мислене; **let's ~ no more of (it)** да забравим (това); **to ~ better of** променям мнението/решението си за;

think about 1) обмислям, обсъждам (*идея, план и пр.*); 2) мисля/имам оформено мнение за; **I do not care what other people ~ about him** не ме е грижа какво мислят/какво е мнението на другите за него; 3) мисля за, интересувам се от; **she ~s about nothing but clothes and hairstyles** тя се интересува само от дрехи и фризури; 4) мисля си/припомням си за, размишлявам върху; **it doesn't bear ~ing about** страшно/непоносимо е да си го помислиш;

think ahead 1) мисля в перспектива; 2) вземам предварително мерки;

think away 1) размишлявам, мисля упорито; 2) отстранявам (*болка и пр.*) чрез самовнушение;

think back припомням си и отдавна минали неща; връщам се мислено назад (**to** към);

think for *ост.* предполагам, смятам; представям си; подозирам; **you will miss them more than you ~ for** те ще ти липсват повече, отколкото си мислиш/предполагаш;

think of 1) мисля/помислям за; намислям си, възнамерявам; имам предвид; **he is ~ing of going to Spain next year** той възнамерява да ходи в Испания догодина; **I wouldn't ~ of doing such a thing** не бих и помислил да направя такова нещо; **such thing is not to be thought of** не може и дума да става за такова нещо; 2) спомням си/сещам се/досещам се за; **I know the man you mean but I can't ~ of his name** зная за кого говориш, но не се сещам (за) името му; 3) имам оформено мнение за; **what do you ~ of her son?** какво е мнението ти за сина й? **to ~ highly/much/well/a great deal of** имам високо мнение за; **to ~ little of** нямам високо мнение за; **to ~ badly/ill of** имам лошо мнение за; **to ~ nothing of** вижда ми се нищо/дребна работа; не обръщам много внимание/не отдавам голямо значение на; **~ nothing of it** няма защо/нищо, дребна работа (*в отговор на изказана благодарност*); 4) мисля за, вземам под внимание, съобразявам се с; **I have a wife and children to ~ of** аз имам/трябва да се грижа за жена и деца; 5) предлагам; **who first thought of the idea?** кой пръв даде тази идея? **can you ~ of a better phrase?** можеш ли да се сетиш за/да предложиш по-подходящ израз?

think out 1) премислям; обмислям; 2) намислям, измислям, скроявам; **the plan had been carefully thought out** планът беше внимателно обмислен/изработен;

think over помислям си по/върху, обмислям (*предложение и пр.*);

think through обмислям, премислям внимателно;

think up *разг.* измислям, съчинявам, скалъпвам, скроявам; измъдрям.

think[2] *n разг.* мислене; размишление; **to have a ~ about** помислям си/поразмислям върху.

thinkable [ˈθɪŋkəbl] *a* мислим; възможен, осъществим.

thinker [ˈθɪŋkə] *n* мислител.

thinking¹ ['θiηkiη] *a* мислещ, разумен; интелектуален; ~ **mug** *sl.* глава, кратуна, тиква, чутура; ~ **part** *театр.* роля без думи; **to put on o.'s** ~ **cap** размислям се върху/обмислям проблем и пр.

thinking² *n* мисъл, начин на мислене; размисъл, размишление; мнение; **to my** ~ по мое мнение/преценка, според мен; **that is my way of** ~ така мисля аз, това е моето мнение.

think piece ['θiηkpi:s] *n ам. разг. жур.* обзорна аналитична статия върху събития и пр.

think-tank ['θiηktæηk] *n* **1.** институт/организация/група, даваща съвети и идеи по обществени/технологични/ търговски проблеми; **2.** *sl.* ум, акъл, тиква, кратуна.

thin-skinned ['θinskind] *a прен.* чувствителен, обидчив; лесно уязвим.

third¹ [θə:d] *a* трети; ~ **person** *грам.* трето лице; *юр.* свидетел, трето лице; **the** ~ **house** *ам.* кулоарите на конгреса; ~ **degree** 1) трета степен/разряд; 2) прилагане на морален/физически тормоз за изтръгване на признания; ~ **party** *юр.* трето лице/страна в процес.

third² *n* **1.** (една) третина/трета (част); **2.** *муз.* терца.

third class ['θə:dkla:s] *a* **1.** третокласен; **2.** третостепенен, малоценен, долнокачествен; незначителен.

third-rate ['θə:dreit] *a* треторазряден, долнокачествен, малоценен.

third-rater ['θə:dreitə] *n* долнопробен човек; долнокачествено нещо.

Third World ['θə:dwə:ld] *n* (страните от) третия свят.

thirst¹ [θə:st] *n* жажда (*и прен.*) (**of, for, after**); **to quench/slake/satisfy o.'s** ~ утолявам жаждата си; **to have a** ~ *разг.* пие ми се нещо, жаден съм (**for** за).

thirst² *v* **1.** изпитвам жажда, жаден съм; **2.** *прен.* жадувам, копнея (**for, after** за).

thirsty ['θə:sti] *a* **1.** жаден, измъчван от жажда; **2.** *разг.* предизвикващ/причиняващ жажда (*за храна, работа, спорт и пр.*); **3.** изсъхнал, пресъхнал, зажаднял за дъжд (*за земя*); сух, сушав (*за годишно време*); **4.** *прен.* жаден, зажаднял, жадуващ (**for** за).

thirteen [θə:'ti:n] *n* тринадесет.

thirteenth [θə:'ti:nθ] **I.** *a* тринадесети; **II.** *n* една тринадесета (част).

thirtieth ['θə:tiiθ] **I.** *a* тридесети; **II.** *n* една тридесета (част).

thirty ['θə:ti] *n* тридесет; **the thirties** тридесетте години на човек/столетие; **she is just out of her** ~**ies** тя току-що навърши тридесет години.

this¹ [ðis] *a, pron* (*pl* **these** [ði:z]) тоз, този, тоя (*за нещо близко по място, време*); **what is** ~? какво е това (тук)? ~ **country** тази страна (*нашата, в която се намираме*); ~ **day** днешният ден, днес; ~ **day week** на днешния ден след/преди една седмица; **to/until** ~ **day** до днес, до ден днешен; **these days** сега, в наши дни; **one of these days** някой ден, тия/в близките дни; ~ **side of midnight** преди полунощ; ~ **way** насам; ~ **and that** този и онзи, това-онова; ~, **that and the other** всякакви/най-различни/всевъзможни неща; **at/upon** ~ тук, тогава, казвайки и пр. това; **by** ~ **time** (до това време) вече; **for all** ~ въпреки всичко това; **like** ~ (ето) така/по този начин; ~ **is how/why** ето как/защо; ~ **here** *вулг.* ей тоя; **what's all** ~ (**about**)? какво има? какво става?

this² *adv разг.* ей толкова; ~ **much** ето толкова; ~ **high/long/far, etc.** ей толкова високо/дълго/далече и пр.

thisness ['ðisnis] *n* същина, същност, индивидуалност.

thistle ['θisl] *n бот.* магарешки бодил, паламида и др. бодливи растения; **the Order of the T.** шотландски рицарски орден.

thistledown ['θisldaun] *n* семена/хвърчилки на магарешки бодил; **as light as** ~ лек като пух.

thistly ['θisli] *a* **1.** обрасъл с магарешки бодли; **2.** бодлив.

thither ['ðiðə] *adv ост.* натам, нататък; ~ **to** дотогава, до това време.

thitherwards ['ðiðəwədz] *adv ост.* натам, нататък.

tho' = **though**.

thole [θoul] *n* ключ за гребло на лодка (*и* ~**-pin**).

Thomism ['toumizm] *n фил.* схоластическа доктрина на Тома Аквински.

thong¹ [θɔη] *n* **1.** ремък, каиш; **2.** камшик.

thong² *v* **1.** слагам ремък на; **2.** бия с камшик.

thoracic [θɔ:'ræsik] *a* отнасящ се до гръдния кош, торакален.

thorax ['θɔ:ræks] *n* (*pl* **thoraces** ['θɔ:rəsi:z]) *анат.* гръден кош.

thorium ['θɔ:riəm] *n хим.* торий.

thorn [θɔ:n] *n* **1.** шип, трън, бодил, бодило; **a** ~ **in o.'s side/in the flesh of one** трън в очите; **to be/sit on** ~**s** седя като на тръни; **2.** бодлив храст/дърво; трън, трънка; глог; драка; ~ **bush** бодлив храст; ~ **bushes** трънак; **a crown of** ~**s** трънлив венец; **3.** руническият знак за th.

thorn-apple ['θɔ:næpl] *n* (бодливият плод на) татул (Datura stramonium).

thornback ['θɔ:nbæk] *n бот.* **1.** морска котка, скат; **2.** голям морски паяк (Maja squinado).

thorn hedge ['θɔ:nhedʒ] *n* трънлив/бодлив плет.

thorny ['θɔ:ni] *a* трънлив, бодлив; *прен.* тежък, труден; ~ **path** трънлив път; ~ **problem** труден за разрешение проблем; ~ **subject** деликатен въпрос, опасна тема.

thorough ['θʌrə] *a* **1.** цял, пълен, съвършен, истински; **a** ~ **scamp** истински/цял калпазанин; **a** ~ **musician** завършен музикант; **I have caught a** ~ **chill** простудил съм се здравата; **2.** основен, радикален, дълбок; **a** ~ **cleaning** основно почистване; **3.** грижлив, усърден, старателен, акуратен; **4.** задълбочен; подробен, изчерпателен, цялостен; категоричен.

thorough bass ['θʌrəbeis] *n муз.* генералбас; теория на хармонията.

thoroughbred ['θʌrəbred] **I.** *a* **1.** чистокръвен, породист; **2.** смел, решителен; безстрашен, юначен; **II.** *n* чистокръвно/породисто животно.

thoroughfare ['θʌrəfɛə] *n* **1.** съобщителен път, проход; право на преминаване; **no** ~ улицата е затворена, оттук не може да се мине (*надпис*); **2.** оживена улица, артерия, магистрала.

thoroughgoing ['θʌrəgouiη] *a* **1.** решителен, безкомпромисен, който не се спира пред нищо; **2.** основен, радикален; **3.** цял, пълен, съвършен; истински, същински; **4.** задълбочен, подробен.

thoroughly ['θʌrəli] *adv* **1.** напълно, съвсем, докрай; **2.** основно, коренно, радикално, издъно; **3.** грижливо, старателно, акуратно; **4.** задълбочено, подробно.

thoroughness ['θʌrənis] *n* **1.** цялост, пълнота; **2.** грижливост, усърдност; акуратност; **3.** задълбоченост.

thorough-paced ['θʌrəpeist] *a* **1.** отлично обучен (*за кон*); опитен; **2.** цял, пълен; съвършен; истински, същински.

thorp [θɔ:p] *n ост.* селце.

those [ðouz] *вж.* **that**¹.

thou [ðau] *pers pron ост.* ти.

though[1] [ðou] *cj* **1.** макар че, макар/ако и да, при все че, въпреки че; **2.** дори/ако и да; **it is worth trying (even) ~ we (may) fail** струва си да опитаме, даже и да не успеем; **as ~** като че ли, като да, сякаш; **what ~** какво от това/ако/че.

though[2] *adv разг.* обаче, все пак; въпреки това; **he did not come ~** все пак/въпреки всичко/обаче той не дойде.

thought[1] [θɔ:t] *n* **1.** мисъл, мислене; размисъл, размишление; **lost in ~** потънал в мисли, дълбоко замислен; **to act without ~** постъпвам необмислено, действувам, без да се замисля; **to give ~ to** помислям/позамислям се за; **to take ~** помислям си/обмислям добре; **~ for** мисъл/грижа за; **she has no ~ for others** нея не я е грижа за другите; **to spare a ~ for** помислям за някого/нещо; **to have/take no ~ of** не помислям за, не обръщам внимание на, пренебрегвам; **at the ~ of** при мисълта за; **on second ~s** като помисли/поразмисли човек; **to have second ~s** променям решението си; **it is always in my ~s** не ми излиза от главата/ума; **2.** начин на мислене, манталитет; **3.** мисъл, идея; намерение; **a happy ~** щастливо хрумване; *обик. pl* мнение; **I'll tell you my ~s on the matter** ще ти кажа какво мисля по въпроса; **5. a ~** малко; **the colour is a ~ too dark** цветът е мъничко/ малко нещо тъмен.

thought[2] *вж.* **think**[1].

thoughtful [ˈθɔ:tful] *a* **1.** замислен, потънал в мисли; **2.** дълбок, сериозен (*за книга, писател и пр.*); **3.** дълбокомислен, многозначителен; **4.** внимателен, вежлив; деликатен, тактичен; грижлив; **~ of o.'s reputation** държащ на/грижливо пазещ доброто си име.

thoughtless [ˈθɔ:tlis] *a* **1.** нехаен, небрежен; **2.** неразумен, безразсъден; необмислен, прибързан; глупав; **3.** невнимателен, неделикатен, нехаен; егоистичен.

thought-transference [ˈθɔ:tˈtrænsfərəns] *n* телепатия.

thousand [ˈθauzənd] *n* **1.** хиляда; **one in a ~** един на хиляда; *прен.* изключителен, чудесен, рядък; **2.** множество; **a ~ times** хиляди/безброй пъти; **a ~ and one** много, маса; **a ~ to one** едно на хиляда (*за вероятност*).

thousandth [ˈθauzəndθ] **I.** *a* хиляден; **II.** *n* (една) хилядна част.

Thracian [ˈθreiʃn] **I.** *a* тракийски; **II.** *n* **1.** тракийски език; **2.** тракиец.

thraldom [ˈθrɔ:ldəm] *n ост.* робство, крепостничество; плен.

thrall[1] [θrɔ:l] *n* **1.** роб (**of, to**); **2.** *поет.* обвързаност, робство; **in ~** поробен; *поет.* в плен.

thrall[2] *v* заробвам, поробвам.

thrash [θræʃ] *v* **1.** бия (*особ. с бастун, камшик*); натупвам, напердашвам; **to ~ the life out of s.o.** пребивам/смазвам някого от бой; **2.** надвивам, побеждавам, надминавам, бия (*в борба, състезание*); **3.** вършея, овършавам; **4. to ~ out** изяснявам въпрос и пр./добирам се до истината и пр. чрез разискване; **5.** хвърлям се, мятам се (*в леглото, във водата и пр.*) (*обик. с* **about**); **to ~ against s.th.** удрям се/блъскам се/хакавам се в нещо; □ **to ~ over old straw** преливам от пусто в празно.

thrasher [ˈθræʃə] *n* **1.** човек, който нанася побой; **2.** = **thresher**; **3.** вид пойна птица (Mimidae).

thrashing [ˈθræʃiŋ] *n* **1.** бой, побой, пердах; **to give s.o. a good/sound ~** напердашвам/натупвам някого здравата; **2.** = **threshing**.

thrasonical [θrəˈsɔnikl] *a* изпълнен със самохвалство, самохвален.

thread[1] [θred] *n* **1.** конец, нишка (*и прен.*); прежда; **not to have a ~ dry on o.s.** мокър съм до кости/като кокошка; **worn to the ~** съвсем износен, изтъркан (*за дреха*); **to lose the ~ (of)** загубвам нишката/връзката (на); **to pick up/take up/resume the ~ of the conversation** продължавам/подновявам прекъснат разговор, идвам си пак на думата/приказката; **2.** тънък лъч светлина; тънка струйка/ивица и пр.; паяжинка; **3.** *тех.* нарез (*на винт и пр.*); **4.** рудна жила; *прен.* жилка (*меланхолна и пр.*); **5.** *ел.* отделна жичка; жило (*на проводник*).

thread[2] *v* **1.** вдявам (*игла*); нанизвам (*маниста*); поставям (*филмова лента в прожекционен апарат, фотоапарат*); слагам (*лента на пишеща машина, магнетофон и пр.*); **2.** провирам се, промъквам се (**through** през); **to ~ o.'s way through** пробивам си/проправям си път през (*тълпа и пр.*); **3.** прошарвам (се) (*за коса*); **4.** *тех.* правя нарез на.

threadbare [ˈθredbɛə] *a* **1.** изтъркан, изтрит, износен, овехтял; **2.** с износени/овехтели дрехи, бедно облечен; **3.** *прен.* изтъркан, банален, шаблонен; неубедителен.

threader [ˈθredə] *n* **1.** винторез, винторезна дъска; **2.** ухо за вдяване на конец в игла.

threadlike [ˈθredlaik] *a* **1.** нишкообразен, нишковиден; **2.** влакнест; **3.** тънък, източен.

thread-mark [ˈθredma:k] *n* воден знак върху хартия за банкноти.

thread-paper [ˈθredpeipə] *n* **1.** ивица хартия за намотаване на нишки; **2.** *прен.* тънък човек.

threadworm [ˈθredwə:m] *n* детски глист.

thready [ˈθredi] *a* **1.** тънък като конец; **2.** влакнест; на конци; **3.** едва доловим (*за пулс*); слаб, тънък (*за глас*).

threat [θret] *n* **1.** заплаха; **under the ~ of** под заплаха за/страх от; **to be under ~ of** застрашава ме; **to make ~s** заплашвам, отправям закани/заплахи; **2.** опасност; **a ~ of war/famine, etc.** опасност от война/глад и пр.; **there's a ~ of rain/storm** кани се да плисне дъжд/да се разрази буря.

threaten [ˈθretn] *v* заплашвам, застрашавам (**with** с, **to** да *с inf*); заканвам се (**to** да *с inf*), заплашвам, че; предвещавам (*дъжд, буря и пр.*); **it ~s rain** кани се да/май че ще завали дъжд.

three [θri:] *n* **1.** три; **~ times ~** три пъти по три; деветократно ура; **the ~ R's** четене, писане и смятане; **2.** тройка (*карта за игра*); три (*точки на зар*); **the ~ of hearts** тройка купа; **~ of a kind** три еднакви по стойност карти; **3.** трети номер/размер/мярка (*за ръкавици и обувки ~s*); **4. ~ D** = **three-dimensional**.

three-colour process [ˈθri:kʌləˈprousis] *n* трицветна репродукция.

three-cornered [ˈθri:kɔ:nəd] *a* **1.** триъгълен; **2.** с трима участници/състезатели/кандидати (*за състезание и пр.*).

three-decker [ˈθri:dekə] *n* **1.** трипалубен кораб; **2.** нещо на три реда/пласта; **3.** сандвич от три филии хляб.

three-deep [ˈθri:di:p] *a* на три редици, по трима един зад друг.

three-dimensional [θri:daiˈmenʃənəl] *a* (*съкр.* **three-D, 3-D**) с три измерения, стереоскопичен.

threefold [ˈθri:fould] *a* троен, утроен; трикратен.

three halfpence [θri:ˈheipəns] *n* (*съкр* **1.5 p**, *ост.* **1.5 d**) едно пени и половина.

three-handed [ˈθri:ˈhændid] *a* карти за трима души (*игра*).

three-lane [ˈθri:lein] *a* разделен на три платна (*средното за изпреварване — за шосе, път*).

three-legged [ˈθri:legd] *a* трикрак (*за стол, маса и пр.*);

a ~ **race** надбягване двама по двама, като десният крак на единия бегач е привързан към левия крак на другия.

three-master ['θri:ma:stə] *n* тримачтов кораб.

threepence ['θrepəns, 'θripəns] *n* (*съкр.* 3 p, *ост.* 3 d) три пени.

threepenny ['θrepəni, 'θripəni] *a* за/на стойност три пени; **a ~ bit/piece** монета от три пени (*отпреди 1977 г.*).

three-per-cents ['θri:pə'sents] *n pl ист.* английски държавни облигации, носещи лихва 3 процента.

three-phase ['θri:feiz] *a ел.* трифазен.

three-piece ['θri:'pi:s] *a* състоящ се от три парчета/части неща (*за костюм, гарнитура и пр.*).

three-ply ['θri:'plai] I. *a* троен, от три ката; на три пласта (*за шперплат*); II. *n* 1. шперплат; 2. прежда тройка.

three-pronged attack ['θri:prɔŋdə'tæk] *n воен.* нападение на три фронта.

three-quarter ['θri:kwɔ:tə] *a* 1. три-четвърти; *за портрет и пр.* до ханша; 2. *ръгби* междинен защитник (*и ~ back*).

three-ring circus ['θri:riŋ,sə:kəs] *n* 1. цирк с три арени; 2. *прен.* нещо извънредно интересно/забавно/слисващо (*представление и пр.*).

threescore ['θri:skɔ:] *n* шестдесет.

threesome ['θri:səm] *n* 1. трима души, тройка, трио; 2. игра за/с трима души (*особ. голф*).

three-way ['θri:wei] *a* 1. ставащ по три начина; 2. *жп.* троен.

thremmatology ['θremə'tɔlɔʤi] *n* животновъдство и растениевъдство.

threnode, threnody ['θrenoud, 'θrenədi] *n* погребална песен.

thresh [θreʃ] = **thrash**.

thresher ['θreʃə] *n* 1. вършач; 2. = **threshing machine**.

threshing ['θreʃiŋ] *n* вършеене, вършитба.

threshing-floor ['θreʃiŋflɔ:] *n* харман, гумно.

threshing-machine ['θreʃiŋmə'ʃi:n] *n* вършачка.

threshold ['θreʃ(h)ould] *n* праг (*и прен.*); **on the ~ of** пред прага на; в началото на; **to stumble at/on the ~** сбърквам още от самото начало.

threw вж. **throw**[1].

thrice ['θrais] *adv ряд.* три пъти, триж; ~ **happy** много щастлив.

thrift [θrift] *n* пестеливост, спестовност, икономия.

thriftless ['θriftlis] *a* разточителен, прахоснически.

thrifty ['θrifti] *a* 1. пестелив, спестовен; икономичен; 2. преуспяващ, процъфтяващ.

thrill[1] ['θril] *v* 1. треперя, потрепервам, тръпна; разтрепервам се; взнувам се, изпълвам се с трепет; вълнувам, възбуждам, правя да се разтупка сърцето на; ~**ed with joy** радостно развълнуван; ~**ed with terror** обзет от ужас; it ~**s me to the marrow** дълбоко ме вълнува; **to ~ with excitement** изпитвам трепетно вълнение; 2. треперя, трептя (*за глас*); правя да затрепери/затрепти.

thrill[2] *n* 1. трепет, потрепетване, разтрепетване; тръпки; радостно/трепетно вълнение/възбуда; 2. трептящ/вибриращ звук; биене, туптене; *мед.* сърдечен шум, долавян при прислушване; 3. вълнуващо/сензационно нещо (*гледка, преживяване и пр.*).

thriller ['θrilə] *n* 1. сензационен/вълнуващ/криминален роман/пиеса/филм и пр.; 2. мелодрама.

thrilling ['θriliŋ] *a* 1. трептящ; 2. силно вълнуващ; сензационен; 3. пронизващ; предизвикващ трепетене.

thrips [θrips] *n* дребно насекомо вредител (Thysanoptera).

thrive [θraiv] *v* (**throve** [θrouv], *ряд.* -d; **thriven** [θrouv]) 1. преуспявам, процъфтявам; забогатявам; 2. вирея, раста добре, избуявам; 3. заяквам, засилвам се.

thriving ['θraiviŋ] *a* добре развиващ се, преуспяващ, процъфтяващ; оживен.

thro', thro = **through**.

throat [θrout] *n* 1. гърло; гръклян; гуша, шия, врат; ~ **lozenge** таблетка/бонбонче против гърлобол; **a ~ of brass** силен/громък глас; **full up to the ~** сит, заситен; **to cut the ~ of** *прен.* провалям, унищожавам; **to cut o.'s own ~** сам си прерязвам гръкляна (*и прен.*); самоунищожавам се; **to cut one another's ~s** съсипваме се чрез конкуренция, взаимно се унищожаваме; **to force/ram/thrust s.th. down s.o.'s ~** натрапвам някому нещо (*идеи, мнение и пр.*); 2. тесен отвор, устие, гърло; жрело; 3. *тех.* гърло, уста.

throaty ['θrouti] *a* 1. гърлест, гърлен; 2. дрезгав, прегракнал; 3. с изпъкнало гърло/голяма гуша.

throb[1] [θrɔb] *v* (-bb-) 1. туптя, тупкам, тупам, бия, пулсирам; **his head ~bed with pain** главата му го щракаше от болка; **to ~ with vitality** кипя/преливам от жизненост; 2. трептя, трепера, вълнувам се (**with** от).

throb[2] *n* 1. туптене, тупкане, биене, пулсиране; удар на сърцето; 2. трепет, вълнение, възбуда; **a ~ of joy** радостен трепет.

throe [θrou] *n обик. pl* 1. болка, мъка; 2. предсмъртна борба, агония (*и* ~**s of death**); 3. родилни болки/мъки; 4. спазъм, конвулсия, гърч, гърчене; **in the ~s of** *разг.* посред, преборвайки се с (*някаква трудност*), в разгара/във вихъра на.

thrombosis [θrɔm'bousis] *n* (*pl* -boses, [-'bousi:z]) *мед.* тромбоза.

thrombus ['θrɔmbəs] *n мед.* тромб.

throne[1] [θroun] *n* 1. престол, трон; **to come/ascend/mount to the ~** възкачвам се на престола; 2. царска/кралска власт.

throne[2] *v* възкачвам (се) на престола, възцарявам (се) (*и прен.*).

throng[1] [θrɔŋ] *n* тълпа, множество; навалица, блъсканица.

throng[2] *v* 1. трупам се, натрупвам се, тълпя се, събирам се, стичам се (*и* ~ **together**); 2. пълня, изпълвам, претъпквам; **a ~ed street** многолюдна улица; 3. *ост.* притискам, налягам.

throstle ['θrɔsl] *n* 1. *зоол.* дрозд; 2. *тех.* рингова предачка (*и* ~ **frame**).

throttle[1] ['θrɔtl] *n* 1. гърло, гръклян; хранопровод; 2. *тех.* клапан, дросел, регулатор (*и* ~ **valve**); **to open the ~s** давам газ.

throttle[2] *v* 1. душа, удушавам, задушавам; *прен.* потискам, потъпквам; 2. *тех.* дроселирам; **to ~ back/down** намалявам притока на газ и пр.

through[1] [θru:] *prep* 1. през; из, по; **to look ~ the window** поглеждам през прозореца; **I searched ~ the house** претърсих/прерових къщата; **the road goes ~ the desert** шосето минава през пустинята; **the rumour spread ~ the town** слухът се разнесе из града; **to hear ~ the noise** чувам сред шума; **to be/come/get ~ s.th.** преживявам/изпитвам нещо; 2. чрез, посредством; от; **I got to know it ~ a friend** узнах/научих за това от един приятел; **I'll do it ~ my agent** ще го сторя чрез посредника си; 3. благодарение на, с помощта на; заради, поради; в резултат на; **to do s.th. ~ ignorance/carelessness/fear, etc.** правя нещо от/поради невежество/нехайство/страх и пр.; **it was ~ her we found it out** ние от крихме това благодарение на нея; **it happened ~ no fault of mine** това се случи не по моя вина; **it was all ~ her that we are so late** закъсняхме толкова само заради нея; 4. през, в продължение/течение на; **all ~ the day** през целия ден; **she waited ~ ten long years** тя чака цели десет години; **he slept ~ the concert** той спа през целия концерт; **to sleep the night ~** спя непробудно цялата нощ; 5. *ам.* без прекъсване от... до... включително; **Monday ~ Friday** от понеделник до петък включително.

through² *adv* открай докрай, изцяло, напълно; **to be wet ~** целият съм мокър; **to read a book ~** изчитам/прочитам цялата книга; **he wouldn't let me ~** той не искаше да ме пусне да премина; **to be ~** 1) свършвам, приключвам (*за заседание, процес, урок и пр.*); 2) изкарвам (*изпит и пр.*); 3) с мен е свършено, унищожен съм; **to be ~ with s.th.** свършвам, завършвам, привършвам (*работа и пр.*); **to be ~ with s.o.** 1) разделям се/скъсвам с някого; 2) свързвам се/получавам телефонна връзка с някого; □ **~ and ~** изцяло, напълно, основно, издъно; **all ~** през цялото/всичкото това време; **your coat is ~ at the elbows** лактите на палтото ти са протрити; **this train goes ~ to Paris** този влак пътува директно до Париж.

through³ *a* 1. пряк, директен, без прекачване/смяна; транзитен; **a ~ carriage/train/ticket/service** директен вагон/влак/билет/съобщение; **a ~ passenger** транзитен пътник; 2. свободен/отворен за преминаване/ пътуване (*за улица, път и пр.*); **no ~ road** затворен път (*надпис*).

throughly ['θru:li] *ост.* = thoroughly.

throughout¹ ['θru:aut] *adv* 1. навсякъде; открай докрай, изцяло, съвсем; 2. във всяко отношение; 3. през цялото/всичкото време.

throughout² *prep* през, в течение на; по протежение на; **~ the day** през целия ден; **~ the country** из цялата страна.

throughput ['θru:put] *n* 1. производство (*на фабрика, компютър и пр.*); 2. количеството материал, вложено в производствен и пр. процес.

throughway ['θru:wei] *n* артерия, магистрала, главен път.

throve *вж.* **thrive**.

throw¹ ['θrou] *v* (**threw** [θru:]; **thrown** [θroun]) 1. хвърлям, изхвърлям, подхвърлям, мятам, запращам; **to ~ stones** хвърлям камъни (**at** по), замерям с камъни; *прен.* съдя, осъждам (*някого*); **to ~ a bridge** построявам/прехвърлям мост (**over** над); 2. плисквам, плисвам; изливам; поливам: **to ~ down the drain** изливам в мивката; *прен.* хвърлям на вятъра; 3. пръскам, поливам, църкам (*течност*); 4. изстрелвам (*снаряд*); 5. хвърлям (*ездача си — за кон*); 6. събарям (*противника си — за борец*); 7. сменям (*кожата си — за змия*); 8. раждам (*за животно*); 9. *ам. разг.* губя умишлено (*състезание и пр.*); 10. усуквам, суча, точа (*коприна*); 11. изработвам на грънчарско колело/на струг; □ **to ~ the power into the hands of** поверявам/давам властта на; **to ~ a fit** разярявам се, побеснявам; **to ~ the helve after the hammer/hatchet, to ~ the good money after the bad, to ~ the handle after the blade** 1) хвърлям много пари на вятъра; 2) упорствувам в безнадеждна работа; **to ~ a dinner** *sl.* давам вечеря; **to ~ a party** *sl.* поканвам гости; **to ~ a kiss** пращам въздушна целувка; **to ~ open** 1) отварям (*врата и пр.*); 2) правя открит за всички (*състезание, конкурс и пр.*):

throw about 1) разхвърлям; разбутвам; пръскам, ръзпръсквам, разпилявам; **to be ~n about** блъскат ме, бутат ме; 2) пръскам, пилея, пропилявам, прахосвам, разхищавам (*пари и пр.*),

throw around 1) заграждам (*с кордон и пр.*); 2) = throw about 2;

throw at 1) хвърлям/запращам по; 2) **to ~ o.s. at** давам аванси на, гледам да впримча (*за жена*); **to ~ the book of rules at s.o.** *разг.* напомням строго на някого да спазва правилата;

throw away 1) хвърлям, изхвърлям, захвърлям; 2) пилея, пропилявам, прахосвам; пропускам, оставям да ми се изплъзне (*удобен случай*); разхищавам; 3) хабя, похабявам; пожертвувам, хвърлям на вятъра; **to ~ o.s. away on s.o.** свързвам живота си с човек, който не заслужава това; **my advice was ~n away on him** той не послуша съвета ми; 4) *театр.* подхвърлям/казвам с привидно безразличие, за да постигна по-голям ефект;

throw back 1) мятам назад, отмятам; отхвърлям (*и прен.*); **to ~ back o.'s shoulders** изпъвам рамене; 2) дърпам, отдръпвам (*пердета, завеси*); 3) връщам/хвърлям назад (*топка и пр.*); 4) отблъсквам (*нападение*); 5) спирам развитието на, връщам назад; проявявам атавизъм; 6) отразявам (*за огледало и пр.*); □ **to ~ back s.th. at s.o.** *разг.* натяквам някому за нещо; **to ~ s.o. back on** принуждавам някого да прибегне до; **to ~ o.'s mind back** спомням си (**to** за);

throw down 1) хвърлям, захвърлям, тръшвам; **to ~ down o.'s arms** предавам се; **to ~ down the gauntlet/glove** *прен.* хвърлям ръкавицата; **to ~ down o.'s tools** стачкувам, обявявам стачка; 2) събарям, разрушавам; 3) *хим. и пр.* причинявам утаяване; 4) *разг.* отхвърлям, отклонявам; 5) *разг.* изпивам наведнъж, гаврътвам; □ **to ~ down o.'s brief** *юр.* отказвам се от по-нататъшното водене на дело;

throw in 1) вмъквам, казвам/подхвърлям между другото (*и с* **into**); 2) прибавям, добавям, притурям, давам като добавка над уговореното (*при сделка*); 3) *тех.* отварям, пускам, включвам; 4) *сп.* **to ~ (the ball) in** *футб.* вкарвам топката в игра след тъч; □ **to ~ s.th. in s.o.'s face** натяквам на някого за нещо; **to ~ in o.'s hand/cards** *прен.* признавам се за победен, отказвам се от борбата; **to ~ in o.'s lot with**, *ам.* **to ~ in with** свързвам съдбата си с;

throw into хвърлям/вмъквам в (*и прен.*); **to ~ into confusion/disarray/despair** причинявам/внасям/вселявам смут/объркване/отчаяние; **to ~ o.s. into** хвърлям се в, посвещавам се на; □ **to ~ two rooms into one** правя от две стаи една;

throw off 1) свалям, смъквам, свличам; махвам, (из)хвърлям; събличам; **to ~ off o.'s disguise/the mask** свалям маската, показвам истинския си образ; 2) отхвърлям, отбивам; захвърлям, отказвам се от; 3) отървавам се/избавям се/освобождавам се от (*преследвачи, болест и пр.*); 4) хвърлям, изпускам, излъчвам (*топлина и пр.*) 5) нахвърлям, написвам набързо, импровизирам; 6) отпечатвам, изкарвам; 7) почвам лов; 8) объркам, подвеждам; 9) отклоням (*преследвачи и пр.*); 10) правя пренебрежителни забележки по адрес на някого; □ **to ~ s.o. off balance** объркам, смущавам душевното равновесие на; **to ~ s.o. off the scent/track**

объркавм/заблуждавам някого; отклонявам някого от диря/от същественото/от фактите и пр.;

throw on 1) намятам, навличам (*дреха*); 2) хвърлям, слагам (*товар и пр.*) върху; **to ~ o.s. on/upon** хвърлям се върху; разчитам/осланям се/оставям се на; **to be ~n on the world** оставам сам на света;

throw out 1) изхвърлям, прогонвам, изгонвам; **to ~ out bag and baggage/neck and crop** изхвърлям (*някого*) с парцалите; 2) отхвърлям (*законопроект*); 3) изпускам (*топлина, лъчи*); издавам (*миризма*); пущам (*корени*); 4) хвърлям (*въдица, мрежа*); 5) строя, построявам, пристроявам (*крило на сграда, вълнолом и пр.*); 6) подхвърлям, подмятам, споменавам между другото; **to ~ out a challenge (to)** предизвиквам (*някого*); 7) обърквам, смущавам, карам (*някого*) да загуби връзката; 8) *воен.* изпращам/изтеглям напред/във фланг; 9) *тех.* прекъсвам, изключвам; □ **to ~ out o.'s chest** изпъчвам се; **to ~ out the baby with the bathwater** заради бълхата изгарям юргана;

throw over 1) мятам, намятам (*шал и пр.*); 2) *разг.* напускам, изоставям, зарязвам; 3) отхвърлям (*план, предложение и пр.*);

throw round = throw around;

throw together 1) събирам на бърза ръка, насъбирам; компилирам; построявам/струпвам набързо; 2) насъбирам, срещам случайно/безразборно (*хора и пр.*); **we were ~n together. very much at school** много често ни се случваше да се виждаме/срещаме в училище;

throw up 1) хвърлям нагоре, подхвърлям; 2) вдигам, повдигам (*ръце, глава*); **to ~ up o.'s eyes** вдигам/повдигам нагоре очи (*от учудване, възмущение и пр.*); 3) издигам, струпвам, построявам надве-натри; 4) отварям (*прозорец и пр.*)‖ вертикално; 5) бълвам, изхвърлям, повръщам; 6) *разг.* зарязвам, напускам, отказвам се от (*работа и пр.*); **to ~ up o.'s cards/the game** хвърлям картите, преставам да играя, признавам се за победен (*и прен.*); 7) излъчвам; създавам; изтиквам на преден план, изтъквам; 8) натяквам, опявам;

throw upon = throw on.

throw² *n* **1.** хвърляне, мятане, запращане; хвърляне на зар/рибарска мрежа и пр.; **2.** хвърлей, хвърляк; **a stone's** — един хвърлей камък, късо разстояние; **3.** поваляне, събаряне (*при борба*); **4.** наклон (*на мост и пр.*); **5.** *тех.* ход на бутало/мотовилка; размах, амплитуда; ексцентричност; **6.** грънчарско колело; **7.** *геол.* разсед.

throw-back ['θroubæk] *n* **1.** *биол.* проява на атавизъм; индивид с атавистични признаци; **2.** *прен.* връщане към миналото; преживелица.

thrower ['θrouə] *n* **1.** човек, който хвърля; **2.** грънчар.

thrown вж. **throw¹.**

throw-off ['θrou͵ɔ:f] *n* начало, започване (*на надбягване, лов и пр.*).

throw-out ['θrouaut] *n разг.* отпадъци.

throwster ['θroustə] *n* човек, който точи коприна.

thru *ам.* **= through.**

thrum¹ [θrʌm] *n текст.* **1.** *събир.* или *pl* отрязаните нишки след изваждане на готовия плат; **thread and ~** *прен.* и хубавото, и лошото; всичко взето заедно; изцяло; **2.** отрязана нишка, ресна, пискюл.

thrum² *v* (**-mm-**) **1.** дрънкам на струнен инструмент (**on**); **2.** удрям с пръсти, барабаня.

thrum³ *n* дрънкане, потупване, потропване с пръсти, барабанене.

thrush¹ [θrʌʃ] *n зоол.* дрозд (Turdus philomelos).

thrush² *n* **1.** млечница (*детска болест*); **2.** *вет.* възпаление на крака на кон.

thrust¹ [θrʌst] *v* (**thrust**) **1.** забивам, муша, мушвам, пъхам, напъхвам, тикам, натиквам; бутам, тласкам; ръгам, ръгвам; вмъквам, вкарвам, завирам; **to ~ o.'s way** пробивам си път; **to ~ o.s. forward** привличам вниманието върху си; **he ~ himself into a highly paid job** той се намърда на добре платена работа; **to ~ aside** отблъсвам, отстранявам; **to be ~ from o.'s rights** бивам изместен/изтикан/лишен от правата си; **2.** налагам, натрапвам, намъквам; **3.** издавам се напред; (раз)простирам се;

thrust at нахвърлям се върху (*с нож и пр.*);

thrust forth 1) изпъждам, изхвърлям (**out of**); 2) покарвам (*за издънка*);

thrust forward изтиквам/избутвам напред; **to ~ o.s. forward** вра се, пъхам се, (само)изтъквам се; привличам вниманието върху себе си;

thrust in/into завирам, забивам, забождам; *прен.* натрапвам; **to ~ o.'s nose into the affairs of others** пъхам/вра си носа в чужди работи;

thrust on 1) налагам/натрапвам на; 2) подтиквам към;

thrust out 1) изтиквам, изхвърлям, изгонвам; 2) простирам, протягам, подавам (*ръка*);

thrust through пронизвам, пробождам; **to ~ o.s. through s.th.** провирам се/промушвам се през нещо;

thrust upon = thrust on.

thrust² *n* **1.** тласък, тикане, бутане; **2.** нападение, удар; **3.** натиск, напън; **4.** словесна атака; **5.** *стр.* страничен натиск, разпващо натоварване (*на свод и пр.*); **6.** *геол.* разсед.

thruster ['θrʌstə] *n* човек, който се тика/бута напред (*и прен.*).

thud¹ [θʌd] *n* тъп/глух звук (*от сблъскване*), тупване.

thud² *v* (**-dd-**) строполясвам се с глух/тъп звук, тупвам.

thug [θʌg] *n* **1.** *инд. ист.* разбойник от религиозна секта, който души жертвите си; **2.** главорез, убиец; гангстер.

thumb¹ [θʌm] *n* палец; **under the ~ of** изцяло под влиянието/властта на, напълно подчинен на; **all ~s** несръчен, вързан в ръцете; **~s up!** *sl.* добре! хубаво! **~s down** (жест за) отказ.

thumb² *v* **1.** прелиствам страници; **2.** измърсявам (*страници на книга*) от прелистване с палец; **3.** отбелязвам с палец; **4.** правя знак на минаваща кола с палец за автостоп (*и* **to ~ a lift/ride**); пътувам на автостоп; **5.** боравя несръчно с; изпълнявам/свиря небрежно; □ **to ~ o.'s nose at s.o.** правя дълъг нос на; *прен.* отнасям се с пренебрежение към.

thumbed [θʌmd] *a* измачкан/измърсен от прелистване с палец.

thumb-index ['θʌm͵indeks] *n* азбучник (*на речник, бележник и пр.*).

thumb-mark ['θʌm͵ma:k] *n* **1.** отпечатък/следа от мръсен палец; **2. = thumb-print.**

thumb-nail ['θʌmneil] *n* **1.** нокът на палец; **2.** *attr.* миниатюрен; кратък, сбит; **a ~ sketch** литературен портрет с няколко щрихи.

thumb-print ['θʌmprint] *n* отпечатък от палец (*особ. при дактилоскопия*).

thumb-riding ['θʌmraidiŋ] *n* пътуване на автостоп.

thumb-screw ['θʌmskru:] *n* **1.** *ист.* инструмент за измъчване чрез притискане на палците; **2.** *тех.* крилен винт. винт с крилчата глава.

thumb-stall ['θʌmstɔːl] *n* гумен предпазител за палец.

thumb-tack ['θʌmtæk] *n* *ам.* кабарче.

thump¹ [θʌmp] *n* силен удар; тупкане; думкане; падане, тупване; ~! бух! туп! ~ , ~туп-туп (*за биене, тупкане на сърце*).

thump² *v* бия/удрям с юмруци; блъскам, бухам, думкам; тупкам силно (*за сърце*).

thumper ['θʌmpə] *n* **1.** човек, който удря/думка; **2.** *разг.* нещо огромно/забележително/отлично.

thumping¹ ['θʌmpiŋ] *a* **1.** *разг.* силен (*за удар*); лош (*за падане, строполясване*); **2.** *разг.* огромен, забележителен, чудесен; **3.** явен, очевиден (*за лъжа и пр.*).

thumping² *adv* *разг.* много.

thunder¹ ['θʌndə] *n* **1.** гръм, гръмотевица; мълния, трясък; гръм, гърмеж; бумтеж; бумтене; бучене; ~ of cannon тътнеж на топове; ~(s) of applause гръмки/бурни аплодисменти; ~ and lightning *прен.* остра критика; **2.** = hell 2; what/why, etc. the ~ /in ~? какво/защо и пр., дявол го взел? to steal s.o.'s ~ присвоявам си идеите/откритието на някого, провалям опита му да направи впечатление.

thunder² *v* **1.** гърмя, изгърмявам, трещя, тряскам, изтрещявам; бумтя; буча; удрям, думкам; it's ~ing гърми (се); the sea ~ed against the rocks вълните се разбиваха с трясък в скалите; s.o. was ~ing at the door някой думкаше бясно по вратата; **2.** заплашвам, заканвам се шумно, кълна, сипя огън и жупел (*и с* out); **3.** говоря гръмогласно; **4.** движа се/профучавам бързо с гръм.

thunderbolt ['θʌndəboult] *n* **1.** гръм, мълния; *прен.* заплаха, закана; **2.** *прен.* гръм от ясно небе.

thunderclap ['θʌndəklæp] *n* гръм, трескавица; *прен.* нещо неочаквано; лоша новина.

thunder-cloud ['θʌndəklaud] *n* мълниеносен/буреносен облак.

thunderer ['θʌndərə] *n* гръмовержец; the T. Зевс, Юпитер.

thundering¹ ['θʌndəriŋ] *a* **1.** гръмлив, силен, яростен; оглушителен; **2.** *разг.* огромен; забележителен; ужасен, страховит; **3.** *разг.* чудесен.

thundering² *adv* *разг.* необикновено; крайно; решително; ужасно, страшно.

thunderous ['θʌndərəs] *a* **1.** гръмлив, силен, буен; шумен, оглушителен; **2.** буен, буреносен, предвещаващ буря; **3.** унищожителен.

thunder peal = **thunderclap.**

thunder shower ['θʌndəʃauə] *n* гръмотевична буря (*обик. с проливен дъжд или с град*).

thunder-storm ['θʌndəstɔːm] *n* проливен дъжд с гръмотевици.

thunderstruck ['θʌndəstrʌk] *a* **1.** ударен от гръм; **2.** смаян, слисан, втрещен.

thundery ['θʌndəri] *a* **1.** гръмотевичен, буреносен, предвещаващ буря; **2.** *прен.* разярен, яростен.

thurible ['θjuəribl] *n* кандилница.

thurify ['θjuərifai] *v* кадя/прекадявам с тамян.

Thursday ['θəːzdi] *n* четвъртък.

thus [ðʌs] *adv* **1.** така, по този/такъв начин; ~ far досега, дотук; **2.** толкова, дотолкова; ~ much (ето) толкова; ~ much at least is clear това/дотук поне е ясно; **3.** и така, следователно, от тук следва, че.

thwack¹ [θwæk] *v* бия/удрям силно с пръчка и пр.; набивам/натупвам здравата.

thwack² *n* (звук от) силен удар.

thwart¹ [θwɔːt] *v* преча, попречвам (на); осуетявам, разстройвам.

thwart² *a* напречен; кос.

thwart³ = **athwart.**

thwart⁴ *n* седалка/място в лодка за гребеца.

thy [ðai] *poss pron attr ост.* твой.

thyme [taim] *n* *бот.* мащерка, бабина душица (Thymus).

thyroid ['θairɔid] *анат., зоол.* **I.** *a* щитовиден; ~ cartilage *анат.* щитовиден хрущял, адамова ябълка; **II.** *n* (препарат от) щитовидна/тироидна жлеза.

thyrsus ['θəːsəs] *n* *мит.* тирс (*жезълът на бога Бакхус*).

thyself ['ðaiself] *refl pron ост. емф.* ти сам, себе си.

tiara [ti'aːrə] *n* **1.** папска корона, тиара; **2.** диадема.

tibia ['tibiə] *n* (*pl* tibiae ['tibiiː], tibias) *анат.* пищял(ка).

tic [tik] *n* нервно свиване на мускул, *особ.* на лицето, тик; ~ douloureux невралгично заболяване на лицевия нерв.

tick¹ [tik] *v* **1.** цъкам, тиктакам (*за часовник и пр.*); **2.** поставям знак за отметка, отбелязвам (off); **3.** *разг.* оплаквам се; **4.** *разг.* функционирам, карам я, вървя;

    tick away отмервам/отбелязвам с цъкане (*за часовник и пр.*); the clock/taximeter was ~ing away часовникът/таксиметърът отбелязваше с цъкане (*минутите, стотинките*);

    tick off 1) отмятам (*на списък и пр.*); 2) *sl.* хокам, наругавам; газя, сгазвам; 3) *ам. sl.* ядосвам, дразня;

    tick over бръмча тихо/леко (*за неизгасен двигател на спряна кола*); *прен.* работя бавно/слабо, почти бездействувам.

tick² *n* **1.** цъкане, тиктакане; пощракване; леко пърпорене (*на мотор и пр.*); **2.** биене, туптене (*на сърце*); **3.** *разг.* миг, секунда; in a ~ в миг, моментално; to/on the ~ съвсем точно, на минутата; I'll be with you in two ~s ще се върна/ще дойда след една секунда; half a ~! само един миг! **3.** знак/белег за отметка.

tick³ *n* *разг.* кредит, версия; to buy on ~ купувам на кредит/на изплащане.

tick⁴ *n* **1.** *зоол.* кърлеж; **2.** *прен.* неприятен/презрян човек.

tick⁵ *n* **1.** раиран калъф на дюшек/възглавница; **2.** дюшеклък.

ticker ['tikə] *n* **1.** махало; **2.** *разг.* часовник; **3.** телеграфен апарат (*автоматичен*); **4.** *шег.* сърце.

ticker-tape ['tikəteip] *n* **1.** телеграфна лента, използувана и като серпантина; **2.** серпантини и др. ленти, хвърляни от прозорците при приветствуване на видни гости.

ticket¹ ['tikit] *n* **1.** билет (to до); ~ of admittance входен билет; **2.** етикет, картонче; price ~ етикет с цена; **3.** известие/съобщение за извършено нарушение на разпоредбите за движение, паркиране и пр.; **4.** обявление, обява; **5.** квитанция; **6.** свидетелство; удостоверение за правоспособност (*и на пилот и пр.*); ~ of leave *воен.* уволнителен билет; *ист.* документ за условно предсрочно освобождаване на затворник; ~-of-leave man *ист.* затворник, който е получил документ за предсрочно освобождаване; to work o.'s ~ *воен. sl.* успявам да се уволня; *мор.* отработвам си пътните; **7.** *ам. пол.* списък на партийните кандидати в избори; *прен.* ръководители на партия; **8.** изборна бюлетина; a scratch ~ бюлетина с едно или повече задраскани имена на кандидати за държавни служби, съставен от някаква партия; **9.** *пол.* платформа на политическа партия; the ~ нещо желано/уместно/направено както трябва; **not (quite) the** ~ не точно както е прието/както се изисква и пр.

ticket² *v* поставям етикет с цената (*на артикул и пр.*).

ticket-agency ['tikiteiʤənsi] = ticket office.

ticket collector ['tikitkə'lektə] *n* контрольор, който проверява/събира билетите в метро и пр.

ticket-day ['tikitdei] *n борс.* денят преди приключването на сметките.

ticket-office ['tikitɔfis] *n* бюро за продажба/запазване на билети.

ticking ['tikiŋ] *n* дюшеклък.

tickle¹ ['tikl] *v* **1.** гъделичкам; гъдел ме е; сърби ме; **2.** *прен.* гъделичкам, угаждам, доставям удоволствие на; забавлявам, развличам; *ам.* радвам (се), зарадвам (се); ~**d to death,** ~**d pink** *разг.* крайно развеселен, умиращ от смях, страшно доволен; **to** ~ **the ear(s)** *прен.* галя слуха; лаская; подмамвам; **to** ~ **s.o.'s fancy** харесвам се много/интересен съм/задоволявам чувството (*за хумор и пр.*) на някого; **3.** ловя (*риба*) с ръце (**for**).

tickle² *n* гъдел; гъделичкане, погъделичкване.

tickler ['tiklə] *n разг.* затруднение; деликатно положение/въпрос.

ticklish ['tikliʃ] *a* **1.** скокотлив, който има гъдел; **2.** *разг.* труден, несигурен, деликатен, щекотлив, неприятен (*за въпрос и пр.*).

tick-tack ['tik'tæk] *n* **1.** *дет.* часовник; **2.** биене, туптене (*за сърце*) (*и* tic-tac).

tick-tock ['tik'tɔk] *n* тиктакане на голям часовник.

tidal ['taidl] *a* свързан с приливите и отливите; ~ **river** река, по която нахлува приливът; ~ **wave** огромна океанска вълна; *прен.* вълна/прилив на ентусиазъм/ възмущение и пр.; □ ~ **air/breath** количеството въздух, преминал през дробовете при едно вдишване и издишване.

tidbit ['tidbit] = titbit.

tiddler ['tidlə] *n разг.* **1.** необикновено дребно нещо; **2.** дребна рибка; **3.** малко детенце; **4.** *разг.* монета от половин пени.

tiddl(e)y ['tidli] *a sl.* малък, незначителен.

tiddly-winks ['tidliwinks] *n pl* вид детска игра на „бълхи".

tide¹ [taid] *n* **1.** прилив и отлив; **high/full** ~ връхна точка на прилива; *прен.* кулминационна точка, апогей; **low** ~ най-ниската точка на отлива; **the** ~ **rises/flows/is (coming) in** приливът приижда; **the** ~ **falls/ebbs/is (going) out** приливът се оттегля; **the** ~ **turns** приливът/отливът започва; *прен.* работите се обръщат, нещата се изменят; **to turn the** ~ *прен.* променям хода на събитията; **2.** време, годишно време, сезон (*ост. освен в съчет. като* **Easter-**~, **Christmas-**~, **noon-**~, etc.); **3.** *прен.* ход, течение, поток; насока, тенденция; **the** ~ **of popular opinion** вълната на общественото мнение; □ **to work double** ~**s** работя много усилено/денонощно.

tide² *v* влизам в/излизам от пристанище с помощта на прилива/отлива; **2.** преодолявам, помагам на (*някого*) да понесе/преодолее (*трудност и пр.*), оправям, улеснявам (*и с* over); **he sold his car to** ~ **him over his period of unemployment** той си продаде колата, за да има с какво да живее, докато е без работа; **will ten pounds** ~ **you over until you get your wages?** 10 лири ще те оправят ли, докато си получиш заплатата?

tide-gate ['taidgeit] *n* шлюз, който се отваря при прилив и затваря при отлив.

tide-gauge ['taidgeiʤ] *n* уред за измерване на нивото на прилива.

tide-land ['taidlænd] *n* заливаната от приливите суша.

tide-mark ['taidmaːk] *n* следата, оставена на сушата от прилив; *разг.* линията, отделяща измита от неизмита част на човешко лице, тяло и пр.

tide-waiter ['taidweitə] *n ист.* митнически чиновник в пристанище.

tidewater ['taidwɔtə] *n* **1.** водата на прилив; **2.** *ам.* нисък морски бряг.

tideway ['taidwei] *n* канал, по който тече приливът; прилив и отлив по такъв канал; прилив и отлив в устието на река.

tidiness ['taidinis] *n* спретнатост, стегнатост, уредност.

tidings ['taidiŋz] *n pl и с гл. в sing* новина, новини, вест, известия.

tidy¹ ['taidi] *a* **1.** спретнат, стегнат, прибран, уреден; грижлив, акуратен; подреден, сресан (*за коса*); **2.** приличен, порядъчен; **3.** приемлив, достатъчен; значителен (*за сума*); **it cost him a** ~ **penny** това му струваше доста много пари; **a** ~ **fortune/sum** *разг.* добро състояние, хубавичка сума.

tidy² *n* **1.** кутийка/торбичка за прибиране на дребни неща; съдче върху мивка за дребни кухненски отпадъци (*и* sink ~); торбичка за прибиране на събрани от четка/гребен и пр. коси (*и* hair ~); кошче за отпадъци; **2.** покривчица за облегалките на фотьойл, канапе и пр.

tidy³ *v* разтребвам, прибирам, оправям, подреждам (*обик. с* up); **to** ~ **up a mess** оправям каша/бъркотия (*и прен.*); **to** ~ **up o.s.** (по)стягам се, нагласям се, докарвам се.

tie¹ [tai] *v* **1.** връзвам, свързвам; привързвам; **to** ~ **in a knot** връзвам на възел; **to** ~ **(up) o.'s shoes** връзвам (връзките на) обувките си; **to** ~ **up to a tree etc.** връзвам за дърво и пр.; **2.** *муз.* свързвам (*ноти*) с легато; **3.** съединявам (*греди и пр.*); **4.** свързвам/ съединявам в брак; обвързвам със задължения/условия и пр.; **5.** обвързвам, спъвам, преча, ограничавам; ~**d house** питейно заведение, което продава питиета само от една фирма; **6.** завършвам наравно игра/състезание; изравнявам резултат; изравнявам се по точки и пр. (**with** *с*); **7.** *пол.* получавам равни гласове; □ **fit to be** ~**d** разярен;

tie down ограничавам, обвързвам със задължения/условия и пр., подчинявам (**to**);

tie in съединявам (се), свързвам (се), сближавам (се) (**with** *с*); координирам, балансирам;

tie up 1) връзвам, завързвам, привързвам; **to get** ~**d up** *разг.* оженвам се, връзвам се; 2) сближавам се, привързвам се (**with** *с*); 3) свързвам се, обединявам се (**with** *с*), присъединявам се (**to** към); 4) ограничавам чрез условия унаследяването на имот; □ ~**d up with s.o./s.th.** изцяло зает/заангажиран с/погълнат от някого/нещо.

tie² *n* **1.** връзка; верига; скоба; греда; **2.** *прен. обик.* pl връзка; ~**s of blood/friendship** кръвни/приятелски връзки; **3.** задължение, бреме, товар; **4.** вратовръзка; **old school** ~ 1) вратовръзка, носена от питомците на дадено училище; 2) прекалена привързаност към традиционни стойности и идеи; 3) снобизъм; **5.** *ам.* траверса; **6.** *муз.* легато; **7.** *сп.* равен резултат; изравняване на резултат; равен брой точки; **to play/shoot off a** ~ преигравам мач/повтарям състезание при равен резултат.

tie-beam ['taibiːm] *n* напречна греда.

tie-clip ['taiklip] *n* клипс за (врато)връзка.

tie-pin ['taipin] *n* карфица/игла за (врато)връзка.

tier [tiə] *n* **1.** ред, редица; полица; **2.** *театр.* балкон; **3.** *мор.* намотка; *pl* намотано в кръг въже, бухта.

tierce ['tiəs] *n* **1.** средно голяма бъчва; **2.** *карти* терца; *фехт.* трета стойка/позиция.

tiercel [ti'ə:sl] = tercel.

tie-up[1] ['taiлp] *n* **1.** спиране, застой, мъртва точка; **2.** близко познанство/връзка; **3.** *ам.* стачка, локаут.

tie-up[2] *n* сдружение; обединение/сливане на предприятия и пр.

tie-wig ['taiwig] *n* перука, която се връзва отзад с панделка.

tiff[1] [tif] *n* **1.** мусене, цупене; **2.** скарване, спречкване.

tiff[2] *v* **1.** цупя се, муся се; **2.** спречкваме се.

tiffany ['tifəni] *n* текст. копринен/муселинов газ; *ам.* тензух.

tiffin ['tifin] *n* инд. лек обед.

tig [tig] *n* детска игра на гоненица.

tiger ['taigə] *n* **1.** тигър; **American** ~ ягуар; **paper** ~ *прен.* безопасен човек/нещо, нереална опасност; **2.** жесток човек, грубиян; **3.** *разг.* неподозирано силен/опасен противник; **4.** лакей.

tiger-cat ['taigəkæt] *n* дива котка, оцелот, сервал.

tiger-beetle ['taigəbi:tl] *n* вид хищен бръмбар (*сем.* Cicindelidae).

tigerish ['taigəriʃ] *a* жесток/свиреп като тигър.

tiger-lily ['taigəlili] *n* бот. оранжев крем.

tiger-moth ['taigəmɔθ] *n* вид нощна пеперуда (Arctiidae).

tiger's-eye ['taigəzai] *n* **1.** *минер.* тигрово око (*жълто-кафяв кварц*); **2.** грънчарство жълто-кафява глазура.

tight[1] [tait] *a* **1.** стегнат, опънат, (из)опнат, обтегнат; **2.** натъпкан, претъпкан, сбит; **a** ~ **cork** затегната запушалка/тапа; **3.** плътно прилягащ, тесен, стягащ (*за дреха, обуща*); **4.** стегнат, спретнат, подреден; уютен; **5.** непромокаем; непроницаем (*за вода, въздух*); **6.** мъчен, труден, тежък; напрегнат, натегнат; ~ **corner/place/spot** неудобно/трудно/опасно положение; затруднение; **7.** оскъден; много търсен, недостатъчен, дефицитен; **8.** *разг.* пиян; **to get** ~ напивам се; **9.** *разг.* стиснат, свидлив; □ **a** ~ **match** много оспорван мач.

tight[2] *adv* **1.** тясно; стегнато; **2.** силно, здраво, крепко; **to draw** ~ изопвам силно (*въже и пр.*); **to fit** ~ прилепвам плътно (*за дреха*); **to pull o.'s belt** ~ пристягам колана си.

tighten ['taitn] *v* стягам (се), притягам, опъвам (се), опвам (се); **to** ~ **up a screw** затягам/притягам винт; **to** ~ **o.'s grip over** *прен.* засилвам контрола/натиска върху.

tight-fisted ['taitfistid] *a* стиснат, свидлив.

tight-fitting ['taitfitiŋ] *a* плътно прилепващ/прилепнал; тесен, стегнат, по тялото.

tight-lipped ['taitlipt] *a* с тънки устни; със здраво стиснати устни; *прен.* мълчалив, потаен; не казващ нищо.

tightly ['taitli] *adv* плътно прилепнало.

tightness ['taitnis] *n* стегнатост, сбитост; напрегнатост; ~ **in the air** напрегната атмосфера, напрежение.

tight-rope ['taitroup] *n* опнато въже/жица; ~ **dancer** акробат; въжеиграч.

tights [taits] *n pl* **1.** костюм от трико на балерина, акробат и пр.; **2.** чорапогащи.

tigon ['taigɔn] *n* зоол. кръстоска между тигър и лъвица.

tigress ['taigris] *n* тигрица.

tike = tyke.

tiki ['tiki] *n* маорски талисман от зелен камък.

til [til] *n* бот. сусам.

tilbury ['tilbəri] *n* ист. открита двуколка.

tilde [tild] *n* **1.** тилда; **2.** диакритичен знак (~) (*в исп.* ñ *и пр.*).

tile[1] ['tail] *n* **1.** керемида; **to have a** ~ **loose** малко откачам, едната ми дъска хлопа; **to be/go (out) on the** ~ *sl.* гуляя, пиянствувам, участвувам в оргии; **2.** керамична и пр. плочка за облицовка/подова настилка и пр.; кахла; **3.** *разг.* шапка, *особ.* цилиндър.

tile[2] *v* **1.** покривам с керемиди; **2.** облицовам/настилам с плочки.

tiler ['tailə] *n* човек, който прави/слага керемиди/плочки.

tilestone ['tailstoun] *n* каменна плоча за покрив.

tilestove ['tailstouv] *n* кахлена печка.

tiling ['tailiŋ] *n* **1.** (покриване с) керемиди; **2.** облицовка; облицовъчен материал.

till[1] [til] *prep* до, чак до; ~ **now** досега; ~ **then** дотогава; **true** ~ **death** верен до смъртта си/до гроб.

till[2] *cj* докато, докогато.

till[3] *n* чекмедже/кутия за пари, каса (*в магазин, банка и пр.*).

till[4] *v* обработвам, ора (*земя*).

till[5] *n* втвърдена глина, примесена с пясък и камъни.

tillable ['tiləbl] *a* обработваем.

tillage ['tilidʒ] *n* **1.** обработване на земята, оране, оран; **2.** обработена земя.

tiller[1] ['tilə] *n* **1.** *мор.* лост на кормило, румпел; **2.** *тех.* лост, ръчка, манивела.

tiller[2] *n* издънка, филиз; фиданка.

tiller[3] *v* пускам издънки/филизи.

tilt[1] [tilt] *n* **1.** наклон, навеждане, (движение в) наклонено положение; **to be on the** ~ наклонен съм; накривен съм; **to give a cask, etc. a** ~ наклонявам бъчва и пр.; **2.** *ист.* нападане с насочено копие; удар с копие; турнир; **(at) full** ~ с всички сили; с най-голяма бързина; стремително; **to run full** ~ **against** втурвам се срещу; **to have a** ~ **at s.o.** *прен.* нападам някого в приятелски диспут; **3.** тежък механичен чук (*и* ~-**hammer**).

tilt[2] *v* **1.** навеждам (се), накланям (се), накривявам (се), килвам; **the table** ~**ed (over)** масата се наклони/ накриви; **2.** катурвам се, прекатурвам (се), преобръщам (се) **(over)**; **3.** *геол.* изкривявам (се); **4.** нападам с насочено копие; сражавам се в турнир; *прен.* боря се/атакувам със слово и перо **(at, against)**; отправям, насочвам (*нападки и пр.*) **(at, against** срещу); **5.** кова.

tilt[3] *n* чергило, навес; съваем покрив/навес, гюрук.

tilt[4] *v* слагам чергило/покривало/навес/гюрук.

tilth [tilθ] *n* **1.** = tillage; **2.** дълбочина на обработването; **3.** *прен.* обработка, култивиране.

tilt-yard ['tiltjа:d] *n* ист. арена за турнири.

timbal ['timbəl] *n* муз. голям тъпан, литавра.

timber[1] ['timbə] *n* **1.** дървен строителен и пр. материал; **round** ~, ~ **in the round** сурови трупи; **rough (-hewn)** ~ одялани трупи; ~ **tree** дърво, използувано за дървен материал; **2.** дървета, гори; **to put under** ~ залесявам (*площ*); **3.** греда, мертек; *мор.* шпангоут; **shiver my** ~**s!** *мор. sl.* бог да ме убие! **4.** *лов.* ограда; **5.** *разг.* кибритена клечка; **6.** лични качества; квалификация; **a man of the right** ~ **for** човек, подходящ/с качества за.

timber[2] *v* **1.** правя/строя от дърво; **2.** облицовам с дърво.

timber-cart ['timbəka:t] *n* кола за товарене и пренасяне на дървен материал.

timbered ['timbəd] *a* 1. дървен, направен с/от греди; 2. залесен, горист.

timberland ['timbəlænd] *n ам.* площ, покрита с гори за дърводобив.

timber-line ['timbəlain] *n* височина над морското равнище, над която не могат да растат гори.

timber-toe ['timbətou] *n u pl sl.* 1. (човек с) дървен крак; 2. човек, който стъпва тежко.

timber wolf ['timbəwulf] *n* голям сев.-ам. сив вълк.

timbre ['timbə] *n муз.* тембър.

timbrel ['timbrəl] *n* малко дайре.

time[1] [taim] *n* 1. време; час, удобен момент; **the ~ of day** времето, часът; положението на нещата; **to give/pass the ~ of day** поздравявам, казвам добър ден и пр., разменям поздрав (**with** с); **there is no ~ like the present** сега е моментът, не отлагай за утре; **at this ~ of day** сега, по това време; **all the ~** през всичкото време; винаги; **~ to come** бъдеще(то); **it will be ~ enough** ще има достатъчно време, няма да бъде късно; **what is the ~?** колко е часът? **at one ~** по едно време (*в миналото*); **at any ~, at all ~s** във/по всяко време; **at no ~** никога; **at no sort of ~** по никое време; **at the ~** навремето, по онова време, тогава; **at the same ~** 1) в/по едно и също време, в същото време, едновременно, същевременно; 2) въпреки това, все пак; **at ~s** понякога, навремени; **at different ~s** различно, в различни случаи; **ahead of/before ~** по-рано, преждевременно; предсрочно; **against ~** 1) с пълна скорост/пара; 2) за печелене на време; **behind ~** не навреме, със закъснение; **between ~s** в промеждутъците, от време на време; **for a ~** за известно време; **for a short ~** за кратко, за малко; **for some ~** за известно време; **for some ~ (past) now** от известно време насам; **for the ~ being** временно, сега-засега; **from that ~ (on)** оттогава нататък; **from this ~ on** отсега нататък; **in (good) ~** 1) навреме, òвреме, своевременно; 2) с време, след известно време; **all in good ~** на времето си, когато трябва, отрано; когато му дойде времето; **in a short ~** в кратко време, скоро; **in (less than) no ~** много бързо, в миг, за нула време; **it was no ~ before she was back** тя се върна мигновено; **to make good ~** вървя/движа се с добро темпо; **on ~** на (определеното) време, без закъснение; **up to ~** навреме; точно; **once upon a ~** някога, едно време; **some ~ or other** (все) някога; **to bide/watch o.'s ~** чакам да (ми) дойде времето, изчаквам удобния момент; **to have ~ on o.'s hands** разполагам с/имам много свободно време; **~ hangs heavy on my hands** времето ми минава мъчно/трудно; **to make ~** наваксвам загубено време; намирам удобен случай/възможност; **to take o.'s ~** не бързам, не си давам зор; **his ~ has come** времето му дойде, часът му удари; **the ~ is ripe** дошло е време, назрял е моментът (**for** за); **~ presses** няма време за губене, работата не търпи отлагане; **it takes ~** това взема/отнема/иска време; 2. период, време; **she ran the distance in record ~** тя пробяга разстоянието за рекордно време; **at my ~ of life** на моите години/възраст; 3. време, срок; *сп.* време (*на състезание*); период, срок (*на служба, присъда, затвор, бременност и пр.*); **he is serving his ~** 1) той излежава присъдата си; 2) той кара войниклъка си; **she is far on in her ~** тя е в напреднала бременност; **she is near her ~** тя скоро ще ражда; **(it's)**

about ~ време е вече; **it is ~ for me to go** време е да вървя; **it is high ~** крайно време е (**for** за, **to** *c inf* да); **in a week's ~** за/в (срок от) една седмица; **~ is short** няма много време; **~ is up** времето мина/изтече; **to sell ~** *рад., телев.* отстъпвам срещу заплащане време за предаване на реклами и пр.; **it will last our ~** ще изтрае, докато сме живи; 4. *често pl* епоха, период; време, времена; **hard ~s** трудно време, усилни години; **modern ~s** съвременната епоха: **in ancient ~s** в древни времена; **from/since ~(s) immemorial/~ out of mind** открай време, от памтивека; **before/ahead of o.'s ~** преди/напред от своето време; твърде рано; изпреварил времето си; **behind o.'s ~ /the ~s** изостанал от времето си; **to have the ~ of o.'s life** *разг.* прекарвам чудесно, забавлявам се много; **those were ~s** това беше живот! какво време беше тогава! 5. път, случай; **at one ~ or another** все някога; при един или друг случай; **two/three at a ~** по двама/трима наведнъж/на един път; **many a ~** много пъти; **three ~s running** три пъти наред; **~s out of number** безброй пъти; **~ and (~)** **again** неведнъж, много пъти, отново и отново; **~ after ~** пак и пак, хиляди пъти; **not till next ~** няма вече (да правя така) (*да не вярваш*); 6. *мат.* път; **six ~s five is/are thirty** шест по пет е тридесет; **the ~s sign** знакът за умножение х; 7. *муз.* темпо, такт; **to beat/keep ~** тактувам, давам такт; **to keep ~** вървя, танцувам/пея и пр. в такт; спазвам такт; **in ~** ритмично, в такт; **out of ~** неритмично, не в такт; *воен.* ход, стъпка; **in/out of ~** в/не в крак; *за часовник* **to keep good/bad ~** върви точно/неточно; **to lose/gain ~** оставам назад/избързвам; 8. работно време, заплащане за изработено време; **to work/to be on full ~** имам пълно работно време; **to be on short/part ~** работя при непълна заетост; частично безработен съм; **to pick up o.'s ~** получавам възнаграждение за изработено време; **~ and a half** надница и половина; **double ~** двойно възнаграждение; □ **to play for ~** мъча се да печеля време; **to talk against ~** 1) говоря, за да печеля време; 2) говоря в границите на определено време; **to have a/**разг. **no end of a ~** с мъка/едва успявам да (*c ger, inf*); **to have little/no ~ for** не обичам, не се интересувам от, не ми се занимава с; **to have the ~** 1) имам време на разположение; 2) знам колко е часът; **in o.'s own ~** в извънработно време; **in o.'s own (good) ~** когато/както ми е удобно; когато имам свободно време; **out of ~** 1) не навреме, много късно, със закъснение; 2) в неудобно/неподходящо време; **to do ~** *разг.* излежавам присъда; **~ off/**ам. **out** почивка, пауза, прекъсване; **to take ~ off** намирам/отделям време (*за нещо*); **~!** 1) *сп.* време за започване/свършване; хайде! сега! край! 2) време за затваряне (*на питейно заведение и пр.*); затваряме! **(so) that's the ~ of day!** *sl.* ясно! така значи! това било то! такива (ми ти) работи! **and tide wait for no man** времето не чака; **at this point of ~** при сегашното положение на нещата, в дадения момент; **~ check** (даване/съобщаване на) точно време (*по радиото*).

time[2] *v* 1. избирам подходящ момент за, върша нещо, когато трябва, съобразявам с времето; **you must ~ your blows** трябва да знаеш кога да нанасяш ударите си; **your remark was not well ~d** лош момент избра да се изкажеш, бележката ти беше ненавременна; 2. определям време/срок за; **the train ~d to leave at 6.30**

влакът, заминаващ по разписание в 6,30; **3.** отбелязвам, записвам, засичам (постигнато) време (*при надбягване и пр.*); **4.** регулирам; отмервам; **5.** *ряд.* тактувам; **6. to ~ with** съвпадам по време, отговарям на; хармонирам с.

time-bargain ['taimba:gin] *n борс.* договор за продажба на акции в определен срок.

time bomb ['taimbɔm] *n* бомба със закъснител.

time-book, -card ['taimbuk, -ka:d] *n* работническа книжка/картон за отбелязване на изработените часове.

time clock ['taimklɔk] *n* часовник, отбелязващ началото и края на работния ден.

time-consuming ['taimkənsjumin] *a* **1.** поглъщащ/отнемащ много време; **2.** който пилее/при който се пилее много време.

time-expired ['taimikspaiəd] *a воен.* изкарал военната си служба; за уволняване.

time-exposure ['taimiks,рouэ] *n фот.* (снимка, направена с) продължителна експозиция.

time-fuse ['taimfju:z] *n воен.* дистанционна запалка.

time-honoured ['taimɔnəd] *a* **1.** запазен във вековете, зачитан, спазван (*за обичай и пр.*); **2.** уважаван, почитан.

timekeeper ['taimki:рə] *n* **1.** човек, който следи/отбелязва времето за нещо; контрольор, хронометрист; **2.** часовник; *ост.* хронометър.

time killer ['taimkilə] *n ам.* **1.** човек, който се чуди какво да прави с времето си; празноскитащ; **2.** нещо за убиване на времето (*книга, забавление, развлечение и пр.*).

time-lag ['taimlæg] *n* **1.** интервалът между едно действие/явление и ефекта му (*светкавица и гръм и пр.*); **2.** разлика по време.

time-lapse ['taimlæps] *a* снет бавно/на части, но представен като последователно ставащ в момента (*разцъфтяване на цвете и пр.*).

timeless ['taimlis] *a* **1.** бекраен, вечен; **2.** който не се отнася до определено време/период; **3.** извън времето; предвечен.

time limit ['taimlimit] *n* краен срок; регламент за изказвания.

timeliness ['taimlinis] *n* своевременност, навременност.

timely ['taimli] *a* навременен, своевременен; уместен, подходящ.

time-out ['taimaut] *n* прекъсване; пауза, почивка.

timepiece ['taimpi:s] *n* уред за измерване на времето, часовник.

timer ['taimə] *n* **1.** *сп.* хронометрист; **2.** устройство за отмерване на време; **3.** *тех.* регулатор.

time-saving ['taimseivin] *a* спестяващ време; бързо действуващ; бърз.

time-server ['taimsə:və] *n* приспособленец, нагаждач, опортюнист.

time-serving[1] ['taimsə:vin] *n* приспособленчество, безпринципност, опортюнизъм.

time-serving[2] *a* приспособленчески, опортюнистичен.

time-sharing ['taimʃɛərin] *n* използуване на компютър едновременно от няколко души.

time-sheet ['taimʃi:t] = **time-book, -card.**

time-signal ['taimsignəl] *n* сигнал за точно време (*по радио и пр.*).

time-signature ['taim,signətʃə] *n муз.* обозначение на такта.

time-switch ['taimswitʃ] *n* ключ за автоматично включване и изключване.

timetable ['taimteibl] *n* програма, разписание.

time-tested ['taimtestid] *a* изпитан, изпробван, утвърден (*за метод и пр.*).

time-work ['taimwə:k] *n* работа, заплащана на ден/час.

time-worn ['taimwɔ:n] *a* **1.** изтъркан, изтрит, износен, овехтял; **2.** стар, старинен; **3.** отживял.

timid ['timid] *a* плах, боязлив, плашлив; стеснителен, свенлив.

timidity [ti'miditi] *n* плахост, боязливост; свенливост, стеснителност.

timing ['taimin] *n* подбиране/намиране на точния/подходящия момент; определяне на правилното темпо; синхронизиране.

timorous ['timərəs] *a* плах, боязлив; изплашен; крайно стеснителен.

timothy ['timəθi] *n* вид фуражна култура, тимотейка (*и* **~-grass**).

timpani ['timpəni] *n pl муз.* тимпани, литаври.

tin[1] [tin] *n* **1.** калай; **2.** ламарина, бяло тенеке; **3.** тенеке, тенекия; тенекиена кутия; консервена кутия; **4.** *sl.* пари; **5.** *attr* калаен; тенекиен; **~ container** тенекиен съд, тенекия; **~ soldier** оловно войниче (*играчка*); **(little) ~ god** незаслужено възвеличавано (самодоволно) нищожество; **~ Lizzie** *sl.* малък евтин автомобил.

tin[2] *v* **1.** калайдисвам; **2.** консервирам; **3.** слагам/опаковам в консервени кутии.

tin can ['tinkæn] *n* **1.** тенекиена кутия; тенеке; **2.** *sl. воен. мор.* разрушител.

tinct [tiŋkt] *a поет.* обагрен, оцветен.

tinctorial [tiŋk'tɔ:riəl] *a* багрилен.

tincture[1] ['tiŋktʃə] *n* **1.** багрилно вещество; **2.** *pl хер.* цветове, окраски; **3.** отсянка, оттенък, нюанс; **~ of red** червеникав оттенък; **4.** лек мирис, дъх, вкус; лъх; **5.** *прен.* белег, свойство, качество; признак; **6.** капка, капчица, мъничко (**of**); **7.** *фарм.* спиртен разтвор, тинктура; **~ of iodine** йодова тинктура.

tincture[2] *v* **1.** багря, обагрям, оцветявам; **2.** придавам миризма/вкус на; **3.** *прен.* напоявам, пропивам (**with** с).

tinder ['tində] *n* **1.** лесно възпламенимо вещество; **2.** прахан; сухо гнило дърво; **to burn like ~** горя като барут.

tinder-box ['tindəbɔks] *n* **1.** *ист.* (кутийка с) прахан; **2.** *прен.* силно нажежена атмосфера; кибритлия човек.

tindery ['tindəri] *a* лесно възпламеним; гнил, загнил (*за дърво*).

tine [tain] *n* бод/острие на вилица и пр.; зъб/зъбец на гребен; връх (*на рог*).

tinea ['tiniə] *n мед.* трихофития; кел.

tin foil ['tinfɔil] *n* станиол.

ting[1] [tiŋ] *int, n* дзън; дзънкане, звънтене, звън.

ting[2] *v* дзънкам, звънтя.

tinge[1] [tindʒ] *v* багря, обагрям, оцветявам леко (**with** с); **admiration ~d with envy** възхищение, примесено с лека завист.

tinge[2] *n* **1.** багра, отсянка, оттенък, нюанс; **2.** дъх, лъх; **3.** вкус; **4.** *прен.* нотка, жилка.

tingle[1] ['tiŋgl] *v* **1.** изтръпвам; изтръпнал ми е (*крак и пр.*); щипе ме (*за студ*); изпитвам смъдене; сърбеж; **my fingers are tingling to box his ear** ръцете ме сърбят да му ударя плесница; **2.** *прен.* вълнувам се; **3.** пламвам, горя (*от удар, срам, негодувание и пр.*); **my ears ~** ушите ми горят; **4.** причинявам бучене/изтръпване/смъдене/сърбеж в ушите; щипя (*за студ*), жуля, бръсна (*за вятър*); **to ~ the blood** разигравам/вълнувам кръвта; **5.** трептя (**with** от); **her reply ~d in his ears** отговорът ѝ звучеше в ушите му.

tingle[2] *n* **1.** бучене/пищене в ушите; **2.** изтръпналост, сърбеж, смъдене; щипене; **3.** туптене; **4.** леко вълнение.

tin hat ['tinhæt] *n воен. sl.* каска.

tinhorn ['tinhɔ:n] *n ам.* самомнителен позьор.

tinker[1] ['tinkə] *n* калайджия; *прен.* нескопосник; □ **not to give a ~'s damn/dam/curse/cuss** пет пари не давам, хич не ме е грижа, не ме интересува.

tinker[2] *v* **1.** калайдисвам, занимавам се с калайджийство; **2.** поправям на бърза ръка/нескопосно, скърпвам (**up**); бърникам, човъркам, мъча се да поправя (**at**).

tinkle[1] ['tinkl] *v* дрънкам, дрънча; звъня, звъня.

tinkle[2] *n* дрънкане, дрънчене; дзънкане, звънтене; звънтеж, звън; **to give s.o. a ~** звънвам на някого (*по телефона*).

tinman ['tinmən] (*pl* -**men**) = **tinsmith**.

tinned ['tind] *a* **1.** консервиран; в консервена кутия; ~ **goods** консерви; ~ **sardines** сардела; ~ **music** музика от записи/плочи; **2.** калайдисан.

tinnitus [ti'naitəs] *n мед.* пищене/бучене/шум в ушите.

tinny ['tini] *a* **1.** съдържащ калай; **2.** имащ вкус/дъх на тенеке; **3.** тенекиен; издаващ тенекиен звук; **4.** твърд (*за колорит*).

tin-opener ['tinoupənə] *n* отварачка за консервени кутии.

tin-pan alley ['tinpæn'æli] *n събир.* композитори, изпълнители и издатели на популярна/естрадна музика.

tin-plate[1] ['tinpleit] *n* тенекия, бяла/калайдисана ламарина.

tin-plate[2] *v* калайдисвам.

tinpot ['tinpɔt] *a през.* долнокачествен, евтин, без стойност.

tinsel[1] ['tinsl] *n* **1.** сърма; **2.** лъскави ленти, гирлянди и др. украшения за елха и пр.; **3.** *прен.* лъжлив блясък.

tinsel[2] *a* **1.** крещящ, безвкусен, евтин; **2.** лъжлив, фалшив.

tinsel[3] *v* **1.** украсявам със сърма, гирлянди и пр.; **2.** придавам лъжлив блясък на.

tinsmith ['tinsmiθ] *n* тенекеджия.

tint[1] [tint] *n* **1.** цвят, боя, багра; **2.** отсянка, нюанс, тон; **3.** окраска, преобладаващ тон; **4.** успоредни линии на гравюра.

tint[2] *v* оцветявам, обагрям (*и прен.*); ~**ed glasses** тъмни очила.

tintinnabulation [tintinæbju'leiʃn] *n* биене/звънене/звън на камбани.

tintometer [tin'tɔmitə] *n тех.* колориметър.

tinty [tinti] *a* оцветен нехармонично.

tintype ['tintaip] *n фот.* феротипия, дагеротип.

tin-ware ['tinweə] *n* тенекиени изделия; калаени съдове.

tiny ['taini] *a* мъничък, дребничък, миниатюрен; ~ **little boy** съвсем мъничко/дребничко момченце.

tip[1] [tip] *n* **1.** заострен край/крайче; връх; завършък; **the ~s of o.'s fingers** краищата/върхът на пръстите; **to have it on the ~ of o.'s tongue** на (върха на) езика ми е, върти ми се в устата; **2.** железен край/шип на чадър/бастун и пр.; **3.** четка, употребявана при варакосване.

tip[2] *v* (-**pp**-) **1.** слагам край/крайче/шип на; **filter-~ped cigarettes** цигари с филтър; **2.** подрязвам върха на (*храст, дърво и пр.*); **3.** стрижа, остригвам, подстригвам (*коса*).

tip[3] *v* (-**pp**-) **1.** наклонявам (се), наклалям (се), килвам, климвам; **to ~ o.'s hat over o.'s eyes** нахлупвам напред шапката си; **2.** докосвам (се), допирам леко, бутвам; удрям леко, потупвам; **to ~ o.'s hat**/*sl.* **lid to**

s.o. поздравявам някого с докосване на шапката си; **3.** обръщам, катурвам; изтърсвам, изсипвам, изхвърлям;

tip off изливам (*от съд*);

tip out изтърсвам, изсипвам (се);

tip over/up 1) повдигам, вдигам; обръщам (се), преобръщам (се), прекатурвам (се).

tip[4] *n* място за изхвърляне на боклук; *разг.* разхвърлено място, бъркотия.

tip[5] *n* **1.** бакшиш, пари за почерпка; дребен подарък; **2.** полезен съвет; ценно сведение, получено по частен път; **take my ~** послушай съвета ми; **it is a good ~ (to)** добре е, за препоръчване е (да).

tip[6] *v* (-**pp**-) **1.** давам бакшиш/пари за почерпка на; **2.** *sl.* хвърлям/подхвърлям/давам на; ~ **us a song/a yarn** попей ни/разкажи ни нещо; **to ~ the winner** казвам предварително кой ще спечели в конно надбягване; *прен.* предугаждам успеха на някого; **3.** осведомявам тайно, подшушвам на (**about** за); **4. to ~ s.o. off** правя намек на/предупреждавам някого.

tip and run ['tipən,rʌn] *n сп.* вид крикет; ~ **raid** *разг.* светкавичен обир/нападение.

tip-cart ['tipka:t] *n тех.* количка, която се изправя чрез наклоняване.

tip-cat ['tipkæt] *n* челик, джелик (*детска игра*).

tip-lorry ['tiplɔri] *n* самосвал.

tip-off ['tipɔf] *n* намек; тайна информация; **to give s.o. the ~** предупреждавам/информирам някого.

tippet ['tipit] *n* **1.** наметало, пелерина; **2.** *църк.* орар.

tipple[1] ['tipl] *v* пия, попийвам си.

tipple[2] *n разг.* спиртно питие; *шег.* всякакъв вид питие.

tippler ['tiplə] *n* пияница, къркач.

tipstaff ['tipsta:f] *n* **1.** тояга с железен край; **2.** съдебен пристав.

tipster ['tipstə] *n* съветник относно конни надбягвания.

tipsy ['tipsi] *a* пийнал, залитащ, неустойчив; ~ **lurch** пиянско залитане.

tipsy-cake ['tipsikeik] *n* пандишпан, напоен с вино и пр.

tiptoe[1] ['tiptou] *n* връх на пръст на крак; **on ~** на пръсти; **to walk/stand on ~** ходя/стоя/изправям се на пръсти.

tiptoe[2] *v* ходя/стъпвам (като) на пръсти; **to ~ to** отивам на пръсти до; **to ~ out (of)** излизам на пръсти (от).

tiptop[1] ['tiptɔp] *n* връх, връхна точка; съвършенство.

tiptop[2] *a разг.* първокачествен, първостепенен; превъзходен, „бомба".

tiptop[3] *adv разг.* превъзходно, чудесно, екстра.

tip-up seat [tip'ʌpsi:t] *n* стол със седалка, която се вдига/сгъва (*в театър, кино и пр.*).

tirade ['taireid] *n* дълга гневна реч, тирада; декламация.

tire[1] [taiə] *n ост.* украшение за глава; облекло, премяна.

tire[2] *v* украсявам; обличам, променявам.

tire[3] *ам.* = **tyre**.

tire[4] *v* **1.** уморявам (се); умарям; **to grow/get ~d with** уморявам се от; **to dance/talk o.s. ~d** уморявам се от танцуване/говорене; **2.** омръзва ми, дотяга ми; досажда ми (**of**) (*обик. pass*); **3. to ~ out** изморявам, измарям, изтощавам.

tired [taiəd] *a* **1.** уморен, изморен; ~ **looking** с уморен вид; ~ **of** отегчен от; **to be ~ of life** животът ми е омръзнал, не ми се живее; **2.** изтъркан, банален, шаблонен.

tireless ['taiəlis] *a* неуморен, неуморим.

tiresome ['taiəsəm] *a* **1.** уморителен; **2.** досаден, отегчителен; неприятен.

tirewoman ['taiɔwumɔn] *n ост.* камериерка.

tiring-room ['taiɔriŋrum] *n театр.* стая за обличане, гримьорна.

tiro ['taiɔrou] *a* начеваш, начинаеш, новак.

'tis [tiz] = **it is.**

tisane [ti'zæn] *n* билков чай/запарка.

tissue ['tisju:,-ʃu:] *n* 1. тънка мека материя/тъкан; 2. *биол.* тъкан; 3. книжен памук, лигнин; книжна кърпичка (*за нос, за избърсване на грим и пр.*); 4. *прен.* низ, върволица, куп, мрежа (*от лъжи и пр.*).

tissue-paper ['tisju:'peipɔ] *n* тънка мека хартия за опаковка и пр.; книжна носна кърпа/салфетка и пр.

tit¹ [tit] *n* 1. синигер; 2. *ост.* конче; 3. *ост.* девойче.

tit² *n*: ~ **for tat** око за око, зъб за зъб; каквото повикало, такова се обадило.

tit³ *n sl.* безволев глупак.

tit *вулг.* = **teat 1.**

Titan ['taitn] *n* 1. *мит.* титан; 2. *прен. т.* гигант, титан.

titanic [tai'tænik] *a* титаничен, титански, гигантски, колосален.

titanium [tai'teiniɔm] *n хим.* титан.

titbit ['titbit] *n* 1. вкусно парченце, хапка, мръвка; 2. пикантна новина/клюка.

titfer [titfɔ] *n sl.* шапка.

tithe¹ [taið] *n* 1. *ист.* една десета част; 2. *рет.* незначителна/малка част; 3. десятък.

tithe² *v ист.* облагам с десятък.

Titian ['tiʃɔn] *a*: ~ **(red)** златисто-червеникав, червеникавокафяв.

titillate ['titileit] *v* гъделичкам; дразня; приятно вълнувам/възбуждам.

titillation [,titi'leʃn] *n* гъделичкане; приятна възбуда, вълнение.

titivate ['titiveit] *v разг.* украсявам (се); **to ~ o.s.** издокарвам се, контя се, наконтвам се.

titlark ['titla:k] *n* ливадна бъбрица (*птица*) (Anthus pratensis).

title¹ [taitl] *n* 1. заглавие, наслов; название, име; 2. надпис/титър на филм и пр.; **credit ~s** *кино, телев.* имената на изпълнителите на ролите и на състава, осъществил продукцията; 3. титла, звание; 4. право на собственост; признато право/претенция (**to** за); 5. чистота на злато, изразена в карати.

title² *v* 1. озаглавявам; 2. титулувам.

titled ['taitld] *a* титулуван, имащ (благородническа) титла.

title-deed ['taitldi:d] *n* нотариален акт за собственост.

titleholder ['taitlhouldɔ] *n* носител на звание; шампион.

title-page ['taitlpeiʤ] *n* заглавна страница на книга.

title-piece ['taitlpi:s] *n* заглавие на есе, разказ и пр., дало името си на книгата, в която е поместено.

title-role ['taitlroul] *n* действуваще лице от едноименна пиеса, филм и пр. (*и* ~-**part**).

titling¹ [taitliŋ] *n* заглавие със златни букви на корицата на книга.

titling² ['titliŋ] = **titlark.**

titrate ['taitreit] *v хим.* титрувам.

titter¹ ['titɔ] *v* хихикам, смея се споделено.

titter² *n* хихикане, споделен смях.

tittle ['titl] *n* чертичка, точица; частица, дреболия; **not one jot or** ~ ни най-малко, ни на йота; **to a** ~ до най-малките подробности.

tittle-tattle¹ ['titltætl] *n* празни приказки, клюки.

tittle-tattle² *v* бъбря, клюкарствувам.

tittup¹ ['titʌp] *v* стъпвам весело/игриво, подскачам, лудувам.

tittup² *n* весело/игриво подскачане, лудуване.

titty ['titi] *дет. вулг.* = **teat 1.**

titular¹ ['titjulɔ] *a* 1. номинален; 2. свързан с титла/заемана длъжност; титулярен, притежаван въз основа на титла.

titular² *n* човек, носещ номинална титла/звание, титуляр.

tizzy ['tizi] *n sl.* състояние на нервна възбуда; *разг.* объркване, безпокойство, паника.

tmesis ['tmi:sis] *n (pl* -ses [si:z]*) грам.* вмъкване на една или повече думи между съставните части на сложна дума, тмезис (*напр.* what place soever *вм.* whatsoever place).

to¹ *пред гласна* [tu], *пред съгласна* [tɔ], *под ударение* [tu:]) *prep* 1. *движение, посока* в; до; на; към, за; при; **to come ~ the surface** излизам на повърхността; ~ **the right/left/south, etc.** надясно, наляво, на юг и пр.; 2. *място* до, на; **to apply polish ~ the table** слагам лак на/лакирам масата; **with o.'s hands** ~ **o.'s eyes** с ръце на очи; **ready ~ (o.'s) hand** подръка, наръки, наблизо; **next door ~ us** до нас, до нашата къща; 3. *със знач. на дателен падеж с глаголи като* give, send, lend, etc. на; **give it ~ her** дай й го, дай го на нея; 4. *въвежда предложно допълнение с глаголи като* apply, object, refer, be/get accustomed, etc. на, към, с; 5. *лично отношение* на, към, за; **pleasant/revolting** ~ приятен/противен на/за; **lost/blind/dead/favourable** ~ изгубен/сляп/мъртъв/благоприятен за; **kind/cruel** ~ мил/жесток към/с; **as** ~ що се отнася/ касае до; **what is that** ~ **you?** теб какво ти става? какво те засяга? 6. *граница, степен, предел* до, на; ~ **perfection/death/tears** до съвършенство/смърт/сълзи; ~ **the last breath** до последния си дъх; ~ **all eternity** навеки; ~ **a man** до последния човек, до един, до крак; ~ **the best of my knowledge/ability** доколкото знам/мога; **generous** ~ **a fault** прекомерно щедър; 7. *начин* по; **made** ~ **order/measure** направен по поръчка/мярка; **drawn** ~ **scale** рисуван/начертан по мащаб; 8. *резултат* за; ~ **my surprise/joy/disappointment, etc.** за моя изненада/радост/разочарование; 9. спрямо, към, по отношение на, в сравнение с; **ten** ~ **one** десет към/на едно; **to prefer one thing** ~ **another** предпочитам едно нещо пред друго; **it's nothing** ~ **what I expected** това не е нищо в сравнение с онова, което очаквах; **perpendicular/parallel** ~ перпендикулярен/успореден на; **superior/inferior** ~ по-добър/по-лош по качество и пр. от; 10. *съотношение по количество, брой* по; **ten apples** ~ **the kilo** (по) десет ябълки в килограм; **twenty cigarettes** ~ **the box** по 20 цигари на/в кутия; 11. *цел* на, за; в чест на; **to sit down** ~ **dinner** сядам на обед/да обядвам; ~ **this end** за тази цел; **to come** ~ **s.o.'s aid/help** притичам се на помощ на някого; **a hymn** ~ **the sun** химн/възхвала на слънцето; **a monument** ~ паметник на/за на чест на; 12. *прибавяне* към, на; **to add** ~ прибавям към; 13. *притежание, принадлежност* на, от; **brother/secretary/heir** ~ брат/секретар/наследник на; **an exception** ~ **a rule** изключение от правило; **common/natural/peculiar** ~ общ/естествен/характерен за; **to have a right/title** ~ имам право на; **to have a flat** ~ **o.s.** живея сам в апартамент, имам апартамент на свое разположение; **that's all there is** ~ **it** това е то/всичко, и толкоз; **there is more** ~ **it than that** има и нещо друго, това не е всичко; **there is no index** ~ **the book** към книгата няма азбучен показалец; **a box with a lid ~ it** кутия с капак; **a story with a moral ~ it** поучителна история; **14.** със съпровод на, с, по, под; **to sing ~ the piano** пея със съпровод на пиано; **to dance ~ a tune** танцувам под звуците на мелодия; **to write ~ dictation** пиша по/под диктовка; **15.** *време* до; **from... to...** от... до...; **five minutes ~ ten** десет часа без пет минути; □ **to come ~ s.o.'s call** идвам, когато някой ме повика; **to fall ~ s.o. blows** падам под/от ударите на; **there's nothing ~ it** това не представлява трудност, не е мъчно, много е лесно.

to² *part* **1.** *пред inf* да, за да, за; **never ~ return** за да не се върне никога; **good ~ drink** добър/хубав за пиене; **s.th. ~ eat** нещо за ядене; **he is not a man ~ be trusted** не е човек, на когото може да се вярва; **2.** *замества инфинитива на споменат вече глагол:* **you may go if you want ~** може да си отидете, ако искате; **I didn't want to ask but I had ~** не исках да питам, но трябваше.

to³ [tu:] *adv* в нормалното/исканото положение; до спиране; **to shut/bang the door ~** затварям/затръшвам вратата; **to come ~** свестявам се, идвам на себе си; **to bring s.o. ~** свестявам някого.

toad [toud] *n* **1.** крастава/суха жаба (Bufo); **2.** отвратителен човек, гад; **3.** *ост.* жабе, жабче (*галено — за дете и пр.*).

toad-eater ['toudi:tə] = **toady¹**.

toad-flax ['toudflæks] *n бот.* луличка (Linaria vulgaris).

toad-in-the-hole ['toudinðə‚houl] *n* салам/говеждо месо, изпечено в тесто.

toadstool ['toudstu:l] *n* гъба, *особ.* отровна.

toady¹ ['toudi] *n* ласкател, мазник, подлизурко.

toady² *v* лаская, подмазвам се, подлизурствувам.

to-and-fro ['tu:ən'frou] *adv* насам-натам, нагоре-надолу.

toast¹ [toust] *v* **1.** препичам (*филии хляб и пр.*) на огън/скара и пр.; **2.** припичам, грея (*краката си*) на огъня; припичам се на огъня.

toast² *n* филии хляб и пр., препечени на огън, скара и пр.; **on ~** сервиран върху препечена филия; □ **to have s.o. on ~** държа/имам някого изцяло в ръцете/властта си.

toast³ *v* вдигам тост/пия наздравица за.

toast⁴ *n* **1.** наздравица, тост; **to give/propose a ~ to** вдигам тост/пия наздравица за; **2.** лице/събитие, за което се пие наздравица; **3.** лице (*особ. жена*), което е обект на всеобщо възхищение.

toaster ['toustə] *n* ел. скара и пр. за препичане на филии, сухарник.

toasting-fork ['toustiŋfɔ:k] *n* вилица с дълга дръжка за препичане на хляб.

toast-master ['toust‚ma:stə] *n* лице, което оповестява тостовете на банкет и пр.

toast-rack ['toust‚ræk] *n* подставка за препечени филии.

toasty ['tousti] *a* приятно затоплен, загрят, сгрян.

tobacco [tə'bækou] *n* **1.** тютюн; **~ plant** тютюн (*растение*) (Nicotiana); **2.** *attr* тютюнев, за тютюн; **~ heart** сърдечно заболяване вследствие на много пушене.

tobacconist [tə'bækənist] *n* продавач/търговец на цигари/ пури и пр.

tobacco-pipe [tə'bækou‚paip] *n* лула.

tobacco-pouch [tə'bækou‚pautʃ] *n* торбичка за тютюн.

tobacco worker [tə'bækou‚wəkə] *n* тютюноработник.

to-be [tə'bi:] *a* бъдещ; **his fianceé ~** бъдещата му годеница.

toboggan¹ [tə'bɔgən] *n* **1.** дълга спортна шейна, тобоган; **2.** детска шейна.

toboggan² *v* **1.** карам/возя се/спускам се с тобоган; **2.** *ам.* рязко спадам, обезценявам се бързо.

toby ['toubi] *n* бирена чаша с форма на дебел старец с триъгълна шапка; □ **~ collar** широка обърната плисирана яка.

toccata [tə'ka:tə] *n муз.* токата.

tocher ['tɔkə] *n шотл.* зестра.

toco ['tokou] *n уч. sl.* бой, пердах, телесно наказание.

tocsin ['tɔksin] *n* камбана за тревога; сигнал за тревога с камбана.

tod [tɔd] *n* **1.** *шотл.* лисица; **2.** мярка за тегло на вълна (*28 фунта*).

today¹, **to-day** [tə'dei] *adv* **1.** днес; **2.** сега, в наши дни.

today² *n* **1.** днес, днешният ден; **~ week/month** точно след една седмица/месец; **~'s test/newspapers** днешният тест/вестници; **writers of ~** съвременни писатели.

toddle [tɔdl] *v* **1.** щапукам; кретам, вървя несигурно; **2.** поразтъпквам се, разхождам се; **3.** *разг.* тръгвам си, отивам си; **we must be toddling** време е/трябва да си вървим.

toddler ['tɔdlə] *n* дете, което прохожда; малко дете.

toddy ['tɔdi] *n* **1.** вид подсладен пунш; **2.** палмов сок.

to-do [tə'du:] *n* шум, врява, гюрултия; вълнение; **to make a terrible ~** вдигам страшен шум, правя голяма история.

toe¹ [tou] *n* **1.** пръст на крак/чорап; нос на обувка; предна част на копито; **the big/great ~** палецът на крака; **the little ~** малкият пръст на крака; **on o.'s ~s** на пръсти; *прен.* нащрек, готов за действие; **to stub o.'s ~ on s.th.** *прен.* препъвам се/не успявам в нещо; **to turn up o.'s ~s** *sl.* хвърлям топа/петалата, умирам; **2.** *тех.* пета, петов лагер, лагер на пета; **3.** шип на подкова; **4.** връх на пръчка за голф; □ **to dig o.'s ~s in** заинатявам се, запъвам се.

toe² *v* **1.** слагам капаче на носа на обувка; преплитам/ замрежвам пръстите на чорап; **2.** *уч. sl.* ритам; **3.** докосвам/достигам с пръстите на краката си; **to ~ the line/mark** 1) *сп.* заставам до стартовата линия, готов съм за стартиране; 2) придържам се към правилата, спазвам строго изискванията; **4.** *голф* удрям топка с върха на пръчката; **5. to ~ in** *стъпвам* патраво; **6. to ~ out** стъпвам/ходя с извърнати навън пръсти на краката.

toe-cap ['toukæp] *n* бомбе на обувка.

toed [toud] *a* **1.** *в съчет.* с определена форма на пръстите на краката; с определен брой пръсти; **three-~** с три пръста на краката; **2.** косо закован (*за пирон*); с косо заковани пирони (*за дъска и пр.*).

toe-dance¹ ['tou‚da:ns] *n* танц/танцуване на палци.

toe-dance² *v* танцувам на палци.

toe-hold ['tou‚hould] *n* **1.** място само колкото да стъпи човек с върха на пръстите си (*при изкачване на скала и пр.*); *прен.* опора, опорна точка; **2.** малко преимущество; **3.** средство за преодоляване на затруднение; **4.** *борба* хватка на извиване на стъпалото на противника.

toe-in ['tou‚in] *n авт.* положение, при което предните колела са леко обърнати навътре, събиране на предните колела.

toeless ['toulis] *a* без пръсти, изрязан отпред (*за обувки*).

toe-nail¹ ['touneil] *n* **1.** нокът на пръст на крака; **2.** косо закован пирон.

toe-nail² *v* **1.** забивам (*пирон*) косо; **2.** заковавам с косо забити пирони.

toff[1] [tɔf] *n sl.* **1.** видна личност; **2.** богаташ; **3.** конте, франт.

toff[2] *v* обличам се като франт, контя се, труфя се.

toffee, toffy ['tɔfi] *n* твърд карамел, лакта; **he can't shoot, etc. for** ~ *sl.* хич не го бива да стреля и пр.; **not for** ~ *sl.* за нищо на света, в никакъв случай.

toft [tɔft] *n диал.* **1.** хълмче, възвишение; **2.** къща със стопански двор, чифлик, ферма.

tog[1] [tɔg] *v* (**-gg-**) обличам се, издокарвам се (*и с* **out, up**).

tog[2] *n обик. pl* облекло, дрехи.

toga ['tougə] *n лат.* тога.

togaed, toga'd ['tougəd] *a* облечен с (академична) тога.

together [tə'geðə] *adv* **1.** заедно; ~ **with** заедно с; едновременно с; също и; както и; **we were at school** ~ съученици сме, ходехме в едно училище; **to gather/collect** ~ събираме се/виждаме се често; **to add/multiply** ~ събирам/умножавам няколко числа; **2.** един към друг, един до друг; един с друг; **to compare** ~ сравняваме един с друг; **to tie** ~ връзвам, завързвам заедно; **3.** наред, подред, без прекъсване (*за време*); **for hours/days, etc.** ~ с часове/дни и пр. наред, по цели часове/дни и пр.; **4.** едновременно.

togetherness [tə'geðənis] *n* чувство за единство/другарство/сплотеност.

toggery ['tɔgəri] *n* **1.** *разг.* дрехи, облекло; **2.** *pl ам.* магазин за дрехи, *особ.* за мъжка мода.

toggle[1] ['tɔgl] *n* **1.** щифт, чеп, клечица, *особ.* за вкопчване в клуп; **2.** *тех.* коляно; **3.** *стр.* греда с накована летви за изкачване.

toggle[2] *v* прикрепям с чеп, съединявам с клуп и чеп.

toggle-joint ['tɔgl͵dʒɔint] *n тех.* ножично съединение.

toil[1] [tɔil] *v* **1.** трудя се, мъча се, трепя се; **to** ~ **and moil** трудя се, блъскам се; **2.** вървя с мъка, влача се.

toil[2] *n* мъка; труд, тежка работа, блъскане, трепане.

toil[3] *n обик. pl прен.* клопка, капан, мрежа; **in the** ~**s** **1)** хванат, оплетен; **2)** омаян, запленен.

toiler ['tɔilə] *n* работник, труженик.

toilet ['tɔilit] *n* **1.** тоалет, дамско облекло; **2.** обличане, грижа за облеклото; тоалет; гримиране; **3.** измиване и почистване на ˙оперирано място; **4.** тоалетка (*и* ~**-table**); **5.** тоалетна, клозет; **6.** *attr* тоалетен.

toilet-paper ['tɔilit͵peipə] *n* тоалетна хартия.

toilet-powder ['tɔilit͵paudə] *n* тоалетна/талк пудра, пудра за след бръснене.

toilet-roll ['tɔilitroul] *n* руло тоалетна хартия.

toiletry ['tɔilitri] *n обик. pl* тоалетни артикули (*паста за зъби, за бръснене, одеколон и пр.*).

toilet-set ['tɔilitset] *n* комплект от тоалетни принадлежности.

toilet soap ['tɔilit͵soup] *n* тоалетен сапун.

toilette [twa:'let] *n фр.* **1.** = **toilet 2**; **2.** костюм, рокля, тоалет.

toilet-training ['tɔilit͵treiniŋ] *n* приучване на малко дете да използва цукало/тоалетна.

toilful, -some ['tɔilful, -səm] *a книж.* усилен, тежък, труден, уморителен.

toil-worn ['tɔilwɔ:n] *a* изтощен/преуморен от работа, отруден.

toing and froing ['tu:iŋən'frouiŋ] *n* движение насам-натам/нагоре-надолу/напред-назад.

Tokay [tou'kei] *n* **1.** токайско вино; **2.** токайско грозде.

toke [touk] *n ам. sl.* едно смукване от цигара с марихуана.

token ['toukn] *n* **1.** знак, белег; признак, символ; **in** ~ **of**, **as a** ~ **of** в знак на; **2.** нещо подарено за спомен; **3.** жетон; **4.** *attr* символичен; привиден, мним; само проформа; ~ **payment** изплащане на част от дълг като доказателство, че ще бъде изплатен изцяло; ~ **money** *ост.* **1)** жетони/монети, сечени от частна фирма; **2)** *фин.* платежно средство с номинална стойност; ~ **resistance** съпротива само проформа; ~ **voting** *парл.* гласуване на сума, чийто размер подлежи на промяна; ~ **strike** кратка предупредителна стачка; □ **by this/the same** ~ по тази/по същата причина; **more by** ~ **1)** също така; **2)** още/толкова повече (**that** че); **3)** в потвърждение/подкрепа на това.

toko = **toco**.

tolbooth ['toulbu:θ] *n шотл. ост.* **1.** градски съвет; **2.** пазар, пазарище; **3.** затвор.

told *вж.* **tell**.

Toledo [tə'li:dou] *n* сабя, изработена в Толедо (*и* ~ **blade**).

tolerable ['tɔlərəbl] *a* **1.** търпим, поносим, приемлив; **2.** доста добър, сносен; доста голям; **in** ~ **health** общо взето добре здравословно/със здравето; ~ **food** нелоша храна.

tolerably ['tɔlərəbli] *adv* **1.** търпимо, поносимо, приемливо; **2.** доста.

tolerance ['tɔlərəns] *n* **1.** търпимост, толерантност; **2.** толеранс; **3.** поносимост; **4.** допустимост.

tolerant ['tɔlərənt] *a* **1.** толерантен; либерален, свободомислещ; търпелив (**of**); **2.** *мед.* понасящ леко (*лекарство и пр.*); имащ добра поносимост (**of** към).

tolerate ['tɔləreit] *v* **1.** търпя, понасям; **2.** търпя, допускам, разрешавам; **3.** покровителствувам.

toleration [͵tɔlə'reiʃn] *n* **1.** търпене, понасяне, толериране; **2.** допускане, разрешаване; **3.** толерантност, търпимост.

toll[1] [toul] *v* звъня/бия/удрям равномерно; **to** ~ **in** събирам/приканвам богомолци на църква (*за камбана*).

toll[2] *n* камбанен звън; погребален звън.

toll[3] *n* **1.** такса/данък за използване на шосе/мост/пристанище и пр.; **2.** такса за междуградски телефонен разговор; **3.** право за събиране на такса/данък; **4.** уем; **5.** *прен.* жертви, дан; **road** ~ *жур.* жертви от автомобилни катастрофи; **the accident took a heavy** ~ **of human life** злополуката взе много човешки жертви; **rent takes a heavy** ~ **of o.'s income** наемът поглъща голяма част от доходите.

tollable ['toulabl] *a* за който се плаща/който се облага с данък.

tollage ['toulidʒ] *n* плащане на такса/данък; размер на такса/данък.

toll-bar ['toulba:] *n* бариера на мястото, където се събира такса.

tollbooth = **tolbooth**.

toll call ['toulkɔ:l] *n* междуселищен телефонен разговор.

toll-gate = **toll-bar**.

toll-house ['toul͵haus] *n* кантон на бариера, където се събира такса.

tollkeeper ['toulki:pə] *n* лице, което събира пътни такси и пр.

tolu ['toulju:] *n* ароматен балсам, добиван от юж.-ам. дърво.

toluene, toluol ['tɔljui:n, 'tɔljuɔl] *n хим.* толуол.

tom [tɔm] *n* **1.** мъжко животно, *особ.* котарак; **2.** голямо оръдие; **Long T.** *мор.* дълго бордово оръдие; □ **Old T.** силен джин; **every T., Dick and Harry** *презр.* кой да е, всеки, всички, кой ли не; **T. o'Bedlam** ~ *ист.*

луд просяк/бедняк; **T. and Jerry** питие от горещ ром и вода с разбити яйца; **T. Fool** глупак.

tomahawk[1] ['tɔmə'hɔ:k] *n ам. индиан.* томахавка; **to bury the ~** *вж.* **bury 1.**

tomahawk[2] *v* **1.** удрям/насичам/убивам със секира; **2.** критикувам унищожително, правя на пух и прах.

tomalley [tɔ'mæli] *n* тлъстина от омар, от която се прави зелен сос.

tomato [tə'ma:tou] *n (pl -es)* **1.** домат; **2.** *attr* доматен.

tomb [tu:m] *n* **1.** гроб; гробница; **2.** надгробен камък/паметник; **3.** *прен.* смърт.

tombac ['tɔmbæk] *n* сплав от мед и цинк, използувана в бижутерията.

tombola [tɔm'boulə] *n* томбола.

tomboy ['tɔmbɔi] *n* буйно/палаво момиче, мъжкарана.

tombstone ['tu:mstoun] *n* надгробен камък/плоча.

tomcat ['tɔmkæt] *n* котарак.

tome [toum] *n* том, *особ.* обемист.

tomentose [tou'mentous] *a* силно окосмен/мъхнат *(за листо и пр.).*

tomfool[1] [tɔm'fu:l] *n* **1.** глупак; **2.** палячо, клоун; **3.** *attr* глупав, безсмислен, безсъдържателен.

tomfool[2] *v* държа се като глупак, върша щуротии.

tomfoolery [tɔm'fu:ləri] *n* **1.** глупаво държане; палячовщина; **2.** глупави шеги, щуротии.

tommy ['tɔmi] *n* **1.** *разг.* войник; редник; **T. Atkins** британски войник *(прякор)*; **2.** хляб, провизии, носени от работници, или давани им вместо заплащане в пари; **3.** *тех.* отвертка; гаечен ключ.

tommy-gun ['tɔmigʌn] *n воен.* автомат, шмайзер.

tommy-rot ['tɔmirɔt] *n разг.* глупости, дивотии, щуротии.

tomnoddy [tɔm'nɔdi] *n* глупак, тъпак.

Tom Thumb ['tɔm'θʌm] *n* **1.** Палечко *(от приказките)*; джудже; **2.** дребно човече; дребно растение, растение джудже.

tomorrow, to-morrow [tə'mɔrou] *adv* утре; **~ morning** утре сутрин(та); **~ afternoon** утре следобед; **the day after ~** вдругиден; **~ week** след осем дни; *ряд.* преди шест дни; **like there's no ~** *sl.* без всякаква мисъл/грижа за бъдещето; ◻ **~ come never** на куково лято.

Tom Tiddler's ground ['tɔm'tidləz,graund] *n* **1.** детска игра; **2.** място, където парите се ринат с лопата.

tomtit ['tɔm'tit] *n* **1.** дребно птиченце, *особ.* синьо синигерче; **2.** детенце, дребосъче.

tom-tom ['tɔmtɔm] *n* **1.** примитивен тъпан, удрян с ръка; **2.** монотонно ритмично барабанене.

ton [tʌn] *n* **1.** тон *(мярка)*; **long/gross ~** 1016 кг; **short ~** 907 кг; **measurement/freight ~** 40 куб. фута; **displacement ~** 35 куб. фута; **metric ~** 1000 кг; **2. ~s of** *разг.* голям брой/количество, маса, множество, много; **~s of people** сума народ; **~s of times** хиляди пъти; **to weigh (half) a ~** тежа страшно много; **3.** *sl.* 100 лири; **4.** *sl.* 100 мили в час *(и* **the ~s)**; **~-up boys** *sl.* могоциклетисти, пътуващи със сто мили в час; **to do the ~s** вдигам скорост 100 мили в час *(за мотор)*.

tonal ['tounəl] *a* тонов; тонален.

tonality [tə'næliti] *n* **1.** *муз.* тоналност; **2.** *изк.* цветна гама.

tondo ['tɔndou] *n изк.* кръгла рисунка; релеф в кръгла форма.

tone[1] [toun] *n* **1.** тон; **2.** музикален звук; цял тон; **~ quality/colour** тембър; **3.** тон, глас; **in an angry/loving/imploring ~** с гневен/любовен/умолителен глас; **4.** тон, дух, атмосфера; **5.** *фон.* интонация;

височина на гласа при произнасяне на сричка; тонично ударение; **6.** тон, багра, цвят; нюанс, отсенка; **7.** *мед.* тонус.

tone[2] *v* **1.** акордирам, настройвам; **2.** придавам необходимия/искания тон/багра на; **3.** *фот.* придавам *(на снимка)* даден цвят;

tone down 1) намалявам силата на звука *(на радио и пр.)*; 2) смекчавам тоновете *(на картина и пр.)*; 3) намалявам/смекчавам остротата/силата/яркостта и пр. *(на чувства, мнение и пр.)*;

tone in with хармонирам си с; в съзвучие съм/ звуча хармонично с; правя да хармонира/да е съзвучно с;

tone up 1) засилвам/усилвам звука; засилвам се, усилвам се *(за звук)*; 2) правя по-ярък, подсилвам *(цвят, тон)*; 3) *прен.* подсилвам, усилвам; 4) оправям се, засилвам се *(след боледуване)*.

tone-arm ['touna:m] *n ост.* мембрана на грамофон, тонарм.

tone control ['tounkən'troul] *n рад.* тон-бленда, регулиране на бленда.

tone-deaf ['toundef] *a* неразличаващ тоновете.

toneless ['tounlis] *a* **1.** беззвучен, безизразен; без резонанс, глух; **2.** *прен.* безцветен, бездушен.

tone-poem ['tounpouim] *n муз.* симфонична поема.

tong ['tɔŋ] *n* китайска тайна организация; китайска гилда/дружество.

tonga [tɔŋgə] *n* лека индийска двуколка.

tongs ['tɔŋz] *n pl често* **a pair of ~s 1.** маша; **2.** щипци *(за захар и пр.)*; **3.** клещи.

tongue[1] [tʌŋ] *n* **1.** език; **to put out o.'s ~** изплезвам се; **with o.'s ~ hanging out** жаден; *прен.* в очакване; **to be on everybody's ~** всички говорят за мен; **to keep a watch on o.'s ~** внимавам какво говоря; **to give ~** 1) разлайвам се *(за хрътка — когато открие следа)*; 2) *прен.* казвам гласно, повтарям *(обик. нещо чуто)*; **to wag o.'s ~** дрънкам, дърдоря; говоря непредпазливо; **to speek with/put o.'s ~ in o.'s cheek** говоря неискрено/леко иронично; **to have a ready/glib ~** имам дар слово, умея да говоря; **to lose o.'s ~** онемявам, занемявам *(от смущение, изненада и пр.)*; **to find o.'s ~ (again)** окопитвам се/идвам на себе си *(от изненада и пр.)*; проговорвам отново; **to keep a civil ~ in o.'s head** избягвам да говоря грубости; **2.** *готв.* език *(телешки и пр.)*; **3.** език, реч; **mother ~** матерен/роден език; **4.** (нещо с форма на) език; езиче *(на инструмент, обувка, тока и пр.)*; **~s of flame** огнени езици; **5.** *геогр.* нос; тесен залив; **6.** *тех.* зъб, федер; шип, цапфа; **7.** процеп на кола, теглич; **8.** *жп.* език на стрелка; **9.** *ел.* котва.

tongue[2] *v* свиря стакато *(на флейта и пр.).*

tongued [tʌŋd] *a обик. в съчет.* с... език; **sharp ~** с остър/ зъл език.

tongue-tie ['tʌŋ,tai] *n* дефект в говора, неразбираема артикулация.

tongue-tied ['tʌŋ,taid] *a* **1.** с дефект в говора; **2.** мълчалив, неразговорлив; неспособен да говори от силно смущение/страх и пр., онемял.

tongue-twister ['tʌŋtwistə] *n* дума/фраза, трудна за бързо и правилно изговаряне, скороговорка.

tonic[1] ['tɔnik] *a* **1.** *фон.* тонически, тоничен; **2.** *муз.* тонически, основен; **~ sol-fa** метод на изобразяване на нотите чрез срички, *напр.* sol, fa, doh *(при солфеж)*; **3.** *мед.* причиняващ свиване на мускулите; **4.** *мед.* тоничен, за усилване; ободряващ, ободрителен.

tonic[2] *n* **1.** *фон.* сричка с най-високо тоническо ударение; **2.** *муз.* основен тон, тоника; **3.** *мед.* средство/лекарство за усилване/ободряване; **4.** нещо, което действува ободрително.

tonicity [tə'nisiti] *n мед.* тонус.

tonight, to-night [tə'nait] *adv, n* довечера, тази вечер.

tonnage ['tʌnidʒ] *n* **1.** тонаж, товароподемност; **2.** пристанищна такса за кораб (*според тонажа му*).

tonne [tʌn] *n* метричен тон (*1000 кг*).

tonometer [tə'nɔmitə] *n* **1.** камертон; тонометър; **2.** уред за измерване на налягане (*кръвно, на течности, газове и пр.*).

tonsil ['tɔnsl] *n анат.* сливица; **to have o.'s ~s out** вадя си/оперирам си сливиците.

tonsillar ['tɔnsilə] *a* на/от сливиците.

tonsillectomy [tɔnsi'lektəmi] *n мед.* вадене/опериране на сливиците.

tonsillitis [ˌtɔnsi'laitis] *n* възпаление на сливиците, ангина.

tonsorial [tɔn'sɔːriəl] *a шег.* бръснарски.

tonsure¹ ['tɔnʃə] *n* обръсване на (част от) главата (*на свещенник, монах и пр.*); тонзура.

tonsure² *v* обръсвам (част от) косата (на), правя тонзура (на).

tontine [tɔn'tiːn] *n фин.* тонтина.

tonus ['tounəs] *n мед.* тонус.

tony ['touni] *a ам.* моден, елегантен, шик.

too [tuː] *adv* **1.** също и, освен това; при това, и то; **did he come ~?** и той ли дойде? **and very nice ~** и то много хубав; **2.** извънредно много, прекалено, прекомерно; твърде; **we were none ~ soon for the train** съвсем не бяхме подранили за влака (*едва не го изпуснахме*); **to have one ~ many** напивам се, пия повече, отколкото мога да нося; **to have one ticket ~ many** имам един билет в повече; **I am afraid we are one ~ many** боя се, че между нас има един излишен; **he was ~ much**/*разг.* **one ~ many for me** не можах да се справя с него, той излезе по-силен/по-хитър и пр. от мен; **~ good to be true** твърде хубаво, за да е истина, невероятно; **all ~ soon/quickly** прекалено скоро/бързо; **~ much of a good thing** това е вече прекалено/нетърпимо; **I'll be only ~ glad** ще се радвам извънредно много; **you are ~ kind** много сте любезен; **~-~** *разг.* прекалено, крайно.

took *вж.* **take¹**.

tool¹ [tuːl] *n* **1.** инструмент, сечиво; *прен.* средство; **2.** *тех.* нож; струг; **3.** инструмент за вдълбаване на орнаменти върху кожена подвързия; **4.** мотив, вдълбан в кожена подвързия; **5.** *прен.* оръдие, играчка, маша.

tool² *v* **1.** работя с инструмент; **2.** дялам (*камък*); обработвам (*метал с нож*); **3.** правя орнаменти по кожена и пр. подвързия; **4.** *разг.* возя (се) бавно с кола (*и с* **along**); **5. to ~ up** съоръжавам с инструментални машини (*цех и пр.*).

toolbag, -box ['tuːlbæg, -bɔks] *n* торбичка/кутия/сандъче за инструменти.

tooler ['tuːlə] *n* каменарско длето.

tool holder ['tuːlˌhouldə] *n* подвижно рамо (*зъболекарско и пр.*).

tool house ['tuːlˌhaus] *n* постройка/барака за съхраняване на инструменти/сечива.

tooling ['tuːliŋ] *n* **1.** вдълбан орнамент на подвързия; **blind ~** орнамент без злато; **gold ~** златен/цветен орнамент; **2.** обработване (*на камък*) с длето; обработване (*на метал*) на струг.

tool room ['tuːlˌruːm] *n* помещение, *особ.* в машинен цех за складиране на инструменти.

tool shed ['tuːlˌʃed] *n* барака/навес за съхраняване на градински и др. сечива и инструменти.

toon [tuːn] *n* индийско дърво (Cedrela toona); дървесината на това дърво, използувана за мебели.

toot¹ [tuːt] *v* изсвирвам/избибитвам със сирена/клаксон/рог и пр.

toot² *n* изсвирване/избибитване с клаксон и пр.

tooth¹ [tuːθ] *n* (*pl* **teeth** [tiːθ]) **1.** зъб; **a fine set of teeth** хубави/здрави зъби; **to have a ~ out** вадя си зъб; **to cast/fling/throw s.th. in s.o.'s teeth** упреквам някого/натяквам на някого за нещо; **to kick in the teeth** *разг.* отнасям се брутално и с презрение към; предизвиквам (*някого*); **in the teeth of** въпреки, пренебрегвайки, в противодействие с; право срещу (*вятъра и пр.*); **to fight ~ and nail** боря се ожесточено, с всички сили и средства; **to say s.th. between o.'s teeth** процеждам през зъби; **to set o.'s teeth** стискам зъби (*и прен.*); **long in the teeth** стар; **to have a sweet ~** обичам сладки работи; **to pull/draw s.o.'s teeth** *прен.* обезвредявам някого; **to get o.'s teeth into s.th.** залавям се здравата с нещо; **to sink o.'s teeth into** захапвам, отхапвам, ям; **to s.o.'s teeth** в очите/лицето на някого; **to show o.'s teeth** озъбвам се; **2.** *тех.* зъб, зъбец; **3.** зъб на гребен.

tooth² *v* **1.** правя зъбци (*на колело и пр.*); назъбвам; **2.** закачам (се), скачам (се) (*за зъбци*); скопчвам/сглобявам със зъбци.

toothache ['tuːθeik] *n* зъбобол; **to have a ~** боли ме зъб.

tooth-billed ['tuːθbild] *a* с назъбена човка.

toothbrush ['tuːθbrʌʃ] *n* четка за зъби.

tooth comb ['tuːθkoum] *n* гъст гребен (*и* **fine-~**); **to go over/through s.th. with a fine-~** *прен.* проучвам/изследвам нещо основно/щателно.

toothed ['tuːθt] *a* **1.** зъбат; зъбест, зъбчат; зъбчат; **2.** *обик. в съчет.:* **white-/large-~**, etc. с бели/големи и пр. зъби.

toothful ['tuːθful] *n* малка глътка (*вино и пр.*).

tooth-glass, -mug ['tuːθglaːs, -mʌg] *n* чаша, използувана при миене на зъби.

toothing ['tuːθiŋ] *n* стена, завършваща с издаващи се навън тухли/камъни за продължаване на строежа, зъбно зацепване.

toothpaste ['tuːθpeist] *n* паста за зъби.

toothpick ['tuːθpik] *n* **1.** клечка за зъби; **2.** *разг.* нож.

tooth-powder ['tuːθˌpaudə] *n* прах за миене на зъби.

toothsome ['tuːθsəm] *a* вкусен, апетитен (*и прен.*); приятен.

toothwort ['tuːθwəːt] *n бот.* горска майка (Lathraea).

toothy ['tuːθi] *a* с много едри/издадени напред зъби.

tootle¹ ['tuːtl] *v* **1.** свиря тихичко (като) с флейта и пр.; **2. to ~ along** *авт.* разхождам се/карам бавно за удоволствие.

tootle² *n* свирене, свиркане.

tootsie ['tuːtsi] *n ам.* **1.** *разг.* сладур(че); **2.** *sl.* проститутка.

top¹ [tɔp] *n* **1.** връх; най-горна част; горен край; горница (*на чорап, обувка и пр.*); повърхност; **at the ~ of the tree/ladder** на върха, на челно място (*в професия и пр.*) (*и прен.*); **from ~ to bottom** от горе до долу; **from ~ to toe** от главата до петите; **on ~ (of)** отгоре (на), върху; веднага след; **to be on ~** *карти* водя играта, пръв съм; **to come out (on) ~** излизам пръв, ставам първенец; вземам връх; **one thing happened on ~ of another** събитията/нещата се трупаха/валяха едно след друго; **to go to bed on ~ of o.'s supper** лягам си с пълен стомах; **to go over the ~** *воен. sl.* 1) излизам в атака; 2) започвам решителни действия, правя решителна стъпка; **on ~ of it all** на всичко/на това отгоре; **on ~ of the world** *разг.* на върха на успеха/славата/щастието; **2.** *прен.* връх, най-висша степен/точка; първо място; най-високо положение; най-хубавото, най-избраното; човек, заемащ най-високо положение, първенец; **at the ~ of o.'s voice/lungs** с пълен глас, колкото ми глас държи; **(at the) ~ of o.'s form/class** пръв ученик, първенец на класа; **on ~ of o.'s form** в отлична форма; **the ~ of the morning (to you)** *ирл.* добро (ти) утро; **the ~ of the table** почетното място на масата; **to come to the ~** имам успех, преуспявам; спечелвам слава; **to be (the) ~s** отличен/най-добър съм, няма втори като мен; **to stay on ~** владея положението, не губя авторитет/власт; оставам в отлична форма/здраве; **3.** капак, похлупак (*на тенджера и пр.*); покрив (*на кола, минна галерия и пр.*); **to ride on ~ (of a bus/train)** пътувам на горния етаж (на автобус/влак); **4.** *мор.* марс; **5.** надземна част (*стъбло, листа* на кореноплодно растение; **6.** кичур (*на върха на нещо*); **7.** *pl* двете най-високи карти в цвят; **8.** *авт.* най-голямата скорост; **in ~** на пълна скорост; **9.** *сп.* удар на топка над центъра ѝ; тласък на топка с такъв удар; **10.** *pl* метални копчета, позлатени и пр. само отгоре; **11.** горна част на дреха, дреха, носена на горната част на тялото; **12.** = **top-boot;** □ **off the ~ of o.'s head** импровизирано; **circus ~, the big ~** голяма циркова палатка.

top² *a* **1.** най-горен; връхен; **~ garment** връхна/горна дреха; **~ floor** най-горен/последен етаж; **~ boy** първенец на класа; **2.** най-голям, най-висок; **~ rung** най-голям успех, най-високо положение; **~ prices** най-високи цени; **~ honours** най-високо отличие.

top³ *v* **(-pp-) 1.** слагам връх/капак на; покривам върха на; **2.** отрязвам върха на (*дърво, храст и пр.*); **3.** стигам/издигам се до върха на; **4.** по-висок съм от, издигам се над, надминавам; **to ~ s.o. by a head** по-висок съм с една глава от някого; **5.** *прен.* надминавам, надвишавам, надхвърлям; **and to ~ it all** и като капак/връх на всичко, и на всичко отгоре; **the sum ~s £100** сумата надхвърля 100 лири; **to ~ o.'s part** изигравам отлично ролята си; **6.** стоя най-горе/начело на; пръв съм в (*списък и пр.*); **7.** преваляем (*хълм и пр.*); **8.** *сп.* удрям (*топка*) над центъра ѝ;
   top off 1) приключвам, завършвам успешно; **2)** *стр.* покривам/завършвам висока сграда;
   top out отбелязвам приключването на висок строеж с почерпка/речи и пр.;
   top up 1) доливам/допълвам догоре/до върха (*чаша, съд и пр.*); **2)** = **top off.**

top⁴ *n* пумпал.

topaz ['toupæz] *n минер.* топаз.

top-boot ['tɔpbu:t] *n* висок ботуш (*за езда и пр.*).

topcoat ['tɔp'kout] *n* **1.** горно палто; **2.** най-горен/последен пласт/слой/мазилка.

top dog ['tɔpdɔg] *n sl.* победител, отличен играч/състезател.

top-drawer ['tɔpdrɔ:] *n* най-висок ранг/обществено положение; елит; **2.** *attr* високопоставен, виден; **she's out of the ~/is very ~** тя е от много виден произход/с висок ранг/от голяма класа.

top-dress ['tɔpdres] *v* слагам/разхвърлям тор по почвата, вместо да я разора/разкопае.

top-dressing ['tɔpdresiŋ] *n* **1.** нахвърлян по почвата тор; **2.** торене на почвата чрез разхвърляне на тор по нея; **3.** най-горен слой боя/лак; **4.** *прен.* външен ефект, лустро; **5.** *прен.* слабо/повърхностно представяне.

tope¹ [toup] *v* пия прекалено, пиянствувам.

tope² *n* вид малка акула (Galeorhinus galeus).

tope³ *n инд.* горичка, *особ.* от мангови дървета.

tope⁴ *n* будистки храм-паметник, ступа.

topee = **topi.**

toper ['toupə] *n* пияница, пияч.

topflight ['tɔpflait] *a разг.* най-добър, първокласен.

topgallant [tɔp'gælənt] *n мор.* **1.** брамстенга; **2.** брамсел; **3.** *attr* най-горен, най-висок (*за мачта и пр.*).

top-hamper ['tɔphæmpə] *n* **1.** горният рангоут и такелаж на кораб; **2.** вършина, върхар.

top-hat ['tɔphæt] *n* **1.** цилиндър (*шапка*); **2.** *attr* от/за висшата класа.

top-heavy ['tɔphevi] *a* **1.** чиято горна част е твърде тежка за основата; **2.** неустойчив, лесно прекатурващ се; *прен.* несигурен; бързо рухваш.

top-hole ['tɔphoul] *a sl.* първокласен, превъзходен.

tophus ['toufəs] *n (pl* -**phi** [-fai]) **1.** *мед.* удебеляване на става вследствие на подагра; **2.** зъбен камък; **3.** *минер.* туф.

topi ['toupi] *n* тропическа каска.

topiary ['toupiəri] *n* изкуство за подрязване на дървета и храсти в различни причудливо-декоративни форми.

topic ['tɔpik] *n* тема, въпрос; предмет на разговор/обсъждане; **~ of the day** въпрос на деня, злободневен въпрос.

topical ['tɔpikl] *a* **1.** актуален, злободневен; текущ; **2.** *мед.* местен, локален.

topknot ['tɔpnɔt] *n* **1.** *зоол.* качулка; **2.** украса от пера, панделки и пр. като част от прическа; **3.** *разг.* глава.

topless ['tɔplis] *a* **1.** без горна част (*за дреха*); гол до кръста (*за човек*); **2.** *поет.* много висок, губещ се във висината.

top-level ['tɔplevl] *a* на високо равнище (*политическо и пр.*).

top-line ['tɔplain] *a* важен (*за новина и пр.*).

top-liner ['tɔplainə] *n ам.* популярен актьор, „звезда".

top-lofty ['tɔplɔfti] *a разг.* надменен, високомерен, надут.

topmast ['tɔpma:st] *n мор.* стенга.

top milk ['tɔpmilk] *n* каймак (събран) от мляко, налято в съд.

topmost ['tɔpmoust] *a* най-горен, най-висок.

top-notch ['tɔpnɔtʃ] *a разг.* първокласен.

topographer [tə'pɔgrəfə] *n* топограф.

topographic(al) [tɔpə'græfik(l)] *a* топографски.

topography [tə'pɔgrəfi] *n* топография.

toponymy [tə'pɔnimi] *n ез.* топонимия.

topper ['tɔpə] *n* **1.** *разг.* = **top-hat 1; 2.** нещо, превъзхождащо всичко останало; чудесен човек/нещо; **3.** *търг.* най-хубавите плодове и пр., сложени най-отгоре (*за реклама*); **4.** *ам.* лек дамски жакет; **5.** *стр.* най-горен камък на стена.

topping¹ ['tɔpiŋ] *a* **1.** по-висок от; надвишаващ; **2.** *разг.* чудесен, превъзходен.

topping² *n* **1.** горна част, връх; **2.** отрязана/отделена горна част/край; **3.** *ам.* глазура или друга гарнитура върху сладкиш и пр.

topple ['tɔpl] *v* **1.** залитам, олюлявам се; **2.** падам, прекатурвам се (*и с over*); **3.** срутвам се, събарям се, строполясвам се, рухвам (*и с down*).

tops [tɔps] *a predic разг.* **1.** най-добър, най-качествен и пр.; **2.** най-способен, най-известен и пр. (*за човек*); **he is ~ in his field** той е най-добрият в своята област.

topsail ['tɔpseil, 'tɔpsl] *n мор.* марсел.

top-sawyer ['tɔpsɔ:jə] *n* **1.** най-главният резач в старинна дъскорезница; **2.** *ост.* високопоставен човек.

top secret ['tɔpsi:krit] *a* строго поверителен.

top-shaped ['tɔpʃeipt] *a* крушовиден, с формата на пумпал.

topside ['tɔpsaid] *n* **1.** непотопената във водата част на кораб; **2.** парче говеждо месо от горната част на бута; **3.** *ам.* върховна власт; **4.** горният слой на йоносферата.

topsoil ['tɔpsɔil] *n* горният пласт на почва.

topsyturviness [,tɔpsi'tə:vinis] *n* пълна бъркотия, хаос.

topsyturvy[1] [tɔpsi'tə:vi] *a, adv* с главата надолу, в пълен безпорядък, наопаки.

topsyturvy[2] *n* пълна бъркотия, безпорядък, хаос.

topsyturvidom [,tɔpsi'tə:vidəm] = **topsyturviness.**

top table ['tɔpteibl] *n* почетна маса.

toque [touk] *n* **1.** шапка без периферия, токче; **2.** *зоол.* макак.

tor [tɔ:] *n* възвишение; скалист хълм/връх.

Torah ['tɔ:rə] *n староевр.* Мойсеевият закон; петокнижието.

torch [tɔ:tʃ] *n* **1.** факел, факла (*и прен.*); **to hand on the ~** поддържам и предавам факела на знанието и пр.; **to carry a/the ~ for s.o.** възхищавам се от, изпитвам несподелена любов към някого; **2.** *ам. тех.* поялна лампа; горелка, бренер; **3.** електрическо фенерче (*и* **electric ~**).

torchlight ['tɔ:tʃlait] *n* факелно осветление; **~ procession** факелно шествие.

torchon ['tɔ:ʃən] *n* груба ленена дантела с геометрични фигури (*и* **~ lace**).

torch-singer ['tɔ:tʃsiŋə] *n* певица на сантиментални любовни песни.

torch-song ['tɔ:tʃsɔŋ] *n* сантиментална песен за несподелена любов.

tore *вж.* **tear**[1].

toreador ['tɔriədɔ:] *n* тореадор.

torero [tə'rɛərou] *n* тореро.

toreutic [tə'ru:tik] **I.** *a* кован, гравиран (*за метал*); щампосан (*за кожа*); **II.** *n pl* ковано желязо.

torii ['tɔ:rii] *n* порта/вход на японски храм.

torment[1] ['tɔ:ment] *n* **1.** мъка, мъчение; изтезание; **to be in ~** мъча се, измъчвам се, страдам; **2.** причина за/източник на мъка.

torment[2] [tɔ:'ment] *v* **1.** мъча, измъчвам; изтезавам; **2.** досаждам.

tormentil [tɔ:'mentil] *n бот.* очиболец (Potentilla tormentilla).

tormentor [tɔ:'mentə] *n* **1.** мъчител; **2.** *ам. театр.* странична завеса/кулиса; **3.** *ам.* покрит екран за поглъщане на ехото при прожекции, звукопоглъщащ екран.

torn *вж.* **tear**[1].

tornadic [tɔ:'nædik] *a* ураганен, стихиен, опустошителен.

tornado [tɔ:'neidou] *n* (*pl* **-does, -dos** [-douz]) опустошителна вихрушка, ураган, торнадо; *прен.* буря/ураган от аплодисменти, освирквания и пр.

torose ['tɔ:rous] *a* **1.** *зоол.* с подутини/изпъкналости; **2.** *бот.* цилиндричен с надебелени части.

torpedo[1] [tɔ:'pi:dou] *n* **1.** торпила, торпедо; **2.** експлозивен патрон; *ам.* петарда, детонатор; **3.** *зоол.* електрическо торпедо; **4.** *ам. sl.* гангстер телохранител; **5.** наемен/професионален убиец.

torpedo[2] *v* **1.** торпилирам; **2.** *прен.* парализирам; парирам; **3.** унищожавам/разбивам чрез ненадейна атака.

torpedo-boat [tɔ:'pi:dou,bout] *n* торпедна лодка.

torpedo-net(ting) [tɔ:'pi:dou,net(iŋ)] *n* противоторпедна/ противоминна мрежа.

torpedo-tube [tɔ:'pi:dou,tju:b] *n* тръба за изстрелване на торпили.

torpid[1] ['tɔ:pid] *a* **1.** вцепенен; бездеен, безчувствен; **2.** *зоол.* в състояние на летаргия; **3.** апатичен, вял, безстрастен, бездушен, безразличен; **4.** тъп.

torpid[2] *n* **1.** състезателна лодка с осем гребла; **2. T.s** гребни състезания в Оксфорд, *обик.* между вторите тимове на колежите.

torpidity, torpidness [tɔ:'piditi, 'tɔ:pidnis] *n* **1.** вцепененост, безчувственост; **2.** безразличие, бездушие, вялост; **3.** тъпота.

torpor ['tɔ:pə] *n* **1.** вцепененост, неподвижност; **2.** апатия, затъпялост; тъпота.

torquate ['tɔ:kweit] *a зоол.* с пръстен от друг цвят около шията.

torque [tɔ:k] *n* **1.** вита метална огърлица на древните тевтонци, гали и пр.; **2.** *физ.* усукващ момент; усилие на усукване; **3.** *зоол.* пръстен от друг цвят около шията.

torrefy ['tɔrifai] *v* **1.** *книж.* изсушавам, пресушавам; **2.** пържа (*метална руда*).

torrent ['tɔrənt] *n* порой, буен/стремителен поток (*и прен.*); **the rain falls in ~s** пороен дъжд плющи, вали като из ведро.

torrential [tə'renʃəl] *a* пороен, буен, стремителен.

Torricellian [tɔri'tʃeliən] *a*: **~ tube/vacuum** торичелиева тръба/празнина.

torrid ['tɔrid] *a* **1.** жарък, палещ, зноен; изсушен от слънцето; **2.** *прен.* горещ, огнен, пламенен; **3.** силен.

torse [tɔ:s] *n хер.* гирлянда.

torsel ['tɔ:sl] *n* **1.** конзола за греда; **2.** спирален орнамент.

torsion ['tɔ:ʃən] *n* **1.** усукване, завиване, извиване, извъртане (*на издънка — за спиране на растежа, на отрязана артерия — за спиране на кръвта*); **2.** *мех.* усукване; **3.** усукана/спираловидна форма; **~ balance** торзионни везни.

torsional ['tɔ:ʃənəl] *a* предизвикващ/дължащ се на усукване/извиване.

torso ['tɔ:sou] *n* (*pl* **-os** [-ouz]) **1.** туловище, труп; **2.** *изк.* торсо; **3.** *прен.* незавършена/осакатена работа.

tort [tɔ:t] *n юр.* закононарушение, даващо право за предявяване на иск.

torticollis [,tɔ:ti'kɔlis] *n мед.* ревматична болка на шийните мускули, схванат врат, крива шия.

tortile ['tɔ:tail] *a* завит, усукан, увит, извит.

tortilla [tɔ:'ti:(l)jə] *n* мексиканска царевична питка.

tortious ['tɔ:ʃəs] *a юр.* закононарушителен.

tortoise ['tɔ:təs] *n зоол.* костенурка.

tortoise-shell ['tɔ:təs,ʃəl] *n* **1.** черупка/щит/броня на костенурка; полирана черупка на костенурка за украшения и пр.; **2.** коприва пеперуда, многоцветница (*и* **~ butterfly**); **3.** котка с кафяви, черни и жълтокафяви шарки/петна (*и* **~ cat**).

tortousity [,tɔ:tju'ɔsiti] *n* **1.** изкривеност, извитост, усуканост; **2.** извивка, завой; **3.** неискреност; заплетеност.

tortuous ['tɔ:tjuəs] *a* **1.** изкривен, извит, усукан; **2.** обиколен, лъкатушен, криволичещ; **3.** неискрен; заплетен, усукан.

torture[1] ['tɔ:tʃə] *n* мъка; мъчение, изтезание; **to put to the ~** подлагам на мъчение, изтезавам, измъчвам.

torture[2] *v* **1.** мъча, измъчвам, изтезавам; **2.** *прен.* изопачавам, изкривявам, изкълчвам.

torturer ['tɔ:tʃərə] *n* мъчител, палач.

torturous ['tɔ:tʃərəs] *a* мъчителен; болезнен.

torula ['tɔrjulə] *n* (*pl* **-lae** [-li:]) вид квасна гъбичка.

torus ['tɔːrəs] *n* (*pl* **-ri** [-rai]) **1.** *арх.* изпъкнала украса на основата на колона; **2.** *анат.* гладка закръглена мускулна/костна издатина; **3.** *бот.* цветно легло.

Tory ['tɔːri] *n* **1.** член на британската консервативна партия; **2.** краен консерватор, тори; **3.** *attr* консервативен.

Toryism ['tɔːriizm] *n* консерватизъм.

tosh [tɔʃ] *n sl.* глупости, празни приказки, дрън-дрън.

toss[1] [tɔs] *v* **1.** хвърлям (се), мятам (се), подхвърлям, подмятам; хвърлям, изхвърлям (*ездача си — за кон*); бия се, удрям се, блъскам се (*за вълни*); повдигам/ мятам с рогата си (*за бик*); **to ~ a pancake in the air** обръщам палачинка във въздуха; **2.** мятам, отмятам, тръсвам (*глава*) **3.** подхвърлям (*монета*); **to ~ for it, to ~ up** хвърлям чоп, решавам с жребие; **4.** люлея се, клатя се, клатушкам се, олюлявам се; търкалям се; **5.** разклащам руда в съд, за да отделя по-едрите от по-дребните части; □ **to ~ oars** обръщам веслата нагоре за поздрав;

    toss about въртя (се), хвърлям (се), мятам (се), подхвърлям;

    toss aside/away отмятам настрана, отхвърлям;

    toss off 1) изпивам наведнъж, гаврътвам; 2) нахвърлям/написвам/свършвам набързо; скалъпвам, импровизирам;

    toss over отказвам се от, отхвърлям;

    toss up 1) *вж.* **toss**[1] 3; 2) приготвям на бърза ръка (*храна и пр.*).

toss[2] *n* **1.** мятане, хвърляне, подхвърляне; изхвърляне; **to take a ~** бивам хвърлен от кон; **2.** хвърляне на чоп/ези-тура; **3.** тръсване/вирване на глава.

toss-up ['tɔsʌp] *n* **1.** хвърляне на чоп/жребие; **2.** несигурна работа, съмнително нещо; **it's a ~ whether I will be able to come** не е сигурно/не се знае дали ще мога да дойда.

tot[1] [tɔt] *n* **1.** мъничко детенце (*и* **tiny ~**); **2.** *разг.* малко количество, една глътка (*питие*).

tot[2] *n* сума, сбор.

tot[3] *v* (**-tt-**) *обик. с* **up 1.** събирам цифри; пресмятам, изчислявам; **2.** възлизам (**to** на).

total[1] ['toutl] *a* **1.** цял, общ (*за сума и пр.*); **2.** пълен, абсолютен; цялостен, целокупен; **in ~ ignorance of** в пълно неведение за/относно; **3.** тотален (*за война и пр.*).

total[2] *n* сбор, сума, цяло; **grand ~** общ/краен сбор.

total[3] *v* (**-ll-**) **1.** събирам; изчислявам; **2.** възлизам на (*и с* **up**); **3.** *ам.* разнебитвам, разбричквам, съсипвам (*кола*).

total eclipse ['toutli,klips] *n астр.* пълно затъмнение.

totalitarian [,toutæli'tɛəriən] *a* тоталитарен.

totality [tou'tæliti] *n* цяла сума/количество/бройка; цялостност, цялост, целокупност.

totalizator, -zer ['toutəlaizeitə, -zə] *n* тотализатор.

totalize ['toutəlaiz] *v* събирам, изчислявам общата сума/сбор.

totally ['toutəli] *adv* изцяло, като цяло; напълно, съвсем.

total recall ['toutlri'kɔl] *n* способност за ясно запомняне на всички подробности.

tote[1] [tout] *sl.* = **totalizator.**

tote[2] *v разг.* **1.** мъкна, влача, тегля; вдигам; **2.** *ам.* нося оръжие.

tote[3] *n* **1.** товар; **2.** голяма пазарска чанта/торба (*и* **~ bag**).

totem ['toutəm] *n* (предмет, служещ за) емблема/символ, тотем.

totem pole ['toutəmpoul] *n* **1.** стълб, гравиран с изображения и символи (*у индиански племена*); **2.** *прен.* йерархия.

tother, t'other ['tʌðə] *pron разг.* другият; **to tell ~ from which** *разг. шег.* различавам/разпознавам единия от другия.

totter[1] ['tɔtə] *v* **1.** вървя несигурно, залитам, олюлявам се (*особ. за прохождащо дете*); **to ~ to o.'s feet** едва с мъка се изправям на краката си; **2.** клатя се, люлея се, нестабилен съм (*за сграда*); *прен.* пред рухване съм (*за държава, система и пр.*).

totter[2] *n* неустойчиво движение/походка; клатушкане, олюляване.

tottery ['tɔtəri] *a* залитащ, клатушкащ се; несигурен, неуверен, нестабилен.

toucan ['tu:kən] *n* ярко изпъстрена юж.-ам. птица с голям извит клюн (Ramphastidae).

touch[1] [tʌtʃ] *v* **1.** докосвам/допирам се до; долепен съм до; докосвам леко (*клавиш*), дръпвам леко (*струна*); **to ~ o.'s hat to** поздравявам (*някого*) с докосване на шапката си; **to ~ a match to** запалвам с клечка кибрит; **I wouldn't ~ him/it with a barge-pole/a pair of tongs** не искам да имам нищо общо/никакво вземане-даване с него/с това; **to be ~ed by the King** *ист.* бивам докоснат от краля (*за излекуване от скрофула*); **2.** слагам в уста, вкусвам, хапвам, пия (*обик. отрицателно*); **I never ~ wine** не слагам капка вино в устата си; **he hasn't ~ed food all day**'не е сложил нищо в устата си/не е ял цял ден; **3.** стигам/допирам се до; гранича (**on** с); **to ~ the spot** правя/намирам точно това, което е нужно, оказвам нужното въздействие, попадам в целта; отговарям на предназначението си; **4.** меря се/сравнявам се с; **no one can ~ her in cooking** никой не е готви по-хубаво от нея; **5.** засягам; интересувам; свързан съм/имам общо с; имам ефект, оказвам нужното въздействие; справям се с; **to ~ the spot** действувам благотворно, помагам много; **your argument doesn't ~ the point at issue** твоят довод няма нищо общо с въпроса, който разискваме; **he just ~ed (on) this question** той само бегло засегна този въпрос; **6.** трогвам, вълнувам; засягам, накърнявам честолюбие и пр.; **to ~ to the heart** трогвам дълбоко; **to be ~ed with remorse/pity** изпитвам разкаяние/състрадание; **to ~ s.o. on the raw/tender spot, to ~ s.o. home/on the raw** засягам някого на болното място, настъпвам го по мазола; **7.** попарвам; повреждам (леко) (*за слана и пр.*); **the plants are ~ed with the wind** растенията леко пострадаха от вятъра; **8.** размесвам; леко оцветявам; **the sky was ~ed with pink/gold** небето се розовееше/имаше златист оттенък; **a smile ~ed her lips** лека усмивка заигра по устните ѝ; **religion ~ed with superstition** вяра, примесена със суеверие; **9.** докосвам се до; развивам, справям се с (*въпроси, тема на изпит и пр.*); получавам (добър) резултат от; **nothing I have tried will ~ this ink spot** нищо от средствата, които опитах, не помага за изчистването на това мастилено петно; **10.** *sl.* измъквам пари от/закърпвам някого (**for**); **he ~ed me for ten pounds** той изкърка от мен десет лири; **11.** получавам, вземам, печеля (*надница и пр.*); **12.** докосвам се/достигам до; **the speedometer needle ~ed 80** стрелката на скоростомера отбелязваше 80 км в час; **he ~ed his spurs to his horse** той пришпори коня си; **13.** изпитвам (*сплав*) с пробен камък; слагам печат върху изпитана сплав;

    touch at *мор.* спирам/отбивам се в (*пристанище и пр.*);

touch down 1) приземявам се, кацам (*за самолет*); 2) *ръгби* докосвам топката в мъртво поле;

touch in доизработвам, доизпипвам; прибавям някои подробности;

touch off 1) нахвърлям/скицирам набързо; 2) налучквам, докарвам (*прилика*); 3) изстрелвам; възпламенявам (*снаряд и пр.*); 4) разпалвам (*спор и пр.*); предизвиквам (*безредици и пр.*);

touch on 1) засягам накратко/бегло (*въпрос, тема*), споменавам бегло; 2. приближавам се до, гранича с; **his actions ~ed on treason** постъпките му бяха почти равносилни на предателство;

touch up 1) слагам последните щрихи на (*картина и пр.*); освежавам цветовете на; правя дребни поправки/подобрения на; *фот.* ретуширам; оживявам (*разказ и пр.*); подсилвам, подправям (*с боя, грим и пр.*); **she ~ed up her lips** тя начерви леко устните си; 2) удрям леко (*кон*) с камшик/шпори; 3) **to ~ up s.o.'s memory** напомням/припомням някому нещо;

touch upon = touch on.

touch[2] *n* **1.** осезание, пипане; усещане от пипане; **rough/hot, etc. to the ~** грапав/горещ и пр. на пипане; **the cold ~ of the iron** студенината на (докосната) желязо; **2.** докосване, допиране; допир, контакт (*и прен.*); общуване, връзка; **to have a soft/slimy, etc. ~** мек/лигав и пр. съм при докосване; **at a ~** при (леко) докосване; **to be in ~ with s.o.** във връзка съм с някого; виждам се/срещам се често/общувам с някого; **to get in ~ with** влизам във връзка/свързвам се с; **to keep in ~ with** поддържам връзка с; **to put s.o. in ~ with** свързвам някого с; **to keep in ~ with the situation** следя положението/развитието на нещата; **to lose ~ with** изгубвам/прекъсвам връзка с, не се виждам/срещам вече с; **to be out of ~ with** не съм в течение на, не следя; **3.** лек пристъп/атака (*на болест и пр.*); леко вълнение; **a ~ of 'flu/indigestion** лек грип/стомашно разстройство; **a ~ of the sun** леко слънчасване, замайване от слънце; **4.** малко количество, мъничко; *прен.* следа, оттенък, отсенка, нюанс; примес; нотка; **a ~ of salt** мъничко сол; **the first ~es of spring** първите признаци/полъх на пролетта; **a ~ of bitterness/envy, etc.** нотка на горчивина/завист и пр.; **a ~ of nature** проява на човещина/човешко чувство (*често ирон.*); **5.** щрих; **to put the finishing/final ~es to** довършвам, доизкусурявам, слагам последните щрихи на; **6.** маниер, стил, похват, прийом, (майсторска) ръка; **a sculpture with a bold ~** скулптура, изработена със смел замах; **to write with a light ~** пиша леко, имам лек стил; **a dress with an individual ~ about it** рокля, в която има вложено нещо индивидуално; **the Nelson ~** смел начин за справяне с положението (*характерен за адмирал Нелсън*); **7.** *муз.* туше; удар; **8.** *сп.* тъч; територията извън тъчлиниите; **9.** гоненица (*игра*); **10.** *мед.* туширане, палпиране; **11.** *sl.* измъкване на пари, закърпване; измъкнати пари; **he is a soft/easy ~** той е човек, от когото лесно могат да се измъкнат пари; **the dinner was a two pound ~** за обеда ни оскубаха по две лири; **12.** пробен камък (*и прен.*); печат върху изпробвана сплав; **to put to the ~** поставям на изпитание, изпитвам; □ **to win by a ~** едва спечелвам, печеля с много нещо (*състезание и пр.*).

touchable ['tʌtʃəbl] *a* който може да бъде докоснат.

touch-and-go[1] ['tʌtʃəngou] *a* несигурен, рискован, критичен.

touch-and-go[2] *n* **1.** несигурно нещо; рисковано/критично положение; **it was ~ with him** животът му висеше на косъм; **2.** *ам.* бързо действие/движение.

touch-down ['tʌtʃdaun] *n* **1.** *ръгби* (моментът на) докосване на топката в мъртво поле; **2.** *ав.* кацане, приземяване.

touched ['tʌtʃt] *a* **1.** трогнат, развълнуван; **2.** смахнат, не с всичкия си.

touch football ['tʌtʃˌfutbɔːl] *n ам.* футбол, при който е позволено събарянето на играча, у когото е топката.

touchily ['tʌtʃili] *adv* докачливо, раздразнено, сприхаво.

touchiness ['tʌtʃinis] *n* докачливост, обидчивост, раздразнителност.

touching[1] ['tʌtʃiŋ] *a* трогателен, затрогващ, покъртителен.

touching[2] *prep ост. книж.* за, относно, касателно.

touch-line ['tʌtʃlain] *n футб.* страничната линия, тъчлиния.

touch-me-not ['tʌtʃminɔt] *n* **1.** *бот.* слабонога (Impatiens); меке (Impatiens balsamina); **2.** *ам.* надменен/резервиран/студен човек, *особ.* жена/младо момиче.

touchstone ['tʌtʃstoun] *n* **1.** пробен/лидийски камък; **2.** *прен.* пробен камък, критерий, мерило, стандарт.

touch system ['tʌtʃˌsistəm] *n машинопис* десетопръстна система.

touch-type ['tʌtʃtaip] *v* пиша на пишеща машина, без да гледам буквите (*по десетопръстната система*).

touch-typist ['tʌtʃtaipist] *n* машинописец, който пише, без да гледа буквите (*по десетопръстната система*).

touchwood ['tʌtʃwud] *n* гнило дърво; прахан.

touchy ['tʌtʃi] *a* **1.** обидчив, докачлив, много чувствителен; раздразнителен; **2.** *ам.* силно избухлив/запалителен.

tough[1] [tʌf] *a* **1.** жилав, твърд; **2.** як, здрав, жилав, издръжлив (*за човек*); **3.** упорит; мъчен, труден, тежък; **a ~ customer** *прен.* разбирник, труден човек, грубиян; **~ policy** твърда/безкомпромисна политика; **a ~ job** трудна работа; **~ luck! that's ~ !** (лош) късмет! неприятна работа! жалко! **4.** *ам. sl.* груб, безпощаден; бандитски, престъпен; **5.** непоправим, закоравял.

tough[2] *n ам. sl.* бандит, гангстер, главорез; опасен хулиган, престъпник.

toughen ['tʌfn] *v* **1.** закалявам (се), заяквам; **2.** загрубявам, обръгвам.

toughie, toughy ['tʌfi] *n ам. разг.* костелив орех (*за човек, проблем и пр.*).

tough-minded ['tʌfmaindid] *a* несантиментален, реалистичен.

toughness ['tʌfnis] *n* **1.** жилавост, якост, здравина, издръжливост; **2.** трудност; **3.** упоритост; **4.** *ам.* грубост, жестокост, престъпност.

toupee ['tuːpei] *n* **1.** малка перука на темето; **2.** изкуствено руло/кичур коса към фризура; **3.** *ряд.* перчем.

tour[1] [tuə] *n* **1.** обиколка, тур, турне, екскурзия, разходка; **a ~ round the world** околосветско пътешествие; **to make the ~ of a country** обикалям/обхождам страна; **to be on ~** в обиколка/на турне съм.

tour[2] *v* обикалям, обхождам, правя обиколка из; на турне съм в.

tour de force ['tuədə'fɔːs] *n фр.* проява на умение/сила/находчивост.

tourer ['tuərə] *n* **1.** туристическа кола/самолет; **2.** турист, който прави обиколка с кола.

touring[1] ['tuəriŋ] *a* туристически, екскурзионен; ~ **car** ко́ла за екскурзионни обиколки; ~ **party** излетници, туристи (*група*).

touring[2] *n* (участие в) излет/обиколка и пр.

tourism ['tuərizm] *n* туризъм.

tourist ['tuərist] *n* **1.** турист, излетник; **2.** *attr* туристически, за туризъм; ~ **agency** бюро за туризъм; ~ **guide** екскурзовод; ~ **class** туристическа/втора класа в параход, самолет и пр.; ~ **court** *ам.* мотел.

tournament ['tuənəmənt] *n* спортни състезания; турнир (*и ист.*); **tennis/chess, etc.** ~ турнир по тенис/шах и пр.

tourney ['tuəni] *n* турнир (*особ. ист.*).

tourniquet ['tuənikei] *n мед.* турникет.

tousle [tauzl] *v* **1.** раздърпвам, разбърквам; **2.** разрошвам (*коса*).

tout[1] [taut] *v* **1.** предлагам настойчиво, натрапвам (*стоки, услуги и пр.*); **2.** *ам.* хваля/рекламирам шумно; **3.** *пол. пренебр.* агитирам, проагитирвам; **4.** *sl.* слухтя, дебна, мъча се да се добера до тайни сведения (*особ. за конни състезания*); **5.** давам тайни сведения за конни състезания срещу заплащане; **6.** *ост.* шпионирам.

tout[2] *n* **1.** човек, който натрапва стоки и пр.; **2.** човек, нает да хвали/препоръчва стоки, хотели и пр.; **3.** човек, който събира тайни сведения относно конни състезания и ги дава срещу заплащане; **4.** *пол. пренебр.* агитатор.

tow[1] [tou] *v* влача, тегля след себе си (*кораб, кола, човек и пр.*); влача/тегля (*кораб*) с въжета от брега; влача мрежа по вода.

tow[2] *n* **1.** влачене, теглене; **to take in** ~ вземам на буксир, връзвам и влача след себе си; **to have/take s.o. in/on** ~ *прен. разг.* водя/мъкна/влача някого след себе си; имам постоянно грижата за някого; държа някого под свое покровителство/ръководство; имам винаги някого на своето разположение/под ръка (*особ. за обожатели*); **2.** *ам. сп.* скивлек (*и ski* ~); **3.** *мор.* кораб, взет на буксир, несамоходен кораб, шлеп; **4.** = **towing-line.**

tow[3] *n* кълчища; ~ **coloured** светъл (*за коса*).

towage ['touidʒ] *n* **1.** влачене, теглене; **2.** (такса за) влачене на кораб/шлеп и пр.

toward[1] ['touəd] *a ост.* **1.** близък, предстоящ; **2.** послушен; **3.** способен, схватлив; **4.** благоприятен, удобен; **5.** *predic* който се подготвя/извършва/става.

toward[2], **towards** [tɔːd, twɔːd, tə'wɔːd, -z] *prep* **1.** към, по посока/направление на; **2.** към, по отношение на; **3.** към; около (*за време*); ~ **noon** към обед; **4.** за; **to save** ~ **a new car** пестя за нова кола.

towardly ['touədli] *a ост.* **1.** благосклонен, благоразположен; **2.** благоприятен, обещаващ.

towboat ['toubout] *n* буксир, влекач.

towel[1] ['tauəl] *n* **1.** кърпа, пешкир, хавлия; **face-**~ кърпа за лице; **to throw/toss in the** ~ признавам се за победен; ~ **horse/rack** дървена и пр. рамка за окачване на пешкири (*в баня и пр.*); ~ **rail** пръчка (*обик. метална*) до умивалник за окачване на пешкир.

towel[2] *v* (-ll-) **1.** избърсвам, изтривам/подсушавам с кърпа/пешкир; **2.** *sl.* пердаша, напердашвам, налагам.

towelling ['tauəliŋ] *n* **1.** хавлиен плат за пешкири/кърпи; **2.** *sl.* бой, пердах.

tower[1] ['tauə] *n* **1.** кула; **the T. (of London)** Лондонската кула; **2.** крепост; *прен.* защита, опора; **a** ~ **of**

strength утешител; покровител; сигурна опора; **3.** *тех.* пилон, мачта.

tower[2] *v* издигам се, извисявам се, стърча (**above** над) (*и прен.*), стоя по-високо.

towering ['tauəriŋ] *a* **1.** много висок, внушителен, извисяващ се; ~ **height** шеметна висота; ~ **ambition** *книж.* безгранична амбиция; **2.** яростен, неудържим; ужасен, страшен (*за гняв и пр.*).

tow-head ['touhed] *n* човек с руса/рошава коса.

towing-line ['touiŋlain] *n* въже/верига за теглене.

towingpath ['touiŋpɑːθ] *n* пътека покрай бряг/канал, от която се влекат кораби.

towing-rope ['touiŋroup] = **towing-line.**

tow-line ['toulain] = **towing-line.**

town [taun] *n* **1.** град; градче; **a man about** ~ светски човек, бонвиван; **2.** Лондон (*и Т.*); **to live in** ~ живея в Лондон; **out of** ~ извън Лондон, в провинцията; **3.** *шотл.* селска къща със стопански постройки; селище; **4.** търговската част/центърът на град; **5.** главният град в даден район; **6. the** ~ жителите на даден град; **7.** *attr* градски; □ **the** ~ **and gown** жителите на града и студентите (*в Оксфорд и Кеймбридж*); **to go to** ~ **1)** *разг.* работя с ентусиазъм, действувам бързо и енергично; **2)** *sl.* забавлявам се, гуляя, разточителствувам; **on the** ~ **1)** зависим от благотворителността на града; **2)** на забавление (*театър, концерт и пр.*); **3)** на гуляй, из нощни заведения и пр.

town car ['taunkɑː] *n ам.* автомобил, в който мястото на шофьора е отделено със стъклена преграда.

town clerk ['taun͵klɑːk] *n* **1.** секретар на градска корпорация; **2.** секретар и юрисконсулт на градска корпорация (*до 1974 г.*).

town council ['taun'kaunsil] *n* градски/общински съвет.

town councillor ['taun'kaunsilə] *n* градски/общински съветник.

town crier ['taun'kraiə] *n* градски глашатай.

townee [tau'niː] *n* **1.** *презр.* гражданин; **2.** *унив. sl.* жител на университетски град, който не е член на университета.

town hall ['taun'hɔːl] *n* сграда на градския съвет, кметство.

town house ['taun'haus] *n* къща в града на човек, който има друга къща/вила/жилище и пр. извън града.

town-planning ['taun'plæniŋ] *n арх.* градоустройство.

town scape ['taunskeip] *n* градски пейзаж.

townsfolk ['taunzfouk] *n събир.* **1.** граждани; **2.** жители на даден град.

townsman ['taunzmən] *n (pl* -men) **1.** гражданин; **2.** съгражданин.

township ['taunʃip] *n* **1.** *ам.* община; **2.** *ам.* град; **3.** *ам.* район/участък с размер 6 квадратни мили; **4.** административна единица, по-малка от провинция (*в Канада*); **5.** *ист.* енория.

townspeople ['taunzpiːpl] = **townsfolk.**

townswoman ['taunzwumən] *n (pl* -women [-wimin]) **1.** гражданка; **2.** съгражданка.

tow-path ['toupɑːθ] = **towing-path.**

tow-rope ['touroup] *n* **1.** = **towing-line; 2.** *ав.* гайдроп.

tow truck ['toutrʌk] *n ам. авт.* аварийна кола.

toxaemia [tɔk'siːmiə] *n мед.* **1.** отравяне на кръвта; **2.** повишаване на кръвно налягане при бременност.

toxic ['tɔksik] *a* отровен, токсичен.

toxicant ['tɔksikənt] **I.** *a* причиняващ отравяне; **II.** *n* лекарство и пр., причиняващо отравяне.

toxicity [tɔk'sisiti] *n* отровност, токсичност.

toxicology [͵tɔksi'kɔlədʒi] *n* наука за отровите, токсикология

toxin ['tɔksin] *n* токсин.

toxophilite [tɔk'sɔfilait] *n книж.* любител на/експерт по стрелба с лък; стрелец с лък

toy[1] [tɔi] *n* 1. играчка (*и прен.*); **to make a ~ of** играя си/забавлявам се с; 2. дреболия, незначително нещо; 3. *attr* детски, служещ за играчка; малък, мъничък, миниатюрен; **~ trumpet** детско тромпетче; **~ dog** дребно/галено кученце, дребосъче, мъниче.

toy[2] *v* 1. играя си, забавлявам се (**with** с) (*и прен.*); 2. държа/въртя разсеяно в ръката си; 3. отнасям се нехайно/несериозно с; мисля за/занимава ме нещо не много сериозно; 4. флиртувам.

toyshop ['tɔiʃɔp] *n* магазин за детски играчки.

toy soldier ['tɔi,souldʒə] *n* 1. оловно войниче; 2. войник от бездействуваща армия.

trabeated ['træbieitid] *a арх.* изграден с хоризонтални греди/трегери, не със сводове.

trace[1] [treis] *v* 1. начертавам, очертавам, скицирам; набелязвам, трасирам (*и с* **out**); копирам, прекопирвам, преваждам (*и с* **over**); 3. пиша/изписвам бавно/старателно; 4. вървя по следите/дирите на, проследявам; **he has been ~d to London** знае се, че е стигнал до/отишъл в Лондон; 5. **to ~ back (to)** проследявам/връщам се назад (до); издирвам, откривам, намирам; **he ~s his descent back to the tenth century** неговото родословие датира от десетия век; **the rumour was ~d back to a journalist** установило се, че слухът е излязъл от един журналист; 6. различавам, виждам, забелязвам, долавям (*по следи, белези, признаци, данни и пр.*); 7. продължавам пътя си по (*пътека и пр.*).

trace[2] *n* 1. следа, белег, диря (*и прен.*); **without a ~** безследно; **to keep ~ of** следя, не изпускам от очи; 2. незначително количество, мъничко; 3. черта.

trace[3] *n* ремък на хамут; **to kick over the ~s** *прен.* проявявам непокорство/недисциплинираност/безразсъдство; бунтувам се.

traceable ['treisəbl] *a* който може да се проследи/открие/издири и пр. (*вж.* **trace**[1]).

traceless ['treislis] *a* безследен, който не оставя дири.

tracer ['treisə] *n* 1. човек, който е проследил/открил/издирил (*престъпление и пр.*); 2. чертожник; автор на скица/план; 3. уред за чертане на фигури върху плат и пр.; 4. уред за издирване на повреди; 5. *ам.* съобщение, с което се търси изгубено писмо/пратка и пр.; 6. човек, който издирва изчезнали лица/стоки и пр.; 7. *воен.* трасиращ снаряд; трасиращ състав; 8. белязан атом, радиоактивен изотоп, изотопен индикатор.

tracery ['treisəri] *n* 1. фигура, рисунка; плетеница, декоративен мотив; 2. *арх.* ажурна украса (*на прозорци и пр.*).

trachea [trə'ki:ə] *n* (*pl* -**cheae** [-ki:i:]) *анат.* трахея.

tracheotomy [,treiki'ɔtəmi] *n мед.* трахеотомия.

trachoma [trə'koumə] *n мед.* трахома.

trachyte ['trækait] *n минер.* трахит.

tracing ['treisiŋ] *n* 1. чертане, начертаване, набелязване, очертаване; 2. копиране, прекопирване, преваждане; прекопиран чертеж и пр.; 3. проследяване; 4. графически запис, направен от уред (*сеизмограф и пр.*).

tracing paper ['treisiŋ,peipə] *n* копирна хартия.

track[1] [træk] *n* 1. следа, диря; отпечатък; стъпка; **to be on s.o.'s ~** 1) намирам се по дирите/петите/следите на някого; 2) *прен.* притежавам данни за поведението/намеренията и пр. на някого; **to follow in s.o.'s ~** вървя по стъпките на някого (*и прен.*); **to keep ~ of s.o./s.th.** 1) наблюдавам зорко/не изпущам от очи някого/нещо; 2) имам представа/осведомен съм за някого/нещо; **to lose ~ of** изгубвам следите на, не зная вече какво става с; загубвам представа за; **to cover (up) o.'s ~s** прикривам следите си; **to put upon s.o.'s ~** насочвам по следите на някого; **to make ~s (for)** *разг.* запътвам се/заминавам набързо (за), отправям се (към); измъквам се, офейквам; **to go back on o.'s ~** 1) връщам се обратно; 2) отказвам се от намеренията си; **in o.'s ~s** *sl.* веднага, незабавно, още там/на самото място; **to have a one-~ mind** не мога да мисля едновременно за две неща; 2. път (*и прен.*); пътека; **to be on the right ~** на прав път съм; **to be off the ~** 1) сбъркал съм пътя; *прен.* на погрешен път съм, греша; 2) отклонявам се от въпроса; **to go off/keep to the beaten ~** отклонявам се от/придържам се към установената практика/общоприетите принципи; правя нещо/не правя нищо необичайно; 3. посока, направление; 4. *жп.* релси, железопътна линия; **to leave/fly the ~** 1) излизам от релсите, дерайлирам; 2) *прен.* излизам от установения/утъпкания път; **single/double ~** единична/двойна линия; **on/from the wrong side of the (railroad) ~** *ам.* в/от бедняшката част на града; 5. *сп.* писта; трек; 6. *авт.* едно от платната (*на шосе*); 7. писта на магнетофонна лента (*със запис*); нарез (*на грамофонна плоча*); 8. = **sound-~**; 9. *attr* пистов; 10. редица, поредица, ход (*на събития, мисли и пр.*); 11. *тех.* направляващо приспособление; 12. *тех.* (звено на) гъсенична верига.

track[2] *v* 1. следя, проследявам; 2. вървя (по); 3. *косм.* проследявам с уреди пътя на (*космически кораб, ракета и пр.*); 4. *sl.* пътувам; 5. утъпквам (*обик. pp*); 6. *ам.* оставям следи/дири (*често с* **up**); **he ~ed dirt over the floor** той остави мръсни стъпки по пода; 7. движа се точно в дирите на предното колело (*за колело*); 8. имам определена ширина/ разстояние между колелата (*за кола, вагон*); 9. слагам релси на, снабдявам с релси (*обик. в същ.*); **to double-~** слагам двойна линия по; 10. тегля (*кораб*) с въже от брега; 11. *кино, телев.* придвижвам (се) (напред) по време на снимане (*за камера*).

   track down 1) издирвам, намирам; хващам, залавям (*дивеч, престъпник*); **the robbers were never ~ed down** не можаха да открият/заловят крадците; 2) намирам, откривам, попадам на (*търсена повреда, човек и пр.*).

   track out проследявам хода/развитието на.

trackage ['trækidʒ] *n* 1. железопътни релси; 2. (такса за) разрешение да се използува жп линия на една компания от друга.

tracker ['trækə] *n* 1. човек, който проследява/открива/хваща; 2. полицейско куче (*и с* **dog**); 3. човек, който влачи лодка с въже от брега.

track events ['træki,vents] *n атлетика* всички видове бягане.

tracking station ['trækiŋ,steiʃn] *n* станция, която поддържа връзка с космически кораб и пр. чрез радар/радио.

tracklayer ['træk,leiə] *n* работник, който монтира и поддържа в изправност жп линии.

trackless ['træklis] *a* 1. безрелсов; **~ trolley** *ам.* тролейбус; 2. непроходим, девствен (*за гора и пр.*).

trackman ['trækmən] *n* (*pl* **men**) 1. *жп.* кантонер; 2. *сп.* бегач.

track suit ['træksju:t] *n сп.* анцуг.

trackwalker ['trækwɔːkə] **1.** = **trackman 1**; **2.** = **tracklayer.**

tract[1] [trækt] *n* **1.** широко/открито пространство; шир (*водна, небесна*); **2.** продължителен/непрекъснат период от време; **3.** *анат.* система от органи, тракт; **digestive** ~ храносмилателна система.

tract[2] *n* **1.** брошура, памфлет, *особ.* с религиозно-поучително съдържание; **2.** *ост.* трактат.

tractability ['træktə'biliti] *n* **1.** послушание, хрисимост; сговорчивост, кротост; **2.** добра податливост на обработка; ковкост.

tractable ['træktəbl] *a* **1.** послушен, хрисим, отстъпчив, сговорчив; **2.** възприемчив, податлив; **3.** поддаващ се на обработка; ковък, гъвкав.

tractate ['trækteit] *n* трактат.

traction ['trækʃn] *n* **1.** теглене, влачене; опъване, изпъване, изтегляне; **2.** *тех.* теглене, теглителна/движеща сила; **3.** *мед.* тракция; **4.** тяга; **5.** *ам.* градски транспорт.

traction-engine ['trækʃn‚endʒin] *n* влекач, трактор.

tractive ['træktiv] *a* годен/предназначен да тегли/влачи.

tractor ['træktə] *n* **1.** трактор, влекач; **2.** *ав.* самолет с предно витло.

trad [træd] *a, n разг.* традиционен, *особ.* традиционен джаз.

trade[1] [treid] *n* **1.** занаят; занятие, професия; **to follow/carry on/ply a** ~ упражнявам занаят; **to put s.o. to a** ~ давам някого да учи занаят; **by** ~ по професия; **of a** ~ от една специалност/професия; **of** ~ от една специалност/професия; с еднакви интереси/занимания, **2.** търговия, търговия на дребно; **domestic/home** ~ вътрешна търговия; **foreign** ~ външна търговия; ~ **in cotton, cotton** ~ търговия с памук; **to be in** ~ търговец на дребно/собственик на магазин съм; **to be in the tea** ~ търгувам с чай; **fair** ~ търговия на взаимноизгодни начала; **3.** *sl.* контрабанда; **4.** *събир.* бранш, търговци, занаятчии от даден отрасъл; **5.** *събир.* търговци производители, *особ.* на спиртни напитки; **6.** купувачи, клиентела; **7.** сделка, покупко-продажба; **to do a roaring** ~ **(in)** *разг.* въртя чудесна търговия, продавам като топъл хляб; **8.** *attr* търговски; **9.** *мор. sl.* подводниците (*като дял на военния флот*); **10.** *обик. pl* = **trade wind.**

trade[2] *v* **1.** търгувам (**in s.th.** с нещо, **with s.o.** с някого); **2.** *неод.* използвам користно, злоупотребявам (**on, upon, in** с); **3.** заменям, разменям (**for** за, с); **4.** купувам, пазарувам (**at** от, в); **5. to** ~ **(in) (a car, etc.)** заменям (стара кола и пр.) срещу нова (с доплащане); **6. to** ~ **off** продавам, пласирам; заменям, разменям.

trade acceptance ['treidə'kseptəns] *n* полица, подписана от купувач на продавач.

trade agreement ['treidə'griːmənt] *n* търговска спогодба.

Trade Board ['treidbɔːd] *n ист.* комисия от работници, работодатели и експерти за уреждане на спорни въпроси, регулиране на надниците и пр. (*в някои промишлени отрасли*).

trade cycle ['treidsaikl] *n* редуване на разцвет и криза в търговията.

trade disease ['treiddi'ziːz] *n* професионално заболяване.

trade edition ['treidi'diʃən] *n ам.* популярно издание (*особ.* на учебник и пр.) за широка продажба.

trade-in ['treid‚in] *n ам.* размяна на вещи; замяна на стара вещ с нова с доплащане.

trade journal ['trei dʒəːnl] *n* професионален журнал/списание.

trade-last ['treid‚laːst] *n ам. разг.* размяна на дочути похвали.

trademark[1] ['treid‚maːk] *n* **1.** фабрична/търговска марка; **2.** *прен.* отличителен белег/черта.

trademark[2] *v* **1.** поставям фабрична марка на; **2.** регистрирам фабрична марка.

trade name ['treid‚neim] *n* **1.** фабрично/търговско име/название на стока; **2.** име на търговска фирма.

trade-off ['treidɔf] *n* размяна, трампа (*често с известен компромис*).

trade price ['treid‚prais] *n* фабрична/костуема цена; цена на едро.

trader ['treidə] *n* **1.** търговец, *особ.* на едро; **2.** търговски кораб.

trade route ['treid‚ruːt] *n* търговски път.

tradesfolk ['treidzfouk] = **tradespeople.**

trade show ['treidʃou] *n кино* закрита прожекция на нов филм за критици, кинодейци и пр.

tradesman ['treidzmən] *n* (*pl* **-men**) **1.** търговец, *особ.* на дребно; **2.** собственик на магазин; **3.** занаятчия.

tradespeople ['treidz‚piːpl] *n събир.* търговци; търговското съсловие.

tradeswoman ['treidzwumən] *n* (pl **women** [wimin]) търговка.

trade union ['treid'juːniən] *n* професионален съюз, трейдюнион (*и* **trades union**).

trade-unionism ['treid'juːniənizm] *n* трейдюнионизъм.

trade wind ['treid‚wind] *n метеор.* пасат.

trading estate ['treidiŋi'steit] *n* индустриална площ/комплекс.

trading post ['treidiŋpoust] *n търг.* фактория.

tradition [trə'diʃn] *n* **1.** традиция; стар обичай; **2.** предание; **3.** *юр.* прехвърляне (*на имущество*).

traditional [trə'diʃənl] *a* **1.** традиционен; предаващ се от поколение на поколение; основан на обичай; **2.** изграден върху предания; **3.** старомоден, остарял.

traditionalism [trə'diʃənəlizm] *n* (прекалено) придържане към/спазване на традициите.

traditionalist [trə'diʃənəlist] *n* човек, който (прекалено) се придържа към традициите.

traditionally [trə'diʃənəli] *adv* по традиция; традиционно.

traditionary [trə'diʃənəri] = **traditional.**

traduce [trə'djuːs] *v* клеветя, оклеветявам, черня; злословя (за).

traducer [trə'djuːs] *n* клеветник, злословник.

traffic[1] ['træfik] *n* **1.** улично движение; движение на хора и превозни средства по пътищата; **2.** транспорт, съобщения; трафик (*и* въздушен); **3.** транспортна търговия; търговски обмен; **4.** незаконна търговия; **5.** *attr* свързан с движението/транспорта.

traffic[2] *v* (**-ck-**) **1.** търгувам (**in s.th.** с нещо); върша търговия, *особ.* незаконна; *прен.* търгувам с; **to** ~ **away o.'s honour** продавам честта си; **2.** имам вземане-даване/общувам с; **3. to** ~ **on** използвам безскрупулно.

trafficator ['træfikeitə] *n авт.* мигач.

traffic circle ['træfik‚səːkl] *n ам. авт.* кръстовище с кръгово движение.

traffic cop ['trafik‚kɔp] *n ам. разг.* регулировчик.

traffic island ['træfik‚ailənd] *n авт.* пешеходно островче.

traffic jam ['træfik‚dʒæm] *n* задръстване на движението.

trafficker ['træfikə] *n* търговец (*обик. неод.*); **a drug** ~ човек, търгуващ с наркотици.

traffic light ['træfik‚lait] *n и pl* светофар.

tragedian [trə'dʒiːdiən] *n* **1.** автор на трагедии; **2.** трагически актьор, трагик.

tragedienne [trəʤi:di'en] *n фр.* трагическа актриса, трагичка.

tragedy ['træʤidi] *n* трагедия.

tragic(al) ['træʤic(əl)] *a* трагически, трагичен.

tragicomedy [,træʤi'kɔmidi] *n* трагикомедия.

tragicomic ['træʤi'kɔmik] *a* трагикомичен.

tragopan ['trægəpən] *n* вид азиатски фазан.

trail[1] [treil] *v* **1.** влача (се), разпростирам (се) по земята (*за дреха и пр.*); **2.** влача се с усилие/мъкна се след, изоставам от другите; **3.** влека се (*за растение и пр.*); **to ~ o.'s coat** *прен.* влека пояса си за кавга, държа се предизвикателно, търся си белята; **4.** нося (*пушка*) хоризонтално в готовност за стрелба; **5.** дебна, следя, проследявам (*дивеч и пр.*); **6.** правя/проправям пътека чрез газене (*в трева и пр.*); **7.** струя (*за пушек и пр.*); **8. to ~ away/off** отдалечавам се, влачейки се; **9.** постепенно се загубвам, заглъхвам (*за звук и пр.*); **10.** *сп.* губя.

trail[2] *n* **1.** следа, диря; **on the ~ of** по следите на; **to leave in o.'s ~** оставям след себе си/по дирите си; **2.** път, пътека; **3.** *воен.* хоризонтално положение на пушката; **4.** рило (*на лафет*); **5.** *ав.* изоставане на бомба спрямо самолета; **6.** шлейф.

trail blazer ['treil,bleizə] *n* човек, който проправя път (*и прен.*), пионер.

trailer ['treilə] *n* **1.** ремарке (*и на лека кола*), караван; **2.** (клонче на) влачещо се растение; мустаче, ластар (*на ягода*); **3.** човек, който върви по дирите на някого/нещо; **3.** *кино, телев.* сцени от следващ филм.

trailerist ['treilərist] *n ам.* човек, който пътува с/летува/живее в кола с ремарке/караван.

trailerite ['treilərait] *n* **1.** човек, живеещ във фургон; **2.** = **trailerist**.

train[1] [trein] *v* **1.** възпитавам, приучвам на добри навици/дисциплина; обучавам; **2.** тренирам (се), упражнявам (се), подготвям (се); **to be ~ed at** възпитаник/питомник съм на (*училище и пр.*); **to ~ s.o. for s.th.** подготвям някого за нещо; **to ~ down** *сп.* намалявам теглото си чрез тренировка; **3.** дресирам (*куче и пр.*); обяздвам (*кон*); **4.** *воен.* насочвам оръжие (**on, upon** към, срещу); **5.** насочвам растежа на растение в желаната посока (**up, along, against, over**); **6.** *ост.* примамвам (**away, from**); **7.** *разг.* пътувам с влак донякъде (**u to ~ it**).

train[2] *n* **1.** свита, тълпа; **2.** процесия, кортеж, шествие; върволица, керван; конвой; **3.** шлейф на рокля; **4.** опашка на паун и пр.; **5.** *воен.* обоз; **6.** нишка, ред, поредица, поток, ход (*на мисли, събития и пр.*); **7.** влак; **by ~** с влак; **8.** *ост.* положение, следа, ред; **to be in good ~** наред съм (*и прен.*), върви добре; **9.** следа, диря; последица; **(to follow) in the ~ of** (идвам) като последица/резултат от/на; **10.** *тех.* валцов стан; **11.** *тех.* зъбна предавка/превод; **12.** линия от барут и пр., водеща до експлозив в мина и пр.; □ **in ~** в пълна готовност.

trainband ['trainbænd] *n ист.* гражданско опълчение в Англия, *особ.* в епохата на Стюартите.

trained [treind] *a* **1.** обучен, трениран, подготвен; квалифициран, дипломиран; **2.** дресиран; обязден; **3.** насочен да расте в желаната посока по стена и пр. (*за растение*).

trainee [trei'ni:] *n* човек, когото обучават за дадена работа.

trainer ['treinə] *n* **1.** треньор; инструктор; дресьор; **2.** ~ **(air-craft)** учебен самолет.

training ['treiniŋ] *n* обучение, тренировка; подготовка, квалификация; **to be in ~** тренирам; във форма съм; подготвям се за някаква професия; стажувам; **to go into ~** започвам тренировка (**for** за); **to be out of ~** не съм във форма.

training-college ['treiniŋ,kɔliʤ] *ост.* = **College of Education**.

training-school ['treiniŋ,sku:l] *n* **1.** *ост.* = **College of Education**; **2.** *ам.* професионално училище; **3.** *ам.* изправителен институт за малолетни престъпници.

training-ship ['treiniŋ,ʃip] *n* учебен кораб.

train-oil ['trein,ɔil] *n* смазочно масло от китова мас.

train sickness ['trein,siknis] *n* прилошаване при пътуване с влак.

traipse [treips] *n* **1.** мъкна се, едва се влача; **2.** ходя без работа, мотая, шляя се; **3.** влача се по земята.

trait [trei(t)] *n* **1.** характерна/отличителна черта/белег; **2.** *ряд.* елемент, следа; **a ~ of humour** лек елемент на хумор.

traitor ['treitə] *n* изменник, предател (**to** на); **to turn ~** ставам предател, извършвам предателство, изменям.

traitorous ['treitərəs] *a* изменнически, предателски.

traitress ['treitris] *ж.р. от* **traitor**.

trajectory [trə'ʤektəri] *n* траектория.

tram[1] [træm] *n* **1.** трамвай; **2.** трамвайни релси; **3.** трамвайна линия (*и* ~**-line**); **4.** *мин.* вагонетка.

tram[2] *v* (**-mm-**) **1.** пътувам/возя се/отивам с трамвай (*и* **to ~ it**); **2.** *мин.* извозвам с вагонетки.

tram[3] *n* пресукана коприна.

tramcar ['træmka:] *n* трамвайна кола, трамвай.

trammel[1] ['træml] *n* **1.** *ост.* мрежа за хващане на птици, риба и пр.; **2.** букаи на кон; **3.** *pl* спънки, пречки; *прен.* окови, вериги; задръжки; **4.** *ам.* кука за закачване на котел и пр. в огнище; **5.** пергел за чертане на елипси; шублер за разчертаване.

trammel[2] *v* (**-ll-**) *обик. прен.* преча на, спъвам; спирам, ограничавам.

tramontana [tra:mɔn'ta:nə] *n* студен северен вятър в Адриатическо море.

tramontane [trə'mɔntein] **I.** *a* **1.** намиращ се/лежащ отвъд планината, *особ.* Алпите; **2.** *прен.* чуждестранен; варварски; **II.** *n* чужденец.

tramp[1] [træmp] *v* **1.** стъпвам/крача тежко, тропам; **2.** ходя/вървя/отивам пеш, бъхтя път (*и* **to ~ it**); **3.** скитам/бродя (из), пребождам.

tramp[2] *n* **1.** скитник, бродяга; **2.** трудно/уморително пътуване пеш; дълга разходка; **to be on the ~** скитник съм; **3.** (шум от) тежки стъпки, тропот; **4.** малък товарен кораб без определен рейс, трамп (*и* ~ **steamer**); **5.** *sl.* уличница, проститутка.

trample[1] ['træmpl] *v* **1.** стъпвам тежко; **2.** тъпча, газя, сгазвам, смачквам с крака; **3.** *прен.* погазвам, потъпквам, отнасям се с презрение към (*обик. с* **on**); **to ~ on s.th.** сгазвам/стъпквам нещо; **to ~ on s.o.** потискам/тормозя някого; **to ~ down o.'s feelings** потискам/сподавям чувствата си.

trample[2] *n* **1.** тъпчене, газене, стъпкване; погазване; **2.** (шум от) тежки стъпки, тропот.

trampoline ['træmpɔli:n] *n* батуд.

tramroad ['træmroud] *n* **1.** *ам.* трамвайни релси; **2.** *мин.* вагонетка.

tramway ['træmwei] *n* **1.** трамвайни релси; **2.** трамвайна линия.

trance[1] [tra:ns] *n* **1.** *мед.* сънно състояние, унесеност, транс; **2.** екстаз, екзалтация.

trance[2] = **entrance**[2].

tranquil ['træŋkwil] *a* тих, спокоен, необезпокояван.

tranquillity [træŋ'kwiliti] *n* спокойствие, тишина.

tranquillize ['træŋkwilaiz] *v* успокоявам (се), утихвам.

tranquillizer ['træŋkwilaizə] *n мед.* успокоително средство.

trans- [trænz, træns, tra:nz] *pref* през-, транс-, отвъд-.

transact [trænz'ækt] *v* 1. правя, върша, извършвам, провеждам; 2. сключвам търговска сделка; водя преговори, преговарям; търгувам с.

transaction [trænz'ækʃn] *n* 1. сделка; 2. *pl* публикувани протоколи от разисквания; доклади за трудове на научно дружество; 3. *юр.* компромисно решение на спор.

transalpine ['trænz'ælpain] I. *a* намиращ се/разположен отвъд/на север от Алпите; II. *n* чужденец (*не италианец*).

transatlantic ['trænzət'læntik] *a* 1. отвъдокеански, трансатлантически; американски; 2. *ам.* европейски.

transceiver [træns'i:və] *n рад.* приемно-предавателно устройство.

transcend [træn'send] *v* издигам се над/излизам извън обсега на; надминавам, превъзхождам.

transcendence, -cy [træn'sendəns, -si] *n* 1. превъзходство; 2. *фил.* трансценденталност.

transcendent [træn'sendənt] *a* 1. превъзходен, съвършен; надминаващ/надвишаващ всички; 2. намиращ се извън обсега на човешките възприятия; 3. *фил.* намиращ се извън пределите на съзнанието, познанието и опита; 4. интуитивен.

transcendental [trænsen'dentl] *a* 1. *фил., мат.* трансцендентален; 2. *разг.* неясен, абстрактен (*за стил и пр.*); 3. интуитивен; свръхестествен.

transcendentalism [trænsen'dentəlizm] *n* трансцендентална философия.

transcontinental ['trænzkonti'nentl] *a* пресичащ континента, трансконтинентален.

transcribe [træn'skraib] *v* 1. преписвам, написвам; 2. *фон., муз.* транскрибирам; 3. преразказвам/резюмирам писмено; 4. възпроизвеждам (*стенографски записки*); 5. *рад.* правя/предавам запис.

transcript ['trænskript] *n* 1. препис, копие; 2. запис.

transcription [træn'skripʃn] *n* 1. преписване; копие, препис; 2. *фон., муз.* транскрипция.

transect [træn'sekt] *v* пресичам, разсичам/разделям напречно.

transection [træn'sekʃn] *n* напречен разрез.

transept ['trænsept] *n арх.* напречен неф/кораб на църква, трансепт.

transfer[1] [træns'fə:] *v* (-rr-) 1. премествам (**from... to...**); 2. премествам (се), прехвърлям (се); сменям (*влак, параход и пр.*); 3. прехвърлям, предавам (*имот и пр.*); 4. превеждам (*сума и пр.*); 5. *прен.* прехвърлям, пренасям (*чувства и пр. — от един човек на друг*); 6. преваждам, прекопирвам (*чертеж и пр.*).

transfer[2] ['trænsfə] *n* 1. преместване, прехвърляне (*и служебно*); 2. прехвърляне (*на имот, право и пр.*); ~ **register** регистър на прехвърлените имоти/права и пр.; 3. документ за прехвърляне и пр.; 4. преведена рисунка/чертеж и пр.; 5. рисунка/чертеж и пр. за преваждане; ~ **ink** литографско мастило; 6. смяна (*на влак и пр.*); прекачване; място, където се сменя влак и пр.; ~ **ticket** билет с прикачване; 7. войник, преместен от един полк в друг; □ ~ **fee** сума, заплащана при прехвърляне на професионален футболист от един отбор в друг.

transferability [træns,fə:rə'biliti] *n* прехвърляемост (*на имот, права, титла и пр.*).

transferable [træns'fə:rəbl] *a* който може да се прехвърля.

transferee [,trænsfə'ri:] *n* лицето, на което се прехвърля нещо.

transference ['trænsfərəns] *n* 1. прехвърляне (*и служебно*); 2. пренасяне; преместване; местене; 3. *псих.* пренасочване на желания, чувства и пр.

transferor ['trænsfərə] *n* лицето, което прехвърля имот, права, титла и пр.

transferrer ['trænsfərə] *n* 1. = **transferor**; 2. лице, което копира/преважда, копирач.

transfiguration [,trænsfigjureiʃn] *n* 1. преобразяване, метаморфоза; 2. *църк.* T. Преображение.

transfigure [træns'figə] *v обик. pass* преобразявам, подобрявам внезапно и поразително.

transfix [træns'fiks] *v* 1. пробождам, промушвам, пронизвам, продупчвам; 2. приковавам, заковавам; *прен.* заковавам на място; слисвам, смайвам; вцепенявам, карам да онемее.

transfixion [træns'fikʃən] *n* вцепеняване; смайване; слисване.

transform [træns'fɔ:m] *v* 1. преобразувам, преобразявам, превръщам; 2. *ел.* трансформирам; 3. *мат., ез.* превръщам, трансформирам.

transformation [trænsfə'meiʃn] *n* 1. преобразуване, превръщане; преобразяване; **to undergo a** ~ преобразявам се, превръщам се; 2. *ел.* трансформиране; 3. *мат., ез.* трансформация; трансформиран израз; 4. дамска перука; фалшива коса, тупе; 5. ~ **scene** *театр.* феерия.

transformer [træns'fɔ:mə] *n* 1. преобразовател; 2. *ел.* трансформатор.

transfuse [træns'fju:z] *v* 1. преливам; правя преливане (*на кръв*); 2. пропивам/прониквам/нахлувам в; 3. предавам, вливам (*ентусиазъм и пр.*).

transfusion [træns'fju:ʒn] *n* преливане (*и на кръв*), трансфузия.

transgress [træns'gres] *v* 1. престъпвам, нарушавам; 2. грешавам; 3. преминавам отвъд; превишавам границата/мярката; **to** ~ **o.'s competence** превишава функциите/правата си.

transgression [træns'greʃn] *n* 1. престъпване, нарушение простъпка; престъпление; 2. грях, прегрешение; 3. *геол.* трансгресия.

transgressor [træns'gresə] *n* 1. (право)нарушител; 2. грешник.

tranship = trans-ship.

transhumance [træns'hju:məns] *n* изкарване на овце и пр. на лятна паша/на друго пасище.

transience, -cy ['trænziəns, -si] *n* мимолетност, краткотрайност, преходност.

transient[1] ['trænziənt] *a* 1. преходен, мимолетен, кратък, краткотраен; 2. неустойчив; 3. *ам. разг.* приходящ; временен; случаен.

transient[2] *n ам. разг.* приходящ гост (*в хотел, пансион и пр.*).

transire [træns'airi] *n* пътен лист; митническо разрешение.

transistor [træn'zistə] *n* 1. *ел.* транзистор; 2. портативен радиоприемник, транзистор (*и* ~ **radio/set**).

transit[1] ['trænzit] *n* 1. преминаване; превозване; 2. *търг.* превоз; 3. *астр.* преминаване на небесно тяло през меридиана; 4. *топогр.* теодолит (*и* ~-**compass**); 5. *attr* транзитен; краткотраен, краткотраен; преходен; ~ **point** *физ.* точка на преминаване в друго агрегатно състояние; ~ **visa** транзитна виза.

transit[2] *v* преминавам без престой/транзит.

transit-duty ['trænzit,dju:ti] *n* мито върху транзитни стоки.

transition ['trænsiʒn, trən'ziʃn] *n* преход, промяна; преходен период; ~ **curve** *мат.* преходна крива; ~ **tumour** израждащ се доброкачествен гумор.

transitional [træn'siʒənəl] *a* преходен, промеждутъчен, междинен.

transitive ['trænzitiv] *a грам.* преходен.

transitiveness, transitivity ['trænzitivnis, trænsi'tiviti] *n грам.* преходност.

transitory ['trænzitəri] *a* преходен, краткотраен, временен, моментен, кратък □ ~ **action** *юр.* дело, което може да бъде възбудено във всеки съдебен окръг.

translatable [tra:ns'leitəbl] *a* преводим.

translate [tra:ns'leit] *v* 1. превеждам (се) от един език на друг; **this ~ badly** това трудно се подава на превод; 2. обяснявам, тълкувам; изяснявам (*поведение и пр.*); 3. преобразявам, трансформирам, превръщам (**into** в); 4. премествам; *църк.* прибирам в рая; премествам мощите на светия и пр.; 5. *sl.* кърпя; преправям от старо.

translation [tra:ns'leiʃn] *n* 1. превод, превеждане и пр. (*вж.* **translate**); 2. *ел.* предаване, транслация; 3. огъване, поддаване.

translator [tra:ns'leitə] *n* преводач (*обик. превеждащ писмено*).

transliterate [trænz'litəreit] *v* изписвам думите на един език с буквите на друг език/азбука, транслитерирам.

transliteration [,trænzlitə'reiʃn] *n* транслитерация.

translocation [trænslə'keiʃn] *n* преместване, разместване.

translucent [trænz'lu:sənt] *a* 1. полупрозрачен; 2. прозиращ, прозрачен; бистър.

transmarine [trænsmə'ri:n] *a* задморски, презморски, отвъдморски.

transmigrant ['trænz,maigrənt] *n* преселник.

transmigrate ['trænzmigreit] *v* 1. преселвам се; 2. превъплътявам се (*и религиозно*).

transmigration [,trænzmai'greiʃn] *n* 1. преселение, преселване; 2. превъплътяване, превъплъщение (*и рел.*).

transmission [trænz'miʃn] *n* 1. предаване; 2. радиопредаване; телевизионно предаване; 3. *тех.* трансмисия; предаване; ~ **case** *тех.* картер на скоростна кутия; 4. *ам.* съобщение.

transmit [trænz'mit] *v* (-tt-) 1. предавам (*съобщение, пакет, болест, титла и пр.*); препращам, отправям; 2. предавам по наследство (*черти на характер и пр.*); 3. предавам на поколенията.

transmitter [trænz'mitə] *n* 1. предавател; уред/човек, предаващ/изпращащ съобщения, сигнали и пр.; 2. радиопредавател; микрофон.

transmogrify [trænz'mɔgrifai] *v шег.* преобразявам магически; преобразявам напълно по външност/характер.

transmontane [trænz'mɔntein] = **tramontane**.

transmutation [trænzmju:'teiʃn] *n* превръщане, преобразуване, преправяне, видоизменяване, промяна; **the ~s of fortune** превратностите на съдбата.

transmute [trænz'mju:t] *v* променям формата/природата/същността на; видоизменям; превръщам; претърпявам видоизменение.

transoceanic ['trænzouʃi'ænik] *a* 1. отвъдокеански, презокеански; 2. прекосяващ/пресичащ океана.

transom ['trænsəm] *n* 1. *стр.* напречна греда, разпънка; трегер, щурц, надотворна греда; щурц, над който има прозорче; 2. = ~ **window**.

transom window ['trænsəm,windou] *n стр.* 1. полукръгло прозорче над врата/прозорец; 2. прозорец с хоризонтални деления.

transonic [træn'sɔnik] *a* със/отнасящ се до скорост, близка до скоростта на звука.

transparence [træns'pɛərəns] = **transparency** 1.

transparency [træns'pɛərənsi] *n* 1. прозрачност; **colour ~** диахромия; 2. диапозитив; 3. *шег.* сиятелство.

transparent [træns'pɛərənt] *a* 1. прозрачен; прозиращ, просветляващ; 2. *прен.* явен, очевиден, очебиен; 3. ясен, понятен; 4. откровен, открит, непристорен.

transpierce [træns'piːəs] *v* прониквам от край до край; пронизвам.

transpiration [trænspi'reiʃn] *n* 1. *бот.* отделяне на влага чрез листата; 2. пот; потене, отделяне на пот.

transpire [træns'paiə] *v* 1. отделям/изхвърлям чрез кожата/белите дробове; отделям се/избивам във вид на капки пот; 2. изпотявам се; изпарявам се; 3. *прен.* излизам наяве, ставам известен, бивам разкрит; 4. *разг.* случвам се, ставам.

transplant [træns'pla:nt] *v* 1. пресаждам, разсаждам (*растения и пр.*); 2. *мед.* правя присадка, присаждам тъкан/орган; 3. преселвам, разселвам.

transplantation [,trænspla:n'teiʃn] *n мед.* присаждане на жива тъкан/орган, трансплантация.

transpolar [,træns'poulə] *a* пресичащ/прекосяващ полярните области (*за полети и пр.*).

transpontine [trænz'pɔntain] *a* 1. отвъдмостов, презмостов, *особ.* отвъд р. Темза (*за южната част на Лондон*); 2. блудкаво мелодраматичен.

transport[1] ['trænspɔ:t] *n* 1. транспорт, пренасяне, превоз; 2. транспортно средство; 3. увлечение, изстъпление; възторг, възхищение; **she was in ~s (of joy)** тя бе извън себе си (от радост); 4. *ист.* заточеник, каторжник; 5. *attr* транспортен.

transport[2] [træns'pɔ:t] *v* 1. пренасям, превозвам, транспортирам; 2. депортирам (*каторжник и пр.*); 3. увличам, унасям, прехласвам, докарвам в състояние на възторг/опиянение/ужас и пр.; **they were ~ed with joy** те бяха опиянени от радост; 4. *ист.* изпращам на заточение отвъд океана.

transportation [,trænspɔ:'teiʃn] *n* 1. превоз, транспорт, транспортиране; 2. превозно/транспортно средство; 3. *ам.* стойност на превозването; 4. *ам.* билет (*трамваен, жп и пр.*); 5. *ист.* изпращане на каторга отвъд океана.

transporter [træns'pɔ:tə] *n* 1. транспортьор; 2. конвейер; 3. подвижен/мостов кран.

transpose [træns'pouz] *v* 1. размествам; премествам; преобразувам; 2. превеждам; трансформирам; перифразирам; 3. *мат.* прехвърлям в другата част на уравнението с обратен знак; 4. *муз.* транспонирам; 5. *грам.* правя промени в словореда.

transposition [trænspə'ziʃn] *n* 1. разместване, преместване; 2. *муз.* транспониране.

transsexual [træns'sekʃuəl] *n* човек с физически белези на единия пол и психологически особености на другия.

trans-ship [træns'ʃip] *v* (-pp-) *мор., жп.* прекачвам (се), прехвърлям (се), трансбордирам.

trans-shipment [træns'ʃipmənt] *n мор., жп.* прекачване, прехвърляне, трансбордиране.

trans-sonic = **transonic**.

transubstantiation [,trænsəb'stænʃieiʃn] *n рел.* преосъществяване.

transude [trən'sju:d] *v* просмуквам се.

Transvaal daisy [træns'va:l͵deizi] *n бот.* гербера (Gerbera jamesoni).

transversal [trænz'və:səl] **I.** *a* напречен; пресичащ; кос; **II.** *n* напречна/пресичаща линия, пресечка.

transverse [͵trænz'və:s] *a* напречен; пресичащ; кос.

transvestism [trænz'vestizm] *n* неестествена склонност към обличане на/в дрехи на другия пол.

trap[1] [træp] *n* **1.** капан, клопка, примка (*и прен.*); **to lay/set a ~ (for)** слагам/зареждам капан (за); **to walk straight into the ~** попадам право в капана; **2.** = **trap-door; 3.** апарат за изхвърляне на птици/топки/дискове и пр. за прицел; **4.** *тех.* сифон на мивка; **5.** *ряд.* филтър; **6.** лека двуколка на ресори; **7.** *sl.* уста; **8.** *sl.* полицай, детектив; **9.** *мин.* вентилационна врата.

trap[2] *v* (-pp-) **1.** хващам в капан (*и прен.*); впримчвам; вкарвам в клопка; поставям капан(и) в/за; **to be ~ped** в невъзможност съм да се измъкна/да избягам/да се отърва; **to ~ s.o. into admission** изкопчвам самопризнание от някого чрез умели уловки; **2.** поставям сифон на, снабдявам със сифон(и); **3.** спирам, препречвам/преграждам пътя на (*течност, пара, въздушно течение и пр.*).

trap[3] *n геол.* **1.** моноклинала, трап; **2.** тъмна еруптивна скала (*и* **trap-rock**).

trap[4] *v* покривам (*кон*) с чул.

trap-door ['træpdɔ:l] *n* **1.** капак/отвор в таван/под; люк; **2.** *театр.* трап.

trapes = **traipse.**

trapeze [trə'pi:z] *n сп.* трапец.

trapezium [trə'pi:ziəm] *n* **1.** *геом.* трапец; *ам.* трапезоид; **2.** *анат.* трапецовидна кост.

trapezoid ['træpizɔid] *n геом.* трапезоид; *ам.* трапец.

trapper ['træpə] *n* **1.** ловец, който поставя капани; **2.** *мин.* миньор, обслужващ вентилационните отвори.

trappings ['træpiŋz] *n pl* **1.** парадна конска сбруя; **2.** официален костюм, параден мундир; **3.** *прен.* украшения, украса; декорация (*на служебно помещение и пр.*).

trappy ['træpi] *a* **1.** *разг.* изобилствуващ с капани; **2.** коварен, опасен (*особ. за неща*).

traps [træps] *n pl разг.* лични вещи, дрехи, багаж; партакеши, пъртушини.

trapse = **traipse.**

trap-shooting ['træp'ʃu:tiŋ] *n сп.* стрелба по подвижна цел (*изхвърлена от автомат*).

trash[1] [træʃ] *n* **1.** боклук, смет, остатъци, отпадъци; **2.** *разг.* безвкусица, нескопосана работа; буламач; глупост; **to talk a lot of ~** дрънкам врели-некипели; **3.** *събир.* изметът на обществото; **white ~** — *ам.* презр. белите бедняци в Южните щати; **4.** *ам.* стъбла на захарна тръстика след изстискване; **5.** клони, съчки, листа от кастрене.

trash[2] *v* **1.** кастря, окастрям (*дърво, храст и пр.*); **2.** изхвърлям като ненужен.

trash-can ['træʃkæn] *n ам.* кофа/кошче за отпадъци.

trash-ice ['træʃais] *n* плаващ лед, натрошен лед, примесен с вода.

trashy ['træʃi] *a* **1.** долнокачествен, без стойност; долнопробен; **2.** безплоден, безполезен, ненужен.

trass [tra:s] *n минер.* трас, пуцолан.

trauma ['trɔ:mə] *n* (*pl* **traumata, -s** ['trɔ:mətə, 'trɔ:məz]) *мед.* травма, нараняване.

traumatic [trɔ:'mætik] *a* **1.** *мед.* травматичен; **2.** тежък, мъчителен (*за преживелици*).

travail[1] ['træveil] *n* **1.** *ост.* родилни мъки; **2.** тежък труд.

travail[2] *v* **1.** *ост.* мъча се при раждане; **2.** *книж.* напрягам се; правя усилие да създам нещо.

travel[1] ['trævl] *n* **1.** *ряд.* пътуване, странствуване, път; **2.** *pl* пътешествия; описание на пътешествие, пътепис; **3.** *тех.* придвижване, ход (*на бутало*); **4.** движение на снаряд в цевта.

travel[2] *v* (-ll-, *ам.* -l-) **1.** пътувам, пътешествувам; **these goods ~ well** тези стоки понасят транспорт; **2.** пропътувам, обхождам, обикалям (*и с* **over**); извървявам, вървя по; **to ~ the road** *ост.* разбойник съм; **3.** пътувам като търговски пътник (*за някого* — **for**, *по продажба на нещо* — **in**); **4.** движа се, местя се, разпространявам се; **5.** ровя се из паметта си; **6.** минавам от предмет на предмет; плъзгам се, рея се (*за очи, поглед*); обхващам с поглед; **7.** *разг.* движа се бързо (*по път и пр.*).

travel agency, bureau ['trævl͵eidʒənsi,-bjuə,rou] *n* пътническа агенция/бюро.

travelled ['trævld] *a* **1.** много посещаван/използван; **2.** с оживен трафик, с голямо движение (*за път*); **3.** много пътувал, видял много страни (*за човек*).

traveller ['trævələ] *n* пътник, пътешественик; **~'s cheque/**ам. **check** пътнически чек/акредитив; **~'s clock** пътнически часовник в калъф; **~'s tale** 1) разказ за далечни страни; 2) невероятна/измислена история.

traveller's joy ['trævləz͵dʒɔi] *n бот.* див клематис, повет (Clematis vitalba).

travelling[1] ['trævliŋ] *n* **1.** пътуване; **2.** *attr* за пътуване, пътнически, пътен (*за куфар, облекло и пр.*); **~ fellowship** стипендия за пътуване, свързано с научни цели; **~ clock** малък пътнически часовник/будилник в калъф.

travelling[2] *a* **1.** пътешествуващ, странствуващ; **~ salesman** търговски пътник; **~ kitchen** походна кухня; **~ crane** *тех.* мостов кран.

travelog(ue) ['trævələg] *n* филм/беседа/дописка, описваща пътешествие.

traverse[1] ['trævə:s] *n* **1.** *стр.* траверса, напречна греда; **2.** бариера, преграда, пречка, препятствие; **3.** *юр.* отричане; опровержение; отказ; **4.** *воен.* хоризонтално насочване; **5.** криволичещ/лъкатушен/зигзагообразен преход по отвесен скат; **6.** чупка, остър завой; **7.** *мор.* зигзагообразен курс при насрещни ветрове/течения.

traverse[2] *v* **1.** преминавам, прекосявам, пресичам; пропътувам; **2.** *прен.* разглеждам/обсъждам основно; **3.** *юр.* опровергавам/отхвърлям твърдение; **4.** завъртам хоризонтално; **5.** изкачвам се лъкатушно; **6.** поставям напреко.

traverser ['trævəsə] = **traverse-table** 1.

traverse-table ['trævəs͵teibl] *n* **1.** *жп.* подвижна платформа за прехвърляне на локомотиви от една линия на друга, успоредна на нея; **2.** *мор.* таблица за определяне на отклонението от курса.

travertine ['trævətin] *n минер.* шуплест варовик, бигор, травертин.

travesty[1] ['trævəsti] *n* пародия, изопачаване.

travesty[2] *v* правя пародия от; изопачавам, окарикатурявам.

trawl[1] [trɔ:l] *n* **1.** голяма рибарска мрежа за влачене по дъното, трал; **2.** *воен.* уред за чистене на мини.

trawl[2] *v* ловя риба с влачене на мрежа по дъното на морето.

trawler ['trɔ:lə] *n* **1.** траулер; **2.** риболовец; **3.** миночистачен кораб.

tray [trei] *n* **1.** табла, табличка, поднос; **2. in/out/pending ~** контейнер за входяща/изходяща/текуща кореспонденция; **3.** корито; **developing** ~ *фот.* вана за проявяване.

treacherous ['tretʃərəs] *a* **1.** предателски, неверен; коварен, вероломен; **2.** несигурен; слаб; криещ опасности.

treachery ['tretʃəri] *n* предателство, измяна; подлост, коварство, коварна постъпка.

treacle ['tri:kl] *n* **1.** захарен петмез/сироп; меласа; **2.** *прен.* сладникаво ласкателство/тон/глас.

treacly ['tri:kli] *a* **1.** гъст и сладък; лепкав; **2.** *прен.* сладникав, мазен.

tread[1] [tred] *v* (**trod** [trɔd]; **trodden** ['trɔdn]) **1.** стъпвам; настъпвам, тъпча; **to** ~ **under feet** *прен.* тъпча, потъпквам, стъпквам потискам; **to** ~ **a dangerous path** *прен.* вървя по опасен път, постъпвам рисковано; **to** ~ **in s.o.'s steps** вървя по стъпките/следвам примера на някого; **2.** вървя; извървявам; **to** ~ **o.'s way** *поет.* следвам пътя си; **a better man never trod this earth** по-добър човек няма/не се е раждал на земята/света; **to** ~ **lightly** *прен.* действувам внимателно, тактичен съм; **to** ~ **water** плувам изправен; **3.** *ост.* накуцвам; **4.** чифтосвам се с (*за птици*);

tread down 1) стъпвам, смазвам, унищожавам; 2) потъпквам, потушавам, потискам;

tread in натъпквам/натиквам с крак; затъпквам (*нещо в земята*);

tread on настъпвам, стъпвам върху; **to** ~ **on s.o.'s corns/toes** *прен.* настъпвам някого по мазола, засягам го на болното място, оскърбявам го; **to** ~ **on the neck of** стъпвам на шията на, потискам; **to** ~ **on the gas, to** ~ **on it** натискам педала, давам газ (*и прен.*);

tread out 1) газя, тъпча, изстисквам (*грозде и пр.*) с тъпкане; 2) гася/потушавам (*огън*) с тъпкане; 3) *прен.* потъпквам, потушавам (*въстание*);

tread over кривя, разкривявам (*обувките си*) при носене;

tread under потъпквам; смазвам, унищожавам (*неприятел и пр.*).

tread[2] *n* **1.** стъпка, походка, вървеж, ход; **to walk with a measured/heavy** ~ вървя/стъпвам отмерено/тежко; **2.** шум от стъпки; **3.** стъпало, стъпенка; **4.** грапавата нарязана повърхност на автомобилна гума; *тех.* наплат/шина на колело; **5.** звено на гъсенична верига; **6.** ширина на хода, коловоз; релси; **7.** *ост.* чифтосване (*при птици*).

treadle[1] ['tredl] *n тех.* педал.

treadle[2] *v* **1.** натискам педал; **2.** задвижвам/задействувам (*машина и пр.*) чрез педал.

treadmill ['tredmil] *n* **1.** механизъм, задвижван чрез ходене; **2.** *ист.* работа с такъв механизъм като наказание; *прен.* каторга; **3.** *прен.* монотонна/еднообразна/неблагодарна работа; бъхтене, блъскане.

treason ['tri:zn] *n* измяна, предателство.

treasonable ['tri:zənəbl] *a* изменнически, предателски.

treasure[1] ['treʒə] *n* **1.** *книж.* съкровище, богатство (*и прен.*); имане; **2.** *прен.* ценност, ценна вещ, находка; **3.** високо ценѐн/любим човек.

treasure[2] *v* **1.** трупам, скътвам (**up**); **2.** пазя, запазвам, съхранявам (**up**); **3.** ценя високо, милея за; лелея.

treasure-house ['treʒəhaus] *n* **1.** съкровищница; **2.** ковчежничество.

treasure-hunt ['treʒəhʌnt] *n* **1.** търсене на съкровище; **2.** игра на „търсене на съкровище".

treasurer ['treʒərə] *n* касиер, ковчежник (*особ. на клуб, дружество и пр.*); **Lord High T.** *ист.* държавен кралски ковчежник.

treasure trove ['treʒə,trouv] *n* случайно открито съкровище; ценна находка (*и прен.*).

treasury ['treʒəri] *n* **1.** съкровищница; **2.** ковчежничество; хазна; ~ **note** съкровищен билет, бон; **T. bench** мястото на министрите в Английския парламент; **Lords of the T.** съвет, отговарящ за държавната хазна/съкровище, състоящ се от министър-председателя, министъра на финансите и още трима или петима членове; **First Lord of the T.** министър-председател; **Secretary of the T.** *ам.* министър на финансите.

treat[1] [tri:t] *v* **1.** отнасям се към, държа се с/към; третирам; **to** ~ **s.o. white** *ам.* отнасям се към някого честно и справедливо; **2.** подлагам на действието на; обработвам, третирам, действувам върху (**with** с); **3.** разглеждам, разработвам; третирам; изяснявам; занимавам се с; **4.** лекувам, церя (**for**); **5.** черпя, угощавам; **to** ~ **s.o. to s.th.** черпя/почерпвам някого с нещо; **to** ~ **s.o. to a concert, etc.** водя някого на концерт и пр.; **to** ~ **o.s. to an ice** почерпвам се/купувам си/изяждам един сладолед; **6.** преговарям (**with**); **7.** разисквам, засягам (**of**); **the book** ~**s of poetry** книгата е върху/разглежда поезията; **8.** *мин.* обогатявам.

treat[2] *n* **1.** черпня, почерпка; угощение; **to give o.s. a** ~ позволявам си една почерпка; **to stand** ~ плащам за почерпка, черпя, гощавам; **it's my** ~ аз черпя/плащам за почерпката; **2.** голямо удоволствие, наслада, неочаквана радост; **3.** *уч.* излет, екскурзия, пикник.

treatise ['tri:tiz] *n* трактат; монография.

treatment ['tri:tmənt] *n* **1.** обноска, държане, отношение; **2.** разработка, начин на разглеждане, трактовка; **3.** обработка, манипулация; **4.** лекуване, лечение; **to undergo a** ~ **for ulcer** лекуват ми язвата; (**patients**) **under** ~ (болни) на лечение; **the (full)** ~ *разг.* обичайният начин за справяне с някого/нещо; **5.** *мин.* обогатяване.

treaty ['tri:ti] *n* **1.** договор; ~ **port** открито по договор пристанище (*особ. в Далечния Изток*); **2.** *ост.* водене на преговори; **to be in** ~ **for** преговарям (*с някого*) за.

treble[1] ['trebl] *a* **1.** троен, утроен, трикратен; ~ **figure** тризначно число; **2.** *муз.* дискантов; сопранов; ~ **voice** сопрано; ~ **clef** ключ сол.

treble[2] *n* **1.** тройно количество; **2.** *муз.* дискант; сопрано; **3.** висок (детски) глас; **shrill** ~ остър/креслив глас.

treble[3] *v* утроявам (се).

trecento [trei'tʃentou] *n* италиански стил в изкуството и литературата от XIV в.

tree[1] [tri:] *n* **1.** дърво; **to grow on** ~**s** *прен.* има ме в голямо изобилие навсякъде/под път и над път; ~ **of heaven** *бот.* декоративно азиатско дърво (Alianthus); **up a** ~ *разг.* в безизходно положение, натясно; **2.** родословие, потекло (*и* **family/genealogical** ~); **3.** *тех.* вал; ос; **4.** *ряд.* стойка, подпора; калъп за обуща; **5.** *sl. ост.* бесилка; кръст, *особ.* този, на който е бил разпнат Христос.

tree[2] *v* **1.** (подгонвам и) принуждавам да се качи на дърво; *прен.* поставям в затруднено положение, имам надмощие; **2.** укривам се/намирам убежище на дърво; **3.** разтягам (*обувка*) на калъп.

tree-creeper ['tri:ˌkri:pə] *n зоол.* дърволаз (*птица*) (Certhiidae).

tree-dozer ['tri:douzə] *n* булдозер за поваляне на дървета.

tree-fern ['tri:fən] *n бот.* висока тропическа папрат.

tree-frog ['tri:frɔg] *n зоол.* зелена/дървесна жаба.

tree-line ['tri:lain] = **timber-line**.

treenail ['tri:neil] *n* гвоздей от дърво, дюбел, дибла.

tree peony ['tri: pi:əni] *n* китайски божур (*храст*).

tree sparrow ['tri:ˌspærou] *n* 1. малко врабче (Passer montanus); 2. *ам.* голямо врабче (Spizella arborea).

tree-toad ['tri:toud] = **tree-frog**.

trefoil ['trefɔil] *n бот.* трилистник; трилистна детелина.

trek[1] [trek] *v* (-kk-) 1. пътувам с волска кола; 2. преселвам се; 3. пътувам дълго и мъчително.

trek[2] *n* 1. пътуване с каруци, теглени от волове; 2. бавно и мъчително преселване; 3. дълго и мъчително пътуване.

trekker ['trekə] *n* 1. човек, пътуващ с волска кола; 2. преселник.

trellis[1] ['trelis] *n* дървена рамка/решетка (*особ. за увивни растения*); ~ **vine** асма.

trellis[2] *v* пускам увивно растение да върви по рамка/решетка.

trelliswork ['treliswə:k] *n* дървена/метална и пр. решетка.

trematode ['tremətoud] *n* паразитен плоскъ червей; метил (*и* ~ **worm**).

tremble[1] ['trembl] *v* треперя, треса се; трептя, вибрирам; **to ~ in every limb** треперя като лист, цял треперя; **to ~ with fear/anger, etc.** треперя от страх/яд и пр.; **to ~ at the thought of** изтръпвам/потръпвам при мисълта за; **I ~ for his safety** боя се да не му се случи нещо/че го грози опасност.

tremble[2] *n* треперене, тресене; трепет; **all of a ~** *разг.* цял треперещ, силно уплашен/развълнуван; **there was a ~ in her voice** гласът ѝ беше треперлив (*от вълнение, страх и пр.*).

trembler ['tremblə] *n ел.* прекъсвач.

trembling[1] ['trembliŋ] *a* трепереш, трептящ, вибриращ; треперлив; ~ **poplar** *бот.* трепетлика (Populus tremula).

trembling[2] *n* треперене, трептене; трепет; **in fear and ~** цял треперещ, в трепетно очакване; ~ **fit** пристъп на нервна треска.

trembly ['trembli] *a разг.* треперещ, треперлив.

tremendous [tri'mendəs] *a* огромен; страхотен; страшен, ужасен.

tremolo ['tremɔlou] *n муз.* тремоло.

tremor[1] ['tremə] *n* 1. треперене, трептене; потръпване; трепет; 2. леко земетресение/трус.

tremor[2] *v* треперя, трептя; вибрирам.

tremulous ['tremjuləs] *a* 1. треперлив, треперещ; 2. плах, боязлив, несигурен, колеблив; 3. трепетен, възбуден; свръхчувствителен.

trench[1] [trentʃ] *n* 1. окоп, *pl* защитни окопи; 2. изкоп, ров, канавка; канал, траншея; 3. *ост.* просека; 4. *pl* предна бойна линия.

trench[2] *v* 1. копая окопи, окопавам; 2. риголвам; 3. прорязвам (*с бразда и пр.*); 4. посягам върху (*права, спокойствие и пр.*) (**upon**); 5. гранича (**on, upon** c); **his answer ~es on insolence** отговорът му граничи с нахалство.

trenchant ['trentʃənt] *a* 1. остър, режещ; 2. рязък, язвителен, критичен; решителен; ясно изразен, осезаем; сбит и изразителен (*за стил*).

trench coat ['trentʃkout] *n* (войнишко) непромокаемо палто с подвижна подплата и колан, тренчкот.

trencher[1] ['trentʃə] *n* копач на окопи; машина за копане на окопи/траншеи/ровове.

trencher[2] *n* 1. дъска за рязане на хляб и пр.; 2. *ост.* копаня; ~ **companion** сътрапезник; 3. *разг.* официална квадратна академична шапка (*и* ~ **cap**).

trencherman ['trentʃəmən] *n* (*pl* **-men**) човек с апетит; **a good/bad ~** човек, който яде много/малко.

trenchfoot ['trentʃfut] *n* заболяване на краката от продължително стоене във влажни окопи.

trench mortar ['trentʃˌmɔ:tə] *n воен.* минохвъргачка, миномет.

trench warfare ['trentʃˌwɔ:feə] *n* окопна/позиционна война.

trend[1] [trend] *n* тенденция, склонност; насоченост; уклон; насока на развитие; **to set the ~** въвеждам/диктувам модата.

trend[2] *v* 1. клоня, вземам направление; 2. отклонявам се в някаква посока/направление (**to, toward**).

trepan[1] [tri'pæn] *n* 1. хирургически цилиндричен трион, трепан; 2. инструмент за пробиване на скали.

trepan[2] *v* (-nn-) 1. *мед.* правя трепанация; 2. пробивам дупка за заряд.

trepan[3] *v* 1. залъгвам; 2. излъгвам, изигравам, измамвам.

trepan[4] *n* капан, уловка, примамка; трик.

trepanation [trepə'neiʃn] *n мед.* трепанация.

trepang [tre'pæŋ] *n зоол.* морска краставица.

trephine[1] [tre'fi:n] *n мед.* подобрена форма на трепан.

trephine[2] *v* правя трепанация.

trepidation [trepi'deiʃn] *n* 1. трепет; 2. треперене; 3. тревога, безпокойство.

trespass[1] ['trespəs] *n* 1. *юр.* простъпка; нарушение на граница на владение/на права и пр.; 2. злоупотреба (**on** c); 3. *църк.* прегрешение, грях.

trespass[2] *v* 1. нарушавам граници; влизам в чужд двор/къща и пр. (**on, upon**); **no ~ing!** влизането без разрешение е забранено! 2. провинявам се, извършвам простъпка; 3. злоупотребявам (**on, upon** c); 4. престъпвам (**against**); 5. *църк.* прегрешавам, съгрешавам.

trespasser ['trespəsə] *n* 1. нарушител на неприкосновеността на граница/владение и пр.; бракониер; 2. *юр.* правонарушител; 3. *рел.* грешник.

tress [tres] *n* 1. кичур/букла/плитка коса; 2. *pl* коси/плитки на момиче/жена.

tressed [trest] *a* със сплетена на плитка коса; **golden ~** със златоруси плитки.

trestle ['tresl] *n* 1. (дървено) магаре за подпорка и пр.; 2. подпора на рамков мост (*и* ~**work**).

trews [tru:z] *n pl с гл. в sing* тесни карирани панталони.

trey [trei] *n* тройка (*на зар, карти*).

triable ['traiəbl] *a* 1. *юр.* подсъден; 2. който може да бъде изпитан/изпробван.

triad[1] ['traiæd] *n* 1. тройка, триада; 2. *муз.* тризвучие; *рел.* тройца; триединство.

triad[2] *a хим.* тривалентен.

triage ['triɑ:ʒ] *n* сортиране, сортировка.

trial ['traiəl] *n* 1. изпитание, опит, проба, изпробване; **on ~** на/за/при изпробване; ~ **and error** опитване на различни методи, за да се получи желаният резултат; **to give s.o./s.th. a ~** опитвам/изпробвам/изпитвам някого/нещо; **to put on/to ~** изпробвам, подлагам на изпробване; ~ **of** изпитване/изпробване на (*сила, търпение и пр.*); 2. *attr* пробен (*за полет, поръчка, брак и пр.*); 3. *сп.* опит; предварително състезание; 4. *прен.* неприятно/досадно нещо, трудност, несгода, изпитание; **his deafness is a**

great ~ to him глухотата му е голямо бреме за него; he is a great ~ to his parents той създава големи неприятности на родителите си; 5. съдебно дирене, процес; state ~ съд на политически/държавни престъпници; civil ~ гражданско дело; criminal ~ углавно дело; to be/go on ~ (for), to stand (o.'s) ~ подсъдим съм, съдят ме (за); to bring to ~, to put on ~, to put/bring up for ~ давам под съд, съдя (някого).

trial balloon ['traiəlbə'lu:n] n 1. балон за проучване на въздушните течения и пр.; 2. прен. проучване на общественото мнение по различни проблеми.

triangle ['traiæŋgl] n 1. триъгълник (и прен.); 2. уред/инструмент с форма на триъгълник; 3. група от трима души/три неща.

triangular [trai'æŋgjulə] a 1. триъгълен; 2. включващ/отнасящ се до три групи, трима души и пр.

triangulate [trai'æŋgjuleit] v 1. оформям като триъгълник; 2. разделям на триъгълници; 3. геол. триангулирам.

triatomic [traiə'tɔmik] a хим. 1. триатомен; 2. тривалентен.

triaxial [trai'æksiəl] a геом., тех. триосен.

tribal ['traibl] a племенен, родов.

tribe [traib] n 1. племе, род; коляно; 2. биол. родов вид; подраздел; 3. разг. компания, тайфа, група; 4. пренебр. клика, шайка.

tribesman ['traibsmən] n (pl -men) 1. член на племе; туземец; 2. член на род, роднина, сродник.

tribrach ['traibræk] n проз. трибрахий.

tribulation [,tribju'leiʃn] n горест, нещастие, скръб; изпитание.

tribunal [trai'bju:nəl] n 1. съд, съдилище, трибунал; арбитражен съд; 2. място/кресло на съдия; 3. народна комисия; 4. църк. изповедалня.

tribunate ['tribjunit] n длъжност на трибун, трибунат.

tribune[1] ['tribju:n] n 1. ист. трибун; 2. прен. народен трибун.

tribune[2] n 1. естрада, трибуна; 2. владишки трон; 3. амвон.

tributary[1] ['tribjutəri] I. a 1. който плаща данък; 2. подчинен, зависим; 3. допълнителен, спомагателен; второстепенен; 4. приточен, постъпващ; II. n 1. данъкоплатец; 2. васална държава; 3. приток.

tribute ['tribju:t] n 1. данък, налог; дан; to pay ~ to хваля; поднасям почитанията си/отдавам почит на; floral ~s поднасяне на цветя (на артист, юбиляр и пр.); to pay the ~ of a tear проливам сълзи (за някого); 2. подвластност, подчинение; 3. лепта.

tricar ['traika:] n автомобил с три колела.

trice[1] [trais] n миг, момент; in a ~ в миг, мигновено, веднага.

trice[2] v мор. притягам, привързвам (платно) (обик. с up).

tricentenary [traisen'ti:nəri] = tercentenary.

triceps ['traiseps] n анат. триглав мускул, трицепс.

trichina [tri'kainə] n (pl -ae [i:]) зоол. трихина (чревен паразит).

trichinosis [triki'nousis] n мед. трихиноза.

trichord ['traikɔ:d] n триструнен музикален инструмент.

trichotomy [trai'kɔtəmi] n деление на три части/елемента/класа.

trichromatic [,traikrɔ'mætik] a трицветен.

trick[1] [trik] n 1. хитрост, измама; a dirty/dog's/mean/nasty/shabby/scurvy ~ мръсен номер, долна/гадна постъпка, подлост; to play/serve s.o. a ~ измамвам/изхитрявам/изигравам някого; you shall not serve that ~ twice този номер втори път няма да мине; he knows a ~ or two, he's up to every ~ разг. той не е вчерашен, знае ги всякакви, изпечен е, бива си го; how's ~s? sl. как си? как вървят работите? to do the ~ свършвам работа; to play a (dirty) ~ on s.o. изигравам (мръсен) номер на някого; a ~ worth two of that разг. по-добър начин/средство от този/твоя; the ~s of the trade похвати, шмекерии (търговски, занаятчийски и пр.); 2. фокус, трик, проява на умение/ловкост; ~ film мултипликационен/анимационен/рисуван филм, трикфилм; ~ lock секретна ключалка с шифър; 3. шега, номер, дяволия, магария; ~s of fortune превратности на съдбата; you have been up to your old ~s ти пак започна старите си номера; to be up to s.o.'s ~s мога да се справя с/разбирам номерата/дяволиите на някого; 4. илюзия, измама; a ~ of vision оптическа измама; 5. особеност, характерност; странна привичка; маниерност; ексцентричност; 6. цака, леснина; to get/learn the ~ of it хващам/научавам му цаката/хватката; to do the ~ sl. намирам му колая, свършвам работата, постигам целта си; 7. карти ръка, взятка; 8. мор. смяна при кормилото; to have/stand/take o.'s ~ at the wheel дежуря на кормилото; 9. ам. дреболия, джунджурийка; pl партакеши.

trick[2] v 1. измамвам, изигравам, излъгвам; to ~ the truth out of s.o. научавам с хитрост истината от някого; 2. разг. труфя, украсявам (out, up).

trickery ['trikəri] n измама, мошеничество, хитрина.

trickle[1] ['trikl] v 1. капя, процеждам се, струя бавно, едва-едва тека (за течност); 2. прен. движа се/идвам бавно; the news ~d out новината постепенно се разчу; 3. чезна, губя се, загубвам се his enthusiasm ~d away постепенно ентусиазмът му се изпари.

trickle[2] n 1. капене, тънка струйка, бавно струене; прен. бавно и недостатъчно снабдяване; ~ charger ел. уред за бавно и продължително зареждане на акумулатор от мрежа; 2. малко количество/брой.

trickster ['trikstə] n 1. мошеник; 2. фокусник.

tricksy ['triksi] a 1. шеговит, игрив; 2. изкусен, ловък; 3. капризен; мъчен, труден за боравене; 4. ост. стегнат, спретнат.

tricky ['triki] a 1. измамнически, мошенически; 2. зъл (за животно); 3. сложен, труден; криещ опасности; 4. ловък, съобразителен, остроумен; лукав, хитър; 5. пакостлив.

tricolour, ам. -or ['trikələ] I. a трицветен, трибагрен; II. n трибагреник, трикольор; the T. френското знаме.

tricorn [,traikɔ:n] a 1. с три рога; 2. подвит от три страни, триъгълен (особ. за шапка).

tricot ['trikou] n трико (материя).

tricycle ['traisikl] n 1. велосипед на три колела; 2. триколка.

trident ['traidənt] n тризъбец.

tridimensional [traidi'menʃənl] a с/имащ три измерения.

tried [traid] a добре изпитан/изпробван, сигурен (за рецепта и пр.).

triennial [trai'eniəl] I. a 1. ставащ/случващ се през три години; 2. траещ три години; II. n 1. нещо, което се случва всеки три години; 2. тригодишнина; 3. три години; 4. бот. тригодишно растение.

trier ['traiə] n 1. човек, който обича да опитва/изпробва; 2. дегустатор.

trifacial [trai'feiʃəl] = **trigeminal.**

trifle[1] ['traifl] *n* **1.** дреболия; незначително нещо; незначително количество, мъничко; **a ~** леко, малко-нещо; **he seems a ~ annoyed** той изглежда пораздразнен, леко отегчен; **it's no ~** това не е шега работа/дребно нещо; **to give s.o. a ~** давам някому бакшиш/нещичко; **2.** дребна сума, малко пари; **it will cost me only a ~** това ще ми струва съвсем малко пари; **3.** вид сладкиш със сметана плодове и пр.; **4.** вид месинг.

trifle[2] *v* **1.** прахосвам, губя, пропилявам (*време, пари и пр.*) (**away**); **2.** отнасям се несериозно/нехайно/пренебрежително, играя си (**with** с); **he is not the man to be ~d with** с него шега не бива; **3.** въртя, пипам, играя си небрежно (*с предмет*); **to ~ with o.'s food** ям едва-едва, побутвам яденето отсам-оттам; **to ~ with the arts** дилетант съм в изкуството.

trifler ['traiflə] *n* несериозен/лекомислен/неискрен човек; развейпрах.

trifling ['traifliŋ] *a* дребен, незначителен, маловажен, нищожен; **it's no ~ matter** това е сериозно/важно нещо.

trifocal [trai'foukəl] *a* опт. трифокален.

trifoliated [trai'foulieitid] *a* **1.** бот. трилистен; **2.** арх. украсен с трилистници.

triform ['traifɔːm] *a* имащ три форми/тела/деления.

trig[1] [trig] *v* (-gg-) спъвам, спирам; подпирам; запирам, задържам (*колело и пр.*).

trig[2] *a* спретнат, стегнат, издокаран, пременен.

trigeminal [trai'dʒeminəl] *a* анат. троен (*за нерв*).

trigger[1] ['trigə] *n* спусък на пушка; **to pull the ~** дърпам спуска, стрелям ударника; *прен.* привеждам/пускам в движение; **easy on the ~** ам. избухлив, сприхав, лесно възбудим; **quick on the ~** бързо реагиращ, импулсивен; **to have a finger on the ~** *прен.* във властта ми е да заповядам започване на война; **~ happy** *разг.* винаги готов да стреля по някого/по нещо; горящ от желание да започне бой/война.

trigger[2] *v* натискам спусъка; *прен.* започвам, ускорявам (*процес*) (*и с* **off**).

trigonometric(al) [ˌtrigənə'metrik(l)] *a* тригонометричен.

trigonometry [trigə'nomitri] *n* тригонометрия.

trihedral [trai'hiːdrəl] *a* геом. тристранен.

trike [traik] *разг.* = **tricycle.**

trilateral [trai'lætərəl] *a* геом. тристранен.

trilby ['trilbi] *n* **1.** вид мъжка мека шапка (*и* **~ hat**); **2.** *pl sl.* крака, ходила.

trilinear [trai'liniə] *a* геом. трилинеен.

trilingual [trai'lingwəl] *a* триезичен, (говорещ) на три езика.

trill[1] [tril] *n* **1.** муз. трели, тремоло; **2.** треперливо чуруликане на птица; **3.** фон. вибриращ звук г.

trill[2] *v* **1.** извивам трели; **2.** фон. произнасям звука г с вибрация.

trillion ['triliən] *n* трилион (1 + 18 нули); ам. билион (1 + 12 нули).

trilobate [trai'loubeit] *a* бот. триделен (*за листо*).

trilogy ['trilədʒi] *n* трилогия.

trim[1] [trim] *a* чист, спретнат, кокетен; подреден, уреден; стегнат, издокаран; **a ~ figure** стегната/елегантна фигура; **a ~ garden** добре подредена/поддържана градина.

trim[2] *v* (-mm-) **1.** нареждам, подреждам, стягам; **to ~ s.o./o.s.** стягам (се), издокарвам (се); **2.** подрязвам, подкастрям; подстригвам; **to ~ o.'s nails** правя си маникюр; **to have o.'s hair ~med** подстригвам косата си; **3.** одялвам, заглаждам; **4.** подрязвам, почиствам (*фитил*); **5.** украсявам, гарнирам (*дреха*); **6.** *мор.* уравновесявам, разпределям правилно (*товара на кораб*); подреждам (*платната*); *прен.* *полит.* лавирам; нагаждам се, приспособявам се; **to ~ the sails to the wind** обръщам се според посоката на вятъра (*и прен.*); **7.** *разг.* смъмрям, скастрям; **8.** измамвам, изигравам.

trim[3] *n* **1.** спретнатост, подреденост; изправност; **2.** готовност; **in ~** в добро състояние (*и здравословно*); *мор.* в добър ред; **an athlete in perfect ~** атлет в отлична спортна/състезателна форма; **in fighting ~** в бойна готовност; **in flying ~** *ав.* готов за излитане/стартиране; **3.** облекло, външен вид; **in sorry ~** в жалък вид, в окаяно състояние; **4.** (начин на) подстригване; **5.** *мор.* балансиране на кораб; **6.** *ам.* корниз, перваз.

trimester [trai'mestə] *n* триместър; тримесечие.

trimeter ['trimitə] *n* проз. триметър.

trimmer ['trimə] *n* **1.** човек, който подрежда и пр. (*вж.* **trim**[2]); **2.** нагаждач, приспособленец, опортюнист; **3.** машина за одялване на трупи; **4.** *стр.* междуетажна преграда, гредоред; **5.** огняр (*и* **coal-~**).

trimming ['trimiŋ] *n* **1.** обик. *pl* украшение; гарнитура; принадлежност; **2.** очистване, прочистване; подкастряне; подстригване; **~-axe** брадвичка за кастрене на клончета; **3.** *pl* изрезки, отрезки; **4.** почистване, поправяне, затягане; **5.** *разг.* смъмряне, скастряне; бой.

trine [train] **I.** *a* троен, трикратен; **II.** *n* тройка, троица; трио.

trinitrotoluene, -toluol [traiˌnaitrou'tɔljuin, -'tɔljuəl] *n* хим. тринитротолуол, тротил (*обик.* **TNT**).

Trinity ['triniti] *n* рел. **1.** Светата троица; **~ Sunday** Света троица (*празник*); **2.** триединство; □ **~ House** английско сдружение на лоцманите; **~ Brethren** членовете на това сдружение; **~ term** летен семестър.

trinket ['trinkit] *n* дреболийка; дребно украшение, евтино бижу, дрънкулка.

trinomial [trai'noumiəl] **I.** *a* **1.** мат. тричленен; **2.** бот., зоол. отбелязващ род, вид и разновидност; **II.** *n* мат. тричлен, трином.

trio ['triou] *n* муз. трио.

triode ['traioud] *n рад.* триелектронна лампа, триод.

triole ['trioul] *n муз.* триола.

triolet ['triːoulit] *n лит.* триолет.

trip[1] [trip] *n* **1.** кратко пътешествие/екскурзия/обиколка; **honeymoon ~** сватбено пътешествие; **trial ~** *мор.* пробен рейс; **to do the ~ from... to...** пътувам от... до...; **2.** препъване, падане; *прен.* грешка; **3.** лека/пъргава походка/стъпка; **4.** *разг.* халюцинации, причинени от взети опиати.

trip[2] *v* (-pp-) **1.** стъпвам/танцувам бързо и леко; потичвам; **2.** препъвам (се), спъвам (се); подлагам крак/слагам марка на (**up**); **to ~ over** препъвам се/спъвам се в (**s.th.** нещо); *прен.* правя погрешна стъпка, сбърквам; прегрешавам; **3.** уличавам/хващам в лъжа/противоречие и пр.; **4.** *ост.* пътувам, обикалям; **5.** отвързвам, откопчавам, откачам, освобождавам; *мор.* отделям (*котва*) от дъното; **6.** *тех.* разединявам, изключвам; **7.** *разг.* халюцинирам под влиянието на наркотик.

tripartite [trai'paːtait] *a* **1.** триделен, троен; **2.** *юр.* тристранен.

tripe [traip] *n* **1.** *готв.* шкембе; ~**-shop** шкембеджийница; **2.** *вулг.* карантия, *особ.* черва; **3.** *sl.* боклук, буламач; глупости, безсмислици; **to publish** ~ издавам булевардна литература.

trip-hammer ['trip͵hæmə] *n тех.* механичен чук.

triphibious [trai'fibiəs] *a* провеждан на суша, по море и във въздуха (*за военна операция*).

triphthong ['trifθɔŋ] *n фон.* тригласна, трифтонг.

triplane ['traiplein] *n ав.* триплан.

triple¹ ['tripl] *a* троен, трикратен, утроен; **T. Alliance/Entente** *ист.* Троен съюз/съглашение (*Антанта*); ~ **time** *муз.* тривременен такт; ~ **window** трикрил прозорец.

triple² *v* утроявам (се).

triplet ['triplit] *n* **1.** тройка; **2.** три близнака; **3.** *проз.* три римувани стиха, триплет; **4.** *муз.* триола.

triplex ['tripleks] **I.** *a* **1.** троен, трикратен; **2.** *ам.* триетажен; **II.** *n тех.* нечупливо стъкло, триплекс.

triplicate¹ ['triplikit] **I.** *a* троен; **II.** *n* трети екземпляр/копие; трипликат; **in** ~ в три екземпляра/копия.

triplicate² ['triplikeit] *v* правя/размножавам в три екземпляра; утроявам.

tripod ['traipɔd] *n* **1.** триножник, тринога; **2.** трикрако столче/маса.

tripos ['traipɔs] *n* изпит за получаване на научна степен (*в Кеймбридж*).

tripper ['tripə] *n* излетник, турист, екскурзиант.

tripperish, -ry ['tripəriʃ, -ri] *a разг.* пълен с/много посещаван от туристи; шумен.

tripping ['tripiŋ] *a* **1.** бързоходен, бързоног; **2.** лек и бърз (*за походка и пр.*); **3.** свободен, плавен (*за говор*); **3.** *тех.* изключващ.

trip recorder ['tripri͵kɔ:də] *n* километражен броител.

triptych ['triptik] *n изк.* триптих.

trireme ['trairi:m] *n мор. ист.* трирема.

trisect [trai'sekt] *v геом.* разделям на три (*обик. равни*) части.

trismus ['trizməs] *n* сковаване на челюстите при тетанус и пр.

triste [tri:st] *a* тъжен, мрачен, меланхолен.

trisyllabic [͵traisi'læbik] *a* трисричен.

trisyllable [trai'siləbl] *n* трисрична дума.

trite [trait] *a* изтъркан, банален, обикновен.

Triton ['traitn] *n* **1.** *мит.* Тритон; **2.** *зоол.* t тритон.

tritone ['traitoun] *n муз.* интервал от три цели тона, тритон.

triturate ['tritjureit] *v* **1.** стривам на прах, пулверизирам; **2.** *физиол.* сдъвквам добре.

triumph¹ ['traiəmf] *n* тържествуване, ликуване, победа, триумф; **in** ~ победоносно, триумфално.

triumph² *v* **1.** побеждавам; **2.** празнувам победа (**over** над); **3.** тържествувам; ликувам; **4.** имам огромен успех.

triumphal [trai'ʌmfl] *a* победоносен, триумфален; ~ **arch** триумфална арка.

triumphant [trai'ʌmfənt] *a* **1.** тържествуващ, триумфиращ; **2.** победоносен, побѐден.

triumvir [trai'ʌmvə] *n* (*pl* -**s**, -**i** [-ai]) *ист.* триумвир.

triumvirate [trai'ʌmvirit] *n* **1.** *ист.* триумвират; **2.** група от трима души, които си разделят властта.

triune ['traijun] *a рел.* триединен.

trivalent [trai'vælənt] *a хим.* тривалентен, от трета валенция.

trivet ['trivit] *n* пиростия; триножник, тринога; ~ **table** трикрака маса; (**as**) **right as a** ~ в отлично здраве/положение/състояние.

trivial ['triviəl] *a* **1.** незначителен, нищожен, несъществен, дребен; **2.** обикновен, банален; **the** ~ **round** всеки-

дневна работа, ежедневието; ~ **name** *бот., зоол.* ненаучно/разговорно название; название на вида; **3.** дребен; дребнав; тривиален; **4.** несериозен, лекомислен (*за човек*).

triviality [trivi'æliti] *n* **1.** незначително нещо; **2.** тривиалност, баналност.

trivium ['triviəm] *n* средновековен университетски курс, включващ граматика, реторика и логика, тривиум.

tri-weekly [trai'wi:kli] *a* **1.** триседмичен; **2.** ставащ/случващ се три пъти седмично.

troat [trout] *n* мучене/вик/рев на елен.

trocar ['trouka:] *n мед.* троакар (*за пункции*).

trochaic [trou'keiik] *проз.* **I.** *a* хореичен; **II.** *n pl* хорей.

troche ['trouki:, trou(t)ʃ] *n мед.* таблетка.

trochee ['trouki(:)] *n проз.* трохей, хорей.

trod, trodden *вж.* **tread¹**.

troglodyte ['trɔglədait] *n* **1.** пещерен обитател; троглодит; **2.** *прен.* отшелник; **3.** човекоподобна маймуна.

Trojan ['troudʒən] *ист.* **I.** *a* троянски; **II.** *n* **1.** троянец; **2.** човек, който се сражава/работи и понася трудностите мъжки/храбро.

troll¹ ['troul] *v* **1.** викам/пея радостно и безгрижно с пълен глас; **2.** запявам последователно като канон; **3.** ловя риба, влачейки въдицата след лодка.

troll² *n* **1.** *муз.* канон; **2.** ловене на риба с влачена от лодка въдица.

troll³ *n сканд. мит.* джудже, трол.

trolley ['trɔli] *n* **1.** *ел.* контактно колело (*и* ~ **-wheel**); тролей; **2.** вагонетка, дрезина; **3.** *ам.* тролейбус (*и* ~ **-bus**); трамвай (*и* ~ **-car**); **4.** количка за превозване на лек багаж (*на гара*); **5.** масичка на колелца за сервиране на чай и пр.

trollop ['trɔləp] *n* **1.** раздърпана жена, повлекана, мърла; **2.** развратница, проститутка.

trombone [trɔm'boun] *n муз.* тромбон.

trombonist [trɔm'bounist] *n* тромбонист.

trommel ['trɔməl] *n мин.* вибриращо решето, триор.

troop¹ [tru:p] *n* **1.** група, компания; множество, тълпа; **2.** *воен.* кавалерийски взвод; батарея; ескадрон; *pl* войска; **3.** сбор (*с барабан*); **4.** стадо.

troop² *v* **1.** събирам се, трупам се, тълпя се; **to** ~ **off** разотивам се; **2.** минавам в строй; **to** ~ **the colours** посрещам тържествено знамето.

troop carrier ['tru:p͵kæriə] *n* самолет, пренасящ войски.

trooper ['tru:pə] *n* **1.** кавалерист; танкист; **to swear like a** ~ псувам като хамалин; **2.** кавалерийски кон; **3.** транспортен кораб; **4.** *австрал., ам.* конен/моторизиран полицай.

troop-ship ['tru:pʃip] = **trooper** 3.

tropaeolum [trou'pi:ələm] *n бот.* влачеща се латинка.

trope [troup] *n лит.* дума/израз, употребен в преносно значение, образен израз, тропа.

trophied ['troufid] *a* обкичен с трофеи.

trophy ['troufi] *n* трофей, плячка.

tropic ['trɔpik] **I.** *a* тропически; **II.** *n* тропик; **the** ~**s** тропическият пояс; **T. of Cancer/Capricorn** *геогр.* тропик на Рака/Козирога.

tropical¹ ['trɔpikl] *a* тропически, тропичен.

tropical² *a* преносен, фигуративен, метафоричен; образен.

tropology ['trɔ'pɔlədʒi] *n* тропология.

troposhere ['trɔ'pɔsfiə] *n метеор.* тропосфера.

trot¹ [trɔt] *n* **1.** бърз ход, тръс; **gentle/full** ~ лек/силен тръс; **on the** ~ *sl.* едно след друго; **to keep s.o. on the** ~ не оставям някого да си отдъхне, не му давам покой; **2.** прохождащо дете; **3.** *ам. уч. sl.* буквален превод под текст, „ключ"; **4.** *sl.* проститутка; **5. the ~s** *sl.* диария; **6.** *pl* агнешки/свински крачка (*като храна*).

trot² *v* (**-tt-**) **1.** яздя в тръс; **2.** припкам, потичвам; **3.** *разг. шег.* вървя/отивам пешком; **to ~ s.o. off his legs** уморявам/изтощавам/карам някого да капне от ходене; **4.** показвам, представям някого/нещо за оглеждане/одобрение и пр.; демонстрирам; привеждам като пример/доказателство; **to ~ o.'s knowledge** парадирам със знанията си; **5. to ~ s.o. round** развеждам някого (*из магазин и пр.*).

troth [trouθ] *n ост.* **1.** истина; **in ~ , by my ~** наистина, честна дума; **2.** вярност, лоялност.

trotter ['trɔtə] *n* **1.** кон, вървящ в тръс; **2.** *обик. pl* агнешки/свински крачка, пача; *шег.* човешки крака.

trotyl ['troutil] *n хим.* тротил, тринитротолуол.

troubadour ['trou:bədɔ:] *n ист.* трубадур.

trouble¹ [trʌbl] *n* **1.** безпокойство, вълнение; неприятност, грижа, тревога; труд, затруднение; беля; **to be a ~** създавам грижи главоболия (**to** на); **to be in ~** 1) имам неприятности; 2) забременяла съм (*за неомъжена жена*); **to get into ~** попадам в беда, навличам си беля; **to get s.o. into ~** 1) вкарвам някого в беля, създавам му неприятности; 2) правя жена да забременее (*за мъж*); **to make ~** създавам неприятности/размирие/раздор; **to give ~ to** създавам безпокойство някому, създавам му неприятности/главоболия; **no ~ at all** *разг.* това ни най-малко не ме затруднява, моля, не се тревожете; **2.** усилие, старание, грижа; **to give o.s./take (the) ~ to** правя си/давам си труд да; **to have ~ in doing/to do s.th.** трудно ми е/струва ми усилие да направя нещо; **3.** неудобство; беда; нещастие; **the ~ is that** бедата/лошото е там, че; **to ask/look for ~** *разг.* постъпвам безразсъдно, търся си белята; **what is the ~?** какво има/става? какво се е случило? **4.** *пол.* недоволство; безредици, конфликт; размирици; **labour ~s** работнически вълнения/стачки и пр.; **5.** *мед.* смущения, заболяване, болест; **heart ~** сърдечно страдание/смущение/заболяване; **what is the ~?** какво те боли? от какво се оплакваш? **6.** *тех.* неизправност, повреда, авария. **7.** *attr* авариен.

trouble² *v* **1.** безпокоя (се), обезпокоявам, създавам труд/безпокойство на, затруднявам; **to ~ s.o. to do s.th., to ~ s.o. for s.th.** помолвам някого да направи нещо/да ми подаде нещо и пр.; **may I ~ you for the salt, please?** бихте ли ми подали солницата? **I'll/I must ~ you to be quiet/to remember your manners** *иронична, саркастична молба* бъдете любезни да пазите тишина/да се държите прилично; **a ~d look** тревожен поглед; **2.** *във впр. и отриц. изр.* правя си труд, грижа се за/да; **don't ~ (your head) about that** не се главоболи за/с това; **3.** причинявам физическа болка; **my leg ~s me** кракът ме наболява; **4.** *тех.* повреждам, нарушавам; **5.** *ост.* вълнувам, разбърквам; размесвам, размътвам; **to fish in ~d waters** *прен.* ловя риба в мътна вода; □ **don't ~ trouble until trouble ~s you** не си търси сам белята.

trouble crew, gang ['trʌblkru:, gæn] *n* аварийна бригада.

trouble-maker ['trʌbl,meikə] *n* **1.** сплетник; **2.** смутител; подбудител, размирник, раздорник.

trouble-shooter ['trʌbl,ʃu:tə] *n* **1.** авариен монтьор; **2.** посредник при уреждане на дипломатически, производствени и пр. спорове.

troublesome ['trʌblsəm] *a* **1.** обезпокоителен; неприятен, досаден; **how ~ !** колко неприятно! **2.** труден; **3.** закачлив; заядлив; **4.** непослушен, немирен, палав.

trouble-spot ['trʌblspɔt] *n* място, където често стават размирици (*особ. политически*).

troublous ['trʌbləs] *a книж.* тревожен, неспокоен, размирен; **those were ~ times** това беше смутно време.

trough [trɔf] *n* **1.** корито, *особ.* за хранене/поене на добитък; **feeding ~** хранилка; **2.** нощви; **3.** дървен улей за вода; **4.** *мор.* бразда между две вълни; **5.** *метеор.* област с по-ниско атмосферно налягане, намираща се между други две с по-високо налягане; **6.** *геол.* падина, синклинала.

trounce [trauns] *v* **1.** бия жестоко, смазвам от бой; побеждавам, сразявам (*и в състезание*); **2.** мъмря строго, критикувам остро.

troupe [tru:p] *n фр.* трупа (*театрална, циркова и пр.*).

trouper ['tru:pə] *n* **1.** член на театрална трупа; **2.** търпелив /работлив/лоялен колега.

trousered ['trauzəd] *a* обут в панталони.

trousering ['trauzərin] *n* материя/плат за панталони.

trouser-leg ['trauzə,leg] *n* крачол на панталон.

trousers ['trauzəz] *n pl* **1.** панталон; **a pair of ~** чифт панталони; **to wear the ~** *прен.* държа мъжа си под чехъл; **2.** шалвари.

trouser-suit ['trauzə,sju:t] *n* дамски костюм от жакет и панталон.

trousseau ['tru:sou] *n фр.* (*pl* **-seaux** [-souz]) чеиз, прикя.

trout [traut] *n* (*pl* trout) **1.** *зоол.* пъстърва; **2.** *sl. презр.* глупава грозна жена (*и* old ~).

trove [trouv] *n* **1.** съкровище; **2.** находка.

trover ['trouvə] *n юр.* **1.** присвояване на намерена вещ; **2.** иск за възвръщане на намерена/присвоена вещ на собственика й.

trow [trau] *v шег.* мисля; предполагам; вярвам.

trowel¹ ['trauəl] *n* **1.** мистрия; **to lay it on with a ~** *прен.* обсипвам с ласкателства; **2.** градинарска лопатка за разсаждане.

trowel² *v* излепям/замазвам/заглаждам с мистрия.

troy [trɔi] *n* система за тегло, употребявана при благородни метали и скъпоценни камъни (*и* ~ weight); **pound ~, ~ pound** 12 унции (*373 г*).

truancy ['tru:ənsi] *n* манкиране, кръшкане, бягане от работа/училище.

truant ['tru:ənt] **I.** *a* избягал, не на мястото си; **~ thoughts** разсеяни/разпилени/блуждаещи мисли; **II.** *n* манкьор, кръшкач; **to play ~** бягам от училище/работа.

truce [tru:s] *n* **1.** временно прекратяване на огъня, примирие; **2.** временно преустановяване на нещо тежко/неприятно; отдих; край; **~ of God** *ист.* прекратяване на бойни действия/лични вражди на църковни празници.

truck¹ [trʌk] *n* **1.** стокообмен; размяна, обмяна; **2.** дребна стока; **~ system** заплащане на труд в натура; **3.** *ам.* зеленчуци за продан; **4.** *разг.* глупости; **5.** *ам.* връзки, отношения; **to have no ~ with** *разг.* нямам вземане-даване/избягвам да се срещам с.

truck² *v* **1.** разменям, давам в замяна; водя дребна търговия; **2.** плащам в натура; **3.** *ам.* отглеждам зеленчуци за продан; занимавам се с градинарство.

truck³ *v* **1.** товаря на/превозвам с платформа/камион; натоварвам, вдигам; **2.** *ам.* карам камион.

truck⁴ *n* **1.** *жп.* открита товарна платформа; **2.** багажна количка/талижка, вагонетка; количка за превозване и продажба на зеленчук и др. стоки; **3.** *ам.* товарен автомобил, камион; **~ tractor** трактор влекач; **4.** *тех.* ходова част, талига.

truckage ['trʌkidʒ] *n* (такса за) превозване с камион.

truck-cart ['trʌk͵ka:t] *n a.* ҂ количка на зарзаватчия.

trucker ['trʌkə] *n ам.* **1.** шофьор на камион; **2.** градинар, произвеждащ зеленчуци за продан (*и* **truck-farmer**).

truckle ['trʌkl] *v* огъвам се, сервилнича, отстъпвам раболепно.

truckle-bed ['trʌklbed] *n ист.* ниско легло на колелца, което може да се прибира под друго легло; легло на слуга/калфа.

truckler ['trʌklə] *n* блюдолизец, подлизурко.

truckman ['trʌkmən] = **trucker 1.**

truculence, -cy ['trʌkjuləns, -si] *n* грубост, жестокост, свирепост, войнственост, агресивност.

truculent ['trʌkjulənt] *a* **1.** жесток, свиреп, грубиянски; агресивен, побойнически; **2.** рязък, нападателен; унищожителен.

trudge¹ [trʌdʒ] *v* стъпвам бавно/тежко/с мъка: вървя упорито/неотстъпно; **we'll have to ~ it** ще трябва да бъхтим пътя пешком.

trudge² *n* дълъг и уморителен път.

trudgen ['trʌdʒən] *n сп.* плувен стил.

true¹ [tru:] *a* **1.** верен, правилен; **2.** истински, действителен; **to come ~** сбъдвам се, осъществявам се; **3.** верен, предан, лоялен; **4.** верен, точен; **~ copy** точно/заверено копие; **~ to life** точно възпроизведен, реалистичен (*за портрет и пр.*); **~ to type** *биол.* с всички белези на расата/типа/класа запазени; *прен.* типичен, характерен; **~ to specimen** *търг.* отговарящ на мострата; **5.** *муз.* верен, добре настроен, акордиран; **6.** *тех.* точно поставен, прилегнал, центриран; □ **~ as I stand here** това е самата истина; **(run) ~ to form** (ставам/случвам се) точно така, както се очаква.

true² *adv* наистина; правилно, вярно, точно; истински.

true³ *v* тех. поправям, изправям, оправям (*и с* **up**).

true⁴ *n*: **in/out of (the) ~** правилно/неправилно поставен/разположен/подреден и пр.; точно/неточно прилепващ и пр. (*за врата, греда и пр.*).

true bill ['tru:'bil] *n юр.* обвинителен акт, на който е даден ход.

tru blue ['tru:'blu:] **I.** *a* истински; последователен, принципен; **II.** *n* предан/лоялен човек; □ **~ will never stain** старо злато не ръждясва.

true-born ['tru:͵bɔ:n] *a* истински; **a ~ Englishman** 1) англичанин по рождение; 2) *прен.* англичанин в пълния смисъл на думата.

true-bred ['tru:bred] *a* **1.** добре възпитан; **2.** чистокръвен, расов.

tru-hearted ['tru:ha:tid] *a* лоялен, верен.

true-love ['tru:lʌv] *n* възлюблен(а), любим(а); искрено любещ.

true lover's knot ['tru:lʌvəz͵nɔt] *n* двоен възел, символ на взаимна вярна любов, (*и* **truelove knot**).

trueness ['tru:nis] *n* истинност, вярност, правота.

truepenny [͵tru:͵peni] *n* честен/почтен/верен човек.

truffle ['trʌfl] *n бот.* труфел (Tuber).

trug [trʌg] *n* **1.** дървен съд за мляко; **2.** плитка градинарска плетена кошница.

truism ['tru:izm] *n* всеизвестна истина; очевидно нещо; баналност.

trull [trʌl] *n ост.* уличница, проститутка.

truly ['tru:li] *adv* **1.** наистина; **2.** точно, вярно, правдиво; искрено, предано; истински.

trump¹ [trʌmp] *n* **1.** *карти* коз; **to play a ~** играя коз; цакам; **to play o.'s ~ (card)** *прен.* изигравам си коза; **to have all the ~s in o.'s hand, to hold ~s** *прен.* имам преимущество; господар съм на положението; **to turn up ~s** 1) свършвам благополучно, имам по-голям успех от очаквания, оказвам се по-

добър, отколкото се е предполагало; 2) изваждам голям късмет; **to put s.o. to his ~s** принуждавам някого да използва последните си възможности; **2.** решаващ фактор, последно средство; **3.** *разг.* добър/прекрасен/чудо човек, арабия.

trump² *n книж.* звук/зов на тръба; **the ~ of doom, the last ~** *прен.* последната тръба.

trump card ['trʌmp͵ka:d] *n* **1.** *карти* коз; **2.** *прен.* необорим аргумент, решаващ фактор.

trumpery¹ ['trʌmpəri] *n* **1.** *събир.* дрънкулки, труфила; дреболии, безполезни вещи; **2.** глупости.

trumpery² *a* **1.** евтин, показен; крещящ; **2.** глупав, повърхностен (*за аргумент и пр.*).

trumpet¹ ['trʌmpit] *n* **1.** тръба; тромпет; **2.** нещо с форма на тръба/фуния; **3.** звук на тръба; рев (*особ. на слон*); **4.** тръбач.

trumpet² *v* **1.** тръбя, разтръбявам (*и прен.*), възхвалявам; чествувам (*и с* **forth**); **2.** рева (*особ. за слон*).

trumpet call ['trʌmpit͵kɔ:l] *n* **1.** тръбен звук/зов; **2.** *прен.* призив към действие.

trumpeter ['trʌmpitə] *n* тръбач; тромпетист; **to be o.'s own ~** сам се хваля.

trumpeter swan ['trʌmpitə͵swɔn] *n* рядък сев.-ам. див лебед (Olor buccinator).

trumpet-flower ['trʌmpit͵flauə] *n бот.* растения с фуниевидни цветове (*текома, татул, каталпа и др.*).

trumpet-major ['trʌmpit͵meidʒə] *n* старши тръбач на кавалерийски полк.

truncate¹ ['trʌŋkeit] *v* **1.** отрязвам/отсичам върха/крайчеца на; пресичам; **~d pyramid/cone** *геом.* пресечена пирамида/конус; **2.** съкращавам, скъсявам; окастрям.

truncate² *a* пресечен; отрязан, скъсен, съкратен.

truncheon ['trʌntʃən] *n* **1.** палка, *особ.* полицейска; **2.** *ост.* кривак, тояга; **3.** жезъл.

trundle¹ ['trʌndl] *n* **1.** малко колелце/ролка; **2.** легло на колелца (*и* **~-bed**); **3.** търкаляне.

trundle² *v* **1.** търкалям (се); **2.** возя (се)/движа (се) на колелца.

trunk [trʌŋk] *n* **1.** стъбло, ствол, дънер; пън; **2.** туловище, торсо, труп; **3.** централна/съществена/главна част (*на нещо*); **4.** голям куфар, пътнически сандък; **5.** *ам.* багажник на кола; **6.** шахта; вентилационна тръба; **7.** главна телефонна, телеграфна, жп и пр. линия; **8.** магистрала (*особ. междуградска*); **9.** *анат.* главна част на артерия, нерв и пр.; **10.** *pl* къси спортни/бански гащета; **11.** хобот (*на слон*); **12.** = **~-hose.**

trunk-call ['trʌŋk͵kɔ:l] *n* междуградски телефонен разговор.

trunk-hose ['trʌŋk͵houz] *n ист.* къси бричове от XVI—XVII в.

trunnion ['trʌniən] *n тех.* цапфа; пъпка; палец.

truss¹ [trʌs] *n* **1.** *стр.* подпорна конструкция на покрив/ мост и пр.; покривна ферма; **2.** *мед.* бандаж (*при херния*); **3.** вързоп, връзка (*сено, слама*); **4.** грозд, съцветие.

truss² *v* (*и с* **up**) **1.** *стр.* подпирам, поддържам; укрепявам; **2.** свързвам, стягам, прибирам (*корабно платно и пр.*); **3.** привързвам крилете на птица към тялото (*при варене, печене*)/ръцете на човек към тялото.

trust¹ [trʌst] *n* **1.** доверие, вяра; упование; доверчивост; надежда; **to have/place/put o.'s ~ in** доверявам се/ уповавам се на,, имам пълно доверие в; **to take on ~** вземам/приемам на доверие/вяра; **breach**

of ~ злоупотреба с доверие; **2.** отговорност; **3.** увереност; **4.** *търг.* кредит; **5.** дълг; завет; **6.** *юр.* попечителство (*на имущество*); опека; **to hold in ~** *юр.* съхранявам/управлявам временно; **to leave in ~** завещавам под попечителство; **~ fund/money** фонд/пари, поставени под попечителство; **~ territory** територия под опека; **7.** *ост.* съхраняване, управляване (*на имущество*); **8.** *ик.* обединение, тръст.

trust² *v* **1.** доверявам се/имам доверие/вярвам на; **2.** поверявам на грижите на; **3.** надявам се/уповавам се/ разчитам на, сигурен съм в; **I couldn't ~ myself to speak** не смеех да заговоря; **you ~ your memory too much** прекалено разчиташ на паметта си; **the man can't be ~ed** не можем да сме сигурни в този човек.

trust company [ˈtrʌstˌkʌmpəni] *n* дружество за упражняване на попечителство/контрол.

trust-deed [ˈtrʌstˌdiːd] *n юр.* пълномощно.

trustee¹ [trʌsˈtiː] *n* попечител, член на управителен съвет на учебно заведение, болница и пр.; **the Public T.** държавен служител, изпълняващ завещания, попечителства и пр.

trustee² *v* предавам в попечителство; съм/ставам попечител.

trusteeship [trʌstiːˈʃip] *n* опека; попечителство; **~ territories** *полит.* територии, намиращи се под опеката на ООН.

trustful [ˈtrʌstful] *a* доверчив.

trustworthy [ˈtrʌstwəːði] *a* заслужаващ доверие; на когото можеш да разчиташ; сигурен; солиден.

trusty [ˈtrʌsti] **I.** *a ост.* = **trustworthy**; **II.** *n* затворник, ползващ се със специални привилегии поради добро поведение в затвора.

truth [truːθ] *n* **1.** истина; **the ~s of science** научните факти/истини; **in ~** *книж.* действително, наистина; **to tell the ~** право да си кажа, да си призная, искрено казано; **2.** правдивост, истинност; **3.** честност, искреност; **4.** общоприет принцип/доктрина/закон и пр.; **5.** действителност; **6.** точност, пълно съответствие.

truthful [ˈtruːθful] *a* **1.** който говори/казва истината, честен (*за човек*); **2.** правдив, верен, истински (*за разказ, твърдение, изображение и пр.*).

truthfully [ˈtruːθfuli] *adv* правдиво, вярно.

try¹ [trai] *v* **1.** изпитвам, опитвам, пробвам, изпробвам; **to ~ the door** опитвам да отворя/дали е отворена вратата; **2.** дразня, измъчвам, поставям на изпитание; **this print tries my eyes** този шрифт уморява очите ми; **3.** опитвам се, старая се, мъча се; **to ~ o.'s best/hardest** правя всичко възможно, полагам всякакви усилия; **4.** *юр.* давам под съд, съдя, водя съдебен процес срещу; **5.** топя, претопявам (*сало*); пречиствам/отделям чрез топене:

try back 1) връщам се на предишното място (*за кучета, загубили дирята*); 2) *прен.* връщам се на предишна тема и пр.; започвам отначало;

try for опитвам се да получа/спечеля (*нещо*), домогвам се до; **to ~ for the navy** мъча се/опитвам се да постъпя във флотата;

try on 1) пробвам, премервам, меря (*дреха и пр.*); 2) *разг.* пробвам дали ще мине (*номер, нахалството ми и пр.*); **to ~ it on** опитвам докъде ще стигне търпението на другите;

try out изпробвам; изпитвам качествата/способ-

ностите на; **to ~ s.th. out on s.o.** изпробвам нещо на някого, за да видя ефекта му.

try² *n* **1.** опит, експеримент; **2.** опит, опитване, проба; **to have a ~ at s.th.** опитвам се/пробвам да направя нещо.

trying [ˈtraiiŋ] *a* мъчен, тежък, трудно поносим, мъчителен, уморителен; дразнещ.

try-on [ˈtraiˌɔn] *n разг.* 1) проба; 2) опит за измама.

try-out [ˈtraiˌaut] *n* **1.** проба, изпробване; **2.** репетиция.

trysail [ˈtraisl] *n мор.* трисел.

tryst¹ [trist] *n ост.* **1.** уговорена среща; **2.** място на уговорена среща (*особ. между влюбени*).

tryst² *v ост.* определям си среща (**with** с) (*особ. за влюбени*).

tsar [tsaː, zaː] *n* цар.

tsarina [tsaːˈriːnə] *n* царица.

tsetse [ˈ(t)setsi] *n зоол.* мухата цеце (*и* **~-fly**).

T-shirt [ˈtiːˌʃəːt] *n* **1.** тениска; **2.** спортна блуза; **3.** потник.

T-square [ˈtiːskwɛə] *n* линеал във форма на Т.

tub¹ [tʌb] *n* **1.** каче, каца, ведро; **2.** (**old**) ~ *разг.* 1) развалина; 2) черупка (*за стара бавна лодка*), **3.** *разг.* вана, баня; **to have a ~** изкъпвам се във вана; **4.** учебна гребна лодка; **5.** *мин.* шахтова вагонетка.

tub² *v* (**-bb-**) **1.** слагам/нареждам в каче; **2.** разсаждам растение в каче; **3.** *разг.* къпя се във вана (*обик. refl*) **to be well ~bed** светя от чистота (*за човек*); **4.** упражнявам се в гребане.

tuba [ˈtjuːbə] *n муз.* туба.

tubal [ˈtjuːbl] *a анат.* на бронхиалните/фалопиевите тръби; **~ pregnancy** извънматочно забременяване.

tubby [ˈtʌbi] *a* **1.** с форма на бъчва; **2.** дундест, тантурест; **3.** *муз.* издаващ нисък тъп звук.

tube [tjuːb] *n* **1.** тръба; цев; туба; **a ~-fed patient** болен на хранене със сонда; **2.** вътрешна гума (*за колело и пр.*); **3.** подземна железница, метро (*и* **~-railway**); тунел; **4.** *анат.* провод, път; **5.** *рад.* електронна лампа (*и* **radio ~**); **6.** тубус (*на микроскоп и пр.*); **7.** *ам.* телевизорна тръба; телевизор.

tuber [ˈtjuːbə] *n* **1.** *бот.* гулия, грудка; подземно стъбло; **2.** *анат.* нарастък, издутина; буца, тумор.

tubercle [ˈtjuːbəkl] *n* **1.** *мед.* нарастък; туберкула, буца; туберкулозен възел; **2.** *бот.* малка грудка, гулийка.

tubercular [tjuːˈbəːkjulə] *a* туберкулозен.

tuberculin [tjuːˈbəːkjulin] *n фарм.* туберкулин.

tuberculosis [tjuːˌbəːkjuˈlousis] *n мед.* туберкулоза.

tuberculous [tjuːˈbəːkjuləs] = **tubercular**.

tuberose [ˈtjuːbərouz] *n бот.* тубероза.

tuberous [ˈtjuːbərəs] *a бот.* с грудки/гулии; на грудки.

tubing [ˈtjuːbiŋ] *n тех.* **1.** тръбна инсталация, тръбопроводи; **2.** *събир.* тръби.

tub-thumper [ˈtʌbˌθʌmpə] *n* площаден оратор, демагог; високопарен проповедник.

tub-thumping [ˈtʌbˌθʌmpiŋ] *n* **1.** площадно ораторство, демагогия; **2.** *attr* площаден, високопарен.

tubular [ˈtjuːbjulə] *a* цилиндричен; тръбен, тръбообразен; **~ railway** подземна жп линия.

tubule [ˈtjuːbjul] *n* тубичка; тръбичка.

tuck¹ [tʌk] *v* **1.** подвивам, подгъвам; поръбвам; **to ~ o.'s legs under one** сядам по турски; **2.** завивам, загръщам; закътвам; **3.** тъпча, натъпквам, мушвам, напъхвам (*коса под шапка, риза в панталон и пр.*); **4.** навивам, обръщам, запретвам (*ръкави, крачоли*) (*и с* **up**);

tuck away 1) укривам, скривам; 2) *разг.* ям, нагъвам;

tuck in 1) подпъхвам (*одеяло и пр.*); 2) напъхвам, натъпквам (*риза, блуза и пр.*); 3) подвивам (*крака и пр.*); 4) тъпча се, ям лакомо;

tuck into *разг.* нахвърлям се върху, нагъвам лакомо (*ядене*).

tuck up навивам, обръщам, засуквам (*ръкав*); запретвам (*пола, крачол*); подпъхвам отвсякъде (*завивка*); □ **to be ~ed up** *разг.* капвам от умора.

tuck² *n* **1.** баста, бастичка, прегъвка; **2.** *sl.* неща за ядене (*особ. сладкиши*), лакомства; **~-box** *уч.* кутия за закуска в училище; **~-shop** (училищна) сладкарница/ бюфет; **3.** *сп.* присвиване, прикляпване (*при ски, скок във вода*).

tuck³ *n* (звук от) биене/думкане на барабан.

tuck⁴ *n* *ам.* сила, енергия.

tucker¹ ['tʌkə] *n* **1.** пластрон, нагръдник; **o.'s best ~** *разг.* премяна; **2.** *австр. разг.* храна.

tucker² *v* *ам. разг.* изморявам, изтощавам (*и с* out).

tuck-in² [,tʌk'in] *n sl.* здраво похапване, кльопачка.

tuck-in² *a* чийто долен край се напъхва в пола/панталон (*за блуза и пр.*).

tuck-out [,tʌk'aut] = **tuck-in¹**.

Tudor ['tju:də] *a* от епохата на Тюдорите; **~ architecture** стил на късната английска готика.

Tuesday ['tju:zdi] *n* вторник.

tufa, tuff ['tju:fə, tʌf] *n геол.* туф, шуплеста варовита скала.

tuft¹ [tʌft] *n* **1.** снопче, кичурче; китчица; туфа; **2.** пискюл.

tuft² *v* **1.** раста на кичури/туфи; **2.** украсявам с/връзвам на пискюли.

tufted ['tʌftid] *a* **1.** растящ/оформен на туфи; **2.** с пискюли, пискюллия; **3.** качулат (*за птица*).

tuft-hunter ['tʌft,hʌntə] *n* човек, който се присламчва към високопоставени/титуловани лица, сноб.

tufty ['tʌfti] *a* **1.** растящ на/образуващ снопчета/туфи; **2.** пълен/покрит със снопчета/туфи.

tug¹ [tʌg] *v* (-gg-) **1.** дърпам силно, тегля, влача, дръпвам (**at**); **2.** напъвам се, мъча се; стремя се, боря се.

tug² *n* **1.** дърпане, теглене; **to give a (good) ~** дръпвам силно; **~ of war** *сп.* дърпане на въже (*игра*); *прен.* решителна борба/схватка; **2.** буксир, влекач; буксирно въже; **3.** дъга, дръжка на ведро; **4.** хомутен ремък; **to feel a ~ (at)** изпитвам болка/мъка/жалост (при).

tug-boat ['tʌgbout] *n* буксир, влекач.

tuition [tju:'iʃən] *n* **1.** обучение; **~ in English** уроци по английски; **postal ~** задочно обучение чрез изпращане на учебните материали по пощата; **2.** такса за обучение, учебна такса.

tulip ['tju:lip] *n бот.* **1.** лале; **2.** **~ tree** вид сев.-ам. магнолия (Liriodendron tulipifera).

tulle [tju:l] *n текст.* тюл.

tumble¹ ['tʌmbl] *v* **1.** (пре)катурвам (се), падам; строполявам се, повалям се (**down**); **2.** мятам (се), премятам (се); правя акробатически скокове; превъртам (се), търкалям (се), валям (се) (**about**); **3.** обърквам, разбърквам, разхвърлям; **4.** роша, разрошвам, разравям (*коса и пр.*); **5.** срутвам се, провалям се, рухвам (**down**) (*и прен.*); **6.** намалявам се бързо; спадам рязко (*за цени, акции*); **7.** въртя/суша в центрофуга (*пране и пр.*); □ **to ~ to s.th.** *разг.* разбирам/схващам/проумявам/досещам се за нещо; **to ~ on s.th.** *разг.* натъквам се на/намирам неочаквано нещо; **to ~ into o.'s clothes** обличам се набързо, нахлузвам си дрехите.

tumble² *n* **1.** падане, (пре)катурване; **to have/take a ~** падам, прекатурвам се; **2.** премятане презглава; **3.** объркване, бъркотия; **things were all in a ~** всичко беше страшно объркано; **4.** куп, купчина.

tumble-down ['tʌmbldaun] *a* полуразрушен, порутен; срутен; запуснат.

tumble-drier ['tʌmbl,draiə] *n* барабан, центрофуга (*за сушене на дрехи и пр.*).

tumbler ['tʌmblə] *n* **1.** акробат, гимнастик; **2.** гълъб, който се превърта при летене; **3.** (водна) чаша без дръжка и без столче; **4.** барабан/центрофуга за сушене на пране и пр.; **5.** резе/запънка на брава; **6.** реверсивен механизъм, обръщач; **7.** фигурка/играчка с оловна тежест на долния край, за да стои изправена; *прен.* човек, който се справя с всяко положение (и **Chinese ~**).

tumbler barrel, tumbling-barrel ['tʌmbləbærl, tʌmbliŋ-] = **tumbler 4.**

tumbrel, -ril ['tʌmbril] *n* **1.** двуколка; **2.** боклукчийска кола; **3.** *ист.* кола, с която са откарвали осъдените до гилотината.

tumefaction [tju:mi'fækʃn] *n мед.* подуване, отичане; подутина, оток.

tumefy ['tju:mifai] *v мед.* **1.** подувам се, отичам; **2.** причинявам/предизвиквам оток.

tumescence [tju:'mesəns] = **tumefaction.**

tumescent [tju:'mesənt] *a* отичащ; отекъл.

tumid ['tju:mid] *a* **1.** подут, отекъл; **2.** издут (*за платно и пр.*); **3.** *прен.* надут, бомбастичен.

tummy ['tʌmi] *n разг. дет.* коремче, тумбаче; корем, стомах; **~ button** *разг.* пъп; **~-ache** *разг.* болки в стомаха.

tumour, ам. -or ['tju:mə] *n* оток, подутина; тумор.

tumuli *вж.* **tumulus.**

tumult ['tju:mʌlt] *n* **1.** шум, врява, глъчка; **2.** безредици, метеж; **3.** вълнение, възбуждение.

tumultuary [tju'mʌltjuəri] *a* **1.** шумен; безреден; **2.** разбъркан, безразборен; **3.** недисциплиниран; набързо сформиран (*за войска*).

tumultuous [tju'mʌltjuəs] *a* **1.** шумен; безреден; буен, възбуден; **2.** недисциплиниран, непокорен.

tumulus ['tju:mjuləs] *n* (*pl* **-li** [-lai]) гробна могила.

tun¹ [tʌn] *n* голяма бъчва.

tun² *v* (-nn-) наливам/съхранявам в бъчва.

tuna¹ ['tju:nə] = **tunny.**

tuna² *n* вид бодлива круша (Opuntia tuna).

tunable ['tju:nəbl] *a* **1.** който може да се настрои; **2.** = **tuneful.**

tundra ['tʌndrə] *n рус.* тундра.

tune¹ [tju:n] *n* **1.** мелодия, песен; мотив; **to sing another ~** , **to change o.'s ~** *прен.* променям тона, запявам друга песен; **to sing in/out of ~** пея вярно/фалшиво; **2.** *фон.* интонация, мелодия; **3.** *муз.* строй; **the piano is in/out of ~** пианото е акордирано, настроено/дисакордирано, разстроено; **4.** съгласие, хармония, унисон; **to be out of ~** живея в разрез съм с, не подхождам на, не си схождам с; **5.** настроение, разположение; **to feel in ~ to /for** настроен съм да/за; **6.** тон, звук; **to call the ~** давам тон; *прен.* нареждам, командувам; □ **to the ~ of** на/за порядъчната сума от; **to some ~ !** и още как! и то здравата!

tune² *v* **1.** настройвам; акордирам; **2.** нагласям, приспособявам, нагаждам; **3.** *рад., телев.* наглася на станция/вълна, канал и пр. (*и с* in); **4.** повишавам ефикасността/работоспособността/тонуса и пр. на; **5.** регулирам; **6.** *поет.* пея, възпявам; свиря; звуча.

   tune in *рад., телев.* нагласям/настройвам приемник (*на вълна, станция, канал*); **to ~ in to Paris**

хващам/ завъртам на Париж; **stay** ~**ed (in) for** не загасяйте, не местете на друга вълна/станция, продължавайте да слушате (*следваща програма*); ~ **in again at the same time tomorrow** слушайте ни отново утре по същото време;
   tune out загасям радио/телевизор;
   tune up 1) настройвам (*инструмент*); 2) регулирам (*машина, мотор*); 3) запявам, засвирвам; 4) *шег.* заплаквам, надувам гайдата (*за дете*).

tuneful ['tju:nful] *a* мелодичен, хармоничен, звучен; музикален.

tuneless ['tju:nlis] *a* 1. немелодичен, незвучен; 2. безжизнен, глух (*за глас*).

tuner ['tju:nə] *n* 1. акордьор; 2. *рад., телев.* механизъм за настройване.

tune-up ['tju:n‚ʌp] *n* 1. настройване; привеждане в изправност (*на мотор, инструмент и пр.*); 2. предварително изпробване; 3. *сп.* разтъпкване, загряване; 4. *прен.* разгорещяване.

tungsten ['tʌŋstən] *n хим.* волфрам, тунгстен.

tunic ['tju:nik] *n* 1. туника; 2. блуза, рубашка; 3. куртка, кител; 4. *биол.* обвивка, покривка.

tunica ['tju:nikə] *n анат., биол.* покривка, обвивка, мантия.

tuning-fork ['tju:niŋ‚fɔ:k] *n муз.* камертон.

Tunisian [tju:'nisiən] I. *a* туниски; II. *n* тунисец.

tunnel[1] ['tʌnəl] *n* 1. тунел; 2. *мин.* галерия; 3. подземен ход на животно; 4. димоход.

tunnel[2] *v* 1. пробивам/прокарвам тунел; 2. правя си подземни ходове (*за животно*); 3. *физ.* прониквам през (*за електрони и пр.*).

tunnel vision ['tʌnəl‚viʒn] *n* 1. ограничено зрително поле; 2. *ам.* ограниченост, тесногръдие.

tunny ['tʌni] *n зоол.* тон (*риба*) (Thunnus).

tup[1] [tʌp] *n* 1. овен; 2. *тех.* главата на чук; топуз.

tup[2] *v* (**-pp-**) *вулг.* покривам, чифтосвам се (*за овен*).

tuppence ['tʌp(ə)ns] *разг.* = **twopence.**

tuppenny ['tʌp(ə)ni] *разг.* = **twopenny.**

tu quoque [t(j)u:'kwoukwɪ] *n лат.* ами ти (пък), (че и) ти също.

Turanian [tjuəreiniən] I. *a* урало-алтайски; II. *n* урало-алтайски език.

turban['tə:bən] *n* тюрбан, чалма.

turbid ['tə:bid] *a* 1. мътен, размътен, нечист (*за течност*); 2. гъст, тъмен (*за облак, дим*); 3. *прен.* разбъркан, объркан.

turbidity [tə:'biditi] *n* мътност и пр. (*вж.* **turbid**).

turbinate ['tə:binit] I. *a* 1. конусовиден; 2. спираловиден (*и анат. — за кост*); II. *n* 1. спираловидна черупка; 2. *анат.* спирална кост (*на носа*).

turbine ['tə:bin] *n* турбина.

turbit ['tə:bit] *n* вид питомен гълъб.

turbogenerator [tə:bou'ʤenəreitə] *n ел.* турбогенератор.

turbojet ['tə:bou'ʤet] *a тех.* турбореактивен (*за двигател*).

turboprop ['tə:bou'prɔp] *a/тех.* турбовитлов (*за двигател*).

turbot ['tə:bət] *n зоол.* калкан (Scophthalmus maximus).

turbulence ['tə:bjuləns] *n* бурност и пр. (*вж.* **turbulent**).

turbulent ['tə:bjulənt] *a* 1. бурен, развълнуван; 2. шумен, буен, необуздан; размирен; поривист; 3. *физ.* вихров, турбулентен.

turd [tə:d] *n вулг.* лайно (*и прен.*).

tureen [tə'ri:n] *n* супник.

turf[1] [tə:f] *n* 1. чим; тревна площ, трева; 2. торф; 3.

the ~ 1) хиподрум; 2) конни състезан.я; **to be on the** ~ занимавам се с конни надбягвания; 4. *ам. разг.* територия на действие.

turf[2] *v* 1. покривам с чимове; 2. ~ **out** *sl.* изхвърлям, изгонвам.

turf accountant ['tə:fə'kauntənt] = **bookmaker 2.**

turfite ['tə:fait] *n* постоянен посетител на конни състезания.

turfman['tə:fmən] = **turfite.**

turfy ['tə:fi] *a* 1. покрит с чимове, затревен, тревист; 2. торфен; 3. който се отнася до конни състезания.

turgid ['tə:ʤid] *a* 1. подут, надут, издут, подпухнал; 2. високопарен, бомбастичен.

turgidity [tə:'ʤiditi] *n* подутост и пр. (*вж.* **turgid**).

Turk [tə:k] *n* 1. турчин; 2. мохамеданин; 3. *ост.* жесток/необуздан човек; 4. *шег.* немирник, палавник; 5. порода кон.

turkey ['tə:ki] *n* 1. пуйка; 2. *ам. sl.* неуспех, провал (*особ. за пиеса*); □ **to talk** ~ говоря сериозно/откровено/реалистично.

Turkey ['tə:ki] *n*: ~ **carpet** килим тип песийски; ~ **red** ален (цвят); ~ **towel** хавлиена кърпа.

turkey buzzard ['tə:ki'bʌzəd] *n* американски лешояд (Cathartes aura).

turkey-cock ['tə:kikɔk] *n* пуяк (*и прен.*).

Turkic ['tə:kik] *n* тюркски.

Turkish ['tə:kiʃ] I. *a* турски; II. *n* турски език.

Turkish delight ['tə:kiʃdi'lait] *n* локум.

Turk's head ['tə:ks‚hed] *n* 1. *мор.* вид декоративен възел; 2. четка от пера (*за прах, паяжини и пр.*).

turmeric ['tə:mərik] *n* 1. *бот.* куркума; 2. ~ **paper** *хим.* лакмусова хартия.

turmoil ['tə:mɔil] *n* шум, смут, бъркотия; вълнение.

turn[1] [tə:n] *v* 1. въртя (се), завъртам (се); обръщам (се); отвръщам (*поглед и пр.*); **my head** ~**s** вие ми се свят; **to** ~ **s.o.'s head/brain** правя да се замае главата на някого; *прен.* карам някого да се главозамае; **success has** ~**ed his head** той се е главозамаял от успеха си; **my stomach** ~**s at the thought, the thought** ~**s my stomach** лошо ми става/повръща ми се при мисълта; **the key will not** ~ **in the lock** ключът не се превърта; 2. обръщам (*дреха*); 3. извивам (се), **to twist and** ~ I) вия се, извивам (*за път и пр.*); 2) *прен.* шикалкавя, усуквам го; 4. извивам (се), навяхвам (се) (*за ръка, крак*); 5. завивам зад (*ъгъл и пр.*); **to** ~ **the enemy's flank/position** обхождам/фланкирам неприятеля; **to** ~ **s.o.'s flank** надхитрям някого, надвивам някого в спор, оборвам го; 6. достигам (*възраст и пр.*); **it has just** ~**ed five** минава пет часа; **he has not yet** ~**ed thirty** той още не е стигнал тридесетте; 7. отправям (се), насочвам (се), обръщам (се) **to** ~ **o.'s steps towards** тръгвам за, отправям се към; 8. превръщам (се); **to** ~ **into English** превеждам на английски; 9. променям (се), променлив съм; изменям се, ставам; променям цвета си (*за листа*); **to** ~ **pale** побледнявам; **to** ~ **Moslem** ставам мохамеданин; 10. превръщам се в, ставам (*предател и пр.*); 11. развалям се, прокисвам, вкисвам; правя да прокисне и пр.; 12. режа на струг, стругувам; 13. предавам красива форма на, заглаждам, закръглям; 14. оформям добре/хубаво (*фраза, епиграма и пр.*); 15. прегъвам, свивам; 16. затъпявам, изтъпявам, претъпявам; *прен.* смекчавам (*забележка*); 17. отпращам, изгонвам, прогонвам (*и с* **away**); 18. държа/ поддържам в обръщение; 19. получавам, постигам (*печалба*); 20. рекуширам; правя да рекушира; □ **to** ~ **s.th. in o.'s mind** обмислям/премислям нещо;

not to know which way/where to ~ не зная какво да правя/как да постъпя/къде да търся/към кого да се обърна за помощ; **to** ~ **the day** изменям съотношението на силите;

turn about 1) обръщам се кръгом (*и воен.*); заповядвам да се обърне кръгом; **about** ~ ! кръгом! 2) представям в нова светлина; изопачавам (*довод и пр.*);

turn against настройвам/обръщам се срещу/против;

turn around 1) обръщам (се); 2) променям мнението си, правя обрат;

turn aside обръщам (се)/извръщам (се) настрана; отклонявам (се);

turn away 1) отвръщам се от, не искам да погледна/поздравя и пр.; не одобрявам (**from**); 2) извръщам (*глава*); 3) отпращам, изгонвам; 4) уволнявам; 5) отклонявам, отхвърлям (*молба и пр.*);

turn back 1) връщам (се); обръщам се (назад); 2) прегъвам, подгъвам, подвивам, загръщам; отгръщам, отмятам (*завивка*);

turn down 1) обръщам надолу, свалям (*яка и пр.*); 2) намалявам светлината на (*лампа*)/силата на (*звук*) и пр.; 3) отхвърлям (*предложение, кандидат*); 4) завивам/свивам по (*улица и пр.*); 5) сгъвам (се); 6) *ик.* западам; спадам, намалявам се;

turn from отвръщам се от, отказвам се от, изоставям;

turn in 1) извивам се (навътре); **his feet/toes** ~ **in** ходилата/пръстите на краката му са извити навътре, той криви краката си навътре, патрав е; 2) сгъвам (се) навътре; 3) лягам си; 4) връщам, предавам обратно; предавам за преглед и пр.; 5) постигам (*рекорд и пр.*); **to** ~ **in a good performance** давам добро постижение/игра; 6) предавам на полицията; 7) разменям мнения (**for** за); 8) отказвам се от, изоставям (*работа, навик и пр.*); 9) влизам; □ **to** ~ **in upon o.s.** затварям се в себе си; ~ **it in!** стига вече!

turn off 1) загасям, изгасям, угасям (*осветление, радио и пр.*); завъртам; превъртам, затварям (*кран, ключ и пр.*); 2) освобождавам, уволнявам; 3) завивам, отклонявам (се) (*за път*); отклонявам се (*от път*); 4) отвличам (*внимание*); 5) *разг.* отблъсквам, отвръщам; *sl.* отекчавам, дразня, досаждам на; 6) отклонявам, правя се, че не разбирам (*обида и пр.*); 7) развалям се, повреждам се; 8) *ам.* извършвам, направям, свършвам, създавам; 9) *ам.* загубвам интерес към, отдръпвам се от; 10) *sl.* обесвам (*престъпник*); 11) *разг.* оженвам;

turn on 1) включвам, запалвам (*лампа, радио, телевизор и пр.*); отварям, завъртам, пускам (*кран, ключ и пр.*); 2) завися от; 3) нахвърлям се върху, нападам; 4) правя силно впечатление, вълнувам, запалвам, настройвам, вдъхновявам; 5) възбуждам (*и полово*); *sl.* докарвам в състояние на еуфория (*за наркотик*); □ **to** ~ **on the charm** пускам в действие/ход чара си;

turn out 1) загасям, угасям (*осветление, отопление*); 2) изгонвам, изпъждам, пропъждам; 3) стоя/вървя с ходилата навън; извивам се навън (*за ходила*); 4) изработвам, произвеждам; написвам, издавам (*книга и пр.*); подготвям, давам (*учители, спортисти и пр. — за учебно заведение*); 5) обличам добре/елегантно/спретнато, докарвам; екипирам добре; **well** ~**ed out** издокаран, елегантен; 6) изпразвам (*джобове, чанта и пр.*); изчиствам ос-

новно (*стая, шкафове, чекмеджета и пр.*); 7) излизам, (по)явявам се; излизам на стачка; събирам се; **nobody** ~**ed out** никой не се яви/не дойде; 8) *воен.* събирам/свиквам на проверка; 9) *разг.* ставам от леглото; 10) излизам, оказвам се, ставам; **everything** ~**ed out very well** всичко излезе/стана много добре; **the letter** ~**ed out to be a forgery** писмото се оказа подправено; **he** ~**ed out a rogue** той от него излезе мошеник; **he** ~**ed out to be a rogue** той се оказа/излезе мошеник; **as things** ~**ed out** както се оказа по-късно; 11) развивам се; **she wasn't** ~**ing out very well** тя не се развиваше много добре; **we shall see how things** ~ **out** ще видим как ще се развият нещата; **stories that** ~ **out happily** разкази с хубав/щастлив край; 12) пускам стадо на паша;

turn over 1) обръщам се, преобръщам се, прекатурвам се; 2) обръщам (*болен и пр.*); 3) предавам, прехвърлям (**to** на) (*управление, контрол, власт*); предавам (*на полицията*); 4) *ав.* паля, запалвам (*мотор*); 5) правя оборот; 6) прелиствам, преглеждам, проучвам (*документи и пр.*); **to** ~ **over in o.'s mind** обмислям, премислям внимателно;

turn round 1) = **turn around**; 2) свалям пътници/ багаж/товар и се подготвям за обратния рейс;

turn to 1) залавям се (здраво) за работа; 2) обръщам се към (*някого за съвет, помощ и пр.*);

turn up 1) (по)вдигам нагоре; обръщам нагоре, запретвам (*ръкави и пр.*); **his nose** ~**s up** носът му е вирнат/чип; 2) изваждам, изкопавам, изривам; 3) (по)явявам се/пристигам/изниквам внезапно; намирам се неочаквано; **a job may** ~ **up soon** може би скоро ще се намери/окаже някаква работа; **s.th. always** ~**ed up to prevent their meeting** все нещо се случваше да им попречи да се срещнат; 4) намирам (се) случайно; попадам на, откривам (*нещо*); 5) карам да повърна; предизвиквам отвращение; **it** ~**s me up to think that** противно ми е/повдига ми се само като помисля, че; 6) оказвам се (*налице, липсващ и пр.*); 7) *тех.* развивам, достигам (*скорост, мощност и пр.*); □ **to** ~ **up the volume** засилвам, пускам по-силно (*радио, грамофон и пр.*); **to** ~ **it up** зарязвам всичко; ~ **it up!** стига! млъкни!

turn upon 1) нахвърлям се върху, нападам; 2) завися от.

turn² *n* **1.** въртене; **on the** ~ в момент на въртене/обръщане/разваляне и пр.; **2.** обръщане; **right/ left/about** ~ обръщане надясно/наляво/кръгом; **3.** завой, извивка, чупка (*на улица, река и пр.*); намотка, навивка; **4.** връщане назад; промяна, изменение, обрат; **a** ~ **of the tide** *прен.* превратност, обрат, (не)успех; **to take a** ~ **for the better/worse** подобрявам се/влошавам се; **5.** услуга; **to' do s.o. a good/bad, ill** ~ правя на някого добра/лоша услуга; **one good** ~ **deserves another** услуга за услуга; **6.** насока, направление; **7.** .ред, смяна; **in** ~ поред; **by** ~**s** поред, чрез редуване; (~ **and**) ~ **about** един след друг на равни интервали; **to take** ~**s (about)** редуваме се, сменяме се (**with** с); **out of** ~ не по реда си, ненавременно; **8.** склонност, тенденция; способност, умение; **he is with a mechanical** ~ той има наклонност към техниката; **the boat has a**

good ~ of speed лодката може да се движи много бързо; 9. стил, маниер, характер; форма, строеж (*на фраза*); he has a peculiar ~ of mind той е особен; 10. разходка, обиколка; to go for/take a ~ отивам на разходка, разхождам се; 11. номер от програма; short ~s песни, рецитации и пр.; the star ~ of a programme главният номер/централната фигура на програма; 12. цел; особена нужда; this book will serve my ~ тази книга ще ми послужи/ще ми свърши работа; 13. *разг.* удар, разтърсване, шок; the news gave her quite a ~ новината я потресе; 14. пристъп на (*болест, слабост, замайване*); 15. намотка (*на въже, жица и пр.*); 16. *печ.* обърната буква; □ at every ~ на всяка крачка, много често, постоянно; to a ~ *готв.* точно колкото трябва, идеално (*сварено, опечено и пр.*).

turnabout ['tɔ:nəbaut] *n* 1. обръщане; обрат; 2. отвръщане със същото, отмъщение; 3. измяна, нелоялност; ренегатство; 4. ренегат, изменник; 5. *ам.* въртележка (*на панаир*).

turnaround ['tɔ:nəraund] *n* 1. място, удобно за обръщане на кола; 2. = turnabout 3, 4.

turn-bench ['tɔ:nbentʃ] *n* портативно часовникарско стругче.

turn-buckle ['tɔ:nbʌkl] *n тех.* винтов обтегач.

turncoat ['tɔ:nkout] *n* ренегат; изменник.

turncock ['tɔ:nkɔk] *n* работник, разпределящ водата по водопроводи.

turn-down[1] ['tɔ:ndaun] *a* който се обръща/носи обърнат (*за яка*).

turn-down[2] *n* 1. отказана стока и пр.; 2. *ик.* спад.

turned-on ['tɔ:ndɔn] *a ам.* имащ усет за новото/модното.

turner ['tɔ:nə] *n* 1. стругар; 2. *ам.* гимнастик.

turnery ['tɔ:nəri] *n* 1. стругарство; 2. стругарски изделия; 3. стругарска работилница.

turning ['tɔ:niŋ] *n* 1. въртене, обръщане и пр. (*вж.* turn[1]); 2. стругуване; *pl* стружки; 3. завой; пресечка, напречна улица.

turning-point ['tɔ:niŋ pɔint] *n* 1. обрат, повратна точка; 2. криза.

turnip ['tɔ:nip] *n* 1. ряпа; ~-top листа на ряпа, използвани като зеленчук; 2. *sl.* голям старомоден джобен часовник.

turnkey[1] ['tɔ:nki:] *n* ключар, тъмничар.

turnkey[2] *a* готов за обитаване/използуване (*за жилище, съоръжение и пр.*).

turn-out ['tɔ:naut] *n* 1. събрание; публика, посетители; 2. гласували избиратели; 3. излезли на стачка работници; 4. екипаж; екипировка, съоръжение, оборудване; 5. облекло, екип; 6. начин на обличане; 7. производство, продукция; 8. *ам.* коловоз за разминаване; 9. *авт.* отбивка на шосе; 10. отклонение; разклон; 11. основно почистване (*на стая и пр.*).

turnover ['tɔ:nouvə] *n* 1. прекатурване; 2. промяна, реорганизация; 3. *ик.* оборот; 4. брой/процент на новопостъпили и напуснали кадри; 5. вестникарска статия, продължаваща на следващата страница; 6. *готв.* тригуна.

turnpike ['tɔ:npaik] *n* 1. бариера на път (*за събиране на такса за използването му*); 2. ~ road шосе, за използването на което се заплаща такса; 3. *ам.* автострада, магистрала.

turn-round ['tɔ:nraund] *n* подготовка на кораб/самолет и пр. за обратен рейс.

turn-screw ['tɔ:nskru:] *n* отвертка.

turnsole ['tɔ:nsoul] *n* растение, което винаги е обърнато към слънцето.

turnspit ['tɔ:nspit] *n* 1. *ист.* слуга, който върти шиш с месо и пр.; 2. дребна порода куче, използвано някога за въртене на шиш.

turnstone [tɔ:nstoun] *n зоол.* каменар (*птица*) (Arenaria).

turn-table ['tɔ:nteibl] *n* 1. *жп.* обръщател, обръщателна платформа; 2. диск (*на грамофон*).

turn-up ['tɔ:nʌp] *n* 1. обърната яка/маншет и пр.; 2. маншет на панталон; 3. бой; стълкновение, свада, бъркотия; 4. обърната/открита карта; 5. *разг.* неочаквано събитие; 6. *attr* обърнат (*за яка и пр.*); □ what a ~ (for the book)! каква изненада! истинско чудо!

turpentine[1] ['tɔ:pəntain] *n* 1. терпентин; oil of ~ трепентиново масло, терпентин; 2. ~ tree = terebinth.

turpentine[2] *v* разтварям в терпентин; мажа/разтривам с терпентин.

turpitude ['tɔ:pitju:d] *n* низост, подлост.

turps [tɔ:ps] *разг.* = turpentine.

turquoise ['tɔ:kwɔiz] *n* тюркоаз.

turret ['tʌrit] *n* 1. куличка, кула (*на здание, замък*); 2. оръдейна кула; 3. *тех.* револверна глава (*на струг*).

turreted ['tʌritid] *a* с кули; с оръдейни кули.

turtle[1] ['tɔ:tl] *n обик.* ~ dove див гълъб, гургулица.

turtle[2] *n* морска костенурка; to turn ~ *мор.* преобръщам се, прекатурвам се (*за кораб*).

turtleback ['tɔ:tlbæk] *n мор.* издута повърхност.

turtle-neck ['tɔ:tlnek] *n* поло яка; висока яка на пуловер.

turtle-shell ['tɔ:tlʃel] *n* 1. = tortoise-shell 1; 2. вид раковина.

Tuscan ['tʌskən] I. *a* тоскански; II. *n* 1. тосканец; 2. тоскански говор.

tush[1] [tʌʃ] *int* нетърпение, презрение нц! нц!

tush[2] *n* 1. кучешки зъб (*на кон*); 2. къс бивник (*на слон, глиган и пр.*).

tusk[1] [tʌsk] *n* удрям/пронизвам/разкъсвам с бивни зъби.

tusk[2] *v* бивен зъб, бивник (*на слон, глиган и пр.*).

tusker ['tʌskə] *n* животно с развити бивни зъби (*слон, глиган*).

tusser, tussah ['tʌsə] *n* (груба коприна от) вид индийска буба.

tussive ['tʌsiv] *a* предизвикван от/придружен с кашлица.

tussle[1] [tʌsl] *v* бия се, боря се (with c).

tussle[2] *n* бой, свада, стълкновение.

tussock ['tʌsək] *n* туфа; купчинка.

tussore ['tʌsɔ:] = tusser.

tut [tʌt] *int* неодобрение досада и пр. пф! пфу!

tutelage ['tju:tilidʒ] *n* 1. настойничество, опекунство; 2. положение под настойничество; 3. обучение, ръководство.

tutelar(y) ['tju:tilər(i)] *a* 1. настойнически, опекунски; 2. покровителски; ~ saint светец покровител; ~ goddess богиня покровителка.

tutor[1] ['tju:tə] *n* 1. домашен учител, възпитател; 2. ръководител на студент(и); 3. *ам.* преподавател (*в някои университети*); 4. *юр.* настойник, опекун.

tutor[2] *v* 1. уча, обучавам; ръководя, подготвям; наставлявам; 2. давам частни уроци; 3. ръководител на студент(и) съм; 4. *ам.* вземам уроци; уча с частен учител.

tutorage ['tju:təridʒ] = tutorship.

tutoress ['tju:təris] *ж.р. от* tutor.

tutorial [tju:'tɔ:riəl] I. *a* настойнически; опекунски; ръководителски; ~ system система на индивидуално обучение в университет; II. *n* 1. консултационен час при ръководител; **2.** писмена работа, възложена от ръководител.

tutorship ['tjuːtəʃip] *n* **1.** настойничество; опекунство; ръководство; **2.** длъжност на частен учител/възпитател.

tutsan ['tʌtsən] *n бот.* жълт кантарион.

tutti-frutti ['tuːti'fruːti] *n ит.* **1.** плодов сладолед; **2.** фруктова салата; **3.** компот.

tutu ['tuːtuː] *n* къса поличка на балерина (*за класически балет*).

tu-whit, -whoo [tu'hwit, -'hwuː] *n* вик/крясък на кукумявка.

tuxedo [tʌk'siːdou] *n ам.* смокинг; *разг.* **tux.**

twaddle[1] ['twɔdl] *n* глупости, празни приказки, плещене.

twaddle[2] *v* говоря празни приказки, дрънкам, плещя.

twain [twein] *n поет. ост.* **1.** два, двама; **2.** двойка; чифт.

twang[1] [twæn] *n* **1.** остро дрънчене (*на струна*); **2.** носов говор/изговор.

twang[2] *v* **1.** дръпвам силно струна; **2.** дрънча, издрънчавам (*за струна*); **3.** говоря носово; **4.** *презр.* дрънкам на инструмент.

'twas [twɔz, twəz] *съкр. от* **it was.**

tweak[1] [twiːk] *v* щипвам, пощипвам, ощипвам; дръпвам; откъсвам.

tweak[2] *n* щипване, ощипване, пощипване; дръпване; откъсване.

twee [twiː] *a разг.* хубавичък, сладичък.

tweed [twiːd] *n* **1.** шрайфгарен вълнен плат (*обик. меланж*); туийд; **2.** спортен костюм от туийд.

tweedledum ['twiːdldʌm] *n:* ~ **and tweedledee** двойници; две неотличими едно от друго неща.

tweedy ['twiːdi] *a* **1.** *разг.* който обича да носи дрехи от туийд; **2.** *прен.* сърдечен, непринуден, естествен.

'tween [twiːn] = **between.**

tweeny ['twiːni] *n ост.* момиче, помагащо в кухнята и в останалата къщна работа.

tweet[1] [twiːt] *n* чуруликане, цвърчене, писукане.

tweet[2] *v* чуруликам, цвърча, писукам.

tweezer ['twiːzə] *v* хващам/изскубвам/скубя с пинцети.

tweezers ['twiːzəz] *n pl* пинцети (*и* **a pair of** ~).

twelfth [twelfθ] **I.** *a* дванадесети; **II.** *n* дванадесета част, една дванадесетина.

Twelfth-day ['twelfθdei] *n църк.* Богоявление (*празник*).

Twelfth-night ['twelfθnait] *n* нощта срещу Богоявление.

twelve [twelv] *n* дванадесет; **the T.** дванадесетте равноапостоли.

twelvemo ['twelvmou] = **duodecimo.**

twelvemonth ['twelvmʌnθ] *n* година; **this day** ~ точно преди/след една година.

twentieth ['twentiiθ] **I.** *a* двадесети; **II.** *n* една двадесета (част).

twenty ['twenti] *n* двадесет.

'twere [twəː] *съкр. от* **it were.**

twerp [twəːp] *n sl.* простак; подлец, мръсник.

twice [twais] *adv* два пъти, дваж; **to think** ~ премислям, помислям добре; **not to think** ~ **about** 1) не помислям вече за; не се сещам за; не вземам под внимание; 2) върша (*нещо*), без да се подвоумя, не се и замислям; ~ **as good as** два пъти/дваж по-добър от; ~ **as much as** два пъти повече; **he is** ~ **the man he was** той е станал два пъти по-силен и пр. отпреди; **he did it at/in** ~ *разг.* той го направи на два пъти.

twice-laid ['twaisleid] *a* направен от стари въжета (*за въже*).

twicer ['twaisə] *n sl.* мошеник, двуличник, подлец.

twice-told ['twaistould] *a* всеизвестен, изтъркан, банален.

twiddle[1] ['twidl] *v* въртя с пръсти; въртя (се), завъртам (се); **to** ~ **o.'s thumbs/fingers** въртя палци, нищо не

работя, бездействувам; играя си с, въртя.

twiddle[2] *n* **1.** въртене (*на палци, пръсти*); **2.** завръкнулка.

twig[1] [twig] *n* **1.** вейка, клонка, клонче; **2.** разклонение на нерв/артерия и пр.; **3.** = **divining rod.**

twig[2] *v* (**-gg-**) *sl.* схващам, чактисвам, загрявам.

twiggy ['twigi] *a* силно разклонен (*за клонка*).

twilight ['twailait] *n* **1.** здрач, полумрак, сумрак, дрезгавина; **2.** междинно състояние; **3.** неяснота; недоизясненост; смътност; **4.** период на упадък; залез; ~ **of the gods** *мит.* залезът на боговете.

twilighted ['twailaitid] *a* неясно/слабо осветен, сумрачен.

twilight sleep ['twailait,sliːp] *n мед.* упойка за обезболяване при раждане.

twilight zone ['twailait,zoun] *n* **1.** междинна зона; **2.** западаща част на град.

twilit ['twailit] = **twilighted.**

twill[1] [twil] *n текст.* плат с диагонална сплитка.

twill[2] *v* тъка с диагонална сплитка.

'twill [twil] = **it will.**

twin[1] [twin] *n* **1.** *обик.* pl близнак; **2.** двойник, еш; пълно подобие; **3.** *attr* еднакъв; двоен; ~ **beds** две еднакви легла (*обик. единични*); ~ **set** дамски комплект от блуза и жилетка; ~ **soul** сроден/близък по душа човек; ~ **brother/sister** близнак/близначка; **4. the Twins** Близнаци (*съзвездие и знак на зодиака*).

twin[2] *v* (**-nn-**) **1.** раждам близнаци; **2.** слагам на двойки, чифтосвам, съешавам; **3.** *крист.* образувам двойни кристали.

twine[1] [twain] *n* **1.** канап, връв; **2.** усукване; извивка, извитост; **4.** заплетеност, забърканост.

twine[2] *v* **1.** вия, увивам, плета, сплитам; преплитам (*ръце*); оплитам, сплитам (*венец*); **2.** обвивам (се), обгръщам; вия се (*за растение, път, река и пр.*).

twinge[1] [twindʒ] *n* **1.** силна/внезапна болка, щракане; пристъп; **2.** угризение.

twinge[2] *v* щракам, прещраквам, боля.

twinkle[1] ['twinkl] *v* **1.** трепкам, блещукам (*за звезда, светлина и пр.*); **2.** блестя, искря; мигам бързо (*за очи*); **3.** движа се бързо, ситня (*за крака — при танц и пр.*); **4.** изпращам присветващи сигнали.

twinkle[2] *n* **1.** трепкане, блещукане, мигане; **2.** весели и пр. пламъчета в очите; **3.** бързо движение; **4.** миг.

twinkling ['twinklin] *n* **1.** блещукане; **2.** бързо движение; момент, миг; **in a** ~ , **in the** ~ **of an eye/** *шег.* **of a teacup** много бързо, в/за един миг.

twin towns ['twintaunz] *n pl* побратимени градове.

twirl[1] ['twəːl] *v* завъртам (се)/въртя (се) бързо (*и с* **round**); осуквам (*дреха и пр.*), за да изцедя; засуквам (*мустак*) (*и с* **up**).

twirl[2] *n* **1.** завъртане; **2.** завъртулка, заврънгулка (*при писане*).

twist[1] [twist] *v* **1.** засуквам, усуквам, пресуквам; **2.** вия, свивам, сплитам; вия се, извивам се (*и за път*); **3.** завъртам, извивам; **4.** изкривявам (*и лице*); навяхвам; гърча се, сгърчвам се; **5.** извъртам (се), обръщам (се); *прен.* изопачавам; **6.** танцувам туист; **7.** запращам (*топка*) с въртеливо движение; движа се/ летя въртеливо (*за топка*); **8.** *разг.* мамя, измамвам; **to** ~ **s.o.'s arm** *прен.* принуждавам/изнудвам чрез морален натиск; **9. to** ~ **off** отчупвам, откършвам; **10. to** ~ **o.'s way through the crowd** провирам се през тълпата.

twist[2] *n* **1.** извивка, изкривяване; **2.** извиване, извъртане; *прен.* изопачаване; **3.** навяхване; **4.** дебел копринен конец; шнур; чиле; **5.** нещо свито/навито; свитък; кесийка, фунийка (*от хартия*); кичур коса, дилка; вита кифла/хляб, навита лимонова и пр. кора за подправка на питие; свитък тютюневи листа; **6.** чудатост; ексцентричност; индивидуална особеност; **round the ~** *sl.* смахнат; **7.** *ам.* отклонение от обикновената практика; **8.** неочакван обрат; **9.** въртеливо движение; **10.** туист (*танц*); **11.** *разг.* измама; **12.** млада, *обик.* разпусната жена; **13.** *тех.* ход (*на винт*); **14.** *разг.* добър апетит; **15.** *ост.* смесена напитка.

twister ['twistə] *n* **1.** пресуквач; машина за пресукване; **2.** въжеиграч, подлец; **3.** трудна за произнасяне дума; **4.** трудна задача/проблем; **5.** *сп.* топка, летяща с въртеливо движение; **6.** *ам.* пясъчна и пр. вихрушка; воден циклон.

twisty ['twisti] *a* **1.** с много извивки; **2.** нечестен, непочтен.

twit[1] [twit] *v* (**-tt-**) **1.** упреквам, укротявам, натяквам (**with, about**); **2.** закачам, дразня, осмивам, подигравам (**with, about** за).

twit[2] *n* **1.** закачка, подигравка; **2.** нервност, нервно състояние; **3.** *sl.* глупак.

twitch[1] [twitʃ] *v* **1.** дръпвам, подръпвам; издърпвам; **2.** мърдам (*уши*); **3.** трепвам, потрепвам (*за мускул и пр.*); мърдам, играя.

twitch[2] *n* **1.** внезапно (по)дръпване/издърпване; **2.** трепване, лека спазма/болка; **3.** нервно състояние, нервност; **4.** юзда, която се слага на кон при подковаване/лекуване.

twitch[3] *n* *бот.* троскот.

twitter[1] ['twitə] *v* **1.** цвърча, чуруликам; **2.** говоря нервно/припряно/безсмислено.

twitter[2] *n* **1.** цвъртене, чуруликане; **2.** бързо/нервно/ припряно говорене; **3.** нервна възбуда/трепет; **in a/all of a ~** възбуден, нервен, припрян; **4.** *ам.* кикотене.

'twixt [twikst] = **betwixt.**

two [tu:] *n* **1.** два, двама; **~ by ~** двама по двама; **in ~** наполовина, на две; **one or ~** един-два; **~ can play at that game** *разг.* ти знаеш, ама и аз зная (*да ти го върна и пр.*); **that makes ~ of us** и аз мисля и пр. като теб; **2.** двама, двойка, чифт; **in ~s** по двама; **in ~ ~s/ ticks** в много кратко време, в/за миг; **it takes ~ 'to make a bargain/a quarrel** за сделка/кавга са нужни двама; и двете страни имат вина; **3.** двойка (*на карти, зар*).

two-bit ['tu:bit] *a* *ам.* *разг.* **1.** струващ 25 цента; **2.** дребен, евтин; незначителен, второстепенен.

two-by-four ['tu:bai'fɔ] *a* *ам.* *прен.* незначителен, маловажен.

two-edged ['tu:'edʒd] *a* двуостър, с две остриета; *прен.* двусмислен.

two-faced ['tu:feist] *a* **1.** с две лица; **2.** двуличен, неискрен.

two-fisted ['tu:'fistid] *a* **1.** несръчен, непохватен; **2.** силен, як.

twofold ['tu:fould] *a* двоен, от две части; удвоен.

two-handed ['tu:'hændid] *a* **1.** двурък; **2.** за две ръце; **3.** за двама души (*за игра, изпълнение и пр.*); **4.** сръчен.

twopence ['tʌpəns] *n* **1.** два пенса; **2.** дреболия; **~ coloured** евтин, натруфен, безвкусен.

twopenny ['tʌpəni] *a* **1.** двупенсов (*за цена*); **2.** евтин, без стойност.

twopenny-halfpenny ['tʌpni'heipni] *a* евтин, без стойност; незначителен.

two-piece ['tu:pi:s] *n* **1.** костюм от две части (*и бански*); **2.** *attr* състоящ се от две части (*за облекло*).

two-ply ['tu:plai] *a* **1.** двоен (*за конец, жица и пр.*); **2.** двупластов.

two-seater ['tu:si:tə] *n* двуместен автомобил и пр.

two-sided ['tu:saidid] *a* двустранен, с две страни (*и прен.*).

twosome ['tu:səm] *n* **1.** двама души, двойка; **2.** игра/танц за двама.

two-step ['tu:step] *n* вид танц.

two-time ['tu:taim] *v* *sl.* лъжа, мамя, изневерявам на.

'twould [twud] = **it would.**

two-way ['tu:wei] *a* **1.** двупосочен; **~ switch** комутатор; **2.** двустранен (*за търговия и пр.*).

tycoon [tai'ku:n] *n* *разг.* магнат.

tyke [taik] *n* **1.** *презр.* куче, пес; **2.** невъзпитан човек; **3.** йоркшърец; **4.** *ам.* малко дете.

tyler = **tiler.**

tympanum ['timpənəm] *n* (*pl* **-nums** [-nəmz], **-na** [-nə]) **1.** *анат.* средно ухо; **2.** *арх.* тимпан; **3.** приспособление за вадене на вода.

type[1] [taip] *n* **1.** тип, вид (*и биол.*); **blood ~** кръвна група; **2.** *разг.* човек, субект, тип; **3.** образец, модел; прототип; пример; символ; **4.** знак, отпечатък; образ (*върху монета, медал*); **5.** печатарска буква; шрифт; **in ~** набран.

type[2] *v* **1.** типичен съм; типизирам; символизирам; **2.** пиша на пишеща машина; **3.** *мед.* определям кръвна група и пр.; **4.** = **type-cast.**

type-cast ['taipka:st] *v* давам роля на актьор според амплоато му.

type-founder ['taipfaundə] *n* *печ.* букволяр.

type-script ['taipskript] *n* ръкопис/документ/текст, написан на пишеща машина.

type-setter ['taipsetə] *n* **1.** *печ.* словослагател; **2.** печатарска машина.

type-setting ['taipsetiŋ] *n* *печ.* набор, набиране.

typewrite ['taiprait] *v* (**-wrote** [-rout], **-written** [-ritn]) пиша/печатам на пишеща машина.

typewriter ['taipraitə] *n* пишеща машина.

typhoid ['taifɔid] *n* *мед.* **1.** коремен тиф (*и ~ **fever**); **2.** *attr* тифозен.

typhoidal [tai'fɔidl] *a* тифозен.

typhonic [tai'fɔnik] *a* тайфунен.

typhoon [tai'fu:n] *n* тайфун.

typhous ['taifəs] *a* тифозен.

typhus ['taifəs] *n* тифус, коремен тиф.

typic(al) ['tipik(l)] *a* **1.** типичен (**of** за); **2.** *биол.* видов; **3.** символичен.

typify ['tipifai] *v* **1.** представям, изобразявам; означавам; **2.** типичен съм за, характеризирам; **3.** символизирам; **4.** типизирам.

typist ['taipist] *n* машинописец.

typo ['taipou] *n* **1.** *разг.* = **typographer; 2.** *ам.* машинописна/печатна грешка.

typographer [tai'pɔgrəfə] *n* печатар.

typographic(al) [taipə'græfik(l)] *a* печатарски.

typography [tai'pɔgrəfi] *n* **1.** книгопечатане; **2.** печатарско оформление (*на книга*).

tyrannical [ti'rænikl] *a* тираничен, деспотичен.

tyrannicide [ti'rænisaid] *n* убиване/убийство/убиец на тиранин.

tyrannize ['tirənaiz] *v* тиранизирам, потискам.

tyrannous ['tirənəs] = **tyrannical.**

tyranny ['tirəni] *n* тирания, деспотизъм.

tyrant ['taiərənt] *n* тиран(ин); деспот.

tyre [taiə] *n* външна гума на автомобил/велосипед и пр.

tyro ['taiərou] = **tiro.**

Tyrolean [tirə'li:ən, ti'rouliən] **I.** *a* тиролски; **II.** *n* тиролец.

tzar = **tsar.**

tzetze ['setsi] = **tsetse.**

tzigane [tsi'ga:n] **I.** *a* цигански; **II.** *n* унгарски циганин.

U

U¹, **u** [ju:] *n* буквата U.

U² *a разг.* буржоазен; фин, изфинен, изтънчен, от класа; повсеместен.

ubiquitous [ju'bikwitəs] *a* вездесъщ; който се среща/е навсякъде; повсеместен.

ubiquity [ju'bikwiti] *n* вездесъщност; **the ~ of the king** *юр.* присъствието на краля в съдилищата в лицето на съдиите.

U-boat ['ju:bout] *n* немска подводница.

udder ['ʌdə] *n зоол.* виме.

udometer [ju'dɔmitə] *n* дъждомер.

ugh [ə:h, uh] *int* за изразяване на отвращение ух! уф!

uglify ['ʌglifai] *v* загрозявам, обезобразявам, развалям.

ugliness ['ʌglinis] *n* грозота; грозотия.

ugly ['ʌgli] *a* 1. грозен, отвратителен, противен, гнусен; **~ duckling** *прен.* грозно дете, което по-късно става красив/прочут човек; **~ weather** отвратително/гадно време; 2. лош, неприятен; свадлив; опасен, застрашителен; **~ customer** *разг.* опасен/противен/гаден човек; **~ wound** лоша/опасна рана.

Ugrian ['u:griən] I. *a* угърски; II. *n* езикът на угрите, *особ.* унгарски.

Ugric ['u:grik] = **Ugrian** I.

uhlan ['u:lən] *n ист.* улан.

Ukrainian [ju'kreiniən] I. *a* украински; II. *n* 1. украинец; 2. украински език.

ukulele [juka'leili] *n* малка четириструнна хавайска китара.

ulcer ['ʌlsə] *n мед.* язва; *прен.* язва, зло, поквара.

ulcerate ['ʌlsəreit] *v* 1. разранявам (се), възпалявам (се), подлютвам (се) (*и прен.*); 2. покривам се с/образувам рани.

ulcered ['ʌlsəd] = **ulcerous**.

ulcerous ['ʌlsərəs] *a* язвен, подлютен, възпален; гноясал, гноен.

ullage ['ʌlidʒ] *n търг.* липса, недостиг, утечка (*на буре и пр.*).

ulna ['ʌlnə] *n* (*pl* **-nae** [-ni:]) *анат.* лакътна кост.

ulotrichous [ju'lɔtrikəs] *a* със силно къдрава коса (*особ. за негър*).

ulster ['ʌlstə] *n* дълго широко горно палто (*често с колан*).

ulterior [ʌl'tiəriə] *a* 1. оттатъшен, отвъден; отдалечен; 2. по-късен, по-нататъшен; бъдещ; 3. скрит, неясен.

ultima ['ʌltimə] *n лат., ез.* последна/крайна сричка.

ultima ratio ['ʌltiməreiʃiou] *n* 1. последен/решаващ аргумент; 2. последно средство.

ultimate¹ ['ʌltimit] I. *a* 1. най-последен, най-краен; най-далечен; 2. последен, краен; решителен; 3. основен (*за принцип*); 4. максимален; □ **they hoped for ~ success** те се надяваха, че в края на краищата ще успеят; **the ~ facts of nature** необяснимите/неразгадаемите факти на природата; II. *n* 1. основен принцип; 2. решаващ факт; 3. връхна точка (*и прен.*).

ultimately ['ʌltimitli] *adv* 1. в края на краищата, накрая, най-после; 2. в основата си.

ultima Thule ['ʌltimə'tju:li] *n* 1. далечен/непознат край; 2. *прен.* най-висока степен; 3. *прен.* край (*на път, развитие и пр.*).

ultimatum [,ʌlti'meitəm] *n* ултиматум.

ultimo ['ʌltimou] *a* от/на миналия месец; **in answer to your letter of the 16th ~** *търг.* в отговор на писмото Ви от 16-ти миналия месец.

ultimogeniture [,ʌltimou'dʒenitʃə] *n юр.* наследяване на титла/имот и пр. от най-малкия син.

ultra¹ ['ʌltrə] I. *a* краен (*за мярка, възгледи и пр.*); II. *n* човек с крайни възгледи, екстремист.

ultra² *pref лат.* извънредно, крайно, свръх-, ултра-.

ultraism ['ʌltrəizm] *n* поддържане на крайни политически възгледи.

ultramarine¹ [,ʌltrəmə'ri:n] *a* задморски, презморски.

ultramarine² I. *a* ултрамарин, яснасин; II. *n* яснасин цвят, ултрамарин.

ultramontane [,ʌltrə'mɔntein] I. *a* 1. разположен южно от Алпите; италиански; 2. поддържащ идеята за неограничената власт на папата; II. *n* 1. човек, живеещ южно от Алпите; 2. привърженик на идеята за неограничената власт на папата.

ultrasecret [,ʌltrə'si:krit] *a* строго поверителен.

ultrasonic [,ʌltrə'sɔnik] *a* свръхзвуков.

ultrasound ['ʌltrəsaund] *n* свръхзвук; свръхзвукови вълни.

ultrastructure ['ʌltrə,strʌktʃə] *n биол.* структура, невидима с обикновен микроскоп.

ultraviolet [,ʌltrə'vaiəlit] *a* ултравиолетов.

ultra vires [,ʌltrə'vaiəri:z] *а* превишаващ законните си права/пълномощия.

ululate ['ju:ljuleit] *v* 1. вия (*за вълк и пр.*); 2. бухам (*за бухал*).

Ulysses [ju'lisi:z] *n* Одисей.

umbel ['ʌmbəl] *n бот.* сенник.

umbellate ['ʌmbəlit] *a бот.* 1. със/образуващ сенници; 2. приличащ по форма на сенник.

umbelliferous [,ʌmbə'lifərəs] *a бот.* сенникоцветен.

umber ['ʌmbə] *n* умбра (*кафява минерална боя за рисуване*); **raw ~** жълтеникавокафяв цвят/боя; **burnt ~** червеникавокафяв цвят/боя.

umbilical [ʌm'bilikl] *a* 1. *анат.* пъпен; **~ cord** пъпна връв; *прен.* важно съединяващо/свързващо звено в разни технологии; 2. заемащ централно положение.

umbilicate [,ʌm'bilikit] *a* 1. *анат.* който има пъп; 2. с форма на пъп.

umbilicus [ʌm'bilikəs] *n анат.* пъп.

umbles ['ʌmblz] *n pl* вътрешности/карантия на елен и пр.

umbo ['ʌmbou] *n* (*pl* **-nes** [-ni:z]) 1. изпъкналост на щит; 2. *анат.* част на тъпанчето на ухото; 3. *бот., зоол.* изпъкналост.

umbra ['ʌmbrə] *n астр.* пълна сянка при затъмнение; най-тъмната средна част на слънчево петно.

umbrage ['ʌmbridʒ] *n* 1. *поет.* сянка; отражение; 2. обида, оскърбление; **to give/take ~** обиждам (се), оскърбявам (се), докачвам се.

umbrageous [ʌm'breidʒəs] *a* 1. *поет.* сенчест; 2. обидчив, докачлив.

umbrella [ʌm'brelə] *n* 1. чадър; 2. *ав.* честа стрелба и пр. за прикритие от вражески самолети; 3. *пол.* протекция, подкрепа; 4. *зоол.* тяло, купол (*на медуза*).

umbrella-stand [ʌm'breləstænd] *n* поставка за чадъри.

umbrella-tree [ʌm'brelətri:] *n* 1. вид малка магнолия; 2. дърво с оформена като чадър корона.

Umbrian ['ʌmbriən] I. *a* умбрийски; **~ school** *изк.* умбрийска школа; II. *n* умбрийски език.

umiak ['u:miæk] *n* ескимоска лодка от кожа.

umlaut ['umlaut] *n нем. ез.* преглас.

umpirage ['ʌmpaiəridʒ] *n* 1. посредничество; арбитърство; 2. решение на арбитър/рефер.

umpire[1] [ˈʌmpaiə] *n* посредник, арбитър; *сп.* съдия, рефер.

umpire[2] *v* 1. посреднича; изпълнявам арбитърска служба (**for**); 2. *сп.* реферирам, съдия съм (*на мач и пр.*).

umpteen [ˈʌmptiːn] *n sl.* 1. много, безброй; 2. няколко; неизвестно колко.

'un [ən] *pron разг.* = **one; that's a good** ~ тоя/това си го бива, това ми се харесва, ашколсун.

unabashed [ʌnəˈbæʃt] *a* 1. безсрамен, безочлив; 2. невъзмутим, хладнокръвен, спокоен.

unabated [ʌnəˈbeitid] *a* нестихващ, неотслабващ, с неотслабваща сила, неукротим (*за вятър, буря, гняв и пр.*).

unabbreviated [ʌnəˈbriːvieitid] *a* несъкратен, пълен (*за форма и пр.*).

unable [ʌnˈeibl] *a* 1. неспособен; **to be** ~ **to** не съм в състояние/не мога да; 2. слаб, немощен, безпомощен, безсилен.

unabolished [ˈʌnəˈbɔliʃt] *a* неотменен, в сила.

unabridged [ʌnəˈbriʤd] *a* цял, несъкратен, пълен (*за книга, текст и пр.*).

unacceptable [ʌnəkˈseptəbl] *a* неприемлив; нежелан, нежелателен.

unaccommodating [ʌnəˈkɔmədeitiŋ] *a* неуслужлив; неотстъпчив.

unaccompanied [ʌnəˈkʌmpənid] *a* 1. непридружен, сам; 2. *муз.* без акомпанимент.

unaccomplished [ʌnəˈkɔmpliʃt] *a* 1. незавършен, недовършен; непълен; 2. некултурен; необразован; нешлифован, недодялан.

unaccountable [ʌnəˈkauntəbl] *a* 1. необясним; необяснен; непонятен; 2. от когото не може да се търси отговорност.

unaccounted [ʌnəˈkauntid] *a* неотчетен; необяснен; за когото/което не се знае нищо (*обик. с* **for**).

unaccustomed [ʌnəˈkʌstəmd] *a* 1. ненавикнал, непривикнал, несвикнал; 2. необикновен, необичаен.

unachievable [ʌnəˈtʃiːvəbl] *a* непостижим, неосъществим, неизпълним.

unacknowledged [ʌnəˈknɔliʤd] *a* 1. непризнат, неутвърден; 2. непризнат, оставен без отговор (*за писмо, поздрав и пр.*); 3. непризнат (*за вина и пр.*).

unacquainted [ʌnəˈkweintid] *a* незапознат; неосведомен.

unactable [ʌnˈæktəbl] *a* който не може/не е подходящ да бъде игран; несценичен (*за пиеса*).

unadaptable [ʌnəˈdæptəbl] *a* неприспособим.

unadapted [ʌnəˈdæptid] *a* 1. неприспособен, непригоден; 2. неподходящ.

unadjusted [ʌnəˈʤʌstid] *a* 1. неустановен (*и прен.*); 2. нерегулиран; 3. *псих.* неприспособен.

unadorned [ʌnəˈdɔːnd] *a* неукрасен; без гарнитура и пр.

unadulterated [ʌnəˈdʌltəreitid] *a* неподправен, нефалшифициран; истински, чист (*и прен.*).

unadvised [ʌnəˈdvaizd] *a* неблагоразумен; неуместен; необмислен, безразсъден.

unadvisedly [ʌnədˈvaizidli] *adv* безразсъдно, необмислено.

unaffected [ʌnəˈfektid] *a* 1. непресторен, непосредствен; спонтанен, непредвзет; прям, искрен; 2. непроменен, незасегнат; неповлиян.

unaided [ʌnˈeidid] *a* неподпомогнат, без чужда помощ, сам.

unalarmed [ʌnəˈlaːmd] *a* спокоен, несмущаван, несмутен.

unalienable = **inalienable**.

unaligned [ʌnəˈlaind] = **nonaligned**.

unallowable [ʌnəˈlauəbl] *a* недопустим, непозволим.

unalloyed [ʌnəˈlɔid] *a* 1. чист, неподправен, без примес; 2. *прен.* чист, непомрачен; искрен.

unalterable [ʌnˈɔːltərəbl] *a* неизменим, непроменим, установен.

unambiguous [ʌnəmˈbigjuəs] *a* ясен, недвусмислен.

unambitious [ʌnəmˈbiʃəs] *a* неамбициозен; скромен, непретенциозен.

unamenable [ʌnəˈmiːnəbl] *a* неподатлив; неотстъпчив.

un-American [ʌnəˈmerikən] *a* 1. неамерикански; 2. антиамерикански.

unamiable [ʌnˈeimiəbl] *a* нелюбезен, неприветлив, недружелюбен.

unamusing [ʌnəˈmjuːziŋ] *a* неинтересен, безинтересен.

unanchor [ʌnˈæŋkə] *v* вдигам котва.

unanimated [ʌnˈænimeitid] *a* неоживен; бездушен, равнодушен.

unanimity [juːnəˈnimiti] *n* единодушие.

unanimous [juˈnæniməs] *a* единодушен.

unannounced [ʌnəˈnaunst] *a* без да бъде съобщен/обявен; **to enter** ~ влизам направо (*без да бъде съобщено предварително името ми*).

unanswerable [ʌnˈaːnsərəbl] *a* 1. на който трудно може да се отговори; 2. необорим.

unanswered [ʌnˈaːnsəd] *a* останал без отговор; неразрешен.

unanticipated [ʌnænˈtisipeitid] *a* неочакван, непредвиден.

unappealable [ʌnəˈpiːləbl] *a* *юр.* неподлежащ на обжалване.

unappeasable [ʌnəˈpiːzəbl] *a* 1. неутолим; 2. непримирим.

unappeased [ʌnəˈpiːzd] *a* незадоволен, неудовлетворен, непримирен.

unappetizing [ʌnˈæpitaiziŋ] *a* неапетитен; блудкав; неприятен, непривлекателен.

unappreciated [ʌnəˈpriːʃieitid] *a* неценен; неоценен.

unappreciative [ʌnəˈpriːʃiətiv] *a* който не (умее да) цени.

unapproachable [ʌnəˈprəutʃəbl] *a* 1. непристъпен, недостъпен, недосегаем; далечен; 2. нямащ равен на себе си, ненадминат, недостижим; 3. студен, неприветлив, резервиран.

unappropriated [ʌnəˈprəuprieitid] *a* 1. неизползван (*за пари*); 2. непредназначен; 3. незает, незавладян.

unapproved [ʌnəˈpruːvd] *a* неодобрен.

unapt [ʌnˈæpt] *a* 1. несклонен (**to** да); 2. неподходящ, несъответствуващ (**for** за); 3. неспособен, несръчен, некадърен.

unarguable [ʌnˈaːgjuəbl] *a* 1. неоспорим, необорим; 2. недоказуем.

unarm [ʌnˈaːm] = **disarm**.

unarmed [ʌnˈaːmd] *a* 1. невъоръжен; беззащитен; 2. *бот., зоол.* без шипове/бодли и пр.

unascertained [ʌnæsəˈteind] *a* неустановен, неконстатиран.

unashamed [ʌnəˈʃeimd] *a* безсрамен, безочлив, дебелоок.

unasked [ʌnˈaːskt] *a* 1. непитан, незададен (*за въпрос*); 2. неискан, нежелан (*обик. с* **for**); 3. неканен; незамолен, непомолен.

unaspiring [ʌnəˈspaiəriŋ] *a* нечестолюбив; неамбициозен; непретенциозен, скромен.

unassailable [ʌnəˈseiləbl] *a* 1. непристъпен; 2. неопровержим.

unassertive [ʌnəˈsəːtiv] *a* стеснителен, неуверен.

unassisted [ʌnəˈsistid] *a* сам, неподпомогнат, без чужда помощ.

unassuming [ʌnəˈsjuːmiŋ] *a* скромен, непретенциозен.

unassured [ʌnəˈʃuəd] *a* 1. неуверен; 2. необезпечен, неосигурен.

unattached [ʌnəˈtætʃt] *a* 1. *воен.* неприкрепен, незачислен;

2. незачислен, непричислен (**to** към) (*организация, институт и пр.*); **3.** необвързан, свободен; **4.** самостоятелен, отделен (*за сграда*); **5.** неженен, несгодèн; **6.** незавързан.

unattainable [ˌʌnəˈteinəbl] *a* недостижим; непостижим.

unattended [ˌʌnəˈtendid] *a* **1.** непридружен, сам; **2.** оставен без грижи/внимание; **3.** необслужен (*в магазин и пр.*); **4.** непревързан (*за рана*).

unattractive [ˌʌnəˈtræktiv] *a* непривлекателен, неугледен; грозен.

unauthentic [ˌʌnɔːˈθentik] *a* неистински, неавтентичен, подправен.

unauthorized [ˌʌnˈɔːθəraizd] *a* **1.** неупълномощен; **2.** издаден без знанието/разрешението на автора; **3.** своеволен.

unavailable [ˌʌnəˈveiləbl] *a* който не се намира/не е налице/на разположение.

unavailing [ˌʌnəˈveiliŋ] *a* **1.** нерезултатен, неефикасен; **2.** напразен, безполезен.

unavenged [ˌʌnəˈvendʒd] *a* неотмъстен.

unaverage [ˌʌnˈævəridʒ] *a* необикновен, изключителен.

unavoidable [ˌʌnəˈvɔidəbl] *a* неизбежен.

unavowed [ˌʌnəˈvaud] *a* непризнат.

unaware [ˌʌnəˈwɛə] *a* който не знае/не чувствува/не забелязва.

unawares [ˌʌnəˈwɛəz] *adv* **1.** неочаквано, ненадейно; внезапно; **to be taken** ~ изненадват ме; **at** ~ неочаквано; **2.** несъзнателно, без да искам.

unbacked [ˌʌnˈbækt] *a* **1.** неподкрепен, без поддръжници; **2.** необоснован, неаргументиран; **3.** необязден; за който няма залагания (*за кон*).

unbaked [ˌʌnˈbeikt] *a* неопечен; *прен.* недозрял, зелен.

unbalance [ˌʌnˈbæləns] *v* **1.** разбърквам; обърквам, смущавам, дезорганизирам; **2.** нарушавам умственото/душевното равновесие на.

unballasted [ˌʌnˈbæləstid] *a* **1.** *мор., ав.* свободен от баласт; **2.** ненасипан с баласт (*за шосе, жп линия*); **3.** неустойчив, неуравновесен.

unbandage [ˌʌnˈbændidʒ] *v* свалям превръзката от.

unbar [ˌʌnˈbaː] *v* отлоствам, отключвам, отварям (*врата, порта*); *прен.* освобождавам.

unbearable [ˌʌnˈbɛərəbl] *a* непоносим, нетърпим.

unbearded [ˌʌnˈbiədid] *a* **1.** без брада; **2.** *бот.* без брада/осили.

unbeatable [ˌʌnˈbiːtəbl] *a* **1.** непобедим; **2.** ненадминат, непостижим.

unbeaten [ˌʌnˈbiːtn] *a* **1.** неутъпкан; **2.** неизследван; **3.** ненадминат; **4.** непобеден.

unbecoming [ˌʌnbiˈkʌmiŋ] *a* **1.** неподходящ, несъответствуващ, несъобразен, неподобаващ; **2.** неприличен, непристоен; **3.** неотиващ, неподхождащ (*за дреха*).

unbed [ˌʌnˈbed] *v* (**-dd**) изваждам от леха (*растение*).

unbedded [ˌʌnˈbedid] *a* **1.** ненаселен; **2.** незакрепен, разклатен (*за камък*); **3.** *ост.* неомъжена (*за девойка*).

unbeknown, -st [ˌʌnbiˈnoun, -st] *a, adv разг.* непознат, неизвестен (**to** на); ~ **to** без знанието на, незабелязано.

unbelief [ˌʌnbiˈliːf] *n* неверие, невярване; скептицизъм.

unbelievable [ˌʌnbiˈliːvəbl] *a* невероятен.

unbeliever [ˌʌnbiˈliːvə] *n* неверник; скептик; невéрующ човек.

unbeloved [ˌʌnbiˈlʌvd] *a* необичан.

unbelt [ˌʌnˈbelt] *v* свалям, разпускам (*пояс и пр.*).

unbend [ˌʌnˈbend] *v* (**unbent** [ˌʌnˈbent]) **1.** оправям (се), изправям (се); **2.** отпускам (се), разпускам (се), успокоявам (се); *прен.* омеквам; **3.** *мор.* развързвам, разпускам, разхлабвам (*въже, платно*).

unbendable [ˌʌnˈbendəbl] *a* твърд, непоколебим, неумолим.

unbending [ˌʌnˈbendiŋ] *a* **1.** опънат; непрегъваем; **2.** твърд, упорит, непреклонен; строг; **3.** свободен, безгрижен.

unbent *вж.* **unbend.**

unbeseeming [ˌʌnbiˈsiːmiŋ] = **unbecoming.**

unbias(s)ed [ˌʌnˈbaiəst] *a* непредубеден, безпристрастен.

unbidden [ˌʌnˈbidn] *a* **1.** доброволно даден, непоискан; **2.** нежелан.

unbind [ˌʌnˈbaind] *v* (**unbound** [ˌʌnˈbaund]) **1.** развързвам, разпускам; **2.** освобождавам; **3.** свалям подвързия (*на книга*).

unbleached [ˌʌnˈbliːtʃt] *a* **1.** не(из)белен; **2.** неизбелял.

unblemished [ˌʌnˈblemiʃt] *a* чист, неопетнен; непорочен.

unblessed [ˌʌnˈblest] *a* **1.** неблагословен; **2.** проклет; **3.** нещастен.

unblinking [ˌʌnˈbliŋkiŋ] *a* **1.** нереагиращ; **2.** невъзмутим, непоколебим.

unblock [ˌʌnˈblɔk] *v* освобождавам от блокиране, деблокирам.

unbodied [ˌʌnˈbɔdid] *a* **1.** безплътен, безтелесен; **2.** безформен.

unbolt [ˌʌnˈboult] *v* отварям, отключвам, отлоствам (*порта и пр.*).

unboned [ˌʌnˈbound] *a* **1.** нямащ кости/кокали; **2.** необезкостен (*за месо*).

unboot [ˌʌnˈbuːt] *v* събувам/изувам/свалям обуща.

unborn [ˌʌnˈbɔːn] *a* **1.** нероден; **2.** бъдещ (*за поколение и пр.*).

unbosom [ˌʌnˈbuzm] *v* **1.** поверявам, споделям; доверявам се; **2.** разкривам сърцето си/мислите си (**to** на).

unbound [ˌʌnˈbaund] *a* **1.** неподвързан (*за книга и пр.*); **2.** *хим.* свободен, несвързан; **3.** *вж.* **unbind.**

unbounded [ˌʌnˈbaundid] *a* **1.** безкраен, неограничен; **2.** необуздан.

unbowed [ˌʌnˈbaud] *a* непревит, непокорèн, непобеден.

unbrace [ˌʌnˈbreis] *v* разхлабвам, отпускам, разпускам.

unbraid [ˌʌnˈbreid] *v* разплитам, разпускам (*коса и пр.*).

unbridle [ˌʌnˈbraidl] *v* **1.** свалям юздата на (*кон*); **2.** давам свобода на (*езика си и пр.*).

unbridled [ˌʌnˈbraidld] *a* **1.** без юзда, свободен; **2.** необуздан, разюздан.

unbroken [ˌʌnˈbroukn] *a* **1.** цял, несчупен, неразчупен; **2.** несломен, устойчив; **3.** продължителен, непрекъснат; **4.** неразработен, некултивиран; ~ **soil** целина̀; **5.** необязден; неоседлан; **6.** одържан, ненарушен (*за обещание и пр.*); **7.** ненадминат, несчупен (*за рекорд*).

unbuckle [ˌʌnˈbʌkl] *v* откопчавам, откачам (*катарама и пр.*).

unbudging [ˌʌnˈbʌdʒiŋ] *a* непоклатим.

unbuild [ˌʌnˈbild] *v* разрушавам, срутвам, сривам (*и прен.*).

unburden [ˌʌnˈbəːdn] *v* свалям товара от, облекчавам, освобождавам (*и прен.*); **to** ~ **o.s./o.'s mind** изповядвам се, разкривам болката си (**to** на, пред).

unbury [ˌʌnˈberi] *v* изравям от земята/пръстта и пр. (*и прен.*).

unbusinesslike [ˌʌnˈbisnislaik] *a* неделови; непрактичен; несистематичен.

unbuttoned [ˌʌnˈbʌtnd] *a* **1.** разкопчан; **2.** спокоен; свободен, общителен.

uncage [ˌʌnˈkeidʒ] *v* пускам на свобода.

uncalled [ˌʌnˈkɔːld] *a* невикан, неканен; ~(-)**for** ненужен; нежелан; неуместен; неоправдан; незаслужен; непредизвикан.

uncanny [ʌn'kæni] *a* 1. тайнствен, необичаен, странен; свръхестествен; 2. обезпокоителен.

uncap [ˌʌn'kæp] *v* 1. свалям шапка/капак и пр., откривам, отхлупвам; 2. *воен.* махам капсулата на.

uncase [ˌʌn'keis] *v* разопаковам, изваждам.

uncaused [ʌn'kɔːzd] *a* безпричинен; изначален.

unceasing [ʌn'siːsiŋ] *a* непрекъснат.

unceremonious [ˌʌnseri'mouniəs] *a* 1. естествен, неофициален; 2. нелюбезен, неучтив; безцеремонен.

uncertain [ʌn'səːtn] *a* 1. несигурен, неуверен; 2. нестабилен, неустановен, непостоянен; съмнителен; 3. неопределен; **in no ~ terms** ясно, категорично.

uncertainty [ʌn'səːtnti] *n* 1. несигурност, неувереност; 2. съмнение; съмнителност; 3. непостоянство, променчивост, неустановеност.

unchain [ʌn'tʃein] *v* отвързвам синджира на; освобождавам от окови (*и прен.*), пускам на свобода.

unchallenged [ʌn'tʃælindʒd] *a* неоспорван, без съперник.

unchangeable [ʌn'tʃeindʒəbl] *a* непроменим, неизменим, неизменен, постоянен; неизменяем.

uncharacteristic [ʌnˌkæriktə'ristik] *a* нехарактерен, нетипичен.

uncharged [ʌn'tʃɑːdʒd] *a* празен, незареден.

uncharitable [ʌn'tʃæritəbl] *a* суров, строг, неумолим.

uncharted [ʌn'tʃɑːtid] *a* неотбелязан на карта; неизследван.

unchartered [ʌn'tʃɑːtəd] *a* без разрешително, нерегистриран.

unchaste [ʌn'tʃeist] *a* нецеломъдрен.

unchecked [ʌn'tʃekt] *a* 1. буен, необуздан; 2. непроверен.

unchristian [ʌn'kristjən] *a* 1. нехристиянски, езически; 2. суров, несъстрадателен; 3. *разг.* невъзможен, безбожен.

unchurch [ʌn'tʃəːtʃ] *v* 1. отлъчвам от църквата; 2. лишавам от църква; 3. отнемам статуса на църква.

uncial ['ʌnsiəl] I. *a* унциален; II. *n* (ръкопис в) унциален шрифт (*IV—IX в.*); буква от унциален шрифт.

unciform ['ʌnsifɔːm] *a* *анат., зоол.* извит като кука, завит, крив.

uncircumcised [ʌn'səːkəmsaizd] *a* необрязан; друговерски; *прен.* езически.

uncivil [ʌn'sivil] *a* 1. неучтив, невежлив, груб; 2. нецивилизован.

unclarity [ʌn'klæriti] *n* неяснота; двусмисленост.

unclasp [ˌʌn'klɑːsp] *v* откопчавам (*брошка и пр.*); разтварям, пускам.

unclassed [ʌn'klɑːst] *a* *сп.* некласирал се.

unclassified [ʌn'klæsifaid] *a* 1. некласифициран, несистематизиран, неподреден; 2. непредставляващ държавна тайна, неповерителен.

uncle ['ʌnkl] *n* 1. чичо, вуйчо, свако; **U. Sam** чичо Сам; 2. *sl.* собственик на заложна къща; **bob's your ~** *sl.* всичко е наред.

unclean [ˌʌn'kliːn] *a* нечист, мръсен; *прен.* нечестив.

uncleanly [ʌn'klenli] *a* нечист, нечистоплътен.

unclerical [ʌn'klerikl] *a* 1. мирски, светски, граждански; 2. неподобаващ на духовник.

uncloak [ʌn'klouk] *v* 1. свалям плащ/наметало; 2. разоблачавам.

unclog [ʌn'klɔg] *v* 1. отпушвам (*канал и пр.*); 2. разчиствам (*път*) от задръстване.

unclose [ʌn'klouz] *v* 1. откривам (се), разтварям (се); 2. *прен.* разкривам.

unclothe [ʌn'klouð] *v* събличам, разсъбличам; *прен.* разкривам.

unclouded [ˌʌn'klaudid] *a* безоблачен; *прен.* непомрачен.

unco[1] ['ʌnkou] *a* *шотл.* странен, необикновен; забележителен.

unco[2] *n* 1. непознат човек, странник; 2. *pl* новини, известия.

unco[3] *adv* извънредно, изключително, много; крайно; **the ~ guid/good** *обик. презр.* сурови тесногръди религиозни хора.

uncock [ˌʌn'kɔk] *v* отстранявам петлето на огнестрелно оръжие.

uncoloured [ˌʌn'kʌləd] *a* 1. черно-бял, неоцветен (*и прен.*); 2. непресилен, непреувеличен; неповлиян (**by** от).

uncombed [ˌʌn'koumd] *a* нересан, несресан; сплъстен.

uncome-at-able [ˌʌnkəm'ætəbl] *a* *разг.* 1. непристъпен, недостъпен; непостижим, недостижим; 2. който не се намира/не може да се купи на пазара.

uncomely [ʌn'kʌmli] *a* 1. непривлекателен, грозен, неугледен; 2. неприличен, непристоен.

uncomfortable [ʌn'kʌmfətəbl] *a* неудобен; **to feel ~** чувствувам се неловко/неудобно.

uncommercial [ˌʌnkə'məːʃl] *a* 1. нетърговски; 2. който не търси печалба; 3. който е в противоречие с търговските принципи.

uncommitted [ˌʌnkə'mitid] *a* свободен, независим, необвързан (*за държава*).

uncommon [ˌʌn'kɔmən] *a* необикновен, изключителен; рядък, особен.

uncommonly [ʌn'kɔmənli] *adv* необикновено, забележително, изключително.

uncommunicative [ˌʌnkə'mjuːnikətiv] *a* 1. необщителен, сдържан; 2. мълчалив.

uncompanionable [ˌʌnkəm'pænjəbl] *a* 1. необщителен; 2. лош като компаньон.

uncomplaining [ˌʌnkəm'pleiniŋ] *a* търпелив.

uncompleted [ˌʌnkəm'pliːtid] *a* недовършен, незавършен.

uncomplicated [ʌn'kɔmplikeitid] *a* 1. некомплициран; 2. *мед.* протичащ без усложнения; 3. прост, опростен (*за устройство и пр.*).

uncomplimentary [ˌʌn'kɔmplimentəri] *a* пренебрежителен, презрителен, оскърбителен, обиден; отрицателен (*за критика*).

uncompromising [ʌn'kɔmprəmaiziŋ] *a* безкомпромисен; непреклонен, твърд, упорит, неотстъпчив.

unconcealed [ʌnkən'siːld] *a* нескрит, неприкрит, явен.

unconcern [ʌnkən'səːn] *n* незаинтересованост, безразличие, равнодушие.

unconcerned [ʌnkən'səːnd] *a* незаинтересован (**in, with**); равнодушен, безучастен; спокоен.

unconditional [ʌnkən'diʃənəl] *a* безусловен, безпрекословен; категоричен.

unconditioned [ʌnkən'diʃənd] *a* 1. безусловен; неограничен; необусловен; вроден, естествен; спонтанен, инстинктивен; **~ reflex** безусловен рефлекс; 2. абсолютен.

unconformity [ʌnkən'fɔːmiti] *n* 1. несъответствие; 2. *геол.* разместване на успоредни пластове.

uncongenial [ʌnkən'dʒiːniəl] *a* 1. несходен, неподходящ, несъответствуващ; 2. неприятен, противен; не по вкуса (**with, to** на).

unconquerable [ʌn'kɔŋkərəbl] *a* 1. непобедим; 2. непреодолим; 3. непоколебим, непреклонен.

unconscientious [ʌnkɔnʃi'enʃəs] *a* несъзнателен; безскрупулен.

unconscionable [ʌn'kɔnʃənəbl] *a* 1. безскрупулен, безсъвестен; безотговорен; 2. прекален, прекомерен.

unconscious [ʌn'kɔnʃəs] I. *a* 1. несъзнаващ; 2. несъзнателен, непреднамерен, неволен; 3. в безсъзнание; 4. неодушевен; II. *n:* **the ~** *псих.* подсъзнание.

unconsciousness [ʌn'kɔnʃəsnis] *n* безсъзнание; припадък, кома.

unconsidered [ʌnkən'sidəd] *a* **1.** необмислен; **2.** невзет под внимание, пренебрегнат; **3.** незначителен.

unconstitutional [͵ʌnkɔnsti'tjuːʃənəl] *a* противоконституционен.

unconstrained [ʌnkən'streind] *a* **1.** неограничен, безпрепятствен; **2.** свободен; непринуден, естествен, спонтанен.

unconstraint [ʌnkən'streint] *n* свобода, непринуденост.

uncontrollable [ʌnkən'trouləbl] *a* неудържим, неукротим; буен, необуздан, непокорен.

uncontrovertible [ʌnkɔntrə'vəːtibl] *a* неопровержим, неоспорим.

unconventional [ʌnkən'venʃnl] *a* необикновен, необичаен; оригинален, нешаблонен; ~ **arms/weapons** стратегически/ядрени оръжия.

unconvincing [ʌnkən'vinsiŋ] *a* неубедителен, неправдоподобен; неприемлив.

uncooked [ʌn'kukt] *a* неварен, несготвен, суров.

uncool [ʌn'kuːl] *a sl.* **1.** неуверен; **2.** напрегнат; неприятен.

unco-operative [ʌnkou'ɔpərətiv] *a* **1.** неотзивчив; **2.** с когото трудно се работи.

uncork [ʌn'kɔːk] *v* **1.** отпушвам, отварям (*шише и пр.*); **2.** пускам, освобождавам; **3.** *разг.* давам воля на, отприщвам (*чувства и пр.*).

uncorroborated [ʌnkə'rɔbəreitid] *a* непотвърден.

uncorrupted [ʌnkə'rʌptid] *a* **1.** здрав, запазен; **2.** неподкупен; непокварен.

uncountable [ʌn'kauntəbl] *a* неброим; неизброим, несметен.

uncounted [ʌn'kauntid] *a* **1.** неизброен; **2.** неизброим, безчислен.

uncouple [ʌn'kʌpl] *v* **1.** разделям, раздвоявам, разединявам; **2.** отвързвам (*куче от ремък*); откачам (*локомотив от влак*).

uncouth [ʌn'kuːθ] *a* **1.** непохватен, недодялан; груб, нешлифован; **2.** неизвестен, непознат; рядък, необичаен, чудат; **3.** суров, примитивен (*за живот*); **4.** пуст, усамотен (*за място*).

uncover [ʌn'kʌvə] *v* **1.** откривам, разкривам; отвивам, оголвам; **2.** *ост.* свалям шапка (*за поздрав*); **3.** разкривам (*сърцето си и пр.*); **4.** оставям без закрила/незащитен.

uncreated [ʌnkri'eitid] *a* **1.** несътворен; **2.** самосъздал се, самозародил се; **3.** съществуващ без начало, предвечен.

uncritical [ʌn'kritikl] *a* **1.** безкритичен; **2.** несъвместим с истинската здрава критика.

uncropped [ʌn'krɔpt] *a* **1.** незасят; **2.** непожънат; **3.** неопасан (*за трева и пр.*); **4.** неподстриган; неподрязан.

uncross [ʌn'krɔs] *v* разкръстосвам (*ръце, крака, ножове и пр.*).

uncrossed [ʌn'krɔst] *a* незачеркнат; *фин.* непресечен, небариран (*за чек*).

uncrowned [ʌn'kraund] *a* **1.** още некоронясан (*за крал и пр.*); **2.** *прен.* некоронован; **3.** детрониран; *прен.* лишен от власт, развенчан.

unction ['ʌŋkʃən] *n* **1.** (намазване с) мехлем, крем и пр.; **2.** *църк.* (помазване с) масло/миро/елей; **3.** набожност, екзалтация, пресилен/престорен ентусиазъм; **4.** мазност, неискреност, лицемерие, притворство; **5.** ласкаещи/успокояващи думи и пр.; **6.** наслада, удоволствие.

unctuous ['ʌŋktjuəs] *a* **1.** мазен, гладък, маслен; **2.** тлъст (*за почва*); **3.** *прен.* мазен, угодлив; неискрен, притворен.

uncultivated [ʌn'kʌltiveitid] *a* **1.** необработен; **2.** неотглеж-

дан, некултивиран (*за растение и пр.*); **3.** занемарен, изоставен (*за талант*); **4.** необразован, некултурен, див.

uncultured [ʌn'kʌltʃəd] *a* **1.** некултурен, необразован; **2.** необработен (*за земя*).

uncurb [ʌn'kəːb] *v* отпускам юздите на (*и прен.*).

uncurl [ʌn'kəːl] *v* **1.** изправям (се) (*за къдрици*); **2.** разсуквам (се).

uncustomed [ʌn'kʌstəmd] *a* **1.** неподлежащ на обмитяване; **2.** необмитен.

uncut [ʌn'kʌt] *a* **1.** неразрязан; **2.** неподстриган (*за коса*); **3.** несъкратен (*за текст, филм и пр.*); **4.** нешлифован (*за скъпоценен камък*).

undamaged [ʌn'dæmiʤd] *a* непострадал, оцелял, невредим.

undated [ʌn'deitid] *a* недатиран, без дата (*за писмо, чек и пр.*).

undaunted [ʌn'dɔːntid] *a* безстрашен, неустрашим, смел; непоколебим.

undecided [ʌndi'saidid] *a* **1.** нерешен; **2.** нерешителен; колеблив, променлив, неустановен (*и за време*); **3.** неясен; който не е наясно/не е взел още решение.

undeceive [ʌndi'siːv] *v* **1.** изваждам от заблуждение; **2.** разбивам илюзиите на.

undecipherable [ʌndi'saifərəbl] *a* който не може да се разчете/дешифрира.

undeclared [ʌndi'klɛəd] *a* незаявен, пазен в тайна; необявен (*за война и пр.*).

undefended [ʌndi'fendid] *a* **1.** незащищаван, незащитен; **2.** неподкрепен (*с аргументи и пр.*); **3.** *юр.* неоспорен (*за обвинение, дело*); незащищаван, без защита (*за обвиняем*).

undefined [ʌndi'faind] *a* неопределен.

undelivered [ʌndi'livəd] *a* недоставен.

undemocratic ['ʌn͵demə'krætik] *a* недемократичен; противоречащ на демократичните принципи.

undemonstrative [ʌndi'mɔnstrətiv] *a* сдържан, резервиран.

undeniable [ʌndi'naiəbl] *a* **1.** неоспорим, неопровержим, безспорен; несъмнен, явен; **2.** безупречен; превъзходен.

undenominational [ʌndinɔmi'neiʃnl] *a* необвързан с никаква религиозна секта/вероизповедание, светски (*за образование, учебно заведение*).

under¹ ['ʌndə] *prep* **1.** под, отдолу под; ~ **the tree/sun** под дървото/слънцето; **2.** под (*в подножието на — стена, укрепление и пр.*); **3.** при (*в процеса на*); **he died** ~ **an operation** той умря при операция; **to confess** ~ **torture** признавам при изтезание; **4.** при, в; съгласно, в съответствие с; ~ **the circumstances/conditions** при тези обстоятелства/условия; ~ **international law** съгласно международното право; **5.** при (*през времето на, под управлението, властта на*); **England** ~ **the Stuarts** Англия при/по времето на Стюартите; **6.** под, към (*дадена рубрика, класификация и пр.*); (**it falls**) ~ (**the head of**) **incidental expenses** (това спада) към (графата) непредвидени разходи; **7.** под (*по-ниско, по-долу, по-малко от*); **books for the** ~**-tens** книги за деца под десетгодишна възраст; **to sell** ~ **cost** продавам под костуемата цена; **8.** *за изразяване на различни състояния*: ~ **discussion** разискван, обсъждан и пр.; ~ **repair** в ремонт; **to be** ~ **the impression that** имам впечатление/струва ми се, че; ~ **wheat/rice, etc.** засят с пшеница/ориз и пр.

under² *adv* **1.** долу, надолу, отдолу; **2.** по-долу по ранг и пр., в по-ниско/подчинено положение; **£5 or ~** пет или по-малко от/под пет лири.

under³ *a* **1.** долен, по-нисък; **~ layers** по-долни пластове; **~ jaw** долна челюст; **2.** нисш, подчинен; **~ servants** нисша прислуга; **3.** по-малък, неотговарящ на стандарта/нормата; **4.** тих, приглушен (*за звук*).

under-⁴ *pref* **1.** в, на, към, от по-ниска позиция/положение; **2.** недостатъчно; **3.** по-малък по ранг, значение и пр.

underact [ʌndərˈækt] *v театр.* изпълнявам роля слабо/сдържано.

under-age [ʌndərˈeiʤ] *a* малолетен, непълнолетен.

underappreciated [ʌndərəˈpriːʃieitid] *a* недооценен.

underarm¹ [ˈʌndəraːm] *n* **1.** = **armpit; 2.** подмишница.

underarm² *a, adv* (нанесен) изпод рамо (*за удар*).

underarmed [ʌndərˈaːmd] *a* недостатъчно въоръжен.

underbid [ʌndəˈbid] *v* (**-dd-**) (**underbid**) **1.** предлагам стоки/услуги на по-ниска цена; подбивам цена; **2.** *бридж* правя умишлено по-нисък анонс.

underbidder [ʌndəˈbidə] *n* **1.** човек, предлагащ стоки/услуги на по-ниска цена; **2.** човек, направил предпоследната оферта (*на търг*).

underbred [ʌndəˈbred] *a* **1.** лошо възпитан, невъзпитан; просташки, вулгарен, груб; **2.** от лоша порода, нечистокръвен (*за куче, кон*).

underbrush [ˈʌndəbrʌʃ] *n* шубрак, храсталак (*в гора*).

undercarriage [ˈʌndəˈkæriʤ] *n* шаси (*на кола*); колесници (*на самолет*).

undercharge¹ [ʌndəˈtʃaːʤ] *v* **1.** искам/вземам по-малко пари/по-ниска такса; продавам по-евтино; **2.** не давам пълно натоварване/зареждане.

undercharge² *n* **1.** по-ниска цена/такса; **2.** непълно натоварване.

underclassman [ʌndəˈklaːsmən] *n* (*pl* **-men**) *ам.* ученик/студент първа/втора година в средно училище/колеж.

underclothes [ʌndəˈklouðz] *n pl* долни дрехи, бельо.

underclothing [ʌndəˈklouðiŋ] = **underclothes**.

undercoat [ʌndəˈkout] *n* **1.** жакет, който се носи под друга дреха; **2.** *зоол.* пухкав мъх под едрата козина/пера; **3.** долен пласт/слой боя/мазилка.

undercover [ʌndəˈkʌvə] *a* таен (*за агент, шпионин и пр.*).

undercroft [ˈʌndəkrɔft] *n* подземно помещение; крипта.

undercurrent [ˈʌndəkʌrənt] *n* **1.** насрещно подмолно течение; **2.** скрита силна тенденция; скрито/потискано/неизразено чувство/мнение.

undercut¹ [ʌndəˈkʌt] *v* (**undercut**) **1.** подрязвам, подкопавам; **2.** подбивам цена, конкурирам.

undercut² *n* **1.** подрязано/подкопано място; **2.** филе, рибица (*месо*); **3.** *бокс, тенис* удар, насочен нагоре.

underdeveloped [ʌndədiˈveləpt] *a* **1.** недоразвит, изостанал; **~ countries** развиващи се страни; **2.** *фот.* недостатъчно проявен.

underdog [ˈʌndədɔg] *n* **1.** победен състезател; **2.** потискан/преследван/експлоатиран човек.

underdone [ʌndəˈdʌn] *a* **1.** леко запечен/обварен; **2.** недопечен, недоварен, възсуров.

underdress¹ [ʌndəˈdres] *v* **1.** обличам се леко/недостатъчно; **2.** обличам се неизискано/неподходящо за случая.

underdress² *n* дамска дреха, носена под друга/прозрачна дреха.

undereducated [ʌndəˈedjukeitid] *a* недостатъчно/слабо образован.

underemployed [ʌndərimˈplɔid] *a* работещ с непълна заетост.

underemployment [ʌndərimˈplɔimənt] *n* *ик.* непълна заетост на работната ръка.

underestimate [ʌndərˈestimeit] *v* недооценявам; подценявам.

underfed [ʌndəˈfed] *a* недохранен.

underfelt [ˈʌndəfelt] *n* кече/гумирана материя за под килим.

underfired [ʌndəˈfaiəd] *a* недопечен (*за глинен, пръстен съд*).

underfloor [ˈʌndəflɔː] *a* подподов (*за отоплителна инсталация и пр.*).

underfoot [ʌndəˈfut] *adv* **1.** под краката/стъпалата/ходилата; **children always getting ~** деца, които вечно ти се пречкат из краката; **2.** *прен.* в подчинение.

underfur [ˈʌndəfəː] = **undercoat 2**.

undergarment [ʌndəˈgaːmənt] *n* долна дреха; *pl* бельо.

undergird [ʌndəˈgəːd] *v* **1.** потягам, заздравявам; **2.** *прен.* подкрепям, укрепявам, подсилвам.

undergo [ʌndəˈgou] *v* (**underwent** [ʌndəˈwent] ; **undergone** [-gɔn]) понасям, претърпявам, преживявам, изпитвам; бивам подложен на.

undergrad [ʌndəˈgræd] *разг.* = **undergraduate**.

undergraduate [ʌndəˈgrædjuit] *n* **1.** студент; **2.** *attr* студентски.

underground¹ [ʌndəˈgraund] *adv* **1.** под земята; **2.** подмолно, тайно; **to go ~** укривам се, минавам в нелегалност.

underground² [ˈʌndəgraund] *a* **1.** подземен; **2.** подмолен, таен; **~ movement** *пол.* нелегално движение, съпротива; **3.** задкулисен; **4.** експериментален, експериментиращ (*за театър, киностудио, публикация и пр.*).

underground³ *n* **1.** подземна железница; **2.** *пол.* нелегално движение, съпротива; **3.** експериментаторска/експериментираща група/движение.

undergrowth [ˈʌndəgrouθ] *n* шубрак, гъсталак, храсталак (*в гора*).

underhand¹ [ˈʌndəhænd] *adv* **1.** тайно, подмолно; задкулисно, непочтено; **2.** *сп.* изотдолу.

underhand² *a* таен, потаен; коварен, лукав, непочтен, измамнически.

underhanded [ʌndəˈhændid] = **underhand¹**.

underhung [ˈʌndəhʌŋ] *a* **1.** издаден напред (*за долна челюст*); **2.** с издадена напред долна челюст.

underlay¹, underlain *вж.* **underlie**.

underlay² [undəˈlei] *v* (**underlaid** [ʌndəˈleid]) **1.** подлагам (*нещо*) отдолу; подпирам; повдигам; **2.** *геол.* полягам, наклонявам се (*за жила, пласт*).

underlay³ *n* постилка, настилка за под дюшек/килим.

underlet [ʌndəˈlet] *v* (**underlet**) **1.** давам на по-нисък наем; **2.** давам под наем (*наета от мен земя и пр.*).

underlie [ʌndəˈlai] (**underlay** [ʌndəˈlei] ; **underlain** [ʌndəˈlein]) **1.** лежа/намирам се отдолу/под; **2.** лежа в основата на (*теория, принцип, поведение и пр.*); **3.** *прен.* подкрепям; **4.** оставам скрит под.

underline¹ [ʌndəˈlain] *v* подчертавам (*и прен.*), наблягам.

underline² [ˈʌndəlain] *n* **1.** черта под дума/фраза (*като знак за емфаза*); **2.** *театр.* съобщение за следваща пиеса (*в края на програма, афиш*); **3.** обяснение под илюстрация.

underlinen [ˈʌndəlinin] *n* долни дрехи, бельо.

underling [ˈʌndəliŋ] *n* *презр.* зависим/дребен/незначителен чиновник/служител и пр., подчинен.

underlip [ˈʌndəlip] *n* долна устна.

underlying [ʌndəˈlaiiŋ] *a* **1.** основен, съществен; **2.** подразбиращ се; скрит.

undermanned [ˌʌndəˈmænd] *a* **1.** *мор.* с недостатъчен екипаж (*за кораб*); **2.** с непопълнен щат, с недостатъчен персонал.

undermentioned [ʌndə'menʃənd] *a* споменат по-долу (*в статия, книга и пр.*).

undermine ['ʌndə'main] *v* **1.** подкопавам, подравям, подмивам (*бряг — за море и пр.*); **2.** *прен.* подкопавам, разклащам основите на; подбивам, подронвам (*репутация, авторитет и пр.*).

undermost ['ʌndəmoust] *a* разположен най-отдолу, най-нисък, най-долен.

underneath[1] [ʌndə'ni:θ] *adv* долу, отдолу, по-долу.

underneath[2] *prep* отдолу на, под.

underpants ['ʌndəpænts] *n pl* долни гащета.

under-part ['ʌndəpɑ:t] *n театр.* второстепенна роля.

underpass ['ʌndəpɑ:s] *n* **1.** пресечка на пътища на различни нива; **2.** път и пр., минаващ под друг път/жп линия и пр.; подлез.

underpay [ʌndə'pei] *v* плащам малко/недостатъчно; заплащам ниско.

underpin [ʌndə'pin] *v* (**-nn-**) **1.** подпирам, укрепявам (*стена, бряг и пр.*); **2.** *прен.* подкрепям, подсилвам, заздравявам.

underpinning [ʌndə'piniŋ] *n* **1.** материали за укрепване/ подпиране; подпори; **2.** опора, основа (*и прен.*); **3.** *обик. pl разг.* крака.

underplay [ʌndə'plei] *v* **1.** играя умишлено с по-слаба карта, минавам ниско; **2.** = **underact**.

underplot [ʌndə'plɒt] *n* второстепенна интрига (*в пиеса и пр.*).

underpopulated [ʌndə'pɒpjuleitid] *a* рядко населен.

underprivileged [ʌndə'priviliʤd] *a* лишен от основните права/блага на цивилизованото общество; беден, обществено онеправдан.

underproduction [ʌndəprə'dʌkʃən] *n* недостатъчно/по-ниско от обичайното производство.

underproof [ʌndə'pru:f] *a* с по-нисък от установения градус (*за спирт*).

underquote [ʌndə'kwout] = **underbid 1.**

underrate [ʌndə'reit] *v* подценявам, недооценявам.

underripe [ʌndə'raip] *a* недостатъчно зрял, недоузрял.

underrun [ʌndə'rʌn] *v* (**underran** [ʌndə'ræn]; **underrun**) минавам/прокарвам под.

underscore[2] [ʌndə'skɔ:] = **underline**.

underscore[2] *n* музика, съпровождаща действието/диалога във филм.

undersecretary [ʌndə'sekrətəri] *n* **1.** помощник-секретар; **2.** помощник-/заместник-министър; **Parliamentary U.** заместник-министър; **Permanent U.** несменяем помощник-министър; **3.** заместник-генерален секретар (*в ООН*).

undersell [ʌndə'sel] *v* (**undersold** [ʌndə'sould]) продавам по-евтино/на по-ниски цени от.

underservant [ʌndə'sə:vənt] *n* по-нискостоящ слуга.

underset[1] [ʌndə'set] *n* = **undercurrent 1.**

underset[2] *v* (**underset**) подпирам отдолу, закрепвам (*със зидария и пр.*).

undersexed [ʌndə'sekst] *a* с намалена сексуалност, студен.

undershirt [ʌndə'ʃə:t] *n* долна риза.

undershot [ʌndə'ʃɒt] *a* **1.** подливен (*за воденично колело*); **2.** = **underhung 1.**

undershoot [ʌndə'ʃu:t] *v* (**-shot** [-ʃɒt]) **1.** стрелям/улучвам под целта; **2.** *ав.* не улучвам пистата; кацвам преждевременно.

undershrub ['ʌndəʃrʌb] *n* малък нискорастящ храст.

underside ['ʌndəsaid] *n* долната/обратната страна/повърхност; вътрешната (*обик. по-лошата*) страна.

undersigned ['ʌndəsaind] *a* (долу)подписан.

undersized ['ʌndəsaizd] *a* маломерен; дребен, недорасъл, недоразвит.

underskirt ['ʌndəskə:t] *n* фуста (*долна дреха*).

underslung ['ʌndəslʌŋ] *a авт.* закачен под двигателната ос (*за шаси*).

undersoil ['ʌndəsɔil] *n* подпочва, подпочвен слой.

undersold *вж.* **undersell**.

understaffed ['ʌndəstɑ:ft] *a* с недостатъчен/непълен персонал.

understand [ʌndə'stænd] *v* (**understood** [ʌndə'stud]) **1.** разбирам; **to make o.s. understood** изяснявам се добре; **to ~ one another** разбираме се добре; наясно сме един за друг; **to be understood** подразбирам се (*за дума, фраза и пр.*); **2.** чувам, научавам; подразбирам, схващам; **do I/ am I to ~ that** трябва ли/следва ли да разбирам, че.

understandable [ʌndə'stændəbl] *a* разбираем, обясним.

understanding[1] [ʌndə'stændiŋ] *a* **1.** отнасящ се с разбиране, отзивчив, съчувствен; **2.** разумен, разбран; толерантен.

understanding[2] *n* **1.** разбиране, схващане; **2.** разум; **a man of ~** умен/разбран човек; **3.** разбирателство, съгласие; споразумение, уговорка; **on the ~ that** при условие че.

understate [ʌndə'steit] *v* представям в по-незначителен вид/брой; омаловажавам; намалявам, смалявам; подценявам.

understatement [ʌndə'steitmənt] *n* **1.** представяне в по-незначителен вид; омаловажаване; **2.** умерено твърдение; сдържано изказване; **to call her pretty is an ~ , she is a beauty** да я нарече човек хубавичка е слабо казано, тя е красавица.

understeer ['ʌndəstiə] *v* завивам недостатъчно бързо/рязко (*за моторно превозно средство*).

understock ['ʌndəstɒk] *v* снабдявам/зареждам с недостатъчно инвентар/стоки/гориво и пр.

understood *вж.* **understand**.

understrapper [ʌndə'stræpə] = **underling**.

understudy[1] [ʌndə'stʌdi] *n театр.* дубльор.

understudy[2] *v театр.* изпълнявам дубльорска роля, дублирам.

undertake [ʌndə'teik] *v* (**undertook** [ʌndə'tuk]; **undertaken** [ʌndə'teikn]) **1.** заемам се (с), натоварвам се (с); поемам задължение да, обещавам; **2.** започвам, предприемам; **3.** потвърждавам, гарантирам; **4.** *ост.* захващам спор/борба с; **5.** *ам. разг.* занимавам се с уреждане на погребения.

undertaker ['ʌndəteikə] *n* **1.** предприемач; **2.** собственик на погребално бюро.

undertaking [ʌndə'teikiŋ] *n* **1.** задача, начинание, работа; **2.** обещание, гаранция; **3.** ['ʌndəteikiŋ] уреждане на погребения.

undertenant [ʌndə'tenənt] *n* пренаемател.

under-the-counter [ˌʌndəðə'kauntə] *a разг.* **1.** таен, скришен, непозволен (*особ. за продажба на дефицитни стоки*); **2.** който може да се купи само по „втория начин" (*за стока*).

undertone [ʌndə'toun] *n* **1.** *изк.* полутон; **2.** тих глас, полуглас; **in ~s, in an ~** полугласно, тихо; **3.** *прен.* оттенък, отсенка; **4.** прикрито чувство; **5.** *търг.* скрити тенденции на пазара.

undertook *вж.* **undertake**.

undertow ['ʌndətou] *n* теглене назад на вълна след разбиване в брега; подводно течение в обратна посока на вълните/вятъра.

undertrick ['ʌndətrik] *n бридж* ръка/взятка, с която играещият влиза вътре.

undervaluation [ʌndəvælju'eiʃən] *n* подценяване, недооценяване.

undervalue [ʌndə'vælju:] *v* подценявам; недооценявам.

underwater [ʌndə'wɔtə] *a* подводен.

underwear [ʌndə'wɛə] *n* долни дрехи, бельо.

underweight ['ʌndəweit] *a, n* (с) тегло по-ниско от нормалното/средното/изискваното.

underwent *вж.* **undergo.**

underwing ['ʌndəwiŋ] *n* нощна пеперуда с ярки петна на долните криле.

underwood ['ʌndəwud] = **undergrowth.**

underworld ['ʌndəwɔ:ld] *n* 1. *мит.* подземното царство, адът; 2. светът на престъпността и порока, утайката на обществото.

underwrite [ʌndə'rait] *v* (**underwrote** [ʌndə'rout]; **underwritten** [ʌndə'ritn]) 1. *фин.* ангажирам се да закупя всички непродадени акции (*на дружество*); 2. гарантирам; застраховам; 3. *прен.* отговарям/поръчителствувам за; 4. (*особ. pp*) подписвам.

underwriter [ʌndə'raitə] *n* 1. застрахователно дружество; застраховател; 2. поръчител, *особ.* при морски застраховки.

underwritten, underwrote *вж.* **underwrite.**

undeserved [ʌndi'zə:vd] *a* незаслужен (*за награда, наказание и пр.*).

undeservedly [ʌndi'zə:vidli] *adv* незаслужено.

undeserving [ʌndi'zə:viŋ] *a* незаслужаващ, недостоен (**of** за).

undesigned [ʌndi'zaind] *a* 1. неумишлен, непреднамерен; 2. непредвиден.

undesignedly [ʌndi'zainidli] *adv* неумишлено, непреднамерено.

undesigning [ʌndi'zainiŋ] *a* без задни/скрити/лоши мисли/ намерения; наивен, простодушен.

undesirability [ʌndizaiərə'biliti] *n* нежелателност.

undesirable [ʌndi'zaiərəbl] I. *a* 1. нежелателен, нежелан; 2. неприятен; II. *n* нежелан/неприятен човек; *pl* нежелателни елементи.

undetermined [ʌndi'tə:mind] *a* 1. неопределен, нерешен; 2. нерешителен, колеблив.

undeterred [ʌndi'tə:d] *a* невъзпрян; необезсърчен, неубеден.

undeveloped [ʌndi'veləpt] *a* 1. неразвит; 2. неразработен; незастроен; 3. *фот.* непроявен.

undeviating [ʌn'di:vieitiŋ] *a* 1. неотклонен; непоколебим; праволинеен; 2. постоянен, неизменен; 3. прав, без отклонения (*за път и пр.*).

undid *вж.* **undo.**

undies ['ʌndiz] *n pl разг.* долни дрехи, бельо (*особ. дамско*).

undifferentiated [ʌndifə'renʃieitid] *a* недиференциран.

undigested [ʌndai'ʤestid] *a* 1. несмлян (*и прен.*); неусвоен; неасимилиран; 2. объркан, хаотичен; непоследователен.

undignified [ʌn'dignifaid] *a* неподходящ; прекалено свободен, непристоен; лишен от достойнство/благородство и пр.

undine ['ʌndi:n] *n мит.* водна фея, русалка, нимфа, ундина.

undiplomatic [ʌndiplə'mætik] *a* недипломатичен; нетактичен.

undirected [ʌndai'rektid] *a* 1. неадресиран (*за писмо*); 2.

ненасочен; **to find o.'s way** ~ сам се ориентирам/оправям.

undischarged ['ʌndis'tʃa:ʤd] *a* 1. неизпълнен, несвършен (*за задължение и пр.*); 2. неразтоварен (*за товар, стока*); неизплатен (*за дълг*); 3. неосвободен (*от отговорност и пр.*); 4. неизстрелян (*за куршум*); неизпразнен (*за оръжие*).

undisciplined [ʌn'disiplind] *a* 1. недисциплиниран, непокорен; 2. *воен.* необучен, нетрениран.

undisclosed [ʌndis'klouzd] *a* неразкрит, (за)пазен в тайна.

undiscovered [ʌndis'kʌvəd] *a* 1. неоткрит, неизнамерен; неизвестен; 2. неразкрит (*за престъпление и пр.*).

undiscriminated [ʌndis'krimineitid] *a* неразграничен; безразборен.

undiscriminating [ʌndis'krimineitiŋ] *a* безразборен; безкритичен.

undisguised [undis'gaizd] *a* 1. нескрит, неприкрит, явен, открит; 2. немаскиран; незамаскиран.

undisputed [ʌndis'pju:tid] *a* безспорен, неоспорим, несъмнен.

undistinguished [ʌndis'tiŋwiʃt] *a* 1. незабележителен; 2. който не се различава/разграничава/отделя; 3. обикновен, посредствен.

undisturbed [ʌndis'tə:bd] *a* 1. непобутнат, непокътнат; 2. спокоен, незасегнат, необезпокоен.

undivided [ʌndi'vaidid] *a* 1. неделен, единен, цял; ~ **attention** пълно внимание; ~ **opinion** единодушно мнение; 2. неразделен.

undivulged [ʌndi'vʌlʤd] *a* неразкрит; неиздаден, неповерен.

undo [ʌn'du:] *v* (**undid** [ʌn'did]; **undone** [ʌn'dʌn]) 1. развалям, отменям; премахвам, унищожавам; **things done cannot be undone** станалото не може да се върне/поправи; 2. разкопчавам; развързвам, разхлабвам; разопаковам, отварям; 3. погубвам, опропастявам живота на.

undock [ʌn'dɔk] *v* 1. изваждам (*кораб*) от док; 2. *косм.* отделям/освобождавам модула на (*многостепенен ракетен кораб*).

undoer [ʌn'du:ə] *n* човек, който погубва/разорява; *ост.* похитител, прелъстител.

undoing [ʌn'du:iŋ] *n* 1. разваляне; 2. отменяне, премахване, поправяне; 3. погубване, опропастяване; гибел; **drink will be his** ~ пиянството ще го погуби; 4. разкопчаване; развързване, отваряне.

undomesticated [ʌndə'mestikeitid] *a* 1. неопитомен, див (*за животно*); 2. непривързан към семейството, неподходящ/неподготвен за семеен живот.

undone[1] *вж.* **undo.**

undone[2] [ʌn'dʌn] *a* 1. разкопчан; развързан; разопакован, отворен; **to come** ~ разкопчавам се; разхлабвам се и пр.; 2. несвършен, недовършен; 3. погубен, изгубен, загинал.

undoubted [ʌn'dautid] *a* несъмнен, безспорен, сигурен.

undoubtedly [ʌn'dautidli] *adv* несъмнено, безспорно.

undramatic [ʌndrə'mætik] *a* недраматичен; тих, спокоен, сдържан, безбурен.

undreamed, undreamt [ʌn'dri:md, ʌn'dremt] *a обик. с* **of** невиждан, несънуван (дори); неочакван, невъобразим.

undress[1] [ʌn'dres] *v* (раз)събличам (се); разкривам, оголявам.

undress[2] *n* неофициално/обикновено/домашно облекло; халат, неглиже; *воен.* всекидневна/непарадна униформа.

undressed [ʌn'drest] *a* 1. необлечен, (раз)съблечен; 2. непревързан (*за рана*); 3. необработен (*за кожа и пр.*); 4. негарниран, неподправен (*за салата, дивеч и пр.*).

5. несресан; нефризиран (*за коса*); неодялан (*за камък*); неподреден (*за витрина и пр.*).

undrinkable [ʌn'drinkəbl] *a* който не може да се пие.

undue [ʌn'dju:] *a* **1.** прекален, прекомерен; несъразмерен; неподхождащ; **2.** неподходящ, непристоен, нереден; **3.** неоправдан; **4.** незаконен; **use of ~ authority** *юр.* злоупотреба с власт; **~ influence** морална принуда, заплаха, натиск; **5.** непросрочен (*за полица и пр.*).

undulant ['ʌndjulənt] *a* вълнообразен, вълнист; **~ fever** *мед.* бруцелоза.

undulate[1] ['ʌndjuleit] *v* **1.** вълнувам (се) (*за водна маса, нива и пр.*); **2.** люлея се, полюлявам се; полюшквам се вълнообразно.

undulate[2] *a* **1.** вълнист; **2.** вълнообразно нарязан/нагънат.

undulating ['ʌndjuleitiŋ] *a* **1.** вълнист, вълнообразен; разлюлян; **2.** леко хълмист, приличен на/простиращ се като разлюлени вълни.

undulation [ʌndju'leiʃn] *n* **1.** вълнообразно движение, вълнение, полюляване; **2.** вълнообразни очертания, падина, издутина (*на терен*); **3.** *физ.* трептения, вибрации, вълнообразно движение.

undulatory ['ʌndjulətəri] *a* **1.** на/от вълните; **~ theory of light, etc.** теория за светлинните и пр. вълни; **2.** вълнист, вълнообразен (*за движение, повърхност*).

unduly [ʌn'djuli] *adv* **1.** прекалено, прекомерно; **2.** нередно, незаконно; **3.** несправедливо, неоправдано.

undutiful [ʌn'dju:tiful] *a* непослушен, непокорен; неизпълняващ дълга си.

undying [ʌn'daiiŋ] *a* **1.** неумиращ, безсмъртен; **2.** непрекъсващ, непресеквъщ, вечен; нестихващ, неугасвъщ, постоянен (*за интерес и пр.*).

unearned [ʌn'ɔ:nd] *a* **1.** непечалбен, нетрудов, неотработен; **~ income** доход от ренти/капиталовложения и пр.; **2.** незаслужен (*за похвала, награда и пр.*).

unearth [ʌn'ɔ:θ] *v* **1.** изравям, изривам, изкопавам; **2.** *разг.* откривам, намирам след дълго търсене; **3.** *лов.* изкарвам (*животно*) от дупката му.

unearthly [ʌn'ɔ:θli] *a* **1.** неземен; тайнствен; свръхестествен; **2.** страхотен; призрачен; нечовешки; **~ pallor** мъртвешка бледност; **at an ~ hour/time** *разг.* в съвсем ранен/необичаен час, по никое време.

unease [ʌn'i:z] = **uneasiness**.

uneasiness [ʌn'i:zinis] *n* **1.** неудобство, неловкост; **2.** смущение, стеснение; **3.** безпокойство, тревога, вълнение, опасение.

uneasy [ʌn'i:zi] *a* **1.** неловък, стеснителен (*за маниер, държание*); неудобен, неловък (*за положение*); **to feel ~** неудобно/неловко ми е; **2.** смутен, стеснен, притеснен; **3.** неспокоен, тревожен, развълнуван; **to be ~ about** тревожа се/безпокоя се за; **it makes me ~** тревожи ме, безпокои ме; **4.** несигурен, нестабилен.

uneatable [ʌn'i:təbl] *a* който не може (вече) да се яде, негоден за ядене.

uneaten [ʌn'i:tn] *a* неизяден, недокоснат (*за храна, ядене*).

uneconomic(al) [ʌnikə'nɔmik(l)] *a* **1.** неикономичен; **2.** неикономически; несъобразен с принципите на икономиката; **3.** разточителен.

unedifying [ʌn'edifaiiŋ] *a* **1.** недаващ познания; **2.** увреждащ морално; принизяващ; вулгарен; безнравствен, безобразен.

unedited [ʌn'editid] *a* **1.** неиздаден, още непубликуван (*за труд и пр.*); **2.** нередактиран.

uneducated [ʌn'edjukeitid] *a* необразован, неграмотен, неук.

unemotional [ʌni'mouʃənəl] *a* **1.** сдържан, хладен, спокоен; неемоционален; **2.** интелектуален.

unemployable [ʌnim'plɔiəbl] *a* **1.** негоден/неподходящ за (платена) работа поради възраст и пр.; **2.** негоден за употреба.

unemployed [ʌnim'plɔid] **I.** *a* **1.** незает, неангажиран, свободен; **2.** неизползуван; **3.** безработен; **II.** *n*: **the ~** *pl* безработните.

unemployment [ʌnim'plɔimənt] *n* безработица; **~ benefit/pay** парична помощ на безработен от фонд обществено осигуряване и пр.

unencumbered [ʌnin'kʌmbəd] *a* **1.** необременен (**by, with**); **2.** незаложен; неипотекиран.

unending [ʌn'endiŋ] *a* непрестанен, безкраен, нескончаем.

unendurable [ʌnin'djuərəbl] *a* нетърпим, непоносим.

un-English [ʌn'iŋgliʃ] *a* нетипичен/нехарактерен за англичаните/за Англия/за стандартния английски език.

unenlightened [ʌnin'laitnd] *a* **1.** непросветен, необразован, невеж; **2.** неосведомен; **3.** предубеден; **4.** суеверен.

unenlivened [ʌnin'laivənd] *a* еднообразен; неукрасен; неоживен.

unenterprising [ʌn'entəpraiziŋ] *a* непредприемчив, безинициативен.

unenviable [ʌn'enviəbl] *a* незавиден.

unequal [ʌn'i:kwəl] *a* **1.** неравен, нееднакъв, различен (*по големина, качество и пр.*); **2.** неравен, неправилен (*за пулс и пр.*); **3.** неподходящ, негоден; **to be/to feel ~ to a task** не съм/не се чувствувам годен за дадена задача.

unequalled [ʌn'i:kwəld] *a* ненадминат, нямащ равен на себе си.

unequivocal [ʌni'kwivəkl] *a* недвусмислен; прост и ясен.

unerring [ʌn'e:riŋ] *a* точен, безпогрешен, непогрешим (*за удар и пр.*).

unessential [ʌni'senʃl] *a* несъществен, не от първостепенна важност.

uneven [ʌn'i:vn] *a* **1.** неравен, грапав (*и прен.*); нееднакъв; **2.** непостоянен, неравномерен, променлив (*за темперамент и пр.*); **3.** нечетен, тек (*за число*).

uneventful [ʌni'ventful] *a* тих, спокоен, безбурен, безметежен, без особени събития.

unexampled [ʌnig'za:mpld] *a* безпримерен; изключителен; който няма прецедент, безпрецедентен.

unexceptionable [ʌnik'sepʃənəbl] *a* безупречен, безукоризнен; отличен, безукорен, съвършен, възхитителен.

unexceptional [ʌnik'sepʃənəl] *a* незабележителен, обикновен.

unexceptionally [ʌnik'sepʃənəli] *adv* без изключение, при всеки случай.

unexpected [ʌnik'spektid] *a* неочакван, непредвиден, внезапен.

unexpired [ʌnik'spaiəd] *a* неизтекъл (*за срок и пр.*).

unexplored [ʌnik'splɔ:d] *a* неизследван, неизучен, непрочучен.

unexpurgated [ʌn'ekspə:geitid] *a* нецензуриран; издаден без съкращения (*за книга, статия и пр.*).

unfading [ʌn'feidiŋ] *a* **1.** който не избелява/не се губи/не заглъхва; **2.** неувяхващ, вечен.

unfailing [ʌn'feiliŋ] *a* неизчерпаем, ненамаляващ, постоянен; **2.** неизменен; верен; сигурен.

unfair [ʌn'fɛə] *a* **1.** несправедлив, пристрастен; **2.** нечестен, нелоялен; неправилен.

unfaithful [ʌn'feiθful] *a* **1.** неверен (*и за съпруг и пр.*); нелоялен; **2.** неточен, недостоверен (*за превод и пр.*).

unfaithfulness [ʌn'feiθfulnis] *n* **1.** невярност, нелоялност; изневяра; **2.** неточност, недостоверност (*на превод и пр.*).

unfaltering [ʌnˈfɔːltəriŋ] *a* сигурен, уверен; твърд, решителен, непоколебим.

unfamiliar [ʌnfəˈmiliə] *a* 1. непознат, неизвестен, чужд; 2. незапознат, неопитен (**with** с, в).

unfashionable [ʌnˈfæʃənəbl] *a* немоден; не по/изостанал от модата; неизискан; неблагосклонно приеман (*от обществото*).

unfashioned [ʌnˈfæʃənd] *a* неоформен, нефасониран.

unfasten [ʌnˈfaːsən] *v* развързвам, разхлабвам, откачам, отвързвам, откопчавам; отпускам; освобождавам.

unfathered [ʌnˈfaːðəd] *a* 1. без баща, незаконороден; непризнат от баща си; 2. анонимен; 3. неавтентичен, от неизвестен източник.

unfathomable [ʌnˈfæðəməbl] *a* 1. неизмерим, необхватен; безкраен, бездънен; 2. необясним, неразгадаем; 3. непроницаем.

unfathomed [ʌnˈfæðəmd] *a* 1. неразгадан; непроучен; неразбран; 2. неизмерен.

unfavourable [ʌnˈfeivərəbl] *a* 1. неблагоприятен; насрещен, противен (*за вятър*); 2. неблагосклонен, отрицателен, неодобрителен.

unfeasible [ʌnˈfiːzəbl] *a* неприложим; неприемлив; невъзможен.

unfed [ʌnˈfed] *a* нехранен; ненахранен, гладен.

unfeeling [ʌnˈfiːliŋ] *a* безчувствен, коравосърдечен, студен, жесток.

unfeigned [ʌnˈfeind] *a* непресторен, истински, искрен.

unfeignedly [ʌnˈfeindli] *adv* искрено, непресторено.

unfeminine [ʌnˈfeminin] *a* неподхождащ/неподобаващ на жена.

unfetter [ʌnˈfetə] *v* освобождавам от окови (*и прен.*).

unfilial [ʌnˈfiliəl] *a* несиновен, непочтителен; непокорен.

unfinished [ʌnˈfiniʃt] *a* 1. недовършен, незавършен, недоизкусурен; 2. недообработен; недодялан, груб.

unfit[1] [ʌnˈfit] I. *a* негоден, неспособен, неподходящ (**for**); ~ **for food/table,** ~ **to eat** негоден за ядене; **to be** ~ не съм добре, неразположен съм; II. *n* **the** ~ *разг.* тези, които за нищо не ги бива, негодните.

unfit[2] *v* правя негоден/неспособен.

unfitted [ʌnˈfitid] *a* 1. неснабден, несъоръжен; 2. неприспособен.

unfitting [ʌnˈfitiŋ] *a* неподходящ; неподхождащ.

unfix [ʌnˈfiks] *v* 1. отделям (се), откачам (се); 2. размествам, разбърквам.

unflagging [ʌnˈflægiŋ] *a* неуморен; неотклонен, непоколебим; неотслабващ, ненамаляващ.

unflappable [ʌnˈflæpəbl] *a разг.* спокоен, невъзмутим, незагубващ самообладание; самоуверен.

unflattering [ʌnˈflætəriŋ] *a* неласкателен; неблагоприятен; суров.

unfledged [ʌnˈfledʒd] *a* неоперен, гол (*за птица*); *прен.* млад, недозрял, неопитен.

unflinching [ʌnˈflintʃiŋ] *a* безстрашен, решителен; твърд, непоколебим.

unfold [ʌnˈfould] *v* 1. развивам, разгъвам; 2. разтварям (се) (*за цвят, листо*); 3. разкривам, откривам (*плановете, мислите си и пр.*).

unforced [ʌnˈfɔːst] *a* доброволен; свободен; спонтанен.

unforeseen [ʌnfɔːˈsiːn] *a* непредвиден, неочакван.

unforgettable [ʌnfəˈgetəbl] *a* незабравим.

unforgivable [ʌnfəˈgivəbl] *a* непростим, непростителен.

unforgiving [ʌnfəˈgiviŋ] *a* непрощаващ лесно, злопаметен; непримирим; коравосърдечен.

unformed [ʌnˈfɔːmd] *a* неоформен; нешколуван; неформиран; недоразвит; неясен, смътен.

unfortunate[1] [ʌnˈfɔːtʃənit] *a* 1. нещастен, злочест; **it is** ~ **that** жалко, че; **how** ~ **!** колко жалко! **it is my** ~ **duty to** мой скръбен дълг е да; 2. несполучлив, злополучен; неуместен.

unfortunate[2] *n* нещастник; бездомник; *евф.* проститутка.

unfortunately [ʌnˈfɔːtʃənitli] *adv* за нещастие/жалост/зла чест; за съжаление.

unfounded [ʌnˈfoundid] *a* неоснователен, неоправдан, празен; необоснован.

unfreeze [ʌnˈfriːz] *v* (**unfroze** [ʌnˈfrouz]; **unfrozen** [ʌnˈfrouzn]) размразявам, топя, топя (се) (*и прен.*).

unfrequented [ʌnfriˈkwentid] *a* рядко посещаван, усамотен, пуст; рядко използван (*за път и пр.*).

unfriended [ʌnˈfrendid] *a* без приятели/другари, самотен.

unfriendliness [ʌnˈfrendlinis] *n* недружелюбно отношение, неприязненост, студенина, враждебност.

unfriendly [ʌnˈfrendli] *a* недружелюбен, враждебен, студен; неблагосклонен.

unfrock [ʌnˈfrɔk] *v* лишавам от свещенически сан.

unfroze, unfrozen вж. **unfreeze.**

unfruitful [ʌnˈfruːtful] *a* 1. неплодороден, неплодоносен; 2. неплодотворен, безрезултатен, безплоден, напразен.

unfulfilled [ʌnfulˈfild] *a* неизпълнен, неосъществен.

unfurl [ʌnˈfəːl] *v* разгъвам (се), развивам (се), разпъвам (се) (*за знаме, корабно платно и пр.*); разпростирам (се).

unfurnished [ʌnˈfəːniʃt] *a* немебелиран, без мебелировка.

ungainly [ʌnˈgeinli] *a* 1. тромав, непохватен; 2. неизящен, неграциозен; некрасив, грозен.

ungear [ʌnˈgiə] *v* 1. *тех.* изключвам; 2. *ам.* разпрягам (*кон*).

ungenerous [ʌnˈdʒenərəs] *a* 1. свидлив, стиснат; невеликодушен; 2. неплодороден, беден (*за почва*).

ungentlemanlike [ʌnˈdʒentlmənlaik] *a* неджентълменски, невъзпитан, просташки.

unget-at-able [ʌngetˈætəbl] *a разг.* 1. мъчно достижим; 2. недостъпен; отдалечен.

ungird [ʌnˈgəːd] *v* развивам, разпасвам; разхлабвам, разпускам.

ungloved [ʌnˈglʌvd] *a* гол, без ръкавица (*за ръка*).

unglued [ʌnˈgluːd] *a* 1. отлепен; 2. разтревожен; объркан, разстроен.

ungodly [ʌnˈgɔdli] *a* неблагочестив, безбожен, грешен; 2. *разг.* възмутителен, нечуван.

ungovernable [ʌnˈgʌvənəbl] *a* буен, необуздан; невъздържан, разпуснат.

ungracious [ʌnˈgreiʃəs] *a* 1. нелюбезен, неучтив, груб; 2. неприветлив, непривлекателен, неприятен, противен.

ungrammatical [ʌngrəˈmætikl] *a* граматически неправилен; нарушаващ граматичните правила.

ungrateful [ʌnˈgreitful] *a* 1. неблагодарен (*и за работа*); непризнателен; 2. неприятен, противен.

ungrounded [ʌnˈgraundid] *a* 1. неоснователен, неоправдан, безпричинен; 2. невеж, незапознат (**in** в, с).

ungrudging [ʌnˈgrʌdʒiŋ] *a* даващ с готовност, щедър; обилен.

ungual [ˈʌŋgwəl] *a* с/на/като нокти/копита.

unguarded [ʌnˈgaːdid] *a* 1. непредпазлив, необмислен, индискретен; **in an** ~ **moment** в момент на непредпазливост, без да се усетя; 2. незащитен, уязвим; без предпазител (*за механизъм*).

unguent [ˈʌŋgwent] *n* мас, мазило, крем, мехлем; *тех.* смазка.

ungulate [ˈʌŋgjulit] I. *a* копитен; II. *n* копитно животно.

unhallowed [ʌn'hæloud] *a* 1. неосветен; 2. нечестив, грешен.

unhampered [ʌn'hæmpəd] *a* неспъван, свободен, невъзпрепятстван.

unhand [ʌn'hænd] *v* свалям ръцете си от, пускам, освобождавам.

unhandy [ʌn'hændi] *a* 1. който не е наблизо/подръка; 2. неудобен за боравене; 3. тромав, непохватен, несръчен.

unhappiness [ʌn'hæpinis] *n* нещастие, злочестина; несполука.

unhappy [ʌn'hæpi] *a* 1. нещастен, злочест; 2. несполучлив, злополучен, неподходящ; нетактичен; неудачен; **to be ~ in o.'s choice of words** не умея да си подбирам думите; **to be/feel ~ about s.th.** недоволен съм от нещо.

unharmed [ʌn'ha:md] *a* невредим, здрав и читав.

unharness [ʌn'ha:nis] *v* разпрягам (*кон и пр.*).

unhealthy [ʌn'helθi] *a* 1. болен, болнав, нездрав (*и прен.*); 2. нездравословен, нехигиеничен, вреден; 3. *sl.* опасен за живота.

unheard [ʌn'hə:d] *a* нечут; неизслушан; ~**-of** 1) нечуван, небивал; 2) безпрецедентен; 3) странен, необикновен.

unheeded [ʌn'hi:did] *a* оставен без внимание, пренебрегнат, незабелязан.

unhelpful [ʌn'helpful] *a* 1. неотзивчив; неуслужлив; 2. безполезен.

unheralded [ʌn'herəldid] *a* невъзвестен.

unhesitating [ʌn'heziteitiŋ] *a* решителен, готов.

unhesitatingly [ʌn'heziteitiŋli] *adv* решително, без колебание.

unhinge [ʌn'hindʒ] *v* 1. откачам, свалям (*врата и пр. от пантите*); 2. обърквам, разстройвам, изваждам от (душевно) равновесие.

unhistorical [ʌnhi'stɔrikl] *a* исторически неверен; легендарен.

unhitch [ʌn'hitʃ] *v* откачам, откопчавам; освобождавам.

unholy [ʌn'houli] *a* 1. неосветен; 2. нечист, нечестив, сатанински; 3. безбожен, безверен; 4. *разг.* ужасен, отвратителен; прекален.

unhook [ʌn'huk] *v* откачам; откопчавам; разкопчавам.

unhoped-for [ʌn'houptfɔ:] *a* неочакван, ненадеен.

unhorse [ʌn'hɔ:s] *v* 1. хвърлям ездача си (*за кон*); 2. *прен.* свалям, измествам.

unhoused [ʌn'hauzd] *a* бездомен, прокуден, лишен от подслон.

unhuman [ʌn'hju:mən] *a* 1. нечовешки; 2. свръхчовешки; 3. не от човешки род.

unhurt [ʌn'hə:t] *a* невредим, здрав и читав.

Uniat, Uniate ['ju:niət, 'ju:niit] *n* *църк. ист.* 1. уния; 2. *attr* униатски.

uniaxial [ju:ni'æksiəl] *a* с една ос, едноосов.

unicameral ['ju:ni'kæmərəl] *a* *пол.* само с една камера, еднокамерен.

unicellular ['ju:ni'seljurəl] *a* едноклетъчен.

unicorn ['ju:nikɔ:n] *n* *мит., хер.* еднорог, инорог.

unicycle ['ju:nisaikl] *n* акробатически велосипед с едно колело.

unidea'd, unideaed [ʌnai'diəd] *a* лишен от въображение, без идеи.

unidentified [ʌnai'dentifaid] *a* без установена самоличност; неизвестен, неопределен.

unidimensional ['ju:naidai'menʃənəl] *a* само с едно измерение.

unidirectional [ju:naidai'rekʃənəl] *a* еднопосочен; *ел.* постоянен (*за ток*).

unification [ju:nifi'keiʃn] *n* 1. обединяване; 2. уеднаквяване.

uninvited [ʌnin'vaitid] *a* неканен.

uninviting [ʌnin'vaitiŋ] *a* непривлекателен, отблъскващ; несъблазнителен.

union ['juːniən] *n* **1.** съюз, съчетание; обединение (*на държави — напр. Съветският съюз, Обединеното кралство, Съединените щати и др*); **2.** *ист.* the U. унията на Англия с Шотландия/на Великобритания с Ирландия; **3.** женитба, брак; **4.** единство, съгласие, хармония; **5.** професионален съюз, трейдюнион; **6.** обединение на няколко енории за подпомагане на бедните; приют за бедни; **7.** университетски клуб за дебати; **8.** U. Jack/flag националното то знаме на Обединеното кралство; **9.** *тех.* сглобка, връзка, муфа, съединение; **10.** *текст.* смесена материя (*памук и лен и пр.*).

unionist ['juːniənist] *n* **1.** член на профсъюз; **2.** поддръжник на трейдюнионизма; **3.** противник на даване на самоуправление на Сев. Ирландия и други територии на Великобритания; **4.** *ам.* поддръжник на федералния съюз на щатите, *особ.* в периода на гражданската война.

union suit ['juːniən 'sjuːt] *n ам.* гащиризон, ризогащи.

uniparous [juː'nipərəs] *a биол.* раждащ само по едно; *бот.* с едно главно стебло.

unique [juː'niːk] *a* **I.** единствен по рода си, неповторим, уникален; *разг.* забележителен, изключителен, необикновен; **II.** *n* нещо единствено по рода си.

unisex[1] ['juːniseks] *a* който може да се носи и от двата пола (*за дреха*).

unisex[2] *n* тенденция за уеднаквяване на облеклото/прическите и пр. за двата пола.

unisexual [juːni'sekʃuəl] *a бот., зоол.* еднополов.

unison ['juːnisn] *n* **1.** *муз.* съзвучие, унисон; **2.** съгласие, хармония.

unit ['juːnit] *n* **1.** единица, цяло; **2.** единица мярка; **3.** *воен.* поделение, част; **4.** *тех.* елемент, секция; агрегат; участък; възел.

Unitarian [juːni'teəriən] *n, a* (човек) който отрича светата троица/(който е) привърженик на свободата в религията, унитарист.

unitary ['juːnitəri] *a* неделим, цял, единен.

unite [juː'nait] *v* **1.** съединявам (се); свързвам (се) в брак; **2.** обединявам (се), сплотявам (се); **3.** присъединявам (се); **4.** съчетавам (*качества и пр.*).

united [juː'naitid] *a* съединен, обединен; единен; съвместен, задружен; **the U. Kingdom** Обединеното кралство, Великобритания и Сев. Ирландия; **the U. States (of America)** Съединените (американски) щати; **the U. Nations** Обществото на обединените нации.

unitive ['juːnitiv] *a* обединителен, обединяващ; обединен.

unity ['juːniti] *n* **1.** единство; **the (dramatic) unities** *лит.* трите единства; **2.** съгласие, единение; хармония, дружба, разбирателство; **3.** *мат.* единица; **4.** *юр.* съвместно владение/собственост.

univalent [juː'nivələnt] *a хим.* едновалентен.

univalve ['juːnivælv] *n, a зоол.* (мекотело) с една черупка.

universal[1] [juːni'vɜːsl] *a* **1.** световен, всемирен; универсален; **2.** всеобщ, всеобхватен; пълен, цялостен; **3.** широко разпространен, общоприет.

universal[2] *n* **1.** *лог.* общо изказване; **2.** *фил.* обща идея; общ термин.

universalism [juːni'vɜːsəlizm] *n* вяра в спасението на човечеството.

universalize [juːni'vɜːsəlaiz] *v* считам за/правя универсален.

university [juːni'vɜːsiti] *n* **1.** университет; **2.** *attr* университетски.

univocal [juːni'voukl] *a, n* (дума) само с едно значение.

unjaundiced [ʌn'dʒɔːndist] *a* непредубеден, обективен.

unjust ['ʌn'dʒʌst] *a* несправедлив.

unjustifiable [ʌn'dʒʌstifaiəbl] *a* неоправдан, неоправдателен.

unkempt [ʌn'kempt] *a* **1.** рошав, несресан; **2.** развлечен, размъкнат, неспретнат; разхвърлян; занемарен; **3.** неподреден (*за градина*).

unkennel [ʌn'kenl] *v* (**-ll**) **1.** пущам (*куче*) от колибата му; **2.** *прен.* разкривам, изяснявам, изваждам наяве.

unkind [ʌn'kaind] *a* нелюбезен, невнимателен; груб, жесток.

unkindness [ʌn'kaindnis] *n* нелюбезност; грубост, жестокост.

unkink [ʌn'kiŋk] *v* **1.** оправям, изправям; **2.** *прен.* отпускам се, успокоявам се.

unknot [ʌn'nɔt] *v* (**-tt-**) развързвам, разхлабвам, отслабям.

unknowable [ʌn'nouəbl] *фил.* **I.** *a* непознаваем; **II.** *n*: the U. непознаваемото.

unknowing [ʌn'nouiŋ] *a* незнаещ; несъзнаващ.

unknowingly [ʌn'nouiŋli] *adv* неволно, несъзнателно, несъзнавайки.

unknown [ʌn'noun] **I.** *a* **1.** непознат, неизвестен (**to**); **the ~ soldier/warrior** незнайният войн; **~ quantity** 1) *мат.* неизвестна величина; 2) *прен.* несигурен елемент, загадъчна/неясна личност; **II.** *n* неизвестно (*и мат.*); **the ~** неизвестното, неизвестността; **one of the many ~s** едно от многото неизвестни.

unlade [ʌn'leid] *v* (**unladed** [ʌn'leidid], **unladed, unladen** [-leidn]) разтоварвам; освобождавам от (*товар и пр.*).

unladylike [ʌn'leidilaik] *a* неподобаващ на възпитана жена; неженствен; неприличен, просташки.

unlash [ʌn'læʃ] *v* развързвам, разхлабвам.

unlatch [ʌn'lætʃ] *v* вдигам резето, отключвам (*врата*).

unlawful [ʌn'lɔːful] *a* незаконен, противозаконен; непозволен.

unlay [ʌn'lei] *v мор.* разкатавам, размотавам, разсуквам (*въже*).

unlearn [ʌn'lɜːn] *v* (**unlearned, unlearnt**) **1.** забравям; **2.** отучвам се, освобождавам се от (*навик, идея и пр.*).

unlearned[1] [ʌn'lɜːnid] *a* необучен, необразован; неук, невеж.

unlearned[2], **unlearnt** [ʌn'lɜːnd, ʌn'lɜːnt] *a* незаучен, неусвоен.

unleash [ʌn'liːʃ] *v* **1.** пускам, отпускам, развързвам; **2.** *прен.* давам воля на, отприщвам; разгръщам; **to ~ war** подпалвам война.

unleavened [ʌn'levnd] *a* **1.** замесен без квас (*за хляб*); **2.** *прен.* еднообразен; неоживен; несмекчен.

unless [ʌn'les] *cj* ако не, освен ако; освен когато.

unlettered [ʌn'letəd] *a* неграмотен, необразован, невеж; неначетен.

unlicked [ʌn'likt] *a* **1.** необлизан; **2.** неоформен; недодялан, груб.

unlike[1] [ʌn'laik] *a* различен от, неприличащ на; **~ signs** *мат.* противоположни/обратни знаци; **~ charges** *ел.* разнозначни заряди.

unlike[2] *prep* не като, противно/обратно на, за разлика от; **how ~ him to do such a thing** колко нехарактерно за него да постъпи така, да не очакваш просто такова нещо от него.

unlikelihood, -ness [ʌn'laiklihud, -nis] *n* **1.** малка вероятност/възможност, **2.** невероятност; неправдоподобност.

unlikely [ʌn'laikli] *a* **1.** невероятен, малко вероятен, неправдоподобен; **not ~** доста вероятен; **he is ~ to**

come той едва ли ще дойде; **2.** от когото едва ли може да се очаква нещо; необещаващ; непривлекателен, неприятен; **he is the most ~ man to say such a thing** от него най-малко може да се очаква да каже такова нещо; **an ~ adventure** необещаваща успех авантюра.

unlimited [ʌn'limitid] *a* неограничен; безграничен, безкраен; в неограничен брой/количество; без ограничение; **he has an ~ capacity for drink** той може да пие неограничено/до безкрайност.

unlined [ʌn'laind] *a* **1.** без подплата; **2.** със свалена подплата.

unlisted [ʌn'listid] *a* невписан/невключен в списък/указател/справочник и пр.

unlit [ʌn'lit] *a* незапален; неосветен, тъмен.

unlive [ʌn'liv] *v* променям, зачерквам, изличавам (*миналото, преживяното*).

unload [ʌn'loud] *v* **1.** разтоварвам (се); изсипвам (*товар и пр.*); **2.** изпразвам (*оръжие*); *ав. воен.* хвърлям си/пускам си бомбите; **3.** отървавам се от, пробутвам, хързулвам; продавам (*акциите си*); **4.** давам воля на, изливам (*чувства*); разкривам (*сърцето си*), изказвам мъката си, облекчавам (*душата си*); **5.** *карти* чистя, хвърлям ненужни карти.

unlock [ʌn'lɔk] *v* отключвам; *прен.* разкривам, откривам (*чувства и пр.*).

unlooked-for [ʌn'luktfɔ:] *a* неочакван, ненадеен; непредвиден, изненадващ.

unloose(n) [ʌn'lu:s(n)] *v* отпущам, разхлабвам; освобождавам; **to ~ o.'s tongue** разприказвам се, раздрънквам се.

unlovable [ʌn'lʌvəbl] *a* необичлив; несимпатичен, отблъскващ.

unlove [ʌn'lʌv] *v* разлюбвам.

unloving [ʌn'lʌviŋ] *a* нелюбещ, хладен, студен.

unlucky [ʌn'lʌki] *a* **1.** нещастен, без късмет; **to be ~** нямам късмет, не ми върви; **2.** безуспешен, неуместен, злополучен; **3.** злощастен, носещ нещастие.

unmade[1] *вж.* unmake.

unmade[2] [ʌn'meid] *a* (още) ненаправен, неприготвен; несътворен.

unmaidenly [ʌn'meidənli] *a* неподобаващ на девойка, нескромен.

unmake [ʌn'meik] *v* (**unmade** [ʌn'meid]) **1.** развалям нещо направено; **2.** унищожавам, ликвидирам (*и прен.*); **3.** снемам/свалям от длъжност; погубвам: **4.** анулирам, отменям.

unman [ʌn'mæn] *v* (**-nn-**) **1.** лишавам от мъжество/смелост/решителност; обезкуражавам; деморализирам; трогвам до сълзи; **2.** кастрирам; **3.** оставям (*кораб и пр.*) без екипаж.

unmanageable [ʌn'mæniʤəbl] *a* **1.** трудно поддаващ се на контрол/обработка и пр.; труден мъчен, неудържим (*за положение*); **2.** своеволен, непослушен, вироглав (*за дете*).

unmanly [ʌn'mænli] *a* **1.** недостоен за мъж; немъжествен; страхлив; **2.** слаб, мекушав.

unmanned [ʌn'mænd] *a* *ав., косм.* безпилотен, без екипаж; с далечно/автоматично управление.

unmannered, -ly [ʌn'mænəd, -li] *a* невъзпитан, неучтив, с лоши обноски.

unmarked [ʌn'ma:kt] *a* **1.** без белези/петна; небелязан; неотбелязан; **2.** некоригиран (*от учите.л*); **3.** незабелязан.

unmarketable [ʌn'ma:kitəbl] *a* негоден за пазара/за продан; който трудно може да се продаде/пласира.

unmarriageable [ʌn'mæriʤəbl] *a* **1.** твърде млад и пр., за

да се жени; **2.** който мъчно може да се ожени, не за женене.

unmarried [ʌn'mærid] *a* неженен, неоженен; неомъжена.

unmask [ʌn'ma:sk] *v* свалям маската на; свалям си маската; *прен.* разобличавам (се), показвам (се) в истинския (си) образ.

unmatchable [ʌn'mætʃəbl] *a* недостижим; несравним.

unmatched [ʌn'mætʃt] *a* **1.** нямащ равен на себе си, ненадминат, безподобен; **2.** без еш; несесван; разнороден, смесен (*за гарнитура, сервиз и пр.*).

unmeaning [ʌn'mi:niŋ] *a* **1.** безсмислен, безсъдържателен; без значение; **2.** безизразен.

unmeant [ʌn'ment] *a* неволен, непреднамерен, неумишлен.

unmeasured [ʌn'meʒəd] *a* **1.** неизмерим, безмерен; несметен; безкраен, безграничен; **2.** неизмерен, неопределен; *проз.* немерен; **3.** невъздържан.

unmeet [ʌn'mi:t] *a ост.* неподобаващ, неподходящ; несъответствуващ.

unmentionable [ʌn'menʃənəbl] **I.** *a* ужасен, неприличен; крайно неприятен; който не може/не бива да се споменава; **II.** *n pl ост., шег.* панталони; бельо.

unmerciful [ʌn'mɔ:siful] *a* **1.** безмилостен, жесток; **2.** прекален, краен.

unmerited [ʌn'meritid] *a* незаслужен.

unmindful [ʌn'maindful] *a* нехаен, нехаещ, небрежен, невнимателен (**of**); лесно забравящ; разсеян.

unmistakable [ʌnmis'teikəbl] *a* **1.** несъмнен, непогрешим; ясно забележим; очевиден, ясен; явен.

unmitigated [ʌn'mitigeitid] *a* **1.** несмекчен; ненамален, неотслабващ; **2.** пълен, явен, отявлен, абсолютен.

unmixed [ʌn'mikst] *a* чист, без примеси.

unmolested [ʌnmə'lestid] *a* спокоен, необезпокояван; непреследван.

unmoor [ʌn'muə] *v* *мор.* отвързвам (*кораб*) от пристан; оставям само на една котва.

unmoral [ʌn'mɔ:rəl] *a* аморален; безнравствен, неморален.

unmounted [ʌn'mauntid] *a* **1.** пътуващ пеш (*не на кон*); пехотен (*за камък и пр.*); незалепен, без картон (*за снимка, картина*).

unmoved [ʌn'mu:vd] *a* **1.** равнодушен, безразличен, спокоен; хладен; **to be ~ by** не се трогвам от; **2.** непреклонен, непоколебим; **3.** непокътнат, непобутнат, непомръднал; непреместен.

unmuffle [ʌn'mʌfl] *v* **1.** свалям шал; **2.** свалям/махам заглушител (*от звънец и пр.*).

unmurmuring [ʌn'mɔ:mərin] *a* безропотен; търпелив.

unmuzzle [ʌn'mʌzl] *v* **1.** свалям намордника на; **2.** *разг.* позволявам да говори/пише свободно.

unnail [ʌn'neil] *v* разковавам, отковавам.

unnatural [ʌn'nætʃərəl] *a* **1.** неестествен, престорен, изкуствен; **2.** противоестествен, свръхестествен; чудовищен, ужасен.

unnecessarily [ʌn'nesisərili] *adv* ненужно, излишно.

unnecessary [ʌn'nesisəri] *a* ненужен, излишен.

unneighbourly [ʌn'neibəli] *a* недобросъседски; недружелюбен; необщителен.

unnerve [ʌn'nɔ:v] *v* лишавам от сила/твърдост/мъжество/ самоконтрол; разстройвам.

unnumbered [ʌn'nʌmbəd] *a* **1.** ненномериран; без номер (*за билет и пр.*); **2.** неизброим, безброен; несметен.

unobjectionable [ʌnəb'ʤekʃənəbl] *a* безобиден; приемлив.

unobtainable [ʌnəb'teinəbl] *a* който не може да се получи/ намери/достави; недостъпен, недостижим.

unobtrusive [ˌʌnəbˈtruːsiv] *a* 1. ненатрапчив; 2. неочебиен, дискретен; 3. скромен.

unoccupied [ʌnˈɔkjupaid] *a* 1. свободен, незает, празен (*за място, жилище и пр.*); 2. свободен, незаангажиран (*за човек, време и пр.*); 3. неокупиран.

unoffending [ʌnəˈfendiŋ] *a* безобиден, невинен; безвреден.

unofficial [ʌnəˈfiʃəl] *a* неофициален, непотвърден (*за новина и пр.*).

unopposed [ʌnəˈpouzd] *a* несрещащ възражение/съпротива.

unoriginal [ʌnəˈriʤinəl] *a* неоригинален, заимствуван; банален.

unorthodox [ʌnˈɔːθədɔks] *a* намиращ се в разрез с общоприетото; неправоверен, неортодоксален (*и прен.*).

unostentatious [ʌnɔstenˈteiʃəs] *a* небиещ на очи, ненатрапчив, непоказен; скромен.

unowned [ʌnˈound] *a* 1. безстопанствен; 2. непризнат от родителите (*за дете*).

unpack [ʌnˈpæk] *v* разпаковам (*багаж*); изваждам от куфар и пр.

unpaged [ʌnˈpeiʤd] *a* с неномерирани страници.

unpaid [ʌnˈpeid] *a* 1. не(из)платен; 2. без заплащане (*за служба и пр.*).

unpaired [ʌnˈpɛəd] *a* нечифтосан, без еш.

unpalatable [ʌnˈpælətəbl] *a* 1. неапетитен; безвкусен; 2. неприятен, противен.

unparalled [ʌnˈpærəleld] *a* нямащ равен на себе си, несравним; безпрецедентен, безподобен, небивал.

unpardonable [ʌnˈpaːdənəbl] *a* непростим, непростителен.

unparliamentary [ʌnpaːləˈmentəri] *a* непарламентарен; неподобаващ за/недопустим в парламента (*за език, поведение*).

unpatriotic [ʌnpætriˈɔtik] *a* непатриотичен, неродолюбив.

unpave [ʌnˈpeiv] *v* махам/изваждам паважа на.

unpeg [ʌnˈpeg] *v* (-gg-) 1. отвързвам (*палатка*) от колчетата; откачам; 2. допускам увеличаване (*на заплати, цени и пр.*).

unpen [ʌnˈpen] *v* (-nn-) 1. пускам от кошарата (*овце и пр.*); 2. освобождавам.

unpeople [ʌnˈpiːpl] *v* обезлюдявам.

unperishing [ʌnˈperiʃiŋ] *a* незагиващ, вечен; неувяхващ, безсмъртен.

unpersuasive [ʌnpəˈsweisiv] *a* неубедителен.

unperturbed [ʌnpəˈtəːbd] *a* 1. необезпокоен; 2. невъзмутим.

unpick [ʌnˈpik] *v* разпарям (*шев*); разплитам (*плетка*).

unpicked [ʌnˈpikt] *a* 1. разпран (*за шев*); 2. неоткъснат, ненабран, необран (*за цвете, плод*); 3. неизбран, неподбран.

unpin [ʌnˈpin] *v* 1. разкопчавам игла/карфица; 2. изваждам, отбождам (*топлийки*).

unpitying [ʌnˈpitiiŋ] *a* безмилостен, коравосърдечен, суров.

unplaced [ʌnˈpleist] *a сп.* некласирал се в състезание.

unplanned [ʌnˈplænd] *a* незапланиран, незапланувам, случаен.

unplayable [ʌnˈpleiəbl] *a* 1. *сп.* който не може да се върне (*за топка*); на който не може да се играе, негоден за игра (*за игрище, терен*); 2. извънредно труден/невъзможен за изпълнение (*за музика*).

unpleasant [ʌnˈplezənt] *a* неприятен, противен, отблъскващ.

unpleasantness [ʌnˈplezəntnis] *n* 1. неприятно чувство/усещане; противност; 2. непривлекателност; 3. неприятно положение; разпра, кавга, недоразумение; тър-

кане; неприятен инцидент; 3. *ам. шег.* война, военни действия.

unplug [ʌnˈplʌg] *v* (-gg-) 1. изваждам запушалка на (*вана, мивка и пр.*); 2. *ел.* изваждам щепсел от контакт.

unpolished [ʌnˈpɔliʃt] *a* 1. неполиран, неизгладен, неизлъскан; 2. неизгладен, неизискан (*за стил и пр.*).

unpolitical [ʌnpəˈlitikəl] *a* 1. аполитичен; 2. неотнасящ се за/несвързан с политика.

unpolluted [ʌnpəˈluːtid] *a* незамърсен; чист, неосквернен.

unpopular [ʌnˈpɔpjulə] *a* който не се харесва на хората/публиката, необичаен, непопулярен.

unpopularity [ʌnpɔpjuˈlæriti] *n* непопулярност.

unpossessed [ʌnpəˈzest] *a* 1. непритежаван; 2. непритежаващ имущество (of).

unposted [ʌnˈpoustid] *a* неизпратен, непуснат (*за писмо и пр.*).

unpractical [ʌnˈpræktikl] *a* неприложим, неосъществим, непрактичен.

unpractised [ʌnˈpræktist] *a* 1. неприложен на практика, неизпитан; 2. нямащ практика, неопитен.

unprecedented [ʌnˈpresidentid] *a* невиждан, нечуван, безпрецедентен; безпримерен; несравним.

unpredictable [ʌnpriˈdiktəbl] *a* 1. неуравновесен, непостоянен, от когото можеш всичко да очакваш, на когото не можеш да разчиташ; 2. който не може да се предвиди/предскаже.

unpredictably [ʌnpriˈdiktəbli] *adv* не така, както се очаква/предполага.

unprejudiced [ʌnˈpreʤudist] *a* непредубеден, безпристрастен.

unpremeditated [ʌnpriˈmediteitid] *a* непредумишлен, непреднамерен; спонтанен, импровизиран; неволен.

unprepared [ʌnpriˈpɛəd] *a* неприготвен, неподготвен, неготов.

unpreparedness [ʌnpriˈpɛədnis] *n* неподготвеност; неготовност.

unprepossessing [ʌnpriːpəˈzesiŋ] *a* непривлекателен, несимпатичен; непредразполагащ.

unpresentable [ʌnpriˈzentəbl] *a* без добри обноски, не за пред хора; непривлекателен, невзрачен.

unpresuming, unpresumptuous [ʌnpriˈzjuːmiŋ, ʌnpriˈzʌmptjuəs] *a* несамонадеян, скромен.

unpretending, -tious [ʌnpriˈtendiŋ,-ʃəs] *a* скромен, естествен, прост, непринуден.

unpreventable [ʌnpriˈventəbl] *a* непредотвратим, неизбежен.

unpriced [ʌnˈpraist] *a* без определена/обозначена цена.

unprincipled [ʌnˈprinsipld] *a* безпринципен, безскрупулен; безчестен.

unprintable [ʌnˈprintəbl] *a* негоден за напечатване; твърде неприличен/нецензурен/непристоен, за да бъде напечатан.

unprivileged [ʌnˈpriviliʤd] *a* 1. непривилегирован; 2. крайно беден, принадлежащ към най-нисшия социален слой.

unprocurable [ʌnprəˈkjuərəbl] *a* който не може да се достави/набави.

unproductive [ʌnprəˈdʌktiv] *a* непродуктивен; неплодотворен, безрезултатен; нямащ/неносещ/недаващ резултат и пр.

unprofessional [ʌnprəˈfeʃənəl] *a* 1. непрофесионален; не на специалист; 2. несъвместим с етиката на дадена професия.

unprofitable [ʌnˈprɔfitəbl] *a* 1. недоходен; неизгоден, нерентабилен; 2. напразен, безполезен.

unpromising [ʌnˈprɔmisiŋ] *a* необещаващ нищо хубаво; невдъхващ надежда.

unprompted [ʌn'prɔmptid] *a* неподсказан, невнушен; спонтанен.

unpronounceable [ʌnprə'naunsəbl] *a* твърде мъчен/невъзможен за произнасяне.

unprotected [ʌnprə'tektid] *a* 1. незащитèн; беззащитен; 2. неукрепен, открит (*за град и пр.*); 3. незащитен с вносни мита.

unprovable [ʌn'pruːvəbl] *a* недоказуем.

unproved [ʌn'pruːvd] *a* недоказан.

unprovided [ʌnprə'vaidid] *a* неснабден, неосигурен (**with**); неподготвен; **to be left ~ for** оставам необезпечен/ без средства; **a case ~ for by the rules** случай, непредвиден/неупоменат в правилниците.

unprovoked [ʌnprə'voukt] *a* непредизвикан, непровокиран.

unpublished [ʌn'pʌbliʃt] *a* 1. непубликуван, неиздаден; 2. неоповестен.

unpunctuated [ʌn'pʌŋktjueitid] *a* без препинателни знаци.

unputdownable [ʌnput'daunəbl] *a* толкова интересен, че не можеш да го оставиш, като го зачетеш (*за книга*).

unqualified [ʌn'kwɔlifaid] *a* 1. неквалифициран; *юр.* нямащ право (**to** *c inf*); некомпетентен; негоден, неподходящ; 2. решителен, изричен, категоричен; 3. *разг.* пълен, абсолютен, неоспорим.

unquenchable [ʌn'kwentʃəbl] *a* неутолим, неугасим.

unquestionable [ʌn'kwestʃənəbl] *a* несъмнен, безспорен, сигурен.

unquestioned [ʌn'kwestʃənd] *a* 1. неоспорван, неоспорен; несъмнен; 2. неподозрян; 3. неразпитан, неразпитван.

unquestioning [ʌn'kwestʃəniŋ] *a* който не задава въпроси/ не се съмнява; **~ loyalty** сляпа вярност; **~ support** решителна/безрезервна подкрепа.

unquestioningly [ʌn'kwestʃəniŋli] *adv* без всякакво колебание, безрезервно, сляпо.

unquotable [ʌn'kwoutəbl] *a* нецензурен.

unquote [ʌn'kwout] *v* 1. затварям кавички, завършвам цитат; 2. *itp* край на цитата (*при диктовки, в беседи и пр.*).

unravel [ʌn'rævl] *v* (**-ll-**) разнищвам (се), разплитам (се); оправям (*объркани конци и пр.*) (*и прен.*); разкривам, разгадавам, обяснявам.

unread [ʌn'red] *a* 1. непрочетен, нечетен; 2. неначетен, необразован, неук.

unreadable [ʌn'riːdəbl] *a* 1. нечетлив, неразбран; 2. тежък, неприятен, неподходящ за четене; 3. безинтересен, скучен.

unready [ʌn'redi] *a* 1. неготов, неприготвен, неподготвен; 2. бавен, нерешителен, колеблив.

unreal [ʌn'riəl] *a* недействителен, въображаем; измамлив, илюзорен; изкуствен.

unreality [ʌnri'æliti] *n* недействителност; призрачност, илюзорност, нереалност.

unrealizable [ʌn'riəlaizəbl] *a* неосъществим, нереализуем.

unrealized [ʌnriə'laizd] *a* 1. неосъществен; 2. неосъзнат.

unreason [ʌn'riːzn] *n* глупост, абсурдност; безумие.

unreasonable [ʌn'riːzənəbl] *a* 1. неразумен, неблагоразумен; безразсъден; 2. твърде висок, прекомерен, неприемлив (*за цена и пр.*).

unreasoning [ʌn'riːzəniŋ] *a* безразсъден, неразумен, сляп, неблагоразумен.

unreciprocated [ʌnri'siprəkeitid] *a* несподелен, невзаимен.

unreclaimed [ʌnri'kleimd] *a* 1. непокаял се, непоправил се; 2. необработван, некултивиран (*за земя*); 3. непотърсен, непоискан.

unrecognizable [ʌn'rekəgnaizəbl] *a* неузнаваем.

unrecognized [ʌn'rekəgnaizd] *a* 1. непознат; 2. непризнат.

unrecorded [ʌnri'kɔːdid] *a* неотбелязан, незаписан, незаре-

гистриран; неупоменат; от който няма запис на плоча/магнетофон и пр.

unredeemed [ʌnri'diːmd] *a* 1. неизпълнен (*за обещание и пр.*); 2. неоткупен обратно, непотърсен (*от заложна къща*); неизплатен (*за полица*); 3. несмекчен, несмекчаван; 4. неосвободен.

unreel [ʌn'riːl] *v* развивам, размотавам (*от макара и пр.*).

unrefined [ʌnri'faind] *a* 1. непречистен, нерафиниран; 2. недодялан, просташки, груб.

unreflecting [ʌnri'flektiŋ] *a* 1. неотразяващ (*светлина и пр.*); 2. неразумен, лекомислен, безразсъден.

unreformed [ʌnri'fɔːmd] *a* непоправил се (*за престъпник и пр.*).

unregarded [ʌnri'gaːdid] *a* невзет предвид; пренебрегнат.

unregenerated [ʌnri'dʒenəreitid] *a* 1. = **unreformed**; 2. разпуснат, порочен, грешен.

unregretted [ʌnri'gretid] *a* за който/когото никой не съжалява; неоплакван от никого.

unrehearsed [ʌnri'həːst] *a* 1. нерепетиран; 2. неподготвен; 3. неочакван, спонтанен.

unrelated [ʌnri'leitid] *a* 1. несвързан, нямащ нищо общо (**to** c); 2. несвързан с роднински връзки 3. неразказан.

unrelenting [ʌnri'lentiŋ] *a* 1. непреклонен; неумолим; непримирим; 2. жесток, безмилостен, безпощаден; 3. ненамаляващ, неотслабващ.

unreliable [ʌnri'laiəbl] *a* 1. несигурен, ненадежден; на който/когото не може да се разчита; непостоянен; 2. неточен (*за часовник, карта и пр.*).

unrelieved [ʌnri'liːvd] *a* 1. неподпомогнат; необлекчен; 2. *воен.* несменен (*за пост*); 3. монотонен, еднообразен, неосвежен, неоживен.

unremarkable [ʌnri'maːkəbl] *a* с нищо незабележителен, обикновен.

unremitting [ʌnri'mitiŋ] *a* 1. непрестанен, неотслабващ, ненамаляващ; непрекъснат; 2. упорит, неуморим.

unremunerative [ʌnri'mjuːnərətiv] *a* недоходен, неизгоден.

unrepealed [ʌnri'piːld] *a* неотменèн, действуващ (*за закон*).

unrepentant [ʌnri'pentənt] *a* неразкаян, непокаян, непокаял се.

unrepining [ʌnri'painiŋ] *a* безропотен.

unrepresentative [ʌnrepri'zentətiv] *a* 1. нехарактерен, нетипичен, непоказателен; 2. *пол.* непредставителен.

unrepresented [ʌnrepri'zentid] *a* непредставен, без представител.

unrequested [ʌnri'qwestid] *a* 1. непоискан; 2. доброволен, спонтанен.

unrequited [ʌnri'kwaitid] *a* 1. несподелен (*за любов и пр.*); 2. незаплатен, невъзнаграден; некомпенсиран; 3. неотмъстен.

unreserve [ʌnri'zəːv] *n* 1. невъздържаност; 2. искреност, откровеност.

unreserved [ʌnri'zəːvd] *a* 1. невъздържан; 2. прям, открит, искрен, откровен; 3. пълен, решителен, неограничен, безусловен; 4. неангажиран предварително; свободен.

unreservedly [ʌnri'zəːvidli] *a* 1. безрезервно, безусловно; 2. откровено, открито.

unresisted [ʌnri'zistid] *a* несрещащ съпротива/противодействие.

unresisting [ʌnri'zistiŋ] *a* неоказващ съпротива; покорен, послушен.

unresolved [ʌnri'zɔlvd] *a* 1. несигурен, колебаещ се, нерешителен; 2. нерешен; неразгадан; 3. неразпаднал се; неразтворен.

unresponsive [ʌnris'pɔnsiv] *a* неотзивчив, несъчувствен, студен.

unrest [ʌn'rest] *n* **1.** неспокойствие, притеснение, нервничене, тревога; **2.** вълнение, смут.

unrestful [ʌn'restful] *a* **1.** неспокоен, тревожен; **2.** неуспокояващ, възбудителен; **3.** смутен.

unresting [ʌn'restiŋ] *a* неуморен, неуморим.

unrestrained [ʌnri'streind] *a* невъздържан, несдържан; невъзпрян, неограничен; необуздан; ~ **by** без да се смущава/стеснява от.

unrestraint [ʌnri'streint] *n* невъздържаност, необузданост.

unrestricted [ʌnri'striktid] *a* неограничен, свободен; ~ **road** път, по който няма ограничения на скоростта на превозните средства.

unrhymed [ʌn'raimd] *a* неримуван, без рима.

unriddle [ʌn'ridl] *v* разгадавам, отгатвам (*тайна, загадка*).

unrig [ʌn'rig] *v* (**-gg-**) *мор.* свалям рангоута и такелажа на (*кораб*).

unrighteous [ʌn'raitʃəs] *a* **1.** неправеден, грешен, нечестив; **2.** несправедлив, незаслужен.

unrip [ʌn'rip] *v* (**-pp-**) разпарям, разшивам.

unripe [ʌn'raip] *a* неузрял, зелен; *прен.* незрял, недозрял; неподготвен, неготов (**for**).

unrivalled [ʌn'raivəld] *a* ненадминат, нямащ равен на себе си.

unrobe [ʌn'roub] *v* (раз)събличам (се).

unroll [ʌn'roul] *v* развивам (се), разгръщам (се); разгъвам (*свитък и пр.*).

unromantic [ʌnrou'mæntik] *a* прозаичен, делничен, обикновен; практичен.

unroof [ʌn'ru:f] *v* свалям покрива на.

unroot [ʌn'ru:t] *v* изкоренявам, изтръгвам/изскубвам с корена.

unround [ʌn'raund] *v* *фон.* делабиализирам (*звук*).

unruffled [ʌn'rʌfld] *a* спокоен, невъзмутим; гладък, без вълни (*за море*); приглажден, неразрошен (*за коса*).

unruled [ʌn'ru:ld] *a* **1.** неначертан, без линии; **2.** необуздан.

unruly [ʌn'ru:li] *a* буен, непокорен, недисциплиниран.

unsafe [ʌn'seif] *a* несигурен, опасен.

unsaid [ʌn'sed] *a* неказан; неизказан, неизречен; неизразен.

unsal(e)able [ʌn'seiləbl] = **unmarketable.**

unsalaried [ʌn'sælərid] *a* **1.** работещ без/неполучаващ заплата; **2.** неплатен, почетен (*за длъжност*).

unsanitary [ʌn'sænitəri] *a* нехигиеничен; нездравословен.

unsatisfactory [ʌn'sætis'fæktəri] *a* незадоволителен.

unsavoury [ʌn'seivəri] *a* **1.** неприятен на вкус/мирис; безвкусен; **2.** отвратителен, противен, гаден; ~ **business** мръсна история.

unsay [ʌn'sei] *v* (**unsaid** [ʌn'sed]) вземам назад, оттеглям (*думите си*), отричам се от (*нещо, което съм казал*).

unscarred [ʌn'ska:d] *a* без белези от рани; невредим.

unscathed [ʌn'skeiðd] *a* невредим, здрав и читав.

unscented [ʌn'sentid] *a* без аромат, неароматен.

unscholarly [ʌn'skɔlərli] *a* ненаучен; без научна стойност.

unschooled [ʌn'sku:ld] *a* **1.** необучен, необразован; неопитен; неук; **2.** естествен, спонтанен, непринуден (*за чувство*).

unscientific [ʌnsaiən'tifik] *a* ненаучен, антинаучен.

unscramble [ʌn'skræmbl] *v* разшифровам, разяснявам, изяснявам.

unscreened [ʌn'skri:nd] *a* **1.** незапазен с параван/решетка и пр., открит; **2.** непресят.

unscrew [ʌn'skru:] *v* развинтвам/отвинтвам (се); разхлабвам винт.

unscripted [ʌn'skriptid] *a* изнесен без ръкопис/сценарий; неподготвен предварително, спонтанен (*за слово и пр.*).

unscrupulous [ʌn'skru:pjuləs] *a* безскрупулен, безпринципен; безсъвестен, безсрамен.

unseal [ʌn'si:l] *v* разпечатвам, отварям (*писмо и пр.*).

unseam [ʌn'si:m] *v* разпарям, разшивам (*дреха*).

unsearchable [ʌn'sə:tʃəbl] *a* тайнствен, непонятен, необясним, неразгадаем.

unseasonable [ʌn'si:zənəbl] *a* **1.** неподходящ/ не за сезона; **2.** ненавременен, неуместен.

unseasoned [ʌn'si:znd] *a* **1.** без подправки (*за храна*); **2.** суров, неотлежал (*за дървен материал*); **3.** неопитен, незакален; нетрениран.

unseat [ʌn'si:t] *v* **1.** хвърлям (*ездач*) от седлото; свалям от стол; **2.** отнемам пост на; свалям от пост; **3.** отнемам място в парламента; анулирам избора на (*член на парламента*); **4.** измествам.

unseated [ʌn'si:tid] *a* **1.** прав, неседнал, без място; **2.** без седалка; **3.** непреизбран (*за член на парламента*).

unseconded [ʌn'sekəndid] *a* **1.** неподкрепен (*за предложение*); **2.** без секундант (*при дуел*).

unseeing [ʌn'si:iŋ] *a* **1.** невиждащ, сляп; **2.** ненаблюдателен; **3.** лековерен, доверчив.

unseemly [ʌn'si:mli] *a* **1.** неприличен, непристоен; **2.** неподходящ; ненавременен.

unseen [ʌn'si:n] **I.** *a* невидим, незабележим; невиждан, непознат; ~ **translation** превод на непознат текст; **II.** *n* **1.** = ~ **translation; 2.** the ~ невидимото, свръхестественото.

unselfish [ʌn'selfiʃ] *a* неегоистичен; самопожертвувателен; щедър.

unserviceable [ʌn'sə:visəbl] *a* невлизащ в/невършещ работата; непрактичен; **2.** изхвърлен от употреба; **3.** *воен.* негоден за военна служба.

unset [ʌn'set] *a* **1.** немонтиран; **2.** *мед.* ненаместен (*за кост*); **3.** невтвърден (*за цимент и пр.*).

unsettle [ʌn'setl] *v* **1.** размествам, разбърквам; **2.** нарушавам реда/спокойствието/равновесието и пр. на.

unsettled [ʌn'setld] *a* **1.** несигурен, нестабилен, неуравновесен; **2.** променлив, неустановен (*за време*); нерешен, неуреден (*за въпрос*); неизплатен, неуреден (*за сметка*); **3.** без определено жилище/местожителство; неуседнал; **4.** ненаселен (*за страна*); **5.** *хим.* неутаен, неизбистрен.

unsex [ʌn'seks] *v* лишавам от качествата/белезите на пола, *особ.* жена от женствеността ѝ.

unshackle [ʌn'ʃækl] *v* свалям оковите на, освобождавам.

unshaded [ʌn'ʃeidid] *a* **1.** открит, незасенчен; **2.** без абажур (*за лампа*); **3.** без нюанси/сенки, нарисуван с щрихи (*за картина и пр.*).

unshadowed [ʌn'ʃædoud] *a* непомрачен, ясен, светъл.

unshakeable [ʌn'ʃeikəbl] *a* твърд, непоколебим, непоклатим.

unshapely [ʌn'ʃeipli] *a* недобре оформен; несъразмерен; некрасив.

unshaven [ʌn'ʃeivn] *a* не(о)бръснат, брадат.

unsheathe [ʌn'ʃi:ð] *v* изваждам от ножницата.

unsheltered [ʌn'ʃeltəd] *a* незаслонен, незащитен, изложен на вятър и пр.; без подслон.

unship [ʌn'ʃip] *v* (**-pp-**) **1.** разтоварвам от кораб; **2.** снемам (*пътници*) от кораб; **3.** изваждам, свалям, прибирам (*мачта, гребла и пр*).

unshod [ʌn'ʃɔd] *a* бос, необут; неподкован (*за кон*).

unshoe [ʌn'ʃu:] *v* (**unshod**) свалям подковите на (*кон*).

unshrinkable [ʌn'ʃriŋkəbl] *a* който не се свива (*при пране и пр.*).

unshrinking [ʌn'ʃriŋkiŋ] *a* твърд, непоколебим, неустрашим.

unsighted [ʌn'saitid] *a* **1.** невидян, несъзрян; незабелязан; **2.** даден без прицелване (*за изстрел*).

unsightly [ʌn'saitli] *a* неприятен за гледане, грозен, противен.

unsizable [ʌn'saizəbl] *a* маломерен (*за риба*).

unskilful [ʌn'skilful] *a* несръчен, непохватен.

unskilled [ʌn'skild] *a* **1.** неквалифициран; **2.** неизискващ квалификация.

unslaked [ʌn'sleikt] *a* **1.** неутолен, непогасен; **2.** негасен (*за вар*).

unsling [ʌn'sliŋ] *v* (**unslung** [ʌn'slʌŋ]) свалям от рамо (*пушка, раница и пр.*).

unsociable [ʌn'souʃəbl] *a* необщителен, саможив; сдържан.

unsocial [ʌn'souʃəl] *a* **1.** = **unsociable**; **2.** антисоциален.

unsoiled [ʌn'sɔild] *a* чист, незамърсен; неопетнен.

unsold [ʌn'sould] *a* непродаден, залежал (*за стока*).

unsolder [ʌn'souldə] *v* разпоявам.

unsolicited [ʌnsə'lisitid] *a* непоискан, неизискван; доброволен, спонтанен.

unsolvable [ʌn'sɔlvəbl] *a* нерешим, неразрешим.

unsolved [ʌn'sɔlvd] *a* нерешен, неразрешен (*за проблем, задача*).

unsophisticated [ʌnsə'fistikeitid] *a* **1.** наивен, простодушен, естествен; невинен; **2.** неопитен, необигран; **3.** прост, некомплициран; **4.** чист, неподправен.

unsought [ʌn'sɔt] *a* непотърсен, неизпросен (*често с* **for**); неочакван.

unsound [ʌn'saund] *a* **1.** нездрав, болен; болезнен; **of ~ mind** невменяем, ненормален; **2.** нездрав, повреден, загнил (*за плод и пр*); **3.** погрешен, неправилен, необоснован (*за довод и пр.*); **4.** несигурен, рискован, измамлив (*за план и пр.*); **5.** лек, нездрав, нестабилен, неспокоен (*за сън и пр.*).

unsparing [ʌn'spεəriŋ] *a* **1.** безмилостен, безпощаден; **2.** щедър, разточителен; **to be ~ of** не щадя, не пестя, разточителствувам с (*здраве, сили, усилия и пр.*).

unspeakable [ʌn'spi:kəbl] *a* **1.** неизразим; неизказан; **2.** *разг.* отвратителен, неописуем.

unspecified [ʌn'spesifaid] *a* неспоменат, неупоменат изрично; неустановен, неуточнен.

unspoiled, -lt [ʌn'spɔild, -lt] *a* **1.** добре запазен, неразвален, неповреден (*за храна и пр.*); **2.** неразглезен.

unspoken [ʌn'spoukn] *a* неизказан, неизречен; мълчалив.

unsportsmanlike [ʌn'spɔ:tsmənlaik] *a* неспортсменски; некавалерски; нелоялен, нечестен.

unspotted [ʌn'spɔtid] *a* **1.** чист, неопетнен; безукорен; **2.** незабелязан, несъзрян.

unstable [ʌn'steibl] *a* неустойчив, нестабилен; неуравновесен, непостоянен, променлив.

unstained [ʌn'steind] *a* чист, неопетнен.

unstamped [ʌn'stæmpt] *a* **1.** неподпечатан; **2.** без марка (*за писмо и пр.*).

unstarched [ʌn'sta:tʃt] *a* **1.** неколосан, мек; **2.** *разг.* естествен, непринуден.

unstatesmanlike [ʌn'steitsmənlaik] *a* недържавнически.

unstatutable [ʌn'stætjutəbl] *a* противоуставен; противозаконен.

unsteady [ʌn'stedi] *a* **1.** неустойчив, нестабилен; несигурен; **to be ~ on o.'s feet** залитам, клатушкам се; **2.** непостоянен, променлив (*за барометър и пр.*); **3.** безпътен, разпуснат.

unstick [ʌn'stik] *v* (**unstuck** [ʌn'stʌk]) **1.** разлепвам (се), от-

лепвам (се); **2.** *ав.* правя да се отдели/откъсне от земята.

unstinted [ʌn'stintid] *a* изобилен, щедър; неограничен; безграничен.

unstitch [ʌn'stitʃ] *v* разпарям, разшивам; **to come ~ed** разпарям се, разшивам се (*за шев*).

unstop [ʌn'stɔp] *v* (**-pp-**) отпушвам, отпрщвам; изваждам/махам запушалка/пломба и пр.; отварям.

unstopped [ʌn'stɔpt] *a* **1.** отворен, отпушен; **2.** свободен, невъзпрепятствуван, невъзпрян; **3.** *фон.* фрикативен, спирантен.

unstrained [ʌn'streind] *a* **1.** непринуден, естествен; **2.** непрецеден (*за чай, супа и пр.*).

unstrap [ʌn'stræp] *v* (**-pp-**) отпущам, разхлабвам; откопчавам/свалям ремъка на.

unstressed [ʌn'strest] *a* **1.** *фон.* неударен; **2.** ненапрегнат; ненатоварен.

unstring [ʌn'striŋ] *v* (**unstrung** [ʌn'strʌŋ]) **1.** разхлабвам/отпущам/свалям струните на инструмент; **2.** развизвам (*гердан и пр.*), развързвам (*кесия*); **3.** разстройвам (*нерви*); разнебитвам, смазвам.

unstuck[1] вж. **unstick**.

unstuck[2] *a* незалепен, отлепен, разлепен; разхлабен; **to come (badly) ~** *разг.* не успявам, провалям се (*за план и пр.*).

unstudied [ʌn'stʌdid] *a* **1.** свободен, непринуден, естествен; спонтанен; непреднамерен; **2.** невеж, непросветен (**in**); **3.** неизучен.

unstuffy [ʌn'stʌfi] *a* непревзет, естествен, непринуден; непедантичен.

unsubstantial [ʌnsəb'stænʃəl] *a* **1.** несъществен; **2.** невеществен; нематериален; нетелесен; без тегло/маса; **3.** празен; несолиден; призрачен, нереален, въображаем; **4.** лек, непитателен (*за храна*).

unsubstantiated [ʌnsəb'stænʃieitid] *a* непотвърден, неподкрепен; необоснован.

unsuccess [ʌnsək'ses] *n* неуспех, провал.

unsuccessful [ʌnsək'sesful] *a* неуспешен, безуспешен; неуспял, пропаднал; **to be ~** не успявам, провалям се, пропадам.

unsuitable [ʌn'sju:təbl] *a* **1.** неподходящ, неподхождащ, несъответствуващ; негоден (**to, for**); **2.** неуместен; **3.** неблагоприятен.

unsuited [ʌn'sju:tid] *a* неподходящ; неприспособен; непригоден (**to, for**); нес вместим.

unsupportable [ʌn'sə'pɔ:təbl] *a* непоносим, нетърпим.

unsure [ʌn'ʃuə] *a* несигурен, съмнителен; опасен.

unsurmountable [ʌnsə'mauntəbl] *a* непреодолим.

unsurpassable [ʌnsə'pa:səbl] *a* ненадминат, несравним.

unsusceptible [ʌnsə'septibl] *a* неподатлив (**to**).

unsuspected [ʌnsə'spektid] *a* **1.** неподозиран, неочакван; **2.** не(за)подозрян.

unsuspecting [ʌnsə'spektiŋ] *a* неподозиращ; доверчив.

unsuspicious [ʌnsə'spiʃəs] *a* **1.** неподозрителен (**of**); **2.** който не буди подозрение.

unsustained [ʌnsə'steind] *a* неиздържлив, неустойчив; спадащ.

unswathe [ʌn'sweið] *v* развивам, разповивам; махам/свалям превръзка/бинт от.

unswayed [ʌn'sweid] *a* **1.** неповлиян (**by** от); **2.** непредубеден.

unswear [ʌn'sweə] *v* (**unswore** [ʌn'swɔ:]; **unsworn** [ʌn'swɔ:n]) отричам се от клетва.

unswerving [ʌn'swɔ:viŋ] *a* твърд, устойчив, неизменен, неотклонен; непоколебим.

unsworn [ʌn'swɔ:n] *a* неположил клетва, незаклет; не под клетва.

unsympathetic [ʌn'simpə'θetik] *a* 1. бездушен, коравосърдечен; 2. несимпатичен.

unsystematic [ʌnsisti'mætik] *a* безсистемен; несистематичен, случаен.

untack [ʌn'tæk] *v* 1. изваждам кабърче, отковавам; 2. махам/изваждам тропоска.

untangle [,ʌn'tæŋgl] *v* 1. оправям нещо объркано/оплетено; 2. измъквам от затруднение.

untasted [ʌn'teistid] *a* невкусен, неопитан, недокоснат.

untaught [ʌn'tɔ:t] *a* 1. необразован, неук; 2. естествен, вроден; спонтанен.

untaxed [ʌn'tækst] *a* 1. необложен с данък/мито; 2. необременен, непретоварен.

unteach [ʌn'ti:tʃ] *v* (**untaught** [ʌn'tɔ:t]) карам (*някого*) да забрави това, което е учил; разучвам, отучвам.

untenable [ʌn'tenəbl] *a* 1. несъстоятелен (*за мнение и пр.*); 2. незащитим, неудържим.

untenanted [ʌn'tenəntid] *a* свободен, празен, ненает (*за жилище и пр.*).

untended [ʌn'tendid] *a* изоставен, занемарен.

untested [ʌn'testid] *a* неизпитан, неизпробван.

untether [ʌn'teðə] *v* развързвам, освобождавам, пускам (*вързан кон и пр.*).

unthankful [ʌn'θæŋkful] *a* неблагодарен, непризнателен.

unthink [ʌn'θiŋk] *v* (**unthought** [ʌn'θɔ:t]) 1. изгонвам от мисълта си; 2. променям мнението/намерението си.

unthinkable [ʌn'θiŋkəbl] *a* немислим, невъобразим; *разг.* невероятен, невъзможен; нежелателен.

unthinking [ʌn'θiŋkiŋ] *a* лекомислен, безразсъден, нехаен; необмислен, прибързан; **in an ~ moment** в момент на неблагоразумие, без да му мисля много.

unthought-of [ʌn'θɔ:təv] *a* съвсем неочакван, изненадващ, непредвиден.

unthread [ʌn'θred] *v* 1. издявам, изнизвам (*игла*); 2. измъквам се от (*лабиринт*), намирам изход от; 3. разгадавам (*тайна и пр.*).

unthrone [ʌn'θroun] *v* детронирам, свалям от престола.

untidy [ʌn'taidi] *a* 1. несретнат, размъкнат, небрежен; 2. разбъркан, разхвърлян, в безредие.

untie [ʌn'tai] *v* 1. развързвам, отвързвам; 2. оправям нещо объркано.

until[1] [ʌn'til] *prep* до, чак до; допреди.

until[2] *cj* докато, докогато, дотогава, когато; **not ~** едва/чак когато.

untimely[1] [ʌn'taimli] *a* 1. не навременен; преждевременен; 2. не уместен, прибързан.

untimely[2] *adv* 1. ненавреме; преждевременно; 2. неуместно, не намясто; прибързано.

untiring [ʌn'taiəriŋ] *a* неуморен, неуморим.

untitled [ʌn'taitld] *a* 1. нямащ титла, нетитулуван; 2. без заглавие, неозаглавен.

unto ['ʌntu] *ост., лит.* = **to**[1]

untold [ʌn'tould] *a* 1. неразказан; 2. неизказан; несметен.

untouchable[1] [ʌn'tʌtʃəbl] *a* 1. неприкосновен; недостъпен, недосегаем; 2. неподлежащ на обсъждане/критика/контрол; 3. недостижим (*за залежи и пр.*); 4. противен за пипане.

untouchable[2] *n* човек, принадлежащ към най-низшата индуска каста, парий.

untouched [ʌn'tʌtʃt] *a* 1. недокоснат, непокътнат, непипнат; 2. невкусен, неопитан (*за храна*); 3. незасегнат, безразличен, неповлиян.

untoward [ʌn'touəd, ʌntə'wɔ:d] *a* 1. неблагоприятен, неподходящ, неудачен, злощастен; 2. неприятен; непокорен, своеволен, опърничав; 3. несръчен.

untrained [ʌn'treind] *a* нетрениран; необучен.

untrammelled [ʌn'træmld] *a* безпрепятствен, неограничен, свободен.

untranslatable ['ʌntræns'leitəbl] *a* непреводим.

untravelled [ʌn'trævəld] *a* 1. неизползван (*за път и пр.*); 2. непосещаван, неизследван, слабо познат (*за страна*); 3. който не е пътувал много.

untraversed [ʌn'trævəst] *a* непрекосен, непреброден.

untried [ʌn'traid] *a* 1. неизпитан, неизпробван; 2. *юр.* неразглеждан (*за дело*); несъден (*за човек*).

untrod(den) [ʌn'trɔd(n)] *a* рядко посещаван; на/в който не е стъпвал човешки крак; **~ forest** девствена гора.

untroubled [ʌn'trʌbld] *a* необезпокояван; спокоен.

untrue [ʌn'tru:] *a* 1. неверен (**to**); 2. неправилен, неточен; погрешен; лъжлив, фалшив; **~ to type** *биол.* без характерните белези на типа.

untruly [ʌn'tru:li] *adv* невярно, неточно, неправилно.

untrustworthy [ʌn'trʌstwə:ði] *a* 1. ненадежден, несигурен, на когото/на който не може да се разчита; 2. недостоверен.

untruth [ʌn'tru:θ] *n* неистина, лъжа.

untruthful [ʌn'tru:θful] *a* неверен, лъжлив; който много лъже; **~ report** лъжливо донесение, клевета.

untuck [ʌn'tʌk] *v* 1. оправям, изглаждам (*нещо подвито, подгънато*); 2. разпарям, отпускам (*набор, плисе*).

untuned [ʌn'tju:nd] *a* ненастроен, разстроен (*за инструмент, радиоприемник и пр.*).

untutored [ʌn'tju:təd] *a* 1. необразован, невеж; неопитен; 2. наивен, искрен; 3. вроден, присъщ, незаучен; естествен.

untwine [ʌn'twain] *v* разсуквам (се), размотавам (се), оправям (се) (*за нещо объркано, заплетено*).

untwist [ʌn'twist] *v* размотавам, разсуквам, оправям (*нещо усукано*).

unused[1] [ʌn'ju:zd] *a* неизползван, неупотребяван; неупотребен.

unused[2] [ʌn'ju:st] *a* несвикнал, непривикнал (**to**).

unusual [ʌn'ju:ʒuəl] *a* необикновен, необичаен; забележителен, изключителен.

unusually [ʌn'ju:ʒuəli] *adv* 1. необикновено; 2. *разг.* извънредно, крайно, много.

unutterable [ʌn'ʌtərəbl] *a* 1. непроизносим; 2. неизразим, неизказан, неописуем, невъобразим.

unvalued [ʌn'vælju:d] *a* неценен; пренебрегван.

unvaried [ʌn'vɛərid] *a* 1. еднообразен, монотонен, скучен; 2. неизменен, постоянен.

unvarnished [ʌn'va:niʃt] *a* 1. нелакиран; 2. *прен.* неукрасен, нелустросан; неподправен, откровен.

unveil [ʌn'veil] *v* 1. свалям булото/откривам лицето на; 2. *прен.* показвам се в истинския си образ; 3. откривам (*паметник и пр.*); 4. разкривам, правя обществено достояние; свалям маската на, демаскирам.

unventilated [ʌn'ventileitid] *a* 1. без вентилация; 2. непроветрен, задушен; 3. *прен.* още неразискван.

unverifiable [ʌn'verifaiəbl] *a* недействителен, непроверим, недоказуем.

unverified [ʌn'verifaid] *a* непроверен; непотвърден; недоказан.

unversed [ʌn'və:st] *a* неопитен; несведущ, некомпетентен.

unviolated [ʌn'vaiəleitid] *a* ненарушен, ненакърнен; неосквернен.

unvoiced [ʌn'vɔist] *a* 1. неизразен, неизказан; 2. *фон.* беззвучен, обеззвучен.

unwanted [ʌn'wɔntid] *a* нежелан; излишен.

unwarrantable [ʌn'wɔrəntəbl] *а* неоправдан, неоправдателен, недопустим.

unwarranted [ʌn'wɔrəntid] *а* 1. негарантиран, без гаранция; 2. неопълномощен; неоправдан; своеволен; произволен.

unwary [ʌn'wɛəri] *а* непредпазлив, лековерен; необмислен, прибързан.

unwashed [ʌn'wɔʃt] *а* немит, непран; нечист, мръсен; **the great ~** *презр.* тълпата, масите.

unwavering [ʌn'weivəriŋ] *а* твърд, уверен, непоколебим.

unwearable [ʌn'wɛərəbl] *а* 1. негоден за носене; 2. много здрав, нямащ скъсване.

unwearied [ʌn'wiərid] *а* неуморѐн, неуморим, неуморѐн.

unwearing [ʌn'wiəriŋ] *а* 1. неуморѐн, неуморим; 2. упорит.

unweave [ʌn'wi:v] *v* (**unwove** [un'wouv]; **unwoven** [ʌn'wouvn]) разтъкавам; разплитам, размотавам.

unwed(ded) [ʌn'wed(id)] *а* невенчан, неженен; неомъжена.

unwelcome [ʌn'welkəm] *а* нежелан; неприятен; неохотно приет; **not ~** приятен; навременен.

unwell [ʌn'wel] *а* 1. неразположен, болен, болнав; 2. с мензис (*за жена*).

unwept [ʌn'wept] *а поет.* 1. неоплакван; неоплакан; 2. неизплакан, непролят (*за сълзи*).

unwholesome [ʌn'houlsəm] *а* 1. нездравословен, нехигиеничен; 2. (зло)вреден, нездрав (*за влияние и пр.*); 3. противен, гаден.

unwieldy [ʌn'wi:ldi] *а* 1. тежък, тромав, мъчноподвижен (*за човек*); 2. огромен, тежък, труден за носене/употреба (*за предмет*).

unwilling [ʌn'wiliŋ] *а* несклонен, неохотен; **to be ~ to** не ми се ще/не съм съгласен да, нямам желание за/да.

unwillingly [ʌn'wiliŋli] *adv* неохотно, с нежелание, против волята си.

unwillingness [ʌn'wiliŋnis] *n* неохота, нежелание; несъгласие.

unwind [ʌn'waind] *v* (**unwound** [ʌn'waund]) 1. развивам (се); размотавам (се), отвъртам (се); 2. *разг.* отпускам се, успокоявам се.

unwinking [ʌn'wiŋkiŋ] *а* 1. немигащ, с широко отворени очи; 2. наблюдателен; бдителен.

unwisdom [ʌn'wizdəm] *n* глупост, неблагоразумие, безразсъдство.

unwise [ʌn'waiz] *а* глупав, неразумен, неблагоразумен.

unwished [ʌn'wiʃt] *а* 1. нежелан (*и с* for); 2. нежелателен.

unwitnessed [ʌn'witnist] *а* невидян от никого; непотвърден от/извършен/станал без свидетели.

unwitting [ʌn'witiŋ] *а* 1. незнаещ; несъзнаващ; незабелязващ; 2. неволен, несъзнателен; непреднамерен.

unwomanly [ʌn'wumənli] *а* неподхождащ/неподобаващ на жена; неженствен.

unwonted [ʌn'wountid] *а* 1. необичаен, непривичен; рядък; 2. несвикнал, непривикнал.

unworkable [ʌn'wə:kəbl] *а* 1. негоден за работа; труден за манипулиране; 2. неприложим.

unworldly [ʌn'wə:ldli] *а* 1. неопитен, наивен, безпомощен; не от този свят; 2. неземен, несветски, духовен; нематериалистичен.

unworn [ʌn'wɔ:n] *а* 1. неносен, необличан, съвсем нов (*за дреха*); 2. неизносен, неизтъркан, запазен (*и прен.*); свеж; оригинален.

unworthy [ʌn'wə:ði] *а* 1. недостоен, незаслужаващ (of); 2. низък, долен.

unwound *вж.* **unwind**.

unwove, unwoven *вж.* **unweave**.

unwrap [ʌn'ræp] *v* (**-pp-**) развивам, отварям, разпаковам.

unyielding [ʌn'ji:ldiŋ] *а* 1. твърд, непоклатим, неподаващ се на натиск/огъване и пр. (*и прен.*); 2. неотстъпчив, упорит, непреклонен.

unzip [ʌn'zip] *v* (**-pp-**) отварям ципа на (*дреха, чанта и пр.*); отварям се, разтварям се (*за цип*).

up¹ [ʌp] *adv* 1. нагоре; по-нагоре, по-горе; **all the way ~** чак догоре; **half way ~** на/по средата (*при изкачване*); **from five pounds/years, etc. ~** от пет лири/години и пр. нагоре; **~ and down** нагоре-надолу; 2. (вдигнат/станал) на крак(а); **to be ~** станал съм; не съм си легнал още; **the sun is ~** слънцето е изгряло/изгря; **to stay ~ late** не си лягам/стоя до късно; **to be ~ and about** на крак съм (*особ. след боледуване*); **to be ~ and doing** станал съм и шетам/щъкам нагоре-надолу, заловил съм се вече за работа; **~ (with you)!** ставай! вдигай се! 3. *изразява покачване, повишение, увеличение на цени и пр.*; **bread is ~** цената на хляба е повишена; 4. *изразява свършване, изтичане на време и пр.:* **time is ~** времето мина/свърши/изтече; **the game is ~ , it's all ~** *разг.* всичко е свършено/изгубено; **it's all ~ /U.P. with him** свършено е с него; 5. докрай, съвсем; **the stream has dried ~** потокът пресъхна; **to drink o.'s tea ~** изпивам си чая; 6. *изразява разглеждане, поставяне на разглеждане, обсъждане; съдене:* **the question is ~ for debate** въпросът се разглежда; **he was| ~ before the magistrate** той бе изправен пред съдията; **the case is ~ before the court** делото се разглежда в съда; **to be ~ in court for** съдят ме за; □ **to be well ~ in/on a subject** добре съм осведомен/подготвен/силен съм по даден предмет/материя; **the lights are ~** лампите светнаха; **to be ~ for re-election** представен съм за преизбиране; **the score is seven ~** *сп.* двете страни имат по седем точки; **~ to now** досега; **~ to here** дотук; **~ to the age of five** до петгодишна възраст; **~ and down** нагоре-надолу; напред-назад; навсякъде (по); **what's ~ ?** какво има? какво става? **what is she ~ to again?** какво е намислила тя пак да (на)прави? **his new book isn't ~ to his last** новата му книга не е така хубава като предишната; **he is not ~ to the job** той не се справя добре с работата, не е добър за тази работа; **it's ~ to you to decide** ти трябва да решиш, твоя работа е, от теб зависи; **he is not ~ to his brother** той не може да се сравнява с брат си, не е така добър като него; **I don't feel ~ to it** не се чувствувам в състояние да направя това; **he is ~ to anything** той е способен на всичко, от него можем да очакваме всичко; **to act ~ to o.'s promise** изпълнявам обещанието си; **~ with...!** да живее...! горе...! **he is not ~ to much** той не е кой знае какво; **to be ~ to s.o.'s tricks/dodges, etc.** познавам добре/известни са ми всичките номера/хватки и пр. на някого.

up² *prep* 1. (горе) на, в, (нагоре) по; **to walk ~ the hill** изкачвам се по хълма; **to live ~ the mountain** живея горе в планината; **~ the river** нагоре по (течението на) реката; 2. срещу; **~ the wind** срещу вятъра; 3. към (*вътрешността на страната и пр.*).

up³ *а* 1. нанагорен, който се изкачва; 2. отиващ/водещ към по-голям център/към столица (*особ. за влак*); **the ~ platform** перонът, на който спира влакът за Лондон/столицата.

up⁴ *n* 1. нанагорнище; 2. успех, благополучие; **on the ~ and ~** *разг.* постоянно подобряващ се; на ниво; честен и почтен; **~s and downs** превратности; 3. преуспял/високопоставен човек; 4. *ам.* стимулиращо средство, *особ.* амфетамин.

up⁵ *v* (**-pp-**) 1. ставам, скачам; 2. (по)вдигам; повишавам, увеличавам (*цена, производство и пр.*); □ **to ~ and do s.th.** правя нещо' съвсем неочаквано/изненадващо.

up-a-daisy [ˈʌpəˈdeizi] = **upsy-daisy.**

up-and-coming [ˈʌpənˈkʌmiŋ] *a* предприемчив, енергичен; многообещаващ; преуспяващ.

up-and-down [ˈʌpənˈdaun] **I.** *a* **1.** който върви ту нагоре, ту надолу/насам-натам; **an ~ life** живот, изпълнен с превратности; **2.** отвесен; **II.** *n:* **to give s.o. the ~** измервам някого с поглед; **to give a letter the ~** прочитам набързо писмо.

U.P. [ˈjuːˈpiː] *sl.* = **up** [1] **4.: it is all ~ with him** неговият случай е безнадежден, свършено е с него.

upas(-tree) [ˈjuːpəs(triː)] *n* **1.** *бот.* анчар (Antiaris toxicaria); **2.** отровен сок от анчар; **3.** гибелно/зловредно влияние; пагубни навици и пр.

upbeat [1] [ˈʌpˈbiːt] *n* **1.** *муз.* слабо време; **2.** *прен.* възход.

upbeat [2] *a* оптимистичен, весел.

upbraid [ʌpˈbreid] *v* упреквам, укорявам, порицавам.

upbringing [ˈʌpˈbriŋiŋ] *n* отглеждане; възпитание, образование.

upbuild [ʌpˈbild] *v* (**upbuilt** [-ˈbilt]) построявам, изграждам.

upcast [1] [ˈʌpˈkaːst] *v* хвърлям/подхвърлям/изхвърлям нагоре; движа се/насочвам се/устремявам се нагоре.

upcast [2] *n* **1.** изхвърляне нагоре; **2.** *геол.* обратен разсед, възсед; **3.** *мин.* вентилационна шахта.

upcoming [ˈʌpkʌmiŋ] *a ам.* настъпващ, предстоящ, бъдещ, иден.

upcountry [1] [ˈʌpˈkʌntri] *n* вътрешността на страна/област.

upcountry [2] *a, adv* (намиращ се) в/на/от/към вътрешността на страната.

update [ʌpˈdeit] *v* **1.** осъвременявам, модернизирам; преработвам и допълвам (*книга и пр.*) с последни данни; **2.** насрочвам за по-ранна дата, придвижвам/изтеглям по-напред.

updo [ˈʌpduː] = **upswept hairdo** (*вж.* **upswept**).

upend [ˈʌpˈend] *v* **1.** изправям (се); (пре)обръщам; **2.** *ам. разг.* хвърлям в тревога/смут, шокирам.

upgrade [1] [ˈʌpgreid] *n* **1.** нанагорнище; *жп.* рампа; **2.** увеличение, повишение; подем; **to be on the ~** вървя нагоре, напредвам; подобрявам се, в подем съм.

upgrade [2] *v* **1.** повишавам служебно; **2.** повишавам качеството (*на продукция*); **3.** продавам (*продукт*) на по-висока цена; **4.** подобрявам породата на животно.

upgrowth [ˈʌpgrouθ] *n* растеж, развитие; нарастване.

upheaval [ʌpˈhiːvəl] *n* **1.** разместване на пластовете; катаклизъм (*и прен.*); **2.** рязка политическа/социална и пр. промяна.

upheave [ʌpˈhiːv] *v* вдигам (се)/повдигам (се)/надигам (се) с голяма сила; размествам (се).

upheld *вж.* **uphold.**

uphill [1] [ˈʌpˈhil] *a* **1.** нанагорен, извисяващ се; **2.** труден, тежък, напрегнат, упорен.

uphill [2] *adv* (на)нагоре (*по възвишение*).

uphold [ʌpˈhould] *v* (**upheld** [ʌpˈheld]) **1.** поддържам, подпирам, крепя; **2.** подкрепям, насърчавам, помагам; **3.** одобрявам, съгласявам се с; **4.** потвърждавам (*решение и пр.*); приемам (*възражение*).

upholster [ʌpˈhoulstə] *v* **1.** тапицирам; **well ~ed** *разг.* пълничък; **2.** снабдявам с мебели, килими, завеси и пр.

upholsterer [ʌpˈhoulstərə] *n* **1.** тапицер; **2.** доставчик на мебели, килими, завеси и пр.

upholstery [ʌpˈhoulstəri] *n* **1.** тапицерия, тапицерство; та

пицеровка; **2.** завеси, килими, тапицирани мебели; **3.** плат за тапициране.

upkeep [ˈʌpkiːp] *n* (разходи за) поддържане/ремонт.

upland [ˈʌplænd] *n* **1.** височина, възвишение; висока местност; *pl* планинска, по-висока част на област/страна; **2.** *attr* планински.

uplift [1] [ˈʌpˈlift] *v* **1.** издигам; повдигам; ободрявам; **2.** възвисявам, извисявам.

uplift [2] *n* **1.** *разг.* облагородяващо влияние; възвисяване; **2.** оживление, раздвижване, ентусиазъм; **3.** *геол.* разместване на пластовете, възсед; **4.** *ам.* вид сутиен.

upmost [ˈʌpmoust] = **uppermost.**

upon [ʌˈpɔn] = **on** [1].

upper [1] [ˈʌpə] *a* горен; по-горен, по-висш; **~ circle** втори балкон (*в театър*); **to have/get/gain the ~ hand of** имам/постигам надмощие/превъзходство над, вземам връх над, побеждавам; **~ storey** горен етаж; *разг.* ум, акъл, глава; **the U. House** Камарата на лордовете, горната камара; сенатът; **the ~ classes** висшето общество; **~ servants** домакин, иконом и пр.; **the ~ ten (thousand)**, *разг.* the **~ crust** аристокрацията.

upper [2] *n* **1.** горница на обувка; **to be (down) on o.'s ~s** *разг.* закъсал съм (*финансово*); **2.** *pl* гетри, гамаши (*от плат*); **3.** *ам.* стимулиращо средство, *особ.* амфетамин.

upper-class [ˈʌpəklas] *a* принадлежащ към/присъщ на/ характерен за висшето общество.

upper-cut [ˈʌpəkʌt] *n* бокс удар (в брадата) изотдолу, апъркат.

uppermost [1] [ˈʌpəmoust] *a* **1.** най-горен, най-висш; **2.** преобладаващ, доминиращ; **3.** най-високопоставен.

uppermost [2] *adv* най-отгоре, най-отпред, на първо място.

uppish [ˈʌpiʃ] *a* самомнителен, надменен, надут; арогантен; снобски.

uppishness [ˈʌpiʃnis] *n* надменност, надутост, снобизъм; дързост, нахалство.

uppity [ˈʌpiti] *разг.* = **uppish.**

upraise [ʌpˈreiz] *v ост.* издигам; подвигам; въздигам, възвишавам.

upright [1] [ˈʌprait] *a* **1.** прав, изправен, отвесен; **an ~ piano** (обикновено) пиано (*не роял*); **2.** добросъвестен, честен, почтен.

upright [2] *n* **1.** = **upright piano**; **2.** прът, кол, подпора; колона.

upright [3] *adv* право, изправено, отвесно.

uprising [ʌpˈraiziŋ] *n* **1.** въстание, бунт; **2.** *ост.* ставане от легло.

uproar [ˈʌprɔː] *n* шум, врява, бъркотия; **the town was in an ~** в града цареше пълен хаос.

uproarious [ʌpˈrɔːriəs] *a* шумен, гръмогласен (*обик. за смях, веселие*).

uproot [ʌpˈruːt] *v* **1.** изкоренявам (*и прен.*); **2.** изтръгвам, отделям насила, откъсвам (*от родина и пр.*).

ups-a-daisy [ˈʌpsədeizi] = **upsy-daisy.**

upset [1] [ʌpˈset] *v* (**upset**) **1.** (пре)обръщам се, (пре)катурвам (се); **2.** обърквам, разстройвам (*планове и пр.*); **3.** свалям (*правителство*); **4.** обезпокоявам, разтревожвам; **5.** разстройвам (*стомаха на*).

upset [2] [ˈʌpset] *n* **1.** преобръщане, прекатурване; **2.** вълнение, смущение, безпокойство; **3.** разстройване; разстройство; бъркотия; **4.** неочакван/изненадващ резултат (*в състезания, избори и пр.*).

upset [3] [ˈʌpset] *a* **1.** прекатурен; **2.** разтревожен, развълнуван; разстроен (*и за стомах*); **3. ~ price** мини мална цена при разпродаване на имущество на търг.

upshot [ˈʌpʃɔt] *a* окончателен/краен резултат; последица; заключение.

upside-down [ˈʌpsaidˈdaun] *adv* наопаки; с главата надолу, в пълен безпорядък.

upsides [ˈʌpsaidz] *adv разг.*: **to be/get ~ with** отвръщам си/отмъщавам си на; квит съм с.

upsilon [juːpˈsailon, ˈjuːpsilən] гръцката буква „ипсилон".

upstage¹ [ˈʌpˈsteidʒ] *a, adv* **1.** *театр.* (намиращ се/ставащ) към дъното на сцената; *кино, телев.* отдалечен/далечен от обектива; **2.** *разг.* самомнителен, високомерен; снобски.

upstage² *v* **1.** *театр.* отклонявам вниманието от друг актьор към себе си; поставям в неизгодно положение; засенчвам; **2.** отнасям се високомерно с.

upstairs¹ [ʌpˈstɛəz] *n* горният етаж.

upstairs² *adv* **1.** горе, по-горе, нагоре; на горния етаж; **2.** по-нагоре, на по-висока служба, **3.** *ам.* в главата; **she's all vacant ~** тя е съвсем празноглава.

upstairs³ [ˈʌpstɛəz] *a* намиращ се на по-горния етаж (*и* **upstair**); **an ~ room** стая на горния етаж.

upstanding [ʌpˈstændiŋ] *a* **1.** прав, изправен; **2.** строен, добре сложен; здрав и силен; **3.** честен, почтен.

upstart [ˈʌpstɑːt] *n* **1.** парвеню; **2.** *attr* парвенюшки.

upstream [ˈʌpstriːm] *a, adv* (който се движи) нагоре по/срещу течението.

upstroke [ˈʌpstrouk] *n* черта/драсване нагоре (*при писане, чертане, рисуване*).

upsurge [ˈʌpsəːdʒ] *n* надигане; подем.

upswept [ˈʌpswept] *a* сресан/вдигнат нагоре (*за коса*); **an ~ hairdo** прическа с вдигната от всички страни нагоре коса.

upsy-daisy [ˈʌpsideizi] *int разг. дет.* хайде опа! (*към дете, което е паднало*).

uptake [ˈʌpteik] *n* **1.** повдигане, издигане; **2.** разбиране, схващане; **quick in/on the ~** *разг.* бързосхващащ, интелигентен; **3.** *тех.* вертикален отвод за газове и пр.; вентилационна тръба.

upthrow [ˈʌpθrou] *n* **1.** изхвърляне нагоре; **2.** = **upheaval 1.**

up-to-date [ˈʌptəˈdeit] *a* модерен, нов; съвременен; в крак с времето, съобразен със съвременните изисквания.

up-to-the-minute [ˈʌptəðəˈminit] *a* най-нов, включващ най-новите/най-последните сведения/данни/новини; най-моден, по последна мода.

uptown [ˈʌptaun] *a, adv* (намиращ се) в/(спадащ) към/(отнасящ се) за/(насочен) към по-горната/*ам.* жилищната/нетърговската част на града.

upturn¹ [ˈʌptəːn] *v* обръщам/извивам нагоре; преобръщам.

upturn² *n* преобръщане; благоприятен обрат/прелом.

upward¹ [ˈʌpwəd] *a* насочен/отиващ нагоре; нанагорен.

upward², upwards [-z] *adv* по-нагоре, нанагоре; по-нависоко; **and ~** и повече, и нагоре; **~ of** повече от, над (*за бройка*).

uraemia [juəˈriːmiə] *n мед.* уремия.

uraeus [juːˈriːəs] *n* изображението на свещената змия като символ на властта на египетските фараони (*носено обик. на главата*), урей.

Ural-Altaic [ˈjuərəlælˈteik] *a* урало-алтайски.

uranium [juːˈreiniəm] *n хим.* уран.

Uranus [ˈjuərənəs, juəˈreinəs] *n* **1.** *мит.* бог Уран; **2.** *астр.* Уран.

urban [ˈəːbən] *a* градски; **~ guerrilla(s)** въоръжени групи, водещи партизанска борба в населени пунктове; **~ renewal** *ам.* програма за преустройство на стари и негодни за живеене къщи и квартали.

urbane [əːˈbein] *a* изискан, изтънчен; любезен, учтив, вежлив.

urbanity [əːˈbæniti] *n* изисканост, изтънченост; вежливост.

urbanization [ˌəːbənaiˈzeiʃn] *n* урбанизация.

urbanize [ˈəːbənaiz] *v* **1.** придавам градски вид/характер на; **2.** погражданявам.

urchin [ˈəːtʃin] *n* **1.** момче, палавник, хлапак; калпазанче; **2.** *ам.* таралеж; **3.** морски таралеж.

Urdu [urˈduː] *n* езикът урду.

urea [ˈjuəri] *n хим.* урея.

ureter [juəˈriːtə] *n анат.* уретер.

urethra [juəˈriːθrə] *n анат.* пикочен канал, уретра.

uretic [juəˈretik] *a* пикочен; диуретичен.

urge¹ [əːdʒ] *v* **1.** карам, подтиквам, подбуждам, пришпорвам (*често с* on); **2.** искам/моля настойчиво; убеждавам, увещавам; **3.** служа за причина/мотив, стимулирам, предизвиквам; ускорявам; **4.** обръщам внимание на, наблягам на, изтъквам; **to ~ on s.o. the necessity of** убеждавам някого в необходимостта от.

urge² *n* импулс, тласък, подтик, порив; копнеж.

urgency [ˈəːdʒənsi] *n* **1.** спешност, неотложност; **a matter of great ~** много бърза/неотложна работа; **2.** неотложна нужда; **3.** настойчивост; натиск.

urgent [ˈəːdʒənt] *a* **1.** бърз, срочен, спешен, неотложен; **2.** много важен; належащ; **3.** настоятелен.

uric [ˈjuərik] *a хим.* пикочен.

urinal [ˈjuərinəl] *n* **1.** подлога (*и* bed ~); **2.** писоар.

urinalysis [juərəˈnælisis] *n* (*pl* **-ses** [siːz]) *мед.* изследване на урината.

urinary [ˈjuərinəri] *a* пикочен.

urinate [ˈjuəriˈneit] *v* уринирам.

urine [ˈjuərin] *n* урина, пикоч.

urn [əːn] *n* **1.** урна; *прен.* гроб; **2.** самовар (*за чай, кафе и пр.*).

urning [ˈəːniŋ] *n* хомосексуалист.

Ursa [ˈəːsə] *n*: **Major/Minor ~** *астр.* Голямата/Малката мечка.

ursine [ˈəːsain] *a книж.* мечешки.

urticaria [ˌəːtiˈkɛəriə] *n* копривна треска, уртикария.

urus [ˈjuərəs] *n* изчезнал вид див бик (Bos primigenius).

us [ʌs, əs] *pers pron* нас, ни, на нас; нам.

usable [ˈjuːzəbl] *a* употребим, използваем.

usage [ˈjuːzidʒ] *n* **1.** употреба; употребяване, използване; **2.** установен/приет ред/практика/обичай; **3.** отнасяне, обноска.

usance [ˈjuːzəns] *n търг.* срок за изплащане на задгранична полица.

use¹ [juːs] *n* **1.** употреба, употребление, използване; **to be in ~** употребявам се; **to make ~ of, to put to good ~** използвам, оползотворявам; **to be/fall/go out of ~** излизам от употреба, преставам да се употребявам; **for the ~ of schools** за училищна употреба; **2.** възможност/право да си служа с/да използвам; **to have a room and the ~ of the bathroom** имам стая с право на ползване на баня; **3.** нужда; **to have no further ~ for** не се нуждая вече от; **4.** полза, смисъл; **to be of ~ for** полезен съм за; **to find a ~ for s.th.** намирам за какво да използвам нещо (*влиза ми в работа*); **to have no ~ for** *разг.* не обичам, не харесвам, не ми трябва; **he is no ~** не го бива, не върши работа, няма полза от него; **it is no ~** (*c ger*) няма смисъл/полза (да), безполезно/безсмислено е (да); **it is no ~ my/me talking/ for me to talk** няма смисъл да говоря, безсмислено е да приказвам; **what's the ~ of** (*с ger*) какъв смисъл/каква полза да; **5.** привичка, навик; установена практика; **as was his ~** както беше свикнал, както обикновено правеше; **6.** *църк.* ритуал на дадена църква; **7.** *юр.* доход от имот.

use² [ju:z] *v* **1.** употребявам, използвам (**as, for** за), служа си/послужвам си с, (въз)ползвам се от; **2.** отнасям се с, третирам (*някого*); **how's the world been using you lately?** *разг.* как си? как я караш? **3. to ~ up** изразходвам, изчерпвам; довършвам, изконсумирвам; **to feel ~d up** чувствувам се съвсем изтощен/без сили.

used¹ [ju:zd] *a* **1.** употребяван, използван; стар; купен/продаден на старо; унищожен (*за марка*); **2.** *тех.* отработен.

used² [ju:st] *a* свикнал, привикнал, навикнал (*и с ger*); **to get ~ to s.th.** свиквам с/навиквам на нещо.

used³ [ju:st] *v pt* (**used not, did not use** *разг.* **use(d)n't** ['ju:snt], **didn't use**) изразява обичайно действие в миналото: **she didn't use to smoke** тя не пушеше по-рано; **my father ~ to say** баща ми често/все казваше; **he doesn't come as often as he ~ to** той вече не идва така често, както (правеше) по-рано.

useful ['ju:sful] *a* **1.** полезен, от полза (**to, for** за); **~ load** полезен товар (*на самолет и пр.*); **to make o.s. ~** разшетвам се, помагам, върша нещо полезно; **2.** *разг.* добър, ценен; сръчен, ôправен; **3.** резултатен, успешен.

useless ['ju:slis] *a* **1.** безполезен, не принасящ полза; негоден за нищо; **2.** напразен, безрезултатен.

user ['ju:zə] *n* **1.** човек, който си служи с/се ползува от/използува нещо (**of**); консуматор, потребител, купувач; **3.** *юр.* упражняване на право на ползуване; ползуване; право на ползуване по давност.

usher¹ ['ʌʃə] *n* **1.** разпоредител (*в театър, кино и пр.*); **2.** разсилен (*в съдилище*); **3.** вратар; **4.** церемониалмайстор; **5.** *ост., шег.* помощник-учител; **6.** *а.м.* шафер.

usher² *v* **1.** водя, въвеждам, съпровождам (**in**); известявам за, възвестявам; **to ~ in a new era** откривам нова ера; **2.** изпълнявам длъжност разпоредител и пр. (*вж.* **usher¹**).

usherette [ʌʃə'ret] *n* разпоредителка (*в театър, кино и пр.*).

usquebaugh ['ʌskwibɔː] *n ирл., шотл.* уиски.

usual ['ju:ʒuəl] *a* обикновен, обичаен; **the ~ , my ~** обичайното ми (*питие и пр.*); **as ~** както винаги, по привичка; **as is ~ with** както обикновено става с, както е обичайно за; **the ~ (thing)** обичайното/общоприетото/нормалното (нещо).

usufruct ['ju:zjufrʌkt] *a юр.* плодоползване, узуфрукт.

usurer ['ju:ʒərə] *n* лихвар.

usurious [ju:'zjuəriəs] *a* лихварски.

usurp [ju:'zɔːp] *v* заграбвам, присвоявам си, узурпирам (*имущество, трон, власт и пр.*).

usurpation [ju:zə'peiʃn] *n* заграбване, присвояване, узурпиране.

usurper [ju:'zɔːpə] *n* узурпатор.

usury ['ju:ʒəri] *n* **1.** лихварство; **2.** незаконно висока лихва.

utensil [ju:'tensil] *n* съд, прибор; инструмент; *pl* принадлежности (*домакински, писмени и пр.*).

uterine ['ju:tərain] *a* **1.** *анат.* маточен, утробен; **2.** от една майка, едноутробен (*за брат, сестра*).

uterus ['ju:tərəs] *n* (*pl* **-i** [ai]) *анат.* матка, утроба.

utilitarian [ju:tili'tεəriən] **I.** *a* утилитарен; **II.** *n* утилитарист.

utilitarianism [ju:tili'tεərinizm] *n* утилитаризъм.

utility¹ [ju:'tiliti] *n* **1.** полза; удобство; **of public ~** общественополезен; **2.** (**public**) **utilities** комунални услуги; **3.** полезна/удобна/практична вещ; **4. ~ man** *театр.* актьор, изпълняващ дребни роли.

utility² *a* **1.** полезен; **2.** практичен, стандартен (*за дреха, мебел и пр.*); **3.** пригоден да служи за няколко цели.

utilizable ['ju:tilaizəbl] *a* използваем, който може да бъде оползотворен.

utilization [ju:tilai'zeiʃn] *n* използване, оползотворяване.

utilize ['ju:tilaiz] *v* използвам, служа си с, употребявам; оползотворявам.

utmost¹ ['ʌtmoust] *a* **1.** най-отдалечен; краен; пределен; **2.** най-голям, най-висок, максимален; **in the ~ degree** във висша степен, до краен предел; **with the ~ care** възможно най-грижливо.

utmost² *n* възможно най-многото, висша степен, краен предел/точка; **to the ~** до краен предел; **to do o.'s ~** правя всичко, което мога, полагам свръхусилие.

Utopia [ju:'toupiə] *n* утопия.

Utopian [ju:'toupiən] **I.** *a* утопичен; **II.** *n* утопист.

utricle ['ju:trikl] *n анат., бот.* торбичка, мехур; камера.

utter¹ ['ʌtə] *v* **1.** издавам (*звук*), изпускам (*въздишка*); **2.** казвам, изричам, произнасям; изразявам с думи; **3.** пускам в обръщение (*фалшиви пари*).

utter² *a* **1.** пълен, абсолютен, краен; решителен, категоричен; **an ~ stranger** съвършено непознат/чужд човек; **2. ~ barrister** младши адвокат.

utterance¹ ['ʌt(ə)rəns] *n* **1.** изказване, изразяване, изричане; **to give ~ to** давам израз на; **2.** (*начин на*) изговор, учленяване; дикция; **3.** изказ, слово, реч; **public ~** изявление, декларация.

utterance² *n книж.:* (**to fight, etc.**) **to the ~** (бия се и пр.) докрай/до последна възможност/до смърт.

utterly ['ʌtəli] *adv* напълно, съвършено, извънредно, крайно.

uttermost ['ʌtəmoust] **I.** *a* **1.** най-отдалечен, краен; **2.** най-голям; най-висок; последен; **II.** *n:* **to the ~ of** до крайния предел на.

U-turn ['ju:tɔːn] **1.** *авт.* обратен завой; **2.** *прен.* пълен завой/обрат в политиката и пр.

uvula ['ju:vjulə] *n* (*pl* **-ae** [i:]) *анат.* малко езиче, мъжец.

uvular ['ju:vjulə] *a фон.* увуларен.

uxorial [ʌk'sɔːriəl] *a* характерен за/подобаващ на съпруга.

uxoricide [ʌk'sɔːrisaid] *n* **1.** убиец на жена си; **2.** женоубийство.

uxorious [ʌk'sɔːriəs] *a* който много обича/слуша жена си.

Uzbek [uz'bek] **I.** *a* узбекски; **II.** *n* **1.** узбекистанец; **2.** узбекски език.

V

V, v [vi:] **1.** буквата V; **2.** V-1, V-2 [vi: 'wʌn, -'tu:] *нем.* летящи бомби фау едно/две; **3.** нещо с формата на буквата V; **4.** римската цифра V.

vac [væk] *n разг.* **1.** ваканция; **2.** прахосмукачка.

vacancy ['veikənsi] *n* **1.** празно пространство/място; празнина; празнота, непълнота, пропуск; **2.** незаето/вакантно място/служба/длъжност; **to fill a ~** заемам вакантна длъжност; **3.** липса на идеи/мисъл/интелигентност; **4.** безучастие, равнодушие, апатия; разсеяност; **5.** бездействие, безделие; **6.** *ам.* незастроен участък/парцел и пр.; свободно от наематели помещение; помещение, което се дава под наем.

vacant ['veikənt] *a* **1.** свободен, незает, празен; пуст, ненаселен, необитаван; **a ~ room** свободна стая (*в хотел и пр.*), стая без наематели (*в жилище*); **to leave a post ~** овакантявам длъжност; **2.** празен, незает с нищо; разсеян; безучастен; блуждаещ; равнодушен, апатичен; **3.** тъп, глупав, празноглав; □ **~ possession** (обявена за продан) къща/апартамент и пр. без наематели.

vacate [və'keit] *v* **1.** освобождавам, опразвам; овакантявам; оставям, напускам; отказвам се от (*право, собственост и пр.*); **2.** *юр.* анулирам (*договор, присъда, решение и пр.*).

vacation[1] [və'keiʃn] *n* **1.** освобождаване, опразване, овакантяване; напускане; **2.** ваканция (*училищна, съдебна*); **the long/summer ~** лятната ваканция; **3.** *ам.* отпуска; **on ~** в отпуска, на почивка.

vacation[2] *v ам.* вземам/отивам в/прекарвам отпуска/почивка.

vacationer, -ist [və'keiʃənə, -ist] *n ам.* курортист, летовник, почиващ.

vacationland [və'keiʃənlænd] *n ам.* място за спортуване и развлечения на летуващи/почиващи.

vaccinate ['væksineit] *v* ваксинирам (**against** против).

vaccination [ˌvæksi'neiʃn] *n* ваксинация, ваксиниране.

vaccinen ['væksi:n] *n* ваксина.

vacillate ['væsileit] *v* **1.** люлея се, колебая се, трептя (*особ. за стрелка*); **2.** колебая се, двоумя се (**between**); не се решавам.

vacillation [væsi'leiʃn] *n* **1.** клатушкане, люлеене, колебание; **2.** колебливост, нерешителност; непостоянство.

vacuity [və'kjuiti] *n* **1.** празнота, пустота; празно пространство, вакуум; **2.** липса на мисъл/интерес/интелект; **3.** безсмисленост, безсъдържателност; **4.** *pl* безсмислени думи/постъпки и пр.

vacuous ['vækjuəs] *a* **1.** празен, незает, необитаван; пуст; **2.** глупав, празен; безсмислен, безсъдържателен; **3.** безизразен, безучастен (*за поглед и пр.*).

vacuum ['vækjuəm] *n* (*pl* **-s** [-z-] , **vacua** [-kjuə]) **1.** празно пространство, вакуум; **2.** безвъздушно пространство, вакуум; **3.** *прен.* пустота, празнота; изолираност; **4.** *attr* вакуумен.

vacuum brake ['vækjuəmˌbreik] *n* въздушна спирачка.

vacuum cleaner ['vækjuəmˌkli:nə] *n* прахосмукачка.

vacuum flask ['vækjuəmˌflɑ:sk] *n* термос (*и* **vacuum bottle**).

vacuum-gauge ['vækjuəmˌgeidʒ] *n* вакуум-метър, вакуум-мер.

vacuum-packed ['vækjuəmˌpækt] *a* с вакуумна опаковка.

vacuum pump ['vækjuəmˌpʌmp] *n* вакуумна помпа.

vacuum tube, valve ['vækjuəmˌtju:b, ˌvælv] *n* електронна лампа.

vade-mecum ['veidi'mi:kəm, va:di'meikəm] *n лат.* малък справочник, наръчник; пътеводител.

vagabond[1] ['vægəbɔnd] *a* скитнически, чергарски, номадски.

vagabond[2] *n* **1.** скитник; **2.** безделник, нехранимайко, хаймана.

vagabond[3] *v* бродя, скитам (се), шляя се.

vagabondage ['vægəbɔndidʒ] *n* **1.** скитане; скитничество; **2.** скитници.

vagabondish ['vægəˌbɔndiʃ] *a* скитнически, вагабонтски.

vagabondize ['vægəbɔndaiz] *v* водя скитнически живот.

vagarious [və'gɛəriəs] *a* капризен, своенравен, непостоянен.

vagary ['veigəri] *n* странна/ексцентрична идея/постъпка, прищявка, приумица, каприз.

vagina [və'dʒainə] *n* (*pl* **-s** [-z]) , **vaginae** [və'dʒaini:]) *анат.* влагалище.

vaginal [və'dʒainəl] *a анат.* влагалищен.

vagrancy ['veigrənsi] *n* **1.** скитничество, скитнически живот; **2.** = **vagary**.

vagrant[1] ['veigrənt] *a* **1.** странствуващ/пътуващ музикант/племе и пр.; скитнически; **2.** необуздан, капризен; странен, чудат; блуждаещ.

vagrant[2] *n* скитник, празноскитащ; вагабонтин.

vague [veig] *a* неясен, смътен, неопределен; неясно формулиран/изразен/почувстван; съмнителен, двусмислен; **~ resemblance** далечна/едва доловима прилика; **I haven't the ~st notion of** нямам ни най-малка представа за; **he was very ~ on this point** той не каза нищо определено по този въпрос.

vail[1] [veil] *n ост. обик. pl* паричен дар; бакшиш; подкуп, рушвет.

vail[2] *v ост., поет.* **1.** навеждам (*оръжие и пр.*), свалям (*шапка и пр.*) (*особ. в знак на подчинение*); **2.** отстъпвам, прекланям се (**to** пред); **3.** свеждам (*очи, глава*) в знак на уважение.

vain [vein] *a* **1.** празен, пуст, безсъдържателен; лъжовен, лъжлив; **2.** напразен, безполезен, безплоден, безсмислен, безрезултатен; неоснователен; **in ~** напразно, без полза/резултат; **3.** суетен; самомнителен; горд; **to be ~ of** имам прекалено високо мнение/голямо самомнение за (*хубостта си и пр.*); **to take s.o.'s name in ~** говоря за някого непочтително, споменавам ненужно името му.

vainglorious [vein'glɔ:riəs] *a* тщеславен, славолюбив; суетен; който обича да се хвали.

vainglory [vein'glɔ:ri] *n* тщеславие, славолюбие; самохвалство.

vainly ['veinli] *adv* **1.** напразно, безполезно; **2.** самомнително.

valance ['væləns] *n* (къса) драперия/волан около легло, балдахин над прозорец и пр.

vale[1] [veil] *n* **1.** *поет.* дол, долина; **~ of tears** юдол плачевна, свят на мъки и печал; **the ~ of years** старостта; **2.** канал за изтичане на вода, канавка.

vale[2] ['veili] *int, n лат.* сбогом; **to say/take o.'s ~** сбогувам се, прощавам се.

valediction [ˌvæli'dikʃn] *n* **1.** сбогуване, прощаване; **2.** прощална реч/слово.

valedictorian [ˌvælidik'tɔ:riən] *n ам.* студент отличник, който произнася прощално слово при завършване на випуска.

valedictory [ˌvæliˈdiktəri] I. *a* прощален; II. *n ам.* прощално слово при завършване на випуск.

valence[1] [ˈvæləns] = **valance**.

valence[2] [ˈveiləns] = **valency**.

valencv [ˈvælənsi] *n хим.* валенция; валентност.

valentine [ˈvæləntain] *n* 1. поздравителна картичка/писмо и пр., изпращано (*обик. анонимно*) на любим човек на 14 февруари (St. Valentine's Day); 2. възлюбен/възлюбена, избрани на/за този ден.

valerian [vəˈliəriən] *n* 1. *оот.* дилянка; 2. валериан.

valeric [vəˈlerik] *a хим.* валерианов.

valet[1] [ˈvælit] *n* 1. слуга, камериер; 2. прислужник в хотел и пр., който почиства/глади дрехи, лъска обувки и пр.

valet[2] *v* служа като камериер на, обслужвам.

valetudinarian [ˌvælitjudiˈnɛəriən] I. *a* болнав, с деликатно/крехко здраве; II. *n* човек, който прекалено много се занимава с/грижи за здравето си.

valetudinary [ˌvæliˈtjudinəri] = **valitudinarian I**.

Valhalla [vælˈhælə] *n* 1. сканд. мит. валхала; 2. пантеон.

valiant [ˈvæliənt] *a* храбър, смел, доблестен.

valid [ˈvælid] *a* 1. валиден, действителен, имащ законна сила; 2. добре обоснован, логичен; солиден, сериозен (*за довод, възражение*).

validate [ˈvælideit] *v* 1. потвърждавам, узаконявам, ратифицирам; 2. обявявам (*избори*) за действителни/(*кандидат*) за редовно избран.

validation [ˌvæliˈdeiʃn] *n* потвърждаване, утвърждаване, ратификация.

validity [vəˈliditi] *n* 1. валидност, законност; 2. обоснованост.

valise [vəˈliːz] *n* 1. *ам.* пътна чанта, куфарче; 2. (войнишка) раница/торба.

Valkyrie [vælˈkiəri] *n мит.* валкирия.

valley [ˈvæli] *n* 1. долина; 2. *арх.* улама, долия (*на покрив*).

vallum [ˈvæləm] *n лат. ист.* крепостен вал, укрепление.

valonia [vəˈlouniə] *n* чашки на вид жълъд (*употребявани за щавене, боядисване, правене на мастило и пр.*).

valorize [ˈvæləraiz] *v* изкуствено покачвам/поддържам (*цени — особ. чрез държавни мерки*), валоризирам.

valorous [ˈvælərəs] *a поет.* храбър, смел, доблестен, мъжествен.

valour [ˈvælə] *n* храброст, смелост, доблест.

valse [vɑːls, vɔːls] *фр.* = **waltz**.

valuable [ˈvæljuəbl] I. *a* 1. ценен; скъпоценен, скъп; 2. много полезен, ценен; II. *n обик. pl* ценности; скъпоценности.

valuation [ˌvæljuˈeiʃn] *n* оценка; преценка; установена цена; **she has too high a ~ on his abilities** тя има прекалено високо мнение за неговите способности.

value[1] [ˈvælju:] *n* 1. ценност; цена; важност; полезност, полза; **to learn the ~ of** разбирам цената на/ползата от (*нещо*); **of ~** ценен, полезен; 2. стойност; **to the (total) ~ of** на (обща) стойност; **to lose/fall in/go down in ~** стойността ми се понижава, обезценявам се; *прен.* загубвам цената/стойността си; **entertainment ~** забавност; **food ~** хранителност; **~-added tax** данък върху повишението в стойността на даден артикул по време на производвеждането му; 3. равностойност, равноценност, еквивалент; **to be good ~** на сметка съм; струвам си парите; **to get good ~ for o.'s money** изкарвам си парите, получавам нещо равностойно на парите си, купувам на сметка; 4. значение (*на знак*); 5. *мат.* величина; 6. *муз.* продължителност (*на но-*

та); 7. точно/пълно значение/смисъл (*на дума*); 8. *изк.* съотношение на светлосенките в една картина; **out of ~** твърде светло/тъмно; 9. *pl* стандарти (*морални, етични и пр.*); 10. *биол.* дял, категория; 11. *pl* ценности, достойнства (*културни и пр.*).

value[2] *v* 1. ценя, оценявам; пресмятам, изчислявам; **to ~ s.th. at** оценявам нещо на (*стойност*); 2. ценя високо, скъпя; имам високо мнение за; придавам значение на; **to ~ o.s. on/for s.th.** гордея се с нещо.

valueless [ˈvæljulis] *a* без стойност, неструващ нищо.

valuer [ˈvæljuə] *n* оценител.

valuta [vəˈljuːtə] *n* (курс на) валута.

valve [vælv] *n* 1. клапа, клапан, вентил; 2. *бот.* преградка (*на семенна кутийка*); 3. *зоол.* раковина, черупка (*на мида, стрида*); 4. *анат.* клапа (*сърдечна и пр.*); 5. *муз.* клапа (*на орган, флейта и пр.*); 6. *рад.* (електронна) лампа; 7. *ост.* крило на двукрила/трикрила и пр. врата.

valved [vælvd] *a* с клапа/клапи.

valvular [ˈvælvjulə] *a* 1. *мед.* отнасящ се до сърдечните клапи; 2. приличен на/функциониращ като клапа.

valvulitis [ˌvælvjuˈlaitis] *n* възпаление на сърдечните клапи.

vamoose, vamose [vəˈmuːs, vəˈmous] *v ам. sl.* офейквам, духвам, обирам си крушите, избягвам.

vamp[1] [væmp] *n* 1. предница на обувка; 2. кръпка на обувка; 3. набързо скалъпено/скърпено нещо; 4. *муз.* импровизиран акомпанимент.

vamp[2] *v* 1. слагам нова предница на обувка; 2. кърпя, закърпвам; поправям; подновявам; 3. скърпвам, изкалъпвам, скопосвам, импровизирам (**up**); 4. *муз.* импровизирам акомпанимент (*за песен, танц*).

vamp[3] *n разг.* съблазнителка, безскрупулна флиртаджийка, жена вамп; авантюристка.

vamp[4] *v за жена* 1. съблазнявам, изкушавам, примамвам, впримчвам (*мъж*); 2. флиртувам, държа се като жена вамп.

vampire [ˈvæmpaiə] *n* 1. вампир; 2. *зоол.* вампир (*и ~-bat*); 3. *прен.* безскрупулен експлоататор, кръвопиец; 4. *ам.* жена, която безскрупулно експлоатира и разорява любовника си; 5. *театр.* трап.

vampirism [ˈvæmpaiərizm] *n* 1. вярване във вампири; 2. прояви на човек вампир (*прен.*).

van[1] [væn] *n* авангард (*и прен.*); **in the ~ of** в челните редици на.

van[2] *n* 1. фургон (*и* **luggage-/guard's-~**); 2. покрита кола за пренасяне/превозване, фургон (*и* **removal ~**); **delivery ~** кола за разнасяне на стоки; 3. кола за превозване на затворници (*и* **prison/felon's ~**); 4. циганска каруца.

van[3] *n* 1. изпробване на качеството на руда чрез промиване; 2. веялка.

vanadium [vəˈneidiəm] *n хим.* ванадий.

Vandal [ˈvændl] *ист.* I. *a* вандалски; II. *n* вандал.

vandal [ˈvændl] I. *a* варварски, вандалски; II. *n* разрушител на културни ценности, вандал.

vandalism [ˈvændəlizm] *n* вандализъм, вандалщина, варварство.

vandalize [ˈvændəlaiz] *v* държа се като варварин, постъпвам вандалски, руша културни ценности; обезобразявам природата.

Vandyke [vænˈdaik] *n* 1. картина от Вандайк; 2. назъбена ленена/дантелена яка; 3. късо подстригана силно заострена брада; 4. назъбен/нарязан ръб; (островръх) фестон; 5. *attr:* **~-brown** тъмнокафява боя/цвят.

vane [vein] *n* 1. ветропоказател; 2. крило на вятърна мелница; перка (*на вентилатор, турбина*); широката част (*на перка, витло*); 3. визьор (*на нивелир*).

vanguard ['vænga:d] *n воен.* авангард; *прен.* преден/челен отряд.

vanilla [və'nilə] *n* ванилия (*растението и подправката*).

vanish ['væniʃ] *v* 1. изчезвам внезапно; 2. постепенно се загубвам, чезна, изчезвам; **to ~ into space/thin air** изгубвам се безследно, изчезвам като дим, изпарявам се; 3. *мат.* превръщам се в нула.

vanishing ['væniʃiŋ] *a* изчезващ; чезнещ; **~ fraction** *мат.* дроб, която се приближава до нула; **~ cream** *козм.* бързо попиващ крем; **~ point** убежна точка на линиите; *прен.* момент на пълно изчезване.

vanity ['væniti] *n* 1. суета, суетност; пустота; външен блясък; **~ bag/case/box** дамска тоалетна чанта/кутия; **V. Fair** *прен.* панаир на суетата; 2. празнота, безполезност, безсмисленост; 3. самомнение, славолюбие, тщеславие; 4. *ам.* тоалетна масичка.

vanquish ['væŋkwiʃ] *v* 1. побеждавам, надвивам, покорявам, подчинявам; 2. преодолявам, превъзмогвам, надмогвам (*чувство, страст*).

vantage ['va:ntidʒ] *n* 1. предимство; превъзходство (*в състезание и пр.*); **~-ground, point of ~** удобна/изгодна позиция, за отбрана/нападение; 2. *тенис* отбелязване на точка след равен резултат.

vapid ['væpid] *a* 1. блудкав, безвкусен, изветрял (*за питие и пр.*); 2. банален, изтъркан, безинтересен; плосък, скучен, вял, безсъдържателен (*за разговор и пр.*).

vapidity [və'piditi] *n* безвкусност и пр. (*вж.* **vapid**).

vaporization [veipərai'zeiʃn] *n* образуване на пара, изпаряване.

vaporize ['veipəraiz] *v* превръщам (се) в пара, изпарявам (се).

vaporizer ['veipəraizə] *n* изпарител, пулверизатор.

vaporous ['veipərəs] *a* 1. парообразен, във вид на пара, парен, мъглив; 2. пълен с пара; 3. бързо изпаряващ се, летлив; 4. *прен.* нереален, невеществен; мимолетен, преходен.

vapour ['veipə] *n* 1. пàра, пàри, изпарения; мъгла; 2. нещо недействително/невеществено; химера, фантазия, илюзия; 3. *pl ост.* нервна депресия, меланхолия; хипохондрия; истерия; 4. *attr* парен, от пара; **~ trail** *ав.* диря от пара (*след самолет*), инверсионна следа.

vapour[2] *v* 1. изпарявам се; 2. дрънкам глупости, говоря врели-некипели; 3. хваля се, перча се.

vapoury ['veipəri] *a* 1. подобен на пара; мъглив, замъглен, неясен; 2. унил, паднал духом.

vaquero [və'kɛərou] *n мекс.* каубой.

Varangian [və'rændʒiən] *ист.* **I.** *a* варяжки; **II.** *n* варяг.

varec ['værek] *n* (пепел от) кафяви морски водорасли, от които се получава йод.

variability [ˌvɛəriə'biliti] *n* променливост, променчивост; непостоянство.

variable[1] ['vɛəriəbl] *a* 1. променлив, променчив; непостоянен, несигурен, на когото не може да се разчита; 2. изменяем, изменлив; 3. *биол.* отклоняващ се от типа си (*за вид*); променящ строежа/функцията си.

variable[2] *n* 1. *мат.* променлива величина; 2. *мор.* променлив вятър; 3. *мор. pl* райони в океана, където ветровете често сменят посоката си.

variance ['vɛəriəns] *n* 1. вариране, промяна; разлика; несъгласие; разногласие, спор, препирня, разправия; **to be at ~ with s.th.** в разрез/противоречие съм с нещо (*за теория, становище и пр.*); **to be at ~ with s.o.** не съм съгласен с/на различни мнения сме с/във враждебни отношения/скарани сме с някого); 2. *юр.* несъответствие в документи/показания и пр.; 3. *биол.* отклонение от типа/вида.

variant[1] ['vɛəriənt] *a* 1. различен, различаващ се, по-друг, инакъв; **~ reading** друга версия/вариант (*в ръкопис*); **~ spellings** правописни варианти; 2. променлив, непостоянен; отклоняващ се (*от типа и пр.*).

variant[2] *n* вариант; вариантна форма.

variation [vɛəri'eiʃn] *n* 1. изменение, видоизменение, промяна; колебание; отклонение; вариране (*на температура, цени и пр.*); 2. *биол.* отклонение (*от типа*); 3. разновидност; вариант; разлика, различие; 4. *мат., муз.* вариация; 5. *балет* соло танц.

variational [vɛəri'eiʃnl] *a* вариационен.

varicella [væri'selə] *n мед.* варицела, лещенка.

varices *вж.* **varix**.

varicoloured ['vɛəriˌkʌləd] *a* разноцветен, пъстър; *прен.* разнообразен.

varicose ['værikous] *a мед.* разширен, подут, варикозен (*за вена*).

varied ['vɛərid] *a* 1. различен; 2. разнообразен; изпълнен с разнообразие (*за живот, кариера и пр.*); 3. променлив (*за успех и пр.*).

variegate ['vɛərigeit] *v* разнообразявам; пъстря, изпъстрям, шаря, нашарвам.

variegated ['vɛərigeitid] *a* пъстър, изпъстрен, разноцветен, шарен; на (цветни) петна; разнообразен; разностранен (*за кариера и пр.*).

variegation [vɛəri'geiʃn] *n* пъстрота, разноцветност, шареност; разнообразяване, изпъстряне, нашарване.

variety [və'raiəti] *n* 1. разнообразие; многообразие, разностранност; **for the sake of ~** за разнообразие; 2. ред, редица, множество; **for a ~ of reasons** по много/по най-различни причини; 3. вид, сорт, разновидност (*и биол.*); 4. *attr* вариететен; естраден; **~ show/entertainment** естраден концерт/представление; вариете, водевил; шоу; **~ theatre** вариететен театър.

variety store [və'raiətiˌstɔ:] *n ам.* магазин за най-различни дребни/евтини стоки.

variform ['vɛərifɔ:m] *a* имащ различни форми, разнообразен по форма.

variola [və'raiələ] *n мед.* едра шарка, сипаница, вариола.

variometer [vɛəri'ɔmitə] *n ел., рад., ав.* вариометър.

variorum [ˌvɛəri'ɔ:rəm] *n* 1. издание/текст с бележки/коментар от различни хора; 2. (издание, съдържащо) различни варианти на един текст.

various ['vɛəriəs] *a* 1. разни, различни; няколко, много; редица; **~ people have ~ opinions** разни хора, разни мнения; 2. разнообразен, разностранен, многостранен.

varix ['vɛəriks] *n лат.* (*pl* **varices** [-si:z]) разширена вена/артерия.

varlet ['va:lit] *n* 1. *ист.* щитоносец, слуга на рицар, паж; 2. *шег.* мошеник, измамник, негодник.

varmint ['va:mint] *n* 1. *разг.* безобразник, пакостник (*обик. за дете*); 2. **the ~** *разг.* лисицата; 3. *диал.* = **vermin**.

varnish[1] ['va:niʃ] *n* 1. лак; **(nail) ~** лак за нокти; 2. лъскавина, лустро, шлифовка (*и прен.*); прикритие, маскировка.

varnish[2] *v* 1. лакирам; 2. лъскам, излъсквам; лустровам, шлифовам (*и прен.*); замазвам, прикривам.

varnishing day ['va:niʃiŋˌdei] *n изк.* вернисаж.

varsity ['va:siti] *n разг.* 1. университет; 2. *attr* университетски (*за спортен отбор и пр.*).

vary ['vɛəri] *v* 1. меня (се), променям (се), (видо)изменям (се); варирам; разнообразявам; **to ~ directly/inversely as** *мат.* меня се право/обратно пропорционално на; 2. *муз.* въвеждам вариации; 3.

различавам се; **our opinions ~ on this point** по този въпрос сме на различни мнения.

vas [væs] *n* (*pl* **vasa** ['veisə]) *анат.* съд, канал.

vascular ['væskjulə] *a бот., биол.* съдов, васкуларен; **~ systems** съдови системи (*кръвоносна, лимфатична и пр.*).

vasculum ['væskjuləm] *n* (*pl* **vascula** ['væskjulə]) (металнa) кутия на ботаник за събиране на растения.

vase [va:z] *n* ваза; **a ~ of flowers** ваза с цветя; **flower ~** ваза за цветя.

vasectomy [və'sektəmi] *n мед.* операция за стерилизиране (*на мъж*).

vaseline ['væsli:n] *n* вазелин.

vasomotor [veizou'moutə] *a анат.* съдодвигателен, вазомоторен.

vassal ['væsəl] *n* 1. *ист.* васал; 2. *прен.* подчинен, подвластен, роб; 3. *attr* васален; подвластен.

vassalage ['væsəliʤ] *n* 1. *ист.* положение на васал, васална зависимост; 2. *прен.* зависимост, робство.

vast[1] [va:st] *a* 1. обширен, просторен, огромен, необятен; **~ expanse of water** необятна водна шир; **~ majority** огромно мнозинство; 2. широк, пълен, изчерпателен; всестранен; 3. *разг.* голям.

vast[2] *n поет.* шир, простор.

vastly ['va:stli] *adv* 1. в значителна степен, извънредно, неизмеримо; 2. *разг.* много.

vasty ['va:sti] = **vast**[1].

vat[1] [væt] *n* голям съд за течности: казан, цистерна, бъчва, вана и пр. (*използувани в пивоварството, при боядисване и пр.*).

vat[2] *v* (**-tt-**) подлагам на някакъв процес, слагам в казан, бъчва и пр.

Vatican ['vætikən] *n*: **the ~** Ватиканът.

vaticinate [və'tisineit] *v* пророкувам, предсказвам, предричам.

vaudeville ['voudəvil] *n* водевил; вариететно представление.

vault[1] [vo:lt] *n* 1. *арх.* свод, купол; **the ~ of heaven** *прен.* небесният свод, небето; 2. подземен склад; изба; мазе; 3. подземно помещение за съхраняване на ценности; трезор; 4. подземие; (подземна) гробница.

vault[2] *v* правя във форма на свод; слагам свод/купол над.

vault[3] *v* 1. прескачам/подскачам, опирайки се на нещо; **to ~ into the saddle** скачам/мятам се на седлото; 2. прескачам (*порта, ограда и пр.*), опирайки се на ръце/тояга (*и с* **over**).

vault[4] *n* (пре)скачане, (пре)скок.

vaulted ['vo:ltid] *a* сводест, засводен, със свод/сводове.

vaulter ['vo:ltə] *n* човек, който прескача нещо (*особ. с овчарски скок*).

vaulting horse ['vo:ltiŋ ho:s] *n сп.* кон (*уред за прескачане*).

vaunt[1] [vo:nt] *v* 1. хваля се (**of** с) (*успех и пр.*); 2. хваля, възхвалявам, превъзнасям.

vaunt[2] *n* 1. хвалба, похвала; 2. самохвалство.

V-day ['vi:'dei] *n* ден на победата (*във втората световна война*).

veal [vi:l] *n* 1. телешко месо; 2. *attr* телешки, от телешко месо.

vealy ['vi:li] *a* като теле/телешко месо; *прен.* незрял.

vector[1] ['vektə] *n* 1. *мат.* вектор; *attr* векторен (*за уравнение*); 2. *ав.* курс/направление на самолет/ракета и пр.; 3. носител/разпространител на зараза/инфекция (*паразит и пр.*).

vector[2] *v* направлявам полет (*на самолет, ракета и пр.*) чрез радиовълни.

Veda ['veidə] *n*: **the Veda(s)** (една от) четирите древни свещени книги на индусите, Ведата, Ведите.

vedette [vi'det] *n* 1. конен часовой, кавалерийски пост; 2. торпеден катер.

veep [vi:p] *ам.* = **vice-president.**

veer[1] [viə] *v* 1. променям постепенно посоката си, обръщам се (*за вятър и пр.*); 2. обръщам (се) по посока на вятъра (*за кораб*); 3. *мор.* отпущам въжета и пр.; *прен.* умело маневрирам; 4. променям курса (*и прен.*).

veer[2] *n* промяна на посоката/курса; обръщане.

veg [veʤ] *разг.* = **vegetable.**

vegan ['vi:gən] *n* строг/краен вегетарианец.

vegetable[1] ['veʤitəbl] *a* 1. растителен; **~ oils** растителни масла; **the ~ kingdom** растително царство, растенията; 2. зеленчуков; **~ dish** постно ядене; 3. вегетариански; 4. *прен.* безинтересен, монотонен, пасивен (*за живот и пр.*).

vegetable[2] *n* 1. зеленчук, зарзават; **green ~s** 1) листни зеленчуци; 2) пресни зеленчуци; 2. *прен.* вегетиращ човек.

vegetal ['veʤitl] 1. = **vegetable**[1]; 2. = **vegetative.**

vegetarian [veʤi'tɛəriən] *n* 1. вегетарианец; 2. *attr* вегетариански.

vegetarianism [veʤi'tɛəriənizm] *n* вегетарианство.

vegetate ['veʤiteit] *v* 1. раста; 2. *прен.* живея празен/еднообразен живот; живуркам, вегетирам.

vegetation [veʤi'teiʃn] *n* 1. растителност, флора; зеленина; 2. растеж, растене; поникване; прорастване; кълнене, покълване.

vegetative ['veʤitətiv] *a* 1. растителен, вегетационен; 2. *физиол.* вегетативен; 3. *прен.* вегетиращ, живуркащ.

vehemence ['vi:iməns] *n* сила; страст; страстност, бурност; увлечение, жар.

vehement ['vi:imənt] *a* силен; страстен; бурен, яростен; стремителен, стихиен; разпален.

vehicle ['vi:ikl] *n* 1. (сухопътно) превозно средство; комуникационно средство; **space ~** космически кораб; 2. изразно средство; проводник, носител (**of, for** *с ger*); 3. разтворител; спойка.

vehicular [vi'hikjulə] *a* 1. превозен, транспортен; 2. (отнасящ се) за транспорт; 3. *ам.* автомобилен, моторизиран (*за транспорт*).

veil[1] [veil] *n* 1. воал, воалетка, було; фередже, яшмак; покривало (*особ. за глава*); **to take the ~** ставам монахиня, покалугерявам се; 2. завеса, перде (*и прен.*); **to draw a ~ over s.th.** премълчавам/потулвам/скривам нещо; **under the ~ of religion** под прикритието на религията; **beyond the ~** отвъдният/оня свят; **to pass beyond the ~** умирам; 3. *анат., зоол., бот.* ципеста обвивка, ципа; було; 4. (лека) дрезгавост, пресипналост, прегракналост; 5. *фот.* лека замъгленост, неясност.

veil[2] *v* 1. забулвам (се), пребулвам (се); обвивам (се) с було/воал; 2. скривам, прикривам; премълчавам; замаскирвам.

veiling ['veiliŋ] *n* 1. материя за була/воали; 2. було, воал.

vein [vein] *n* 1. вена; 2. *разг.* кръвоносен съд; жила; 3. *бот., зоол.* жилка (*на листо, крило и пр.*); 4. жила, ивица (*в дървесина, камък и пр.*); 5. *геол.* жила; 6. *прен.* жилка, склонност, наклонност; влечение, стремеж; тенденция; **to be in the (right) ~** в подходящо настроение/разположен съм (**for** за); **another remark in the same ~** още една забележка в същия дух.

veined ['veind] *a* (покрит) с жили/жилки; набразден (като) с жилки.

veinstone ['veinstoun] *n геол.* камък/скала с рудна жила.

veiny ['veini] *a* 1. с жилки; 2. жилест, с издути жили.

velar ['vi:lə] *a фон.* веларен (*за звук*).

veld(t) [velt] *n юж.-афр.* поле, равнина; пасбище.

velitation ['veliteiʃn] *n ост.* леко спречкване, спор.

velleity [vi'li:iti] *n* 1. смътно желание; 2. лека склонност/наклонност.

vellum ['veləm] *n* 1. тънък пергамент, велен; ръкопис на велен; 2. копирна хартия, паус; 3. ~ **paper** веленова хартия; 4. тънка телешка и пр. кожа за подвързване на книги.

velocipede [vi'lɔsipi:d] *n* 1. стар тип велосипед; 2. *шег.* велосипед; 3. детско велосипедче с три колела.

velocity [vi'lɔsiti] *n* 1. скорост, бързина; **at the ~ of light/sound,|etc.** със скоростта на светлината/звука и пр.; 2. *attr* скоростен; за скорост; ~ **gauge** скоростомер; 3. *рад.* честота.

velour(s) [və'luə] *n* 1. велур (*от коприна, коприна и памук*); филц; 2. *attr* велурен; филцов.

velum ['vi:ləm] *n* (*pl* **vela** ['vi:lə]) 1. *анат.* мекото небце; 2. *бот., зоол.* ципа, мембрана.

velvet[1] ['velvit] *n* 1. кадифе; 2. памучно кадифе, велвет; 3. *sl.* полза, печалба; **to be on ~** 1) успехът/победата ми е сигурна; 2) преуспявам материално; 4. мъхеста кожа, покриваща растящ еленов рог.

velvet[2] *a* 1. от/като кадифе; 2. кадифен, мек като кадифе; **with ~ gloves** меко, леко, внимателно; **an iron hand in a ~ glove** *прен.* добре прикрита бруталност.

velveteen [velvi'ti:n] *n* 1. памучно кадифе; 2. дефтин, бархет; 3. *pl* панталони/дрехи от памучно кадифе.

velvety ['velviti] *a* (мек и гладък) като кадифе.

vena ['vi:nə] *n* (*pl* **vinae** ['vi:ni:]) *лат. анат.* вена.

venal ['vi:nl] *a* 1. продажен, подкупен; 2. користен, користолюбив.

venality [vi:'næliti] *n* 1. продажност, подкупност; 2. користолюбива постъпка/подбуда.

venation [vi'neiʃn] *n* жилки по листо/по крило на насекомо.

vend [vend] *v* 1. *юр.* продавам; 2. предлагам за продан дребни стоки; ~**ing machine** автомат за продажба на дребни стоки (*цигари, шоколад и пр.*).

vendee [ven'di:] *n юр.* купувач.

vender, -or ['vendə] *n* 1. продавач; амбулантен търговец (*обик. в съчет.*); **match ~** продавач на кибрит; **news~** вестникопродавец и пр.; 2. = **vending machine** (*вж.* **vend** 2).

vendetta [ven'detə] *n* вендета, кръвно отмъщение; *прен.* дълбока и трайна вражда.

veneer[1] [vi'niə] *v* 1. покривам/облицовам с фурнир; 2. придавам външен блясък на; замазвам, прикривам, замаскирвам.

veneer[2] *n* 1. фурнир; 2. облицовка; 3. замазка; 4. лъскавина, политура; външен блясък, лустро, шлифовка (*и прен.*).

veneering [vi'niəriŋ] *n* 1. полиране; лакиране, лакировка (*и прен.*); 2. материали за полиране/лакиране.

venepuncture ['veni,pʌŋktʃə] *n мед.* пробиване на вена за слагане на интравенозна инжекция.

venerable ['venərəbl] *a* 1. почитан, уважаван, внушаващ респект; многоуважаем, достопочтен; 2. древен, многовековен; *разг.* стар.

venerate ['venəreit] *v* благоговея пред, почитам, уважавам, тача.

veneration [venə'reiʃn] *n* дълбока почит, благоговение.

venereal [vi'niəriəl] *a* 1. полов; 2. венерически (*за болес-*

ти и пр.); ~ **remedies** лечебни средства за венерически болести.

venereologist [viniəri'ɔlədʒist] *n* специалист по венерически болести, венеролог.

venereology [viniəri'ɔlədʒi] *n мед.* венерология.

venesection ['venisekʃn] *n мед.* рязане на вена за пускане на кръв и пр.

Venetian [vi'ni:ʃn] I. *a* венециански; ~ **blind** жалузи; ~ **pearl** изкуствен бисер; II. *n* венецианец.

vengeance ['vendʒəns] *n* отмъщение, мъст; **to take/inflict ~ on/upon** отмъщавам на; **to swear ~ against** заклевам се, че ще (си) отмъстя на; **with a ~** *разг.* здравата, яката; прекалено; в пълния смисъл на думата; безспорно; **this is punctuality with a ~** това се казва/е точност.

vengeful ['vendʒful] *a* отмъстителен.

venial ['vi:niəl] *a* 1. извинителен; извиним, простим; 2. дребен (*за грешка, прегрешение*); *рел.* малък, не смъртен (*за грях*).

venipuncture = **venepuncture.**

venisection = **venesection.**

venison ['venisn, 'venzn] *n* еленово/сърнешко месо.

venom ['venəm] *n* 1. отрова (*на змия, скорпион и пр.*); 2. *прен.* отрова; злъч, злоба, злина.

venomous ['venəməs] *a* 1. отровен (*за змия и пр.*); 2. зъл, злъчен; злобен.

venose ['vi:nous] *a бот.* с многобройни/издути жилки, жилест.

venous ['vi:nəs] *a* 1. *физиол.* венозен (*за кръв*); 2. = **venose.**

vent[1] [vent] *n* 1. отвор, дупка; цепка, цепнатина (*за влизане на въздух*); 2. комин; бойница, амбразура, мазгал; отдушник; 3. клапа (*на духов инструмент*); 4. цепка (*на гърба на палто, сако, пола*); 5. *анат.* заден отвор (*на риба, птица и пр.*); 6. *прен.* отдушник, простор; **to give ~ to** давам израз/воля на, изливам (*гнева, възмущението си и пр.*); **to give ~ to a sigh** изпускам въздишка, въздъхвам; **to find a ~ in** намирам отдушник в.

vent[2] *v* 1. пробивам отвор/дупка в; служа за отвор/отдушник/отвод; 2. изпускам, изтласквам; 3. давам израз/воля на, изливам; **to ~ o.'s anger on** изливам яда си върху; **she ~ed herself in a torrent of tears** тя намери отдушник в поток от сълзи/избухна в неудържим плач; 4. излизам на повърхността, за да поема въздух (*за видра и пр.*).

ventage ['ventidʒ] *n* 1. отдушник; 2. клапа (*на духов инструмент*).

venter ['ventə] *n* 1. *анат. зоол.* корем; 2. *юр.* утроба, майка; **by one ~** едноутробен; **a son by/the son of another ~** син от друга майка.

vent-hole ['venthoul] *n* отдушник; дупка за процеждане на въздух, пушек, светлина и пр.

ventiduct ['ventidʌkt] *n* шахта за проветряване.

ventil ['ventil] *n муз.* клапа на духов инструмент, вентил.

ventilate ['ventileit] *v* 1. проветрявам; 2. *мед.* пречиствам кръв (*чрез дишане и пр.*); 3. подлагам на разискване; обсъждам; разяснявам; 4. излагам, правя публично достояние.

ventilation ['ventileiʃn] *n* 1. проветряване, проветрение, вентилация; 2. разискване, обсъждане, разясняване; 3. *attr* вентилационен.

ventilative ['ventilətiv] *a* проветрителен, вентилационен.

ventilator ['ventileitə] *n* вентилатор.

vent-peg ['ventpeg] *n* канела, чеп, запушалка (*на бъчва и пр.*).

vent-plug ['ventplʌg] = vent-peg.

ventral ['ventrəl] *a* 1. *анат.* коремен; 2. *бот.* намиращ се на предната/долната повърхност.

ventricle ['ventrikl] *n анат.* кухина; камера на сърцето.

ventriloquism [,ven'trilɔkwizm] *n* говорене чрез стомаха, вентрилоквизъм.

venture[1] ['ventʃə] *n* 1. рискована/опасна работа/постъпка; риск, авантюра; **at a ~** напосоки, наслука, на късмет; 2. търговска спекулация; 3. рискувана сума, заложени пари.

venture[2] *v* 1. смея, посмявам, дръзвам; осмелявам се, решавам се; позволявам си; **to ~ an opinion** осмелявам се да изкажа мнение; **not to ~ near** не смея да припаря до; **to ~ on a perilous journey** предприемам опасно пътуване; **to ~ (on) a remark** позволявам си да забележа; 2. рискувам, поставям на карта, залагам; **nothing ~ nothing gain/have/win** който рискува, той печели; **will you ~ on a slice of my cake?** ще опиташ ли едно резенче от моя кейк?

venturer ['ventʃərə] *n* човек, който се занимава с рисковани сделки.

venturesome, -rous ['ventʃəsəm, -rəs] *a* 1. готов на риск; смел, дързък, решителен; 2. рискован, свързан с риск.

venue ['venju:] *n* 1. *юр.* съдебен окръг (*в който ще се гледа дело*); **to change the ~** предавам дело за разглеждане в друг окръг; *прен.* променям мястото на действието; измествам спора на друга плоскост; 2. място за срещи (*особ. политически, спортни*); сборище.

Venus ['vi:nəs] *n* 1. *мит., астр.* Венера; 2. **~'s flytrap** насекомоядно растение (Dionaea muscipula); 3. красива жена, красавица; 4. плътска любов/желание.

veracious [və'reiʃəs] *a* верен, точен; истинен, правдив; честен.

veracity [və'ræsiti] *n* истинност, правдивост; честност.

veranda(h) [və'rændə] *n* веранда, чардак.

verb [və:b] *n* глагол.

verbal[1] ['və:bl] *a* 1. словесен, езиков; 2. устен (*за съобщение, договор, показания и пр.*); 3. буквален, дословен (*за превод и пр.*); 4. глаголен, отглаголен; **~ noun** отглаголно съществително; 5. *дипл.* вербален (*за нота*).

verbal[2] *n* 1. отглаголно съществително/прилагателно; 2. устно изявление/твърдение (*особ. пред полицията*).

verbalism ['və:bəlizm] *n* 1. устно, *обик.* многословно изразяване; многословие; 2. педантизъм, буквоядство.

verbalist ['və:bəlist] *n* 1. педант, буквоядец; 2. човек, който умее добре да използва думите.

verbalize ['və:bəlaiz] *v* 1. превръщам в глагол (*друга част на речта*); 2. изразявам с думи, давам устен израз на; 3. многословен съм.

verbally ['və:bəli] *adv* 1. устно; 2. словом; 3. дума по дума.

verbatim[1] ['və:beitim] *adv* дословно, дума по дума.

verbatim[2] *a* дословен, предаден/преписан дума по дума.

verbena [və:'bi:nə] *n бот.* върбинка.

verbiage ['və:biiʤ] *n* многословие, пустословие.

verbose [və:'bous] *a* многословен, празнословен.

verbosity [və:'bɔsiti] *n* многословие, празнодумие.

verdancy ['və:dənsi] *n* 1. зеленина, зелен цвят (*на ливада и пр.*); 2. незрялост, неопитност.

verdant ['və:dənt] *a* 1. зелен, свеж, злачен; 2. незрял, неопитен, зелен.

verdict ['və:dikt] *n* 1. решение; присъда (*на жури*); **sealed ~** писмено решение на жури, предадено на секретаря на съда; **special ~** решение, в което са изложени фактите и доказателствата и се предоставя на съда да се произнесе; **to bring in/return a ~ of guilty/not guilty** *юр.* признавам за виновен/невиновен; 2. мнение, преценка; решение, присъда; **to pass a ~ on** изказвам мнение по; съдя; **the ~ of the people** думата на народа; **the popular ~** общото мнение; **the doctor has not yet given his ~** докторът не се е произнесъл още; **my ~ differs from yours** аз не мисля като вас, на друго мнение съм.

verdigris ['və:digris] *n* зелен меден окис; **covered with ~** зеленясъл (*за метал*).

verdure ['və:ʤə] *n* 1. зеленина, злак; листа, листак, шума; 2. свежест, младост.

verdurous ['və:ʤərəs] *a* зелен, злачен.

verge[1] [və:ʤ] *n* 1. край, предел; граница (*и прен.*); **on the ~ of** пред (прага на) (*гибел и пр.*); **he is on the ~ of seventy** той отива към седемдесетте; **she was on the ~ of betraying her secret** тя за малко щеше да издаде тайната си; 2. ивица трева (*около леха, край път и пр.*); 3. *арх.* връх на заострен покрив; стълб; колона; 4. жезъл (*като символ на длъжност*).

verge[2] *v* 1. клоня, приближавам се, отивам (**to, towards** към); **the sun is ~ing towards the horizon** слънцето клони към хоризонта/към заник; 2. **to ~ on** гранича с, приближавам се до, наближавам; **the path ~s on the edge of a precipice** пътеката достига до ръба на пропаст; **he is verging on forty** той наближава четиридесетте; **to ~ on disaster** пред бедствие/гибел съм.

verger ['və:ʤə] *n* 1. носител на жезъл (*при процесии*); 2. (заместник-)ректор на университет и пр.; 3. църковен слуга, клисар.

veridical [vi'ridikl] *a* 1. истински, истинен, верен, правдив; 2. *псих.* отговарящ/съответствуващ на действителността, неилюзорен.

veriest ['veriist] *a* най-голям, краен, абсолютен.

verifiable ['verifaiəbl] *a* проверим, удостоверим.

verification [,verifi'keiʃn] *n* 1. проверка; 2. потвърждение; потвърждаване; доказателство.

verify ['verifai] *v* 1. проверявам; 2. потвърждавам; 3. изпълнявам (*обещание*); 4. *юр.* давам показания под клетва; удостоверявам истинността на (*нещо*); подкрепям (*с доказателства*).

verily ['verili] *adv ост.* наистина.

verisimilar [veri'similə] *a* правдоподобен; вероятен.

verisimilitude [,verisi'militju:d] *n* правдоподобност; вероятност; **~ is not truth** правдоподобността не е доказателство.

veritable ['veritəbl] *a* истински, същински.

verity ['veriti] *n* 1. истинност, достоверност (*на твърдение и пр.*); 2. основна истина; установен факт; **in all ~** наистина.

verjuice ['və:ʤu:s] *n* 1. (кисел) сок от незрял плод; 2. кисело изражение; неприветливост; рязкост.

vermeil ['və:meil] *n* 1. = **vermilion**[1]; 2. позлатен/посребрен метал; 3. яркочервен цвят.

vermicilli [və:mi'seli] *n* фиде.

vermicide ['və:misaid] *n* **vermifuge**.

vermicular [və:'mikjulə] = **vermiform**.

vermiform ['və:mifɔ:m] *a анат.* червеобразен; **~ appendix** червеобразен израстък, апендикс.

vermifuge ['və:mifjuʤ] *n* противоглистно средство.

vermilion[1] [və:'miliən] *n* 1. живачен сулфид, използуван като багрилно вещество; киновар; цинобър; 2. яркочервен цвят; 3. *attr* яркочервен, ален.

vermilion[2] *v* боядисвам яркочервено.

vermin ['vəːmin] *n обик. събир.* **1.** вредни животни/насекоми; вредители; паразити; **2.** *прен.* паплач, сган.

verminous ['vəːminəs] *a* **1.** който е пълен с/има паразити (*въшки, бълхи и пр.*); **2.** който се предава чрез/причинява от паразити; **3.** отвратителен, гаден, гнусен; *ам* вреден.

vermouth ['vəːməθ] *n* вермут.

vernacular[1] [və'nækjulə] *a* **1.** народен, роден (*за език*); **2.** написан на народен/роден език; **3.** местен (*за говор*); ~ **poet** поет, който пише стихове на местен говор/диалект; **4.** характерен за дадена област (*за архитектура и пр.*); ендемичен.

vernacular[2] *n* **1.** роден/народен език; **2.** местен говор, диалект; **3.** жаргон на дадена професия; **4.** *шег.* ругатни.

vernacularism [və'nækjulərizm] *n* местна дума/израз/идиом.

vernal ['vəːnəl] *a* **1.** пролетен; **2.** ~ **grass** *бот.* миризливка (Anthoxanthum odoratum); **3.** свеж, младежки.

vernalization [,vəːnəlai'zeiʃn] *n агр.* яровизация.

vernation [və'neiʃn] *n бот.* разположение на листата в пъпка.

vernier ['vəːniə] *n тех.* нониус.

veronal ['verənəl] *n фарм.* веронал.

Veronese [,verə'niːz] **I.** *a* веронски; **II.** *n* жител на Верона, веронец.

veronica [və'rɔnikə] *n* **1.** *бот.* великденче, вероника; **2.** *църк.* кърпа с изображение на лика на Христос.

verruca [ve'ruːkə] *n (pl* **-cae** [-siː]) *мед., зоол., бот.* брадавица, израстък.

versant ['vəːsənt] *n* **1.** склон; **2.** наклон, полегатост.

versatile ['vəːsətail] *a* **1.** многостранен, всестранен; *прен.* гъвкав, подвижен, пъргав; ~ **genius** разностранен гений; ~ **writer** плодовит писател, пишещ в различни жанрове; **2.** променлив, колеблив, несигурен, непостоянен; **3.** *бот., зоол.* движещ се и напред, и назад; **4.** подходящ/използван за различни цели.

versatility [vəːsə'tiliti] *n* **1.** многостранност; *прен.* гъвкавост, подвижност, пъргавост; **2.** променливост, колебливост, несигурност.

verse[1] [vəːs] *n* **1.** стих; стихотворна форма, стихосложение; **in** ~ в стихове; **2.** строфа; **3.** номерирано поделение на глава в библията; **4.** солова част от черковен химн; **5.** *attr* стихотворен, написан в стихове.

verse[2] *v* **1.** изразявам в стихотворна форма; **2.** пиша стихове.

verse[3] *v* запознавам подробно (**in** с); обучавам (**in** в).

versed [vəːst] *a* опитен, изкусен; компетентен (**in** в, по).

verse-monger ['vəːsmʌŋgə] *n* стихоплетец.

verset ['vəːsit] *n муз.* кратка прелюдия/интерлюдия (*за орган*).

versicoloured [,vəːsiʌkkiɛd] *a* **1.** пъстроцветен, шарен; **2.** с менящи се цветове.

versification [,vəːsifi'keiʃn] *n* **1.** стихосложение; прозодия; **2.** преработване в стихотворна форма; в стихове.

versification [,vəːsifi'keiʃn] *n* **1.** стихосложение; прозодия; **2.** преработване в стихотворна форма/в стихове.

version ['vəːʃn] *n* **1.** версия, редакция, текст; **2.** превод; **3.** вариант; **4.** *мед.* обръщане на плода в матката за улесняване на раждането.

vers libre [vəː'liːbr] *n фр. лит.* свободен стих.

verso [ˈvəːsou] *n* **1.** лявата страница на отворена книга; **2.** обратната страна (*на монета, медал*).

verst [vəːst] *n рус.* верста.

versus ['vəːsəs] *prep* **1.** *юр., сп.* срещу, против; **2.** в сравнение/контраст с, в противовес на.

vert[1] [vəːt] *n юр., ист.* (право на сеч на) горска шума/зеленина.

vert[2] *n хер.* зелен цвят.

vertebra ['vəːtibrə] *n (pl* **-brae** [-briː]) гръбначен прешлен; *pl* гръбначен стълб.

vertebral ['vəːtibrəl] *a* гръбначен; ~ **column** гръбначен стълб.

vertebrate ['vəːtibrət] **I.** *a* гръбначен; **II.** *n* гръбначно животно.

vertebration [vəːti'breiʃn] *n* **1.** образуване/деление на прешлени; **2.** *прен.* здравина, якост, устойчивост.

vertex ['vəːteks] *n лат.* (*pl* **vertices** ['vəːtisiːz]) **1.** връх (*особ. геом.*); **2.** *анат.* върхът на черепа, теме; **3.** *астр.* зенит.

vertical[1] ['vəːtikl] *a* **1.** отвесен, вертикален; **2.** *анат.* отнасящ се до върха на черепа, теменен; □ ~ **union** професионален съюз, обхващащ работниците във всички процеси на даден отрасъл.

vertical[2] *n* вертикал, отвес; **out of the** ~ наклонен, невертикален.

verticil ['vəːtisil] *n бот.* пръстеновидно наредени/разположени листа и пр.

vertiginous [vəː'tiʤinəs] *a* **1.** шеметен; причиняващ замайване; **2.** замаян, зашеметен; страдащ от виене на свят; **to feel** ~ вие ми се свят, чувствувам се замаян; **3.** въртящ се, виещ се; ~ **current** водовъртеж.

vertigo ['vəːtigou] *n* замайване, виене на свят, световъртеж.

vervain ['vəːvein] = **verbena**.

verve [vəːv] *n* живост; сила, енергия; замах; ентусиазъм.

vervet ['vəːvit] *n* вид юж.-аф. маймуна.

very[1] ['veri] *adv* **1.** много (*с adv, a*); ~ **good** 1) много добър; 2) добре, съгласен съм; ~ **well** (много) добре, хубаво, съгласен съм; ~ **tall** много висок; ~ **many** много, мнозина; **I was** ~ **much/**разг. ~ **surprised/annoyed** бях много изненадан/раздразнен; **2.** *за усилване:* 1) *при превъзходна степен:* **the** ~ **best/the** ~ **last thing I can do** (наистина) най-доброто/последното нещо, което мога да направя; **he came the** ~ **next day** той дойде още на другия ден; **we did our** ~ **utmost** направихме всичко, което можахме; 2) *при тъждественост, противоположност:* **the** ~ **same/opposite** точно същото/тъкмо обратното; 3) *в съчет. с* **own**: **my** ~ **own** мой собствен, само мой; **you may keep it as your** ~ **own** можеш да си го задържиш, твое си е; □ **not** ~ не много, не особено.

very[2] *a* **1.** същ., същински, истински; пълен, съвършен; **she is the** ~ **picture of her mother** тя е същинска майчичка, прилича съвсем на майка си; **the veriest simpleton knows it** и най-големият глупак знае това; **he could not, for** ~ **shame, refuse** от кумова срама не можа да откаже; **the** ~ **shame of it!** какъв срам! срамота! безобразие! **in** ~ **truth/deed** наистина, действително, без съмнение; **2.** самият; **the** ~ **thing I wanted** точно това, което ми трябва; **this is the** ~ **spot I found it on** точно тук/ей тук нà го намерих; **the** ~ **idea!** представяш ли си! **come here this** ~ **minute** ела тук веднага; **the** ~ **stones cry out** дори и камъните крещят.

Very light ['veri,lait] *n воен.* сигнална/осветителна ракета Вери.

vesica ['vesikə, vi'saikə] *n* **1.** *анат., зоол.* мехур (*особ. пи-*

кочен); **2.** *изк.* елипсовиден ореол (*и*~ **piscis/ piscium**).

vesicant ['vesikənt] *a, n мед.* (газ и пр.) причиняващ изприщване/мехури.

vesicate ['vesikeit] *v мед.* причинявам изприщване/мехури.

vesicle ['vesikl] *n* **1.** *анат.* торбичка, киста, сак; белодробна алвеола; **2.** пъпчица, мехурче; **3.** *геол.* кухина в скала.

vesper ['vespə] *n* **1.** V. звезда вечерница, Венера; **2.** *pl църкв.* вечерня; **3.** *поет.* вечер; **4.** камбанен звън за вечерня (*и* ~ **bell**).

vespertine ['vespətain] *a* **1.** вечерен; **2.** *бот.* който се разтваря вечер (*за цвят*); **3.** нощен (*за птица*); **4.** *астр.* който се спуска към хоризонта при залез слънце/залязва надвечер.

vespiary ['vespiəri] *n* гнездо на оси.

vessel ['vesl] *n* **1.** съд, съдина; **leaky** ~ *прен.* недискретен човек, дърдорко; **weak** ~ *библ.* несигурен/ненадежден човек; **the weaker** ~ *библ.* жената; **chosen** ~ богоизбраник; ~**s of wrath** *библ.* съсъди на гнева; тирани; **2.** плавателен съд, кораб; **3.** *анат.* съд, канал; **blood** ~ кръвоносен съд.

vest[1] [vest] *n* **1.** *ам. търг.* жилетка; **2.** долна риза, фланела, потник; **3.** жабо/пластрон на рокля; **4.** *ост.* дреха, облекло.

vest[2] *v* **1.** *прен.* обличам; **to** ~ **s.o. with power** обличам някого във/давам някому власт; **to** ~ **rights in s.o.** давам права на някого; **to** ~ **s.o. with rights in an estate** давам някому права върху имот; **to** ~ **all o.'s hopes in** възлагам всичките си надежди/осланям се/разчитам на; **2.** *ост.* обличам; **3. to** ~ **in** преминавам/намирам се във владение на.

vesta ['vestə] *n* (восъчен) кибрит.

vestal[1] ['vestl] *a* девствен, целомъдрен, непорочен; ~ **virgin** весталка.

vestal[2] *n* **1.** весталка; **2.** непорочна жена; монахиня.

vested ['vestid] *a* законен, неотемен; ~ **rights** *юр.* неотемни/безусловни права; ~ **interests** 1) законно придобити имуществени права; 2) капиталовложения; 3) корпорации, монополи.

vestee [ve'sti:] = **vest**[1] 3.

vestiary ['vestiəri] *n* **1.** дрешник; **2.** облекло, дрехи.

vestibule ['vestibju:l] *n* **1.** вестибюл, хол; **2.** преддверие, антре; коридор; трем, пруст; ~ **train** влак, чиито вагони са съединени със закрити коридори/платформи; **3.** *анат.* преддверие, трем.

vestibule school ['vestibju:l 'sku:l] *n ам.* производствена школа; заводско училище/школа.

vestige ['vestidʒ] *n* **1.** следа, диря; белег, признак, знак; частица, капка, капчица; **not a** ~ **of** ни помен/следа от; ни капка; **not a** ~ **of evidence** абсолютно никакви улики/доказателства; **2.** *ост.* следа от стъпка; **3.** *биол.* рудиментарен орган, рудимент.

vestigial [ve'stidʒiəl] *a* закърнял, изроден, атрофиран (*особ. за орган и пр.*), рудиментарен.

vestment ['vestmənt] *n* **1.** одежда (*и църкв.*); **2.** покривка за олтар.

vest-pocket ['vest,pɔkit] *n* **1.** джоб на жилетка; **2.** *attr* джобен, съвсем малък/дребен; ~ **camera** миниатюрен фотоапарат; ~ **park** съвсем мъничък парк.

vestry ['vestri] *n* **1.** *църкв.* ризница, вестиарий; църковна канцелария; **2.** енорийско събрание (*и* **common/general/ordinary** ~); енорийски съвет (*и* **select** ~).

vestryman ['vestrimən] *n* енорийски налогоплатец; член на енорийски съвет.

vesture[1] ['vestʃə] *n поет.* **1.** одеяние, облекло; **2.** покривало.

vesture[2] *v поет.* **1.** обличам; **2.** покривам.

vet[1] [vet] *n разг.* ветеринарен лекар, ветеринар.

vet[2] *n ам. разг.* ветеран.

vet[3] *v* (-**tt**-) *вет.* преглеждам, лекувам (*животно*); **2.** *прен.* преглеждам, разглеждам, проучвам; проверявам (*ръкопис, уред, кандидат и пр.*); **3.** *разг., шег.* преглеждам, лекувам (*човек*).

vetch [vetʃ] *n бот.* **1.** фий (Vicia sativa); **2.** секирче (Lathyrus) (*и* **vetchling**).

veteran ['vetərən] *n* **1.** ветеран (*и прен.*); **2.** *ам.* бивш/демобилизиран фронтовак/военнослужещ; **3.** *attr* стар, опитен, врял и кипял; многогодишен; дълголетен; ~ **car** стар модел кола (*отпреди 1916 г.*).

veterinarian [vetəri'nɛəriən] *n* ветеринарен лекар.

veterinary ['vetərinəri] **I.** *a* ветеринарен; ~ **surgeon** ветеринарен лекар; **II.** *n* ветеринарен лекар, ветеринар.

veto[1] ['vi:tou] *n* (*pl* -**es**) (право на) вето; забрана, запрещение; отхвърляне; **to put a/o.'s** ~ **on** налагам вето на; забранявам; отхвърлям; **to exercise the** ~ упражнявам/използвам правото си на вето.

veto[2] *v* налагам вето на; забранявам; отхвърлям (*законопроект, резолюция и пр.*).

vex [veks] *v* **1.** дразня, раздразвам; досаждам; сърдя, разсърдвам, ядосвам; **to be** ~**ed** сърдит съм, яд ме е (**at, with** на); **how** ~**ing!** колко неприятно/досадно! **2.** *поет.* безпокоя, вълнувам; **3.** *ост.* опечалявам, наскърбявам, натъжавам; **4.** *поет.* вълнувам (*море*); **5.** разисквам продължително, споря до безкрайност; ~**ed question** труден/много разискван проблем; **6.** озадачавам, обърквам.

vexation [vek'seiʃn] *n* **1.** дразнене, раздразване, разсърдване, ядосване; раздразнение, досада, яд; **2.** неприятност, досадно нещо.

vexatious [vek'seiʃəs] *a* **1.** дразнещ, досаден; мъчителен; **2.** свързан с/създаващ неприятности/неудобство; противен; **3.** *юр.* неоснователен, целящ единствено да дразни/тормози ответника.

via [vaiə] *prep* **1.** през (*град, държава и пр.*); **2.** *разг.* с (*превозно средство*); **3.** чрез, посредством; **to send a letter** ~ **o.'s secretary** изпращам писмо чрез секретаря си.

viability [vaiə'biliti] *n* **1.** жизнеспособност; **2.** приложимост.

viable ['vaiəbl] *a* **1.** жизнеспособен; **2.** изпълним, осъществим, приложим (*за план и пр.*).

viaduct ['vaiədʌkt] *n* виадукт.

vial ['vaiəl] *n* мускал; шишенце, стъкълце; **to pour out** ~**s of wrath on** изливам гнева си върху, отмъщавам си на.

via media ['vaiə 'mi:diə] *n лат.* среден път, умерен курс.

viands ['vaiəndz] *n pl* хранителни припаси, провизии, храна.

viaticum [vai'ætikəm] *n* (*pl* -**a**) **1.** пътни и дневни; **2.** провизии за из път; **3.** *църкв.* последно причастие.

vibes [vaibz] *n pl разг.* **1.** = **vibraphone**; **2.** = **vibrations.**

vibrant ['vaibrənt] *a* **1.** трептящ, вибриращ; звънлив; резониращ (*за звук*); **2.** изпълнен с живот/жизненост; бликащ от енергия; пращящ от здраве; **3.** треперещ (*от вълнение и пр.*) (**with**); **4.** звучен (*за глас*).

vibraphone ['vaibrəfoun] *n муз.* вибрафон.

vibrate ['vaibreit] *v* **1.** трептя, вибрирам; **2.** треперя, трепкам; туптя, тупам; **3.** люлея се (*за махало и прен.*); колебая се; **4.** клатя, люлея, движа; **5.** отмервам (*секунди и пр.*); **6.** (продължавам да) звуча (*в ушите,* *паметта*); **7.** откликвам, проявявам отзивчивост; **8.** колебая се.

vibration [vai'breiʃn] *n* **1.** вибрация, трептене, трепкане; **forced/free** ~ *тех.* принудително/свободно трептене; **2.** треперене; тупане, тупкане, туптене; **3.** люлеене.

vibrato [vi:'bra:tou] *n муз.* вибрато.

vibrator [vai'breitə] *n тех.* вибратор.

vibratory [vai'breitəri] *a* **1.** вибриращ, трептящ; причиняващ трептене; вибрационен; **2.** люлеещ се; **3.** колебаещ се.

vibrio ['vibriou] *n (pl* **vibriones** [vibri'ouni:z] *) биол.* вибрион.

viburnum [vai'bə:nəm] *n бот.* калина.

vicar ['vikə] *n* викарий, свещеник, пастор; наместник; **lay** ~ псалт; **V. of (Jesus) Christ** папата; **the** ~ **of Bray** безпринципен човек; ренегат, приспособленец.

vicarage ['vikəridʒ] *n* жилище/служба на свещеник.

vicar general ['vikə dʒenərəl] *n* архиерейски наместник.

vicarial [vai'kɛəriəl] *a* викарски, пасторски.

vicarious [vai'kɛəriəs] *a* **1.** направен/извършен заради/ вместо друг; ~ **suffering** страдание, понесено вместо друг/вместо виновника; ~ **punishment** наказание за чужди грехове/по чужда вина; ~ **sacrifice** изкупителна жертва; **2.** косвен, чужд, не свой; ~ **pleasures** преживени/изживени косвено чужди радости/удоволствия; **to live by** ~ **labour** живея от чужд труд; **3.** делегиран *(за власт, права)*; ~ **ruler** наместник; **4.** заместващ *(някого, нещо)*; **5.** *физиол.* изпълняващ функцията на друг орган.

vice[1] [vais] *n* **1.** порок; поквара; **he has no redeeming** ~ той е прекален светец; **2.** недостатък, недъг, дефект; **3.** лош нрав *(на кон, куче и пр.)*; **4.** *лит., театр.* **the V.** олицетворение на порока в средновековните комедии; клоун.

vice[2] *n* **1.** *тех.* менгеме; **as firm as a** ~ здраво стегнат/закрепен, неподвижен; **2.** силно стискане при ръкуване.

vice[3] *v* слагам/стягам/стискам (като) в менгеме.

vice[4] *n разг.* заместник *(на президент и пр.)*.

vice[5] ['vaisi] *prep лат.* на мястото на.

vice-admiral ['vaisædmirəl] *n* вицеадмирал.

vice-chairman ['vais'tʃɛəmən] *n (pl* **-men)** подпредседател.

vice-chancellor ['vais'tʃa:nsələ] *n* **1.** вицеканцлер; **2.** заместник-ректор по административната част.

vice-consul ['vais'kɔnsəl] *n* заместник/изпълняващ длъжността на консул, вицеконсул.

vice-dean ['vais'di:n] *n* заместник-декан.

vicegerent ['vais'dʒerənt] *n* заместник; пълномощник.

vice-governor ['vais'gʌvənə] *n* вицегубернатор, заместник-управител.

vice-king ['vais'kiŋ] = **viceroy.**

vicennial [vais'eniəl] *a* **1.** двадесетгодишен; който трае/ продължава 20 години; **2.** който става/се провежда всеки 20 години.

vice-president ['vais'prezidənt] *n* **1.** заместник министър-председател; **2.** заместник-председател, подпредседател, вицепрезидент.

vice-regal ['vais'ri:gl] *a* вицекралски.

vicereine ['vaisrein] *n* **1.** жена на вицекрал; **2.** жена вицекрал.

viceroy ['vaisrɔi] *n* вицекрал.

vice squad ['vais'skwɔd] *n* полицейски отряд за борба с проституцията, комарджийството и др. незаконни деяния.

vice versa ['vaisi'və:sə] *adv лат.* обратно; **to call black white and** ~ наричам бялото черно и обратно *(черното бяло)*; **he blames his wife and** ~ той обвинява жена си и обратно *(тя него)*.

Vichy ['vi:ʃi] *n:* ~ **(water)** минерална вода от гр. Виши.

vicinage ['visinidʒ] *n* **1.** съседство; **2.** околност(и); **3.** съседски отношения.

vicinal ['visinl] *a* **1.** съседен; **2.** местен, локален; ~ **road** междуселски път.

vicinity [vi'siniti] *n* **1.** околност(и), район; близост; **in the** ~ **of** близо до, около; в околността/района на; **2.** близост, родство **(to** с).

vicious ['viʃəs] *a* **1.** порочен; лош, покварен; ~ **pratices** мошеничества; разврат; **2.** неправилен, погрешен, дефектен; ~ **argument** несъстоятелен довод; **3.** зъл, злобен; злостен; проклет; гневен, яростен, ожесточен; **4.** зъл, упорит, с лош нрав *(за кон)*; **5.** ужасен, нетърпим *(за болка, време и пр.)*; ~ **headache** страшно главоболие.

vicious circle ['viʃəs,sə:kl] *n* омагьосан/порочен кръг.

vicissitude [vi'sisitju:d] *n* **1.** превратност, (рязка) промяна; **2.** *поет.* смяна, редуване.

victim ['viktim] *n* жертва, пострадал *(на/от война, бедствие, нещастен случай и пр.)*; **to be the** ~ **of** жертва съм на; **to fall (a)** ~ **to, to become the** ~ **of** ставам жертва на; **to die a** ~ **to** умирам от.

victimization [viktimai'zeiʃn] *n* **1.** мъчене, измъчване; **2.** мамене, измамване, излъгване, изиграване, изхитряване; **3.** гонене, преследване; уволнение *(особ. по политически причини)*.

victimize ['viktimaiz] *v* **1.** мъча, измъчвам; **2.** мамя, измамвам, изигравам, изхитрям; **3.** гоня, преследвам; уволнявам *(особ. по политически причини)*.

victor ['viktə] *n* **1.** победител; **2.** *attr* победоносен; ~ **nations** страни победителки.

victoria [vik'tɔ:riə] *n* **1.** лека двуместна карета; **2.** *бот.* виктория регия *(огромна водна лилия)* (*и* ~ **lily**); **3.** вид питомен гълъб; **4.** вид едра сочна слива.

Victorian [vik'tɔ:riən] **I.** *a* викториански, от епохата на кралица Виктория; **II.** *n* викторианец, писател от епохата на кралица Виктория *(1837—1901 г.)*.

Victoriana ['viktɔ:'ria:nə] *n pl* произведения, характерни за викторианската епоха.

victorious [vik'tɔ:riəs] *a* победен, победоносен; който е победил; ~ **army** армия победителка; **to be** ~ **over** побеждавам.

victory ['viktəri] *n* **1.** победа; **2.** ~ **gardens** частни зеленчукови градини, обработвани през и след Втората световна война.

victress ['viktris] *ж.р. от* **victor.**

victual[1] ['vitl] *n обик. pl* хранителни продукти, провизии; продоволствие, храна.

victual[2] *v* **1.** продоволствувам (се), снабдявам (се)/запасявам (се) с хранителни продукти; **2.** храня се, ям.

victualler ['vitlə] *n* **1.** доставчик на хранителни продукти; гостилничар; **licensed** ~ гостилничар, който има разрешение за продава спиртни напитки; **2.** продоволствен кораб.

vicuña [vi'ku:njə] *n* **1.** юж.-ам. животно от рода на ламите; **2.** вълна/плат от вълната на това животно.

vide ['vaidi] *v imp лат.* виж; ~ **supra/infra** виж/погледни по-горе/по-долу.

videlicet [vi'di:liset] *adv (съкр.* **viz)** *(чете се обик. като* **namely)** т.е., сиреч, именно.

video ['vidiou] *n* **1.** *ам.* телевизия; **2.** *attr* телевизионен.

videophone [vidiou'foun] *n* видеотелефон.

video-recording ['vidiouri'kɔ:diŋ] *n* видеозапис.

video-tape[1] ['vidiou'teip] *n* лента за видеозапис.

video-tape[2] *v* правя видеозапис.

vie [vai] *v* състезавам се, съревновавам се, съпернича (**with s.o. in s.th.** с някого по/в нещо).

Viennese [vie'ni:z] **I.** *a* виенски; **II.** *n* виенчанин.

Vietnamese [vietnə'mi:z] **I.** *a* ветнамски; **II.** *n* виетнамски език.

view[1] [vju:] *n* **1.** гледка, изглед, вид; илюстрована картичка; **2.** гледане; зрително поле; кръгозор; **at one ~** с един поглед; **in ~** който се вижда/предвижда/предстои; **the end in ~** целта, която се преследва; **in full ~ of** пред очите/погледа на, пред самия; **to come in ~ of** виждам, съзирам, пред очите ми се открива; бивам видян/съзрян от; **to come into ~** появявам се, задавам се; изниквам, възниквам; **to burst into s.o.'s ~** изпречвам се пред (очите на) някого; **to keep in ~** 1) не изпускам от очи; 2) имам предвид; **to pass from s.o.'s ~** скривам се от погледа на; **3.** представа, идея; **to form a clear ~ of** съставям си ясна представа за; **4.** възглед, мнение, схващане, гледище (**on**); **in my ~** според мен, по мое мнение; **to take the ~ that** на мнение съм/смятам, че; **to take a dim/poor ~ of** не вярвам, че ще излезе нещо от, гледам скептично/неодобрително на; **to take the short ~** мисля само за настоящето, проявявам късогледство; **to take the long ~** гледам/виждам нещата в перспектива; **to meet/fall in with s.o.'s ~s** съгласен съм с, приемам мнението/идеите и пр. на някого; **to take a different/grave/light/sober, etc. ~ of** гледам по-иначе/ сериозно/леко/трезво на нещо; **to hold extreme ~s** имам крайни възгледи, вземам крайни становища; **5.** намерение, план; помисъл, замисъл; **in ~ of** предвид на, поради; **with a/the ~ of, with a ~ to** с оглед на, с надежда/цел да, за да (*c ger*); **6.** преглед, разглеждане, обзор; **on ~** изложен за разглеждане/на показ и пр.; **private ~** 1) закрита изложба (*само за поканени*); 2) изложба на картини от частна колекция; **7.** *юр.* оглед; **8.** изглед; гледка, поглед; **front ~** фасада, лице.

view[2] *v* **1.** гледам, разглеждам; съзерцавам; **an order to ~** позволение за разглеждане (*на обявена за продан къща и пр.*); **2.** гледам на, имам отношение към; разглеждам, правя обзор на; **he ~s the matter in a different light** той гледа на/вижда нещата по-иначе; **3.** *юр.* правя оглед на; **4.** гледам телевизия.

viewer ['vju:ə] *n* **1.** *разг.* телевизионен зрител, телезрител; **2.** диаскоп.

view-finder ['vju:faində] *n фот.* визьор.

view-halloo ['vju:hə'lu:] *n* провикване на ловец при съглеждане на лисица.

viewless ['vju:lis] *a* **1.** *поет.* невидим; **2.** без/нямащ мнение.

viewpoint ['vju:pɔint] *n* гледна точка, гледище.

viewy ['vju:i] *a* **1.** *разг.* чудат, ексцентричен; фантазиращ; **2.** екстравагантен, фрапантен.

vigil ['viʤil] *n* **1.** бдение; **to keep ~** бдя; **2.** *цьрк.* навечерие на празник; *обик.* *pl* нощно бдение.

vigilance ['viʤiləns] *n* бдителност; **~ committee** *ам.* 1) самоволна организация за поддържане на реда/ нравствеността; 2) терористична организация, насочена срещу негрите в южните щати.

vigilant ['viʤilənt] *a* бдителен.

vigilante [viʤi'lænti] *n* член на **vigilance committee** (*вж.* **vigilance**).

vignette[1] [vi'njet] *n* **1.** винетка; **2.** портрет/снимка до рамената, чиито контури постепенно се губят; **3.** скица, литературен портрет.

vignette[2] *v* **1.** оформям като винетка; правя снимка до рамената; замъглявам външните контури (*на снимка*); **2.** описвам накратко, скицирам.

vigorous ['vigərəs] *a* **1.** силен, мощен, енергичен; деен, дейателен; **2.** здрав, як, крепък; **3.** изискващ енергия/сила; **4.** ярък, убедителен (*за стил*); **5.** буен, избуял.

vigour *am.*-**or** ['vigə] *n* **1.** сила, мощ, мощност, енергия, енергичност; жизненост; **2.** якост, крепкост, здравина; **3.** яркост, убедителност (*на стил и пр.*); **with ~** здраво, енергично.

viking ['vaikiŋ] *n* викинг.

vilayet [vila'jet] *n* вилает.

vile [vail] *a* **1.** долен, низък, подъл, безчестен; **2.** противен, гаден, отвратителен; мръсен, гнусен; **~ weather** *разг.* гадно/отвратително време; **3.** унизителен, срамен; **4.** *ост.* без никаква стойност.

vilification [vilifi'keiʃn] *n* хулене, злословене, клеветене, оклеветяване, чернене, очерняне.

vilifier ['vilifaiə] *n* клеветник, хулител.

vilify ['vilifai] *v* клеветя, оклеветявам, черня, очерням, злословя по адрес на, хуля.

vilipend ['vilipend] *v книж.* **1.** говоря с пренебрежение за; подценявам; унижавам; **2.** = **vilify**.

villa ['vilə] *n* вила.

village ['viliʤ] *n* **1.** село; **2.** *attr* селски.

villager ['viliʤə] *n* селянин; селски жител.

villain ['vilən] *n* **1.** подлец, негодник; злодей, престъпник; **the ~ of the piece** главният злодей (*в драма*); *прен.* главният виновник; **2.** *шег.* разбойник; **you little ~!** ах ти, дяволче! **3.** *ост.* селяк, селендур; **4.** = **villein**.

villainous ['vilənəs] *a* **1.** долен, низък, подъл, безчестен; злодейски; **2.** *разг.* отвратителен, гаден, противен; невъзможен.

villainy ['viləni] *n* **1.** низост, подлост; **2.** злодейство, злодеяние, престъпление.

villein ['vilin] *n ист.* феодален селянин; крепостен селянин; вилан.

villeinage ['viliniʤ] *n ист.* положение на вилан, крепостна зависимост.

vim [vim] *n разг.* сила, енергия; **put more ~ into it!** (хайде,) понапрегни се!

vinaigrette [vini'gret] *n* **1.** *готв.* сос (*за зелена салата и пр.*), винегрет (*и ~ sauce*); **2.** шишенце/флаконче за парфюм и пр.

vincible ['vinsibl] *a* победим, преодолим.

vindicate ['vindikeit] *v* **1.** защищавам, браня; застъпвам се за; поддържам; отстоявам; **2.** потвърждавам, доказвам (*правотата на*), установявам (*истинността на*); **3.** оправдавам, реабилитирам; **4.** отмъщавам за.

vindication [vindi'keiʃn] *n* **1.** защита, застъпничество; **2.** доказателство; **3.** оправдание, реабилитиране; **4.** отмъщение.

vindicator ['vindikeitə] *n* защитник, поборник, бранител.

vindicatory ['vindikeitəri] *a* **1.** оправдателен, реабилитиращ; защитен; **2.** наказателен (*за закон*).

vindictive [vin'diktiv] *a* **1.** отмъстителен; **2.** наказателен; **~ damages** *юр.* свръхкомпенсация (*обезщетение плюс глоба*).

vine [vain] *n* **1.** лоза (*и* **grape-~**); **(to dwell) under o.'s ~ and fig-tree** (живея си спокойно) у дома; **2.** пълзящо/увивно растение; **~ arbour** асма.

vine-dresser ['vain,dresə] *n* лозар.

vinegar [,vinigə] *n* **1.** оцет; *прен.* намръщеност, нацупеност, троснатост; **2.** *attr* оцетен; *прен.* кисел, нацупен, сърдит; **3.** *ам.* живост, сила, енергичност.

vinegary ['vinigəri] *a* **1.** като оцет, кисел (*и прен.*); **2.** неприятен; раздразнителен, язвителен.

vine-grower ['vain,grouə] *n* лозар.

vine-growing ['vaingrouiŋ] *n* лозарство.

vine-harvest ['vain,ha:vist] *n* гроздобер.

vineleaf ['vainli:f] *n* лозов лист.

vinery ['vainəri] *n* парник за отглеждане на лози.

vine-stock ['vainstɔk] *n* лозова пръчка.

vineyard ['vinjəd] *n* лозе.

vingt(-et)-un [væŋt(ei)ə:n] *n* двадесет и едно (*игра на карти*).

viniculture ['vinikʌltʃə] *n* лозарство.

vino ['vinou] *n разг.* евтино некачествено вино.

vinous ['vainəs] *a* 1. винен; 2. пийнал, пиян; пиянски.

vintage[1] ['vintidʒ] *n* 1. гроздобер; *прен.* реколта; 2. вино от дадена реколта (*обик.* ~-wine); 3. *поет.* вино; 4. *прен.* нещо, направено/създадено в дадена година/период.

vintage[2] *a* 1. от добра реколта; качествен; изключителен; ~ year година с добра реколта на грозде; изключително плодородна година; 2. от най-добрите, от висока класа (*особ. за произведение, постижение от минала епоха*); ~ car 1) стар модел кола (*особ. от периода 1917—1930 г.*); 2) спортна кола отпреди повече от 30 години.

vintager ['vintidʒə] *n* гроздоберач.

vintner ['vintnə] *n* винар.

vinyl ['vainil] *n* вид пластмаса, винил.

viol ['vaiəl] *n муз.*, *ист.* виола; **bass** ~ виола да гамба.

viola[1] ['vaiələ] *n бот.* трицветна теменуга.

viola[2] [vai'oulə] *n муз.* виола.

violaceous [,vaiə'leiʃəs] *a* 1. *бот.* от семейството на теменугите; 2. виолетов, теменужен.

violate ['vaiəleit] *v* 1. нарушавам, престъпвам; смущавам (*ред и пр.*); **to** ~ **s.o.'s privacy** натрапвам се на някого; 2. осквернявам, опетнявам, профанирам; 3. изнасилвам.

violation [vaiə'leiʃn] *n* 1. нарушаване, нарушение, престъпване; смущаване (*на ред и пр.*); 2. оскверняване, опетняване, профаниране; изнасилване.

violator ['vaiəleitə] *n* 1. нарушител, смутител; 2. осквернител.

violence ['vaiələns] *n* 1. сила, буйност, несдържаност; стремителност; ярост; ревност, жар; 2. буйство, насилие (*и юр.*); **by** ~ с насилие; **to die by** ~ умирам от насилствена смърт; **to do** ~ **to** упражнявам насилие над; изнасилвам; осквернявам, опетнявам, профанирам; **to do** ~ **to o.'s feelings** действувам против убежденията си; 3. извращаване, извращение.

violent ['vaiələnt] *a* 1. много силен, буен, бурен, стихиен; бесен, яростен, буйствуващ; жарък, ревностен; ~ **efforts** отчаяни усилия; 2. сприхав, раздразнителен, избухлив; **to be in a** ~ **temper** разярен съм; **to become** ~ разярявам се; започвам да буйствувам; 3. страстен; 4. насилствен; **to die/meet a** ~ **death** умирам от насилствена смърт; **to lay** ~ **hands on** заграбвам, присвоявам, обсебвам със сила; упражнявам насилие над; **to lay** ~ **hands on s.o.** нападам брутално някого; **to lay** ~ **hands on o.s.** посягам на живота си; **to resort to** ~ **means** прибягвам до насилие; 5. ярък (*за цвят*).

violet[1] ['vaiəlit] *n* 1. теменуга, теменужка, виолетка; 2. теменужен/виолетов цвят.

violet[2] *a* виолетов, теменужен, морав, лилав.

violin ['vaiəlin] *n* 1. цигулка; 2. *attr* за цигулка, цигулков, виолинов.

violinist [vaiə'linist] *n* цигулар, виолонист.

violoncellist [vaiələn'tʃelist] *n* виолончелист.

violoncello [vaiələn'tʃelou] *n* виолончело.

VIP [,vi:,ai'pi:] *n* (*pl* **VIPs** [-pi:z]) много важна/високопоставена личност.

viper ['vaipə] *n* 1. пепелянка; усойница; 2. *прен.* змия.

viperish, -ous ['vaipəriʃ, -əs] *a* отровен; зъл/злобен/ехиден като змия.

virago [vi'reigou] *n* 1. женище, мъжкарана; кавгаджийка; 2. амазонка; смела/юначна жена.

viral ['vaiərəl] *a* вирусен.

vires *вж.* vis.

virescent [vi'resənt] *a бот.* 1. зелен, зеленикав; зеленеещ се, раззеленяващ се; 2. необикновено/необичайно неестествено зелен.

virgin[1] ['və:dʒin] *n* 1. девица, мома, девойка; девственица; **the V.** Дева Мария; 2. = **Virgo**.

virgin[2] *a* 1. момински; 2. девствен; **the V. Queen** кралица Елизабет I; 3. *прен.* девствен; чист, неопетнен, недокоснат, непокътнат, нов; още неупотребяван/необработен; ~ **soil** девствена земя, целина (*и прен.*); ~ **peak** неизкачен/непокорён връх; 4. самороден, чист (*за метал*); 5. първи (*за реч, опит и пр.*); 6. *биол.* партеногенетичен; □ ~ **birth** 1) *рел.* раждането на Христос от Дева Мария; 2) *биол.* партеногенеза.

virginal[1] ['və:dʒinəl] *a* 1. девствен, чист, неопетнен; невинен, непорочен; *ост.* момински; 2. *биол.* партеногенетичен.

virginal[2] *n муз. ист.* ранна форма на клавесина.

Virginia [və:'dʒinjə] *n* 1. тютюн от щата Вирджиния; 2. ~ **creeper** вид дива пълзяща лоза.

virginity [və:'dʒiniti] *n* девственост.

Virgo ['və:gou] *n* Дева (*съзвездие и знак на зодиака*).

viridescent [viri'desənt] *a* зеленикав.

viridity [vi'riditi] *n* 1. зеленина; 2. невинност, наивност.

virile ['virail] *a* 1. възмъжал; 2. мъжки, полово зрял; 3. мъжествен, силен, мощен, енергичен; ~ **mind** буден/пъргав ум.

virility [vi'riliti] *n* 1. възмъжалост, полова зрялост; 2. мъжество, мъжественост, юначество; сила, енергия, енергичност.

virology [vai'rɔlədʒi] *n* вирусология.

virtu ['və:tu:] *n um.* 1. любов/вкус към изящните изкуства; 2. художествено произведение, старинен предмет, рядкост (*и* **article/object of** ~).

virtual ['və:tjuəl] *a* 1. истински, действителен, фактически; **it is a** ~ **promise** това е равностойно на обещание; 2. *опт.* виртуален (*за образ, фокус и пр.*).

virtually ['və:tjuəli] *adv* фактически, всъщност; все едно че, почти, на практика/дело.

virtue ['və:tju:] *n* 1. добродетел, целомъдрие; **to follow** ~ водя порядъчен живот; **to make a** ~ **of necessity** давам си вид, че върша доброволно/от чувство на дълг нещо, което така или иначе трябва да направя; **a woman of** ~ почтена/добродетелна жена; 2. добро качество/свойство, достойнство; **it has the** ~ **of being unbreakable** хубавото му е, че не се чупи; 3. сила, ефикасност; **by/in** ~ **of** по силата на, въз основа на; **a remedy of great** ~ добре действащо средство; **there is no** ~ **in such drugs** такива лекарства не са ефикасни.

virtuosity [və:tju,ɔsiti] *n* виртуозност, вещина.

virtuoso [və:tju:'ouzou] *n* (*pl* **virtuosi** [-i:]) 1. виртуоз; 2. специалист по художествени рядкости; ценител на изкуството.

virtuous ['və:tjuəs] *a* 1. добродетелен; 2. целомъдрен, чист, непорочен.

virulence ['virulans] *n* 1. отровност; 2. сила (*на действие*), вирулентност; 3. злоба, злост.

virulent ['virulant] *a* 1. силно отровен; болестотворен, вирулентен; 2. опасен, злокачествен (*за болест*); 3. злобен, злостен, зъл, злъчен.

virus ['vaiərəs] *n* 1. вирус; 2. *attr* вирусен.

vis [vis] *n* (*pl* **vires** ['vairi:z]) *лат.* сила.

visa[1] ['vi:zə]*n* виза.

visa[2] *v* слагам виза на (*паспорт*).

visage ['vizidʒ] *n* лице, образ, лик.

vis-a-vis[1] [viza:'vi:] *adv* един срещу друг, лице срещу лице.

vis-a-vis[2] *prep* 1. *непр.* относно, по отношение на, досежно; 2. лице срещу лице с, срещу; 3. в сравнение с, за разлика от.

vis-a-vis[3] *n* 1. визави; човек/предмет, намиращ се точно срещу някого/нещо; 2. = **opposite number** (*вж.* **opposite**[1]); 3. вид кабриолет; 4. вид малко извито канапе.

viscera ['visərə] *n pl* вътрешности (*особ. коремни*).

visceral ['visərəl] *a* 1. отнасящ се до вътрешностите; 2. дълбок; интуитивен.

viscid ['visid] = **viscous**.

viscidity [vi'siditi] = **viscosity**.

viscose ['viskous] *n* вискоза (*целулоза*).

viscosity [vis'kɔsiti] *n* 1. лепкавост; 2. вискозност, вискозитет.

viscount ['vaikaunt] *n* виконт.

viscountess ['vaikauntis] *ж.р. от* **viscount**.

viscous ['viskəs] *a* 1. лепкав, лепкав; полутечен; гъст; 2. вискозен.

vise [vaiz] *ам.* = **vice**[2].

visibility [vizi'biliti] *n* видимост.

visible ['vizibl] *a* 1. видим, който се вижда/забелязва; **nothing was ~** нищо не се виждаше; **~ signal** оптичен сигнал; 2. явен, очевиден; 3. готов да приема посетители (*за човек*); □ **~ exports** изнасяни стоки; **~ trade** внос и износ на стоки, стокообмен; **~ speech** видима реч (*фонетична транскрипция на Бел*).

visibly ['vizibli] *adv* видимо, явно, забележимо, очевидно.

Visigoth ['vizigəθ] *n ист.* вестгот.

vision ['viʒn] *n* 1. зрение; **field of ~** зрително поле; **within the range of ~** докъдето стига погледът; **beyond our ~** извън нашето зрително поле; 2. видение; привидение; призрак; 3. откровение; 4. проникновение, проницателност, прозорливост, далновидност; въображение; поглед; 5. (рядка) гледка (*и ирон.*).

visional ['viʒnl] *a* 1. зрителен; 2. въображаем.

visionary[1] ['viʒnəri] *a* 1. призрачен, въображаем, илюзорен, фантастичен; 2. склонен към халюциниране; 3. мечтателен, непрактичен, фантазьорски; утопичен; 4. зрителен.

visionary[2] *n* 1. визионер, ясновидец; 2. мечтател, фантазьор; утопист.

visioned ['viʒənd] *a* 1. видян/преживян в сън/като насън; 2. неясен, неуловим, призрачен; 3. с дарба на ясновидец.

visit[1] ['vizit] *v* 1. посещавам, навестявам, спохождам, ходя/отивам на гости (у); гостувам (**at, with** на, у); **to ~ at a hotel** отсядам/пребивавам в хотел; 2. инспектирам, ревизирам; 3. сполитам, постигам, налягам, нападам; *библ.* наказвам, отмъщавам (**on/upon s.o.** на някого, **with s.th.** с нещо); **to ~ the sins of the parents on the children** наказвам децата заради греховете на родителите им; **to ~ with plague** наказвам с чума; 4. утешавам; дарявам с; 5. *ам. разг.* **to ~ with** гостувам на; разговарям приятелски/ побъбрям си с.

visit[2] *n* 1. посещение, гостуване (*и официално*); визита; **to be on a ~** гостувам, на гости съм (**at**, у, на); **to pay a ~ to** посещавам; 2. инспекция, ревизия; 3. приятелски разговор.

visitant[1] ['vizitənt] *a ост., поет.* посещаващ, навестяващ, спохождащ.

visitant[2] *n* 1. прелетна птица; 2. привидение, дух; 3. посетител, гост.

visitation [vizi'teiʃn] *n* 1. служебно/официално посещение; обиколка; 2. *разг.* дълго/проточено посещение; 3. *мор.* инспектиране на чуждестранен кораб без претърсване; 4. V. божие наказание/възмездие; божа милост/благоволение; 5. изпитание; 6. *зоол.* необичайно масово преселение на животни.

visitatorial [vizitə'tɔ:riəl] *a* инспекционен, инспекторски.

visiting[1] ['viziŋ]*n* посещаване, навестяване, спохождане, гостуване; **~ hours** часове за посещение (*в болница*); **~ nurse** медицинска сестра, която обслужва пациенти по домовете им; **to have a ~ acquaintance/to be on ~ terms with** близки сме/ходим си на гости с; **not to be on ~ terms with** не сме дотам познати да си ходим на гости.

visiting[2] *a* гостуващ; **~ fireman** *ам.* високопоставен гост/посетител; **~ professor** професор, поканен да изнесе цикъл от лекции.

visiting-book ['vizitiŋbuk] *n* книга за посетители.

visiting-card ['vizitiŋka:d] *n* визитна картичка.

visiting-round ['vizitiŋ,raund] *n* 1. *воен.* проверка на караула; 2. *мед.* визитация.

visitor ['vizitə] *n* 1. посетител, гост; излетник, летовник; 2. инспектор, ревизор.

visor ['vaizə] *n* 1. козирка (*и тех.*); 2. наличник, забрало (*на шлем*); 3. *ист.* маска.

vista ['vistə] *n* 1. далечен изглед (*в дълбочина*); перспектива (*и прен.*); 2. алея, просека; 3. поглед надалеч (*към бъдещето/назад в миналото*); **the ~s of bygone times** далечни спомени; **a discovery that opens up new ~s** изобретение, разкриващо нови широки перспективи.

visual ['viʒuəl] *a* 1. зрителен; **~ aids** нагледни (учебни) помагала/пособия/средства; 2. оптически.

visualization [,viʒuəlai'zeiʃn] *n* 1. ясен зрителен образ/ представа; 2. способност да се извикват зрителни образи/представи.

vizualize ['viʒuəlaiz] *v* 1. представям си ясно, виждам във въображението си; **I know his name though I can't ~ him** зная името му, но не си спомням как изглежда; 2. давам ясна зрителна представа за; онагледявам.

vital ['vaitl] *a* 1. жизнен; **~ power** жизнена енергия; **~ statistics** 1) статистика на движението на населението, демографска статистика; 2) *разг.* дължината на гръдната обиколка, талията и ханша на жена; 2. жизненоважен, насъщен; съществен (**for** за); **of ~ importance** от съществено/първостепенно значение; 3. жив, енергичен, пълен с живот; 4. съдбоносен, фатален, гибелен (*за грешка и пр.*); **~ wound** смъртоносна рана; 5. *биол.* жизнеспособен, витален.

vital capacity ['vaitlkə'pæsiti] *n* капацитет на белите дробове.

vitalism ['vaitəlizm] *n биол.* витализъм.

vitality [vai'tæliti] *n* 1. жизненост, жизнеспособност; 2. живост, енергия; 3. издръжливост; стабилност.

vitalize ['vaitəlaiz] v оживявам, обновявам.

vitally ['vaitəli] adv живо; **to be ~ concerned** кръвно съм заинтересован.

vitals ['vaitlz] n pl 1. най-важните органи (сърце, дробове, мозък и пр.); 2. съществени части (на нещо съставно).

vital signs ['vaitl ˌsainz] n pl съществени признаци (пулс, честота на дишането, температура, понякога и кръвно налягане).

vitamin ['vitamin] n 1. витамин; 2. attr витаминен.

vitellus [vi'teləs] n (pl **vitelli** [-ai]) лат. жълтък (на яйце).

vitiate [vi'ʃieit] v 1. развалям, повреждам; понижавам качеството/силата на; 2. заразявам, поквалявам, опорочавам; 3. юр. правя недействителен/невалиден; 4. замърсявам (въздух и пр.).

vitiation [viʃi'eiʃn] n 1. разваляне, влошаване; 2. заразяване, опорочаване; 3. юр. признаване за невалиден/недействителен.

viticulture ['vitiˌkʌltʃə] n лозарство.

vitiosity [viʃi'ɔsiti] n порочност.

vitreous ['vitriəs] a 1. стъклен; 2. като/подобен на стъкло, стъкловиден; ~ **body/humour** анат. стъкловидно тяло, кристалин.

vitric ['vitrik] I. a = **vitreous**; II. n pl стъклени произведения, стъкларство, стъклария.

vitrification, -faction [vitrifi'keiʃn, -'fækʃn] n превръщане в стъкловидно вещество/стъкло.

vitrify ['vitrifai] v превръщам се в стъкло/стъкловидно вещество.

vitriol ['vitriəl] n 1. сярна киселина, витриол; **blue/copper** ~ меден сулфат, син камък; **green** ~ железен сулфат, зелен камък; 2. димяща сярна киселина (и oil of ~); 3. прен. язвителност, саркастичност.

vitriolic [vitri'ɔlik] a 1. разяждащ, витриолов; 2. прен. язвителен, саркастичен.

vituperate [vi'tjuːpəreit] v ругая, хокам; обиждам; злословя; хуля.

vituperation [vi'tjuːpəreiʃn] n ругаене, хокане; хулене, злословене.

vituperative [vi'tjuːpərətiv] a ругателен; хулителен.

vituperator [vi'tjuːpəreitə] n хулител.

viva[1] ['viːvə] int, n (викът/възгласът) да живее.

viva[2] ['vaivə] = **viva voce**.

vivace ['viva:tʃei] adv муз. виваче.

vivacious [vi'veiʃəs] a жив, оживен; жизнен.

vivacity [vi'væsiti] n живост, оживеност; жизненост.

vivarium [vi'vɛəriəm] n (pl -a) вивариум, развъдник.

viva voce ['vaivə'vousi] I. a устен; II. n устен изпит.

viva voce[2] adv устно.

vivid ['vivid] a 1. ярък, жив (за описание, образ и пр.); 2. ясен, светъл; 3. блестящ, ослепителен.

vividness ['vividnis] n 1. яркост, живост; 2. яснота; 3. ослепителност.

vivify ['vivifai] v оживявам, правя по-жив, вливам живот в.

viviparus [vi'vipərəs] a зоол. раждащ малките си живи, живороден.

vivisect ['vivisekt] v подлагам на вивисекция; извършвам вивисекция.

vivisection [vivi'sekʃn] n вивисекция.

vixen ['viksn] n 1. женска лисица; 2. свадлива/заядлива/ опърничава жена, кавгаджийка.

vixenish ['viksəniʃ] a свадлив, заядлив, опърничав.

viz [viz, 'neimli] вж. **videlicet**.

vizard ['vizəd] ост. = **visor**.

vizier [vi'ziə] n ист. везир.

vizor = **visor**.

vocable ['voukəbl] n ез. дума, вокабула.

vocabulary [və'kæbjuləri] n речник; словно богатство; лексика.

vocal ['voukl] I. a 1. гласов, гласен, вокален; ~ **cords** гласни струни, гласилки; ~ **communication** устно съобщение; ~ **music** вокална музика; ~ **organs** говорни органи; 2. звучен, звънлив, гласовит, надарен с глас; **to become/be** ~ надигам глас; давам гласен израз (на чувства, мнение и пр.) (**about** за, относно); **to make s.o.** ~ накарвам някого да заговори; **woods** ~ **with the songs of birds** гори, огласени от песента на птици; 3. фон. гласен, звучен; II. n гласен звук, гласна.

vocalic [vou'kælik] a гласен; богат с гласни (за език, дума).

vocalist ['voukəlist] n певец.

vocalization [voukəlai'zeiʃn] n 1. произнасяне (на дума); 2. фон. вокализация.

vocalize ['voukəlaiz] v 1. произнасям; 2. превръщам (съгласна) в гласна, озвучавам, вокализирам; 3. шег. говоря, викам; пея.

vocation [vou'keiʃn] n 1. призвание, наклонност, склонност, влечение (**for**); 2. занаят, поминък, професия.

vocational [vou'keiʃənl] a професионален; ~ **guidance** професионална ориентировка/насочване.

vocative ['vɔkətiv] грам. I. a звателен; II. n звателен падеж.

vociferate [və'sifəreit] v викам, крещя, дера си гърлото.

vociferation [vəˌsifə'reiʃn] n викане, кряскане, викове, кряскания.

vociferous [və'sifərəs] a гласовит, крещящ; гръмогласен (за протест и пр.).

vodka ['vɔdkə] n рус. водка.

vogue [voug] n 1. мода; **in** ~ на мода; **all the** ~ последната дума на модата; **to be the** ~ на мода/модерен съм; 2. широка известност/разпространение/популярност.

voice[1] [vɔis] n 1. глас (и муз.); гласова/вокална партия; **to be in good/bad** ~ гласът ми звучи/не звучи добре, добре/зле съм гласово/с гласа си (особ. за певец, оратор); 2. глас, израз, мнение; **to give** ~ **to** давам гласен израз на, изразявам гласно; **to give o.'s** ~ **for** обявявам се за, изказвам мнение по; **to have a** ~ имам право на глас; **to have no** ~ **in the matter** нямам думата по въпроса; **with one** ~ единодушно; 3. фон. звучност; 4. грам. залог.

voice[2] v 1. изразявам гласно, давам израз/ставам изразител на; 2. регулирам тона на, акордирам, настройвам; 3. фон. произнасям звучно, вокализирам, озвучавам.

voiced [vɔist] a 1. фон. звучен; 2. в съчет: **sweet-**~ с приятен/мелодичен/мек глас; **rough-**~ с груб глас.

voiceful ['vɔisful] a звучен.

voiceless ['vɔislis] a 1. безгласен, ням; загубил гласа си; 2. фон. беззвучен.

void[1] [vɔid] I. a 1. празен; свободен, вакантен; **to fall** ~ освобождавам се, овакантявам се; 2. лишен (**of** от); 3. юр. недействителен, невалиден (и null and ~); 4. бридж шикан; 5. рет. невлизащ в работа, безполезен, безрезултатен, безплоден; II. a 1. празно пространство; прен. празнота; **to vanish into the** ~ изчезвам безследно, изпарявам се; 2. бридж шикан.

void[2] v 1. изпразвам (черва, пикочен мехур и пр.); 2. ост. оставям, напускам; овакантявам; 3. правя недействителен/невалиден, анулирам.

voidance ['vɔidəns] *n* 1. изпразване; 2. вакантен свещенически пост; 3. *юр.* анулиране.

voile [vɔil] *n текст.* муселин.

volant ['voulənt] *a* летящ.

volar ['voulə] *a* на дланта/ходилото.

volatile ['vɔlətail] I. *a* 1. летлив, бързо изпаряващ се/изветряващ; 2. жив, пъргав, подвижен, хвъркат; 3. избухлив; лесно възбудим (*за подозрение и пр.*); 4. непостоянен, променлив, изменчив; неуловим; 5. опасен, критичен; II. *n* 1. крилато/летящо/хвъркато същество; 2. *хим.* летливо/бързо изпаряващо се/изветряващо вещество.

volatility [vɔlə'tiliti] *n* 1. летливост; 2. живост, пъргавост, подвижност; 3. непостоянство, променливост, изменчивост; 4. избухливост; възбудимост.

volatilization [,vɔlətili'zeiʃn] *n* превръщане в пара, изпаряване; изветряване.

volatilize [,vɔləti'laiz] *v* изпарявам (се), превръщам (се) в пара; изветрявам.

vol-au-vent [vɔlou'va:n] *n фр. готв.* волован.

volcanic [vɔl'kænik] *a* вулканичен.

volcano [vɔl'keinou] *n* вулкан.

vole[1] [voul] *n зоол.* полевка (*и* field ~) (Cricetidae).

vole[2] *n карти* спечелване на всичко; *бридж* голям шлем.

volet ['vɔlei] *n жив.* крило/пано на триптих.

volition [vɔ'liʃn] *n* (проява на) воля; of/by o.'s own ~ по своя воля/желание, доброволно.

volitional [vɔ'liʃənl] *a* волев.

volitive ['vɔlitiv] *a* 1. волев, на волята; 2. *грам.* изразяващ желание, оптативен.

volley[1] ['vɔli] *n* 1. залп; to fire a ~ давам залп; 2. *прен.* град, поток, порой (of of); ~ of applause гръм от аплодисменти; 3. *футб.* летяща топка, воле.

volley[2] *v* 1. давам залп(ове), стрелям, изстрелвам; сипя (се), изсипвам (се), посипвам (се); 2. *прен.* изригвам, сипя (*клетви и пр.*), (обик. с forth, off, out); 3. *футб.* изпълнявам воле.

volleyball ['vɔlibɔ:l] *n* волейбол.

volplane[1] ['vɔlplein] *v ав.* планирам, приземявам се бавно.

volplane[2] *ав.* планиране, бавно приземяване.

volt[1] [voult] *n фехт., езда* волт.

volt[2] *n ел.* волт.

voltage ['voultidʒ] *n ел.* волтаж.

voltaic [vɔl'teik] *a ел.* галваничен; ~ arc волтова дъга.

Voltarian [vɔl'tɛəriən] I. *a* волтеровски, волтериански; II. *n* волтерианец, последовател на Волтер.

volte-face [vɔlt'fa:s] *n фр.* 1. волтфас; 2. *прен.* пълен обрат, обръщане на 180°.

volubility [vɔlju'biliti] *n* приказливост, словоохотливост, бъбривост, речовитост.

voluble ['vɔljubl] *a* 1. приказлив, словоохотлив, бъбрив, речовит; 2. *бот.* увивен (*за растение*).

volume ['vɔljum] *n* 1. том, книга; 2. *ист.* свитък; 3. *обик. pl* голямо количество, маса (of); ~s of smoke кълба дим/пушек; ~s of water потоци вода; 4. обем, вместимост, капацитет; 5. размер, количество; 6. пълнота, звучност (*на тон*); 7. плътност, сила (*на глас, звук*); voice of great ~ голям/мощен глас; to turn up/down the ~ засилвам/намалявам звука (*на грамофон, радио, телевизор*); 8. *attr* обемен, на обема; □ to tell/speak ~s говоря красноречиво/повече от всякакви думи, доказвам/показвам ясно.

volume control, -knob ['vɔljumkən'troul, -'nɔb] *n* копче/ключ|за регулиране силата на звука (*на грамофон, радио, телевизор и пр.*).

volumetric [vɔlju'metrik] *a* 1. обемен; ~ capacity вместимост; 2. *хим.* измерителен.

voluminous [və'lju:minəs] *a* 1. многотомен; 2. плодовит (*за писател*); 3. обемист; 4. широк, обширен.

voluntary[1] ['vɔləntəri] *a* 1. доброволен; доброволчески; 2. поддържан чрез волни пожертвувания; 3. съзнателен, обмислен, преднамерен, умишлен; волев; ~ waste съзнателно разсипничество; 4. *физиол.* волеви (*за движение и пр.*); 5. доброволен, безвъзмезден; V. Aid Detachment доброволен санитарен отряд.

voluntary[2] *n* 1. *църк.* соло ôрган; 2. изпълнение по избор на участника (*при конкурс*); 3. доброволец.

volunteer[1] [vɔlən'tiə] *n* 1. доброволец; 2. *attr* доброволен; доброволчески; ~ plant самораслo растение, самораслек.

volunteer[2] *v* 1. предлагам услугите си/помощта си, заемам се, наемам се, нагърбвам се доброволно (for, to *c inf*); отзовавам се; to ~ some information съобщавам нещо, без никой да ме е питал/да ми го е искал; 2. постъпвам/записвам се доброволец (*във войската*).

voluptuary [və'lʌptjuəri] *n* похотлив човек, сластолюбец.

voluptuous [və'lʌptjuəs] *a* 1. чувствен; сластен, сладострастен; 2. разкошен, пищен.

volute [və'lju:t] *n* 1. *арх.* волута; 2. *зоол.* мекотело със спираловидна черупка.

volution [və'lju:ʃn] *n* спирала; навивка.

volvulus ['vɔlvjuləs] *n мед.* сплитане/преплитане на червата.

vomit[1] ['vɔmit] *v* 1. повръщам, бълвам; 2. предизвиквам/причинявам повръщане; 3. изхвърлям, бълвам, изригвам.

vomit[2] *n* 1. повръщано, повърнато, бълвано, бълвоч; 2. средство, предизвикващо повръщане.

vomitory ['vɔmitəri] I. *a* предизвикващ повръщане, еметичен; II. *n* 1. лекарство за повръщане; 2. широк вход/изход.

voodoo[1] ['vu:du:] *n* 1. (вяра в/практикуване на) магии/магьосничество (*у негрите*); 2. магьосник, шаман (*и* doctor/priest)

voodoo[2] *v* омагьосвам.

voracious [və'reiʃəs] *a* 1. изгладнял; 2. лаком, ненаситен (*и прен.*); ~ appetite вълчи апетит; ~ whirlpool опасен водовъртеж.

voracity [və'ræsiti] *n* лакомия, ненаситност.

vortex ['vɔ:teks] *n* (*pl* -tices, -texes [-tisi:z, -teksi:z]) водовъртеж; вихър, вихрушка (*и прен.*).

vortical ['vɔ:tikl] *a* вихрообразен; вихрен, вихров.

vortiginous [vɔ:'tidʒinəs] *a* = **vortical.**

votaress ['voutəris] *ж.р. от* **votary.**

votary ['voutəri] *n* 1. монах; жрец; 2. поклонник, почитател, привърженик, последовател; поддръжник.

vote[1] [vout] *n* 1. глас, гласуване, гласоподаване; вот; the floating ~ несигурните гласове; to cast a ~ гласувам; to give/cast o.'s ~ гласувам, давам гласа си (to, for за); to put to the ~ поставям на гласуване; to record o.'s ~ участвувам в гласуване, гласувам, пущам бюлетина; one man one ~ всеки има право само на един глас; to take a ~ решавам (въпрос) чрез гласуване (on); to take the ~ пристъпвам към гласуване; 2. право на гласуване/глас; 3. (брой на) гласове; 4. гласувано решение/кредит/сума и пр.; вот; ~ of confidence/nonconfidence вот на доверие/недоверие; 5. избирателна бюлетина; 6. избирател(и).

vote² *v* **1.** гласувам (**for/againt s.o./s.th.** за/против някого/нещо); **2.** гласувам (*бюджет и пр.*); **3.** *разг.* признавам, обявявам, считам, смятам; the` **play was** ~**d a failure** всички считаха пиесата за неуспешна; **4.** *разг.* правя предложение, предлагам; **I ~ that we all go for a walk** предлагам всички да отидем да се разходим;
    vote down провалям, отхвърлям (*предложение*);
    vote in избирам чрез гласуване;
    vote through провеждам (*мероприятие*)/прокарвам (*закон и пр.*) чрез гласуване.

voteless ['voutlis] *a* без избирателни права, лишен от право на гласуване/глас.

voter ['voutə] *n* гласоподавател, избирател.

voting ['voutiŋ] *n* гласуване, гласоподаване; **absent(ee)** ~ *ам.* допускане до гласуване на лица, които в момента на избора се намират извън своя избирателен район.

voting-machine ['voutiŋmə'ʃi:n] *n* машина за автоматично регистриране и преброяване на подадените гласове.

voting-paper ['voutiŋpeipə] *n* избирателна бюлетина.

votive ['voutiv] *a* обещан, обречен; ~ **offering** оброк; ~ **tablet** оброчна плочица/дъсчица.

vouch [vautʃ] *v* **1.** свидетелствувам, отговарям; гарантирам, поръчителствувам (**for** за); **2.** *ост.* поддържам, потвърждавам.

voucher ['vautʃə] *n* **1.** поръчител, гарант; **2.** разписка, квитанция, бордеро; оправдателен документ; **3.** купон (*за хранене и пр. — в хотел, почивна станция и пр.*), ваучър; талон.

vouchsafe [vautʃ'seif] *v* удостоявам с; благоволявам (**to** с *inf*); **he** ~**d me no answer** той не ме удостои с отговор/не благоволи да ми отговори.

vow¹ [vau] *n* тържествено обещание, обет, клетва; **to be under a** ~ дал съм обет, зарекъл съм се, заклел съм се; **to take a** ~ давам обет, заричам се, заклевам се; **to take the** ~ подстригвам се за монах, покалугерявам се.

vow² *v* **1.** обещавам тържествено, заричам се, заклевам се; **to** ~ **vengeance/obedience** заклевам се да отмъстя/да се подчинявам; **2.** посвещавам, обричам (**to** на); **3.** *ост.* давам обет/оброк; **4.** *ост.* заявявам.

vowel ['vauəl] *n фон.* гласна, гласен звук.

vox [vɔks] *n лат.* глас; ~ **populi** (~ **dei**) глас народен (глас божи); гласът на народа, общественото мнение.

voyage¹ ['vɔidʒ] *n* дълго пътешествие по море/по въздуха/в комоса; **to make/go on a** ~ правя пътешествие.

voyage² *v* плавам, пътувам по море/по въздуха/в космоса.

voyager ['vɔidʒə] *n* пътник по море/по въздух/в космоса.

voyageur [vwa:ja:'ʒə] *n фр.* **1.** посредник по превоз на стоки и пътници; **2.** канадски лодкар.

vulcanic = **volcanic**.

vulcanite ['vʌlkənait] *n минер.* ебонит.

vulcanization [,vʌlkənai'zeiʃn] *n* вулканизация.

vulcanize ['vʌlkənaiz] *v* вулканизирам.

vulgar ['vʌlgə] *a* **1.** прост, просташки, плебейски, долен, груб, вулгарен; **the** ~ **herd** простият народ, простолюдието; **the** ~ **life** животът на простолюдието; ·**2.** народен, местен (*за език*); ~ **Latin** простонароден латински; **3.** широко разпространен, общ, преобладаващ (*за грешка, заблуда и пр.*); **4.** *мат.* прост (*за дроб*); □ **the** ~ **era** ерата на християнството.

vulgarian [vʌl'gɛəriən] *n* простак; парвеню.

vulgarism ['vʌlgərizm] *n* **1.** вулгарност, простащина; **2.** вулгарен/просташки/груб израз, вулгаризъм.

vulgarity [vʌl'gæriti] *n* вулгарност, простащина.

vulgarization [,vʌlgərai'zeiʃn] *n* опростачване, вулгаризация, вулгаризиране.

vulgarize ['vʌlgəraiz] *v* правя просташки/вулгарен, вулгаризирам.

vulgarly ['vʌlgəli] *adv* **1.** вулгарно, просташки; **2.** много често, между широките маси.

Vulgate ['vʌlgeit] *n* **1.** Вулгата (*латинският превод на Библията, направен през IV в.*); **2.** общоприет текст на книга.

vulnerability [,vʌlnərə'biliti] *n* уязвимост.

vulnerable ['vʌlnərəbl] *a* уязвим.

vulnerary ['vʌlnərəri] *мед.* **I.** *a* лекуващ/лековит за рани; **II.** *n* (средство за) лекуване на рани.

vulpine ['vʌlpain] *a* **1.** лисичи; **2.** *прен.* хитър като лисица.

vulture ['vʌltʃə] *n* **1.** *зоол.* лешояд; **2.** *прен.* хищник.

vulturous ['vʌltʃərəs] *a* хищен.

vulva ['vʌlvə] *n анат.* женски външни полови органи, вулва.

W

W, w ['dʌblju:] *n* буквата W.

WAAC, Waac [wæk] *n разг.* жена военнослужещ.

Waaf [wæf] *n* жена военнослужещ от въздушните сили.

wabble = **wobble**.

wacke ['wækə] *n геол.* вид сиво-зелена/възкафява глина.

wacky ['wæki] *a, n sl.* чалнат, смахнат (човек).

wad¹ [wɔd] *n* **1.** снопче, свитък, руло и пр. от лека материя (*за попълване, отделяне при опаковка и пр.*); **2.** тампон; подплънка; запушалка, набивка; **3.** блок от попивателна хартия, хартия за писма и пр.; **4.** *ам.* връзка/пачка банкноти; *sl.* пари; **5.** *и pl* голямо количество (*особ. пари*); **6.** *sl.* кифла, сандвич и пр.; **7.** зарядна торбичка; **8.** парченце, късче (*дъвка, тютюн за дъвчене и пр.*).

wad² *v* (**-dd-**) **1.** смачквам, свивам, правя на топка/снопче/свитък/тампон/подплънка; **2.** подпълвам; ватирам; подплатявам; **3.** затулям, запушвам, тампонирам; затъквам.

wadding ['wɔdiŋ] *n* **1.** вата, кече и др., уплътнителен материал; набивка; **2.** подплънка; **3.** материя за ватиране, подплатяване и пр.

waddle¹ ['wɔdl] *v* вървя/стъпвам/клатя се като патица.

waddle² *n* походка с клатушкане встрани, патешка походка.

wade¹ [weid] *v* **1.** газя, нагазвам (**into**); прегазвам през вода/кал/сняг и пр. (**through**); **2.** пробивам си/проправям си (с мъка/сила) път; *прен.* върша нещо с усилие/неохота; **3. to** ~ **in/into** *разг.* залавям се енергично с, нахвърлям се върху (*работа, задача и пр.*); меся се/намесвам се в; нападам решително, влизам в (*спор, борба*).

wade² *n* газене, нагазване; прегазване, преброждане.

wader ['weidə] *n* 1. блатна птица; 2. *pl* непромокаеми рибарски ботуши/панталони.

wading bird ['weidiŋbə:d] = **wader 1.**

wafer[1] ['weifə] *n* 1. вафла; 2. *църк.* нафора; 3. кръгла лепенка; 4. (червено) кръгче, залепяно на документ вместо печат.

wafer[2] *v* 1. залепям/прикрепям с лепенка; 2. залепям кръгче вместо печат.

waffle[1] ['wɔfl] *n* вафла.

waffle[2] *v sl.* дрънкам глупости; пиша/бъбря безсмислици.

waffle-iron ['wɔflaiən] *n* форма за печене на вафли.

waft[1] [wa:ft, wɔft] *v* нося (се) /разнасям (се) по водата/ въздуха; довявам (*звуци, аромат и пр.*); долитам; вея, повявам леко, полъхвам (*за ветрец*).

waft[2] *n* 1. полъхване, полъх; 2. довеян от вятъра звук/мирис; 3. мимолетно чувство (*на радост, спокойствие и пр.*), прилив; 4. веене, махане, размахване; 5. *мор.* сигнал за бедствие.

wag[1] [wæg] *v* (**-gg-**) клатя (се), поклащам (се); въртя, махам (*опашка*); **the tail ~s the dog** *шег.* най-незначителните имат думата/управляват/са начело; **to ~ o.'s finger at** заканвам се с пръст на; **to set tongues/chins/beards/jaws ~ging** давам/ставам повод за приказки/одумване.

wag[2] *n* въртене, завъртане, махане (*с опашка*).

wag[3] *n* 1. веселяк, шегобиец, шегаджия; 2. *sl.* крѝшкач; *уч.* фъскач; **to play (the) ~** манкирам, бягам от училище.

wage[1] [weiʤ] *n* 1. *обик. pl* надница, заплата, заплащане; 2. *обик. pl* възнаграждение; *прен.* отплата, възмездие, наказание; 3. *attr* надничен; **~ labour** наемен труд; **~-increase/rise** увеличение/повишение на надниците/заплатите; **~-cut** намаление на надниците/заплатите; **~-freeze** замразяване на надниците/заплатите.

wage[2] *v* водя (*война*); провеждам (*кампания и пр.*).

wage-fund ['weiʤfʌnd] *n* фонд работна заплата (*и* **~s fund**).

wage-earner ['weiʤə:nə] *n* 1. надничар; наемен работник; 2. печеловник в семейството.

wager[1] ['weiʤə] *n* 1. бас, обзалагане, облог; **to lay/make a ~** хващам се на бас, обзалагам се; **to take up a ~** приемам бас/облог; 2. **~ of battle** *ист.* решаване на спор чрез двубой.

wager[2] *v* обзалагам се.

waggery ['wægəri] *n* 1. шегаджийство; 2. шега, закачка, номер.

waggish ['wægiʃ] *a* шеговит, закачлив.

waggle ['wægl] *разг.* = **wag**[1].

waggly ['wægli] *a* неустойчив.

wag(g)on ['wægən] *n* 1. каруца, товарна кола, фургон; **to be on the (water) ~** *разг.* не пия алкохолни питиета, въздържател съм; **to hitch o.'s ~ to a star** поставям си високи цели; проявявам благородна амбиция; 2. открит товарен вагон; 3. *мин.* вагонетка; 4. = **tea-trolley.**

wag(g)oner ['wægənə] *n* колар, каруцар.

wag(g)onette [,wægə'net] *n* теглена от коне открита кола със срещуположни седалки за пътуване за удоволствие.

Wagnerian [va:g'niəriən] *a* Вагнеров, вагнеровски.

wagonlit [vægɔːŋ'li:] *n фр.* спален вагон.

wagtail ['wægteil] *n зоол.* стърчиопашка (Motacillidae).

waif [weif] *n* 1. бездомник, *особ.* бездомно/изоставено дете; **~s and strays** безпризорни деца; 2. безстопанствено животно; 3. безстопанствена/непотърсена вещ.

wail[1] [weil] *v* 1. ридая, стена; 2. ридая над, оплаквам (over); 3. вия (*и за вятър*).

wail[2] *n* 1. ридание, стенание, стон; вопъл; вой; 2. оплакване.

wain [wein] *n поет.* кола; **the W.** *астр.* Голямата мечка; **the Lesser W.** *астр.* Малката мечка.

wainscot[1] ['weinskət] *n* дървена облицовка, ламперия.

wainscot[2] *v* облицовам с дърво, слагам ламперия.

wainscot(t)ing ['weinskətiŋ] *n* ламперия (*материал и облицовка*).

waist [weist] *n* 1. талия, кръст; 2. корсаж; 3. по-тясната средна част (*на цигулка, кораб и пр.*).

waist-band ['weistbænd] *n* колан на пола/панталон; корселе; пояс.

waistbelt ['weistbelt] *n* колан; каиш; пояс; *воен.* поясен ремък.

waist-cloth ['weistklɔθ] = **loin-cloth.**

waistcoat ['weiskout, *ам.* 'weskət] *n* жилетка.

waistline ['weistlain] *n* талия (*мястото, обиколката и пр.*).

wait[1] [weit] *v* 1. чакам, почаквам (**for**); очаквам; **to ~ o.'s opportunity** чакам/изчаквам удобен момент; **to ~ o.'s turn** чакам реда си; **~ and see!** да/ще видим! **to ~ dinner, etc. for s.o.** отлагам/забавям вечерята и пр. в очакване на някого; 2. прислужвам при хранене, сервирам (*и* **to ~ at/on table, to ~ table**); □ **~ for it!** *разг.* почакай! не избързвай! не бързай!

    wait about вися, стърча, чакам;

    wait behind оставам (някъде) след другите;

    wait off *сп.* пестя силите си за последния спринт;

    wait on 1) прислужвам при хранене, сервирам; 2) обслужвам (*клиент и пр.*); 3) *ост.* придружавам, съпровождам; 4) *ост.* правя посещение на; 5) идвам като последица/резултат;

    wait up for чакам някого до късно; изчаквам някого, без да си лягам;

    wait upon = **wait on.**

wait[2] *n* 1. чакане, очакване; **at/in ~** в очакване; **to lay ~/ to lie in ~ for** причаквам, правя засада на; 2. *pl* коледари.

wait-a-bit ['weitəbit] *n* вид бодливи храсти.

wait-and-see ['weitənsi:] *a:* **~ policy** политика на изчакване.

waiter ['weitə] *n* 1. келнер, сервитьор; 2. табла, поднос.

waiting ['weitiŋ] *n* чакане, очакване; **~ game** тактическо изчакване.

waiting-room ['weitiŋrum] *n* чакалня.

waitress ['weitris] *n* сервитьорка, келнерка.

waive [weiv] *v* 1. не настоявам на/отказвам се от (*право, привилегия и пр.*); 2. не спазвам, заобикалям (*правило, изискване и пр.*).

waiver ['weivə] *n юр.* писмено отказване от право/искане/претенция/привилегия и пр.

wake[1] [weik] *v* (**woke, waked** [wouk, weikt]; **waked, woken** ['woukən]) 1. будя (се), събуждам (се), пробуждам (се), разбуждам (*и с* **up**); **to ~ up to the situation** осъзнавам цялата сериозност на положението; **to ~ up to o.s.** осъзнавам/разбирам какво представлявам/как изглеждам; **to ~ up to find o.s. famous** осъмвам знаменит; 2. *прен.* будя, съживявам, раздвижвам; 3. нарушавам тишината/спокойствието на, смущавам; огласям; 4. възкресявам; възкръсвам; 5. стоя буден, будувам; бодърствувам; **6.** бдя над мъртвец; **7.** слагам софра след погребение.

wake² *n* **1.** храмов празник; събор; **2.** бдение над мъртвец; **3.** софра след погребение.

wake³ *n* **1.** *мор.* килватер; диря; **2.** *ав.* въздушна струя след движещ се самолет и пр.; **in the ~ of** 1) веднага след, непосредствено зад; 2) в резултат на, като последица от; 3) по примера на.

wakeful ['weikful] *a* **1.** буден; **2.** безсънен; **3.** бдителен.

waken ['weikən] *v* будя (се), събуждам (се), пробуждам (се), разбуждам.

wake-robin ['weikrɔbin] *n* бот. **1.** змийска хурка, козлец (Arum); **2.** вид салеп (Orchis maculata).

waking ['weikiŋ] *a* буден; безсънен; бодърствуващ; незаспиващ; бдителен; **to keep s.o.** ~ не оставям някого да заспи; **o.'s ~ hours** часове, в които човек не спи/е буден; **a ~ dream** мечта, мечтание, бленуване; **~ or sleeping** наяве или насън.

wale¹ [weil] *n* **1.** белег, следа (*от удар*); **2.** изпъкнала ивица (*на плат*); **3.** ръб (*на кошница и пр.*).

wale² *v* оставям белези/следи.

Waler ['weilə] *n* австралийски кон от смесена порода.

walk¹ [wɔ:k] *v* **1.** вървя, ходя; вървя/отивам пеш; **2.** обикалям, кръстосвам, обхождам; ходя, разхождам се (**about** по, из); **3.** вървя с обикновен ход (*за пешеходец*); вървя ходом (*за кон*); **4.** извървявам, преминавам, пропътувам; **5.** бутам, тикам (*велосипед и пр.*); **6.** водя, развеждам, разхождам; **to ~ s.o. (to)** съпровождам, изпращам някого (до) (*вкъщи и пр.*); **to ~ the streets** 1) скитам из улиците; 2) уличница съм; **7.** явявам се, бродя (*за призрак*); **8.** *ост.* живея, държа се, постъпвам (*по определен начин*); □ **to ~ the hospitals/wards** на практика съм в болница (*за студент медик*); **9.** *мор.* движа се, напредвам; **10.** обхождам (*за да измеря и пр.*) площ;

walk abroad ширя се, разпространявам се (*за епидемия, порок и пр.*);

walk away 1) отивам си; 2) отвеждам, откарвам; **to ~ away from** a) задминавам, изпреварвам; побеждавам с лекота; б) отървавам се леко (*от катастрофа и пр.*); 3) **to ~ away with** *разг.* a) открадвам, задигам, отнасям, отмъквам; б) спечелвам лесно;

walk in влизам; **to ~ in on** влизам неочаквано/вмъквам се при;

walk into 1) влизам/навлизам в; 2) *разг.* налитам/попадам/влизам в (*капан и пр. поради непредпазливост*); 3) нападам, нахвърлям се върху, ругая; 4) *sl.* налапвам, излапвам; нагъвам; изразходвам бързо;

walk off 1) отивам си внезапно/без предупреждение; 2) отървавам се чрез ходене от (*излишно тегло, лошо настроение и пр.*); **to ~ off o.'s dinner** разхождам се, за да ми се смели храната; □ **to ~ s.o. off his feet/legs** съсипвам някого от ходене; **to ~ off with** a) *разг.* лесно спечелвам/вземам награда; б) *разг.* задигам, открадвам;

walk on *театр.* участвувам като статист;

walk out 1) излизам; 2) напускам демонстративно; 3) стачкувам; 4) измъквам се от (*затруднение, неудобно положение и пр.*); **to ~ out on** *разг.* напускам демонстративно; изоставям, зарязвам; **to ~ out with** ходя/имам любов с; 5) *воен.* излизам в градски отпуск;

walk over 1) спечелвам без всякакво затруднение; нанасям съкрушителна победа над; 2) *разг.* отнасям се пренебрежително/презрително към (*и* **to ~ all over s.o.**);

walk through показвам някому мизансцен; **to ~**

through o.'s part a) правя кратка репетиция на роля или (част от) пиеса; б) отнасям се с безразличие към работата си;

walk up 1) приближавам се (**to**); **~ up!** заповядайте! влезте! 2) вървя нагоре по, изкачвам (*стълби и пр.*).

walk² *n* **1.** ход, ходене, вървене, вървеж; **it is a good ~ to the park** до парка има доста път; **2.** обикновен ход; **to go at a ~** вървя/движа се с обикновен ход; **to slow to/to drop into a ~** преминавам в нормален ход (*за кон, бегач и пр.*); **he never gets beyond a ~** той никога не се забързва; **3.** начин на ходене, характерна стъпка, вървеж, походка; **4.** разходка; **to go for a ~** отивам да се разходя; **to take a ~** разхождам се; **to take s.o. for a ~** завеждам/извеждам някого на разходка; **5.** любимо място за разходка; **6.** алея, пътека; **7.** оградено място за домашни животни/за трениране на кучета и пр.; □ **~ of life** обществено положение, занятие, професия; **to win in a ~** спечелвам/побеждавам без всякакво усилие.

walk-about ['wɔ:kəbaut] *n* **1.** пътуване; странствуване; обиколка; **2.** обиколка сред/непринудена среща с народа (*за видна личност*).

walkaway ['wɔ:kəwei] *n* лесно спечелено състезание.

walker ['wɔ:kə] *n* **1.** пешеходец; **2.** човек, който обича да се разхожда; **I am not much of a ~** не се издържам много на ходене; **3.** проходилка за дете; **4.** помощно приспособление за ходене (*за инвалид*).

walkie-lookie ['wɔ:kiluki] *n* разг. портативна телевизионна камера.

walkie-talkie ['wɔ:ki'tɔ:ki] *n* разг. портативен радиоприемник и предавател с батерии.

walk-in¹ ['wɔ:kin] *a* **1.** достатъчно голям, за да можеш да влезеш в него (*за помещение, килер, хладилник и пр.*); **2.** с пряк вход от улицата, без антре, коридор и пр. (*за жилище и пр.*); **3.** случаен, приходящ (*за посетител, купувач и пр.*).

walk-in² *n* **1.** хладилно помещение; **2.** случаен посетител/купувач/пациент и пр.; **3.** лека победа (*особ. изборна*).

walking¹ ['wɔ:kiŋ] *n* **1.** ходене, вървене; пешеходство; **within ~ distance** на разстояние, което може да се извърви пеш, недалеч, съвсем наблизо; **2.** вървеж, походка.

walking² *a* **1.** пешеходен (*за разходка, обиколка и пр.*); **2.** използван за/при ходене пеш (*за обувки, бастун и пр.*).

walking case ['wɔ:kiŋkeis] *n* **1.** мед. болен, който не е на легло; амбулаторен/приходящ болен; **2.** воен. леко ранен.

walking delegate ['wɔ:kiŋ,deligət] *n* профсъюзен представител.

walking dictionary, encyclopaedia ['wɔ:kiŋ,dikʃənəri, en,saiklə'pi:diə] *n* човек, от когото можеш да получиш най-разнообразна информация; шег. всезнаещ човек.

walking gentleman ['wɔ:kiŋ,dʒentlmən] *n* театр. статист; фигурант.

walking lady ['wɔ:kiŋ,leidi] *n* театр. статистка; фигурантка.

walking leaf ['wɔ:kiŋ,li:f] *n* зоол. насекомо, наподобяващо листо (Phasmatidae).

walking orders ['wɔ:kiŋ,ɔ:dəz] *n pl* уволнение; **to give s.o. his ~** уволнявам; *разг.* давам пътя на/натривам/разкарвам някого (*и* **walking papers/ticket**).

walking part ['wɔːkiŋ‚paːt] *n* театр. роля на статист/фигу-
рант.

walk-on ['wɔːkɔn] *n* (роля на) статист/фигурант.

walk-out ['wɔːkaut] *n* **1.** стачка; **2.** демонстративно излиза-
не/напускане в знак на протест.

walk-over ['wɔːkouvə] *n* **1.** състезание/конкурс и пр. с един
участник; **2.** леко постигната/неоспорвана победа.

walk-through ['wɔːkθruː] *n* **1.** театр. кратка репетиция на
роля/пиеса; **2.** телев. репетиция без камера.

walk-up ['wɔːkʌp] *n, a* (сграда/къща/жилище в многое-
тажна сграда) без асансьор.

walkway ['wɔːkwei] *n* ам. пешеходна пътека/алея/път.

Walkyrie = **Valkyrie.**

walky-talky = **walkie-talkie.**

wall[1] [wɔːl] *n* **1.** стена, зид, дувар; **blank/blind/dead** ~ го-
ла/сляпа стена, калкан; **party** ~ обща стена; **within
four** ~**s** между четири стени; **to drive/push/thrust to
the** ~ притискам до стената; **to go to the** ~ пре-
търпявам неуспех, провалям се; отстъпвам; **to give
s.o. the** ~ отдръпвам се, пускам някого да мине
от вътрешната страна на тротоара; **to have/take
the** ~ вървя от вътрешната страна на тротоара; **to
bang/beat/knock/run o.'s head against a (brick)** ~
опитвам се да извърша невъзможното; **to drive s.o.
up the** ~ карам някого да пощръклее, вбесявам
някого; **to see through a brick** ~ 1) имам отлично
зрение; 2) необикновено прозорлив съм; **you might
as well talk to a brick** ~ все едно че говориш на
стената; **to hang by the** ~ оставам неизползван; **to
turn o.'s face to the** ~ отчайвам се; примирявам се
със смъртта; **2.** нещо, което прилича на/изпълнява
функциите на стена; **3.** анат. обвивка на орган/
клетка и пр.; **4.** attr стенен.

wall[2] *v* ограждам/заграждам със стена/стени; прегражд-
дам, отделям със стена (обик. с off); **to** ~ **up** зазиж-
дам, запушвам.

wallaby ['wɔləbi] *n* **1.** дребна порода кенгуру; **on the** ~
(track) австр. sl. скитник, безработен; **2.** pl разг.
австралийци.

Wallach ['wɔlək] *n* влах.

walla(h) ['wɔlə] *n* англоинд. **1.** човек, който се занимава с
определена работа; **competition** ~ човек, назначен на
работа чрез състезателен изпит; **2.** sl. важна лич-
ност, големец.

wallaroo [wɔlə'ruː] *n* едра порода кенгуру (Macropus
robustus).

wallboard ['wɔːlbɔːd] *n* стр. материал за вътрешна обли-
цовка и пр.

wallet ['wɔlit] *n* **1.** портфейл; **2.** ост. торба, сак; **3.** чанта
за инструменти и пр.

wall-eyed ['wɔːlaid] *a* **1.** с бял/блед гледец/роговица; **2.** с
големи/гледащи втренчено очи; **3.** разноглед.

wallflower ['wɔːlflauə] *n* **1.** бот. многогодишен шибой; **2.**
разг. дама, останала без кавалер по време на танц.

Walloon [wɔ'luːn] **I.** *a* валонски; **II.** *n* **1.** валонец; **2.** езикът
на валонците.

wallop[1] ['wɔləp] *v* sl. **1.** бия, удрям, бъхтя; налагам, пер-
даша; **2.** вря, кипя, клокоча; **3.** бързам, препускам
тромаво; въргалям се; **4.** подмятам се (за кораб).

wallop[2] *n* sl. **1.** силен удар; **2.** бокс умение за нанасяне
на удар; **3.** силен ефект; **4.** бира.

walloping[1] ['wɔləpiŋ] *a* **1.** голям, огромен; едър; **2.** чудесен,
смайващ.

walloping[2] *n* **1.** бой, пердах; **2.** поражение.

wallow ['wɔlou] *v* **1.** валям се, въргалям се, търкалям се;
2. подмятам се (за кораб); **3.** отдавам се всецяло на,
тъна в (порок, разкош и пр.); **to be** ~**ing in money**
червив съм с пари; **4.** избликвам, изригвам на тала-
зи (за пушек, пламъци и пр.).

wall-painting ['wɔːlpeintiŋ] *n* изк. стенопис, фреска.

wallpaper ['wɔːlpeipə] *n* тапети.

wall plug ['wɔːlplʌg] *n* ел. контакт.

Wall Street ['wɔːlstriːt] *n* прен. **1.** финансовият център на
САЩ; **2.** (интересите на) управляващата банкерска
и финансова върхушка на САЩ, Уол Стрийт.

wall-to-wall ['wɔːltə'wɔːl] *a* покриващ целия под (за ки-
лим, мокет и пр.).

walnut ['wɔːlnʌt] *n* **1.** орех (дърво и плод); **2.** орехово дърво
(материал).

walrus ['wɔːlrəs] *n* зоол. морж.

waltz[1] [wɔːls, ам. wɔːlts] *n* валс.

waltz[2] *v* **1.** играя/танцувам валс; въртя (някого)
във/танцувам (с някого) валс; **2.** движа се/нося се
радостно/весело; **3.** разг. свършвам (нещо) с леко-
та; **to** ~ **s.o. out of the room** ам. извеждам/изхвър-
лям някого безцеремонно от стаята; **to** ~ **off with**
лесно спечелвам, грабвам (награда и пр.); **to** ~ **up**
ам. изправям се, изтъпанчвам се.

wampum ['wɔmpəm] *n* **1.** гердан от раковини у индианци-
те; **2.** sl. пари.

wan[1] [wɔn] *a* **1.** блед, изпит; изнурен; **2.** неясен, леко за-
мъглен (за небесно тяло); **3.** тъжен, плах; едва доло-
вим.

wan[2] *v* (-nn-) **1.** бледнея, побледнявам; **2.** натъжавам се,
помръквам.

wand [wɔnd] *n* **1.** жезъл; палка (и диригентска); **2.**
(magic) ~ магическа пръчка; **as if touched with a** ~
като по чудо, сякаш с магия.

wander ['wɔndə] *v* **1.** скитам се, странствувам, бродя (и с
about); преброждам (**over**); **2.** отклонявам се, за-
блуждавам се, загубвам се; блуждая (и прен.); **3.** от-
клонявам се (от въпрос и пр.); лъкатуша (за път и
пр.); отклонявам се от правия път, греша; **4.** загуб-
вам интерес, разсейвам се; **5.** говоря/мисля несвър-
зано; бълнувам; обърквам се; не съм на себе си/с
ума си.

wanderer ['wɔndərə] *n* скитник, странник; пътешественик.

wandering[1] ['wɔndəriŋ] *a* **1.** скитащ, странствуващ; **2.** лъка-
тушен; **3.** разсеян, блуждаещ; **the** ~ **Jew** 1) скитни-
кът евреин; 2) бот. вид пълзящо растение
(Tradescantia).

wandering[2] *n* обик. pl **1.** скитане, странствуване; **2.** бъл-
нувания; разсеяни/несвързани мисли.

wanderlust ['wɔndəlʌst] *n* страст към пътешествия/скита-
не.

wane[1] [wein] *v* **1.** намалявам, чезна, бледнея, губя бляс-
ка си; **2.** приближавам се към/наближавам края си,
свършвам се (за влияние, благополучие и пр.); **3.** на-
щърбявам се, намалявам се (за луната).

wane[2] *n* **1.** намаляване, спадане, чезнене, гаснене; **his
star/glory is on the** ~ славата му е на залязване; **the
moon is on the** ~ луната се нащърбява; **2.** нащър-
бен/дефектен край на дъска/талпа.

waney ['weini] *a* намален; намаляващ.

wangle ['wæŋgl] *v* sl. **1.** изпросвам, измъквам, изкрънк-
вам; **2.** нареждам се/подреждам се ловко; постигам
целта си по нечестен начин; **3.** извъртам; подправям
(данни, факти и пр.); **to** ~ **through** измъквам се лов-
ко от трудно положение.

want[1] [wɔnt] *v* **1.** искам, желая; **2.** трябва ми, нуждая се
от, липсва ми; лишен съм от, нямам; не ми дости-
га; **to** ~ **for nothing** не съм лишен от нищо, имам

всичко, каквото ми трябва; **to ~ patience** нетърпелив съм; **3.** искам, изисквам; трябва ми, нуждая се от; **your hair ~s cutting** косата ти се нуждае от подстригване; **you ~ some rest** трябва ти почивка; **he ~s it done at once** той иска да бъде направено веднага; **4.** липсвам, недостигам; **it ~ s one minute to ten** след една минута ще бъде десет часа; **5.** беден съм, в нужда съм, търпя лишения; **6.** *разг.* трябва, необходимо е; **you ~ to eat before you go** ще трябва да ядеш, преди да тръгнеш; **you don't ~ to overdó it** не е нужно да прекаляваш;

want for имам/изпитвам нужда от; липсва ми, нямам;

want in *разг.* искам да вляза;

want out *разг.* 1) искам да изляза; 2) искам да не се меся/да се измъкна (**of** от).

want[2] *n* **1.** липса, недостиг; **2.** бедност, нужда, лишение; **in ~** крайно нуждаещ се; **3.** нужда, потребност, недостиг; **to be in ~ of** нуждая се от, не ми достига; **for ~ of** от/по(ради) липса на; **~ ad** *ам.* обявление във вестник в колоната „търси се".

wanted ['wɔntid] *a* **1.** нужен, желан, търсен; **call me if I am ~** повикай ме, ако някой ме търси/ако има нужда от мен; **2. ~ (by the police)** търсен от полицията; **3.** *разг.* „търси се" (*като обява във вестник*); **~ a cook for a small family** търси се готвач за малко семейство.

wanting[1] ['wɔntiŋ] *a* **1.** лишен от, на когото липсва (*някакво качество*) (**in**); **to be ~ in experience** липсва ми/не ми достига опит; **2.** недостатъчен, недостигащ; **3.** неотговарящ на изискванията/стандарта.

wanting[2] *prep* без, при липса на; **a month ~ two days** един месец без два дни.

wanton[1] ['wɔntən] *a* **1.** буен, игрив, палав, необуздан; **2.** пъргав, подвижен; **3.** буен, обилен, пищен (*за растителност*); **4.** богат, охолен; пищен; разточителен; **5.** безпричинен, неоправдан, произволен, безотговорен, своеволен; **6.** разпуснат, покварен, безнравствен; **7.** непостоянен, променлив (*за вятър, настроение и пр.*).

wanton[2] *n* човек, водещ разточителен/разгулен/безнравствен живот (*особ. жена*), развратница.

wanton[3] *v* **1.** играя, палувам; **2.** държа се необуздано, разпуснато, безотговорно; водя безнравствен/разточителен живот; пилея, харча без сметка, пропилявам, прахосвам.

wapiti ['wɔpiti] *n зоол.* канадски елен.

war[1] [wɔː] *a* **1.** война; **cold ~** студена война, война на нерви; **hot/shooting ~** същинска война, въоръжен конфликт; **World War I/II** Първата/Втората световна война; **~ of manoeuvre** маневрена война; **position ~** позиционна война; **private ~** продължителна вражда между лица/семейства; враждебни действия срещу отделни лица от друга държава; **the W.s of the Roses** *ист.* войната на Червената и на Бялата роза (*XV в.*); \ **to make/wage/levy ~ on** водя война/воювам с; **to go to ~** прибягвам до оръжие, воювам (**with** с); **to have been in the ~s** *разг.* пострадал съм; имам окаян вид; **in the ~** през (време на) войната; **on a ~ footing, on ~ establishment** на бойна нога, в боева готовност; **to carry the ~ into the enemy's country/camp** пренасям войната на територията на противника; *прен.* предявявам насрещно обвинение; **2.** борба; стълкновение; **~ of the elements** борба на стихиите; буря; **~ of words** словесен двубой; **3.** *attr* военен; **War Office** *англ.* Военно министерство.

war[2] *v* (**-rr-**) *обик. прен.* воювам, бия се, сражавам се (**with, against** с).

war baby ['wɔːbeibi] *n* **1.** дете, родено през войната (*особ. извънбрачно*); **2.** неприятна последица от войната.

warble[1] ['wɔːbl] *v* **1.** пея, чуруликам (*за птица*) (*и прен.*); **2.** бълбукам, ромоля (*за поток*).

warble[2] *n* чуруликане; трели; пеене с трели.

warble[3] *n* **1.** *вет. обик. pl* втвърдена кожа от седло/хомот и пр.; **2.** тумор, причинен от ларвите на щръклицата; **3.** *зоол.* щръклица.

warbler ['wɔːblə] *n зоол.* **1.** пойна птица; **2.** коприварче (*и* **wood ~**).

war chest ['wɔːtʃest] *n* фондове за война и др. кампании.

war-cloud(s) ['wɔːklaud(z)] *n* надвиснала заплаха от война.

war criminal ['wɔː‚kriminal] *n* военнопрестъпник.

war-cry ['wɔːkrai] *n* боен вик/зов; *прен.* лозунг, призив.

ward[1] [wɔːd] *n* **1.** поверсник; **~ in Chancery/of Court** *юр.* поверсник под съдебна опека; **2.** опека, настойничество; протекция; **in ~** под опека; **3.** лице под опека; **4.** затворническа килия; болнично отделение; павилион; **casual ~** стая за нощуване на бездомници в бедняшки приют; **5.** административен градски район; квартал; административно поделение на графство в Сев. Англия и Шотландия; **~ heeler/politician** *ам.* местен политикан; политически агитатор; далаведжия; **6.** *ост.* стража, пазене; **to keep ~ and guard** стоя на стража, бдя; **7.** вътрешен двор на крепост/замък; **8.** защита; *фех.* отбранително положение; **9.** нарез (*на ключ, брава*).

ward[2] *v* **1.** отблъсквам, парирам, предотвратявам (**off**); **2.** отбягвам; **3.** *книж.* пазя, защищавам (**against** от); **4.** настанявам в болнично отделение/приют.

war dance ['wɔːdaːns] *n* боен танц (*при влизане в бой и след победа*).

warden[1] ['wɔːdn] *n* **1.** началник, управител, директор; **2.** ректор; **3.** губернатор; **4.** църковен настоятел, епитроп; **5.** надзирател; пазач, вратар, портиер; *ост.* страж; **air-raid ~** отговорник на местна противовъздушна отбрана.

warden[2] *n* едър сорт зимна круша.

warder ['wɔːdə] *n* **1.** надзирател, пазач в затвор, тъмничар; **2.** *ост.* страж; **3.** *ист.* жезъл, скиптър.

Wardour Street ['wɔːdəstriːt] *n* **1.** търговия с антични и лъже-антични мебели; **2.** *кино* търговия с филми; **3.** *attr* подправено старинен.

wardress ['wɔːdris] *ж.р. от* **warder**[1].

wardrobe ['wɔːdroub] *n* **1.** гардероб, дрешник; **~ master/mistress** *театр.* гардеробиер/-ка, костюмиер/-ка (*на артистите*); **~ dealer** вехтошар; **~ bed** сгъваемо легло; **~ (trunk)** куфар-гардероб; **my ~ needs to be renewed** трябва да си купя някои нови дрехи.

wardroom ['wɔːdrum] *n мор.* **1.** каюткомпания; **2.** офицерите на военен кораб.

wardship ['wɔːdʃip] *n* опекунство, опека, настойничество.

ware[1] [wɛə] *n* **1.** изделия; **stone ~** керамични/каменинови изделия; **China ~** порцелан; **2.** *pl* стоки.

ware[2] *v главно в itr* внимавам, пазя се от (*куче, бодлива тел и пр.*).

ware[3] *a* **1.** = **aware**; **2.** предпазлив, внимателен.

warehouse[1] ['wɛəhaus] *n* **1.** склад за стоки, магазия; **2.** магазин за продажба на едро; **3.** голям магазин.

warehouse[2] *v* съхранявам в склад; складирам.

warehouseman ['wɛəhausmən] *n* **1.** склададжия; **2.** работник в склад; **3.** управител/собственик на склад.

wareroom ['wɛərum] *n* помещение за излагане на стоки.

warfare ['wɔːfɛə] *n* воюване, война; военно дело; борба.

war footing ['wɔːfutiŋ] *n* **1.** военно положение; бойна готовност/нога; **2.** военни сили, ефективи.

war-game ['wɔːgeim] *n* военна игра/упражнения.

war-god ['wɔːgɔd] *n* бог на войната, *особ.* богът Марс.

war hawk ['wɔːhɔːk] *n* войнолюбец, милитарист.

warhead ['wɔːhed] *n* зарядна/бойна глава на ракета, торпила и пр.

war-horse ['wɔːhɔːs] *n* **1.** *ист.* боен кон; **2. (old)** ~ *рет.* ветеран (*за войник, политик*); **3.** изтъркана пиеса/песен и пр.

warily ['wɛərili] *adv* внимателно, предпазливо.

wariness ['wɛərinis] *n* предпазливост.

warlike ['wɔːlaik] *a* войнствен.

warlock ['wɔːlɔk] *n* вълшебник, магьосник.

warlord ['wɔːlɔːd] *n* **1.** военен диктатор; **2.** върховен началник на армията; военачалник; **3.** войнолюбец.

warm[1] [wɔːm] *a* **1.** топъл (*и за цвят*): **2.** стоплен, затоплен; **a ~ corner** уютно/топло ъгълче/местенце; **to get ~** стоплям се, затоплям се; **you are getting ~ !** топло! (*при детска игра*); **to be ~ with wine** разгорещен съм от виното; **3.** сърдечен, топъл (*за прием и пр.*); ~ **heart** добро/отзивчиво сърце; **4.** разгорещен, разпален; ожесточен; ядосан; **5.** опасен, труден; **6.** жив, деен, пъргав; усърден; ентусиазиран; **7.** пресен, свеж (*за следа*); **8.** чувствен, еротичен; **9.** *разг.* заможен, охолен, богат; осигурен материално; □ ~ **words** *разг.* кавга; сбиване; счепкване; ~ **work** *разг.* напрегната/тежка работа; *прен.* опасна дейност/конфликт; изострена борба; **to make it/things ~ for s.o.** правя пребиваването/съществуването на някого някъде опасно/невъзможно; **to keep a place ~ for s.o.** пазя мястото на някого, замествам временно някого в службата му.

warm[2] *v* **1.** стоплям (се), затоплям (се) (*и с* up); **to ~ o.s. at the fire** грея се/топля се на огъня; **2.** *прен.* стоплям, сгрявам; развеселявам; **3.** *прен.* оживявам (се), запалвам (се), въодушевявам (се); разгневявам се (*и с* up); **4.** сгрявам, загрявам, подтоплям (*ядене*) (*ам. и с* over).

warm to ~ разпалвам се, ентусиазирам се; **to ~ (up) to o.'s subject** 1) (започвам да) говоря с интерес/увлечение/въодушевление; 2) свиквам с, увличам се в, обиквам (*работата си и пр.*); **to ~ (up) to/towards s.o.** (започвам да) изпитвам съчувствие/нежност/обич и пр. към някого;

warm up 1) сгрявам, затоплям, подтоплям (*ядене*); 2) загрявам (*за радио, двигател и пр.*); 3) *сп.* разгрявам се; 4) увличам (се), оживявам (се); 5) отпускам се, ставам по-сърдечен/задушевен (*за атмосфера и пр.*); 6) *прен.* разпалвам (се).

warm[3] *n* топлина; стопляне; **come and have a ~** ела да се постоплиш; **give the soup a ~** стопли/подтопли супата; □ **British ~** *воен.* полушубка.

warmblodded ['wɔːmblʌdid] *a* **1.** *зоол.* топлокръвен; **2.** темпераментен.

warmed-over ['wɔːmdouvə] *a* стоплен, подтоплен (*за ядене и пр.*); *прен.* изтъркан, безинтересен.

warmer ['wɔːmə] *n* грейка; негреватеел уред.

warm-hearted ['wɔːmhaːtid] *a* добър, отзивчив, (добро)сърдечен.

warming-pan ['wɔːmiŋpæn] *n* **1.** *ост.* грейка за затопляне на легло; **2.** временен заместник.

warmonger·['wɔːmʌŋgə] *n* подстрекател към/подпалвач на война.

warmongering ['wɔːmʌŋgəriŋ] *n* подстрекателство към война.

warm spot ['wɔːmspɔt] *n* трайна обич, слабост (към някого, нещо).

warmth [wɔːmθ] *n* **1.** топлина; **2.** топлота, сърдечност; **3.** разпаленост, разгорещеност; раздразнение; **4.** ентусиазъм, жар; **5.** *жив.* топли багри.

warn [wɔːn] *v* **1.** предупреждавам; **to ~ s.o. against s.th.** предупреждавам някого да се пази от нещо; **to ~ s.o. against doing s.th.** предупреждавам някого да не прави нещо; **2.** съобщавам предварително, уведомявам, предизвестявам; съветвам;

warn away 1) предупреждавам някого да не се приближава/да се маха; 2) *лов.* подплашвам; изплашвам (*дивеч*).

warning[1] ['wɔːniŋ] *a* **1.** предупредителен (*за сигнал, поглед и пр.*); **2.** предпазен.

warning[2] *n* **1.** предупреждение; **let this be a (fair) ~ to you** нека това ти служи за урок/предупреждение; **to take ~** вземам си бележка, внимавам; **2.** признак; предупредителен знак/сигнал; **to give ~** *ост.* = **to give notice** (*вж.* **notice**[1] 2).

warp[1] [wɔːp] *n* **1.** *текст.* основа; ~ **(and woof)** *прен.* основа, база; **2.** изкривеност, изкривяване, изкорубване; **3.** отклонение от нормата; извратеност (*и* ~ **of the mind**); **4.** *мор.* вид корабно въже; **5.** алувиална почва, утайка, нанос.

warp[2] *v* **1.** изкорубвам (се), свивам (се), деформирам (се); **2.** *прен.* извратявам, изопачавам, изкривявам; **3.** *текст.* насновавам основа; **4.** *мор.* придвижвам (*кораб*) с въже; **5.** наторявам с наносна тиня.

war-paint ['wɔːpeint] *n* **1.** оцветяване на лицето и тялото преди започване на битка; **2.** *разг.* парадно облекло, премяна; **3.** *разг.* грим.

warpath ['wɔːpaːθ] *n* индиански поход; **to be/to go out on the** ~ воювам; заемам войнствена позиция.

war-plane ['wɔːplein] *n* военен/боен самолет.

warrant[1] ['wɔːrənt] *n* **1.** съдебно разпореждане/постановление/заповед; **2.** основание; **3.** гаранция; пълномощно; препоръка, поръчителство, свидетелство; **4.** пълномощие; разрешително; ~ **of attorney** *юр.* мандат; **5.** основание, оправдание; **6.** *воен.* заповед за производство в подофицерски чин; **7.** гарант.

warrant[2] *v* **1.** поръчителствувам, гарантирам; **2.** удостоверявам, уверявам, потвърждавам; *разг.* сигурен съм, гарантирам; **I('ll) ~ (you)** уверявам те, гарантирам ти; **I'll ~ him a perfectly honest man** гарантирам, че той е съвсем почтен човек; **this material is ~ed (to be) colour-fast** този плат не избелява; **3.** давам основание за, оправдавам; **4.** упълномощавам; узаконявам.

warrantable ['wɔːrəntəbl] *a* законен; допустим; оправдан, основателен.

warantee ['wɔːrən'tiː] *n* *юр.* човек, който получава гаранция.

warranter, -or ['wɔːrəntə] *n* *юр.* поръчител, гарант.

warrant-officer ['wɔːrənt 'ɔfisə] *n* **1.** *мор.* мичман II ранг; **2.** *воен.* административен офицер; междинна категория между сержантски и офицерски състав.

warranty ['wɔːrənti] *n* **1.** основание, право; **2.** упълномощаване; **3.** поръчителство, гаранция.

warren ['wɔːrən] *n* **1.** развъдник на дребни животни, *особ.* зайци; **2.** лабиринт от гъстонаселени улици/къщи и пр.; **3.** гъсто населена бедняшка къща.

warring ['wɔːriŋ] *a* противоречив; несъпоставим; непримирим.

warrior ['wɔːriə] *n* войн, боец, войник.

warship ['wɔːʃip] *n* военен кораб.

wart [wɔːt] *n* 1. брадавица; ~s and all без разкрасяване, с всичките му кусури; 2. нарастък върху ствол на дърво; 3. *разг.* неприятен човек.

wart-hog ['wɔːthɔg] *n* *зоол.* африкански глиган (Phacocoerus).

wartime ['wɔːtaim] *n* 1. военно време; in ~ във/по време на/през война; 2. *attr* военновременен, от войната; ~ recollections спомени от войната.

warty ['wɔːti] *a* 1. като брадавица; 2. покрит с брадавици.

war-weary ['wɔːwiəri] *a* изморен от продължителна война.

war-whoop ['wɔːhuːp] *n* боен вик (*особ. на индианци*).

war-widow ['wɔːwidou] *n* вдовица от войната.

war-worn ['wɔːwɔːn] *a* 1. опустошен от войната; 2. изтощен от войни/войната.

wary ['wɛəri] *a* 1. внимателен, предпазлив, бдителен; to keep a ~ eye on s.o. дебна някого; to be ~ of пазя се/гледам да не (*c ger*); 2. хитър, ловък.

was *вж.* be¹.

wash¹ [wɔʃ] *v* 1. мия (се), измивам (се); къпя (се), окъпвам (се); промивам; to ~ o.'s hands измивам си ръцете (*и прен.*) (of); 2. пера, изпирам; 3. мия брегове (*за море*); бия се, блъскам се, плискам се (*за вълни*) (*и с* upon); to ~ ashore изхвърлям на брега; нося/отнасям към брега; 4. покривам с тънък слой, намазвам, боядисвам; 5. отмивам, отнасям с течението; 6. пера се, издържам на пране (*за дреха, плат*); 7. издържам критика; that theory won't ~ тази теория е неубедителна, не издържа критика; 8. *мин.* промивам; обогатявам по мокър начин; 9. подравям, подривам (се), издълбавам (се); □ to ~ a blackamoor/an Ethiopian white залавям се за/занимавам се с безнадеждна работа; flowers ~ed with dew окъпани в роса цветя;

wash away 1) отмивам, измивам; to ~ away sins *рел.* пречиствам от грехове; 2) отнасям (*за вълни*);

wash down 1) измивам (*и с маркуч*); 2) смивам, отмивам, отнасям; 3) прокарвам (*храна и пр., като то течност между хапките*) (with с);

wash off измивам (се), изпирам (се); отмивам;

wash out 1) измивам (се), изпирам (се); *прен.* изтривам/изл==чавам (*нещо*) от съзнанието си; 2) подмивам, подривам (*брегове, път*); 3) *разг.* попречвам на започването на, осуетявам, спирам, отменям (*игра, мач и пр.*); 4) отхвърлям, елиминирам; отпадам (*от училище, състезание и пр.*);

wash over оставам незабелязан за;

wash up 1) мия, измивам (*съдове*); 2) мия се, измивам се; 3) изхвърлям на брега.

wash² *n* 1. миене, измиване; to have a ~ измивам се; 2. пране; at the ~ (даден) на пране (*за дрехи и пр.*); 3. плискане, плясък (*на вълни*); прибой; 4. диря на кораб, килватер; *ав.* раздвижена струя въздух след самолет; 5. помия (*и прен.*); 6. празни приказки, дърдорене, бръщвеж; 7. тънък пласт/слой боя/метал; 8. тоалетна вода, лосион; разтвор (*за дезинфекция и пр.*); 9. неферментирал малц и пр.; 10. залята от вода местност, плитчина на река/море; 11. ерозия, отмиване, подриване; 12. нанос, чакъл, пясък; 13. златоносен пясък; 14. *ам.* старо корито на река; □ it'll all come out in the ~ *разг.* всичко ще се нареди от само себе си; рано или късно ще се разбере.

washable ['wɔʃəbl] *a* който може да се пере; който не избелява при пране.

wash-and-wear ['wɔʃən‚wɛə] *a* който лесно се пере, суши и не се нуждае от гладене (*за дреха*).

wash-basin ['wɔʃbeisn] *n* леген за измиване; мивка, умивалник.

washboard ['wɔʃbɔːd] *n* 1. дъска за търкане на дрехи при пране; 2. *арх.* перваз; цокъл.

wash-boiler ['wɔʃbɔilə] *n* ператен котел, ператник.

wash-bowl ['wɔʃboul] *n* леген.

wash-cloth ['wɔʃklɔθ] *n* 1. кесия, кърпа за миене на лице и къпане; 2. кърпа за миене на съдове.

wash-day ['wɔʃdei] *n* ден, определен за пране.

wash-drawing ['wɔʃdrɔːiŋ] *n* акварел, *особ.* в бяло, черно и сиво.

washed-out ['wɔʃtaut] *a* 1. *разг.* уморен, изтощен, капнал; 2. отпаднал, отпуснат, без дух/настроение; 3. избелял (*за плат*).

washed-up ['wɔʃtʌp] *a* *разг., прен.* съсипан, свършен, фалирал.

washer ['wɔʃə] *n* 1. *тех.* промивачка; 2. *тех.* шайба; пръстен; 3. мияч на съдове и пр.; 4. перална машина.

washerwoman ['wɔʃəwumən] *n* (*pl* -women ['wimin]) перачка.

wash-hand ['wɔʃhænd] *a* за измиване на ръце.

wash-house ['wɔʃhaus] *n* перелня (*сграда, помещение*).

washing ['wɔʃiŋ] *n* 1. миене; пране; изпрани дрехи; 2. бельо за пране; 3. *ам. търг.* фиктивна продажба; to get on with the ~ *sl.* преставам да си губя времето; 4. *attr* който е/служи за пране/миене и пр.; който може да се пере (*за материя, дреха*).

washing-machine ['wɔʃiŋmə‚ʃiːn] *n* перелна машина.

washing-up ['wɔʃiŋʌp] *n* измиване на съдове (*за ядене*); ~ machine машина за автоматично измиване на съдове.

wash-leather ['wɔʃleðə] *n* гюдерия.

wash-out ['wɔʃaut] *n* 1. размиване, отмиване, ерозия; 2. изровено място, дупка; 3. провалил се човек; пропаднал кандидат; некадърник; to be a ~ *sl.* провалям се, оказвам се негоден; претърпявам пълен провал/фиаско.

wash-room ['wɔʃrum] *n* умивалня; *ам.* обществена тоалетна.

wash-stand ['wɔʃstænd] *n* умивалник (*мебел*).

wash-tub ['wɔʃtʌb] *n* корито за пране.

wash-woman ['wɔʃwumən] *ам.* = washer-woman.

washy ['wɔʃi] *a* слаб, рядък (*за чай*); блудкав (*за течност, храна*); блед, измит (*за цвят*); безцветен, разводнен, вял (*за стил*).

wasn't ['wɔznt] *съкр. от* was not.

wasp [wɔsp] *n* оса (*и прен.*).

waspish ['wɔspiʃ] *a* язвителен, зъл.

wasp-waisted ['wɔsp‚weistid] *a* с много тънка талия (*като оса*).

wassail ['wɔseil] *n* *ост.* 1. гощавка, гуляй, пир; 2. наздравица; 3. коледно/празнично питие.

wassail² *v* *ост.* 1. гуляя, пирувам; 2. вдигам/пия наздравица; 3. коледувам.

wast [wɔst, wəst] *вж.* be¹.

wastage ['weistidʒ] *n* 1. загуба; фира; брак; 2. прахосване.

waste¹ [weist] *n* 1. хабене, изхабяване; износване; губене, прахосване; to go/run to ~ хабя се напразно, прахосвам се; 2. остатъци, останки; отпадъци, изрезки; брак; боклук, смет; отработена вода; канални води; изпражнения; 3. пустиня, пущинак, пустош; a ~ of waters воден простор, морска шир; 4. загуба, преразход; 5. увреждане на имуществото;

опустошителна разруха; **6.** *мин.* нерудоносна скала, стерил; **7.** = ~ **-pipe; 8. (cotton)** ~ *тех.* памучни отпадъци/конци за изтриване.

waste² *a* **1.** непотребен, негоден, бракуван; ~ **products** отпадъци, отпадъчни продукти; **2.** пустинен, необработен, запустял; незалесен; пуст, неизползван; опустошен, разорен; **to lay** ~ опустошавам; **to lie** ~ стоя наизползван/необработен (*за земя*); **3.** *ост.* излишен, ненужен, напразен; **4.** *тех.* отработен.

waste³ *v* **1.** пилея, прахосвам, изхарчвам (*енергия, пари*); губя, хабя, похабявам; губя се, изчезвам; ~ **not, want not** пести, за да имаш; **to** ~ **advice, etc. on s.o.** хабя си напразно съветите и пр. към някого; **to** ~ **words** говоря на вятъра; ~**d life** пропилян живот; **to** ~ **o.'s labour** работя напразно; **2.** изтощавам (*за болест*); **3.** опустошавам, увреждам, повреждам (*имущество и пр.*); изхабявам; разорявам; **4.** чезна, линея, вехна, съхна (*и с away*).

waste-basket ['weist,ba:skit] *ам.* = **waste-paper basket.**

wasteful ['weistful] *a* **1.** разточителен; прахоснически; **2.** разорителен.

wasteland ['weistlænd] *n* пустош; пустеещи земи.

waste-paper basket ['weispeipə,ba:skit] *n* кошче за книжни отпадъци.

waste-pipe ['weistpaip] *n* отточна/канализационна тръба.

waster ['weistə] *n* **1.** разточител, прахосник; развей-прах; **2.** *sl.* нехранимайко; несретник; **3.** бракувана вещ, брак.

wastrel ['weistrəl] *n* **1.** изхабено нещо, бракувана вещ; **2.** разсипник, пройдоха; **3.** изоставено дете; **4.** безделник; непрокопсаник.

watch¹ [wɔtʃ] *n* **1.** *ост.* страж, стражa, пост, караул, патрул, пазач, часовой; **2.** бодърствуване, бдение; **3.** наблюдение; бдителност; **to keep** ~ **(and ward)** 1) наблюдавам, следя зорко/отблизо; 2) стоя на стража, караула; **to be on the** ~ **(for)** нащрек съм, дебна, чакам в засада; **4.** *мор.* вахта; **5.** *ист.* стража (*част от нощта*); **the** ~**es of the night** часове на нощно бдение, безсъница; **6.** часовник (*джобен, ръчен*).

watch² *v* **1.** наблюдавам; следя; пазя; **to** ~ **it** *sl.* внимавам, отварям си очите на четири; **2.** бдя (**over** над); бодърствувам, нащрек съм; **3.** очаквам, дебна (*и с for*); **a** ~**ed pot never boils** когато чакаш, времето ти се струва безкрайно дълго; **4.** гледам (*телевизия*);

watch out (for) внимавам, нащрек съм, отварям си очите на четири;

watch over пазя, наглеждам; охранявам.

watch-box ['wɔtʃbɔks] *n* караулна будка.

watch-case ['wɔtʃkeis] *n* метален корпус на часовник (*джобен, ръчен*).

watch-chain ['wɔtʃ,tʃein] *n* верижка на часовник, ланец.

watch-dog ['wɔtʃdɔg] *n* **1.** куче пазач; **2.** пазител; **the** ~ **of the Treasury** *ам.* сенатор, натоварен с контрола върху изразходваните държавни средства и пр.

watcher ['wɔtʃə] *n* **1.** наблюдател; **2.** пазач; **3.** *ам.* застъпник на кандидат при избори.

watch-fire ['wɔtʃfaiə] *n* бивачен огън; сигнален огън.

watchful ['wɔtʃful] *a* бдителен; наблюдателен; внимателен, зорък; бдящ; ~ **nights** часове на нощно бдение; безсънни/бели нощи.

watch-guard ['wɔtʃga:d] *n* верижка на часовник, ланец.

watch-house ['wɔtʃhaus] *n* **1.** караулно помещение; **2.** полицейски пост.

watchmaker ['wɔtʃmeikə] *n* часовникар.

watchman ['wɔtʃmən] *n* (*pl* **-men**) **1.** нощен пазач; **2.** караул, стража.

watch night ['wɔtʃnait] *n* (богослужение през) нощта срещу Нова година.

watch-pocket ['wɔtʃpɔkit] *n* малко джобче за часовник.

watch-tower ['wɔtʃtauə] *n* стражева кула, наблюдателница.

watchword ['wɔtʃwə:d] *n* **1.** парола; **2.** лозунг, призив, повик, вик.

water¹ ['wɔ:tə] *n* **1.** вода; ~ **on the brain** *мед.* хидроцефалия, воднянка; ~ **on the knee** *мед.* хидартроза на коляното; **to hold** ~ не пропускам вода, не тека; *прен.* издържам на критика, логичен/последователен съм (*за теория и пр.*); **to make** ~ 1) пропускам вода, тека; 2) уринирам; **to cast o.'s** ~ изследвам си урината; **2.** *обик.* **pl** минерална вода (*и* **table** ~**s**); **to take/drink the** ~**s** лекувам се с/пия минерална вода; **3.** води; езеро, река, море; ~**s of forgetfulness** *прен.* забвение; смърт; Лета; **high/low** ~ прилив/отлив; най-високата точка на прилива/най-ниската точка на отлива; *прен.* апогей/застой; **in home** ~**s** в териториалните води на дадена страна; **by** ~ по воден път, по море; **on this side of the** ~ отсам морето/океана; **to go on the** ~ правя разходка по река/море и пр.; **still** ~**s run deep** тихите води са дълбоки; **like a fish out of** ~ като риба на сухо; **4.** водоем; резервоар; **an ornamental** ~ изкуствено езеро; **5.** воден разтвор; тоалетна и пр. вода; слюнка; пот; сълзи и пр.; **to make/pass** ~ уринирам; **difficulty in passing** *мед.* задържане на урина; **to bring** ~ **to s.o.'s mouth** правя скомина/карам да потекат лигите на някого; **6.** бистрота, прозрачност; **of the first** ~ от (най-)чиста проба (*и прен.*); **7.** вълнообразни отблясъци на коприна; **8.** *фин.* акции, издадени без увеличение на основния капитал; **9.** = **water-colour; 10.** *attr* воден; за/от/по/с вода; □ **above** ~ вън от опасност; незатруднен финансово; **to keep/hold o.'s head above** ~ крепя се, едва оцелявам/преживявам, *особ.* финансово; **in deep** ~**(s)** в голямо финансово затруднение/беда; сполетян от бедствие/скръб; **in low** ~ без пари, закъсал; **in smooth** ~ преодолял пречки/затруднения, напредващ с лекота; **to get into hot** ~ *разг.* загазвам, изпадам в беда; **to get s.o. into hot** ~ *разг.* вкарвам някого в беля; **to pour/throw cold** ~ **on** *прен.* поливам със студен душ, действувам отрезвително; обезсърчавам; осуетявам; **a lot of/much** ~ **has flown/run under the bridge/over the dam** много време мина/много вода изтече оттогава; **you may take a horse to the** ~ **, but you cannot make him drink** насила хубост не става; **bubbly** ~ *шег.* шампанско; **strong** ~ , ~ **of life** ракия; *прен.* духовна храна; **to burn the** ~ ловя риба нощем (*с пика и запален фенер*); **writ(ten) in/on** ~ кратотраен, мимолетен, преходен (*за постижение и пр.*); **to swim between two** ~**s** колебая се между две мнения/решения; запазвам неутралитет; **like** ~ изобилно, щедро, без сметка.

water² *v* **1.** мокря, намокрям, навлажнявам; **2.** поливам, наводнявам; поя, напоявам (*и за река*); **3.** ходя/водя на водопой; пия вода; **4.** ~ **down** разтварям във вода; разреждам; разводнявам; *прен.* смекчавам (*изказване и пр.*); **5.** отделям вода; потичат ми лигите; насълзявам се (*за очи*); **to make s.o.'s mouth** ~ правя/карам да потекат лигите на някого; възбуждам желание/завист у някого; **6.** набавям/вземам/запасявам (се) с вода (*за кораб, ло* комотив и пр.); **7.** *текст.* моарирам (*коприна и др. материи*); **8.** *фин.* увеличавам фиктивно капитала на.

waterage ['wɔːtəriʤ] *n* (такса за) превозване на стоки по вода.

water back ['wɔːtəbæk] *n ам.* казанче за топлене на вода в печка.

water-bath ['wɔːtəbaːθ] *n* водна баня (*и готв.*).

water-bed ['wɔːtəbed] *n* гумен дюшек, напълнен с вода (*за болен — при болки от залежаване*).

water-biscuit ['wɔːtə‚biskit] *n* тънък бисквит, *обик.* без захар и мазнина.

waterborne ['wɔːtəbɔːn] *a* **1.** превозван/пренасян по вода (*за стока*); ~ **transport** воден транспорт; **2.** пренасян чрез пиене на замърсена вода; инфекциозен (*за болест*).

water-bottle ['wɔːtəbɔtl] *n* **1.** шише за вода, гарафа; **2.** манерка.

water-cannon ['wɔːtəkænən] *n* приспособление за разпръсване на тълпа със силна струя вода.

water-carriage ['wɔːtə‚kæriʤ] *n* воден транспорт/превоз.

Water-carrier ['wɔːtə‚kæriə] *n* Водолей (*съзвездие и знак на зодиака*).

water-cart ['wɔːtəkaːt] *n* цистерна с вода за пиене/пръскане.

water-closet ['wɔːtəklɔzit] *n* клозет.

water-colour ['wɔːtə‚kʌlə] *n* **1.** акварел (*рисунка и боя*); **2.** *attr* акварелен.

water-colourist ['wɔːtəkʌlərist] *n* акварелист.

water-cooled ['wɔːtə‚kuːld] *a тех.* с водно охлаждане.

watercourse ['wɔːtəkɔːs] *n* **1.** река, рекичка, ручей; **2.** речно корито/русло.

watercress ['wɔːtəkres] *n бот.* крес(он), пореч.

water-cure ['wɔːtəkjuə] *n* водолечение, хидротерапия.

water-dog ['wɔːtədɔg] *n разг.* добър плувец; стар моряк.

water-drinker ['wɔːtədriŋkə] *n* пълен въздържател.

waterfall ['wɔːtəfɔːl] *n* водопад.

waterfowl ['wɔːtəfauəl] *n събир.* водни птици.

waterfront ['wɔːtəfrʌnt] *n* **1.** брегова линия, бряг; **2.** част от град, достигаща до брега на река, езеро и пр.

water-gas ['wɔːtəgæs] *n хим.* воден газ.

watergate ['wɔːtəgeit] *n* врата/затвор на шлюз.

water-gauge ['wɔːtəgeiʤ] *n* водопоказател.

water-glass ['wɔːtəglaːs] *n* **1.** водна чаша; **2.** *хим.* водно стъкло; **3.** тръба за наблюдаване на предмети под водата.

water-hammer ['wɔːtəhæmə] *n тех.* хидравличен удар.

water-heater ['wɔːtəhiːtə] *n* нагревател, бързовар.

water-hemlock ['wɔːtə‚hemlək] *n бот.* вид отровно блатно растение (Cicuta).

water-hen ['wɔːtəhen] *n зоол.* водна кокошка (Gallinula chloropus).

water-hole ['wɔːtəhoul] *n* гьол; блато; езерце.

water-ice ['wɔːtərais] *n ам.* разхладително плодово питие/сладолед.

watering-can ['wɔːtəriŋ‚kæn] *n* градинарска лейка.

watering-cart ['wɔːtəriŋ‚kaːt] *n* = **water-cart.**

watering-place ['wɔːtəriŋ‚pleis] *n* **1.** (място за) водопой; **2.** курорт с минерални бани; **3.** морски курорт.

watering-pot ['wɔːtəriŋ‚pɔt] *n* = **watering-can.**

water-jacket ['wɔːtə‚ʤækit] *n тех.* водна риза/мантия/кожух.

water-level ['wɔːtəlevl] *n* **1.** ниво на водата (*в резервоар и пр.*); **2.** равнило, либела; терзия; **3.** ниво на подпочвените води.

water-lily ['wɔːtəlili] *n бот.* водна лилия (Nymphaeaceae).

waterline ['wɔːtəlain] *n мор.* ватерлиния.

waterlogged ['wɔːtəlɔgd] *a* **1.** напоен с вода, подгизнал (*за дърво*); **2.** полузатънал, напълнен с вода (*за кораб*); **3.** заблатен (*за терен*).

water-main ['wɔːtəmein] *n* водопровод, водопроводна магистрала.

waterman ['wɔːtəmæn] *n* (*pl* **-men**) лодкар; гребец.

watermanship ['wɔːtəmənʃip] *n* умение да се гребе/плува добре; гребна/плувна техника.

watermark ['wɔːtəmaːk] *n* воден знак (*на хартия*).

water-melon ['wɔːtəmelən] *n* диня, любеница.

water-meter ['wɔːtəmiːtə] *n* водомер.

water-mill ['wɔːtəmil] *n* воденица, мелница.

water-nymph ['wɔːtənimf] *n* водна нимфа, русалка.

water-parting ['wɔːtəpaːtiŋ] *n* = **water-shed 1.**

water-pipe ['wɔːtəpaip] *n* водопроводна тръба.

water-pistol ['wɔːtəpistəl] *n* водно пистолетче (*играчка*).

water-polo ['wɔːtəpoulou] *n сп.* водна топка/поло.

water-power ['wɔːtəpauə] *n* водна сила, хидроенергия.

waterproof[1] ['wɔːtəpruːf] **I.** *a* непромокаем, импрегниран; **II.** *n* непромокаема матария/дреха; мушама, дъждобран.

waterproof[2] *v* импрегнирам.

water-ram ['wɔːtəræm] *n тех.* хидравличен таран.

water-rate ['wɔːtəreit] *n* такса за ползване на обществено водоснабдяване.

water-repelent ['wɔːtəri'pelənt] *a* трудно пропусклив (*за материя*).

waterscape ['wɔːtəskeip] *n ам.* воден/морски пейзаж.

water-seal ['wɔːtəsiːl] *n тех.* воден/хидравличен затвор.

watershed ['wɔːtəʃed] *n* **1.** вододел; **2.** речен басейн; **3.** *прен.* повратна точка/момент.

waterside ['wɔːtəsaid] *n* **1.** бряг, крайбрежие; **2.** *attr* крайбрежен.

waterskin ['wɔːtəskin] *n* кожен мях за вода.

water-softener ['wɔːtə‚sofənə] *n* апарат/вещество за омекотяване на вода.

water-soluble ['wɔːtə'sɔljubl] *a* разтворим във вода.

waterspout ['wɔːtəspaut] *n* **1.** водосточна тръба, капчук; **2.** воден циклон/смерч; **3.** внезапен пороен дъжд.

water-sprite ['wɔːtəsprait] *n* **1.** воден дух; **2.** водна нимфа, русалка.

water-supply ['wɔːtəsə‚plai] *n* водоснабдяване.

water-table ['wɔːtəteibl] *n* **1.** *арх.* корниз с преливник; **2.** = **water-level 3.**

watertight ['wɔːtətait] *a* **1.** непромокаем; **2.** херметически затварящ се; **3.** *прен.* неоспорим, непоклатим; несъмнен, неопровержим; недвусмислен.

water-tower ['wɔːtətauə] *n* **1.** водна/водонапорна кула; **2.** *ам.* пожарогасител за големи височини.

water-waggon ['wɔːtəwægən] *n* = **water-cart.**

water-wave ['wɔːtəweiv] *n* водна ондулация.

water-way ['wɔːtəwei] *n* **1.** воден път, плавателен канал; **2.** *мор.* фарватер.

water-weed ['wɔːtəwiːd] *n* водорасло.

water-wheel ['wɔːtəwiːl] *n тех.* водно колело.

water-wings ['wɔːtəwiŋgz] *n* приспособление, слагано около раменете на човек, който се учи да плува.

waterworks ['wɔːtəwəːks] *n pl* **1.** водопроводна станция/съоръжения; **2.** фонтани, водоскоци, каскади; **3.** *sl.* сълзи; **to turn on the** ~ лея сълзи, надувам гайдата; **4.** *sl.* отделителната система.

watery ['wɔtəri] *a* **1.** воднист; разводнен; безвкусен; *прен.* безсъдържателен, блудкав; **2.** мокър, влажен; сълзлив, насълзен (*за очи*); **3.** предвещаващ дъжд (*за луна, небе*); **4.** блед, слаб (*за цвят*).

watt [wɔt] *n ел.* ват.

wattle[1] ['wɔtl] *n* **1.** плет; ~ **and daub** плет, замазан с кал/глина за построяване на колиби; **2.** австралийска акация; **3.** *attr* направен от плет.

wattle[2] *v* правя плет; ограждам с/построявам от плет.

wattle[3] *n зоол.* брадичка, обица (*на пуяк, петел и пр.*).

waul [wɔːl] *v* мяукам; вия.

wave[1] [weiv] *n* **1.** вълна; **in** ~s на вълни; **2.** *прен.* вълна, изблик (*и метеор.*); **3.** *поет. обик. pl* море, океан; **4.** извивка, неравност, вълнообразна линия; **5.** вълна, чупка на коса, ондулация; **6.** махане, махване, ръкомахане; **7.** *физ.* вълна; трептене; радиовълна.

wave[2] *v* **1.** размахвам (се), развявам (се); **2.** правя вълнообразен; правя на вълни, ондулирам; **3.** махам с ръка; **to** ~ **good-bye** махам с ръка за довиждане; **4.** моарирам (*коприна и пр.*); **5.** къдря (се), чупя (се); ставам/правя на вълни (*за коса*); **6.** полюшвам се, вълнувам се (*за нива и пр.*);

   wave aside отхвърлям, отклонявам (*предложение и пр.*); пренебрегвам;

   wave away 1) отказвам да приема/взема нещо, което ми се предлага/поднася; 2) = **wave aside**; 3) махвам/правя знак с ръка на някого да се отдалечи; отпращам с махване;

   wave off = **wave away** 3.;

   wave on правя (*някому*) знак да върви/да се придвижва напред.

waved ['weivd] *a* вълнист, на вълни; къдрав, начупен (*за коса*); **to get/have o.'s hair** ~ ондулирам си косата.

wavelength ['weivleŋθ] *n физ.* дължина на вълната.

wavelet ['weivlit] *n* малка вълна, вълничка.

waver ['weivə] *v* **1.** колебая се, разколебавам се, двоумя се, проявявам неувереност/нерешителност; **2.** трептя, трепкам, играя (*за пламък, светлина*); треперя, потрепервам (*за глас*).

wavering ['weivəriŋ] *a* **1.** колеблив, неуверен; **2.** трепкащ, трептящ; **3.** треперещ, треперлив.

wavy ['weivi] *a* **1.** вълнообразен, вълнист, на вълни; **2.** къдрав; **3.** развяващ се; **4.** олюляващ се; **5.** *тех.* рифелован.

wax[1] [wæks] *n* **1.** восък; **to be** ~ **in s.o.'s hand** подчинявам се изцяло на волята на; **2.** ушна кал; **3.** *разг.* (материал за направа на) грамофонна плоча; **4.** *attr* восъчен.

wax[2] *v* намазвам/натривам/излъсквам/покривам/запечатвам с восък.

wax[3] *v* **1.** раста, нараствам, порствам; увеличавам се (*особ. за луната*); **to** ~ **and wane** раста и намалявам последователно (*и прен. — за влияние и пр.*); **2.** *ост., поет.* ставам (*весел, закачлив, гневен и пр.*).

wax[4] *n sl.* (пристъп на) ярост/гняв; **to get into a** ~ побеснявам, вбесявам се, изпадам в ярост.

wax-candle ['wæks'kændl] *n* восъчна свещ, вощеница.

wax-cloth ['wæksklɔθ] = **oilcloth.**

waxen ['wæksən] *a ост.* **1.** восъчен; **2.** гладък, лъскав, мек, полупрозрачен, блед (*като восък*).

wax-painting ['wækspeintiŋ] *n* живопис с восъчни бои, енкаустика.

wax-paper ['wæks‚peipə] *n* восъчна хартия.

wax-pod ['wækspɔd] *n бот.* фасул със светложълти шушулки.

waxwork ['wækswəːk] *n* **1.** (моделиране на) восъчни фигури; **2.** *pl* изложба на восъчни фигури (*обик. на бележити хора*); **3.** отливане на модели от восък; восъчни отливки.

waxy[1] ['wæksi] *a* восъчен; подобен на/наподобяващ восък.

waxy[2] *a sl.* **1.** вбесен, разярен; **2.** сприхав.

way [wei] *n* **1.** път, пътека, шосе; място за преминаване; ~ **in** вход; ~ **out** изход (*и прен.*); ~ **through** пасаж; **the broad** ~ *прен.* пътят на наслажденията; **the narrow/straight** ~ *прен.* трудният път към добродетелта; **the W. of the Cross** *рел.* Голгота (*и прен.*); **on o.'s** ~ **to** на път/по пътя за; **across/over the** ~ отсреща, насреща; оттатък пътя; **by the** ~ 1) на/край пътя; 2) между другото, между ‾прочем; **out of the** ~ 1) настрани от/не на пътя; 2) отдалечен, затънтен, забутан; 3) необикновен, необичаен, особен; **to be/stand in the** ~ преча; **to get in the** ~ **of** стоя на пътя/преча на; **to get out of s.o.'s** ~ отстранявам се от пътя на/преставам да преча на някого; **to keep out of s.o.'s** ~ отбягвам някого, гледам да не се мяркам пред него; **to clear/pave/smoothe the** ~ **for** разчиствам/откривам пътя за; подготвям почвата за; **to make** ~ **for** давам път/отстъпвам място на; **to make the best of o.'s** ~ бързам, колкото мога; **to make o.'s** ~ **in the world** пробивам си път в живота, правя кариера; **the** ~ **of all flesh** участта на всичко живо/смъртно; **to go the** ~ **of all flesh/of nature/of all the earth/of all things** умирам, отивам си от този свят; **to go the** ~ **of all good things** пропадам, отивам по дяволите; **to feel/grope o.'s** ~ вървя пипнешком; *прен.* действувам предпазливо, опитвам терена; **to find o.'s/its/the** ~ 1) попадам; 2) прониквам; **to go o.'s** ~ тръгвам (си), потеглям; **to get/go/take/have o.'s own** ~ действувам самостоятелно, не се вслушвам в съвети, правя каквото/както си искам; **to go all the** ~ **with s.o.** съгласявам се изцяло с някого; **to go s.o.'s** ~ отивам в същата посока с някого; **everything goes his** ~ *разг.* върви му; **to go the right** ~ на прав път съм, не съм се заблудил (*и прен.*); **to go the wrong** ~ 1) сбърквам пътя; 2) попадам в кривото гърло (*за храна*); **to go the whole** ~ върша нещо изоснови/докрай/както трябва; **to make o.'s** ~ **to/toward** запътвам се/тръгвам към; **s.th. comes/falls o.'s way** попада ми; **to take o.'s** ~ **to/towards** тръгвам, вървя, отивам; **to go out o.'s** ~ **to do s.th.** полагам особени усилия/старания да направя нещо, правя всичко възможно; **2.** разстояние; **a little** ~ недалеч, наблизо; **a long/good** ~ **(off)** много далеч, надалеч; **to have come/gone a long** ~ стигнал съм далеч, напреднал съм; **it's (a long)** ~ **off perfection** далеч не е съвършено; **better by a long** ~ далеч по-добър; **this will go a long** ~ това ще допринесе много; **to be (a long)** ~ **above** далеч надхвърлям; **to go a long** ~ 1) имам голямо влияние/значение; 2) стигам задълго, спорен съм; **not by a long** ~ съвсем не; **you are a long** ~ **out** много се лъжеш; **3.** направление, посока, курс; **this** ~ насам; **that** ~ натам; **to look s.o.'s** ~ гледам към някого; **every which** ~ по всички посоки/направления; **to look the other** ~ извръщам поглед; *прен.* правя се, че не виждам/не забелязвам; **to put s.o. in the** ~ **of** помагам на/подпомагам някого в (*нещо*); **the other** ~ **(a)round/about** (точно) обратно(то); **4.** начин, способ, метод, маниер; **(in) this/that** ~ така, по този начин; **in every** ~ всячески, по всякакъв начин; във всяко отношение; **all/quite/very much the other** ~ съвсем другояче/иначе; ~s **and means** начини; средства; възможности; **committee of** ~s **and means** бюджетна комисия; **it's not his** ~ **to be jealous, etc.** не му е свойствено/присъщо да завижда и пр.; **it's**

disgraceful the ~ **he drinks, etc.** безобразно е как/
дето толкова пие и пр; **to have a** ~ **with one** умея
да привличам/да се харесвам/да постигам своето;
don't take offence — it's only his ~ не се засягай —
той си е такъв/маниерът му е такъв; **to my** ~ **of
thinking** според мен, по моему; **there are no two**
~**s about it** няма две мнения по въпроса; **one** ~ **or
another** така или иначе; **to go the right/wrong** ~
about s.th. подхващам нещо правилно/неправилно;
in a ~ до известна степен; в известно отноше-
ние/смисъл; **in no** ~ в никакво отношение, никак;
no ~ няма начин, невъзможно; **to see o.'s** ~ **(clear)
to doing s.th.** 1) ясно ми е/зная как да направя не-
що/как да постъпя; 2) намирам/считам за възмож-
но/виждам възможност да направя нещо; **5.** ход,
движение, напредване, напредък; инерция; **to get
under** ~ отплувам, тръгвам на път (*за кораб*);
прен. започвам; **to be under** ~ плувам (*за кораб*);
прен. в ход съм; **preparations are under** ~ извър-
шват се приготовления; **to gather/lose** ~ набирам/
губя скорост, ускорявам/забавям ход; **to make** ~
напредвам (*и прен.*); **to make o.'s (own)** ~ **(in the
world)** напредвам, преуспявам; **6.** състояние, поло-
жение; начин на живот; *разг.* занимание; занятие,
търговия; **that's the** ~ **things are** така стоят рабо-
тите; **to be in a good/bad** ~ в добро/лошо състоя-
ние съм; **in a small** ~ скромно; на дребно, в малки
мащаби; **to be in a small/large** ~ **of business** върша/
занимавам се с дребна/едра търговия; **to be in a
good/fair** ~ **of business** върви ми/добре съм с тър-
говията; **to be in a bad/terrible**/*ост.* **great** ~ *sl.* мно-
го съм разтревожен/развълнуван; **in the** ~ **of** 1) по
време на, в течение на; като част от; **in the** ~ **of
business** служебно; 2) от естеството/порядъка на; **I
can't afford anything in the** ~ **of luxuries now** не мо-
га да си позволя никакви луксове сега; **to pay
o.'s** ~ не правя дългове; изгод-
но е; **7.** *pl мор.* стапел за спускане на кораб във
вода; □ **by** ~ **of** 1) = via; 2) като, вместо; **by** ~
of a joke, etc. на шега и пр.; **by** ~ **of a weapon** ка-
то/вместо оръжие; **to be by** ~ **of a poet, etc.** съм
нещо като/пиша се за/минавам за поет и пр.;
by ~ **of** (*c ger*) за да, като начин/средство да;
by ~ **of discovering the truth** с цел да разбера исти-
ната; **to give** ~ 1) оттеглям се, отстъпвам; пре-
давам се (**to**); 2) отстъпвам, давам/правя път (*и за
превозно средство*); 3) давам воля; поддавам се,
отдавам се (*на чувство и пр.*); 4) не издържам,
поддавам; счупвам се; *за крака* подкосявам се; 5)
фин. спадам (*за акции*); 6) *мор.* натискам веслата,
започвам да греба.

way-bill ['weibil] *n* списък на пасажерите/пратките в
транспортно средство; пътен лист, товарителница.
wayfarer ['weifɛərə] *n* пътник, *особ.* пешеходец.
waylay ['weilei] *v* причаквам, дебна; устройвам засада на.
way-leave ['weili:v] *n юр.* право за преминаване през/пре-
литане над чужда територия.
waymark ['weima:k] *n* ориентировачен белег/знак по път.
wayside ['weisaid] *a* крайпътен.
way station ['weistei∫n] *n ам.* междинна гара/спирка.
way train ['weitrein] *n ам.* местен влак.
wayward ['weiwəd] *a* капризен, своенравен; опак; непо-
корен, своеволен; непостоянен, изменчив.
way-worn ['weiwɔ:n] *a* изморен от път/пътуване.
we [wi:, wi] *pers pron* ние.
weak [wi:k] *a* **1.** слаб; неустойчив; нетраен, чуплив; **2.**
мек; **3.** слабоволен, слабохарактерен, нерешителен;

4. неударен (*за сричка*); **5.** *търг.* с понижаващи се
цени; **6.** слаб, разреден (*за питие, разтвор и пр.*).
weaken ['wi:kn] *v* **1.** отслабвам; отслабям; **2.** проявявам
слабост, колебание.
weak hand ['wi:khænd] *n бридж* слаби карти (*в ръката*).
weak-headed ['wi:khedid] *a* **1.** слабоумен, глупав; **2.** който
лесно се напива, не издържащ на пиене.
weakish ['wi:ki∫] *a* слаб (*и за чай и др. питиета*).
weak-kneed ['wi:k,ni:d] *a прен.* малодушен, слабохарак-
терен.
weakling ['wi:kliŋ] *n* слаб/хилав/болнав човек.
weakly ['wi:kli] *a* слаб, хилав, болнав.
weak-minded ['wi:kmaindid] *a* слабоумен.
weakness ['wi:knis] *n* **1.** слабост, неустойчивост; **2.** сла-
бост, недостатък; **3.** склонност, влечение, слабост
(**for** към).
weal[1] ['wi:l] *n книж.* благо, добро; благоденствие, благо-
състояние; **for the public/general** ~ за общото благо;
in ~ **and woe** и в щастие, и в беда.
weal[2] *n* белег, рязка, ръб (*особ. от камшик*).
weald [wi:ld] *n* **1.** открито пространство/местност; **2.** *ост.*
гориста област; **the W.** *геогр.* гористата някога об-
ласт, обхващаща графствата Кент, Съсекс, Съри и
Хампшър.
wealth [welθ] *n* **1.** богатство, имущество, благосъстоя-
ние; **to come to/achieve** ~ забогатявам; **a man of** ~
богаташ; **2.** голямо изобилие (**of** от).
wealthy ['welθi] *a* **1.** богат, охолен, заможен; **the** ~ бога-
тите; **2.** изобилен, изобилствуващ, богат.
wean [wi:n] *v* **1.** отбивам кърмаче; **2.** *прен.* отвиквам, от-
учвам (**from, away from**).
weanling ['wi:nliŋ] *n* наскоро отбито кърмаче.
weapon ['wepən] *n* **1.** оръжие; **2.** защитно средство (*у
животни*); **3.** *прен.* средство.
weaponry ['wepənri] *n* **1.** производство на оръжия; **2.**
боева техника, оръжия, въоръжение.
wear[1] [wɛə] *v* (**wore** [wɔ:]; **worn** [wɔ:n]) **1.** нося на себе си
(*дрехи, обувки, очила, украшение и пр.*); облечен/
обут съм с/в; **to** ~ **o.'s clothes well** умея да си нося
дрехите (с вкус); **he wore a new hat** той носеше/бе-
ше с нова шапка; **she never** ~**s brown** тя никога не
носи/не се облича в кафяво; **to** ~ **o.'s hair short** но-
ся косата си късо подстригана; **2.** имам (*израз,
вид, изглед*); **to** ~ **a smile/a troubled look** усмихвам
се/имам тревожно изражение; **the house wore a
neglected look** къщата имаше занемарен вид; **3.** но-
ся се, издържам/изтрайвам на носене; **to** ~ **well** 1)
трая дълго, не се износвам/скъсвам лесно (*за дре-
ха и пр.*); 2) младея, изглеждам млад и запазен за
годините си; **4.** износвам (се), изтривам (се), про-
тривам (се), скъсвам (се) (*обик. с* **away**); **my skirt
has worn thin** полата ми се протри от носене; **5.** из-
тривам се, изличавам се (*за надпис, изображение и
пр.*); **6.** изморявам (се), изтощавам (се); изчерпвам
(се); **worn with travel** уморен от пътуване; **my
patience wore** търпението ми се изчерпи; **7.** точа се,
проточвам се, разточвам се, (пре)минавам муд-
но/еднообразно (*за време*); **to** ~ **through the day**
изкарвам/преживявам някак си деня; **8.** дълбая, се,
постепенно издълбавам (*дупка, улей, канал — за
вода*); □ **to** ~ **o.'s heart on o.'s sleeve** не умея да
скривам чувствата/намеренията си; откровен/им-
пулсивен съм; **to** ~ **the breeches/pants/trousers** дър-
жа мъжа си под чехъл (*за жена*);
    wear away 1) изтривам (се), изтърквам (се), зали-

чавам (се); изтънявам, излинявам; 2) влача се, протакам се, минавам/тека бавно (*за време*); 3) губя сили, чезна; 4) дълбая, подривам, руша;

wear down 1) износвам (се), изтърквам (се), скъсвам (се) от носене; излинявам; 2) отслабям, преодолявам (*съпротива*); 3) сломявам, разсипвам, съсипвам, смазвам;

wear off 1) доизносвам (*дреха и пр.*); 2) изтривам (се), изтърквам (се), изхабявам (се) (*за автомобилни гуми, линолеум и пр.*); 3) постепенно изчезвам/преминавам/се загубвам (*за стеснителност, интерес и пр.*);

wear on вървя, минавам, тека бавно, нижа се; проточвам се, продължавам (*за време*); **it got warmer as the day wore on** по-късно през деня стана по-топло; **the hours wore on** часовете се нижеха мудно/тягостно;

wear out 1) износвам (се), скъсвам (се); 2) *прен.* изморявам, изтощавам, съсипвам; изчерпвам (се) (*за търпение и пр.*); 3) загубвам (се), изчезвам; 4) тека/минавам мудно, точа се (*за време*); 5) изтърпявам, издържам, изтрайвам; 6) прекарвам скучно/мудно (*дни и пр.*);

wear through 1) прекарвам/преживявам някак си (*време, период*); 2) минавам, изтичам (*за време*).

wear² *n* **1.** носене; **in general ~** много модерно, на мода; **to come into ~** излизам на мода; **2.** износване, изхабяване, изтъркване; **cuffs showing ~** поизносени/поизтъркани маншети; **little the worse for ~** малко употребяван, почти нов; **there is plenty of ~ in it** има/може още дълго да се носи (*за дреха и пр.*); **the worse for ~** износен, изтъркан, протрит; *прен.* очукан; **stuff of good/of never ending ~** плат, който няма скъсване; **this stuff will stand hard ~** този плат е много траен (*в търг., често в съчет.* дреха, облекло; **working ~** работни дрехи; **4.** материя, плат; **5.** трайност, издръжливост; □ **~ and tear** износване, амортизация.

wear³ *v* (**wore, worn**) *мор.* обръщам (се) пред вятъра (*за кораб*).

wearable [wɛərəbl] *a* годен/подходящ за носене.

weariless [ˈwiərilis] *a* неуморен; неуморим.

weariness [ˈwiərinis] *n* **1.** умора; изтощение; **2.** скука, досада.

wearing [ˈwɛəriŋ] *a* уморителен, изтощителен.

wearisome [ˈwiərisəm] *a* **1.** изморителен; **2.** скучен, досаден.

weary¹ [ˈwiəri] *a* **1.** изморен, изтощен; отегчен; **to be ~ of** омръзнало ми е, до гуша ми е дошло; **2.** уморителен; отегчителен; отегчен; **3.** досаден.

weary² *v* **1.** уморявам, отегчавам, досаждам (**with, of**); **2.** уморявам се, отегчавам се, става ми досадно (**of**); **3.** *шотл.* жадувам, копнея (**to** *с inf* да, **for** за).

wearying [ˈwiəriiŋ] *a* уморителен; отегчителен.

weasand [ˈwiːzənd] *n ост.* гърло, гръклян.

weasel¹ [ˈwiːzl] *n зоол.* невестулка (Mustela nivalis); **2.** **-> word** дума, придаваща двусмислие/уклончивост на казаното; **3.** *ам.* лукав човек, хитрец; **4.** *ам.* вагонетка, движеща се по сняг, тресавище и пр.

weasel² *v ам.* **1.** говоря двусмислено/уклончиво, увъртам, усуквам; **2.** измъквам се; не изпълнявам поето задължение (*обик. с out*).

weather¹ [ˈweðə] *n* **1.** време (*атмосферно*); **April/**

broken ~ непостоянно/променливо време; **2.** лошо време, буря; **3.** *мор.* посока на вятъра; □ **to make good/bad ~ of** *мор.* добре/зле издържам на буря (*за кораб*) (*и прен.*); **to make heavy ~ of** намирам (*нещо*) за прекомерно трудно/изморително; излишно раздухвам/усложнявам нещата; **above the ~** 1) *ав.* на голяма височина, над сферата на облаци и бури; 2) с вече преминало неразположение/махмурлук; **under the ~** *разг.* 1) неразположен, недобре; потиснат; 2) *ам.* пийнал, махмурлия, на градус.

weather² *v* **1.** излагам на атмосферните влияния; проветрявам, суша и пр.; **2.** руша, променям, правя да потъмнее (*за атмосферни влияния*); руша се/променям се/потъмнявам от атмосферни влияния; **3.** устоявам/издържам на бури и пр. (*и прен.*); **4.** *мор.* заобикалям (*нос и пр.*) откъм наветрената страна; **5.** *стр.* подреждам керемиди, дъски и пр. да се застъпват под наклон, построявам покрив под наклон.

weather³ *a мор.* обърнат към вятъра; наветрен; **to keep o.'s ~ eye open** нащрек съм, отварям си очите на четири.

weather-beaten [ˈweðəˌbiːtn] *a* **1.** повреден от бури; очукан; *прен.* закален; **2.** загорял, обветрен, загрубял (*за лице и пр.*).

weather-board¹ [ˈweðəbɔːd] *n* **1.** *обик. pl* застъпващи се дъски за обшивка на стена и пр.; **2.** *мор.* дъска на долния край на прозорче за изтичане на водата; *мор.* наветрена страна на кораб.

weather-board² *v* обшивам (*стена и пр.*) със застъпващи се дъски.

weather-bound [ˈweðəbaund] *a* задържан/спрян от лошо време.

weather-bureau [ˈweðəbjuərou] *n* метеорологическа служба.

weather-chart [ˈweðətʃɑːt] *n* синоптична карта.

weathercock [ˈweðəkɔk] *n* ветропоказател (*и прен.*).

weathered [ˈweðəːd] *a* **1.** *геол.* засегнат от действието на ерозията; **2.** закален; **3.** направен/поставен под наклон (*за стичане на водата*).

weather-eye [ˈweðərai] *n* око, забелязващо бързо промените във времето; *прен.* изострена наблюдателност/бдителност.

weather-forecast [ˈweðəˌfɔːkɑːst] *n* прогноза за времето.

weather-glass [ˈweðəglɑːs] *n* барометър.

weathering [ˈweðəriŋ] *n* **1.** *арх.* наклон за изтичане на дъждовната вода; **2.** *геол.* изменения, причинени от ерозия.

weatherman [ˈweðəmæn] *n* (*pl* **-men**) метеоролог, синоптик.

weather-map [ˈweðəmæp] = **weather-chart**.

weatherproof¹ [ˈweðəpruːf] *a* **1.** устойчив на атмосферни влияния; **2.** защитен от лошо време.

weatherproof² *v* правя устойчив на атмосферни влияния.

weather-service [ˈweðəsəːvis] *n* метеорологическа служба.

weather-ship [ˈweðəʃip] *n* кораб за метеорологически наблюдения.

weather-station [ˈweðəsteiʃn] *n* метеорологическа станция.

weather-strip¹ [ˈweðəstrip] *n* уплътнител за врата/прозорец.

weather-strip² *v* слагам уплътнител на врата/прозорец.

weather-vane [ˈweðəvein] = **weathercock**.

weather-wise [ˈweðəwaiz] *a* **1.** който познава/умее да предсказва времето; **2.** с усет/нюх (*за политически събития, промени и пр.*).

weather-worn ['weðəwɔ:n] = **weatherbeaten.**

weave[1] [wi:v] v (**wove, weaved** [wouv, wi:vd] : **woven, wove, weaved** ['wouvən]) 1. тъка, изтъкавам; 2. плета, изплитам; преплитам, вплитам (*и прен.*); вмъквам (**into**); 3. измислям, съчинявам (*разказ и пр.*); 4. вия се, лъкатуша; движа се на зигзаг; **to ~ o.'s way through the traffic** провирам се/промъквам се между колите и пр.; □ **get weaving!** *sl.* залавяй се за работа! давай! почвай!

weave[2] n тъкан; начин на тъкане.

weaver ['wi:və] n 1. тъкач; **~ of rhymes** стихоплетец; 2. *зоол.* птичка, подобна на сипка (Ploceidae) (*и ~-bird*).

weazen(ed) ['wi:zn(d)] = **wizen(ed).**

web[1] [web] n 1. паяжина (*и* spider's ~); 2. тъкан; 3. мрежа; клопка, капан (*и прен.*); **a ~ of lies** мрежа/плетеница от лъжи; **the ~ of life** сложната плетеница/лабиринтът на живота, сложната, заплетена човешка съдба; 4. *зоол.* плавателна ципа; ветрило (*на перо*); 5. *тех.* свързваща част; диск (*на колело*); шийка (*на релса*); лист (*на трион*); 6. преграда; 7. *арх.* плоскостите между ребрата на кръстовиден свод; 8. голяма рола печатарска хартия; 9. *ам.* жп мрежа.

web[2] v 1. плета паяжина/мрежа; 2. вплитам в мрежа (*и прен.*).

webbed [webd] a ципест; подобен на ципа/мембрана.

webbing ['webiŋ] n здрава лента/колан от коноп и пр. (*за тапицерия и пр.*).

web-footed, -toed ['webfutid, -toud] a с плавателна ципа между пръстите.

wed [wed] v (**wedded** ['wedid] , *ост.* **wed**) 1. женя (се), омъжвам (се), венчавам (се); 2. *прен.* съчетавам, съединявам (**to** с); 3. свързвам тясно; съчетавам; обединявам.

we'd [wi:d] *съкр. от* we had, we would.

wedded ['wedid] a 1. съпружески; **his ~ wife** законната му съпруга; **~ pair** брачна двойка; 2. твърдо държащ на/придържащ се към (**to**).

wedding ['wediŋ] n 1. сватба; венчавка; 2. съчетаване; съчетание; 3. *attr* сватбен, венчален.

wedding breakfast ['wediŋbrekfəst] n сватбена гощавка.

wedding-cake ['wediŋkeik] n сватбена торта.

wedding ring ['wediŋriŋ] n венчален пръстен, халка.

wedge[1] [wedʒ] n 1. *воен., сп.* клин (*и прен.*); **to drive/force a ~** вбивам/забивам клин; 2. нещо клиновидно; (дебел) резен (*от торта и пр.*); 3. *ав.* челюстна спирачка; 4. обувка танк (*и ~-heeled shoe*); □ **the thin/small end of the ~** първата мярка/стъпка към нещо.

wedge[2] v 1. разцепвам/избивам с клин; 2. закрепвам/затягам с клин; заклинвам (се); заклещвам (се); втиквам (се)/вмъквам (се) като клин; 3. набивам, начуквам.

Wedgewood ['wedʒwud] n вид фини фаянсови изделия; **~ (blue)** пастеленосиньо.

wedge writing ['wedʒraitiŋ] n *ист.* клинообразно писмо.

wedlock ['wedlɔk] n съпружество, брак; **born in/out of ~** законороден/незаконороден, извънбрачен.

Wednesday ['wenzdi] n сряда.

wee[1] [wi:] a *особ. дет., шотл.* мъничък; *разг.* съвсем мъничък; **in the ~ hours of the morning** в ранните утринни часове.

wee[2] *int* квик-квик! (*за прасенце*).

wee[3] = wee-wee.

weed[1] [wi:d] n 1. бурен, плевел; **to grow like a ~** раста много бързо; **to run to ~s** буренясвам; **ill ~s grow apace** злото бързо/лесно се шири; 2. = seaweed; 3.

разг. пура; тютюн; (**the**) ~ *sl.* марихуана; 4. мършав човек; 5. негодно за разплод животно.

weed[2] v 1. чистя бурени, плевя; 2. отстранявам ненужното/негодното, прочиствам; пробирам (*обик. с* **out**).

weed-grown ['wi:dgroun] a обрасъл с бурени, буренясъл.

weed-killer ['wi:dkilə] n хербицид.

weeds [wi:dz] n *pl* траур, траурно облекло (*особ. на вдовица*) (*и* widow's).

weedy ['wi:di] a 1. обрасъл с бурени, буренясал; 2. дълъг, източен, слаб, мършав.

week [wi:k] n 1. седмица, неделя; **today ~** точно преди/след една седмица; **Friday ~** другата, идния/миналия петък; **Great/Holy/Passion W.** *рел.* Страстната седмица; **~ about** през седмица; **~ in ~ out** със седмици, непрекъснато; **a ~ of Sundays** седем седмици; дълго време; 2. *разг.* работна седмица.

weekday ['wi:kdei] n 1. делник; 2. *attr* делничен.

weekend[1] ['wi:kend] n краят на седмицата (*събота и неделя*).

weekend[2] v прекарвам някъде края на седмицата като излетник/гост.

weekender ['wi:kendə] n 1. човек, прекарващ някъде края на седмицата; 2. малко куфарче/чанта за кратки излети.

weekly[1] ['wi:kli] I. a седмичен; II. n седмичник (*за вестник, списание*).

weekly[2] adv седмично.

ween [wi:n] v *поет.* 1. мисля, смятам, предполагам; 2. очаквам, надявам се (*да получа и пр.*).

weenie, weeny[1] ['wi:ni] n *ам. разг.* кренвирш.

weeny[2] a *разг.* мъничък, дребничък (*и* teeny-weeny).

weep[1] [wi:p] v (**wept**) 1. плача, ридая; оплаквам (**for, over**); **to ~ o.'s fill, to ~ o.s. out** наплаквам се; **to ~ o.'s eyes out** изплаквам си очите; **to ~ o.'s heart out** плача горчиво/неутешимо; 2. покривам се с капки/влага; сълзя, капя, прокапвам.

weep[2] n плакане, плач; **to have a good ~** наплаквам се.

weeper ['wi:pə] n 1. оплаквач; 2. траурен воал/креп/лента; 3. *pl* бели маншети на траурно облекло; 4. *pl sl.* бакенбарди.

weepie ['wi:pi] n *разг.* сълзливо-сантиментална книга/пиеса/филм.

weeping ['wi:piŋ] a 1. плачещ (*за върба*); 2. *мед.* мокър (*за екзема и пр.*); □ **to come/return home by W. Cross** разочарован съм; скърбя, горчиво се разкайвам.

weepy ['wi:pi] *разг.* I. a плачлив, сълзливо-сантиментален; II. n = weepie.

weever ['wi:və] n *зоол.* морски дракон (Trachinus).

weevil ['wi:vil] n *зоол.* житоядец, гъгрица, хоботник (Curculionidae).

wee-wee[1] ['wi:'wi:] n *sl.* пиш-пиш; пикня.

wee-wee[2] v *sl.* правя пиш-пиш, пикая.

weft [weft] n 1. вътък; 2. тъкан (*и прен.*).

weigh[1] [wei] v 1. тегля, претеглям, меря, премервам; преценявам; **to ~ an argument with/against another** преценявам/съпоставям два довода; 2. тежа; тегна (*и прен.*); имам значение; 3. мисля, премислям, обмислям; преценявам внимателно; 4. *мор.* вдигам котва; отплувам;

   weigh against натежавам във вреда на; преча/попречвам на;

   weigh down 1) натежавам, натегвам; **~ed down shopping bags** претъпкани пазарски чанти/торби; 2) притискам/смъквам надолу; обременявам, претоварвам; 3) потискам, гнетя, смазвам; ~ed down with sleep капнал за сън;

weigh in 1) тегля (се)/меря (се) преди състезание (*за жокей и пр.*); to ~ in at 90 kilos тежа 90 кг; 2) претеглят ми багажа; 3) to ~ in with подкрепям, (под)помагам; привеждам (*решаващ силен аргумент и пр.*);

weigh on, upon тежа, тегна (*и прен.*), измъчвам, тревожа;

weigh out 1) премервам, размервам; 2) тегля (се)/претеглям (се) след състезание;

weigh up преценявам, претеглям; съставям си мнение за;

weigh upon = weigh on;

weigh with имам значение за; влияя/повлиявам на.

weigh² *n* 1. претегляне, премерване; 2. вдигане на котва; отплуване.

weigh-beam ['weibi:m] *n* ръчен кантар/теглилка.

weighbridge ['weibridʒ] *n* мостов/платформен кантар.

weighing-lock ['weiiŋlɔk] *n* шлюз на канал с приспособление за претегляне на кораби и пр.

weighing machine ['weiiŋmə,ʃi:n] *n* кантар, децимал.

weight¹ [weit] *n* 1. тегло, тежест; 2. тежест, тежък предмет (*за потискане, притискане*); 3. *сп.* гюлле; щанга; гира; 4. мярка за тежест; ~s and measures мерки и теглилки; 5. *прен.* бреме, тежест, товар; that's a great ~ off my mind освободих се от голяма грижа, олекна ми; 6. значение, важност, тежест; men of ~ влиятелни хора; 7. *текст.* плътност (*на материя*); summer-~ suit костюм от тънка лятна материя; 8. *сп.* категория на боксьор/борец и пр.; to throw o.'s ~ about/around *разг.* важнича, фукам се; налагам се.

weight² *v* 1. товаря, натоварвам; претоварвам; натежавам; правя по-тежък; 2. *прен.* обременявам (with с); прехвърлям товара (upon на, върху); 3. *сп.* измервам/определям теглото на; 4. нагласям да натежи към; to be ~ed in favour of *прен.* нагоден съм да ползвам/давам предимство на; 5. *текст.* апретирам; 6. to ~ down натоварвам, обременявам, притискам.

weighting ['weitiŋ] *n* надбавки към заплатата.

weightless ['weitlis] *a* безтегловен.

weightlessness ['weitlisnis] *n* безтегловност.

weight lifter ['weit,liftə] *n* щангист.

weight lifting ['weit,liftiŋ] *n* вдигане на тежести/щанги.

weight watcher ['weitwɔtʃə] *n* човек, който грижливо следи теглото си.

weighty ['weiti] *a* 1. тежък; обременяващ; 2. добре обмислен, убедителен; влиятелен; авторитетен; 3. важен, сериозен (*за проблем, решение*).

weir [wiə] *n* 1. бент, яз; 2. преливник.

weird¹ [wiəd] *a* 1. съдбоносен, фатален; the ~ sisters 1) орисниците; 2) вещиците (*и в Макбет*); 2. свръхестествен, неземен; 3. *разг.* необикновен, необясним, странен, особен, чудат.

weird² *n* *шотл.* съдба, зла орис.

weirdie, -dy ['wiədi] *n sl.* странен/ексцентричен човек, чудак, особняк.

welch = welsh.

welcome¹ ['welkəm] *n* добър прием/посрещане; to bid (a) ~ поздравявам/приветствувам с добре дошъл; to give a warm/hearty/cold ~ посрещам сърдечно/хладно/*ирон.* на нож; to wear out/to outstay o.'s ~

застоявам се твърде дълго на гости, злоупотребявам с гостоприемството на домакините.

welcome² *v* посрещам с добре дошъл, радушно приветствувам; ~ home добре дошъл у дома си; to ~ by посрещам с (*някаква новина и пр.*).

welcome³ *a* 1. посрещнат/приет добре/радушно; желан; to make s.o. ~ посрещам някого добре; 2. приятен; навременен; добре дошъл; 3. *predic* на когото се разрешава, който има свободен достъп (to до); you are ~ to my library можеш да разполагаш с библиотеката ми; you are ~ to take it можеш да го вземеш; you may have it and ~ давам ти го на драго сърце; you are ~ to it *ирон.* халал да ти е; you are ~ моля, няма защо (*в отговор на благодарност*).

weld¹ [weld] *v* 1. заварявам (се), споявам, оксиженирам; 2. *прен.* свързвам, сплотявам.

weld² *n* заварка, спойка.

welder ['weldə] *n тех.* оксиженист.

welding ['weldiŋ] *n тех.* заваряване, спояване, заварка.

welfare ['welfɛə] *n* благополучие, благоденствие, добруване; благосъстояние, богатство; ~ state държава, обезпечаваща социални грижи за всички; to be on ~ получавам помощ от социални грижи; ~ work мероприятия за подобряване на условията на живот на бедните.

welfarism ['welfɛərizm] *n* система на държавни социални грижи.

welkin ['welkin] *n поет.* небосвод, небе, небеса; to make the ~ ring викам до небесата/до бога.

well¹ [wel] *n* 1. кладенец; извор; *pl* минерални бани; 2. сонда; 3. *стр.* шахта; 4. *прен.* извор, източник; 5. част от съдебна зала, отделена за адвокати и пр.; 6. рибник (*в риболовен кораб*); 7. помещение в трюма на кораб около помпите; 8. вдлъбнатина; 9. = inkwell.

well² *v* 1. бликам, изблþквам (*често с* up, out, forth); 2. ~ over преливам, преизпълвам се; 3. to ~ up надигам се, бликвам (*за чувства, сълзи и пр.*); лея се, струя.

well³ *adv* 1. добре; задоволително; to go ~ (together) вървя добре/подхождам си (с); to take it ~ не се засягам/тревожа; to be ~ out of it, to be ~ rid of s.o. отървавам се благополучно от нещо/някого; ~ met добра среща; ~ and good много добре; you might as ~ say that he is a fool все едно да кажеш, че той е глупак; ~ enough доста добре; 2. напълно, съвсем; it is ~ worth the price напълно си заслужава парите; and truly съвсем, решително (*победен и пр.*); to be ~ away 1) напредвам бързо; 2) *sl.* нафиркал съм се; 3. доста; ~ past forty доста над 40-те; ~ on/advanced in years в напреднала възраст; ~ into the (night) до късно през (нощта); □ it may ~ be (that) напълно е възможно (да/че); I couldn't ~ refuse не вървеше/нямаше как да откажа; as ~ също, освен това и; също така добре, по-добре; we may as ~ begin няма да е зле да почнем, да бяхме почнали; you might as ~ защо (пък) не; that's just as ~ много добре/хубаво, добре, че стана така; as ~ as също така добре, както; така както; както и; she works as ~ as he/*разг.* him тя работи толкова добре, колкото и той; и тя работи, както и той; you may ~ ask с право/не току-тъй/ненапразно питаш; it may ~ be true може и да е вярно/истина; she may ~ afford a new car тя може преспокойно да си позволи нова кола; her name is ~ up in the list тя е на едно от първите места в списъка; to be ~ up in добър съм по; добре осведомен/подготвен съм по.

well[4] *a главно predic* 1. здрав; **to be/feel/look ~** чувствувам се/изглеждам добре; **a ~ man** здрав човек (*не болен*); 2. задоволителен, добър; **all's ~ that ends ~** всичко е добре/наред, щом свърши добре; **I am very ~ where I am** много ми е добре, където съм; **that's all very ~ but** *обик.|ирон.*\много добре/хубаво; ама...; 3. желателен, препоръчителен; **it will be ~ to** добре/желателно е да; 4. успешен, благополучен, щастлив; **it was ~ for you that nobody saw you** имал си късмет, че никой не те е видял.

well[5] *int* 1. *като въвеждаща частица* е, е добре; и тъй; **~, here we are е;** пристигнахме/ето ни; **~ then?** е, и? **~, perhaps you're right** а може и да си/може би си прав; **very ~ then, we'll talk it over again** е добре, пак ще поговорим за това; 2. *учудване, изненада* бре! и таз добра! 3. *при подновяване на прекъснат разказ и пр.* и така...

welladay ['welədei] *int ост., шег.* уви! горко ми!

we'll *съкр. от* we shall, we will.

well-advised ['weləd'vaizd] *a* (благо)разумен; **you would be ~ to** ще бъде благоразумно от твоя страна да.

well-affected ['weləfektid] *a* благоразположен (**to** към); лоялен.

well-appointed ['weləˈpointid] *a* добре обзаведен/снабден/ екипиран/сьоръжен.

wellaway ['weləwei] = **welladay**.

well-balanced ['welbælənst] *a* уравновесен, здравомислещ.

well-behaved ['welbi'heivd] *a* с добри обноски/държане/ поведение.

well-being ['welbiiŋ] *n* 1. добро физическо състояние, здраве; 2. благосъстояние; благополучие.

well-beloved ['welbiˈlʌvd] *a, n* многообичан, скъп, любим.

well-born ['welbɔːn] *a* от добро семейство/произход.

well-bred ['welbred] *a* 1. (благо)възпитан; 2. от добро семейство; 3. чистокръвен, породист (*за животно*).

well-built ['welbilt] *a* добре сложен, строен.

well-chosen ['welt'ʃouzn] *a* добре/умело подбран (*особ. за думи и пр.*).

well-conditioned ['welkən'diʃnd] *a* 1. в добро състояние; здрав; 2. благовъзпитан; морален.

well-conducted ['welkən'dʌktid] *a* 1. с прилично държане; морален; 2. добре организиран/ръководен.

well-connected ['welkə'nektid] *a* 1. от добро семейство/ произход; 2. с големи връзки.

well-directed ['weldi'rektid] *a* правилно насочен, точен (*и прен.*).

well-disposed ['weldis'pouzd] *a* (благо)разположен, благосклонен (**to, towards** към).

well-doer ['wel'duə] *n* добродетелен човек; благодетел.

well-doing ['wel'duiŋ] *n* добродетелно държане; добри дела.

well-done[1] ['weldʌn] *a* добре опечен/сварен и пр. (*особ. за месо*).

well-done[2] *int* браво! чудесно!

well-earned ['wel'ɜːnd] *a* (напълно) заслужен.

well-favoured ['wel'feivəd] *a* хубав, красив.

well-fixed ['wel'fikst] *a ам. разг.* заможен, богат.

well-found ['wel'faund] *a* добре снабден/обзаведен/сьоръжен.

well-founded ['wel'faundid] *a* основателен; обоснован.

well-groomed ['wel'gruːmd] *a* 1. добре тимарен (*за кон*); 2. добре поддържан; спретнат, стегнат.

well-grounded ['welgraundid] *a* 1. основателен; обоснован; 2. добре подготвен (**in** по).

well-handled ['wel'hændld] *a* 1. добре вършен/свършен; добре/тактично подхванат/ръководен; 2. доста употребяван, поизцапан; застоял (*за стока*).

wellhead ['welhed] *n* извор, източник (*и прен.*).

well-heeled ['wel'hiːld] *a разг.* заможен, богат.

well-informed ['welin'fɔːmd] *a* 1. добре осведомен, сведущ; 2. добре запознат, с големи знания, начетен.

wellington ['weliŋtən] *n* висок (гумен) ботуш до/покриващ коляното.

well-intentioned ['welin'tenʃnd] *a* добронамерен.

well-judged ['welˈʤʤd] *a* навременен, уместен; добре обмислен, разумен.

well-knit ['welnit] *a* 1. добре сложен, строен; 2. добре построен/изграден (*за фабула и пр.*); 3. сплотен.

well-liking ['wel'laikiŋ] *a ост.* добре охранен, цветущ.

well-lined ['wel'laind] *a разг.* пълен/натъпкан с пари (*за кесия*).

well-looking ['wel'lukiŋ] *a* хубав, приятен, привлекателен.

well-made ['wel'meid] *a* 1. добре сложен, строен; 2. добре изработен.

well-mannered ['wel'mænəd] *a* учтив, възпитан, с добри обноски.

well-marked ['wel'maːkt] *a* ясно очертан.

well-meaning, -meant ['wel'miːniŋ, -'ment] *a* направен/казан с добри намерения, добронамерен.

well-met ['welmet] *int* добра среща.

well-nigh ['welnai] *adv* почти, насмалко, за/без малко.

well-off ['wel'ɔf] *a* 1. заможен, състоятелен, богат; 2. в добро положение; **to be ~ for** имам достатъчно, обезпечен съм с (*книги и пр.*).

well-oiled ['wel'ɔild] *a* 1. *mex.* добре смазан; 2. *sl.* добре пийнал; пиян; 3. ласкателен.

well-ordered ['wel'ɔːdəd] *a* добре устроен/подреден.

well-padded ['wel'pædid] *a* 1. мек (*за мебел*); 2. *шег.* пълничък.

well-read ['welred] *a* начетен, образован; **~ in** с обширни знания в (*дадена област*).

well-regulated ['wel'regjuleitid] *a* 1. добре подреден (*за домакинство и пр.*); 2. дисциплиниран, методичен; 3. порядъчен (*за поведение*).

well-rounded ['welraundid] *a* 1. пълничък, закръглен; 2. изискан; завършен (*за стил и пр.*); 3. всестранно развит; 4. пълен, всеобхватен.

well-set-up ['welset'ʌp] *a разг.* добре сложен, строен.

well-spoken ['wel'spoukn] *a* 1. който говори изискано; 2. любезен, учтив; 3. добре/на място казан.

well-spring ['welspriŋ] = **well-head**.

well-tailored ['wel'teiləd] *a* 1. добре ушит; 2. добре облечен.

well-tempered ['wel'tempəd] *a* 1. *муз.* добре темпериран; 2. *mex.* добре закален; 3. = **good-tempered**.

well-thought-of ['wel'θɔːtəv] *a* високо уважаван/ценен.

well-thought-out ['wel'θɔːtaut] *a* добре замислен/обмислен.

well-thumbed ['wel'θʌmd] *a* носещ следи от често прелистване.

well-timbered ['wel'timbəd] *a* 1. построен здраво от дърво; 2. гъсто залесен; горист.

well-timed ['wel'taimd] *a* навременен, своевременен; уместен.

well-to-do ['weltə'duː] I. *a* състоятелен, заможен; II. *n*: **the ~** богатите.

well-tried ['wel'traid] *a* изпитан, резултатен (*за метод и пр.*).

well-trodden ['wel'trɔdn] *a* утъпкан (*за пътека и пр.*) (*и прен.*).

well-turned ['wel'tɜːnd] *a* 1. добре оформен, изящен; 2. умело казан, сполучлив, изискан (*за фраза, комплимент и пр.*).

well-wisher ['wel'wiʃə] *n* доброжелател.

well-worn ['wel'wɔ:n] *a* **1.** износен, изтъркан, банален; **2.** изтъркан; **3.** носен с достойнство.

Welsh [welʃ] **I.** *a* уелски; **II.** *n* **1.** уелски език; **2.** the ~ уелсците.

welsh [welʃ] *v* **1.** задигам/присвоявам си парите от залагания на конни състезания; **2.** измъквам се от задължение; не си плащам дълга (**on s.o.** на някого).

Welshman ['welʃmən] *n* (*pl* **-men**) уелсец.

Welsh rabbit ['welʃ'ræbit] *n* топъл сандвич със сирене (*и* **Welsh rarebit**).

welt[1] [welt] *n* **1.** кант (*на обувка и пр.*); **2.** скрит шев; **3.** *тех.* обшивка; **4.** = **weal**[2]; **5.** силен удар.

welt[2] *v* **1.** обшивам с кант; **2.** бия, шибам, бичувам.

Weltanschauung ['velt‚a:n'ʃauuŋ] *n нем.* мироглед.

welter[1] ['weltə] *v* **1.** валям се, въргалям се; тъна (*в кръв и пр.*); *прен.* потънал съм (**in** в); **2.** бия се, блъскам се, бушувам (*за вълни и пр.*); **3.** люшкам се, мятам се (*за кораб*).

welter[2] *n* **1.** = **welter-weight; 2.** ~ (**race**) състезание с допълнителни товари (*на коня*); **3.** *разг.* силен удар; **4.** *разг.* голям/едър човек; голямо нещо; **5.** бъркотия, бъркамица, обърканост, каша.

welter-weight ['weltəweit] *n* **1.** боксьор/борец полусредна категория; **2.** допълнителен товар на кон (*при състезания*).

Weltschmertz ['veltʃmerts] *n нем.* мирова скръб.

wen[1] [wen] *n* **1.** *мед.* липома; **2.** огромна/бързо и хаотично разраснала се градска площ; **the great ~** Лондон.

wen[2] *n* руническа буква, заместена през XI в. с w.

wench[1] [wentʃ] *n* **1.** *шег.* момиче, млада жена; *ост.* слугиня; **2.** *ост.* проститутка.

wench[2] *v* коцкарувам.

wend [wend] *v книж.* отправям се, тръгвам (*обик* **to ~ o.'s way**).

Wendic, -dish ['wendik, -diʃ] **I.** *a* венедски; **II.** *n* езикът на венедите.

went *вж.* **go**[1].

wentletrap ['wentltræp] *n* вид морски охлюв (Scalaria).

wept *вж.* **weep**[1].

we're ['wiə] *съкр. от* **we are**.

were [wə(:)] *вж.* **be**[1].

wer(e)wolf ['wə:wulf] *n* **1.** върколак, вампир; **2.** член на нелегална нацистка организация.

wert [wə:t] *вж.* **be**[1].

Wertherian [və'tiəriən] *a* вертеровски, болезнено сантиментален.

west[1] [west] *n* **1.** запад; **2.** западна част на страна/област; **the W.** *геогр., полит.* Западът; Западна Европа или западната част на Съединените щати; **3.** *attr* западен.

west[2] *adv* на запад, западно от; ~ **of** на запад, западно от; **to go ~** 1) *sl.* умирам; 2) отивам в Америка; 3) *прен.* отивам по дяволите; ~ **by north/south** *мор.* една на точка (11°) северно/южно от курса на запад.

westbound ['westbaund] *a* пътуващ/движещ се на запад.

West Country ['west‚kʌntri] *n* югозападната част на Англия.

West End ['westend] *n* западната (*аристократичната*) част на Лондон, Уест Енд.

wester[1] ['westə] *v* движа се/клоня към запад.

wester[2] *n* буря откъм запад.

westerly[1] ['westəli] **I.** *a* западен (*за вятър, посока и пр.*); **II.** *n* западен вятър.

westerly[2] *adv* западно, на/от запад.

western ['westən] **I.** *a* западен, от/на запад; **II.** *n* **1.** човек от западна област, западняк; **2.** *ам., разг.* каубойски роман/филм, уестърн.

westerner ['westənə] *n* **1.** човек от западната част на дадена страна; **2.** човек от Западна Европа/Западните щати.

westernize ['westənaiz] *v* внасям/усвоявам западна култура.

westernmost ['westənmoust] *a* най-западен.

westing ['westiŋ] *n мор.* **1.** курс на запад; **2.** разстояние, изминато на запад.

west-northwest ['westnɔ:θ'west] *n мор.* посока между запад и северозапад.

west-southwest ['westsauθ'west] *n мор.* посока между запад и югозапад.

westward ['westwəd] *a, adv* (който е) към/на запад.

westwardly ['westwədli] *a, adv* западен (*и за вятър*); на/към запад.

westwards ['westwədz] *adv* на/към запад.

wet[1] [wet] *a* **1.** мокър; влажен; ~ **to the skin** мокър до кости; **to get** ~ **(through)** намокрям се (*до кости*); **2.** дъждовен, дъждовит; **3.** *ам.* в който алкохолът не е забранен (*за щат и пр.*); който е против забраната на алкохола; **4.** *sl.* пиян; **5.** консервиран в сироп; **6.** *sl.* некадърен; □ ~ **behind the ears** още съвсем неопитен/незрял; ~ **bargain** сделка/пазарлък, приключил с почерпка; **all** ~ съвсем погрешен.

wet[2] *n* **1.** течност; влага, влажност; мокрота; **2.** дъжд; дъждовно време; **3.** пийване; **4.** *ам.* противник на сухия режим; **5.** сантиментален човек; лигльо; слабак; нищожество.

wet[3] *v* (**-tt-**) мокря, намокрям, измокрям; напикавам; **to** ~ **o.'s whistle** утолявам жаждата си, пия; **to** ~ **a bargain** поливам пазарлък/сделка.

wetback ['wetbæk] *n ам. разг.* мексиканец, който влиза нелегално в Съединените щати.

wet-blanket ['wetblæŋkit] *v прен.* поливам със студен душ; развалям удоволствието на.

wet-bob ['wetbɔb] *n* ученик в Итън, който се занимава с гребен спорт.

wether ['weðə] *n* скопен/кастриран овен.

wetness ['wetnis] *n* мокрота; мочурлива местност.

wet-nurse[1] ['wetnə:s] *n* дойка, кърмачка на чуждо дете.

wet-nurse[2] *v* **1.** кърмачка съм на; **2.** отрупвам с грижи/внимание, глезя.

we've [wi:v] *съкр. от* **we have**.

wey [wei] *n* мярка за тежест/обем.

whack[1] [wæk] *v* **1.** *разг.* удрям, фрасвам, цапардосвам; натупвам (*и прен.*); **2.** *sl.* деля на части, поделям (*и* **c up**).

whack[2] *n* **1.** *разг.* удар, шибване; **2.** *sl.* пай, дял; **3.** *sl.* опит; **to have/take a** ~ **at** пробвам, опитвам (*работа и пр.*); **4.** *sl.* (добро) състояние; **out of** ~ *ам.* не в ред, повреден.

whacked [wækt] *a разг.* уморен, изтощен.

whacker ['wækə] *n sl.* **1.** грамаден човек/предмет; **2.** опашата лъжа.

whacking[1] ['wækiŋ] *n разг.* бой, пердах (*и прен.*).

whacking[2] *a sl.* много голям, огромен.

whale[1] [weil] *n* кит; □ **a** ~ **at/on/for** много добър/вещ в; **he is a regular** ~ **for work** той работи за двама, много е работлив; **a** ~ **of a** много голям; чудесен, екстра.

whale[2] *v* ходя на лов за китове.

whale³ *v ам. разг.* бия, шибам; напердашвам (*и прен.*).

whale-back ['weilbæk] *n ам.* вид лодка със заоблена палуба.

whale-boat ['weilbout] *n* **1.** китоловна лодка; **2.** корабна спасителна лодка.

whalebone ['weilboun] *n* **1.** китова кост; **2.** банела, балена.

whale-fishery ['weilfiʃəri] *n* (място в море, където става) лов на китове.

whaleman ['weilmən] *n* (*pl* -**men**) китоловец.

whale-oil ['weiloil] *n* масло от мазнината на кит.

whaler ['weilə] *n* **1.** китоловен кораб; **2.** китоловец.

whaling¹ ['weiliŋ] *n* китоловство.

whaling² *a* **1.** китоловен; **2.** необикновено голям, огромен.

whaling-master ['weiliŋma:stə] *n* капитан на китоловен кораб.

wham¹ [wæm] *n* (шум от) силен трясък.

wham² *v* (-**mm**-) **1.** фрасвам; **2.** експлодирам с голям трясък.

whammy ['wæmi] *n* **1.** ўроки; **to put the ~ on** *sl.* урочасвам; **2.** *ам.* силен/смъртоносен удар.

whang¹ [wæŋ] *v разг.* **1.** удрям силно, фрасвам; **2.** думкам, барабаня.

whang² *n разг.* **1.** силен удар, фрасване; **2.** думкане, барабанене.

whang³ *adv, int* точно; бам! **to hit the target ~ in the centre** улучвам право в целта.

whangee [wæŋ'gi:] *n* **1.** вид бамбук; **2.** бамбуков бастун.

whap = **whop**.

wharf¹ [wɔ:f] *n* (*pl* -**fs, warves** [wɔ:vz]) скеля, пристан, кей.

wharf² *v* **1.** закотвям/хвърлям котва в пристан; **2.** товаря/разтоварвам/складирам/стоки на кей.

wharfage ['wɔ:fidʒ] *n* **1.** (пристанищна такса за) използване на кей за товарене/разтоварване на кораб и пр.; **2.** *събир.* кейове.

wharfinger ['wɔ:findʒə] *n* управител/собственик на пристанище/кей.

wharf rat ['wɔ:f‚ræt] *n* **1.** вид кафяв плъх (Rattus norvegicus); **2.** *разг.* човек, който се навърта около пристанище (*за да краде и пр.*).

what¹ [wɔt] *pron* **1.** *inter* какво? що? какъв? **~ is it?** какво е това? какво има? **~ is he?** какво работи той? какъв е? **~ is that to you?** на теб какво ти става от това? теб какво те интересува? **~ of that/it?** че какво от това? е добре, а после? **~ is the French for 'dog'?** как е на френски „куче“? **and ~ not/and ~ have you** и какво ли не още; **I know ~** знам какво трябва; имам предложение/идея; **~ d'you-call-him** този..., кажи го де; **so ~?** та какво от това? е та? **2.** *rel и cj* това, което; какъвто; **~ I object to is** това, срещу което възразявам/с което не съм съгласен, е; **come ~ may** да става, каквото ще; □ **I know ~'s** разбирам ги тия работи, не съм вчерашен; **he is a good fellow, ~?** той е добър човек, нали/не мислиш ли/какво ще кажеш? **and ~ is more** и нещо повече; **not a day but ~ it rains** не минава ден да не вали; **not but ~ he can** не че не може; **I don't know but ~ I will do it** *разг.* не знам дали няма да го направя, може и да го направя; **~ with one thing and another the scheme miscarried** по една или друга причина/така или иначе планът пропадна; **~ with the housework and ~ with the children...** покрай/заради домакинската работа и децата...

what² *a* **1.** *inter* какъв? кой? **~ time is it?** колко е часът? **~ trade is he?** с какво се занимава той? от кой бранш е? **~ day of the month is it?** кой ден от месеца

е? **~ kind/sort of?** какъв? **2.** *rel* какъвто; **lend me ~ money you have** заеми ми каквито пари имаш; **I know ~ time to start** зная кога да тръгна; **3.** *exclam* какъв, що за; **~ impudence!** какво/що за нахалство! **4.** *emph* колко, какъв (*голям, интересен и пр.*); **~ a pity!** колко жалко!

whate'er [wɔt'ɛə] *поет.* = **whatever**.

whatever¹ [wɔt'evə] *pron* каквото и; **~ he says, do it** каквото и да каже той, направи го; **take ~ you like** вземи, каквото искаш; **bring some string or rope or ~** донеси малко връв, въже или каквото и да е там.

whatever² *a* **1.** какъвто (и); **~ reasons you may have...** каквито и причини да имаш...; **2.** *след същ. в отриц. и въпрос. изречение* никакъв, някакъв; **there is no doubt ~** няма никакво съмнение; **nothing ~** абсолютно нищо; **is there any chance ~?** има ли изобщо някаква надежда?

whatnot ['wɔtnɔt] *n* **1.** (шкаф с) полички за украшения и други дреболии; **2.** *разг.* всякакви неща, какво ли не; **give me the ~** *разг.* дай ми онова там, кажи го де/как се казваше.

what's [wɔts] *съкр. от* **what is, what has**.

whatsoever [wɔtsou'evə] *n поет.* **whatsoe'er** [wɔtsou'ɛə] *емф.* = **whatever**.

whaup [wɔ:p] *n шотл. зоол.* свирец (Numenius arquatus).

wheal = **weal**².

wheat [wi:t] *n* **1.** жито, пшеница; **2.** *attr* житен, пшеничен.

wheatear ['wi:tiə] *n зоол.* сиво каменарче (Saxicola oenanthe).

wheaten ['wi:tn] *a* житен, пшеничен (*за брашно, хляб*).

whee [wi:] *int* ура! браво!

wheedle ['wi:dl] *v* **1.** придумвам/примамвам/измамвам чрез ласкателство; **to ~ s.o. into doing s.th.** подмамвам някого да направи нещо; **2.** измъквам, издрънквам, изкрънквам (**out of, from** от).

wheel¹ [wi:l] *n* **1.** колело; **ground/landing ~s** *ав.* колесници на самолет; **2.** *ост.* велосипед; **3.** волан; кормило, щурвал; **to take the ~** хващам кормилото, *прен.* поемам ръководството; **the man at the ~** кормчията, *разг.* ръководителят, главният; **4.** въртене, кръгообразно движение; **5.** чекрък; **6.** грънчарско колело; **7.** *ист.* колело за изтезания; **8.** *разг.* важна/отговорна/влиятелна личност (*ам. и* **big ~**); **9.** *ам.* рефрен; **10.** *pl sl.* моторно превозно средство, *особ.* лека кола; **11.** *ам. sl.* долар; **12.** огнено колело (*фойерверк*); □ **~s of life** жизнени процеси; **the ~s of government/state** държавният апарат; **to grease the ~s** давам рушвет; **to go on (oiled) ~s** вървя гладко/като по мед и масло; **~s within ~s** сложно/заплетено положение; преплитане на интереси; скрити въздействия/подбуди; **fly on the ~** фукльо; **to break a fly/a butterfly on the ~** 1) наказвам прекомерно строго; 2) полагам големи усилия за дребна работа.

wheel² *v* **1.** карам, движа, тегля (*кола, количка и пр.*); **2.** карам, прекарвам, превозвам (*стоки, товари*); **3.** карам с голяма скорост; **to ~ along** карам/движа се гладко; **4.** поставям колела на; **5.** въртя (се), обръщам (се), завъртам (се), извъртам (се) (**about, round**); **to ~ about/around** *прен.* променям мнението/тактиката си, обръщам се на 180°; **6.** бутам, тикам (*количка, мебели на колела и пр.*); вкарвам (**in, into** в); изкарвам (**out, out of** от); **7.** въртя се, вия се (*за птица и пр.*); **8.** пътувам с/возя се в кола; карам велосипед; □ ~ **and deal** *ам. разг.*, *търг.*, *пол.* правя машинации, действувам безскрупулно.

wheel and axle ['wiːləndæksl] *n мех.* чекрък, рудан.

wheel animal(cule) ['wiːlˌæniməl(kjul)] = **rotifer.**

wheelbarrow ['wiːlbærou] *n* ръчна количка.

wheelbase ['wiːlbeis] *n авт.* разстоянието между предната и задната ос на кола, междуосие.

wheel-chair ['wiːltʃeə] *n* количка за инвалид.

wheeled [wiːld] *a* с/на колела; **two-~** с две колела.

wheel-chair ['wiːlə] *n* **1.** майстор на колела (*особ. дървени*); **2.** процепен кон; **3.** *в съчет:* **four-~** кола с четири колела.

wheel-horse ['wiːlhɔːs] *n* **1.** = **wheeler 2**; **2.** *ам. прен.* товарно магаре.

wheel-house ['wiːlhaus] *n мор.* кабина на щурвала.

wheel-lock ['wiːllɔk] *n ист.* вид кремъклийка пушка.

wheelman ['wiːlmən] *n* (*pl* **-men**) **1.** велосипедист; **2.** *ам.* шофьор; **3.** *ам.* щурман, кормчия.

wheelsman ['wiːlzmən] (*pl* **-men**) = **wheelman 3.**

wheel-spin ['wiːlspin] *n авт.* буксуване.

wheel window ['wiːlwindou] *n арх.* прозорец розета.

wheelwright ['wiːlrait] *n* майстор колар/каруцар.

wheeze[1] [wiːz] *v* дишам трудно/с хриптене; **to ~ out** казвам/изричам с хриптене/свирене на гърдите.

wheeze[2] *n* **1.** хриптене, хъхрене, свирене на гърдите; **2.** *театр.* импровизирана реплика; **3.** изтъркана шега; **4.** хитрина, хитър номер.

wheezy ['wiːzi] *a* хрипкав, хриптящ, хъхрещ.

whelk[1] [welk] *n* морска мида със спирална черупка (Buccinum).

whelk[2] *n* пъпка; пришка.

whelm [welm] *v* **1.** *поет.* заливам, потапям, поглъщам; **2.** смазвам, съкрушавам.

whelp[1] [welp] *n* **1.** кученце, мече, лъвче и пр.; **2.** хлапе; **3.** превзет/нахален хлапак.

whelp[2] *v* **1.** куча се, окучвам се; *презр.* раждам; **2.** мътя/кроя нещо.

when[1] [wen] *adv* **1.** *inter* кога? ~ **did it happen?** кога се случи това? **since ~?** откога? **till ~?** докога; **I wonder ~ it was** питам се кога беше това? **2.** *rel* 1) когато; **at the very time ~** в момента/точно. когато; 2) и тогава; след което; **he stayed till ten ~ he said he must go** той стоя до десет часа и тогава каза, че трябва да си ходи.

when[2] *cj* **1.** когато; след като; ~ **he entered** когато той влезе; **come ~ you like** ела, когато искаш; ~ **I had finished** когато/след като свърших; **say ~** кажи кога/докъде да спра, кажи колко да сипвам (*при наливане на напитки*); **2.** тогава/времето, когато; **do you remember ~ we were young?** помниш ли времето, когато бяхме млади? **3.** *елиптично* като, докато, в същото време, когато; въпреки че; макар че; като се има предвид, че и пр.; ~ **at school** когато съм/бях на училище; **he walks ~ he might take a taxi** той върви пеша, въпреки че би могъл да вземе такси; **why use it ~ it is no good** защо го употребяваш, като (знаеш, че) не струва; **how can he buy it ~ he has no money?** как да го купи, щом като то няма пари? ~ **asking/speaking** питайки, говорейки.

when[3] *n* време, дата; **tell me the ~ and the how** кажи ми кога и как; **have you fixed the where and ~?** уточнихте ли къде и кога/мястото и времето? **the hows and**

~**s of life** начинът, по който се случват/стават нещата в живота.

whence[1] [wens] *adv inter* **1.** откъде? отде? **no one knows ~ she comes** никой не знае откъде идва/произхожда тя; **2.** как? по какъв начин? ~ **comes it that** как се случва/става|така, че.

whence[2] *cj* откъдето, отдето; поради което; **go back ~ you came** върви си там, откъдето си дошъл; **(from) ~ I conclude that** от/поради което заключавам, че.

whenever [wen'evə], *поет.* **whene'er** [wen'ɛə] *adv* **1.** когато и да е; всеки път, когато; **2.** *разг.* кога най-после?

whensoever [wensou'evə], *поет.* **whensoe'er** [-'ɛə] *емф.* = **whenever.**

where[1] [wɛə] *adv* **1.** *inter* къде? де? где? ~ **is the way out?** къде е изходът? откъде се излиза? ~ **do you come from?** откъде идвате? откъде сте? ~ **are you going to?** накъде отивате? ~ **is the harm in trying?** какво пречи да опитаме? ~ **will you be if that happens?** накъде си, ако това се случи? ~ **does it concern us?** как/в какво отношение ни засяга нас това? ~ **did we leave off?** докъде бяхме стигнали? **2.** *rel* където, в който; **the house ~ I was born** къщата, в която съм се родил; **he accompanied us to the gate ~ he left us** той ни придружи до вратата и там ни остави; ~ **he is weakest is his facts** най-слабото му място са фактите му; **that's ~ you are wrong** ето къде/тук именно грешиш.

where[2] *cj* **1.** където, дето, гдето; **he stood ~ I am standing** той стоеше, където аз стоя (сега); **go ~ you like** върви, където щеш; **2.** там/мястото, където; **this is ~ I live** тук е тука живея; **I like ~ you live** харесвам мястото, където живееш; **from ~** откъдето; **to ~** дотам, докъдето; накъдето; **he came to ~ I was fishing** той дойде до мястото, където ловях риба.

where[3] *n* място (*където нещо става*); **the ~ and (the) when** мястото и времето/датата.

whereabouts[1] [wɛərə'bauts] *inter adv* где? де? къде? в кой край? откъде? ~ **is the house?** къде (горе-долу) е/се намира къщата? **I didn't know even ~ to look** не знаех дори накъде да гледам; ~ **is he?** откъде/от кой край е той?

whereabouts[2] *n с гл. sing или pl* местонахождение; **his present ~ is/are unknown** не се знае къде е/къде се намира сега той.

whereafter [wɛə'aːftə] *cj* след което.

whereas [wɛər'æz] *cj* **1.** докато; от друга страна; **he came promptly, ~ the others hung back** той дойде веднага, докато другите се бавеха; **2.** *канц.* вземайки предвид, че, като се има предвид, че.

whereat [wɛər'æt] *adv, cj* при което, след което; поради/вследствие на което.

whereby [wɛə'bai] *adv* **1.** *rel* чрез/посредством/съгласно което; **2.** *inter* как? по какъв начин? чрез какво?

where'er [wɛər'ɛə] *поет.* = **wherever.**

wherefore[1] ['wɛəfɔː] *adv* **1.** *inter* защо? по каква причина? с каква цел? за какво? **2.** *rel* за/поради което.

wherefore[2] *n* причина; **he wanted to know the whys and (the) ~s** той искаше да знае причините/защо.

wherefrom [wɛə'frɔm] *cj* от което.

wherein [wɛə'in] *adv* **1.** *rel* в което; там, където; **2.** *inter* къде? в какво? с какво? в какво отношение? ~ **was he wrong?** къде/в какво (отношение) грешеше той?

whereof [wɛə'ɔv] *adv* **1.** *rel* за/от който; за/от каквото; **books ~ the best are lost** книги, най-хубавите от които са изгубени; **2.** *inter* за/от кого? за/от какво? **she knows ~ she speaks** тя знае за какво говори.

whereon [wɛər'ɔn] *adv* 1. *rel* на който; на каквото; в каквото; 2. *inter* на кое? на какво?

wheresoever [wɛəsou'evə], *poem.* **wheresoe'er** [wɛəsou'ɛə] *емф.* = **wherever.**

wherethrough [wɛəθru:] *adv, cj* през/чрез който.

whereto [wɛə'tu:] *adv* 1. *rel* накъдето, към/за който; 2. *inter* накъде? за какво? с каква цел?

whereunder [wɛər'ʌndə] *rel adv* под който.

whereunto [wɛər'ʌntu:] = **whereto.**

whereupon [wɛərə'pɔn] *adv* 1. *rel* (веднага) след това; при което; след което; 2. *inter* на/върху какво? къде?

wherever [wɛər'evə] *adv* 1. *rel* (навсякъде) където; накъдето; където и да е; 2. *inter* къде ли (по дяволите/за бога)? ~ **did she get that hat?** откъде ли пък е взела тази шапка?

wherewith [wɛə'wið] *adv* 1. *rel* с който (**to** *с inf* да); **he had not** ~ **to feed himself** той нямаше с какво да се нахрани; **metal tools** ~ **to break ground** метални сечива, с които се копае; 2. *inter* с какво?

wherewithal¹ ['wɛəwiðɔ:l] *ост.* = **wherewith.**

wherewithal² *n разг.* необходимите средства/възможности/пари.

wherry ['weri] *n* вид лека лодка за превозване на пътници/товар.

whet¹ [wet] *v* (**-tt-**) 1. точа, наточвам; остря, наострям; 2. изострям, възбуждам (*апетит, любопитство и пр.*).

whet² *n* 1. наточване, наостряне; **to give a** ~ **to** *прен.* изострям, възбуждам; 2. аперитив; 3. *ам.* подтик, подбуда.

whether¹ ['weðə] *cj* дали (или не); **to be in doubt** ~ не съм сигурен дали; ~ **or no/not** 1) дали... или (не); 2) във всеки случай; така или иначе; и в единия, и в другия случай.

whether² *pron ост.* кой от двамата.

whetstone ['wetstoun] *n* 1. камък за точене, точило, брус; 2. някой/нещо, което стимулира/подбужда.

whew [hwju:] *int* подсвиркване от учудване, облекчение, умора и пр. фю! бре!

whey [wei] *n* суроватка.

whey-faced ['weifeist] *a* блед, побледнял, побелял (*от страх и пр.*).

which¹ [witʃ] *pron* 1. *inter* кой? (*от няколко*); ~ **of you can answer?** кой от вас може да отговори? ~ **have you chosen?** кое си избра? **tell me** ~ **is** ~? кажи ми кое/какво е; 2. *rel* който (*обик. за неща*), което (*за цяло изречение*); **take the book** ~ **is on the table** вземи книгата, която е на масата; **he was back in London,** ~ **I did not know** той се бил завърнал в Лондон, което аз не знаех.

which² *a* 1. *inter* кой? (*от няколко*); ~ **boy do you like best?** кое момче най-много ти харесва? ~ **way shall we go?** по кой път ще минем? 2. *rel* който; **look** ~ **way you will** гледай в която посока/накъдето искаш.

whichever [witʃ'evə] *pron* който (и да е) (*от няколко*); ~ **speaks first** който пръв проговори.

whichsoever [witʃsou'evə] *емф.* = **whichever.**

whiff¹ [wif] *n* 1. лъх, полъх; ~ **of fresh air** струя свеж въздух; 2. лек дъх/миризма; *прен.* лъх, следа; 3. всмукване, подръпване (*от лула*); тънка струйка/следа от дим; вдишване; 4. изпускане/пуфкане на дим и пр. (*при пушене и пр.*); 5. *разг.* малка пура; 6. клюка.

whiff² *v* 1. подухвам; 2. пуша, пафкам, изпускам кълба дим; **to** ~ **away at o.'s pipe** пуша си (невъзмутимо) лулата; 3. изпускам слаба неприятна миризма; 4. вдишвам, вдъхвам; 5. движа се пуфтейки.

whiff³ *n* вид лека гребна лодка.

whiff⁴ *n* риба, подобна на калкан.

whiffet ['wifit] *n ам. разг.* незначителен човек, нищожество.

whiffle¹ ['wifl] *v* 1. повявам, полъхвам; 2. разпръсквам, разнасям, отнасям (*за вятър*); 3. трепкам, потрепвам (*за пламък, листа*); 4. *прен.* лутам се; колебая се; говоря уклончиво, извъртам; проявявам нерешителност; 5. меня посоката си (*за вятър*); нося се без посока (*за кораб*); 6. свиря, свистя (*за гърди*).

whiffler ['wiflə] *n* 1. човек, който постоянно извърта/усуква; 2. непостоянен човек.

whiffletree ['wifltri:] = **swingle-tree.**

whiffy ['wifi] *a* миризлив, лъхтящ, издаващ лека (неприятна) миризма.

Whig [wig] *n* 1. *ист.* виг; 2. либерал.

Whiggery ['wigəri] *n* политическите принципи на вигите.

while¹ [wail] *n* (кратко) време, момент; **all the** ~ през цялото време; **a good/great/long** ~ доста време; **a (little)** ~ **ago** преди малко; **in a little** ~ след малко, скоро, ей сега; **once in a** ~ от време на време, рядко; **for a** ~ за малко, за кратко; **between** ~s между другата работа, междувременно; **the** ~ в същото време; **not worth o.'s** ~ не си струващ труда, неизгоден.

while² *cj* 1. докато, през времето, когато; ~ **(they were) here** докато бяха тука; 2. докато, а, макар и/че; **you can stay** ~ **I must go** ти можеш да останеш, а/ама аз трябва да си вървя; ~ **good, the performance was scarcely excellent** макар и добро, представлението едва ли беше отлично.

while³ *v* прекарвам неусетно/убивам времето (*обик. с* **away**).

whiles [wailz] *ост.*, **whilst** [wailst] = **while².**

whilom¹ ['wailəm] *adv ост.* някога, нявга; преди.

whilom² *a ост.* някогашен, предишен; бивш.

whim [wim] *n* 1. прищявка, приумица, каприз; 2. хрумване; 3. *мин.* вид макара за качване на въглища.

whimbrel ['wimbrəl] *n зоол.* малък свирец (Numenius phaeopus).

whimper¹ ['wimpə] *v* скимтя; хленча, цивря (се).

whimper² *n* скимтене; циврене, хленчене, хленч.

whimsey = **whimsy.**

whimsical ['wimzikl] *a* 1. капризен, своенравен, непостоянен; 2. странен, своеобразен, ексцентричен; 3. леко насмешлив, снизходителен.

whimsicality [wimzi'kæliti] *n* 1. капризност, своенравие; непостоянство; 2. своеобразие, странност; причудливост.

whimsy ['wimzi] *n* 1. прищявка, приумица, каприз; странна идея/хрумване; 2. литературно и пр. произведение, плод на приумица.

whim-wham ['wimwæm] *n ост.* 1. хрумване, приумица; прищявка, каприз; 2. играчка; джунджурия; 3. *ам. разг.* безпокойство; паника.

whin¹ [win] *n бот.* прещип (Ulex europaeus).

whin² *n геол.* вид (базалтов) камък; диабаз.

whinchat ['wintʃæt] *n зоол.* ръждивогуше ливадарче (Saxicola ruberta).

whine¹ [wain] *v* 1. вия; стена; скимтя; 2. хленча; вайкам се.

whine² *n* 1. вой; стенание; 2. хленчене, хленч; 3. превзет носов говор.

whinny¹ ['wini] *v* цвиля, изцвилвам леко/радостно.

whinny² *n* леко/радостно изцвилване.

whinsill, -stone ['winsil, -stoun] = **whin².**

whip¹ [wip] *n* 1. камшик, бич; пръчка; 2. удар с камшик, шибване; **3.** кочияш; **4.** *парл.* 1) партиен организатор на парламентарна група; 2) съобщение на организатора на парламентарна група за задължително присъствие на заседание; **three-line ~** подчертано с три черти спешно съобщение за задължително присъствие на заседание; **5. ~-round** събиране на помощи за пострадали; **6.** тел за разбиване на яйца и пр.; **7.** крем с бит каймак/белтък; **8.** паричен дял; **9. = whipper-in; 10.** крило на вятърна мелница; **11.** *mex.* рудан; □ **~ and spur** много спешно.

whip^2 *v* (**-pp-**) **1.** бия с пръчка, шибам с камшик; **to ~ a stream** хвърлям въдица, ловя риба с въдица; **2.** разбивам яйца, сметана и пр.; **3.** префучавам; **4.** *sl.* бия, побеждавам; **5.** правя нещо с бързо/рязко движение; **he ~ped round the corner and disappeared** той сви бързо зад ъгъла и изчезна; **6.** поддържам дисциплината; сплотявам (*партия и пр.*); **7.** ругая, наругавам, нарязвам; **8.** шибам (*пумпал*) с камшик; **9.** обшивам, подшивам; почиствам (*шев*); **10.** навивам; намотавам с канап/връв; **11.** плющя (*за платна и пр.*); **12.** *мор.* вдигам платно с макара/скрипец; □ **to ~ the cat** 1) правя дребни икономии; 2) работя по къщите като шивачка; 3) погаждам лош номер, правя груба шега; 4) мързелувам;

whip away 1) грабвам, дръпвам бързо; 2) избягвам, офейквам;

whip back отплесвам се назад (*за клон и пр.*);

whip in 1) *лов.* събирам (*кучетата*); 2) събирам/свиквам набързо; 3) свиквам (*членове на партия*) за бързи действия; 4) влизам бързо;

whip off 1) смъквам/махам/събличам и пр. бързо; 2) грабвам, отнасям, отмъквам, отвеждам бързо; изчезвам бързо, избягвам; 3) *лов.* пъдя (*кучетата*); 4) откарвам/разгонвам с камшик; 5) *разг.* гаврътвам (*питие*);

whip on 1) подгонвам; 2) карам да бърза/да работи бързо; *прен.* пришпорвам;

whip out 1) изваждам, измъквам, издърпвам (*нож и пр.*); 2) изтръгвам с бой (*признание и пр.*); **to ~ the faults out of a child** оправям дете с бой; 3) излизам/избягвам бързо; 4) изричам бързо/рязко;

whip round 1) обръщам се/завъртам се рязко; 2) събирам пари/помощи, пускам подписка (**for** за);

whip together 1) събирам набързо; 2) натъкмявам;

whip up 1) подкарвам (*кон*); 2) грабвам; 3) възбуждам интерес у; привличам (*публика*); раздвижвам, разпалвам; 4) грабвам (*оръжие*); 5) събирам, набирам (*средства, подкрепа и пр.*); 6) разбивам (*яйца и пр.*); 7) направям на бърза ръка (*ядене и пр.*).

whipcord ['wɪpkɔ:d] *n* **1.** здрава конопена връв (*за камшици и пр.*); връв от катгут; **2.** *текст.* габардин; **3.** вид морско водорасло.

whip hand ['wɪphænd] *n* ръка, държаща камшик; *прен.* преимущество; контрол; **to have the ~ of/over** държа в пълно подчинение.

whiplash ['wɪplæʃ] *n* **1.** връв на камшик; **a tongue like a ~** остър език; **2.** удар (*с камшик*) (*и прен.*); **3. ~ injury** контузия на врат при сблъскване на коли и пр.

whipper-in ['wɪpərɪn] *n* **1.** служител, който направлява кучетата при лов; **2. = whip**^{1} **4. 1.**

whipper-snapper ['wɪpə‚snæpə] *n* **1.** нахакано хлапе; фукльо; **2.** надуто нищожество.

whippet ['wɪpɪt] *n* **1.** дребна състезателна хрътка; **2.** *воен.* бърз лек танк.

whipping ['wɪpɪŋ] *n* **1.** бой с камшик, шибане; **2.** поражение; **3.** връв и пр. за връзване; **4.** подшиване, подшивка.

whipping-boy ['wɪpɪŋbɔɪ] *n* **1.** *ист.* паж, наказван за провинения на принца; **2.** *прен.* изкупителна жертва.

whipping-post ['wɪpɪŋpoust] *n* позорен стълб.

whipping-top ['wɪpɪŋtɔp] *n* пумпал.

whippletree ['wɪpltri:] *n* терзия, кантарка (*на кола*).

whippoorwill ['wɪpuəwɪl] *n* *зоол.* американски козодой (Caprimulgus vociferus).

whippy ['wɪpi] *a* **1.** тънък и гъвкав; **2.** *разг.* жив, пъргав.

whip-ray ['wɪprei] **= sting-ray**.

whipsaw^1 ['wɪpsɔ:] *n* дърводелски рамков трион.

whipsaw^2 *v* **1.** режа с рамков трион; **2.** спечелвам два облога едновременно; **3.** побеждавам по две линии едновременно; измамвам/бивам измамен по две линии.

whip scorpion ['wɪp‚skɔ:piən] *n* вид скорпион (Pedipalpida).

whipstitch^1 ['wɪpstɪtʃ] *v* подшивам/почиствам ръб.

whipstitch^2 *n* **1.** бод за подшиване; **2.** *ам. разг.* кратко време, момент.

whipworm ['wɪpwə:m] *n* вид червей (Trichuris trichura).

whir = whirr.

whirl^1 [wə:l] *v* **1.** въртя се силно, завъртам се (*и с* **about**); **my brain ~s** вие ми се свят; **2.** тълпя се; нахлувам безредно; въртя се (*за мисли*); **3.** движа се бързо; бивам отнесен, изчезвам (**away**); **to ~ past** префучавам (край); **4.** хвърлям, запращам; **to ~ a stone at** замервам с камък.

whirl^2 *n* **1.** въртене; вихрушка; *прен.* вихър, обърканост, хаос; **2.** *sl.* изпробване, опит.

whirligig ['wə:ligig] *n* **1.** пумпал; **2.** въртележка; **3.** *прен.* водовъртеж; **the ~ of time** превратностите на съдбата; **4.** вид въртящ се воден бръмбар (Gyrinidae).

whirlpool ['wə:lpu:l] *n* водовъртеж, въртоп.

whirlwind ['wə:lwind] *n* вихрушка, вихър.

whirly ['wə:li] *n* *ам.* лека вихрушка.

whirlybird ['wə:libə:d] *n* *sl.* хеликоптер.

whirr^1 [wə:] *v* **1.** бръмча (*и за машина*); **2.** движа се/въртя се с бръмчене.

whirr^2 *n* бръмчене.

whisht [wɪʃt] *ирл., шотл.* **= whist**^{2}.

whisk^1 [wisk] *n* **1.** малка метличка за прах (*от пера и пр.*); **2.** тел за разбиване на яйца и пр.; **3.** бързо движение; размахване (*и на опашка*); леко бръсване, избръскване.

whisk^2 *v* **1.** бръсвам (*трохи, прах и пр.*); **2.** пъдя/гоня мухи (**away, off**); **3.** грабвам; отнасям бързо; отпращам/откарвам/отвеждам набързо (**away, off**) (**to**); префучавам/отминавам бързо (**past**); **4.** размахвам (*и опашка*); мушвам се/смушвам се бързо (**into**); **5.** разбивам с тел и пр. (*яйца, крем*) (**up**).

whisker ['wiskə] *n* обик. *pl* **1.** мустаци (*на котка; тигър*); **2.** бакенбарди; *ост.* мустаци; **3.** съвсем малко разстояние; **within a ~** съвсем наблизо/за малко; **to lose by a ~** загубвам съвсем с малко.

whiskered ['wiskəd] *a* **1.** с бакенбарди; **2.** мустакат (*обик. за котка и пр.*).

whiskey ['wiski] *n* **= whisky**^{1}.

whiskified ['wiskifaid] *a* пиян от уиски.

whisky^1, **whiskey** ['wiski] *n* уиски; **~ sour** вид коктейл с уиски.

whisky^2 *n* *ист.* двуколка.

whisper^1 ['wispə] *v* **1.** шепна, пошепвам, пришепвам, шушна; **2.** поверявам (*тайна*); **3.** подшушвам; **4.** пускам слух, разпространявам клюки, шушукам, интригантствувам; **5.** шумоля, ромоля.

whisper² *n* **1.** шепот; шушнене; ромолене, шумолене; **in a ~, in ~s** шепнешком; **2.** тайна; **3.** шушукане; слух; **~s are going round that** носят се слухове/мълви се, че.

whisperer ['wɪspərə] *n* **1.** сплетник; **2.** доносник.

whispering gallery ['wɪspərɪŋ,gæləri] *n* свод/коридор и пр., в който и най-лекият шум се чува ясно отвсякъде.

whist¹ [wɪst] *n карти* вист.

whist² *int* шт! мълк!

whist³ *v* мълча, замълчавам, млъквам.

whistle¹ ['wɪsl] *n* **1.** свирене, свирване, свиркане, подсвиркване (*и на птичка*); изсвиркване; **2.** свирка; **penny/tin ~** малка калаена свирка; пищялка; цафара; **steam ~** свирка на парна машина; **3.** *sl.* гърло; **to wet o.'s ~** утолявам жаждата си, пия.

whistle² *v* **1.** свиря, подсвирвам, изсвирвам; свиркам, подсвирквам; **to ~ a dog back** подсвирвам на куче да се върне/дойде; **2.** свиря, свистя, пищя (*за куршум и пр.*); **3.** *sl.* доноснича; □ **to let s.o. go** ~ не вземам под внимание желанието на някого; **you may ~ for it** ще ти се, много ти се иска; **to ~ for s.th.** напразно се надявам/търся/искам нещо; **to ~ in the dark** *прен.* преодолявам страха си; **to ~ up** извиквам някого с подсвиркване.

whistler ['wɪslə] *n* **1.** човек, който свири; **2.** птица, която издава остър звук при летене; **3.** болен/неработоспособен кон.

whistle stop ['wɪslstɔp] *n* **1.** жп спирка, на която влаковете спират само по даден сигнал; малко селище/градче; **2.** пътуване на политик и пр. при изборна кампания с чести спирания в селища, невключени в редовното разписание на влака; **3.** кратко посещение (*и* **~-journey**).

whit [wɪt] *n* частица; **no ~, not a ~, never a ~** ни най-малко, съвсем не; **I don't care a ~** не ме интересува, пет пари не давам; **there is not a ~ of truth in his statement** няма нищо вярно в неговото твърдение.

Whit [wɪt] *a*: **~ Sunday** седмата неделя след Великден, Петдесетница; **~ Monday/Tuesday, etc.** понеделник/вторник и пр. след Петдесетница.

white¹ [waɪt] *a* **1.** бял; **~ caps/horses** морски вълни с бели гребени, зайчета; **~ Christmas** Коледа с много сняг; **2.** бял, от бялата раса; **3.** бял/побелял от страх и пр. (*за лице*); **~ as a sheet/as ashes** блед като платно, смъртно блед; **to turn ~** побелявам; **5.** *sl.* чист, невинен; честен, почтен, благороден; **6.** светъл, прозрачен (*за вода, въздух*); **7.** побелял, бял, сребрист (*за коса*); **8.** безкръвен, некръвопролитен; **9.** бял, контрареволюционен; крайно консервативен, реакционен; **10.** с мляко/сметана (*за кафе*); **11.** благоприятен.

white² *n* **1.** бял цвят; белота; бяла боя; **2.** бял човек; **3.** бяло облекло/униформа; бял плат; **4.** белтък на яйце; **5.** бялото на окото; **6.** бяло вино; **7.** *pl* белите фигури/пулове (*на шах, табла*); **8.** човекът, който играе с белите фигури/пулове; **9.** *печ. обик. pl* празно място; **10.** централният кръг на мишена; **11.** *pl* най-бялото брашно; **12.** бяла пеперуда; **13.** *pl разг.* бяло течение.

white³ *v* **1.** побелявам, ставам бял; **2.** избелвам, варосвам; **3.** *печ.* оставям празно място.

white ant ['waɪtænt] *n зоол.* термит.

white bait ['waɪtbeit] *n* вид херинга; малки рибки, ядени като деликатес.

white bread [,waɪtbred] *n* бял пшеничен хляб.

white bear ['waɪtbɛə] *n* полярна мечка.

whitebeard ['waɪt,biəd] *n* стар човек, старец.

white cell ['waɪtsel] *n* левкоцит.

white collar ['waɪt,kɔlə] *a* занимаващ се с нефизически труд, чиновнически; **~ worker** чиновник, служещ; **~ job** чиновническа работа, служба.

white coal ['waɪtkoul] *n* хидроенергия.

white dwarf ['waɪt,dwɔːf] *n астр.* малка звезда с голяма плътност.

white elephant ['waɪt,elifənt] *n прен.* създаващо главоболие/неудобство притежание; нещо скъпо, но безполезно; нежелано нещо.

whiteface ['waɪtfeis] *n театр.* бял грим.

white fish ['waɪtfiʃ] *n* видове бяла риба (*и като храна*).

white gold ['waɪtgould] *n* сплав от злато и никел и пр., наподобяваща платина.

white goods ['waɪt,gudz] *n ам.* **1.** бели тъкани, бельо и пр.; **2.** бели домакински принадлежности (*печки, хладилници и пр.*).

Whitehall ['waɪthɔːl] *n* **1.** (учрежденията, политиката и пр. на) британското правителство; **2.** бюрокрация.

white-headed ['waɪthedid] *a* **1.** побелял; **2.** светлокос; **3.** *разг.* облагодетелствуван, щастлив, късметлия; **~ boy** любимец, галеник, фаворит.

white heat ['waɪthiːt] *n* **1.** температура, при която металите се нажежават до бяло; **2.** *прен.* крайно напрежение; разгорещеност; разпаленост; **to work o.s. into a ~** разгорещявам се; вбесявам се.

white hope ['waɪt,houp] *n* многообещаващ човек.

white-hot ['waɪthɔt] *a* нажежен до бяло.

White House ['waɪthaus] *n* Белият дом (*резиденция на президента на САЩ във Вашингтон*).

white land ['waɪt,lænd] *n агр.* земя, определена за обработване.

white lead ['waɪtled] *n* оловно белило.

white lie ['waɪtlai] *n* невинна лъжа; добронамерена лъжа.

white-lipped ['waɪtlipt] *a* с побелели устни (*обик. от страх*).

white-livered ['waɪtlivəd] *a* малодушен, страхлив.

white man ['waɪtmæn] *n* (*pl* men) **1.** белокож човек, човек от бялата раса; **2.** *разг.* честен/благовъзпитан човек.

white matter ['waɪt,mætə] *n* бяло вещество на мозъка.

white meat ['waɪtmiːt] *n* бяло месо (*пилешко, телешко, свинско*).

white metal ['waɪt,metl] *n* бяла/сребриста сплав.

whiten ['waɪtn] *v* **1.** побелявам; побледнявам; **2.** избеднявам.

whitener ['waɪtənə] *n* избелващо вещество.

whiteness ['waɪtnis] *n* **1.** белота; **2.** бледност; **3.** чистота, неопетненост; **4.** бяло вещество.

whitening ['waɪtəniŋ] *n* **1.** белене, избелване; **2.** креда, тебешир; вар; **3.** избелващо вещество.

white-out ['waɪtaut] *n* пълна неразличимост на релефа поради атмосферни условия (*особ. в полярните области*).

white paper ['waɪt,peipə] *n* информационен бюлетин на британското правителство (*и* **W. Paper**).

white plague ['waɪt,pleig] *n ам.* **1.** белодробна туберкулоза; **2.** наркомания (*към хероин*).

white ribbon ['waɪt,ribn] *n ам.* значка на въздържател.

White Russian ['waɪt,rʌʃn] *ост.* **I.** *a* белоруски; **II.** *n* **1.** жител на Белорусия; **2.** белоруски език.

white sale ['waɪtseil] *n* разпродажба на бельо/бели артикули/тъкани.

white sheet ['waɪt,ʃiːt] *n* одежда на каещ се грешник; **to stand in a ~** изповядвам грях (*за грешник*).

whitesmith ['waɪtsmiθ] *n* тенекеджия; калайджия.

white spirit ['waitˌspirit] *n* вид разтворител.

white supremacy ['waitsə'preməsi] *n* расистка доктрина за господството на бялата раса.

whitethorn ['waitθɔːn] *n бот.* глог.

whitethroat ['waitθrout] *n зоол.* белогуше коприварче (Sylvia communis).

white tie ['waitˌtai] *n* 1. официална бяла връзка/папионка; 2. официално/вечерно облекло.

white war ['waitwɔː] *n* 1. война без кръвопролитие; 2. икономическа блокада/борба.

whitewash[1] ['waitwɔʃ] *n* 1. разтвор от вар, бадана; 2. *разг.* замазване; реабилитация; 3. *сп.* пълна победа (на нула).

whitewash[2] *v* 1. варосвам, баданосвам; 2. *прен.* прикривам/замазвам грешки; реабилитирам; 3. *сп.* бия/побеждавам на нула.

white water ['waitwɔːtə] *n* плитка/разпенена вода.

white way ['waitˌwei] *n* ярко осветена улица/булевард с магазини, театри и пр.

white wing ['waitˌwiŋ] *n ам.* уличен метач в бяла униформа.

white wood ['waitwud] *n* светло дърво (на липа, топола, магнолия и пр.).

whitey = whity.

Whitey ['waiti:] *n пренебр.* белият човек; белите (колективно).

whither[1] ['wiðə] *adv ост.* къде? накъде? ~ Democracy? накъде отива/какво е бъдещето на демокрацията?

whither[2] *cj* където, накъдето; докъдето.

whither[3] *n* местоназначение.

whithersoever ['wiðəsouevə] *adv* където и да е; навсякъде където.

whiting[1] ['waitiŋ] *n зоол.* вид дребна морска риба (Merlangus merlangus).

whiting[2] = whitening 2.

whitish ['waitiʃ] *a* възбял, белезникав.

whitlow ['witlou] *n* забиране на пръст, *особ.* около нокътя.

Whitsun, Whitsunday ['witsən, 'witsʌndi] *n цьрк.* Петдесетница.

Whitsuntide ['witsəntaid] *n цьрк.* седмицата, започваща с Петдесетница.

whittle ['witl] *v* 1. дялам, издялвам; 2. *прен.* намалявам (away, down); to ~ away омаловажавам (твърдение и пр.); понижавам (стойност).

whity ['waiti] *a* белезникав; ~ brown бледокафяво.

whiz(z)[1] [wiz] *v* (-zz-) 1. фуча, свистя; жужа; 2. движа се с голяма скорост; 3. суша с центрофуга.

whiz(z)[2] *n* 1. фучене, свистене; жужене; 2. *sl.* добра сделка; 3. ловък човек, „факир“; забележително нещо, „бомба“.

whiz(z)bang ['wizbæŋ] *n sl.* 1. снаряд, граната; фойерверк; 2. *attr ам.* отличен; опитен, ловък.

whiz(z)kid ['wizkid] *n разг.* 1. блестящ/надарен/преуспял млад човек; 2. прогресивен младеж.

whizzer ['wizə] *n* центрофуга.

who [huː, hu] *pron (косвен падеж* whom [hu(ː)m] ; *родит. падеж* whose [huːz]) 1. *inter* кой? whom/*разг.* ~ did you see? кого видя? ~ was he speaking to? to whom was he speaking? с кого разговаряше/на кого говореше той? whose is it? на кого/чие е то? ~ is ~? кой какъв е/какво представлява? W.'s W.? биографски справочник; 2. *rel* който; този, който, тези, които; ~ breaks pays който чупи, купи; whom the gods love die young тези, които боговете обичат,

умират млади; the man (whom/*разг.* ~) I saw човекът, когото видях.

whoa [wou] *int* прт! стой! (*подвикване към кон*).

whodun(n)it [huː'dʌnit] *n разг.* криминален роман/разказ/филм и пр.

whoever [huː'evə], *поет.* whoe'er [huː'ɛə] *pron (косвен падеж* whom-ever [huːm'evə] , *родит. падеж* whosever [huːz'evə]) който и да; whoever else objects, I do not ~ който и друг да е против, аз не съм; whosever it is, I mean to have it на когото и да е, аз ще го взема.

whole[1] [houl] *a* 1. цял (*и за число, нота, пауза и пр.*); the ~ lot всички; three ~ years цели три години; ~ life insurance безсрочна застраховка за живот; 2. цял, цялостен; непокътнат, запазен; здрав, невредим; 3. необезмаслен (*за мляко*); с трците (*за брашно*); 4. еднокръвен, роден (*за брат, сестра*); 5. физически здрав/добре; 6. цял, пълен; неделим; with o.'s ~ heart от все сърце; □ out of ~ cloth съвсем неоснователен; изфабрикуван, фиктивен; ~ effect полезно действие.

whole[2] *n* 1. цяло, цялост; on/upon the ~ общо взето; as a ~ изцяло, като цяло; 2. органическо цяло, цялостна система; 3. всичко; the ~ of it всичкото, цялото; the ~ of London целият Лондон, Лондон като цяло; 4. сума, сбор; □ in ~ or in part в цялост или частично.

whole-coloured ['houlkʌləd] *a* едноцветен.

whole-footed ['houlfutid] *a* пълен, безрезервен.

whole gale ['houlˌgeil] *n метеор.* вятър със сила 10 бала.

whole-hog[1] ['houlhɔg] *a* пълен, безрезервен, истински; неполовинчат.

whole-hog[2] *adv* изцяло, напълно; безрезервно.

whole-hogger ['houlhɔgə] *n* човек, който не прави нищо наполовина; човек на крайностите; безкомпромисен човек.

whole-hearted ['houl'haːtid] *a* направен от все сърце, искрен, предан; възторжен, ентусиазиран.

whole-heartedly ['houl'haːtidli] *adv* от все сърце, от душа.

whole holiday ['houlˌhɔlidei] *n* цял свободен ден, целодневен празник.

whole-length ['houlleŋgθ] I. *a* в цял/пълен ръст; II. *n* (портрет/статуя в) пълен ръст.

wholemeal ['houlmiːl] *n* 1. непресято брашно, брашно с трците; 2. *attr* направен от черно/непресято брашно (*за хляб и пр.*).

wholeness ['houlnis] *n* пълнота, цялост.

wholesale[1] ['houlseil] *n* продажба на едро.

wholesale[2] *a, adv* 1. на едро, в голям мащаб, масово; at ~ prices по цени на едро; 2. безразборен; ~ slaughter масово/поголовно клане.

wholesale[3] *v* продавам/търгувам на едро.

wholesaler ['houlseilə] *n* търговец на едро.

wholesome ['houlsəm] *a* 1. здрав, здравословен; полезен, благотворен; 2. (благо)разумен; безопасен.

wholesouled ['houlsould] = whole-hearted.

whole-wheat ['houlwiːt] = wholemeal.

wholly ['houli] *adv* изцяло, напълно; изключително; съвсем.

whom, whomever вж. who, whoever.

whomp[1] [wɔmp] *n ам. разг.* силен удар; плесница, шамар.

whomp[2] *v ам. разг.* 1. удрям силно; лепвам плесница; 2. напердашвам здравата; 3. побеждавам, сразявам; 4. to ~ up 1) предизвиквам/създавам вълнение/смут и пр.; 2) скалъпвам набързо.

whomsoever вж. whosoever.

whoop[1] [huːp] *n* 1. (боен) вик, крясък; ~s of joy радостни викове; 2. звук, съпровождащ кашлица при коклюш;

3. кряскъ на бухал; **4.** съвсем малко количество/степен; **not worth a** ~ неструващ пукнат грош.

whoop² *v* **1.** викам, кряскам; **2.** захълцвам, задавям се при кашляне (*особ. при коклюш*); **3.** подвиквам на, подгонвам (*куче и пр.*); **4.** агитирам в полза на; **5.** насърчавам/подстрекавам с викове; аплодирам шумно и ентусиазирано; □ **to** ~ **up the price** повишавам рязко цената; **the bill** ~**ed up through both houses** *парл.* законопроектът бе приет с акламации; **to** ~ **it up** *разг.* 1) разпалвам ентусиазъм; 2) участвувам в шумна веселба, веселя се шумно.

whoop-de-do(o) [ˌhuːpdiˈduː] *n разг.* **1.** шумна веселба/празненство; **2.** гюрултия, патардия, олелия; **3.** разгорещени разисквания/спорове/агитация и пр.

whoopee [ˈwupiː] *n разг.* възторжен/радостен вик; шумно веселие; **to make** ~ веселя се шумно; ~**!** ура!

whooper [ˈ(h)uːpə] = **whooping swan.**

whooping-cough [ˈhuːpiŋkɔf] *n* магарешка кашлица, коклюш.

whooping swan [ˈhuːpiŋ ˌswɔn] *n* пòен лебед.

whoops [huːps] *int* ау! извинявай!.

whoosh [(h)wuːʃ] *v* **1.** свистя; профучавам; **2.** тътря шумно.

whop¹ [wɔp] *v* (**-pp-**) **1.** бия, набивам, бъхтя; побеждавам; **2.** измъквам бързо; **3.** хвърлям, захвърлям, мятам; **4.** тупвам, изтърсвам се.

whop² *n* **1.** силен удар/сблъскване; **2.** тупване.

whopper [ˈwɔpə] *n sl.* **1.** нещо огромно; **2.** опашата лъжа.

whopping [ˈwɔpiŋ] *a sl.* много голям, огромен; опашат (*за лъжа*).

whore¹ [hɔː] *n* блудница, курва, проститутка.

whore² *v* **1.** блудствувам, развратнича, курварствувам; **2.** развратявам (*жена*).

whoredom [ˈhɔːdəm] *n* **1.** блудство, проституиране; **2.** *библ.* ерес, идолопоклонство.

whore-house [ˈhɔːhaus] *n* публичен дом, бардак.

whoremaster, -monger [ˈhɔːˌmɑːstə, -ˌmʌŋgə] *n* **1.** развратник, блудник, прелюбодеец; **2.** *библ.* идолопоклонник, еретик.

whoreson [ˈhɔːsən] *n* **1.** незаконороден син, копеле; **2.** мерзавец, сукин син.

whorl [wəːl] *n* **1.** *бот.* кръгово разположени листенца; венче; **2.** спираловидна извивка на отпечатък от пръст и пр.; нещо спираловидно/извито; ~**s of snow** снежна вихрушка.

whortleberry [ˈwəːtlˌberi] *n* боровинка (*и храст*) (Vaccinium myrtillus).

whose *вж.* **who.**

whoso [ˈhuːsou] *pron ост.* (*косвен падеж* **whomso,** *родит. падеж* **whoseso**) = **whoever.**

whosoever [huːsouˈevə] , *поет.* **whosoe'er** [huːsouˈɛə] *pron* (*косвен падеж* **whomsoever** [huːmsouˈevə], *родит. падеж* **whosesoever** [huːzsouˈevə]) *емф.* = **whoever.**

why¹ [wai] *adv* **1.** *inter* защо? по каква причина? с каква цел? **2.** *rel* поради което; **the reasons** ~ **he did it are obscure** причините, поради които го е направил, са неясни.

why² *n* причина, обяснение.

why³ *int* я! виж ти! я гледай! ами..., ами че..., е-е...; ами!

wich-elm = **wych-elm.**

wich-hazel = **wych-hazel.**

wick [wik] *n* **1.** фитил; **2.** *мед.* марлен дренаж, тампон; □ **to get on s.o's** ~ дразня/нервирам/ядосвам някого.

wicked [ˈwikid] *a* **1.** грешен, порочен; **2.** лош, злонамерен, зъл; **3.** *разг.* неприятен, отвратителен, противен; проклет; безбожен, прекалено висок (*за цени*); безобразно мъчен (*за изпит и пр.*); **4.** *шег.* лукав, дяво-

лит; кокетен; отличен, чудесен, „страшен"; **5.** болезнен; **6.** пакостен.

wicker [ˈwikə] *n* **1.** (изделие от) плетена ракита; **2.** *attr* плетен (*за стол, кошница, рогозка, подложка и пр.*).

wickered [ˈwikəd] *a* плетен от ракита и пр.

wicker-work [ˈwikəwəːk] *n* **1.** кошничарски изделия; **2.** кошничарство; **3.** *attr* плетен от ракита и пр.

wicket [ˈwikit] *n* **1.** вратичка, портичка (*обик. до или в по-голяма врата*); **2.** прозорче, прозорче в стена/врата; **3.** *крикет* вратичка; **to win by so many** ~**s** спечелвам с еди-колко си точки; **to take/get a** ~ изваждам батсмън от строя; **to keep** ~ вратар съм; **to be on a good/sticky** ~ *прен.* намирам се в благоприятно/неблагоприятно положение; **4.** врата на шлюз; **5.** *ам.* прозорче с решетки (*на гише*).

wicket-door, -gate [ˈwikitdɔː, -geit] = **wicket 1.**

wicket-keeper [ˈwikitˌkiːpə] *n крикет* вратар.

wickiup [ˈwikiˌʌp] *n* **1.** вид индианска колиба от рогозки и пр.; **2.** *ам.* колиба, заслон.

widdershins [ˈwidəʃinz] *adv* **1.** обратно на часовниковата стрелка; **2.** в обратна/погрешна посока.

wide¹ [waid] *a* **1.** широк; *фон.* отворен, произнесен с отпуснати устни; **2.** широк, обширен, просторен; голям; **of** ~ **distribution** много разпространен; **of** ~ **fame** широко известен; **the** ~ **world** целият свят; **a** ~ **range of readers** широк кръг читатели; **a** ~ **range of articles** богат/разнообразен асортимент; **a** ~ **guess** налучкване в общи линии; **at** ~ **intervals** на големи интервали; **with** ~ **eyes** с широко отворени очи, ококорен; ~ **reading/experience** голяма начетеност/опит; **3.** *sl.* морално разпуснат; **4.** *sl.* хитър, лукав; отракан; **5.** общ, всеобхватен; неограничен; **6.** свободен, непредубеден; **7.** неточен, не в целта; ~ **ball** *крикет* топка извън чертата.

wide² *adv* **1.** широко; **2.** нашироко; навсякъде; **3.** съвсем, напълно; ~ **open to** *прен.* силно изложен на (*нападки и пр.*); **to be** ~ **awake** съвсем съм буден; *прен. разг.* предпазлив/нащрек съм; **4.** далеч; **to go** ~ не попадам в целта; ~ **from being** далеч не е; не само че не е... (ами...); ~ **apart** на голямо разстояние/разделечени един от друг.

wide³ *n* **1.** *крикет* топка извън чертата; **2.** **the** ~ широкият бял свят; **dead to the** ~ в безсъзнание; **to the** ~ съвсем, напълно; **broke to the** ~ *разг.* без пукнат лев.

wide-awake¹ [ˌwaidəˈweik] *a* **1.** напълно буден; **2.** буден, бдителен; съобразителен.

wide-awake² [ˈwaidəweik] *n разг.* мека широкопола шапка от филц.

wide-eyed [ˈwaidaid] *a* **1.** с широко отворени (*от изненада и пр.*) очи; опулен, ококорен; **2.** наивен; невинен.

widely [ˈwaidli] *adv* **1.** широко, нашироко; **2.** на големи интервали; **3.** значително.

wide-mouthed [ˈwaidˈmauðd] *a* **1.** с широка уста/отвор/устие; **2.** зяпнал (*от учудване и пр.*).

widen [ˈwaidn] *v* разширявам (се).

wide-open [ˈwaidˌoupn] *a* **1.** широко отворен; **2.** *разг.* уязвим; **to leave o.s.** ~ оставам много уязвим/беззащитен; **3.** *ам.* в който не се прилагат законите, в който цари беззаконие (*за град и пр.*).

wide-ranging [ˈwaidreindʒiŋ] *a* с широк обсег (*за реформи и пр.*).

wide-spectrum [ˈwaidspektrəm] *a* с широк обсег на действие (*за антибиотик и пр.*).

widespread [ˈwaidspred] *a* **1.** разпространен нашироко; **2.** широко разпространен, често срещан.

widgeon ['wiʤən] *n зоол.* дива патица свирачка, фио-
вец (Anas penelope).

widget ['wiʤit] = **gadget.**

widow[1] ['widou] *n* **1.** вдовица; **golf, etc.** ~ жена, чийто
мъж често я изоставя, за да играе голф и пр.; ~'s
peak линия на косата, образуваща шпиц по сре-
дата на челото; **2.** *карти* талон; **3.** *печ.* непълен
ред, пренесен от предишна страница/колона; **4.**
the ~ *sl.* шампанско.

widow[2] *v* **1.** лишавам от съпруг(а), правя да овдовее; **2.**
лишавам от нещо много ценно/необходимо.

widower ['widouə] *n* вдовец.

widowhood ['widouhud] *n* вдовство.

width [widθ] *n* **1.** ширина, широчина; **in** ~ по/на ширина;
2. широчина на плат; **I shall want three** ~**s** ще ми
трябват три ширини; **3.** *прен.* широта (*на възгледи и
пр.*); **4.** *мин.* дебелина, мощност (*на жила*).

widthways, -wise ['widθweiz, -waiz] *adv* по ширината, на-
преко.

wield [wi:ld] *v* **1.** притежавам, владея; **to** ~ **the sceptre** ца-
рувам; **to** ~ **influence** упражнявам влияние; **2.** владея
добре (*оръжие, инструмент и пр.*); **to** ~ **the pen** пи-
ша добре, писател съм.

wiener, wienie ['wi:nə, 'wi:ni:] *n* **1.** *ам.* кренвирш; **2.** телеш-
ки/виенски котлет, шницел (*и* **W. schnitzel**).

wife [waif] *n* (*pl* **wives** [waivz]) **1.** жена, съпруга; **to take (a
woman) to** ~ оженвам се за; **2.** жена; **old** ~ старица,
бабичка; **old wive's tale** глупави поверия, суеверия;
бабини деветини.

wifelike, -ly ['waiflaik, -li] *a* подобаващ/присъщ на съпру-
га.

wig[1] [wig] *n* перука.

wig[2] [wig] *v* (**-gg-**) скарвам се на, смъмрям, скастрям, по-
рицавам.

wigan ['wigən] *n* памучна канаваца.

wigeon = **widgeon.**

wiggery ['wigəri] *n* **1.** перуки; **2.** прекалени съдебни фор-
малности.

wigging ['wigiŋ] *n sl.* скастряне, хокане.

wiggle[1] ['wigl] *v разг.* мърдам, шавам, въртя (се) насам-
натам; **to** ~ **out of** измъквам се от.

wiggle[2] *n* **1.** въртене, шаване; **2.** *ам.* риба/миди със сме-
тана и грах; □ **to get a** ~ **on** *ам. sl.* размърдвам се,
забързвам; бързам.

wiggle-waggle ['wigl, wægl] = **wiggle.**

wight [wait] *n шег.* живо същество, създание, твар; човек.

wigwag[1] ['wigwæg] *v* (**-gg-**) *разг.* **1.** сигнализирам със зна-
менца; **2.** размахвам.

wigwag[2] *n* сигнал/сигнализиране със знаменца.

wigwam ['wigwæm] *n* **1.** индианска колиба, вигвам; **2.** *ам.
пол. sl.* салон/клуб за политически събрания.

wilco ['wilkou] *int* (*съкр. от* **will comply**) прието (*при при-
емане на радиосъобщения*).

wild[1] [waild] *a* **1.** див (*за животно, растение и пр.*); **2.**
див, пуст, необитаем; **3.** буен, бесен, необуздан (*за
вятър и пр.*); плашлив (*за кон*); недисциплиниран,
необуздан, луд (*за човек*); **to run** ~ раста на
свобода/без контрол (*за деца и пр.*); вилнея, раз-
вилнявам се; **to lead a** ~ **life** живея неразумно/раз-
гулно; **4.** бурен, неспокоен (*за времена, море и пр.*);
5. бурен, френетичен (*за овации и пр.*); **6.** разро-
шен, разбъркан; в безпорядък; ~ **disorder** страшен
безпорядък; **7.** луд, безумен, обезумял; *разг.* ядо-
сан, вбесен, разярен (**with s.o.** на някого); ~ **with
joy** луд от радост; ~ **with rage** обезумял от ярост;

to drive/make s.o. ~ подлудявам/вбесявам някого;
to be ~ **to do s.th.** умирам от желание да направя
нещо; **to be** ~ **about s.o.** луд съм/лудея по някого;
8. необмислен, прибързан; фантазьорски; налудни-
чав; направен/даден наслуки (*за догадка, изстрел и
пр.*); □ **drawn by** ~ **horses** *ист.* разкъсан от буйни
коне (*като наказание*); ~ **horses won't draw/drag it
out of me** никакви мъчения няма да го изтръгнат
от мен (*за тайна и пр.*).

wild[2] *adv* наслуки, напосоки; произволно.

wild[3] *n* **1.** пустош, пущинак; пустиня; **2.** дива/рядкона-
селена местност; **(out) in the** ~**s** далеч от цивилиза-
цията, в пустинно/диво място; **3.** *ам.* свободно/ди-
во/примитивно състояние/съществуване.

wild and woolly ['waildənwu:li] *a* груб, недодялан; прими-
тивен.

wild boar ['waildbɔ:] *n* дива свиня, глиган.

wildcat[1] ['waildkæt] *n* **1.** дива котка, оцелот, рис; **2.** тигри-
ца; див/необуздан/сприхав човек; **3.** локомотив по
време на маневра; **4.** *ам.* пробна сонда за нефт; **5.**
(участник в) несигурна/съмнителна финансова спе-
кулация.

wildcat[2] *a* **1.** безотговорен, налудничав; **2.** *ам.* нечес-
тен, спекулантски; **3.** произволен, неодобрен от
трейдюнионите (*за стачка и пр.*); **4.** *ам.* движещ се
извън/не по разписанието (*за влак*); **5.** пробен (*за
сонда*).

wildcat[3] *v* (**-tt-**) *ам.* търся самостоятелно нефт, руда и
пр. в неизследван терен.

wildcatter ['waild, kætə] *n* **1.** търсач на нефт, руда и пр. в
неизследван терен; **2.** *ам. разг.* борсов спекулант; ге-
шефтар; **3.** участник в произволна стачка.

wildebeest ['wildəbi:st] *n юж.-афр. зоол.* гну.

wilder ['wildə] *v поет., ост.* **1.** = **bewilder; 2.** заблужда-
вам; **3.** *ам.* скитам се, блуждая.

wilderness ['wildənis] *n* **1.** пустиня, пустош; необятно пус-
то пространство; **in the** ~ 1) вече не на власт (*за пол.
партия и пр.*); 2) в немилост, в заточение; **a voice
(crying) in the** ~ *прен.* глас в пустиня; **2.** пущинак;
избуяла/занемарена/запусната част на градина и
пр.; **3.** огромна/необятна маса (*вода и пр.*); множест-
во, безброй; **a** ~ **of roofs** безкрайно море от покри-
ви.

wild-eyed ['waildaid] *a* **1.** с ужасен/слисан/разярен поглед;
2. *пол.* краен.

wildfire ['waildfaiə] *n* **1.** опустошителен огън; **to spread
like** ~ разпространявам се мълниеносно; **2.** светка-
вица без гръм; **3.** блуждаещ огън; **4.** *вет.* болест по
овцете; **5.** болест по тютюна.

wildfowl ['waildfauəl] *n* пернат дивеч.

wild-goose chase ['waildgu:s, tʃeis] *I n* глупаво/безнадежд-
но/безплодно търсене; безнадеждна работа; **to send
s.o. on a** ~ пращам някого за зелен хайвер.

wilding ['waildiŋ] *n* **1.** (плод от) самораслo растение; **2.**
подивяло растение; **3.** диво животно.

wildlife ['waildlaif] *n* дивият свят; дивата природа.

wildwood ['waildwu:d] *n поет.* девствен лес, естествена го-
ра.

wile[1] [wail] *n обик. pl* хитрина, измама, уловка.

wile[2] *v* **1.** примамвам, прилъгвам; **2.** измамвам, изхит-
рявам; **3.** = **while**[3].

wilful ['wilful] *a* **1.** упорит, своенравен, своеволен; **2.** пред-
намерен, предумишлен.

will[1] [wil] *n* **1.** воля; твърдост/сила на волята; **2.** воля,
желание; твърдо намерение; твърдост, непоколеби-
мост, решителност; **freedom of the** ~ свобода на во-
лята; **with the best** ~ **in the world** и при/въпреки най-
доброто желание; **where there's a** ~ **there's a way** с

желание всичко се постига; **the ~ to live** желание/воля за живот; **of o.'s free ~** доброволно, по свое желание; **with a ~** с желание/воля, решително, енергично; **to have/work o.'s ~** налагам волята си, постигам това, което искам; **to work o.'s ~ (up)on s.o.** налагам се на някого, принуждавам го да прави, каквото аз искам; постигам целта си; **at ~** когато/както (си) искам, когато ми е удобно, както ми скимне; **tenant at ~** квартирант/арендатор, който може да бъде изгонен без предупреждение; **to take the ~ for the deed** благодарен съм за доброто желание на някого да ми помогне; **3.** отношение към другите; **good ~** доброжелателство, добра воля; **ill ~** зложелателство, враждебност, неприязън; **4.** завещание (*и* **last ~ and testament**).

will² *v* **1.** *ост.* желая, пожелавам; повелявам; **2.** заставям (*чрез мисъл*), внушавам на; **to ~ o.s. to fall asleep** налагам си да заспя; **he ~ed the genie into his presence** той заповяда на духа да се яви пред него; **3.** завещавам.

will³ *v аих* (*съкр.* **'ll**; *отр. съкр.* **won't** [wount]); *2 л. ост.* **wilt**; *past* **would** [wud], *съкр.* **'d**) **1.** *за образуване на бъдеще време и бъдеще в миналото за 2 и 3 л. ед. и мн. ч.* ще, щях; **I think he ~ come** мисля, че той ще дойде; **I knew they would be there** знаех, че те ще са там; **2.** *във всички лица* искам, желая; **do as you ~** постъпи, както искаш; **what would you have me do?** какво желаеш да направя? **would that I had never come!** *ост.* никак да не бях идвал! **3.** *изразява обещание, твърдо решение, намерение, особ. в 1 л. ед. и мн. ч.* **I ~ not forget** няма да/обещавам да не забравя; **4.** *с ударение изразява обичайно действие, упорство, неизбежност; често не се превежда:* **boys ~ be boys** момчетата са си/си остават момчета; **truth ~ out** истината винаги (си) излиза наяве; **this hen ~ lay up to 6 eggs a week** тази кокошка редовно снася по 6 яйца на седмица; **he ~ get in my way** той постоянно ми се пречка/ми пречи; **people ~ talk** хората винаги си приказват (каквото и да правиш).

willed [wild] *a* **1.** *в съчет.:* **strong-~** със силна воля, волев; **weak-~** със слаба воля, безволев; **2.** склонен, наклонен; **even if I had been so ~** дори и да исках/ да бях склонен.

willing ['wiliŋ] *a* **1.** (благо)разположен; склонен, наклонен, проявяващ желание; **to be ~ to** имам желание, склонен съм/искам да; **God ~** ако е рекъл господ; ~ **or not** ща не ща; **2.** охотен, даден/направен от все сърце/с готовност; готов да помага/да се подчинява/да изпълнява и пр.

willingly ['wiliŋli] *adv* охотно, с готовност, с желание, на драго сърце.

willingness ['wiliŋnis] *n* готовност, желание, охота.

wil-o'-the-wisp [ˌwiləðə'wisp] *n* **1.** блуждаещ огън; *прен.* измамлива надежда/цел/план; примамка; **2.** неуловим човек/нещо.

willow¹ ['wilou] *n* **1.** върба (*и* **~-tree**); дървото на върбата); **weeping ~** плачеща върба; **2.** *разг.* бухалка за крикет; **3.** *текст.* барабанен маган; □ **to wear the ~** скърбя/тъгувам по любимия (*за изоставена жена*).

willow² *v* почиствам (*влакна*) с маган.

willow-herb ['wilouhəːb] *n бот.* върбовка, кипрей (Epilobium).

willowing-machine ['wilouiŋməˈʃiːn] = **willow¹ 3.**

willow-pattern ['wilouˌpætən] *n* **1.** имитация на китайска рисунка в синьо (с пагода, река и върби) върху бял порцелан; **2.** порцеланови съдове с такава рисунка.

willow-warbler, -wren ['wilouˌwɔːblə, -ren] *n зоол.* брезов певец (Phylloscopus trochilus).

willowy ['wiloui] *a* **1.** обрасъл с върби; **2.** тънък, строен, гъвкав, грациозен.

will-power ['wilpauə] *n* воля, сила на волята; самоконтрол; самообладание.

willy-nilly [ˌwili'nili] *adv* волю-неволю, ща не ща, от немай къде.

wilt¹ *вж.* **will³.**

wilt² [wilt] *v* **1.** спаружвам се, клюмвам, вяхна, увяхвам; **2.** правя да увехне/клюмне; **3.** отпускам се; отпадам; клюмам (*за човек*).

Wilton ['wiltən] *n* вид дебел пухкав килим (*и* **~ carpet**).

wily ['waili] *a* хитър, лукав.

wimple ['wimpl] *n* **1.** *ист.* вид забрадка, покриваща главата и врата; **2.** покривало за глава, носено от някои монахини.

win¹ [win] *v* (**-nn-**) (**won** [wʌn]) **1.** печеля, спечелвам, побеждавам; покорявам (*сърце и пр.*); **to ~ the day/the field** одържам победа, излизам победител; **to ~ money from s.o. at cards** спечелвам пари от някого на карти; **to ~ o.'s bread** печеля си хляба/прехраната; **their conduct won them many friends** тяхното поведение им спечели много приятели; **2.** побеждавам, излизам победител, одържам победа; **to ~ by a head** побеждавам със съвсем малко/едва-едва; **to ~ hands down/in a canter** побеждавам без усилие; **3.** достигам, добирам се до (*бряг, връх и пр.*); **to ~ home** достигам до целта; **to ~ o.'s way** пробивам си път/преуспявам в живота; **to ~ clear/free/out/through** 1) измъквам се от трудно положение, отървавам се с мъка, освобождавам се (**from** от); 2) пробивам си път; **4.** убеждавам, склонявам; **5.** добивам, получавам (*руда и пр.*); **6.** *sl.* крада;

    win away откъсвам, разделям; карам да изостави/забрави;

    win back спечелвам си/вземам си обратно, възвръщам си;

    win from/off спечелвам от състезание, бас и пр.;

    win over/round спечелвам на своя страна, предумвам, склонявам, убеждавам; **to ~ over to a cause** спечелвам (*някого*) за някаква кауза;

    win through 1) преодолявам (*трудности и пр.*); добирам се до; 2) постигам целта си, успявам; спечелвам;

    win upon постепенно привличам/спечелвам/завоювам симпатии, уважение, признание и пр. (*за идея, теория и пр.*).

win² *n* победа (*в игра, състезание и пр.*).

wince¹ [wins] *v* трепвам, потрепвам (*от болка, обида и пр.*).

wince² *n* трепване, потрепване.

wincey ['winsi] *n* лек плат от вълна и памук.

winceyette [ˌwinsi'et] *n текст.* здрава материя от вълна/вълна и памук/вълна и лен (*за ризи и пр.*).

winch¹ [wintʃ] *n тех.* **1.** вдигачка, лебедка; чекръ́к; рудан; **2.** ръкохватка във вид на кривошип; крик; **3.** *текст.* мотовило.

winch² *v* вдигам/повдигам (като) с лебедка/крик.

Winchester ['wintʃistə] *n* **1.** вид винтовка (*и* **~ rifle**); **2.** голяма бутилка, побираща около 2,250 л (*и* **~ bottle/quart**).

wind¹ [wind, *поет.* waind] *n* **1.** вятър; буря; **against the ~, in the ~'s eye, in the teeth of the ~** срещу вятъра; **between ~ and water** *мор.* във водолинията/ватерлинията; *прен.* на опасно/чувствително/уязвимо място/позиция; **down/before the** ~ по посока на вятъра; **to sail close to/near the** ~ плувам, доколкото е възможно, срещу вятъра; *прен.* действувам/държа се на границата на приличието/честността; **to know/find out how the** ~ **blows/lies** знам/разбирам накъде духа вятърът/как стоят работите; **on a** ~ *мор.* срещу вятъра; **off the** ~ *мор.* с вятъра откъм кърмовата част; **like the** ~ (бързо) като вихър; **2.** *pl* четирите посоки на света, четирите точки на компаса; **from/to the four** ~**s** от/на всички посоки/страни; **3.** въздушна струя/поток; **4.** лъх/миризма, донесена от вятъра; **to get** ~ **of** подушвам (*и прен.*); **5.** слух, мълва; **to take/get** ~ разучавам се; **6.** въздух, газ; **to break** ~ пускам газове; **to bring up** ~ оригвам се; **7.** дъх; дишане; **to get/recover o.'s** ~ поемам си дъх, отдъхвам си; **to lose o.'s** ~ задъхвам се; секва ми дъхът; **to have the** ~ **up** *sl.* изплашвам се; страхувам се; **to put the** ~ **up on s.o.** стряскам/изплашвам някого; **second** ~ 1) възстановено нормално дишане (*след задъхване*); 2) *прен.* подновена енергия/сили; **to have a good/a long** ~ дишам правилно/спокойно; **to have a bad** ~ дишам неправилно/неспокойно; лесно се задъхвам; **to be in good** ~, **to have plenty of** ~ дишането ми е правилно, не се задъхвам; **8.** празни приказки, празнословие; самодоволство; **9.** *sl.* стомах, под лъжичката/ребрата; **10.** духови инструменти; □ **to have the** ~ **of** *мор.* в по-благоприятно положение съм от; по следите съм на; **to take the** ~ **out of s.o.'s sails** *разг.* отнемам възможността на някого да каже/направи нещо, като го изпреварвам; смачквам фасона на някого; **to cast/fling/throw to the** ~**s** 1) хвърлям на вятъра, пилея; 2) захвърлям (*всяко благоразумие, приличие и пр.*); пускам му края; **to be in the** ~ *разг.* предстоя, готвя се, мъти се, подготвям се; **to get the** ~ **of** имам преимущество пред; ~ **is in that quarter** нещата стоят така; **to raise the** ~ събирам пари, набирам нужните средства; **to throw/fling caution/prudence to the** ~ тръгвам през просото.

wind² *v* **1.** подушвам, надушвам; **2.** карам/правя да се задъха; **to be** ~**ed by running** задъхан съм от тичане; **3.** давам възможност (*на кон и пр.*) да си отдъхне/почине.

wind³ [waind] *v* (**wound** [waund], **-ed** [-id]) **1.** вия се, извивам се, лъкатуша; **2.** навивам (се), увивам (се); обвивам; намотавам; **to** ~ **o.'s arms round s.o.**, **to** ~ **s.o. in o.'s arms** обвивам ръце около някого, обгръщам някого с ръце; **3.** навивам, курдисвам (*часовник и пр.*); **4.** издигам с въртене на макара и пр. (*кофа с вода от кладенец и пр.*); **5.** въртя, завъртам (се); **to** ~ **the ship** завъртам кораба в обратна посока; **6.** **to** ~ **o.'s way**, **to** ~ **o.s.** промъквам се/намъквам се предпазливо; **to** ~ **o.s./o.'s way into s.o.'s heart/affections** умело/неусетно спечелвам сърцето на някого;
   wind back връщам филмова лента обратно в касетката; пренавивам лента;
   wind down 1) свалям/смъквам с въртене (*щори, прозорец на кола и пр.*); 2) развивам се докрай (*за пружина на часовник и пр.*); 3) отслабвам, замирам (*за акция и пр.*);
   wind in 1) навивам/намотавам връв/жица на въдица; 2) изкарвам (*риба*) на брега;
   wind off развивам (се), размотавам (се);

   wind on завъртам филмова лента за следващата снимка;
   wind up 1) навивам, намотавам; 2) навивам, курдисвам (*часовник, играчка и пр.*); 3) вдигам с въртене (*щори, прозорец на кола и пр.*); 4) развивам, възбуждам, разпалвам; **to get wound up** разгорещявам се, разпалвам се; **to be wound up to a fury** вбесен съм; 5) свършвам, привършвам, приключвам (*дебати, програма и пр.*); 6) ликвидирам (*предприятие и пр.*); решавам, приключвам (*въпрос*); 7) свършвам/озовавам се/попадам някъде в някакво положение; **he wound up by killing his tormentor** той свърши с това, че уби своя мъчител; 8) свършвам, завършвам; **he wound up by saying** накрая/в заключение той каза.

wind⁴ [waind] *n* **1.** въртене, завъртане; **2.** извивка, завой; **3.** намотка; **4.** изкривяване, измятане (*на дъска и пр.*).

windage ['windidʒ] *n* **1.** деривация; отклонение (*на снаряд*) поради вятър; **2.** съпротивление на въздуха; **3.** *тех.* хлабавина, слабина, луфт; **4.** тази част от кораба, която е над водата; **5.** (*повреда, причинена от*) въздушен тласък.

windbag ['windbæg] *n разг.* многословен оратор; бърборко, празнодумец.

wind-blown ['wind,bloun] *a* **1.** тласкан/шибан/брулен от вятъра; **2.** развян от вятъра (*за коса и пр.*).

wind-bound ['windbaund] *a* спрян/задържан от вятъра (*за кораб и пр.*).

wind-break ['windbreik] *n* преграда (*особ. от жив плет, дървета*) срещу вятъра.

windbreaker, -cheater ['windbrekə, -,tʃi:tə] *n ам.* дълго непромокаемо яке, анорак.

wind-cone ['windkoun] = **windsleeve**.

wind-egg ['windeg] *n* **1.** неоплодено яйце; **2.** яйце с много тънка черупка.

winder ['waində] *n* **1.** навивач; **2.** ключ за навиване на пружина (*на часовник и пр.*); **3.** *тех.* хаспел (*за навиване на прежда на чилета и пр.*); рудан; **4.** клиновидно стъпало (*при извивка на стълба*).

windfall ['windfɔ:l] *n* **1.** съборен от вятъра плод; **2.** повалено от буря дърво; **3.** неочаквано щастие, голям късмет, кьораво; **4.** неочаквано наследство.

windflower ['wind,flauə] *n бот.* анемония; горска съсънка.

wind-gauge ['windgeidʒ] *n* **1.** ветромер, анемометър; **2.** *воен.* коректор на мерника (*за определяне на силата на вятъра и отклонението на снаряда, причинено от него*).

windhover ['wind,hɔvə] *n* черношипа ветрушка, керкенез (Falco tinnunculus).

windiness ['windinis] *n* **1.** ветровитост; **2.** празнословие, многодумие.

winding¹ ['waindiŋ] *a* извиващ, лъкатушен; вит; спираловиден.

winding² *n* **1.** извивка, завой; **2.** *ел.* намотка.

winding-sheet ['waindiŋ,ʃi:t] *n* саван, покров.

winding-up ['waindiŋ,ʌp] *n* **1.** ликвидиране, ликвидация; **2.** навиване, курдисване (*на механизъм, пружина*).

wind instrument ['wind,instrumənt] *n* духов инструмент.

wind-jammer ['wind,dʒæmə] *n* **1.** *разг.* търговски кораб с платна; **2.** = **windbreaker**.

windlass ['windləs] *n* ролково-верижна лебедка, брашпил, хаспел, макара за вадене на вода от кладенец.

windlestraw ['windl,strɔ:] *n* **1.** суха тревичка; сламка; **2.** сух/слаб човек, „вейка".

windmill ['windmil] *n* **1.** вятърна мелница; **to fight/tilt at** ~**s** боря се с въображаеми злини, донкихотствувам; **to throw o.'s cap over the** ~ постъпвам неблагоразумно/безразсъдно; 2. *ам.* хеликоптер; 3. детска книжна въртележка.

window ['windou] *n* 1. прозорец; **blank/blind/false** ~ зазидан прозорец; **to look in at the** ~ поглеждам вътре през прозореца; 2. витрина; **to have all o.'s goods in the front/shop** ~ *прен.* повърхностен съм, всичко у мен е само за показ; **out of the** ~ *разг.* вече неважещ, загубил значението си; 3. прозрачно място на плик (*за да се вижда написаният върху писмото адрес*).

window-box ['windou͵bɔks] *n* сандъче за цветя на перваза на прозореца.

window-dresser ['windou͵dresə] *n* аранжор на витрини.

window-dressing ['windou͵dresiŋ] *n* (артистично) подреждане на витрина, аранжорство; *прен.* представяне на нещата в по-добра светлина; фасада, витрина; **that's all mere** ~ *разг.* това е само фасада/разкрасено/нагласено да изглежда добре.

window-envelope ['windou͵enviloup] *n* плик с\прозрачно отворче (*за да се вижда адресът, написан на писмото*).

window garden ['windou͵ga:dn] *n* балкон/прозорец с цветя.

window-glass ['windougla:s] *n* стъкло за прозорци.

window-ledge ['windouledʒ] = **window-sill.**

window-pane ['windou͵pein] *n* стъкло на прозорец.

window-seat ['windousi:t] *n* място за сядане до/в еркерен прозорец.

window-shopping ['windou͵ʃopiŋ] *n* разглеждане на витрините; **to go** ~ гледам по витрините (*без да купувам нещо*).

window-sill ['windousil] *n* 1. подпрозоречна дъска (*отвътре*); 2. разширен перваз на прозорец (*отвън*).

windpipe ['windpaip] *n анат.* дихателна тръба, трахея.

windproof ['windpru:f] *a* ветроупорен.

windrose ['windrouz] *n метеор.* диаграма/роза на ветровете в дадено място.

windrow[1] ['windrou] *n* 1. окос (*оставен да съхне*); 2. дълбока бразда.

windrow[2] *v* пластя сено.

wind-sail ['windseil] *n* 1. брезентов комин за проветряване на трюма на кораб; 2. крило на вятърна мелница.

windscreen, *ам.* **-shield** ['windskri:n, -ʃi:ld] *n* предно стъкло на моторно превозно средство; ~ **wiper** *авт.* стъклочистачка.

windsleeve, -sock ['windsli:v, -sɔk] *n* ветропоказател, ветрен конус (*на летище и пр.*).

wind-swept ['windswept] *a* открит, брулен от вятъра (*за място и пр.*).

wind-tight ['windtait] *a* който не пропуска вятър.

wind-tunnel ['wind͵tʌnl] *n тех.* аеродинамична тръба.

wind-up ['waindʌp] *n* край; приключване; ликвидиране.

windward[1] ['windwəd] *a* разположен откъм вятъра, наветрен.

windward[2] *n* място/страна, откъдето духа вятърът, наветрена страна; **to get to** ~ **of** 1) избягвам миризмата на; 2) *прен.* вземам връх/придобивам преимущество над.

windy ['windi] *a* 1. ветровит; 2. празнословен, многодумен, празен; 3. *sl.* нервен; изплашен; 4. брулен от ветрове; 5. = **windward**[1]; **on the** ~ **side of** далеч/защитен от; 6. *мед.* 1) който има газове; 2) причиняващ газове.

wine[1] [wain] *n* 1. вино; **to be in** ~ пиян съм; **new** ~ **in old bottles** *прен.* ново вино в стари мехове, нови принципи, несъвместими със старите форми; **good** ~ **needs no bush** доброто вино/стока не се нуждае от реклама; 2. опияняващо нещо; 3. винен цвят, бордо.

wine[2] *v* 1. пия вино; 2. черпя с вино; **to** ~ **and dine s.o.** нагостявам и напоявам някого.

winebag ['wainbæg] *n* 1. мях за вино; 2. *sl.* пияница, кръкач.

wine-cellar ['wain͵selə] *n* винарска изба (*склад за вино*).

wine-cooler['wain͵ku:lə]*n*кофа с ледза охлаждане на вино.

wineglass ['waingla:s] *n* винена чаша, чаша за вино.

winegrower ['wain͵grouə] *n* лозар; винар.

winegrowing ['wain͵grouiŋ] *n* лозарство.

winepress ['wainpres] *n* преса за грозде.

winery ['wainəri] *n* винарска изба (*където се прави вино*).

wineshop ['wain͵ʃɔp] *n ам.* кръчма.

wineskin ['wainskin] *n* мях за вино.

wine-stone ['wainstoun] *n* винен камък.

wine-taster ['wain͵teistə] *n* дегустатор на вина.

wine-vault ['wainvɔ:lt] *n* 1. винарска изба; 2. кръчма.

winey = **winy.**

wing[1] [wiŋ] *n* 1. крило (*и прен.*); **on the** ~ летящ, в движение/полет; готов да тръгне; **on the** ~s **of the wind** с бързината на вятъра, много бързо; **to clip the** ~s **of** *прен.* подрязвам крилата на; **to spread/stretch o.'s** ~s разгръщам силите/възможностите си; **to lend** ~**s to** ускорявам; **his** ~s **are sprouting** *ирон.* той е почти ангел; **to take** ~ излитам, отлитам; **under the** ~ **of** под закрилата/крилото на; 2. крило (*на сграда, гардероб, маса и пр.*); 3. *сп.* крило; 4. *воен.* фланг; 5. *ав.* ято; 6. *ав. pl* нашивка/емблема на летец; 7. *авт.* калник; 8. *театр. pl* кулиси; 9. *бот.* крилце (*на семе, цвят*); ☐ **(waiting) in the** ~s готов, на разположение.

wing[2] *v* 1. слагам крила (*на стрела и пр.*); 2. давам крила на; окрилявам; **fear** ~**ed his flight** страхът му даваше крила; 3. изпращам, изстрелвам; 4. летя; прелитам; **to** ~ **the air** летя във въздуха; 5. наранявам, прострелвам (*птица в крилото, човек в ръката*); 6. *прен.* летя, хвърча, нося се; ☐ **to** ~ **it** *театр.* не се придържам към текста, импровизирам.

wing and wing ['wiŋən͵wiŋ] *adv мор.* с разпънати платна от двете страни.

wing-beat ['wiŋbi:t] *n* удар/плясък/размах на крила.

wing case ['wiŋkeis] *n зоол.* твърди криле, елитри.

wing chair ['wiŋtʃɛə] *n* кресло със странични облегалки за главата.

wing collar ['wiŋ͵kɔlə] *n* висока колосана яка с подвити ъгълчета.

wing commander ['wiŋkə'ma:ndə] *n ав.* подполковник в авиацията.

wing-ding ['wiŋ͵diŋ] *n ам. sl.* 1. шумен гуляй; 2. (симулирано) прилошаване/пристъп (*особ. при епилептик, наркоман*).

winged ['wiŋd] *a* 1. крилат; пернат; 2. *в съчет.* -крил; с... крила; **white** ~ белокрил; **swift** ~ бързокрил; 3. ранен в крилото/ръката; 4. *прен.* крилат, възвишен; ~ **words** крилати/вдъхновени слова.

winger ['wiŋə] *n сп.* крило (*играч*).

wing-footed ['wiŋfutid] *a поет.* бърз, крилат.

wing-sheath['wiŋʃi:θ] = **wing-case.**

wing shooting ['wiŋŋsu:tiŋ] *n* стрелба по летящи птици/ 'предмети.

wing-span, -spread ['wiŋspæn, -spred] *n* 1. размах, разпереност на крилете; 2. *ав.* разстоянието между крайните точки на крилете.

wingy ['wiŋi] *a* крилат (*и прен.*); подобен на крило, като крилце.

wink¹ [wiŋk] *v* **1.** мигам, примигвам; намигвам, смигвам (at); like ~ing *sl.* много бързо/енергично; мигновено; to ~ o.'s eye мигам с очи; to ~ assent примигвам в знак на съгласие; to ~ a tear away отстранявам сълзи от очите си чрез премигване; **2.** мигам, трептя; блещукам, проблясвам (*за звезда, светлина*); **3.** давам светлинни сигнали; ~ing lights *авт.* мигачи; **4.** to ~ at затварям си очите за, правя се, че не виждам (*нередност и пр.*).

wink² *n* **1.** мигане, примигване; намигване; *прен.* намек; in a ~ много бързо, в миг, мигновено; to give a/the ~ to s.o., to tip s.o. the ~ намигвам/смигвам някому; предупреждавам/осведомявам някого тайно; подшушвам на някого; **2.** кратка дрямка, подрямване; forty ~s кратко дрямване; I haven't slept a ~, I didn't get a ~ of sleep не съм мигнал/заспивал.

winker ['wiŋkə] *n* обик. *pl* **1.** *авт.* мигач; **2.** наочници на кон; **3.** мигли; **4.** око.

winkle¹ ['wiŋkl] *n* зоол. вид ядивен морски охлюв (Littorina); ~ pickers дълги заострени обувки, шпиц обувки.

winkle² *v* **1.** изваждам, измъквам; **2.** отстранявам (*дефекти, слабости и пр.*) (*обик. с* out).

winner ['winə] *n* **1.** победител (*особ. в игри и спорт*); **2.** нещо, което има успех; her new book is a ~ новата й книга има голям успех; **3.** човек, получил (първа) награда.

winning¹ ['winiŋ] *a* **1.** печелив (*билет и пр.*); който печели/побеждава; the ~ team победилият отбор; to play a ~ game победата ми е сигурна; **2.** решителен, решаващ (*за удар и пр.*); **3.** привлекателен, очарователен; a ~ smile чаровна/подкупваща усмивка.

winning² *n* **1.** спечелване; победа; спечелено нещо; *pl* пари, спечелени от обзалагане, комар и пр.

winning-post ['winiŋˌpoust] *n* сп. стълб на финала.

winnow ['winou] *v* **1.** вея, отвявам (*жито и пр.*) (away, out, from); **2.** *прен.* пресявам, отсявам, отделям (*ценното*), подбирам; to ~ the chaff away/out/from the grain *прен.* отделям същественото от несъщественото/житото от плявата; **3.** *поет.* пляскам, махам (като с) криле; **4.** вея (се), развявам (се) (*за коса и пр.*).

wino ['wainou] *n sl.* пияница, алкохолик.

winsome ['winsəm] *a* очарователен, обаятелен; привлекателен, мил; весел.

winter ['wintə] *n* **1.** зима; *attr* зимен, за зимата; **2.** *поет.*, обик. *pl* година; a man of forty ~s четиридесетгодишен човек.

winter² *v* **1.** зимувам, презимувам; прекарвам зимата; **2.** гледам/грижа се (*за добитък, растения*) през зимата.

winter-green ['wintəgri:n] *n* вид вечнозелено растение (Gaultheria).

winterize ['wintəraiz] *v* приспособявам/подготвям за зимни условия.

winter-kill ['wintəˌkil] *v* **1.** измразявам (*растение и пр.*); **2.** загивам от студ, измръзвам (*за растение и пр.*).

winterly ['wintəli] = **wintry**.

winter-tide ['wintəˌtaid] *поет.* = **winter-time**.

winter-time ['wintəˌtaim] *n* зима, зимен сезон/период.

wintriness ['wintrinis] *n* **1.** студ, мразовитост; **2.** студенина, мрачност, неприветливост.

wintry ['wintri] *a* **1.** зимен; студен, мразовит; **2.** студен, хладен, неприветлив; безрадостен, мрачен; смразяващ (*за поглед, усмивка и пр.*).

winy ['waini] *a* **1.** с цвят/миризма/вкус на вино; **2.** пиян;

a ~ nose пиянски нос; **3.** *ам.* освежителен, ободрителен (*за въздух*).

winze [winz] *n* мин. малка галерия за вентилация или връзка.

wipe¹ [waip] *v* **1.** бърша, обърсвам, избърсвам; трия, изтривам; to ~ clean избърсвам, почиствам; to ~ dry избърсвам,|подсушавам; to ~ o.'s eyes изтривам сълзите си, преставам да плача; to ~ the floor/the ground with s.o. сривам някого наравно със земята, правя го на нищо; to ~ o.'s boots on s.o. отнасям се с презрение към някого, третирам го като парцал; **2.** *прен.* изтривам, изличавам (*спомен и пр.*);

wipe at замахвам да ударя;

wipe away обърсвам, избърсвам, изтривам (*сълзи и пр.*);

wipe off 1) избърсвам, изтривам; to ~ off the map/off the face of the earth заличавам от картата/от лицето на земята; to ~ a smile/grin off o.'s face преставам да се хиля самодоволно, усмивката ми бързо изчезва; 2) изплащам напълно, ликвидирам (*дълг и пр.*); to ~ off old scores *прен.* оправям стари сметки;

wipe out 1) избърсвам, изтривам; 2) изтривам, изличавам (*спомен, позор и пр.*); 3) изплащам напълно, ликвидирам (*дълг и пр.*); 4) унищожавам, премахвам, ликвидирам; *ам. sl.* убивам, очиствам; ~d out *ам. sl.* пиян-залян, кьор-кютук пиян;

wipe up 1) избърсвам, изтривам; 2) *прен.* оправям, изглаждам (*бъркотия, каша и пр.*); 3) *ам.* унищожавам.

wipe² *n* **1.** избърсване, изтриване; give the table a ~ избърши масата; **2.** *sl.* удар; подигравка; **3.** *sl.* носна кърпа; **4.** *ам. sl.* бърсалка.

wiper ['waipə] *n* **1.** бърсач, избърсвач; **2.** *авт.* стъклочистачка; **3.** *ел.* контактна четка; **4.** *тех.* зъбец; ексцентрик.

wire¹ [waiə] *n* **1.** жица; струна; тел; **2.** *pl* конци за дърпане на кукли; to pull (the) ~ дърпам конците на кукли; *прен.* упражнявам скрито влияние/натиск; действувам задкулисно; използвам връзки; **3.** телеграфна/ телефонна жица/система; телеграф; телефон; to get o.'s ~s crossed *прен.* обърквам се; ставам жертва на недоразумение; there is s.o. on the ~ for you търсят те по телефона; by ~ с телеграма, телеграфически; **4.** *ам.* сп. лента на финала; under the ~ 1) на финиша; 2) в последния момент; **5.** *attr* телен, жичен.

wire² *v* **1.** свързвам/съединявам с жица/тел; заякчавам с тел; нанизвам на тел; **2.** хващам/ловя (*птици и пр.*) с мрежа; **3.** прокарвам/правя електрическа инсталация (*на къща и пр.*); to ~ for sound правя звукова инсталация; **4.** заграждам, ограждам с тел; **5.** телеграфирам, пращам телеграма; he was ~d for извикаха го телеграфически; **6.** to ~ in *sl.* залавям се енергично/здраво за работа.

wire cloth ['waiəˌklɔθ] *n* телена тъкан (*за цедки и пр.*).

wiredraw ['waiədrɔ:] *v* **1.** източвам, изтеглям (*жици и пр.*); **2.** *прен.* протакам, разтеглям, проточвам; **3.** правя прекалено тънки разграничения, цепя косъма.

wire gauze ['waiəgɔ:z] *n* тънка метална мрежа.

wire-haired ['waiəˌhεəd] *a* с остър косъм (*обик. за куче*).

wireless¹ ['waiəlis] *a* безжичен, радио- (*за телеграф, телефон и пр.*).

wireless² *n* **1.** радио; on/over the ~ по радиото; **2.** съобщение по радиото/по безжичния телеграф; **3.** радиотелефония.

wireless³ *v* **1.** съобщавам/изпращам съобщение по радиото; **2.** изпращам радиограма.

wireman ['waiəmən] *n* (*pl* -men) електротехник.

wire-netting ['waiəˌnetiŋ] *n* телена мрежа (*за огради и пр.*).

wirepuller ['waiəpulə] *n* политически интригант; лице, което действа скрито/задкулисно.

wire-tapping ['waiə,tæpiŋ] *n* подслушване на телефонни разговори и телеграфни съобщения.

wire-walker ['waiə,wɔːkə] *n* акробат въжеиграч.

wire wool ['waiə,wuːl] *n* стоманена вълна (за изтриване на съдове).

wireway ['waiəwei] *n* ел. изолационна тръба за проводник.

wirework ['waiəwə:k] *n* 1. телени изделия/мрежи и пр.; 2. ам. въжеиграчество.

wireworm ['waiəwə:m] *n* зоол. ларва на бръмбар вредител по растенията.

wiriness ['waiərinis] *n* 1. жилавост; 2. издръжливост, неуморимост.

wiring ['waiəriŋ] *n* електрически жици/мрежа; електрическа инсталация.

wiry ['waiəri] *a* 1. от/като жица; 2. твърд, остър (за коса); 3. металически (за звук); 4. як, жилав, издръжлив (за човек).

wis [wis] *v* зная добре.

wisdom ['wizdəm] *n* 1. мъдрост, знание; проникновение, проницателност; 2. мъдрости, сентенции.

wisdom tooth ['wizdəm,tuːθ] *n* (*pl*-teeth[tiːθ])мъдрец(зъб): to cut o.'s ~ teeth прен. помъдрявам, поумнявам.

wise¹ [waiz] *a* 1. мъдър, умен, проницателен; (благо)разумен; ~ after the event след дъжд качулка; to assume a ~ look давам си вид, че много зная; with a ~ shake of the head с дълбокомислено поклащане на главата; 2. знаещ, осведомен; I am no ~r than you и аз знам толкова, колкото и ти; to be none/not any the ~r for it не научих/не разбрах нищо повече отпреди, не ми стана по-ясно; to do s.th. without anyone's being the ~r правя нещо тихомълком/без някой да усети/разбере; to be/get ~ to sl. разбирам, схващам, забелязвам; to put s.o. ~ осведомявам/осветлявам някого (to); изваждам някого от заблуждение.

wise² *n* ост. начин; in no ~ по никакъв начин, никак; in/on this ~ така, по този начин; in solemn ~ тържествено.

wiseacre ['waizeikə] *n* дървен философ, всезнайко.

wisecrack¹ ['waizkræk] *n* sl. остроумна забележка, духовитост.

wisecrack² *v* sl. остроумнича, пускам духовитости.

wise guy ['waizgai] *n* разг. човек, който се мисли за всезнаещ, всезнайко.

wise man ['waizmæn] *n* (*pl* men) мъдрец; магьосник; маг, влъхва.

wisent ['wiːzənt] *n* зоол. европейски бизон (Bison bonasus).

wise woman ['waizwumən] *n* 1. магьосница; врачка; 2. акушерка, баба.

wish¹ [wiʃ] *v* искам, желая (и с for); пожелавам; to ~ s.o. joy желая/пожелавам някому радост; I ~ you joy to it ирон. ха да ти е честито, халал да ти е; I ~ to God he would come! така ми се иска той да дойде! I ~ to God you would stop! млъкни, за бога! I ~ I were there (много) бих искал да съм там; I ~ I could see him! да можех да го видя! I ~ it may not prove so дано да не излезе така; it is to be ~ed that желателно е да; to ~ o.s. dead/at home иска ми се да съм умрял/да съм си у дома; □ to ~ s.o./s.th. on s.o. разг. натрапвам/пробутвам/теслимявам някому някого/нещо; to ~ s.th. away правя се, че не виждам/не забелязвам нещо; мъча се да се отърва от нещо, правейки се, че не го забелязвам.

wish² *n* желание, искане; пожелание (for); good/best ~es благопожелания; you shall have your ~ ще получиш това, което желаеш; my dearest ~ най-съкровеното ми желание/мечта; □ the ~ is father to the thought вярваме нещо, защото ни се иска да е така/ да е вярно.

wishbone ['wiʃboun] *n* ядец (кост).

wishful ['wiʃful] *a* който има желание/желае (to с inf); ~ thinking самозалъгване; гладна кокошка просо сънува; ще ми/ти се.

wish-wash ['wiʃ,wɔʃ] *n* 1. блудкаво/безвкусно/разводнено питие, помия; 2. скучно/вяло/безинтересно четиво/разговор и пр.

wishy-washy ['wiʃi,wɔʃi] *a* 1. слаб, безвкусен, разводнен (за чай и пр.); 2. прен. безвкусен, безинтересен, безцветен, вял; блудкаво сантиментален.

wisp¹ [wisp] *n* 1. хватка, ръкойка; стиска; кичур, дилка (коса и пр.); 2. нещо дребно/крехко/мимолетно; a ~ of a girl дребничко момиче; a ~ of smoke/steam тънка струйка дим/пара; a ~ of a smile едва доловима усмивка; 3. ято бекасини.

wisp² *v* 1. ам. насуквам на тънка дилка; 2. правя/образувам тънка струйка/лента/кичур.

wist вж. **wit¹**.

wistaria, wisteria [wis'tɛəriə, wis'tiəriə] *n* бот. глициния.

wistful ['wistful] *a* 1. тъжен, замислен; 2. изпълнен с желание/копнеж.

wit¹ [wit] *v* 1. ост. (pres t I/he wot, thou wottest; pt, pp wist) зная; God wot господ знае; I wot зная добре; 2. to ~ т.е.; а именно.

wit² *n* 1. ум, разум (и pl); съобразителност; to have/keep o.'s ~s about one умен/съобразителен/наблюдателен съм; to live by o.'s ~s препитавам се с умението/находчивостта/хитростта си; at o.'s ~s/wits' end объркан, затруднен; незнаещ какво да прави/как да постъпи; out of o.'s ~s силно изплашен/разтревожен; обезумял; луд; to frighten/scare s.o. out of his ~s изкарвам акъла на някого; the five ~s ост. сетивата; умът; 2. остроумие, духовитост; 3. остроумен/духовит човек; 4. човек с голям интелект, мислител.

witch¹ [witʃ] *n* 1. магьосница, вълшебница; вещица; white ~ знахарка; 2. очарователна жена, чаровница; чародейка; 3. грозна стара жена; вещица.

witch² *v* омагьосвам (за вещица); the ~ing hour/time of night среднощ, полунощ, потайна доба.

witchcraft ['witʃkraːft] *n* магия; магьосничество, вълшебство.

witch-doctor ['witʃdɔktə] *n* знахар; баяч; шаман.

witch-elm = **wych-elm**.

witchery ['witʃəri] *n* 1. = witchcraft; 2. очарование, обаяние.

witch-hazel = **wych-hazel**.

witch-hunt ['witʃhʌnt] *n* 1. ист. търсене/гонитба на магьосници; 2. издирване/тероризиране на заподозрени прогресивни хора.

witching ['witʃiŋ] *a* 1. магьоснически; 2. пленителен, чаровен.

witch-meal ['witʃmiːl] *n* бот. цветен прашец на плавуна.

witenagemot ['witənəgə'mout] *n* ист. англо-саксонски съвет на старейшините; витенагемот.

with [wið] *prep* 1. с, заедно с; to walk/talk ~ s.o. разхождам се/разговарям с някого; to eat/live ~ s.o. храня се/живея с/при някого; he came ~ his sister той дойде (заедно) със сестра си; 2. с, заедно с, на страната на; if they are for peace, we are ~ them ако те са за мир, ние сме с тях/на тяхна страна; I am ~ you on that point тук/в това аз съм съгласен с теб; to vote ~ the Liberals гласувам за либералите; blue doesn't go well ~ brown синьо и кафяво не си подхождат; 3. с, против, срещу; to quarrel ~ карам се с; to fight/struggle ~ боря се с/против/срещу; at war ~

във война с; **4.** с (*имащ*); с (*нещо*); с (*помощта на нещо*); **a girl ~ blue eyes** момиче със сини очи; **a vase ~ handles** ваза с дръжки; **she came ~ good news** тя дойде с хубава новина; **~ your permission** с ваше разрешение; **filled/stuffed ~** напълнен/натъпкан с; **covered ~ snow** покрит със сняг; **to walk ~ a crutch** ходя с патерица; **to cut ~ a knife** режа с нож; **5.** с, към, по отношение на; пред; над; сред; **to be patient ~ s.o.** проявявам търпение към някого; **to have no influence ~ s.o.** нямам влияние над някого; **to be popular ~** обичан/харесван/популярен съм сред; **to be in ~** общувам/другарувам с; движа се между, в съюз съм с; **6.** причина от, поради; **trembling ~ fear/anger, etc.** треперещ от страх/гняв и пр.; **wet ~ dew/tears, etc.** мокър от роса/сълзи и пр.; **to be down ~ 'flu** на легло/болен съм от грип; **7.** *начин* с; **to do s.th. ~ joy, etc.** правя нещо с радост и пр.; **to win ~ ease** побеждавам лесно/с лекота; **to fight ~ courage** сражавам се храбро; **8.** *по едно и също време, в една и съща посока* с; **to rise ~ the sun** ставам с изгрева на слънцето; **the view changes ~ the seasons** гледката се променя със сменята на годишните времена; **~ that** при това, едновременно с това, като каза/направи това; **9.** при, на, у; **to leave s.o./s.th. ~ s.o.** оставям някого/нещо на/при някого (*да го пази, да се грижи за него и пр.*); **the next move is ~ you** ти трябва/твой ред е да направиш следващата крачка; **it's a habit ~ me** навик ми е, така съм свикнал; **I have no money ~ me** нямам/не нося пари у/със себе си; **10.** на работа/служба в/при; **11.** при, въпреки; **~ all his wealth** при/въпреки цялото си богатство; **~ all her faults, I still like her** въпреки всичките у недостатъци, тя ми харесва; □ **~ it** *разг.* 1) съвременен, прогресивен; 2) в крак с модата; **~-it clothes** последна мода облекло; **(I am) not ~ you** *разг.* не те разбирам, не разбирам, какво искаш да кажеш; **are you ~ me?** разбираш ли какво говоря? **one ~** част от (*едно и също цяло*); **down ~...!** долу...! **away ~ you!** махай се! **to blazes ~ him!** да върви по дяволите!

withal[1] [wiðˈɔːl] *adv ост.* освен/при/към това.

withal[2] *prep ост.* с (*обик. в края на релативно изр.*); **the knife he used to defend himself ~** ножът, с който той се бранеше.

withdraw [wiðˈdrɔː] *v* (**withdrew** [wiðˈdruː]; **withdrawn** [wiðˈdrɔːn]) **1.** оттеглям се, отдръпвам (се); изтеглям (се), дръпвам (се); **2.** вземам назад, оттеглям, отказвам се от (*нещо казано, обещано и пр.*); **3.** вземам си, прибирам си, отписвам (*дете от училище и пр.*); **4.** изтеглям от обръщение (*пари*); **5.** отнемам (*привилегия и пр.*); отменям (*заповед*); **6.** отказвам се от, изоставям; изтеглям (*дело и пр.*); **7.** оттеглям се, уединявам се; затварям се в себе си.

withdrawal [wiðˈdrɔːəl] *n* **1.** оттегляне; изтегляне; отдръпване; **2.** изтегляне от обръщение; **3.** отнемане, иземване (*на права и пр.*); отменяне (*на заповед*); **4.** отказване, изоставяне; отстъпление (**from** от); **5.** оттегляне, уединяване, затваряне в себе си.

withdrawing-room [wiðˈdrɔːiŋrum] *ост.* = **drawing-room**.

withdrawn [wiðˈdrɔːn] *a* уединен; необщителен, затворен в себе си.

withdrew *вж.* **withdraw**.

withe [wið, ˈwiði] *n* тънка върбова и пр. пръчка за връзване на снопи и пр.

wither [ˈwiðə] *v* **1.** загубвам си/правя да си загуби силата/свежестта/значението и пр.; вяхна, съхна; чезна;

умирам, загивам; **the hot summer ~ed (up) the grass** горещото лято изсуши тревата; **her hopes ~ed away** надеждите ѝ угаснаха; **2.** отслабвам, намалявам; правя да отслабне/намалее (*за чувство и пр.*); **3.** попарвам (*за слана*); **4.** *прен.* смразявам, сразявам, унищожавам (*с поглед и пр.*).

withering [ˈwiðəriŋ] *a* **1.** който изсушава/попарва; **2.** сразяващ, смразяващ, унищожителен (*за поглед, отговор и пр.*).

withers | [ˈwiðəz] *n pl* най-високата част от гърба на коня между плешките; □ **my ~ are unwrung** това не ме засяга/не се отнася за мен.

withershins [ˈwiðəʃinz] = **widdershins**.

withhold [wiðˈhould] *v* (**withheld** [wiðˈheld]) **1.** не давам, отказвам да дам (*помощ, съгласие и пр.*); **2.** въздържам, спирам, попречвам на (**s.o. from doing s.th.** някого да направи нещо).

within[1] [wiðˈin] *adv* **1.** вътре; вкъщи; **from ~** отвътре; **2.** вътрешно.

within[2] *prep* **1.** (*вътре*) в; **~ doors** в къщи; **2.** вътре в, за по-малко от (*за време*); **you'll have it ~ an hour** ще го имаш след един час най-много; **3.** в рамките/пределаита/обсега на; не повече/не по-далече от; **to be ~ call/reach** наблизо съм; **~ a mile from** на не повече от една миля разстояние от; **to live/keep ~ o.'s income** не харча повече, отколкото печеля; **to keep ~ the law** не излизам извън рамките на закона; **a task well ~ his powers** задача, далеч не надхвърляща възможностите/силите му; **~ limits** до известна степен, с известни ограничения; **to be ~ an ace/inch of death** съвсем близо/на една крачка от смъртта съм; **it is ~ a little of being a masterpiece** съвсем малко не достига, за да бъде шедьовър.

without[1] [wiðˈaut] *adv* **1.** навън, отвън, вън; **from ~** отвън; от външната страна; **2.** външно; по външност.

without[2] *prep* **1.** без; без да (**c** *ger*); **she passed ~ seeing me** тя мина, без да ме види; **he left ~ even (saying) a thank-you** той си отиде, без даже (да каже) едно „благодаря“; **2.** извън; вън от; **~ the gate** извън вратата.

without[3] *cj ост.* без да; **he never goes out ~ he loses s.th.** той не може да излезе, без да загуби нещо.

withstand [wiðˈstænd] *v* (**-stood** [-ˈstud]) **1.** издържам, противостоя на (*трудности и пр.*); **2.** противопоставям се/съпротивлявам се/противя се на (*натиск, изкушение и пр.*).

withy = **withe**.

witless [ˈwitlis] *a* глупав; малоумен; обезумял, луд.

witling [ˈwitliŋ] *n* глупак, тъпак.

witness[1] [ˈwitnis] *n* **1.** свидетелски показания; **to bear ~ to/of** свидетелствувам за/в полза на; **to give ~ on behalf of** свидетел съм на обвинен; **2.** свидетелство, доказателство; показания; **in ~ of** като доказателство за; **3.** свидетел, очевидец.

witness[2] *v* **1.** присъствувам/свидетел съм на, виждам с очите си; **2.** давам показания, свидетелствувам (**to** за, относно); показвам, доказвам; потвърждавам верността на (*документ, подпис*); подписвам се като свидетел; **3.** *ост.* потвърждавам, свидетелствувам (**that** че); **~ heaven!** бог ми е свидетел!

witness-box, *ам.* **-stand** [ˈwitnisbɔks, -stænd] *n юр.* свидетелска банка/ложа.

witticism [ˈwitisizm] *n* остроумие, духовитост, остроумна/духовита забележка.

wittiness [ˈwitinis] *n* остроумие, духовитост.

wittingly [ˈwitiŋli] *adv* съзнателно, нарочно, преднамерено.

wittol [ˈwitəl] *n* **1.** *ост.* рогоносец, който знае положението си и се помирява; **2.** глупак; смахнат човек.

witty ['witi] *a* остроумен, духовит.

wive [waiv] *v* женя (се), оженвам (се) (за).

wivern = **wyvern**.

wives *вж.* **wife**.

wiz [wiz] *sl.* = **wizard**.

wizard[1] ['wizəd] *n* **1.** магьосник; **2.** фокусник; **3.** изобретателен/изкусен/способен човек; **4.** *ост.* мъдрец.

wizard[2] *a sl.* отличен, превъзходен, чудесен.

wizen(ed) ['wizən(d)] *a* съсухрен, изсъхнал; сбръчкан.

wo = whoa.

woad [woud] *n* **1.** *бот.* сърпица (Isatis tinctoria); **2.** синя боя от сърпица.

wobble[1] ['wɔbl] *v* **1.** клатя се, поклащам се, клатушкам се; **2.** потрепервам (*за глас*); **3.** колебая се; непостоянен съм.

wobble[2] *n* **1.** поклащане, клатушкане; **2.** потреперване (*на глас*); **3.** колебание, непостоянство.

wobbler ['wɔblə] *n* колеблив/непостоянен човек.

woe [wou] *n поет., шег.* беда, злочестина, неволя; скръб; ~ **is me!** злочестият аз! ~ **to the vanquished!** горко на победените! **to tell o.'s tale of** ~ разказвам неволите си; ~ **be (un)to** проклятие на, да бъде проклет.

woebegone ['woubigɔn] *a* тъжен, мрачен; нещастен, злочест.

woeful ['wouful] *a* нещастен, клет, злочест; тъжен, печален; скръбен; жалък, за окайване.

wog [wɔg] *n sl. презр.* **1.** арабин; **2.** чужденец (*обик. цветнокож*).

woke, woken *вж.* **wake**[1].

wold [would] *n* **1.** открита необработвана площ; **2.** открита хълмиста местност, голи бърда.

wolf[1] [wulf] *n* (*pl* **wolves** [wulvz]) **1.** вълк; **a** ~ **in sheep's clothing** вълк в овча кожа; **to cry** ~ вдигам лъжлива тревога; **to keep the** ~ **from the door** спасявам се от глад(на смърт); боря се с мизерията; **to have/hold a** ~ **by the ears** намирам се в голяма опасност; изправен съм пред голям риск; **to throw to the wolves** жертвувам без всякакво съжаление; **2.** алчен/ненаситен човек; **3.** *sl.* женкар; **4.** *муз.* дисхармония, получена при нетемпериран инструмент; изскърцване, изскрибуцване; **5.** *текст.* маган.

wolf[2] *v* лапам/гълтам/поглъщам лакомо; нагъвам (*храна*).

wolf-dog ['wulfdɔg] *n* куче вълча порода.

wolf-hound ['wulfhaund] *n* голяма ловджийска хрътка.

wolfish ['wulfiʃ] *a* вълчи (*за апетит*).

wolf-pack ['wulfpæk] *n* група атакуващи подводници/самолети.

wolfram ['wulfrəm] *n хим.* **1.** волфрам; **2.** тунгстен.

wolf's-bane ['wulfsbein] *n бот.* самакитка (Aconitum lycoctonum).

wolf's-claw, -foot ['wulfsklɔː, -fut] = **club-moss**.

wolfskin ['wulfskin] *n, a* (постелка, наметало и пр.) от вълча кожа.

wolf's-milk ['wulfsmilk] *n бот.* вид млечка (Euphorbia).

wolf-spider ['wulfspaidə] *n зоол.* паяк тарантул (Lycosidae).

wolf-whistle ['wulfwisl] *n* подсвирване, изразяващо възхищение от външността на намираща се наблизо жена.

wolverine ['wulvəriːn] *n* **1.** *зоол.* лакомец (Gulo gulo); **2.** *ам.* (жител/обитател на) щата Мичиган.

wolves *вж.* **wolf**.

woman ['wumən] *n* (*pl* **women** ['wimin]) **1.** жена; **born of** ~ смъртен; ~'**s/women's rights** равноправие на жените; **Women's Lib(eration)** движение за освобождаване на жената от подчиненото ѝ положение; **to play**

the ~ проявявам малодушие/страх, плача/държа се като жена; ~ **of the streets** проститутка; уличница; **2.** женственост; **there is little of the** ~ **in her** липсва ѝ женственост; **there is s.th. of the** ~ **in his character** има нещо женско в неговия характер; **3.** *attr* 1) женски, на женаta/жените; ~ **suffrage** избирателни права на жените; 2) *в съчет.:* ~ **doctor** лекарка; ~ **councillor/driver**, etc. жена съветник/шофьор и пр.; ~ **friend** приятелка; **4.** *като втора част на съчет.:* **country** ~ селянка; **needle** ~ шивачка; **5.** *ост.* придворна дама; **6.** „баба“ (*за мъж*); **7.** *диал.* = **wife**; **8.** чистачка.

woman-hater ['wumənheitə] *n* женомразец.

womanhood ['wumənhud] *n* **1.** състояние/зрялост на жена; **to grow to/reach** ~ израствам/превръщам се в/ставам жена; **2.** *събир.* жените, женският пол; **3.** отличителните качества/характер на жената/жените.

womanish ['wuməniʃ] *a* **1.** като жена (*в чувства, държание и пр.* — *за мъж*); слаб, мекушав; **2.** характерен/подхождащ по-скоро за жена, отколкото за мъж; женски; женствен.

womanize ['wumənaiz] *v* **1.** правя женствен/изнежен/мекушав; **2.** живея с много жени, женкар съм.

womankind, womenkind ['wumənkaind, 'wiminkaind] *n* жените; o.'**s** ~ всички жени от семейството/рода.

womanlike ['wumənlaik] *a* подхождащ/подобаващ на жена.

womanly ['wumənli] *a* **1.** = **womanlike**; **2.** нежен, съчувствен.

womb [wuːm] *n* **1.** *анат.* матка; **2.** утроба (*и прен.*); **in earth's** ~ в недрата на земята; **in the** ~ **of time** в неизвестното бъдеще.

wombat ['wɔmbæt] *n* австралийско двуутробно животно (Phascolomis).

women *вж.* **woman**.

womenfolk ['wimin,fouk] *pl* = **womankind**.

won *вж.* **win**[1].

wonder[1] ['wʌndə] *n* **1.** чудо; **to do/work** ~**s** върша чудеса; постигам изумителни резултати; **it is a** ~ **(that)** учудващо/цяло чудо е (че); **what/no/little/small** ~ **(that)** разбира се, естествено, нищо чудно (че); **for a** ~ като никога; **you are punctual for a** ~ и ти веднъж да си точен; **the** ~ **is** (това) което е учудващо, е...; ~**s will never cease** *ирон.* виж ти какви чудеса ставали; **2.** нещо предизвикващо учудване/възхищение; **travelling in space is one of the** ~**s of our times** пътуването в космоса е едно от чудесата на нашето време; **3.** учудване, удивление.

wonder[2] *v* **1.** чудя се, учудвам се (**at** на); чудно ми е (**that** че); **can you** ~ **at it?** чудно ли е? не се ли очакваше? **I shouldn't** ~ **if...** *разг.* не бих се изненадал, ако...; **2.** чудя се, питам се, интересувам се; **I** ~ **why** питам се/чудно защо; **I** ~**!** не вярвам, няма да се съмнявам; **I** ~ **whether you could tell me** дали бихте могли да ми кажете (*изразява неувереност при запитване*).

wonderful ['wʌndəful] *a* **1.** чудесен, забележителен, удивителен, възхитителен; учудващ, изненадващ; **2.** *разг.* много/необикновено добър; великолепен.

wonderland ['wʌndəlænd] *n* **1.** страна на чудесата, приказна страна; **2.** прекрасна страна/място.

wonderment ['wʌndəmənt] *n* **1.** учудване, удивление; изненада; **2.** интерес, любопитство.

wonder-stricken, -struck ['wʌndə,strikn, -,strʌk] *a* смаян, слисан, удивен, изумен.

wonder-worker ['wʌndə,wəːkə] *n* чудотворец.

wondrous[1] ['wʌndrəs] *poet.* = **wonderful.**

wondrous[2] *adv poem., рет.* чудно, удивително; ~ **beautiful** дивно хубав.

wonky ['wɔŋki] *a sl.* **1.** нестабилен, неустойчив; несигурен; **2.** нездрав, разклатен (*и прен.*); **she still feels a bit ~ after her illness** тя все още се чувствува нещо недобре след боледуването си; **3.** неуверен, колеблив; ненадежден; **4.** погрешен.

wont[1] [wount] *n* навик, обичай; **according to o.'s ~** по навик; **it is my ~ to** свикнал съм/имам обичай да; **I went to bed earlier than was my ~** легнах си по-рано от обикновено; **use and ~** обичайна практика; навик, привичка.

wont[2] *predic a* свикнал, навикнал; **as he was ~ to say** както беше свикнал/имаше навик да казва, както той често казваше.

wont[3] *v* (**wont** и **wonted**) *ост.* **1.** привиквам, приучвам; **2.** свикнал съм/имам навик да.

won't [wount] *съкр. от* **will not.**

wonted ['wountid] *a* обичаен, привичен; обикновен.

woo [wu:] *v книж.* **1.** ухажвам (*жена*); **2.** стремя се да спечеля; домогвам се до (*слава, успех и пр.*); придумвам, увещавам, уговарям; **to ~ o.'s pillow** мъча се да заспя.

wood [wud] *n* **1.** гора; **out of the ~** *прен.* излязъл от трудно положение, вън от опасност; **cannot see the ~ for the trees** не виждам цялото/същественото от многото подробности; **2.** дърво, дървен материал; дървесина; дърва; **to knock on/to touch ~** чукам на дърво, „да не чуе дяволът"; **in the ~** в/от бъчва (*за вино*); **3.** = **wood-wind; 4.** *сп.* дървена пръчка за голф; дървена топка за кегли; **5.** *attr* от/за/на дърво; който работи с дърво.

wood-alcohol ['wud,ælkəhɔl] *n* дървесен спирт.

wood anemone ['wudə,neməni] *n бот.* дива анемония, горска съсенка (Anemone quinquefolia).

woodbine ['wudbain] *n бот.* орлови нокти (Lonicera).

wood-block ['wudblɔk] *n* **1.** дървено блокче; **2.** *печ.* дървено клише.

woodcarving ['wudka:viŋ] *n* дърворезбарство; дърворезба.

woodcock ['wudkɔk] *n зоол.* вид бекасина (Scolpax); **2.** *ост.* глупак.

woodcraft ['wudkra:ft] *n* **1.** познаване на гората и горските условия; умение за ориентиране в гора (*при лов и пр.*); **2.** дърводелска опитност/умение.

woodcut ['wudkʌt] *n* **1.** гравюра върху дърво; **2.** илюстрация от гравюра (*в книга и пр.*).

woodcutter ['wudkʌtə] *n* **1.** дървар, секач; **2.** художник, който прави гравюри върху дърво.

wooded ['wudid] *a* горист, залесен.

wooden ['wudn] *a* **1.** дървен, от дърво; дъсчен; **2.** *прен.* вдървен, замръзнал, неизразителен (*за усмивка и пр.*); **3.** *прен.* вдървен, тромав, скован (*за държане*); **4.** трудноприспособим, неотстъпчив (*за характер*).

wood-engraver ['wudin,greivə] *n* **1.** гравьор на дърво; **2.** *зоол.* бръмбар, който се завира под кората на дърветата и ги прояжда.

wooden head ['wudnhed] *n* глупак, тъпак.

wooden-headed ['wudnhedid] *a* глупав, тъп.

woodenware ['wudnwɛə] *n ам.* дървени изделия (*домашни потреби*).

wood-fibre ['wudfaibə] *n* дървесина (*особ. като материал за получаване на хартия*).

wood-free ['wudfri:] *a* холцфрай (*за хартия*).

wood-gas ['wudgæs] *n* дървесен газ.

wood-grouse ['wudgraus] *n* див петел, глухар (Tetrao urogallus).

woodland ['wudlænd] *n* **1.** гориста местност; гори; **2.** *attr* горски.

woodlouse ['wudlaus] *n* (*pl* **-lice** [-lais]) *зоол.* мокрица.

woodman ['wudmən] *n* (*pl* **-men**) **1.** дървар, секач; **2.** горски работник.

wood-notes ['wudnouts] *n pl* птичи хор; **2.** спонтанна/безизкуствена поезия.

wood-nymph ['wudnimf] *n* **1.** горска нимфа, дриада, самодива; **2.** вид пеперуда.

woodpecker ['wudpekə] *n зоол.* кълвач.

woodpie ['wudpai] *n зоол.* голям пъстър кълвач.

wood-pigeon ['wud,piʤin] *n* див гълъб, гривяк (Columba palumbus).

woodruff ['wudrəf] *n бот.* лазаркиня (Asperula odorata).

woodshed ['wudʃed] *n* барака за дърва.

woodsman ['wudzmən] *n* (*pl* **-men**) **1.** човек, който живее/работи в/обича да броди из гората; **2.** опитен в дърводелството човек.

wood sorrel ['wud,sɔrəl] *n бот.* киселец (Oxalis acetosella).

wood spirit ['wud,spirit] = **wood alcohol.**

woodsy ['wudzi] *a ам.* горски, характерен за гората; горист.

woodwind ['wudwind] *n муз.* дървените духови инструменти в оркестър.

wood-wool ['wudwul] *n* дървесна/елова вата.

woodwork ['wudwə:k] *n* **1.** дървени изделия; **2.** дървени части, дървения (*на сграда*); **3.** дърводелство.

woody ['wudi] *a* **1.** дървен, от дърво/дървесина; като дърво; **2.** обрасъл с гори, горист; **3.** дървесен.

wooer ['wu:ə] *n книж.* ухажор; жених.

woof [wu:f] *n* вътък; тъкан (*и прен.*).

wool [wul] *n* **1.** вълна; руно; **2.** вълнена прежда/плат/трико/дрехи; вълнено; **3.** *шег.* руно, гъста къдрава коса; **to lose o.'s ~** *разг.* ядосвам се, разгневявам се; **4.** *attr* вълнен; **5.** нещо, прилично на вълна; □ **to pull the ~ over s.o.'s eyes** измамвам/изигравам някого; **much cry and little ~** много приказки/усилия за нищо; **to go for ~ and come home shorn** връщам се с подвита опашка; **all ~ and a yard wide** *ам. разг.* самата истина, чиста работа.

wool-fat ['wulfæt] *n* ланолин.

wool-fell ['wulfel] *n* овча и пр. кожа с вълната.

wool-gathering ['wul,gæðəriŋ] **I.** *a* разсеян, заплеснат; витаещ в облаците; **II.** *n* разсеяност, заплеснатост, занесеност; замечтаност.

wool-grower ['wul,grouə] *n* овцевъд, производител на вълна.

woollen[1] ['wulən] *a* направен от вълна, вълнен.

woollen[2] *обик. pl* вълнена дреха, вълнено бельо; вълнени платове; (изделия от) вълнена материя (*одеяла и пр.*).

woolly[1] ['wuli] *a* **1.** като вълна, вълнен; вълнест; покрит с вълна, власат; **2.** *прен.* неясен, смътен; замазан (*за рисунка, очертания*); объркан, неясен (*за ум, идея, аргумент*); *телев.* неконтрастен (*за образ, картина*).

woolly[2] *n* **1.** вълнена дреха, *особ.* пуловер, жилетка; **2.** *ам. обик. pl* бельо от вълнено трико.

woolly-bear ['wuli,bɛə] *n* голяма власата гъсеница.

woolly-headed ['wulihedid] *a* **1.** с гъста вълнеста коса; **2.** *прен.* объркан, смутен.

wool-oil ['wulɔil] *n* естествена мазнина на овчата вълна.

wool-pack ['wulpæk] *n* **1.** бала вълна; **2.** *метеор.* пухкав кълбест облак.

woolsack ['wulsæk] *n* **1.** напълнена с вълна възглавница, на която седи председателят на Камарата на лордовете; **to take seat on the** ~ откривам заседание на Камарата на лордовете; **2.** пост на лорд-канцлер; **to reach the** ~ ставам лорд-канцлер.

wool-skin ['wulskin] = **wool-fell.**

wool-sorter's disease ['wulsɔ:tə'z di'zi:z] *n* белодробен антракс.

wool-stapler ['wulsteiplə] *n* търговец, който изкупва вълна от производителя, сортира я и я продава на индустриалците.

wool-work ['wulwək] *n* бродиране/бродерия с вълна.

woozy ['wu:zi] *a ам. разг.* замаян; неустойчив; леко пийнал.

wop [wɔp] *n ам. sl.* имигрант от Южна Европа, *особ.* италианец.

word[1] [wə:d] *n* **1.** дума, слово; ~ **for** ~ 1) дума по дума; 2) *attr* буквален, дума по дума (*за превод и пр.*); **to a** ~ дословно, точно, буквално; **in a** ~ с една дума, накратко казано; **in a few** ~**s** с няколко думи, накратко; **in other** ~**s** с други думи (казано), т. е.; **in the** ~**s of...** според/по думите на ..., както казва ...; **to put o.'s thoughts in** ~**s** изразявам с думи/давам устен писмен израз на мислите си; **a man of few** ~**s** мълчалив/неразговорлив човек; **not to have a** ~ **to throw at a dog** мълча като пън, не си отварям устата, ужасно съм мълчалив; **to make few** ~**s of s.th.** не говоря много-много/мълча си за нещо; **to get/put in a** ~ казвам и аз нещо; **to say/to put in a good** ~ **for s.o.** казвам една добра дума за/препоръчвам някого; **to put** ~**s into s.o.'s mouth** 1) казвам/подсказвам някому какво да каже; 2) приписвам някому думи, твърдя, че е казал нещо; **with/at these** ~**s** при/с/като каза тези думи; **too silly, etc. for** ~**s** неизказано/безкрайно глупав и пр.; **beyond** ~**s** неизказан, неизразим, неописуем; **a play upon** ~**s** игра на думи, игрословица, каламбур; **the last** ~ последната/решаващата дума/мнение; **hard** ~**s** тежки/сурови думи; **hard** ~**s break no bones** дума дупка не прави; **big** ~**s** големи приказки, хвалби, самохвалство; **unable to put two** ~**s together** неспособен да каже две (свързани) думи; **2.** *често pl* разговор, спор; **to have a** ~ **with** поговорвам/поприказвам с; **to have** ~**s with** споря/карам се/скарвам се с; **to come to high** ~**s** стигам до обиди; ~**s ran high** спорът/кавгата се разгорещи; **3.** дума, обещание; **to give/pledge o.'s** ~ давам дума, обещавам, вричам се; **to keep/break o.'s** ~ удържам/не удържам (на) обещанието си; **a man of his** ~ човек, който държи на думата си; **to be as good as o.'s** ~ винаги изпълнявам обещанието си; **to be better than o.'s.** ~ правя повече, отколкото съм обещал; ~ **of honour** честна дума; **upon my** ~**!** честна дума! ей богу! **I give you/(you may) take my** ~ **for it** вярвай ми; **to take s.o. at his** ~ повярвам на/хващам се за думите/обещанието на някого; **4.** заповед, нареждане; ~ **of command** *воен.* команда; **to give/say the** ~ давам нареждане, заповядвам; **5.** вест, известие; съобщение; **to send** ~ **to s.o.** съобщавам някому, уведомявам някого; ~ **came that/of** дойде вест, че/за; **the** ~ **is/**~ **has it that** съобщава се/говори се, че; **to send/leave** ~ **that/of** изпращам съобщение/оставям бележка, че/за; **I have had no** ~ **from him** не ми е писал/не ми се е обаждал; **6.** парола; девиз; лозунг, мото; **7. the W. (of God), God's** ~ *рел.* Светото писание, християнското учение.

word[2] *v* изразявам устно/писмено; правя подбор на думите си; **a politely** ~**ed suggestion** учтиво формулирано предложение.

word blind ['wə:dblaind] *a* загубил способността си да разбира написани думи (*вследствие мозъчно заболяване*).

word-book ['wə:dbulk] *n* **1.** речник; **2.** *муз.* либрето.

word-deaf ['wə:d,def] *a* загубил способността си да разбира чутите думи (*вследствие мозъчно заболяване*).

word-formation['wə:dfɔ:,meiʃn] *n* словообразуване.

wordily ['wə:dili] *adv* многословно, надълго и широко.

wordiness ['wə:dinis] *n* многословие.

wording ['wə:diŋ] *n* начин на изразяване; подбор на думи; формулировка.

wordless ['wə:dlis] *a* неизразен/неизразим с думи; безмълвен.

wordmonger ['wə:dmʌŋgə] *n* писател, който употребява безразборно думи.

wordorder['wə:d,i:də] *n* словоред.

word-painting ['wə:d,peintiŋ] *n* живо/образно описание.

word-perfect ['wə:d,pə:fikt] *a* **1.** запаметил точно/знаещ наизуст (*урок, роля, реч и пр.*); **2.** точно запаметен.

word-picture ['wə:d,piktʃə] *n* живо/образно описание.

word-play ['wə:dplei] *n* игра на думи, каламбур.

word-splitting ['wə:dsplitiŋ] *n* педантичност при подбор на думи и пр.

word-square ['wə:dskwεə] *n* магически квадрат (*вид кръстословица*).

word-stock ['wə:dstɔk] *n* речников състав; речникът/запасът от думи, с които човек си служи; **basic** ~ основен речников фонд.

wordy ['wə:di] *a* многословен; разточен (*за стил*).

wore *вж.* **wear**[1].

work[1] [wə:k] *n* **1.** работа; труд; **to be at** ~ на работа съм; работя; в действие съм; **forces at** ~ действуващи/движещи сили; **there is some secret influence at** ~ тук действува/има някакво скрито влияние; **to be kept hard at** ~ имам много работа; **he is hard at** ~ **writing** той усилено пише; **to get/set to** ~ заемам се/залавям се за/започвам работа; **to set s.o. to** ~ карам някого да работи, намирам му работа; **I don't know how to set/go about my** ~ не зная как да започна/подхвана работата си; **out of** ~ безработен; **in regular** ~ на редовна/постоянна работа; **in and out** ~ непостоянна работа; **thirsty/dry** ~ уморителна работа (*която те кара да ожадняваш*); **warm** ~ напрегната/опасна работа; ожесточено сражение; **a** ~ **of time** дълга/продължителна работа; **to make hard** ~ **of s.th.** правя нещо да изглежда потрудно, отколкото е; **to make good** ~ **of s.th.** добре се справям с нещо; **to make short** ~ **of s.th.** свършвам бързо/виждам бързо сметка на нещо; **day's** ~ (едно) дневна/всекидневна работа; **it's all in the day's** ~ това е нещо обикновено/всекидневно; **you did a good day's** ~ **when you bought that house** добра работа свърши/добре направи, като купи тази къща; **2.** работа, ръкоделие, бродерия, плетиво; **3.** работа, труд, съчинение, произведение, творба; творчество; **the** ~**s of** събраните съчинения/произведения/трудове на; **a** ~ **of art** произведение на изкуството; **a** ~ **of genius** гениално произведение; **4.** дело, деяние; **good** ~**s** добри дела/постъпки; **dirty** ~**s** подлости, низости, мръсни дела; **5.** *физ.* работа; **6.** въздействие, ефект; **the drug has done its** ~ лекарството подействува; **7.** *pl* строежи; **public** ~**s** обществени строежи; **8.** *pl* укрепления; **9.** *pl* механизъм (*на часовник и пр.*); **to give s.o. the** ~**s** *прен.* давам/казвам на някого всичко; убивам някого; **10.** *pl обик. с гл.*

в sing фабрика, завод; **11.** *шег.* вътрешни органи, стомах; **12.** *ост.* мина; **13.** изработен по някакъв начин предмет/(част от) украса на предмет (*от дърво, метал, камък и пр.*); **bright ~** полирани метални части; **14.** *ост.* изработка.

work² *v* (*pt, pp и* **wrought** [rɔːt]) **1.** работя, занимавам се (**at, on** с, над, върху); **to ~ against time** работя ускорено, мъча се да свърша навреме; **2.** изработвам; ушивам, бродирам (**in** с — *за материала*); **3.** работя/функционирам правилно; действувам; движа се, върви (*за механизъм и пр.*); **4.** въздействувам; постигам/давам резултат, успявам (*за средство, план и пр.*); **it won't ~!** това няма да го бъде/да стане! **5.** кипя, ферментирам; **6.** движа се, проправям си път (*обик. с наречие*); **7.** движа (се), свивам (се), гърча (се); **his features were ~ing convulsively** лицето му се свиваше конвулсивно; **he ~ed his jaws** той движеше челюстите си; **8.** карам да работи; **to ~ o.s. to death** съсипвам се/изтрепвам се от работа; **to ~ o.'s men too hard** карам хората си да работят прекалено много, преуморявам ги; **9.** ръководя, управлявам, контролирам; стопанисвам (*машина, къща и пр.*); **10.** експлоатирам (*мина и пр.*); обработвам (*земя и пр.*); върша определена работа (*агитация и пр.*) в даден район; **11.** смятам, пресмятам; решавам (*задача*); **12.** меся, омесвам; кова, изковавам; мачкам; **13.** преработвам; оформям (**into** в); **14.** вмъквам, вмествам (*пасаж и пр.*) (**into** в); **15.** донасям, докарвам, причинявам, създавам; **to ~ s.o.'s ruin** погубвам/съсипвам някого; **16.** правя, върша, извършвам (*чудеса и пр.*); **I'll ~ it (if I can)** *sl.* всякак ще го направя/постигна (стига да мога); **17.** получавам срещу/откупвам с работа; **to ~ o.'s passage on a ship** отработвам си билета/пътуването с кораб; **to ~ o.'s way through college** работя, за да се издържам в университета; **18.** придвижвам се, докарвам (*до някакво положение, състояние*); **the rain had ~ed through the roof** дъждът постепенно беше проникнал през покрива; **the nut ~ed itself loose** гайката се разхлаби от само себе си; **to ~ o.s. into a rage** постепенно се докарвам до състояние на ярост, „навивам се";

work away работя без прекъсване; продължавам да работя;

work down 1) смъквам се/свличам се постепенно (*за чорапи и пр.*); **to ~ o.'s way down** слизам/смъквам се внимателно/предпазливо; 2) намалявам, оформям (*чрез дялане и пр.*);

work in 1) вмъквам, вмествам (се); 2) съгласувам (се); комбинирам (се); съвпадам; 3) прониквам (*за прах и пр.*); 4) **to ~ o.s. in as** готвя се, подготвям се за;

work off 1) отървавам се от (*стари, излишни стоки и пр.*); изразходвам (*излишна енергия и пр.*); **to ~ off o.'s fat** смъквам излишните си тлъстини; 2) пробутвам (**s.th. on s.o.** някому нещо); 3) изкарвам си (*яда и пр.*) (**on** на); 4) откачам се, измъквам се; 5) отработвам (*дълг и пр.*); 6) постепенно намалявам/изчезвам (*за болка и пр.*); 7) **to ~ o.'s head off** работя бясно/без почивка;

work on 1) = **work away**; 2) основавам се на (*данни и пр.*); 3) влияя на, въздействувам на/върху; раздвижвам, развълнувам;

work out 1) изчислявам, пресмятам; 2) излизам; възлизам (*за сума*); имам решение (*за задача*); 3) изчерпвам (*мина, тема, чувство и пр.*); изтощавам (*някого*) с работа; 4) постигам с усилие; уреждам (се); 5) **to ~ out o.'s time** свършвам чиракуването си; отработвам наказанието си; 6) разработвам (*идея, план и пр.*); 7) излизам/измъквам (се) постепенно; **your blouse has ~ed out** блузата ти се е измъкнала/е изскочила (*от полата*); 8) излизам, свършвам, приключвам; **how will things ~ out?** как ще се развият/свършат нещата? 9) упражнявам се, тренирам (*за състезание*); 10) разбирам, проумявам (*нещо*);

work over 1) подлагам на основно препитване/изучаване и пр.; 2) преработвам (*пиеса и пр.*); 3) *разг.* малтретирам; набивам жестоко;

work round 1) изменям посоката си, обръщам се (*за вятър*); 2) променям отношението/мнението/становището си; 3) заобикалям (*хълм и пр.*);

work through пробивам/проправям си път (*и прен.*);

work up 1) изграждам/създавам (си)/изработвам (си) (постепенно/с усилие) (*име*); придобивам (*практика*); 2) подготвям; развивам, разгръщам; изработвам; 3) причинявам, предизвиквам; възбуждам, събуждам (*интерес, ентусиазъм и пр.*); вълнувам, раздвижвам; подстрекавам, подбуждам, насъсквам (**against** срещу); 4) изучавам основно; 5) напредвам бързо, вървя нагоре, изкачвам се (**to** към); покачвам (се), повишавам (се) (*за скорост и пр.*); 6) разработвам, придавам завършен вид на (*статия, драматична ситуация и пр.*); обработвам (*суров материал*); 7) размесвам, смесвам (*съставни части);*

work upon = **work on.**

workable ['wəːkəbl] *a* **1.** годен за обработване; **2.** използваем; **3.** приложим, изпълним.

workaday ['wəːkədei] *a* делничен, всекидневен, обикновен; прозаичен.

work-bag ['wəːkbæg] *n* **1.** торба/чанта за инструменти и пр.; **2.** = **work-basket.**

work-basket, -box ['wəːk‚baːskit, -bɔks] *n* кошничка/кутия/торбичка за ръкоделие и пр.

workday ['wəːkdei] *n* работен/присъствен ден, делник.

worker ['wəːkə] *n* **1.** работник, трудещ се; **2.** мравка/пчела работничка.

workhouse ['wəːkhaus] *n* **1.** приют за бедни; **2.** *ам.* изправителен дом.

working¹ ['wəːkiŋ] *a* **1.** работещ; работен; работнически; отнасящ се до работа; ~ **capacity** трудоспособност; ~ **capital** *пол. ик.* оборотен капитал; ~ **clothes** работно облекло; ~ **drawing/plan** архитектурен/строителен план, скица; ~ **expenses** общи разходи; ~ **efficiency** производителност на труда; ~ **hours** работно време; ~ **load** полезен товар; ~ **method** метод на работа; ~ **party** проучвателна комисия от експерти; ~ **speed** нормална скорост; ~ **week** работна седмица; ~ **breakfast/lunch/dinner** делова закуска/обед/вечеря; **in ~ order** в изправност; **2.** с който може да се работи; временен, практичен; ~ **hypothesis** работна хипотеза; ~ **knowledge** достатъчни знания за дадена работа; ~ **majority** *пол.* достатъчно/необходимо мнозинство.

working² *n* **1.** работа; (начин на) действие; функциониране; **2.** движение (*на влакове*); **3.** управление (*на машина, кораб и пр.*); **4.** експлоатация на (част от) мина/кариера; **5.** *мин.* забой; **6.** обработване (*на дърво,*

метал и пр.); 7. движение; **the ~s of a face** потрепер-
ване на мускулите на лицето; 8. ферментация.

working class ['wə:kiŋˌklɑ:s] *n* работническа класа, проле-
тариат.

working day ['wə:kiŋdei] = **workday.**

working man ['wə:kiŋmæn] *n* (*pl* **-men**) работник, трудещ
се.

working-out ['wə:kiŋaut] *n* 1. изработване; детайлна разра-
ботка; 2. изчисление, решение (*на задача*); 3. изпъл-
нение.

workless ['wə:klis] *a* 1. без работа, незает с нищо; 2. безрабо-
тен.

workman ['wə:kmən] *n* (*pl* **-men**) 1. (добър, лош и пр.) ра-
ботник; 2. майстор; 3. занаятчия.

workmanlike ['wə:kmənlaik] *a* характерен за/подобаващ
на добър работник/майстор; добре изпипан; изку-
сен.

workmanship ['wə:kmənʃip] *n* 1. умение, майсторство,
майсторлък; 2. (изкусна/майсторска) изработка; 3.
работа, произведение, творба; **articles of poor ~** ло-
шо/неумело направени неща.

work-out ['wə:kaut] *n сп.* тренировка.

work-people ['wə:kˌpi:pl] *n pl* работници, трудещи се.

workpiece ['wə:kpi:s] *n* продукт в процес на (машинна) из-
работка.

work-room ['wə:krum] *n* стая/помещение за работа.

workshop ['wə:kʃɔp] *n* 1. работилница; цех; 2. = **work-
room;** 3. секция; семинар, симпозиум.

workshy ['wə:kʃai] *a* който бяга от работа; мързелив, ле-
нив.

work stoppage ['wə:kˌstɔpidʒ] *n ам.* спонтанно протестно
прекратяване на работа.

work-table ['wə:kteibl] *n* масичка за шев.

work-up ['wə:ˌkʌp] *n печ.* петно от мастило в текст.

workwoman ['wə:kwumən] *n* (*pl* **-women** ['wimin]) работнич-
ка.

workweek ['wə:kwi:k] *n* работна седмица; **a five-day ~**
петдневна работна седмица.

work-worn ['wə:kwɔ:n] *a* уморен от работа, отруден.

world [wə:ld] *n* 1. земното кълбо, земята, планетата;
вселената; планета, звезда; свят, мир; **this ~** този
свят; **the other/next ~, the ~ to come** другият/оня
свят; **the ~ around** околният свят; **the Old W.** Ев-
ропа, Азия и Африка; **the New W.** Америка; Запад-
ното полукълбо; **the lower ~** подземният свят,
адът; **in the ~** на/в света; **all over the ~, the ~
over** из/по целия свят; **not for (all) the ~** за нищо
на света, по никакъв начин; **to come into the ~**
раждам се, появявам се на бял свят; **to bring into
the ~** раждам, създавам; **for all the ~ like** съвсем/
досущ като; 2. общество, свят; кръг от хора; сре-
ди; **the great ~** висшето общество; **a man/woman of
the ~** светски човек/жена, човек с житейски опит;
all the ~ and his wife 1) всички видни хора; 2) *шег.*
всички без изключение; сума народ; **how goes
the ~ with you? how is the ~ treating/using you?** как
си? как я караш? какво ново към теб? **let the ~
wag (as it will)** нека хората си приказват, каквото
си щат; **to come up/get on/rise in the ~** успявам
бързо в живота, издигам се; **the mineral/
plant/animal ~** минералният/растителният/живо-
тинският свят; **the business ~** търговският свят; **the
literary ~, the ~ of letters** литературните среди; **a
citizen of the ~** космополит; 3. *за усилване:* **what in
the ~?** какво за бога/дявол го взел? **a ~ too
big/small, etc.** прекалено голям/малък и пр.; 4. *attr*
световен, светски, всесветски, миров; **~ problems**
световните проблеми; **~ peace** световен мир; □ **to**

the ~ *sl.* съвсем, крайно; **to be tired/drunk to the ~**
уморен до смърт/кьоркютук пиян съм; **s.th. out of
this ~** нещо величествено, грандиозно, неземно;
a ~ of огромно количество, брой; извънредно
много; **to think the ~ of s.o.** имам високо мнение
за/ценя/обичам извънредно много някого, нами-
рам, че е чудесен; **~ without end** вечно, завинаги;
to make the best of both ~s извличам полза отвся-
къде/от всичко; **the ~, the flesh and the devil** всички
земни изкушения/съблазни.

world-beater ['wə:ldˌbi:tə] *n* 1. най-добрият в света; 2. шам-
пион.

world-class ['wə:ldklɑ:s] *a* от най-висок калибър, от светов-
на класа.

world-famous ['wə:ldfeiməs] *a* световно известен.

worldling ['wə:ldliŋ] *n* материалист, земен човек.

worldly ['wə:ldli] *a* 1. материален; земен; **~ goods** земни
блага, собственост; 2. от този свят, светски; 3. мате-
риалистичен; **~ wisdom** практичност; обиграност;
житейски опит; **~ wise** практичен; обигран; с голям
житейски опит.

world-old ['wə:ldould] *a* стар като света.

world power ['wə:ldˌpauə] *n пол.* велика сила.

world series ['wə:ldˌsiəri:z] *n* ежегоден бейзболен шампио-
нат.

world's fair ['wə:ldzˌfɛə] *n* международен панаир, светов-
но изложение.

worldview ['wə:ldˌvju:] *n* мироглед, философия.

world-weary ['wə:ldˌwiəri] *a* уморен от живота; отегчен.

world-wide ['wə:ldwaid] *a* разпространен по целия свят;
световно известен; световен.

worm[1] [wə:m] *n* 1. червей, глист (*и прен.*); **poor ~ like
him** такова жалко същество като него; **(even) a ~
will turn** търпението си има граници; и червей да
настъпиш, и той ще си повдигне главата; **~'s-eye
view** ограничен поглед/перспектива; 2. нещо, което
гризе/измъчва човека отвътре; презряно/противо-
но/нещастно същество; 4. *тех.* червяк, червячен вал;
5. *зоол.* връзка под езика на куче.

worm[2] *v* 1. пълзя като червей; провирам се/промъквам
се бавно/търпеливо/с усилие; **to ~ o.s. into s.o.'s
confidence/favour** влизам под кожата на някого;
2. изчоплям, изтъврквам, измъквам (*тайна и пр.*)
(out of/from s.o. от някого); 3. очиствам от паразити
(*растение, куче и пр.*).

worm-cast ['wə:mkɑ:st] *n* купчинка пръст, изхвърлена от
земен червей.

worm-eaten ['wə:mˌi:tn] *a* 1. прояден от червеи; червясал,
червив; 2. остарял, овехтял (*и прен.*).

worm fence ['wə:mfens] = **snake fence.**

worm-fishing ['wə:mfiʃiŋ] *n* ловене на риба с червеи за
стръв.

worm-gear ['wə:mgiə] *n тех.* червячна предавка.

worm-hole ['wə:mhoul] *n* дупка, прояден от червей (*в дър-
во, плод и пр.*).

worm-seed ['wə:msi:d] *n* растение, семето на което се упот-
ребява като средство против глисти.

worm-wheel ['wə:mwi:l] *n тех.* червячно колело.

wormwood ['wə:mwud] *n* 1. *бот.* пелин (Artemisia); 2. голя-
мо огорчение, горчивина, мъка, обида.

wormy ['wə:mi] *a* 1. подобен на червей; 2. пълен с червеи;
прояден от червеи, червясъл.

worn *вж.* **wear**[1].

worn-out ['wə:naut] *a* 1. износен, изхабен, овехтял; 2. *прен.*
изтъркан, банален, демодиран.

worried ['wʌrɪd] *a* разтревожен, неспокоен, загрижен.

worrier ['wʌrɪə] *n* човек, който много/постоянно и за всичко се безпокои.

worriment ['wʌrɪmənt] *n* безпокойство, грижа, тревога.

worrisome ['wʌrɪsəm] *a* 1. безпокоен; тревожен; 2. обезпокоителен, причиняващ тревога.

worrit ['wʌrɪt] = worry.

worry[1] ['wʌrɪ] *v* 1. тревожа (се), безпокоя (се); не давам/нямам мира/спокойствие; дразня, ядосвам, тормозя; **to wear a worried look** изглеждам разтревожен/угрижен/неспокоен; **I should** ~ *разг.* хич не ме засяга, не ме е грижа; **not to** ~ *разг.* няма причина за безпокойствие, не се тревожи; **to** ~ **along/through** *разг.* преодолявам трудности, оправям се; постигам с упоритост; 2. хапя, давя, душа, ръфам (*плячка — за куче*).

worry[2] *n* 1. грижа, тревога, безпокойство; неприятности; 2. причина за/причинител на тревога/безпокойство; 3. давене, душѐне (*на плячка от куче*).

worry-beads ['wʌrɪbiːdz] *n pl* броеница.

worry-guts, -wart ['wʌrɪgʌts, -wɔːt] *разг.* = worrier.

worse[1] [wɜːs] *a сравн. ст. от* **bad**[1] по-лош; **to grow/become/get, etc.** ~ влошавам се; **I am/feel** ~ **today** днес се чувствам/съм по-зле; **to be none/not a penny the** ~ **for it** никак не ми е по-зле/няма ми нищо от това; **to make it/matters** ~ не стига това, ами, на всичкото отгоре; **the** ~ **for** повреден/влошен/изхабен от (*употреба и пр.*); ~ **luck!** разочарование, неуспех и пр. тюх! язък!

worse[2] *adv срав. ст. от* **bad**[2], **badly** 1. по-зле, по-лошо; ~ **and** ~ все по-зле и по-зле; **to be** ~ **off** по-зле/по-беден съм; **so much the** ~ толкова по-зле (**for** за); **I like her none the** ~ **for being outspoken** аз още повече я обичам заради откровеността ѝ; 2. *за усилване:* **she hates me** ~ **than before** тя ме мрази още по-силно отпреди; **it's raining** ~ **than ever** страшно силно вали.

worse[3] *n* нещо по-лошо; **he had** ~ **to tell** той имаше да казва/да съобщи нещо още по-лошо; ~ **followed** последва нещо по-лошо; ~ **cannot happen** от това по-лошо нещо не може да се случи; **you might do** ~ **than (to) accept** няма да сбъркаш, ако се съгласиш; **the** ~ поражение; **a change for the** ~ влошаване (*на положение и пр.*).

worsen ['wɜːsn] *v* влошавам (се).

worship[1] ['wɜːʃɪp] *n* 1. уважение, почит; преклонение, култ; обожаване, обожание, боготворене; **men of** ~ видни/уважавани хора; **the** ~ **of wealth/intellect, etc.** преклонение пред/култ към богатството/интелекта и пр.; 2. богослужение, литургия; **places of** ~ църкви и параклиси; **public** ~ църковна служба; **freedom of** ~ свобода на религията; 3. *ост.* почетна титла на някои длъжностни лица; **Your/His W.** Ваша/негова милост (*и ирон.*).

worship[2] *v* (-pp) 1. почитам, уважавам, тача; прекланям се пред, въздигам в култ; обожавам, боготворя; 2. участвувам в/посещавам богослужение; моля се в църква/храм; **to** ~ **at a church** черкувам се.

worshipful ['wɜːʃɪpful] *a ост.* почитан, почитаем, уважаем (*като почетна титла на някои длъжностни лица*).

worshipper ['wɜːʃɪpə] *n* богомолец.

worst[1] [wɜːst] *a прев. ст. от* **bad**[1] най-лош; най-неприятен, най-неблагоприятен и пр.

worst[2] *adv прев. ст. от* **bad**[2], **badly** най-лошо, най-зле.

worst[3] *n* най-лошото; най-лошата част/страна и пр. (*на нещо*); **if the** ~ **comes to the** ~, *ам.* **if worse comes to** ~ ако се случи най-лошото; **the** ~ **is yet to come** това още не е най-лошото, лошото тепърва ще дойде; **at (the)** ~ в най-лошия случай; **to get/have the** ~ **of it** претърпявам поражение; **the** ~ **of it is that** най-лошото (от цялата работа) е, че; **do your** ~ хайде направи/покажи най-лошото, на което си способен.

worst[4] *v* надвивам, побеждавам; вземам връх над.

worsted ['wustɪd] **I.** *a* камгарен; **II.** *n* 1. камгарна прежда; 2. камгарен плат.

worth[1] [wɜːθ] *a predic* 1. имащ (известна) стойност; на стойност, струващ; **to be** ~ **much** струвам много; **to be** ~ **little** не струвам много, нямам голяма стойност; **it's** ~ **it/the trouble** струва си/заслужава си труда; **I pass the news on to you for what it is** ~ предавам ти новината такава, каквато е (*без гаранция за нейната достоверност*); **it is well/hardly** ~ положително/едва ли си струва (*с ger* да); **not** ~ **a bean/button/curse/damn/farthing/fig/groat/halfpenny/hoot/pin/pinch of salt/whoop/**ам. **a (red) cent/a continental** неструващ пукната пара/пет пари/нищо; **for all one is** ~ *разг.* с всички сили; 2. който има/притежава нещо; **to be** ~ **a million pounds** имам един милион лири; **to spend all one is** ~ **on** похарчвам всичко, което имам за; **he died** ~ **five million pounds** той остави след смъртта си пет милиона лири.

worth[2] *n* 1. стойност, цена; равностойност; **of great** ~ много ценен; **of little/not much** ~ (почти) без стойност; **true** ~ **often goes unrecognized** истински ценното нещо често остава незабелязано/неоценено; 2. ценност, ценни качества; достойнство; **a man of** ~ достоен/заслужаващ уважение човек; **to be aware of o.'s** ~ зная си цената; 3. количество, равностойно на дадена сума; **a pound's** ~ **of apples** ябълки за една лира; **it's not** ~ **the paper it's printed on** не си заслужава/струва хартията, на която е напечатано.

worth[3] *v ост.:* **woe** ~ да бъде проклет (*денят, часът и пр.*).

worthily ['wɜːðɪli] *adv* с достойнство, достойно.

worthless ['wɜːθlɪs] *a* 1. без стойност, нищо неструващ, нищо и никакъв; 2. безполезен; 3. негоден за нищо, некадърен; безотговорен; презрян.

worthwhile ['wɜːθ'waɪl] *a* който си струва/заслужава (*времето, труда и пр.*).

worthy[1] ['wɜːðɪ] *a* 1. заслужаващ (**to** *с inf*); достоен (**of** за); **a cause** ~ **of support/to be supported** кауза, която заслужава подкрепа/да бъде подкрепена; **a man who is** ~ **to have a place in Parliament** човек, който заслужава да бъде член на парламента; 2. подходящ, подобаващ, съответствуващ; достоен; способен; **in words** ~ **of/**ост. ~ **the occasion** с подходящи за случая думи; **he is not** ~ **of her** той не е достоен за нея/не я заслужава; 3. честен, почтен, добър; уважаем, достопочтен (*често ирон.*); 4. *в сложни думи.* 1) в изправност, годен; **sea** ~ годен за плаване (*за кораб*); **road** ~ в изправност (*за превозно средство*); 2) заслужаващ, достоен за; **blame/praise** ~ заслужаващ укор/похвала; **note** ~ заслужаващ да бъде отбелязан.

worthy[2] *n* 1. *ост.* достоен/виден/прочут човек, знаменитост; 2. *шег., ирон.* персона, особа.

wot, wottest *вж.* **wit**[1].

would [wud] *pt от* **will**[1] 1. *спомагателен гл. за бъдеще време в миналото (2 и 3 л.) и условно наклонение:*

he said he ~ **come** той каза, че ще дойде; ~ **she be ready, I wondered** питах се дали тя ще е готова; **it ~ be better** би било/ще бъде по-добре; **2.** *изразява обичайно действие в миналото:* **he ~ sit there hour after hour** той седеше там с часове; **3.** *модален гл., изразяващ* 1) *упорство, настойчивост, неизбежност:* **I warned her but she ~ have it her own way** предупредих я, но тя си настояваше на своето; **of course it ~ rain on the day we chose for a walk** и, разбира се, валя дъжд през деня, който избрахме за разходка; 2) *желание:* ~ **it were otherwise!** де да беше иначе! **I ~ rather/just as soon stay here** предпочитам да остана тук; **4.** *в отр. форма изразява отказ:* **he ~ not help me** той не искаше/отказа да ми помогне; **the door ~ not open** вратата беше запънала/не искаше/не можеше да се отвори; **5.** *изразява вероятност, предположение:* **it ~ be in the year 1971** трябва да беше/да е било през 1971 г.; **that's just what you ~ say** точно това и очаквах, че ще кажеш, не можеше и да се очаква да кажеш друго; **that ~ be the place** това ще е/трябва да е мястото; **6.** *изразява учтива молба:* ~ **you help me, please?** бихте ли ми помогнали? □ **I wouldn't know** нямам (никаква) представа.

would-be ['wudbi:] *а* който твърди, че е, на когото му се иска да е, който се пише, че е/се представя като/за: **a ~ painter** набеден художник; **a ~ wit** човек, който иска да мине за остроумен; **a ~ kindness** престорена любезност; **2.** евентуален (*купувач, жених и пр.*).

wouldn't [wudnt] *съкр. от* would not.

wouldst, wouldest [wudst, 'wudist] стари форми за *pt 2 л. sing* от **will**[3], употребява се с **thou**.

wound[1] [wu:nd] *n* **1.** контузия; рана: **a knife/bullet ~** рана от нож/куршум и пр.; **operation ~** (незаздравяла) рана от операция; **2.** наранено/ожулено място на растение, дърво и пр.; **3.** *прен.* рана, болка, обида; **a ~ to o.'s pride/feelings, etc.** наранена гордост, засегнати чувства и пр.

wound[2] *v* ранявам, наранявам (*и прен.*); засягам, уязвявам, накърнявам (*чест, гордост, самолюбие и пр.*).

wound[3] *вж.* wind[3].

wounded ['wu:ndid] **I.** *а* ранен, наранен; засегнат, наскърбен, накърнен; **II.** *n* ранен човек и пр.; **the ~** ранените.

woundwort ['wu:ndwə:t] *n бот.* ранилист, чистец (Stachys).

wove, woven *вж.* weave[1].

wow[1] [wau] *n* **1.** *sl.* огромен успех; **his new play is a ~** новата му пиеса има сензационен успех; **2.** нещо необикновено.

wow[2] *int* изразява учудване, възхищение и пр. ау!

wow[3] *v* правя силно впечатление, поразявам; вълнувам дълбоко.

wow[4] *n* неустойчивост на тона (*на грамофон, магнетофон*), причинена от колебания в скоростта.

wowser ['wauzə] *n австрал.* **1.** фанатизиран пуританин; **2.** човек, който разваля играта/удоволствието на другите; **3.** въздържател.

wrack [ræk] *n* **1.** изхвърлени на брега морски водорасли (*използвани като тор*); **2.** разруха; (останки от) разрушение; **3.** бързо движещи се облаци.

wraith [reiθ] *n* видение, привидение, призрак, дух; двойник.

wrangle[1] ['ræŋgl] *v* **1.** карам се, препирам се, дърля се; споря шумно; **2.** *ам.* паса (*коне, добитък*).

wrangle[2] *n* кавга, караница, препирня; шумен/разгорещен спор.

wrangler ['ræŋglə] *n* **1.** кавгаджия; човек, който обича шумно да се препира/да спори; **2.** студент, завър-

швал с отличие по математика в Кеймбриджския университет; **3.** *ам.* каубой.

wrap[1] [ræp] *v* (-pp-) **1.** завивам (се), загръщам (се), увивам (се); обвивам, обгръщам; **to ~ s.th. (up) in** увивам/загъвам/покривам нещо в/с (*хартия, кърпа, шал и пр.*); опаковам в; ~ **ped up in** 1) опакован/загънат/увит в/с; *прен.* забулен/обгърнат/скрит от/в (*мъгла, тайнственост и пр.*); 2) погълнат от, вдълбочен в (*мисли, работа*); 3) предаден изцяло на (*семейство, деца, работа и пр.*); **2.** скривам, замъглявам (*смисъла и пр.*) с неясни думи/език; **3.** *търг.* уреждам, приключвам успешно (*сделка и пр.*) (*и с* **up**); **4.** обличам си топли дрехи, навличам се (**up**); **5.** застъпвам се (**over**) (*за дреха*); □ ~ **up!** *sl.* млъкни!

wrap[2] *n* **1.** горна дреха; наметка, шал(че); кърпа; кожа и пр.; **2.** одеяло, черга (*за завиване*); **3.** *обик. pl* обивка, опаковка, амбалаж; **to keep s.th. under ~s** крия, държа в тайна (*план, решение и пр.*); **to take the ~s off** откривам; излагам на показ (*нов модел кола и пр.*); **4.** *ам.* = wrapper 1.

wraparound ['ræprə,raund] *а* направен да се загръща около/да обвива тялото (*за пола и пр.*).

wrappage ['ræpiʤ] = wrapping.

wrapper ['ræpə] *n* **1.** халат, пеньоар; **2.** обвивка/опаковка на бонбон, шоколад и пр.; **3.** обвивка на (печатна) пощенска пратка; бандерол; **4.** книжна обвивка/обложка на подвързана книга; **5.** тютюнев лист, с който е обвита пурата; **6.** опаковач.

wrapping ['ræpiŋ] *n* обвивка; опаковка, амбалаж; ~ **paper** амбалажна хартия.

wrasse [ræs] *n зоол.* зеленушка (*риба*) (Labridae).

wrath [rɔ(:)θ] *n* гняв, яд, ярост; възмущение, негодувание.

wrathful ['rɔ(:)θful] *а* гневен, ядосан, разярен.

wreak [ri:k] *v* (*обик. с* **on/upon**) **1.** давам израз/воля на, изливам (*гнева си и пр.*); **2.** искам, настоявам за (*отмъщение, наказание и пр.*); **3.** причинявам (*щети и пр.*); опустошавам; **4.** *ост.* отмъщавам.

wreath [ri:θ] *n* (*pl* -s [ri:ðz]) **1.** венец; гирлянда; **2.** колелце, кръгче, вита струйка (*дим, пара и пр.*); ~ **of snow** навян сняг, малка преспа.

wreathe [ri:ð] *v* **1.** вия, свивам, сплитам (*венец*); **2.** вия (се), обвивам (се) (**round** около); **to ~ o.'s arms round** прегръщам; **hills ~d in mists** хълмове, обгърнати в мъгла; **a face ~d in smiles** лице, разливащо се в усмивки; **3.** вия се на кълба/колелца (*за дим, мъгла и пр.*).

wreck[1] [rek] *n* **1.** (*останки от*) разбит кораб; кораб, претърпял корабокрушение; **2.** повредена/(полу)-разрушена сграда и пр.; развалина, руина; **his car is an old ~** колата му е истинска таратайка/бричка; **3.** човек с разнебитено здраве; **to be a nervous ~** с разбита нервна система съм; **4.** разрушение, унищожение, опустошение.

wreck[2] *v* **1.** разбивам, разрушавам (*и умишлено*) (*кораб, влак и пр., прен. надежди, щастие, живот и пр.*); ~ **ed ships/sailors/goods** претърпели корабокрушение кораби/моряци/стоки; **to ~ a play/the plans of** провалям пиеса/плановете на; **2.** претърпявам корабокрушение; бивам разрушен; рухвам; **3.** *ам.* ограбвам/поправям претърпял корабокрушение кораб; **4.** спасявам от потъване (*останките от, стоките на*) претърпял корабокрушение кораб.

wreckage ['rekiʤ] *n* **1.** останки от корабокрушение/катастрофа/пожар и др. бедствия; руини; **2.** разрушение; разруха.

wrecker ['rekə] *n* **1.** човек, който предизвиква корабокрушение от брега, за да присвои неща/стоки от разбития кораб; **2.** (работник на) кораб за изваждане на потънал кораб/неща от него; **3.** аварийна кола за изтегляне и извозване на катастрофирало превозно средство и разчистване на път/жп линия след катастрофа; **4.** *жп.* работник от ремонтна бригада; **5.** вредител, саботьор.

wreck-master ['rekma:stə] *n* чиновник, който се грижи за вещи, извадени от разбит кораб.

wren [ren] *n зоол.* орехче, мушитрънче (Troglodytidae).

Wren [ren] *n разг.* военнослужеща в английската женска спомагателна служба на военноморските сили.

wrench¹ [rentʃ] *n* **1.** внезапно силно дръпване/извиване/извъртане; **2.** *прен.* болка, причинена от раздяла; **3.** изкълчване, навяхване; **4.** *тех.* гаечен ключ.

wrench² *v* **1.** изопачавам, преиначавам, извъртам; **to ~ a door open** насилвам вратата и я отварям; **to ~ a door off its hinges** изваждам врата от пантите й; **2.** изтръгвам, изскубвам (**from, out of** от); **3.** изкълчвам, навяхвам; **4.** изопачавам, преиначавам, извращавам.

wrest [rest] *v* **1.** изопачавам, преиначавам, извъртам, насилвам (*факти, данни, смисъл и пр.*); **2.** изтръгвам, измъквам със сила/усилие (**from, out of** от); изкарвам с мъка (*прехраната си и пр.*).

wrestle¹ [resl] *v* **1.** боря (се), излизам на борба с (*и сп.*); **2.** *прен.* боря се, преборвам се (**with, against** с) (*проблем, изкушение, съвестта си и пр.*); **to ~ with God/in prayer** моля се горещо/ревностно; **3.** движа се с усилие.

wrestle² *n* **1.** *сп.* (състезание по) борба; **2.** трудна/тежка борба.

wrestler ['reslə] *n* борец (*особ. професионалист*).

wrestling ['reslin] *n сп.* (състезание по) борба.

wretch [retʃ] *n* **1.** нещастник, клетник, окаян човек; **the poor ~** сиромахът; **2.** жалък/нищожен/презрян човек; отрепка; **3.** подлец; **4.** *шег.* негодник, мошеник.

wretched ['retʃid] *a* **1.** нещастен, злочест; окаян; мизерен; **2.** много лош, отвратителен (*за храна, време и пр.*); **a ~ hovel** жалък бордей; **a ~ state of things** ужасно положение; **3.** *разг.* ужасен, невъзможен, ваджишки, пуст; **I can't find that ~ key** не мога да намеря този този пусти ключ; **to feel ~** 1) чувствам се страшно неудобно; 2) никак не ми е добре.

wrick¹ [rik] *v* **1.** леко извивам, разтягам (*мускул и пр.*); **2.** леко изкълчвам, навяхвам; измятам.

wrick² *n* **1.** леко извиване/разтягане; **2.** леко навяхване/изкълчване/измятане.

wriggle¹ ['rigl] *v* **1.** гърча се, извивам се, вия се (*за червей и пр.*); **I ~d (my way) through the thick hedge** проврях се през гъстия плет; **the eel ~d out of my fingers** змиорката се изплъзна из пръстите ми; **to ~ into office, etc.** навирам се/намъквам се/намъсвам се на служба и пр.; **to ~ out of difficulty/engagement, etc.** измъквам се/изплъзвам се от затруднение/задължение и пр.; **2.** въртя се, гъна се, мърдам, шавам (*от неудобство, стеснение, нетърпение и пр.*); не ме свърта; измъчвам се, тормозя се.

wriggle² *n* гърчене, гънене; въртене.

wriggler ['riglə] *n* **1.** личинка на комар; **2.** човек, който клинчи от задълженията си; **3.** интригант.

wright [rait] *n* (*обик. в съчет.*) човек, който изработ-
ва/прави/създава нещо; **ship ~** корабостроител; **play ~** драматург.

wring¹ [rin] *v* (**wrung** [ruŋ]) **1.** изстисквам, изцеждам (*мокра дреха и пр.*); **~ing wet**, *разг.* **~ing** съвсем мокър, вир-вода (*за дреха и пр.*); **2.** *прен.* изтръгвам (*признание, съгласие, пари и пр.*) (**from** от); **3.** извивам; откъсвам чрез извиване; **to ~ the neck of** извивам врата на/откъсвам главата на; **4.** *прен.* мъча, изтезавам; **5.** чупя ръце (*от мъка, отчаяние*); **6.** стискам силно/сърдечно някому ръката (*при ръкуване*).

wring² *n* стискане, стисване; изстискване; извиване (*вж.* **wring**¹).

wringer ['riŋə] *n* преса за изцеждане на пране.

wrinkle¹ ['rinkl] *n* **1.** гънка, бръчка (*на кожата*); **2.** гънка, смачкано място (*на дреха и пр.*).

wrinkle² *v* **1.** бърча, сбърчвам, набръчквам (се), сбръчквам (се) (*за кожа и пр.*) (*често с* **up**); **to ~ (up) o.'s forehead** сбърчвам чело; **~d with age** сбръчкан от старост; **2.** набръчквам (се), смачквам (се) (*за дреха и пр.*).

wrinkle³ *n разг.* полезен/навременен съвет; намек.

wrinkly ['rinkli] *a* сбръчкан, набръчкан; с бръчки.

wrist [rist] *n* **1.** китка (*на ръка*); *сп.* хватка (*при фехтовка и пр.*); **2.** *тех.* цапфа, шийка, шип.

wristband ['ristbænd] *n* маншет (*на риза, блуза и пр.*).

wristlet ['rislit] *n* **1.** лента/ремък за пристягане на китката; **2.** гривна; каишка за ръчен часовник.

wrist-pin ['ristpin] *n тех.* цапфа.

wrist-watch ['ristwotʃ] *n* ръчен часовник.

writ¹ [rit] *n* **1.** писмена заповед/нареждане; разпореждане (*на съд*), призовка (*и ~ of subpoena*); **to serve a ~ on** връчвам призовка на; **~ of privilege** заповед за освобождаване от арест на лице, ползващо се с право на неприкосновеност; **the ~ runs in** нареждането е в сила/важи в (*даден район, страна*); **2. Holy/Sacred W.** Светото писание, Библията.

writ² *вж.* **write**.

write [rait] *v* (**wrote** [rout] , *ост.* **writ** [rit] ; **written** [ritn] *ост.* **writ**) **1.** пиша; **to ~ in pencil/ink** пиша с молив/с мастило; **to ~ a good/legible hand** пиша хубаво/четливо; **to ~ shorthand** стенографирам; **2.** написвам, изписвам; **I wrote two sheets** изписах два листа; **3.** пиша писмо; **he promised to ~ to me/разг. to ~ me every week** той обеща да ми пише всяка седмица; **4.** пиша (*като писател, журналист и пр.*); пиша музика, композирам; **5.** *прен.* оставям белези/следи; показвам ясно, свидетелствувам за (*обик. pass*); **he had trouble written on his face** лицето му издаваше тревога, тревога беше изписана на лицето му; □ **writ(ten) large** 1) написан/изразен ясно/недвусмислено; 2) в по-голяма степен/мащаб; **it is written** *прен.* писано/предопределено е; **to ~ o.'s own ticket** сам си избирам начина на действие;

    write back пиша в/написвам отговор на писмо;

    write down 1) записвам (си), отбелязвам (си); пиша, записвам (*диктуван текст*); **written down in black and white** написано черно на бяло; 2) описвам, охарактеризирвам, окачествявам; **I should ~ him down as a fool** бих го охарактеризирал като глупак; 3) пиша/отзовавам се пренебрежително за някого (*в преса и пр.*); понижавам статуса/ранга/стойността на; омаловажавам; 4) нагаждам се към нивото/вкуса на масите (*за писател и пр.*); 5) понижавам номиналната стойност на, преоценявам (*стоки и пр.*);

    write for 1) сътрудник/кореспондент съм на

(*вестник и пр.*); 2) извиквам с писмо; 3) поръчвам, изписвам (*стоки и пр.*);

write in 1) вмъквам/вписвам допълнително (*в текст, документ и пр.*); попълвам графа/формуляр; 2) *ам.* добавям (*ново име*) в избирателна бюлетина (*при гласуване*); 3) изпращам писмо до (*фирма и пр.*); **~ in for** обръщам се с писмена молба към; правя писмена поръчка за, изписвам (*стоки и пр.*);

write off 1) пиша/написвам бързо и с лекота; 2) незабавно написвам и изпращам писмо; 3) отписвам от сметката, зачерквам (*и прен.*); не вземам под внимание; анулирам (*дълг и пр.*); 4) намалявам, приспадам (*от стойността*); 5) шкартирам;

write out 1) написвам; преписвам; **to ~ out fair** преписвам на чисто; 2) написвам, изписвам от край до край/изцяло; 3) **to ~ o.s. out** изчерпвам се, нямам повече за какво да пиша (*за писател и пр.*); 4) **to be (clearly) written out** съвсем забележим/явен съм; **his emotion was clearly written out upon his face** вълнението му беше ясно изписано на лицето;

write over написвам отново/в нова форма; преработвам;

write up 1) правя подробно описание; разработвам подробно, написвам в завършен вид (*слово, лекция и пр.*); 2) осъвременявам, довършвам (*нещо написано по-рано или от друг*); 3) написвам ясно на видно място; 4) написвам хвалебствена статия/рецензия и пр.; 5) предписвам, назначавам (*лечение, почивка и пр.*); 6) написвам призовка за; 7) увеличавам номиналната стойност (*на акции и пр.*).

write-in ['rait'in] *n* **1.** вписване на името на нов кандидат в бюлетината по време на гласуването; **2.** кандидат, допълнително вписан в избирателна бюлетина; **3.** *attr:* **~ votes** гласове, подадени за кандидат, нефигуриращ в списъка; **~ campaign** агитация за вписване в бюлетината името на кандидат, невключен в листата.

write-off ['rait'ɔf] *n* **1.** зачеркване; анулиране; писмен отказ; **2.** негодна стока, шкарто, брак; отпадъци.

writer ['raitə] *n* **1.** писател, автор; писач; **the (present) ~** пишещият тези редове, аз; **2.** писар; секретар; **~'s cramp/palsy** мускулно схващане, затрудняващо писането, графоспазъм.

write-up ['rait'ʌp] *n* **1.** *разг.* хвалебствена статия/рецензия и пр.; **2.** писмен отчет/доклад; **3.** подробно описание (*на събитие, състояние на болен и пр.*); **4.** *фин.* умишлено завишаване на номиналната стойност.

writhe[1] [raið] *v* **1.** гърча се, свивам се, превивам се (*от болка*); **2.** вия (се), навивам (се); извивам (се), изкривявам (се); **3.** *прен.* мъча се, тормозя се; **to ~ under/at insult, etc.** страдам от обида и пр.; **to ~ with shame, etc.** измъчвам се, терзая се от срам и пр.

writhe[2] *n* виене, гърчене; превиване; кривене.

writing ['raitiŋ] *n* **1.** писане; **in ~** в писмена форма; **to put in ~** записвам; **2.** *pl* литературни произведения, трудове, съчинения, писания; **3.** писмен документ; **4.** почерк; **5.** маниер на писане; стил; **6.** *attr* писателски; □ **at this (present) ~** сега, когато пиша тези редове; **the ~ on the wall** *прен.* зловещо предзнаменование.

writing-case ['raitiŋkeis] *n* папка/несесер за писмени принадлежности.

writing-desk ['raitiŋˌdesk] *n* писалище, бюро.

writing-ink ['raitiŋˌiŋk] *n* мастило (*за писалки*).

writing-materials ['raitiŋmə'tiəriəlz] *n pl* писмени/канцеларски принадлежности.

writing pad ['raitiŋpæd] *n* бележник.

writing-paper ['raitiŋˌpeipə] *n* хартия за писма.

writing-table ['raitiŋˌteibl] *n* писалищна маса, писалище.

written *вж.* write.

wrong[1] [rɔŋ] *a* **1.** нереден, лош; несправедлив; неморален, грешен; **lying is ~** не е хубаво да се лъже; **it was ~ of you to...** не беше редно от твоя страна да...; **2.** не в ред, повреден, в лошо/ненормално състояние; **what's ~ with you?** какво ти е? какво ти се е случило? **s.th. is ~ with my eyes** очите ми нещо не са в ред; **my watch has gone ~** часовникът ми се е повредил; **what's ~ with** *разг.* че какво не ти харесва в, какъв кусур намираш на, какво лошо има, много си е хубаво; **3.** неправилен, неверен, погрешен (*за отговор, постъпка, метод и пр.*); друг (*не който трябва*); **~ fount** *печ.* буква и пр. с погрешен шрифт; **he came on the ~ day** той дойде не на уречения ден; **in the ~ box** *прен.* в неудобно/неизгодно/трудно положение; не на място; **to take the ~ road/train, etc.** сбърквам пътя/влака и пр.; **to have/get hold of the ~ end of the stick** *прен.* разбирам съвсем погрешно; напълно греша; **4.** неподходящ, неподобаващ; нежелан; **that was the ~ thing to say** това не биваше да казваш; **5.** неточен, противоречащ на фактите, лъжлив; неправ, грешащ; **to be ~** сбърквам, греша, не съм прав; лъжа се, заблуждавам се; **to prove s.o. ~** доказвам, че някой греши/не е прав; **6.** обратен, опаков; *прен.* неподхождащ, не за показване; **the ~ side of a fabric, etc.** опаковата страна на тъкан и пр.; **~ side out** наопаки, откъм опакото; **~'un** *разг.* лош/опак човек; **~ side up** с главата надолу, наопаки.

wrong[2] *adv* неправилно, погрешно (*обик. в крайна позиция*); **to get s.o./s.th. ~** разбирам някого/нещо погрешно; **to get in ~ with s.o.** *ам. разг.* навличам си неприязънта/гнева на някого; **to get s.o. in ~** ставам причина някой да изпадне в немилост; **to go ~** 1) сбърквам пътя; *прен.* отклонявам се от правия път, пропадам; 2) *разг.* повреждам се (*за машина и пр.*); 3) не давам резултат, обърквам се, провалям се, пропадам (*за планове и пр.*).

wrong[3] *n* неправда, беззаконие; злина, зло; лоша постъпка; обида; **to do ~** греша, прегрешавам; извършвам нарушение; **to do s.o. ~** постъпвам зле/несправедливо с/оскърбявам някого; **to be in the ~** нося вината/виновен съм за (*грешка, кавга и пр.*); заблуждавам се, греша; **to put s.o. in the ~** прехвърлям вината върху някого, изкарвам някого виновен; **to right a ~** поправям зло; оправям нередност/несправедливост.

wrong[4] *v* **1.** постъпвам несправедливо към; напакостявам/навреждам на; оклеветявам, набеждавам; **2.** обиждам, наскърбявам; причинявам зло на.

wrongdoer ['rɔŋˌduːə] *n* човек, който нарушава законите/морала; злосторник, престъпник; нарушител; грешник.

wrongdoing ['rɔŋˌduːiŋ] *n* закононарушение; злосторничество, престъпление, злодеяние; простъпка; грях.

wrongful ['rɔŋful] *a* **1.** неправилен, погрешен, неверен; **2.** несправедлив, неоправдан; **3.** незаконен; престъпен; **4.** оскърбителен, клеветнически.

wrong-headed ['rɔŋ'hedid] *a* упорит, твърдоглав, неотстъпващ от погрешните си идеи/принципи; своенравен, неразбран.

wrongly ['rɔŋli] *adv* неправилно, погрешно; ~ **accused/informed** погрешно обвинен/осведомен; **rightly or** ~ право или криво.

wrote вж. **write**.

wroth [rouθ] *a predic поет., библ., шег.* гневен, сърдит; възмутен.

wrought[1] [rɔːt] вж. **work**[2].

wrought[2] [rɔːt] *a* **1.** (грижливо) изработен/направен; **2.** артистично оформен; **3.** кован (*за метал*); **4.** дълбоко развълнуван/възбуден.

wrought iron ['rɔːt'aiən] *n, a* (предмет) направен от ковано желязо.

wrought-up ['rɔːt'ʌp] = **wrought**[2]**4**.

wrung вж. **wring**[1].

wry [rai] *a* **1.** крив, изкривен; **to make/pull a** ~ **face/mouth** правя кисела физиономия/гримаса; ~ **smile** кисела/принудена усмивка; **to take a** ~ **view of** гледам накриво/с недобро око на; **2.** огорчен; **3.** = **wrong-headed**; **4.** иронично шеговит.

wryneck ['rainek] *n* **1.** въртошийка (*вид кълвач*) (Jynx); **2.** (ревматично) схващане на врата, крива шия.

wyandotte ['waiəndɔt] *n* американска порода домашни птици.

wych-elm ['witʃelm] *n* планински бряст (Ulmus glabra).

wych-hazel ['witʃ'heizl] *n* сев.-ам. храст (Hammelis).

wye [wai] *n ам.* **1.** названието на буквата Y; **2.** нещо с формата на буквата Y; **3.** *ел.* свързване „звезда".

Wykehamist ['wikəmist] *n* възпитаник на Уинчестърския колеж.

wynd [waind] *n шотл.* тясна уличка, сокак, пасаж.

wyvern ['waivəːn] *n мит., хер.* крилат двукрак дракон.

X

X, x[1] [eks] *n* **1.** буквата X; **2.** *мат.* хикс, неизвестна величина, неизвестно; *прен.* нещо неизвестно, неизвестна личност; **3.** *ам.* десетдоларова банкнота; **4.** знак за означаване на: 1) подпис на неграмотен човек; 2) филм, неподходящ за малолетни; 3) целувка (*в писмо, телеграма и пр.*); 4) грешка и пр.

x[2] *v* (**x-ed, x'd, xed** [ekst]; **x-ing, x'ing** ['eksiŋ]) *ам. разг.* **1.** отбелязвам със знака „х" (*и с* **in**); **2.** зачерквам със знака „х" (*и с* **out**).

xanthic ['zænθik] *a* жълтеникав; ~ **flowers** цветя, за които жълтият цвят е типичният.

Xant(h)ippe [zæn'tipi] *n* **1.** Ксантипа (*жената на Сократ*); **2.** *прен.* зла/свадлива жена, кавгаджийка, проклетия.

xanthophyll ['zenθəfil] *n биохим.* ксантофил (*растителен пигмент*).

xanthous ['zænθəs] *a* **1.** жълт; **2.** от жълтата раса.

xebec ['ziːbek] *n* малък тримачтов средиземноморски кораб.

xenon ['zenən] *n хим.* ксенон.

xenogamy [zi'nɔgəmi] *n бот.* кръстосано опрашване.

xenomania [,zenou'meiniə] *n* чуждопоклонство, ксеномания.

xenophobia [,zenou'foubiə] *n* страх от/омраза към чужденци и всичко чуждо, ксенофобия.

xerophilous [zi'rɔfiləs] *a бот.* приспособен да издържа голяма суша (*за растение*).

xerophyte ['zerə'fait] *n бот.* издръжливо на суша растение.

Xerox ['ziərɔks] *n* **1.** *печ.* машина за правене на фотокопия, ксерокс; **2.** х. фотокопие.

xerox ['ziərɔks] *v* отпечатвам на ксерокс, правя фотокопие.

xiphoid ['zifɔid] *a* с формата на меч, мечовиден.

Xmas ['krisməs] = **Christmas**.

X-ray[1] ['eksrei] *n* **1.** *обик. pl* рентгенови лъчи; **2.** рентгеноскопия; рентгенограма, рентгенова снимка; **3.** *attr* рентгенов (*апарат, преглед, лечение и пр.*).

X-ray[2] *v* преглеждам/правя снимка/лекувам с рентгенови лъчи.

x-section ['krɔs'sekʃn] = **cross-section**[1].

xylem ['zailem] *n бот.* дървесна тъкан.

xylene ['zailiːn] *n хим.* ксилол.

xylograph ['zailəgraːf] *n* гравюра на дърво.

xylographer [zai'lɔgrəfə] *n* гравьор на дърво.

xylography [zai'lɔgrəfi] *n* гравиране на дърво, ксилография.

xylonite ['zailənait] *n* целулоид.

xylophone ['zailəfoun] *n муз.* ксилофон.

xylotomous [zai'lɔtəməs] *a зоол.* който може да прорязва/прогризва/прояжда дърво.

Y

Y, y [wai] *n* **1.** буквата Y; **2.** *мат.* игрек, втора неизвестна величина; **3.** нещо направено/разположено във формата на буквата Y.

yacht[1] [jɔt] *n* яхта.

yacht[2] *v* **1.** пътувам/разхождам се с яхта; **2.** състезавам се/надбягвам се с яхта.

yacht-club ['jɔtklʌb] *n* яхтклуб.

yachting ['jɔtiŋ] *n* разхождане/надбягване с яхта; ветроходство.

yachtsman ['jɔtsmən] *n* (*pl* -**men**) **1.** собственик на яхта; **2.** човек, който се надбягва с/кара яхта.

yack, yackety-yack [jæk, 'jæketi'jæk] *n sl.* празни приказки, дрънканици; клюки.

yaffle, yaffil ['jæfl] *n диал.* зелен кълвач.

yah [jaː] *int насмешка, предизвикателство, нетърпение* пф!

yahoo [jə'huːj] *n* **1.** човек с животинска същност; **2.** груб/първичен човек с животински страсти и навици, скот.

yak[1] [jæk] *n зоол.* тибетски вол, як (Bos grunniens).

yak[2] *n sl.* **1.** смях; **2.** шега, закачка; остроумна забележка/реплика.

Yale [jeil] *n*: ~ **key/lock** секретен ключ/брава.

yam [jæm] *n* **1.** (ядивна гулия на) тропическо увивно растение (Dioscorea); **2.** *ам.* сладък картоф (Ipomea batatas).

yammer ['jæmə] *v разг.* 1. скимтя, хленча, вайкам се; 2. говоря безспир, дрънкам глупости.

yank¹ [jæŋk] *v разг.* дръпвам силно, издърпвам; изтръгвам, изваждам (**off, out**).

yank³ *n разг.* внезапно/рязко дръпване.

Yank³ [jæŋk] *разг.* = **Yankee**.

Yankee ['jæŋki] *n* 1. американец, янки; 2. *ам.* жител на Нова Англия; 3. *ам. ист.* американец от Северните щати; войник от федералните войски (*в Гражданската война*); 4. *attr* американски; **Y. Doodle** 1) популярна американска песен от времето на американската революция; 2) = **Yankee**.

Yankeefied ['jæŋkifaid] *a* поамериканчен.

yap¹ [jæp] *v* (**-pp-**) 1. лая, джавкам; 2. *разг.* говоря силно; дърдоря, плещя; хленча.

yap² *n* 1. джавкане; 2. *разг.* дърдорене, дрънкане, плещене; 3. *ам.* грубиян; дръвник; селендур; 4. *ам. sl.* уста.

yapp [jæp] *n* мека кожена подвързия.

yarborough ['ja:bərə] *n вист, бридж* ръка без оньорна карта.

yard¹ [ja:d] *n* 1. ярд (*3 фута, 0,941 м*); **to buy/sell by the** ~ купувам/продавам на ярд (*плат и пр.*); 2. квадратен/кубически ярд; **by the** ~ подробно, изчерпателно; 3. (съдържанието на) висока тясна чаша; ~ **of ale** чаша бира; 4. *мор.* рейка; **to man the** ~**s** подреждам моряци по рейките (*за преглед, салют и пр.*); □ ~ **of clay** дълга глинена лула.

yard² *n* 1. двор; 2. склад (*за дървен материал и пр.*); 3. *жп.* парк; разпределителна/сортировъчна станция; 4. *ам.* градина (*на къща*); 5. **the Y.** *разг.* = **Scotland Yard.**

yard³ *v* вкарвам/затварям (*добитък*) в оградено място.

yardage ['ja:didʒ] *n* 1. дължина/протежение/обем, измерен в ярдове; 2. стоки, продавани на ярд; 3. (такса за) използуване на склад/двор/кошара и пр.

yard-arm [´ja:da:m] *n мор.* нок на рейка.

yard-bird [´ja:dbə:d] *n ам. воен. разг.* 1. дисциплинарно наказан войник; 2. новобранец.

yardman ['ja:dmən] *n* (*pl* **-men**) 1. човек, който работи в склад/жп депо/парк; 2. *ам.* градинар.

yard-master['ja:d̦ma:stə]*n жп.* диспечер.

yard-measure ['ja:d̦meʒə] *n* метър (*от дърво, метален, лента, рулетка и пр.*); аршин.

yard-stick, -wand ['ja:dstik, -wənd] *n* 1. = **yard-measure**; 2. *прен.* мярка, критерий, мерило; **to measure/judge others by o.'s own** ~ меря другите със своя аршин.

yarn¹ [ja:n] *n* 1. прежда; 2. *разг.* дълга заплетена история.

yarn² *v* разправям небивалици; бъбря, дрънкам.

yarrow ['ja:rou] *n бот.* бял равнец (Achillea).

yashmak ['ja:ʃmæk] *n* фередже, яшмак.

yataghan ['jætəgæn] *n* ятаган.

yaw¹ [jɔ:] *v мор., ав., косм.* отклонявам се от курса си.

yaw² *n мор., ав., косм.* отклонение (*от курс*).

yawl¹ [jɔ:l] *n* малка корабна/малка рибарска лодка.

yawl² *ам.* = **yowl.**

yawn¹ [jɔ:n] *v* 1. прозявам се; 2. казвам нещо, прозявайки се; 3. зея, зинвам; зинал съм (*за пропаст, цепнатина и пр.*).

yawn² *n* 1. прозявка; 2. *sl.* нещо скучно/досадно.

yawp [jɔ:p] *v ам.* 1. крясксам, крещя; 2. *sl.* дрънкам глупости, плещя; 3. оплаквам се шумно, хленча; 4. *разг.* прозявам се шумно.

yaws [jɔ:z] *n pl* фрамбезия (*тропическа кожна болест*).

yclept [i'klept] *a от. шег.* наречен, именуван.

ye¹ [ji:] *pers. pron* = **you**; ~ **fools!** ах, вие, глупаци! **how d'** ~ **do?** *разг.* здравей; как си? ~ **gods (and little fishes)!** *шег. учудване* божичко!

ye² [ji(:)] *ост.* = **the**¹.

yea¹ [jei] *adv* 1. да; 2. наистина, вярно; 3. *ост.* не само че, но и; нещо повече.

yea² *n* 1. потвърждение; положителен отговор, съгласие; 2. глас „за" при устно/явно гласуване; 3. човек, гласувал „за".

yeah [je, jeə, jɑ] *adv:* (**oh**) ~? така ли? нима?

yean [ji:n] *v ост.* агня се, раждам агне/козле.

yeanling ['ji:nliŋ] *n ост.* агънце; козле.

year [jiə] *n* 1. година; **astronomical/solar/common/calendar** ~ астрономическа/слънчева/невисокосна/календарна година; ~ **of Grace/of our Lord** лето господне; **all the** ~ **round** през цялата година; ~ **in,** ~ **out** година след година; **in the** ~ **dot/one** *разг.* много отдавна; **academic/school** ~ учебна година; **financial/fiscal/tax** ~ отчетна/бюджетна година (*започваща в Англия от 1 април*); **to see the new** ~ **in the old** ~ **out** посрещам новата/изпращам старата година; **a** ~ (**from**) **today** точно преди/след една година; **a student in his second** ~, **a second-** ~ **student** студент втора година/курс, второкурсник; 2. *pl* възраст; **he is 30** ~**s of age**/30 ~**s old** той е тридесетгодишен; **to be in o.'s tenth** ~ деветгодишен съм, карам десетата; **from o.'s earliest** ~**s** от най-ранна възраст; **young for his** ~**s** не му личат годините, младее; (**getting on**) **in** ~**s** стар; **to show o.'s** ~**s** личат ми годините, старея, състарявам се; **to take off/to put on** ~**s on s.o.** подмладявам/състарявам някого; **a man of** ~**s** възрастен/стар човек; 3. годишнина на периодично издание.

year-book [´jiəbuk] *n* годишник; ежегодник, ежегодно издание.

yearling [´jiəliŋ] *n* 1. животно, навлязло във втората си година; 2. *attr* едногодишен, навършил една година; издаден за една година.

year-long [´jiəlɔŋ] *a* който трае една/цяла година.

yearly¹ [´jiəli] *a* годишен; ежегоден; целогодишен.

yearly² *adv* годишно, ежегодно; целогодишно.

yearn [jə:n] *v* 1. копнея; измъчвам се, тъгувам (**for, after** за, по); 2. горя от желание, жадувам, много ми се иска (**to** *c inf* да); жадувам, стремя се (**to, towards** към).

yearning [´jə:niŋ] *n* силно желание, жажда, копнеж; нежно чувство.

yeast¹ [ji:st] *n* мая, квас; закваса.

yeast² *v ам.* ферментирам, кипвам, шупвам; пеня се.

yeasty ['ji:sti] *a* 1. пенлив, пенест, запенен; 2. кипящ, ферментиращ; 3. в кипеж; неспокоен; 4. незрял, неустановен; 5. повърхностен, празен, пуст; 6. многословен.

yegg [jeg] *n ам. sl.* скитащ крадец; касоразбивач.

yell¹ [jel] *v* викам, извиквам, провиквам се; крещя, изкрещявам; рева, изревавам; **to** ~ **with pain/fury, etc.** викам/крещя от болка/ярост и пр.; **to** ~ **with laughter** смея се гръмогласно; **to** ~ **curses** ругая необуздано, сипя клетви (*често* **c out**).

yell² *n* 1. вик, крясък, рев; 2. *ам. сп.* окуражително скандиране по време на състезание/мач (*особ. студентски*); 3. *разг.* много смешно нещо, голям майтап.

yellow¹ [´jelou] *a* 1. жълт; ~ **metal** месинг, пиринч; 2. пожълтял, блед, побледнял, избледнял (*от болест, години и пр.*); 3. ревнив; зъгистлив; подозрителен; 4. *разг.* страхлив; безхарактерен; низък, подъл; 5. сензационен; **the** ~ **press** *прен.* жълтата преса; ~ **journalism** долнопробно вестникарство; **6.** жълтокож.

yellow² *n* **1.** жълт цвят/боя; **2.** жълт пигмент; **3.** (дрехи от) жълта материя; **4.** жълтък на яйце; **5.** вид пеперуда; **6.** *pl* жълтеница; **7.** *pl ам.* болест по растения и дървета (*особ. по прасковата*); **8.** страхливост, малодушие.

yellow³ *v* жълтея, пожълтявам; правя да пожълтее.

yellowback ['jeloubæk] *n* евтин булеварден роман.

yellow-belly ['jelou,beli] *n* **1.** страхливец; малодушен човек; **2.** вид риба.

yellow dog¹ ['jelou,dɔg] *n ам.* **1.** смесена порода, мелез; **2.** страхливец; подлец; отрепка; **3.** работник, подкупен от работодателя си да не членува в профсъюз.

yellow-dog² *а ам.* враждебен на трейдюнионизма; ~ **contract** трудов договор, обвързващ работника да не членува в профсъюз.

yellowhammer ['jelou,hæmə] *n* жълта овесянка, овесарка (*птица*).

yellowish ['jelouiʃ] *а* жълтеникав, възжълт.

yellow pages ['jelou,peidʒiz] *n* раздел на телефонен указател, съдържащ телефонните номера на търговски фирми и пр.

yellow streak ['jelou,striːk] *n* страхливост, малодушие (*като черта на характера*).

yellowy ['jeloui] = **yellowish**.

yelp¹ [jelp] *n* джавкане, скимтене; излайване; лай.

yelp² [jelp] *v* джавкам; изскимтявам; лая, излайвам.

yen¹ [jen] *n* (*pl без изменение*) йен (*японска монетна единица*).

yen² *n ам.* жажда, копнеж, стремеж.

yen³ *v* (**-nn-**) жадувам, копнея.

yeoman ['joumən] *n* (*pl* **-men**) **1.** дребен земевладелец/чифликчия; **2.** *ист.* йомен; **3.** войник/офицер от доброволческата кавалерия; **4.** *мор. ам.* писар на кораб; ~ **(of signals)** старшина свързочник; **5.** **Y of the Guard** дворцов страж; кралски телохранител; □ ~ **('s) service** навременна/ефикасна помощ, подкрепа.

yeomanry ['joumənri] *n* **1.** съсловието на йомените; **2.** *ист.* териториална конница; **3.** *воен.* доброволческа кавалерийска част, набирана от съсловието на йомените.

yep [jep] *ам. разг.* = **yes**.

yes¹ [jes] *adv* да; ~? (кажете) какво има/какво обичате/какво искате (*като отговор при повикване, обръщение*); ~? така ли? нима? наистина ли?

yes² *n* думата „да", утвърдителен отговор; съгласие; **say** ~ съгласи се; приеми предложението; потвърди, кажи „да" и пр.

yes-man ['jesmən] *n* (*pl* **-men**) *разг.* човек, който винаги се съгласява с мнението на по-силните; безхарактерен човек; угодник, подлизурко.

yesterday¹ ['jestədi] *adv* **1.** вчера; ~ **morning/afternoon** вчера сутринта/следобед; **the day before** ~ завчера; ~ **week** преди осем дена; **2.** неотдавна, съвсем наскоро.

yesterday² *n* **1.** вчерашният ден; **all** ~, **the whole of** ~ вчера целия ден; ~**'s paper** вчерашният вестник; **2.** недалечно минало; **it's but of** ~ съвсем отскоро е.

yesterevening ['jestə,iːvniŋ] *n, adv ост., поет.* снощи вечер.

yesteryear ['jestə'jiə] *n, adv* през миналата година; (в) недалечното минало.

yestreen [jes'triːn] = **yesterevening**.

yet¹ [jet] *adv* **1.** още, все още; досега; дотогава; **there is/was** ~ **time** все още има/имаше време; **his greatest achivement** ~ най-голямото му постижение досега/дотогава; **2.** *във въпрос. и отр. изр.* сега; вече; още (не); **has she arrived** ~? пристигнала ли е вече? **need you go (just)** ~? трябва ли наистина да си вървиш вече? **haven't you finished** ~? още ли не си свършил? **you needn't do it just** ~ не е необходимо да го правиш точно сега/още сега; **3.** все още (*за в бъдеще, отсега нататък*); **he may** ~ **win** той все още може да излезе победител; **she may surprise us all** ~ тя все още може да изненада всички ни; **4.** *за усилване* още, и още; даже (*често със сравн. ст.*); ~ **again** и пак, и отново, и още веднъж; **more and** ~ **more** все повече и повече; **a** ~ **easier/more difficult task** още/даже по-лесна/по-трудна задача; **I have** ~ **more exciting news for you** имам още по-интересна новина за теб; **5. as** ~ досега, дотогава, все още; **everything has worked well as** ~ всичко засега върви добре; **we have/had not made any plans for the summer as** ~ все още нямаме/нямахме никакви проекти за лятото; **6. nor** ~ нито пък, нито дори; **he will not accept help nor** ~ **advice** той няма да приеме помощ, нито даже съвет; **7.** все пак, при все това, въпреки това; обаче, но; **and** ~ и все пак; **but** ~ но въпреки това; **he is a vain** ~ **clever man** той е суетен, но умен човек; **poor,** ~ **honest** беден, но честен.

yet² *cj* обаче, все пак, но; въпреки това; **he seems happy,** ~ **he is troubled** той изглежда щастлив, но е разтревожен; **she is vain and selfish, and** ~ **people like her** тя е суетна и себична, обаче хората я харесват; **strange (and)** ~ **true** странно, но факт.

yeti ['jeti] *n* местното име на снежния човек в Тибет.

yew [juː] *n бот.* тис (*u* ~**-tree**) (Taxus).

Yid [jid] *n sl. презр.* евреин.

Yiddish ['jidiʃ] **I.** *а* идишки; **II.** *n* (човек, говорещ) идиш.

yield¹ [jiːld] *v* **1.** давам, нося, донасям; раждам; произвеждам (*плод, реколта, доход и пр.*); **to** ~ **well/poorly** раждам изобилно/слабо (*за земя, дърво и пр.*); **to** ~ **no results** не давам резултат; **2.** отстъпвам, правя отстъпка (**to** пред); съгласявам се (*на нещо*); приемам (*съвет и пр.*); **to** ~ **to entreaties/threats, etc.** отстъпвам пред молби/заплахи и пр.; **to** ~ **to none in** не отстъпвам пред никого по; **to** ~ **a point** правя отстъпка, отстъпвам по даден пункт (*при спор*); **3.** предавам (се), отстъпвам (**to** на); отказвам се от; **to** ~ **a fortress** предавам крепост; **to** ~ **o.s. prisoner** предавам се в плен; **to** ~ **possession** отказвам се от/предавам/отстъпвам другиму собственост/имущество; **to** ~ **precedence to** давам предимство/преднина на; **to** ~ **o.s. up to** предавам се/отдавам се на (*удоволствие, наклонност и пр.*); поддавам се на (*изкушение и пр.*); **to** ~ **up the ghost** *рет.* предавам богу дух, умирам; **4.** поддавам (се), не устоявам, не издържам, огъвам се (*и прен.*); **the disease** ~**ed to treatment** болестта се поддаде на лечение; **the floor** ~**ed under the weight** подът не издържа на тежестта; **the door** ~**ed to a strong push** вратата се отвори с едно силно блъсване; **5.** *ам.* отстъпвам/давам думата на друг (*за изказване и пр.*).

yield² *n* **1.** реколта, родитба; **a good** ~ **of wheat** добра житна реколта/добив; **2.** производство, продукция; добив; **milk** ~ млеконадой; **net** ~ чист добив; **high** ~**s** високи добиви; ~ **of wheat per acre** добив на пшеница от акър; **3.** печалба, доход; **the** ~**s on his shares have decreased this year** дивидентите от акциите му са по-ниски тази година.

yielding [ji:ldiŋ] *a* 1. продуктивен; **high-~** високопродуктивен; **2.** мек, податлив, гъвкав; пластичен, еластичен; **3.** отстъпчив.

yip [jip] (**-pp-**) *ам.* = **yelp**.

yippee ['jipi] *int* радостно ликуване, тържествуване ура!

yippie, yippy ['jipi] *n ам.* член на младежка интернационална група, проповядваща идеали, близки до тези на хипитата.

yob, yobo(o) [jɔb, 'jɔbou] *n sl.* хлапак; хулиган.

yod [jɔd] *n фон.* йот.

yodel[1] ['joudl] *n* 1. тиролски начин на пеене, йодел; **2.** тиролско провикване.

yodel[2] *v* пея по тиролски маниер.

yoga ['jougə] *n* 1. индийско религиозно-философско учение, йога, йогизъм; **2.** последовател на йогизма, йог(а); **3.** система от физически и дихателни упражнения, практикувани от йогите.

yog(h)urt ['jɔgərt] *n* кисело мляко, йогурт.

yogi(n) ['jougi(n)] *n* последовател на йогизма; учител/експерт по йогизъм.

yogic ['jougik] *a* йогийски.

yogism ['jougizm] *n* йогизъм.

yo-heave-ho ['jou,hi:v'hou] *int мор.* дружно ритмично провикване при вдигане на котва и пр.

yo-(ho-)ho [jouhou'hou] *int* 1. провикване за привличане на вниманието на някого; **2.** = **yo-heave-ho**.

yoicks [jɔiks] *int* провикване на ловци на лисици.

yoke[1] [jouk] *n* 1. ярем, хомот; **to put to the ~** впрягам, запрягам; **to come/pass under the ~** *ист.* преминавам под ярем; *прен.* признавам се за победен; **2.** чифт запрегнати за работа волове; **five ~ of oxen** пет чифта впрегнати волове; **3.** *прен.* иго, робство, владичество, ярем; **to shake off the ~** отхвърлям/освобождавам се от властта/хомота/ярема; **4.** тесни връзки (*любовни, съпружески и пр.*); **~ of marriage** съпружески хомот; **5.** платка (*на рокля, блуза, пола и пр.*); **6.** кобилица; **7.** *тех.* скоба, гривна, хомот; **8.** *ав.* ръчка за управление на елеваторите.

yoke[2] *v* 1. впрягам в хомот/ярем; **2.** *прен.* свързвам/ съединявам в брак и пр.; съчетавам; впрягам се, свързвам се; **3.** работя заедно с.

yokefellow, -mate ['joukfelou, -meit] *n* другар/партньор в брака/работата и пр.

yokel ['joukəl] *n* недодялан човек, дръвник, селендур.

yolk [jouk] *n* жълтък на яйце.

yolk-bag, -sac ['joukbæg, -sæk] *n* ципа на жълтък.

yolky[1] ['jouki] *a* с голям жълтък; като жълтък.

yolky[2] *a* мазен (*за вълна*).

yon [jɔn] *ост., поет., диал.* = **yonder**.

yonder[1] ['jɔndə] *pron, a* оня там, който е/се вижда в далечината.

yonder[2] *adv* ей там; натам.

yoo-hoo [ju:hu:] *int* за привличане на вниманието хей!

yore ['jɔ:] *n*: **of** ~ някога, отколе; **in days of** ~ едно време, много отдавна.

Yorkist ['jɔ:kist] *n, а ист.* (привърженик) на Йоркската династия.

Yorkshire ['jɔ:kʃə] *n attr:* ~ **pudding** пудинг, опечен в мазнина от печено говеждо месо; ~ **terrier** дребна порода териер с дълъг косъм.

you [ju:, ju] *pron pers* 1. ти; вие; на теб, ти; на вас, ви; тебе, те; вас, ви; **sit down all of** ~ седнете всички; **2.** *безлично:* човек, всеки; ~ **never know** човек не знае, никога не знаеш; ~ **soon get used to it** бързо се свиква/свикваш; **3.** *при възклицание:* ~ **fool!** (ах/ех, ти) глупак (такъв)! ~ **idiot,** ~**!** идиот с идиот! идиот такъв! ~**'re another!** ти да не си по-

добър! и ти си такъв! ~**-know-what/-who** знаеш там какво/кой, да не казвам сега какво/кой.

you'd [ju:d, jud] *съкр. от* **you had, you would**.

Yougoslav(ian) = **Yugoslav(ian)**.

you'll [ju:l] *съкратено от* **you will, you shall**.

young [jʌŋ] *a* 1. млад; малък; младежки; незрял, неопитен; нов, пресен; скорошен, неотдавнашен; ~ **child** малко дете; ~ **girl/lady** девойка, младо момиче/жена; ~ **man** млад човек, младеж, момък; ~ **thing** млад човек/жена/момиче/същество; **listen to me,** ~ **man/my** ~ **lady!** слушайте, млади момко/ млада госпожице (*фамилиарно или снизходително*); ~**'un** *разг.* обръщение (ей,) малкият/младок; ~ **love/ambition,** etc. младежка любов/амбиция и пр.; ~ **blood** 1) млади хора, младеж; 2) млади/нови членове на партия и пр.; 3) свежа струя, нови идеи/ веяния/ течения; **my** ~ **man/woman** *разг.* моят възлюблен/мил/възлюблена/мила; **in o.'s** ~ **days** на младини; **Y. Turk** член на партията на младотурците; **the** ~**er Pitt, Pitt the** ~**er** младият Пит, Пит младши, Пит-син; **2.** ранен, намиращ се още в началото си, току-що започнал, започващ (*за нощ, година, столетие и пр.*); **a** ~ **institution** новооснователно/новооткрито учреждение; **II.** *n* 1. **the** ~ младите, младежите, децата; **books for the** ~ книги за деца/за младежта; ~ **and old** всички, и млади, и стари; **to be kind to o.'s** ~**ers** внимателен съм към по-малките; **2.** *събир.* малките на животно, птица и пр.; **with** ~ бременна, стелна (*за женско животно*).

youngish ['jʌŋgiʃ] *a* сравнително млад; младолик.

youngling ['jʌŋliŋ] *n* 1. *поет.* малко детенце; **2.** животинче; **3.** хлапак; **4.** неопитен човек.

youngster ['jʌŋstə] *n* 1. дете, *особ.* живо/палаво момче; младок; **2.** младеж; **3.** *ам.* новак, начинаещ (*в кариера и пр.*); **4.** малкото на животно, птица и пр.

younker ['jʌŋkə] *ост.* = **youngster**.

your [jɔ:, juə, jə] *poss pron attr* 1. твой, ваш; ~ **son** твоят син, синът ти; **on** ~ **right (side)** от дясната ти страна; **2.** *разг., обик. пренебр.* твоят, вашият (*прочут, прословут, прехвален*); **so this is** ~ **famous English beer, is it?** това ли ви е прехвалената английска бира?

you're [jɔ:, juə] *съкр. от* **you are**.

yours [jɔ:z] *poss pron* 1. *predic* твой, ваш; **is this book** ~**?** твоя ли е тази книга? **a friend of** ~ един твой приятел; **you and** ~ ти и близките ти/семейството ти, ти и имуществото ти/и всичко твое; **2.** *в края на писмо:* ~ **sincerely/faithfully,** etc. твой/ваш искрен/ предан и пр.; ~ **ever, ever** ~ вечно твой/ваш; **3.** ~ **truly** *шег.* аз, моя милост (*който казвам това, който пиша тези редове*); **4. what's** ~ *разг.* какво ще пиеш? какво да поръчам за тебе?

yourself [jɔ:'self, juə'self] *pron* (*pl* **yourselves** [jɔ:'selvz, juə'selvz]) 1. *refl* себе си; сам; **did you hurt** ~**?** удари ли се? **help yourselves** to вземете си/сипете си от; **2.** *sl.* ти; **how's** ~**?** (a) ти как си? **3.** *emph.* сам(ият); **you** ~ **said so, you said so** ~ ти сам(ият) каза това; **(all) by** ~ самичък, без чужда помощ; **you'll have to do it by** ~ ще трябва да го направиш сам/без чужда помощ; **you were sitting by** ~ ти седеше съвсем сам; □ **you are not quite** ~ **today** днес нещо не ти е добре/не приличаш на себе си/не си на себе си.

yourselves *вж.* **yourself**.

youth [ju:θ] *n* 1. младост, младини; **the days of** ~ младостта; **in my (raw)** ~ на младини, когато бях (съвсем) млад; **in the first blush of** ~ в първа младост: **2.** (*pl* ~**s** [juːʒ]) млад човек, младеж, юноша; **3.** *събир.* млади хора/поколение, младеж; **the** ~ **of the country** младежта на страната; **she likes to be surrounded by** ~ тя обича да бъде обградена с млади хора; **4.** *attr* младежки, за/на младежи (*за движение, организация, фестивал и пр.*); **5.** ранен стадий на развитие/съществуване.

youthful ['juːθful] *a* **1.** млад, младежки, юношески; присъщ на младостта/на младите хора; характерен за младостта; свеж; енергичен жизнен, жизнерадостен, жив; **2.** ранен; нов; **3.** младолик.

you've [juːv] *съкр. от* **you have.**

yowl[1] [jaul] *v* **1.** вия, пищя, скимтя (*от болка и пр.*); **2.** оплаквам се жалостиво; протестирам шумно.

yowl[2] *n* вой, писък, скимтене.

Z

Z, z [zed] *n* **1.** буквата Z; **2.** *мат.* зет; трета неизвестна величина.

zabaglione [zaːbaˈljouniː] *n* вид италиански сладкиш с вино.

zaffre, zaffer ['zæfə] *n* нечист кобалтов окис, използуван като синя боя в стъклописа, керамиката и пр.

zag [zæg] *n* остър завой в поредица от зигзаговидни завои.

zany[1] ['zeini] *n* **1.** *ист.* шут, клоун, палячо; **2.** смешник; глупак; смахнат човек.

zany[2] *a* палячовски, смешен; глуповат; смахнат.

zap [zæp] *v* (**-pp-**) *sl.* удрям, нападам, повалям; убивам.

zapateado [zaːpətiˈaːdou] *n* (жив испански солов танц с) ритмично потропване с крака.

zareba, zariba [zəˈriːbə] *n* *араб.* ограда от плет/колове около лагер и пр.

zeal [ziːl] *n* усърдие, ревност, старание; стремеж, увлечение, жар, устрем.

zealot ['zelət] *n* усърден радетел, фанатичен привърженик/последовател; фанатик.

zealotry ['zelətri] *n* ревност, разпаленост; фанатизъм.

zealous ['zeləs] *a* ревностен, разпален, пламенен; фанатичен.

zebra ['ziːbrə] *n* **1.** *зоол.* зебра; **2.** *attr* набразден/нашарен като зебра; ~ **crossing** пешеходна пътека, зебра.

zebu ['ziːbuː] *n* *зоол.* зебу (Bos indicus).

zed [zed] *n* названието на буквата Z.

zedoary ['zedouəri] *n* ароматно вещество от корен на растения, използувано в медицината и парфюмерията.

zee [ziː] *n* *ам.* названието на буквата Z.

zeitgeist ['tsaitgaist] *n* *нем.* духът на времето; интелектуалните, моралните и културните тенденции на дадена епоха.

zemindar [zəˈmindaː] *n* *инд. ист.* **1.** областен управител; **2.** земевладелец, който плаща данък на британското правителство.

Zen [zen] *n* японска будистка секта.

zenana [ziˈnaːnə] *n* женско отделение в къщата на заможен индус/иранец.

Zend-Avesta [zendəˈvestə] *n* свещените писания на зороастризма (с коментар).

yo-yo ['joujou] *n* играчка, която се навива и развива на връв от движението на ръката, йо-йо.

Y-shaped ['waiʃeipt] *a* вилкообразен, разклонен, с формата на Y.

ytterbium [iˈtəːbiəm] *n* *хим.* итербий.

yttrium ['itriəm] *n* *хим.* итрий.

yucca ['jʌkə] *n* *бот.* юка.

Yugoslav(ian) ['jugə,slaːv(iən)] **I.** *a* югославски; **II.** *n* югославянин.

yule(-tide) [juːl, 'juːl(taid)] *n* коледни празници, Коледа.

yule-tide log ['juːltaid,lɔg] *n* бъдник (*голям пън, който гори в огнището на Бъдни вечер*).

yummy ['jʌmi] *a* *разг.* сладък, вкусен; привлекателен, съблазнителен.

yum-yum [jʌm'jʌm] *int* изразява удоволствие от вида, вкуса на нещо вкусно ъм-м-м.

yup [jʌp] *ам.* = **yep.**

yurt ['juət] *n* юрта.

zenith ['zeniθ] *n* **1.** *астр.* зенит; **2.** *прен.* връхна/кулминационна точка; апогей; разцвет; **at the** ~ **of fame** на върха на славата.

zenithal ['zeniθəl] *a* *астр.* зенитен.

zenith distance ['zeniθ,distəns] *n* *астр.* зенитно разстояние.

zeolite ['ziːəlait] *n* *минер.* цеолит.

zephyr ['zefə] *n* **1.** лек западен вятър; **2.** *поет.* лек ветрец, полъх, зефир; **3.** *текст.* мека лека материя; **4.** *сп.* фланелка.

Zeppelin ['zepəlin] *n* *ав.* цепелин.

zero[1] ['ziərou] *n* **1.** нула; нищо; **2.** нулева/начална точка на термометър/скала и пр.; **below** ~ под нулата (*за температура*); **absolute** ~ абсолютна нула (—273,15° С); **3.** ~ **(hour)** часът, определен за започване на военни и др. действия (*настъпление, излитане и пр.*); *прен.* решителен/критичен/съдбоносен час; **4.** най-ниска точка; нищожество, несъществуване; нула; **5.** *attr* нулев, липсващ, несъществуващ; ~ **gravity** безтегловност; ~ **visibility** 1) вертикална видимост до 50 фута; 2) хоризонтална видимост под 165 фута.

zero[2] *v* **1.** поставям/нагласям прибор/уред на нула; **2.** **to** ~ **in on** прицелвам се точно в (*целта*); *прен.* насочвам всичките си усилия към.

zest [zest] *n* **1.** вкус, сладост; пикантност; **2.** голямо удоволствие/интерес; увлечение, жар; **to add/give (a)** ~ **to** правя по-интересен/по-пикантен; **to do s.th. with** ~ правя нещо с увлечение/жар; **3.** кора от лимон/портокал (*като подправка*).

zestful ['zestful] *a* увлечен, вършещ нещо с охота/жар.

zesty ['zesti] *a* **1.** охотен; **2.** пикантен.

zeta ['ziːtə] *n* гръцката буква зета.

zeugma ['zjuːgmə] *n* стилистичната фигура зевгма.

Zeus [zjuːs] *n* *мит.* Зевс.

zibet, *ам.* **-th** ['zibit,-θ] *n* **1.** *зоол.* азиатска цибетка (Viverra zibetha); **2.** парфюм, получаван от нейните жлези.

zigzag[1] ['zigzæg] *n* зигзаг, зигзагообразна линия/пътека/път и пр.

zigzag[2] *v* (**-gg-**) движа се зигзагообразно/на зигзаг, правя зигзагообразни завои/зигзаги.

zigzag[3] *a* зигзаговиден, зигзагообразен, на зигзаги.

zillion ['ziljən] *n* *ам. разг.* неопределено голямо число; безкрайно много, безброй.

zinc[1] [ziŋk] *n* цинк; *attr* цинков; **flowers of** ~, ~ **oxide** бял цинков окис, използуван за бяла боя цинквайс.

zinc[2] *v* (**zinced, zinked, zincked** [ziŋkt]) поцинковам, галванизирам.

zinc blend ['ziŋk͵blend] *n* сфалерит, цинков сулфид (*руда*).

zincograph ['ziŋkəgra:f] *n* (отпечатък от) цинкографско клише.

zincography [ziŋ'kɔgrəfi] *n* цинкография.

zinc white ['ziŋk͵wait] *n* цинков окис, цинквайс.

zing[1] [ziŋ] *n разг.* **1.** жизненост, оживеност; енергия, сила; **2.** *ам.* силно бръмчене; рязък шум.

zing[2] *v* движа се бързо с бръмчене; правя (нещо) с рязък шум.

Zingaro ['ziŋərou] *n* (*pl* -**i**) *ит.* циганин.

zingy ['ziŋi] *a разг.* чудесен, файнски (*за дреха и пр.*).

zinnia ['ziniə] *n бот.* циния.

Zionism ['zaiənizm] *n* ционизъм.

Zionist ['zaiənist] **I.** *a* ционистки; **II.** *n* ционист.

zip[1] [zip] *n* **1.** свистене (*на куршум*); шум от внезапно раздиране (*на плат и пр.*); **2.** цип; **3.** *разг.* енергия, сила; темперамент.

zip[2] *v* (-**pp**-) **1.** отварям/затварям с цип; **she** ~**ped her bag open** тя разтвори ципа на чантата си; **2.** движа се/правя нещо бързо/енергично; **3.** свистя, профучавам (*за куршум и пр.*); **4.** ускорявам, усилвам; превозвам/пренасям бързо; **5.** оживявам, правя по-интересен.

zip code ['zipkoud] *n ам.* пощенски код.

zip-fastener ['zip͵fa:snə] *n* цип.

zipper ['zipə] *n* **1.** цип; **2.** *pl* ботинка/ботуш и пр., който се затваря с цип.

zippy ['zipi] *a разг.* жив, пъргав, енергичен.

zircon ['zə:kən] *n минер.* циркон.

zirconium [zə:'kouniəm] *n хим.* цирконий.

zither ['ziðə] *n муз.* цитра.

zodiac ['zoudiæk] *n* **1.** зодиак; **signs of the** ~ знаци на зодияка, зодии; диаграма на зодиака и зодиите; **2.** пълен цикъл/кръг.

zodiacal [zou'daiəkl] *a* зодиакален.

zoic ['zouik] *a* показващ следи от живот; *геол.* съдържащ вкаменелости.

zombi(e) ['zɔmbi] *n* **1.** съживен с магия мъртвец; **2.** *разг.* глупак; чудак; дървеняк; **3.** *воен. sl.* новобранец; **4.** вид коктейл; **5.** *разг.* автомат.

zonal ['zounəl] *a* зонален.

zonate ['zouneit] *a бот., зоол.* нареден в редици; на ивици/пояси.

zone[1] [zoun] *n* **1.** зона, пояс; **frigid/temperate/torrid** ~ полярен/умерен/тропически пояс; **war** ~ военна зона; **danger** ~ опасна/застрашена зона; **2.** черта, рязка, ивица; **3.** област, район; **4.** *attr* зонален, регионален; *геогр.* пояс, зонален, поясен; ~ **time** зонално време.

zone[2] *v* **1.** ограждам (като) с пояс; **2.** подреждам в/разпределям на зони; **3.** причислявам към зона/район.

zoning ['zouniŋ] *n* **1.** *градоустройство* планиране на жилищни, търговски, индустриални и пр. площи; **2.** райониране.

zoo [zu:] *n разг.* зоологическа градина, зоопарк.

zoogeoraphy [zouə'ʤiɔgrəfi] *n* зоогеография.

zoography [zou'ɔgrəfi] *n* описателна зоология; зоография.

zooid ['zouəid] *n биол.* организъм, получен чрез делене/пъпкуване.

zoolatry [zou'ɔlətri] *n* обожествяване на животни, зоолатрия.

zoological [zouə'lɔʤikl] *a* зоологически; ~ **gardens** зоологическа градина.

zoologist [zou'ɔləʤist] *n* зоолог.

zoology [zou'ɔləʤi] *n* зоология.

zoom[1] [zu:m] *v* **1.** *ав.* издигам се рязко на голяма височина (*за самолет*); **2.** движа се/придвижвам се бързо/шумно/с бръмчене; **3.** повишавам се рязко (*за цени*); поскъпвам рязко (*за стоки и пр.*).

zoom[2] *n* **1.** *ав.* рязко изкачване, вертикално излитане; **2.** бръмчене, жужене, бучене; □ ~ **lens** подвижен обектив (*на камера и пр.*).

zoomorphism [zouə'mɔ:fizm] *n* представяне на богове и свръхестествени същества във вид/с образ на животни, зооморфизъм.

zoophyte ['zouəfait] *n* растениевидно животно (*актиния, медуза, корал и пр.*), зоофит.

zooplankter ['zouəplæŋktə] *n* жив организъм, съставящ планктон.

zooplankton ['zouə'plæŋktən] *n* планктон, състоящ се от живи организми.

zoospore ['zouəspɔ:] *n* самостоятелно движеща се спора (*на водорасли, гъби и пр.*), зооспора.

zoot suit ['zu:tsu:t] *n* мъжки костюм с дълъг жакет и стесняващи се надолу панталони.

zori ['zɔri] *n яп.* вид сандали (*от слама, кожа или гума*).

zouave ['zu:a:v, zwa:v] *n ист.* войник от алжирските полкове на френската пехота, носещи ориенталски униформи, зуав.

zounds [zaundz] *int* изразява гняв, протест, възмущение дявол да го вземе! по дяволите!

zucchini [zu'ki:ni] *n ит.* дребен сорт тиквички (*зарзават*).

zwieback ['tsvi:ba:k] *n нем.* вид сухар.

zygoma [zi'goumə] *n* (*pl* -**mata** [-mətə]) *анат.* скула.

zymosis [zi'mousis] *n* (*pl* -**ses** [-si:z]) **1.** ферментация; **2.** = **zymotic disease** (*вж.* **zymotic** 2).

zymotic [zi'mɔtik] *a* **1.** отнасящ се до/свързан с/причинен от/причиняващ ферментация; **2.** ~ **disease** заразна/инфекциозна/епидемична болест.

zymurgy ['zaiməʤi] *n* клон от приложната химия, занимаващ се с ферментационните процеси; технология на ферментационното производство.

LIST OF GEOGRAPHICAL NAMES
СПИСЪК НА ГЕОГРАФСКИ ИМЕНА*

A

Aberdeen [æbə'di:n] *гр.* Абърдийн.

Abidjan [æbi'ʤa:n] *гр.* Абиджан.

Abuja [ə'bu:ʤə] *гр.* Абуджа.

Accra [ək'ra:] *гр.* Акра.

Addis Ababa ['ædis'æbəbə] *гр.* Адис Абеба.

Adelaide ['ædəleid] *гр.* Аделейд.

Aden ['eidn, 'ædn] *гр.* Аден.

Adirondack Mountains [ˌædi'rɔndæk 'mauntinz] Адирондаки, Адирондакски планини.

Adriatic Sea [eidri'ætik'si:] Адриатическо море.

Aegean Sea [i(:)'ʤi:ən'si] Егейско море.

Aetna = Etna.

Afghanistan [æf'gænistæn] Афганистан.

Africa ['æfrikə] Африка.

Ajaccio [ə'jætʃou] *гр.* Аячо.

Akkra = Accra.

Alabama [ˌælə'bæmə] Алабама.

Alaska [ə'læskə] Аляска.

Albania [əl'beiniə] Албания; **People's Republic of Albania** Народна република Албания.

Albany ['ɔ:lbəni] *гр.* Олбани.

Aleutian Islands [ə'lu:ʃjən'ailəndz] Алеутски острови.

Alexandria [ælig'za:ndiə] *гр.* Александрия.

Algeria [æl'ʤiəriə] Алжир.

Algiers [æl'ʤiəz] *гр.* Алжир.

Allegheny Mountains ['æligeini 'mauntinz] Алигени, Алигенски планини.

Alma Ata ['a:lməə'ta:] *гр.* Алма Ата.

Alps, the [ælps] Алпите.

Alsace [æl'sa:s] Елзас.

Alsace-Lorraine [æl'sa:slə'rein] Елзас-Лотарингия.

Altai ['a:ltai] Алтай.

Amazon ['æməzɔn] *р.* Амазонка.

America [ə'merikə] Америка.

Amhurst ['æmə:st] *гр.* Амхърст.

Amman [ə'ma:n] *гр.* Аман.

Amsterdam ['æmstədæm] *гр.* Амстердам.

Amu Darya [ə'mu:də'rja:] *р.* Амударя.

Amur [ə'muə] *р.* Амур.

Anatolia [ˌænə'touliə] Анадола.

Andalusia [ændə'luziə, -'lu:ʒə] Андалузия.

Andes, the ['ændi:z] Андите.

Andorra [æn'dɔrə] Андора.

Angola [æŋ'goulə] Ангола.

Angora ['æŋgərə] *вж.* **Ankara.**

Ankara ['æŋkərə] *гр.* Анкара.

Antarctica, Antarctic Continent [ænt'a:ktikə, ˌent'a:ktik'kɔntinənt] Антарктида.

*По данни от 1982 г.

Antilles [æn'tili:z] Антилски острови, Антили.

Antioch ['ænti:ɔk] *гр.* Антиохия.

Antwerp ['æntwə:p] *гр.* Антверпен.

Apennines ['æpənainz] Апенини.

Appalachian Mountains [ˌæpə'leikiən 'mauntinz] Апалачи, Апалачки планини.

Aquitaine ['ækwitein] Аквитания.

Arabia [ə'reibjə] Арабски полуостров.

Arabian Sea [ə'reibjən'si:] Арабско море.

Aragon ['ærəgɔn] Арагона.

Aral Sea ['ærəl'si:] Аралско море.

Ararat ['ærəræt] *вр.* Арарат.

Arctic Ocean ['a:ktik'ouʃən] Северен ледовит океан.

Arctic Region ['a:ktik'ri:ʤən] Арктика.

Argentina [ˌa:ʤən'ti:nə] Аржентина.

Arizona [ærə'zounə] Аризона.

Arkansas [a:kənsɔ:] Арканзас.

Arkhangelsk [a:k'a:ŋgilsk] *гр.* Архангелск.

Armenia [a:'mi:niə] Армения; **Armenian Soviet Socialist Republic** Арменска съветска социалистическа република.

Asia ['eiʃə, 'eiʒə] Азия.

Asia Minor ['eiʃə'mainə] Мала Азия.

Astrakhan [æstrə'kæn] *гр.* Астрахан.

Asuncion [əˌsunsi'oun] *гр.* Асунсион.

Atananarivo [əˌtænənə'rivou] *гр.* Атананариву.

Athens ['æθinz] *гр.* Атина.

Atlanta [ə'tlæntə] *гр.* Атланта.

Atlantic Ocean [ə'tlæntik'ouʃən] Атлантически океан.

Atlas Mountains ['ætləs'mauntinz] Атласки планини, Атлас.

Auckland ['ɔ:klənd] *гр.* Окланд.

Australia [ɔ:'streiljə] Австралия; **Commonwealth of Australia** Австралийски съюз.

Austria ['ɔ:striə] Австрия.

Avon ['eivən] *р.* Ейвън.

Azerbaijan [ˌæzəbai'ʤa:n] Азърбайджан; **Azerbaijan Soviet Socialist Republic** Азърбайджанска съветска социалистическа република.

Azores [ə'zɔ:z] Азорски острови.

B

Babylon ['bæbilən] *ист.* Вавилон.

Bag(h)dad [bæg'dæd] *гр.* Багдад.

Bahama Islands, Bahamas [bə'ha:mə 'ailəndz, bə'ha:məz] Бахамски острови.

Bahrain, Bahrein [bə'rein] Бахрейн.

Baikal [bai'ka:l] *ез.* Байкал.

Baku [bə'ku:] *гр.* Баку.

Balearic Islands [ˌbæli'ærik'ailəndz] Балеарски острови.

Bali ['ba:li:] *о-в* Бали.

Balkan Mountains ['bɔ:lkən'mauntinz] Стара планина, Балкан.

Balkan Peninsula ['bɔ:lkənpi'ninsjulə] Балкански полуостров.

Baltic Sea ['bɔ:ltik'si:] Балтийско море.

Baltimore ['bɔ:ltimɔ:] *гр.* Балтимор.

Bamako [ˌba:ma:'kou] *гр.* Бамако.

Bangalore ['bæŋgəlɔ:] *гр.* Бангалор.

Bangkok ['bæŋkɔk] *гр.* Банкок.

Bangla Desh ['bæŋglə'deʃ] Бангладеш.

Bangui [ba:n'gi:] *гр.* Банги.

Banj(o)ul [bæn'ʤu:l] *гр.* Банджул.

Barbados [ba:'beidouz] Барбейдоуз.

Barcelona [ˌba:sə'lounə] *гр.* Барселона.

Barents Sea ['ba:rents'si:] Баренцово море.

Basel, Basle ['ba:zəl, 'ba:sl] *гр.* Базел.

Bath [ba:θ] *гр.* Бат.

Bay of Bengal ['beiəvben'gɔ:l] Бенгалски залив.

Bay of Biskay ['beiəv'biskei] Бискайски залив.

Bechuanaland [betʃu'a:nəlænd] Бечуаналанд; *вж.* **Botswana.**

Bedford(shire) ['bedfəd(ʃə)] Бедфорд(шър).

Beds [bedz] *съкр. от* **Bedfordshire.**

Beirut [bei'ru:t] *гр.* Бейрут.

Belfast ['belfa:st] *гр.* Белфаст.

Belgium ['belʤəm] Белгия.

Belgrade [bel'greid] *гр.* Белград.

Belize [be'li:z] Белиз.

Benares [bə'na:rəs] *гр.* Бенарес.

Bengal [beŋ'gɔ:l] Бенгалия.

Bengasi, Benghazi [beŋ'ga:zi:] *гр.* Бенгази.

Bergen ['bə:gən] *гр.* Берген.

Bering Sea ['beriŋ'si:] Берингово море.

Bering Strait ['beriŋ'streit] Берингов проток.

Berks [ba:ks] *съкр. от* **Berkshire.**

Berkshire ['ba:kʃə] Баркшър.

Berlin [bə:'lin] *гр.* Берлин.

Bermuda Islands, Bermudas [bə(:)'mju:də'ailəndz, bə:'mju:dəz] Бермудски острови.

Bern(e) [bə:n] *гр.* Берн.

Berwick(shire) ['berik(ʃə)] Берик(шър).

Bessarabia [ˌbesə'reibiə] *ист.* Бесарабия.

Bethlehem ['beθləəm] Витлеем.

Beyruth = Beirut.

Bhutan [bu'ta:n] Бутан.

Birmingham ['bə:miŋəm] *гр.* Бирмингам.

Bissau [bi'sau] *гр.* Бисау.
Black Sea ['blæk'si:] Черно море.
Bogota [bəgou'ta:] *гр.* Богота.
Bokhara [bou'ka:rə] = **Bukhara.**
Bolivia [bə'liviə] Боливия.
Bombay [bɔm'bei] *гр.* Бомбай.
Bonn [bɔn] *гр.* Бон.
Bordeaux [bɔ:'dou] *гр.* Бордо.
Borneo ['bɔ:niou] *о-в* Борнео; *вж.* **Kalimantan.**
Bosporus ['bɔspərəs] Босфор.
Boston ['bɔstən] *гр.* Бостън.
Botswana [bɔ'tswa:nə] Ботсуана.
Bournemouth ['bɔ:nməθ] *гр.* Борнмът.
Bradford ['brædfəd] *гр.* Брадфорд.
Brasilia [brə'ziliə] *гр.* Бразилия.
Brazil [brə'zil] Бразилия.
Brazzaville ['bræzəvil] *гр.* Бразавил.
Brighton ['braitn] *гр.* Брайтън.
Brisbane ['brisbən] *гр.* Брисбън.
Bristol ['bristl] *гр.* Бристъл.
Britain = **Great Britain.**
British Isles ['britiʃ'ailz] Британски острови.
Brittany ['britəni] *ист.* Бретан.
Bronx [brɔŋks] Бронкс.
Brooklyn ['bruklin] Бруклин.
Bruges [bru:ʒ] *гр.* Брюж, Брюге.
Brunei [bru:'nei] *гр.* Бруней.
Brussels ['brʌslz] *гр.* Брюксел.
Bucharest [,bju:kə'rest] *гр.* Букурещ.
Buckingham(shire) ['bʌkiŋəm(ʃə)] Бъкингъм(шър).
Bucks [bʌks] *съкр. от* **Buckinghamshire.**
Budapest ['bju:də'pest] *гр.* Будапеща.
Buenos Aires ['bueinəs'aiəriz] *гр.* Буенос Айрес.
Buffalo ['bʌfəlou] *гр.* Бъфало(у).
Bujumbura [,bu:ʤəm'buərə] *гр.* Бужумбура.
Bukhara [bu'ka:rə] *гр.* Бухара.
Bulgaria [bʌl'gɛəriə] България; **People's Republic of Bulgaria** Народна република България.
Burgundy ['bə:gəndi] *ист.* Бургундия.
Burma ['bə:mə] Бирма.
Burundi [bu'rundi] Бурунди.
Byelorussia [,bjelou'rʌʃə] Белорусия; **Byelorussian Soviet Socialist Republic** Белоруска съветска социалистическа република.
Byzantium [bi'zæntiəm] *ист.* Византия.

C

Cadiz [kə'di:z] *гр.* Кадис.
Cairo ['kaiərou] *гр.* Кайро.
Calais ['kælei] *гр.* Кале.
Calcutta [kæl'kʌtə] *гр.* Калкута.
California [,kæli'fɔ:niə] Калифорния.
Cambodia [kæm'boudiə] Камбоджа; *вж.* **Campuchea.**
Cambridge ['keimbriʤ] *гр.* Кеймбридж.

Cameroon ['kæməru:n] Камерун.
Campuchea [,kæmpu'tʃiə] Кампучия.
Canada ['kænədə] Канада.
Canary Islands [kə'nɛəri'ailəndz] Канарски острови.
Canberra ['kænbərə] *гр.* Канбера.
Cannes [kæn] *гр.* Кан.
Canterbury ['kæntəbəri] *гр.* Кентърбъри.
Canton [kæn'tɔn] *гр.* Кантон.
Cape Canaveral ['keipkə'nævərəl] *нос* Канаверал.
Cape Horn ['keip'hɔ:n] *нос* Хорн.
Cape of Good Hope ['keipəv 'gudhoup] *нос* Добра надежда.
Cape Town, Capetown ['keiptaun] *гр.* Кейптаун.
Cape Trafalgar ['keiptrə'fælgə] *нос* Трафалгар.
Cape Verde Islands [keip'və:d'ailəndz] *о-ви* Зелени нос.
Caracas [kə'rækəs] *гр.* Каракас.
Cardiff ['ka:dif] *гр.* Кардиф.
Caribbean (Sea) [,kæri'biən('si:)] Карибско море.
Carlisle [ka:'lail] *гр.* Карлайл.
Carpathian Mountains, Carpathians [ka:'peiθiən'mauntinz, ka:'peiθiənz] Карпатски планини, Карпати.
Carthage ['ka:θiʤ] *ист.* Картаген.
Caspian Sea ['kæspiən'si:] Каспийско море.
Caucasus, the ['kɔ:kəsəs] Кавказ.
Celebes ['seləbi:z, se'li:biz] *о-в* Целебес; *вж.* **Sulawesi.**
Central African Republic ['sentrəl 'æfrikənri'pʌblik] Централноафриканска република.
Central America ['sentrələ'merikə] Централна Америка.
Chad [tʃæd] Чад.
Channel, the ['tʃænl] = **English Channel.**
Channel Islands ['tʃænl'ailəndz] Нормански острови, Чанъл Айлъндс.
Charleston ['tʃa:lstən] *гр.* Чарлстън.
Chatham ['tʃæθəm] *гр.* Чатъм.
Cheltenham ['tʃeltnəm] *гр.* Челтнъм.
Cherbourg ['ʃɛəbuəg] *гр.* Шербург.
Cheshire ['tʃeʃə] Чешър.
Chester ['tʃestə] *гр.* Честър.
Cheviot Hills ['tʃeviət'hilz] Чевиотски планини.
Chicago [ʃi'ka:gou] *гр.* Чикаго.
Chile ['tʃili] Чили.
China ['tʃainə] Китай; **Chinese People's Republic** Китайска народна република.
Chios ['kaiɔs] *о-в* Хиос.
Chomolungma [,tʃoumou'lʌŋma:] Чомолънгма; *вж.* **Everest.**
Chuckchee Sea ['tʃuktʃi'si:] Чукотско море.
Chungking [tʃuŋ'kiŋ] *гр.* Чунцин, Чункинг.

Cincinnati [,sinsi'næti] *гр.* Синсинати.
Cleveland ['kli:vlənd] *гр.* Кливлънд.
Clyde [klaid] *р.* Клайд.
Cologne [kə'loun] *гр.* Кьолн.
Colombia [kə'lʌmbiə] Колумбия.
Colombo [kə'lʌmbou] *гр.* Коломбо.
Colorado [,kɔlə'ra:dou] Колорадо.
Conakry ['kɔnəkri] *гр.* Конакри.
Congo, the ['kɔŋgou] **1.** *р.* Конго; **2.** Конго; **Peolpe's Republic of Kongo** Народна република Конго.
Connecticut [kə'netikʌt] Кънетикът.
Constantinople [kɔn,stænti'noupl] *ист.* гр. Константинопол.
Copenhagen [,koupn'heigən] *гр.* Копенхаген.
Corfu [kɔ:'fu:] *о-в* Корфу.
Corinth ['kɔrinθ] *ист.* Коринт.
Cornwall ['kɔ:nwəl] Корнуол.
Corsica ['kɔ:sikə] *о-в* Корсика.
Costa Rica ['kɔstə'ri:kə] Коста Рика.
Coventry ['kɔvəntri] *гр.* Ковънтри.
Cracow ['krækou] *гр.* Краков.
Crete [kri:t] *о-в* Крит.
Crimea, the [krai'miə] Крим.
Croatia [krou'eiʃə] Хърватско.
Cuba ['kju:bə] Куба; **Republic of Cuba** Република Куба.
Cumberland ['kʌmbələnd] Къмбърлънд.
Curaçao [,kjuərə'sou] *о-в* Кюрасао.
Cyprus ['saiprəs] *о-в* Кипър.
Czechia ['tʃekiə] Чехия; **Czech Socialist Republic** Чешка социалистическа република.
Czechoslovakia [,tʃekouslou'vækiə] Чехословакия; **Czechoslovak Socialist Republic** Чехословашка социалистическа република.

D

Dacca ['dækə] *гр.* Дака.
Dakar ['dækə, 'dæka:] *гр.* Дакар.
Dakota [də'koutə] Дакота.
Dalmatia [dæl'meiʃə] Далмация.
Damascus [də'mæskəs] *гр.* Дамаск.
Danube ['dænju:b] *р.* Дунав.
Dardanelles [,da:də'nelz] Дарданели.
Dar es Salaam ['da:ress'la:m] *гр.* Дар ес Салам.
Dartmouth ['da:tməθ] *гр.* Дартмът.
Dead Sea ['ded'si:] Мъртво море.
Delaware ['deləwɛə] Делауер.
Delhi ['deli] *гр.* Делхи.
Denmark ['denma:k] Дания.
Denver ['denvə] *гр.* Денвър.
Derby(shire) ['da:bi(ʃə)] Дарби(шър).
Des Moines [də'mɔin] *гр.* Де Мойн.
Detroit [də'drɔit] *гр.* Детройт.
Devon(shire) ['devn(ʃə)] Девън(шър).
Dieppe [di'ep] *гр.* Диеп.

District of Columbia ['distrikt əvkə'lʌmbiə] Колумбийски окръг.

Djakarta = Jakarta.

Djibuti = Jibuti.

Dnieper ['dni:pə] *р.* Днепър.

Dniester ['dni:stə] *р.* Днестър.

Dodecanese Islands [‚doudikə'ni:z 'ailəndz] Додеканезки острови, Додеканези.

Doha ['douhə] *гр.* Доха.

Dominican Republic [də'minikən ri'pʌblik] Доминиканска република.

Don [dɔn] *р.* Дон.

Donegal ['dɔnigɔ:l] Донегол.

Dorset(shire) ['dɔ:sit(ʃə)] Дорсет-(шър).

Dover ['douvə] *гр.* Доувър.

Dublin ['dʌblin] *гр.* Дъблин.

Dudley ['dʌdli] *гр.* Дъдли.

Dumbarton [dʌm'ba:tn] *гр.* Дъмбар-тън.

Dumfries(shire) ['dʌmfri:s(ʃə)] Дъмф-рийс(шър).

Dundee [dʌn'di:] *гр.* Дъндий.

Dunkirk [dʌn'kɔ:k] *гр.* Дюнкерк.

Durban ['də:bən] *гр.* Дърбън.

Durham ['dʌrəm] *гр.* Дъръм.

E

East China Sea ['i:st‚tʃainə'si:] Източ-нокитайско море.

Easter Islands ['i:stər'ailəndz] Велик-денски острови.

East Indies ['i:st'indiz] *ист.* Ист Ин-дия.

Ecuador [‚ekwə'dɔ:] Еквадор.

Edinburgh ['edinbʌrə] *гр.* Единбург, Единбъро.

Egypt ['i:dʒipt] Египет.

Eire ['eərə] Ейре, Ирландия.

Elba ['elbə] *о-в* Елба.

Elbe [elb] *р.* Елба.

El Salvador [el'sælvədɔ:] Салвадор.

England ['iŋglənd] Англия.

English Channel ['iŋgliʃ'tʃænl] Ла-манш.

Epsom ['epsəm] *гр.* Епсъм.

Equatorial Guinea [‚ekwə'tɔ:riəl'gini] Екваториална Гвинея.

Erin ['erin] *поет.* Ирландия.

Eritrea [‚eri'triə] Еритрея.

Essex ['esiks] Есекс.

Estonia [es'touniə] Естония; **Estonian Soviet Socialist Republic** Ес-тонска съветска социалистиче-ска република.

Ethiopia [‚i:θi'oupiə] Етиопия.

Etna ['etnə] Етна.

Eton ['i:tn] *гр.* Ийтън.

Euphrates [ju:'freiti:z] *р.* Ефрат.

Europe ['juərəp] Европа.

Everest ['evərest] *вр.* Еверест.

Exeter ['eksətə] *гр.* Ексетър.

F

Fairbanks ['fɛəbæŋks] *гр.* Феър-банкс.

Falkland Islands ['fɔ:lklənd'ailəndz] Фолкландски острови.

Federal Republic of Germany ['fedərəlri'pʌblikəv'dʒə:məni] Феде-рална република Германия.

Fes, Fez [fes, fez] *гр.* Фес.

Fife [faif] Файф.

Fiji ['fi:dʒi] *о-в* Фиджи.

Finland ['finlənd] Финландия.

Firth of Forth ['fə:θəvfɔ:θ] *залив* Фърт ъв Форт.

Florence ['flɔrəns] *гр.* Флоренция.

Florida ['flɔridə] Флорида.

Folkestone ['foukstən] *гр.* Фолкстън.

Formosa [fɔ:'mousə] Формоза; *вж.* **Taiwan.**

Forth [fɔ:θ] *р.* Форт.

France [fra:ns] Франция.

Freetown ['fri:taun] *гр.* Фрийтаун.

G

Gabon, Gaboon [gə'bɔŋ, gə'bu:n] Га-бон.

Gaborones ['gæbərəni:z] *гр.* Габоро-не.

Gambia ['gæmbiə] Гамбия.

Ganges ['gændʒi:z] *р.* Ганг.

Geneva [dʒi'ni:və] *гр.* Женева.

Genoa ['dʒenouə] *гр.* Генуа.

Georgetown ['dʒɔ:dʒtaun] *гр.* Джорджтаун.

Georgia[1] ['dʒɔ:dʒə] Джорджия (*щат в САЩ*).

Georgia[2] Грузия; **Georgian Soviet Socialist Republic** Грузинска съ-ветска социалистическа репуб-лика.

German Democratic Republic ['dʒə:-mən‚demə'krætikri'pʌblik] Герман-ска демократична република.

Germany ['dʒə:məni] *ист.* Германия.

Gettysburg ['getisbə:g] *гр.* Гетисбърг.

Ghana ['ga:nə] Гана.

Ghent [gent] *гр.* Гент.

Gibraltar [dʒi'brɔ:ltə] Гибралтар.

Glasgow ['gla:zgou] *гр.* Глазгоу.

Gloucester(shire) ['glɔstə(ʃə)] Глос-тър(шър).

Gobi ['goubi] Гоби.

Got(h)land ['gɔtlənd] *о-в* Готланд.

Great Britain ['greit'britn] Велико-британия.

Greece [gri:s] Гърция.

Greenland ['gri:nlənd] Гренландия.

Greenwich ['grinidʒ] Гринуич.

Grenada [grə'neidə] *гр.* Гренада.

Guadeloupe [‚gwa:də'lu:p] Гваделупа.

Guam [gwɔm] *о-в* Гуам.

Guatemala [‚gwa:tə'ma:lə] 1. Гватема-ла; 2. *гр.* Гватемала (*и* **Guate-mala City**).

Guernsey ['gə:nzi] *о-в* Гърнзи.

Guinea ['gini] Гвинея.

Guinea-Bissau ['ginibi'sau] Гвинея-Бисау.

Gulf of Mexico ['gʌlfəv'meksikou] Мексикански залив.

Guyana [gai'ænə] Гвиана, Гаяна.

H

Hague, the [heig] *гр.* Хага.

Haifa ['haifə] *гр.* Хайфа.

Haiti ['heiti] Хаити.

Halifax ['hælifæks] *гр.* Халифакс.

Hamburg ['hæmbə:g] *гр.* Хамбург.

Hampshire ['hæmpʃə] Хампшър.

Hanoi [hə'nɔi] *гр.* Ханой.

Hants [hænts] *съкр. от* **Hampshire.**

Harare [hə'ra:ri] *гр.* Харарe.

Harrow ['hærou] *гр.* Хароу.

Harwich ['hæridʒ] *гр.* Харидж.

Hastings ['heistiŋz] *гр.* Хейстингс.

Havana [hə'va:nə] *гр.* Хавана.

Havre ['ha:vrə] *гр.* Хавър.

Hawaii [ha:'waii:] Хавай.

Hebrides ['hebridi:z] Хебридски ост-рови.

Hel(i)goland ['hel(i)goulənd] *о-в* Хел-голанд.

Hellas ['hellæs] *ист.* Елада.

Hellespont ['helispɔnt] *ист.* Хелес-понт.

Helsinki ['helsiŋki] *гр.* Хелзинки.

Hereford(shire) ['herifəd(ʃə)] Хере-фърд(шър).

Hertford(shire) ['ha:fəd(ʃə)] Харт-фърд(шър).

Herts [ha:ts] *съкр. от* **Hertfordshire.**

Himalaya(s) [himə'leiə(z)] Химaлаи.

Hindustan [‚hindu'stæn] Индостан.

Hiroshima [hi'rɔʃimə] *гр.* Хироши-ма.

Ho Chi Minh [‚hou'tʃi:'mi:n] *гр.* Хо-шимин.

Holland ['hɔlənd] Холандия.

Hollywood ['hɔliwud] *гр.* Холивуд.

Honduras [hɔn'duərəs] Хондурас.

Hong Kong [hɔŋ'kɔŋ] Хонконг.

Honiara [‚houni'a:rə] *гр.* Хониара.

Honolulu [‚hɔnə'lu:lu] *гр.* Хонолулу.

Houston ['hju:stən] *гр.* Хюстън.

Hudson ['hʌdsən] *р.* Хъдсън.

Hull [hʌl] *гр.* Хъл.

Hungary ['hʌŋgəri] Унгария; **Hungarian People's Republic** Ун-гарска народна република.

Huntingdon(shire) ['hʌntiŋdən(ʃə)] Хънтингдън(шър).

Hunts [hʌnts] *съкр. от* **Huntingdon-shire.**

Hyderabad ['haidərəbæd] *гр.* Хайде-рабад.

I

Iceland ['aislənd] Исландия.

Idaho ['aidəhou] Айдахо(у).

Illinois ['ilinɔi] Илиной(с).

India ['indiə] Индия.

Indiana [indi'ænə] Индиана.
Indian Ocean ['indiən'ouʃən] Индийски океан.
Indonesia [„indou'ni:ziə,-'ni:ʒə] Индонезия.
Indus ['indəs] *р.* Инд.
Inverness [‚invə'nes] Инвърнес.
Ionian Sea [ai'ouniən'si:] Йонийско море.
Iowa ['aiouwə] Айоува.
Irak = Iraq.
Iran [i'ra:n] Иран.
Iraq [i'ra:k] Ирак.
Ireland ['aiələnd] Ирландия.
Islamabad [iz‚la:mə'ba:d] *гр.* Исламабад.
Isle of Ely ['ailəv'i:li] *о-в* Ийли.
Isle of Wight ['ailəv'wait] *о-в* Уайт.
Islington ['izliŋtən] Излингтън.
Israel ['izreiəl] Израел.
Istanbul [‚istæn'bu:l] *гр.* Истанбул.
Ivory Coast ['aivəri'koust] Бряг на слоновата кост.
Izmir [i:z'miə] *гр.* Измир.

J

Jacksonville ['ʤæksənvil] *гр.* Джаксънвил.
Jaffa ['ʤæfə] *гр.* Яфа.
Jaipur [ʤai'puə] *гр.* Джайпур.
Jakarta [ʤə'ka:tə] *гр.* Джакарта.
Jamaica [ʤə'meikə] Ямайка.
Japan [ʤə'pæn] Япония.
Java ['ʤa:və] *о-в* Ява.
Jersey ['ʤə:zi] *о-в* Джързи.
Jerusalem [ʤə'ru:sələm] *гр.* Ерусалим.
Jibuti [ʤi'bu:ti] *гр.* Джибути.
Johannesburg [ʤou'hænisbə:g] *гр.* Йоханесбург.
Jordan ['ʤɔ:dn] 1. Йордания; 2. *р.* Йордан.
Jutland ['ʤʌtlənd] *п-ов* Ютланд.

K

Kabul ['ka:bəl] *гр.* Кабул.
Kaliningrad [kə'liningra:d] *гр.* Калининград.
Kalimantan [ka:li'mænta:n] *о-в* Калимантан.
Kama ['ka:mə] *р.* Кама.
Kamchatka [kəm'tʃætkə] *п-ов* Камчатка.
Kampala [ka:m'pa:lə] *гр.* Кампала.
Kansas ['kanzəs] 1. Канзас; 2. *р.* Канзас.
Karachi [kə'ra:tʃi] *гр.* Карачи.
Kara Sea ['ka:ra:'si:] Карско море.
Kashmir [kæʃ'miə] Кашмир.
Katmandu ['ka:tma:n'du:] *гр.* Катманду.
Kattegat [kæti'gæt] *проток* Категат.
Kaunas ['kauna:s] *гр.* Каунас.
Kazakhstan [‚ka:za:h'sta:n] Казахстан: **Kazakh Soviet Socialist Republic** Казашка съветска социалистическа република.
Kent [kent] Кент.
Kentucky [ken'tʌki] Кентъки.
Kenya ['keniə] Кения.
Kharkov ['ka:kɔf] *гр.* Харков.
Khart(o)um [ka:'tu:m] *гр.* Хартум.
Kiel [ki:l] *гр.* Кил.
Kigali [ki'ga:li] *гр.* Кигали.
Kilimanjaro [‚kilimæn'ʤa:rou] Килиманджаро.
Kingston ['kiŋstən] *гр.* Кингстън.
Kinshasa [kin'ʃa:sə] *гр.* Киншаса.
Kioto = Kyoto.
Kirg(h)izia [kə:'giʤə] Киргизия; **Kirghiz Soviet Socialist Republic** Киргизка съветска социалистическа република.
Kishinev [kiʃi'nief] *гр.* Кишинев.
Klondike ['klɔndaik] Клондайк.
Konakri = Conakry.
Kongo = Congo.
Korea [kə'riə] Корея; **Korean People's Democratic Republic** Корейска народнодемократична република.
Kuala Lumpur ['kwa:ləlumpuə] *гр.* Куала Лумпур.
Kuwait [ku'weit] Кувейт.
Kyoto [ki'outou] *гр.* Киото.

L

Labrador ['læbrədɔ:] Лабрадор.
Ladoga ['lædougə] *ез.* Ладога.
Lagos ['leigɔs] *гр.* Лагос.
Lahore [lə'hɔ:] *гр.* Лахор.
Lake District ['leik'distrikt] Езерна област.
Lake Erie [‚leik'iəri] *ез.* Ери.
Lake Huron ['leik'hjuərən] *ез.* Хюрън.
Lancashire ['læŋkəʃə] Ланкашър.
Lancaster ['læŋkəstə] 1. = **Lancashire**; 2. *гр.* Ланкастър.
Laus [lauz] Лаос; **Lao People's Republic** Народна република Лаос.
La Paz [la:'pæz] *гр.* Ла Пас.
La Plata [lə'pla:tə] *гр.* Ла Плата.
Latvia ['lætviə] Латвия; **Latvian Soviet Socialist Republic** Латвийска съветска социалистическа република.
Lebanon ['lebənən] Ливан.
Leeds [li:dz] *гр.* Лийдс.
Leghorn ['leg'hɔ:n] *гр.* Ливорно.
Leicester(shire) ['lestə(ʃə)] Лестър(шър).
Leipzig ['laipzig] *гр.* Лайпциг.
Lena ['leinə] *р.* Лена.
Leningrad ['leningræd] *гр.* Ленинград.
Liberia [lai'biəriə] Либерия.
Libia, Libya ['libiə] Либия.
Liechtenstein ['liktənstain] Лихтенщайн.
Liége [li'eiʒ] *гр.* Лиеж.
Lilongwe [li'lɔngwe] *гр.* Лилонгве.
Lima ['li:mə] *гр.* Лима.
Lincoln(shire) ['liŋkən(ʃə)] Линкълн(шър).
Lisbon ['lizbən] *гр.* Лисабон.
Lithuania [liθu(:)'einiə] Литва; **Lithuanian Soviet Socialist Republic** Литовска съветска социалистическа република.
Liverpool ['livəpu:l] *гр.* Ливърпул.
Loire [lwa:] *р.* Лоара.
Lome [lɔ:'mei] *гр.* Ломе.
London ['lʌndən] *гр.* Лондон.
Londonderry ['lʌndən'deri] Лондондери.
Los Angeles [lɔs'ænʤili:z] Лос Анджилиз.
Louisiana [lu‚i:zi'ænə]Луизиана.
Luanda [lu(:)'ændə] *гр.* Луанда.
Lusaka [lu(:)'sa:kə] *гр.* Лусака.
Luxemburg ['lʌksəmbə:g] Люксембург.
Luxor ['lʌksɔ:] *гр.* Луксор.
Lyons ['laiənz] *гр.* Лион.

M

Mackenzie [mə'kenzi] *р.* Макензи.
Madagascar [mədə'gæskə] Мадагаскар.
Madeira [mə'diərə] 1. *о-в(и)* Мадейра; 2. *р.* Мадейра.
Madras [mə'dra:s] *гр.* Мадрас.
Madrid [mə'drid] *гр.* Мадрид.
Magellan, Strait of ['streitəvmə'gelən] Магеланов проток.
Maine [mein] Мейн.
Majorca [mə'ʤɔ:kə] *о-в* Майорка.
Malabo [mə'la:bou] *гр.* Малабо.
Malawi [mə'la:wi] Малави.
Malay Archipelago [mə'lei‚a:ki'pelagou] Малайски архипелаг.
Malaysia [mə'leiziə] Малайзия.
Maldives ['mɔ:ldi:vz] *о-ви* Малдиви.
Male ['ma:lei] *гр.* Мале.
Mali ['ma:li] Мали.
Malta ['mɔ:ltə] Малта.
Malvinas Islands [məl'vi:nəz'ailəndz] Малвински острови; *вж.* **Falkland Islands.**
Man [mæn] *о-в* Ман.
Managua [mə'na:gwə] *гр.* Манагуа.
Manama [mə'næmə] *гр.* Манама.
Manchester ['mæntʃistə] *гр.* Манчестър.
Manhattan [mən'hætən] Манхатън.
Manila [mə'nilə] *гр.* Манила.
Manitoba [‚mæni'toubə] Манитоба.
Maputo [mə'pu:tou] *гр.* Мапуту.
Margate ['ma:geit] *гр.* Маргейт.
Marseille(s) [ma:'sei(lz)] *гр.* Марсилия.
Martinique [‚ma:ti'ni:k] Мартиника.
Maryborough ['mɛəribərə] *гр.* Мерибъро.

Maryland ['mɛərilənd] Мериланд.
Maseru ['mæzəru:] *гр.* Масеру.
Masqat = Muscat.
Massachusets [ˌmæsə'tʃu:sits] Масачусетс.
Mauritania [ˌmɔ:ri'teinjə] Мавритания.
Mauritius [mɔ'riʃəs] *о-в* Мавриций.
Mbabane [məba:'ba:ni] *гр.* Мбабане.
Mecca ['mekə] *гр.* Мека.
Medina [me'di:nə] *гр.* Медина.
Mediterranean Sea [ˌmeditə'reinjən'si:] Средиземно море.
Melanesia [melə'ni:ziə] Меланезия.
Melbourne ['melbən] *гр.* Мелбърн.
Memphis ['memfis] *гр.* Мемфис.
Mersey ['mə:zi] *р.* Мързи.
Mesopotamia [ˌmesəpə'teimjə] *ист.* Месопотамия.
Mexico ['meksikou] **1.** Мексико; **2.** *гр.* Мексико (*и* Mexico City).
Miami [mai'æmi] *гр.* Маями.
Michigan [miʃigən] Мичиган.
Middlesex ['midlseks] Мидълсекс.
Milan [mi'læn] *гр.* Милано.
Miletus [mi'li:təs] *ист. гр.* Милет.
Milwaukee [mil'wɔ:ki(:)] *гр.* Милуоки.
Mindanao [ˌmində'na:ou] *о-в* Минданао.
Minneapolis [ˌmini'æpəlis] *гр.* Минеаполис.
Minnesota [ˌminə'soutə] Минесота.
Minorca [mi'nɔ:kə] *о-в* Минорка.
Minsk [minsk] *гр.* Минск.
Mississippi [ˌmisi'sipi] Мисисипи (*река и щат*).
Missouri [mi'zuəri] Мисури (*река и щат*).
Mogadiscio, Mogadishu [ˌmɔgə'diʃou, ˌmɔgə'diʃu(:)] *гр.* Могадишо.
Moldavia [mɔl'deivjə] Молдавия; **Moldavian Soviet Socialist Republic** Молдавска съветска социалистическа република.
Molucca Islands, Mollucas [mou'lʌkə'ailəndz, mou'lʌkəz] Молукски острови.
Monaco ['mɔnəkou] Монако.
Mongolia [mɔŋ'gouljə] Монголия; **Mongolian People's Republic** Монголска народна република.
Monmouth(shire) ['mʌnməθ(ʃə)] Мънмът(шър).
Monrovia [mən'rouviə] *гр.* Монровия.
Montana [mɔn'tænə] Монтана.
Mont Blanc [mɔ:n'bla:n] *вр.* Монблан.
Monte Carlo ['mɔnti'ka:lou] *гр.* Монте Карло.
Montevideo [ˌmɔntivi'deiou] *гр.* Монтевидео.
Montgomery(shire) [mənt'gʌməri(ʃə)] Монтгомери(шър).

Montreal [mɔntri'ɔ:l] *гр.* Монреал.
Morocco [mə'rɔkou] Мароко.
Moscow ['mɔskou] *гр.* Москва.
Mosul [mou'su:l] *гр.* Мосул.
Mozambique [ˌmouzæm'bi:k] Мозамбик.
Munich ['mju:nik] *гр.* Мюнхен.
Murmansk ['muəma:nsk] *гр.* Мурманск.
Muscat ['mʌskət] *гр.* Маскат.
Mysore [mai'sɔ:] Майсур.

N

Nagasaki [nægə'sa:ki] *гр.* Нагазаки.
Nairobi [nai'rɔ:bi] *гр.* Найроби.
Namibia [næ'mibjə] Намибия.
Nanking [næŋ'kiŋ] *гр.* Нанкин.
Naples ['neiplz] *гр.* Неапол.
Natal [nə'ta:l] Натал.
N'Djamena [nʤa:'menə] *гр.* Нджамена.
Nebraska [ni'bræskə] Небраска.
Neman ['nemən] *р.* Неман.
Nepal [ni'pɔ:l] Непал.
Netherlands ['neðələndz] Нидерландия.
Neva ['neivə] *р.* Нева.
Nevada [ne'va:də] Невада.
Newark ['nju:a:k] *гр.* Нюарк.
New Caledonia ['nju:kæli'douniə] *о-в* Нова Каледония.
Newcastle ['nju:ka:sl] *гр.* Нюкасъл.
New England ['nju:'iŋglənd] Нова Англия.
Newfoundland [ˌnju:fənd'lænd] *о-в* Нюфаундланд.
New Guinea ['nju:'gini] Нова Гвинея.
New Hampshire ['nu:'hæmpʃə] Ню Хампшър.
New Jersey ['nju:'ʤə:zi] Ню Джързи.
New Mexico ['nju:'meksikou] Ню Мексико.
New Orleans ['nju:'ɔ:liənz] *гр.* Ню Орлиънс.
Newport ['nju:pɔ:t] *гр.* Нюпорт.
New South Wales ['nju:ˌsauθ'weilz] Нови Южен Уелс.
New York ['nju:'jɔ:k] Ню Йорк.
New Zealand ['nju:'zi:lənd] Нова Зеландия.
Niagara [nai'ægərə] *р.* Ниагара.
Niagara Falls [nai'ægərə'fɔ:lz] Ниагарски водопад.
Niamey [nja:'mei] *гр.* Ниамей.
Nicaragua [ˌnikə'rægjuə] Никарагуа.
Nice [ni:s] *гр.* Ница.
Nicosia [ˌnikou'siə] *гр.* Никозия.
Niger ['naiʤə] Нигер.
Nigeria [nai'ʤiəriə] Нигерия.
Nile [nail] *р.* Нил.
Norfolk ['nɔ:fək] Норфолк.
Normandy ['nɔ:məndi] *ист.* Нормандия.
North America ['nɔ:θə'merikə] Северна Америка.
Northampton(shire) [nɔ:θ'æmptən(ʃə)] Нортхамптън(шър).

North Cape ['nɔ:θ'keip] Норкап.
North Carolina ['nɔ:θˌkærə'lainə] Северна Каролина.
North Dakota ['nɔ:θdə'koutə] Северна Дакота.
North Pole ['nɔ:θ'poul] Северен полюс.
North Sea ['nɔ:θ'si:] Северно море.
Northumberland [nɔ:'θʌmbələnd] Нортъмбърланд.
Norway ['nɔ:wei] Норвегия.
Norwich[1] ['nɔ:riʤ] *гр.* Норидж (*в Англия*).
Norwich[2] ['nɔ:rwitʃ] *гр.* Норвич (*в САЩ*).
Nottingham(shire) ['nɔtiŋəm(ʃə)] Нотингъм(шър).
Notts [nɔts] *съкр. от* Nottingham-shire.
Nouakchott [nwa:k'ʃɔt] *гр.* Нуакшот.
Noumea [nu:'meiə] *гр.* Нумея.
Nova Scotia ['nouvə'skouʃə] Нова Шотландия.
Novosibirsk [ˌnɔvəsji'birsk] *гр.* Новосибирск.
Nukualofa [ˌnu:kuə'lɔ:fə] *гр.* Нукуалофа.
Nuremberg, Nürnberg ['njuərəmbə:g, 'nju:rnbə:g] *гр.* Нюрнберг.
Nyasaland [nai'æsələend] Нясаланд; *вж.* **Malawi.**

O

Oakland ['ouklənd] *гр.* Оукланд.
Ob [ɔb] *р.* Об.
Oceania [ˌouʃi'einjə] Океания.
Oder ['oudə] *р.* Одер.
Odessa [ou'desə] *гр.* Одеса.
Ohio [ou'haiou] Охайо.
Okinawa [ˌɔki'na:wə] *о-в* Окинава.
Oklahoma [ˌɔklə'houmə] Оклахома.
Olympus [ə'limpəs] *вр.* Олимп.
Oman [ou'ma:n] Оман.
Onega [ɔ'njegə] Онежко езеро.
Ontario [ɔn'tɛəriou] Онтарио.
Oregon ['ɔrigən] Орегон.
Orinoco [ˌɔri'noukou] *р.* Ориноко.
Orkney Islands ['ɔ:kni'ailəndz] Оркнейски острови.
Osaka ['ɔ:səkə] *гр.* Осака.
Oslo ['ɔzlou] *гр.* Осло.
Ottawa ['ɔtəwə] *гр.* Отава.
Ouagadougou [ˌwa:gə'du:gou] *гр.* Уагадугу.
Oxford(shire) ['ɔksfəd(ʃə)] Оксфорд(шър).

P

Pacific Ocean [pə'sifik'ouʃən] Тихи океан.
Pago Pago ['pa:gou'pa:gou] *гр.* Паго-Паго
Pakistan [ˌpa:kis'ta:n] Пакистан.
Palermo [pə'lə:mou] *гр.* Палермо.
Palestine ['pæləstain] *ист.* Палестина.

Pamirs, the [pə'miəz] Памир.

Panama[,pænə'ma:]Панама.

Panama Canal [,pænə'ma:kə'næl] Панамски канал.

Papua ['pæpjuə] Папуа; *вж.* **Papua (and New) Guinea.**

Papua (and New) Guinea ['pæpjuəən ,nju:'gini]Папуа-Нова Гвинея.

Paraguay ['pærəgwai] Парагвай.

Paramaribo [,pærə'mæribou] *гр.* Парамарибо.

Parana [,pa:ra:'na:] *р.*Парана.

Paris ['pæris] *гр.* Париж.

Pearl Harbour ['pə:l'ha:bə] Пърл Харбър.

Peking ['pi:kiŋ] *гр.* Пекин.

Pembroke(shire) ['pembruk(ʃə)] Пембрук(шър).

Penhuledao [penhjuli'deiou] *о-ви* Пенхуледао.

Pennine Chain ['penain'tʃein] Пенайнска верига, Пенайни.

Pennsylvania [,pensil'veinjə] Пенсилвания.

Persia ['pə:ʃə] *ист.* Персия.

Persian Gulf ['pə:ʃən'gʌlf] Персийски залив.

Pert(shire) ['pə:t(ʃə)] Пърт(шър).

Peru [pə'ru:] Перу.

Pescadores [,peskə'dɔ:ri:z] Пескадорски острови; *вж.* **Penhuledao.**

Peterborough ['pi:təbərə] *гр.* Питърбъро.

Philadelphia [,filə'delfiə] *гр.* Филаделфия.

Philippines ['filipi:nz] Филипини.

Phoenicia [fi'niʃə] *ист.* Финикия.

Piraeus [pai'riəs] *гр.* Пирея.

Pittsburg ['pitsbə:g] *гр.* Питсбърг.

Plata, Plate ['pla:tə, pleit] = **La Plata.**

Plymouth ['pliməθ] *гр.* Плимът.

Pnompenh [nom'pen] *гр.* Пном Пен.

Poland ['poulənd] Полша; **Polish People's Republic** Полска народна република.

Polynesia[,poli'ni:zjə]Полинезия.

Pomerania [pɔmə'reinjə] Померания.

Popocatepetl [,pɔpou,kæti'petl] Попокатепетл.

Port-au-Prince [,pɔ:tou'prins] *гр.* Порт о Пренс.

Portland ['pɔ:tlənd] *гр.* Портланд.

Port Louis ['pɔ:t'lu(:)is] *гр.* Порт Луи.

Port of Spain ['pɔ:təv'spein] *гр.* Порт ъв Спейн.

Porto-Novo [,pɔ:tou'nouvou] *гр.* Порто Ново.

Port Said [,pɔ:t'said] *гр.* Порт Саид.

Portsmouth ['pɔ:tsməθ] *гр.* Портсмът.

Portugal ['pɔ:tjugəl]Португалия.

Prague [pra:g] *гр.* Прага.

Pretoria [pri'tɔ:riə] *гр.* Претория.

Prussia ['prʌʃə] *ист.* Прусия.

Puerto Rico ['pwə:tou'ri:kou] Пуерто Рико.

Punjab [pʌn'dʒæb] Пенджаб.

Pyongyang ['pjɔ:ŋja:ŋ] *гр.* Пхенян.

Pyrenees [,pirə'ni:z]Пиренеи.

Q

Qatar['ka:ta:]Катар.

Quebec [kwi:'bek] *гр.* Куебек.

Queensland ['kwi:nzlənd] Куинсланд.

Quezon, City of ['sitiəv'keisən] *гр.* Кесон Сити.

Quito ['ki:tou] *гр.* Кито.

R

Rabat [rə'bæt] *гр.* Рабат.

Rangoon [ræŋ'gu:n] *гр.* Рангун.

Rawalpindi [,ra:wəl'pindi] *гр.* Равалпинди.

Reading ['rediŋ] *гр.* Рединг.

Recife [re'si:fə] *гр.* Ресифи.

Red Sea ['red'si:] Червено море.

Reims [ri:mz] *гр.* Реймс.

Republic of South Africa [ri'pʌblikəv ,sauθ'æfrikə] Южноафриканска република.

Réunion [ri(:)'ju:njən] *о-в* Реюнион.

Reykjavik ['reikjævi:k] *гр.* Рейкявик.

Rhine [rain] *р.* Рейн.

Rhode Island ['roud'ailənd] Роуд Айлънд.

Rhodes [roudz] *о-в* Родос.

Rhodesia [,rou'di:ziə] Родезия; *вж.* **Zimbabwe.**

Richmond ['ritʃmənd] *гр.* Ричмънд.

Riga ['ri:gə] *гр.* Рига.

Rio de Janeiro ['rioudədʒə'niərou] *гр.* Рио де Жанейро.

Rio de la Plata ['rioudələ'pla:tə] Рио де ла Плата.

Rio de Oro ['rioudə'ourou] Рио де Оро.

Rio Grande ['riou'grændi:] *р.* Рио Гранде.

Riyadh [ri'ja:d] *гр.* Риад.

Rochester ['rɔtʃistə] *гр.* Рочестър.

Rockies, the ['rɔkiz] = **Rocky Mountains.**

Rocky Mountains ['rɔki'mauntinz] Скалисти планини.

Romania [rə'meinjə] = **R(o)umania.**

Rome [roum] *гр.* Рим.

Rotterdam ['rɔtədæm] *гр.* Ротердам.

R(o)umania [ru(:)'meinjə] Румъния; **Socialist Republic of Rumania** Социалистическа република Румъния.

Ruhr [ruə] 1. Рур (*област*); 2. *р.* Рур.

Russia ['rʌʃə] Русия; **Russian Soviet Federative Socialist Republic** Руска съветска федеративна социалистическа република.

Rwanda [ru(:)'ændə] Руанда.

519

S

Saar [za:] 1. Саар (*област*); 2. *р.* Саар.

Sacramento [,sækrə'mentou] *гр.* Сакраменто.

Sahara [sə'ha:rə] Сахара.

Saigon [sai'gɔn] *гр.* Сайгон; *вж.* **Ho Chi Minh.**

Saint George's [saint'dʒɔ:dʒiz] *гр.* Сейнт Джорджис.

Saint Helena [seinthə'li:nə] *о-в* Света Елена.

Saint Lawrence [seint'lɔrəns] *р.* Свети Лаврентий, Сейнт Лорънс.

Saint Louis [seint'luis] *гр.* Сейнт Луис.

Sakhalin [,sækə'li:n] *о-в* Сахалин.

Salem ['seiləm] *гр.* Салем.

Salisbury ['sɔ:lzbəri] *гр.* Солзбъри; *вж.* **Harare.**

Salonika ['sælə'ni:kə] *гр.* Солун.

Salt Lake City ['sɔ:ltleik'siti] *гр.* Солт Лейк Сити.

Salvador ['sælvədɔ:] = **El Salvador.**

Samoa [sə'mou] *о-ви* Самоа.

San'a, Sanaa [sa:'na:, sə'næ] *гр.* Сана.

Sandhurst ['sændhə:st] *гр.* Сандхърст.

San Francisco [,sænfrən'siskou] *гр.* Сан Франциско.

San Jose [,san'houzei] *гр.* Сан Хосе.

San Juan [,san'hwa:n] *гр.* Сан Хуан.

San Marino [,sænmə'ri:nou] Сан Марино.

San Salvador [,sæn'sælvədɔ:] *гр.* Сан Салвадор.

Santa Fe ['sæntə'fei] *гр.* Санта Фе.

Santiago [,sænti'a:gou] *гр.* Сантяго.

Santo Domingo [,sæntoudə'miŋgou] *гр.* Санто Доминго.

San Tomé [,sæn'tɔmei] *гр.* Сан Томе.

Sarawak [sə'ra:wək] Саравак.

Sardinia [sa:'dinjə] *о-в* Сардиния.

Saudi Arabia [,saudiə'reibjə] Саудитска Арабия.

Scandinavia [,skændi'neivjə] Скандинавия.

Scarborough ['ska:bərə] *гр.* Скарбъро.

Scilly Islands ['sili'ailəndz] *о-ви* Сили.

Scotland ['skɔtlənd] Шотландия.

Sea of Azov ['si:əv'æzɔf] Азовско море.

Sea of Marmara ['si:əv'ma:mərə] Мраморно море.

Sea of Okhotsk ['si:əvou'kɔtsk] Охотско море.

Seattle [si'ætl] *гр.* Сиатъл.

Sedan [si'dæn] *гр.* Седан.

Seichelles [sei'ʃelz] Сейшелски острови.

Seine [sein] *р.* Сена.

Senegal[,seni'gɔ:l]Сенегал.

Seoul ['seiu:l, soul] *гр.* Сеул.

Sevastopol [ˌsivʌs'tɔpl] *гр.* Севастопол.

Severn ['sevə(:)n] *р.* Северн.

Seville [sə'vil] *гр.* Севиля.

Shanghai [ʃæŋ'hai] *гр.* Шанхай.

Sheffield ['ʃefi:ld] *гр.* Шефийлд.

Sherwood Forest ['ʃə:wud'fɔrist] Шъруд Форест.

Shetland Islands ['ʃetlənd'ailəndz] Шетландски острови.

Shrewsbury ['ʃru:zbəri] *гр.* Шрусбъри.

Shropshire ['ʃrɔpʃə] Шропшър.

Siam [sai'æm] Сиам; *вж.* **Thailand.**

Siberia [sai'biəriə] Сибир.

Sicily ['sisili] *о-в* Сицилия.

Sierra Leone [si'erəli'oun(i:)] Сиера Леоне.

Sierra Nevada [si'erəni'va:də] Сиера Невада.

Singapore ['siŋgə'pɔ:] *гр.* Сингапур.

Skagerrack ['skægəræk] *проток* Скагерак.

Slovakia [slo(u)'vækiə] Словакия; **Slovakian Socialist Republic** Словашка социалистическа република.

Smyrna ['smə:nə] *гр.* Смирна; *вж.* Izmir.

Sofia ['soufjə] *гр.* София.

Solomon Islands ['sɔləmən'ailəndz] Соломонови острови.

Somalia [sou'ma:liə] Сомалия.

Somerset(shire) ['sʌməset(ʃə)] Съмърсет(шър).

Sound, the [saund] *проток* Зунд.

South America ['sauθə'merikə] Южна Америка.

Southampton [sauθ'æmptən] *гр.* Саутхамптън.

South Australia ['sauθɔ:s'treiljə] Южна Австралия.

South Carolina ['sauθˌkærə'lainə] Южна Каролина.

South China Sea ['souθ'tʃainə'si:] Южнокитайско море.

South Dakota ['sauθdə'koutə] Южна Дакота.

South Korea ['sauθkə'riə] Южна Корея.

South Pole ['sauθ'poul] Южен полюс.

Soviet Union ['souviət'ju:niən] Съветски съюз.

Spain [spein] Испания.

Spitsbergen ['spitsˌbə:gən] *о-в* Шпицберген.

Sri Lanka ['sri'læŋkə] Шри Ланка.

Stafford(shire) ['stæfəd(ʃə)] Стафорд(шър).

Stirling(shire) ['stə:liŋ(ʃə)] Стърлинг(шър).

Stockholm ['stɔkhoum] *гр.* Стокхолм.

Strasburg ['stræsbə:g] *гр.* Страсбург.

Stratford-on-Avon ['strætfədɔn'eivən] *гр.* Стратфорд он Ейвън.

Sudan, the [su(:)'da:n] Судан.

Suez Canal ['su(:)izkə'næl] Суецки канал.

Suffolk ['sʌfək] Съфълк.

Sulawesi [sulə'weisi] *о-в* Сулавеси.

Sumatra [su(:)'ma:trə] *о-в* Суматра.

Surinam [ˌsuəri'næm] Суринам.

Surrey ['sʌri] Съри.

Sussex ['sʌsiks] Съсекс.

Sutherland ['sʌðələnd] Съдърланд.

Suva ['su:və] *гр.* Сува.

Swansea ['swɔnzi] *гр.* Суонзи.

Swaziland ['swa:zilənd] Свазиланд.

Sweden ['swi:dn] Швеция.

Switzerland ['switsələnd] Швейцария.

Sydney ['sidni] *гр.* Сидни.

Syracuse ['saiərəkju:z] *гр.* Сиракюз.

Syria ['siriə] Сирия.

T

Ta(d)jikistan [ta:ˌdʒiki'sta:n] Таджикистан; **Ta(d)jik Soviet Socialist Republic** Таджикска съветска социалистическа република.

Tahiti [ta:'hi:ti] *о-в* Таити.

Taiwan [tai'wæn] *о-в* Тайван.

Tallin(n) ['ta:lin] *гр.* Талин.

Tananarive [tə'nænə'ri:v] = **Atananarivo.**

Tanganyika [ˌtæŋgə'ni:kə] *ез.* Танганийка.

Tangier [tæn'dʒiə] *гр.* Танжер.

Tanzania [ˌtænzə'niə] Танзания.

Tashkent [tæʃ'kent] *гр.* Ташкент.

Tasmania [tæz'meinjə] Тасмания.

Tbilisi [tbi'li(:)si] *гр.* Тбилиси.

Tchad = **Chad.**

Tegucigalpa [təˌgu:si'ga:lpə] *гр.* Тегусигалпа.

Teh(e)ran [tiə'ra:n] *гр.* Техеран.

Tennessee [tenə'si] Тенеси.

Texas ['teksəs] Тексас.

Thailand ['tailənd] Тайланд.

Thames [temz] *р.* Темза.

Thebes [θi:bz] *гр.* Тива.

Thermopylae [θə:'mɔpili:] Термопили.

Thibet = **Tibet.**

Thimbu, Thimphu ['θimbu, 'θimfu] *гр.* Тхимпху.

Thrace [θreis] *ист.* Тракия.

Tiber ['taibə] *р.* Тибър.

Tibet [ti'bet] Тибет.

Tierra del Fuego [ti'erədelfu(:)'eigou] *о-в* Огнена земя.

Tigris ['taigris] *р.* Тигър.

Timbuktu [ˌtimbʌk'tu:] *гр.* Тимбукту.

Timor ['ti:mɔ:] *о-в* Тимор.

Tirana [ti'ra:nə] *гр.* Тирана.

Tirol = **Tyrol.**

Tobruch ['toubruk] *гр.* Тобрук.

Togo ['tougou] Того.

Tokyo ['toukjou] *гр.* Токио.

Toledo [tə'li:dou] *гр.* Толедо.

Tonga ['tɔŋgə] *о-ви* Тонга.

Torino [tə'ri:nou] *гр.* Торино.

Toronto [tə'rɔntou] *гр.* Торонто.

Torquay ['tɔ:'ki:] *гр.* Торкий.

Torres Strait ['tɔris'streit] Торесов проток.

Tottenham ['tɔtnəm] *гр.* Тотнъм.

Transvaal [træns'va:l] Трансвал.

Trent [trent] *р.* Трент.

Trieste [tri(:)'est] *гр.* Триест.

Trinidad and Tobago ['trinidæd əntə'beigou] Тринидад и Тобейго.

Tripoli ['tripəli] *гр.* Триполи.

Troy [trɔi] *ист. гр.* Троя.

Tsushima ['tsu:ʃimə] *о-в* Цушима.

Tunis ['tju:nis] *гр.* Тунис.

Tunisia [tju(:)'niziə] Тунис.

Turin [tju'rin] *гр.* Торино.

Turkey ['tə:ki] Турция.

Turkmenistan [tə:kmeni'sta:n] Туркменистан; **Turkmen Soviet Socialist Republic** Туркменска съветска социалистическа република.

Tweed [twi:d] *р.* Туийд.

Twickenham ['twiknəm] *гр.* Туикнъм.

Tyrol ['tirəl, ti'rɔl] Тирол.

Tyrone [tə'roun] Тирон.

Tyrrhenian Sea [ti'ri:njən'si:] Тиренско море.

U

Uganda [ju(:)'gændə] Уганда.

Ukraine, the [ju(:)'krein] Украйна; **Ukrainian Soviet Socialist Republic** Украинска съветска социалистическа република.

Ulan Bator ['u:la:n'ba:tə] *гр.* Улан Батор.

Ulster ['ʌlstə] Ълстер.

Ulyanovsk [ul'ja:novsk] *гр.* Уляновск.

Union of South Africa ['ju:njənəv ˌsauθ'æfrikə] Южноафрикански съюз.

Union of Soviet Socialist Republics ['ju:njənəv'souviət'souʃəlistri'pʌbliks] Съюз на съветските социалистически републики.

United Arab Emirates [ju:'naitid'ærəb'emirits] Обединени арабски емирства.

United Kingdom (of Great Britain and Northern Ireland) [ju:'naitid'kiŋdəm (əv'greit'britnən'nɔ:ðən 'aiələnd) Обединено кралство (на Великобритания и Северна Ирландия).

United States of America [ju:'naitid'steitsəvə'merikə] Съединени американски щати.

Upper Volta ['ʌpə'vɔltə] Горна Волта.

Urals, the ['juərəlz] Урал.

Uruguay ['urugwai] **1.** Уругвай; **2.** *р.* Уругвай.

Utah ['ju:tə] Юта.

Uxbridge ['ʌksbriʤ] *гр.* Ъксбридж.
Uzbekistan [ˌuzbekiˈstaːn] Узбекистан; **Uzbek Soviet Socialist Republic** Узбекска съветска социалистическа република.

V

Valencia [vəˈlenʃiə] *гр.* Валенсия.
Valparaiso [ˌvælpəˈraizou] *гр.* Валпараисо.
Vancouver [vænˈkuːvə] *гр.* Ванкувър.
Vatican, the [ˈvætikən] Ватикана.
Venezuela [ˌveneˈzweilə] Венецуела.
Venice [ˈvenis] *гр.* Венеция.
Vermont [vəːˈmɔnt] Върмонт.
Versailles [vɛəˈsai] Версай.
Vesuvius [viˈsuːviəs] Везувий.
Victoria [vikˈtɔːriə] Виктория.
Vienna [viˈenə] *гр.* Виена.
Vientiane [ˈviæŋˈtjaːn] *гр.* Виентян.
Vietnam [ˈvjetˈnæm] Виетнам; **Socialist Republic of Vietnam** Социалистическа република Виетнам.
Vila [ˈviːlə] *гр.* (Порт) Вила.
Vilnius, Vilnyus [ˈvilniəs] *гр.* Вилнюс.
Virginia [vəˈʤiniə] Вирджиния.
Vistula [ˈvistjulə] *р.* Висла.
Vladivostok [ˌvlædiˈvɔstɔk] *гр.* Владивосток.
Volga [ˈvɔlgə] *р.* Волга.
Volgograd [ˌvɔlgəˈgraːd] *гр.* Волгоград.
Vosges Mountains [ˈvɔːʒˈmauntinz] Вогези.

W

Wales [weilz] Уелс.
Warsaw [ˈwɔːsɔː] *гр.* Варшава.
Warwick(shire) [ˈwɔrik(ʃə)] Уорик(шър).
Washington [ˈwɔʃiŋtən] Вашингтон.
Waterloo [ˌwɔtəˈluː] 1. Ватерло (*в Белгия*); 2. Уотърлу (*гара и др. обекти в Англия и САЩ*).
Weimar [ˈwaimaː] *гр.* Ваймар.
Wellington [ˈweliŋtən] *гр.* Уелингтън.
West Berlin [ˈwestbəːˈlin] Западен Берлин.
Western Australia [ˈwestənɔːˈstreiljə] Западна Австралия.
Western Islands [ˈwestənˌailəndz] *вж.* **Hebrides.**
West Indies [ˈwestˈindiz] *ист.* Уест Индия.
Westminster [ˈwestminstə] Уестминстър.
Westmoreland [ˈwestmələnd] Уестморланд.
White Sea [ˈwaitˈsiː] Бяло море.
Wilts [wilts] *съкр. от* **Wiltshire.**
Wiltshire [ˈwiltʃə] Уилтшър.
Windhoek [ˈwindhuk] *гр.* Виндхук.
Windsor [ˈwindzə] *гр.* Уиндзър.
Winnipeg [ˈwinipeg] Уинипег.
Wisconsin [wisˈkɔnsin] Уисконсин.
Worcester(shire) [ˈwustə(ʃə)] Устър(шър).
Wrocław [ˈvrɔːtslaːf] *гр.* Вроцлав.
Wyoming [waiˈɔmiŋ] Уайоминг.

Y

Yalta [ˈjæltə] *гр.* Ялта.
Yangor [jæŋˈgəː] *гр.* Янгор.
Yangtze (Kiang) [ˈjæŋtsi(ˈkjæŋ)] *р.* Яндзъ(дзян).
Yauounde [jaːuːnˈdei] *гр.* Яунде.
Yarmouth [ˈjaːməθ] *гр.* Ярмът.
Yaunde = Yaounde.
Yellow Sea [ˈjelouˈsiː] Жълто море.
Yemen [ˈjemən] Йемен; **People's Democratic Republic of Yemen** Народнодемократична република Йемен; **Yemen Arab Republic** Йеменска арабска република.
Yenisei [jeniˈsei] *р.* Енисей.
Yerevan [jerəˈvaːn] *гр.* Ереван.
Yokohama [ˌjoukouˈhaːmə] *гр.* Йокохама.
York(shire) [ˈjɔːk(ʃə)] Йорк(шър).
Yugoslavia [ˈjuːgouˈslaːviə] Югославия; **Socialist Federal Republic of Yugoslavia** Социалистическа федеративна република Югославия.
Yukon [ˈjuːkɔn] Юкон.

Z

Zagreb [ˈzaːgreb] *гр.* Загреб.
Zaire [zaˈiə] 1. Заир; 2. *р.* Заир.
Zambezi [zæmˈbiːzi] *р.* Замбези.
Zambia [ˈzæmˈbiə] Замбия.
Zanzibar [ˈzænziˈbaː] *о-в* Занзибар.
Zetland [ˈzetlənd] Шетланд.
Zimbabwe [zimˈbaːbwe] Зимбабве.
Zurich [ˈzjuərik] *гр.* Цюрих.

LIST OF ABBREVIATIONS
СПИСЪК НА СЪКРАЩЕНИЯ*

A

a. about около, приблизително; accepted приет; acre акър; active активен; afternoon следобед; следобеден; annual годишен; ежегоден; annus година; *вж.* anon; ante преди; answer отговор.

A. absent отсъствуващ; Academician академик; amateur любител; любителски; ampere ампер; Associate of младши член на (*сдружение, колегия*); член-кореспондент на (*научно дружество*); adult за възрастни (*за филм*).

A вж. A-bomb, A-level.

AA Alcoholics Anonymous Анонимни алкохолици (*организация за борба с алкохолизма*); anti-aircraft противовъздушен, зенитен; author's alterations поправки, направени от автора; Automobile Assosiation автомобилна асоциация; забранен за деца (*за филм*).

AAA Amateur Athletic Association Асоциация на спортистите любители; *ам.* Automobile Association of America Американска автомобилна асоциация.

AAAL American Academy of Arts and Letters Американска академия на изкуствата и литературата.

AAAS American Association for the Advancement of Science Американска асоциация за поощряване на науката.

AAM air-to-air missile реактивен снаряд от типа въздух—въздух.

A and M древни и нови/съвременни (химни); assembly and maintenance сглобяване и техническо оборудване.

AAS American Astronautical Society Американско дружество на космонавтите; associate in applied science научен сътрудник в областта на приложните науки.

AB able-bodied seaman матрос; air base въздушна база; *ам.* Bachelor of Arts бакалавър на хуманитарните науки.

ABA Amateur Boxing Association дружество на боксьорите любители.

abbr., abbrev. abbreviation съкращение; abbreviated съкратен.

ABC American/Australian Broadcasting Company Американска/Австралийска радиопредавателна компания, Ей-би-си.

ab init. ab initio от начало(то).

ABM antiballistic missile противоракетно оръжие, противоракета; antiballistic missile system противоракетна отбрана.

ABMEWS antiballistic missile early warning system система за ранно предупреждение на противоракетната отбрана.

abn airborne въздушнодесантен; самолетен.

Abp Archbishop архиепископ.

abr abridged съкратен; abridgement съкращение.

abs., absol. absolute абсолютен; absolutely абсолютно.

abs., abstr. абстрактен.

ABS American Broadcasting System Американска радиопредавателна система, Ей-би-ес.

AC Aero club аероклуб; aircraft carrier самолетоносач; Alpine club алпийски клуб; alternating current

променлив ток; ante Christum преди/до Христа, преди/до нашата ера; automatic computer автоматична електронноизчислителна машина.

ac, a/c account (current) (текуща) сметка.

acc. account сметка; фактура (*и* **acct., a/c**); according според; по; accountant счетоводител.

ACDA Arms Control and Disarmement Agency *ам.* Управление за контрол над въоръженията и разоръжаването.

ACE Allied Command, Europe Европейско командуване на НАТО; American Council on Education Федерален съвет по образованието (*САЩ*).

acft aircraft летателен апарат; самолет.

ACS automatic control system система за автоматично управление.

Act., actg. acting изпълняващ длъжността.

ACW Aircraftwoman жена, военнослужеща от Кралските въздушни войски (*Англия*).

AD anno Domini след Христа, от нашата ера.

ADC aide-de-camp личен адютант.

ad fin. ad finem на/към/до края.

ad inf. ad infinitum до безкрайност.

ad init. ad initium при/до започването/началото.

ad int. ad interim междувременно.

adj adjourned отложен; adjunct притурка, приложение; adjustment приспособяване; регулиране; adjutant адютант.

ad lib. ad libitum *лат.* по желание; импровизирам; изпровизиран.

ad loc. ad locum *лат.* на мястото.

Adm. admiral адмирал.

adm., admin. administration администрация; административен.

ADMS automated data management system автоматична система за обработка на данни.

ADP automatic data processing автоматична обработка на данни.

adv. adverb наречие; advance придвижване, настъпление; adversus *лат.* срещу; advertisement обявление; реклама; advocate адвокат; advisory консултативен; advent идване, настъпване.

ad val. ad valorem според стойността; с обявена стойност.

advt. advertisement обявление; реклама.

AEC Atomic Energy Commission Комисия по атомната енергия.

AERE Atomic Energy Research Establishment Научноизследователски център по атомна енергия.

AF Associate Fellow член-кореспондент; audio frequency звукова честота.

AFA Amateur Football Association дружество на футболистите любители.

AFC Air Force Cross Кръст на военновъздушните сили (*орден*); Association Football Club футболен клуб.

AFL-CIO American Federation of Labor and Congress of Industrial Organizations Американска федерация на труда и Конгрес на промишлените профсъюзи.

AFM Air Force Medal медал за служба във военновъздушните сили.

AG attorney general министър на правосъдието.

agr., agric. agriculture земеделие; земеделски.

agt. agent пълномощник; представител.

AI artificial insemination изкуствено осеменяване.

AIDS acquired immunodeficiency syndrome СПИН синдром на придобита имунна недостатъчност.

Ala. Alabama Алабама (*щат*).

Alas. Alaska Аляска.

Ald. Alderman член на градски съвет, олдърман.

alg. algebra алгебра.

A.L.S. autograph letter signed саморъчно написано и подписано писмо.

alt altitude височина; alternate редуващ се; alteration изменение, вариант; alto *муз.* алт.

A.M. Associate Member кандидат-член; член-кореспондент; Master of Arts *вж.* M.A.

A.M., a.m. ante meridiem преди обед/пладне, сутринта; Air Mail въздушна поща; above mentioned гореспоменат; amplitude modulation амплитудна модулация.

Am., Amer. America Америка; American американски.

AMA American Missionary Association Американска мисионерска асоциация; American Medical Association Американска асоциация на медиците.

amp. ampere ампер.

AMR Atlantic Missile Range *ам.* Атлантически ракетен изпитателен полигон.

amt. amount количество.

AMU atomic mass unit единица мярка за атомна маса/тегло.

AMVETS American Veterans (of World War II) Организация на американските ветерани (от Втората световна война).

an, a/n above named гореспоменат.

an anonymous анонимен; ante преди.

anal. analysis анализ; analogy аналогия.

anc. ancient древен.

ANF Atlantic Nuclear Force Атлантически ядрени сили.

anon. anonymous анонимен; неизвестен.

ans. answer отговор.

a.n.wt. actual net weight реално/чисто тегло.

ANZUS Australia, New Zealand and the United States Тихоокеански пакт за безопасност, АНЗЮС.

a.o.b. any other business точка „разни" (*в дневен ред*).

AOK, A-OK in perfect order *ам. разг.* в пълна изправност.

AP Associated Press (информационна агенция) Асошиейтед прес; airport летище; American patent американски патент; atomic power ядрена енергия.

Ap., Apl., Apr. April април.

APA American Philological Association Американска асоциация на филолозите.

APN Atlantic Pact Nations страните от Атлантическия пакт.

app. appendix приложение; прибавка, допълнение; apparent очевиден; apprentice чирак; новак.

approx. approximate приблизителен; approximately приблизително.

APT automatic picture transmission system телевизионна система за автоматично предаване на образ.

a.q. any quantity всякакво/каквото и да е количество.

Ar., Arab. Arabian, Arabic арабски.

AR Arkansas Арканзас (*щат*); autonomous republic автономна република.

ARA Associate of the Royal Academy член на Кралската академия.

ARC Agricultural Research Council Научен съвет по селскостопански въпроси; American Red Cross Американски червен кръст.

arch. archaic архаичен, древен.

arch., archit. architect архитект; architecture архитектура; architectural архитектурен.

Arg. Rep. републикa Аржентина.

Ariz. Arizona Аризона (*щат*).

Ark. Arkansas Арканзас (*щат*).

arm armement въоръжение.

ARP Air Raid Precautions мерки за противовъздушна отбрана.

arr. arranged уредѐн; arrival пристигане; arrives пристига.

ARS American Rocket Society Асоциация по ракетна техника (*САЩ*).

art. article член; статия; artificial изкуствен; artillery артилерия; артилерийски.

ARX American Red Cross Американски червен кръст.

A.S. Anglo-Saxon англосаксонски; Assistant Secretary помощник-секретар.

ASA American Standards Association Американска асоциация по стандартите; Amateur Swimming Association Асоциация на плувците любители.

ASE Amalgamated Society of Engineers Обединена асоциация на инженерите.

ASEAN Association of South-East Asia Nations Съюз на държавите от Югоизточна Азия, АСЕАН.

ASLEF Associated Society of Locomotive Engineers and Firemen Асоциация на машинистите и огнярите.

ASM air-to-surface missile реактивен снаряд от типа въздух—земя.

Ass., Assoc. Association дружество, съюз, асоциация.

Asst. Assistant помощник, асистент.

AST Atlantic Standard Time атлантическо/нюйоркско поясно време.

ASTMS Association of Scientific, Technical and Managerial Staffs Съюз на научно-техническите и ръководни кадри.

astron. astronomer астроном; astronomy астрономия.

ATC air traffic control контролна въздухоплавателна служба; Air Training Corps Корпус за подготовка на военновъздушни кадри; automatic train control автоматично контролиране на влакове.

atm. atmosphere атмосфера; атмосферен.

at no atomic number атомно число/номер.

Att.-Gen. Attorney-General министър на правосъдието.

attn. attention внимание; на вниманието на; внимавай!

attrib. attributive атрибутивен; attributed приписван (*на някого*).

ATV Associated Television Телевизионна компания (*Англия*).

at.wt. atomic weight атомно тегло.

AU angstrom unit *физ.* единица мярка за дължина на вълнàта; astronomical unit астрономическа единица.

AUEW Amalgamated Union of Engineering Workers Обединен профсъюз на машиностроителните работници.

Aug. August август.

AUT Association of University Teachers Съюз на университетските преподаватели.

auth authentic автентичен; author автор; authorized упълномощен.

av. avenue булевард; average среден.

AV Authorized Version английски превод на библията от 1611 г.

Ave, ave avenue булевард, авеню.

avoir., avdp. avoirdupois фунт (*мярка за тегло*).

AW, A/W actual weight действително/истинско тегло.

a.w. atomic weight атомно тегло.

AWOL absent without (official) leave отсъствуващ без разрешение, самоволно отлъчил се.

AWRE Atomic Weapons Research Establishment научноизследователски институт за ядрени оръжия.

ax. axiom аксиома.

B

B Baron барон; British британски, английски; Bachelor бакалавър; black черен (*за графит на молив*).

b base основа; база; book книга; born роден; breadth ширина.

B.A., BA Bachelor of Arts бакалавър на хуманитарните науки; British Academy Британска академия; British Airways Британска авиокомпания (*от 1973 г.*); British Association Британска асоциация.

BAA British Airport Authority Управление на британските летища.

BAC, B.A.C. British Aircraft Corporation Британска въздухоплавателна корпорация.

Bach. Bachelor бакалавър.

BACIE British Association for Commercial and Industrial Education Британска асоциация за търговско и промишлено образование.

bal balance баланс.

BAL basic assembly language условен език за програмиране на компютри с малка памет.

BALPA British Airline Pilots' Association Британска асоциация на пилотите от гражданската авиация.

b. and b. bed and breakfast нощувка и закуска.

b. and w. *ам.* black-and-white черно-бяло, черно-бял (*за филм и пр.*).

Bap., Bapt. Baptist баптист.

bap., bapt. baptised кръстен.

Bart. Baronet баронет.

BB double black двойно/много черен (*за графит на молив*).

BBB tripple black по-черен от **BB** (*за графит на молив*).

BBC British Broadcasting Corporation Британска радиопредавателна корпорация, Би-би-си.

BBFC British Board of Film Censors Съвет за цензуриране на филми (*Англия*).

bbl barrels варели (*особ. с петрол*).

BC before Christ преди Христа, преди нашата ера; Board of Control контролен съвет; Battery Commander командир на батарея; British Columbia Британска Колумбия; British Council Британски съвет.

BCN British Commonwealth of Nations Британска общност на народите.

BCP British Communist Party Комунистическата партия на Великобритания.

BCS British Computer Society Британско дружество за компютри.

BE Bachelor of Engineering бакалавър по инженерство; Board of Education Министерство на просветата; bill of exchange менителница.

BEF British Expeditionary Force *ист.* Британски експедиционни сили.

bef before преди.

BEM British Empire Medal медал на Британската империя.

bet. between между.

bf brought forward *търг.* пренесен; [bi:f] *евф.* bloody fool глупак, идиот; bold face *печ.* получерен шрифт.

BG British Government Британското правителство; Brigadier-General бригаден генерал.

BH Bill of Health медицинско свидетелство.

bhp brake horse-power ефективна мощност в конски сили.

Bib. Bible библия; biblical библейски.

BIM British Institute of Management Британски институт за подготовка и усъвършенствуване на ръководни кадри.

biog. biographer биограф; biography биография; biographical биографичен.

BIR British Institute of Radiology Британски институт по радиология.

BIS Bank for International Settlements Банка за международни разплащания.

bk book книга; bank банка.

bkg banking банково дело; счетоводство.

bkt basket кош, кошница; bracket скоба.

BL Bachelor of Law бакалавър по право; Bachelor of Letters бакалавър по литература; British Legion Британски легион; bill of lading товарителница, коносамент.

bl barrel варел; bale бала; black черен; blue син.

blvd. boulevard булевард.

BM Bachelor of Medicine бакалавър по медицина; British Museum Британският музей; Brigade Major бригаден майор.

BMA British Medical Association Британска асоциация на медиците.

BMEWS Ballistic Missile Early Warning System система за ранно предупреждение при опасност от ракетноядрено нападение.

BMJ British Medical Journal Британско медицинско списание.

bn battalion батальон; *ам.* been (*вж.* be).

BNDD Bureau of Narcotics and Dangerous Drugs Бюро за борба с наркотици и опасни лекарства.

BNEC British National Export Council Британски национален съвет по експорта.

b.o. *разг.* body odour лъх на нечистоплътност; box office каса (*на театър и пр.*); branch office филиал; клон; buyer's option избор по купувача.

BOAC British Overseas Airways Corporation (*до 1973 г.*); *сега* = B.A. British Airways.

Bol. Bolivia Боливия.

bor borough квартал; район; град.

B o T Board of Trade Министерство на търговията.

bot. botany ботаника; botanical ботанически; bottle бутилка; bought (*вж.* buy).

B.P. British Patent британски патент; British Pharmacopoeia Британска фармакопея; British Petroleum Британски петрол.

bp birthplace родно място; boiling point точка на кипенето (*и* **B.P.**).

Br. British британски; brother брат.

br. branch клон; brown кафяв.

b.r. bank rate банков курс.

B.R. British Rail(ways) Британски железници.

Braz Brazil Бразилия; Brazilian бразилски.

BRCS British Red Cross Society Британски червен кръст.

Brig. brigade *воен.* бригада; brigadier бригадир.

Brig.-Gen. Brigadier-General бригаден генерал.

Brit. Britain Британия, Англия; British британски, английски; британец, англичанин.

Bro(s) brother(s) брат(я).

BRS British Road Services Британска пътна служба.

b.s. bill of sale документ за прехвърляне на собственост.

B.S. Bachelor of Science бакалавър на естествените науки; Bachelor of Surgery бакалавър по хирургия; Balance Sheet *търг.* баланс; British Standard британски/английски стандарт.

BSc. Bachelor of Sciences бакалавър на естествените науки.

BSI British Standards Institution Британски институт по стандартите; Building Societies Institute Институт на строителните дружества.

BST British Summer Time английско лятно часово време; British Standard Time английско местно време.

Bt baronet баронет.

B.th.u., BTu British thermal unit Британска топлинна единица (*0.252 кг/кал*), БТЕ.

BTUC British Trade Union Congress Конгрес на британските трейдюниони.

bu bushel бушел; bureau бюро.

BUA British United Airways Обединени британски въздушни линии.

Bulg. Bulgaria България; Bulgarian български.

BV(M) Blessed Virgin (Mary) Дева Мария.

BW Bacteriological/Biological Warfare бактериологична/биологична война; black and white черно и бяло; bread and water хляб и вода.

C

C calorie (large) голяма калория, килограмкалория.

c calorie (small) малка калория, грамкалория.

c. cancelled отменен; carat карат; cargo товар; cent цент; centime сантим; centimetre сантиметър; century столетие, век; certified правоспособен; chairman председател; chapter глава (*на книга ч пр.*); chartered пълноправен; circa *лат.* около; circuit, circumference обиколка; clockwise по часовниковата стрелка; coefficient коефициент; copyright авторско право; cost цена, стойност; cubic кубически.

C. Congress Конгрес; Council Съвет; Court съд; Conservative консерватор; Centigrade по Целзий; Cape *геогр.* нос.

CA Central America Централна Америка; California Калифорния; Canadian канадски.

CA Chartered Accountant заклет експерт счетоводител.

C/A, c.a. current account текуща сметка.

ca circa *лат.* около, приблизително.

CAB Civil Aeronautics Board Министерство на гражданското въздухоплаване; Citizens' Advice Bureau Бюро за консултации.

c.a.d. cash against documents изплащане срещу документи.

CAF cost and freight стойност и фрахт на превоза.

cal. calorie(s) калория, калории.

Cal., Calif. California Калифорния (*щат*).

Cam., Camb Cambridge Кеймбридж.

Can. Canada Канада; Canadian канадски (*и* **Canad.**).

can. cancelled отменен; cancellation отменяне; canto песен (*част от дълга поема*).

C and W country and western вид попмузика.

cap. capacity капацитет; capital капитал; capital letter главна буква; chapter глава (*на книга*).

Capt captain капитан.

CAR Central African Republic Централноафриканска република.

Card Cardinal кардинал.

cat. catalogue каталог; catalyst катализатор; cathehism катехизъм.

Cath. Cathedral катедрала; cathod катод; Catholic католик; католически.

CBD cash before delivery заплащане преди доставянето.

CBI Confederation of British Industry Конфедерация на Британската индустрия.

cbm cubic metre кубически метър.

CBS Columbia Broadcasting System Американска радиопредавателна и телевизионна компания, Си-би-ес.

CC County Council окръжен съвет; Cricket Club крикет-клуб.

cc cubic centimetre кубически сантиметър.

CD Corps Diplomatic дипломатическо тяло; Civil Defence гражданска отбрана.

C.E. Church of England Англиканската църква; civil engineer строителен инженер; Council of Europe Европейски съвет.

cen. central централен.

cent. century век; centigrade Целзий; central централен.

CET Central European Time средноевропейско време.

cf. confer, compare сравни.

c.f. (and) i. cost, freight and insurance стойност на превоза, фрахта и застраховката.

cg centigramme сантиграм.

c.g. centre of gravity център на тежестта.

Ch chief шеф; China Китай; church църква; champion шампион; защитник.

ch chapter глава (*на книга*); child, children дете, деца.

c.h. central heating централно отопление.

chem. chemistry химия; chemical химически.

Chr. Christ Христос; Christian християнин; християнски.

CI Channel Islands Нормандски о-ви.

CIA Central Intelligence Agency Централно разузнавателно управление, ЦРУ (*САЩ*).

CID Criminal Investigation Departament Централен следствен отдел.

c.i.f. cost, insurance (and) freight стойност на превоза, фрахта и застраховката.

C-in-C Commander-in-Chief главнокомандуващ.

cir., circ. circa, circum, circiter около, приблизително.

cit. citation цитат; citizen гражданин.

civ. civil граждански; civilian гражданин.

CJ Chief-Justice главен съдия.

cl. class клас(а); clause клауза; centiliter сантилитър.

c.l. cum laude *лат.* с похвала.

class. classical класически; classification класификация.

CK Cape Kennedy (ракетоизпитателен полигон) Кейп Кенеди.

cm centimetre сантиметър.

CND Campaign for Neuclear Disarmament Движение за ядрено разоръжаване.

CO commanding officer командир; conscientious objector лице, което отказва да воюва по морални мотиви; Colorado Колорадо (*щат*).

Co Company *търг.* компания; and Co *разг., прен.* и сие; county графство, област.

c/o care of чрез (*в адрес*).

cod. codex кодекс.

c.o.d. cash/collect on delivery *търг.* с наложен платеж.

C.O.D. Concise Oxford Dictionary Кратък оксфордски речник.

C of C Chamber of Commerce Търговска палата.

C of E Council of Europe Европейски съвет; Church of England Англиканската църква.

C of S chief of staff началник-щаб; Church of Scotland Шотландската църква.

cog. cognate сроден.

COI Central Office of Information Централно управление за информация.

COL cost of living цени; екзистенц-минимум.

col. column колона (*във вестник*).

Col. colonel полковник; Colorado Колорадо (*щат*).

Coll. college колеж; colleague колега; colloquial разговорен; collected събран; collection сбирка, колекция.

Colo Colorado Колорадо (*щат*).

Com. Commander командир, началник; Commodore *мор.* комодор; Committee комисия; комитет; Commissioner комисионер; Commonwealth общност; държава; Communist комунист; комунистически.

com. common общ; обикновен; comedy комедия; commerce търговия; търговски; communication връзка.

COMECON Council for Mutual Economic Aid/Assistance Съвет за икономическа взаимопомощ, СИВ.

comp. compare сравни; comparative сравнителен; compound съставен; съставна дума; съставка; compositor словослагател.

Comsat, COMSAT Communications Satelite Служба за връзки чрез изкуствени спътници (*САЩ*).

con. contra против; conclusion заключение; conversation разговор.

Conn. Connecticut Кънетикът (*щат*).

cons. consonant *грам.* съгласна.

cont., contd. continued продължен; продължава, следва.

contr. contracted съкратен; contraction съкращение.

Corp. Corporation корпорация, дружество; Corporal ефрейтор.

corr. correspond отговарям, съответствувам.

COSPAR Committee on Space Research Комитет по изследване на космическото пространство.

CP Communist Party комунистическа партия.

cp compare сравни.

c.p. candle power сила на светлината в свещи.

Cpl. Corporal ефрейтор.

c.p.s. cycles per second *физ.* цикли в секунда, херц.

Cpt. captain капитан.

cr. credit кредит; creditor кредитор; crown корона.

CS Civil Service държавна служба.

c/s cycles per second *физ.* цикли в секунда.

CSE Certificate of Secondary Education свидетелство за завършено средно образование.

CST Central Standard Time Централно поясно време.

Ct Connecticut Кънетикът (*щат*).

CT correct time точно време.

ct cent цент; carat карат.

cu., cub. cubic кубически.

cur., curt. current *канц.* този месец, т.м.

c.w.o. cash with order заплащане при даване на поръчката.

cwt hundredweight(s) центнер(и).

CZ Canal Zone зоната на Панамския канал.

D

d. date дата; daughter дъщеря; dead умрял, мъртъв; died умрял, починал; delete зачеркни, изтрий; deserted изоставен; day ден; degree степен; градус; dime 10 цента (*монета*); dollar долар; penny пени (*до 1971 г.*); diametre диаметър; duke граф.

D. Department департамент; министерство; управление; отдел; Dutch холандски.

DA, D.A. District Attorney областен прокурор; Diploma/Doctor of Arts диплома/доктор по хуманитарните науки; deposit account спестовен влог.

dat. dative дателен падеж.

dau. daughter дъщеря.

dB, db decibel децибел.

dbl, dble double двоен.

d.c. direct current *ел.* постоянен ток.

D.C. Department of Commerce Министерство на търговията; District of Columbia Колумбийски окръг.

DD, dd dated с дата; delivered доставен; due date *търг.* падеж.

DD Doctor of Divinity доктор по богословските науки.

Dec. December декември.

dec. deceased починал, умрял.

dec., decl. declaration декларация; declared деклариран; declension *грам.* склонение.

def. definition дефиниция; defined определен; defence защита; defendent ответник; deferred отложен.

deg. degree градус; степен.

Del. Delaware Делауер (*щат*).

demon., demons. demonstrative показателен.

dent. dental зъбен; dentist зъболекар; dentistry зъболекарство.

dep. departs тръгва; departure тръгване, заминаване.

Dep., Dept., dep., dept. department министерство; ведомство; управление; отдел.

der., deriv. derivation деривация; derived производен.

DEW distant early warning *воен.* далечно ранно предупреждение.

D.F. direction finder радиопеленгатор; Defender of the Faith защитник на вярата.

dft. defendant ответник; draft проект, скица.

DG Director-General генерален директор; Dei gratia *лат.* по божия милост.

dg decigram дециграм.

dia diameter диаметър.

dial. dialect диалект; диалектен.

diam. diameter диаметър.

dict. dictionary речник.

dif, diff difference разлика; different различен.

dil. dilute разреди, разтвори.

Dip. Diploma диплома.

dir. director директор.

dis. discontinued прекъснат; преустановен; discount шконто.

disc. discoverer откривател; discount шконто.

diss. dissertation дисертация.

dist. distance разстояние; district квартал; район; област.

div. divide разделям; divorced разведен; divine божествен.

D.I.Y. do-it-yourself направи си сам.

D.J. disc jockey конферансие на забавна програма, дисководещ.

dl decilitre децилитър.

D.Lit(t) Doctor of Letters/Literature доктор по литература.

DLO dead-letter office = **RLO**.

dm decimetre дециметър.

DM Doctor of Medicine доктор по медицина; Deutsche mark германска марка (*парична единица*).

DMZ demilitarized zone *ам.* демилитаризирана зона.

do. ditto *ит.* същият, споменатият по-горе; също.

D.O.A. dead on arrival пристигнал мъртъв (*в болница и пр.*).

DOB date of birth дата на раждането.

DOD Department of Defence Министерство на отбраната (*САЩ*).

DOE Department of the Environment Министерство за опазване на околната среда.

dol dollar(s) долар(и).

Dom. Dominion доминион.

Dor Doric дорийски.

doz. dozen дузина.

DP data processing обработка на данни; Displaced Persons *пол.* отвлечени/разселени хора.

DPh., DPhil. Doctor of Philosophy доктор по философия.

DPH Department/Doctor of/Diploma in Public Health Министерство на/диплома/доктор по обществено здравеопазване.

dpt department отдел; управление; министерство; ведомство; deponent лице, което дава показания под клетва; *грам.* депонентен глагол.

Dr. doctor доктор.

dr. drachma драхма; dram драм (*мярка*); debtor длъжник; driver шофьор, шофиращ.

DSc Doctor of Science доктор по естествените науки.

DSC Distinguished Service Cross кръст за особени заслуги (*орден*).

DSM Distinguished Service Medal медал за особени заслуги.

DSO Distinguished Service Order орден за особени заслуги.

dsp decessit sine prole *лат.* починал, без да остави наследници.

DST daylight-saving time лятно часово време.

D.T.(s), d.t.(s) delirium tremens *лат. мед.* делириум тременс.

Du Dutch холандски.

DV Deo volente *лат.* ако е рекъл господ, с божията воля.

dyn *физ.* dyne дина; dynamo динамо; dynamometer динамометър.

dz dozen дузина.

E

E. east изток; eastern източен; earth земя; English английски; energy енергия; engineering инженерство; erg *физ.* ерг; error грешка; excellent отличен.

ea each всеки (един).

EA enemy aircraft неприятелски самолет.

E. and O. E. errors and omissions excepted като се изключват грешките и пропуските.

e.a.o.n. except as otherwise noted ако не е указано другояче.

E.B. Encyclopaedia Britannica Британска енциклопедия.

E.C. Executive Committee Изпълнителен комитет; East Central източноцентрален; Established Church официалната църква.

Eccl., Eccles. Ecclesiastes *библ.* книга на еклезиаста; Ecclesiastic свещеник; ecclesiastical църковен.

ECG electrocardiogram електрокардиограма.

ecol ecology екология; ecological екологически.

econ. economics икономика; economical икономически; economist икономист.

ECM European Common Market Общият пазар.

Ecua Ecuador Еквадор.

ed. edited редактиран; edition издание; editor редактор; education образование; educated възпитаник (на).

EDC European Defence Community Европейска отбранителна общност.

Edin. Edinburgh Единбург.

EDP electronic data processing електронна обработка на данни.

EDT Eastern daylight time *ам.* източно лятно часово време (*САЩ*).

EEC European Economic Community Европейска икономическа общност, Общият пазар.

EEG electroencephalogram електроенцефалограма.

EET East European Time източноевропейско време.

EFTA European Free Trade Association Европейска асоциация за свободна търговия, ЕАСТ.

eg. exempli gratia *лат.* например.

Eg. Egypt Египет; Egyptian египетски.

EHF extremely high frequency свръхвисока честота.

EHT extremely high tension свръхвисоко напрежение.

ELDO European Launcher Development Organization Европейска промишлена организация за разработка на ракетоносители.

EMF electromotive force електродвижеща сила; European Monetary Fund Европейски валутен фонд (*организация*).

e.m.u. electromagnetic unit електромагнитна единица.

E.N.E., ENE east-north-east изток-северо-изток.

Eng. England Англия; English английски; engine локомотив; двигател; engineer инженер; engineering инженерство.

ENT ear, nose and throat уши, нос, гърло.

EP Extended play дългосвиреща плоча на 45 оборота; European plan *ам.* (от) европейски тип (*за хотел*); estimated position предполагаемо положение.

EPA Environmental Protection Agency Управление за опазване на околната среда (*САЩ*).

EPT Excess Profits Tax данък върху свръхпечалбите.

eq. equal равен; equivalent еквивалент; equation равенство, уравнение.

ESE east-south-east изток-югоизток.

ESLO European Satelite Launching Organization Европейска организация за изстрелване на спътници.

ESN educationally subnormal умствено недоразвит.

ESP extra-sensory perception извънсензорно възприятие.

esp. especially особено.

Esq., esqr. Esquire господин (*титла, поставяна след името в адрес на писмо*).

ESRO European Space Research Organization Европейска организация за изследване на космическото пространство.

EST Eastern Standard Time източно поясно време; electro-shock treatment електрошокова терапия.

est. estimated разчетен; предполагаем; established установен.

ESU English-Speaking Union (of the Commonwealth) Съюз на говорещите английски език (от Британската общност на народите).

ESV earth satelite vehicle изкуствен спътник на земята.

ET eastern time източно време.

ETA estimated time of arrival разчетено време на пристигането.

et al. et alia, et alii *лат.* и други; et alibi *лат.* и другаде.

etc. et cetera *лат.* и други(те); и прочие; и така нататък.

ETD estimated time of departure разчетено време на заминаването.

ETV Educational Television учебна телевизия.

Eur. Europe Европа; European европейски.

eV electron-volt електронволт.

EVA extra-vehicular activity работа извън борда на космическия апарат, излизане в откритото космическо пространство.

evg. evening вечер.

EW enlisted woman *ам. воен.* жена редник.

ex. examined изпитан; example пример; exception изключение; executive изпълнителен; администратор; export износ; exchange размяна.

Exc. Excellency превъзходителство.

exc. except освен, с изключение на; exception изключение; excellent отличен.

exp. experiment опит, експеримент; experimental опитен, експериментален; expiry изтичане (*на срок*), давност; export износ; express бърз, експресен.

expt experiment опит, експеримент.

exptl experimental опитен, експериментален.

expy expressway *ам.* магистрала.

exrx executrix изпълнителка (*на завещание и пр.*).

ext. extension (номер на) вътрешен телефон; продължение, удължение; exterior външен вид; external външен; extinct изтекъл (*за срок и пр.*); изчезнал (*за вид и пр.*); extra допълнително; extract откъс, екстракт.

F

F Farad *физ.* фарад; Fahrenheit (по скалата на) Фаренхайт; February февруари; French френски; Fellow член на научно дружество; аспирант; член на преподавателско тяло.

f force сила; forte *муз.* силно; frequency честота, фреквентност; family семейство; female жена; женски; feminine женски; following следващ; farthing фардинг; fathom клафтер; foot фут; full пълен; fragile чуплив; from от; fine тънък (*за графит на молив*).

FA Football Association футболна асоциация (*Англия*); Field artilery полева артилерия.

FAA Federal Aviation Agency Федерално авиационно управление (*САЩ*).

fam. family семейство.

FAO Food and Agriculture Organization of the United Nations Продоволствена и селскостопанска организация при ООН, ФАО.

f.a.s. free alongside ship франко пристанището; firsts and seconds стоки от първо и второ качество.

FBA Fellow of the British Academy член на Британската академия.

FBI Federal Bureau of Investigation Федерално бюро за разследване, ФБР (*САЩ*).

FBI Federation of British Industries Федерация на Британската промишленост.

FCO Foreign and Commonwealth Office Министерство на външните работи и Британската общност (*от 1968*).

fcp., fcap foolscap формат хартия 33/34 см.

FE Far East Далечният изток; далекоизточен.

Feb. February февруари.

fec. fecit *лат.* направи го, извърши го.

Fed., fed. federal федерален.

fem. feminine женски.

ff following (pages) следващите (страници); folio *печ.* фолио; fortissimo фортисимо.

fig. figure цифра; рисунка, фигура; figurative преносен.

fin. finance финанси; financial финансов; finish край, финал.

Flor., Fla Florida Флорида (*щат*).

F.M. Field Marshal фелдмаршал; frequency modulation честотна модулация.

fm(s) fathom(s) клафтер(и).

fn foot-note забележка под линия (*в книга*).

F.O. Foreign Office Министерство на външните работи (*Англия*); flying officer старши лейтенант от авиацията; field officer *воен.* старши офицер; finance officer финансов служител.

fo folio *печ.* фолио.

f.o.b. free on board франко борда на кораба.

f.o.c. free of charge безплатен, безплатно.

fol. = **fo.**

for. foreign чуждестранен, външен.

f.o.r. free on rail франко товарна гара.

FP fire-plug пожарен кран; freezing point точка на замръзването.

fp forte piano фортепиано.

FPA Family Planning Association Асоциация по семейно планиране.

fpm feet per minute фута в минута.

Fr. France Франция; French френски; Friday петък; Friar отец.

fr. fragment откъс, фрагмент; franc франк; frequently често; from от.

frat. fraternize побратимявам се.

FRG Federal Republic of Germany Федерална република Германия, ФРГ.

Fri. Friday петък.

FRS Fellow of the Royal Society член на Кралското научно дружество; Federal Reserve System *фин.* Федерална резервна система (*САЩ*).

ft foot фут; feet фута; fort крепост, форт.

FTC Federal Trade Commission Федерална комисия по търговията (*САЩ*).

fth, fthm fathom клафтер.

FUND the Fund = **IMF.**

fund. fundamental основен.

fur. furlong мярка за дължина (*около 200 м*).

fut. future бъдеще.

f.v. folio verso *лат.* на другата/обратната страна на страницата/листа.

fwd forward напред; преден; foreword предговор, предисловие.

FX foreign exchange *ам.* прехвърляне на кредити в чужда страна; чужда валута.

FY fiscal year *фин.* отчетна година.

FYI for your information за ваше сведение.

fz. forzando, forzato форцато.

G German германски; General разрешен за възрастни и деца (*за филм*); gram грам; gravity тежест; земно притегляне; gender *грам.* род.

GA General Assembly Общото събрание (*на ООН*); general of the army армейски генерал; Georgia Джорджия (*щат*).

gal., gall. gallon(s) галон(и) (*мярка = около 4 л*).

GATT General Agreement on Tariffs and Trade Общо споразумение по митническите тарифи и търговията.

GB Great Britain Великобритания.

GBS George Bernard Shaw Джордж Бърнард Шоу.

G.C. George Cross орден Георгиевски кръст.

GCE General Certificate of Education зрелостно свидетелство.

gd good добър.

Gdn(s) garden(s) градина, градини.

GDR German Democratic Republic Германска демократична република, ГДР.

Gen. General генерал; Genesis *библ.* Битие.

gen. gender род; genitive родителен падеж; genus *биол.* род.

Ger. German германски, немски.

ger. gerund герундий.

G.G. Governor-General генерал-губернатор.

GHQ General Headquarters *воен.* генерален щаб, главна квартира.

GI general issue военно снабдяване; government issue *ам.* войник, войнишки; по войнишки образец; държавно снабдяване на войската.

Gk Greek гръцки.

GLC Greater London Council Градски съвет на голям Лондон.

GM guided missile направлявана ракета; general manager генерален управител; George Medal Георгиевски медал.

gm gram(s) грам(ове).

GMT Greenwich Mean Time средно време (*по Гринич*).

GNI gross national income общ национален приход.

GNP gross national product съвкупен национален продукт.

GOC (-in-C) General Officer Commanding(-in-Chief) главнокомандуващ.

Gov. Government правителство (*и Govt.*); Governer губернатор.

G.P. general practitioner лекар неспециалист; Grand Prix Голямата награда; международни автомобилни състезания.

gp group група; групов; geometric progression геометрична прогресия.

GPO General Post Office централна поща; Government Printing Office *ам.* Държавна печатница.

gr gross бруто; гроса; gram(s) грама(а); grain *фарм.* гран.

Gr. Greece Гърция; Greek гръцки.

G.S. General Staff генерален щаб.

GSC General Staff Corps генералщабен корпус.

GSO general staff officer генералщабен офицер.

Gt great голям; велик; gross ton дълъг/английски тон (= *1016 кг*); Gran Turismo *ит.* голям автобус за екскурзии.

gtd guaranteed гарантиран.

GW gross weight бруто тегло.

H hardness твърдост; hard твърд (*за графит на молив*); half половин; harbour пристанище; height височина; high висок; heroin хероин; humidity влажност; husband съпруг; hour(s) час(ове); hydrogen водород; водороден; термоядрен; Hungary Унгария.

ha hectar(s) хектар(и).

H.A. Heavy Artilery тежка артилерия.

HB hard black твърд черен (*за графит на молив*).

HBM His/Her Britannic Majesty Негово/Нейно Величество кралят/кралицата на Англия.

h.c. honoris causa *лат.* почетен.

HC House of Commons Камара на общините; Holy Communion светото причастие.

HCF highest common factor най-голям общ делител.

HCL high cost of living скъпотия.

HD heavy duty *тех.* високопроизводителен; свръхмощен.

HE high explosive силно експлозивно/взривно вещество; His Eminence Негово високо преосвещенство; His/Her Excellency Негово/Нейно Превъзходителство.

Heb(r). Hebrew староеврейски (език).

her heir наследник; heraldry хералдика.

HEW Department of Health, Education and Welfare *ам.* Министерство на здравеопазването, просвещението и социалните грижи.

HF high frequency висока честота.

hf half половин; половина.

HG His/Her Grace Негова/Нейна светлост; Home Guard войски за вътрешна отбрана, опълчение.

HGV heavy goods vehicle тежкотоварно превозно средство.

HH His/Her Highness Негово/Нейно Височество; His Holiness Негово Светейшество; double hard много твърд (*за графит на молив*).

hhd hogshead мярка за течност (= *238 л*).

HHD Doctor of Humanities доктор на хуманитарните науки.

HI Hawaiian Islands Хавайски о-ви.

HIH His/Her Imperial Majesty Негово/Нейно императорско Величество.

HJ hic jacet *лат.* тук почива/е погребан.

HK Hong Kong Хонконг.

HL House of Lords Камарата на лордовете.

hl hectolitre(s) хекролитър, хектолитри.

HM His/Her Majesty Негово/Нейно Величество.

HMC His/Her Majesty's Customs Кралска митница; heroin, morphine and cocaine хероин, морфин и кокаин.

HMS His/Her Majesty's Ship английски военен кораб; His/Her Majesty's Service кралска/държавна служба.

ho. house къща.

Hon. Honourable почитаем; honorary почетен (*за титла, служба и пр.*).

h.p. high pressure високо налягане; horse power конска сила; hirepurchase на изплащане; half pay половин заплата.

HQ Headquarters щаб.

HR House of Representatives *ам.* Долната камара на Конгреса на САЩ; Палатата на представителите; Home Rule *ист.* самоуправление (*в Ирландия*).

hr(s) hour(s) час(ове).

HRH His/Her Royal Highness Негово/Нейно кралско Височество.

HSH His/Her Serene Highness Негова/Нейна Светлост.

H.T. high tension високо напрежение; half time полувреме; half tone полутон; hydrotherapy водолечение; high tide прилив.

hv heavy тежък.

HV high velocity/voltage висока скорост/напрежение.

HWM high-water mark линия на прилива.

hy heavy тежък.

Hz hertz *физ.* херц.

I

I Island(s), Isle(s) остров(и).

i inch дюйм, цол.

IA Iowa Айова (*щат*).

IADL International Association of Democratic Lawyers Международна асоциация на юристите демократи, МАЮД.

IAEA International Atomic Energy · Agency Международна агенция по атомната енергия.

IATA International Air Transport Association Международна асоциация по въздушния транспорт.

IB Institute of Bankers Институт на банкерите.

ib., ibid. ibidem *лат.* пак там, на същото място, в същата книга/глава и пр.

IBM International Business Machines *ам.* наименование на компания за производство на изчислителни и др. машини, Ай-би-ем.

IBRD International Bank for Reconstruction and Development (World Bank) Международна банка за реконструкции и развитие, МБРР.

i/c in charge отговарящ за; internal combustion вътрешно горене.

ICA Institute of Contemporary Art Институт за съвременно изкуство; International Co-operative Alliance Международен кооперативен съюз.

ICAO International Civil Aviation Organization Международна организация на гражданската авиация, ИКАО.

ICBM Intercontinental Ballistic Missile междуконтинентална балистична ракета.

ICC Interstate Commerce Commission *ам.* Комисия по междущатска търговия; International Chamber of Commerce Международна търговска палата, МТП; Indian Claims Commission Комисия по индиански искания.

ICE Institution of Civil Engineers Институт на строителните инженери; internal combustion engine двигател с вътрешно горене; International Cultural Exchange Международен културен обмен.

ICFTU International Confederation of Free Trade Unions Международна конфедерация на свободните профсъюзи.

ICI Imperial Chemical Industries Имперски химически тръст.

ICJ International Court of Justice Международен съд (*при ООН*).

ICW International Council of Women Международен съвет на жените.

Id Idaho Айдахо (*щат*).

ID Intelligence Department разузнавателен отдел; identification удостоверяване на самоличността.

id idem *лат.* същият.

IDA International Development. Association Международна асоциация за развитие, МАР.

i.e. id est *лат.* that is (to say) тоест, т. е.

IF intermediate frequency междинна честота.

IFC International Finance Corporation Международна финансова корпорация.

ihp indicated horse-power индикаторна мощност (*в конски сили*).

IL Institute of Linguists Институт на езиковедите.

Ill Illinois Илинойс (*щат*).

ill., illus. illustration иллюстрация; illustrated иллюстрован.

ILO International Labour Organization/Office (Секретариат на) Международна организация на труда (*при ООН*).

ILP Independent Labour Party Независима лейбъристка партия.

IMCO Intragovernmental Maritime Consultative Organization Междуправителствена морска консултативна организация.

IMF International Monetary Fund, the FUND Международен валутен фонд.

IMM Institution of Mining and Metallurgy Институт по минно дело и металургия.

Imp Imperial имперски; imperator *лат.* император.

imp. imperfect *грам.* несвършен; imperative *грам.* повелителен; impersonal *грам.* безличен; imported *търг.* вносен.

in. inch(es) инч(ове).

inc. = **incorp.**; incomplete непълен; незавършен; increase увеличение.

incl. included, including включително.

incog. incognito инкогнито.

incorp. incorporated официално зарегистриран.

Ind. India Индия; Indian индийски; Indiana Индиана (*щат*).

ind. independent независим; index индекс; indicative *грам.* изявителен; industrial промишлен; industry индустрия, промишленост.

inf. infantry пехота; infinitive инфинитив; infra (по-)долу.

infra dig. infra dignitatem *лат.* под достойнството ми.

INRI Jesus Nazarenus Rex Iudaeorum Исус, цар на юдеите.

ins inches инч(ове); insurance застраховка.

inst. instant този месец; institute институт.

int. interim междувременно; interior вътрешност, интериор; intelligence интелигентност; · разузнаване; international международен; interest лихва; integral интеграл; internal вътрешен; interval интервал; interview интервю.

inv. inventor изобретател; invoice фактура.

IOC International Olympic Committee Международен олимпийски комитет, МОК.

IOJ International Organization of Journalists Международна организация на журналистите, МОЖ.

IOM Isle of Man о-в Ман.

I.O.U. I owe you дължа ти/ви (*в разписка и пр.*).

IOW Isle of White о-в Уайт.

IPA International Phonetic Alphabet Международна фонетична азбука.

IQ intelligence quotient коефициент на умствено развитие/интелигентност.

iq idem quod *лат.* същият като.

IR infra-red инфрачервен; Irish ирландски.

IRA Irish Republican Army Ирландска републиканска армия, ИРА.

IRBM intermediate range ballistic missile балистична ракета със среден радиус на действие.

IRC International Red Cross Международен червен кръст.

ISO International Organization for Standardization Международна организация по стандартизацията.

It Italian италиански; Italy Италия.

ITA Independent Television Authority Управление на независимата телевизия.

i.t.a. initial teaching alphabet първоначална учебна фонетична азбука.

it., ital. italics курсив.

Ital. италиански.

ITO International Trade Organization Международна търговска организация.

ITU International Telecommunications Union Международен съюз за телекомуникация.

ITV independent television независима телевизия; Instructional Television *ам.* учебна телевизия.

IU international unit международна единица.

I.U.(c.)D. intra-uterine (contraceptive) device вагинално средство против забременяване.

IUPAC International Union of Pure and Applied Chemistry Международен съюз за теоретична и приложна химия.

IUPAP International Union of Pure and Applied Physics Международен съюз за теоретична и приложна физика.

IUS International Union of Students Международен студентски съюз, МСС.

IV intravenous венозен; intravenously венозно.

IWW Industrial Workers of the World Световна организация на работниците от промишлеността.

J

J. Judge съдия; Justice правосъдие; съдия; joule(s) *физ.* джаул(и).

Jan. January януари.

JC Juris Consultus юрисконсулт; Jesus Christ Исус Христос.

JP Justice of the Peace мирови съдия; jet propulsion с реактивен двигател.

Jr = **Jun., Junr.**

jt. joint обединен; съвместен; единен.

Jul. July юли.

Jun. June юни.

Jun., Junr. junior младши.

K

K kelvin(s) келвин(и); kilo- килограм-; King's кралски; knight кавалер (*на орден*).

Kan., Kans. Канзас (*щат*).

KB King's Bench отдел на Кралския върховен съд.

KBE Knight Commander (of the Order) of the British Empire Кавалер на ордена на Британската империя II степен.

KC King's College Кингз коледж; King's Counsel държавен адвокат.

kc(s) kilocycle(s) килоцикъл, килоцикли.

KCB Knight Commander (of the Order) of the Bath кавалер на ордена на Бат II степен.

KCMG Knight Commander (of the Order) of St Michael and St George кавалер на ордена на св. Михаил и св. Георги II степен.

kc/s kilocycles per srconds килоцикъла на секунда.

KCVO Knight Commander of the Royal Victorian Order кавалер на ордена Кралица Виктория II степен.

K.E. kinetic energy кинетична снергия.

Ken Kentucky Кентъки (*щат*).

kg kilogram(s) килограм(а).

KG Knight of (the Order of) the Garter кавалер на ордена на жартиерата.

kHz kilohertz килохерц.

KIA killed in action *воен.* загинал в бой.

KKK Ku-Klux-Klan Ку-клукс-клан.

kl kilolitre килолитър.

KLH Knight of the Legion of Honour кавалер на ордена на почетния легион.

km kilometres километър.

km/h kilometre per hour километра в час.

kn knot *мор.* възел.

K.O. knock-out нокаут.

Kor. Korea Корея; Korean корейски.

k.p.h. kilometres per hour километра в час.

KS Kansas Канзас (*щат*).

KSC Kenedy Space Center Космически център „Кенеди".

Kt Knight рицар; кавалер на орден.

KT Knight of the Order of the Thistle кавалер на шотландски орден.

kv kilovolt киловолт.

kw kilowatt киловат.

kwh(r) kilowatt-hour киловат-час.

KWIC keyword in context ключова дума в контекст.

KWOC keyword out of context ключова дума извън контекст.

KY Kentucky Кентъки (*щат*).

L

L, l Lake езеро; Latin латински; Liberal либерал; libra *лат. ост.* pound фунт(-стерлинг); length дължина; long дълъг; latitude *геогр.* ширина; longitude *геогр.* дължина; litre литър; learner driver *авт.* човек, който кара шофьорски курс.

La Louisiana Луизиана (*щат*); Latin America Латинска Америка; Los Angeles Лос Анджелес; law agent юрисконсулт; local authority местни власти/управление; Library Association Асоциация на библиотеките.

Lab. Labour Лейбъристка партия; Labrador Лабрадор.

LAMDA London Academy of Music and Dramatic Art Лондонска академия за музика и драматично изкуство.

Lat. Latin латински; Latvian латвийски.

lat. latitude *геогр.* ширина.

lb libra *лат.* фунт.

LBH length, breadth, height дължина, ширина и височина (*габаритни размери*).

l.c. letter of credit кредитно писмо; loco citato *лат.* в цитираното място/пасаж; lower-case *печ.* написан с малки букви; landing craft десантен кораб.

LC Library of Congress Конгресна библиотека на САЩ.

LCC London County Council Лондонски градски съвет.

LCD least/lowest common denominator най-малък общ знаменател.

L Ch, L Chir. Licentiatus Chirurgiae *лат.* дипломиран/специалист хирург.

532

LCJ Lord Chief Justice председател на Върховния съд.

LCM, lcm least/lowest common multiple най-малък общ множител.

LD Labor Department Министерство на труда (*САЩ*); Lethal dose смъртоносна доза.

ld. Lord лорд; load товар.

LEA Local Education Authority местни просветни органи.

leg. legal законен; юридически; legislative законодателен; legislature законодателни органи; законодателство.

LEM Lunar Excursion Module луноход.

LF low frequency ниска честота.

l.h. left hand ляв; от лявата страна.

LHD Litterarum Humaniorum Doctor *лат.* доктор на хуманитарните науки.

LI Light Infantry лека пехота; Long Island Лонг Айлънд.

Lieut. Lieutenant лейтенант.

liq. liquid течен.

lit. literally буквално; literature литература.

Lit(t). D. Litterarum Doctor *лат.* доктор по литаратура.

LJ Lord Justice съдия (*в апелативен съд*).

ll lines редове.

LL limitted liability ограничена отговорност; lending library заемна библиотека.

LLB, LLD, LLM Legum Baccalaureus/Doctor/Magister *лат.* бакалавър/доктор/магистър по право.

LM Lord Mayor кмет; lunar module лунен модул.

lm lumen(s) лумен(и).

LMS London Mathematical Society Лондонско математическо дружество; London Missionary Society Лондонско мисионерско дружество.

LOC lines of communication комуникационни линии.

loc. cit. loco citato *лат.* в цитирания/споменатия пасаж и пр.

LP Labour Party Лейбъристка партия; long-playing дългосвирещ (*за плоча*); Lord Provost *шотл.* главен съдия; кмет; low pressure ниско налягане.

l.s. left side лявата страна; locus sigilli *лат.* място за печат (*в документ*).

L.S.D. lysergic acid diethylamid вид наркотик.

LSE London School of Economics Икономическият институт в Лондон.

LSS lifesaving service/station спасителна служба/станция; life support system *косм. мед.* поддържаща система.

LSV lunar surface vehicle луноход.

LT low tension ниско напрежение.

Lt Lieutenant лейтенант.

Lt Col Lieutenant-Colonel подполковник.

Ltd, ltd limited с ограничена отговорност (*за дружество*).

Lt Gen Lieutenant-General генерал-лейтенант.

LWM low-water mark линия на отлива.

lx lux *физ.* лукс.

M

M Member (of...) член (на...); Master магистър; Monsieur *фр.* господин, г-н; motorway автострада, автомагистрала; Mega *физ.* мега.

m. married женен; омъжена; male от мъжки пол; мъж; masculine от м.р.; metre метър; meridiem пладне;

middle среда; среден; mile миля; minute минута; million милион; milli- мили-; mass *физ.* маса; missile реактивен снаряд; mark марка (*парична единица*); month месец; moon луна; morning сутрин.

M.A. Master of Arts магистър на хуманитарните науки; Military Academy Военна академия; Middle Ages средните векове.

Ma Minnesota Минесота (*щат*); Massachusetts Масачусетс (*щат*).

mach. machinery машина; механизъм; machining обработване; machinist механик.

Maj. Major майор.

Maj.-Gen. Major General генерал-майор.

Man., Manit. Manitoba Манитоба.

Mar. March март.

Marq Marquis маркиз.

masc. masculine мъжки (род).

Mass Massachusetts Масачусетс (*щат*).

math. mathematics математика.

max. maximum максимум.

MBE Member of the Order of the British Empire кавалер на ордена на Британската империя.

MC Member of Congress член на Конгреса; Master of Ceremonies церемониалмайстор; конферансие; водещ предаване и пр.; Member of Council член на съвета; Military Cross военен кръст.

Mc(s) megacycle(s)·мегахерц(а).

MCC Member of the County Council член на окръжния съвет.

MD Medicinae Doctor доктор по медицина; Managing Director административен директор; mentally deficient умствено недоразвит.

MD, Md Maryland Мериланд (*щат*).

Mdlle Mademoiselle *фр.* госпожица.

Mdm Madam *фр.* госпожа.

ME, Me Maine Мейн (*щат*).

ME Middle English средноанглийски; Middle East Близкият изток; Mechanical/Mining Engineer машинен/минен инженер.

MEC Member of the Executive Council член на изпълнителния комитет.

mech mechanic(al) механичен; машинен; технически.

med. medical медицински; medicine medium среден; mediaeval средночековен.

mem. member член; memorandum меморандум; memorial паметник; memento запомнете, помни.

Messrs Messieurs *фр.* господа.

MET Mean European Time средноевропейско време.

met., metaph. metaphysics метафизика; metaphor метафора.

met. meteor метеор; meteorology метеорология.

Mex. Mexico Мексико; Mexican мексикански.

M.F. medium frequency средна честота.

mf mezzo forte мецофорте.

mfd manufactured произведен; фабричен.

MFH Master of Fox Hounds ръководител на лов.

mfr(s) manufacturer(s) производител(и).

M.G. machine-gun картечница; Major General генерал-майор; Military Government военно правителство.

mg milligram(s) милиграм(а).

Mgr Monseigneur, Monsignor Монсеньор (*и рел.*).

Mgt, mgt management управление; ръководство.

MH Medal of Honor *ам.* почетен медал; mobile home фургон и пр., пригоден за жилище.

MHR Member of the House of Representatives член на Камарата на представителите (*САЩ*).

MHz megahertz мегахерц.

MI Military Intelligence военно разузнаване; MI5

Security Service Държавна сигурност; MI6 Secret Intelligence Service Тайна разузнавателна служба; Mounted Infantry моторизирана/конна пехота.

mi mile миля; mileage *ам.* километраж.

MICE Member of the Institution of Civil Engineers член на Института на строителните инженери.

Mi, Mich Michigan Мичиган (*щат*).

MIDAS Missile Defence Alarm System алармна система на противоракетната защита.

Middx Middlesex Мидълсекс.

mil., milit. military военен.

min. minute минута; mineralogy минералогия; minimum минимум.

Min. Minister министър; Ministry министерство.

Minn. Minnesota Минесота (*щат*).

misc. miscellaneous различни; разни; miscellany сбирка; сборник.

Miss. Mississippi Мисисипи (*щат*).

MIT Massachusetts Institute of Technology Масачусетски технологически институт (*САЩ*).

MK, mk mark знак; марка (*на кола*).

Mkt Market пазар.

ml mile миля; millilitre милилитър.

MLA Member of Legislative Assembly член на законодателно събрание; Modern Language Association (of America) (американска) асоциация за съвременни езици.

MLC Member of the Legislative Council член на законодателния съвет.

Mlle(s) Mademoiselle(s) госпожица, госпожици.

MM Messieurs господа; Military Medal военен медал.

mm millimetre(s) милиметър; милиметри.

Mme(s) Madame(s) госпожа; госпожи.

MN Merchant Navy търговски флот; Minnesota Минесота (*щат*).

MO Medical Officer началник на медицинска служба; money order превод на пари по пощата, пощенски запис.

Mo *ам.* Monday понеделник; Missouri Мисури (*щат*).

mo *ам.* month месец.

MOD Ministry of Defence Министерство на отбраната.

mod. modern съвременен, нов; moderato модерато; modification модификация.

MOI Ministry of Information Министерство на информацията (*сега* **COI**).

Mon Monday понеделник.

Mont Montana Монтана (*щат*).

MOT Ministry of Transport Министерство на транспорта.

MP Member of Parliament член на Парламента; Military Police военна полиция; Metropolitan Police столична полиция; mounted police конна полиция.

mp melting point точка на топенето.

mpg miles per gallon мили на галон.

mph miles per hour мили в час.

MPS Member of the Pharmaceutical/Philological/Physical Society член на дружеството на фармацевтите/филолозите/физиците.

MR Master of the Rolls Началник на съдебния архив; Mister господин.

MRBM medium-range ballistic missile балистична ракета със среден радиус на действие.

MRC Medical Research Council Съвет за научноизследователски проучвания в областта на медицината.

Mrs Mistress госпожа.

MS manuscript ръкопис; Master of Surgery магистър по хирургия; multiple sclerosis дисеминирана склероза.

533

MS, Msc. Master of Science магистър по положителните науки.

MSL, m.s.l. mean sea level средно морско ниво.

MSS manuscripts ръкописи.

MT Mechanical Transport автотранспорт; metric ton метрически тон; Montana Монтана (*щат*).

Mt Mount, Mountain връх; планина; хълм.

MTB motor torpedo-boat моторна торпедна лодка.

Mts mountains планина, планини.

MV, mv motor vessel моторен плавателен съд; merchant vessel търговски кораб; muzzle velocity дулова скорост.

MVO Member of the (Royal) Victorian Order кавалер на ордена Кралица Виктория V степен.

MW Medium Waves средни вълни; megawatt(s) мегават(а).

mW milliwatt(s) миливат(а).

Mx Middlesex Мидълсекс.

mxd mixed *ам.* смесен.

MY motor yacht моторна яхта.

N

N, n North север; northern северен; Navy военноморски сили; noon пладне; neutral неутрален; normal нормален; number номер; число; noun съществително; neuter среден род; knight *шахм.* офицер.

N.A. North America Северна Америка.

N.A.A.C.P National Association for the Advancement of Colored People *ам.* Национална асоциация за подпомагане на развитието на цветнокожите.

NAS National Association of Schoolmasters Национална асоциация на учителите; Noise Abatement Society Дружество за борба с шума; National Academy of Sciences Национална академия на науките.

NASA National Aeronautics and Space Administration Национално управление по въздухоплаване и изследване на космическото пространство, НАСА.

Nat National национален; Nationalist националист; natural естествен.

nat. natus *лат.* роден; native местен, туземен; роден.

NATO North Atlantic Treaty Organization Североатлантически пакт, НАТО.

naut. nautical морски, мореплавателен.

nav. naval военноморски; navigation корабоплаване, навигация.

NAVAR combined navigation and radar system комбинирана навигационна и радарна система.

NB naval base военноморска база; North Britain Северна Британия; north bound с посока на север.

NB, nb nota bene *лат.* забележи, забележете (*в книга и пр.*).

NBC National Broadcasting Company *ам.* Национална радиопредавателна компания, Ен-би-си.

N.B.G. no bloody good *разг.* никаква полза.

NBS National Bureau of Standards *ам.* Национално бюро по стандартизацията.

NC North Carolina Северна Каролина (*щат*).

NC, n.c. no change без промяна/изменение.

NCB National Coal Board Национално управление по каменовъгления промишленост.

NCCL National Council of Civil Liberties Национален съвет за граждански права.

NCO non-commissioned officer военнослужещ от сержантския състав.

NCR no carbon required без копие (*в един екземпляр*).

n.c.v. no commercial value без търговска стойност.

N.D., N.Dak. North Dakota Северна Дакота (*щат*).

ND Navy Department Министерство на военноморските сили.

n.d. no date без дата.

N.E., NE North-East североизток; New England Нова Англия (*САЩ*).

NEA National Education Association *ам.* Национална асоциация по образованието.

Neb., Nebr. Nebraska Небраска (*щат*).

NEB New English Bible нов превод на Библията (1970 г.).

NED New English Dictionary = **OED.**

NEDC National Economic Development Council Национален съвет за икономическо развитие.

neg. negative отрицателен.

NEI not elsewhere included невключен другаде; non est inventus *лат.* не е намерен/открит.

NERC National Environment Research Council Национален съвет по изучаване на околната среда.

Neth. Netherland Нидерландия.

Nev. Nevada Невада (*щат*).

NF., Nfld Newfoundland Нюфаундланд.

NFS National Fire Service Национална пожарна служба; not for sale не е за продан, не се продава.

NFU National Farmers' Union Национален съюз на земеделците.

NG National Guard Национална гвардия (*САЩ*).

n.g. no good не струва, не върши работа.

NH New Hampshire Ню Хампшър.

NHI National Health Insurance Национална здравна застраховка.

NHS National Health Service Държавна служба по здравеопазването.

NI Northern Ireland Северна Ирландия; National Insurance задължителна осигуровка за работници и служещи.

NIC National Incomes Commission Национална комисия по доходите.

NIRC National Industrial Relations Court Национален съд по промишлените отношения.

NJ New Jersey Ню Джързи (*щат*).

NL North latitude *геогр.* северна ширина.

n.l. new line нов ред; non licet *лат.* не е позволено; non liquet *лат.* не е ясно.

NLF National Liberation Front Фронт за национално освобождение.

NLRB National Labor Relations Board *ам.* Национално управление за трудови отношения (*САЩ*).

NM National Museum Национален музей; nautical mile морска миля.

N.M., N.Mex. New Mexico Ню Мексико (*щат*).

NNE North by North East север-североизток.

NNW North by North West север-северозапад.

No, no North север; number номер; число.

nom. nominative именителен падеж; nominal номинален.

non-com. non-commissioned (военнослужещ) от сержантския състав.

non seq non sequitur *лат.* от това не следва (*логически*).

NOP not otherwise provided for само както е предвидено.

Nor. Norway Норвегия; Norwegian норвежки.

NOS not otherwise specified само както е уточнено.

Nov. November ноември.

N.P. Notary Public нотариус.

n.p. new paragraph нов ред; no place (of publication) мястото на издаване не е посочено; no pagination без номерация на страниците; neuropsychiatry невропсихиатрия; no protest няма възражение.

NPA Newspaper Publishers' Association Асоциация на издателите на вестници.

nr near близо.

N.S. North Sea Северно море; New Style нов стил; Nova Scotia Нова Шотландия.

n.s. not signed неподписан, без подпис; not specified неуточнен.

NS neuclear submarine атомна подводница; nuclear ship атомен кораб.

NSA National Security Agency Управление за национална безопасност.

NSB National Savings Bank Национална спестовна банка.

NSC National Security Council Съвет за национална безопасност (*САЩ*).

NSF National Science Foundation Национална научна фондация (*САЩ*).

NSPCA = **RSPCA.**

NSPCC National Society for Prevention of Cruelty to Children Национално дружество за борба с жестокостта към децата.

NSW New South Wales Нови Южен Уелс.

NT New Testament Новият завет; Northern Territory Северна територия (*Австралия*); no trumps *карти* без коз.

Nth North Север.

NTP, ntp normal temperature and pressure нормална температура и налягане.

nt wt net weight чисто тегло, нето.

NU National Union Национален съюз; name unknown име неизвестно.

NUGMW National Union of General and Municipal Workers Национален профсъюз на неквалифицирани и общински работници.

NUJ National Union of Journalists Национален съюз на журналистите.

NUM National Union of Mineworkers Национален съюз на миньорите.

NUPE National Union of Public Employees Национален съюз на работниците по общественото обслужване.

NUR National Union of Railwaymen Национален съюз на жп работници.

NUS National Union of Students Национален съюз на студентите.

NUT National Union of Teachers Национален съюз на учителите.

n.v.d. no value declared без обявена стойност.

NW Nort-West(ern) северозапад(ен).

NWT Northwest Territories Северозападни територии (*Канада*).

N.Y., NY New York Ню Йорк (*град и щат*).

NYC New York City град Ню Йорк.

NZ New Zealand Нова Зеландия.

O

O. Ohio Охайо; old стар.

O.A.P. old-age pension/pensioner пенсия/пенсионер за прослужени години.

OAS Organization of American States Организация на американските държави; on active service *воен.* на действителна служба.

OAU Organization of African Union Организация за африканско единство.

ob. obiit *лат.* починал (*с датата на смъртта*).

OBE Officer (of the Order) of the British Empire кавалер на ордена на Британската империя IV степен.

obs. obsolete *ез.* остарял; observation наблюдение.

O.C. Officer Commanding командир; началник.

o.c. opere citato *лат.* в цитирания труд.

OCD Office of Civil Defense Управление за гражданска отбрана (*САЩ*).

Oct. October октомври.

OCTU Officer Cadets Training Unit Школа за офицери.

OD officer of the day дежурен офицер; on demand при поискване; overdraft превишаване на кредит (*в банка*).

OE Old English староанглийски език.

OECD Organization for Economic Co-operation and Development Европейска организация за икономическо сътрудничество и развитие.

OED Oxford English Dictionary Оксфордски речник на английския език.

OEEC Organization for European Economic Co-operation Европейска организация за икономическо сътрудничество (*от 1961 г.* **OECD**).

OEO Office of Economic Opportunity *ам.* Управление за проучване на икономическите възможности.

O/F orbital flight орбитален полет.

Off, off officer офицер; длъжностно лице, служещ; office длъжност; служба; official официален; officinal *фарм.* приет във фармакопеята.

OH Ohio Охайо (*щат*).

OHMS On His/Her Majesty's Service на (*държавна, военна и пр.*) служба при Негово/Нейно Кралско Величество.

O.K. okay в ред; окей.

O.K., Okla. Oklahoma Оклахома (*щат*).

OM Order of Merit орден за заслуга; Old Measurement стара мярка.

OMB Office of Management and Budget Административно и бюджетно управление (*САЩ*).

O.N.C., O.N.D. Ordinary National Certificate/Diploma държавно свидетелство/диплома.

Ont. Ontario Онтарио.

OP observation post наблюдателен пункт.

op operation операция; opus труд, композиция, произведение; optical оптичен; operator оператор (*телефонист и пр.*).

o.p. out of print изчерпан (*за печатно произведение*).

op. cit. opere citato *лат.* в цитирания труд/произведение.

OPEC Organization of Petroleum Exporting Countries Организация на страните износителки на петрол, ОПЕК.

opp. opposite противоположен, обратен.

ops. operations *воен.* операции; operating room *мед.* операционна.

opt. optimal оптимален; optative *грам.* оптатив; optical оптичен; optician оптик; optics оптика; optional незадължителен, по избор.

Or = Ore(g).

orch. orchestra оркестър.

ord. ordinary обикновен; order поръчка; заповед, нареждане; ordnance оръдия; артилерия.

Ore(g). Oregon Орегон (*щат*).

orig. origin произход; original оригинален, истински; първоначален; originally първоначално.

OS Old Style стар стил; ordinary seaman обикновен мо-

ряк; outsize (c) размери по-големи от стандартните; out of stock изчерпан, разпродаден (*за стока*).

O/S on sale пуснат в продажба.

osp obiit sine prole *лат.* починал, без да остави наследници.

O.T. Old Testament Старият завет; overtime извънредна работа/часове.

OTC Officers' Training Corps Корпус за подготовка на офицери.

O.U. Oxford University Оксфордският университет; Open University Университет за задочно образование/за всички.

Oxf. Oxford Оксфорд.

Oxon. of Oxford оксфордски.

oz. ounce(s) унция, унции.

P

P pawn пионка; President президент; Prince принц; Port пристанище; Pole *геогр.* полюс.

p. page страница; part част; pint пинт; pence пенс; penny пени (*нови*); participle *грам.* причастие; piano пиано.

Pa Pennsylvania Пенсилвания (*щат*).

P.A. Press Association Асоциация по печата.

p.a. per annum *лат.* годишно, на година.

PA(B)X Private Automatic (Branch) Exchange частна автоматична телефонна централа.

P.A., P/A private account лична сметка; public address радиоуредба.

Pal. Palestine Палестина.

Pan. Panama Панама.

par. paragraph параграф; parallel паралел; parish енория.

Parl. Parliament(ary) парламент(арен).

pat. patent патент.

patd patented патентован.

PAYE pay-as-you-earn система за плащане на данък общ доход при получаването на заплата/хонорар; pay-as-you-enter *ам.* плаща се при влизането/качването.

payt payment *ам.* плащане.

PB Pharmacopoeia Britanica Британска фармакопея.

PC Police Constable полицай; Privy Councillor член на Кралския таен съвет.

p.c. per cent, percentage процент; postcard пощенска картичка.

PD Police Department *ам.* Полицейско управление.

pd. paid платен, заплатен; платено.

p.d.q. *sl.* pretty damn quick дяволски/страшно бързо.

P.E. physical education физическо възпитание; printer's/probable error печатна/вероятна грешка.

PEC, pec photoelectrical cell фотоелемент, фотоклетка.

P.E.N. International Association of Poets, Playwrights, Editors, Essayist, and Novelists Международна асоциация на поетите, драматурзите, редакторите, есеистите и романистите.

pen. peninsula полуостров.

Penn(a) Pennsylvania Пенсилвания (*щат*).

PEP Political and Economic Planning политическо и икономическо планиране.

per. period период; person лице.

perh. perhaps може би, навярно.

pers. person лице; personal личен; personnel личен състав.

Pg Portugal Португалия; Portuguese португалски.

PG paying guest пансионер в частен дом; postgraduate аспирант.

Ph.B./D. Bachelor/Doctor of Philosophy бакалавър/доктор по философия.

Phil. Philadelphia Филаделфия; Philharmonic филхармоничен; philology филология; philological филологически; philosophy философия; philosophical философски.

phon. phonetics фонетика.

phot. photography фотография.

phr. phrase фраза.

PHS Public Health Service здравна служба.

phys. physical физически; physician лекар; physics физика.

PI Philippine Islands Филипински о-ви.

PL Public Law държавно/международно право; Public Library градска/обществена библиотека; Poet Laureate поет лауреат.

PLA Port of London Authority Управление на Лондонското пристанище.

PLO Palestine Liberation Organization Организация за освобождение на Палестина.

PLP Parliamentary Labour Party парламентарна фракция на Лейбъристката партия.

PM Postmaster началник на пощата; Prime Minister министър-председател; Provost-Marshal началник на военната полиция; post meridiem след пладне; post mortem посмъртен; (лекарска експертиза при) аутопсия; paymaster касиер.

PMG Postmaster General министър на пощите; Paymaster General главен ковчежник.

PMO Principal Medical Officer главен лекар.

PN promissory note полица.

PNEU Parents' National Educational Union Национален съюз на родителите за подпомагане на училището.

P.O. post office поща; пощенска станция; postal order пощенски запис; Petty Officer мор. старшина; Pilot Officer младши лейтенант от авиацията.

P.O.B. Post Office Box пощенска кутия.

POC Port of Call междинно пристанище.

POD Post Office Department ам. Министерство на пощите.

p.o.d. pay on delivery заплащане при доставката, с наложен платеж.

POE Port of Entry входно пристанище.

P.O.O. post-office order пощенски запис.

pop. population население; popular популярен.

Port. Portugal Португалия; Portugese португалски.

pos. position положение; positive положителен.

P.O.W. prisoner of war военнопленник.

pp pages страници; pianissimo пианисимо; per procurationem лат. по пълномощие/делегация; past participle минало причастие.

PPC pour prendre congé фр. дипл. за сбогуване.

ppc picture postcard илюстрована пощенска картичка.

PPE philosophy, politics, and economics философия, политика и икономика.

PPS Parliamentary Private Secretary личен парламентарен секретар на министър; Post Post Scriptum лат. допълнителен постскриптум.

P.Q. Province of Quebec провинция Квебек.

pr. pair чифт; present сегашен; присъствуващ; price цена; per на; printed напечатан.

Pr. Prince принц; Priest свещеник.

P.R. proportional representation пропорционална избирателна система; public relations отдел за реклама; Puerto Rico Пуерто Рико.

PRA President of the Royal Academy председател на Кралската академия.

pref. preface предговор; preference предпочитание; prefix представка; preferred предпочитан; привилегирован.

prep. preparation подготовка; preparatory подготвителен; preposition предлог.

Pres., pres. President председател, президент; present сегашен.

PRN, p.r.n. pro re nata лат. в случай на нужда.

P.R.O. Public Relations Officer сътрудник/ръководител на отдел за реклама; Public Record Office Държавен архив.

prob. probably вероятно.

Prof. Professor професор.

prop. property собственост; proper собствен; proposition предложение.

Prot. Protectorate протекторат; Protestant протестант.

Prov. Proverbs библ. притчи; Province провинция; provisional временен; Provost ректор; офицер от военната полиция.

prox. proximo (mense) лат. търг. of next (month) идущият (месец).

PRS President of the Royal Society председател на Кралското дружество.

PS post scriptum лат. постскриптум, послепис; Police Sergeant полицейски сержант; private secretary частен секретар; power supply енергоснабдяване; Philological Society Филологическо дружество; Pharmaceutical Society Фармацевтично дружество.

Ps(s). Psa Psalm(s) библ. Псалм(и).

pseud. pseudonym псевдоним.

PSV public service vehicle обществено превозно средство.

P.T. Physical Training физкултура; purchase tax данък върху луксозни стоки.

pt. pint пинт; part част; port пристанище; payment плащане.

PTA parent-teacher association родителско-учителско дружество.

ptc participle причастие.

Pte. Private (soldier) редник.

P.T.O., p.t.o. please turn over моля обърнете (*страницата*).

pub. public обществен, държавен.

pub., publ. publisher издател.

Pvt, pvt private частен, личен; Private ам. воен. редник.

P.W. Policewoman жена полицай; ам. prisoner of war военнопленник.

PWD Public Works Department отдел Обществени сгради.

PX post exchange (гарнизонна) лавка.

Q

Q, q question въпрос; Queen кралица; Queen's на кралица.

Q.B. Queen's Bench Кралски съд.

Q.C. Queen's Counsel държавен адвокат; Queen's College Куинс коледж (*Кеймбридж*).

Q.E.D., Q.E.F., Q.E.I. quod erat demonstrandum/faciendum/inveniendum лат. което трябваше да бъде доказано/извършено/намерено.

Q.F. quick-firing скорострелен.

Qld Queensland Куинсланд (*Австралия*).

Q.M. quartermaster квартирмайстор; интендант; *мор.* старшина-кормчия.

Q.M.G. Quartermaster General главен интендант на армия.

qq questions въпроси, запитвания.

qq v quae vide *лат.* виж (*при препратка*).

qr. quarter(s) четвърт(ина), четвъртини; тримесечие; quire *печ.* кола.

Q.S.O. quasi-stellar object звездоподобно тяло, квазар.

qt quantity количество; quart(s) кварта, кварти (*мярка*).

q.t. quiet *sl.* тих; on the q.t. тайничко, тихомълком.

qty quantity количество.

qu. query въпрос, запитване.

qu., quar. quart кварта; quarterly тримесечно, веднъж на три месеца.

Que Quebec Квебек.

q.v. quod vide *лат.* (което) виж (*при препратка*); quantum vis *лат.* колкото искаш.

R

R Railway железница, жп линия; Reaumur по скалата на Реомюр; rocket ракета; ракетен двигател; Rex крал; Regina кралица; Royal кралски; Republican член на Републиканската партия (*САЩ*); Regiment полк.

R, r radius радиус; right десен; ratio съотношение; registered *търг.* зарегистриран; river река; rook *шахм.* тур, топ; roentgen рентген.

R.A. Royal Academy Кралска академия; Royal Artillery Кралска артилерия.

R.A.A. Royal Academy of Arts Кралска Академия за изобразително изкуство.

RAAF Royal Australian Air Force Австралийски военновъздушни сили.

RAC Royal Automobile Club Кралски автомобилен клуб; Royal Armoured Corps Кралски бронетанков корпус.

rad. radix корен; radio радио; radial радиален; radical радикал; radius радиус; radian радиан.

RADA Royal Academy of Dramatic Art Кралска академия за драматично изкуство.

RAF Royal Airforce Кралски военновъздушни сили.

RAM Royal Academy of Music Кралска музикална академия.

R and B Rhythm and Blues вид попмузика.

R and D research and development научно изследване и разработки.

RAX rural automatic exchange селска автоматична телефонна централа.

RB Rifle Brigade стрелкова бригада.

RBA Royal Society of British Artists Кралско дружество на британските художници.

RBS Royal Society of British Sculptors Кралско дружество на британските скулптори.

RC Red Cross Червен кръст; remote control дистанционно управление; reinforced concrete железобетон; Roman Catholic (римо)католически.

RCA Royal College of Art Кралски колеж по живопис.

RCM Royal College of Music Кралски колеж по музика.

rct recruit новобранец.

RD refer to drawer *банк.* отказвам да платя (*поради липса на покритие*).

Rd. Road път, шосе.

RDF radio direction finder радиопеленгатор.

RE Royal Exchange Английската борса; Royal Engineers Кралски инженерни войски.

rec. record звукозапис; протокол; рекорд.

recd. received приет; получен.

recpt. receipt квитанция.

ref. reference препратка; referee рефер, съдия.

reg. register списък; регистър; region район; regulation наредба, правило; regular редовен.

regd. registered регистриран; препоръчан (*за пощенска пратка*).

regt. regiment полк.

rel. relating относно; relation отношение; relative относителен.

REM rapid eye movement (период на) много живи сънища.

Rep. *ам.* Representative член на Конгреса; Republican член на Републиканската партия.

rep. report отчет; доклад; reporter репортер; republic република.

ret(d). returned върнат; retired (излязъл) в оставка/пенсия.

rev. revise преработвам; revision преработка; revenue годишен доход, приход на държавното съкровище; reverse обратен; revolution *mex.* оборот.

Revd. Reverend преподобен; Revelation *библ.* Откровение.

RF, r.f. radiofrequency радиочестота.

RFC Rugby Football Club ръгбиклуб.

RGS Royal Geographical Society Кралско географско дружество.

Rgt. regiment полк.

r.h. right hand десен; relative humidity относителна влажност.

R.H.A. Royal Horse Artillery Кралска конна артилерия.

R.H.G. Royal Horse Guards Кралска конна гвардия.

R.I., RI Rhode Island Роуд Айлънд (*щат*), Royal Institute/Institution Кралски институт.

RIBA Royal Institute of British Architects Кралски институт на британските архитекти.

RIC Royal Institute of Chemistry Британски химически институт; Royal Irish Constabulary Кралска ирландска полиция.

RIGB Royal Institution of Great Britain Кралски научен институт.

RIP requiescat in pace *лат.* мир на праха му/й.

RIPHH Royal Institute of Public Health and Hygiene Кралски институт по здравеопазване и хигиена.

RJ road junction кръстопът, кръстовище.

RLO Returned Letter Office отдел за недоставени/върнати писма.

RLY, rly railway жп линия, железница.

RM Resident Magistrate командирован съдия; registered mail препоръчана поща; Royal Mail Кралска поща; Royal Marines Кралска морска пехота.

rm room стая; ream топ хартия.

RMA Royal Military Academy Кралска военна академия; Royal Marine Artillery Кралска морска артилерия.

RMP Royal Military Police Кралска военна полиция.

RMS Royal Mail Steamer/Service Кралски пощенски кораб/служба.

RN Royal Navy Кралски военноморски сили; registered nurse дипломирана медицинска сестра.

RNA ribonucleic acid рибонуклеинова киселина.

RNAS Royal Naval Air Service/Station Кралска морско-въздушна служба/станция.

RN(V)R Royal Naval (Volunteer) Reserve Кралски (доброволни) военноморски войски от запаса.

ROTC Reserve Officers' Training Corps Корпус за подготовка на запасни офицери.

RP Received Pronunciation книжовно произношение; Regius Professor професор, завеждащ катедра, основана от английски крал; reply paid платен отговор; reprint стереотипно издание; (отделен) отпечатък.

RP., R/P by return of post с обратна поща.

r.p.m./r.p.s. revolutions per minute/second обороти в минута/секунда.

R.R. railroad железница, жп линия; rural route селски път; Right Reverend преосвещенство.

RS Royal Society Кралско научно дружество; Royal Scotts Кралски шотландски полк.

RSA Royal Society of Arts Кралско дружество по изкуствата; Royal Scottish Academy Шотландска кралска академия.

RSFSR Russian Soviet Federal Socialist Republic Руска съветска федеративна социалистическа република, РСФСР.

RSM Regimental Sergeant-Major полкови старши сержант; Royal Society of Music Кралско музикално дружество; Royal School of Music Кралска консерватория.

RSPA Royal Society for the Prevention of Accidents Кралско дружество за предотвратяване на нещастни случаи/злополуки.

RSPCA Royal Society for the Prevention of Cruelty to Animals Кралско дружество за борба с жестокостта към животните.

RSS Regiae Societatis Socius *лат.* член на Кралското дружество.

RSV Revised Standard Version (of the Bible) *ам.* превод на Библията от 1946 и 1952 г.

RSVP repondez s'il vous plait *фр.* моля отговорете (*в покани и пр.*).

RT radio telephony/telegraphy радиотелефония/радиотелеграфия; radio telephone радиотелефон; room temperature стайна температура.

rt right десен.

Rt. Hon. Right Honorable многоуважаван.

Rt. Rev(d) Right Reverend преосвещенство.

RU Rugby Union Съюз на играчите на ръгби.

RV Revised Version (of the Bible) подобрен превод на Библията от 1870 и 1884 г.

Ry Railway железница, жп линия.

S

S. Saint свят; свети; Society дружество; Senate *ам.* сенат; Southern южен; South юг.

s. second(s) секунда, секунди; signed подписан; shilling(s) шилинг(и); singular единствено число; succeeded последван; наследен.

S.A. Salvation Army Армия на спасението; sex appeal сексапил; South Africa Южна Африка; South America Южна Америка; South Australia Южна Австралия; subject to approval подлежи на одобрение.

s.a. sine anno *лат.* без дата (*на издаването*).

SAC Senior Aircraftman/Aircraftwoman *воен.* старши летец.

s.a.e. stamped addressed envelope адресиран и облепен с марка плик.

SALT Strategic Arms Limitation Talks преговори за ограничаване на стратегическите оръжия, САЛТ.

SAM surface-to-air missile зенитна управляема ракета от типа земя—въздух.

Sat. Saturday събота.

SAYE, S.A.Y.E. save as you earn спестявай от припечеленото (*чрез работнически влог*).

SBN Standard Book Number стандартен номер на книга.

SC South Caroline Южна Каролина (*щат*); small capitals *печ.* капителки; Security Council Съвет за сигурност (*при ООН*); Scottish шотландски; special constable цивилен полицай (*при особена нужда*); Supreme Court Върховен съд.

Sc. Scottish шотландски; Scotch шотландски (*диалект*).

S.C., S/C spacecraft космически кораб.

sc. scale мащаб; scene сцена; science наука; scilicet *лат.* а именно, тоест.

Sch. school училище; школа; (научен) институт; факултет; schooner *мор.* шхуна.

Sci. science наука; scientific научен.

SCM State Certified Midwife правоспособна акушерка; Student Christian Movement Студентско християнско движение.

Script. Scripture Светото писание.

S.D., S.Dak. South Dakota Южна Дакота (*щат*).

s.d. sine die *лат. търг.* без определен ден/дата.

S.E. South-East югоизток; югоизточен; Stock Exchange фондова борса.

S.E.A.T.O. South-East Asia Treaty Organization Съюз на страните от Югоизточна Азия, СЕАТО.

Sec. Secretary секретар; министър.

sec. second(s) секунда; секунди; secondary вторичен; второстепенен; section отдел, раздел; secundum *лат.* според, съгласно.

sec. leg. secundum legem *лат.* съгласно закона.

sec. reg. secundum regulam *лат.* съгласно правилото.

sect. section част, секция.

Sen. Senate Сенат; Senator сенатор; Senior старши.

Sept. September септември.

seq(q) sequens, sequentes *лат.* следващото, следващите.

ser. series серия, ред, редица.

Serg., Sergt сержант.

Sess. Session сесия.

SF San Francisco Сан Франциско; safety factor коефициент на сигурност; self-feeding с автоматично захранване; science fiction научна фантастика; signal frequency честота на сигнала.

SFA Scottish Football Association Шотландска футболна асоциация.

sf(z) sforzando сфорцандо.

S.G. Solicitor General правителствен юрисконсулт; *ам.* заместник-министър на правосъдието; главен прокурор; senior grade старши; висш; specific gravity относително тегло.

sgd signed подписан.

Sgt. Sergeant сержант.

sh. shilling(s) шилинг(и); share дял.

SHAPE Supreme Headquarters Allied Powers, Europe Щаб на върховното главнокомандуване на обединените въоръжени сили на НАТО в Европа.

sig. signature подпис.

SIS Secret Intelligence Service Тайна разузнавателна служба.

SL sea level морско равнище; South latitude *геогр.* южна ширина.

sld sailed отплувал; sealed запечатан; sold продаден.

SLV Satelite Launched Vehicle балистична ракета, изстреляна от изкуствен спътник.

S.M. Sergeant-Major старши сержант; stage manager помощник-режисьор; station master началник-гара; strategic missile стратегическа ракета.

S.O. Stationery Office Държавно издателство (*в Лондон*); seller's option избор на продавача; Staff Officer щабен офицер.

S.O.B., s.o.b. son of a bitch кучи син; silly old bastard стар глупак.

Soc. Society общество; Socialist социалист; социалистически; social обществен.

Sol. solicitor адвокат; solution разтвор.

SP starting price начална цена; self-propelled самоходен; sine prole *лат.* без наследник.

Sp Spain Испания; Spanish испански.

sp. spelling правопис; species вид; special специален; specific специфичен.

SPCA = RSPCA.

sp. gr. specific gravity относително тегло.

SPQR small profits and quick returns *търг.* малки печалби и голям оборот; Senatus Populusque Romanus римският сенат и народ.

sq. square квадрат; квадратен.

sq(n) squadron ескадрон; ескадра; ескадрила.

Sr. Senior старши; Sir сър; Señor сеньор.

SRC Science Research Council Съвет за научноизследователска работа в областта на положителните науки.

SRN State Registered Nurse дипломирана медицинска сестра.

SRO Statutory Rules and Orders установени със закон правила и разпоредби; standing room only *ам.* място само за правостоящи.

SS Saints светци; Schutzstaffel есесовци; sworn statement клетвена декларация; steamship параход; Solar System слънчева система; Sunday School неделно училище; Selective Service *ам.* военна повинност.

SSAFA Soldiers', Sailors', and Airmen's Families Association Асоциация на семействата на войниците, моряците и пилотите.

SSE South-South-East южно-югоизточно.

SSM surface-to-surface missile *воен.* ракета от типа земя—земя.

SSRC Social Science Research Council Научен съвет по социалните науки.

SSS Selective Service System *ам.* задължителна военна повинност.

SSW South-South-West южно-югозападно.

St. Saint светец; свети; Street улица; Strait *геогр.* проток.

st. stone мярка за тегло; stanza строфа.

STD subscriber trunk dialing директно набиране на телефонен номер за междуградски разговор.

std. standard стандарт; стандартен; нормален.

St.Ex. Stock Exchange фондова борса.

stg. sterling фунт-стерлинг; стерлингов.

Sth South юг.

STOL Short Take-off and Landing *ав.* рязко излитане и кацане.

STP standard temperature and pressure нормална температура и налягане.

str. steamer параход; strophe строфа.

Sun. Sunday неделя; неделен.

sup. superior по-горен; supreme върховен; superlative превъзходен.

Supp(l) supplement прибавка; притурка.

supr. supreme върховен.

Supt. Superintendent ръководител, директор; надзирател; старши полицейски офицер, началник на полицейски отдел.

surg. surgeon хирург; surgery хирургия.

SV sailing vessel плавателен съд; space vehicle космически кораб.

s.v. sub voce/verbo *лат.* (виж) под това заглавие/дума (*в речник и пр.*).

S.W. South-West(ern) югозапад(ен); South Wales Южен Уелс; short wave къса вълна.

Sw. Sweden Швеция; Swedish шведски.

SWA South West Africa Югозападна Африка.

Switz. Switzerland Швейцария.

sym. symbol символ.

syn. synonym синоним.

T

t. time време; temperature температура; ton тон; target цел.

TA Territorial Army териториална армия.

TB torpedo-boat торпедна лодка; tubercle bacillus туберкулозен бацил; tubercolosis туберкулоза.

TBM tactical ballistic missile тактическа балистична ракета.

TC Teachers College Учителски институт; terra cotta теракота.

tech. technical технически; technology технология.

tel. telegraph телеграф; telegraphic телеграфически; telephone телефон.

temp. tempore *лат.* във времето на; temporary временен; temporal преходен; светски; temperature температура.

Ten., Tenn. Tennessee Тенеси (*щат*).

ter., terr. Territory територия.

Teut. Teutonic тевтонски.

Tex. Texas Тексас (*щат*).

TF Territorial Force териториални войски; Task Force *воен.* оперативна група; till forbidden докато бъде забранен.

TGWU Transport and General Workers' Union Професионален съюз на транспортните и общите/неквалифицирани работници.

Thur(s). Thursday четвъртък.

TI technical information техническа информация/данни.

TIF Transports Internationeaux par Chemin de Fer *фр.* Международен жп транспорт.

TIR Transpots Internationeaux Routiers Международен автомобилен транспорт.

TKO technical knock-out *сп.* технически нокаут.

TLS Times Literary Supplement Литературна притурка на в. Таймз.

TM tactical missile тактическа ракета; technical manual техническо помагало; trade mark фабрична/търговска марка.

TMO telegraph money order телеграфен запис (*паричен*).

tn *ам.* town град; ton(s) тон(а); train влак.

TNT trinitrotoluene тринитротолуол, тротил.

t.o. turn over обърни (*страницата*); transport officer транспортен служител; Telegraph Office телеграфна служба.

TOA time of arrival време на пристигане.

TOD time of departure време на тръгване.

tp title page заглавна страница; township *ам.* община; turning point повратна точка/момент.

TPI Town Planning Institute Градоустройствен институт.

tr. translated преведен; translation превод; translator преводач; trustee попечител; transpose размествам; *мат.* прехвърлям.

TS top secret строго поверителен.

T.T. teetotaler въздържател, трезвеник; telegraphic transfer телеграфен превод; teletype writer телетип; Tourist Trophy туристически трофей; tuberculin test туберкулинова проба.

T.U. Trade Union професионален съюз.

TUC Trades Union Congress Британски конгрес на трейдюнионите.

Tue(s). Tuesday вторник.

TV television телевизия; телевизионен.

Tvl. Transvaal Трансваал.

typ(o). typography типография; typographer типограф; typographer's error *ам.* типографска грешка.

U

U Union съюз; university университет; universal предназначен за всички/всичко; upper-class присъщ на/характерен за аристокрацията; unit единица.

UAR United Arab Republic Обединена арабска република, ОАР.

U.C. University College университетски колеж.

u.c. upper-case *печ.* (написан с) главни букви.

UDC Universal Decimal Classification универсална десетична класификация, УДК.

UDI unilateral declaration of independence едностранно обявяване на независимост.

UFO unidentified flying object неидентифициран летящ обект (*особ. летяща чиния*).

u.g. underground подземен.

UGC University Grants Committee Комисия по отпускането на университетски стипендии.

ugt urgent бърз, спешен, належащ.

U.H.F. ultrahigh frequency свръхвисока/ултрависока честота, УВЧ.

U.K. United Kingdom Обединеното кралство.

UKAEA United Kingdom Atomic Energy Authority Управление за атомна енергия на Обединеното кралство.

ult. ultimo *лат. търг.* от миналия месец; ultimate краен, последен.

U.N. United Nations (Общество на) Обединените нации.

UNA United Nations Association Асоциация за съдействие на ООН.

UNCTAD United Nations Commission/Conference on Trade and Development Комисия при ООН за търговия и развитие.

UNDC United Nations Disarmament Commission Комисия при ООН по разоръжаването.

UNESCO United Nations Educational, Scientific and Cultural Organization Организация при ООН по въпросите на образованието, науката и културата, ЮНЕСКО.

UNGA United Nations General Assembly Общото събрание на ООН.

UNICEF United Nations International Children's (Emergency) Fund Международен фонд при ООН за подпомагане на децата, УНИЦЕФ.

UNIDO United Nations Industrial Development Organization Организация при ООН за индустриално развитие.

Univ. University университет.

UNO United Nations Organization Организация на обединените нации, ООН.

UNRWA United Nations Relief and Works Agency Агентство при ООН за подпомагане и трудоустрояване на бежанци.

UNSC United Nations Security Council Съвет за сигурност при ООН.

U.P. *sl. вж.* up¹ 4.

UP(I) United Press (International) (Информационна агенция) Юнайтед Прес (Интърнашънл) ЮП(И).

UPU Universal Postal Union Световен пощенски съюз.

Uru. Uruguay Уругвай.

US United States Съединените щати; under secretary заместник-министър.

USA United States Army Армията на Съединените американски щати; United States of America Съединените американски щати.

USAEC United States Atomic Energy Commission Комисия по атомната енергия на САЩ.

USAF United States Air Force военновъздушни сили на САЩ.

USBS United States Bureau of Standards Бюро за стандартите на САЩ.

USIA/USIS United States Information Agency/Service Информационна агенция/служба на САЩ.

USN United States Navy военноморски сили на САЩ.

USS United States Ship/Steamer кораб/параход на САЩ.

USSR Union of the Soviet Socialist Republics Съюз на съветските социалистически републики, СССР.

usu. usual обикновен, обичаен; usually обикновено.

USW ultrasonic waves свръхзвукови вълни; ultrashort waves ултракъси вълни.

Ut Utah Ута (*щат*); Universal Time време по Гринуичкия меридиан.

UV ultraviolet ултравиолетов.

ux. uxor *лат.* съпруга.

V

V volt(s) волт(а); vector вектор; Victory победа.

v. velocity скорост; versus срещу, против; very много; vide *лат.* виж; verse стих; volume том; обем; verb глагол; vowel гласна.

VA Veterans' Administration *ам.* Управление по въпросите на воините ветерани; Vice-Admiral вицеадмирал; Order of Victoria and Albert орден „Виктория и Алберт"; visual aid нагледно пособие; volt-ampere волт-ампер.

Va Virginia Виргиния (*щат*).

VAD Voluntary Aid Detatchment (член на) Доброволен помощен отряд.

V and A *разг.* Victoria and Albert Museum музей „Виктория и Алберт".

val. value стойност; величина.

var. variant вариант; variety разновидност; variable променлив; variation разновидност; вариант.

V.A.T. value-added tax данък върху луксозни стоки.

vb. verb глагол; verbal (от)глаголен.

V.C. Vice-Chairman/-Chancellor/-Consul заместник-председател/канцлер/консул; Victoria Cross орден „Кръст на Виктория".

VD venereal disease венерическа болест; Volunteer (Officer's) decoration медал за доброволци; various dates различни дати; vapour density гъстота на изпаренията.

VE Victory in Europe Победа в Европа (*Втората световна война*).

VE Day Ден на победата в Европа (*8 май 1945 г.*).

vel. velocity скорост; vellum пергаментова хартия.

Ven. Venerable преподобен.

V.G. very good много добър/добре; Vicar General архиерейски наместник.

v.i. verb intransitive непреходен глагол; vide infra *лат.* виж по-долу.

VIP very important person много важно лице, високопоставена личност.

Vis., Visc. Viscount виконт.

viz. videlicet *лат.* тоест, т.е., а именно.

VLF very low frequency много ниска честота.

v.o. verso *лат.* на лявата страница.

VOA Voice of America Гласът на Америка (*радиопредаване на САЩ*).

vol. volume том; обем; volcano вулкан; volunteer доброволец.

VP Vice President вицепрезидент.

vs verse стих; versus срещу, против.

VT Vermont Върмонт (*щат*).

vt verb transitive преходен глагол.

VTO(L) vertical take off (and landing) вертикално излитане (и кацане).

vul., vulg. vulgar вулгарен.

vv verses стихове.

W

W, w watt(s) ват(а); Welsh уелски; West запад; western западен; women's женски (*за размери*); wide широк; width ширина; wife съпруга; with с; water вода; week седмица; weak слаб; weight тегло; white бял; work работа; warm топъл.

W.A. West Africa Западна Африка; Western Australia Западна Австралия; Washington Вашингтон.

WAC Women's Army Corps женски армейски корпус.

Wash. Washington Вашингтон.

W.C. water closet клозет; West Central западноцентрален;without charge безплатно.

W.C.C. World Council of Churches Всемирен съвет на църквите.

W/Cdr Wing Commander *воен. ав.* подполковник от авиацията.

W.D. War Department *ист.* Министерство на войната.

Wed. Wednesday сряда.

WEU Western Europe Union Западноевропейски съюз.

WFDY World Federation of Democratic Youth Световна федерация на демократичната младеж.

WFTU World Federation of Trade Unions Световна федерация на трейдюнионите.

W.H.O. World Health Organization Световна здравна организация.

W.I. Wisconsin Уисконсин (*щат*); Women's Institute женски институт.

W.I.D.F. Women's International Democratic Federation Международна федерация на демократичните жени, МФДЖ.

Wis., Wisc. Wisconsin Уисконсин (*щат*).

wk. weak слаб; week седмица; work работа.

WL waterline *мор.* ватерлиния; wave length *рад.* дължина на вълната.

W.M.O. World Meteorological Organization Световна метеорологическа организация.

W.N.W. West-North-West запад-северозапад.

W.O. War Office Военно министерство; Warrant-Officer *мор.* мичман II ранг; *воен.* административен офицер.

W.P. Warsaw Pact Варшавски договор; weather permitting ако позволява времето.

W.P.C. World Peace Council Световен съвет на мира; woman police constable жена полицай.

w.p.m. words per minute думи на/в минута.

WRAC Women's Royal Army Corps Кралски женски военен корпус.

WRNS Women's Royal Naval Service Женска спомагателна служба на военноморските сили.

WRVS Women's Royal Voluntary Service Кралска женска доброволна спомагателна служба.

W.S.W. West-South-West запад-югозапад.

wt. weight тегло; watertight непромокаем.

W.Va. West Virginia Западна Виржиния (*щат*).

WW World war (I, II) Световна война (първа, втора).

wx women's extra (large size) най-голям размер (*женско облекло*).

Wy., Wyo Wyoming Уайоминг (*щат*).

X

X Christ Христос.

X, x exchange комутатор; обмен; experimental опитен, експериментален; extra допълнителен, извънреден.

x ex без; x.d. ex divident без дивидент; x.i. ex interest без лихва; x.r. ex rights без (придобиване на) права.

Xm., Xmas Christmas Коледа.

Y

Y *ам.* = Y.M.C.A., Y.W.C.A.

Y. yard ярд; year година; yen йена.

Y.B. year-book годишник.

yd(s) yard(s) ярд(а).

YHA Youth Hostels Association Асоциация на младежките общежития и туристически домове.

Y.M.C.A. Young Men's Chtristian Association Организация на младите християни, ИМКА.

yr(s). година, години; your твой, ваш; younger по-млад, младши.

Yug. Yugoslavia Югославия.

Y.W.C.A. Young Women's Christian Association Организация на младите християнки.

Z

Z, z. zone зона; zero нула.

ZPG zero population growth нулево нарастване на населението.

ZST Zone Standard Time зонално време.

CONVERSION FACTORS
КОЕФИЦИЕНТИ ЗА ПРЕВРЪЩАНЕ НА МЕРНИ ЕДИНИЦИ ОТ И В МЕТРИЧНАТА СИСТЕМА*

LENGTH

miles into kilometres	1.60934
yards into metres	0.9144
feet into metres	0.3048
inches into centimetres	2.54
inches into millimetres	25.4

AREA

sq. miles into sq. kilometres	2.58999
sq. miles into hectares	258.999
acres into sq. metres	4046.86
acres into decares	4.04686
acres into hectares	0.404686
sq. yards into sq. metres	0.836127
sq. feet into sq. metres	0.092903
sq. inches into sq. centimetres	6.4516

VOLUME

cubic yards into cubic metres	0.764555
cubic feet into cubic metres	0.0283168
cubic feet into cubic decimetres	28.3168
cubic inches into cubic centimetres	16.3871

CAPACITY

gallons into cubic decimetres	4.54609
gallons into litres	4.546
US gallons into litres	3.785
quarts into litres	1.137
pints into litres	0.568
gills into litres	0.142

VELOCITY

miles per hour (m.p.h.) into km p.h.	1.60934
feet per second into metres per second	0.3048
feet per minute into metres per second	0.00508
feet per minute into metres per minute	0.3048
inches per second into centimetres per second	2.54

ACCELERATION

feet per second per second into metres per second per second	0.3048

MASS

ton = 2240 lb. (Br.) = 2000 lb. (US)

tons (Br.) into kilogrammes	1016.05
tons (Br.) into tonnes (metric tons)	1.01605
hundredweights into kilogrammes	50.8023
stones into kilogrammes	6.35029
pounds into kilogrammes	0.45359237

FUEL CONSUMPTION

gallons per mile into litres per kilometre	2.825
miles per gallon into kilometres per litre	0.354

TEMPERATURE

To convert Fahrenheit into Celsius $\dfrac{5(F - 32)}{9} = C$

To convert Celsius into Fahrenheit $\dfrac{9C}{5} + 32 = F$

TEMPERATURE EQUIVALENTS

	FAHRENHEIT (F)	CELSIUS (C)
Boiling point	212°	100°
	194°	90°
	176°	80°
	158°	70°
	140°	60°
	122°	50°
	104°	40°
	86°	30°
	68°	20°
	50°	10°
Freezing Point	32°	0°
	14°	−10°
	0°	−17.8°
Absolute Zero	−459.67°	−273.1 5°

*Note: To convert TO metric multiply by the factor shown.
To convert FROM metric divide by the factor.